DER NEUE PAULY

Altertum Band 11 Sam–Tal

DER NEUE PAULY

(DNP)

Fachgebietsherausgeber

Dr. Andreas Bendlin, Erfurt
Religionsgeschichte

Prof. Dr. Gerhard Binder, Bochum
Kulturgeschichte

Prof. Dr. Rudolf Brändle, Basel
Christentum

Prof. Dr. Hubert Cancik, Tübingen
Geschäftsführender Herausgeber

Prof. Dr. Walter Eder, Bochum
Alte Geschichte

Prof. Dr. Paolo Eleuteri, Venedig
Textwissenschaft

Dr. Karl-Ludwig Elvers, Bochum
Alte Geschichte

Prof. Dr. Bernhard Forssman, Erlangen
Sprachwissenschaft; Rezeption: Sprachwissenschaft

Prof. Dr. Fritz Graf, Princeton
Rezeption: Religion

Prof. Dr. Max Haas, Basel
Musik; Rezeption: Musik

Prof. Dr. Berthold Hinz, Kassel
Rezeption: Kunst und Architektur

Dr. Christoph Höcker, Kissing
Klassische Archäologie (Architekturgeschichte)

Prof. Dr. Christian Hünemörder, Hamburg
Naturwissenschaften und Technik; Rezeption: Naturwissenschaften

Prof. Dr. Lutz Käppel, Kiel
Mythologie

Dr. Margarita Kranz, Berlin
Rezeption: Philosophie

Prof. Dr. André Laks, Lille
Philosophie

Prof. Dr. Manfred Landfester, Gießen
Geschäftsführender Herausgeber: Rezeptions- und Wissenschaftsgeschichte; Rezeption: Wissenschafts- und Kulturgeschichte

Prof. Dr. Maria Moog-Grünewald, Tübingen
Rezeption: Komparatistik und Literatur

Prof. Dr. Dr. Glenn W. Most, Heidelberg
Griechische Philologie

Prof. Dr. Beat Näf, Zürich
Rezeption: Staatstheorie und Politik

PD Dr. Johannes Niehoff, Freiburg
Judentum, östliches Christentum, byzantinische Kultur

Prof. Dr. Hans Jörg Nissen, Berlin
Orientalistik

Prof. Dr. Vivian Nutton, London
Medizin; Rezeption: Medizin

Prof. Dr. Eckart Olshausen, Stuttgart
Historische Geographie

Prof. Dr. Filippo Ranieri, Saarbrücken
Rezeption: Rechtsgeschichte

Prof. Dr. Johannes Renger, Berlin
Orientalistik; Rezeption: Alter Orient

Prof. Dr. Volker Riedel, Jena
Rezeption: Erziehungswesen, Länder (II)

Prof. Dr. Jörg Rüpke, Erfurt
Lateinische Philologie, Rhetorik

Prof. Dr. Gottfried Schiemann, Tübingen
Recht

Prof. Dr. Helmuth Schneider, Kassel
Geschäftsführender Herausgeber; Sozial- und Wirtschaftsgeschichte, Militärwesen; Wissenschaftsgeschichte

Prof. Dr. Dietrich Willers, Bern
Klassische Archäologie (Sachkultur und Kunstgeschichte)

Prof. Dr. Bernhard Zimmermann, Freiburg
Rezeption: Länder (I)

DER NEUE PAULY
Enzyklopädie der Antike

Herausgegeben
von Hubert Cancik und
Helmuth Schneider

Altertum

Band 11 Sam–Tal

Verlag J. B. Metzler
Stuttgart · Weimar

Die Deutsche Bibliothek – CIP-Einheitsaufnahme

Der neue Pauly : Enzyklopädie der Antike/hrsg. von Hubert Cancik und Helmuth Schneider. – Stuttgart ; Weimar : Metzler, 2001
ISBN 3-476-01470-3
NE: Cancik, Hubert [Hrsg.]

Bd. 11. Sam-Tal – 2001
ISBN 3-476-01481-9

Inhaltsverzeichnis

Gedruckt auf chlorfrei gebleichtem, säurefreiem und alterungsbeständigem Papier

ISBN 3-476-01470-3 (Gesamtwerk)
ISBN 3-476-01481-9 (Band 11 Sam-Tal)

www.metzlerverlag.de
info@metzlerverlag.de

Typographie und Ausstattung: Brigitte und Hans Peter Willberg
Grafik und Typographie der Karten: Richard Szydlak
Abbildungen: Günter Müller
Satz: pagina GmbH, Tübingen
Gesamtfertigung: Franz Spiegel Buch GmbH, Ulm
Printed in Germany

Dezember 2001
Verlag J. B. Metzler Stuttgart · Weimar

Redaktion

Iris Banholzer
Jochen Derlien
Dr. Brigitte Egger
Luitgard Feneberg
Susanne Fischer
Dietrich Frauer
Dr. Ingrid Hitzl
Vera Sauer
Dorothea Mohr-Sigel
Anne-Maria Wittke

Hinweise für die Benutzung

Anordnung der Stichwörter

Die Stichwörter sind in der Reihenfolge des deutschen Alphabetes angeordnet. I und J werden gleich behandelt; ä ist wie ae, ö wie oe, ü wie ue einsortiert. Wenn es zu einem Stichwort (Lemma) Varianten gibt, wird von der alternativen Schreibweise auf den gewählten Eintrag verwiesen. Bei zweigliedrigen Stichwörtern muß daher unter beiden Bestandteilen gesucht werden (z. B. *a commentariis* oder *commentariis, a*).

Informationen, die nicht als Lemma gefaßt worden sind, können mit Hilfe des Registerbandes aufgefunden werden.

Gleichlautende Stichworte sind durch Numerierung unterschieden. Gleichlautende griechische und orientalische Personennamen werden nach ihrer Chronologie angeordnet. Beinamen sind hier nicht berücksichtigt.

Römische Personennamen (auch Frauennamen) sind dem Alphabet entsprechend eingeordnet, und zwar nach dem *nomen gentile*, dem »Familiennamen«. Bei umfangreicheren Homonymen-Einträgen werden *Republik* und *Kaiserzeit* gesondert angeordnet. Für die Namensfolge bei Personen aus der Zeit der Republik ist – dem Beispiel der RE und der 3. Auflage des OCD folgend – das *nomen gentile* maßgeblich; auf dieses folgen *cognomen* und *praenomen* (z.B. erscheint *M. Aemilius Scaurus* unter dem Lemma *Aemilius* als *Ae. Scaurus, M.*). Die hohe politische Gestaltungskraft der *gentes* in der Republik macht diese Anfangsstellung des Gentilnomens sinnvoll.

Da die strikte Dreiteilung der Personennamen in der Kaiserzeit nicht mehr eingehalten wurde, ist eine Anordnung nach oben genanntem System problematisch. Kaiserzeitliche Personennamen (ab der Entstehung des Prinzipats unter Augustus) werden deshalb ab dem dritten Band in der Reihenfolge aufgeführt, die sich auch in der »Prosopographia Imperii Romani« (PIR) und in der »Prosopography of the Later Roman Empire« (PLRE) eingebürgert und allgemein durchgesetzt hat und die sich an der antik bezeugten Namenfolge orientiert (z.B. *L. Vibullius Hipparchus Ti. C. Atticus Herodes* unter dem Lemma *Claudius*). Die Methodik – eine zunächst am Gentilnomen orientierte Suche – ändert sich dabei nicht.

Nur antike Autoren und römische Kaiser sind ausnahmsweise nicht unter dem Gentilnomen zu finden: *Cicero*, nicht *Tullius*; *Catullus*, nicht *Valerius*.

Schreibweise von Stichwörtern

Die Schreibweise antiker Wörter und Namen richtet sich im allgemeinen nach der vollständigen antiken Schreibweise.

Toponyme (Städte, Flüsse, Berge etc.), auch Länder- und Provinzbezeichnungen erscheinen in ihrer antiken Schreibung (*Asia, Bithynia*). Die entsprechenden modernen Namen sind im Registerband aufzufinden.

Orientalische Eigennamen werden in der Regel nach den Vorgaben des »Tübinger Atlas des Vorderen Orients« (TAVO) geschrieben. Daneben werden auch abweichende, aber im deutschen Sprachgebrauch übliche und bekannte Schreibweisen beibehalten, um das Auffinden zu erleichtern.

In den Karten sind topographische Bezeichnungen überwiegend in der vollständigen antiken Schreibung wiedergegeben.

Die Verschiedenheit der im Deutschen üblichen Schreibweisen für antike Worte und Namen (*Äschylus, Aeschylus, Aischylos*) kann gelegentlich zu erhöhtem Aufwand bei der Suche führen; dies gilt auch für *Ö / Oe / Oi* und *C / Z / K*.

Transkriptionen

Zu den im NEUEN PAULY verwendeten Transkriptionen vgl. Bd. 3, S. VIIIf.

Abkürzungen

Abkürzungen sind im erweiterten Abkürzungsverzeichnis am Anfang des dritten Bandes aufgelöst.

Sammlungen von Inschriften, Münzen, Papyri sind unter ihrer Sigle im zweiten Teil (Bibliographische Abkürzungen) des Abkürzungsverzeichnisses aufgeführt.

Anmerkungen

Die Anmerkungen enthalten lediglich bibliographische Angaben. Im Text der Artikel wird auf sie unter Verwendung eckiger Klammern verwiesen (Beispiel: die Angabe [1. 5^{23}] bezieht sich auf den ersten numerierten Titel der Bibliographie, Seite 5, Anmerkung 23).

Verweise

Die Verbindung der Artikel untereinander wird durch Querverweise hergestellt. Dies geschieht im Text eines Artikels durch einen Pfeil (→) vor dem Wort / Lemma, auf das verwiesen wird; wird auf homonyme Lemmata verwiesen, ist meist auch die laufende Nummer beigefügt.

Querverweise auf verwandte Lemmata sind am Schluß eines Artikels, ggf. vor den bibliographischen Anmerkungen, angegeben.

Verweise auf Stichworte des zweiten, rezeptions- und wissenschaftsgeschichtlichen Teiles des NEUEN PAULY werden in Kapitälchen gegeben (→ ELEGIE).

Karten und Abbildungen

Texte, Abbildungen und Karten stehen in der Regel in engem Konnex, erläutern sich gegenseitig. In einigen Fällen ergänzen Karten und Abbildungen die Texte durch die Behandlung von Fragestellungen, die im Text nicht angesprochen werden können. Die Autoren der Karten und Abbildungen werden im Verzeichnis auf S. VIff. genannt.

Karten- und Abbildungsverzeichnis

NZ: Neuzeichnung, Angabe des Autors und/oder der zugrundeliegenden Vorlage/Literatur
RP: Reproduktion (mit kleinen Veränderungen) nach der angegebenen Vorlage

Lemma
Titel
Autor/Literatur

Autoren

Karlhans **Abel** Marburg	KA. A.
Luciana **Aigner-Foresti** Wien	L. A.-F.
Maria Grazia **Albiani** Bologna	M. G. A.
José Miguel **Alonso-Núñez** Madrid	J. M. A.-N.
Annemarie **Ambühl** Basel	A. A.
Walter **Ameling** Jena	W. A.
Jean **Andreau** Paris	J. A.
Silke **Antoni** Kiel	SI. A.
Graziano **Arrighetti** Pisa	GR. A.
Ernst **Badian** Cambridge, MA	E. B.
Balbina **Bäbler** Göttingen	B. BÄ.
Matthias **Baltes** Münster	M. BA.
François **Baratte** Paris	F. BA.
Pedro **Barceló** Potsdam	P. B.
Jens **Bartels** Bonn	J. BA.
Manuel **Baumbach** Heidelberg	M. B.
Hans **Beck** Köln	HA. BE.
Jan-Wilhelm **Beck** Regensburg	J.-W. B.
Andreas **Bendlin** Erfurt	A. BEN.
Albrecht **Berger** Berlin	AL. B.
Dietrich **Berges** Hamburg	D. BER.
Carsten **Binder** Kiel	CA. BI.
Vera **Binder** Gießen	V. BI.
A. R. **Birley** Düsseldorf	A. B.
Bruno **Bleckmann** Straßburg	B. BL.
René **Bloch** Princeton	R. B.
Felix **Blocher** Heidelberg	FE. BL.
Horst-Dieter **Blume** Münster	H.-D. B.
Barbara **Böck** Madrid	BA. BÖ.
Elke **Böhr** Wiesbaden	E. BÖ.
Henning **Börm** Kiel	HE. B.
Nikolaus **Boroffka** Berlin	N. BO.
Remy **Boucharlat** Paris	R. BO.
Annalisa **Bove** Pisa	A. BO.
Ewen **Bowie** Oxford	E. BO.
Hartwin **Brandt** Chemnitz	H. B.
Susanna **Braund** London	SU. B.
Iris **von Bredow** Bietigheim-Bissingen	I. v. B.
Bernhard **Brehmer** Tübingen	B. BR.
Jan N. **Bremmer** Groningen	J. B.
Burchard **Brentjes** Berlin	B. B.
Christoph **Briese** Randers	CH. B.
Klaus **Bringmann** Frankfurt/Main	K. BR.
Sebastian P. **Brock** Oxford	S. BR.
Jörg **Büchli** Zürich	J. BÜ.
Leonhard **Burckhardt** Basel	LE. BU.
Alison **Burford Cooper** Ann Arbor	A. B.-C.
Jan **Burian** Prag	J. BU.
Pierre **Cabanes** Clermont-Ferrand	PI. CA.
Gualtiero **Calboli** Bologna	G. C.
Elisabetta **Caldelli** Cassino	E. CA.
J. Brian **Campbell** Belfast	J. CA.
Eva **Cancik-Kirschbaum** Berlin	E. C.-K.
Paul A. **Cartledge** Cambridge	P. C.
Antoine **Cavigneaux** Genf	AN. CA.
Johannes **Christes** Berlin	J. C.
Justus **Cobet** Essen	J. CO.
Michael Hewson **Crawford** London	M. C.
Raffaela **Cribiore** New York	R. C.
Valentina Isabella **Cuomo** Bari	V. I. C.
Gregor **Damschen** Halle/Saale	GR. DA.
Giovanna **Daverio Rocchi** Mailand	G. D. R.
Loretana **de Libero** Hamburg	L. d. L.
Teresa **De Robertis** Florenz	T. d. R.
Stefania **de Vido** Venedig	S. d. V.
Wolfgang **Decker** Köln	W. D.
Jeanne-Marie **Demarolle** Nancy	J.-M. DE.
Massimo **Di Marco** Fondi (Latina)	M. D. MA.
Albert **Dietrich** Göttingen	A. D.
Karlheinz **Dietz** Würzburg	K. DI.
Joachim **Dingel** Hamburg	J. D.
Götz **Distelrath** Konstanz	G. DI.
Roald Fritjof **Docter** Amsterdam	R. D.
Friederike **Döhrer** Kiel	FR. D.
Klaus **Döring** Bamberg	K. D.
Heinrich **Dörrie** † Münster	H. D.
Alice A. **Donohue** Bryn Mawr	A. A. D.
Tiziano **Dorandi** Paris	T. D.
Paul **Dräger** Trier	P. D.
Jacques **Duchesne-Guillemin** Lüttich	J. D.-G.
Andrew **Dyck** Los Angeles	A. DY.
Constanze **Ebner** Innsbruck	C. E.
Werner **Eck** Köln	W. E.
Walter **Eder** Bochum	W. ED.
Arne **Effenberger** Berlin	A. E.
Ulrike **Egelhaaf-Gaiser** Gießen	UL. EG.-G.
Beate **Ego** Osnabrück	B. E.
Susanne **Eiben** Kiel	SU. EI.
Ulrich **Eigler** Trier	U. E.
Paolo **Eleuteri** Venedig	P. E.
Dorothee **Elm** Erfurt	D. E.
Karl-Ludwig **Elvers** Bochum	K.-L. E.
Robert Malcolm **Errington** Marburg/Lahn	MA. ER.
Marion **Euskirchen** Bonn	M. E.
Giulia **Falco** Athen	GI. F.
Martin **Fell** Münster	M. FE.
Ulrich **Fellmeth** Stuttgart	UL. FE.
Juan José **Ferrer Maestro** Castellón	J. J. F. M.
Hans – W. **Fischer-Elfert** Leipzig	H.-W. F.-E.
Klaus **Fitschen** Kiel	K. FI.
Egon **Flaig** Göttingen	E. F.
Menso **Folkerts** München	M. F.
Nikolaus **Forgó** Wien	N. F.
Sotera **Fornaro** Sassari	S. FO.
Eckart **Frahm** Heidelberg	E. FRA.
Thomas **Franke** Bochum	T. F.
Christa **Frateantonio** Gießen-Erfurt	C. F.
Dorothea **Frede** Hamburg	D. FR.
Michael **Frede** Oxford	M. FR.
Klaus **Freitag** Münster	K. F.
Gérard **Freyburger** Mulhouse	G. F.
Jörg **Fündling** Bonn	JÖ. F.
William D. **Furley** Heidelberg	W. D. F.
Massimo **Fusillo** L'Aquila	M. FU.
Hans Armin **Gärtner** Heidelberg	H. A. G.
Lucia **Galli** Florenz	L. G.
Hartmut **Galsterer** Bonn	H. GA.
Ernst **Gamillscheg** Wien	ER. GA.
Michela **Gargini** Pisa	M. G.
Paolo **Gatti** Trient	P. G.
Hans-Joachim **Gehrke** Freiburg	H.-J. G.
Simon **Gerber** Berlin	S. GE.
Tomasz **Giaro** Frankfurt/Main	T. G.
Nicoletta **Giovè Marchioli** Triest	N. G.

Jost **Gippert** Frankfurt/Main J.G.
Christian **Gizewski** Berlin C.G.
Andreas **Glock** Bremen AN.GL.
Herwig **Görgemanns** Heidelberg H.GÖ.
Richard L. **Gordon** Ilmmünster R.GOR.
Hans **Gottschalk** Leeds H.G.
Marie-Odile **Goulet-Cazé** Antony M.G.-C.
Herbert **Graßl** Salzburg H.GR.
Peter **Gröschler** Mainz P.GR.
Walter Hatto **Groß** Hamburg W.H.GR.
Kirsten **Groß-Albenhausen** Frankfurt/Main K.G.-A.
Joachim **Gruber** Erlangen J.GR.
Linda-Marie **Günther** Bochum L.-M.G.
Maria Ida **Gulletta** Pisa M.I.G.
Andreas **Gutsfeld** Münster A.G.
Volkert **Haas** Berlin V.H.
Ilsetraut **Hadot** Limours I.H.
Claus **Haebler** Münster C.H.
Johannes **Hahn** Münster J.H.
Ulf **Hailer** Tübingen U.HA.
Ruth Elisabeth **Harder** Zürich R.HA.
Roger **Harmon** Basel RO.HA.
Elke **Hartmann** Berlin E.HA.
Arnulf **Hausleiter** Berlin AR.HA.
Ulrich **Heider** Köln U.HE.
Johannes **Heinrichs** Bonn JO.H.
Theodor **Heinze** Genf T.H.
Wolfgang **Helck** Hamburg W.HE.
Joachim **Hengstl** Marburg/Lahn JO.HE.
Peter **Herz** Regensburg P.H.
Thomas **Hidber** Bern T.HI.
Friedrich **Hild** Wien F.H.
Konrad **Hitzl** Tübingen K.H.
Christoph **Höcker** Kissing C.HÖ.
Peter **Högemann** Tübingen PE.HÖ.
Günther **Hölbl** Wien G.HÖ.
Nicola **Hoesch** München N.H.
Friedhelm **Hoffmann** Würzburg FR.H.
Lars **Hoffmann** Mainz L.H.
Heinz **Hofmann** Tübingen H.HO.
Elisabeth **Hollender** Duisburg E.H.
Jens **Holzhausen** Berlin J.HO.
Wolfgang **Hübner** Münster W.H.
Christian **Hünemörder** Hamburg C.HÜ.
Hermann **Hunger** Wien H.HU.
Rolf **Hurschmann** Hamburg R.H.
Werner **Huß** Bamberg W.HU.
Brad **Inwood** Toronto B.I.
Hans-Peter **Isler** Zürich H.I.
Michael **Jameson** Stanford MI.JA.
Karl **Jansen-Winkeln** Berlin K.J.-W.
Nina **Johannsen** Kiel NI.JO.
Alberto **Jori** Tübingen AL.J.
Tim **Junk** Kiel T.J.
Hans **Kaletsch** Regensburg H.KA.
Klaus **Karttunen** Helsinki K.K.
Robert A. **Kaster** Princeton R.A.K.
Peter **Kehne** Hannover P.KE.
Andreas **Kessler** Luzern A.KE.
Karlheinz **Kessler** Emskirchen K.KE.
Wilhelm **Kierdorf** Köln W.K.
Horst **Klengel** Berlin H.KL.
Claudia **Klodt** Hamburg CL.K.
Dietrich **Klose** München DI.K.
Heiner **Knell** Darmstadt H.KN.
Christoph **Koch** Berlin CH.K.
Christoph **Kohler** Bad Krozingen C.KO.
Anne **Kolb** Frankfurt/Main A.K.
Frank **Kolb** Tübingen F.K.
Heinrich **Konen** Regensburg H.KON.
Herwig **Kramolisch** Eppelheim HE.KR.
Gernot **Krapinger** Tübingen-Graz G.K.
Stefan **Krauter** Tübingen ST.KR.
Christopher **Krebs** Kiel CH.KR.
Peter **Kruschwitz** Berlin P.KR.
Ludolf **Kuchenbuch** Hagen LU.KU.
Hartmut **Kühne** Berlin H.KÜ.
Andreas **Külzer** Wien A.KÜ.
Ernst **Künzl** Mainz E.KÜ.
Hans-Peter **Kuhnen** Trier H.KU.
Lukas **Kundert** Basel LUK.KU.
Heike **Kunz** Tübingen HE.K.
Yves **Lafond** Bochum Y.L.
Marie-Luise **Lakmann** Münster M.-L.L.
F. **Lasserre** Lausanne F.L.
Marion **Lausberg** Augsburg MA.L.
Yann **Le Bohec** Lyon Y.L.B.
Gustav Adolf **Lehmann** Göttingen G.A.L.
Andreas **Lehnardt** Tübingen A.LE.
Thomas **Leisten** Princeton, NJ T.L.
Hartmut **Leppin** Frankfurt /Main H.L.
Michael **Lesky** Tübingen MI.LE.
Silvia **Letsch-Brunner** Zürich S.L.-B.
Adrienne **Lezzi-Hafter** Kilchberg A.L.-H.
Cay **Lienau** Münster C.L.
Alexandra **von Lieven** Berlin A.v.L.
Stefan **Link** Paderborn S.L.
Rüdiger **Liwak** Berlin R.L.
Winrich Alfried **Löhr** Cambridge W.LÖ.
Hans **Lohmann** Bochum H.LO.
Mario **Lombardo** Lecce M.L.
Volker **Losemann** Marburg/Lahn V.L.
Werner **Lütkenhaus** Marl WE.LÜ.
Giacomo **Manganaro** Sant'Agata li Battiata GI.MA.
Ulrich **Manthe** Passau U.M.
Christian **Marek** Zürich C.MA.
Christoph **Markschies** Heidelberg C.M.
Wolfram **Martini** Gießen W.MA.
Attilio **Mastrocinque** Verona A.MAS.
Stephanos **Matthaios** Nikosia ST.MA.
Andreas **Mehl** Halle/Saale A.ME.
Mischa **Meier** Bielefeld M.MEI.
Gerhard **Meiser** Halle/Saale GE.ME.
Burkhard **Meißner** Halle/Saale B.M.
Klaus **Meister** Berlin K.MEI.
Piero **Meloni** Cagliari P.M.
Giovanna **Menci** Florenz G.M.
Giovanni **Mennella** Genua G.ME.
Ernst **Meyer** † Zürich E.MEY.
Simone **Michel** Hamburg S.MI.
Dészpa **Mihály-Lorand** Komstanz D.MI.-LO.
Martin **Miller** Berlin M.M.
Heide **Mommsen** Stuttgart H.M.
Luca **Mondin** Venedig L.M.
Maria Milvia **Morciano** Florenz M.M.MO.
Christian **Müller** Bochum C.MÜ.

Hans-Peter **Müller** Münster	H.-P. M.
Christa **Müller-Kessler** Emskirchen	C. K.
Renate **Müller-Wollermann** Tübingen	R. M.-W.
Anna **Muggia** Pavia	A. MU.
Michel **Narcy** Paris	MI. NA.
Heinz-Günther **Nesselrath** Göttingen	H.-G. NE.
Richard **Neudecker** Rom	R. N.
Hans **Neumann** Münster	H. N.
Johannes **Niehoff** Freiburg	J. N.
Inge **Nielsen** Hamburg	I. N.
Hans Georg **Niemeyer** Hamburg	H. G. N.
Hans Jörg **Nissen** Berlin	H. J. N.
René **Nünlist** Basel-Providence, RI	RE. N.
Vivian **Nutton** London	V. N.
Joachim **Oelsner** Leipzig	J. OE.
Alexis **Oepen** Madrid	A. O.
Eckart **Olshausen** Stuttgart	E. O.
Björn **Onken** Kassel	BJ. O.
Robin **Osborne** Oxford	R. O.
Edgar **Pack** Köln	E. P.
Johannes **Pahlitzsch** Berlin	J. P.
Aliki Maria **Panayides** Bern	AL. PA.
Christoph Georg **Paulus** Berlin	C. PA.
Anastasia **Pekridou-Gorecki** Frankfurt/Main	A. P.- G.
C. B. R. **Pelling** Oxford	C. B. P.
Ulrike **Peter** Berlin	U. P.
Georg **Petzl** Köln	G. PE.
C. Robert III. **Phillips** Bethlehem, PA	C. R. P.
Rosa Maria **Piccione** Jena	R. M. P.
Volker **Pingel** Bochum	V. P.
Robert **Plath** Erlangen	R. P.
Annegret **Plontke-Lüning** Jena	A. P.-L.
Michel **Polfer** Ettelbrück	MI. PO.
Werner **Portmann** Berlin	W. P.
Friedhelm **Prayon** Tübingen	F. PR.
Günther **Prinzing** Mainz	G. PR.
Joachim **Quack** Berlin	JO. QU.
Fritz **Raber** Innsbruck	FR. R.
Stefan **Radt** Groningen	S. RA.
Sven **Rausch** Kiel	SV. RA.
Sitta **von Reden** Bristol	S. v. R.
Gottfried **Reeg** Berlin	G. RE.
Ellen **Rehm** Frankfurt/Main	E. RE.
Christiane **Reitz** Rostock	CH. R.
François **Renaud** Moncton, NB	F. R.
Johannes **Renger** Berlin	J. RE.
Werner A. **Reus** Stuttgart	W. RE.
Peter J. **Rhodes** Durham	P. J. R.
Lukas **Richter** Berlin	L. R.
Josef **Riederer** Berlin	JO. R.
Christoph **Riedweg** Zürich	C. RI.
Josef **Rist** Würzburg	J. RI.
James B. **Rives** Toronto	J. B. R.
Helmut **Rix** Freiburg	H. R.
Emmet **Robbins** Toronto	E. R.
Wolfgang **Röllig** Tübingen	W. R.
Malte **Römer** Berlin	M. RÖ.
Wolfgang **Rösler** Berlin	W. RÖ.
Renate **Rolle** Hamburg	R. R.
Veit **Rosenberger** Augsburg	V. RO.
Kai **Ruffing** Marburg	K. RU.
David T. **Runia** Leiden	D. T. R.
Erwin Maria **Ruprechtsberger** Linz	E. M. R
Henri D. **Saffrey** Paris	H. SA.
Klaus **Sallmann** Mainz	KL. SA.
Eleonora **Salomone Gaggero** Genua	E. S. G.
Luigi **Santi Amantini** Genua	L. S. A.
Antonio **Sartori** Mailand	A. SA.
Vera **Sauer** Stuttgart	V. S.
Kyriakos **Savvidis** Bochum	K. SA.
Gerson **Schade** Berlin	GE. SCH.
Dietmar **Schanbacher** Dresden	D. SCH.
Ingeborg **Scheibler** Krefeld	I. S.
Hans-Martin **Schenke** Berlin	H.-M. SCHE.
Johannes **Scherf** Tübingen	JO. S.
Gottfried **Schiemann** Tübingen	G. S.
Alfred **Schindler** Heidelberg	AL. SCHI.
Peter Lebrecht **Schmidt** Konstanz	P. L. S.
Tassilo **Schmitt** Bielefeld	TA. S.
Pauline **Schmitt-Pantel** Paris	P. S.- **P.**
Winfried **Schmitz** Bielefeld	W. S.
Helmuth **Schneider** Kassel	H. SCHN.
Franz **Schön** Regensburg	F. SCH.
Hanne **Schönig** Halle/Saale	H. SCHÖ.
Martin **Schottky** Pretzfeld	M. SCH.
Bianca-Jeanette **Schröder** München	B.-J. SCH.
A. **Schütte-Maischatz** Münster	A. S.-M.
Heinz-Joachim **Schulzki** Mannheim	H.-J. S.
Franz Ferdinand **Schwarz** † Graz	FR. SCH.
Hans **Schwerteck** Tübingen	HA. SCH.
Elmar **Schwertheim** Münster	E. SCH.
Johannes **Schwind** Trier	J. SCH.
Markus **Sehlmeyer** Jena	M. SE.
Stephan Johannes **Seidlmayer** Berlin	S. S.
Reinhard **Senff** Bochum	R. SE.
Robert **Sharples** London	R. S.
Anne Viola **Siebert** Hannover	A. V. S.
Roswitha **Simons** Düsseldorf	R. SI.
Holger **Sonnabend** Stuttgart	H. SO.
Wolfgang **Speyer** Salzburg	WO. SP.
Wolfgang **Spickermann** Bochum	W. SP.
Karl-Heinz **Stanzel** Tübingen	K.-H. S.
Frank **Starke** Tübingen	F. S.
Elke **Stein-Hölkeskamp** Köln	E. S.-H.
Dieter **Steinbauer** Regensburg	D. ST.
Matthias **Steinhart** Freiburg	M. ST.
Jan **Stenger** Kiel	J. STE.
Ruth **Stepper** Potsdam	R. ST.
Magdalene **Stoevesandt** Basel	MA. ST.
Daniel **Strauch** Berlin	D. S.
Michael P. **Streck** München	M. S.
Karl **Strobel** Klagenfurt	K. ST.
Meret **Strothmann** Bochum	ME. STR.
Kocku **von Stuckrad** Erfurt	K. v. S.
Gerd **Stumpf** München	GE. S.
Werner **Suerbaum** München	W. SU.
Sarolta A. **Takacs** Cambridge, MA	S. TA.
Piotr **Taracha** Warschau	P. T.
Klaus **Tausend** Graz	KL. T.
Sabine **Tausend** Graz	SA. T.
Gerhard **Thür** Graz	G. T.
Franz **Tinnefeld** München	F. T.
Malcolm **Todd** Exeter	M. TO.
Kurt **Tomaschitz** Wien	K. T.
Isabel **Toral-Niehoff** Freiburg	I. T.-N.
Renzo **Tosi** Bologna	R. T.

Alain **Touwaide** Madrid	A.TO.
Giusto **Traina** Lecce	G.TR.
Charalampos **Tsochos** Erfurt	X.T.
Giovanni **Uggeri** Florenz	G.U.
Kathrin **Umbach** Kassel	K.UM.
Jürgen **von Ungern-Sternberg** Basel	J.v.U.-S.
Jürgen **Untermann** Pulheim/Köln	J.U.
Gabriella **Vanotti** Novara	G.VA.
Ioannis **Vassis** Athen	I.V.
David T. **Vessey** Huntingdon	D.T.V.
Artur **Völkl** Innsbruck	A.VÖ.
Rudolf **Wachter** Basel	R.WA.
Jörg **Wagner** Tübingen	J.WA.
Christine **Walde** Basel	C.W.
Gerhard H. **Waldherr** Regensburg	G.H.W.
Katharina **Waldner** München	K.WA.
Martin **Wallraff** Bonn	M.WA.
Uwe **Walter** Köln	U.WAL.
Irina **Wandrey** Berlin	I.WA.
David **Wardle** Kapstadt	D.WAR.
Ralf-B. **Wartke** Berlin	R.W.
Gabriele **Weiler** Köln	GA.W.
Peter **Weiß** Kiel	P.W.
Michael **Weißenberger** Greifswald	M.W.
Karl-Wilhelm **Welwei** Bochum	K.-W.WEL.
Rainer **Wiegels** Osnabrück	RA.WI.
Josef **Wiesehöfer** Kiel	J.W.
Christian **Wildberg** Princeton	CH.WI.
Dietrich **Willers** Bern	DI.WI.
Christian **Winkle** Stuttgart	CH.W.
Eckhard **Wirbelauer** Freiburg	E.W.
Michael **Zahrnt** Kiel	M.Z.
Jürgen **Zangenberg** Yale	J.Z.
Michaela **Zelzer** Wien	M.ZE.
Bernhard **Zimmermann** Freiburg	B.Z.
Klaus **Zimmermann** Jena	KL.ZI.
Martin **Zimmermann** Tübingen	MA.ZI.
Sylvia **Zimmermann** Freiburg	S.ZIM.
Thomas **Zinsmaier** Tübingen	TH.ZI.

Übersetzer

J. Derlien	J.DE.
H. Dietrich	H.D.
E. Dürr	E.D.
C. Eichmüller	C.EI.
D. Elm	D.E.
S. Externbrink	S.EX.
Th. Gaiser	TH.G.
J. Hamm	J.HA.
A. Heckmann	A.H.
Th. Heinze	T.H.
St. Krauter	S.KR.
G. Krapinger	G.K.
H. Kunz	HE.K.
R. P. Lalli	R.P.L.
R. May	RE.M.
J.W. Mayer	J.W.MA.
B. Onken	B.O.
K. Ludwig	K.L.
M. Mohr	M.MO.
E. Nesselmann	E.N.
B. v. Reibnitz	B.v.R.
L. v. Reppert-Bismarck	L.v.R.-B.
I. Sauer	I.S.
C. Skrdlant	C.SK.
St. Unteregge	S.U.
Th. Zinsmaier	TH.ZI.

Mitarbeiter in den Fachgebietsredaktionen

Alte Geschichte:	Dr. Thomas Franke Nora Gremm Ralf Krebstakies
Alter Orient:	Kristin Kleber M.A. Ulrike Steinert
Archäologie (Sachkultur und Kunstgeschichte):	Dr. Fulvia Ciliberto
Christentum:	Dr. Martin Heimgartner
Griechische Philologie:	Raphael Sobotta
Historische Geographie:	Vera Sauer M.A. Christian Winkle M.A.
Kulturgeschichte:	Christina Dix Sandra Schwarz
Lateinische Philologie, Rhetorik:	Katharina Fleckenstein Diana Püschel
Mythologie:	Silke Antoni
Religionsgeschichte:	Markus Eckart Diana Püschel
Sozial- und Wirtschaftsgeschichte:	Björn Onken Markus Rose
Textwissenschaft:	Dr. Gerson Schade

S

Samara. Fluß in der Picardie (Frankreich), h. Somme, entspringt nordöstl. von St. Quentin und mündet bei Abbeville ins *mare Britannicum* (Ärmelkanal). Der Name S. selbst ist nicht überl., sondern erschlossen aus dem Stadtnamen → Samarobriva. Andere Namensformen: *Sambra* (Not. dign. occ. 38,8: *classis Sambrica*), *Somena* (Ven. Fort. 7,4,15), *Sumena* (Greg. Tur. Franc. 2,9), *Sumina, Sumna, Summana* (vgl. [1. 1335 f.]); in Not. dig. occ. l.c. steht für die h. Somme Sambra [2]; bei Ptol. 2,9,2 heißt der Fluß Φροῦδις/*Phrúdis*.

1 Holder.

R. Agache, La Somme préromaine et romaine, 1978.

F. SCH.

Samaria, Samaritaner
I. Samaria II. Samaritaner

I. Samaria

(Hebr. *Šomron*, LXX Σαμάρεια/*Samáreia*), seit Omri (882–871 v. Chr.; → Juda und Israel) Regierungssitz der Könige des Nordreichs Israel. Die neu erschlossene Stadt, deren Name (Wurzel *šmr*, »bewachen«, »schützen«; »Wartburg«) auf ihre strategische Lage hinweist, war nicht, wie oft vermutet, ein kanaanäischer Stadtstaat neben Jesreel als dem israelitischen Zentrum. S. war Residenzstadt Israels, Jesreel königlicher Grundbesitz.

Wie aus assyrischen und at. Texten hervorgeht, hatten seit Adad-nirārī III. (811–781 v. Chr.) die Herrscher von S. den Assyrern Tribut zu liefern. → Tiglatpileser III. (745–727 v. Chr.) griff dann 733/2 in den Territorialbestand Israels ein (2 Kg 15,29). Unter Salmanassar V. (727–722 v. Chr.) bzw. → Sargon II. (722–705 v. Chr.) wurde S. nach Aufständen erobert, ein Teil der Bevölkerung deportiert, eine fremde Bevölkerung angesiedelt und der verbliebene Reststaat zur assyr. Prov. *Sāmerīna* gemacht (2 Kg 17,1–6). S. blieb während der babylon. und pers. Herrschaft zunächst Verwaltungszentrum, von dem aus auch Jerusalem und Juda kontrolliert wurden.

Die Stadt S. wurde E. des 4. Jh. v. Chr. mit Makedonen besiedelt (Eus. chron. 20,197,199). Sie war als hell. Polis beim Niedergang des Reiches der → Seleukiden den → Hasmonäern ausgesetzt (1 Makk 11,34; Ios. ant. Iud. 13,254–258; 267–287), bis Herodes [1] d. Gr. sie unter dem Namen *Sebastḗ* ausbaute. 6 n. Chr. wurden Iudaea und die Prov. S. in eine gemeinsame röm. Prokuratur verwandelt. S. wurde in der Kaiserzeit von der unter Vespasianus nach dem 1. Jüd. Krieg nahe dem alten Sichem gegründeten Stadt → Neapolis [11] (h. Nablus) überflügelt.

Ausgrabungen seit Anf. des 20. Jh. haben aus der Zeit der Omriden (9. Jh. v. Chr.) Teile des Palastbezirks, Elfenbeinarbeiten und 102 Ostraka mit Wirtschaftsnotizen erbracht, darüber hinaus beeindruckende architektonische Relikte aus der hell.-röm. Zeit.

→ Juda und Israel; Palaestina

K. M. Kenyon, Royal Cities of the Old Testament, 1973 • J. D. Purvis, s. v. S., Anchor Bible Dictionary 5, 914–921 • N. Schur, History of the Samaritans, ²1992.

R. L.

II. Samaritaner
A. Geschichte B. Literatur und Theologie

A. Geschichte

Die Ursprünge der samaritanischen Religionsgemeinschaft (= SRG; Σαμαρεῖται/*Samareítai*; lat. *Samaritani*; vgl. Lk 10,33) liegen weitgehend im dunklen; vieles ist nur aus Nachr. ihrer Gegner zu rekonstruieren. Die Tatsache, daß die SRG im Prinzip denselben Grundbestand des → Pentateuch als normativ ansieht wie alle Gruppen des Jerusalemer → Judentums, schließt aus, daß die Entstehungsphase der SRG in vorexilische, d. h. vor 587 v. Chr., oder (abhängig davon, wann man die Endredaktion des Pentateuch ansetzt) auch nur in frühnachexilische Zeit, d. h. nach 538 v. Chr., zu datieren ist. Da die »Grundfassung« des Pentateuch in Jerusalem entstanden ist, muß der maßgebliche Impuls zur Formierung der SRG von dort gekommen sein und kann so nicht auf Trad. des bereits 722 v. Chr. untergegangenen Nordreichs (→ Juda und Israel) zurückgeführt werden. Auch die strikte Konzentration der SRG auf ein einziges Kultzentrum und die Art des Priestertums lassen sich allein aus den Parametern des entstehenden Frühjudentums heraus begreifen, wenn sie auch de facto stets in Konkurrenz zu diesem standen.

Insofern ist die bei Iosephos [4] Flavios überl. Trad. vom »Auszug« dissidenter Priester aus Jerusalem in spätpersischer Zeit aufgrund unterschiedlicher Vorstellungen von Heirat und Reinheit immer noch das wahrscheinlichste Szenario (Ios. ant. Iud. 11,306–312); die Erzählung in 2 Kg 17,24–41 kann sich histor. gesehen also nicht auf die SRG beziehen. Die dissidenten Priesterfamilien siedelten um → Sichem in S. und gründeten auf dem Berg Garizim (bei Nablus/Sichem) ein neues Heiligtum, wobei sie auch Teile der indigenen an → Jahwe glaubenden Bevölkerung (vgl. Jer 41,5) absorbierten (zur Arch. vgl. [6. 35–47]). Neben der SRG gab es in S. stets auch andere, z. T. pagane Gruppen (»Samarier«), die nicht mit der SRG verwechselt werden dürfen (vgl. den paganen Tempel auf dem Garizim, 2 Makk 6,1 f.; Sir 50,25 f.).

Bis zur Eroberung S.s durch Iohannes Hyrkanos [2] I. (E. 2. Jh. v. Chr.) stabilisierte sich die SRG nach innen und außen; erste Spuren einer Diaspora sind in Äg. (Ios. ant. Iud. 13,74–79) und auf Delos zu greifen [5. 323–326]. Die Zerstörung des Heiligtums bewirkte auf dem Garizim nicht das Ende der SRG, sondern förderte die Herausbildung einer eigenen Identität und die schrittweise Abgrenzung vom Jerusalemer Judentum.

Zahlreiche rel. und polit. Spannungen prägten die nt. Zeit (Ios. ant. Iud. 18,29 f.; 18,85–89; 20,118–136; vgl.

Tac. ann. 12,54; Jo 4,9). Ein rel. motivierter Versuch, sich von der röm. Oberhoheit zu befreien, scheiterte zu Beginn des Jüd. Krieges (Ios. bell. Iud. 3,307–315). Die forcierte Romanisierung S.s nach 70 bzw. 135 n. Chr. betraf wohl auch die SRG, die Auswirkungen sind aber unklar (vgl. [5. 219–221]). Reformen (Baba Rabba) und eine wachsende Diaspora (Synagogen z. B. in Sizilien, Thessalonike) markierten den Aufschwung der samaritan. Kultur in der Spätant.; eine erkennbare eigenständige Kleinkunst (Lampen) und Architektur (Synagogen) entstand. Diese »Goldene Zeit« der SRG endete mit Iustinianus [1] I. (Regierungszeit 527–565), der samaritan. Aufstände in Palaestina mit großer Gewalt niederschlug [5. 275 f., 291–296], die SRG aber nicht auslöschen konnte. Samaritan. Gemeinden existieren noch h. auf dem Garizim und bei Tel Aviv.

B. Literatur und Theologie

Das älteste Dokument samaritan. Theologie und Lit. ist der samaritan. Pentateuch (= SP), eine wohl im 2. Jh. v. Chr. vor allem um Zusätze zum Dekalog erweiterte Rezension des jüd. → Pentateuch [5. 180–188]. Bereits früh sind drei Grundsätze samaritan. Theologie erkennbar: (1) die Anerkennung des Garizim als des alleinigen Ortes rechtmäßiger Gottesverehrung (Jerusalem wird im Pentateuch nicht erwähnt und deshalb als häretisch abgelehnt; vgl. [6. 140–148]); (2) die Ablehnung anderer normativer Schriften neben dem SP (ähnlich: die → Sadduzäer) und (3) die bes. Hochschätzung des Moses [1] als des Boten Gottes, Gesetzgebers und (mit Josua) Führers ins verheißene Land. Die strenge Konzentration auf Mose führte zur Ausprägung einer bes. Form der Eschatologie (Dtn 18,15 und 18, vgl. [6. 155–165]; Entwicklung der Auferstehungshoffnung erst spät [5. 129–131, 256 f.]).

Trotz der ständigen Konkurrenz mit dem Judentum scheinen einige halakhische (→ Halakha) Entwicklungen parallel verlaufen zu sein (*Miqwaot*, vgl. [6. 24[65]]). Jüd. Texte erkennen an, daß sich die SRG um eine strikte Einhaltung aller im Pentateuch geforderten Gebote bemüht [5. 151, 162–166, 267–270]. Aufgrund der Garizim-Orientierung und z. T. unterschiedlicher Halakha (bes. Reinheitsbestimmungen) gilt die SRG in vielen rabbinischen Texten (→ Rabbinische Literatur) jedoch als rel. zwiespältig: Samaritaner sind weder »Heiden« noch Juden. Die SRG selbst sieht sich als »Hüter des Bundes« (*šomērīm*, Volksetym.); der Anspruch der Juden, das wahre Israel zu sein, wird vehement bestritten. Als weitere wichtige Werke samaritan. Lit. sind das → Targum, eine theologisch-philos. Schrift namens *Tibat/ Memar Marqa* und die Anfänge der samaritan. Synagogenliturgie zu nennen, die in der Spätant. entstanden und im Laufe der Zeit erweitert und verändert wurden. Ein trotz des Verlustes des Tempels weiterhin lebendiges Priestertum bewirkte, daß rel.-gesetzliche Bestimmungen lange nicht kodifiziert, sondern von Priestern mündlich verfügt und ausgelegt wurden (anders im Judentum nach 70 n. Chr.: die Mischna).

→ Samaritanisch

1 R. Pummer, The Samaritans, 1987 2 A. D. Crown (Hrsg.), The Samaritans, 1989 3 F. Dexinger, R. Pummer (Hrsg.), Die Samaritaner, 1992 4 A. D. Crown (Hrsg.), A Companion to Samaritan Studies, 1993 5 J. Zangenberg, Σαμαρεία. Ant. Quellen zur Gesch. und Kultur der Samaritaner in dt. Übers., 1994 6 Ders., Frühes Christentum in Samarien, 1998 7 M. Böhm, Samarien und die Samaritai bei Lukas, 2000.

J. Z.

Samaria-Ware. Mod. t.t. für ein typisches eisenzeitliches Luxusgeschirr der phöniz. Levante. Der Name ist dem untypischen Fundort Samaria entliehen. Die sehr dünnwandigen gekielten Schalen und Schüsseln der S. wurden in Formschüsseln hergestellt und mit Ritzlinien versehen. Die Kombination von Red-Slip-Bemalung (→ Red-Slip-Ware) und einer ausgesparten Zone ist üblich. Funde von S. auf Zypern, in Karthago und in Südspanien kennzeichnen den ältesten Horizont der phöniz. Westexpansion. In Karthago finden sich lokale Adaptationen der S.

→ Phönizier

P. Bikai, The Pottery of Tyre, 1978, 26–29 • G. Maass-Lindemann, Orientalische Importe vom Morro de Mezquitilla, in: Madrider Mitt. 31, 1990, 169–177.

R. D.

Samaritanisch. Sonderform des → Hebräischen, in der die Samaritaner (→ Samaria) den → Pentateuch und eine revidierte Version des Buches Jos abfaßten. Der samaritan. Pentateuch, der sich durch orthographische Varianten und rel. bedingte Textveränderungen vom masoretisch-hebr. Text unterscheidet, wurde früher gelegentlich diesem gegenüber als die ursprünglichere Version erachtet, doch tauchten in → Qumran protosamaritan. hebr. Textvarianten auf. Die Texte aus Qumran – mit Ausnahme des Masada-Fr. [1] nur in jüngeren Abschriften überl. Schriften – sind reine Konsonantentexte, für die eine jahrhundertealte Aussprachetrad. überl. ist. Die Grapheme sind fast identisch mit denen der paläo-hebr. Schrift. Samaritan. Inschr., die fast nur aus Bibelzitaten bestehen, finden sich auf Amuletten, Lampen, in Gräbern und Synagogen aus den samaritan. Hauptorten, dem Berg Garizim bei Nablus/Sichem und Ḥolon bei Tel-Aviv, dazu u. a. aus Skythopolis/Bēt Šeʾān, Delos, Thessalonike (griech.-samaritan. Inschr.) und Ramat-Aviv (samaritan.-aram.). Sehr späte Belege kommen aus Damaskos (ca. 16. Jh.). Es existieren auch samaritan.-aram. und -arab. Handschr.

→ Judentum; Quadratschrift

1 A. Crown, The Samaritans, 1989 2 J. Naveh, A Greek Dedication in Samaritan Letters, in: IEJ 31, 1981, 220–222 3 S. Talmon, Hebrew Fragments from Masada, 1999.

C. K.

Samarkand s. Marakanda

Samarobriva. Hauptort der *civitas* der → Ambiani, spätant. Ambianis, h. Amiens (Dépt. Somme) an einem Übergang (*-briva*) über den → Samara (Caes. Gall.

5,24,1; 47,2; 53,3; Cic. fam. 7,11,2; 12,1,16; Tab. Peut. 2,3; CIL XIII 3490; Notae Tironianae 73 ZANGENMEISTER; Honorius, Cosmographia 36 B1 RIESE; anders Ptol. 2,9,4: Σαμαρόβριγα; ILS 5839; Itin. Anton. 379,9f.; 380,1: *Samarabriva*). Eine kelt. Vorgängersiedlung konnte nicht nachgewiesen werden [1]. Bes. verkehrsgeogr. Kriterien führten zur Entstehung der römerzeitlichen Stadt S. Die von Agrippa [1] 20/19 v.Chr. (vgl. Strab. 4,6,11) angelegte Hauptverkehrsroute von Süd-Gallia nach Britannia über Durocortorum (Reims), Suessonas (Soisson), Noviomagus [4] und S./Ambianis (Amiens) nach Gesoriacum (Boulogne-sur-mer) überquerte bei S. den Samara (Tab. Peut. 2,3; Itin. Anton. 362f.; CIL XIII 9032; ILS 5839) und band auf der Nordseite des Flusses weitere Straßen an sich (vgl. Itin. Anton. 379,9; 380,1–6; Tab. Peut. l.c.).

Im 1. Jahrzehnt n.Chr. verlor S. den mil. Charakter; es entstand eine Zivilsiedlung nach orthogonalem Stadtplan. Unter Nero (54–68 n.Chr.) hatte S. seine größte Ausdehnung (160 ha) und wurde in der Folgezeit großzügig ausgestaltet. Auch Brandkatastrophen (80/95 und 160/180) taten der Prosperität keinen Abbruch.

Nach ersten Holzbauten in tiberischer Zeit entstand ein »Proto-Forum«, dem (60/80 n.Chr.) ein wirkliches Forum mit einem 120 m langen Platz folgte, das nach dem zweiten Stadtbrand noch prächtiger dreigliedrig wiederaufgebaut wurde: ein → *macellum* im Osten, ein zentrales Verwaltungsgebäude (Basilika), ein Tempel im Westen; daran anschließend das Amphitheater und eine Thermenanlage im Süden (Rue de Beauvais) sind ab ca. 100 n.Chr. nachweisbar. Die allg. Prosperität setzte sich bis in severische Zeit (ca. 193–235) fort. Um so frappierender ist, daß das spätant. trapezförmige *castrum* (nach 278 n.Chr.), das die zentralen Bereiche (Forum, Amphitheater) einband, nur mehr ein Areal von 20 ha umfaßte. Ein derart außergewöhnlicher Bevölkerungsschwund ist nur z.T. auf die Barbareneinfälle von 250/260 und 275 oder einen Stadtbrand Mitte des 3.Jh. zurückzuführen, sondern hat tieferliegende regionale, soziale und ökonomische Ursachen (Konflikte: Armee/Senatorenklasse, Stadt/Land; Finanzkrise).

Trotzdem hatte S., im 4. Jh. nach der *civitas* (→ Ambiani) benannt, noch einige Bed. (Notitia Galliarum 6; Amm. 15,11,10). Tuchherstellung (*sagum*) und eine kaiserliche Waffenfabrik sind bezeugt (Not. dign. occ. 9,39). → Magnentius errichtete um 350 eine Münzstätte. Valentinianus war 367/8 in Ambianis und ernannte hier seinen Sohn Gratianus zum Augustus (Amm. 27,8,1; Cod. Theod. 8,14; Hier. chron. zum J. 367). 409 wurde S. von den → Franci zerstört (Hier. epist. 123,15).

1 N. BUCHEZ, D. GEMEHL, Amiens, Découvertes récentes, in: Archeologia 333, 1997, 48–55.

E. BINET, Le site du »Palais du Sport« à Amiens, in: Revue du Nord 78, 1996, 83–96 • D. BAYARD et al., Architecture et urbanisme en Gaule romaine, 1988, 52f. • Ders., J. MASSY, Amiens romain: S. Ambianorum, 1983 • Dies., Le développement d'Amiens romain ..., in: Rev. archéologique de Picardie, 1984, 89–112 • E. FRÉZOULS, Les villes antiques de la France, Bd. 1.1, 1982, 7–106. F.SCH.

Samarra (*Sāmarrā*ʾ; Theophanes Continuatus 3,36: Σάμαρα). Ruinengebiet von ca. 60 km² und mod. Stadt auf dem linken Ufer des → Tigris, 100 km nördl. von Baġdād (vgl. Plan). Bei dem seit neuassyrischer Zeit (→ Mesopotamien III. D.) bekannten Ort fiel Kaiser → Iulianus [11] Apostata 363 n.Chr. im Kampf gegen die → Sāsāniden. In dem v.a. von Nestorianern (→ Nestorios) besiedelten Gebiet begann der unter → Chosroes [5] Anuschirvan (Regierungszeit 531–579) gegrabene Nahrawān-Kanal, der von zentraler Bed. für die sāsānidische Wirtschaft des Osttigris-Gebietes wurde. An der Wende vom 8. zum 9. Jh. n.Chr. errichtete in der bereits von den späten Sāsāniden als Jagdgebiet bevorzugten Gegend der ʿabbāsidische Kalif Hārūn ar-Rašīd die Residenz al-Qāṭūl, die als oktogonale Struktur im Süden S.s erh. ist. Schließlich führte der durch innenpolit. Gründe ausgelöste Auszug der → ʿAbbāsiden aus Baġdād 832 zur Gründung von S. als neuer Hauptstadt des Reiches unter dem offiziellen Namen Surra Man Raʾā (»Wer es sieht, ist entzückt«), indem neben den bereits existierenden Orten al-Maṭīra, S. und Karḫ Fairūz islamische Siedlungen entstanden, die nach einiger Zeit zusammenwuchsen. Als Residenz der → Kalifen und Metropole des Reiches besaß S. großartige Paläste, Gärten, Boulevards mit Märkten und Tierparks und diente daneben als Militärlager für türkische, iranische und arabische Truppen bis zu seiner Aufgabe im J. 892.

Seine größte Ausdehnung entlang des Tigris (ca. 30 km) erreichte S. unter der Regierung des Kalifen al-Mutawakkil (Regierungszeit 847–861), dessen Bauprogramm Paläste im Süden von S. wie Balkuwārā, Iṣṭabulāt und al-Mušarraḥāt, Rennbahnen in der Nähe des Kalifenpalastes Dār al-Ḫilāfa, aber auch den Neubau der Großen Moschee sowie die Anlage über- und unteriridischer Kanäle umfaßte (s. Plan). Auseinandersetzungen mit türkischen Truppenteilen bewogen al-Mutawakkil 859 zur Gründung der Stadt al-Mutawakkiliyya nördl. von S. bei Maḥūza, die in nur einem J. fertiggestellt wurde und neben Mutawakkils Palast, dem Qaṣr al-Ǧaʿfarī, eine neue Große Moschee (Abū Dulaf) und Paläste für die Ministerien entlang der »Hauptstraße« (Šāriʿ al-Aʿẓam), die auch die Hauptverkehrsachse von S. bildete, umfaßte. Die Westseite des Tigris bestand seit der Gründungszeit S.s aus bewässerten Gärten und Palastanlagen (Qaṣr al-ʿĀšiq), vielleicht auch den Mausoleen einzelner Kalifen (Qubbat aṣ-Ṣulaibiyya).

Ḥafriyāt Sāmarrāʾ/Excavations of S. (1936–1939), 1940 • E. HERZFELD, Erster vorläufiger Ber. über die Ausgrabungen von S., 1912 • Ders., Gesch. der Stadt S., 1948 • Ders., F. SARRE, Arch. Reise im Euphrat- und Tigrisgebiet, Bd. 1, 1911 • A. NORTHEDGE, s.v. S., Oxford Encyclopedia of Archaeology in the Near East, Bd. 4, 1997, 473–476 • Ders., Planning S., in: Iraq 47, 1985, 109–128 • Ders., An

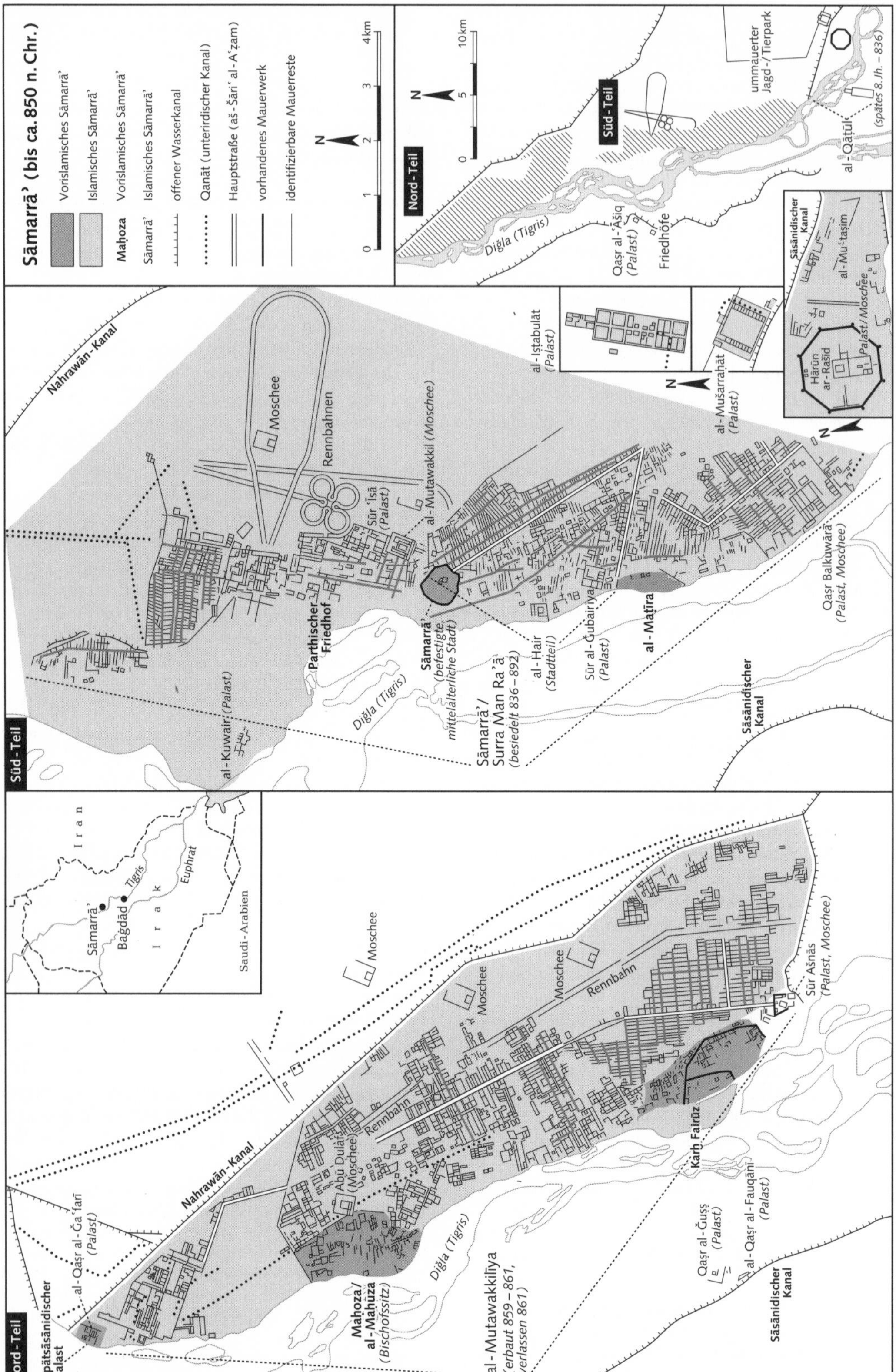
Sāmarrā' (bis ca. 850 n. Chr.)
Vorislamisches Sāmarrā'
Islamisches Sāmarrā'
Maḥoza Vorislamisches Sāmarrā'
Sāmarrā' Islamisches Sāmarrā'
offener Wasserkanal
Qanāt (unterirdischer Kanal)
Hauptstraße (aš-Šāri' al-A'ẓam)
vorhandenes Mauerwerk
identifizierbare Mauerreste
0 1 2 3 4km
Nord-Teil
Süd-Teil
0 5 10km
Diğla (Tigris)
Qaṣr al-'Āšiq (Palast)
Friedhöfe
ummauerter Jagd-/Tierpark
al-Qāṭūl
(spätes 8. Jh. – 836)
Sāsānidischer Kanal
al-Mu'taṣim
Hārūn ar-Rašīd
Palast/Moschee
Nahrawān-Kanal
Moschee
Rennbahnen
Sūr 'Īsā (Palast)
al-Mutawakkil (Moschee)
al-Isṭabulāt (Palast)
al-Mušarraḥāt (Palast)
Qaṣr Balkuwārā (Palast, Moschee)
Parthischer Friedhof
Sāmarrā' (befestigte, mittelalterliche Stadt)
al-Ḥair (Stadtteil)
Sūr al-Ğubairiya (Palast)
al-Maṭīra
al-Kuwair (Palast)
Sāmarrā'/ Surra Man Ra'ā (besiedelt 836 – 892)
Iran
Sāmarrā'
Baġdād
Tigris
Euphrat
Irak
Saudi-Arabien
Spätsāsānidischer Palast
al-Qaṣr al-Ğa'farī (Palast)
Abū Dulaf (Moschee)
Rennbahn
Sūr Ašnās (Palast, Moschee)
Karḫ Fairūz
Maḥoza/ al-Maḥūza (Bischofssitz)
al-Mutawakkilīya (erbaut 859 – 861, verlassen 861)
Qaṣr al-Ğuṣṣ (Palast)
al-Qaṣr al-Fauqānī (Palast)

Interpretation of the Palace of the Caliph at S., in: Ars Orientalis 23, 1993, 143–170 • M. ROGERS, S.: A Study in Medieval Townplanning, in: A. H. HOURANI, S. M. STERN (Hrsg.), The Islamic City, 1970.

KARTEN-LIT.: A. NORTHEDGE, Beispiele islamischer Städte. TAVO B VII 14.4: Sāmarrā': Entwicklung der Residenzstadt des ʿabāsidischen Kalifats (221–279/836–892), 1990. T. L.

Šamaš s. Sonnengottheiten

Šamaš-šuma-ukīn s. Saosduchinos

Sambation (auch *Sanbation* oder *Sabbation*; griech. Σαββατικός, Ios. bell. Iud. 7,5). Mythischer Fluß, hinter den die zehn Stämme Israels (→ Juda und Israel) durch den Assyrerkönig → Salmanassar exiliert worden sein sollen. Dieser Fluß hatte der jüd. Legende zufolge die wunderbare Eigenschaft, am → Sabbat zu ruhen, während er an allen anderen Tagen eine so starke Strömung hatte, daß er Steine schleuderte (u. a. BerR 11,5; vgl. bereits Plin. nat. 31,24). Genau umgekehrt beschreibt Iosephos [4] Flavios den Fluß, der nach seiner Lokalisierung zw. Arkea und Rhaphanaia fließen und den Titus auf dem Weg von Berytos/Beirut zu anderen syr. Städten gesehen haben soll: An Werktagen sei sein Bett ausgetrocknet, wohingegen am Sabbat das Wasser fließe (Ios. bell. Iud. 7,96–99). In nachtalmudischer Zeit (ab ca. 7. Jh. n. Chr.) wurden diese Vorstellungen aufgenommen und legendarisch erweitert, da die messianische Zeit (→ Messias) mit der Erwartung einer Rückkehr der zehn Stämme verbunden war.

S. KRAUSS, Griech. und lat. Lw., Bd. 2, 1899, 369f. • A. ROTHKOFF, s. v. Sambatyon, Encyclopaedia Judaica 14, 1972, 762–764. B. E.

Sambethe (Σαμβήθη oder Σάββη/ *Sábbē*). Name der jüdischen → Sibylle, die mit der äg., pers. und babylon. Sibylle identifiziert werden kann [2. 317 ff.]; er leitet sich wohl von hebr. → *Šabbat* ab [7. 622 ff.]. Eine Sabbe ist erstmals in der vier Sibyllen umfassenden Liste des Pausanias [8] (um 160 n. Chr.) belegt (Paus. 10,12,1–9), die auf Alexandros [23] Polyhistor zurückgeht. Sie ist mit der als »Tochter Noahs« bezeichneten Prophetin in or. Sib. 3,823 ff. sowie or. Sib. prooemium 33 und or. Sib. 1,289 zu identifizieren. Die 12 B. der *Oracula Sibyllina* zählen zur pseudepigraphischen apokalyptischen Lit. (→ Apokalypsen, → Apokryphe Literatur, → Pseudepigraphen) und adaptieren die pagane Trad. der Sibyllinischen Orakel [3. 427 ff.], die seit dem 4. Jh. v. Chr. unter verschiedenen Namen bekannt sind. Die 12 B. enthalten jüd. und christl. Material [2. 406, 408]; die Slg. ist in das 2. Jh. v. Chr. (ältester Teil, aus Äg. [3. 430 ff.]) bis in die 1. H. 2. Jh. n. Chr. zu datieren [6. 1059 ff.]. Ab dem 2. Jh. n. Chr. wurden die *Oracula Sibyllina* von der christl. Trad. vereinnahmt (→ Theophilos, ca. 180 n. Chr.) [1].
→ Sibyllinische Orakel

1 J. H. CHARLESWORTH, Christian and Jewish Self-Definition in Light of the Christian Additions to the Apocryphal Writings, in: E. P. SANDERS (Hrsg.), Jewish and Christian Self-Definition, Bd. 2, 1981, 27–55
2 J. J. COLLINS, Sibylline Oracles. A New Translation and Introduction, in: J. H. CHARLESWORTH (ed.), The Old Testament Pseudepigrapha, Bd. 1, 1983, 317–472 3 Ders., The Development of the Sibylline Trad., in: ANRW II 20.1, 1986, 421–459 4 Ders., Seers, Sybils and Sages in Hellenistic-Roman Judaism, 1997, 181–235 5 J. GEFFCKEN, Die Oracula Sibyllina (GCS 8), 1902 6 H. MERKEL, Sibyllinen (Jüd. Schriften aus hell.-röm. Zeit Bd. 8), 1998
7 SCHÜRER 3.1, 618–654. I. WA.

Sambos
[1] (Σάμβος). Nebenfluß des → Ganges (Arr. Ind. 4,4: Megasthenes), vielleicht identisch mit dem Sarabos (Ptol. 7,1,29; 2,13), der der Sarayū (Agoranis) entspricht. H. J. N.
[2] (Σάμβος/ *Sámbos* bei Arr. an. 6,16,3 f., Σάβος/ *Sábos* bei Diod. 17,102,6 f. und Strab. 15,1,33, Σάββας/ *Sábbas* bei Plut. Alexander 64, *Sambus* bei Curt. 9,8,13 und 9,8,17, *Ambus* bei Iust. 12,10, usw.). Indischer König; sein Reich mit der Hauptstadt Sindimana lag im Bergland westlich des unteren Indus. Er übergab sein Land dem → Alexandros [4] d.Gr. und sollte weiterhin als Satrap herrschen, aber als sein Feind → Musikanos sein Reich erhielt, ergriff er die Flucht. Altind. Erklärungen des Namen S. (etwa Śambhu oder Sāmba) sind ganz unsicher. K. K.

Sambra
[1] Fluß in der Gallia → Belgica, in den ant. Heiligenlegenden (u. a. MGH Scriptorum rerum Merovingiorum 5,634,12; 5,643,12; ausführlich [1. 1338]) erwähnt, h. Sambre, entspringt am Westrand der Ardennen und mündet bei Namur in den Mosa [1]. Identität mit dem Sabis [1] (Caes. Gall. 2,16,1; 2,18) ist nicht gesichert.

1 HOLDER.

[2] Neben der h. Sambre (= S. [1]) wurde auch der → Samara S. genannt (vgl. not. dign. occ. 38,8). Das Operationsgebiet des *praefectus classis Sambricae in loco Quartensi sive Hornensi* (h. La Pointe de l'Hornez) war die Somme; dies wird bestätigt durch Ziegel mit der Aufschrift *cl(assis) Sam(arica)* bzw. *cl(assis) Sam(brica?)* (vgl. CIL XIII 1,2 p. 561 coll. 2 [1. 1336]).

1 HOLDER. F. SCH.

Sambyke
[1] (Harfe) s. Musikinstrumente V.A.
[2] (Fallbrücke) s. Poliorketik

Same (Σάμη). Bei Homer Insel im Reich des → Odysseus (Namensformen: *Sámos*, Hom. Il. 2,634; jünger ist *Sámē*, Hom. Od. 1,246), in histor. Zeit Stadt im Osten der Insel → Kephallenia, h. Sami. Im J. 223/2 v. Chr. wurde eine aitolische Kolonie nach S. ausgesandt (IG IX 1^2,1, 2); 189 v. Chr. wurde S. von Fulvius [I 15] belagert und zerstört (Liv. 37,50,5; 38,28,5–30,1). Neuere Grabungen und (z.T. unpubl. lat.) Inschr. erweisen S. als bed. Hafenstadt in der röm. Kaiserzeit. Inschr.: IG IX 1, 617–644; SEG 3, 448–450; 27, 179; 34, 475; 39, 486; 50, 446; [1]; Mz.: BMC Peloponnesos 90–93.

1 D. Strauch, Aus der Arbeit am Inschr.-Corpus der Ionischen Inseln, in: Chiron 27, 1997, 210–254.

S. Marinatos, Ἔρευναι ἐν Σάμῃ τῆς Κεφαλληνίας, in: ArchE 1964, 15–27. D.S.

Šamī. Ruinenstätte tief in den Baḫtiyiārī-Bergen (im Iran), ca. 25 km nördl. der Stadt Īẕe (Malāmīr), in der ant. → Elymais. Unter den in einem Heiligtum gefundenen zahlreichen hell. Marmor- und Bronze-Frg. ist eine etwas über lebensgroße, nahezu vollständig erh. Bronzestatue bes. erwähnenswert, da sie die bisher einzig erhaltene großplastische Darstellung eines arsakidischen Würdenträgers (Prinzen?) ist (2. Jh. n. Chr.).

1 V. S. Curtis, The Parthian Costume and Headdress, in: J. Wiesehöfer (Hrsg.), Das Partherreich und seine Zeugnisse, 1998, 61–73 2 H. von Gall, Architektur und Plastik unter den Parthern, in: s. [1], 75–94. J.W.

Samia vasa (»Samische Vasen«). Tongefäße, die nur aus der lat. Lit. bekannt sind (Plaut. Bacch. 202; Plaut. Capt. 291; Cic. rep. 6,2,2; Tib. 2,3,47; Isid. orig. 20,3,4.6). Ihre Form ist unbekannt, so daß sie nicht mit Gefäßen der erh. röm. Keramik korreliert werden können. Der Ton war hart gebrannt und hatte scharfe Bruchränder; verwendet wurden die s. v. im sakralen und profanen Bereich. DI.WI.

Samikon (Σαμικόν). Größte Festung von → Triphylia (westl. Peloponnesos) auf dem Westausläufer des Kaiaphas-Gebirges zw. der h. Lagune von Agulinitsa im Norden und dem Kaiaphas-See (dort Grotte der Anigriades [4], Quellnymphen des ehemaligen Flusses Anigros, vgl. [2], mit Schwefelquellen: Strab. 8,3,19; Paus. 5,5,11; schol. Hom. Il. 11,721) im Süden. Belege: Paus. 5,6,1–3; Pol. 4,77,9; 80,12; Strab. 8,3,13; 19f.; 27. Die Namensform *Sámos* findet sich nur bei Strab. 8,3,20 und schol. Hom. Il. 13,13. S. wurde wohl im 4. Jh. v. Chr. durch die Eleioi erbaut. 219/8 wurde die Festung von Philippos [7] V. erobert; z.Z. Strabons war sie verlassen. Nicht lokalisiert sind unterhalb in der Ebene S. (Strab. 8,3,20; Paus. 5,5,3; 7; 11) → Makiston (= Arene?, vgl. Hom. Il. 2,591; 11,723; Paus. 5,6,2; [1]) und der Hl. Hain des Poseidon Samios (Strab. 8,3,13; 18; 20; Paus. 6,25,6), das Zentrum der triphylischen *amphiktyonía* [3].

1 N. Gialoures, Μυκηναϊκός τύμβος Σαμικού, in: AD 20, 1965, 6–40, 185f. 2 G. Hirschfeld, s. v. Anigros, RE 1, 2210 3 K. Tausend, Amphiktyonie und Symmachie, 1992, 19–21, 57–60 4 K. Tümpel, s. v. Anigriades, RE 1, 2209f.

J. Hopp, s. v. S., in: Lauffer, Griechenland, 598f. • J.-P. Adam, L'architecture militaire grecque, 1982, 66f., 94f., 165, 184f., 221; Abb. 30, 108; Foto 121, 123, 215, 216. H.LO.

Samios (Σάμιος), auch Samos (Σᾶμος). Epigrammatiker des Kranzes des Meleagros (Anth. Pal. 4,1,14), Sohn des Chrysogonos und Zeitgenosse Philippos' [7] V. von Makedonien (Pol. 5,9,4), der ihn zum Tode verurteilte (Pol. 23,10,8–10), vielleicht wegen dessen Kritik (Plut. mor. 53e). Erh. ist ein Gedicht über Weihung des Felles und der Hörner eines Stieres an Herakles durch Philippos V. (Anth. Pal. 6,116); wahrscheinlich ist auch die Zuschreibung einer Var. (ebd. 6,114) über dasselbe Thema (die Zuweisung an Simias in den Hss. P und Pl ist chronologisch nicht möglich). Der Name war schon in der Ant. umstritten: Meleagros [8] scheint (wie auch Plutarchos) die Form *Sámios* als die richtige anzusehen.

GA I.1, 177; 2, 509–511. M.G.A./Ü: G.K.

Sammael (hebr. *Sammāel*). Negative Engelsgestalt in der jüd. Trad., häufig mit dem → Satan identifiziert. S. wird erstmals in äthHen 6 erwähnt, wo er einer Gruppe von Engeln angehört, die gegen Gott rebelliert (vgl. den Namen Σαμμανή/*Sammanē* bzw. Σαμιήλ/*Samiēl* der griech. Version). Nach griechBar 4,9 pflanzte er den Weinstock, der den Fall Adams veranlaßte; deshalb wurde S. verflucht und zum Satan. In der ›Himmelfahrt des → Jesaja‹ ist S. identisch mit der Gestalt Beliars (4,11). Die → rabbinische Literatur kennt S. in Schlangengestalt als Verführer Evas (vgl. den Midrasch Pirqe de Rabbi Eliezer 13, ca. 8. Jh. n. Chr.), sowie als Ankläger (bSot 10b) und als Schutzengel Esaus (ShemR 21,7), der wiederum mit Rom identifiziert wurde. S. kann auch als Todesengel erscheinen (Targum Jonathan zu Gen 3,6). In der ma. kabbalistischen Lit. fungiert S. in Verbindung mit Lilit als Herrscher über die Unreinheit bzw. über die Dämonen; außerdem spielt er eine Rolle in magischen Beschwörungen.

J. Michl, s. v. Engel V. (Engelnamen), Nr. 196: S., RAC 5, 231. B.E.

Šammaj (ca. 50 v. Chr. bis 30 n. Chr.). Bedeutender Vertreter des pharisäischen Judentums (→ Pharisaioi). Š. zählt in der rabbinischen Traditionskette von der Weitergabe der Mose-Tora (→ Pentateuch) zu den sog. »fünf Paaren« (*zugot*; vgl. mAvot 1,15); sein Gegenpart ist → Hillel, dem er in der → rabbinischen Literatur klischeehaft gegenübergestellt wird. Während Hillel in Gesetzesfragen eher mild entschieden habe, sei Š. durch seine Strenge und Rigorosität zu charakterisieren (vgl. bShab 31a). Die rabbinische Trad. sieht in Š. den Begründer einer Gelehrtenschule (hebr. *bēt-Šammaj*), die ebenfalls mit der des Hillel kontrastiert wird. Da sich in Iamnia (→ Jabne) bei der Konstitution des rabbinischen Judentums nach der Tempelzerstörung die Richtung der Hilleliten durchgesetzt hat, erscheinen die Überl. von Š. und seiner Schule häufig tendenziell negativ gefärbt.

G. Stemberger, Einleitung in Talmud und Midrasch, [8]1992, 75. • E. Urbach, The Sages. Their Conceptions and Beliefs, 1979, 589–592. B.E.

Sam(m)onion (Σαμ(μ)ώνιον). Vorgebirge an der NO-Spitze von Kreta, h. Kap Sideros. Starke Winde hinderten die Seefahrer häufig an einer Umrundung des Kaps. Den ant. Autoren diente S. als Fixpunkt für geogr. Angaben und die Ermittlung von Distanzen zw. den Inseln der Ägäis, des → Aigaion Pelagos (vgl. Strab. 2,4,3; 10,3,20; 10,4,2f.; 10,4,5; 10,4,12; 10,5,18; Dion. Per. 110; Mela 2,112; Plin. nat. 4,58; 60f.; 71: *promunturium Samonium*; Ptol. 3,17,5; Stadiasmus maris magni 318f.; 355; Apg 27,7: Σαλμώνη/*Salmōnē* im Zusammenhang mit der Rom-Reise des Apostels Paulus). S. gehörte zum Territorium von Itanos. Hier befand sich ein im 6. Jh. v. Chr. errichtetes Heiligtum der Athena Samonia mit reicher epigraph. und arch. Evidenz.

M. Guarducci, Inscriptiones Creticae 3, 1942, 156–163 · I. F. Sanders, Roman Crete, 1982, 38–40. H.SO.

Šammurammat s. Semiramis

Samnitenkriege s. Samnites, Samnium

Samnites, Samnium
I. Name, Ethnos, Geographie
II. Organisation III. Religion
IV. Samnitenkriege

I. Name, Ethnos, Geographie

Die S. nannten ihr Land *Safinim*, sich selbst wohl *Safineis* (Inschr.: Vetter 149; Mz.: [1. 149f.]), die Griechen *Saunítis* (Σαυνῖτις, Pol. 3,90,7) bzw. *Saunítai* (Σαυνῖται, Philistos FGrH 556 F 41f.; nach Fest. 436 L abgeleitet von *saúnion*, »Speer«), die Römer *S.* (ILS 1). Etym. zusammenhängend, meinen diese Begriffe geogr. allerdings nicht dasselbe. *Safineis* ist mit den Ethnika *Sabini* und *Sabelli* die indeur. Wz. **Sabh* gemeinsam (vgl. den Gott Sabus, Cato HRR fr. 50f.). Damit im Einklang berichtet auch Strab. 5,4,12, die S. seien Nachkommen der → Sabini (daher *Sabelli*, »kleine Sabini«) und hätten sich von diesen durch das → *ver sacrum* gelöst (Fest. 519 und 150 L). Die erste Gruppe der S., die sich in Samnium (evtl. in → Cominium) niederließ, wurde von Comius Castronius geführt (Fest. 436 L). Zu den S. zählten vier Stämme: → Carricini im Norden (Cluvia, Iuvanum); → Caudini im Westen (Caudium); → Hirpini im Süden (Malventum, Compsa); zentral die Pentri (Aesernia, Bovianum, Saepinum, Cominium, Aquilonia). Die Randgebiete besiedelten weitere Stämme der Sabelli: → Marsi [1], → Marrucini, → Vestini, → Picentes, → Paeligni, → Frentani (bei Strab. 5,4,2: *éthnos Saunitikón*).

II. Organisation

In der vorröm. Zeit (bis Anf. 3. Jh. v. Chr.) bildete jeder Stamm eine polit. Einheit aus mehreren *pagi* (→ *pagus*), die ihrerseits *vici* (→ *vicus*), *oppida* (→ *oppidum*) und *castella* (→ *castellum*) umfaßten; diese Körperschaft nannten die S. *touto* (umbr. *touta*). Die Ges. der S. war ländlich-dörflich geprägt (Liv. 9,13,7; Strab. 5,4,12), städtische Lebensart war selten, setzte sich unter der röm. Herrschaft v. a. in der hell. stärker beeinflußten → Campania durch. Grundsätzlich befanden sich höher entwickelte Siedlungen an den von der → Transhumanz vorgegebenen Triften der Viehherden. Jeder *pagus* verfügte über eine gewisse administrative Autonomie, doch lag die polit.-mil. Entscheidungsgewalt beim *touto* mit einem Verwaltungszentrum und einem jährlich gewählten obersten Magistrat, dem → *meddix tuticus* (*nomen magistratus* nach Fest. 110 L); ihm standen untergeordnete *meddices* zur Seite (*vereias*, »Hipparch« bzw. »Magister equitum«; *degetasius*, »Quaestor«). Daneben gab es ein *consilium* und eine Volksversammlung, die der *meddix tuticus* einberief und die unter seiner Leitung tagten. Inschr. kennen weitere Verwaltungsämter offensichtlich röm. Herkunft (*aedilis*, *censor*). Wahrscheinlich gab es einen → *cursus honorum*. Jeder *touto* (bes. Carricini, Pentri, Caudini, Hirpini) gehörte dem Bund der S. an (*civitas Samnitium*, Liv. 8,23,6), der von einem Oberhaupt, evtl. einem ehemaligen *meddix tuticus*, und einem Rat geleitet wurde. Die Sprache der S. wurde bereits in der Ant. als oskisch (→ Oskisch-Umbrisch) bezeichnet (exc. Graeca zu Liv. 10,20,8; Gell. 17,17,1), wohl übernommen von den → Osci, weil sie bei diesen in archa. Zeit gesiedelt hatten (Ὀπικοί/*Opikoí*, Strab. 5,4,12), oder – wahrscheinlicher –, weil das Oskische, verwandt mit dem Umbrischen und den sabellischen Dial., in weiten Teilen Süditaliens verbreitet war (Samnium, Campania, Lucania, Bruttium). Das mit dem Etr. verwandte oskische Alphabet (→ Italien, Alphabetschriften, mit Abb.) entstand nicht vor dem 6. Jh. v. Chr.

III. Religion

Eine samnit. Inschr. aus Agnone (2. Jh. v. Chr.) ermöglicht Aussagen über die Rel. der S.; es werden darin 17 Gottheiten erwähnt, unter denen *Kerres* (Ceres) hervorragt. Zum samnit. Pantheon gehörten außer Fruchtbarkeits- und Agrargottheiten (typisch für agrarisch geprägte Ges.): Iuppiter, Mamers (Mars), Hercules (bes. in Bovianum), Mefitis (bei den Hirpini im Valle d'Ansanto). Ihre Kultstätte unter freiem Himmel war der *hurz* (= *hortus*, *lucus*, → Hain). Spätestens seit der Mitte des 4. Jh. v. Chr. existierte ein monumentales Kultzentrum bei → Pietrabbondante (Aquilonia? Cominium?), wo der Beutezehnte und die *spolia hostium* (→ Kriegsbeute) niedergelegt wurden.

IV. Samnitenkriege

So bezeichnet man mehrere mil. Auseinandersetzungen zw. Rom und den S. seit 343 v. Chr. bis zur Auflösung des Samnitenbundes im J. 275 v. Chr. Die Beteiligung der S. am → Bundesgenossenkrieg [3] rechnet man nicht mehr zu den S.-Kriegen.

Die S., eine der größten Bevölkerungsgruppen Italiens nach Siedlungsfläche und Bevölkerungsdichte und bekannt als gute Soldaten und weithin geschätzte Söldner, traten erst mit dem Abschluß eines Vertrags (*foedus aequum*) mit Rom (354 v. Chr.: Liv. 7,19,4; 350 v. Chr.: Diod. 16,45,8) in die überl. polit. Gesch. Italiens ein. Dieser Vertrag steckte die Grenze der jeweiligen Einflußsphäre am Fluß → Liris ab. Bereits 12 J. später (Liv.

7,29,1 f.) kam es zum ersten Konflikt mit Rom (1. S.-Krieg, 343–341), hervorgerufen durch einen Angriff der S. auf → Teanum Sidicinum gegen die Sidicini. Dabei kam es auch zu Kämpfen mit den von den Sidicini zu Hilfe gerufenen Campanern, die ihrerseits röm. Hilfe erbaten und erhielten. Die wichtigsten Schlachten dieses Kriegs, dessen Historizität und Verlauf wohl zu Unrecht von Teilen der mod. Forsch. bezweifelt wird, wurden 343 bei → Saticula und → Suessula geschlagen (Liv. 7,32,3–36,13). Der Konflikt endete mit der Erneuerung des Vertrags von 354, aufgrund dessen sich die S. vom Latinerkrieg (341–338) fernhielten (Liv. 8,3,14; Dion. Hal. ant. 15,4).

Die Gründung der latin. Kolonie (→ *coloniae* D.) → Fregellae jenseits des Liris im J. 328 v. Chr. durch Rom (Liv. 8,22,1) und der Versuch der S., Neapolis [2] und die angrenzenden Städte (trotz starker Interessen Roms an diesem Gebiet) unter ihre Kontrolle zu bringen, führten zu Spannungen und schließlich 326 zu offenen Feindseligkeiten (2. S.-Krieg, 326–304). Anders als die S. drangen die Römer mehrfach in feindliches Gebiet ein, mußten aber 321 bei → Caudium nicht nur eine schwere Niederlage durch die von Gavius Pontius geführten S., sondern auch die Schmach hinnehmen, unter das »Caudinische Joch« geschickt zu werden (Liv. 9,12,7; App. Samn. 4). Nach einem fünfjährigen Frieden flackerte der Krieg neuerlich auf, führte 315 zu einer weiteren röm. Niederlage bei → Lautulae (Diod. 19,72,7f.; Liv. 9,22,3) und schließlich 313 zum röm. Gegenstoß bei Terracina oder etwas südl. davon (Liv. 9,27; Diod. 19,76,2). Nachdem die Römer → Bovianum eingenommen und den Feldherrn der S., Statius Gellius [3], hingerichtet hatten, wurde im J. 304 Friede geschlossen (Diod. 20,90,4; Liv. 9,44). Während dieses Krieges hatte Rom die S. mit einem Kranz von latin. Kolonien umgeben (vgl. → *coloniae*, Karte), der von Fregellae im Norden bis Saticula und Luceria im Süden reichte. Zudem ermöglichte der Bau der → Via Appia seit 312 schnelle Truppenverschiebungen an die Grenzen des samnit. Gebiets.

Neue Auseinandersetzungen kündigten sich an, als Rom im J. 298 ein Bündnis mit den → Lucani schloß, die von den S. angegriffen worden waren (3. S.-Krieg, 298–290 v. Chr.). Trotz mil. Erfolge der Römer konnten sich die S. im J. 296 mit den → Etrusci, → Umbri und Galli (→ Kelten) verbünden und Rom schwer bedrängen. 295, in der »Völkerschlacht« bei → Sentinum (Pol. 2,19; Diod. 21,6; Liv. 10,27–30) wurden die S. schwer geschlagen. Auch der Versuch, sich Rom mit einer *legio linteata*, einer ausgewählten Schar von Kriegern, die in einem kultisch begrenzten Bezirk bei Aquilonia rituell dem Kampf bis in den Tod geweiht worden waren (Liv. 10,38), entgegenzustellen, scheiterte 293 bei Aquilonia (Liv. 10,41 f.) und dann bei Cominium (Liv. 10,43). 291 gründete Rom im Rücken der S. die latin. Kolonie → Venusia und schob im Frieden von 290 die Grenze weit an den → Volturnus vor.

Im Bunde mit → Pyrrhos [3] erhoben sich die S. erneut gegen Rom (4. S.-Krieg, 279–275 v. Chr., nach Liv. 31,31,10; Oros. 3,8,1) und trugen 279 bei → Asculum zum Sieg des Pyrrhos bei (Pol. 18,28,10; Dion. Hal. ant. 20,1,2f.; Iust. 18,1). Nach dessen Rückkehr aus Sicilia unterlagen sie im J. 275 mit ihm bei Malventum den Römern (Liv. 38,4,5; Plut. Pyrrhos 25; Iust. 23,3) und verloren dann Caudium (Plin. nat. 33,38). Die S. mußten ihren Bund und ihre Verbindung mit den Hirpini auflösen; Malventum (nun unter dem Namen → Beneventum) wurde 265 (ebenso wie → Aesernia 263) latin. Kolonie; der Staat der Caudini wurde, auch wegen der Revolte des Lollius Samnis (Dion. Hal. ant. 20,17; Zon. 8,7), zerschlagen, viele seiner Gemeinden wurden Bundesgenossen (*socii*) der Römer.

Seither wurden nur noch die im zentralen S. siedelnden Pentri als S. bezeichnet und später in die *regio IV* (Samnium) der augusteischen Regionengliederung einbezogen (Plin. nat. 3,106; → *regiones*). Sie blieben – anders als die Hirpini und Caudini (Liv. 22,61,11 f.) – im Krieg gegen Hannibal [4] auf der Seite der Römer (Liv. 22,24,11–14). Erneut hört man von S. im J. 91 v. Chr., als sie zusammen mit sabellischen Stämmen – unter ihnen die Marsi [1] (Diod. 37,2,5; Liv. per. 72; App. civ. 1,39) – unter Führung des → Poppaedius Silo und des Papius [I 4] Mutilus in den Bundesgenossenkrieg [3] eintraten und um das röm. Bürgerrecht (*civitas Romana*) kämpften. Im J. 89 von Pompeius [I 8] Strabo bei Asculum besiegt, erhielten sie 87 das volle röm. Bürgerrecht (*optimo iure*). Im Bürgerkrieg standen sie im J. 82 v. Chr. auf der Seite der Marianer (→ Marius [I 1]) und wurden von Cornelius [I 90] Sulla am Collinischen Tor geschlagen und massenhaft hingerichtet; die restlichen S. wurden nun vollständig in den röm. Staat integriert. → Italien: Sprachen (mit Karte und Stemma)

1 A. Campana, La monetazione degli insorti italici durante la guerra sociale, 1987.

E. T. Salmon, Samnium and the S., 1967 • M. Sordi, Roma e i Sanniti nel IV secolo, 1969 • G. Veneziale (Hrsg.), Sannio: Pentri e Frentani dal VI al I secolo a.C., 1984 • S. Capini (Hrsg.), Samnium. Archeologia del Molise, 1991 • Atti del convegno di studi Safinim: I Sanniti: vicende, ricerche, contributi, 1993 • A. La Regina, I Sanniti, in: C. Ampolo et al., Italia omnium terrarum parens, 1989, 209–432 • S. P. Oakley, The Hill-Forts of the S., 1995 • G. Tagliamonte, I Sanniti: Caudini, Irpini, Pentri, Carricini, Frentani, 1996 • G. Colonna, Alla ricerca della metropoli dei Sanniti, in: G. Maetzke (Hrsg.), Identità e civiltà dei Sabini, 1996, 107–130 • L. del Tutto Palma (Hrsg.), La Tavola di Agnone nel contesto italico, 1996 • R. Cappelli (Hrsg.), Studi sull'Italia dei Sanniti, 2000 • T. J. Cornell, The Beginnings of Rome, 1995, 345–364.

G. VA./Ü: H. D.

Samos (Σάμος).

[1] König von Armenien in der 1. H. des 3. Jh. v. Chr., der in der väterlichen Ahnenreihe → Antiochos' [16] I. von → Kommagene als Vater des Königs → Arsames [4] erscheint (OGIS 394). S. (und nicht sein gleichnamiger

Nachkomme) gründete die spätere kommagenische Hauptstadt → Samosata sowie Samokart in der armenischen Landschaft Arzanene. Um 255 v. Chr. nahm er den bithynischen Prinzen → Ziaëlas auf.

[2] S. Theosebes Dikaios (Σ. Θεοσεβὴς Δίκαιος). Ur-Urenkel von S. [1] und Sohn des → Ptolemaios [56], war ca. 130–100 v. Chr. König von → Kommagene und steht am Anf. der dortigen Mz.-Prägung [1]. Er war der Vater des Mithradates [16] I. Kallinikos und der Großvater des Antiochos [16] I. von Kommagene (OGIS 396; 402).

1 E. und W. Szaivert, D. R. Sear, Griech. Münzkat., Bd. 2, 1983, Nr. 5965.

M. Schottky, Media Atropatene und Groß-Armenien, 1989, 96–101; 233 f.; 243; Taf. I. M. SCH.

[3] (ἡ Σάμος, lat. auch *Samus*).
I. Geographie II. Archaische Zeit
III. Polykrates IV. Klassische Zeit
V. Hellenistische und römische Zeit
VI. Kultur VII. Archäologie

I. Geographie

Insel im SO der Ägäis (→ Aigaion Pelagos), nur knapp 2 km vom (in prähistor. Zeit mit S. verbundenen) kleinasiatischen Festland (→ Mykale) entfernt, mit einer Gesamtfläche von 476 km². Die Insel wird durchzogen von einer ostwestl. verlaufenden Bergkette (Ampelos nach Strab. 14,1,15, was auch die Bezeichnung für das Kap an der SW-Spitze der Insel ist) mit dem höchsten Gipfel Kerketeus (h. Kerkis, 1440 m). Die Nordküste ist steil und felsig, der Süden ist mit Buchten und Ebenen ausgestattet. In der Ant. war S. äußerst fruchtbar und waldreich, worauf auch ant. Beinamen wie *Dryússa* oder *Kyparissía* (»Eichen-« bzw. »Zypresseninsel«) hinweisen (der Name S. ist vorgriech. und bedeutet »Höhe«, Strab. 8,3,19; 10,2,17). Die h. Inselhauptstadt Vathy (amtlich S.) liegt im NO, die ant. Stadt S. befand sich im SO beim h. Pythagorion (ehemals Tigani).

II. Archaische Zeit

Nach neolithischer und myk. Besiedlung (Kastro bei Pythagorion) erfolgte um 1000 v. Chr. die Einwanderung ionischer Bevölkerung. Die ion. Abstammung der Samier spiegelt sich sowohl in den polit. und kultischen Einrichtungen als auch in der Zugehörigkeit zum Zwölf-Städte-Bund der → Iones mit dem Bundesheiligtum → Panionion auf der Halbinsel Mykale (Hdt. 1,142). Seit dem ausgehenden 8. Jh. v. Chr. betrieb S. eine ausgreifende maritime Handelspolitik und war auch an der griech. → Kolonisation (IV.; → Perinthos, → Amorgos, → Naukratis) beteiligt. Lit. Zeugnisse (vgl. Thuk. 1,13,3) unterstreichen die frühe Seegeltung und eine innovative Funktion im Schiffsbau ebenso wie der Umstand, daß seit Polykrates [1] ein spezieller Schiffstypus als *Sámaina* bezeichnet wurde (Plut. Perikles 36). In der Mitte des 7. Jh. v. Chr. unternahm der Händler Kolaios aus S. eine Expedition ins westl. Mittelmeer und erreichte → Tartessos (Hdt. 4,152). Festlandsbesitz in Karia erwarb S. um 700 v. Chr. durch die Aufteilung der Stadt Melia (→ Peraia). Herkunft und Qualität der Weihgeschenke im Hera-Tempel von S. dokumentieren die Reputation, die S. bereits damals in der ant. Welt genoß.

III. Polykrates

Den Höhepunkt an polit., wirtschaftlicher und kultureller Entfaltung erlebte S. jedoch unter der Tyrannis des → Polykrates [1]. Dieser hatte nach dem Sturz der Regierung adliger Grundbesitzer (*geōmóroi*) und nach polit. Wirren 532 v. Chr. eine Alleinherrschaft installiert. Durch expansive Unternehmungen gewann S. unter Polykrates die Kontrolle über zahlreiche Inseln in der Ägäis (etwa → Lesbos) und einige Küstenstädte (Hdt. 3,39,4; 3,122,2: »samische Thalassokratie«). Bezeugt sind für diese Zeit auch enge polit. Beziehungen zu Äg. unter Amasis [2], in ihrer histor. Substanz freilich durch die bei Hdt. 3,40–44 überl. Gesch. vom »Ring des Polykrates« anekdotenhaft verzerrt. Jedoch unterstützte Polykrates die Eroberung Äg.s durch Kambyses [2] mit einem Flottenkontingent von S. (Hdt. 3,44). Der Tyrann war auch verantwortlich für die Errichtung einiger bereits in der Ant. bewunderter Bauwerke (Hdt. 3,60), so v. a. für die von → Eupalinos (s. dort mit Abb.) konstruierte Wasserleitung, die über 1036 m durch einen Berg geführt wurde [1], und eine als Wellenbrecher fungierende Hafenmole von ca. 300 m Länge.

IV. Klassische Zeit

Nach dem Tod des Polykrates (525 v. Chr.) zunächst unter pers. Herrschaft, wechselte S. in den → Perserkriegen die Fronten und wurde 478 v. Chr. Mitglied des → Attisch-Delischen Seebundes, für den es statt eines Tributs Schiffe beisteuerte. Ein oligarchischer Umsturz auf S. und territoriale Streitigkeiten mit Miletos [2] um Priene veranlaßten 441 v. Chr. das mil. Eingreifen der athenischen Hegemonialmacht unter Perikles [1], das 439 v. Chr. mit der Unterwerfung von S. und der Herstellung einer demokratischen Ordnung endete (Thuk. 1,115–117; Plut. Perikles 25–28; Diod. 12,27 f.). Mit Ausnahme eines erneuten oligarchischen Intermezzos (412 v. Chr.) auch in der Endphase des → Peloponnesischen Krieges loyal gegenüber Athen (Xen. hell. 2,2,7), wurden die Bewohner von S. 405 v. Chr. mit der kollektiven Verleihung des attischen Bürgerrechts belohnt (Syll.³ 116). Im Jahr darauf zwang Lysandros [1] S. auf die Seite Spartas und richtete eine spartafreundliche oligarchische Herrschaft ein (Xen. hell. 3,3,6 f.), wofür ihn die neuen Regenten auf S. als ersten Griechen überhaupt mit göttergleichen Ehren ausstatteten (Duris FGrH 76 F 26; 71; Paus. 6,13,14 f.). Der Weigerung, dem → Attischen Seebund beizutreten, folgte 365 v. Chr. die Eroberung von S. durch den Athener Timotheos, der Teile der Bevölkerung ins Exil (nach Iasos) trieb und 2000 attische → *klērúchoi* auf der Insel ansiedelte (Diod. 18,8,7; Strab. 14,1,18). Aufgrund einer Vereinbarung der → Diadochen 321 v. Chr. kehrten die Vertriebenen bzw. deren Nachkommen zurück.

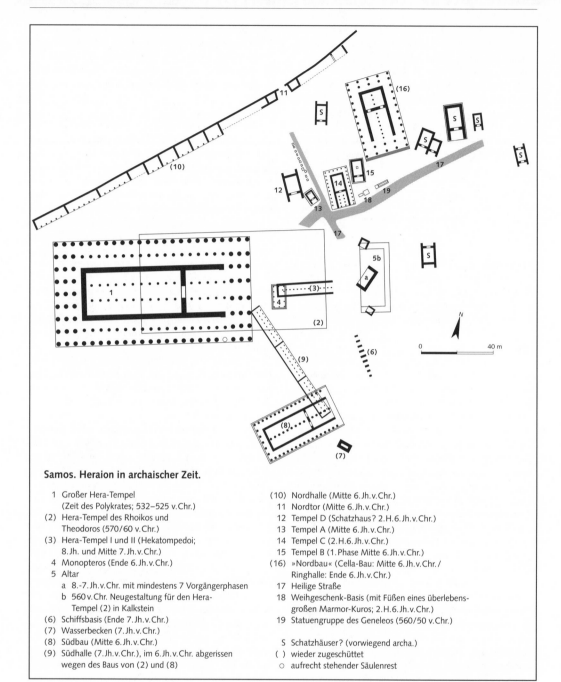

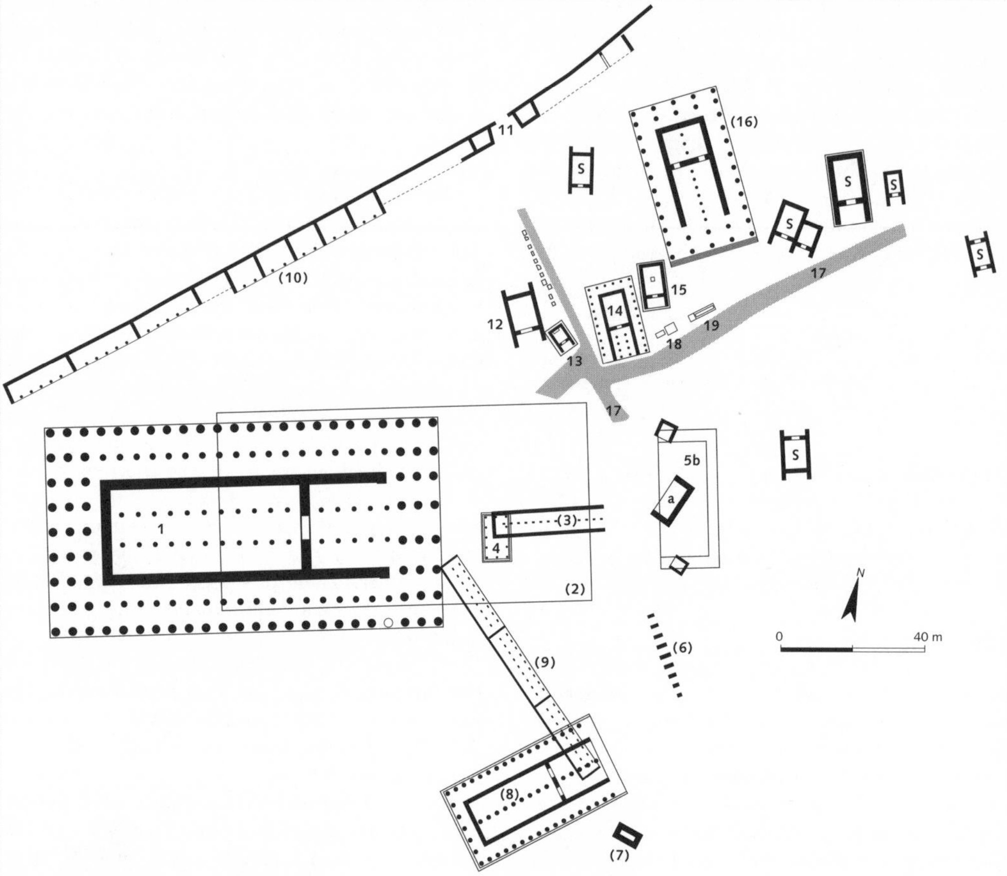

Samos. Heraion in archaischer Zeit.

1 Großer Hera-Tempel (Zeit des Polykrates; 532–525 v.Chr.)
(2) Hera-Tempel des Rhoikos und Theodoros (570/60 v.Chr.)
(3) Hera-Tempel I und II (Hekatompedoi; 8.Jh. und Mitte 7.Jh.v.Chr.)
4 Monopteros (Ende 6.Jh.v.Chr.)
5 Altar
a 8.-7.Jh.v.Chr. mit mindestens 7 Vorgängerphasen
b 560 v.Chr. Neugestaltung für den Hera-Tempel (2) in Kalkstein
(6) Schiffsbasis (Ende 7.Jh.v.Chr.)
(7) Wasserbecken (7.Jh.v.Chr.)
(8) Südbau (Mitte 6.Jh.v.Chr.)
(9) Südhalle (7.Jh.v.Chr.), im 6.Jh.v.Chr. abgerissen wegen des Baus von (2) und (8)
(10) Nordhalle (Mitte 6.Jh.v.Chr.)
11 Nordtor (Mitte 6.Jh.v.Chr.)
12 Tempel D (Schatzhaus? 2.H.6.Jh.v.Chr.)
13 Tempel A (Mitte 6.Jh.v.Chr.)
14 Tempel C (2.H.6.Jh.v.Chr.)
15 Tempel B (1.Phase Mitte 6.Jh.v.Chr.)
(16) »Nordbau« (Cella-Bau: Mitte 6.Jh.v.Chr./ Ringhalle: Ende 6.Jh.v.Chr.)
17 Heilige Straße
18 Weihgeschenk-Basis (mit Füßen eines überlebensgroßen Marmor-Kuros; 2.H.6.Jh.v.Chr.)
19 Statuengruppe des Geneleos (560/50 v.Chr.)

S Schatzhäuser? (vorwiegend archa.)
( ) wieder zugeschüttet
o aufrecht stehender Säulenrest

V. Hellenistische und römische Zeit

In hell. Zeit wechselten die Herrschaftsverhältnisse häufig (→ Antigonos [1], → Lysimachos [2], → Ptolemaier, → Seleukiden), bis sich nach 246 v.Chr. die Ptolemaier auf S. durchsetzten und eine Flottenstation einrichteten, deren Präsenz durch zahlreiche Inschr. aus dem Heraion (s.u. VII.) dokumentiert wird [2. 80–88]. 201 v.Chr. kurzfristig Objekt der Expansionspolitik des Makedonenkönigs Philippos [7] V., wurde S. noch einmal von den Ptolemaiern zurückgewonnen und stand seit 197 v.Chr. unter dem Schutz der Flotte von → Rhodos (Liv. 33,30,12). Den Anschluß an Rom im Krieg gegen Antiochos [5] III. und das aktive mil. Eingreifen wurde 188 v.Chr. mit der Unabhängigkeit honoriert. Im 2. Jh. v.Chr. konnte sich S. in den Besitz der Insel Ikaros [2] bringen. Danach war S. sowohl in die Bewegung des Pergameners Aristonikos [4] als auch in die → Mithradatischen Kriege (Angriffe von Piraten)

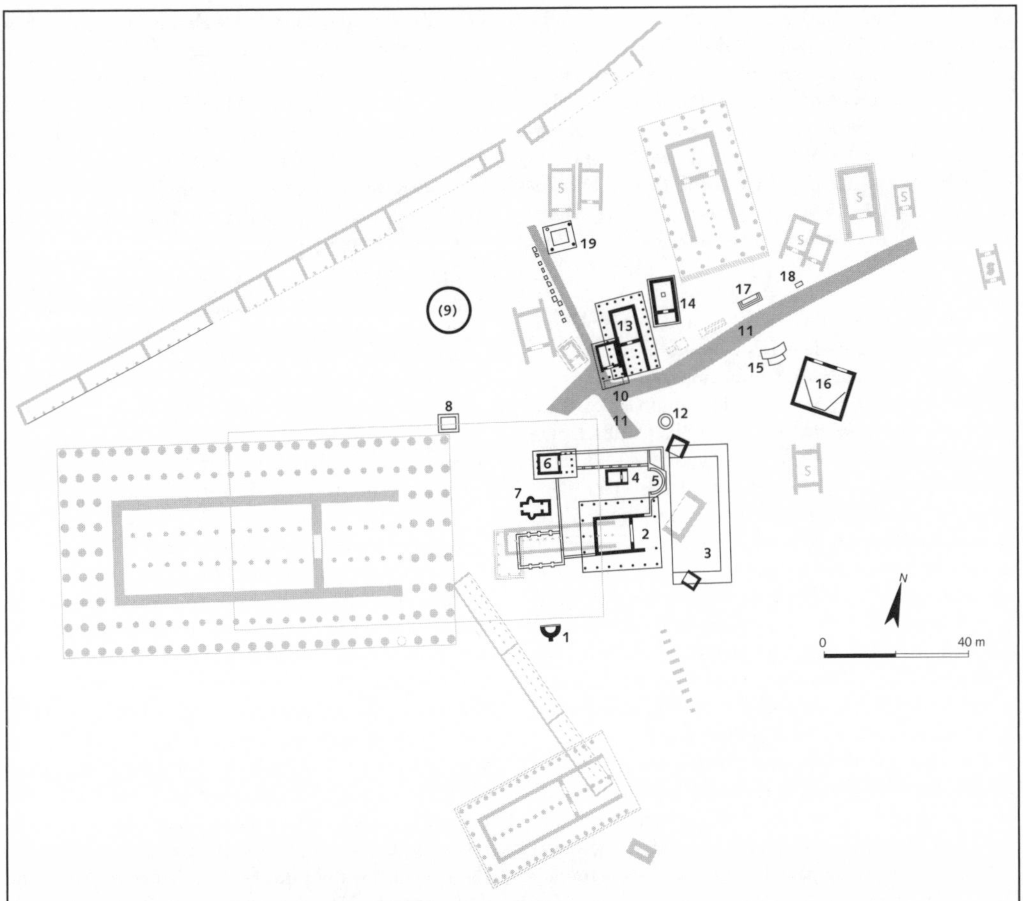

Samos. Heraion von klassischer bis in spätrömische Zeit.

1 Ehrendenkmal der Ciceronen (58 oder 51 v. Chr.)
2 »Röm. Peripteros« (augusteisch?)
3 Altar (Neuerrichtung in Marmor unter Augustus?)
4 Röm. Naiskos (1.–2. Jh. n. Chr.)
5 Kirche (im 5. oder 6. Jh. n. Chr. über den Ruinen des Heiligtums errichtet); heute sichtbare Apsis aus dem 16. Jh. n. Chr.
6 Korinth. Tempel (2. H. 2. Jh. n. Chr.)
7 Therme (3. Jh. v. Chr.)
8 Röm. Standbild-Basis (1. Jh. n. Chr.)
(9) Rundbau (hell.)
10 Tempel E (Podium-Tempel; 1. H. 3. Jh. n. Chr.)
11 Heilige Straße
12 Rundmonument (spät-archa. oder klass. Zeit)
13 Tempel C (tiefgreifender Umbau 1. Jh. n. Chr.)
14 Tempel B (2. Phase 2.–1. Jh. v. Chr.)
15 Statuengruppe des Myron [3]? (Mitte 5. Jh. v. Chr.)
16 Hell. Rechteckbau (Schatzhaus?)
17 Ehrenmonument für Gaius Iulius [II 32] und Lucius Iulius [II 33] Caesar (augusteisch)
18 Marmor-Basis der Ehrenstatuen für zwei röm. Consuln (tiberisch)
19 Laufbrunnen (röm.)

S Schatzhäuser? (vorwiegend archa.)
( ) wieder zugeschüttet

involviert. 80 v. Chr. litt S. unter den Plünderungen des → Verres, damals *legatus* in → Cilicia. Während der röm. Bürgerkriege hielten sich Caesar, Brutus [I 10] und Antonius [I 9] – dieser 32 v. Chr. zusammen mit Kleopatra [II 12] (Plut. Antonius 56) – auf S. auf. Augustus, der bereits den Winter 31/30 v. Chr. auf S. verbracht hatte (Suet. Aug. 17,3; App. civ. 4,176 ff.), schenkte S. 20 v. Chr. bei einem weiteren Aufenthalt ›aus Dankbarkeit‹ (Cass. Dio 54,9,7) die Freiheit (vgl. Plin. nat. 5,135), die die Stadt unter Kaiser Vespasianus (69–79 n. Chr.) wieder einbüßte (Suet. Vesp. 8,4). Mit der Neuordnung der Prov. durch → Diocletianus wurde S. Teil der *provincia insularum* (Hierokles, Synekdemos 683,3). Bis in byz. Zeit konnte die Stadt S. ein beachtliches urbanes Niveau bewahren.

VI. Kultur

S. war die Heimat mehrerer prominenter Persönlichkeiten: des Philosophen und Mathematikers → Pythagoras [2], der während der Herrschaft des Polykrates nach → Kroton auswanderte; der Architekten und Bildhauer → Rhoikos [3] und → Theodoros, bekannt durch ihre Arbeiten am Heraion; des Ingenieurs → Mandrokles, der durch eine für Dareios [1] konstruierte Schiffsbrücke Berühmtheit erlangte; des Historikers Duris, der, in Sizilien geb., mit seinen 322 v. Chr. repatriierten Eltern nach S. zurückgekehrte; des Philosophen → Epikuros, Sohn att. *klērúchoi*, der 323 v. Chr. die Insel verließ; des Dichters → Asklepiades [1], des Astronomen → Aristarchos [3] und des Mosaikkünstlers → Dioskurides [7]; ferner des Historikers → Euagon, des Dichters Choirilos [1], des Grammatikers Glaukos [8] und des Mathematikers → Aristaios [2].

VII. Archäologie

Unter den arch. Überresten nimmt der Hera-Tempel (Heraion) die bedeutendste Position ein [3] (vgl. Abb.). Erh. ist von der urspr. imposanten Anlage freilich nur noch eine einzige Säule. Das Heiligtum lag ca. 8 km von der Stadt S. entfernt und war mit dieser durch eine Heilige Straße verbunden. Der Lygosbaum am Fluß → Imbrasos galt als die Geburtsstätte der → Hera (Paus. 7,4,4) [4]. Im Frühling fanden hier regelmäßig Zeremonien zu Ehren Heras statt. Verschiedene Bauphasen lassen sich unterscheiden (vgl. Abb.). Die früheste Anlage stammt aus dem 8. Jh. v. Chr. (Hekatompedos), sie wurde im 7. Jh. v. Chr. erweitert. Die Architekten Rhoikos und Theodoros errichteten um die Mitte des 6. Jh. v. Chr. einen Steintempel mit doppelter Ringhalle. Polykrates ließ einen völligen Neubau vornehmen, der allerdings nicht zu Ende geführt wurde.

Erh. sind von den Bauten des Polykrates auch der Tunnel des → Eupalinos (teilweise begehbar), die Hafenmole und ein 6,5 km langes Stück der Stadtmauer (in hell. Zeit erneuert). Auf dem Kastro-Hügel befinden sich Reste hell. Wohnhäuser. Aus röm. Zeit stammen Villen, Thermen, ein Aquädukt und ein Theater. Zur byz. Hinterlassenschaft gehören mehrere Basiliken.

→ Eupalinos (mit Abb.); Samos

1 H. J. Kienast, Der Tunnel des Eupalinos auf S., in: Architectura 7, 1977, 97–116 2 R. S. Bagnall, The Administration of the Ptolemaic Possessions outside Egypt, 1976 3 H. Walter, Das Heraion von S., 1976
4 H. J. Kienast, Zum hl. Baum der Hera auf S., in: MDAI(A) 106, 1991, 71–80.

A. Furtwängler, Wer entwarf den größten Tempel Griechenlands?, in: MDAI(A) 99, 1984, 97–103 • Ch. Habicht, Samische Volksbeschlüsse der hell. Zeit, in: MDAI(A) 72, 1957, 152–274 • R. Horn, Hell. Bildwerke auf S., 1972 • H. Kaletsch, s. v. S., in: Lauffer, Griechenland, 599–605 • H. Kyrieleis, Führer durch das Heraion von S., 1981 • Ders., Der große Kouros von S., 1996 • T. J. Quinn, Athens and S., Lesbos and Chios 478–404 B. C., 1982 • G. Shipley, A History of S. 800–188 B. C., 1987 • R. Tölle, Die ant. Stadt S., 1969 • R. Tölle-Kastenbein, Herodot und S., 1976 • W. Transier, Samiaka. Epigraphische Stud. zur Gesch. von S. in hell. und röm. Zeit, 1985.

H. SO.

Samosata (Σαμόσατα), mod. Samsat Hüyüğu (Türkei), Stadt am rechten Ufer des → Euphrates [2]; h. überflutet. Eine hethitische Stele aus S. und assyrische Quellen belegen den Namen Kummuḫu (seit → Sargon II. assyr. Provinzort). Hauptstadt der → Kommagene unter König Antiochos [16] I. 72 n. Chr. von Vespasianus im Kampf gegen Antiochos [18] IV. besetzt. Bis zur Zeit des Diocletianus wichtiger Militärstützpunkt (→ Limes VI.); Iustinianus [1] I. besserte die Stadtmauer aus. Seit dem 7. Jh. war S. arabisch, lag jedoch bis zur osmanischen Zeit stets im Schnittpunkt rivalisierender Regionalmächte. Aus S. stammt der griech. satirische Schriftsteller → Lukianos [1] (2. Jh. n. Chr.).

J. D. Hawkins, s. v. Kummuh, RLA 6, 1980–83, 338–340 • E. Abay, Die Keramik der Früh-Brz. in Anatolien mit »syrischen« Affinitäten, 1997, 83–87 • C. P. Haase, s. v. Sumaysāṭ, EI 9, 871 f. • L. Zoroğlu, S. Ausgrabungen in der kommagenischen Hauptstadt, in: J. Wagner (Hrsg.), Gottkönige am Euphrat, 2000, 75–83.

AR. HA.

Samothrake (Σαμοθράκη).
I. Geographie und Geschichte II. Religion

I. Geographie und Geschichte

Insel (178 km², mit dem Phengari bis 1161 m H) im Norden des → Aigaion Pelagos (Ägäis), 30 km vor der thrakischen Küste, wasserreich, mit schmalem Flachstrand, ohne Naturhäfen. Vereinzelte Spuren von neolith. Besiedlung (bei Karyotai und Mikro Vuni), in der Brz. von → Thrakes bewohnt. Um 700 v. Chr. wurde S. von griech. Kolonisten, verm. Aioleis [1] aus Lesbos, besiedelt, die im NW (bei Palaiopolis) die einzige Stadt der Insel, ebenfalls S., gründeten (gut erh. Stadtmauer aus archa. Zeit, Silbermünzprägung ab dem 6. Jh. v. Chr., vgl. HN 263). Der Fortbestand der thrak. Sprache (Inschr. bis ins 4. Jh. v. Chr.) deutet auf friedliche Koexistenz der Bevölkerungsgruppen. Seit E. des 6. Jh. v. Chr. stand S. unter pers. Herrschaft, nahm am Zug des → Xerxes gegen Athen teil; nach den pers. Niederlagen bei Salamis [1] und Plataiai (→ Perserkriege [1]) trat S. dem → Attisch-Delischen Seebund bei, nach spartanischer Vorherrschaft 404/3–389/8 v. Chr. dem → Attischen Seebund. Der Mangel an Fruchtland zwang zum Gewinn von Festlandbesitz (→ Peraia), im 5. Jh. v. Chr. z. B. der Küstenregion zw. Maroneia und Ainos. Ab 340 v. Chr. war S. maked., in hell. Zeit in wechselndem Besitz von → Ptolemaiern, → Seleukiden und Antigoniden (→ Antigonos); wegen der Auslieferung des Perseus [2] an Aemilius [I 32] Paullus nach der Niederlage bei Pydna 168 v. Chr. erhielt S. die Freiheit. Der Grammatiker Aristarchos [4] stammte von S.

In einer Schlucht unweit westl. der ant. Stadt S. lag das Heiligtum, dem die Insel ihren bes. Ruhm verdankte: Der urspr. thrak., seit dem 8. Jh. v. Chr. nachweisbare Kult der »Großen Götter« (→ Theoi Megaloi, → Kabeiroi, später mit den → Dioskuroi verschmolzen; s.u. II.) war schon in frühklass. Zeit von überregionaler Bed. und in hell. und röm. Zeit in der gesamten ant. Welt bekannt; er bestand wohl bis ins 4. Jh. n. Chr.; bes. Förderung erhielt er von seiten der Ptolemaier.

Bauten: Propylon (zur Stadt hin, sog. Ptolemaion, Plan Nr. 20), Hofbau des Anaktoron (»Haus der herr-

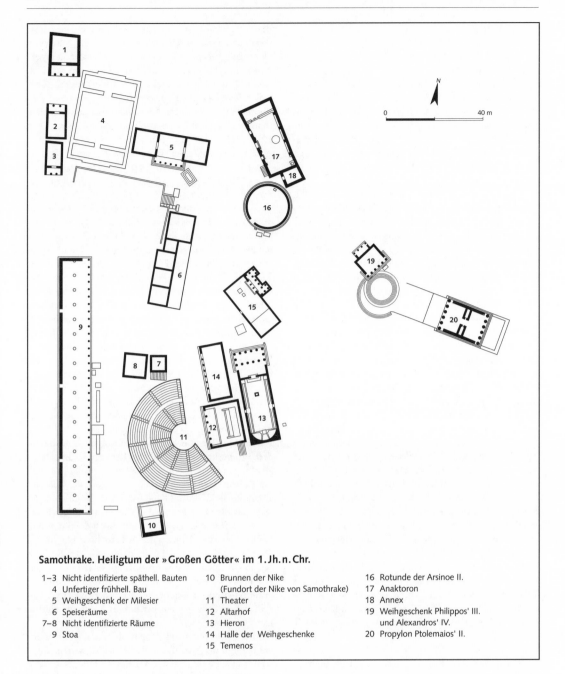

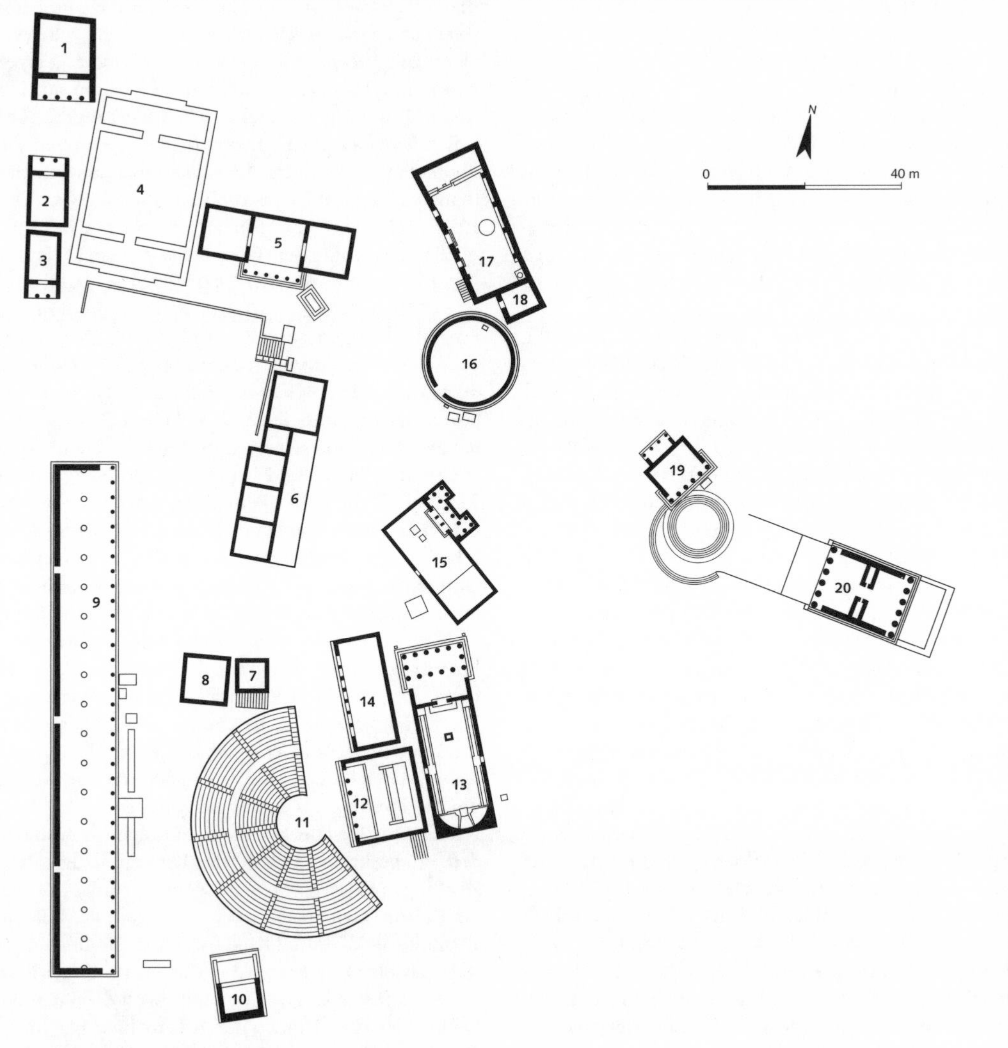

Samothrake. Heiligtum der »Großen Götter« im 1. Jh. n. Chr.

1–3 Nicht identifizierte späthell. Bauten
4 Unfertiger frühhell. Bau
5 Weihgeschenk der Milesier
6 Speiseräume
7–8 Nicht identifizierte Räume
9 Stoa
10 Brunnen der Nike (Fundort der Nike von Samothrake)
11 Theater
12 Altarhof
13 Hieron
14 Halle der Weihgeschenke
15 Temenos
16 Rotunde der Arsinoe II.
17 Anaktoron
18 Annex
19 Weihgeschenk Philippos' III. und Alexandros' IV.
20 Propylon Ptolemaios' II.

schenden Götter«, Plan Nr. 17) mit Annex (dort Verzeichnis der Eingeweihten; Plan Nr. 18), Rotunde der Arsinoë [II 3] II. (Arsinoeion, → Tholos; Plan Nr. 16), Temenos (hofförmiger Kultbau) mit Propylon (Tänzerinnen-Fries; → Toranlagen; Plan Nr. 15), Mysterienhaus (Hieron, Plan Nr. 13) mit Vorhalle und Apsis, Theater (Plan Nr. 11), Nischenbau mit Wasserbekken/»Brunnen« »Nike von S.« (→ Nike II., h. in Paris, LV; Plan Nr. 10), verschiedene Hallen und Nebengebäude. Schriftquellen: Hom. Il. 13,12 ff.; 24,78; 753; Hdt. 2,51; Aristoph. Pax 277 ff.; Skyl. 67; Skymn. 679 ff.; Strab. 10,2,17; Ptol. 3,11,14; Plin. nat. 4,73f; Diod. 5,47 ff.; Aristot. fr. 579.

S. G. Cole, Theoi megaloi, 1984 • H. Ehrhardt, S., 1985 • W. Günther, s. v. S., in: Lauffer, Griechenland, 605–609 • Kirsten/Kraiker, 645–655; 840 (Lit.) • J. Koder, Aigaion Pelagos (TIB 10), 1998, 273–275 • K. Lehmann, S., [4]1975 • W. Oberleitner (Hrsg.), Funde aus Ephesos und S. (Kunsthistor. Mus. Wien, Kat. der Antikenslg. 2), 1978 • Philippson/Kirsten 4, 213–217.

A. KÜ.

II. Religion
A. Geschichte B. Götter und Mythen

A. Geschichte
Aus der Brz. (ca. ab 3000 v. Chr.) gibt es auf S. noch keine sicheren Zeugnisse rel. Lebens. Allein der überl. Name → Zerynthos steht möglicherweise mit dem aus späterer Zeit bekannten Göttinnenbeinamen Zerynthia in Verbindung und führt so vielleicht auf eine prähellenische Gottheit zurück. Die aiol. Kolonisten brachten im 8. Jh. v. Chr. ihre Schutzgöttin Athena mit, die sie zusammen mit dem Lokalheros Saon verehrten (Cass. Dio 5,48,3). Seit mindestens dem E. des 6. Jh. v. Chr. besaß das außerhalb der Stadt S. gelegene Kabirenheiligtum (s.o. I.) überregionalen Charakter (Dion. Hal. ant. 1,68,2; Paus. 7,4,2–3). Die Identifizierung und Unterscheidung von einzelnen der → *Theoí megáloi* ist schwierig, da für verschiedene Gottheiten z. T. dieselben Namen verwendet werden, wie auch für Gestalten mit bestimmten Eigenschaften und Funktionen fallweise unterschiedliche Namen.

Unter der maked. Königsfamilie wurde dem Heiligtum bes. Aufmerksamkeit zuteil: Philippos [4] II. lernte bei den samothrak. Mysterienfeiern seine spätere Gattin Olympias [1] kennen (Plut. Alexander 2,2). Alexandros [4] d.Gr. weihte in Indien u.a. den samothrak. → Kabeiroi Altäre (Plin. nat. 6,17,62; Philostr. Ap. 2,43). Während der Ptolemäer- und Seleukidenzeit wurden zahlreiche Bauten im Bereich des Heiligtums gestiftet, das sich zu einem wichtigen Pilgerort entwickelte (→ Pilgerschaft). S. war auch bei den Römern als Kultort beliebt, was wohl z. T. auf der von Varro (Macr. Sat. 3,4,7–9; Serv. Aen. 1,378) überl. Auffassung beruhte, die von Aeneas (→ Aineias [1]) nach Rom gebrachten → Penates stammten nicht aus Troia, sondern von S. Nach der Eroberung Griechenlands durch die Römer wurde es üblich, daß die in Makedonien und Thrakien stationierten röm. Truppen sowie Feldherren und Beamten die Insel und bes. das Heiligtum regelmäßig besuchten und reich beschenkten. Die letzte bekannte Mystenliste aus dem Kabirenheiligtum stammt aus der Zeit Constantinus [1] I. Mit dem Erlaß des Kaisers Theodosius II. (435 n. Chr.), der alle paganen Kulthandlungen verbot, kam auch für das große Heiligtum von S. das Ende.

B. Götter und Mythen
Bereits vor dem Kult der Kabeiroi hatte es nach Diod. 5,47–55 ältere Mysterienkulte auf S. gegeben. Ant. Autoren (Hdt. 2,51 f.; Plut. Alexandros 2,2; Aristoph. Pax 276–286; Stesimbrotos FGrH 107 F 20; Mnaseas schol. Apoll. Rhod. 1,916b) erwähnen häufig den Kult der Großen Götter. In den offiziellen Urkunden und in den Mysterieninschriften von S. erscheint für die Kabeiroi die Bezeichnung *Theoí Megáloi, Theoí Megáloi Samothrákēs* oder einfach *Theoí*. Eine der wichtigsten Gottheiten auf S. war die Große Mutter, der phrygischen → Kybele und der in Troia verehrten Idäischen Mutter verwandt. Ihr Kult wurde vielleicht schon in der Brz. auf Felsaltären ausgeübt, die über die ganze Insel verstreut liegen. Lokal hieß sie *Axíeros*, die Griechen identifizierten sie mit → Demeter; andere Namen: *Ēléktra* (die Leuchtende) oder *Stratēgís* (Führerin, Hellanikos FGrH 4 F 23). Hekate (*Zērýnthia*) wurde ebenfalls mit der Großen Mutter identifiziert (schol. Aristoph. Pax 277). Auch Aphrodite, ebenfalls mit dem Beinamen Zerynthia (Lykophr. 77; schol. Nik. Ther. 462), erschien im Pantheon der samothrak. Götter.

Ein ithyphallischer Gott *Kadmílos* oder *Kasmílos* (Inschr. von Imbros IG XII 8, 74; Hdt. 2, 48–51; Mnaseas schol. Apoll. Rhod. 1, 916b; Kall. fr. 199), verm. ein Fruchtbarkeitsgott (und Gemahl der Großen Mutter nach dem Vorbild von Kybele und Attis?) wurde mit dem griech. Hermes identifiziert. Zu den Mysterien gehörten weiterhin die beiden → chthonischen Gottheiten *Axiókersos* und seine Gattin *Axiokérsa*, die die Griechen mit → Hades und Persephone gleichsetzten. Die Sage vom Raub der → Persephone war Bestandteil der samothrak. Mysterienfeierlichkeiten (vgl. schol. Apoll. Rhod. 1,917; → Mysterien B.). Andere auf S. verehrte Gottheiten waren eine Berggottheit unbekannten Namens sowie die Korybanten (→ Kureten), die als Söhne der Großen Mutter galten (Diod. 3,55,8–9; FGrH 32 F 7; Pherekydes FGrH 3 F 48); ihr einheimischer Name war verm. *Sáoi*, was die Griechen als »Gerettete« verstanden. Die Kabeiroi galten als Beschützer der Seefahrer (Hdt. 2,51) und in Seenot Geratener (die Mysten banden sich während des Rituals eine rote Binde um den Körper, um die Rettung aus Seenot darzustellen, schol. Apoll. Rhod. 1,917 f.). Dies brachte sie zur Identifizierung mit den → Dioskuroi. Sowohl die Dioskuroi, die oft als Zwillinge (*dídymoi*) von S. bezeichnet wurden, als auch die Kabeiroi erschienen immer zu zweit; die Kabeiroi allerdings als Vater und Kind (*pais*) bzw. als jung und alt (Stesimbrotos FGrH 107 F 20, Mnaseas FGrH 154 F 27).

Der samothrak. Sagenkreis behandelt die Taten und Leiden der drei Kinder der Atlastochter Elektra [3] (Dardanos, Iasion und Harmonia) sowie des Kadmos [1], des Räubers und Gemahls der → Harmonia. Der samothrak. Kadmos ist oft mit dem gleichnamigen phoinikischen Gründerheros von Theben verschmolzen, wo es ebenfalls ein berühmtes Kabirenheiligtum gab. → Iasion (auch Iasios) galt als Begründer der samothrak. Mysterien und daher als eigentlicher Heros des Heiligtums. Von Zeus selbst in die Mysterien eingeweiht, machte er als erster Mystagoge Fremde zu Mysten und brachte das Heiligtum zu Ansehen (Diod. 5,48–50; Hes. theog. 969–971). Dardanos, Bruder des Iasion, brachte das Palladion von S. nach Troia. Harmonia wurde (wie auch *Axiókersa*) mit Persephone gleichgesetzt (Ephoros FGrH 70 F 120). Als Kabeiroi galten diese vier Gestalten, allerdings auch *Axíeros, Axiókersos, Axiokérsa* und *Kadmílos*.

Ähnliche Mysterien wie auf S. gab es in Theben, auf Lemnos, auf Imbros und auf Tenedos. Urspr. fanden die Rituale nur in den Sommermonaten statt, seit dem 3. Jh. v. Chr. waren sie jedoch nicht mehr an eine be-

stimmte Zeit gebunden, wie griech. und lat. Mystenlisten belegen. Die Sprache der Ureinwohner der Insel, der → Thrakes, wurde bei den Mysterien noch bis ins 1. Jh. v. Chr. als *lingua sacra* verwendet (Diod. 5,47,1–5,48,3).
→ Dioskuroi; Kabeiroi; Kybele; Muttergottheiten; Mysterien

1 Burkert, 420–426 2 Ders., Ant. Mysterien, 1994
3 S. G. Cole, Theoi Megaloi, 1984 4 H. Ehrhardt, S., 1985 5 B. Hemberg, Die Kabiren, 1950
6 S. N. Papageorgiou, S., 1982, 15–32 7 P. Rodakis, Τα Καβείρια Μυστήρια, 1997. X. T.

Sampsigeramos (Σαμψιγέραμος).
[1] Der Fürst von → Emesa und Arethusa (Strab. 16,2,11) in Syrien war ein (treuloser) Bundesgenosse des Antiochos [14] XIII., den er zweimal gefangennahm und 64 v. Chr. umbrachte (Diod. 40,1b). Sein gutes Verhältnis zu → Pompeius [I 3] veranlaßte Cicero, seinen exotischen aramäischen Namen als Spitznamen für Pompeius zu verwenden (Cic. Att. 2,14,1; 16,2; 17,1–2; 23,2–3). S. wird unter den Fürsten genannt, die den 46 v. Chr. beginnenden Aufstand des Pompeianers Caecilius [I 5] Bassus unterstützten (Strab. 16,2,10).
[2] Nachkomme, wohl Urenkel, von S. [1] und Fürst (»Großkönig«: ILS 8958 = IGLS 2760) von → Emesa. S. war über seine Tochter Iotape mit Herodes [8] Agrippa I. verschwägert (Ios. ant. Iud. 18,5,4) und nahm um 42 n. Chr. an einer von diesem veranstalteten Konferenz syrischer Fürsten in → Tiberias teil (ebd. 19,8,1).

R. D. Sullivan, The Dynasty of Emesa, in: ANRW II 8, 1977, 198–219, bes. 199–205, 212–214. M. SCH.

[3] s. Uranius Antoninus

San Giovenale. Schwedische Grabungen legten 1956–1967 weite Teile der auf einem Hochplateau am Zusammenfluß zweier Wasserläufe in den nö. Ausläufern der → Tolfa-Berge gelegenen etr. Siedlung frei. Für die Erforschung der archa.-etr. Hausarchitektur (vgl. → Haus II. C.) sind die Grundrisse von Häusern aus drei Siedlungsphasen wichtig: Unter dem Hof des ma. Kastells befand sich eine spätbrz. Hüttensiedlung mit Gebäuden aus Holzfachwerk, die kleiner als die Langhäuser in → Luni sul Mignone waren. Die Hütten der frühen Eisenzeit (9. Jh. v. Chr.) auf dem westl. Plateau besaßen ovale, seltener rechteckige Grundrisse. Die rechteckigen, meist zweiräumigen Gebäude des 7./6. Jh. v. Chr. im sog. Borgo und im Westen hatten Fundamente aus regelmäßigen Tuffblöcken und z. T. umlaufende Bänke aus Flußkieseln, die vielleicht als Ausstattung von Speiseräumen zu deuten sind. Im 5. und 4. Jh. konzentrierte sich die befestigte Siedlung im mittleren Teil des Plateaus. In der Umgebung fanden sich Kammergräber in deutlicher Abhängigkeit von → Caere.

Ö. Wikander (Hrsg.), Architettura etrusca nel Viterbese (Ausst. Viterbo 1986), 1986 • I. Pohl, s. v. S. G., EAA 2. Suppl. Bd. 5, 1997, 98–99 • S. Forsberg (Hrsg.), S. G. Materiali e problemi (Atti del Simposio Roma, 1983), 1984 • B. Thomasson (Hrsg.), S. G. Results of Excavations, 7 Bde., 1967–1981. M. M.

Sanatrukes (Σανατρούκης).
[1] (griech. lit. Quellen: Σινατρούκης/*Sinatrúkēs*, Phlegon von Tralleis, fr. 12 bei Photios; Σινατροκλῆς/*Sinatroklḗs*, Ps.-Lukian. Makrobioi 15; bzw. im Gen.: Σιντρίκου/*Sintríku*, App. Mithr. 104). Sohn des → Artabanos [4] I. und Bruder des → Mithradates [13] II., des Gotarzes I. und des → Orodes [1] I. S. wurde 78/7 v. Chr. in seinem 80. Lebensjahr von den → Sakarauken auf den parthischen Thron gehoben und herrschte noch 7 J. (Ps.-Lukian. Makrobioi 15). In den Konflikt zw. Mithradates [6] VI. von Pontos und Rom griff er nicht ein (Memnon FGrH 434 F 43,2). 71/0 v. Chr. folgte ihm sein Sohn → Phraates [3] III. nach (App. Mithr. 104; Phlegon FGrH 257 F 12,6 und 7).

M. Schottky, Parther, Meder und Hyrkanier, in: AMI 24, 1991, 61–134, bes. 98, Stammtafel II und VII.

[2] Ein in der kaum brauchbaren armen. Überl. (dort *Sanatrūk*) und bei Arrianos (Parthika fr. 47 Roos-Wirth) genannter König von Armenien. Da ein Fr. des Cassius Dio (75,9,6 gezählt, aber richtig nach 68,30,3 eingeordnet) seinen Sohn mit Kaiser Traianus in Verbindung bringt, mag S. zw. → Tiridates I. und → Axidares (etwa 75–110 n. Chr.) regiert haben.

M.-L. Chaumont, s. v. Armenia and Iran II, EncIr 2, 418–438, bes. 424 f. M. SCH.

Sanbulos. Nach Tac. ann. 12,13,3 Ort, an dem → Gotarzes II. seinen von Rom entsandten Gegenkönig → Mithradates [15] besiegte; dabei wird erwähnt, daß an der gleichen Stelle der letzte Kampf zwischen Alexandros [4] d.Gr. und → Dareios [3] III. stattgefunden habe. Genannt wird eine Festung bei Ninive (→ Ninos [2]). S. ist ein Berg, auf dem Gotarzes dem Herkules opferte, und liegt verm. in der Nähe des Schlachtfeldes. S. ist bisher nicht identifiziert.

P. Bernard, Heracles, les grottes de Karafto et le sanctuaire du Mont Sambulos en Iran, in: Studia Iranica 9, 1980, 301–324 • J. Tubach, Herakles vom Berge S., in: AncSoc 26, 1995, 241–271. H. J. N.

Sanchuniathon (Σαγχουνιάθων; phöniz. *sknytn*, »Sakon hat gegeben«). Phönizier und Gewährsmann des → Herennios Philon von Byblos (= Ph.), der ihn für seine ›Phöniz. Gesch.‹ (Eus.: Φοινικικὴ Ἱστορία; Iohannes Lydus, Steph. Byz.: τὰ Φοινικικά) benutzte, über die wir lediglich durch Zitate bei → Eusebios [7] (Eus. Pr. Ev. 1,9,20–21; 10,9,12 ff. Mras = FGrH 790) unterrichtet sind. S. soll in Beirut (→ Berytos, nach Suda), → Tyros oder → Sidon (Athen. 3,100) noch ›vor dem Troianischen Krieg‹ gelebt und seine Lehren, bes. Informationen über die phöniz. Rel., von einem Priester des Gottes Jeuo (Ἰευώ) namens Hierombalos erhalten, in phöniz. Sprache aufgeschrieben und einem König Abibalos (bzw. Abelbalos) von Beirut gewidmet haben (so Porphyrios, s.u.). Dazu habe er auch ›in den Heiligtümern vorhandene Aufzeichnungen‹ verwendet. Eusebios zitiert allerdings nicht Ph. selbst, sondern das 4. B. von ›Gegen die Christen‹ des Neuplatonikers → Porphyrios, der dort Ph. in seiner Polemik verwendete. Er kannte offenbar das acht- oder neunbändige Werk des Ph. (Porph. de abstinentia 2,56).

Folglich liegt eine mehrfach gebrochene Überl. vor, in der stark gräzisierte Teile einer phöniz. Kosmo- und Zoogonie, einer Kulturentstehungslehre, Mythen über sich ablösende Göttergenerationen, Vergöttlichung von Schlangen und die Begründung des Menschenopfers in der Frühzeit erh. sind. Nach der Entdeckung und Erschließung der kanaanäischen myth. Texte von → Ugarit, in denen z. T. ähnliche Themen behandelt werden, ist es sicher, daß die bisher im Original nicht nachweisbaren Schriften des S. für Ph. eine recht verläßliche Quelle waren.

1 O. Eissfeldt, S. von Berut und Ilumilku von Ugarit, 1952 2 P. Nautin, S. chez Philon de Byblos et chez Porphyre, in: RBi 56, 1949, 259–273 3 K. Mras, S., in: AAWW 89, 1952, 175–186 4 A. J. Baumgarten, The Phoenician History of Philo of Byblos. A Commentary, 1981 5 J. Dochhorn, Porphyrius über S. Quellenkritische Überlegungen zu Praep Ev 1,9,21, in: WO 32, 2002. W. R.

Sanctio (von lat. *sancire*: »weihen, unverletzlich machen«), urspr. in sakralem Sinne: eidliche Bekräftigung beim Staatsvertrag (*foedus ... sanciendum*, Liv. 1,24,6); in Zusammenhang mit einer *lex* (»Gesetz«) bedeutet *s.* die Gesamtheit der Klauseln zur Sicherung ihrer Verwirklichung (Cic. Att. 3,23,2–3), dann allg. die Rechtsfolge, v. a. von Verbotsgesetzen, bes. die Strafe. Die Gliederung der *leges* (Ulp. reg. 1–2, dazu → *lex, leges* D. 1.) nach Art der *s.* in *leges imperfectae* (ohne *s.*), *minus quam perfectae* (nur Strafe) und *perfectae* (Nichtigkeit) wird durch die generelle Festsetzung der Nichtigkeitsfolge für Verbotsgesetze (Cod. Iust. 1,14,5; 439 n. Chr.) obsolet.

In der späteren Kaisergesetzgebung meint *s.* häufig die Verbotsnorm selbst, dann die kaiserliche Vorschrift überhaupt, als *s. pragmatica* (auch *pragmaticum*) im Sinne einer Regelung von bes. Gewicht, doch ist ein einheitlicher Maßstab hierfür nicht feststellbar.

M. Kaser, Über Verbotsgesetze und verbotswidrige Geschäfte im röm. Recht, 1977. C. E.

Sanctus (urspr. Ptz. Perf. Pass. des lat. Verbs *sancire*, »weihen, unverletzlich machen«). *S.* ist nicht mit → *sacer* identisch, doch der Gebrauch von *sanctior* als Komparativ von *sacer* und die Bildung des Kompositums *sacrosanctus* weisen auf eine auf das indeur. **sak-* (»mit Dasein ausgestattet«) zurückgehende Verbindung hin. Drei Phasen der ant. Verwendung von *s.* und des Subst. *sanctitas* lassen sich identifizieren:

1. *S.* qualifiziert Sachen, Orte oder Ämter, die, üblicherweise in einem Gesetz, durch eine → *sanctio* definiert bzw. in ihrer Existenz abgesichert werden (z. B. Wände, Türen, der König oder Magistrat: Fest. 348 L.; Dig. 1,8,9,3; Sall. hist. 5,3 M.; Cic. dom. 137; Cic. nat. deor. 3,94).

2. Daraus hervorgehend steht *s.* bei zu achtenden oder geachteten Dingen und Personen (Cic. Verr. 2,3,6; Gell. 20,1,39), insbes. den Toten (Cic. leg. 2,22; CIL XI 4629) und Heroen (Val. Max. 5,3,3; CIL VI 332578).

3. Daraus entwickelte sich, vielleicht unter dem Einfluß des griech. *hágios*, die am häufigsten belegte nichtchristl. Verwendung: »göttlich« oder »zu einer Gottheit gehörig«, oft mit dem Namen einer Gottheit verbunden (Enn. ann. 53; Liv. 2,10,11). Auf Menschen (Könige, Priester, Dichter oder Philosophen) bezogen konnotiert *s.* dann die Verehrungswürdigkeit, eine Begabung göttlichen Ursprungs (Sen. contr. 1 praef. 9) oder einen moralischen, schlichten Lebensstil (Gell. 15,18,2; Val. Max. 2,10,8). Diese letztgenannte Verwendung erklärt in Verbindung mit dem → Kaiserkult die Verwendung von *s.* für den röm. Kaiser, der aufgrund seiner Verdienste vergöttlicht werden konnte (Plin. paneg. 1,3; CIL II 5232), und ist der Ursprung des christl. Gebrauchs von *s.* für die Heiligen. Im NT und im frühen Christentum bezeichnet der Begriff *hágios/sanctus* vorerst in seiner urspr. Bed. (»zu Gott gehörig«, s.o.) alle Christen (vgl. die Anreden der Gemeinden in den Paulusbriefen, z. B. 1 Kor 1,2). Im 3. Jh. entwickelte sich die Bußlehre im Zusammenhang mit den Christenverfolgungen; dabei ging es um die Frage der Wiederaufnahme von Christen, die dem kaiserlichen Opferbefehl nachgekommen waren. Fortan bezeichnete griech. *hágios*, lat. *sanctus* nur noch Christen, die ein außerordentlich vorbildliches Leben geführt hatten (Märtyrer, Bekenner, Asketen).

1 Dumézil, 130f. 2 H. Fugier, Recherches sur l'expression du sacré dans la langue latine, 1963, 179–197, 249–292
3 W. Link, De vocis s. usu pagano (Diss. Königsberg), 1910. D. WAR./Ü: S. KR.

Sancus. Semo Sancus Dius Fidius (Dion. Hal. ant. 4,58,4; CIL VI 30994); er wird aber auch Dius Fidius, S. oder Semo Sancus genannt. Ein Gott rätselhafter Herkunft und Natur, von dem sabinischer Ursprung angenommen wird (Ov. fast. 6,213–18; Varro ling. 5,66). Der eigentliche Name S. (auch als *Sanctus* überliefert) wird von lat. *sancire*, »unverbrüchlich machen, festsetzen«, abgeleitet (aber auch als sabinisches Wort für »Himmel« gedeutet: Lyd. mens. 4,90; [4. 116]). Semo ist nicht erklärt, wird aber mit *semen* (»Samen«) in Verbindung gebracht und als Hinweis auf eine Saatgottheit gedeutet ([3] gegen [2. 204]). Der Gott ist neben der Salus Semonia (Macr. Sat. 1,16,8) als ein Angehöriger der im → *Carmen Arvale* angerufenen (CIL I^2 2,3) altital. Göttergruppe der Semones angesehen worden [2]. Dius Fidius (von griech. Quellen als → Zeus Pistios bezeichnet) läßt auf eine Verbindung mit → Iuppiter schließen. In histor. Zeit sind Dius Fidius und Semo S. eng verbunden (die gleiche Doppelbezeichnung findet sich beim umbrischen Fisos Sancios), auch wenn für die Frühzeit die Existenz zweier separater Gottheiten angenommen wurde [1. 127; 6]. Der Schwur- und Blitzgott – *me Dius Fidius* war eine geläufige Schwurformel (u. a. Gell. 10,14,3; Cic. fam. 5,21,1) – wurde auf dem röm. Quirinal, nahe der Porta Sanqualis, verehrt (heute bei S. Silvestro). Die Errichtung seines Tempels wird von einigen → Tarquinius Priscus zugeschrieben (Dion. Hal. ant. 9,60,8; Weihung erst 466 v. Chr., Stiftungstag 5. Juni: Ov. fast. 6,213–18). In ihm wurde u. a. der von Tarquinius Superbus (Dion. Hal. ant. 4,58,4) abgeschlossene Vertrag mit → Gabii aufbewahrt. In der Kaiserzeit stand das Priestercollegium der *sacerdotes bidentales*, das bei der Blitzsühne eine Rolle spielte, in enger Verbindung zum Tempel (CIL VI 568). Eine auf der Tiberinsel gefundene Statuenbasis mit der Widmung *Semoni Sanco Deo Fidio* verweist auf den Gott (CIL VI 567). Frühchristl. Autoren hielten die Statue für die des vergöttlichten → Simon [8] Magus (z. B. Tert. apol. 13,9).

1 Latte, 51, 65, 126–128 **2** E. Norden, Aus altröm. Priesterbüchern, 1939, 204–216 **3** Radke, 286
4 G. Radke, Zur Entwicklung der Gottesvorstellung und der Gottesverehrung in Rom, 1987, 115–123
5 Richardson, 347 f. **6** G. Wissowa, Rel. und Kultus der Römer, ²1912, 129–133, 280. D. E.

Sandale (πέδιλον, σανδάλον, -ιον; lat. *sandalion, solea*, alle meist im Pl.). Die S. (eine Sohle, die durch Riemen am Fuß befestigt wird und bis zum Knöchel oder nur wenig darüber reicht) war sicherlich die am häufigsten getragene, in unterschiedlichen Varianten gefertigte ant. Fußbekleidung. Griech. S. wurden mit dünnen Riemen bis zu den Knöcheln geschnürt [2. 270, Abb. 5]; erst in der röm. Kaiserzeit tauchten die bandartigen Lederriemen auf, die sich über dem Fuß kreuzten oder schräg zusammenliefen. Die Bänder wurden vielfach mit Punzenprägung verziert. S. wurden von Frauen wie Männern getragen. S. wurden aus Leder, Holz, Kork und anderen leichten Materialien hergestellt – so bestand die sog. *bax(e)a* (eine aus Ägypten stammende S., die in Rom auf der Komödienbühne sowie von Philosophen getragen wurde) aus Palmblättern, Weiden u. a.; daneben konnten für S. auch kostbare Materialien (goldene Schnallen bei Athen. 12,543f) verwendet werden. Zu den S., die in der griech. Lit. oft genannt werden (Athen. 12,548c; Plat. symp. 174a), gehört die βλαύτη/*blaútē*, die man in Athen bei feierlichen Anlässen trug. Nach ihrer Herkunft aus Etrurien waren die *sandália tyrrhēniká* benannt, die auch als Exportgut nach Griechenland gelangten (vgl. Poll. 7,92 zu den S. der Athena Parthenos). Die *tyrrhēniká* waren am Rand mit Br. eingefaßt und bestanden aus dicken, mit Nägeln versehenen zweiteiligen Holzsohlen, die durch Hanf o. ä., den man um Nägel wand, scharnierartig verbunden waren und dadurch Beweglichkeit erhielten (zu genagelten Schuhen s. → Nagel). Zu den im röm. Bereich getragenen S. zählt die lederne *solea*, deren hölzerne Variante auch Sklaven und Landleute verwendeten, ferner die aus Gallien stammende *gallica*, die im 1. Jh. v. Chr. in Rom eingeführt wurde; sie hatte im Unterschied zu anderen S.-Arten einen aufgebogenen Rand, von dem die Riemen über den Fuß führten.

Im Mythos spielt die S. kaum eine Rolle. → Aigeus versteckt für seinen Sohn → Theseus Schwert und S. unter einem Felsen (Apollod. 3,208; 3,216); als Erkennungszeichen dient das Fehlen einer S. bei → Iason [1] (Apollod. 1,108, vgl. Pind. P. 4,75). Eher amüsant ist die Geschichte der Rhodopis, die aufgrund ihrer gestohlenen S., die dem Pharao Psammetich zugetragen wird, diesen kennenlernt und heiratet (Ail. var. 13,33). Im Alltag züchtigte man Kinder durch Schlagen mit S. (Lukian. dialogi deorum 19,1/11,1; Lukian. philopseudes 28; Pers. 5,169; Iuv. 6,612, vgl. auch das delphische Sühnefest *Chárila*, Plut. qu. Gr. 12); bei Erwachsenen konnte dies ein erotisches Stimulans sein [1]. S. dienten ferner als Weihegaben an weibliche Gottheiten (z. B. Anth. Pal. 5,199; 6,201; 293).

Zahlreiche Reste von S. sind als Grab- (vgl. Lukian. philopseudes 27) wie auch Siedlungsfunde, v. a. aber aus den röm. Militärlagern und Kastellen (bes. aus den nördl. Prov. des röm. Reiches) erh., freilich nur in kleinen Frg. [3]. Einzig aus den röm. und koptischen Gräbern der Trockengebiete Äg.s stammen gut erh. Exemplare, an denen die Details der Schnürung zu verifizieren sind [4]. Eine genauere Chronologie ist nicht möglich, wenn kein Fundkontext Aufschluß gibt.
→ Karbatine; Krepis [2]; Schuhe (mit Abb.)

1 J. Boardman, Athenian Red Figure Vases, 1975, Abb. 112, 241 **2** W. K. Kovasovics, Ein S.-Fund aus dem Kerameikos, in: MDAI(A) 99, 1984, 265–274 Taf. 46 f. (Rest klassischer Leder-S. aus Athen) **3** A. L. Busch, Die römerzeitlichen Schuh- und Lederfunde der Kastelle Saalburg, Zugmantel und Kleiner Feldberg, in: Saalburg-Jb. 22, 1965, 158–210 **4** R. Forrer, Archäologisches zur Gesch. des Schuhs aller Zeiten, 1942, Taf. 22 und passim.

K. Erbacher, Griech. Schuhwerk, Diss. Würzburg 1914 • O. Lau, Schuster und Schusterhandwerk in der griech. und röm. Kunst und Lit., 1967 • Helbig, Nr. 597, 2552. R. H.

Sandalfon (hebr. *sandālfōn*). Name eines der bedeutendsten Engel der rabbinischen Angelologie. S.s Größe erstreckt sich von der Erde bis in die himmlische Welt und er überragt seine Engelsgefährten um 500 J., wobei er »für seinen Schöpfer Kränze windet« (bHag 13b mit der Auslegung zu Ez 1,15; PesR 20 [97a]). Verwandte Überl. setzten diese Kränze mit den Gebeten Israels gleich, die S. Gott darbringt (Bet ha-Midrasch 2,26 Jellinek). Sein Name leitet sich mit großer Wahrscheinlichkeit ab von griech. συνάδελφος/*synádelphos*, »Mitbruder« (entweder der Engelsgemeinschaft oder konkret des Thronengels → Metatron). S. erscheint auch in der → Hekhalot-Literatur als der »Engel, der seinem Herrn die Krone aufbindet«; gleichzeitig fungiert er auch als Fürsprecher Israels, der einen Fluch Gottes über Israel abwenden kann (Merkava Rabba § 655). In der ma. Kabbala ist er *śar-ha-ʿōfot*, der Engel, der über die Vögel bestimmt und herrscht.

K.-E. Grözinger, Ich bin der Herr, dein Gott! Eine rabbinische Homilie zum Ersten Gebot (Pes R 20) (Frankfurter Judaistische Stud. 2), 1976, 159ff. • P. Schäfer, Der verborgene und offenbare Gott. Hauptthemen der frühen jüd. Mystik, 1991, 80, 99f. B.E.

Sandhi. Der aus der einheimischen indischen Gramm. stammende t.t. *sandhi-* (Mask.), »Zusammenfügung, Verbindung«, der um die Mitte des 19. Jh. von der europäischen Sprachwiss. mangels eines entsprechenden ant. t.t. aufgenommen wurde, bezeichnet (1) das »Zusammentreffen« wortauslautender Phoneme mit wortanlautenden Phonemen, bes. der Wörter im Satzzusammenhang (daher auch Satzphonetik genannt), dann auch der Wörter, die als Komponenten (Glieder) von Nominal- und Verbalkomposita auftreten; (2) (so meist) die sich daraus in der sog. Satz- bzw. Wort-, d.h. Kompositionsfuge ergebenden phonetisch-phonologischen Veränderungen. Letztere stimmen vielfach mit denen überein, die sich auch an den Morphemgrenzen innerhalb eines Wortes bzw. einer Wortform finden. Dennoch zeigt der S. gerade innerhalb des Satzganzen so bemerkenswerte Eigenheiten, zumal im Wortauslaut (in pausa), daß er als Sondergebiet der → Lautlehre (Phonetik und Phonologie) eine zusammenhängende Behandlung verdient.

Im Altind. (Vedischen und klass. Sanskrit), das für die Erkenntnis der S.-Phänomene exemplarische Bed. hat, erscheinen die Wörter im Satzzusammenhang entsprechend den verhältnismäßig strengen S.-Regeln in immer wieder wechselnder Gestalt auf phonetisch-phonologischer wie auf graphisch-graphematischer Ebene.

Im Griech. und Lat. dagegen, wie auch in anderen Sprachen, spiegelt sich das Wirken des S. in der Schrift nur in sehr begrenztem Maße wider. Das ist z.B. der Fall bei den der Assim. zuzuordnenden kons. S.-Erscheinungen in der Kompositionsfuge von Nominal- und Verbalkomposita, wo dem phonetisch-phonologischen Befund auch in der Schrift weitgehend Rechnung getragen wird (griech. ἔγ-γαιος, ἔμ-πορος gegenüber ἔν-δοξος; συγ-καλέω, συμ-βάλλω gegenüber συν-τάττω; lat. *suf-fragium*, *sup-par* gegenüber *sub-oles*; *con-tendo*, *col-loco*, *cor-ripio* gegenüber *com-edo*), oder wenn – selten genug – der Schreiber offensichtlich um genaue schriftliche Wiedergabe des S. bemüht ist (griech. kretisch τὸμ μάτρōα < τὸν μ. [1. Nr. 72, XII 13], [πα]τρὸδ δόντος < πατρὸς δ. [1. Nr. 72, V 2]).

Im übrigen führen u.a. orthographische Gesichtspunkte oder Streben nach Deutlichkeit leicht zu der Neigung, Wörtern und Wortformen, in welchen Positionen im Satzzusammenhang sie auch vorkommen, einheitliche Gestalt zu geben und sie in dieser Weise zu normieren. »Aussprachegerechte« Schreibung des S. ist daher am ehesten dort anzutreffen, wo der Schreibende unbewußt oder gar lässig handelt. So etwa begegnen Assim. widerspiegelnde Schreibungen im Satzganzen, bes. in synt. eng zusammengehörigen Wortfolgen (griech. delphisch τοὺν νόμους < τοὺς ν.; lakon. ἐλ Λακεδαίμονα < ἐς Λ.; hell. ὧμ προσηνέγκατο < ὧν π., Mitteis/Wilcken 2,2, Nr. 283,7; lat. *IM PACE*, CIL VIII 10542; *SVP TEMPLO*, CIL VI 10251a). Entsprechende Rückschlüsse gestattet gelegentlich die → Prosodie.

Vok. S.-Erscheinungen sind häufig durch das Bestreben bedingt, den Hiat (lat. *hiatus*, »Auseinanderklaffen«, byz.-griech. χασμῳδία/*chasmōidía*), d.h. das Zusammenstoßen von wortauslautendem und wortanlautendem Vok., zu vermeiden. Für einige von ihnen sind seit der Ant. bes. Bezeichnungen üblich: a) die Krasis (Zeichen: in der Regel Koronis ᾽): »Mischung« eines wortauslautenden Vok. oder Diphthongs mit dem anlautenden Vok. oder Diphthong des folgenden Wortes (griech. τἀκεῖ < τὰ ἐκεῖ, ἐγᾦμαι < ἐγὼ οἶμαι), entsprechend der Kontraktion von Vok. innerhalb eines Wortes; b) die Elision (lat. *elisio*, Lehnübers. von griech. ἔκθλιψις/*ékthlipsis*; Zeichen: Apostroph '): »Ausstoßung«, d.h. Unterdrückung bzw. Ausfall eines wortauslautenden Kurzvok. vor anlautendem Vok. des folgenden Wortes, sei es im Satzganzen (griech. ἀλλ' ἐγώ < ἀλλὰ ἐγώ, ἐφ' αὐτῷ < ἐπὶ αὐτῷ), sei es in der Kompositionsfuge (griech. μέθ-οδος < μετὰ + ὁδός, ἀπ-έχω < ἀπὸ + ἔχω); c) die verhältnismäßig seltene Aphärese (griech. ἀφαίρεσις/*aphaíresis*; Zeichen: Apostroph '): »Wegnahme«, d.h. Ausstoßung eines wortanlautenden Kurzvok. nach auslautendem Langvokal des vorausgehenden Wortes, sog. *elisio inversa* (griech. ὦ 'γαθέ < ὦ ἀγαθέ; lat. nur bei der Kopula *est*: *PRIVATAST*, CIL IX 4171); ferner d) die Apokope (griech. ἀποκοπή/*apokopḗ*): »Abhauen«, d.h. nach ant. Auffassung die Elision eines Kurzvokals auch vor folgendem Kons., zumal bei bestimmten Präpositionen oder Präverbien, bald im Satzganzen (griech. κὰπ πεδίον < κατὰ πεδίον), bald in der Kompositionsfuge (griech. ἀν-σχετός < ἀνασχετός). Unter den zwar schon ant., jedoch erst seit E. des 19. Jh. in erheblich verengter Bed. verwendeten t.t. Hyphärese (griech. ὑφαίρεσις/*hyphaíresis*, »Entwendung«) wird gelegentlich der nur sehr selten vorkommende Fall der Ausstoßung des letzten von drei in der Kompositionsfuge begegnenden Vok. gefaßt (z.B. griech. ion. δημιοργός, inschr. und Hdt. 4,194 und 7,31 < δημιοεργός < δημιο-Ϝεργός, gegen att. δημιουργός).

Den kons. S.-Erscheinungen zuordnen läßt sich die zunächst nur dem Ion.-Att. eigene Anfügung des nasalen Kons. /-n/ an bestimmte auf /-i/ und /-e/ auslautende Flexionsformen und Einzelwörter (z.B. griech. ἐστί-ν, εἴκοσι-ν, ἔθηκε-ν), wo <-ν> als νῦ ἐφελκυστικόν/*ny ephelkystikón* bezeichnet wird (so ausgelöst aus Angaben wie τὸ ι/ε ἔστιν ἐφελκυστικὸν τοῦ νῦ, ›ι/ε hat die Neigung, ein ν an sich zu ziehen‹); vgl. auch → N (sprachwissenschaftlich).

→ Lautlehre; Lesezeichen; Prosodie

1 M. Guarducci (Hrsg.), Inscriptiones Creticae, Bd. 4: Tituli Gortynii, 1950.

W.S. Allen, S.: The Theoretic, Phonetic, and Historical Bases of Word-Junction in Sanskrit, [2]1972 • H. Andersen (Hrsg.), S. Phenomena in the Languages of Europe, 1986 •

C. D. Buck, Greek Dialects, 1955, 77–85 • M. Lejeune, Phonétique historique du mycénien et du grec ancien, 1972, 351–383 • Leumann, 134 • Schwyzer, Gramm. 395–414 • Sommer/Pfister, 211–223. C. H.

Sandon (Σάνδων, auch Σάνδας, Σάνδης, lat. *Sandan*) war wohl urspr. ein luwischer Wetter- und Vegetationsgott mit kriegerischen, weniger mit solaren Zügen. Im Ritual des Zarpiya von Kizzuwatna im sö. Kleinasien (KUB IX 31 II 22f.; [7. 141; 8. 340]) erscheint er als ^{d}*ša-an-ta-aš LUGAL-uš*, »König Šantaš«. Er wird mit dem ideographisch ^{d}*AMAR.UD* geschriebenen → Marduk identifiziert. Eine bildliche Darstellung enthält das Felsrelief von Ivriz am Nordabhang des Tauros (7./6. Jh. v. Chr. [6. 331; 1. 21], das S. mit Trauben und einem Ährenbüschel in Händen zeigt (vgl. zu einer Terrakotta-Plakette aus Tarsos [4; 5]). Kubaba (→ Kybele) ist schon in hethitisch-luwischen Zeugnissen seine Gefährtin [2]; die Wortfolge *śnt kpp* erscheint in einer Beschwörung des Londoner Medizinischen Pap. [2. 5f.].

In griech., vor allem hell. Zeit wird S., dessen Verehrung sich im Westen Kleinasiens bis Lydien ausbreitet, zum Stadtgott von → Tarsos, der Heimat des Apostels Paulus [2]; als solcher wird S. auf Münzen als »Baal von Tarsos« und »Zeus Tersios« dargestellt [1. 19–23; 3. 107]; nach Amm. 14,8,3 war → Perseus [1] oder ein menschlich gedachter S. der Gründer von Tarsos [6. 320]. Schließlich wird S. mit → Herakles [1] identifiziert, dessen Flammentod nach Dion Chrys. Tarsikos I (33,47) in Tarsos [6. 323] und nach (Ps.-)Lukianos (De Syria Dea 49) offenbar auch im phöniz. Hierapolis (→ Bambyke) [6. 329] kultisch gefeiert wurde.

1 H. Böhlig, Die Geisteskultur von Tarsos im augusteischen Zeitalter, 1913 2 H. Th. Bossert, Šantaš und Kupapa, 1932 (Ndr. 1972) 3 A. Erzen, Kilikien bis zum Ende der Perserherrschaft, 1940 4 H. Goldman, The Santon Monument of Tarsus, in: Journ. of the American Oriental Soc. 60, 1940, 544–553 5 Dies., S. and Herakles, in: Hesperia Suppl. 8, 1949, 164–174, Taf. 18 6 O. Höfer, s. v. Sandes, Roscher 4, 319–334 7 A. Kammenhuber, Zu den epichorischen Sprachen Kleinasiens, in: Das Alt. 4, 1958, 131–141 8 B. Schwartz, The Hittite and Luwian Ritual of Zarpiya of Kezzewatna, in: Journ. of the American Oriental Soc. 58, 1958, 334–353. H.-P. M.

Sandrakottos (Arr. an. 5,6,2: Σανδράκοττος/*Sandrákottos*, Strab. 15,1,36: Σανδρόκοττος/*Sandrókottos*, Plut. Alexander 62: Ἀνδράκοττος/*Andrákottos*, Iust. 15,4: *Sandracottus*, altind. *Tschandragupta*). Indischer König (um ca. 320–298 v. Chr.) aus der Dynastie von Mauryas, König der → Prasioi und Begründer des Maurya-Reiches (→ Mauryas mit Karte). In indischen Quellen ist sein Leben mit Legenden verknüpft, und Teile einer S.-Legende findet man auch bei Iustinus (15,4). Nach einem Konflikt, von dem keine Details bekannt sind, machte er Frieden mit Seleukos (Strab. 15,2,9, App. Syr. 282). Sein Hof wurde von dem hell. Gesandten → Megasthenes besucht.

H. Scharfe, The Maurya Dynasty and the Seleucids, in: ZVS 85, 1971, 211–225 • F. F. Schwarz, Die Griechen und die Maurya-Dynastie, in: F. Altheim, R. Stiehl (Hrsg.), Gesch. Mittelasiens im Alt., 1970, 267–316 • Ders., Candragupta – Sandrokottos. Eine histor. Legende in Ost und West, in: Das Alt. 18, 1972, 85–102 • Ders., Herrschaftslöwe und Kriegselefant. Literaturvergleichende Beobachtungen zu Pompeius Trogus, in: M. B. de Boer (Hrsg.), Hommages à M. J. Vermaseren, Bd. 3, 1978, 1116–1142 • L. Skurzak, Le traité syro-indien de paix en 305, selon Strabon et Appien d'Alexandrie, in: Eos 54, 1964, 225–229. K. K.

Sane (Σάνη).

[1] Kolonie von → Andros an der Südseite des Isthmos der chalkidischen Akte (→ Chalkidike), am Ende des von Xerxes angelegten Kanals (Hdt. 7,22f.; 123). S. zahlte im 5. Jh. v. Chr. als Mitglied des → Attisch-Delischen Seebundes jährlich durchschnittlich ein Talent (ATL 1,396f.), blieb 432 v. Chr., bei Ausbruch des → Peloponnesischen Krieges, auf der Seite Athens und widerstand im Winter 424/3 dem Angriff des → Brasidas (Thuk. 4,109,3; 5). 415/4 ist S. noch einmal in den Athener Tributquotenlisten verzeichnet (ATL 2,397); danach wird S. nicht einmal mehr in der geogr. Lit. genannt, scheint also von seinem größeren Nachbarn → Akanthos [1] annektiert worden zu sein.

[2] Eine zweite Ortschaft S. wird von Hdt. 7,123,1 an der Westküste der → Pallene [4] südl. von Poteidaia lokalisiert und bei Strab. 7,330, fr. 27 unter den Städten dieser Halbinsel genannt, doch ist über ihre Gesch. nichts bekannt.

M. Zahrnt, Olynth und die Chalkidier, 1971, 219–221. M. Z.

Sangala (Σάγγαλα). Hauptstadt und Fort der indischen → Kathaioi im → Pandschab, östl. von Hydraotes (h. Irāvatī). Die Stadt wurde von Alexandros [4] d. Gr. 326 nach heftigem Kampf erobert und vernichtet (Arr. an. 5,22–24, Polyain. 4,3,30).

A. Herrmann, s. v. Σάγγαλα, RE 1 A, 1740. K. K.

Sangarios (Σαγγάριος). Fluß in Kleinasien, h. Sakarya, Länge ca. 520 km, entspringt (nach Strab. 12,3,7; vgl. 12,4,4; 5,3) 150 Stadien von → Pessinus entfernt (nach Liv. 38,18,8 beim *mons Adoreus*) in Phrygia (→ Phryges). Die Quellflüsse des Oberlaufs sammeln das Wasser des phryg. Hochlandes. In prähistor. Zeit war das südl. S.-Flußsystem bedeutender; es führte die Niederschläge vom Raum um Ilgın im Süden bis Yunak ab und dokumentiert sich in einem h. stark verschütteten Talsystem mit nur mehr teilweiser bzw. unregelmäßiger und geringer, in histor. Zeit aber noch wesentlich reicherer Wasserführung und speist den früher ausgedehnten Ak Göl, dessen Abfluß noch in histor. Zeit den zweiten Hauptarm des S. bildete. Der S. umfließt die Sivrihisar Dağları in einem Bogen nach Osten, biegt dann in eine breite Stromebene nach Norden um und bricht schließlich nach Westen in einem langen schluchtartigen Tal durch das Nordanatolische Randgebirge. Östl. von Nikaia [5] durchbricht er die Gebirgszüge nach Norden und tritt in die Beckenlandschaft von Adapazarı aus, von wo er sich in den → Pontos Euxeinos, das Schwarze Meer, ergießt. Der S. war den Griechen als Hauptstrom des westl. Kleinasien schon früh gut bekannt [1].

1 W. Ruge, s. v. S. (1), RE 1 A, 2269 f.

W.-D. Hütteroth, Türkei, 1982, 51–53. K. ST.

Sanhedrin s. Synhedrion

Sanherib (assyrisch *Sîn-aḫḫē-erība*, »[der Mondgott] Sîn hat die Brüder ersetzt«; 2 Kg 18,13: *Sanḥērīb*; 2 Kg 19,20: *Snḥrb*; LXX: Σεν(ν)αχηριμ u.ä.; Hdt. 2,141: Σαναχάριβος; weitere Namensformen: [4. 2271]). Sohn → Sargons [3] II., assyr. König von 705 bis 681 v. Chr.; verlegte nach seiner Thronbesteigung die königliche Residenz nach Ninive (→ Ninos [2]), das großzügig ausgebaut wurde. Zentrales polit. Problem seiner Regentschaft war der Konflikt mit → Babylon, welches S. nach verschiedenen fehlgeschlagenen Versuchen, es indirekt zu kontrollieren, 689 vollständig zerstören ließ; die mit dem babylonischen Gott → Marduk verbundene polit. Theologie wurde im Rahmen einer (von S.s Nachfolger → Asarhaddon wieder rückgängig gemachten) rel. Reform auf den assyr. Staatsgott → Assur [2] übertragen. Außer gegen Babylonien führte S. Feldzüge gegen → Elam sowie gegen verschiedene Völker im Zagrosraum und in Anatolien; in Kilikien scheinen S.s Truppen Berossos zufolge auch gegen Griechen gekämpft zu haben (FGrH 680 F 7c; 685 F 5). Bes. Bed. wird von der späteren Überl. S.s 701 unternommenem Feldzug gegen Phönizien (→ Phönizier, Punier III.) und → Palaestina beigemessen, der in einer Belagerung → Jerusalems kulminierte; er wird von Herodot (2,141) und in der Bibel behandelt (2 Kg 18,13 ff.; Jes 36 f.; 2 Chr 32), die auch über die Ermordung S.s durch zwei seiner Söhne zu berichten weiß; keilschriftlichen Quellen zufolge war einer der Mörder der S.-Sohn Arda-Mulissi [2. 1–20]. Der von Berossos erwähnte Nergilos (FGrH 685 F 5), von dem man früher annahm, auch er sei möglicherweise in das Mordkomplott verwickelt gewesen, ist verm. in Wirklichkeit mit dem babylon. König Nergal-ušēzib (694–693) zu identifizieren [1. 25, 36 f.]. Zu weiteren Erwähnungen S.s in babylon., aram., griech., jüd.-rabbin. und islam. Texten s. [4; 2. 7, 21–28]. Die wichtigste Quelle zur Regentschaft S.s sind seine eigenen, in großer Zahl überkommenen Inschr. [2; 3].

→ Assyria; Mesopotamien

1 S. M. Burstein, The Babyloniaca of Berossus, 1978
2 E. Frahm, Einl. in die Sanherib-Inschr., 1997
3 D. Luckenbill, The Annals of Sennacherib, 1924
4 F. Weissbach, s. v. S., RE 1 A2, 2271–2282. E. FRA.

Sanitätswesen (militärisch).
I. Griechenland II. Rom

I. Griechenland

Ein organisierter medizinischer Dienst bildete sich im griech. Kriegswesen nicht heraus. Neben regelmäßiger Kameradenhilfe, auch durch heilkundige Kämpfer (so bereits Hom. Il. 4,190–219 und 11,828–848 → Machaon und → Podaleirios), wird seit dem 5. Jh. v. Chr. zwar vereinzelt von der Behandlung Verwundeter durch Ärzte berichtet, doch erfolgte diese improvisiert (vgl. Xen. an. 3,4,30), zudem selten auf dem Schlachtfeld, vielmehr meist in nahegelegenen Siedlungen, und beschränkte sich auf Wundbehandlung. In Aufgeboten von Poleis konnten sich Ärzte befinden (Sparta: Xen. Lak. pol. 13,7), doch wurden Verwundete bei der überwiegenden Kleinräumigkeit der Kriegführung wohl meist erst nach Transport in die eigene oder eine verbündete Stadt ärztlich behandelt. Das Aufkommen von Söldnertruppen im 4. Jh. v. Chr. sowie die weiträumige Kriegführung im Hell. begünstigten eine stete Präsenz von Ärzten und eine Spezialisierung in Militärmedizin; Belege und nähere Informationen bleiben aber rar. Dem Feldherrn bzw. Herrscher fiel bes. Verantwortung zu (Diod. 17,103,7 f.); seine Ärzte (z. B. Diod. 15,87,5; Arr. an. 6,11,1) – zugleich Statussymbol seiner Stellung – behandelten wohl die Offiziere und zuweilen auch Mannschaften.

II. Rom

Hinweise auf einen organisierten Sanitätsdienst fehlen in republikanischer Zeit; Zeugnisse sind selten und wenig aussagekräftig (Liv. 2,47,12; Dion. Hal. ant. 5,36,3; Cic. Tusc. 2,38) und lassen allenfalls eine improvisierte Heranziehung von Ärzten erkennen. Einen grundlegenden Wandel führte – neben der enormen Ausdehnung des Imperiums und seiner Kriegsschauplätze – erst die Etablierung der Militärmonarchie des → Augustus herbei. Die bes., regelmäßig auch durch Krankenbesuche (Vell. 2,114,2; SHA Hadr. 10,6) demonstrierte Fürsorge des *princeps* für die Gesundheit seiner Soldaten schlug sich in der Durchsetzung hoher Standards in der Hygiene (u. a. Badeanlagen), in Ernährung und Training sowie in der Frischwasserversorgung nieder (Veg. mil. 3,2). Es wurde ein Sanitätsdienst auf regulärer Basis eingerichtet, der auch im Kampf zum Einsatz kam, wie eine Szene auf der Traianssäule zeigt. Legionslager (zuerst Haltern; exemplarisch Vetera/Xanten sowie Housestead) wurden mit Hospitälern (*valetudinaria*) ausgestattet (Grundsätze bei Hyg. liber de munitionibus castrorum 4) und unter die Aufsicht des *praefectus castrorum* sowie die fachliche Leitung eines *optio valetudinarii* (CIL IX 1617 = ILS 2117) gestellt. Das Sanitätspersonal – großteils *immunes* (Dig. 50,6,7) – umfaßte *capsarii* (Sanitäter), *seplasiarius*, *marsus*, *librarius* sowie Veterinäre (*veterinarii, pecuarii*) und sogar *discentes capsario[rum]* (CIL VIII 2553 und AE 1906,9 = ILS 2438, für *legio III Aug.*). Anders als in mod. Armeen war dieses Personal vollständig in die entsprechende Einheit (Legionen, *auxilia*, Kriegsschiffe u. a.) eingegliedert.

Einen Einblick in den Alltag des Sanitätsdienstes bietet Tabula Vindolandensis (→ Vindolanda-Tafeln) I 154: Von 752 Mann der *cohors I Tungrorum* waren 15 krank, 6 verwundet, 10 an Augenentzündungen leidend. Epigraphisch am besten dokumentiert sind Militärärzte: Es existierte ein militärärztlicher Dienst in zahlreichen, nach Bed. und Rangfolge teilweise umstrittenen Abstufungen und Differenzierungen. Bezeugt sind der *medicus* (= *m.*) *miles*, *m. ordinarius* (im Range eines *centurio*; ILS 2432), ferner der *m. castrensis* (ILS 2126; *m. castrorum*: ILS 2193a), *m. legionis, m. cohortis* (ILS 2601; 2602) und *m. alae* (ILS 2542), aber auch *m. clinicus* (CIL VI 2532 = ILS 2093), *m. chirurgus* und *m. ocularius* und außderdem Flottenärzte (*m. duplicarius*; CIL X 3442–3444 = ILS 2898–2900). Die Ärzte, oft Griechen, wurden in der Regel wohl ausgebildet rekrutiert, doch scheint auch eine medizinische Ausbildung im Heer möglich gewesen zu sein. Ihre teils hohe Professionalität spiegelt sich noch in medizinischen und pharmakologischen Handbüchern (Cels. de medicina 5,26; 7,5); → Pedanios Dioskurides war Militärarzt. Die präzise histor. Entwicklung des S. in der Prinzipatszeit läßt sich nicht fassen. Das in der röm. Armee erreichte Niveau institutionalisierter medizinischer Betreuung wurde in neuzeitlichen Armeen erst im 18. oder gar 19. Jh. wieder erreicht.

1 A. K. Bowman, Life and Letters on the Roman Frontier. Vindolanda and Its Peoples, 1994, 60; 104f.
2 R. W. Davies, The Roman Military Medical Service, in: Saalburg Jb. 27, 1970, 84–104 3 A. Krug, Heilkunst und Heilkult. Medizin in der Ant., 1985, 204–208
4 V. Nutton, Medicine and the Roman Army: a Further Reconsideration, in: Medical History 13, 1969, 260–270
5 Ders., The Doctors of the Roman Navy, in: Epigraphica 32, 1970, 66–71 6 C. F. Salazar, Die Verwundetenfürsorge in Heeren des griech. Alt., in: AGM 82, 1998, 92–97
7 Dies., The Treatment of War Wounds in Graeco-Roman Antiquity, 2000, 68–83 8 J. C. Wilmanns, Ärzte und Sanitätsdienst im röm. Germanien, in: Wehrmedizinische Monatsschrift 1990, H. 10, 491–499 9 Dies., Der Sanitätsdienst im Röm. Reich. (Medizin der Ant. 2), 1995. J. H.

Sannoi (Σάννοι). Bei Strab. 12,3,18 Bezeichnung für den vormals → Makrones genannten Stamm sw von → Trapezus.

O. Lordkipanidze, Das alte Georgien in Strabons Geographie, 1996, 158–163. A. P.-L.

Sannyrion (Σαννυρίων). Attischer Komödiendichter vom Ende des 5. Jh. v. Chr., wegen seiner Magerkeit von seinen Konkurrenten verspottet [1. test. 3]. Überl. sind die Titel von drei Stücken sowie 13 Fr. mit insgesamt achteinhalb Versen: Im Γέλως (*Gélōs*, ›Das Lachen‹) gab es einen redenden Gott (fr. 1) und Spott gegen den Tragödiendichter → Meletos [3] (fr. 2) sowie gegen → Aristophanes [3] (fr. 5); in der 407–404 v. Chr. zu datierenden Δανάη (*Danáē*) überlegt Zeus, in welcher Gestalt er am besten zu seiner Danaë gelangen könne, und verspottet dabei den tragischen Schauspieler Hegelochos (fr. 8); in der ebenfalls mythischen Ἰώ (*Iṓ*) werden Schmarotzer verflucht (fr. 11).

1 PCG VII, 1989, 585–589. H.-G. NE.

Sanquinius. Q. S. Maximus. Sohn eines Senators der augusteischen Zeit, evtl. des Münzmeisters M. Sanquinius (RIC I 2 337; 342). S. wurde Consul am 1.2.39 n. Chr. anstelle des → Caligula, vielleicht bis E. Juni (Cass. Dio 59,13,2); gleichzeitig war er evtl. → *políarchos* [2] (*praefectus urbi*). Auf S. werden auch CIL X 905 und Tac. ann. 6,4,3 bezogen; dann wäre er schon um 21/2 *cos. suff.*, im J. 39 aber *cos. II* gewesen. Diese Rekonstruktion muß jedoch unsicher bleiben. Um das J. 46 war er Legat des niedergermanischen Heeres; dort ist er auch gestorben (Tac. ann. 11,18,1).

Eck, Statthalter, 116. W. E.

Santoni. Kelt. Volksstamm im SW von Gallia (Caes. Gall. 1,10,1; 11,6; 3,11,5; Mela 3,23; Itin. Anton. 459,3; Strab. 4,2,1; 6,11: Σάντονοι; Ptol. 2,7,7: Σάντονες), in der h. Saintonge (Dépt. Charente-Maritime, teils Dépt. Charente [1]). Die S. waren am Aufstand des → Vercingetorix im J. 52 v. Chr. beteiligt (Caes. Gall. 7,75,3). Unter der röm. Herrschaft bildeten sie eine → *civitas* der Prov. → Aquitania (Plin. nat. 4,108: *S. liberi*) mit dem Hauptort Mediolan(i)um [4] Santonum (→ Gallia, mit Karte). Unter → Diocletianus wurde diese der Prov. Aquitania II zugeschlagen (Notitia Galliarum 13,5). Die röm. Bürger gehörten zur *tribus Voltinia* (CIL XIII 1037–1048). Mehrere S. erscheinen auf Inschr. als Soldaten (CIL XIII 1041), Priester am Altar der → Roma und des Augustus bei → Lugdunum (CIL XIII 1036; 1042–1045; 1049) sowie als Priester im → Kaiserkult (CIL XIII 1048); der Stifter des Amphitheaters der *Tres Galliae* in Lugdunum z.Z. des Tiberius war ein S. (AE 1959, 81). Erzeugnisse des Landes: die als Arzneimittel dienende Wermutpflanze *absinthium* (*Santonica herba*: Colum. 6,25), der Kapuzenmantel (*Santonicus cucullus*: Iuv. 8,145; Mart. 14,128), Schiffe, Austern (Auson. 5,31); Inschr.: [2. 51–55].

1 Chr. Vernou, Charente (Carte archéologique de la Gaule 16), 1993 2 P. Wuilleumier, Inscriptions latines des Trois Gaules, 1963. Y. L.

Santra. Röm. Tragiker und Gelehrter, dessen Schaffenszeit wahrscheinlich in die Mitte des 1. Jh. v. Chr. fiel. Als Autor von Literaten-Biographien war er Vorgänger von → Suetonius [2] (vgl. Hier. vir. ill., praef.), der ihn als Quelle für → Terentius (vita Ter. 31,10ff. Reifferscheid) und → Lucilius [I 6] (Suet. gramm. 14,4) zitiert. Quint. inst. 12,10,16 schreibt ihm eine kluge Beobachtung zum Ursprung des → Asianismus zu. S. verfaßte auch ein Werk *De antiquitate verborum*, in mindestens 3 Büchern.

GRF 384–389 • R. Mazzacane, S., in: Studi Noniani 7, 1982, 189–224. R. A. K./Ü: M. MO.

Sanzeno. Der namengebende FO (im Nonsberg – Val di Non bei Trento/Südtirol) einer arch. Fundgruppe (Gruppe »Fritzens-S.«) der jüngeren Eisenzeit (5.–1. Jh. v. Chr.) war eine befestigte Siedlung mit reichhaltigem Fundmaterial, das neben lokalen südalpinen und etr. Elementen (verzierte Br.-Gefäße des »Situlenkreises«, Keramikformen) auch keltische Einflüsse zeigt (Eisengerät, Waffen). S. und die zugehörige Fundgruppe wird der rätischen Bevölkerung des zentralen Alpenraumes zugeschrieben.
→ Raeti, Raetia; Situla

P. Gleirscher, Die Räter, 1991 · I. R. Metzger, P. Gleirscher (Hrsg.), Die Raeter – I Reti, 1992 · J. Nothdurfter, Die Eisenfunde von S. im Nonsberg, (Röm.-Germanische Forsch. 38), 1979. V. P.

Sao (Σαώ, »die Schützende, Rettende«). Tochter des → Nereus und der → Doris [I 1], eine der → Nereiden (Hesiod. theog. 243; Apollod. 1,11).

N. Icard-Gianolio, s. v. S., LIMC 7.1, 666. SI. A.

Saosduchinos (Σαοσδούχινος). Gräzisierte Form des assyrisch-babylonischen Königsnamens Šamaš-šuma-ukīn im sog. ›Ptolem. Kanon‹ (Klaudios → Ptolemaios [65]; vgl. → Nabonassar(os); bei Beros(s)os hypokoristisch *Samoges*; FGrH 680 F 7,34). Obwohl der ältere Sohn → Asarhaddons, erhielt S. laut Verfügung des Vaters nur Babylonien als Herrschaftsgebiet, während der jüngere → Assurbanipal die Nachfolge in Assyrien antrat. Auch als König von Babylon stand S. unter der Oberhoheit seines Bruders, gegen den er 652 v. Chr. rebellierte, unterstützt vom Meerland und → Elam (genaue Hintergründe des Aufstands nicht bekannt). 648 nach vierjährigen Kämpfen besiegt, kam er bei der Einnahme Babylons ums Leben (Mord oder Selbstmord [1. 153 f.]). Als Nachfolger in Babylonien wurde Kandalānu eingesetzt (648–627). Die spätere Überl. zum Tod des S. hat ihren Niederschlag bei Delacroix und in der → Sardanapal-Oper (z. B. von Hertel) gefunden.

1 G. Frame, Babylonia 689–627 B. C. A Political History, 1992, 102–190 2 Ders., Rulers of Babylonia. From the Second Dynasty of Isin to the End of the Assyrian Domination (Royal Inscriptions of Mesopotamia, Babylonian Periods 2), 1995, 248–259. J. OE.

Saoteros. → *Cubicularius* des → Commodus, also Sklave. Als Commodus 180 n. Chr. wie im Triumph nach Rom zurückkehrte, stand S. hinter dem Kaiser auf dem Wagen. Nach HA Comm. 3,6 war er dessen Liebhaber. Für seine Heimatstadt → Nikomedeia erhielt er vom Senat die Erlaubnis, für Commodus einen Tempel zu erbauen und einen Agon einzurichten (Cass. Dio 72,12,2). Wegen seines Einflusses war er angeblich dem röm. Volk verhaßt; deshalb wurde er durch → *frumentarii* der Praetorianerpraefekten getötet (HA Comm. 4,5). Verm. ist die Überl. über ihn wesentlich verfälscht.

W. E.

Sapaudia. Landschaft in Gallia Ripariensis. Der früheste Beleg (Amm. 15,11,17) ist verderbt überl. und kann nicht für die Lokalisierung im h. Savoyen in Anspruch genommen werden. Weitere Belege: Not. dign. occ. 42,15 (*praefectus barbaricorum Ebruduni*, h. Yverdun am Neuenburger See, *Sapaudiae*) und 42,179 (*tribunus cohortis Flaviae Sapaudi[c]ae Calarone*). 443 n. Chr. wurden die der Vernichtung durch die Hunni entgangenen → Burgundiones hier durch Aetius [2] angesiedelt (Chron. min. 1, 660,128). Bodenforsch. verweisen die S. auf die Schweizer Hochfläche nördl. des → Lacus Lemanus einschließlich des Lacus Eburodunensis (Neuenburger See), im SW entlang des → Rhodanus bis zur Ain, wo sie einen Sperriegel am Tor zum Rhodanus-Tal bildete.
→ Burgundiones

H. H. Anton, M. Martin, s. v. Burgunden, RGA 4, 235–271, hier 241 · P. Duparc, La S., in: CRAI, 1958, 371–383 · R. Marti, L'installation des Burgondes en S., in: H. Gaillard de Semainville (Hrsg.), Les Burgondes 1995, 120–142. F. SCH.

Saphar (Σαφάρ: periplus maris Erythraei 23; *Sapphar*: Plin. nat. 6,26; Σάπφαρ: Ptol. 6,7,41). Die inschr. (CIS IV 312,6) ẒFR genannte, nahe dem h. Yerim gelegene Stadt Ẓafār, welche → Mariaba als Hauptstadt der Homeritae ablöste. A. D.

Saphir (σάπφειρος/*sáppheiros*, lat. *sapp(h)irus*). Ein nicht mit unserem heutigen S., sondern mit dem gefleckten → Lapis lazuli (Theophr. 8; 23 und 37 Eichholz; Plin. nat. 33,68 und 161; 37,119 f.) identischer Edelstein, der von den Griechen aus Äg. eingeführt wurde. Erst vom 3. Jh. n. Chr. an diente er den Römern als Schmuck- oder Amulettstein.

1 D. E. Eichholz (ed.), Theophrastus De lapidibus, 1965. C. HÜ.

Saphrax (Σάφραξ). Ostgote, war mit Alatheus zusammen Vormund für → Viderich (Sohn → Vidimirs; Amm. 31,3,3); nach Überschreiten der Donau (nach 375) Teilnahme an der Schlacht bei → Hadrianopolis [3] 378 n. Chr. (Amm. 31,4,12). 380 (?) war er in Pannonien angesiedelt (Zos. 4,34,2 f.; Iord. Get. 140 f.).

1 PLRE 1, 802 2 F. Paschoud (ed.), Zosime, Histoire nouvelle, Bd. 2,2, 1979, 406–408 (mit franz. Übers.). WE. LÜ.

Sapientia s. Weisheit

Sapis. Der für die *tribus* Sapinia namengebende Fluß, h. Savio, entspringt im Norden von Umbria auf dem Appenninus (Plin. nat. 3,115; Strab. 5,1,11: Σάπις); an seinem Oberlauf liegt → Sarsina. Er fließt durch das Gebiet von Caesena in die Aemilia hinab und mündet südl. von Ravenna in den → Ionios Kolpos. Er wurde bei der Straßenstation S. zw. Ariminum und Ravenna von der Via Popilia überquert (Tab. Peut. 5,1: *Sabis*).

G. U./Ü: J. W. MA.

Sapor (persisch *Šāpūr*, griech. Σαπώρης/*Sapṓrēs*).

[1] S. I. Sohn von → Ardaschir [1] I. und 240/242–272 n. Chr. persischer Großkönig, aus der Dyn. der → Sāsāniden. Hauptquelle für seine Regierung ist die 1936/1939 entdeckte dreisprachige (mittelpers., parth., griech.) Inschr. an der Kaʿba-ye Zardošt in → Naqš-e Rostam (in der Nähe von → Persepolis), die sog. *Res Gestae Divi Saporis* (= RGDS; [1. 284–371]; → Trilingue). S. siegte 244 bei Misichē (Pirisabora) in Assyrien über → Gordianus [3] III., der unter dubiosen Umständen umkam. Der neue Kaiser → Philippus [2] Arabs wurde von S. zu einem für die Römer ungünstigen Frieden genötigt. 252 eroberten die Perser Armenien, danach weitere kaukasische Gebiete. Im Frühjahr 253 begann ein persischer Einfall nach Syrien, in dessen Verlauf ein röm. Heer bei Barbalissos geschlagen und Antiocheia [1] eingenommen wurde, während die Eroberung von Emesa scheiterte (→ Uranius). Ein erneuter persischer Vorstoß führte 256 zur Einnahme von → Dura-Europos. 260 schlug S. die Römer bei Edessa [2] und nahm Kaiser Valerianus gefangen, Antiocheia wurde zum zweiten Mal erobert. S.s spektakuläre Erfolge wurden jedoch durch die Gegeninitiative des → Odaenathus [2] von Palmyra gemindert: Dieser nahm um 262 den Persern Karrhai und Nisibis ab und stieß bis Ktesiphon vor. Etwa 266 bedrohte er die persische Residenz ein zweites Mal, wurde aber im Jahr darauf ermordet. S., der diese späteren Mißerfolge verschweigt, scheint seinen Tatenbericht erst gegen Ende seines Lebens formuliert und die Setzung der Inschr. dem Nachfolger → Hormisdas [1] I. überlassen zu haben.

→ Sāsāniden (mit Karte)

1 M. Back, Die sassanidischen Staatsinschriften, 1978.

E. Kettenhofen, Römer und Sāsāniden in der Zeit der Reichskrise (TAVO B V 11), 1982 • Ders., Die röm.-persischen Kriege des 3. Jh. n. Chr. (TAVO-Beih. B 55), 1982 • M. Meyer, Die Felsbilder Shapurs I., in: JDAI 105, 1990, 237–302 • Z. Rubin, The Roman Empire in the *Res Gestae Divi Saporis*, in: E. Dąbrowa (Hrsg.), Ancient Iran and the Mediterranean World (Electrum 2), 1998, 177–186 • M. Schottky, Dunkle Punkte in der armenischen Königsliste, in: AMI 27, 1994, 223–235, bes. 226–235.

[2] S. II. Urenkel von S. [1], 309–379 n. Chr. persischer Großkönig. Seine Herrschaft war von einer fast 40 J. dauernden Christenverfolgung und Kriegen gegen die Römer bestimmt. Die Kämpfe gegen Constantius [2] II. blieben ohne Ergebnis: Die Perser wurden 343 (344?) bei Singara geschlagen, das röm. → Nisibis 338 und 346 vergeblich von ihnen belagert. Ein 350 unternommener dritter Anlauf, die Stadt einzunehmen, wurde wegen eines Angriffs der Chioniten abgebrochen, doch konnte nach deren Besiegung 359 → Amida erobert werden. Die Offensive des Kaisers Iulianus [11] endete in einer Katastrophe: Nach dem Tod des Kaisers 363 mußte sein Nachfolger → Iovianus S.s harte Friedensbedingungen annehmen, die den Persern bedeutende Gebietsgewinne einbrachten. S.s Versuche, Armenien zu annektieren, führten kurz vor seinem Tod zur Einsetzung zweier armenischer Herrscher von persischen Gnaden, die vier Fünftel des Landes regierten.

→ Parther- und Perserkriege

M. Schottky, s. v. Šāpūr II., LMA 7, 1375 f.

[3] S. III. Sohn von S. [2], 383–388 n. Chr. persischer Großkönig. Er beendete die Christenverfolgung seines Vaters und schloß 384 oder 387 einen Vertrag mit Rom über die Teilung Armeniens.

E. Kettenhofen s. v. Šāhpuhr III., Biographisch-bibliogr. Kirchenlex. (hrsg. von F. W. Bautz), Bd. 8, 1994, 1078–1081.

Zu S. [1–3]: C. E. Bosworth, s. v. Shāpūr I–III, EI² 9, 1997, 309.

M. SCH.

Sappho (Σαπφώ, in ihrer Selbstbenennung in fr. 1: Ψάπφω). Griech. Dichterin um 600 v. Chr.

A. Leben B. Werke C. Interpretation
D. Sprache, Metrik, Stil E. Nachwirkung

A. Leben

Lyrikerin, in Mytilene oder Eresos auf → Lesbos geboren. In der Ant. wurde sie regelmäßig in die gleiche Zeit wie der Dichter → Alkaios [4] und der Staatsmann → Pittakos gesetzt (z. B. Strab. 13,617). Das Datum der Suda s. v. Σ., die 42. Ol. = 612–609 v. Chr., kann sich auf ihre Geburt oder ihre Hauptschaffenszeit beziehen, doch ist das zweite wahrscheinlicher und paßt zu der Nachricht des → *Marmor Parium*, sie sei zw. 603/02 und 596/95 nach Sizilien in die Verbannung gegangen (FGrH 239,36), verm. in Begleitung ihrer Tochter Kleïs (fr. 98; 132). Dies paßt zu der Nachricht bei Eus. Chronika Ol. 45.1), daß sie im J. 600/599 berühmt war. S.s Bruder Larichos schenkte im Prytaneion von Mytilene Wein ein (fr. 203); ein zweiter Bruder, Charaxos, hatte in Ägypten eine Affäre mit einer Hetäre namens → Rhodopis oder Doricha (S. test. 254 Voigt). Die Suda bietet weitere Namen aus ihrer Familie einschließlich desjenigen eines Ehemanns, eines Kerkylas von Andros (vielleicht Wortspiel und Erfindung von Komödiendichtern [7. 2361]). Die Gesch. von ihrer Liebe zu → Phaon [1] und ihrem Selbstmord ist sicherlich fiktiv.

B. Werke

S. wurde in den alexandrinischen → Kanon [1] der neun Lyriker aufgenommen, ihre Werke nach Metren geordnet in acht Büchern gesammelt; aus dem letzten dieser Bücher wurde eine Slg. ihrer Epithalamia gezogen [21]. Allein B. 1 umfaßte 1320 Verse, d. h. 330 sapphische Strophen (fr. 30); das einzige vollständig erh. Gedicht (fr. 1) umfaßt sieben sapphische Strophen und stammt wohl aus diesem Buch (zum Versmaß s. → Metrik D. und Tabelle). Von der im POxy. 1800 fr. 1 erwähnten elegischen und iambischen Dichtung ist nichts erh., und die drei Epigramme, die S. in der *Anthologia*

Palatina zugeschrieben werden (FGE 181–186), sind verm. hell. Ursprungs. Die mageren Überreste in Zitaten bei ant. Autoren wurden in neuerer Zeit durch beträchtliche, aber sehr lückenhafte Fr. spätant. Buchtexte auf Papyrus und Pergament ergänzt; sie wurden von E. LOBEL zusammengestellt und 1925 veröffentlicht [2]. 1955 gaben E. LOBEL und D. PAGE die Ausgabe mit der h. als Standard geltenden Zählung der Gedichte heraus [3], erweitert in dem nunmehr maßgeblichen Band von E.-M. VOIGT (1971) [6].

C. INTERPRETATION

S. ist ein bes. interessanter Fall für die Rezeptions-Gesch.: Das Fehlen jeglichen Belegmaterials erlaubte den Interpreten, sie in den Dienst ihrer eigenen Ideale und vorgefaßten Meinungen zu stellen, v. a. im Bereich der Sexualität. Der größte Teil der gelehrten Bemühungen des 20. Jh. war von der Frage beherrscht, in welchem Verhältnis S. zu den anderen Frauen in ihrer Gruppe stand. Berühmt ist WILAMOWITZ' Vorschlag, daß sie eine Art Lehrerin darstellte [19], der die Erziehung junger Mädchen anvertraut war, und seine Vorstellung eines → *thíasos* (das Wort kommt in den Fr. allerdings nicht vor) oder eines »Kreises« von Schülerinnen. Auch wenn diese These wiederholt angegriffen wurde, v. a. in der englischsprachigen Forsch. (z. B. [10; 11; 14]), scheint sie im wesentlichen noch plausibel: S.s übliches Publikum scheint eine Gruppe von Frauen und Mädchen gewesen zu sein. Die Suda unterscheidet zw. »Gefährtinnen« (ἑταῖραι, *hetaírai*) und »Schülerinnen« (μαθήτριαι, *mathḗtriai*), und ein 1974 veröffentlichter ant. Komm. besagt, daß S. die Töchter des lokalen und des ion. Adels unterrichtete [8. 202]. Die zuweilen angeführte Parallele der → Partheneia des → Alkman ist irreführend, da dessen Gedichte in staatlichem Auftrag für spartanische Mädchen verfaßt wurden, während S.s Gruppe kein Anzeichen einer Unterstützung durch die Bürgerschaft aufweist [17. 1235]. Die häufige Bezugnahme der Gedichte auf Abschied und Abwesenheit und die zahlreichen Hochzeitslieder legen zusammengenommen nahe, daß die meisten Mitglieder ihres Kreises ihr Leben eine begrenzte Zeit lang vor der Eheschließung teilten. S. übte verm. eine kultische und erzieherische Rolle aus. Sie spricht von ihrem ›Haus derjenigen, die den Musen dienen‹ (fr. 150). Homoerotik gehörte verm. ebenso zur Bildung junger Frauen, wie sie zur Bildung junger Männer gehörte (→ Homosexualität); und → Aphrodite ist überall in den Fr. anzutreffen.

Liebe ist das Thema, das in den längeren Fr. vorherrscht. S. beschrieb → Eros als »süßbitter« (γλυκύπικρος/*glykýpikros*, fr. 130), ein verm. von ihr selbst geprägtes Wort, und diese längeren Fr. verweilen häufig bei dem Leid des gegenwärtigen Augenblicks, über das oft Aphrodite oder die Erinnerung hinwegtrösten; diese beiden heben die Sängerin über den Schmerz der Gegenwart hinaus. Fr. 1 ist eine an Aphrodite gerichtete Bitte um Trost; das Gedicht durchläuft eine Bewegung von Verzweiflung zur Beruhigung mittels der Erinnerung an eine → Epiphanie der Göttin. Fr. 16 ist wegen seiner Rechtfertigung der Liebe als Maß aller Dinge berühmt: Das Beispiel der → Helene [1], die ihre Familie aus Liebe verließ, ist ein Tribut an die Liebe, doch wird die Fortgegangene aus der Perspektive der Zurückgelassenen betrachtet, was in S. Erinnerungen an die abwesende Freundin Anaktoria weckt.

Fr. 31, vielleicht das berühmteste Gedicht überhaupt, das uns aus der Ant. erh. ist, beschreibt in vier Strophen S.s Empfinden (viel diskutiert, vgl. [13. 175–177]) in dem Augenblick, als sie einen Mann im Gespräch mit einem unbenannten Mädchen erblickt. Sicherlich kontrastiert S. ihre eigene Reaktion (die Empfindung von Todesnähe) mit der des Mannes, »der den Göttern gleich zu sein« scheint. Die vier von → Pseudo-Longinos zitierten und von Catull nachgebildeten (s.u.) Strophen scheinen nicht das gesamte Gedicht zu sein. Fr. 94 beginnt mit einem Todeswunsch, doch ist unklar, ob dieser Wunsch von S. geäußert wird oder in der Vergangenheit von dem fortgehenden Mädchen ausgesprochen wurde, das S. im Rest des Fr. mit Erinnerungen an gemeinsame Freuden tröstet. Die Zuweisung des Todeswunsches an S. (von [16. 113–119] verteidigt) ist wohl die wahrscheinlichere Alternative: Sie verankert das Gedicht in der Gegenwart und macht es zu einer indirekten Selbsttröstung. In Fr. 96 steht wiederum Sehnsucht nach verlorengegangener Intimität im Mittelpunkt: Auch hier findet sich gegenwärtiger Schmerz im Kontrast zu den Freuden der Vergangenheit, wenn eine nunmehr in Lydien befindliche Frau evoziert wird, die sich vor Trauer um Atthis verzehrt.

Fr. 44, möglicherweise ein Epithalamion (Hochzeitslied, vgl. → Hymenaios [2]), erzählt von → Hektors freudiger Rückkehr mit seiner Braut → Andromache nach Troia; doch werden sich die ant. Zuhörer (wie die mod. Leser) an Andromaches Klage am Ende der ›Ilias‹ erinnert haben, wenn Hektors Leichnam nach Troia zurückgebracht wird. Fr. 2, durch ein → Ostrakon überliefert, ruft Aphrodite zu einem Hain, der eher ein imaginäres Paradies als eine reale Landschaft darstellt; die Epiphanie ist in rituellem, erotischem oder mystischem Sinne verstanden worden [13. 171–172]. Die meist als Epithalamia begriffenen Fr. lassen sich spezifischen Momenten der Hochzeitszeremonie nur schwer zuweisen. Sie sind zärtlich, humorvoll und gelegentlich derb. Manche wurden zweifellos von einem → Chor gesungen. Eine Klage um → Adonis (fr. 140), welche zu einem Frauenfest gehört haben muß, ist an junge Mädchen (κόραι/*kórai*) gerichtet. Manche Forscher neigen der Ansicht zu, das gesamte dichterische Werk der S. sei für die Aufführung durch einen Chor bestimmt gewesen.

D. SPRACHE, METRIK, STIL

Die Gedichte der S. sind wie die des Alkaios in aiolischem Dialekt verfaßt, der durch fehlende Aspiration am Wortanfang (Psilosis) und zurückgezogenen Akzent gekennzeichnet ist (→ Aiolisch). Auch bei den Versmaßen handelt es sich um solche, die als aiolisch bezeichnet werden [12. 29–34], wobei die Glykoneen (→ Metrik) vorherrschen. Die Strophen bestehen häufig aus drei Versen, wobei der dritte eine Ausführung der ersten beiden ist (aaA); so läßt sich die sapphische Strophe am besten analysieren. S.s Sprache ist klar und direkt, doch verbirgt die scheinbare Einfachheit große Raffinesse. In der Ant. wurde sie wegen ihrer Euphonie bewundert (Dion. Hal. comp. 23).

E. Nachwirkung

→ Catullus' Gedicht 51 ist eine freie Übers. von Fr. 31. Die sapphische Strophe wurde von späteren Dichtern häufig benutzt, bes. von Horaz (→ Horatius [7]); auch in anderer Hinsicht hat S. bedeutenden Einfluß auf Horaz ausgeübt (vgl. Hor. carm. 3,30,13; 2,13,25; Hor. epist. 1,19,28). Ovids fiktiver Brief der S. an Phaon (Ov. epist. 15) steht fest in der Trad. der Fiktionen über S., die sich bis die Moderne fortgesetzt haben: Grillparzers Tragödie ›S.‹ (1818) und Gounods erste Oper ›Sapho‹ (1851) bearbeiten die Phaon-Geschichte. Leopardi verfaßte einen ›Ultimo Canto di Saffo‹ (1822), während Brahms die sapphische Strophen von Hans Schmidt in der ›Sapphischen Ode‹ (Op. 94, Nr. 5) vertonte. Unter den ›Neuen Gedichten‹ Rilkes finden sich drei sapphisch inspirierte Gedichte. S. hatte großen Einfluß auf die Dichterin Hilda Doolittle (dazu [15]), und Ezra Pound schrieb ein berühmtes, aus vier Wörtern bestehendes Fr. mit dem Titel ›Papyrus‹.

Bildliche Darstellungen der S. waren in der Ant. verbreitet [17. 1238–40]; eine davon, auf einem frühen Kalathos in München (GL 2416), wird von Rilke in einem Brief erwähnt (vom 25. Juli 1907).

→ Erotik; Homosexualität; Literaturschaffende Frauen; Lyrik; Metrik (Tabelle und III.D.)

Ed., Übers., Komm.: **1** Z. Franyó (ed.), Frühgriech. Lyriker, Bd. 3, 1976 (mit dt. Übers. und Komm.)
2 E. Lobel (ed.), Σαπφοῦς μέλη, 1925 **3** Lobel/Page
4 Th. Reinach, A. Puech (ed.), Alcée, Sapho 1937 (mit frz. Übers. und Komm.) **5** M. Treu, S.: Lieder, ^{6}1979 (mit dt. Übers. und Komm) **6** E.-M. Voigt (ed.), S. et Alcaeus, 1971.
Lit.: **7** W. Aly, s. v. S., RE 1 A, 2357–2385
8 D. A. Campbell, Greek Lyric, Bd. 1, 1982 **9** J. E. De Jean, Fictions of S.: 1546–1937, 1989 **10** E. Greene (Hrsg.), Reading S., 1996 **11** Dies. Re-Reading S., 1996
12 E.-M. Hamm, Grammatik zu S. und Alkaios, 1957
13 B. C. MacLachlan, S., in: D. E. Gerber (Hrsg.), A Companion to the Greek Lyric Poets, 1997, 156–186
14 D. L. Page, S. and Alcaeus, 1955 **15** M. Reynolds, The S. Companion, 2000 **16** W. Schadewaldt, S., 1950
17 M. Treu, s. v. S., RE Suppl. 11, 1222–1240
18 M. L. West, Greek Metre, 1982 **19** U. von Wilamowitz-Moellendorff, S. und Simonides, 1913
20 M. Williamson, S.'s Immortal Daughters, 1995
21 D. Yatromanolakis, Alexandrian Sappho Revisited, in: HSPh 99, 1999, 179–195. E.R./Ü: T.H.

Sappho-Maler. Attischer spät-sf. Vasenmaler, ca. 510–490 v. Chr., benannt nach der Darstellung der → Sappho (mit Beischrift) auf einer Kalpis in Warschau (Nationalmuseum Inv. 142333). Dem S.-M. wurden bisher 95 Gefäße zugewiesen, 70% davon Lekythen, aber auch andere kleine Gefäße, einzelne große Gefäße, Grabtafeln und → Epinetra. Fast die Hälfte seiner Bilder sind wgr. Die in dieser Zeit tonangebende rf. Malweise hat der S.-M. nicht verwendet, aber gelegentlich die sog. Six-Technik, bei der die Figuren mit verschiedenen Erdfarben ganz oder teilweise auf den schwarzen Glanzton gemalt und mit Ritzung vervollständigt wurden. Seine meist konventionellen Themen sind in beschwingter, mehr oder weniger flüchtiger Malweise ausgeführt und mit Pseudobeischriften belebt. Daneben finden sich aber auch sorgfältigere Zeichnungen, einige sinnvolle Beischriften und ganz eigenständige Bilderfindungen, zu denen u. a. seine ungewöhnlichen Szenen aus dem Totenkult gehören. Ein Werkstattgenosse des S.-M. war zeitweise der Diosphos-Maler.

→ Schwarzfigurige Vasenmalerei

Beazley, ABV 507 f., 702 • Beazley, Paralipomena, 246 f. • Beazley, Addenda^{2}, 126 f. • C. H. E. Haspels, Attic Black-Figured Lekythoi, 1936, 94–130, 225–241, 368 f. • J. Boardman, Athenian Black Figure Vases, 1974, 148 f.
H.M.

Sapropelit. Ein dem Gagat oder Lignit ähnlicher dunkelbrauner, mattglänzender Rohstoff aus organischer Faulschlammkohle mit Vorkommen in Böhmen und Mähren; wurde v. a. von den Kelten (6.–1. Jh. v. Chr.) für Ringschmuck verarbeitet. Rohstücke und Halbfabrikate aus Werkstattfunden, z. B. auf der → Heuneburg (6. Jh.) und im → Oppidum von → Manching (2./1. Jh. v. Chr.) zeigen, daß der Schmuck durch Schneiden und Schnitzen sowie durch Drehen auf der → Drehbank hergestellt wurde.

→ Handwerk; Keltische Archäologie; Schmuck

O. Rochna, Zur Herkunft der Manchinger S.-Ringe, in: Germania 39, 1961, 329–354 • Ders., Das Tonschiefer-, S.-, Gagat- und Wachsmaterial der Heuneburg, in: S. Sievers (Hrsg.), Die Kleinfunde der Heuneburg (Röm.-Germanische Forsch. 42), 1984, 91–94. V.P.

Saqqara. Nekropolenareal von ca. 7,5 km Länge auf der Schulter der libyschen Wüste südl. von Kairo. Der Kern (S.-Nord) wurde in der 1. Dyn. (um 3000 v. Chr.) als Nekropole von → Memphis auf einer Anhöhe über der neugegründeten Stadt mit einem Friedhof der höchsten Beamten und der Angehörigen des Königshauses angelegt. Ab der 2. Dyn. (und bis in die 1. Zwischenzeit) wurden in S. immer wieder königliche Grabkomplexe errichtet, so die Pyramidenanlage des → Djoser, deren Nähe die Begründer der 5. und 6. Dyn. für ihre Bauten suchten. Aus Platzgründen wichen jedoch die meisten → Pyramiden nach Norden (Abū Ṣīr) bzw. Süden (S.-Süd) aus. Weite Nekropolen von Privatleuten reflektieren die wechselnde Bed. der Stadt Memphis. Spektakuläre Monumentalgräber stammen aus der Frühzeit und dem AR, aus dem NR (insbes. als Memphis nach der Amarna-Zeit erneut Hauptstadt wurde) sowie der Saïten- und Perserzeit. Mindestens durch Gruben-

und Sekundärbestattungen sind alle Perioden repräsentiert. Für das 6. und 5. Jh. v. Chr. ist durch Stelen ein Friedhof karischer Söldner (→ Kares, Karia) bezeugt. In der Spätzeit sowie von der Ptolemäerzeit bis ins 1. (teilw. 2.) Jh. n. Chr. gewannen Bestattungsplätze heiliger Tiere herausragende Bed., so die Bestattungen der → Apis-Stiere in den Katakomben des → Serapeums (belegt seit der 18. Dyn.), dessen Dromos in frühptolem. Zeit im hell. Stil ausgebaut wurde (u. a. mit einem Rondell mit Statuen griech. Philosophen). Daneben gab es Katakomben heiliger → Ibisse, Paviane, Hunde und Katzen mit angeschlossenen Tempeln und äußerst populäre Pilgerzentren (→ Pilgerschaft) mit Einrichtungen für → Inkubation und → Orakel.

1 M. Barta, J. Krejci (Hrsg.), Abusir and S. in the Year 2000 (Archiv Orientální Suppl.), 2000
2 C. M. Coche-Zivie, s. v. S., LÄ 5, 286–428. S. S.

Sar-e Pol-e Ẕahāb. Arch. FO in Kurdistan, Iran (altpersisch Ḥulvān; akkadisch *Ḫalmān*), 20 km vor der irakischen Grenze an der alten Straße Kermānšāh-Baghdad gelegen. Dort fand man beiderseits des Flusses Alvand insgesamt vier Reliefs der E. 3./Anf. 2. Jt. hier regierenden Lullubäerfürsten, unter denen das Triumphrelief des Anubanini [2. Taf. 49] mit dem Motiv des auf seinen Feind tretenden Siegers das Vorbild abgab für das Relief → Dareios' [1] I. aus → Bīsutūn. Unterhalb dieses Bildes befindet sich ein arsakidisches Investiturrelief (Reiter im Profil vor einer stehenden männlichen Figur in Frontalansicht) [1. Taf. 6]. Die parthische Inschr. (*gwtrz MLKʾ RBʾ BRY gyw*..., ›des Gōtarz, des Großkönigs, des Sohnes des Gēw...‹) weist es wohl der Zeit → Gotarzes' II. (Mitte 1. Jh. n. Chr.) zu [3. 87–92]. In der Nähe von S. befindet sich das (spät-)achäm. oder hell. Felsgrab Dokkān-e Dāvūd mit dem Relief Kil-e Dāvūd, das einen Mann (Magier?) mit vorkragender Tiara und Barsombündel zeigt [4. 130–134].

1 T. S. Kawami, Monumental Art of the Parthian Period in Iran, 1987 2 M. C. Root, The King and Kingship in Achaemenid Art, 1979 3 M. Schottky, Parther, Meder und Hyrkanier, in: AMI 24, 1991, 61–134 4 J. Wiesehöfer, Die »dunklen Jahrhunderte« der Persis, 1994. J. W.

Sarabaiten (lat. *Sarabaitae*). → Benedictus von Nursia kritisiert, gewiß ohne eigene Augenzeugenschaft, die S. (kopt.: »verstreut vom Kloster Lebende« ?) in seiner Klassifizierung des → Mönchtums: Sie unterwerfen sich keiner Regel und leben zu zweit oder dritt nach eigenem Gutdünken zusammen (Regula Benedicti, Cap. 1). Seine Vorlage ist die *Regula Magistri*, die wiederum auf den einzigen authentischen Zeugen → Cassianus zurückgreift (Cassian. conlationes patrum 18,7). Eine ähnliche Gruppierung, die Remnuoth (kopt. wohl: »vereinzelt Lebende«), wird von → Hieronymus erwähnt (Hier. epist. 22,34). Realiter war die Lebensweise der S. verwandt mit anderen, für das 4./5. Jh. in Äg. bezeugten Formen der Askese, in denen Elemente des gemeinschaftlichen Zusammenlebens und des Einsiedlertums frei kombiniert wurden.

H. Leclercq, s. v. Sarabaïtes, Dictionnaire d'Archéologie Chrétienne et de Liturgie 15,1, 1950, 756–760 • A. de Vogüé, La communauté et l'abbé dans la règle de Saint Benoît, 1961, 52–77. K. F.

Saraceni (*Saraceni*, Amm. 14,4,1; *Arraceni*, Plin. nat. 6,32; Σαρακηνοί, Zos. 4,22; »Sarazenen«). Großverband arab. Beduinenstämme, u. a. der Safaites und der Thamudeni. Aufgrund des Einsatzes hochmobiler Kamelreiterverbände seit dem 4. Jh. n. Chr. Hauptgegner Roms am Limes Arabiae (→ Limes VII.). Erste bed. Herrscherpersönlichkeit war Imruʾ al-Qais (gest. ca. 330), danach die legendäre Königin → Mavia (gest. ca. 380).
→ Araber; Saraka [2]

D. F. Graf, The Saracens and the Defence of the Arabic Frontier, in: BASO 229, 1978, 1–26 • I. Shahid, Byzantium and the Arabs in the Fourth Century, 1984, 126 ff. • Ph. Mayerson, Saracens and Romans, in: BASO 274, 1989, 71–79 • R. Solzbacher, Mönche, Pilger und Sarazenen. Stud. zum Frühchristentum auf der südl. Sinaihalbinsel, 1989. H. KU.

Saraka
[1] (Σάρακα). Stadt in → Arabia Felix nordwestl. von ʿAdan.
[2] (Σ., Σαρακήνη, Ptol. 5,17,3). Von den Σαρακηνοί/ *Sarakēnoí* bewohnte Wüste auf der Sinai-Halbinsel (h. at-Tīh). Es besteht wohl eine Beziehung zu den *Sarakēnoí*, die nach Ptol. 6,7,21 im arab. Ḥiǧāz lebten. Ungeklärt ist die Etym. dieser Bezeichnung, die ab dem 3. Jh. n. Chr. syn. mit *Scenitae Arabes* als Benennung von arab. Beduinen verwendet wird (Amm. 22,15,2; 23,6,13; Steph. Byz. Ethnica 556; Soz. 6,38). Sie wird teils vom Toponym S., teils von der semit. Wurzel *šrq* (»Osten«), teils vom semit. *šrkt* (»Stamm, Konföderation«) abgeleitet. Seit dem 6. Jh. bezeichnet *Sarakēnoí* in Byzanz alle arab. sprechenden Völker.
→ Araber; Saraceni

G. W. Bowersock, Arabs and Saracens in the Historia Augusta, in: Ders., Studies on the Eastern Roman Empire, 1994, 71–80 • D. Graf, M. O'Connor, The Origin of the Term Saracen and the Rawwāfa Inscriptions, in: Byz. Studien 4, 1977, 52–66 • I. Shadid, s. v. Saracens, EI², CD-ROM 1999. I. T.-N.

Sarangai (Σαράγγαι, Hdt. 3,93; 117; 7,67; Ζαραγγαῖοι, Arr. an. 3,25,8; *Zarangae*, Plin. nat. 6,94: neben den *Drangae* genannt). Bei Isidoros von Charax steht im *argumentum* die Form Ζαραγγιανή; dagegen Kap. 17 in den Hss. Δραγγιανή. Volk im → Etymandros (Helmand–)Gebiet. Die Formen mit S oder Z geben die lokale Aussprache wieder, die mit D die altpersische.

J. D.-G.

Sarapanis (Strab. 11,2,17; 3,4 τὰ Σαραπανά; Prok. BP 2,29,18; Prok. BG 4,13,15; 4,16,17: Σαραπανίς). Kolchische Festung am bis hierher schiffbaren → Phasis [1],

durch die der Weg nach → Iberia [1] führte; identifiziert mit den Festungsruinen auf dem nur von NO zugänglichen Hügel am Zusammenfluß von Qvirila (Strabons Phasis-Oberlauf) und Dzirula im h. Šorapani/Georgien. Grabungen in Unterstadt und Zitadelle erbrachten Spuren einer Siedlung des 6.–4. Jh. v. Chr., hell. Bauschichten sowie eine Festungsmauer weitgehend aus byz. Zeit. In der georgischen Chronik *Kʿartʿlis Cʿhovreba* 24 [1. 34] ist S. eine iberische Festung, erbaut vom 1. König Pharnabazos in der 1. H. des 3. Jh. v. Chr.
→ Kolchis

1 R. Thomson, Rewriting Caucasian History, 1996.

O. Lordkipanidze, Das alte Georgien (Kolchis und Iberien) in Strabons Geographie. Neue Scholien, 1996, 247–250.
A. P.-L.

Sarapion (Σαραπίων).
[1] Horus-Priester und um 160 v. Chr. der erste Ägypter, der das Amt des eponymen Alexanderpriesters bekleidete. Evtl. identisch mit PP I/VIII 914.

W. Huss, Der maked. König und die ägypt. Priester, 1994, 45 f.

[2] *Dioikētḗs*, nach 145 und 142 v. Chr., gleichrangig mit den »Freunden Erster Klasse« (PKöln V 223; PTebt III I732,1; → Hoftitel B. 2.). Vielleicht identisch mit dem 163–155 v. Chr. belegten nachgeordneten Verwalter (*hypodioikētḗs*) und Oberleibwächter (*archisōmatophýlax*) [1. 142 f., Nr. 0181].

1 L. Mooren, The Aulic Titulature in Ptolemaic Egypt, 1975.
W. A.

Sarapis s. Serapis

Saravus. Fluß, der auf dem Berg Donon (im → Vosegus) entspringt und bei Contoniacum in die Mosella mündet, h. Saar. Pfeilersubstruktionen bezeugen hier eine Brücke der Straße Divodurum (Metz) – Augusta [6] Treverorum (Trier), auf die auch die rechts der Mosella verlaufende Tal-Straße zielt. Weitere Brücken sind flußaufwärts nachgewiesen. Der ›gewundene S.‹ (Auson. Mos. 91–93; vgl. 367–369) war bis Saarburg schiffbar.

Ein *vicus* S. wird auf einer Säulen-Inschr. vom Berg Donon an der Prozessionsstraße zum Heiligtum genannt (ILS 5882a). Aufgrund der allerdings nicht unumstrittenen Entfernungsangabe wird dieser Ort mit dem h. Lorquin (Lärchingen) oder auch mit Bliesbrück gleichgesetzt [1. 114]. Pons Saravi (*ad pontem Saravi*) wird in der Tab. Peut. 3,3 und im Itin. Anton. 372,1 (*ponte Sarvix*, verderbt für *ponte Saravi* [2]) als Rastort an der Straße Divodurum – Argentorate (Straßburg) genannt und ist mit dem h. Sarrebourg (Saarburg) zu identifizieren.

1 H. Bernhard, Die röm. Gesch. in Rheinland-Pfalz, in: H. Cüppers (Hrsg.), Die Römer in Rheinland-Pfalz, 1990, 39–168 **2** J. B. Keune, s. v. Sarvix, RE 2 A, 53 **3** Ders., s. v. S., RE 1 A, 2427–2433.
RA. WI.

Sarazenen s. Araber; Saraceni; Saraka [2]

Sarcina s. Marschgepäck

Sardanapal (Σαρδανάπαλ(λ)ος). Legendärer assyrischer Herrscher, in dessen Gestalt Züge verschiedener assyr. Herrscher (u. a. → Sanherib und → Saosduchinos/Šamaš-šuma-ukīn) in den Berichten griech. Autoren (Hdt. 2,150; Pol. 8,12,3; Dion. Chrys. 4,135; Clem. Al. strom. 2,20) zusammengeflossen sind. Musik [1. 168], Lit. (Byron) und bildende Kunst (Delacroix) des 19. Jh. haben das Thema verschiedentlich aufgegriffen (→ Orientrezeption).

1 J. Renger, Altorientalistik und Vorderasiatische Arch. in Berlin, in: W. Ahrenhövel, Chr. Schreiber (Hrsg.), Berlin und die Ant., 1979, 151–192 **2** F. Weissbach, s. v. S., RE 1 A, 2436–2475.
J. RE.

Sardeis (Σάρδεις, lat. *Sardis*).
I. Lage und Name
II. Mykenische und lydische Zeit
III. Perserherrschaft
IV. Alexander und Diadochenzeit
V. Hellenismus: Seleukiden und Pergamener
VI. Römische Herrschaft VII. Spätantike
VIII. Die jüdische Gemeinde
IX. Christentum
X. Byzantinische Zeit und Neuzeit

I. Lage und Name

Stadt, gelegen am Ausgang des Tals des → Paktolos in das zur Sardianischen Ebene sich weitende Tal des → Hermos [2], Zentrum der Sardiane, beherrscht von einem durch Erosion zerklüfteten Bergsporn (Ausläufer des → Tmolos), der histor. Akropolis. Der ON ist lydisch *sfar(i?)*- ([1], vgl. Xanthos FGrH 765 F 23 *Xyáris* = S.). *Hýdē* (Hom. Il. 20,385; Strab. 9,2,20; 13,4,6) und *Tárnē* (Hom. Il. 5,44 mit schol.; Strab. 9,2,35; vgl. Plin. nat. 5,110) sind evtl. auf eine Vorgängersiedlung zu beziehen. Aus S. stammten der Iambograph Aischines [5], der Epigrammatiker Straton und der Sophist Polyainos [2].

II. Mykenische und lydische Zeit

Neolithischen Kleinfunden folgt in S. die westanatolisch-myk. Keramik des 13. Jh. v. Chr. und vom 12.–10. Jh. importierte und lokal imitierte myk., submyk. und protogeom. Keramik; der Befund wird mit den halbmythischen Trad. um die Dyn. der Tylonidai bzw. der → Herakleidai (Hdt. 1,7) in Beziehung gesetzt; evtl. haben sich Anf. des 12. Jh. v. Chr. beim Kollaps der hethit. Vasallenstaaten (→ Kleinasien III. C.) in Westkleinasien myk. Griechen in S. festgesetzt. Anf. des 1. Jt. setzt lydische Ware ein, die im 7./6. Jh. bes. korinthischen und ostgriech. Einfluß verrät. Als Hauptstadt von → Lydia war S. ca. 680–547 Residenz der → Mermnadai. Funde im Bereich des »Lydian Trench« weisen auf die Zerstörung durch die → Kimmerioi (Strab. 13,4,8; 14,1,40) unter Gyges [2] (Mitte 7. Jh. v. Chr.), kurz darauf wurde S. nochmals unter dessen Sohn Ardys von

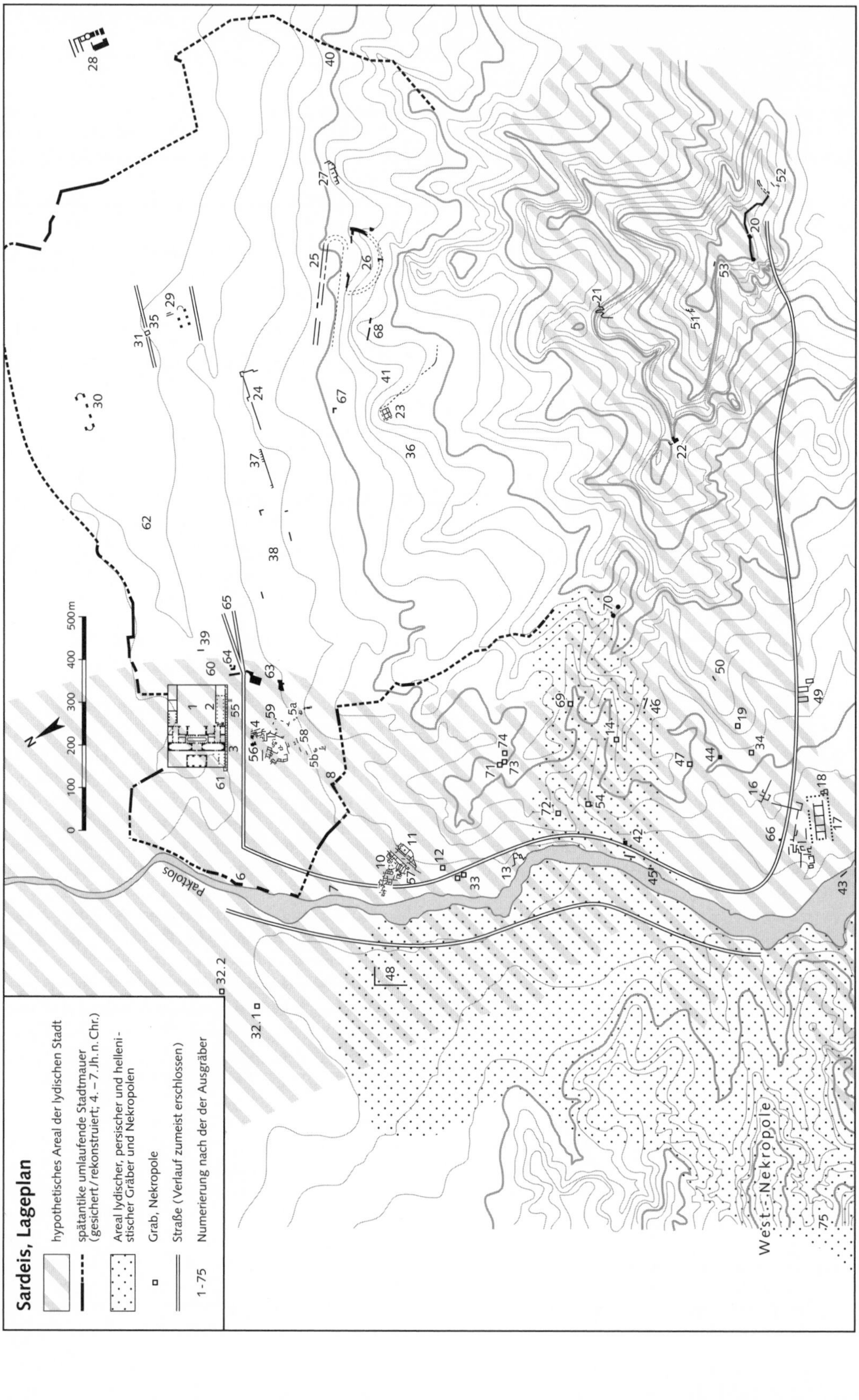
Sardeis, Lageplan
hypothetisches Areal der lydischen Stadt
spätantike umlaufende Stadtmauer (gesichert / rekonstruiert; 4.–7. Jh. n. Chr.)
Areal lydischer, persischer und hellenistischer Gräber und Nekropolen
Grab, Nekropole
Straße (Verlauf zumeist erschlossen)
1-75 Numerierung nach der Ausgräber
0 100 200 300 400 500 m
N
Paktolos
West-Nekropole

I. Das Areal um das Gymnasion (»Marktviertel«)
1. Gymnasion mit Säulenhof, Thermen
2. Synagoge
3. Läden (byzantinisch)
55. Stufen eines hellenistischen Mausoleums
60. Ost-Straße
61. West-Straße

II. Das Areal um das »House of Bronzes« und westlich davon
4. »House of Bronzes« (HoB, mehrere Levels)
5. obere und mittlere Terrassen (a, b)
56. hellenistische Gräber
58. Kolonnadenstraße (HoB)
59. Gebäude »R« und Tetrapylon
63. lydisches Tor/römische Straße
64. lydische Befestigung
65. Straße (römisch)
6. Brücke (römisch)
32.1 Grab der Claudia Antonia Sabina
32.2 »Painted Tomb«
8. SW-Tor in der spätantiken Stadtmauer

III. Das Areal östlich des Paktolos bis zum Artemis-Tempel
7. Produktionsareal am Paktolos
10. Areal »Pactolus North« (Kybele Altar; Goldschmiede-Werkstätten)
11. Basilica »EA« (4. Jh.) mit Kirche »E« (13. Jh.) und Gräbern
57. »Street of Pipes«
48. Mauern
75. »Pactolus West« (Nekropole) (über 1100 Felskammergräber)
12. »Peacock Tomb«
33. Ziegelsteingräber mit Gewölbe
13. »Pactolus Cliff« (mit Resten lydischer, römischer und byzantinischer Gebäude)
73. vermutlich römisches/spätantikes Grab
71. Grab des Flavius Chrysanthios, »Heroon« (4./5. Jh.)
74. vermutlich römisches/spätantikes Grab
72. »Orthostate Tomb«
69. »Pot of Gold Tomb«
54. Şeytan Dere-Nekropole
14. sog. Pyramiden-Grab
70. lydische Quelle/Zisterne
46. vorhellenistische Mauer
42. »Hypocaust Building«
45. Bruchsteinmauer
47. Ziegelsteingrab mit Gewölbe
44. kleineres Gebäude (römisch)
50. »Shear's Stoa«
19. Kagirlik Tepe (römische Gräber, z. T. mit Malereien)
34. Kammergrab (römisch)
16. NO-Wadi
66. »Lydian Tile Reconstruction«
17. Artemis-Tempel (hellenistisch-römisch; lydischer Altar etc.)
18. Kirche »M«
43. Marmorfundament
49. »Butler's House«

IV. Das Areal östlich des Gymnasions und nördlich der Akropolis
30. Gebäude »C« (römische Basilika)
31. Mühle
35. Straßenrest unter der Mühle
62. Straßenkreuzung
39. Bruchsteinmauern
29. Gebäude »D« (byzantinische Kirche)
28. Thermen »CG«
24. Gebäude »A«
37. Gewölbesubstruktionen
38. Areal der römischen Agora
67. »Wadi B Ionic Building«
23. sog. »Byzantine Fortress«
36. Straße zur sog. »Byzantine Fortress«
41. Fundamente
68. »Field 49 Lydian Wall«
25. Stadion (römisch)
26. Theater (hellenistisch, verändert in römischer Zeit)
27. »Hillside Chambers«
40. Areal des sog. Odeion

V. Akropolis-Areal
20. Akropolis (lydischer Palast?, vorhellenistische, byzantinische Strukturen/Gebäude)
51. lydische Mauerstrukturen auf der Akropolis (Nord)
52. vorhellenistische Mauerstrukturen auf der Akropolis (Süd)
53. Löcher in der Akropolis-Böschungsmauer
21. Tunnel
22. sog. »Flying Towers« (Befestigung)

Sardeis und Umgebung

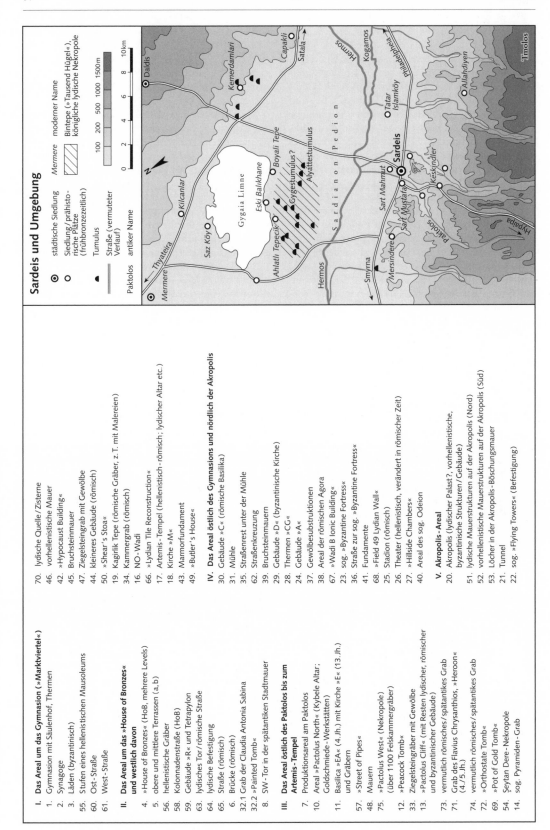

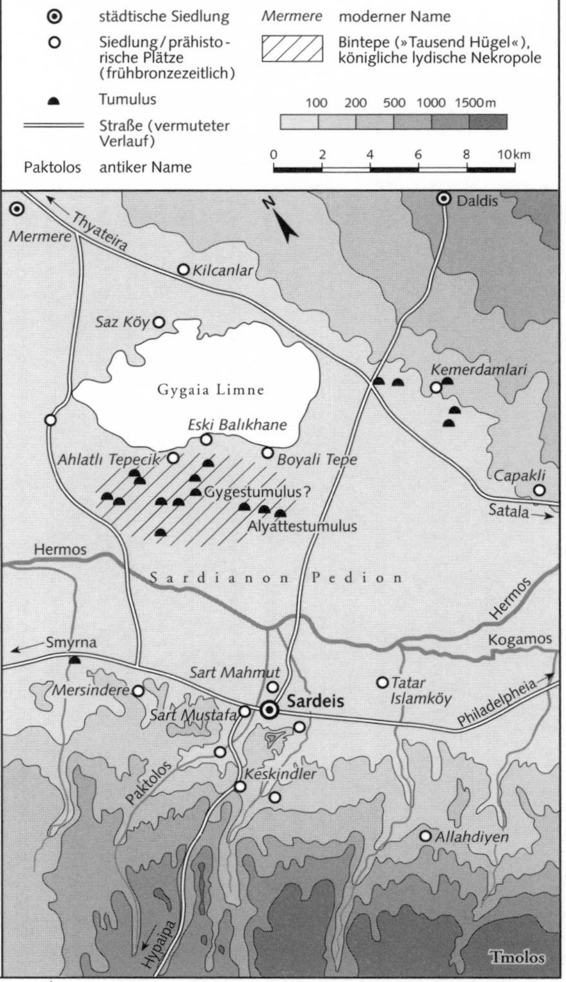

Treres und Lykioi mit Ausnahme der Burg erobert (Hdt. 1,15; Strab. l.c.; [3; 4]). Goldarbeiten und bes. die archa. lydische Keramik lassen erkennen, daß S. Verbindungen auch zum östl. Schwarzmeergebiet (→ Kolchis) unterhielt [5]. Die lydische Stadt S. erstreckte sich mit Wohn- und Handwerkervierteln am östl. Paktolos-Ufer vom Areal des späteren Artemis-Tempels im Süden bis zur (ant. und mod.) Überlandstraße im Norden: Beim dortigen »Haus der Bronzen« befindet sich ein ummauertes Quartier mit Werkstätten und Läden um eine Agora, weiter südl. dann weitere Werkstättenviertel mit Goldschmelzen und Goldschmieden (»Paktolos Nord«); dort wurde auch ein Altar der Schutzgöttin → Kybele mit Reliefs (Mitte 6. Jh.) gefunden. In diesem Stadtteil des 6. Jh. gab es verm. kleine Heiligtümer und sonstige gut ausgestattete Gebäude, von denen die polychromen Figurenfries-Frg. stammen; hier ist wohl auch, von einem Garten umgeben, das angebliche »Bordell« (Γλυκὺς Ἀγκών, Klearchos bei Athen. 12,515e–516a; 540f) anzunehmen. Von der lydischen Stadtmauer wurde, wiederum südl. der Überlandstraße, eine massive Torfestung (Lehmziegelwerk, letztes Viertel 7. Jh.) festgestellt, die bei der pers. Eroberung zerstört und danach in Steinmauerwerk erneuert wurde [6]. 547 wurde S. samt der Akropolis von Kyros [2] erobert, die Stadt verwüstet (Hdt. 1,84). Die Akropolis, ausweislich der Keramik spätestens seit dem 7. Jh. bewohnt, trug wohl im Nordteil den Königspalast und war z.Z. des → Kroisos auch bergseitig im Süden befestigt.

III. Perserherrschaft

Während der Perserherrschaft (547–334 v. Chr.) war S. namengebende Hauptstadt der anfangs den Großteil Kleinasiens umfassenden Satrapie *Spárda*, seit Dareios [1] auch des 2. Steuerbezirks im »Binnenland« (Hdt. 3,90). In S. endete, das damalige Stadtgebiet am Nordrand berührend, die pers. → Königsstraße, die sodann, auf der Trasse von Altstraßen, zur Küste nach → Smyrna bzw. über den Karabel-Paß nach → Ephesos weiterführte (Hdt. 2,106; 5,53 f.). Die Unterstadt von S., dicht bebaut mit Stein- und Lehmziegelhäusern mit Tonziegel- und Schilfdächern (vgl. die einseitige Darstellung bei Hdt. 5,101), wurde 499 von den aufständischen Iones (→ Ionischer Aufstand) geplündert und eingeäschert; Perser und Lyder vertrieben gemeinsam die Eindringlinge (Hdt. 5,100–102). Als Satrapensitz war S. 513/2 Standquartier des Dareios [1] (Hdt. 5,11 f.; 5,23), 481/479 Sammelplatz und Winterquartier für Xerxes und einen Teil des Heeres sowie Zuflucht für die aus der Niederlage an der Mykale Entkommenen (Hdt. 7,26; 32; 145 ff.; 8,117; 9,3; 9,107 f.; Sen. benef. 6,31,12; → Perserkriege). Ein Grabmal (sog. Stufenpyramide) für einen pers. Würdenträger erhob sich am Westhang der Akropolis [7; 8]. Beim Putschversuch des Karanos (»Vizekönig«) Kyros [3] im J. 401 war S. Sammelplatz der griech. Söldner (Xen. an. 1,2,2 f.; 1,2,5). Damals stand ein Altar der Artemis-Kybele (Xen. an. 1,6,6 f.) am Ort des späteren hell.-röm. Großtempels. 395 zwang Tissaphernes im spartanisch-pers. Krieg (400–386 v. Chr.) den Spartaner Agesilaos [2] am Paktolos vor S. zur Umkehr (Diod. 14,80,1–5; Xen. hell. 3,4,20–24; Plut. Agesilaos 3,5) [9]. Nach Verhandlungen 392 und 388 mit → Antalkidas eröffnete → Tiribazos 387 den in S. versammelten Griechen den sog. → Königsfrieden (Xen. hell. 4,8,12; 5,1,30).

Neben den einheimischen anatolischen Gottheiten wie Argistis, → Sabazios und → Ma, zu deren Kult auch Mysterien gehörten, wurden griech. und pers. rezipiert. Die Nekropole in den zerklüfteten Hängen und Bachschluchten westl. des Paktolos enthält Hunderte lydischer Felskammergräber (durch Erosion vielfach zerstört), zum Teil mit bemalten Sarkophagen oder Stelen mit Dipinti; die Grabbeigaben zeigen ein reiches Spektrum lydischer Terrakotten, Kleinplastik in Ton und Elfenbein, achäm. Siegelringe, eine lydisch-aram. Bilingue, schließlich griech. Importe und hell. Ware.

IV. Alexander und Diadochenzeit

Im J. 334 v. Chr. wurde S. mitsamt der gesicherten Akropolis vom pers. Festungskommandanten Mithrenes kampflos Alexandros [4] d.Gr. übergeben; der König sicherte der Bevölkerung Freiheit und Leben nach ihren altgewohnten Gesetzen zu, erhielt ihre Steuerpflicht als Untertanen jedoch aufrecht (Arr. an. 1,17,3–8 mit [11]; Diod. 17,21,7). Auf der Akropolis befahl er den Bau eines Zeus-Olympios-Tempels. 322–308 war S. Aufenthaltsort von Alexanders Schwester Kleopatra [II 3] (Diod. 20,37,3–6). Ein auf Initiative von S. mit → Miletos [2] geschlossener Rechtssicherheitsvertrag [37. Nr. 407] läßt um 330 v. Chr. (oder schon Mitte 4. Jh.?) die autonome Handlungsfähigkeit der Stadt erkennen. E. des 4. Jh. beleidigten Bewohner von S. eine hl. Gesandtschaft der Artemis aus Ephesos; die Namensliste der 46 wegen des Sakrilegs Verurteilten (IEph 2; [12]) zeigt ein für S. typisches Bevölkerungsgemisch aus lydischen und anderen kleinasiat., griech. und iranischen Elementen [13].

V. Hellenismus:
Seleukiden und Pergamener

Nach mehrfachem Besitzerwechsel während der → Diadochenkriege fiel S. 281 an Seleukos I. (Polyain. 4,9,4) und war 281/0–228 und 222–190 Hauptstadt des seleukidischen Kleinasien, Sitz des *stratēgós* von Lydia, bes. des Generalstatthalters bzw. Vizekönigs [14], des königlichen Archivs für diesen Reichsteil ([38. 18,27 f., 19,16 f.]; 254/3 v. Chr.) und einer seleukidischen Mz.-Stätte (239–190 v. Chr.; [15]). Nach zwei Niederlagen der Seleukiden vor S. gegen die Fürsten von Pergamon, um 262 (Strab. 13,4,2; [16]) und 229/8, gewann erst 223/2 der Generalstatthalter Achaios [5] die seleukidische Position in Kleinasien zurück (Pol. 5,77,1). Abtrünnig geworden, wurde er von Antiochos [5] III., seinem Neffen, 215–213 in der für uneinnehmbar geltenden Zitadelle von S. belagert, gefangengenommen und hingerichtet (Pol. 7,15–18; 8,15–21). Danach betrieb der König den Wiederaufbau der zerstörten Stadt durch → *synoikismós* unter Aufsicht des Zeuxis [17. 484; 18; 19]. Im Krieg mit Rom mußte Antiochos III. S. 190 v.

Chr. den siegreichen Scipionen überlassen (Pol. 21,11; Liv. 37,25 f; 44 f.): S. fiel für die J. 188–133 wiederum an Pergamon.

Im Zuge der → Hellenisierung im 3. Jh., in deren Rahmen auch das Griech. das Lydische aus dem öffentlichen Gebrauch (in Inschr.) zunehmend verdrängte, übernahm S. griech. Polisverfassung und -institutionen; diese bzw. deren Gebäude sind meist nur inschr. bekannt: *bulé, gerusía* (in S. ein Verfassungsorgan?), zwei Gymnasia, mehrere Tempel. Von den Großbauten hell. Zeit sind (in röm. Umbau) erh.: ein Theater (für ca. 15 000 Zuschauer, Bauteile aus dem 3. Jh. v. Chr.) und Stadion am NO-Fuß der Akropolis, östl. davon ein Odeion. Die Stadtmauer mit den »Persischen Toren« nahe dem Theater (Pol. 7,17,6; 18,3 f.) bestand auch in nachseleukidischer Zeit. Mitte des 3. Jh. wurde, nach Westen auf einen bestehenden Artemis-Kybele-Altar (5. Jh.) orientiert, der große Artemis-Tempel als Doppelantenbau errichtet und vor Mitte 2. Jh. zum → Pseudodipteros (an den Langseiten) erweitert; er blieb auch in der Kaiserzeit unvollendet. Eine östl. Doppelcella (im 2. Jh. n. Chr. für Faustina [2] eingerichtet) bestand evtl. schon im 3. Jh. v. Chr. für Zeus Polieus (?) [20; 21; 22; 23]. Seit lydisch-pers. Zeit gab es Kultvereine (auch Mysterienvereine) mit Kultstätten samt Gärten für einheimische und fremde Gottheiten [24], in röm. Zeit gab es auch Heroa für verdiente Bürger und Heiligtümer für den → Kaiserkult.

VI. Römische Herrschaft

Mit der Erbschaft → Pergamon fiel S. 133 v. Chr. an Rom. In der Prov. Asia (129 v. Chr.–295 n. Chr.) blieb S., bereits unter den Attaliden frei (Attalos II.: [39. 4]), wie andere Städte im Besitz der Autonomie (94/3 v. Chr.: Isopolitievertrag S.-Ephesos: OGIS 437 = [39. 6]). Im J. 88 v. Chr. stellte sich auch S. gegen Mithradates [6] VI. (Oros. 6,2,8). Als Gegner des Königs trat der Redner und Dichter Diodoros [17] Zonas aus S. hervor; sein jüngerer Verwandter Diodoros [9] war ein Freund des Strabon (Strab. 13,4,9). Caesars Entscheid (vom 4. März 44 v. Chr.) über das Asylrecht der Tempel griech. Städte betraf auch S. [25]. Im Provinziallandtag von Asia (*koinón tēs Asías*) nahm S. eine Vorrangstellung ein. Die *Sardiana iurisdictio* (Plin. nat. 5,111) war einer der vier Gerichtssprengel der Prov. Asia. Von der Erdbebenkatastrophe in Asia 17 n. Chr. wurde S. am schwersten betroffen; Tiberius stellte 10 Mio HS zur Verfügung und verfügte einen fünfjährigen Steuererlaß (Tac. ann. 2,47,2; Strab. 13,4,8; Plin. nat. 2,200; Anth. Gr. 9,423; [26; 27. 165–168; 28]). Claudius stiftete 53/4 einen Aquaedukt (IGR IV 1505 = [39. 10]). Bei der Bewerbung um die Errichtung des vom asiat. *koinón* aus Dankbarkeit beschlossenen Provinzialtempels für Tiberius 26 n. Chr. hatte S. gegenüber Smyrna das Nachsehen (Tac. ann. 4,55 f.); S. richtete stattdessen einen kommunalen Tiberius-Kult ein und titulierte sich offiziell als »kaiserlich«. Im 1./2. Jh. n. Chr. gab es polit. Spannungen in der Bürgerschaft (Philostr. Ap. 75; Plut. mor. 600a; 601b). Im 2. Jh. erhielt S. den begehrten ersten Provinzialtempel und bald die zweite Neokorie (→ *neōkóros*). Der Oberpriester des *koinón Asías* in S. amtierte zugleich als Oberpriester der Tempel der Stadt (*archiereús Asías naṓn tōn en Sárdesin*; [29]).

Der Wiederaufbau von S. nach 17 n. Chr. veränderte den Stadtplan erheblich; auch Nord- und Osthang der Akropolis wurden bebaut. Inschr. bekannt sind u.a. ein Augustus- und C. Caesar-Tempel (IGR IV 1756 = [39. 8]), ein Metroon [30], ein »Menogeneion« (für Menogenes, 5–1 v. Chr. als Gesandter in Rom tätig, vom asiat. *koinón* geehrt). Anf. des 3. Jh. wurden unter Septimius [II 7] Severus speziell für S. eigene Spiele (*Chrysánthina*) gestiftet (IGR 4,1437; 1518 f.). Im NW der Stadt erhob sich an der Überlandstraße ein großes Gymnasion kleinasiat. Typs: Marmorhof mit Prunkfassade (Dedikationsinschr. 211 n. Chr.), rückwärts anschließend Thermenanlagen, vorgelagert eine Palaestra, an deren Südflanke eine Basilika (um 230) zur Synagoge mit Tora-Schule umgebaut wurde [31]. Unter Severus [2] Alexander und Gordianus (3. Jh. n. Chr.) erscheint S. als »erste Metropolis von Asia und ganz Lydia und von Hellas« (Mz. und Inschr.). Nach der Reichsreform des → Diocletianus war S. Hauptstadt der Prov. Lydia und seit ca. 300 Standort einer kaiserlichen Waffenfabrik (Not. dign. or. 32). Das röm. Stadtzentrum wurde durch die röm. Agora bezeichnet, östl. von ihr lag ein langgestreckter Komplex »A« (3.–7. Jh., die Waffenfabrik?). Von dort dehnte sich S. weiträumig in die Ebene aus: an der Nord-Peripherie der Stadt eine Basilika (»C«, Teil einer Therme?), im NO eine weitere ausgedehnte röm.-byz. Thermenanlage (»CG«). Im 3./4. Jh. zählte die Bevölkerung von S. verm. weit über 100 000 Einwohner.

VII. Spätantike

Eine weitere Epoche städtischer Erneuerung bildete die frühbyz. Zeit: Die Synagoge am Gymnasion [32] erhielt um 400 eine aufwendige Marmor- und Mosaikausstattung (Inschr. [33]), die südl. vorbeiführende, nun marmorgepflasterte und in ihren Kolonnaden mit Mosaikböden geschmückte Hauptstraße (ab 4. Jh.) bildete mit ihren Werkstätten- und Ladenzeilen (bes. Goldschmiede, Glasbläser) bis ins 6. Jh. das Geschäftszentrum der Stadt [34]. Das Gymnasion selbst wurde im 5. Jh. und später repariert. Die unverminderte künstlerisch anspruchsvolle Bautätigkeit bedurfte eines qualifizierten, effektiv arbeitenden Baugewerbes mit seinen verschiedenen Berufszweigen. Daneben gab es metallverarbeitende Betriebe sowie verschiedene Textilmanufakturen und eine beachtliche Glasproduktion (bes. 5./6. Jh. [35]). Der nach 213 v. Chr. lange verödete westl. Stadtteil am Paktolos (nur späthell. Kammergräber und röm. Ziegelgräber aus dem 1./2. Jh. am »Pactolus Cliff«, beim »Lydian Trench« sowie einige Werkstätten) war in der Kaiserzeit allmählich neu bebaut worden und erhielt im 4./5. Jh. im Norden wieder ein Gewerbezentrum, weiter südl. (im Komplex »Paktolos Nord«) befindet sich eine röm. Villa mit Mosaikböden und ein Bad (4.–6. Jh. n. Chr.). Ein Mausoleum für eine Frau aus consularischer Familie (Claudia Antonia Sabina, E. 2. Jh. n. Chr., mit Sarkophagen) liegt westl. an der Straße vor der Stadt, ein anderes mit frühchristl. Wandmalerei (Pfauen: »Peacock Tomb«, 5. Jh.) südl. von »Paktolos Nord«. Die byz. Stadtmauern (5. Jh., im 7. Jh. und später erneuert), mit mehreren Türmen bewehrt, umschlossen – von der Paktolos-Brücke im NW an – ein verkleinertes Stadtareal nördl. und nordöstl. des Akropolis-Berges sowie die Akropolis selbst (an deren NW-Ecke die überhängenden »Flying Towers«).

VIII. Die jüdische Gemeinde

Die jüd. Gemeinde in S. (»Sefarad«), evtl. schon im 5. Jh. v. Chr. von Exulanten aus Jerusalem gegr. (Abd 20) und um 200 v. Chr. durch Ansiedlung von 2000 jüd. Familien in Phrygia und Lydia auf Befehl Antiochos' III. verstärkt (Ios. ant. Iud. 12,148–153), berief sich im 1. Jh. v. Chr. unter Caesar auf ihren jahrhundertealten Bestand und erhielt vom nachmaligen Augustus das Privileg, die Tempelsteuer zu erheben und nach Jerusalem abzuführen (Ios. ant. Iud. 16,166; 171). Als Handwerker und Kaufleute zu Wohlstand gelangte jüd. Bürger von S. versahen synagogale Dienste, andere waren Ratsmitglieder, Inhaber hoher städtischer oder kaiserlicher Ämter (*comites*) und traten als Stifter auf. Nach 616 n. Chr. scheint jüd. Leben in S. erloschen zu sein.

IX. Christentum

Um 100 n. Chr. bestand in S. eine der sieben christl. Gemeinden der Prov. Asia (Apk 1,11; 3,1–6), befand sich damals aber in einer Krise. 166 soll Bischof Meliton [3] von S. Kaiser L. Verus bei dessen Besuch in S. seine Apologie überreicht haben (Eus. HE 4,13,8; 26,4 ff.). Die Kirche von S. brachte zwei Märtyrer hervor: den Priester Therapon († 257 unter Valerianus) und Apollonios († im 3. Jh.) [36. 23 f.]. Der Philosoph und Theurg Chrysanthios, aus senatorischer Familie in S., Schulgründer in seiner Heimatstadt und unter Iulianus [11], seinem einstigen Hörer, 361/363 Oberpriester von Lydia, suchte vergeblich die paganen Kulte wiederzubeleben (Eun. vit. soph. 476 ff.; 500–505). Trotzdem waren diese nicht gänzlich erloschen: Im 5. und 6. Jh. waren bestimmte altlydische Mythen noch bekannt, die einstige Größe von S. wurde nostalgisch thematisiert (Nonn. Dion. 13,464–467; 41,85–88; 354–358; Anth. Gr. 9,645) [36. 28, 28[73]]. Die durch scharfes Vorgehen des Patriarchen → Nestorios gegen die Quartadecimaner in Lydia ausgelösten Unruhen forderten um 430 auch in S. zahlreiche Opfer (Sokr. 7,29). Im J. 448 führte der Bischof von S., Florentios, über seine Suffragane Klage, weil sie dem → Monophysitismus anhingen. Dessen Verurteilung auf dem Konzil von Kalchedon (451) wurde 457 durch eine Synode in S. bekräftigt. Dennoch hatte diese Häresie noch im 6. Jh. viele Anhänger; erst durch Einkerkerung des Bischofs von S., Elisaios, in Konstantinopolis setzte sich die Orthodoxie durch [36. 33 f.]. In S. sind vier Kirchen bekannt: eine Kapelle im Artemis-Tempel (»M«, 4. und 6. Jh.), zwei Kirchen in »Paktolos Nord« (»EA« und »E«, 4. bzw. 13. Jh.) und die große Basilika nördl. der Hauptstraße (»D«), vielleicht im 6. Jh. die Kathedrale von S. In byz. Zeit nahm S., bis zur Übertragung des Erzbistums auf Philadelpheia [1] im J. 1369, den 6. Rang unter dem Patriarchat von Konstantinopolis ein.

X. Byzantinische Zeit und Neuzeit

Die Eroberung durch Chosroes [6] II. im J. 616 und schwere Erdbeben im 7. Jh. führten zur Zerstörung von S. und weitgehender Entvölkerung des Gebiets. Unter Verwendung zahlloser Spolien und Inschr. aus kaiserzeitlichen Großbauten wurde die Zitadelle um 660 wieder befestigt und war im 7./8. und 10./11. Jh. dicht bebaut. 717 durch Araber, 1090 und 1310 von Seldschuken erobert, wurde S. 1390 und endgültig 1425 dem Osmanischen Reich einverleibt. An dem verödeten Platz entwickelte sich eingangs des 20. Jh. das Dorf Sart (-Mustafa und -Mahmut). Amerikanische Ausgrabungen erfolgten 1910–1914 und seit 1958.

→ Gygaia limne; Lydia; Kleinasien

1 R. Gusmani, Lydisches WB, 1964, 201 f.; Ergbd. 1980, 95 **2** D. D. Luckenbill, Ancient Records of Babylonia and Assyria, Bd. 2, 1927, 297 f. **3** M. Cogan, H. Tadmor, Gyges and Ashurbanipal ..., in: Orientalia 46, 1977, 65–85 **4** A. J. Spalinger, The Death of Gyges and Its Historical Implications, in: Journ. of the American Oriental Soc. 98, 1978, 400–409 **5** D. G. Mitten, Lydian Sardis and the Region of Colchis, in: O. Lordkipanidze, P. Lévêque (Hrsg.), Sur les traces des Argonautes. Kongr. Vani (Kolchis, 1990), 1996, 129–139 **6** S. Mitchell, Archaeology in Asia Minor 1990–98: Lydia, in: Archaeological Reports 1998–1999, 144 ff. **7** C. Ratté, The Pyramid Tomb at Sardis, in: MDAI(Ist) 42, 1992, 135–161 **8** W. Kleiss, Bemerkungen zum »Pyramid Tomb« in Sardes, in: MDAI(Ist) 46, 1996, 135–140 **9** J. G. Devoto, Agesilaos and Tissaphernes near Sardes in 395 B. C., in: Hermes 116, 1988, 41–53 **10** L. Robert, Une nouvelle inscription de Sardes, in: CRAI 1975, 307–330 **11** A. B. Bosworth, A Historical Commentary on Arrian's History of Alexander, Bd. 1, 1980, 128–130 **12** H. Wankel, IEph 1a (IK 11,1), 1979 **13** O. Masson, L'inscription d'Ephèse relative aux condamnés à mort de Sardes (I. Ephesos 2), in: REG 100, 1987, 225–239 **14** Bengtson 2, 12–14 **15** E. T. Newell, Coinage of the Western Seleucid Mints, 1941, 242 f. **16** Magie 2, 733 Anm. 16 **17** E. Olshausen, s. v. Zeuxis (3), RE 10 A, 381–385 **18** F. Piejko, The Settlement of Sardis after the Fall of Achaeus, in: AJPh 108, 1987, 707–729 **19** Ph. Gauthier, Nouvelles inscriptions de Sardes, Bd. 2, 1989, 13 ff. Nr. 1, 47 ff. Nr. 2, 81 ff. Nr. 3 **20** G. Gruben, Beobachtungen zum Artemistempel von Sardes, in: MDAI(A) 76, 1961, 155–196 **21** P. R. Franke, Inschr. und numismatische Zeugnisse für die Chronologie des Artemistempels zu Sardis, in: MDAI(A) 76, 1961, 187–208 **22** C. Ratté u. a., An Imperial Pseudodipteral Temple at Sardis, in: AJA 90, 1988, 45–68 **23** G. Le Rider, Les trouvailles monétaires dans le temple d'Artémis à Sardes, in: RN 33, 1991, 71–88 **24** P. Herrmann, Mysterienvereine in S., in: Chiron 26, 1996, 315–348 **25** P. Herrmann, Rom und die Asylie griech. Heiligtümer ..., in: Chiron 19, 1989, 127–164 **26** Magie 2, 1358 f. **27** G. Waldherr, Erdbeben (Geographica Historica 9), 1997 **28** H. Sonnabend, Naturkatastrophen in der Ant., 1999, 218 f. **29** J. Deininger, Die Provinziallandtage der röm. Kaiserzeit, 1965, 38 f. **30** D. Knoepfler, Le temple du Métroon de Sardes et ses inscriptions, in: MH 50, 1993, 26–43

31 A. SEAGER, The Building History of the Sardis Synagogue, in: AJA 76, 1972, 425–435 **32** H. BOTERMANN, Die Synagoge von Sardes, in: ZNTW 81, 1990, 103–121 **33** L. ROBERT, Nouvelles inscriptions de Sardes, Bd. 1, 1964, 37–57 **34** J. S. CRAWFORD u. a., The Byzantine Shops at Sardis (Sardis Monographs 9), 1990 **35** A. VON SALDERN, Ancient and Byzantine Glass from Sardis (Sardis Monographs 6), 1980 **36** C. FOSS, Byzantine and Turkish Sardis (Sardis Monographs 4), 1976 **37** StV 3 **38** WELLES **39** W. H. BUCKLER, D. M. ROBINSON, Sardis 7.1: Greek and Latin Inscriptions, 1932.

LIT. ALLG.: J. A. SCOTT, G. M. A. HANFMANN, s. v. Sardis, PE, 808–810 • M. SPANU, s. v. S., EAA 2. Suppl. 5, 1997, 160–162 • MAGIE, 974–976 • MITCHELL 2 • JONES, LRE, 735, 834, 859f. • G. M. A. HANFMANN, Sardis und Lydien (AAWM 1960.6), 1960 • J. G. PEDLEY, Ancient Literary Sources on Sardis (Sardis Monographs 2), 1972.

GRABUNGEN 1910–1914: H. C. BUTLER (Hrsg.), Sardis 1.1: The Excavations, 1922 • Ders. (Hrsg.), Sardis 2.1: The Temple of Artemis, 1925 • C. R. MOREY (Hrsg.), Sardis 5.1: Roman and Christian Sculpture, 1924 • T. L. SHEAR (Hrsg.), Sardis 10.1: Architectural Terracottas, 1926 • C. D. CURTIS, Sardis 13.1: Jewelry and Gold Work, 1925. GRABUNGEN SEIT 1958: G. M. A. HANFMANN, Letters from Sardis, 1972 • Ders., J. C. WALDBAUM, A Survey of Sardis and the Major Monuments outside the City Walls (Sardis Report 1), 1975 • Ders., N. H. RAMAGE, Sculpture from Sardis. The Finds through 1975 (Sardis Report 2), 1978 • G. M. A. HANFMANN, Sardis from Prehistoric to Roman Times, 1983 • E. GURALNICK (Hrsg.), Sardis. Twenty-Seven Years of Discovery (Kongr. Chicago), 1987. GRABUNGSBER.: BASO 1958ff.; 1985ff. in den Suppl.

INSCHR.: E. LITTMANN, W. H. BUCKLER (Hrsg.), Sardis 6.1–2: Lydian Inscriptions, 1916–1924 • G. M. A. HANFMANN, O. MASSON, Carian Inscriptions from Sardis and Stratonikeia, in: Kadmos 6, 1967, 123–134 • R. GUSMANI, Neue epichorische Schriftzeugnisse aus Sardis 1958–1971 (Sardis Monographs 3), 1975 • PH. GAUTHIER, Nouvelles inscriptions de Sardes, Bd. 2, 1989.

MZ.: BMC, Gr: Lydia, 236–277 • HN 656f. • H. W. BELL (Hrsg.), Sardis 11.1: Coins, 1916 • SNG Copenhagen, Lydia • G. E. BATES, Byzantine Coins (Sardis Monographs 1), 1971 • T. V. BUTTREY u. a., Greek, Roman, and Islamic Coins from Sardis, 1981.

EINZELSTUDIEN: E. HOSTETTER, Lydian Architectural Terracottas, 1992 • A. RAMAGE, Lydian Houses and Architectural Terracottas (Sardis Monographs 5), 1978 • J. SNYDER SCHAEFFER, The Corinthian, Attic, and Lakonian Pottery from Sardis (Sardis Monographs 10), 1997 • R. L. VANN, The Unexcavated Buildings of Sardis, 1989 • J. C. WALDBAUM, Metalwork from Sardis (Sardis Monographs 8), 1983 • F. K. YEGÜL, The Bath-Gymnasium Complex at Sardis (Sardis Report 3), 1986. H. KA.

KARTEN-LIT.: C. H. GREENEWALT Jr., M. I. RAUTMANN, The Sardis Campaigns of 1996, 1997, and 1998, in: AJA 104, 2000, 643–681.

Sardelle (Anchovis). Der in großen Schwärmen im Mittelmeer lebende kleine und billige Speisefisch Engraulis encrasicholus L., ἡ ἀφύη/*aphýē* (ἀφύα/*aphýa*), der »Schaumfisch«, lat. *apua* (Apicius) und *sardina* (Colum. 8,17,12 als Fischfutter), aber nicht *sarda* (denn nach Plin. nat. 32,46 und 151 ist die *sarda* identisch mit *pelamys*, dem → Thunfisch, [1. 193]; Isid. orig. 12,6,38 setzt dagegen *sarda* und *sardina* gleich). Aristot. hist. an. 6,15,569a 30–b 28 (= Plin. nat. 9,160 und 31,95) behauptet für die *aphýē* ungeschlechtliche Entstehung aus sandiger Erde bzw. aus dem Schaum vom Regen an der Oberfläche des Meeres, v. a. in der Nähe von Athen bei Salamis und Marathon. Angeblich soll sie sich nach dem Verenden in Nichts auflösen, aber von Fischern durch Einsalzen länger haltbar gemacht werden können. Nach Ail. nat. 8,18 ist sie mit dem ἐγκρασίχολος/*enkrasícholos* bzw. dem λυκόστομος/*lykóstomos* und der ἔγγραυλις/*éngraulis* zu identifizieren. Den Fang mit kleinen Netzen schildern Ail. (l.c.) und Opp. hal. 4,491–496. S. briet man kurz in Öl oder legte sie in Salzlake (Apicius 4,2,11 und 20). Opp. hal. 1,767–97 beschreibt u. a. die silberweiße Farbe, die schlanke Gestalt und die großen Augen. Zwei Hetären mit solchen Augen nennt Athen. 13,586a–b daher *aphýai*. Auf einem pompeianischen Fischmosaik [2. Fig. 124] ist eine S. gut erkennbar.

1 LEITNER **2** KELLER 2,337 **3** D' ARCY W. THOMPSON, A Glossary of Greek Fishes, [2]1947, 58. C. HÜ.

Sardiane (Σαρδιανή). Stadtterritorium von → Sardeis (mit Karte; Strab. 13,4,5; vgl. Xen. hell. 3,4,21; Xen. Ag. 1,29). Es umfaßte nebst dem Tal des → Paktolos die fruchtbare Talebene am Mittellauf des Hermos [2] (Σαρδιανὸν πεδίον, Hdt. 1,80,1; Plut. Agesilaos 10; Strab. l.c.), etwa östl. von Salihli bis nach Turgutlu [1. 499, 501], seine Begrenzung im Detail ist unbekannt. Der röm. Gerichtssprengel Sardeis (*Sardiana iurisdictio*, Plin. nat. 5,111) reichte über die S., bes. nach Osten, weit hinaus.

1 G. M. A. HANFMANN, Sardis und Lydien (AAWM 1960.6), 1960.

L. BÜRCHNER, s. v. S. (1), RE 1 A, 2479f. • A. PHILIPPSON, Top. Karte des westl. Kleinasien, 1910, Bl. 3f. H. KA.

Sardinia (Σαρδώ, Σαρδών, Σαρδωνία/*Sardṓ(n)*, *Sardōnía*), die Insel Sardinien.
I. NAME II. GEOGRAPHIE
III. MYTHISCHE VORGESCHICHTE IV. GESCHICHTE
V. WIRTSCHAFT, GESELLSCHAFT, INFRASTRUKTUR

I. NAME

S. heißt Sandaliotis bei Myrsilos (Timaios FGrH 566 F 63), Ichnusa bei Timaios (Myrsilos FGrH 477 F 11; von τὸ σάνδαλον/*sándalon*, »Schuhsohle«; Ichnusa von τὸ ἴχνος/*íchnos*, »Fußspur«; zur Autorenverwechslung bei Plin. nat. 3,85 vgl. F. JACOBY im Komm. zu FGrH; vgl. Aristot. mir. 100; Sall. hist. fr. 2,2; Paus. 10,17,2).

II. GEOGRAPHIE

Mit 23 800 km² zweitgrößte Insel im Mittelmeer (→ Mare Nostrum; die größte bei Hdt. 5,106; 6,2), mit buchtenreicher Küste mit zum Teil fieberverseuchten Schwemmlandebenen, gebirgigem Binnenland und vulkanischen Hochebenen. Heiße, trockene Sommer. Ant. Quellen: Strab. 5,7; Plin. nat. 3,75–87; Ptol. 3,3. Eine Bronzetafel mit der Triumphalinschr. des Proconsuls von 175 v. Chr., Tib. → Sempronius Gracchus, in Gestalt der Insel geschnitten, stand im Tempel der → Mater Matuta in Rom (Liv. 41,28,8–10).

III. Mythische Vorgeschichte

In der myth. Überl. wurde S. von → Libyes unter dem eponymen Heros Sardos, einem Sohn des Herakles, besiedelt (Paus. 10,17,2; Sil. 12,359; Solin. 4,1,46; Isid. or. 14,6,39), von Iberi unter → Norax, einem Sohn des Hermes (Paus. 10,17,5; Solin. 4,1,46 M.), von den Thespiadai unter → Iolaos [1] (Diod. 4,29; 5,15; Arist. mir. 100; Sil. 12,364), von → Daidalos [1] (Diod. 4,30,1; Paus. 10,17,4) oder von → Aristaios [1] (Diod. 4,82,4; Arist. mir. 100; Paus. 10,17,3; Sil. 12,368). Weitere Verbindungen, evtl. durch den Namen der → Ilienses angeregt, wurden zu den nach der Zerstörung Troias geflohenen Troianern gesehen (Paus. 10,17,6; Sil. 12,362).

IV. Geschichte

Siedlungsphasen: 1) frühes Paläolithikum (350000–100000 v. Chr.: Werkzeuge aus behauenem Stein bei Perfugas); 2) spätes Paläolithikum und Mesolithikum (35000–6000 v. Chr.: Knochen-, Stein- und Tuff-Werkzeuge in der Grotte Corbeddu in Oliena); 3) die Nuraghen-Kultur (1800 bis zur röm. Eroberung 238 v. Chr.). Die ersten phöniz. Siedlungen wurden in der 2. H. des 8. Jh. v. Chr. im Westen von S. angelegt (→ Sulci, Othoca, h. S. Giusta). Danach wurden die Küsten im Westen und Süden besiedelt. Mitte des 6. Jh. v. Chr. überlagerte der karthagische Einfluß den phöniz.: S. wurde von → Karthago nach einem gescheiterten Versuch unter Malchos [1] zw. 545 und 535 v. Chr. (Iust. 18,7,1; Diod. 5,16) schließlich durch die Brüder Hasdrubal und Hamilkar [1] in Besitz genommen (Iust. 19,1,3 ff.).

Im ersten Abkommen zw. Rom und Karthago wurde die Insel dem karthagischen Einflußbereich zugeordnet (Pol. 3,22,8 f.; StV II 121). Tib. Sempronius [I 13] Gracchus (*cos.* 238 v. Chr.) unterwarf S. endgültig der röm. Herrschaft (vgl. Zon. 8,18; Fest. 428 ff. L.; Pol. 1,88,8 ff.; 3,10,1 ff.; 3,27,8; Eutr. 3,2,2; StV III 497). Doch bereitete die Neuerwerbung den Römern Schwierigkeiten; denn bald wehrten sich die Sardi gegen diese Herrschaft, und es kam zu zahlreichen Aufständen: zw. 236 und 231, 226/5 und bes. 215 v. Chr., als sich Sardi unter → Hampsicora mit karthagischer Unterstützung gegen Rom auflehnten (Liv. 23,40,1–41,7). Weitere Aufstände folgten zw. 178 und 173 v. Chr., 163/2 v. Chr., zw. 115 und 111 v. Chr. und 104 v. Chr. Die Römer feierten nachweislich acht Triumphe über die Sardi (Eutr. 3,3; InscrIt 13,1,76 ff.). Für das J. 227 v. Chr. ist mit M. Valerius (vgl. MMR 1,229) der erste Praetor als Statthalter über S. nachgewiesen, S. wurde zusammen mit → Corsica als Doppel-Prov. einer röm. Provinzialregierung unterstellt (Solin. 5,1,47 f.; Liv. 23,24,4; Zon. 8,19). Seit der Gewaltenteilung vom 13. Januar 27 v. Chr. war die Prov. abwechselnd dem Senat bzw. dem Kaiser unterstellt, unter zeitweiser Trennung der beiden Bereiche (→ Sardinia et Corsica). Unter → Diocletianus bildete S. neben Corsica eine eigene Prov. unter einem *praeses*. Um 455 n. Chr. besetzten → Vandali die Insel – ein Verlust, den Leon I. (→ Leo [4]) 474 vertraglich anerkannte. Unter → Iustinianus [1] I. fiel S. 534 wieder zurück an Konstantinopolis und blieb bis ins 11. Jh. in byz. Hand.

V. Wirtschaft, Gesellschaft, Infrastruktur

Wirtschaftlich bedeutend war die Insel wegen ihres Getreidereichtums (Cic. Manil. 12,34; Varro rust. 2, praefatio 3), überhaupt wegen ihrer Fruchtbarkeit (Hor. carm. 1,31,4; Strab. 5,2,7; Paus. 10,17,1). Die Anzahl der Privatleuten zur Verfügung gestellten Latifundien (→ Großgrundbesitz) wurde rigoros begrenzt (ILS 5983; 7931; 7932; EEpigr 8,732; Inscriptiones Latinae Sardiniae 233). Dennoch wuchsen sich die Spannungen zw. Großgrundbesitzern und den Hirten des Berglands zeitweise zu handgreiflichen Konflikten aus (vgl. ILS 5947). S. war außerdem für seinen Erzreichtum bekannt (Ptol. 3,3; Solin. 4,3,46 f.; Sidon. carm. 5,49; schol. zu Timaios 25b, 287; Rut. Nam. 1,354). Meilensteine (derzeit über 150) und Itin. Anton. 78–85 dokumentieren die infrastrukturelle Erschließung der Insel durch Rom mit Garnisonen und Straßenstationen.

→ Sardinia et Corsica

Y. Le Bohec, Notes sur les mines de Sardaigne à l'époque romanie, in: M. Bonello Lai, S. antiqua, 1992, 255–264 • G. Lilliu, La civiltà del Sardi, 1988 • A. Mastino, La Tavola di Esterzili, 1993 • P. Meloni, La Sardegna romana, ²1990 • Ders., La geografia della Sardegna in Tolomeo, in: Philias charin. FS E. Manni, Bd. 5, 1980, 1533–1553 • Ders., La Sardegna romana, in: ANRW II 11.1, 1988, 541–551 • Ders., La geografia della Sardegna in Tolemeo (III,3,1–8), in: Nuovo Bollettino Archeologico Sardo 3 (1986), 1990, 207–250 • C. Perra, L'architettura templare fenicia e punica di Sardegna, 1998 • Ders., La Sardegna nelle fonti classiche dal VI sec. a.C. al VI sec. d.C., 1993 • A. Piga, M. A. Porcu, Flora e fauna della Sardegna antica, in: A. Mastino (Hrsg.) L'Africa romana (Atti del 7. convegno di studio 1989), 1990, 569–597 • R. J. Rowland, The Archaeology of Roman S., in: ANRW II 11.1, 1988, 740–875 • P. Sereno, À l'origine d'un pays, in: J.-F. Bergier (Hrsg.) Montagnes, fleuves, forets dans l'histoire ..., 1989, 45–59 • G. Sotgiu, L'epigrafia latina in Sardegna, in: ANRW II 11.1, 1988, 672–682 • P. G. Spanu, La Sardegna bizantina, 1999.

P. M. u. E. O./Ü: R. P. L.

Sardinia et Corsica. Die zweite röm. Provinz. Eine Konsequenz des 1. → Punischen Krieges war für Rom der Gewinn von → Sardinia: In einem Zusatz (StV III 497) zum Friedensvertrag (StV III 493) verzichtete → Karthago 237 v. Chr. auf die Insel (Pol. 1,88,8 ff.; Liv. 21,40,5; 22,54,11). Gleichzeitig mit S. annektierten die Römer auch → Corsica (Sinnius Capito bei Fest. 430,14–20) und faßten die beiden Inseln zu einer Prov. zusammen, seit 227 v. Chr. unter der Verwaltung eines Praetors (Solin. 5,1; Liv. 23,24,4; Liv. per. 20). In der

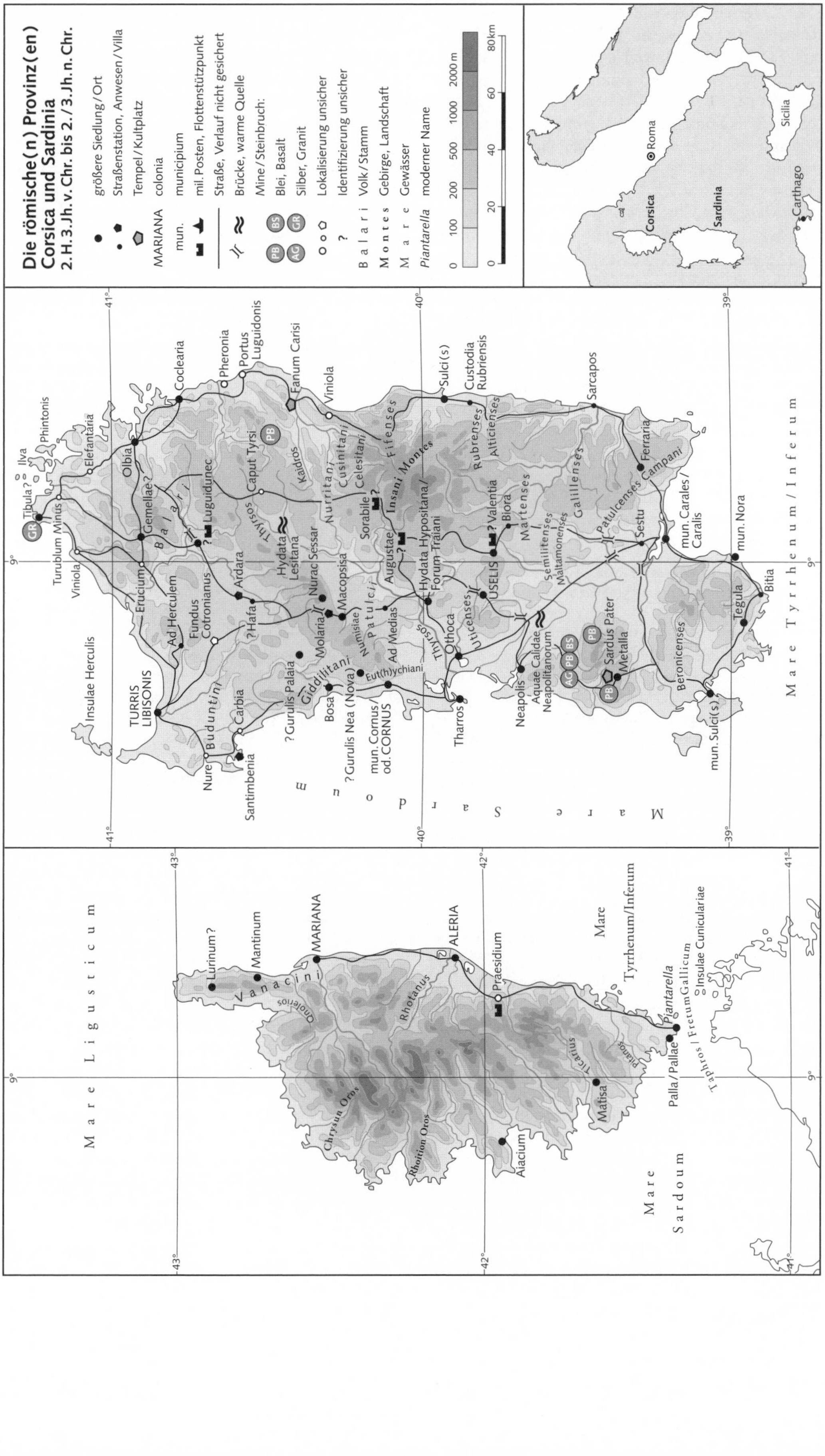
Die römische(n) Provinz(en) Corsica und Sardinia
2. H. 3. Jh. v. Chr. bis 2./3. Jh. n. Chr.
größere Siedlung/Ort
Straßenstation, Anwesen/Villa
Tempel/Kultplatz
MARIANA colonia
mun. municipium
mil. Posten, Flottenstützpunkt
Straße, Verlauf nicht gesichert
Brücke, warme Quelle
Mine/Steinbruch:
Blei, Basalt
Silber, Granit
Lokalisierung unsicher
Identifizierung unsicher
Balari Volk/Stamm
Montes Gebirge, Landschaft
Mare Gewässer
Piantarella moderner Name
0 100 200 500 1000 2000 m
0 20 40 60 80 km
Roma
Corsica
Sardinia
Sicilia
Carthago
Mare Ligusticum
Mare Tyrrhenum/Inferum
Mare Sardoum
Lurinum?
Mantinum
MARIANA
ALERIA
Praesidium
Vanacini
Rhotanus
Chrysun Oros
Rhoition Oros
Ticarius
Aiacium
Matisa
Palla/Pallae
Piantarella
Insulae Cuniculariae
Taphros/Fretum Gallicum
Mare Sardum
Mare Tyrrhenum/Inferum
Insulae Herculis
TURRIS LIBISONIS
Nure
Santimbenia
Carbia
Buduntini
Ad Herculem
Fundus Cotronianus
Erucium
Viniola
Turublum Minus
Tibula?
Ilva
Phintonis
Elefantaria
Olbia
Gemellae?
Balari
Luguidunec
Coclearia
Pheronia
Portus Luguidonis
Fanum Carisi
Viniola
Caput Tyrsi
Kaidros
Thyrsos
Hydata Lesitana
Ardara
?Hafa
Nurac Sessar
Macopsisa
Molaria
?Gurulis Palaia
Giddilitani
Bosa
?Gurulis Nea (Nova)
Eut(h)ychiani
mun. Cornus/ od. CORNUS
Numisiae
Patulcii
Ad Medias
Augustae
Nurritani
Cusinitani
Celesitani
Sorabile
Insani Montes
Fifenses
Hydata Hypsitana/ Forum Traiani
Othoca
Uticenses
Tharros
USELIS
Valentia
Biora
Martenses
Rubrenses
Alticienses
Sulci(s)
Custodia Rubriensis
Sarcapos
Neapolis
Aquae Calidae Neapolitanorum
Semilitenses
Maltamonenses
Galillenses
Patulcenses Campani
Sardus Pater
Metalla
Sestu
Ferraria
mun. Carales/ Caralis
mun. Nora
Beronicenses
Tegula
Bitia
mun. Sulci(s)

röm. Kaiserzeit unterstand die schwierige, immer wieder durch Bandenunwesen und Piraterie geplagte Prov. (vgl. Tac. 2,85) abwechselnd dem Senat und dem Kaiser: seit 27 v. Chr. Senatsverwaltung (Strab. 17,3,25; Cass. Dio 53,12,4; CIL X 7581: *proconsul*); seit 6 n. Chr. kaiserliche Verwaltung und organisatorische Trennung der beiden Inseln (Cass. Dio 55,28,1; Strab. 5,2,7; ILS 105: *pro legato*; AE 1921 Nr. 86; ILS 2684: *praefectus*; 5947,6: *procurator*; für Corsica vgl. CIL XII 2455: *praefectus Corsicae*); wohl 67 n. Chr. Senatsverwaltung (Paus. 7,17,3; ILS 5947,2; 4: *proconsul*); evtl. seit 73 n. Chr. kaiserliche Verwaltung (CIL X 8023 f.: *procurator Augusti et praefectus*); zu E. der Herrschaft des Traianus (98–117 n. Chr.) Senatsverwaltung (ILS 1038: *proconsul*); unter Commodus (176–192 n. Chr.) oder erst Septimius Severus (193–211 n. Chr.) kaiserliche Verwaltung (ILS 1358: *procurator Augusti et praefectus*). Die Reichsreform des Diocletianus wies S. und C. den Status eigenständiger Prov. unter je einem *praeses* zu (Not. dign. occ. 19,12 f.; → Diocletianus, mit Karte).

Zur Organisation der Prov. vgl. Plin. nat. 3,80 und 3, 85: S. mit verschiedenen *populi* (ohne städtische Zentren), 18 *oppida* (städtische Zentren) und einer *colonia* (Turris Libisonis, h. Porto Torres), C. mit 32 *civitates* und 2 *coloniae* (Mariana, h. Golo; Aleria) [1].

1 P. Meloni, La Sardegna romana. I centri abitati, in: ANRW II 11.1, 1988, 491–551 2 Ders., La Sardegna romana, ²1990, 229–316.
Karten-Lit.: R. J. A. Talbert (Hrsg.), Barrington Atlas of the Greek and Roman World, 2000, 48. P. M. u. E. O.

Sardonyx (σαρδόνυξ, lat. *sardonyx*). H. eine braunweiß gebänderte Varietät des Chalzedon, in der Ant. jedoch ein aus dem S.-Gebirge in Indien stammendes Metall. Ob die angeblich aus einem S. gefertigten ant. Gemmen [1. z. B. Taf. 15,52 und 18,42] tatsächlich aus diesem Stein bestehen, müßte noch untersucht werden.

1 F. Imhoof-Blumer, O. Keller, Tier- und Pflanzenbilder auf Mz. und Gemmen des klass. Alt., 1889 (Ndr. 1972).
C. HÜ.

Sargon

[1] S. von Akkad (akkadisch *Šarru*[*m*]*-kīn*, »der Herrscher ist legitim«). Begründer (2340–2284 v. Chr.) der sog. Dyn. von → Akkad in Mesopotamien. Nach der späteren sumerischen und akkad. lit. und historiographischen Überl. soll S. Sohn eines gewissen Lā'ipum und einer Priesterin gewesen sein [1. 69; 2. 36–49] und seine Karriere als Mundschenk unter dem König Ur-Zababa von Kiš begonnen haben [1; 2. 51–55]. S. gründete seine eigene (bislang nicht identifizierte) Residenz Akkad und schuf, von Nordbabylonien aus, mit seinen Eroberungen den ersten größeren Territorialstaat in Mesopotamien. Altbabylonische Inschr.-Kopien und zeitgenöss. Jahresdaten berichten von mehreren siegreichen Feldzügen, die zur vollständigen Eroberung von Südmesopot. bis zur Küste des Pers. Golfes sowie von Nordmesopot. und Nordsyrien führten. In östl. Richtung stieß S. bis zum Zagrosgebirge vor und besiegte im SO → Elam sowie das nördl. davon gelegene Gebiet von Baraḫšum [3. 7f.]. Unter S. gliederte sich das Reich administrativ in Prov. mit abhängigen Statthaltern an der Spitze, wobei S. im Süden zunächst die alten Eliten in ihren Funktionen beließ [4. 100 mit Anm. 16]. Eine Tochter S.s, Enḫeduanna, die v. a. durch eigene lit. Werke berühmt geworden ist, war Hohepriesterin des Mondgottes Nanna (→ Mondgottheit) im südbabylon. → Ur [5]. S.s Nachruhm als erfolgreicher (und damit vorbildhafter) Herrscher fand seinen Niederschlag in der z. T. bis in das 1. Jt. v. Chr. reichenden lit., historiographischen und Omen-Überl. sowohl aus Mesopot. als auch aus Äg. (Amarna) und Anatolien [2. 33–169; 6. 328–330; 7; 8; 9; 10. 87–147].

[2] S. I. von Assyrien (akkad. wohl *Šarrum-kīn*) war als Sohn des Ikūnum 6. Herrscher der sog. altassyrischen Dyn. (ca. 1870 v. Chr.) [11. 105; 12. 45 f.], dessen Namengebung wohl in Anlehnung an S. [1] von Akkad erfolgte [9. 144].

[3] S. II. von Assyrien (akkad. *Šarru-kēnu* bzw. *Šarru-ukēn*; 722–705 v. Chr.) war als Sohn → Tiglatpilesars III. (745–727 v. Chr.) zwar königlicher Abstammung, jedoch irregulärer Nachfolger seines Bruders Salmanassar V. [13. 1f.]. Auch sein (Thron-)Name scheint auf S. [1] von Akkad als Vorbild zu verweisen [8; 16. 82 f. mit Anm. 43]. Die Regierungszeit S.s ist durch umfangreiche mil. und diplomatische Aktivitäten gekennzeichnet. Davon zeugen die überl. Herrscherinschr. sowie ein beachtliches Briefcorpus. S. gelang es, eine gegen Assyrien gerichtete syrische Koalition zu zerschlagen und mit → Karkemiš den letzten unabhängigen syr. Staat als assyr. Prov. in das Reich einzugliedern (717 v. Chr.) [14. 225–227]. Weitere Unternehmungen richteten sich u. a. gegen das sö Anatolien sowie gegen das im Norden benachbarte → Urarṭu, deren Höhepunkt der in einem »Gottesbrief« beschriebene 8. Feldzug S.s (714 v. Chr.) bildete, in dem der assyr. König die Urartäer besiegte sowie den im Grenzbereich zw. Assyrien und Urarṭu liegenden und für beide Seiten bedeutsamen Kleinstaat Muṣaṣir eroberte und plünderte [15]. Nach weiteren Befriedungsaktionen in den verschiedenen Grenzregionen des Reiches etablierte S. zw. 710 und 707 v. Chr. erneut die assyr. Macht in Babylonien, nachdem er Marduk-apla-iddina II. (721–710 v. Chr.) aus Babylon vertrieben hatte. Auf einem Feldzug gegen Tabāl in SO-Anatolien fand S. schließlich den Tod in der Schlacht, wobei sein Leichnam nicht geborgen werden konnte, was unter rel.-ideologischen Gesichtspunkten in Assyrien als unheilvoll empfunden wurde [16]. Auf innenpolit. Gebiet tat sich S. u. a. als Gründer und Bauherr der zw. 717 und 706 v. Chr errichteten neuen Hauptstadt Dūr-Šarru-(u)kīn hervor, die allerdings unter seinem Sohn und Nachfolger → Sanherib (705–681 v. Chr.) bereits wieder verlassen wurde [17].

→ Mesopotamien (mit Herrschertabelle)

1 J. S. Cooper, W. Heimpel, The Sumerian Sargon Legend, in: Journ. of the American Oriental Soc. 103, 1983, 67–82

2 J. G. Westenholz, Legends of the Kings of Akkade, 1997 3 D. Frayne, Royal Inscriptions of Mesopotamia. Early Periods 2, 1993 4 A. Westenholz, The Old Akkadian Empire in Contemporary Opinion, in: Mesopotamia (Copenhagen) 7, 1979, 107–124 5 J. G. Westenholz, Enḫeduanna, En-Priestess, Hen of Nanna, Spouse of Nanna, in: H. Behrens (Hrsg.), FS Å. Sjöberg, 1989, 539–556 6 Dies., Heroes of Akkad, in: Journ. of the American Oriental Soc. 103, 1983, 327–336 7 M. Liverani, Model and Actualization. The Kings of Akkad in the Historical Trad., in: Ders. (Hrsg.), Akkad, the First World Empire, 1993, 41–67 8 M. Van De Mieroop, Literature and Political Discourse in Ancient Mesopotamia. S. II of Assyria and S. of Agade, in: B. Böck et al. (Hrsg.), FS J. Renger, 1999, 327–339 9 Ders., S. of Agade and His Successors in Anatolia, in: SMEA 42/1, 2000, 133–159 10 B. Lewis, The S. Legend: A Study of the Akkadian Text and the Tale of the Hero Who Was Exposed at Birth, 1980 11 A. K. Grayson, s. v. Königslisten und Chroniken. B. Akkadisch, RLA 6, 86–135 12 Ders., Royal Inscriptions of Mesopotamia. Assyrian Periods 1, 1987 13 E. Frahm, Einleitung in die Sanherib-Inschr., 1997 14 H. Klengel, Syria 3000 to 300 B. C., 1992 15 W. Mayer, S.s Feldzug gegen Urartu, in: MDOG 115, 1983, 65–132 16 E. Frahm, Nabû-zuqup-kēnu, das Gilgameš-Epos und der Tod S.s II., in: JCS 51, 1999, 73–90 17 F. Blocher, Eine Hauptstadt zieht um, in: Das Altertum 43, 1997, 21–43.

A. Westenholz, Mesopotamien. Akkade-Zeit und Ur III-Zeit (Orbis Biblicus et Orientalis 160/3), 1999, 34–40 • M. T. Larsen, The Old Assyrian City State and Its Colonies, 1976 • A. Fuchs, Die Inschr. S.s II. aus Khorsabad, 1994 • S. Parpola, The Correspondence of S. II, Part I, 1987 • G. B. Lanfranchi, S. Parpola, The Correspondence of S. II, Part II, 1990. H. N.

Sarissa (σάρισσα/*sárissa* oder σάρισα/*sárisa*), Langspieß der maked. Infanterie und Reiterei. Sie wog 6–7,5 kg und maß 4,5–5,4 m (Theophr. h. plant. 3,12,2; Asklepiodotos 5,1; Pol. 18,29; [1]), bestand aus einem hölzernen Schaft, vorzugsweise aus Kornelkirschholz, und hatte vorn und hinten eine Metallspitze. Letztere diente als Reserve, Gegengewicht und dazu, die *s.* im Boden gegen einen Reiterangriff fixieren zu können. Da die *s.* im Kampf mit beiden Händen gehalten wurde, trugen die damit ausgerüsteten Fußsoldaten nur einen an einem Band um den Hals gehängten kleinen Rundschild. Die maked. Reiter waren spätestens seit der Schlacht bei Chaironeia 338 v. Chr. mit der *s.* bewaffnet, die Hopliten wohl wenig später [2]. Ihre Bewaffnung divergierte unter Alexandros [4] d.Gr. aber entsprechend dem jeweiligen mil. Auftrag. Die → Phalanx der hell. Zeit blieb mit der *s.* bewaffnet (Pol. 2,69; 18,29f.; Plut. Aemilius 19).
→ Bewaffnung; Heerwesen

1 M. Markle, The Macedonian S., Spear, and Related Armor, in: AJA 81, 1977, 323–339 2 M. Markle, Use of the S. by Philip and Alexander of Macedon, in: AJA 82, 1978, 483–497. LE. BU.

Sarkophag (σαρκοφάγος/*sarkophágos*, Steinsarg, wörtl. »Fleischfresser«; lat. *arca*, *capsula* und *sarcofagus*, Iuv. 10,171).

I. Griechisch-Römisch II. Etruskisch III. Phönizisch IV. Frühchristlich

I. Griechisch-römisch
A. Material, Typologie, Erforschung
B. Griechische und frührömische Sarkophage
C. Stadtrömisch kaiserzeitliche Sarkophage
D. Sonstige Produktionszentren
E. Formgeschichte und Sinngehalt der kaiserzeitlichen Sarkophage

A. Material, Typologie, Erforschung

In der Forsch. werden seit dem 18. Jh. mit Reliefs versehene Behälter für Leichname als S. bezeichnet. Material war → Marmor, selten Kalkstein, Tuff, Sandstein, Granit, Basalt und Porphyr. Einen *lapis ... sarcophagus* aus Assos beschreibt Plinius (Plin. nat. 2,210; 36,131) als »leichenverzehrend«. Terrakotta und Blei wurden regional begrenzt verwendet. Holz-S. waren sicher im gesamten Mittelmeerraum gebräuchlich, sind aber nur aus dem nördlichen Schwarzmeergebiet und Äg. erh. Größe und Form der S. sind vom ausgestreckten Leichnam bestimmt; kleine S. wurden für Kinderbestattungen verwendet. Den oben offenen Kasten von rechteckigem, selten abgerundetem Grundriß schließt ein Deckel, der als Dach oder Klinenpolster (→ Kline) gebildet ist. Von Fries-S. spricht man bei durchgehendem Bildschmuck mindestens auf der Vs., von Säulen-S. oder architektonischen S. bei einer Gliederung mit Halbsäulen, Pilastern oder Arkaden, von Wannen-S. oder Lenoi (Kelterwannen) bei S. mit abgerundeten Schmalseiten. Als Vs. gilt immer eine der Langseiten. Bemalung oder Vergoldung sind gelegentlich in Resten erh. Für sepulkrale Inschr. sind bei einigen S.-Typen eigene Felder, die sog. Tabulae, vorgesehen. Die meisten S. waren in → Grabbauten aufgestellt; in Kleinasien standen sie auch unter freiem Himmel oder in halboffenen Bauten.

Aus der Zahl von etwa 15000 nachweisbaren S. ist auf umfangreiche Produktion vor allem in der röm. Kaiserzeit zu schließen, die zu mehr als der Hälfte von Werkstattzentren in Rom, Athen und Dokimeion in Phrygien ausging. Einige Steinbrüche Kleinasiens lieferten sog. Halbfabrikate als bossierte Girlanden-S., die am Bestimmungsort fertiggestellt wurden. An unfertigen S. läßt sich ein stark arbeitsteiliger Herstellungsvorgang rekonstruieren. Entsprechend der Qualität und Kosten gab es Auftragswerke und Serienvorproduktion, weshalb Porträtköpfe oft nicht ausgearbeitet sind, Kasten und Deckel nicht zusammenpassen und auf Käuferwunsch Änderungen angebracht wurden.

In nachant. Zeit wurden S. gern als Brunnentröge gebraucht, im MA zur Bestattung wiederverwendet. Ab dem 15. Jh. waren reliefierte S. von künstlerischer Bed. für die Ant.-Rezeption. Die reliefierten Vs. wurden häufig abgesägt und als Gebäudeschmuck in Wände eingesetzt. Die wiss. Beschäftigung setzt mit P. Bartoli im späten 17. Jh. ein. Mit dem Beginn des Corpus der

›Antiken Sarkophagreliefs‹ durch Carl ROBERT 1890 wurden Grundlagen zur Erforschung der kaiserzeitlichen S. geschaffen; bislang sind im Corpus ca. 4500 S. publiziert.

B. GRIECHISCHE UND FRÜHRÖMISCHE SARKOPHAGE

Vorläufer der S. finden sich in der minoischen Kultur in Form von bemalten Terrakottakisten (Larnax, Pl. Larnakes) und Kalksteintruhen, die wegen der Hockerstellung der Bestatteten wesentlich kürzer als S. sind. Echte S. entstanden ab archa. Zeit mit bis zum 1. Jh. n. Chr. leicht zunehmender Häufigkeit an vielen Orten des Mittelmeerraums und der Randgebiete in kleinen lokalen Gruppen und Einzelstücken. Die frühesten figürlich geschmückten S. entstanden um 480 v. Chr. in Zypern; sie zeigen Szenen aus dem Herrscherleben. In Karthago finden sich im späten 4. Jh. v. Chr. Kasten-S. mit liegenden Figuren auf dachförmigen Deckeln. In Kleinasien entstanden S. in einzelnen Regionen ab vorhell. Zeit; die Formen sind aus der Architektur übernommen, als Schmuck sind Girlanden angebracht. Auffallend sind die lykischen S., die Holzbauten mit konvexen Dachflächen nachahmen. Holz-S. mit Appliken in Stuck und Terrakotta sowie Bemalung wurden im nördlichen Schwarzmeergebiet geschaffen.

Aus Griechenland selbst sind bis in das 1. Jh. n. Chr. nur etwa 100 Marmor-S. bekannt. Der früheste unter ihnen, der wie die meisten nachfolgenden eine architektonisch gestaltete Holztruhe wiedergibt, entstand in Samos um die Mitte des 6. Jh. v. Chr. In Sizilien (Gela) wurden ab dem späten 6. Jh. v. Chr. Terrakotta-S. mit gestempeltem oder gemaltem Dekor hergestellt, in Klazomenai zw. 550 und 470 v. Chr. solche mit sf. Bemalung. Holz-S. mit Appliken aus vergoldeter Terrakotta – nur diese sind erh. – waren im 5. Jh. in Melos und in Taras/Tarentum gebräuchlich. In Italien war Körperbestattung außer in Etrurien selten, dennoch gibt es neben einfachsten Kästen mit Profilrahmung auch singuläre Stein-S. von bes. Qualität, in Rom ab dem 3. Jh. v. Chr. (Scipionen-S., Rom, VM). Einige bereits in der frühen Kaiserzeit entstandene Marmor-S. tragen Girlandenschmuck (S. Caffarelli, Berlin, SM); solcher Schmuck wurde am Ende des 1. Jh. n. Chr. mit kleinen Mythenbildern angereichert (S. des Bellicus Natalis, Pisa, Camposanto).

C. STADTRÖMISCH KAISERZEITLICHE SARKOPHAGE

Um 110–120 n. Chr. setzte schlagartig eine umfangreiche S.-Produktion ein, die mit einem Wechsel von der Brand- zur Körperbestattung zu erklären ist (vgl. → Bestattung D.) und mit paganen Motiven bis in das frühe 4. Jh. n. Chr. anhielt. Diese S. werden formtypologisch, thematisch und nach Produktionsstätten eingeteilt: Entsprechend den drei bedeutendsten Herstellungszentren spricht man von stadtröm., attischen und dokimeischen S., von denen respektive jeweils 6000, 1200 und 500 vollständig oder fragmentiert erh. sind. Dazu kommen regionale Werkstätten v. a. in Kleinasien. Das Forscherinteresse richtete sich früh auf die figürlichen Reliefdarstellungen; auf deren Thematik beruht daher die Einteilung in den Bänden des S.-Corpus.

1. MYTHOLOGISCHE THEMEN

In den stadtröm. Werkstätten setzten um 130 n. Chr. die myth. Fries-S. ein. Der Fries bedeckt die Vs., die Nebenseiten sind vernachlässigt. Auf den etwa 1200 erh. Expl. begegnen fast alle griech. Mythen, einzelne jedoch bevorzugt. Das Spektrum reicht von Meleagros mit 200 Expl. über Persephone, Endymion, Amazonen bis zu Achilleus, Herakles und Hippolytos mit je 40 Expl.; seltener dargestellt sind Marsyas, Adonis, Iason und Medea, Phaëthon, Orestes, Alkestis, Paris und Niobiden. Röm. Heroen wie Aeneas sind selten, einige wie Odysseus/Ulixes treten nur an den Deckeln auf. Ab dem späteren 2. Jh. n. Chr. wurden die Protagonisten des Mythos mit den Porträts der Verstorbenen versehen. Zahlreicher sind myth. Szenerien des dionysischen Kreises (→ Dionysos) und von Meereswesen (je 400 Expl.). Zuerst als Friese gestaltet, reduzieren letztere sich bald zu heraldischen Paaren, die ein Mittelmotiv wie Okeanosmaske, Schild oder Muschel mit Inschr. oder Porträt des Verstorbenen präsentieren. Auch Eroten sind bei ausgelassenem Umzug (→ *kṓmos*) und vielfältigen anderen Tätigkeiten im Fries vorgeführt, erscheinen aber häufiger nur paarweise als Träger eines Mittelmotives. Wie die ebenso beliebten Jahreszeiten-S. wurden sie bis in das 4. Jh. n. Chr. hergestellt. Musen-S. mit integrierter Wiedergabe des verstorbenen Paares oder hinzugefügten Philosophen erlebten eine Blüte im 3. Jh. n. Chr.

2. VITA HUMANA

Aus myth. Jagden und Kämpfen entwickelten sich im 3.–4. Jh. n. Chr. Bilder des Menschenlebens, der *Vita humana*, die sich auf etwa 1000 S. erh. haben. Unter ihnen stehen bukolische Szenerien mit etwa 450 Expl. an der Spitze, gefolgt von Jagd, Hochzeit und Karriere des Magistraten oder Feldherrn, bis zu den ca. 30 Schlachten-S., den Lebenslauf-Zyklen und Circus-S. Einige dieser Bildthemen erscheinen in abgekürzter Form auf einfacheren Dekorationstypen wie den allzeit und überall sehr zahlreichen Girlanden-S., den Clipeus-S. mit Porträt oder Inschr. und den Riefel-S.; letztere, auch Strigilis-S. genannt, stellen mit 800 Expl. die umfangreichste Gruppe an S. überhaupt.

D. SONSTIGE PRODUKTIONSZENTREN

Die frühesten attischen S. (um 140 n. Chr.) haben Girlanden-Dekor, die folgenden Eroten-Komos und Mythenbilder. Att. S. sind vierseitig reliefiert und mit hohen Basisprofilen versehen. Die Deckel haben zunächst ausführliche Dachformen, die ab dem späten 2. Jh. n. Chr. von Klinenpolstern mit einem liegenden Paar abgelöst werden. Unter den geläufigen Themen fehlen die Bilder aus dem Menschenleben. Amazonen und Troianische Kämpfe sind die häufigsten Mythen; Porträts erscheinen an att. S. nicht.

Ein weiteres Werkstattzentrum lag bei den Marmorbrüchen von Dokimeion bei Synnada in Phrygien (vgl. → Marmor mit Karte). Die Produktion begann um 150 n. Chr. und endete abrupt um 260 n. Chr. Mehr als die Hälfte der bekannten Stücke sind architektonisierte Säulen-S. unterschiedlicher Ausprägungen. Die Deckel sind anfangs als Dach gebildet, ab 160–170 n. Chr. meist als → Klinen mit ruhendem Paar. In den Interkolumnien der Säulen stehen myth. Einzelgestalten oder Götter, häufiger jedoch nicht benennbare Figuren. Auch Fries-S. sind durch Eckpilaster architektonisiert (sog. »Torre-Nova-Gruppe«).

Neben diesen Hauptgruppen steht eine regional sehr unterschiedliche kaiserzeitliche S.-Produktion, die lokale Traditionen mit den Vorbildern der Hauptgruppe kombiniert. Im Westen des Imperiums sind lediglich die oberital. Werkstätten (mit den Zentren Aquileia und Ravenna und kleineren Gruppen, die schwer zu lokalisieren sind) mit S. in Architektur- oder Möbelformen nennenswert. Aus der heterogenen S.-Produktion Südosteuropas heben sich Thessalonike und Thrakien hervor, wo auf glatten S. kleine Reliefbilder angebracht sind. Sehr unübersichtlich ist die Produktion in Kleinasien: Lokale Werkstätten lassen sich zumeist nach den Formen der Girlanden, der Tabulae und der Kastenprofile unterscheiden. An Qualität und Umfang ragen einige Regionen oder Städte wie Bithynien und Aphrodisias hervor. Nachahmungen der Hauptgruppe und Verarbeitungen von Halbfabrikaten sind zahlreich im syrischen Raum. In Sidon wurden außerdem Holz-S. mit brn. Löwenkopf-Appliken hergestellt, während Tyros vom 1.–3. Jh. n. Chr. ein Zentrum für Blei-S. mit gestempelten Dekorfeldern war. In Palmyra wurden auf Klinen-S. ganze Familiengruppen auf den Polstern dargestellt. Eine Besonderheit aus Alexandreia [1] sind einige monumentale Porphyr-S., die für das constantinische Herrscherhaus bestimmt waren.

E. Formgeschichte und Sinngehalt der kaiserzeitlichen Sarkophage

Die kaiserzeitlichen S. sind nicht zuletzt anhand der → Porträts in eine dichte chronologische Reihe zu bringen; sie zeigen beispielhaft die Stilphasen der röm. Kunst. Die grundlegende Ikonographie der myth. S.-Reliefs ist zwar in der griech. Kunst zu finden, die typologische Festlegung einzelner Figuren und Szenen führte aber nie zu echten Repliken unter den S., so daß der Prozeß der Kontaminierung von Detailmotiven und der ikonographischen Aktualisierung als Zeugnis kaiserzeitlichen Kunstschaffens zu gelten hat. Die Relief-S. der Kaiserzeit bieten verschiedene Ansätze zum Verständnis. Die Deutung der Motive und Bilder in Bezug zur sepulkralen Funktion der S. ist daher umstritten; auszugehen ist vom kultur- und sozialgesch. Kontext.

Die Käuferschicht erweiterte sich im Verlauf des 2. und 3. Jh. enorm. Deshalb ist mit einer Vereinfachung der Symbolik einzelner Motive zu rechnen. Im frühen 2. Jh. n. Chr. noch komplex vorgeführte Mythen werden zunehmend auf einzelne Aspekte und deren myth. Repräsentanten konzentriert. Durch Eingriffe in traditionelle Ikonographien werden gezielt einzelne mit den Mythen transportierte Werte hervorgehoben. Diese lassen sich in wenige Schlagworte wie → *virtus*, → *clementia*, → *concordia*, → *pietas* fassen sowie als allg. Glücksauffassungen. Die im 3. Jh. zunehmenden Themen der *Vita humana* tragen solche Werte noch gezielter vor. Gleichzeitig wird die Banalisierung der Werte ausgeglichen durch stärkeren persönlichen Bezug zum Verstorbenen, zuerst durch Porträtköpfe im Mythenbild selbst, dann durch die von myth. Nebenfiguren getragenen Porträtbüsten und Inschr. und schließlich durch die Themen des Lebens selbst. Die Bilderwelt der kaiserzeitlichen S. bezieht sich demnach nicht auf rel.-eschatologische Gedanken, sondern auf die Trostfunktion lobender und glückvermittelnder Gleichnisse.

→ Bestattung; Plastik; Relief

C. Robert (Hrsg.), Die ant. S.reliefs, 1890 bis zuletzt 1999 (Hrsg. z.Z. G. Koch, K. Fittschen, W. Trillmich) • F. Matz, s. v. Sarcofago, EAA 7, 1966, 2–32 • C. Panella, s. v. Sarcofago, EAA Suppl., 1973, 686–700 • B. Andreae, H. Jung, Vorläufige tabellarische Übersicht über die Zeitstellung und Werkstattzugehörigkeit von 250 röm. Prunk-S. des 3. Jhs. n. Chr., in: AA 1977, 432–436 • R. M. Cook, Clazomenian Sarcophagi, 1981 • G. Koch, H. Sichtermann, Röm. S. (Hdb. der Arch.), 1982 • M. Waelkens, Dokimeion. Die Werkstatt der repräsentativen kleinasiatischen S. Chronologie und Typologie ihrer Produktion, 1982 • P. Linant de Bellefonds, Sarcophages attiques de la nécropole de Tyr. Une étude iconographique, 1985 • P. Pinelli, Catalogue des bois et stucs grecs et romains provenant de Kertch, 1986 • T. Weber, Syrisch-röm. S.beschläge. Orientalische Bronzewerkstätten in röm. Zeit, 1989 • H. Froning, Zu syrischen Blei-S. der Tyrus-Gruppe, in: AA 1990, 523–535 • I. Hitzl, Die griech. S. der archa. und klass. Zeit, 1991 • B. Hübner, Ikonographische Unt. zum Motivschatz der stadtröm. myth. S. des 2. Jh. n. Chr., 1990 • G. Koch, S. der röm. Kaiserzeit, 1993 • M. Koortbojian, Myth, Meaning, and Memory on Roman Sarcophagi, 1995 • N. Sevinç, A New Sarcophagus of Polyxena from the Salvage Excavations at Gümüşçay, in: Stud. Troica 6, 1996, 251–264 • M. L. Buhl, G. Koch, B. Andreae, s. v. Sarcofago, in: EAA 2. suppl., 5, 1997, 106–131 • C. Bonanno, I sarcofagi fittili della Sicilia, 1998 • S. Dimas, Unt. zur Themenwahl und Bildgestaltung auf röm. Kinder-S., 1998 • B. C. Ewald, Der Philosoph als Leitbild. Ikonographische Unt. an röm. S.reliefs, 1999.

R.N.

II. Etruskisch

Die ersten der in archa. Zeit vereinzelt auftretenden etr. S. aus Stein und Ton lassen ihre hölzernen Vorbilder noch deutlich erkennen. Erst im 5. Jh. v. Chr. kam es, sehr wahrscheinlich unter dem Einfluß kleinasiatischer Kunstwerke, zur typisch etr. Ausprägung des S. mit der Figur des Verstorbenen – vereinzelt auch von Paaren – auf dem Deckel; der S. wurde somit vom einfachen Leichenbehältnis zum Figurenträger umfunktioniert. Die zumeist reliefierten, aber auch gemalten Bilder auf den Seiten der etr. S. (Tiergruppen, Amazonomachien, Kampfszenen, griech. Mythen) weisen ikonographische Anleihen aus dem Repertoire der zeitgenössischen griech. Kunst auf, wobei jedoch häufig Szenen und Figuren aus den griech. Vorlagen herausgegriffen und in etr. Sinne umgedeutet wurden.

Im 4. Jh. v. Chr. begann mit den Nenfro-S. aus Mittel- und Südetrurien (bedeutendster Produktionsort: Tarquinia) eine Massenanfertigung von S. Typologisch lassen sich diese nach den Kastenformen in Holzkasten-, Klinen- und Hallentypus trennen. Die in Etrurien gefundenen Marmor-S. sind hingegen Importstücke oder imitieren griech. S. Mit dem Niedergang der Stein-S. gegen Ende des 3. Jh. v. Chr. setzte die Herstellung der Ton-S. (bedeutendster Produktionsort: Tuscania) ein, die bis in das 1. Jh. v. Chr. gefertigt wurden. Bes. in dieser späten Zeit zeigen die Gesichter der Verstorbenen auf den S.-Deckeln eine deutliche Differenzierung des Alters und beabsichtigten wohl – wie die gleichzeitige stadtröm. Porträtkunst – eine Hervorhebung des sozialen Standes; gegenseitige Beeinflussungen sind hierbei zu vermuten.

→ Tarquinii

M. Gentili, M. F. Briguet, I sarcofagi etruschi in terracotta di età recente, 1994 • K. P. Goethert, Typologie und Chronologie der jünger-etr. Stein-S., 1974 • R. Herbig, Die jünger-etr. Stein-S., 1952 • A. Maggiani, Sulla cronologia dei sarcofagi etruschi in terracotta di età ellenistica, in: Riv. di archeologia 19, 1995, 75–91 • F. H. Massa-Pairault, Recherches sur l'art et l'artisanat étrusco-italique à l'epoque hellénistique, 1985, 186–238 • D. Steuernagel, Menschenopfer und Mord am Altar, 1998 • E. S. Türr, Spät-etr. Stein-S., 1969. MI. LE.

III. Phönizisch

Die aufwendige Körperbestattung im S. war bei → Phöniziern und Puniern Zeichen des sozialen Ranges. Große schlichte Steinkisten (aus einem Block) mit Deckel sind die S. der Stadtkönige von Gubla (→ Byblos) aus dem frühen 2. Jt. v. Chr. [1]; der des Königs → Aḥiram (um 1000 v. Chr.), der älteste phöniz. S. mit Relief, blieb bis zu den in griech. Ateliers geschaffenen Relief-S. des 5.–3. Jh. v. Chr. aus der Königsnekropole von → Sidon ohne Nachfolge.

Äg. Arbeiten sind die »anthropoiden« S. der sidonischen Könige Tabnit I. (470–465 v. Chr.?) und Ešmunazar II. (465–451 v. Chr.?) sowie ein dritter, nicht durch Inschr. benannter S. aus Basalt (äg. Grauwacke): Bei der Eroberung Ägyptens durch die Perser aus den Nekropolen von → Memphis und → Saqqara geraubt, wurden sie als prestigeträchtige Kriegsbeute vom Königshaus in Sidon in Besitz genommen (der S. des Tabnit trägt noch die hieroglyphische Inschr. für den urspr. Grabinhaber, den General Penptah; s. [2]).

Diese genuin äg. S. waren wahrscheinlich die Vorbilder für die ca. 130 Stücke umfassende Gruppe der »phöniz.« anthropoiden S., die nahezu im gesamten Siedlungsgebiet der Phönizier im Mittelmeerraum, bis nach Sizilien und Südspanien (→ Gades), gefunden wurden. Zumeist aus → Marmor, wurden sie zw. ca. 480 und 360 v. Chr. offenbar in mehreren, wohl v. a. in Sidon beheimateten Werkstätten geschaffen, wo neben führenden griech. Meistern phöniz. Künstler (nach einer jüngeren Meinung nur Phönizier [3]) wirkten. Zu einer verbindlichen S.-Gattung wurden sie nicht.

Die vier S. mit liegender Deckelfigur in der griech. Formensprache des Hochreliefs aus der *Nécropole des Rabs* (Priesternekropole) von → Karthago sind ein ähnlicher »exotischer« Sonderfall: Eine Replik aus Tarquinia, der sog. Priester-S. des Laris Partunus, macht Beziehungen zu Etrurien wahrscheinlich [4]. Ihnen sind die nahebei gefundenen etwa zehn griech. Theken-S. mit satteldachförmigem Deckel zur Seite zu stellen [5].

Üblich sind dagegen im Westen der phöniz.-pun. Welt die schlichten Kasten-S. aus jeweils örtlichem Steinmaterial.

→ Alexandersarkophag

1 P. Montet, Byblos et l'Égypte, 1928, 143–154 2 S. Frede, Die phöniz. anthropoiden S., Bd. 1, 2000, 65–68 3 J. Elayi, Les sarcophages phéniciens d'époque perse, in: Iranica Antiqua 23, 1988, 275–322 4 H. G. Niemeyer, Gedanken zu Bild und Abbild im Grabkult der phöniz. und pun. Welt, in: F. Prayon, W. Röllig (Hrsg.), Der Orient und Etrurien (Akten des Kolloquiums Tübingen 1997), 2000, 328 f. 5 H. Benichou-Safar, Les tombes puniques de Carthage, 1982, 131 f.

J. Ferron, s. v. Sarkophages, DCPP 391–393 • Ders., Sarcophages de Phénicie. (Coll. cahiers de Byrsa. Série monographies, 3), 1992 • S. Frede, Die phöniz. anthropoiden Sarkophage 1 (Forsch. zur phöniz.-pun. und zypriotischen Plastik 1.1), 2000 • S. Moscati, I sarcofagi, in: Ders. et al. (Hrsg.), I Fenici. Kat. der Ausst. Venedig, 1988, 292–300 • G. Tore, L'art. Sarkophages, relief, stèles, in: V. Krings (Hrsg.), La civilisation phénicienne et punique (HbdOr Abt. 1, Bd. 20), 1995, 471–493. H. G. N.

IV. Frühchristlich

A. Allgemeines B. Zentren

A. Allgemeines

Aus der Zeit zw. 270/280 n. Chr. und ca. 600 n. Chr. sind ca. 2500 christl. S. vollständig oder in Frg. erh. Die S. wurden vornehmlich aus → Marmor (aus Luni/Carrara, von der → Prokonnesos), aber auch aus lokal verfügbarem Kalk-, Sand- oder Eruptivgestein gefertigt; daneben finden sich Porphyr-S. aus Alexandreia [1] für kaiserliche Bestattungen in Rom und Konstantinopolis sowie S. aus Holz und Blei. S. konnten mit Stuck überzogen und polychrom (→ Polychromie) gefaßt sein. Ihr urspr. Aufstellungsort ist oft nicht gesichert: für Rom Grabgebäude und → Katakomben, Schein-S. (s.u.) in Grabkammern für Konstantinopolis.

Die Formen der S., deren Dekor christl. Themen aufgreift, folgen denen der paganen Kasten- und Wannen-S. (s.o. I. A.), deren Fronten und Nebenseiten mit Reliefs verziert sein können; allseitig skulptierte Stücke bilden die Ausnahme. Daneben finden sich aus einzelnen Platten zusammengesetzte S., gemauerte Schein-S. und – als kleinasiatische Sonderform – aus dem anstehenden Fels gefertigte S. Als Deckel dient zumeist eine flache Platte mit reliefierter Blende, die auch eine Inschrifttafel tragen kann. Aus Ravenna und den östl. Prov. sind dachförmige Deckel bekannt. Folgende Typen können unterschieden werden:

1) Ein- bzw. zweizonige Fries-S. mit dicht gedrängten Figurenfriesen in Rom und Gallien, seltener in Konstantinopolis und den übrigen Prov. Bei S. aus → Ravenna werden die Friese von seitlichen Pilastern oder Säulen eingefaßt (entspricht der »Torre-Nova-Gruppe«, s.o. I. D.).

2) Säulen-S. mit aufwendiger architektonischer Gliederung aus Pilastern und Säulen, die mit einem reich verzierten Gebälk Nischen für Figuren ausbilden. Zweizonige Exemplare bilden die Ausnahme (z. B. Iunius-Bassus-S., Rom, VM).

3) Baum-S. leiten sich von den Säulen-S. ab, da hier die Figurengruppen durch Bäume geschieden sind.

4) Riefel- bzw. Strigilis-S. haben zumeist drei figürliche Bildfelder, zw. die breitere, mit S-förmig geschwungenen oder senkrechten Riefeln versehene Zonen eingestellt sind.

5) Die eher im Osten anzutreffenden Truhen-S. weisen allseitig profilierte Rahmungen auf und können figürlich bzw. mit Symbolen verziert sein.

B. Zentren

1. Rom 2. Ravenna 3. Konstantinopolis
4. Übriges Italien und Provinzen

1. Rom

Ca. 1200 S. mit christl. Themen haben sich v. a. in Rom als dem führenden Zentrum christl. S.-Produktion zw. 270/280 und dem Anf. des 5. Jh. n. Chr. erh. In vorkonstantinischer Zeit (270/280–312/3 n. Chr.) wurden Einzelstücke von Steinmetzen gefertigt, die vorwiegend für pagane Auftraggeber arbeiteten. Deshalb lassen sich keine typisch christl. Stil- oder Dekorationsformen nachweisen. Als frühestes Expl. gilt der S. in S. Maria Antiqua in Rom. Christen verwendeten S. mit »neutralen« Themen (Hirten, Philosophen, Oranten, Jahreszeiten, Weinlese und Jagd), die mit Deckeln christl. Inhalts versehen wurden. Daneben wurden pagane S. durch Anbringen von christl. Symbolen (Kreuze, Christogramme) oder Inschr. »christianisiert«. Eine streng rationalisierte Arbeitsweise in den Werkstätten erlaubte bes. in konstantinischer Zeit (312/3–ca. 340 n. Chr.) die massenhafte Fertigung reliefgeschmückter S., die auch unvollendet benutzt und in die Prov. exportiert wurden. Vorherrschend sind Fries-S. mit at. Szenen und solchen aus dem Leben Christi und Petri (Christus-Petrus-Gruppe) sowie einfache Riefel-S., die sicher auf Vorrat gefertigt wurden, um die gestiegene Nachfrage befriedigen zu können. Stücke mit ausgefallener Ikonographie sowie doppelzonige Fries-S. mit Porträtbüsten der Toten und zweizonige Riefel-S. der Zeit zw. 330 und 350 n. Chr. dürften dagegen auf Bestellung produziert worden sein. Die Beziehung der einzelnen Themen zum sepulkralen Kontext wird in der Forsch. kontrovers diskutiert. Ein Wandel bei den Vorlieben der Auftraggeber für bestimmte Themen und deren Bed. ist an den Bildern der christl. S. feststellbar. Überwiegend scheinen die S.-Darstellungen auf die Überwindung des Todes und das Leben im Jenseits ausgerichtet zu sein.

In nachkonstantinischer Zeit (ca. 340–360/370 n. Chr.) ging die Massenproduktion stark zurück und wich der Fertigung aufwendiger S. für begüterte Kreise, die sich auch stilistisch deutlich von den konstantin. S. unterscheiden (»Schöner Stil«). Der Typus des Säulen-S. – und als dessen Variation der Baum-S. – tritt auf, im Bildprogramm finden sich Hinweise auf die Passion Jesu, und neben den Wunderszenen erscheint Christus wie ein Herrscher zw. den Aposteln. In der valentinianisch-theodosianischen Zeit schließlich (360/370–ca. 400 n. Chr.) erweiterte sich nochmals das Repertoire: Lehrversammlungen mit Christus inmitten der Apostel und Darstellungen der Gesetzesübergabe an Moses (*traditio legis*) sind sicher von monumentalen Vorbildern in Malerei oder Mosaik abhängig. Zur vorhandenen Typenvielfalt treten die nach den Stadtarchitekturen im Hintergrund benannten und reich verzierten Stadttor-S. sowie die kleine Gruppe der »Durchzugs-S.« (mit der Darstellung des Durchzugs des Volkes Israel durch das Rote Meer) und der Bethesda- bzw. Einzugs-S., die Christi Einzug in Jerusalem zeigen. Bald nach 400 n. Chr. kam die stadtröm. S.-Produktion durch wirtschaftl. und polit. Niedergang (Eroberung Roms durch die Goten 410 n. Chr.) zum Erliegen.

2. Ravenna

Die mit ca. 35 Expl. kleine Gruppe ravennatischer S. setzte erst 402 n. Chr. nach der Erhebung der Stadt zur Kaiserresidenz ein und knüpfte im Gegensatz zu Rom an keine ältere lokale Trad. an. Die völlig neuen Formen und Darstellungen dieser z. T. allseitig mit figürlichen und dekorativen Reliefs verzierten S. dürften auf Bestellung hoher Beamter am kaiserlichen Hof von Bildhauern in Konstantinopolis geschaffen und nach Ravenna exportiert worden sein. Aus lokaler Produktion dürften schlichte S. mit flachem Relief ab dem 6. Jh. n. Chr. stammen.

3. Konstantinopolis

In Konstantinopolis setzte eine S.-Produktion erst um 380/390 n. Chr. nach Zuwanderung kleinasiatischer Steinmetze ein. Nur ca. 80 Expl. figürlicher Fries- und Säulen-S. sowie die Sonderform der Schein-S. (aus einzelnen Platten zusammengesetzte S.; ca. 400 n. Chr.) haben sich erh. Dazu kommen dekorative, mit Kreuzen und anderem symbolischen Schmuck verzierte S. (6.–7. Jh. n. Chr.).

4. Übriges Italien und Provinzen

Aus vorkonstantinischer Zeit sind in den Prov. nur wenige christl. S. belegt. In It. finden sich lokal gearbeitete S., die stadtröm. Vorbilder in Themen und Bildaufbau imitieren. Weitaus bedeutender jedoch war die gallische S.-Produktion, die in konstantinischer Zeit durch stadtröm. Importe und Bildhauer aus Rom angeregt wurde. Sie erlebte bis zum E. des 4. Jh. n. Chr. einen beachtlichen Aufschwung (Arles, Marseille) und brachte neue Typen wie etwa die Stern-Kranz-S. am E. des 4. Jh. hervor. Von ca. 400 bis zum frühen 6. Jh. n. Chr. wurde in SW-Gallien die motivisch wie stilistisch charakteristische, außergewöhnlich umfangreiche Gruppe der »aquitanischen S.« gefertigt, die an Produkte aus Arles und Marseille anknüpfen. Die Vielfalt der Dekorationen und figürlichen Darstellungen ist ebenfalls außergewöhnlich und kann teilweise von Bodenmosaiken bzw. von der Bauplastik abgeleitet werden. Auf der Iberischen Halbinsel finden sich Importe aus Rom, Gallien, Aquitanien und Karthago sowie lokal gefertigte S., die nach röm. oder östl. Vorbildern geschaffen wurden.

In Nordafrika sind röm. Importe und lokale Kopien zu beobachten, sowie die geschlossene Gruppe der karthagischen Riefel-S. (1. H. 5. Jh. n. Chr.); auf dem Balkan und in der Ägäis sind wenige Importe aus Rom, Alexandreia und Konstantinopolis zu verzeichnen; Kleinasien und der Nahe Osten weisen vereinzelte, mit symbolischem Schmuck verzierte S. des 5.–6. Jh. auf, sowie Blei-S. aus Sidon (frühes 4. Jh.). In Ägypten schließlich wurden zw. 312 und 450 n. Chr. Porphyr-S. für kaiserliche Bestattungen in Alexandreia gefertigt und nach Rom, Mailand, Spalatum und Konstantinopolis exportiert.

→ Bestattung; Totenkult

G. Bovini, H. Brandenburg, Repertorium der christl.-ant. S., Bd. 1: Rom und Ostia, 1967 • J. Kollwitz, H. Herdejürgen, Die ant. S.reliefs, Bd. 8.2: Die S. der westl. Gebiete des Imperium Romanum. Die ravennat. S., 1979 • J. Dresken-Weiland, Repertorium der christl.-ant. S., Bd. 2: It. mit einem Nachtrag Rom und Ostia, Dalmatien, Museen der Welt, 1998 • G. Koch, Frühchristl. S. (Hdb. der Arch.), 2000 • B. Christern-Briesenick, Repertorium der christl.-ant. S., Bd. 3: Frankreich, Algerien und Tunesien (in Vorbereitung) • A. Oepen, Repertorium der christl.-ant. S., Bd. 4: Iberische Halbinsel (in Vorbereitung).

A.O.

Sarmatai (Σαρμάται, Σαυρομάται/*Sauromátai*; lat. *Sarmatae*). Iranische Nomadenstämme; dazu gehören u. a. die Alanoi, Aorsoi, Iazyges, Rhoxolanoi, Sirakoi. Ihre Wohnsitze lagen bis Mitte des 3. Jh. v. Chr. östl. des Tanais (h. Don), der als Grenze zw. → Skythen (mit Karte) und S. galt (Hdt. 4,21), in den Steppen nördl. des Kaukasos (τὰ τῶν Σαρματῶν πεδία, Strab. 11,2,15). Im äußersten Westen lebten wohl die Syrmatai (Steph. Byz., s. v. Συρμάται; bei Ps.-Skyl. 68 schon westl. des Tanais). Seit Mitte des 3. Jh. v. Chr. sind kriegerische Unternehmungen der S. faßbar: Sie brachen in das Gebiet der Skythen ein (Diod. 2,43,7; Lukian. Toxaris 42) und forderten von den Städten am Bosporos [2] Tribute. Sie breiteten sich auch am Hypanis [2] (h. Kuban) und im Kaukasos sowie auch westwärts bis zum Istros [2] (h. Donau) aus. Als Handelspartner waren sie für die bosporanischen Städte ein wichtiger Wirtschaftsfaktor, zumal wichtige Handelsstraßen durch ihr Gebiet nach Innerasien führten. Am Friedensvertrag zw. Pharnakes [1] I. und der Stadt Chersonesos [3] 179 v. Chr. war der sarmat. König Galatos beteiligt (Pol. 25,2,13). Als Chersonesos in der 2. H. des 2. Jh. v. Chr. von den Skythen bedrängt wurde, rief die Stadt die S. zu Hilfe. Die S. waren mit Mithradates [6] VI. verbündet (App. Mithr. 53), auch im Kampf gegen Pompeius [I 3] (App. Mithr. 469–476), desgleichen 47/6 v. Chr. mit Pharnakes [2] II. (Strab. 11,5,8: *Áorsoi*). Sie kämpften auf seiten Mithradates' [9] VIII. gegen die Römer (44/5 n. Chr.).

Zur Zeit der bosporanischen Dyn. (→ Regnum Bosporanum) der Tiberii Iulii waren die Beziehungen der S. zum Königshaus offenbar sehr gut; denn der seit E. des 1. Jh. n. Chr. im bosporanischen Königshaus begegnende Königsname → Sauromates bezeugt die Verschwägerung mit dem sarmat. Stammesadel. Seit der Mitte des 2. Jh. n. Chr. erscheinen immer häufiger »sarmat. Zeichen« [1] als Königsembleme in den Inschr. (z. B. IOSPE 4, p. 447). Im 2. und 3. Jh. n. Chr. ließen sich immer mehr S. in den bosporanischen Städten und deren Territorien nieder und übten großen Einfluß auf deren Kultur aus. Strab. 7,3,17 kennt vier sarmat. Stämme zw. Borysthenes (Dnjepr) und Istros [2]: → Iazyges im Süden, Urgoi (Οὖργοι) im Norden, → Rhoxolanoi im Osten und in der Mitte die »königlichen S.« (Σ. οἱ βασίλειοι/*S. basíleioi*), die den Verband der vier Stämme leiteten.

In der 1. H. des 1. Jh. n. Chr. zogen Teile der königlichen S. an den unteren Istros [2], wohl im Zusammenhang mit dem Zusammenbruch des dakischen Reichs unter → Burebista. Danach wanderten die Iazyges über die Flüsse Alutus und → Pathissus in die Ungarische Tiefebene, wie arch. Unt. gezeigt haben. Mit dieser Wanderung dürfte Rom einverstanden gewesen sein, da die S. als Pufferstaat gegen die → Dakoi dienen konnten. Zusammen mit german. Stämmen griffen die übrigen S. seit dem 3. Jh. n. Chr. immer wieder das Röm. Reich an. Wohl Anf. des 3. Jh. wanderten die Rhoxolanoi nach → Pannonia. Nach der Aufgabe der röm. Prov. Dacia wurde dieses Gebiet Ausgangpunkt sarmat. Übergriffe auf röm. Gebiet (SHA Car. 9,3 f.). → Diocletianus siedelte nach ihrer Niederwerfung große Teile der S. (vorwiegend Iazyges) auf röm. Gebiet an. Zu Anf. des 4. Jh. erhoben sich Sklaven (*Limigantes*) gegen ihre sarmat. Herren (*Argaragantes*) am Pathissus und vertrieben diese (Hier. chron. ad annum 334). Constantinus [1] I. siedelte 300 000 Argaragantes auf dem Balkan und in It. an (Eus. vita Const. 4,6; Excerpta Valesiana 31 f.; vgl. Amm. 17,12,18 ff.; 13,1 ff.). Die sarmat. Stämme lösten sich unter dem Druck der → Hunni auf. Einige S. dienten im Heer des Langobardenkönigs Alboin, der sie in It. ansiedelte (Paulus Diaconus 2,26).

Große Teile der S. führten Jh. hindurch ein Nomadenleben, andere ließen sich auf der Chersonnesos [2]/Krim und am unteren Istros [2]/Donau) als Ackerbauern nieder. Ihre Ges. war aristokratisch geprägt. Die geachtete Stellung der Frauen wird bes. bei den frühen Autoren als Besonderheit der S. hervorgehoben (vgl. Hdt. 4,110–117). Ihre Kultur (Kunst, Rel.) unterscheidet sich deutlich von der skythischen. Bes. kennzeichnend sind die sarmat. Grabanlagen, sog. Kurgane, am Hypanis [2] und am unteren Tanais (v. a. Hohlac und Sadovyi bei Novočerkassk). Metallbearbeitung, Juwelierkunst und Glasproduktion waren hoch entwickelt. Die S. verfügten über eine schwerbewaffnete → Reiterei (seit der Zeitenwende mit Schuppen- oder Ringpanzer, sog. *catafractae*/→ *katáphraktoi*); ihre Hauptwaffen waren Lanze, Langschwert und Dolch; Schutz bot ihnen ein konischer Helm (Strab. 7,3,17; Tac. ann. 4,35; Tac. hist. 1,79,3; Amm. 17,12,2).

1 H. Jänichen, Bildzeichen der königlichen Hoheit bei den iranischen Völkern, 1956.

M. Rostovtzeff, The Sarmatae and Parthians, in: CAH 11, 1936, 91–104 • Ders., Iranians and Greeks in South Russia, 1922 • V. F. Gajdukevič, Das Bosporanische Reich, 1971, bes. 392–401 • J. Harmatta, Studies on the History of the Sarmatians, 1950 • Ders., Studies on the History and Language of the Sarmatians, 1970 • K. F. Smirnov, Sarmaty, 1984 • Ders. (Hrsg.), Sokrovišča sarmatskich voždej i drevnie goroda Povolžja, 1989 • M. Párducz, Denkmäler der Sarmatenzeit Ungarns, 2 Bde., 1941 und 1947 • B. Cunliffe (Hrsg.), Illustrierte Vor- und Frühgesch. Europas, 1996, 449 u. ö. • W. A. Nabatschikow (Hrsg.), Gold- und Kunsthandwerk vom ant. Kuban. Ausst.-Kat. Mannheim, 1989, 131–169. I. v. B.

Sarmaticus. Siegerbeiname röm. Kaiser, der einen mil. Erfolg über die Sarmatae (→ Sarmatai) anzeigt. Als erste führten Marcus [2] Aurelius und sein Sohn → Commodus nach dem Friedensschluß mit den → Iazyges seit 175 n. Chr. den Beinamen S.; Maximinus [2] Thrax und sein Sohn Maximus trugen ab 236 den Titel *S. maximus*. Obgleich sarmatische Stämme weiterhin die Donaugrenze bedrohten, nahm erst wieder → Diocletianus ab 285 letzteren Beinamen an (ab 285, dann noch dreimal). Nach ihm erwarben alle Augusti der → Tetrarchie (außer Severus [2] Alexander) und alle Herrscher der Dyn. des Constantinus [1] I. einschließlich Iulianus [11] den Beinamen, meist in der Form *S. maximus* und häufig mehrfach. Nach Iulianus tauchte er trotz weiterer Kämpfe nicht mehr auf.

R. Kneissl, Die Siegestitulatur der röm. Kaiser, 1969, 206–209, 248. W. ED.

Sarmizegetusa. Stadt in Dacia (vgl. Ptol. 3,8,9: Ζαρμιζεγέθουσα; Cass. Dio 68,8,7: Ζερμιζεγέθουσα; Dig. 50,15,1,9: *Zarmizegetusa*; Geogr. Rav. 4,7: *Sarmazege*; Tab. Peut. 7,5: *Sarmategte*; inschr. meist S.), h. Hunedoara, Haţeg (Rumänien). In vorröm. Zeit war der Ort von → Dakoi besiedelt und Residenz der dakischen Könige (S. Regia in Dacia Superior). Von den Römern wurde S. wegen seiner strategischen Lage als mil. Stützpunkt gelegentlich genutzt. Die nach dem 2. Dakischen Krieg etwa 108/110 n. Chr. gegr. röm. Kolonie (CIL III 1443) lag ca. 40 km westl. davon entfernt (h. Grădiştea Muncelului, Orastie/Rumänien). Die *colonia Ulpia Traiana Augusta Dacica S.* wurde rasch die bedeutendste und reichste Stadt in Dacia (im 3. Jh. *metropolis*), Zentrum des *concilium Daciarum trium* und des → Kaiserkults sowie Sitz des Procurators der Dacia Apulensis. Reiche arch. Funde aus der Stadt und Umgebung: Forum, Haus der *augustales*, Tempel, Amphitheater, Zisterne, Stadtmauern, *villae suburbanae* und *rusticae*, Mausoleen und Nekropolen, Denkmäler der provinzialröm. Kunst, zahlreiche Inschr. Im rel. Leben spielte der → Mithras-Kult eine gewichtige Rolle.

C. und H. Daicoviciu, Ulpia Traiana, 1962 • Dies., S., 1963 • TIR L 34 Budapest, 1968, 63 (Grădiştea Muncelului), 115 (Ulpia Traiana S.) mit Quellen und Lit. J. BU.

Sarnus. Fluß in Campania (Plin. nat. 3,9,62; bei Vibius Sequester 138 außerdem ein Berg *S.*; bei Oros. 4,15,2f. irrtümlich mit dem Arno identifiziert; Ptol. 3,1,7; Tab. Peut. 6,5 ohne Namensnennung; Prok. BG 4,35 nennt ihn Δράκων, »Drache«), wasserreich und ruhig dahinfließend (Sil. 8,537), der bei Nuceria [1] in den Sinus Puteolanus mündet, h. Sarno. Konon [4] führt den Namen des S. auf Pelasgoi aus der Peloponnesos zurück, die sich hier niedergelassen, den S. *Sarro* und sich selbst *Sarrastae* genannt hätten (FGrH 26 F 3; vgl. Verg. Aen. 7,738; Sil. 8,536f.). Anschwemmungen des Flusses, der Ausbruch des → Vesuvius im J. 79 n. Chr. und die ständigen Erdbewegungen in diesem Gebiet haben seither die Küstenlinie im Mündungsbereich des S. nach Westen verschoben, die Abholzung der Wälder im Quellbereich hat zudem den Wasserreichtum des S. verringert. Der Handelshafen von → Pompeii im Mündungsgebiet des S. wurde von Nola, Nuceria und Acerrae [1] genutzt (Strab. 5,4,8). Als Flußgott wurde ein Jüngling mit Widderhörnern verehrt (vgl. Suet. gramm. 28 und die Mz. von Nuceria HN 41).

A. Amarotta, La linea del Sarno nella Guerra Gotica, in: Atti dell'Accademia Pontaniana 27, 1978, 156–179 • G. Centonze, L'idronimo S. nelle fonti antiche e medievali, in: Ebd. 38, 1989, 151–180 • A. Ostrow Koloski, The Sarno Bath Complex, 1990 • R. Catalano Trione, Sulla storia del Sarno, in: Tra Lazio e Campania, 1995, 123–136.
M. G./Ü: J. W. MA.

Saron (Σάρων). Nach der Sage der dritte König von → Troizen, der der → Artemis Saronia Tempel und Fest stiftet. Als bei der Jagd ein Hirsch ins Meer flüchtet, ertrinkt S. bei der Verfolgung und wird im Tempelbezirk beigesetzt. Der »phoibische« Golf heißt nach ihm seither der Saronische (Paus. 2,30,7; → Saronikos Kolpos). S. lebt nach anderen Quellen als Meeresgott oder Daimon weiter (Aristeid. 2,274); man kann vermuten, daß S. urspr. statt eines Tieres die Göttin Artemis selbst verfolgte und erst in späterer Zeit vom Gott zum Heros abstieg. HE. B.

Saronikos Kolpos (Σαρωνικὸς κόλπος, auch πέλαγος, πόντος, πόρος; auch κόλπος Αργείας, Ptol. 3,16,12, oder Σαλαμινιακὸν πέλαγος, Strab. 8,2,2), h. »Saronischer Golf«. Nach → Saron, dem myth. König von → Troizen, benannter, insgesamt flacher Golf des → Aigaion Pelagos (Ägäis; Paus. 2,30,7; 2,32,10, vgl. 2,34,2; Strab. 2,5,21), zw. Attika im NO, der Argolis im SW und dem Isthmos von Korinthos im NW, der sich mit vielen Inseln (u. a. Aigina, Salamis, Kalaureia) zw. den Kaps Skyllaion (Argolis) und Sunion (Attika) zum → Myrtoon pelagos nach Osten öffnet.

PHILIPPSON/KIRSTEN 3, 42–65. A.KÜ.

Saros (Σάρος). Fluß in der Kilikia Pedias, h. Seyhan, der in der kappadokischen → Kataonia auf dem Tauros entspringt, durch Komana [1] fließt, Adana berührt und schließlich (mit einem h. toten Lauf) westl. von → Magarsa ins Meer mündet, weshalb er häufig mit dem → Pyramos verwechselt wurde. In frühbyz. Zeit war der S. noch bis Adana schiffbar (Prok. aed. 5,5,8f.; vgl. auch Xen. an. 1,4,1; Liv. 33,41,7; Strab. 12,2,3; Ptol. 5,8,4).

W. RUGE, RE 2 A, 34 · HILD/HELLENKEMPER, 28, 398f. F.H.

Sarpedon (Σαρπηδών).
[1] Sohn des → Zeus und der → Laodameia [1]. Zusammen mit seinem Vetter → Glaukos [4] befehligt S. im Troianischen Krieg die Lykier (→ Lykioi), die stärksten und am weitesten entfernt wohnenden Verbündeten der Troianer (Hom. Il. 2,876–877; der Name S. ist ebenfalls lykischen Ursprungs [1]). Der Zeussohn S. besiegt in einem Zweikampf den Zeusenkel Tlepolemos (ebd. 5,628–662) und ist an der Erstürmung der Schutzmauer um das Griechenlager entscheidend beteiligt (ebd. 12,290–471). Seine Anfeuerungsrede an Glaukos (ebd. 12,310–328) trägt dabei Züge eines ›frühgriech. Fürstenspiegels‹. Später erwägt Zeus, den vom Schicksal vorbestimmten Tod seines Sohns zu verhindern. Von Hera eines Besseren belehrt, schickt Zeus dem für S. fatalen Zweikampf mit → Patroklos [1] ein bedeutungsvolles Vorzeichen (Blutregen) voraus (ebd. 16,459). S.s Leiche wird von Hypnos (Schlaf) und Thanatos (Tod) nach Lykien entrückt und dort bestattet (ebd. 16,681–683; zu motivgesch. Parallelen und S.-Kulten in Lykien s. [2. 370–373]). Eine abweichende Genealogie findet sich erstmals bei Hes. fr. 140 M.-W., ist aber möglicherweise älter. Sie nennt als Mutter → Europe [2] und macht S. zu einem Bruder von → Minos und → Rhadamanthys, was S. auf Kreta lokalisiert. Die geogr. und chronologischen Probleme werden von den ant. Autoren auf verschiedene Weise »gelöst«: Herodot (1,173) zufolge stammen die Lykier ursprünglich aus Kreta, von wo S. als Folge eines Thronstreits mit Minos vertrieben worden sei (andere Quellen nennen S. als Gründer von Milet: Ephor. F 127.) Dieser S. ist nach Diodor (5,79,3) der Großvater des Troiakämpfers, während bei Apollodor (3,5) Zeus S. ein Leben über drei Generationen hinweg verleiht.

1 H. VON KAMPTZ, Homerische Personennamen, 1982, 312f. 2 R. JANKO, The Iliad: A Commentary, Bd. 4, 1992.

D. VON BOTHMER, s. v. S., LIMC 7.1, 696–700 · O. IMMISCH, s. v. S., ROSCHER, Bd. 4, 389–413 · P. WATHELET, Dictionnaire des Troyens de l'Iliade, 1988, 973–989. RE.N.

[2] (Σαρπηδών, Σαρπηδονία πέτρα bzw. ἄκρη). Vorgebirge an der Nordküste des Aigaion Pelagos (Ägäis), wo der → Hebros ins Meer mündet, h. Kap Gremea oder Paxi (Hdt. 7,58; Strab. 7a,1,58), desgleichen eine – nicht lokalisierbare – Stadt (schol. Apoll. Rhod. 26,10; 13f.; 27,6; Steph. Byz. s. v. Σ.). Nach Apollod. 2,105 ein thrakischer König, Eponym des Vorgebirges. I.v.B.
[3] (Σαρπηδών, Σαρπηδονία ἄκρα). Zungenförmiges Schwemmsand-Kap (Strab. 13,4,6; 14,3,10; 14,5,4; 6,3; Ptol. 5,7,3; Stadiasmus maris magni 177f.: ἄκρα Ἀμμώδης; im MA Lena de la Bagascia [1. 333]) zw. der Mündung des → Kalykadnos und Holmoi (h. Taşucu [1. 272]), h. İncekum Burnu. Im Friedensvertrag von Apameia [2] 188 v. Chr. Grenze zw. → Seleukiden und → Ptolemaiern (Pol. 21,43,14; Liv. 38,38,9). Das Orakel des Apollon Sarpedonios in einer Höhle an einem Felshang lag wohl nicht am Sand-Kap S., sondern am Felsufer westl. von Holmoi [1. 399].

1 HILD/HELLENKEMPER.

W. RUGE, s. v. S. (6), RE 2 A, 48. F.H.

Sarsina (Σάρσινα). Stadt in Umbria (Strab. 5,2,10; Mart. 9,58; Sil. 8,463; *Sarsinates*: Liv. per. 15; Plin. nat. 3,114; Pol. 2,24,7: Σαρσινάτοι), auch h. S. Umbrisches Zentrum E. des 4. Jh. v. Chr. mit hl. Bezirk aus dem 3. Jh. v. Chr. 266 v. Chr. von Rom unterworfen (Liv. l.c.). *Municipium, regio VI, tribus Pupinia*. Röm. Stadtanlage mit parallel verlaufenden Straßenzügen, öffentlichen Gebäuden am Forum und einer *domus*. Nekropolen bei Pian di Bezzo. Der röm. Komödiendichter → Plautus stammte aus S. (Plaut. Most. 770).

J. ORTALLI, Topografia di S. romana, 1988, 117–157. M.M.MO./Ü: H.D.

Sarte (Σάρτη). Die bei Hdt. 7,122 als südlichste der Städte an der Ostküste der chalkidischen Sithonia (→ Chalkidike) genannte Stadt dürfte im Gebiet des h. Sarti zu suchen sein. In den Athener Tributquotenlisten erscheint S. erst 434/3 v. Chr. (ATL 1,396f.) nach Abspaltung dieses Gebietes von → Torone, blieb im J. 432 bei Ausbruch des → Peloponnesischen Krieges auf der Seite Athens und ist 415/4 noch einmal als Mitglied des → Attisch-Delischen Seebundes bezeugt. Später in den Quellen nicht mehr erwähnt, dürfte S. wieder von Torone einverleibt worden sein.

M. ZAHRNT, Olynth und die Chalkidier, 1971, 221–223. M.Z.

Sarus. *Rex Gothorum*, 406–412 n. Chr. Besiegte in → Stilichos Auftrag 406 → Radagaisus (Oros. 7,37,12), dann erfolgloser Zug als *magister militum* (?) nach Gallien gegen → Constantinus [3] III. (Zos. 6,2,3–5), daraufhin abgesetzt. Er rivalisierte mit → Alaricus [2] um das Heermeisteramt (Soz. 9,9,3), verließ 412 It., wurde von Athaulf (→ Ataulfus) ermordet (Olympiodoros fr. 18 Blockley).

1 PLRE 2, 978 f. 2 F. Paschoud (ed.), Zosime, Histoire nouvelle, Bd. 3.1, 1986, 223 f., 237–239 (mit franz. Übers.).

WE. LÜ.

Sāsāniden. Im engeren Sinne Angehörige der iranischen Dyn. der Abkömmlinge des Sāsān, im weiteren die Bewohner des S.-Reiches bzw. deren polit. Elite (3.–7. Jh. n. Chr.).

I. Zeugnisse

Innerhalb der schriftlichen Überl. (Diskussion und Lit. in [25. 153–164, 283–287]; vgl. auch [1; 6; 27]) gebührt der Vorrang den zeitgenössischen indigenen Zeugnissen, v. a.: a) den z. T. mehrsprachigen Inschr. von Königen und Würdenträgern (des 3. Jh. n. Chr.) aus der → Persis, dem Stammland der S. [4; 9; 14; 15]; b) den mittelpersischen Inschr. auf Siegelsteinen und Bullen (Auswertung in [11]); c) den mittelpers. Pap. und Pergamenten aus Äg. (Zeit der sāsānid. Besetzung unter Ḫusrau II. (→ Chosroes [6]) [24]); d) den spätsāsānid. Ostraka aus Grabungen in Iran [24]; e) den mittelpers. Rechtsbüchern (Auswertung in [18]).

Den fremden (z. T. topischen und »ideologischen«) bzw. oppositionellen Blick auf die S. verdanken wir a) ant. Autoren des Westens; b) christl. Märtyrerakten, Chroniken und Kirchengesch.; c) manichäischer »kirchengesch.« Lit., etwa dem ›Kölner Mani-Codex‹ (CMC); d) armenischen Historikern (mit spezifischen Überl.-Problemen).

In spätsāsānid. oder gar erst in islamischer Zeit entstanden mittelpers. Texte, die sich entweder als kommentierende Lit. am Avesta orientieren oder mit ihrer epischen Form bzw. als Sängerpoesie in höfischen Zusammenhang gehören. Am Ende der Regierungszeit Ḫusraus II. (590–628 n. Chr.) lag eine »Iran. Nationalgesch.« in Form des *Ḫwadāy-nāmag* (›Herrenbuchs‹) vor, eine offizielle Gesch. Irans vom ersten Weltkönig Gayōmart bis zur Regentschaft Ḫusraus II. Dieses Werk, das nur in arabisch-neupers. Bearbeitungen vorliegt, war Instrument lit. Unterhaltung wie sozialer Erziehung [28]. Von der übrigen mittelpers. (nichtrel.) Lit. ist einiges in späterer Zeit übersetzt worden, das meiste jedoch verlorengegangen.

Der spätsāsānid. mittelpers. Trad. verdankt die persoarab. Historiographie ihre Kenntnisse des sāsānid. Iran, allerdings ist die Überl. z. T. der muslimischen Sicht von Heils-Gesch. angepaßt worden [23].

Unter den arch. Zeugnissen (Übersicht in [22]) ragen heraus: a) Die (z. T. durch Inschr. zugeordneten) Reliefs von S.-Königen (des 3./4. und 7. Jh. n. Chr.) und des Kirdīr; b) die Silbergefäße und -schalen mit Herrscherabbildungen; c) die Kolossalstatuen Šāpūrs I. (→ Sapor [1]) und Ḫusraus II.; d) die Stadtanlagen (etwa Ardašīr-ḫurra, Bīšāpūr, Ǧundīsābūr) und Paläste (etwa → Ktesiphon [2]), Sakralbauten (etwa das Feuerheiligtum vom Taḫt-e Sulaimān; → Šīz), Brücken und Dämme; e) die Erzeugnisse der Seiden- bzw. Textilmanufaktur, Goldschmuck, Kameen, Gläser und Beispiele sāsānid. Stuckdekors; f) die Siegelsteine und Bullen (s.o.).

Die Mz. [19] zeigen in der Regel im Av. jeweils den Herrscher (mit individueller Krone und Legende), im Rv. einen Feueraltar mit Assistenzfiguren. Gold- und Kupfer-Mz. waren nur selten in Umlauf; die meisten Stücke wurden aus (dünnem) Silber geprägt. Hauptnominale war die Drachme mit einem Gewicht von 4 g; unter Šāpūr (Sapor) II. (309–379) begann ihre Massenprägung (Söldneranwerbung?), seit Kavād I. (→ Cavades [1]; 499–531) wurden Jahresangaben kanonisch. Die Datier. der Emissionen der sāsānid. Gouverneure des ehemaligen Kūšān-Reiches (→ Kuschan(a); »kušāno-sāsānid. Mz.«) ist umstritten.

II. Politische Geschichte

Vgl. hierzu auch → Parther- und Perserkriege, [5; 7; 8; 10; 12; 13; 16; 17; 22; 27]. Wie für die → Parther, so sind wir auch für die S. nur sehr begrenzt über ihre außenpolit. Ziele und Unternehmungen unterrichtet, am ehesten noch über solche an der Westgrenze: In der Regierungszeit des Reichsgründers Ardašīr (→ Ardaschir [1]) (224–239/40?) gelangten – bis auf Armenien – alle Gebiete des ehemaligen Partherreiches in sāsānid. Hand, und schon unter ihm ist die offensive Politik gegenüber Rom erkennbar. Erfolgreicher als sein Vater war dabei allerdings Šāpūr (Sapor) I. (240–271/2), dessen Kriegszüge nicht nur Armenien betrafen, sondern sogar das röm. Reich in den Grundfesten erschütterten – immerhin drangen seine Heere vorübergehend bis nach → Antiocheia [1] und Kappadokien vor; mit → Valerianus fiel auch zum ersten Mal ein röm. Kaiser in Feindeshand. Trotz aller späteren Rückschläge (etwa gegen → Odaenathus[2] von Palmyra) reichte Šāpūrs Herschaftsgebiet immerhin noch vom Zweistromland im Westen bis Pēšawar im Osten. Thronstreitigkeiten und die ihrerseits agressive Ostpolitik des → Diocletianus bescherten den S. am E. des 3. Jh. für mehrere Jahrzehnte den Verlust von Gebieten östl. des Tigris und von Armenien; den »Schmachfrieden von Nisibis« (298) konnte erst Šāpūr (Sapor [2]) II. vergessen machen, als er nach langen Kämpfen nicht nur → Iulianus [11] Apostata vor Ktesiphon abzuwehren, sondern – mil. wie diplomatisch – Iulianus' Nachfolger → Iovianus große Teile der verlorengegangenen Gebiete wieder abzuringen vermochte (363). In Verbindung mit diesen Kriegen kam es im S.-Reich zu schweren Verfolgungen der Christen, die – christologisch nicht von den Glaubens-

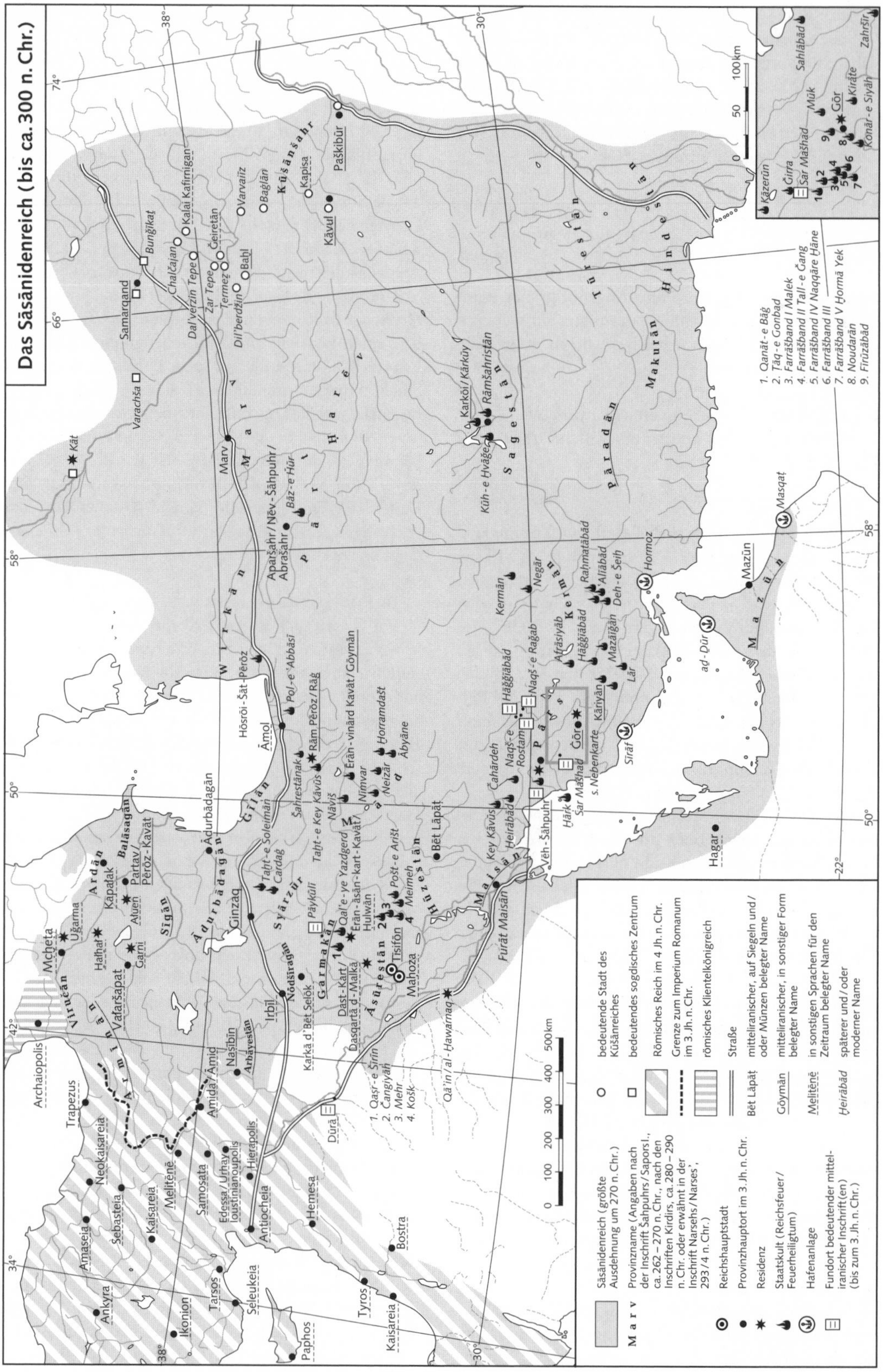
Das Sāsānidenreich (bis ca. 300 n. Chr.)
Sāsānidenreich (größte Ausdehnung um 270 n. Chr.)
M a r v Provinzname (Angaben nach der Inschrift Šahpuhrs/Sapors I., ca. 262–270 n. Chr., nach den Inschriften Kirdirs, ca. 280–290 n. Chr. oder erwähnt in der Inschrift Narsehs/Narses', 293/4 n. Chr.)
Reichshauptstadt
Provinzhauptort im 3. Jh. n. Chr.
Residenz
Staatskult (Reichsfeuer/Feuerheiligtum)
Hafenanlage
Fundort bedeutender mitteliranischer Inschrift(en) (bis zum 3. Jh. n. Chr.)
bedeutende Stadt des Kūšānreiches
bedeutendes sogdisches Zentrum
Römisches Reich im 4. Jh. n. Chr.
Grenze zum Imperium Romanum im 3. Jh. n. Chr.
römisches Klientelkönigreich
Straße
Bēt Lāpāt mitteliranischer, auf Siegeln und/oder Münzen belegter Name
Gōymān mitteliranischer, in sonstiger Form belegter Name
Melitēnē in sonstigen Sprachen für den Zeitraum belegter Name
Ḫeirābād späterer und/oder moderner Name
0 100 200 300 400 500 km
1. Qaṣr-e Šīrīn
2. Čangīyān
3. Mehr
4. Košk
1. Qanāt-e Bāġ
2. Tāq-e Gonbad
3. Farrāšband I Malek
4. Farrāšband II Tall-e Čang
5. Farrāšband IV Naqqāre Ḫāne
6. Farrāšband III
7. Farrāšband V Ḫormā Yek
8. Noudarān
9. Fīrūzābād
0 50 100 km

genossen im Westen geschieden – nach der »konstantinischen Wende« vom Kaiser in Rom als seine Schutzbefohlenen, von den sāsānid. Autoritäten dagegen als Parteigänger der Römer angesehen wurden. 387 wurde auch der östl. Teil Armeniens wieder sāsānidisch.

Mehr als die Römer, mit denen man 408/9 zu einer beide Seiten befriedigenden Regelung fand, machten in den nächsten 100 Jahren die → Hephthalitai oder »Weißen Hunnen« den S. zu schaffen, Völkerschaften, die aus der Dsungarei nach Mittelasien vorgestoßen waren und nun u. a. Sogdien, Baktrien, den Westen des Tarimbekkens und NW-Indien beherrschten. König → Pērōz [1] wurde von ihnen zweimal (465/484) so vernichtend geschlagen und in tributäre Abhängigkeit gezwungen, daß in der Folge von Hungerkatastrophen das sāsānid. Reich an den Rand auch des inneren Zusammenbruchs geriet: Es kam zu Volkserhebungen, die sich – beeinflußt von den ethisch-rel. begründeten Forderungen des → Mazdak nach gleichmäßiger Verteilung des Besitzes – v. a. gegen den grundbesitzenden Adel richteten, dem große Teile der nichtstädtischen Bevölkerung dienst- und abgabenpflichtig waren. Nach anfänglicher Unterstützung durch König Kavād I. (→ Cavades [1], 488–496 und 499–531) wurden die revolutionären Erhebungen dann jedoch durch eben jenen Herrscher und seinen Sohn Ḫusrau I. (→ Chosroes [5], 531–579) blutig niedergeschlagen. Beide nutzten die Schwächung des Adels zu grundlegenden sozialen, wirtschaftl. und mil. Reformen [2; 3; 21]: Der Grundbesitz wurde aufgezeichnet, eine feste Grundsteuer statt einer wechselnden Ertragssteuer eingeführt und nach einer Volkszählung die Kopfsteuer neu festgesetzt. Das Reich wurde in vier Heeresbezirke eingeteilt, bes. Verbände übernahmen Kontroll- und Grenzsicherungsaufgaben. Im Interesse des Königs war auch die Schaffung einer neuen Hof- und Amtselite, die ihre Privilegien allein königlicher Gunst, nicht mehr Namen und Abkunft verdankte, sowie die Förderung des niederen grundbesitzenden Adels.

Von der Basis innenpolit. Ruhe und Stabilität aus wurde Ḫusrau I. auch außenpolit. aktiv: Er brach 540 den mit dem oström. Kaiser → Iustinianus [1] geschlossenen »ewigen Frieden«; beim erneuten Abkommen mit Byzanz 562 wurde die schon 532 vereinbarte Tributzahlung noch einmal erhöht. Auch durch die Eroberung Südarabiens und die Vertreibung der mit Byzanz verbündeten Aksumiten (Äthiopier; → Axum) von dort schwächte er indirekt die Stellung des Gegners im Westen. Im Osten gelang es ihm um 560 sogar, das Hephthalitenreich mit Hilfe der Westtürken zu vernichten. Die Regierungszeit Ḫusraus (Chosroes) I. war auch kulturell der Höhepunkt der sāsānid. Reichsgesch.: Unter dem vielseitig interessierten Herrscher wurde Iran zur Drehscheibe ost-westl. Wissensaustauschs.

Doch schon unter Ḫusraus I. Sohn Hormizd IV. (→ Hormisdas [6], nach 579) kam es zu erneuten Auseinandersetzungen zwischen König und Aristokratie; schwere Kämpfe mit den Türken erschwerten die Lage zusätzlich. Das Blatt schien sich – innen- wie außenpolit. – erneut zu wenden, als Hormizds Sohn Ḫusrau II. (→ Chosroes [6]) mit oström. Hilfe den Aufstand des Thronprätendenten Vahrām Čōbīn niederschlagen und – im Kampf gegen Byzanz – bis nach Ägypten (619) und vor die Tore Konstantinopels (626) gelangen konnte; aus Jerusalem wurde im Jahre 614 das hl. Kreuz nach → Ktesiphon [2] weggeführt. Der Gegenschlag des oström. Kaisers → Herakleios [7] zwang die S. jedoch zur Aufgabe der eroberten Gebiete. Ḫusrau II. selbst wurde durch eine Adelsrevolte gestürzt und ermordet (628). Nach einer Phase der Anarchie mit häufig wechselnden Regentschaften wurde → Yazdgird III. durch die Adelspartei des Rustam auf den Thron gebracht; dieser letzte S.-König war allerdings nicht in der Lage, das durch Kriege und partikularistische Interessen geschwächte Reich gegen die aus Arabien eindringenden muslim. Heere zu behaupten: Nach Niederlagen bei al-Qādisīya (636) im Iraq und → Nihāwand in Medien (642) zog sich Yazdgird nach Ostiran zurück, wurde dort aber in Marv ermordet. Das S.-Reich wurde zum Bestandteil des Reiches der → Kalifen.

III. Königtum, Gesellschaft, Wirtschaft, Heerwesen und Kultur

A. Königtum B. Soziale Struktur
C. Administration und Wirtschaft
D. Heerwesen E. Religiöse Verhältnisse
F. Kunst und Kultur

A. Königtum

Das sāsānid. Königtum [1; Könige und Untertanen: 25. 165–182, 287–291] war von Anfang an auf Iran bezogen: Als »König der Könige von Iran« setzte sich Ardašīr über alle anderen Dynasten von *Ērānšahr*, sein Sohn Šāpūr (Sapor [1]) bezog sogar die neueroberten Gebiete (*Anērān* = »Nichtiran«) und ihre Fürsten mit ein (u. a. [15. ŠKZ 1/1/1]). Auch die S. stellten sich als Könige mit göttlichen Qualitäten (mittelpers. *bayān*) und als Abkömmlinge und Werkzeuge der Götter (*yazdān*) vor (u. a. [15. ŠKZ 1/1/1]; [26]); aus Dankbarkeit für deren Gunstbezeugung übernahmen sie die Pflege des zoroastrischen Kultes (→ Zoroastrismus), erwiesen den Priestern Wohltaten und stifteten Feuer (vgl. [15. ŠKZ 22/17/38]). Feuer wurden auch als »Königsfeuer« und für das Seelenheil lebender wie verstorbener Mitglieder des Königshauses eingerichtet [15. ŠKZ 22 ff./17 ff./39 ff.]. Ihre Legitimität bezogen die → Herrscher neben ihrer Herkunft aus dem schon von den → Achaimenidai und → Parthern bekannten »Königscharisma« (mittelpers. *ḫwarrah*), durch ihren persönlichen Einsatz im Krieg und bei der Jagd, die Dyn. insgesamt durch Rückbezug auf die früheren Clanoberhäupter und die den S. namentlich unbekannten histor. Könige Irans (oder myth. Urkönige?), die sie als ihre »Vorfahren« (griech. *páppoi*) bzw. »Urahnen« (griech. *prógonoi*) bezeichneten [15. ŠKZ 21/16/35]. In der durch sie maßgeblich bestimmten »Iranischen National-Gesch.« (s.o. I.) wurden die sāsānid. Könige zu den iran. Herrschern *par excellence*.

B. Soziale Struktur

Die S. kannten (wie die Parther) zumindest in der Frühzeit einen aristokratischen »Rat des Königs«, der sich aus den Häuptern der alten parth. und neuen pers. Clans zusammensetzte und die Thronfolgeregelung zu bestätigen hatte ([4. NPi33/29f., 36f./33f., 37f./34]); auch eine bes. Verehrung des Reichsgründers ist zu beobachten [4. NPi 31f./28f.]. Die Königsinschr. der Frühzeit unterscheiden vier »Gruppen« von Aristokraten: [4. NPi 2f./2f.]). Der Rang eines parth. oder pers. Adligen war lange von der Gunst des Königs unabhängig, verdankte sich, samt den äußeren Zeichen seiner Würde, v.a. dem Namen und der Abkunft und war damit Zeichen seiner polit. wie wirtschaftl. Sonderstellung (vgl. Amm. 18,5,6; [4. KKZ 4/KNRm 9f./KSM 5]; Prok. BP 1,6,13; 13,16). In der Spätzeit, nach den Reformen Ḫusraus (Chosroes') I., bestimmte eine neue Ordnung für Hof, Adel und Heer (zumindest für kurze Zeit) die Stellung des Herrschers gegenüber der Aristokratie grundlegend neu (Dienstadel, erweiterte Herrschertitulatur, elaboriertes Hofzeremoniell; vgl. Theophylaktos Simokattos 1,9; 3,8; Prok. BP 1,17,26–28; Ṭabarī 1,990,16f. de Goeje; Dīnawarī 85,6f. Guirg.). Bereits in den iran. Zeugnissen des 3. Jh. wird auch den weiblichen Angehörigen des Königshauses ein bes. Maß an Achtung und Aufmerksamkeit zuteil (etwa [15. ŠKZ 23/18/39, 25/20/46f., 29/23/56]).

Rel. Würdenträger (*mōbadān*, *hērbedān*) waren Experten in Glaubens- und Trad.-Fragen, aber auch in Verwaltungs- und Rechtsangelegenheiten. Eine regelrechte Amtshierarchie wurde bei ihnen – nach dem Vorbild der monarchischen Gewalt – erst ab dem 4. Jh. ausgebildet. Zu den »Mittelschichten« im Reich sind die niederen staatlichen Funktionäre auf lokaler Ebene ebenso zu zählen wie die Handwerker (z. T. christl. Deportierte aus Syrien) und Händler in den Städten, dazu Spezialisten wie Heilkundige, Astronomen, »Wissenschaftler« und »Sänger« sowie das spezialisierte Dienstpersonal am Königshof und auf den Gütern des Adels. Die Masse der Bewohner Irans stellte die bäuerliche Bevölkerung, wobei die jahrhundertelang (vom Adel) abhängigen »Hintersassen« durch die Reformen Ḫusraus zu freien Bearbeitern der eigenen Scholle aufstiegen. Obgleich rechtlich als »Sache« definiert, wurden Sklaven im S.-Reich doch auch als menschliche Personen angesehen, was sie vor allzu grausamer Behandlung schützte.

Aus den spätsāsānid. Rechtsbüchern [18] (wohl 6. Jh. n. Chr.) erfahren wir auch einiges über »Haushalt und Familie« in jener Zeit: Dabei waren die Angehörigen des Hauses durch eine Fülle von Bestimmungen und Verpflichtungen miteinander verbunden, deren Kontrolle zumeist dem *kadag-ḫwadāy* (»Herrn des Hauses«) oblag. Detaillierte Bestimmungen kennzeichnen auch das Ehe-, Erb- und das Sachen- und Obligationenrecht.

C. Administration und Wirtschaft

Epigraphisch ist eine Fülle von Würdenträgern und Funktionären belegt [10; 25. 183ff., 291ff.]; → Satrap. Auch der Königshof kannte zu allen Zeiten zahlreiche Amtspersonen, Titel- und Würdenträger. In der sāsānid. Frühzeit unterstanden Teile des Landes der unmittelbaren Königsgewalt; bei anderen, die sich im Besitz der Aristokratie befanden, konnte sich königl. Kontrolle nur mittelbar auswirken. Die Schwächung des Adels in den Volkserhebungen des ausgehenden 5. Jh. ermöglichte den Königen die Umwandlung von Adels- in Königsland. Die fiskalischen Reformen Ḫusraus (Chosroes) I. führten dabei, allerdings nur vorübergehend, zu einer zusätzlichen Stärkung der Königsgewalt sowie einer Entspannung auch an der »Haushaltsfront« und eröffneten dem König so neue innen- und außenpolit. Handlungsspielräume [2. 12ff.; 21; 25. 189–191, 292f.]. Die S. pflegten Handelskontakte mit Rom/Byzanz, Indien und China (z. T. in Konkurrenz zu Byzanz).

D. Heerwesen

In Ausrüstung und Taktik ihrer Truppen (Zusammenspiel von schwergepanzerter und Bogenschützenreiterei) orientierten sich die S. lange Zeit am parth. Vorbild (Amm. 23,6,83; 24,6,8; Prok. BP 1,14,24; 44.52; Ṭabarī 1,964,9f. de Goeje; Dīnawarī 74,15f. Guirg.); Experten wurden sie aber auch – hier das röm. Beispiel imitierend – auf dem Gebiet der → Poliorketik (Amm. 19,5f; 20,6f; 11). Die Panzerreiter fanden schließlich ihren Meister in den leichtbewaffneten und beweglichen Reitern der muslim. Heere [25. 194–197, 293f.].

E. Religiöse Verhältnisse

Unter den rel. Gemeinschaften (zu Rel. und Rel.-Politik: [25.199–216, 294–298]) ragen die Zoroastrier (schriftl. Niederlegung des Avesta in mittelsāsānid. Zeit; → Zoroastrismus), aber auch Christen, Juden, Manichäer (→ Mani) und Mazdakiten (→ Mazdak) heraus (→ Religion V.). Nach dem Ende der polit. bestimmten Christenverfolgungen und im Zuge der christologischen Streitigkeiten im Imperium Romanum wurde das S.-Reich ab dem 5. Jh. zum Zufluchtsort für Christen aus dem röm. Osten (→ Monophysitismus; → Nestorios, Nestorianismus); Christen standen im Dienst der Könige, ihre Bildungsstätten (→ Nisibis, → Gundeschapur) wurden von den Herrschern gefördert, die nestorianische Mission nach Osten ging von Iran aus. Die Juden mit ihren alten Zentren in Mesopotamien blieben – von wenigen Gelegenheiten abgesehen – als loyale Untertanen der Könige von Verfolgungen unbehelligt; in den großen rabbinischen Schulen des Zweistromlandes vollzog sich der Prozeß der Kommentierung und Interpretation der Mischna (→ Rabbinische Literatur), die schließlich E. des 6./Anf. des 7. Jh. in die Edition des Babylonischen → Talmuds mündete [20]. Die Manichäer (von den Zoroastriern als Häretiker angesehen) wichen nach dem Tode ihres »Propheten« im sāsānid. Gefängnis (277 n. Chr.) in die röm. Ostgebiete, nach Arabien und v. a. weit nach Osten aus, die Mazdakiten wurden wegen ihres Angriffs auf die zoroastrische Sozial- und Sittenlehre verfolgt. Beim Umgang mit den Minderheiten handelten staatliche und rel. Autoritäten nicht immer im Einklang miteinander, das Bild eines

Bündnisses von »Thron und Altar« ist ein Konstrukt aus viel späterer (islam.?) Zeit; eine zoroastr. »Staatskirche« hat es nie gegeben.

F. Kunst und Kultur

Sāsānid. Baumeister gaben mit Kuppel- und Iwanarchitektur (→ Liwan) sowie der Dekorornamentik wichtige Anstöße in den byz., armen. und islam. Orient hinein; die iran. Toreutik und Textilkunst strahlte bis nach China und Westeuropa hin aus. Durch sāsānid. Vermittlung gelangten Werke der Lit. (z. B. medizinische, astronomische und den Landbau betreffende Texte) vom Westen in den Osten und umgekehrt (z. B. das indische Fabelwerk *Pañcatantra*); griech.-röm. Wissen in den Bereichen Philosophie, Medizin, Recht, Geographie und Landbau wurde an den Hochschulen im Lande vermittelt und später dort und anderswo von den Muslimen begierig aufgenommen (zur sāsānid. Kultur: [25. 216–221, 298–300]).

1 M. Abkai-Khavari, Das Bild des Königs in der S.-Zeit, 2000 **2** F. Altheim, R. Stiehl, Ein asiatischer Staat, 1954 **3** Dies., Finanzgesch. der Spätant., 1957 **4** M. Back, Die sāsānid. Staatsinschr., 1978 **5** R. C. Blockley, East Roman Foreign Policy, 1992 **6** C. G. Cereti, Primary Sources for the History of Inner and Outer Iran in the Sasanian Period, in: Archivum Eurasiae Medii Aevi 9, 1997, 17–71 **7** M. H. Dodgeon, S. N. C. Lieu (Hrsg.), The Roman Eastern Frontier and the Persian Wars, AD 226–363, 1991 **8** R. N. Frye, The History of Ancient Iran, 1984 **9** Ph. Gignoux, Les quatre inscriptions du mage Kirdīr, 1991 **10** G. Greatrex, Rome and Persia at War, 502–532, 1998 **11** R. Gyselen, La géographie administrative de l'empire Sassanide, 1989 **12** J. Howard-Johnston, The Two Great Powers in Late Antiquity: A Comparison, in: A. Cameron (Hrsg.), The Byzantine and Early Islamic Near East, Bd. 3, 1995, 157–226 **13** J. Howard-Johnston, Heraclius' Persian Campaigns and the Revival of the East Roman Empire, 622–630, in: War in History 6, 1999, 1–44 **14** H. Humbach, P. O. Skjærvō, The Sassanian Inscription of Paikuli, 3 Bd., 1978–1983 **15** Ph. Huyse, Die dreisprachige Inschr. Šābuhrs I. an der Kaba-i Zardušt (ŠKZ), 2 Bde., 1999 **16** E. Kettenhofen, Tirdād und die Inschr. von Paikuli, 1995 **17** A. D. Lee, Information and Frontiers, 1993 **18** M. Macuch, Rechtskasuistik und Gerichtspraxis zu Beginn des siebenten Jh. in Iran, 1993 **19** H. D. Malek, A Survey of Research on Sasanian Numismatics, in: Numismatic Chronicle 153, 1993, 227–269 **20** J. Neusner, Israel's Politics in Sasanian Iran, 1986 **21** Z. Rubin, The Reforms of Khusrō Anshirwān, in: s. [12], 227–296 **22** K. Schippmann, Grundzüge der Gesch. des sāsānid. Reiches, 1990 **23** M. Springberg-Hinsen, Die Zeit vor dem Islam in arab. Universalgesch. des 9. bis 12. Jh., 1989 **24** D. Weber, Ostraca, Papyri und Pergamente (Corpus inscriptionum Iranicarum 3,4/5), 1992 **25** J. Wiesehöfer, Ancient Persia, 1996 **26** Ders., Die Göttlichkeit der S.-könige: Hell. Erbe?, in: Ders. (Hrsg.), Ērān und Anērān (im Druck) **27** Ders., The Sasanians, in: A. Kuhrt (Hrsg.), History of the Ancient Near East (im Druck) **28** E. Yarshater, Iranian National History, in: I. Gershevitch (Hrsg.), The Cambridge History of Iran, Bd. 3/1, 1983, 359–477.

Karten-Lit.: E. Kettenhofen, Das Sāsānidenreich (TAVO B VI 3), 1993.

J. W.

Saserna. Die beiden *Sasernae*, die wohl der *gens Hostilia* angehörten und bei Columella als *pater et filius* bezeichnet werden (Colum. 1,1,12), waren Verfasser einer lat. Schrift über die Landwirtschaft, die zw. 146 und 57 v. Chr. veröffentlicht wurde; sie galten als die ältesten lat. Agrarschriftsteller nach Cato [1] (Colum. 1,1,12; Plin. nat. 17,199). Columella und Plinius [1] haben das Werk hochgeschätzt (Colum. 1 praef. 32; 1,1,4: *non spernendus auctor rei rusticae Saserna*; 1,1,12; Plin. nat. 17,199: *peritissimi*). Durch Erwähnungen bei Varro, Columella und Plinius ist es möglich, einzelne Themen der verlorenen Schrift ansatzweise zu erfassen: Neben der eigentlichen Landwirtschaft wurde auch die Nutzung von Rohstoffvorkommen (Ton) auf dem Land behandelt (Varro rust. 1,2,22–28); daneben sind Ausführungen über die Pflichten des Gutsverwalters (→ *vilicus*) und über die Verpachtung bezeugt (Varro rust. 1,16,5; Colum. 1,7,4); auch der Weinbau gehörte zu den Themen (Colum. 3,12,5; 3,17,4; 4,11,1). Die beiden S. haben als erste versucht, die für eine bestimmte Fläche erforderliche Zahl an Arbeitskräften und Arbeitstieren formelhaft zu erfassen (ein Mensch für acht *iugera*: Varro rust. 1,18,2; zwei Ochsengespanne für 200 *iugera*: Varro rust. 1,19,1; vgl. Colum. 2,12,7); Varro bemerkt kritisch, daß die S. dabei die regionalen Unterschiede zu wenig berücksichtigt hätten (Varro rust. 1,18,6). In bemerkenswerter Weise nahmen die S. einen grundlegenden Klimawandel im Mittelmeerraum an (Colum. 1,1,4).

→ Agrarschriftsteller; Landwirtschaft

Fr.: F. Speranza (ed.), Scriptorum Romanorum de re rustica reliquiae, 1974, 33–45.

Lit.: **1** N. Bortuzzo, Osservazioni su alcuni frammenti del trattato agronomico di S. pater et filius, in: RIL 128, 1994, 187–214 **2** J. Kolendo, Le traité d'agronomie des S., 1973 **3** R. Martin, Recherches sur les agronomes latins, 1971, 81–85 **4** F. Münzer, s. v. Hostilius (22 ff.), RE 8, 2512–2513 **5** E. Rawson, Intellectual Life in the Late Roman Republic, 1985, 136 **6** K. D. White, Roman Agricultural Writers I: Varro and his Predecessors, in: ANRW I.4, 1973, 439–497, hier 459–460 **7** White, Farming, 20–21.

K. RU.

Saspeires (Σάσπειρες: Hdt. 1,104; 110; 3,94; 4,37; 40; 7,79; Σάπειρες/*Sápeires*: Apoll. Rhod. 2,395; Ἑσπερῖται/*Hesperítai*: Xen. an. 7,8,25; Strab. 14,1,39; lat. *Sapires*: Amm. 22,8,21). Ostkartvelischer Stamm, nach Hdt. zw. Kolchern und Medern und (3,18) mit Matienern und Alarodiern zur 18. Satrapie gehörig; wohl seit dem 3. Jh. v. Chr. belegt; am Oberlauf des → Akampsis/Çoruh mit der Stadt Sper, h. İspir/NO-Türkei zu identifizieren. Die polit. Zugehörigkeit der Region wechselte in der Ant. zw. → Iberia [1] und → Armenia [2. 321[76]].

1 O. Lordkipanidze, Das alte Georgien in Strabons Geographie, 1996, 75 **2** C. Toumanoff, Stud. in Christian Caucasian History, 1963.

A. P.-L.

Sasura. Ortschaft der Africa Proconsularis, seit Diocletianus in der Prov. Byzacena (→ Diocletianus, mit Karte), etwa 18 km nördl. von → Thysdrus, h. Henchir el-Ksour (Bell. Afr. 75,3; 76,1: *oppidum Sarsura*; Ptol. 4,3,36: Σασοῦρα; Tab. Peut. 6,3: *Sassura vicus*). → Caesar griff dort 46 v. Chr. die Pompeianer unter Caecilius [I 32] und Iuba [1] an und eroberte S.

AATun 050, Bl. 73, Nr. 12 • J.-B. Chabot (ed.), Receuil des inscriptions libyques, 1940/1, Nr. 43–45. W. HU.

Sasychis (Σάσυχις). Nach Diod. 1,94,3 einer der großen Gesetzgeber Äg.s. Der Name ist verschiedentlich mit äg. Eigennamen verbunden worden. Am ehesten dürfte es sich um eine Variante zu Asychis handeln, der Hdt. 2,136 als Nachfolger des → Mykerinos bezeugt ist und in der Namensform äg. *ʿš-iḫ.t* entspricht. Deutungen auf Scheschonk (→ Sesonchosis) sind lautlich problematisch.

1 A. Burton, Diodorus Siculus, Book I. A Commentary, 1972, 273 2 A. B. Lloyd, Herodotus Book II. Commentary 99–182, 1988, 88–90. JO. QU.

Satala (τὰ oder ἡ Σάταλα; Cass. Dio 68,19,2; Prok. BP 1,15,9f.). Wichtiger kaiserzeitlicher Verkehrsknotenpunkt in Kleinarmenien und daher langjährige röm. Garnisonsstadt, in christl. Zeit Bischofssitz (Reste beim h. Sadağ). Fundort eines Frg. (Gesicht) einer Anahita-Artemis-Plastik.

B. N. Arakeljan, Ocerki po istorii iskusstva drevnej Armenii (VI v. do n.E. – III v. n.E.), 1976. B. B. u. E. O.

Satan (von hebr. *satan*, »anfeinden«, »feindlich gesinnt sein«; vgl. auch *sitna*, »Anfeindung«) bezeichnet in der Grundbed. den »Widersacher«, »Feind«, »polit. Gegner« und Personen, die durch ihr feindliches Verhalten ein Vorhaben verhindern wollen. Von der Nebenform *satam* stammt das Nomen *mastema*, »Anfeindung« (Hos 9,7f.), woher der Name Mastema der myth. S.-Gestalt des Jubiläenbuches rührt. Eine eigentliche S.-Gestalt ist erst seit ca. 520 v. Chr. bezeugt. Sie gehört zur himmlischen Ratsversammlung, ist dem Willen Gottes untergeordnet und wird als »Widersacher« bezeichnet (Hiob 1,6; Sach 3,1). Er klagt die Frommen vor Gott an und erbittet Gewalt über sie. Wird ihm von Gott ein Mensch ausgeliefert, dann schlägt er diesen mit Unheil. Erst mit 1 Chr 21,1 wird S. zu einem Eigennamen, der die den Menschen versuchende myth. Gestalt bezeichnet. Sie übernimmt eine Funktion Gottes, der fern von allem Bösen bleiben soll (vgl. 1 Chr 21,1 mit 2 Sam 24,1). Nachbiblische Auslegungen zur Opferung Isaaks (Gn 22,1–19) bestätigen diesen Trend, indem auf Anklage Mastemas oder S.s hin die Versuchung Abrahams eingeleitet wird (Jubiläen 17, 4Q Pesharim zu Jubiläen).

In den Jubiläen und den Testamenten der zwölf Patriarchen (→ Testamentenliteratur) verschärft sich dieser Dualismus zw. Gott und S. In Anlehnung an Gn 6,1–4 werden die ungehorsamen Engel zu S.-Geistern, welche den Bund zw. Gott und Mensch stören. Später wird S. selbst zum gefallenen Engel (Vita Adae 12–16). Das NT (σατανᾶς/*satanás*, διάβολος/*diábolos*, βελιάρ/*beliár*, βεελζεβούλ/*beelzebúl*; lat. *Beelzebub*) kombiniert solche Motive. S. ist hier Ankläger, Versucher (Mt 4,1–11 par. u. a.), Feind, Sünder, Lügner und Mörder (Jo 8,44). Der Antichrist, die Nichtchristen und Häretiker sind seine Diener. Nach Lk 10,18 sieht Jesus den S. aus dem Himmel stürzen (→ Lucifer [1]). Der himmlischen Entmachtung S.s steht jedoch entgegen, daß seine Herrschaft über den Kosmos ungebrochen ist (S. als »Fürst dieser Welt«, vgl. Jo 12,31; 14,30; 16,11). Die nt. Ausgestaltung S.s (bes. in Apk 2f. und 12,9) ist die Grundlage der spätant. und ma. Sagenbildungen um diese Gestalt.

→ Teufel

L. I. Rabinowitz, s. v. S., Encyclopaedia Judaica 14, 1971, 902–905 • G. von Rad, W. Foerster, s. v. διαβάλλω, διάβολος, ThWB 2, 1935, 69–80. LUK. KU.

Sataspes (Σατάσπης). Nach Hdt. 4,43 mütterlicherseits Neffe → Dareios' [1] I., der wegen der Vergewaltigung der Tochter des → Zopyros gepfählt werden sollte. Auf Fürsprache seiner Mutter freigekommen, wurde ihm zur Sühne die Umschiffung Libyens (Afrikas) aufgetragen. Er fuhr von Ägypten aus durch die »Säulen des Herakles« (d. h. die Meerenge von Gibraltar), kehrte aber zurück, ohne seine Aufgabe erfüllt zu haben; daraufhin ließ → Xerxes I. die urspr. verhängte Strafe an ihm vollstrecken.

F. Colin, Le récit de Sataspès s'inspire-t-il de sources égyptiennes?, in: ZPE 82, 1990, 287–296. J. W.

Satemsprache. Mit dem Merkwort *Satem* (avest. *satəm*, »hundert«) charakterisiert man in der → Lautlehre die idg. Sprachen, die – anders als → Kentumsprachen – die uridg. Phonemreihe $\hat{k}$, $\hat{g}$, $\hat{g}^h$ als eigenständige Reihe bewahren. Eine Entwicklung palataler Tektale (→ Gutturale) zu Affrikaten (z. B. *č*, *ĉ*) bzw. zu Zischlauten ist lautgesch. trivial. Der Weg von uridg. *$\hat{k}$m̥tó- zu avest. *satəm*, altind. *śatám*, litauisch *šim̃tas* oder aksl. *sъto* muß nicht allseitig gemeinsam beschritten worden sein. Zur Scheidung bzw. Gruppenbildung der S.n (→ Albanisch, → Armenisch, → Indoarische Sprachen, → Iranische Sprachen, → Baltische Sprachen, → Slavische Sprachen) untereinander dienen anderweitige Kriterien. Im Indoiranischen und Baltoslavischen herrschen weitgehend klare Verhältnisse bei den Fortsetzern der uridg. Reihe $\hat{k}$, $\hat{g}$, $\hat{g}^h$, z. B. als altind. *ś*, *j*, *h*; avest. *s*, *z*, *z*; litau. *š*, *ž*, *ž*. Dagegen verwehren für das Alban. und Armen. viele kombinatorische Lautwandel (→ Lautlehre) und die geringe Zahl etablierter Gleichungen eine unkomplizierte Darstellung. Die Entlabialisierung und eventuelle Affrizierung der uridg. → Labiovelare k^w, g^w, g^{wh} zu *k*, *g*, g^h (uridg. * -k^we > altind. *-ca* ~ lat. *-que*) oder gar positionell bedingte Veränderung des uridg. *s* in S.n sollte nicht mit der »Satemisierung« gleichgestellt werden.

→ Gutturale; Indogermanische Sprachen (mit Karte); Lautlehre

BRUGMANN/DELBRÜCK 1.1, 556–569 • W. COWGILL, M. MAYRHOFER, Idg. Gramm. 1.1/2, 1986, 102–109.

D.ST.

Satibarzanes (Σατιβαρζάνης).
[1] »Eunuch«/Kämmerer in der Umgebung → Artaxerxes' [1] I. (Plut. Artaxerxes 12,4. Plut. mor. 173e; Ktes. FGrH 688 F 30).
[2] Persischer Satrap von → Areia [1], kämpfte in der Schlacht von → Gaugamela auf dem linken Flügel (Arr. an. 3,8,4), Gefolgsmann des → Bessos und einer der Mörder → Dareios' [3] III. (Arr. an. 3,21,9f.). Er unterwarf sich 330 → Alexandros [4] d.Gr. (Arr. an. 3,25,1f.; Curt. 6,6,13), rebellierte aber bei dessen Weitermarsch (Arr. an. 3,25,5ff.; 28,2; Diod. 17,78,1ff.; 81,3; Curt. 6,6,20ff.; 7,3,2) und fiel 329 im Zweikampf gegen → Erigyios (Arr. an. 3,28,3; Diod. 17,83,4ff.; Curt. 7, 4,33ff.).

BERVE 2, Nr. 697 (zu [2]) • BRIANT, s.v. (zu [1–2]). J.W.

Saticula. Befestigte Stadt in Samnium (→ Samnites), wohl beim h. Sant'Agata dei Goti am rechten Ufer des Isclero, eines linken Nebenflusses des → Volturnus. Im 2. Samnitenkrieg hart umkämpft, wurde S. 315 v. Chr. von den Römern erobert (Liv. 9,21f.; Diod. 19,72,4: Σατικόλα) und 313 durch die Anlage einer Kolonie gesichert (Liv. 27,10; Vell. 1,14,4; Plin. nat. 3,107; Fest. 340). 2 km von Sant'Agata dei Goti entfernt wurde eine Nekropole mit zahlreichen rotfigurigen Vasen ergraben, teils Importe aus Attika (1. H. 4. Jh. v. Chr.), teils wohl aus griech. Werkstätten in Campania oder aus lokaler Produktion (2. H. 4. Jh. v. Chr.).

M. NAPOLI, s.v. S., EAA 7, 1966, 66f. • L. RICHARDSON, s.v. S., PE, 810 • E. DE JULIIS, Magna Grecia, L'Italia meridionale dalle origini leggendarie alla conquista romana, 1996, 371. M.G./Ü. J.W.MA.

Saties. Bedeutende etr. *gens*, bekannt aus der Tomba François in → Volci/Vulci, 4./3. Jh. v. Chr. Dort sind mehrere Familienmitglieder inschr. genannt, der Grabstifter Vel S. ist in reichem Ornat bildlich dargestellt. Wohl derselben *gens* zugehörig ist ein Avele Sataiies als Weihender einer attischen Vase unbekannter Provenienz in Heidelberg (E. 6. Jh. v. Chr.) sowie ein Fasti S. als Titular einer hell. Urne aus Clusium/Chiusi.

F. BURANELLI (Hrsg.), La Tomba François di Vulci, 1987, 147–161. F.PR.

Satire I. BEGRIFF II. WORTGESCHICHTE III. ENTWICKLUNG DER GATTUNG IV. MERKMALE V. REZEPTION

I. BEGRIFF

Als mod. Begriff bezeichnet S. eine geistreiche und kritische Haltung, die in jeder Art von Lit. oder Kunst gefunden werden kann: ›die scherzhafte kritische Verzerrung des Vertrauten‹. In der Ant. bezeichnete der Begriff die röm. Lit.-Gattung der *satura*, wie sie bei Quintilian erörtert (inst. 10,1,93) und durch die Werke von Horaz, Persius und Iuvenal bekannt ist. Diese Gattung ist von anderen ant. Werken, die satirische Passagen beinhalten, zu unterscheiden, etwa von Aristophanes [3], Herodas, Plautus, Lukrez sowie von Horaz' ›Epoden‹ und Senecas Briefen. Quintilians Behauptung ›Die Satire ist vollständig unser (röm.) Eigentum‹ (*satura quidem tota nostra est*) beansprucht röm. Überlegenheit und – vielleicht – röm. Urheberschaft für die Gattung. Zu keiner röm. Vers-S. ist ein griech. Original überl. Die röm. S. hat zweifellos einige Affinität zur griech. Iambik (→ Iambographen) etwa des Archilochos, Hipponax und Kallimachos [3], und sie teilt Weltanschauung und Material mit dem röm. → Epigramm etwa des Catull und Martial, aber sie unterscheidet sich von diesen – nach einer frühen Zeitspanne des metrischen Experimentierens – durch den ausschließlichen Gebrauch des Hexameters (zur röm. Prosa-S., repräsentiert durch die verlorenen S. des Varro und die *Apocolocyntosis* des Seneca [2] sowie inspiriert durch die griech. Diatriben des Bion, vgl. → Prosimetrum).

II. WORTGESCHICHTE

Die Bed. des Begriffs *satura* war in der Ant. unbekannt. Diomedes [4], der Varro folgt, bietet vier Erklärungen an (GL 1,485); am überzeugendsten sind diejenigen, welche die Gattung mit der → *lanx satura*, der »gemischten Platte«, die den Göttern im Kult geboten wurde, und mit einer aus vielen Zutaten zubereiteten »Wurst« in Verbindung sehen: Beide betonen Fülle und Vielfalt und knüpfen an das prominente Thema »Essen« in der röm. S. an. Die Ableitung der *satura* von → Satyrn wird h. abgelehnt, obwohl ihr Fortdauern seit der Ant. deutlich macht, daß sie ein wichtiges Gattungsmerkmal ausdrückt, nämlich eine größere Offenheit gegenüber den körperlichen und sinnlichen Seiten des Lebens als in den meisten Formen der ant. Lit. Die Verbindung mit dem griech. → Satyrspiel paßt zur der dramatischen *satura*, einer musikalischen Bühnen-Show ohne organisierten Plot, die Livius in seiner Darstellung der Entwicklung des röm. Dramas erwähnt (7,2,4–10). Wie unzuverlässig diese Information auch sein mag, sie zeigt den performativen Aspekt der röm. S. auf und könnte die Verbindungen erklären, welche die röm. Satiriker zw. der S. und der Alten griech. → Komödie zeichneten (Hor. sat. 1,4,1–5; 1,10,16; Pers. 1,123f. mit Diomedes GL 1,485 [1]).

III. ENTWICKLUNG DER GATTUNG

→ Ennius [1] schrieb vier B. von *Saturae* in einer Vielfalt von Metren. Die 31 Verse, die erh. sind, bezeugen die Vielseitigkeit der behandelten Gegenstände: Kritik, Fabel, Autobiographie, Personifikationen und Wortspiele. → Lucilius [I 6] wird von späteren Satirikern als »Erfinder« der Gattung auserkoren (Hor. sat. 1,10,48). In seinen 30 S.-Büchern gebrauchte er anfänglich verschiedene Metren (iambo-trochäische Metren des Dramas und elegische Distichen), legte sich aber bald auf den Hexameter fest, das Metrum der Epik (→ Metrik) – eine Entscheidung, die eine andauernde Beschäftigung der S. mit dem Epos unausweichlich machte. Diese neuartige Kombination von gehobener Form mit alltäglichem Inhalt und kritischem Ton war vielleicht von den Experimenten der alexandrinischen Dichtung mit traditionellen Formen und Material beeinflußt [2]. Von den 1300 erh. Fr. aus ist es möglich, einen flüchtigen Blick auf die Hauptmerkmale der neuen Gattung zu werfen: Gebrauch von Monolog, Dialog und Briefform; scharfer Tadel an den Lastern der sozial Hoch- und Niedriggestellten; Kritik an Hauptzügen des röm. Lebens einschließlich der Feste; Fragen der Moral, Philos., Rel. und Lit.; autobiographische Darstellung kombiniert mit der Annahme einer Vielfalt von *personae* (Sprecherrollen); im allg. informelle, alltägliche Diktion (*gracilis* gemäß Varro, zit. bei Gell. 6,14,6), zu der Wiederholungen, Obszönitäten und griech. Wörter gehören, aber auch gelegentliche Parodie des Epos. Mit Lucilius wurde die Gattung zum starken und wandlungsfähigen Ausdrucksmittel der röm. Ideologie – aus der Perspektive eines Mitglieds der Elite: Lucilius, ein Freund des Cornelius [I 70] Scipio Aemilianus, machte die S. zu einem hochpolit. lit. Genre.

IV. Merkmale

Die Kontinuität der Gattung in den Werken des Horaz, Persius und Iuvenal ist deutlich. Horaz' (→ Horatius [3]) satirisches Werk umfaßt 2 B. S. und – dafür spricht manches – auch seine Briefe sowie die sog. *Ars Poetica* (die er selbst zusammenfassend als *Bioneis sermonibus et sale nigro* bezeichnet, epist. 2,2,60); → Persius [2] schrieb ein unvollendetes aber hochberühmtes S.-Buch mit einem Prolog in Choliamben; und → Iuvenalis verfaßte 5 S.-Bücher, von denen das letzte unvollendet blieb. Alle drei Satiriker erkennen Lucilius als den Erfinder der Gattung an in ihren programmatischen Rechtfertigungsgedichten (Hor. sat. 1,4; 1,10; 2,1; Pers. 1,114f., Iuv. 1,19–20 und 1,165–167, alle nach Lucil. B. 30).

Demzufolge gehören zu den zentralen Themen der röm. Vers-S.: (a) Schauplatz in Rom und Kritik am Stadtleben mit dem Landleben als positivem Hintergrund (Hor. sat. 2,6; Hor. epist. 1,10, 1,14; Iuv. 3); (b) das Patronagesystem (→ *amicitia*; → *cliens*; → *patronus*) mit seinen ungleichen Machtverhältnissen (Hor. sat. 1,5; 1,6; 2,6; Hor. epist. 1,7; 1,17; 1,18; Iuv. 1; 3; 4; 5; 7; 9; 12); (c) körperliche und materielle Gelüste, Wünsche und Präferenzen, darunter Essen und Feste (Hor. sat. 2,2; 2,4; 2,6; 2,8; Hor. epist. 1,5; Iuv. 5; 11), Gier (Hor. sat. 1,1; 2,5; Pers. 6; Iuv. 14), Sex und Sexualität (Hor. sat. 1,2; Pers. 4; Iuv. 2; 6); (d) philos. Systeme, einschließlich der Angriffe auf Intellektuelle (Hor. sat. 2,3; 2,7; Hor. epist. 1,1; 1,6; 1,16; Pers. 3; 5; Iuv. 8; 10; 13); (e) Lit.-Theorie und -Kritik (Hor. sat. 1,4; 1,10; 2,1; Hor. epist. 1,2; 2,1 ff.; 2,2; *Ars*; Pers. 1; Iuv. 1); (f) Intertextualität (auch Parodie) mit dem Epos und anderen lit. Formen (Hor. sat. 1,9; 2,3; 2,5; Iuv. 3; 4; 12). Obwohl jeder der Satiriker den »Regeln« der Gattung, wie sie von Lucilius festgelegt wurden, gerecht wird, ist eine deutliche Entwicklung sichtbar: Horaz modernisiert, glättet und mäßigt selbstbewußt Lucilius' rauhen, aggressiven Stil der S., um den Geschmack seiner kultivierten Zuhörerschaft, welche Maecenas [2], Octavian (→ Augustus) und Vergil einschloß, zu treffen und ihre Ideologie zu spiegeln [3; 4]. Beinahe jeder Satz des Persius ist eine Überarbeitung einer Horaz-Passage, jedoch von einer elitären stoischen Position aus formuliert [5]. Iuvenal entwickelt Persius' Versuch zum Höhepunkt der empörten S. weiter; dabei führt er ein neues deklamatorisches Idiom ein, das von der rhet. Theorie und Praxis beeinflußt ist, und belebt die Beziehung zw. S. und Epik wieder [6–8]. Er setzt diesen »hohen Stil« ein, um sowohl Kraft als auch Schwächen des Zorns zu demonstrieren; in seinen späteren S. geht er zu einem ruhigeren Standpunkt des ironischen Zynismus und der Absonderung über [9].

V. Rezeption

Es ist Iuvenals »wütende Empörung« (*saeva indignatio*, Scaliger), die den stärksten Einfluß auf die nachfolgende S. ausübte. Die S. als zornige Demaskierung von Fehlern und Lastern war für die christl. Ideologie akzeptabel, und so ist die lat. S. im MA gut vertreten. Schrittweise wurde die hexametrische Form aufgegeben, und unter dem Namen »Satire« schloß man allmählich Dichtung mit satirischem Ton in einer Vielfalt von Formen ein. Dies gilt auch für die anderen Sprachen. In der europäischen Lit. ab der Renaissance weitete sich die »S.« vom engen Rahmen der röm. Hexameter-S. zur Bezeichnung einer aggressiv kritischen Sprechhaltung aus.

→ Horatius [7]; Iambographen; Iuvenalis; Parodie C.; Persius [2]; Prosimetrum; Satire

1 K. Freudenburg, The Walking Muse. Horace on the Theory of S., 1993 **2** M. Puelma-Piwonka, Lucilius und Kallimachos, 1949 **3** G. C. Fiske, Lucilius and Horace, 1920 **4** N. Rudd, The Satires of Horace, 1966 **5** J. C. Bramble, Persius and the Programmatic S., 1974 **6** J. De Decker, Juvenalis Declamans, 1913 **7** I. G. Scott, The Grand Style in the Satires of Juvenal, 1927 **8** E. J. Kenney, Juvenal: Satirist or Rhetorician?, in: Latomus 22, 1963, 704–720 **9** S. H. Braund, Beyond Anger: A Study of Juvenal's Third Book of Satires, 1988 **10** C. J. Classen, S. – The Elusive Genre, in: Symbolae Osloenses 63, 1988, 95–121 **11** C. Witke, Latin Satire: The Structure of Persuasion, 1970 **12** E. S. Ramage et al., Roman Satirists and Their S., 1974 **13** W. S. Anderson, Essays on Romans Satire, 1982 **14** J. Adamietz (Hrsg.), Die röm. S., 1986 **15** N. Rudd, Themes in Roman S., 1986 **16** M. Coffey, Roman S., [2]1989 **17** A. Richlin, The Garden of Priapus. Sexuality and Aggression in Roman Humor, [2]1992 **18** S. H. Braund, Roman Verse Satire, 1992.

SU.B./Ü: TH.G.

Satis (Σάτις, äg. *Sṯ.t*), Anuket und Chnum (→ Chnubis [1]) sind die drei Hauptgottheiten der Insel → Elephantine. Der Tempel der S. ist dort bereits für die Frühzeit (ab ca. 2800 v. Chr.) arch. nachgewiesen [1]. S. erscheint als Frau mit Hörnerkrone. Aufgrund der lautlichen Ähnlichkeit zw. S. und → Sothis werden beide Göttinnen in der Spätzeit (713–332 v. Chr.) miteinander identifiziert [2]. Diese Verbindung wird verstärkt durch die Beziehung der Sothis zur Nilüberschwemmung, da die Quelle des → Nils u.a. bei Elephantine lokalisiert wurde. Als Garanten der lebensnotwendigen Flut erscheinen S. und Anuket auf astronomischen Darstellungen.

1 G. Dreyer, Elephantine, Bd. 8: Der Tempel der Satet, 1986, 11–17 2 G. Roeder, Sothis und S., in: ZÄS 45, 1908, 22–30 3 D. Valbelle, S. et Anoukis, 1981. A.v.L.

Satisdatio. Die *s.* (Sicherheitsleistung) stellt im röm. Recht eine spezielle Variante der → *cautio* (Sicherheitsversprechen) dar. Regelmäßig muß derjenige, der zur *s.* verpflichtet ist, einen Bürgen stellen (Dig. 2,8,1). Der Bürge muß *idoneus* (geeignet, d.h. zahlungsfähig) sein; ob das der Fall ist, kann mittels eines → *arbiter* (eines Richters mit Ermessensspielraum) festgestellt werden (Dig. 2,8,9 und 10 pr). Darüber hinaus war es grundsätzlich auch erforderlich, daß der Bürge denselben Gerichtsstand hatte wie der Sicherheitsleistende. Die Fälle, in denen eine *s.* vom → Praetor angeordnet werden konnte oder sie gar von Rechts wegen vorgeschrieben war – etwa bei demjenigen, der für einen anderen einen Prozeß führte (Gai. inst. 4,101) –, waren in seinem Edikt in der Rubrik *de satisdando* aufgelistet; ihnen ist in bezug auf den Formularprozeß (→ *formula*) das Bestreben gemeinsam, den Fortgang des Verfahrens zu gewährleisten. Sofern der Pflicht zur *s.* nicht Folge geleistet wurde, wurde der Verweigerer entweder wie ein *indefensus* (einer, der die Einlassung auf die Klage versäumt) behandelt, oder es wurde die Wegnahme der fraglichen Sache zur Hinterlegung gestattet (Dig. 2,8,7,2).

M. Kaser, K. Hackl, Das röm. Zivilprozeßrecht, ^{2}1996, 279, 430. C.PA.

Satnioeis (Σατνιόεις). Fluß in der Troas (Hom. Il. 6,34; 14,445; 21,87), h. Tuzla Çayı, entspringt an den südwestl. Abhängen des Ida [2], nahe Gargara. Am S. soll die homerische Stadt Pedasos [3] gelegen haben (vgl. Strab. 13,1,50). Bei Assos ist der S. nur ca. 2 km vom Meer entfernt, fließt dann westwärts weiter und erreicht das Meer zw. Hamaxitos und Larisa [5] nahe Gülpınar.

L. Bürchner, s.v. S, RE 2 A 1, 79f. • W. Leaf, Strabo on the Troad, 1923, 250–253 • J.M. Cook, The Troad, 1973, 245f. E.SCH.

Saton (σάτον, lat. *Satum*; *s*$^{\circ}$*ā*) ist ein hebräisches Hohlmaß für Flüssiges und Trockenes mit zeitlich und örtlich differierendem Volumen von 20 bis 24 → Log (→ Hin; → Sextarius) und entspricht ca. 9,1–13,1 l. In röm. Zeit wurde *s.* mit 1 ½ ital. *modii* (→ *modius* [3]) gleichgesetzt (Ios. ant. Iud. 9,85; seltener 1 ¼ *modii*). H.-J.S.

Satorneilos (Σατορνεῖλος, Σατορνῖνος, lat. *Saturninus*). Christl. Lehrer z.Z. Kaiser Hadrians (1. H. 2. Jh. n. Chr.) in Antiocheia [1] (Eus. HE 4,7,3; vgl. auch Hippolytos, Refutatio omnium haeresium 7,28), galt als Häretiker (→ Häresie; → Gnosis). Er lehrte laut → Eirenaios [2] von Lyon, Adversus haereses 1,24,1–2, als oberstes Prinzip den unbekannten Vater als Schöpfer der Engel. Der Mensch als »Gleichnis« des transzendenten »Bildes« der oberen Macht war nach S. urspr. lebensunfähige Kreatur der sieben Weltschöpferengel (Gn 1,27). Erst der von der oberen Macht als Seele gesandte Lebensfunke (vgl. Gn 2,7) verlieh ihm aufrechten Gang, Glieder und wahres Leben. Der körperlose Erlöser Christus, als Mensch erschienen, rettet die wahrhaft Lebendigen vor den Engeln, bösen Menschen und Dämonen. Die Satornilianer praktizierten Sexualaskese und Abstinenz von allen beseelten Speisen (Fleisch).

A. Hilgenfeld, Die Ketzergesch. des Urchristentums, 1884 (Ndr. 1966), 190–195 • S. Pétrement, Le Dieu séparé. Les origines du gnosticisme, 1984, 449–458; Index • A. Pourkier, L'hérésiologie chez Épiphane de Salamine, 1992, 167–204. W.LÖ.

Satorquadrat. Lat. Graffito aus 5 Zeilen zu je 5 Buchstaben, das als → Palindrom von allen vier Seiten und in alle vier Richtungen gelesen werden kann:

R O T A S	S A T O R
O P E R A	A R E P O
T E N E T	T E N E T
A R E P O	O P E R A
S A T O R	R O T A S

Abb. 1

Die bekannten 10 Beispiele des 1.–3. Jh. n. Chr. beginnen mit *ROTAS*, die aus Spätant. und byz. Zeit (z.T. auch in griech. Buchstaben) sowie aus MA und Neuzeit mit *SATOR*. Die Funde verteilen sich über das ganze röm. Reich (Cirencester, Manchester, Aquincum, Dura-Europos, Rom); die ältesten aus Pompeii (CIL IV 8123, 8623) entstanden bald nach der Mitte des 1. Jh. Schwierigkeiten bereitete *AREPO*, das man aus verschiedenen Sprachen (u.a. Ägypt., Griech., Kelt.; vgl. ThlL II 506,47) oder als Eigennamen zu erklären versuchte. Die oft favorisierte Lesung Zeile für Zeile (*stoichēdón*) – *SATOR AREPO TENET OPERA ROTAS*, ›Der Sämann Arepo hält die Werke, die Räder‹ bzw. ›hält mit Mühe (*OPERĀ* als Abl.) die Räder‹ oder ›Der Sämann hält den Pflug (*AREPO*, »Pflug«) die Werke, die Räder‹ – ergibt wenig Sinn, während die Zickzack-Lesung (*bustrophēdón*) – *SATOR OPERA TENET – TENET OPERA SATOR*, ›Der Schöpfer erhält seine Werke – es erhält seine Werke der Schöpfer‹ (doppelte Lesung des zentralen *TENET*) – eine für die ant. Theologie, bes. die Lehre von der *providentia* (»Vorsehung«, → Prädestinationslehre) des → Stoizismus, zentrale Aussage enthält, die sich in ähnlichen Formulierungen im Referat stoischer Theologie in Cic. nat. 2,73–86 findet. Versuche, durch Auflösung des S. andere Aussagen zu gewinnen (Anagramm), und Spekulationen mit den Zahlenwerten seiner Buchstaben (Isopsephie) führen sich durch ihre Ergebnisse selbst ad absurdum.

Suggestiv wirkte lange Zeit die Entdeckung von [1], daß sich aus den Buchstaben des S. auch folgende Figur bilden läßt:

```
            A

            P
            A
            T
            E
            R
A P A T E R N O S T E R   O
            O
            S
            T
            E
            R

            O
```

Abb. 2

Pater noster ist zwar die lat. Übers. des Anf. des Herrengebets (Mt 6,9) und läßt sich als Anrede seit Homer (Il. 8,31 u.ö.) nachweisen, ist aber in der paganen Ant. stets mit dem Namen der angesprochenen Gottheit verbunden; doch gab es zur Entstehungszeit der Graffiti von Pompeii weder die Evangelien noch die Iohannesapokalypse, die (1,8; 21,6; 22,13) erstmals die christl. Alpha-Omega-Symbolik bezeugt, noch auch eine lat. christl. Liturgie oder Kreuzessymbolik (T-Kreuz, TENET-Kreuz, Pater-Noster-Kreuz). Daher sind alle christl. Deutungen des S. (z.B. als geheimes Erkennungszeichen zur Zeit der Christenverfolgungen) ebenso verfehlt wie die Annahme, das Pater-Noster-Kreuz sei bewußt in seine Komposition miteinbezogen worden. Auch eine Herleitung aus jüd., gnostischer oder mithraischer Trad. oder ein Zusammenhang mit der → Tabula Iliaca scheidet aus [5]. Möglich scheint allenfalls eine Verbindung mit den neupythagoreischen Spekulationen eines → Nigidius Figulus [2].

In MA und Neuzeit entfaltete das S. eine unübersehbare Wirkung als magisches Amulett bei Kopten und Äthiopiern oder als Namen der Jünglinge im Feuerofen, der Hirten von Bethlehem, der Weisen aus dem Morgenland oder der Märtyrer von Sebaste in kappadokischen Höhlenkirchen. In Hss. erscheint es gelegentlich zusammen mit → Figurengedichten und magischen Zahlenquadraten [3; 5]. Daneben fand es als Amulett und Zauberformel gegen alle möglichen Krankheiten, Kümmernisse und Gefahren Verwendung. In der Musik regte es Anton Webern zu Kompositionsformen der Zwölftontechnik an, in der Graphik Josua Reichert zur mehrfachen Gestaltung, in der Lit. beeinflußte es als visueller Text Vertreter der Konkreten Poesie, diente es Herbert Rosendorfer als Ausgangsmotiv seines Romans ›Der Ruinenbaumeister‹ (1969) und inspirierte es den brasilianischen Autor Osman Lins in seinem Roman *Avalovara* (1973, dt. 1976) zu einer fiktiven Gesch. seiner Entstehung um 200 v. Chr.

1 F. Grosser, Ein neuer Vorschlag zur Deutung der Sator-Formel, in: ARW 24, 1926, 165–169 **2** H. Hommel, s. v. Satorformel, LAW, 2705 **3** H. Hofmann, Das S., 1977 **4** Ders., s. v. S., RE Suppl. 15, 1978, 477–565 **5** U. Ernst, Carmen figuratum, 1991, 429–459.

H. HO.

Satrai (Σάτραι). Thrakischer Stamm an der Nordküste des Aigaion Pelagos (Ägäis) zw. Nestos und Strymon an den NO-Hängen des → Pangaion, dessen Erzvorkommen sie ausbeuteten (Hdt. 7,112; evtl. auch mit den Σατροκένται/*Satrokéntai* bei Hekat. FGrH 1 F 181 gemeint). Seit 475 v. Chr. sind die → Edones dort bezeugt (Hdt. 9,75).

1 J. N. Jurukova, Monetite na trakijskite plemena i vladeteli (Monetni sakrovista ot balgarskite zemi), 1992, 16 **2** I. von Bredow, Stammesnamen und Stammeswirklichkeit, in: Orbis Terrarum 5, 1999, 3–13.

I. v. B.

Satrap (altpersisch *ḫšaçapāvan-*, »Reichs- oder Herrschaftsschützer«, elamisch *šá-ak-šá-ba-ma*, akkadisch *aḫšadrapanu*, reichsaram. *ḫšatrapan*, griech. meist σατράπης/*satrápēs* [9]; lat. *satrapa, -es, satraps*). Titel pers.-achäm. (grundlegend: [3]) später auch seleukidischer, parthischer sowie sāsānidischer Provinzgouverneure (parth. *ḫštrp/ḫšahrap/*; mittelpers. *štrp/šahrap/*). Der Titel erscheint zuerst in der → Bīsutūn-Inschr. Dareios' [1] I. [11. DB III 14.56], wo er zwei Beauftragte des neuen Königs in Baktrien und Arachosien kennzeichnet. S. werden in den Textzeugnissen z. T. auch mit Begriffen benannt (wie lat. *praefectus*, griech. ἐπίτροπος/*epítropos*, ὕπαρχος/*hýparchos*, akkad. *pīḫatu*), die sonst auch rangniedrigere Funktionäre bezeichnen können; andererseits hebt auch der Terminus S. nicht immer auf eine genaue Funktion ab, sondern bezeichnet zuweilen auch einen Titel, der sich königlicher Gunst oder einem bestimmten sozialen Status verdankt (Strab. 15,3,18; Polyain. 7,10). Als Satrapie (griech. σατραπεία/*satrapeía*, lat. *satrapia*, z.b. Plin. nat. 6,78; der Begriff wird in den Quellen nicht sehr häufig verwendet), d. h. als Amtsbereich eines S., bezeichnet man in der Forsch. eine Region, in der ein S. erwähnt wird; andererseits glaubt man, S. (ohne diesen Titel) auch dann identifizieren zu können, wenn ihre Namen in Verbindung mit diesen Gebieten genannt werden – Zirkelschlüsse sind dabei nicht ausgeschlossen. Da zudem Satrapienverzeichnisse erst aus frühhell. Zeit vorliegen [7], Herodots νόμοι/*nómoi* bzw. ἀρχαί/*archaí* (3,89–94) und die *dahyāva* (Länder/Völker) der altpers. Inschr. zweifellos nicht den achäm. Satrapien entsprechen und man zudem von Funktionsänderungen nach den Reformen des Dareios [1] I. ausgehen darf, verwundert es nicht, daß in der Forsch. höchst unterschiedliche Verzeichnisse achäm. Satrapien diskutiert werden [vgl. 4. 77f.; 6; 7; 8].

Auf der provinzialen Ebene war der S., dessen »Hof«/Intendantur ein Abbild des königl. Hofes war, zuständig für die auf den Boden bezogene Erhebung und Sammlung des Tributs (sowie, wo nötig, für dessen Umwandlung in Edelmetallform); dabei verblieb ein Teil der Abgaben in der Prov. (→ Steuern). Der S. befehligte im Kriegsfall die Kontingente der Untertanen, während die Garnisonen (φρουραί/*phrurai*), deren Versorgung ihm ebenso wie die des Königs auf Reisen oblag, königl. Kommandanten unterstanden. Die S., die sich zuweilen am Königshof einzufinden hatten und durch königl. Funktionäre überwacht sowie durch königl. Briefe angewiesen wurden, besaßen auch diplomatische und richterliche Funktionen (und z. T. auch das Münzrecht). Fast alle achäm. S. entstammten dem iranischen Hochadel; zuweilen wurde das S.-Amt in einer Prov. mit königl. Billigung auch innerhalb einer Familie weitergegeben. Es sind zahlreiche Erhebungen von S. gegen die zentrale Autorität des Großkönigs bekannt (→ Satrapenaufstand); wegen der Rivalitäten unter den S. und königl. Gegenmaßnahmen zeitigte allerdings keine einen Erfolg.

Alexandros [4] d.Gr. übernahm die pers. Provinzialorganisation und den Titel *satrápēs* für seine Statthalter und setzte sowohl Makedonen/Griechen als auch Iraner als S. ein (nach negativen Erfahrungen mit letzteren gegen Ende aber fast ausnahmslos Makedonen). Den iran. S. scheint dabei die Militärgewalt vorenthalten worden zu sein; stattdessen wurde diese an maked./griech. στρατηγοί/*stratēgoí* bzw. ἐπίσκοποι/*epískopoi* übertragen [2]. Ein Kern ehemals pers. Satrapien existierte auch in der frühen Diadochenzeit; allerdings scheinen in den Randgebieten bes. große Satrapien eingerichtet, in Mesopotamien und Medien alte Satrapien geteilt worden zu sein [7].

Auch das Reichsgebiet der → Seleukiden war im allg. in Satrapien eingeteilt (im J. 281 v. Chr. ca. 20–25; im 3./2. Jh. v. Chr. durch Teilungen z. T. erheblich verkleinert); ihre Unterteilungen hießen *merídes*, *hyparchíai* oder *toparchíai*. Die S. verfügten über weitreichende Kompetenzen, ähnlich denen der Strategen in den kleinasiat. Provinzen; diese wurden wohl von Antiochos [5] III. vorübergehend im ganzen Reich eingesetzt (stärkere Betonung des Militärischen?). Die Gebiete im Westen und Osten (Kleinasien und die ἄνω σατραπεῖαι, »oberen Satrapien«) wurden von Generalstatthaltern oder Vizekönigen geleitet, als ὁ ἐπί τῶν ἄνω σατραπειῶν (»Vorsteher der oberen Satrapien«) ist mehrfach der Thronerbe bezeugt [1. 1ff., bes. 78ff., 143ff.].

Im Partherreich (→ Parther) standen neben den »Vasallenkönigreichen« reichsunmittelbare Gebiete, die von S. (bzw. Strategen) verwaltet wurden, etwa im Zweistromland; Tac. ann. 6,42; 11,8 spricht von *praefecturae*, Isidoros von Charax, Stathmoí Parthikoí nennt die Prov. mit ihren Namen. S. sind auch aus → Nisā [2] und Bīsutūn bekannt (etwa der Satrap Kōfzāt, der an beiden Plätzen belegt ist); an letzterem Ort erscheint Gotarzes I. (später Gegenkönig von Mithradates [13] II.) noch als »S. der Satrapen« (σατράπης τῶν σατραπῶν) [10. 197].

Das in sāsānidischer Zeit epigraphisch belegte Amt eines *šahrap* an der Spitze einer (auf Königsland) eingerichteten Prov. (mittelpers. *šahr*) ist in seiner Funktion nicht genau bestimmbar [5. 28f.].

1 H. Bengtson, Die Strategie in der hell. Zeit, Bd. 2, ²1964 **2** Berve, Bd. 1, bes. 253–283 **3** Briant, Index s. v. **4** P. Briant, Bull. d'histoire achéménide (BHAch) I, in: Topoi Suppl. 1, 1997, 5–127 **5** R. Gyselen, La géographie administrative de l'empire sassanide, 1989 **6** B. Jacobs, Die Satrapienverwaltung im Perserreich z.Z. Darius' III., 1994 **7** H. Klinkott, Die Satrapienregister der Alexander- und Diadochenzeit, 2000 **8** Th. Petit, Satrapes et satrapies dans l'empire achéménide de Cyrus le Grand à Xerxes Ier, 1990 **9** R. Schmitt, Der Titel »S.«, in: A. Morpugo Davies, W. Meid (Hrsg.), Stud. in Greek, Italic and Indo-European Linguistics, FS L. R. Palmer, 1976, 373–390 **10** Ders., Parthische Sprach- und Namenüberl. aus arsakidischer Zeit, in: J. Wiesehöfer (Hrsg.), Das Partherreich und seine Zeugnisse, 1998, 163–204 **11** Ders., The Bisitun Inscriptions of Darius the Great. Old Persian Text, 1991.

J. W.

Satrapenaufstand. Erhebungen persischer → Satrapen gegen die großkönigliche zentrale Autorität sind mehrfach belegt, v. a. im späten 5. und im 4. Jh. v. Chr. (etwa → Megabyzos [2], → Pissuthnes, Amorges, → Kyros [3] d. J.), doch wird der Begriff S. zumeist auf die von Diodorus Siculus (15,90ff., bes. 93,1) als »groß« bezeichnete Hauptphase (Ende 360er J.) der Aufstände gegen → Artaxerxes [2] II. (370er J.–350er J.) bezogen: Sie soll durch gemeinsames Handeln (*koinopragía*) zahlreicher kleinasiatischer Satrapen (und *ethnē*), deren Unterstützung durch den Ägypter → Tachos und die Spartaner sowie durch das Übergreifen der Unruhen auf Syrien und Phönizien gekennzeichnet gewesen sein (weitere Quellen: Nep. Datames; Xen. Ag. 2,26f.; Polyain. 8,21,3; Iust. prolog 10 u. a.m.; Mz.).

Die neuere Forsch. streitet über Ausmaß und Bed. der (kaum gemeinsam geplanten oder gar koordinierten) Aufstände (vgl. [1; 4] mit [3]; mittlere Position: [2]), die man in verschiedene Phasen (bzw. Rebellionen) unterteilen kann: Erhebung des → Datames mit Zentrum in Kappadokien; Rebellion des durch Sparta und Athen unterstützten → Ariobarzanes [1] im hellespontischen Phrygien (bedrängt durch den königstreuen → Maussolos und → Autophradates [1] von Lydien); Unruhen unter Beteiligung von → Orontes [2] I. (Zug nach Syrien), Datames (Querung des Euphrats) und Tachos (Zug mit Unterstützung von → Agesilaos [2] und → Chabrias nach Phönizien): Am Ende unterwarf sich Orontes, Datames wurde ermordet, und Tachos floh (nach einer Schlappe gegen Kronprinz Ochos und wegen einer Rebellion in Ägypten) zum Großkönig. Als letzte Phase des S. mag man die Erhebung des → Artabazos [4] gegen → Artaxerxes [3] III. (ab 352) zählen.

Die Aufstände sind nicht als Zeichen einer grundsätzlichen Schwäche der pers. Zentralmacht, sondern als Symptome vorübergehender regionaler Instabilität zu werten; für ihr Scheitern sind Rivalitäten der Satrapen (und im äg. Herrscherhaus) ebenso verantwortlich wie die mil. und diplomatischen Gegenmaßnahmen Artaxerxes' II.

1 Briant, 675–694, 1018–1024 **2** S. Hornblower, Persia. Political History, 400–336 B. C., in: CAH², Bd. 6, 1994, 45–96, bes. 84ff. **3** R. Moysey, Diodoros, the Satraps and the Decline of the Persian Empire, in: Ancient History Bull.

5, 1991, 113–122 4 M. WEISKOPF, The So-Called »Great Satraps' Revolt«, 366–360 B. C., 1989. J. W.

Satrapes

[1] (pers.-achäm. Titel) s. Satrap

[2] (Σατράπης; Σαδράπης). Gräzisierter Name des kanaanäischen Gottes Šadrapa', der bes. in hell.-röm. Zeit von Nordafrika bis Babylonien verehrt wurde. Die griech. Form, wohl in Anspielung an den altpers. Titel ḫšaθra (»Landesbeschützer«) gewählt, ist in zwei Inschr. aus Maʿād nahe Byblos (aus dem J. 8 v. Chr. und dem 3./4. Jh. n. Chr.) bekannt, ferner bei Paus. 6,25,5 (Statue in Elis) genannt.

Der kanaan. Gott, dessen Name »Šed, der Heiler« bedeutet und der gern (z. B. auf einem Relief aus Hierapolis Bambyke) wie → Asklepios, jugendlich, mit Aesculapstab und Löwen, dargestellt wird, war neben → Ešmūn ein → Heilgott, der bes. vor Übeln durch kleine Tiere schützte. Er erscheint zuerst im 7./6. Jh. v. Chr. im phöniz. Kontext in ʿAmrīt (Stele Paris, LV AO. 22247 [5. 336f.]), im 5./4. Jh. auch in Sarepta [4. 100f.]. Später ist ihm in → Karthago ein Altar geweiht (KAI 77). Er wird wohl als chthonischer Gott auf Sizilien angerufen (Grotta Regina nördl. von Palermo, 5.–3. Jh. v. Chr.), erscheint in gleicher Funktion neben Horon in Antas auf Sardinien, wo er in einer Weihung für den dort verehrten Ṣid/Sardus Pater genannt wird [1. pl. 28/1, 37/1]. In Nordafrika gehört S. neben Milkʿaštart zu den »Herren« der Stadt → Leptis Magna (KAI 119, 1. Jh. n. Chr.) und ist dort auch in einer punisch-lat. Bilingue (KAI 127) als Liber Pater (→ Liber, Liberalia) pun. Substitut für Dionysos. S. ist, vielleicht durch phöniz. Einfluß, vom 1.–3. Jh. n. Chr. auch in → Palmyra zu finden, wo er – wie die meisten Götter – einen Panzer trägt, aber durch Aesculap-Stab und Skorpion als Heil- und Fruchtbarkeitsgott charakterisiert ist [6. 83 ff. fig. 6, vgl. fig. 8 aus dem Ḥaurān]. So erscheint er auch noch in Babylonien auf einer jüd.-aram. Zauberschale des 5. Jh. n. Chr. aus Nippur [3. Nr. 25,5].

→ Heilgötter, Heilkult

1 M. H. FANTAR, Richerche puniche ad Antas (Studi Semitici 30), 1969 2 E. LIPIŃSKI, Dieux et déesses de l'univers phénicien et punique (Orientalia Lovaniensia Analecta 64), 1995 3 J. A. MONTGOMERY, Aramaic Incantation Texts from Nippur, 1913 4 J. B. PRITCHARD, Sarepta, 1975 5 E. PUECH, Les inscriptions phéniciennes d'Amrit, in: Syria 63, 1986, 327–342 6 H. SEYRIG, Antiquités syriennes 89, in: Syria 47, 1970, 77–112, bes. 83–85. W. R.

Satricum. Stadt in Latium an der Straße von → Antium nach → Velitrae, beim h. Borgo Montello nordöstl. von Anzio. Siedlungsspuren seit dem 10. Jh. v. Chr. Im 7./6. Jh. v. Chr. etr. Stadtgründung. Im 5./4. Jh. v. Chr. war S. eine Siedlung der → Volsci, die auf seiten der → Latini an der Schlacht beim → Lacus Regillus teilnahmen (Dion. Hal. ant. 5,61,3). S. wurde in den röm.-latinischen Auseinandersetzungen zwei Mal zerstört – im J. 377 (Liv. 6,32,4–33,5; dabei blieb einzig der Tempel der → Mater Matuta vom Brand verschont) und nach Wiederaufbau durch Kolonisten aus Antium 346 (Liv. 7,27,2–8). Der Tempel der Mater Matuta blieb noch lange das Ziel von Pilgern (206 v. Chr. vom Blitz getroffen: Liv. 28,11,2). S. existierte z.Z. Plinius [1] d. Ä. (nat. 4,68) nicht mehr (verödet). Zwei unterschiedlich ausgerichtete Bauphasen des Tempels lassen sich feststellen (640/625 v. Chr. und 500/480 v. Chr.; in dessen Fundamenten eine Inschr. in archa. Latein [1; 2], vgl. → *lapis Satricanus*). Archa. Nekropolen liegen nordwestl. und südwestl. der Stadt.

1 C. M. STIBBE, M. PALLOTTINO, Lapis Satricanus ..., 1980
2 P. S. LULOF EN RIEMER u. a., S.: tempels en daken, 1998.

M. MAASKANT-KLEIBRINK, Settlement Excavations at Borgo Le Ferriere »S.«, 2 Bde., 1987/1992 • J. W. BOUMA, W. PRUMMEL, Religio votiva. The Archaeology of Latial Votive Religion, Diss. 1996 • R. R. KNOOP, S., 1987 • B. HELDRING, S., 1984 und 1998 • C. M. STIBBE, S., 1984–1991 • D. J. WAARSENBURG, S., 1996 • P. S. LULOF, S., 1998 • C. M. STIBBE (Hrsg.), S.: Reports and Studies of the S. Project, 1987ff. M. M. MO./Ü: H. D.

Satrios s. Satyrios

Satrius. Ital., verm. aus Etrurien stammender Familienname (SCHULZE 80; 225).

I. REPUBLIKANISCHE ZEIT

[I 1] S., M. War als Sohn der Schwester eines L. Minucius Basilus von diesem adoptiert worden, wurde aber in einem gefälschten Testament übergangen (Cic. off. 3,73f.; → Minucius [I 4]). 44/43 v. Chr. ist er als Patron der Picener und Sabiner und Anhänger des M. Antonius [I 9] bezeugt (Cic. off. 3,74; Cic. Phil. 2,107). Er kann nicht mit dem bei Cicero (ad Brut. 1,6,3) bezeugten Legaten des C. → Trebonius identisch sein. J. BA.

II. KAISERZEIT

[II 1] S. Rufus. Senator der domitianischen, evtl. auch der traianischen Zeit, nur aus Plinius [2] (epist. 1,5,11 und 9,13,17) bekannt. Unter → Domitianus plädierte er zusammen mit Plinius in einem Prozeß; im J. 97 n. Chr. setzte er sich im Senat für einen Ausgleich mit den Anhängern des Domitianus ein.

[II 2] S. Secundus. Mit → Aelius [II 19] Seianus verbunden. Im J. 25 n. Chr. klagte er → Cremutius Cordus wegen Majestätsbeleidigung (→ *maiestas*) an (Tac. ann. 4,34,1; 6,8,5). Da er als Ankläger gegen Seianus im J. 31 auftrat, scheint er selbst, trotz seiner Verbindung zu dem gestürzten Praetorianerpraefekten, einer Verurteilung entkommen zu sein (Tac. ann. 6,47,2). W. E.

Satureius. *Tr. pl.* 133 v. Chr., traf im Kampf mit Ti. Sempronius [I 16] Gracchus diesen als erster mit einem Stuhlbein (Plut. Ti. Gracchus 19,10). K.-L. E.

Saturius Firmus. Senator, *cos. suff.* im J. 148 n. Chr. (FO² 51). Sein gleichnamiger Vater (oder Großvater) ist wohl bei Plin. epist. 4,15,3 erwähnt; dieser war mit einer Tochter des Senators Asinius Rufus verheiratet (vgl. [1]); dies erleichterte seinen Aufstieg in den Senatorenstand.

1 SYME, RP 7, 604. W. E.

Saturnalia. Röm. Fest für → Saturnus am 17. Dezember. Die S. haben in den republikanischen *Fasti Antiates maiores* die Tagesqualifikation EN, während sie in den augusteischen *Fasti Amiterni* mit NP versehen und somit als → *feriae* (»Feiertage«) ausgewiesen sind (→ Fasti). Es erscheint plausibel, diese Veränderung im Rahmen der Kalenderreform → Caesars als Anpassung an die seit E. des 3. Jh. v. Chr. gestiegene Bed. des Festes zu sehen (→ Kalender B.4.). Hinsichtlich der Dauer der S. sind verschiedene Ebenen zu unterscheiden: Der öffentliche Kult seitens der Priester beschränkte sich, wie die Kalendernotierungen zeigen, auf einen einzigen Tag, die Feiern anläßlich der äußerst beliebten S. waren aber zeitlich nicht daran gebunden. Cicero geht zumindest von einer dreitägigen Festperiode aus (Cic. Att. 13,57), Macrobius führt schon für das 1. Jh. v. Chr. Zeugnisse an, die von einer (dann in der Kaiserzeit vielfach belegten) siebentägigen Festperiode sprechen (Macr. Sat. 1,10,3). Augustus dehnte die Gerichtsferien auf drei Tage aus (ebd. 1,10,4; 23), Caligula fügte einen weiteren Tag hinzu (Suet. Cal. 17,2), Claudius schließlich einen fünften (Cass. Dio 60,25,8). Schon in republikanischer Zeit wurden die S. nicht allein in Rom selbst, sondern auch im Heer gefeiert (Cic. Att. 5,20,5; Plut. Pompeius 34,2).

Ursprung und Bed. der S. boten schon in der Ant. Anlaß zu vielfältigen Spekulationen. Macrobius nennt allein drei Aitia, die jeweils in die Zeit vor die Gründung Roms verweisen (Macr. Sat. 1,7,18 f.; [1]); weiter finden sich Datier. in die Königszeit und in die frühe Republik. Livius verbindet die Einrichtung der S. mit der Dedikation des Saturntempels 497 v. Chr. (Liv. 2,21,2; vgl. Dion. Hal. 6,1,4). Die Zuordnung der S. zum Festkalender des Numa, die Konzeption von Saturnus im Mythos als Kulturbringer und ant. – allerdings problematische – Etym. (Varro ling. 5,64; Fest. 432,20 L.) führen zur Deutung der S. als eines urspr. bäuerlichen Festes: [2. 202] deutet sie als Fest der beendeten Ackerarbeit, [3. 204; 4. 84–92] als eines anläßlich der Aussaat. [5. 164–190] interpretiert die S. im Zusammenhang mit den röm. Festen → Consualia (am 15.12.) und Opalia (am 19.12.) als Teil einer rituellen Sequenz, die das Hervorholen des nach der Ernte unterirdisch gelagerten Getreides thematisiere; die S. markierten dabei die potentielle Gefährdung des Vorrats. Diese Rekonstruktion erscheint durchaus plausibel, wenn sie auch spätestens seit dem 3. Jh. v. Chr. in den Hintergrund getreten ist. Liv. 22,1,19 berichtet für das Jahr 217 v. Chr., daß anläßlich einer Prodigienprokuration zusätzlich zu einem Opfer und einem → *lectisternium* am Saturntempel eine Feier angeordnet wurde, die in Zukunft beizubehalten sei. Die Position, in diesem Datum einen radikalen Einschnitt in der Gesch. der S. im Sinne einer Hellenisierung zu sehen [3. 205 f.], ist zwar wirkmächtig, aber nicht unumstritten. Die Annahme, daß in Rom schon lange praktizierte Riten nun erstmals aufgezeichnet und rituell fixiert wurden, hat einige Argumente für sich [5. 141 f.].

Elemente des Kults wie auch der daran anschließenden, geradezu sprichwörtlich ausgelassenen privaten Feierlichkeiten weisen die S. als Fest aus, in dem die gesellschaftliche Ordnung für einen bestimmten Zeitraum am Jahresende ausgesetzt erscheint ([5. 146–163]; Deutung als Neujahrsritual bei [6. 25 f.]); Regelungen wie Gerichtsferien, aber auch Schließung der Schulen in der Kaiserzeit ermöglichen die Teilnahme großer Bevölkerungsteile. Das Opfer an Saturnus erfolgte *Graeco ritu*, d. h. mit unbedecktem Haupt (Cato orat. fr. 77 MALCOVATI; Fest. 432,1 L.), die Wollbinden der Tempelstatue, deren Beine über das Jahr damit gefesselt waren, wurden am Festtag gelöst (Macr. Sat. 1,8,5; Stat. silv. 1,6,4; Arnob. 4,24). Die privaten Gastmähler waren geprägt von exzessiven Trink- und Eßgelagen und dem Vortrag von Spottgedichten und Rätseln. → Macrobius' *Saturnalia* machen deutlich, daß es v. a. in aristokratischen Häusern zu »Verfeinerungen« kam, indem man die Festzeit zu einem gelehrten Gespräch über Dichtung und bes. über Ursprung und Bed. von Kulten und anderen Institutionen nutzte [7].

Die Bürger trugen statt der Toga bequemere Kleidung und bedeckten den im Alltag bloßen Kopf mit dem → *pilleus*, einer von Freigelassene getragenen und als Symbol für Freiheit geltenden Filzkappe (Sen. epist. 18,2 f.; Mart. 6,24; 14,1,1 f.); das normalerweise verbotene → Würfelspiel war erlaubt (Suet. Aug. 71,1; Mart. 4,14,7; 5,84); Geschenke, v. a. Kerzen und Tonfiguren (*sigilla*), wurden ausgetauscht (Macr. Sat. 1,11,49). Bes. bemerkenswert ist die befristete Aussetzung der sozialen Distinktion zwischen Herren und Sklaven. Dies manifestiert sich insbes. in den Gastmählern, in denen Herren und Sklaven entweder gemeinsam (Accius fr. 3 MOREL; Iust. 43,1,2 f.; Sen. epist. 47,14; Macr. Sat. 1,11,1) oder die Sklaven vor den Herren (Macr. Sat. 1,24,23) speisten. Die S. galten geradezu als Fest der Sklaven (InscrIt 13,2,275; Auson. eclogae 14,16,15 f. GREEN), an dem diesen bes. Freizügigkeit gestattet war (Macr. Sat. 1,7, 26). Diese zeitweilige Suspendierung wurde bisweilen als Reflex des Goldenen, saturninischen → Zeitalters gedeutet (ebd.).

Die S. wurden, nun verschmolzen mit den Brumalia, bis weit in die Spätant. hinein gefeiert.

1 F. GRAF, Röm. Aitia und ihre Riten: Das Beispiel von S. und Parilia, in: MH 49, 1992, 13–25 **2** M. P. NILSSON, s. v. S., RE 2 A.1, 201–221 **3** G. WISSOWA, Rel. und Kultus der Römer, ²1912 **4** G. RADKE, Zur Entwicklung der Gottesvorstellung und der Gottesverehrung in Rom, 1987 **5** H. S. VERSNEL, Inconsistencies in Greek and Roman Rel.,

Bd. 2, 1993, 136–227 6 F. GRAF, Der Lauf des rollenden Jahres, 1997 7 S. DÖPP, Saturnalien und lat. Lit., in: Ders. (Hrsg.), Karnevaleske Phänomene in ant. und nachant. Literaturen, 1993, 145–177. G.DI.

Saturnia. Die kleine, h. unbedeutende Stadt S. am Fluß Albegna im Hinterland von → Volci/Vulci hieß nach Dion. Hal. ant. 1,20 und Plin. nat. 3,52 in etr. Zeit Aurinia. Mit der Einrichtung einer röm. Militärpräfektur nach 280 v. Chr. wurde der Name in S. geändert. Die seit der Brz. bestehende agrarische Siedlung war im 6. Jh., nach dem Niedergang von → Marsiliana d'Albegna (vielleicht Caletra), der Hauptort des → Ager Caletranus; vom 5. bis zum 3. Jh. jedoch kaum besiedelt. Die noch sichtbaren Reste der ant. Stadt stammen großteils aus röm. Zeit. Die Stadtmauer in Polygonalmauerwerk mit ihren vier Toren muß wohl ins 3. Jh. v. Chr. datiert werden. Das röm. Straßensystem war orthogonal. Aus der etr. Zeit sind die Nekropolen mit Pozzetto- und Fossagräbern der → Villanovakultur und gemauerten, unter → Tumuli liegenden Kammergräbern des 6. Jh. erforscht.
→ Grabbauten III. C.

L. DONATI, Le tombe di S. nel Museo Archeologico di Firenze, 1989 • M. MICHELUCCI, s. v. S., EAA 2. Suppl., Bd. 5, 1997, 180–181 • A. MINTO, S. etrusca e romana, in: Monumenti Antichi 30, 1925, 585–709. M.M.

Saturninus
[1–2] s. Appuleius [I 10–11]
[3] Wurde von der Armee zur Zeit des → Gallienus zum Kaiser erhoben, jedoch wenig später wegen seiner Strenge von den Soldaten getötet (SHA trig. tyr. 23; vgl. SHA Firmus 11,1; SHA Gall. 9,1).

KIENAST^2, 230 • PLRE 1, 805 Nr. 1.

[4] Imperator Caesar C. Iulius S. Augustus, maurischer Abstammung, durchlief eine mil. Karriere (Zos. 1,66,1; SHA quatt. tyr. 9,5; Zon. 12,29), bevor → Aurelianus [3] ihn zum *dux limitis Orientalis* ernannte (SHA quatt. tyr. 7,2). Als Statthalter Syriens wurde er 281 n. Chr. zum Kaiser ausgerufen (Hier. Chron. 224 HELM; RIC V/2, 591; [1. 256], anders [2. 241]), bald darauf jedoch von den eigenen Truppen in Apameia während der Belagerung durch Probus [1] ermordet. Er ist nicht identisch mit S. [3] (SHA quatt. tyr. 11,1; SHA Probus 18,4; Eutr. 9,17,1; Oros. 7,24,3; Aur. Vict. Caes. 37,3).

1 KIENAST^2 2 H. HALFMANN, Itinera principum, 1986.

PIR^2 I 546 • PLRE 1, 808 Nr. 12 • M. PEACHIN, Roman Imperial Titulature and Chronology: A.D. 235–284, 1990, 48. T.F.

[5] C. Caelius S. Dogmatius. *Praef. praet.* verm. unter Constantinus [1] I., aus nicht-senatorischer Familie. Er übte unter Constantius [1] I. und Constantinus I. insgesamt 17 Ämter im Westen des Reiches aus (im Hofdienst, in der zentralen Finanz- und in der Territorialverwaltung). Constantinus ernannte S. nach 324 n. Chr. zum → *comes* und sorgte für seine Aufnahme in den Senat von Rom (CIL VI 1704 = ILS 1214). Seine lange Laufbahn gipfelte in einer Praetorianerpraefektur (CIL VI 1705 = ILS 1215), die er wahrscheinlich zw. 324 und 337 entweder in Gallien oder It. bekleidete. S. war Vater des C. Flavius Caelius Urbanus.

R. HANSLIK, s. v. Caelius (38), RE Suppl. 12, 1970, 134 • PLRE 1, 806, Nr. 9. A.G.

[6] Flavius S. Höherer Offizier in der 2. H. des 4. Jh. n. Chr. Um 350 führte er den Philosophen → Themistios am Hof in Konstantinopolis ein (Them. or. 16, 200a-b); evtl. identisch mit dem Pagen S., der 361 von der Kommission von Kalchedon exiliert wurde (Amm. 22,3,7). 373 war S. *comes rei militaris* (Basil. epist. 132), nahm 377/8 als → *magister equitum* an den Kämpfen gegen die Westgoten teil und überlebte die Schlacht bei → Hadrianopolis [3] (Amm. 31,8,13). 382–383 war er *mag. militum* in Thrakien; er erhielt 383 den Konsulat, weil er 382 ein → *foedus* mit den Westgoten vermitteln konnte. Themistios hielt am 1.1.383 die Festrede anläßlich der Konsulatsfeier (or. 16). Im Verfahren gegen den Heermeister Timasius erreichte er 396 dessen Verbannung (Zos. 5,9,3–5). Vier J. später wurde er von → Gainas verbannt (Zos. 5,18,7–9; Sokr. 6,6,9). S. war Christ (Greg. Naz. epist. 132; 181; Basil. epist. 132). PLRE 1, 807 (Nr. 10). W.P.
[7] s. Satorneilos

Saturnus
A. NAME UND WESEN
B. MYTHOLOGIE C. RITUAL

A. NAME UND WESEN

Der röm. Gott S. oder Saeturnus (ILLRP 255; Fest. 432f. L.), von derselben Wortbildung wie → Iuturna und → Manturna, wird von den ant. Autoren (Varro ling. 5,64; Aug. civ. 6,8; 7,13,19; Tert. nat. 2,12; Arnob. 4,9; Fest. 432 L.; Macr. Sat. 1,10,20) und von einigen mod. Forschern etym. mit *sator* (»Sämann«) verbunden, obgleich sein Fest nicht in die Zeit der Aussaat fiel. Die Herleitung von *saturare* (Cic. nat. deor. 2,64; 3,62) hingegen rührte daher, daß sein Festtag der 17. Dez. war, an dem sich der Jahresablauf »erfüllte« (→ Saturnalia), sowie von der Parallele mit → Kronos = Chronos, dem Gott der Zeit. Die Ableitung von *satur nus* (»erfüllter Geist«; Aug. de consensu evangelistarum 1,23,35) ist in Analogie zu Kronos = *kóros nus* gebildet (Plat. Krat. 396b), die von σάθη/*sáthē* (»männliches Glied«) ist verbunden mit dem Mythos von → Uranos' Entmannung.

Laut Varro ling. 5,74 war S. sabinischer Herkunft. Seine verm. etr. Entsprechung, *Satre*, erscheint in der *pars hostilis* der Bronzeleber von Piacenza (s. Abb. bei → *haruspices*). Röm. Mythen des S. erzählen oft von Menschenopfern zu seinen Ehren. Dem → Planeten S. wurde eine *nocendi facultas* (»Fähigkeit zu schädigen«) zugeschrieben (Serv. Aen. 2,116). Begleiterin des S. ist → Lua (Varro ling. 8,36; Gell. 13,23,2), mit der er sich die *orbandi potestas* (»Macht zur Verwüstung«; Serv. Aen. 3,139) teilt. Sein Kult war geknüpft an den des → Dis Pater beim Comitium in Rom; daher stand S. als chthonischer Gott (Plut. qu.R. 34) mit der Welt der Toten in Verbindung. In der Kaiserzeit wurde S. mit Gottheiten des Totenreichs, wie → Serapis (Macr. Sat. 1,7,14–15), → Osiris, → Anubis (Rufin. historia ecclesiastica 2,26) identifiziert. Doch war S. auch Gott des Reichtums und der Feldfrüchte, Vater des Ackerbaus (Fest. 432 L.; Macr. Sat. 1,7,24), und als solchem wurden ihm auch → Ops [3] als Gefährtin und bisweilen das Füllhorn als Attribut zugewiesen. Seine Festperiode stand am Ende der Feldarbeiten und feierte die mythische Ur-Anarchie, als die Arbeit noch keiner starren sozialen Rangordnung bedurfte (→ Saturnalia).

S. wurde auch mit Jahwe (Tac. hist. 5,4,7) oder mit Ialdabaoth (= dem gnostischen Jahwe: Orig. c. Celsum 6,31) gleichgesetzt; den Festtag des S. beging man am Sabbat.

B. Mythologie

Die Identifikation des S. mit → Kronos dürfte sehr alt sein; sie erlaubte jedenfalls die Vorstellung, daß dem S. das Capitol geweiht gewesen sei (z.B. Varro ling. 5,41–42; Dion. Hal. ant. 1,34; Verg. Aen. 8,358), bevor er durch → Iuppiter ersetzt wurde. S. wurde als einer der ersten Könige Latiums verstanden, wohin er sich nach der Entthronung durch seinen Sohn Iuppiter flüchtet (Varro ling. 5,42; Dion. Hal. ant. 1,34,1; Verg. Aen. 8,320–323; Ov. fast. 1,238; Aug. de consensu evangelistarum 1,34) und wo er im »Goldenen« → Zeitalter herrscht, das von der augusteischen Propaganda gefeiert wurde (Verg. ecl. 4,6; Verg. Aen. 8,319–325). Italien selbst wurde *Saturnia tellus* (»Saturnische Erde«; Varro ling. 5,42; Verg. georg. 2,173; Verg. Aen. 8,329) genannt, auch weil S. die Zivilisation gebracht haben soll, indem er den Ackerbau (Fest. 202 L.; Serv. Aen. 8,319; Macr. Sat. 1,7,21; 24–25; 10,19; Plut. qu.R. 42), die Urbarmachung (Macr. Sat. 1,7,25; Aug. civ. 18,15), die Gesetze (Verg. Aen. 8,322; vgl. Plut. qu.R. 12), die Schrifttafeln und das Münzwesen (Tert. apol. 10,8) einführte.

Die Religiosität der Kaiserzeit machte S. zu einem heilsbringenden, auf das Jenseits ausgerichteten Gott. Auf manchen Sarkophagen ist er als Schlafender dargestellt, um das glückselige Schicksal des Verstorbenen nach dem Ebenbild des Gottes anzudeuten. S. wurde Gott der Zeit (wie Kronos = Chronos), der alles werden läßt und alles vernichtet (Cic. nat. deor. 2,64; Mart. Cap. 1,70; Macr. Sat. 1,8,6–11; Prokl. in Plat. Krat. 369b-c; Aug. civ. 4,10–11), und dem bisweilen eine bes. Ikonographie zuteil wurde (Mythographi Vaticani 3,1,8).

C. Ritual

In archa. Zeit erhob sich am Fuße des Capitols beim Comitium ein Altar des S. (Fest. 430 L.); dort soll Hercules die Gabe von Kerzen und Statuetten während der → Saturnalia als Ersatz für urspr. → Menschenopfer eingeführt haben (Macr. Sat. 1,7,31 f.; 11,48 f.). Im J. 497 v.Chr. wurde beim Altar ein Tempel errichtet (Dion. Hal. ant. 6,1,4; Liv. 2,21,2; Macr. Sat. 1,8,1), den die Sage Tullus → Hostilius [4] zuschrieb (Dion. Hal. ant. 3,32,4; Macr. Sat. 1,8,1). Der Tempel wurde ein Archiv für Gesetze und Verträge (Plut. qu.R. 42; Cass. Dio 45,17,3; Serv. Aen. 8,322) und Sitz der röm. Staatskasse (→ *aerarium*), verwaltet von Quaestoren (Plut. Publicola 12 u.a.), welche im Dezember aus diesen Mitteln die Gladiatorenspiele ausrichteten. Im Tempel befand sich eine Statue des Gottes, die einen alten Mann (Verg. Aen. 7,180) mit bedecktem Haupt (Serv. Aen. 3,407; um sich zu verstecken, laut Aug. de consensu evangelistarum 1,34) und einer Sense in der Hand (Fest. 202 L.; 432 L.; Plut. qu.R. 42; Serv. georg. 2,406; Ov. fast. 1,234; Macr. Sat. 1,7,24) zeigte; seine Füße waren umwunden von Fesseln aus Wolle, die nur während seines Festes, der Saturnalia, gelöst wurden (Stat. silv. 1,6,4; Macr. Sat. 1,8,5; Arnob. 4,24; Min. Fel. 22,5). Sein Kult gewann während des 2. Punischen Krieges stark an Bed., als er um → *lectisternia* und die Saturnalia (Liv. 2,1,19) ergänzt wurde, vielleicht um den punischen → Baal zu besänftigen, den → Hannibal [4] verehrte und den man mit S. identifizierte.

Von S. erhielt die röm. Kolonie → Saturnia ihren Namen, die in der Nähe einer großen Thermalquelle lag; auch an der Mündung des Flusses Timavus wurde S. nicht weit von Thermalquellen entfernt verehrt. Sein Kult war in Italien nur spärlich vertreten, mit Ausnahme des rätischen Raums. Im Trentino und in Südtirol war der Kult des S. der am stärksten verbreitete und bedeutendste, gewiß infolge der → *interpretatio Etrusca* und *Romana* einer indigenen Gottheit. Kult und Mythos des S. wurden von den christl. Apologeten hartnäckig bekämpft (Min. Fel. 21,7; 30,3; Tert. apol. 9,2–4; 10,6ff.; Tert. nat. 2,2,15; Lact. inst. 1,21 etc.). In Brixia, einer Stadt mit der Trad. der Cenomanni, wurde S. mit einer Lokalgottheit, Alus, identifiziert (CIL V 4197–4198). Die Region, in der der Kult des S. in der Kaiserzeit v.a. bezeugt ist, ist das röm. Nordafrika, wo er – infolge seiner Identifikation mit dem punischen und indigenen Baal, welche wenigstens bis auf die hell. Zeit zurückgeht – die Hauptgottheit des Pantheon war.

J. Albrecht, S., 1943 • A. Brelich, Tre variazioni romane sul tema delle origini, ²1976, 83–95 • M. Corbier, L'aerarium Saturni et l'aerarium militare, 1974 • Ch. Guittard, Recherches sur la nature de Saturne des origines à la réforme de 217 avant J. C., in: R. Bloch u.a. (Hrsg.), Recherches sur les religions de l'Italie antique, 1976, 43–71 • B. H. Krause, Iuppiter Optimus Maximus S., 1984 • M. Leglay, Saturne africain, 1961–1966 • A. Mastrocinque, Il culto di Saturno nell' Italia settentrionale romana, in: Ders. (Hrsg.), Culti pagani nell'Italia settentrionale, 1994, 97–117 • P. Pensabene, Tempio di Saturno, 1984 • C. Préaux, Saturne à l'ouroboros, in: Hommages à W. Deonna (Coll. Latomus 28), 1957, 394–410.

A.MAS./Ü: HE.K.

Satyr (Σάτυρος, pl. Σάτυροι, lat. *Satur, Satyrus*), auch Silenos (Σι-, Σειληνός, pl. Σι-, Σειληνοί, dorisch Σιλανός, lat. *Silenus, Silanus*).

I. Mythologie, Kunst und Kult
II. Details der bildlichen Darstellungen

I. Mythologie, Kunst und Kult

Ein S./Silenos ist Mitglied eines Dämonenvereins, der seit seinem relativ späten Auftreten E. 7./Anf. 6. Jh. v. Chr. einen Teil des myth. Gefolges des Gottes → Dionysos bildet; davon hebt sich eine mehr oder weniger ausgeprägte Einzelfigur ab (→ Silen). Wie die älteren → Kentauren gehören die S. und Silene zu den sog. Mischwesen der griech. Imagination: Meist stupsnasig, glatzköpfig, ithyphallisch und unbekleidet, sind die anthropomorphen Figuren häufig mit theriomorphen Extremitäten ausgestattet. Die bildlichen Darstellungen (s.u. II.) kennen keinen Unterschied zwischen Silenen und S., doch sind die Gattungsnamen disparat bezeugt.

Erster und bis zur Einführung des → Satyrspiels einziger Beleg für den Namen *Sátyros* ist Hes. cat. fr. 10abe Merkelbach/West[3]: Neben den Bergnymphen und → Kureten wird das »Geschlecht der nichtsnutzigen und Unsinn treibenden S.« auf → Doros und → Phoroneus zurückgeführt (evtl. schon über Hermes als ihren Vater: vgl. Nonn. Dion. 14,105–19; [3. 49–51; 4. 78–79]; zur bislang ungeklärten Etym. vgl. [20. 203–04]: σάτυρος < **saro-*, »das weibliche Geschlecht«, und **turo-*, »greifen, fassen«; vgl. χοιρόθλιψ/*choiróthlips* und Dionysos' sikyonisches Epitheton χοιροψάλας/*choiropsálas*, »das Schwein, d.i. das weibliche Geschlecht betatschend« [19. 208 Nr. 172]). *Seilēnós* (Etym. ungeklärt) findet sich zuerst Hom. h. 5,262–63 (die Silene und Hermes lieben Bergnymphen in Höhlen) in ionischem Kontext sowie auf dem nach Etrurien exportierten François-Krater (570/560 v. Chr., h. Florenz), der einzigen erh. Vase, welche die Silene kollektiv benennt. Es handelt sich bei diesen Namen kaum um urspr. regional verschiedene Vereine, sondern wohl allein um unterschiedliche Bezeichnungen, die durch das Satyrspiel, in dem der Silen einem Chor von S. gegenübersteht, austauschbar wurden (Plat. symp. 215b–216d; Xen. symp. 4,19; auch lat.: [8]), auch wenn der Befund an Beischriften/Inschr. auf eine Präferenz der Bezeichnung *Silēnós* weist (zum Problem: [1; 9. 32–37; 17. 5–16; 8]).

In der archa. Bildkunst sind Silene/S. häufig mit Pferde-, in Anlehnung an das Reittier des Dionysos dann meist mit Eselsmerkmalen ausgestattet. Sie figurieren zunächst in einer begrenzten Anzahl von Mythen (Rückführung des → Hephaistos in den Olymp, → Gigantomachie), die unter dem Einfluß des Satyrspiels, das insbes. ihre Beziehung zu → Herakles [1] ausschlachtet [10], beträchtlich zunimmt. Ebenfalls unter dem Einfluß des Satyrspiels – wo die S. als Kulturschöpfer (Wein, Lyra, Flöte) gelten – ist ihre progressive Humanisierung zu beobachten. Die Akzentuierung zw. den Polen von Animalität und Menschlichkeit bleibt aber der semantischen Intention einer Effekte suchenden Ikonographie vorbehalten, in welcher die Silene/S. ein bestätigendes Gegenbild zu den Werten des Polisbürgers darstellen [11; 13] oder der myth. Überhöhung von → Gastmahl (*sympósion*) und → *kṓmos* dienen. Von wenigen klass. Beispielen abgesehen, nehmen Silene/S. die Bocksmerkmale erst in hell. Zeit an, evtl. unter dem Einfluß des → Pan und der *panískoi* (»der jungen Pane«); in It. werden sie daher (wenn auch selten) mit Faunen (→ Faunus) gleichgesetzt. Ihre typischen Attribute, welche für die dionysische Erfahrung schlechthin stehen, zählt bereits der François-Krater auf: Der Weinschlauch (*askós*) assoziiert sie mit allen Aspekten des Weins vom Anbau bis zum Genuß, die Flöte (*aulós*) mit Musik und → Tanz; die → Nymphen (später auch die → Mänaden) bilden das weibliche Pendant der Silene/S. im myth. Gefolge des Dionysos, das von einer Symmetrie jedoch weit entfernt ist, und sie verweisen auf deren exzessive, selbstzweckhafte, von den weiblichen Figuren daher auch unabhängige Sexualität ([12]; zur zunehmend aggressiv, jedoch selten vollzogen dargestellten sexuellen Beziehung mit Nymphen/Mänaden: [14; 6; 15. 100–139]).

Zu kultischen Anlässen verkleidete man sich – wie im Theater – mit Maske, Felltrikot und Schurz (*perízōma*), an dem Schwanz und → Phallos fixiert waren, als S./Silen (v. a. an den → Anthesteria: [5]; in der Prozession des Ptolemaios II. Philadelphos in Alexandreia: [16]; in Rom: Dion. Hal. ant. 7,72). Diese Praxis wurde noch 692 n. Chr. in Konstantinopel verboten (Theodorus Balsamon, Kanones 42, PG 137,727 [17. 6 mit Anm. 12]). In den jenseitig orientierten → Mysterien des Dionysos (Plat. leg. 815c; Wandgemälde in der Villa dei misteri, Pompeii, vgl. [2. 80–81]) und in der kaiserzeitlichen Grabkunst weist die Präsenz von Silenen/S. auf die Vorstellung einer Einreihung des Initianden bzw. Verstorbenen in das Gefolge des Gottes.

→ Dionysos; Mänaden; Mysterien B.4.; Satyrspiel; Silen

1 F. Brommer, σιληνοί und σάτυροι, in: Philologus 94, 1941, 222–228 **2** W. Burkert, Ant. Mysterien, [3]1994
3 Th.H. Carpenter, Dionysian Imagery in Fifth-Century Athens, 1997 **4** Ders., Dionysian Imagery in Archaic Greek Art, 1986 **5** R. Hamilton, Choes and Anthesteria. Athenian Iconography and Ritual, 1992 **6** G. Hedreen, Silens, Nymphs, and Maenads, in: JHS 114, 1994, 47–69
7 Ders., Silens in Attic Black-Figure Vase-Painting. Myth and Performance, 1992 **8** A. Kossatz-Deissmann, s. v. Silenos, LIMC 7.1, 762 **9** A. Lesky, Die trag. Dichtung der Hellenen, 1972 **10** F. Lissarague, Héraclès et les satyres, in: Modi e funzioni del racconto mitico nella ceramica greca, italiota ed etrusca dal VI al IV secolo a.C., 1995, 171–199
11 Ders., On the Wildness of Satyrs, in: Th.H. Carpenter, Ch. A. Faraone (Hrsg.), Masks of Dionysus, 1993, 207–220
12 Ders., De la sexualité des satyres, in: Métis 2, 1987, 63–90 (engl. in: D. M. Halperin, J. J. Winkler, F. I. Zeitlin (Hrsg.), Before Sexuality, 1990, 53–81) **13** Ders., Pourquoi les satyres sont-ils bons à montrer, in: Cahiers du groupe interdisciplinaire du théâtre antique 3, 1987, 93–106 (engl. in: J. J. Winkler, F. I. Zeitlin (Hrsg.), Nothing to Do with Dionysos?, 1990, 228–236) **14** S. McNally, The Maenad in Early Greek Art, in: Arethusa 11, 1978, 101–136 (Ndr. in:

J. PERADOTTO, J. P. SULLIVAN (Hrsg.), Women in the Ancient World, 1984, 107–141) **15** S. MORAW, Die Mänade in der attischen Vasenmalerei des 6. und 5. Jh. v. Chr., 1998 **16** E. E. RICE, The Grand Procession of Ptolemy Philadelphus, 1983 **17** R. SEAFORD (ed.), Euripides, Cyclops, 1984 **18** E. SIMON, s. v. Silenoi, LIMC 8.1, 1108–1133; 8.2, 746–783 **19** A. TREPP, Die Fr. der griech. Kultschriftsteller, 1914 **20** A. J. VAN WINDEKENS, Dictionnaire étymologique complémentaire de la langue grecque, 1986. T. H.

II. DETAILS DER BILDLICHEN DARSTELLUNG

S. sind Mischwesen [8], die mit → Mänaden und → Silenen zum → *thíasos* des → Dionysos gehören und mit Ohren, Schweif, seltener Füßen und Fell von Pferden dargestellt werden; in der attischen Kunst sind S. meist stumpfnasig und menschenfüßig, im → *kṓmos* oder lüstern mit Mänaden zugange [10. 1132f.; 6. 26f., 46]. Bildliche Darstellungen beginnen im ersten Drittel des 6. Jh. v. Chr. in der Vasenmalerei von Thasos, Kreta, Attika; ebenfalls aus dieser Zeit stammt ein S.-Kopf als Wasserspeier vom Apollontempel in Thermos (Athen, NM 13341) – dieser ist evtl. apotropäisch zu verstehen, ebenso wie S.-Masken in Gräbern oder das S.-Relief des aus den 60er-Jahren des 5. Jh. v. Chr. stammenden, aber noch archa. Formen verhafteten Löwengrabes von Xanthos [4. 27–29].

In der Plastik dominieren vom 4. Jh. v. Chr. an zwei Typen: Knabenhaft schlank sind die S. des → Praxiteles (vgl. [2]) – um 360 v. Chr. der einschenkende, etwas später der ausruhende S. [10. Nr. 212, 213]. Kraftvoll und muskulös ist dagegen der bärtige S. mit dem Dionysoskind in den Armen (Schule des → Lysippos [2], um 300/280 v. Chr.; Paris, LV 922); bartlos, aber ebenfalls erwachsen der Schlafende S. (→ BARBERINISCHER FAUN, München, GL 218) aus dem späten 3. Jh. v. Chr. Die Beliebtheit dionysischer Themen im Hell. zeigen unzählige tanzende oder sich mit Mänaden, → Nymphen, → Hermaphroditen vergnügende S. (vgl. jetzt bes. [11]), auch S.-Knäblein, die mit Wasser oder Masken spielen. Diese Skulpturen waren in röm. Zeit sehr beliebt in Villen und Peristylgärten, wo sie das *otium*, den sorglosen Genuß der Villeggiatur, betonen [9]. Die Statuentypen erscheinen in der Kaiserzeit auch auf Schmuck- und Brunnenreliefs und Marmorkrateren [7. 37–48; 3], die ebenfalls zur repräsentativen Ausstattung von Villen der röm.-ital. Oberschicht dienten, sowie auf den dionysischen → Sarkophagen, die mit über 380 Expl. die größte thematische stadtröm. Gruppe der Reliefsarkophage bilden und bis in die Spätant. belegt sind.

1 P. E. ARIAS, s. v. Satiri e Sileni, EAA 7, 1966, 67–73 **2** P. GERCKE, Satyrn des Praxiteles, 1968 **3** D. GRASSINGER, Röm. Marmorkratere, 1991 **4** F. HÖLSCHER, Die Bed. archa. Tierkampfbilder, 1972 **5** B. HUNDSALZ, Das dionysische Schmuckrelief, 1987 **6** I. JUCKER, Der Gestus des Aposkopein, 1956 **7** Y. KORSHAK, Frontal Faces in Attic Vase Painting of the Archaic Period, 1987, 5–11, 45–54 **8** F. LISSARAGUE, Les satyres et le monde animal, in: J. CHRISTIANSEN, T. MELANDER (Hrsg.), Ancient Greek and Related Pottery, 1988, 335–351 **9** R. NEUDECKER, Die Skulpturenausstattung röm. Villen in It., 1988 **10** E. SIMON, s. v. Silenoi, LIMC 8.1, 1997, 1108–1133 **11** A. STÄHLI, Die Verweigerung der Lüste, 1999. B. BÄ.

Satyrion (Σατυρίων). Dichter der Neuen Komödie (3. Jh. v. Chr.), bekannt lediglich aus einer inschr. Erwähnung auf der Liste der Dionysiensieger, auf der S. mit einem Sieg verzeichnet ist [1].

1 PCG VII, 1989, 590. T. HI.

Satyrios (Σατύριος). Epigrammatiker unsicherer Identität, vielleicht gleichzusetzen mit → Satyros [9]: Das einzige erh. Gedicht Anth. Pal. 6,11 wird von der *Anthologia Planudea* einem gewissen S. (Name selten bezeugt) zugewiesen, von der *Anthologia Palatina* dagegen einem nicht weiter bezeugten Satrios (evtl. der ital. Gentilname Satrius? vgl. [2]). Inhalt: Weihung an Pan seitens eines Jägers, eines Vogelfängers und eines Fischers (Thema von 14 weiteren Epigrammen vom 3. Jh. v. Chr. bis zum 6. Jh. n. Chr., parodiert von Lukianos, vielleicht → Lukillios, Anth. Pal. 6,17); der Stil weist wohl in die Zeit vom 1. Jh. v. Chr. bis zur 1. H. des 1. Jh. n. Chr.

1 FGE 87–89 **2** P. WALTZ, Anthologie Grecque, Bd. 3, ^{2}1960, 191 **3** A. CAMERON, The Greek Anthology from Meleager to Planudes, 1993, 42 Anm. 37. M. G. A./Ü: T. H.

Satyros (Σάτυρος).

[1] s. Satyr

[2] S. I. Herrscher des → Regnum Bosporanum von 433/2 bis 389/8 v. Chr.; Sohn des → Spartokos I. S.' Mitregent war evtl. (bis 393/2) sein Bruder → Seleukos [1]. S. richtete sein Interesse auf die asiatische Küste des Kimmerischen Bosporos (→ Bosporos [2]). Den sindischen König Hekataios setzte er nach einem Aufstand wieder ein und verschwägerte sich mit ihm. Dessen geschiedene Frau schickte daraufhin den König der Ixomaten gegen S. (Polyain. 8,55). S. starb während der Belagerung von → Theodosia.

V. F. GAJDUKEVIČ, Das Bosporan. Reich, 1971, 70f.; 80f. I. v. B.

[3] Griech. Architekt und Bildhauer spätklass. Zeit, Sohn des Isotimos aus Paros. Gemeinsam mit → Pytheos entwarf er das → Maussolleion in Halikarnassos, über das die beiden Architekten eine Schrift verfaßten (Vitr. 7 praef. 12). Die stilkritische Bewertung von Baugliedern schreibt ihm einen maßgeblichen Anteil an diesem Grabbau zu [1]. Überl. ist zusätzlich die Nachricht über einen durch S. bewerkstelligten Transport eines besonders großen → Obelisken nach Alexandreia (Plin. nat. 36,67–68), doch könnte hier auch ein namensgleicher Ingenieur gemeint sein. Als Bildhauer nennt ihn eine Künstlerinschr. auf einer in Delos gefundenen Statuenbasis [2] für die um 435 v. Chr. entstandenen Br.-Standbilder des Idreus und der Ada, der Geschwister und Nachfolger des → Maussollos. Wiederholte Versuche, weitere Skulpturen mit S. in Verbindung zu bringen, konnten kaum überzeugen [3].

1 H. Drerup, Pytheos und Satyros, in: JDAI 69, 1954, 1–31 2 J. Marcadé, Recueil des signatures de sculpteurs grecs, Bd. 1, 1953, 93, Taf. 17,1 3 R. Kabus-Jahn, Stud. zu Frauenfiguren des 4. Jh. v. Chr., 1962, 65–70.

H. Svenson-Evers, Die griech. Architekten archa. und klass. Zeit, 1996, s. v. S., 116–150. H. KN.

[4] Einflußreicher athenischer Oligarch, wirkte als Ratsmitglied führend auf den Sturz und die Verurteilung des → Kleophon [1] hin (Lys. 30,10–14), gehörte unter der Herrschaft der 30 Tyrannen (→ *triákonta*) zu den Elfmännern (→ *héndeka*) und tat sich bei der Hinrichtung des Theramenes hervor (Xen. hell. 2,3,54–56); anscheinend wurde er dann selbst unter die Dreißig aufgenommen (Lys. 30,12). W. S.

[5] Griech. Komödienschauspieler des 4. Jh. v. Chr. Er bevorzugte offenbar Sklavenrollen (Aischin. leg. 156) und siegte mindestens sechsmal an den → Lenaia [1]. Als Philippos [4] II. anläßlich der Eroberung von Olynthos im J. 348 v. Chr. szenische Aufführungen in → Dion [II 2] veranstaltete und alle siegreichen Teilnehmer reichlich beschenkte, erbat S. nichts für sich persönlich, sondern die Freilassung zweier Töchter eines Gastfreunds (Diod. 16,55,3). Dieser war bei einem Mordanschlag auf den Bruder des Königs ums Leben gekommen, wie Demosthenes [2] (or. 19,194 f.) berichtet, dem S. als Kontrastfigur zum verhaßten → Aischines [2] dient. Nach Plut. Demosthenes 7 war S. ein Jugendfreund des Redners; er ließ ihn Euripides und Sophokles deklamieren und lehrte ihn daran Sprechtechnik und Vortragskunst. Die Anekdote setzt im Grunde einen trag. Schauspieler gleichen Namens voraus (ähnlich Lukian. Iuppiter Tragoedus 41; Lukian. necyomantia 16), sie könnte aber auf einer Fiktion beruhen [2].

1 Mette, 179 2 M. Bonaria, s. v. S. (13a), RE Suppl. 10, 875

I. E. Stefanis, Dionysiakoi technitai, 1988, Nr. 2235 und 2241. H.-D. B.

[6] Leiter einer Expedition zum Elefantenfang und Gründer der Stadt Philotera (vgl. → Philotera) am Roten Meer (Strab. 16,4,5 p. 769); als *dioikētḗs* wird er 263 v. Chr. in [1. 36,11; 37,11] erwähnt.

1 B. P. Grenfell u. a., Revenue Laws of Ptolemy Philadelphos, 1896.

[7] Sohn des Eumenes, 203/2 v. Chr. eponymer Alexanderpriester (PP III/IX 5263); verm. nicht identisch mit dem berühmten Auleten aus Samos (PP VI 17048). W. A.

[8] S. aus Kallatis am Schwarzen Meer (Σ. ὁ καλλα[τιανός, PHercul. 558), griech. Biograph, auch »der Peripatetiker« (περιπατητικός, Athen. 12,544c) genannt, vielleicht nach dieser Bezeichnung für Gelehrte, die lit. und biographische Studien pflegten (vgl. [6. 118], dagegen [9. 282]). Sicherer *terminus ante quem* für die Datier. ist die Epitome seines biographischen Werks durch → Herakleides [19] Lembos (Diog. Laert. 8,40; 53) zur Zeit des König Ptolemaios [9] VI. Philometor (180–145 v. Chr.). Einen genaueren chronologischen Ansatz böte die Zuschreibung auch der Schrift ›Über die Demen von Alexandreia‹ (Περὶ δήμων Ἀλεξανδρέων), die unter König Ptolemaios [7] IV. Philopator (221–204 v. Chr.; Suda η 462 s. v. Ἡρακλείδης = 2,581,25–29 Adler) verfaßt wurde, an S., doch ist dies umstritten [10. 103–106; 6. 118; 2. 229; 8. 119; 9. 279–287; 5. 339–343].

In der Ant. zählte S. zu den berühmtesten Verf. von Biographien (Hier. vir. ill., praef.). Zahlreiche Nachr. über S.' Werk (Βίοι, *Bíoi*) sind insbes. bei Diogenes Laertios und Athenaios überliefert: über Philosophen (die Sieben Weisen, nämlich Bias, Chilon, Pythagoras und die Pythagoreer, den Kyniker Diogenes [14] von Sinope, Anaxarchos, Stilpon), Dichter (Sophokles, Euripides), Staatsmänner und Könige (Alkibiades [3], Dionysios [2] II. von Syrakus, Philippos [4] von Makedonien) und Redner (Demosthenes [2]) erh. Auch ein Werk ›Über Charaktere‹ (Περὶ χαρακτήρων) wird S. zugewiesen; dazu eines mythographischen Inhalts (umstritten: [3. 235]). Gemäß Diog. Laert. 6,80 hat S. über den Kyniker Diogenes [14] in B. 4 (ἐν τῷ τετάρτῳ τῶν βίων) gehandelt; die *subscriptio* des POxy. 1176 (fr. 39 col. 33) belegt, daß B. 6 die Viten der drei großen Tragiker Aischylos, Sophokles und Euripides enthielt. Man kann daher annehmen, daß das Werk in Pentaden eingeteilt war: Die erste enthielt Viten der Philosophen, die zweite jene der Dichter und die übrigen die der Monarchen und Staatsmänner.

Die Veröffentlichung von POxy. 1176 (Vita des Euripides) hat die Seriosität des S. als Biograph aufgrund der großen Zahl von Anekdoten, des diskursiven, leichten Tons der Darstellung, der fehlenden Angabe irgendeiner Quelle außer den Tragödien des Euripides selbst und den Komödien des Aristophanes (mit ganz unwahrscheinlichen Interpretationien), und der Bezugnahme auf eine nicht präzisierte Überlieferung in Zweifel gezogen [2. 230; 8. 119; 9. 282]. Ordnet man diese Art lit.-histor. und biographischer Unt. genauer in die Trad. ein, die mit → Aristoteles' [6] Dialog ›Über die Dichter‹ (Περὶ ποιητῶν) begonnen hatte, in dem die Benutzung lit. Quellen (die »Methode des → Chamaileon«) weithin angewandt worden war, kommt man zu einem ausgewogeneren Urteil über S. [7. 366–370; 1. 161–190].

Ed.: G. Arrighetti, Satiro. Vita di Euripide (Studi classici ed orientali 13), 1964 • POxy. 9, 1912, 124–182 • C. F. Kumaniecki, De Satyro Peripatetico (Archiwum Filologiczne 8), 1929 • FHG III, 159–166.

Lit.: 1 G. Arrighetti, Poeti, eruditi e biografi 1987, 161–190 2 A. Gudeman, s. v. S. (16), RE 2 A.1, 228–234 3 Ders., s. v. S. (19), RE 2 A1, 235 4 F. Jacoby, FGrH, p. 498, zu 20 F 1 5 M. R. Lefkowitz, Satyrus the Historian, in: Atti del XVII Congresso Internazionale di Papirologia, Bd. 2, 1984, 339–343 6 F. Leo, Die griech.-röm. Biographie nach ihrer litt. Form, [1]1901 (Ndr. 1990), 118–124 7 F. Leo, βίος

Εὐριπίδου, in: E. Fraenkel (Hrsg.), F. Leo, Ausgewählte KS, Bd. 2, 365–383, 1960 **8** E. G. Turner, The Oxyrhynchi Papyri 27, 1962, 118–133 **9** S. West, Satyrus: Peripatetic or Alexandrian?, in: GRBS 15, 1974, 279–287 **10** U. von Wilamowitz-Moellendorff, Lesefrüchte, in: KS 4, 1962, 103–106. GR. A./Ü: T. H.

[9] Epigrammatiker, von dem fünf Gedichte erh. sind (weitere Zuweisung: vgl. → Satyrios), die mit einer gewissen Eleganz verbreitete Themen variieren: die Rückkehr des Frühlings (Anth. Pal. 10,6: vgl. Leonidas [3] von Tarent, ebd. 10,1 usw.), eine Weihung von seiten eines Jägers und eines Vogelfängers (10,11; vgl. Leonidas, ebd. 9,337), eine Quelle (ebd. 10,13, vgl. → Anyte, ebd. 9,313 f., usw.), Echo (ebd. 16,153, vgl. Archias, ebd. 9,27, usw.), der gefesselte Eros (16,195, vgl. Alkaios von Messene, ebd. 16,196, usw.). Der Stil des S. könnte ins 2. Jh. v. Chr. passen (vgl. auch [2]).

1 FGE 89–93 **2** A. Cameron, The Greek Anthology from Meleager to Planudes, 1993, 42 Anm. 37. M. G. A./Ü: T. H.

[10] Griech. Arzt um 150 n. Chr., Schüler des → Quintus [2] (Gal. 2,217 K.) und Lehrer des → Galenos in Pergamon (Gal. 2,224; 19,58 K.). Ailios → Aristeides [3] wurde von ihm mit einem Pflaster behandelt, das seine Brustschmerzen angeblich nur verschlimmert haben soll (Aristeid. or. 49,8–11). In seinen Lehren lehnte sich S. eng an die Hippokratesexegese des Quintus an und teilte dessen Interesse an Anatomie und Pharmakologie. Galen exzerpierte die Hippokrateskommentare des S., läßt aber offen, in welchem Maß er ihnen verpflichtet ist (Gal. CMG 5,10,2,2, S. 412–413). V. N./Ü: L. v. R.-B.

Satyrspiel (σατυρικὸν δρᾶμα, *satyrikón dráma*).

A. Ursprungsprobleme

Wie im Falle der griech. → Tragödie bildet auch für das S. eine Stelle der aristotelischen ›Poetik‹ den Ausgangspunkt der Ursprungsdiskussion. Danach (Aristot. poet. 1449a 19 ff.) habe die Trag., von kleinen Stoffen und einer scherzhaften Sprache ausgehend, erst spät die ihr angemessene Erhabenheit erlangt, da sie sich aus dem Satyrhaften (ἐκ σατυρικοῦ, *ek satyrikú*) entwickelt habe und anfangs tänzerischer (ὀρχηστικωτέρα, *orchēstikōtéra*) gewesen sei. Aristoteles behauptet also keineswegs, daß sich die Trag. aus dem S., sondern aus einer heiteren, satyrischen Form entwickelt habe. Daß nach der ant. Trad. → Pratinas aus Phleius als »Erfinder« des S. gilt, muß keinen Widerspruch zur Aussage der ›Poetik‹ darstellen; vielmehr bedeutet dies wohl, daß Pratinas der erste bekannte Dichter ist, dem die Abfassung von S. zugeschrieben werden kann.

Die Einführung des S. in das Programm der Großen → Dionysia in Athen muß zw. 520 und 510 v. Chr. erfolgt sein; den *terminus ante quem* stellt ein zw. 510 und 500 entstandener att. rf. Volutenkrater (Padula, Museo Archeologico della Lucania [6. Taf. 7]) mit einer S.-Szene dar (→ Satyrn). Nach der auf → Chamaileon (fr. 38 Wehrli) zurückgehenden Erklärung des Sprichworts οὐδὲν πρὸς τὸν Διόνυσον (*udén pros ton Diónyson*, ›Das hat nichts mit → Dionysos zu tun!‹), ist die Einführung des S. wohl als Tribut an den konservativen Geschmack des athenischen Publikums zu verstehen: Die Großen Dionysia erhielten durch das S. ihr dionysisches Kolorit zurück, im S. wurden gewissermaßen die Ländlichen Dionysia in das Festprogramm integriert. Ob polit. Motive hinter der Einführung des S. stehen, ist möglich, aber nicht nachweisbar [8]. Während → Aischylos [1] inhaltlich das S. im Rahmen einer → Tetralogie eng an die vorangehenden drei Trag. anzubinden pflegte, läßt sich dies weder bei → Sophokles noch bei → Euripides [1] nachweisen. In der 2. H. des 5. Jh. war es sogar möglich, das S. durch eine Trag. (Euripides, ›Alkestis‹, 438 v. Chr.) zu ersetzen. Die schwindende Bedeutung des S. wird dadurch unterstrichen, daß in den 30er Jahren des 5. Jh. ein trag. Agon an den Lenäen (→ *Lḗnaia*) ohne S. eingeführt wurde. Ab 341/40 wurden an den Großen Dionysia nicht mehr drei S. von drei Tragikern, sondern nur noch ein einziges S. aufgeführt.

B. Texte, archäologische Testimonien

Von der Vielzahl der griech. S. ist lediglich ein Stück, der *Kýklōps* des → Euripides [1], vollständig erh. [9]. Dazu kommen z. T. umfangreiche Papyrusfunde, bes. der *Ichneutaí* (›Spurensucher‹) des → Sophokles [1] und *Diktyúlkoi* (›Netzfischer‹) des → Aischylos. Insgesamt kennen wir Titel und teilweise Fr. von ca. 75 Autoren, in 25 weiteren Fällen ist die Zuweisung zum S. umstritten. Eine wichtige Quelle stellen zahlreiche Darstellungen von S.-Szenen auf Vasen dar, die nur dann methodisch gesichert als Reflex einer tatsächlichen Aufführung gelten können, wenn der Theater-Bezug durch Requisiten (Schurz und Maske der → Satyrn, Flötenspieler) gesichert ist [6. 47 ff.].

C. Gattungsmerkmale

Zentral für das S. ist der → Chor, der immer aus Satyrn gebildet wird, so daß sich als Gattungsbezeichnung neben σατυρικὸν δρᾶμα (*satyrikón dráma*) auch einfach οἱ σάτυροι (*hoi sátyroi*, »die Satyrn«) findet. Die Größe des Chores dürfte analog zur Trag. zunächst 12, später 15 Choreuten umfaßt haben. Die Satyrn haben einen Vollbart, stumpfe Nasen und Pferdeohren, eine Glatze, einen Pferdeschwanz und einen → Phallos, der an einem Lendenschurz befestigt ist. Sie sind ungezügelt und neigen zu überschäumenden Tänzen; der für das S. typische Tanz heißt *Sikinnís*. Ihr Vater ist Silenos (bzw. Papposilenos; → Silen), der ein Fellgewand und einen weißen Bart trägt. Die Rolle des Silenos hat sich im Verlauf der Gattungs-Gesch. vom Chorführer der Satyrn zu einer Schauspielerrolle entwickelt [4].

Ein typisches Motiv des S. [6. 28 ff.] ist die Gefangenschaft der Satyrn und die Trennung von → Dionysos, bis sie durch einen mutigen Helden (z. B. Herakles, Odysseus, Theseus) aus der Hand des Unholds (z. B.

Polyphemos, Busiris, Skiron) befreit werden. Weitere Handlungsmotive sind Gaunereien und listiges Verhalten, Rateszenen, erotische Stoffe und Motive. Ein Reiz des S. besteht darin, daß in ihm zwei konträre Welten und Lebenshaltungen aufeinanderprallen: Die Welt der Trag., vertreten durch tragische Helden und Götter, trifft auf die Welt der hemmungslosen, oft feigen dionysischen Mischwesen. Dadurch wird bes. in der Form der von Aischylos bevorzugten Inhaltstetralogie in dem zum selben myth. Zusammenhang gehörenden S. eine heitere, ja komische Deutung des trag. Mythos geboten, die auch die menschliche Seite der Heroen und Götter herausstreicht [6. 37]. Die auf → Demetrios [41] (De elocutione 169), zurückgehende Bezeichnung des S. als τραγῳδία παίζουσα (*tragōidía paízusa*, »scherzende Tragödie«) wird dieser Funktion des S. völlig gerecht.

D. 4./3. Jh. v. Chr., Rezeption

Nach dem bereits Mitte des 5. Jh. v. Chr. einsetzenden Niedergang erlebte das S. im 3. Jh. v. Chr. wohl aus histor.-philol. Interesse eine kurze zweite Blüte. Man versuchte, die Gattung für andere Formen zu öffnen, → Sositheos durch die Aufnahme bukolischer Elemente, → Lykophron [5] im *Menédēmos* durch die Übernahme des persönlichen Spotts (ὀνομαστὶ κωμῳδεῖν, *onomastí kōmōideín*) aus der Alten → Komödie. Das Interesse des Aristoteles und der alexandrinischen Philologen für das S. war gering. Nur von → Chamaileon ist eine Schrift Περὶ Σατύρων (*Perí Satýrōn*, ›Über das S.‹) bezeugt. Hor. ars 220–250, dürfte einen Reflex der hell. S.-Theorie darstellen [1]. Erst in der ital. Renaissance fand das S. wieder mehr Beachtung wegen seines bukolischen Charakters und seiner tragikomischen Mischform [10. 5]. Die mod. Forsch. setzt mit Casaubonus [2] (1605) ein, der die Gleichsetzung von S. und röm. → Satire aus der Welt schaffte [2]. Nachdem sich im 19. Jh. bes. F. G. Welcker [12] mit dem S. befaßt hatte, wurde die Gattung nach den Pap.-Funden erst im 20. Jh. zu einem Forsch.-Gebiet der Klass. Philol. [6. 39 f.]. Im Gegensatz zur griech. Tragödie regte das S. wenig zur poet. Auseinandersetzung an (z. B. aber Thornton Wilder, ›Alcestiad‹, gefolgt von dem S. ›The Drunken Sisters‹, 1955; [11. 197–203]); auch Wiederaufführungen sind selten [5. 395 ff.].

→ Satyr; Tragödie

1 C. O. Brink, Horace on Poetry. Bd. 2: The ›Ars Poetica‹, 1971, 273–295 **2** I. Casaubonus, De satyrica Graecorum poesi et Romanorum satira, Paris 1605 (Auszug in [10], 13–17) **3** N. Ch. Churmuziades, *Satyriká*, ²1984
4 G. Conrad, Der Silen, 1997 **5** H. Flashar, Inszenierung der Ant., 1991 **6** R. Krumeich, N. Pechstein, B. Seidensticker (Hrsg.), Das griech. S., 1999
7 N. Pechstein, Euripides Satyrographos, 1998
8 L. E. Rossi, Das att. S. Form, Erfolg und Funktion einer ant. lit. Gattung, in [10], 222–251 (Auszug aus: Il dramma satiresco attico. Forma, fortuna e funzione di un genere letterario antico, in: Dialoghi di Archeologia 6, 1972, 248–301) **9** R. Seaford (ed.), Euripides, Cyclops, 1984
10 B. Seidensticker (Hrsg.), S., 1989 **11** D. F. Sutton, The Greek Satyr Play, 1980 **12** F. G. Welcker, Nachtrag zu der Schrift über die Aeschyleische Trag. nebst einer Abh. über das S., 1826 (Auszug in [10], 22–28). B. Z.

Sauconna. Name des gewöhnlich → Arar genannten Flusses, h. Saône, erst seit der Spätant. lit. bezeugt (vgl. Amm. 15,11,17: *Ararim quem Sauconnam appellant*, »Arar, den man S. nennt«; Avitus, epist. 83 = MGH AA 6,2). Der Name ist aber schon früher belegt, z. B. als Bezeichnung für die *dea Souconna* in Châlon-sur-Sâone (ILS 9516). E. O. u. V. S.

Saufeius. Ital. Gentilname. Die Familie stammt aus der alten lokalen Aristokratie von Praeneste (CIL I^2 279–290; 1467–1471; 2439) und ist in Rom selbst und als Händler auf Delos seit E. des 2. Jh. v. Chr. bezeugt (RRC 204).

1 Schulze, 239 **2** Syme, RP 2, 600. K.-L. E.

[1] S., L. Erscheint 67–44 v. Chr. in Ciceros Briefen als Epikureer (Cic. Att. 7,2,4) und Freund des → Pomponius [I 5] Atticus (Cic. Att. 7,1,1). 43 rettete dieser den S., der wegen seines Reichtums proskribiert worden war (Nep. Att. 12,3).

[2] S., M. Führte am 18. Jan. 52 v. Chr. die Gefolgsleute des Annius [I 14] Milo bei der Ermordung des → Clodius [I 4]. Obwohl anders als Milo direkter Täter, wurde er im Gegensatz zu diesem in zwei Prozessen freigesprochen (Ascon. 54 f. C). J. BA.

Saumakos. Mörder des → Pairisades [6] V., welcher das → Regnum Bosporanum an → Mithradates [6] VI. übergab. Nach dem Dekret des Diophantos [2] (IOSPE 1^2 Nr. 352, 34–35) hatte S. mit den → Skythen einen Aufstand begonnen, der den europäischen Teil des Reiches erfaßte. Er wurde von Diophantos gefangen und Mithradates übergeben. Dieser Aufstand war offensichtlich gegen die neue polit. Führung gerichtet. Die Meinung, S. sei ein Sklave gewesen, beruht auf einem Übersetzungsfehler.

A. Gavrilov, Skify Savmaka – vosstanie ili vtorzenie?, in: Etjudy po antičnoj istorii i kulíture Severnogo Pričernomorija, 1992, 61–72 · S. Ju. Saprykin, Pontijskoe carstvo, 1996, 141–147. I. v. B.

Sauromates (Σαυρομάτης). Name bosporanischer Könige; s. auch → Sarmatai.

[1] König des → Regnum Bosporanum, 93/4–123/4 n. Chr., Sohn des → Rheskuporis II. S. führte erfolgreiche Kriege gegen → Skythen (IOSPE 2^2 26) und Seeräuber im nördl. Pontosgebiet. Viele Neubauten in → Gorgippia und → Pantikapaion zeigen den Aufschwung des Reiches unter seiner Herrschaft. Eine Ehrensäule für S. stand in Sinope (IOSPE 2^2 40).

[2] König des Regnum Bosporanum 173/4–210/1 n. Chr., Sohn des → Rhoimetalkes [4]; S. führte im J. 193 Kriege gegen die → Sirakoi und Skythen und schloß mit den Taurern einen Vertrag ab (IOSPE 2^2 423). Als Bauherr von Tempeln ist er mehrfach bezeugt (z. B. IOSPE 2^2 47).

[3] Mitregent des Kotys [II 3] III. im → Regnum Bosporanum, nur durch Mz. von 229/230–231/2 n. Chr. bekannt. Als Mitregent wurde er von → Rheskuporis [3] IV. abgelöst.
[4] Nachfolger des → Rheskuporis [4] V., regierte im J. 275/6 n. Chr.; nur durch Mz. bekannt.

V. F. Gajdukevič, Das Bosporanische Reich, 1971, 349f.; 353f.; 357f.; 470 • P. J. Karišovskij, Iz istorii monetnoj spravi na Bospori v III st.n.e., in: Materialy po arheologii servernogo Pričernomorija 2, 1959 • A. Zograph, Antičnye moneti, in: Materialy instituta arheologii 16, 1951, 208f. I. v. B.

Savaria. Röm. Kolonie in → Pannonia Superior, h. Szombathely in West-Ungarn. Ihre Lage an der Bernsteinstraße (Strecke Aquileia – Carnuntum) und gute Straßenverbindungen nach Arrabona und über Sopianae nach Sirmium ermöglichten einen raschen wirtschaftlichen Aufschwung. Unter Claudius [III 1] wurde in S. eine Kolonie gegr. (*colonia Divi Claudii S.*: Plin. nat. 3,146), *tribus Claudia.* Bis 106 n. Chr. war S. Mittelpunkt der Prov.-Verwaltung. Als Verkehrs- und Verwaltungszentrum bildete es den Wirkungsbereich einer *statio* des *publicum portorium Illyrici* (Zollstation). S. wurde offensichtlich früh romanisiert (Zentrum des → Kaiserkults, Standort der *ara Augusti provinciae Pannoniae* bzw. *Pannoniae Superioris*). Wichtige arch. Funde: Capitolium, Wasserleitung, Gebäudereste, Heiligtum der → Isis (rekonstruiert). Das Christentum ist in S. vielfach bezeugt (Märtyrertod des hl. Quirinus, Basilika). In der Spätant. war der Ort Sitz des Praeses der *Pannonia I.*

T. P. Buócz, Die Top. von S., 1967 • O. Sosztarits, Top. Forsch. im südl. Teil von S., in: La Pannonia e l'Impero Romano (Atti del Convegno, Roma 1984), 1995, 233–241. J. BU.

Savincates. Keltischer Stamm in den → Alpes Cottiae, erwähnt auf dem Augustusbogen in Segusio (CIL V 7231) und am Mausoleum von Escoyères en Queyras (CIL XII 80), also verm. im Gebiet südöstl. von Briançon zu lokalisieren.

G. Barruol, Les peuples préromains du sud-est de la Gaule, 1969, 175–177, 356f. H. GR.

Savus (Σάουος). Rechter Nebenfluß der Donau im Süden von → Pannonia (Plin. nat. 3,128; 147f.; Ptol. 2,16,1f.; 3,9,1; Strab. 4,6,10; Geogr. Rav. 4,20), h. Sava (Slowenien, Kroatien, Bosnien, Serbien). In seinem Mittel- und Unterlauf war er schiffbar. An den Ufern lagen wichtige Verkehrsknotenpunkte (→ Noviodunum, → Siscia, → Sirmium, → Singidunum). S. wurde auch als Flußgottheit verehrt (CIL III, 4009).

TIR L 33 Tergeste, 1961, 65 • TIR L 34 Budapest, 1968, 100. J. BU.

Saxa Rubra. *Statio* auf dem rechten Ufer des Tiberis am neunten Meilenstein der → Via Flaminia (14,4 km nördl. von Rom; SHA Sept. Sev. 8,9; Tab. Peut. 5,5: *ad rubras*), wo die Via Tiberina und eine weitere Straße in Richtung → Veii abzweigten (Mart. 4,64,15), benannt nach den roten Tuff-Felsen, die hier dicht an den Fluß herantreten. Hier befand sich ein kleines Gasthaus (*cauponula*: Cic. Phil. 2,77). 312 n. Chr. wurde hier → Maxentius von Constantinus [1] d.Gr. geschlagen (Aur. Vict. 40,23). In der Nähe bei → Prima Porta lag die *villa ad Gallinas albas* der Livia [2].

G. Messineo, A. Carbonara, Via Flaminia, 1993. M. M. MO./Ü: H. D.

Saxanus (*Saxsanus*, auch *Saxsetanus*). Beiname v. a. des → Hercules. Der Name leitet sich von lat. *saxum*, »Fels, Stein«, her; verehrt wurde Hercules S. im Kontext einzelner ital. oder provinzialröm. Steinbruchgebiete. Ihren Ursprung hat die Hercules S.-Verehrung vor der 2. H. des 1. Jh. n. Chr. in Mittel-It. (→ Tibur: CIL XIV 3543, die Wiederherstellung eines älteren Heiligtums in flavischer Zeit als *terminus ante quem*), weniger wahrscheinlich in Ober-It. (CIL V 5013). Aus It. brachten den Kult vermutlich Teile der niedergermanischen Heereseinheiten nach Germanien (z. B. in das Brohltal) und Gallien (nach Norroy bei Pont-à-Mousson), wo er bis in die Anfänge des 2. Jh. n. Chr. belegt ist. Diese Weihungen an Hercules S. stammen fast ausschließlich von mil. Personal, eine zivile Weihinschr. wie CIL XIII 3475 ist die Ausnahme. Die dem zivilen Bereich entstammenden und bis in das 3. Jh. reichenden Weihungen für einen S. aus Noricum (z. B. AE 1936, 162: *S. Augustus*) ohne zusätzliche Nennung eines spezifischen Gottes gelten dagegen vielleicht dem → Silvanus.

G. Bauchhenss, Hercules S., ein Gott der niedergerman. Armee, in: Studien zu den Militärgrenzen Roms III (13. Intern. Limeskongreß Aalen 1983 = BJ Beih. 20), 1986, 90–95 • R. Bedon, Les carrières et les carriers de la Gaule romaine, 1984, 184–193, 211–219 (inschr. Belege). A. BEN.

Saxones (Σάξονες, die Sachsen). German. Stammesverband, erstmals erwähnt bei Ptol. 2,11,11. Demzufolge siedelten sie in Holstein nordöstl. der Unterelbe; im Westen grenzte ihr Gebiet ans Meer (Ptol. 2,11,31: drei Sachseninseln). Verm. gingen die S. aus den → Reudigni und den → Aviones (Tac. Germ. 40,2) hervor [1]. Sie dürften bereits früher, evtl. schon 5 n. Chr. bei der Flottenfahrt zur kimbrischen Halbinsel, den Römern bekannt geworden sein, obwohl Tacitus sie nicht erwähnt. Im Verlauf des 3. Jh. n. Chr. breiteten sich die als bes. kriegerisch geltenden S. entlang der Nordseeküste bis zum Niederrhein aus (vgl. Zos. 3,6f.). In ihnen gingen mehrere Stämme, besonders die → Chauci auf. Wohl im 4. Jh. n. Chr. erfolgte die Angliederung eines Teils der → Langobardi. Später dehnten diese östl. S. ihr Gebiet weiter nach Süden aus und waren auch an der Zerstörung des Reichs der → Thuringi 531 n. Chr. durch die → Franci beteiligt, denen sie dann aber tributpflichtig wurden.

Seit E. des 3. Jh. wurden die gallischen und britannischen Küsten zunehmend von Plünderungszügen der als kühne Seefahrer gerühmten S. heimgesucht (→ Carausius; generell Amm. 28,5,1; 30,7,8). Eine *ala I Saxonum* (Not. dign. or. 32,37) geht evtl. auf einen röm. Sieg 370 n. Chr. zurück, im übrigen sind S. selten im röm. Heer zu finden. Weitere Einbrüche und Kriegszüge der S. nach Gallia und Britannia erfolgten in der 2. H. des 4. und im 5. Jh., doch kam es auch zu Rückschlägen, so z. B. zur Niederlage gegen Theodosius 368 n. Chr. oder gegen die Westgoten 475 n. Chr. (Amm. 26,4,5; 27,8; 28,2,12–3,1; 5,1–7; 30,7,7 f.; Symm. epist. 2,46; Claud. carm. 8,31 f.; 22,253; Pacatus, Panegyricus 12,5; Sidon. epist. 8; Sidon. carm. 7,363–371; 390); teilweise standen sie unter fränkischer Oberhoheit (Greg. Tur. Franc. 2,18 f.).

Seit Anf. des 5. Jh. setzten sich die S. verstärkt an der nord- und nordwestgallischen sowie an der britannischen Küste im Bereich des *litus Saxonicum* (Not. dign. occ. 1,36; 5,132; 28,1; 28,12; 37 f.) fest, zunächst nicht ohne Billigung der röm. Autorität. Zw. 383 und 407 n. Chr. wurden die röm. Truppen in Etappen aus → Britannia zurückgezogen. Ein Brief des Honorius an die *civitates* (πόλεις) aus dem J. 410 zeigt, daß keine röm. Zentralverwaltung mehr vorhanden war (Zos. 6,10,2; vgl. Prok. BV 1,2,38), was aber nicht das abrupte Ende des röm. Einflusses bedeutete [2. 274–301]. Verm. um 430 erfolgten Landung und Landnahme der S. in Britannia in größerem Umfang; das traditionelle J. 449 – aus verschiedenen Angaben bei → Beda Venerabilis geschlossen – ist unsicher. Seither dehnten sich die S. weit über die Insel aus. Bes. die ehemaligen röm. urbanen Zentren und Villen erlitten einen deutlichen Niedergang ([2. 425–256], vgl. aber auch [3. 109–161]).

Offenbar gab es bei den S. keine Zentralgewalt; vorherrschend war der Adel in den verschiedenen Teilgebieten der S.

1 W. Lammers (Hrsg.), Entstehung und Verfassung des Sachsenstammes, 1967 2 R. G. Collingwood, J. N. L. Myres, Roman Britain and the English Settlements, ²1937 (Ndr. 1975) 3 P. Ottaway, Archaeology in British Towns, 1992.

J. Ehlers, H.-J. Hässler, s. v. Sachsen, LMA 7, 1223–1227 · Sh. Frere, Britannia, ³1988 · A. Genrich, Der Urspr. der Sachsen, in: Die Kunde N. F. 21, 1970, 66–112 · Ders., Die Altsachsen, 1981 · B. Krüger et al., Die Germanen, 2 Bde., ⁵1988, s. Index · W. Lammers, Die Stammesbildung bei den Sachsen. Eine Forschungsbilanz, in: Westfäl. Forsch. 10, 1957, 25–57 · B. Rappaport s. v. S., RE 2 A, 309–327 · R. Wenskus, Stammesbildung und Verfassung, ²1977, bes. 541–550.

RA. WI.

Scabris s. Salebro

Scadinavia. Name einer Insel von enormer Größe (Mela 3,54: *S.* aus *Codannovia* konjiziert; Plin. nat. 4,96; 8,39: *S.*, verschiedene Hss.: *Scati-*), welche den Römern anläßlich der Flottenexpedition mit Umfahrung von Jütland 5 n. Chr. (R. Gest. div. Aug. 26; Vell. 2,106,3; Plin. nat. 2,167) bekannt wurde. Daneben lokalisiert Plin. nat. 4,104 (nach ungenannten Gewährsleuten) fälschlich nördl. von Britannia die Inseln *Scandiae* (vgl. Ptol. 2,11,33). Damit werden v. a. Südschweden und die dänischen Inseln bezeichnet (vgl. auch Ptol. 2,11,34: Σκανδίαι/*Skandíai* mit der Hauptinsel Σκανδία/*Skandía*). Die Namen werden als »Schadeninseln« gedeutet [1; 2. bes. 51–56]. »Skandinavien« ist eine mod. Übertragung.

1 J. Svennung, Scandinavia und Scandia, 1963 2 Ders., Skandinavien bei Plinius und Ptolemaios, 1974.

H. Ditten, Pomponius Mela, in: J. Herrmann, Griech. und lat. Quellen zur Frühgesch. Mitteleuropas, Bd. 1, 1988, 548 f. · Ders., Plinius d. Ä., in: ebd., 572 · M. Schönfeld s. v. S., RE 2 A, 340–342.

RA. WI.

Scaeva. Ursprünglich wohl röm. Personenname, bezeugt als Cogn. (»Linkshänder«) in der Familie der Iunii Bruti (→ Iunius [I 17]) u. a.

1 Kajanto, Cognomina, 17; 105; 243 2 Schulze, 419.

K.-L. E.

Scaevola. Urspr. wohl röm. Familienname, bezeugt als Cogn. (»Linkshänder«), in republikanischer Zeit in der Familie der Mucii (→ Mucius [I 2; 4–10; II 2]); zur Entstehungslegende s. Mucius [I 2].

1 Kajanto, Cognomina, 105; 243 2 Schulze, 419.

K.-L. E.

[1] Q. Cervidius S. Röm. Jurist, der unter Marcus [2] Aurelius (161–180 n. Chr.) Mitglied in dessen *consilium* (SHA Aur. 11,10) und seit 175 n. Chr. *praef. vigilum* (CIL XIV 4502) war; er blieb auch unter Commodus und Septimius Severus (bis um 200 n. Chr.) tätig [5. 113 f.]. Als praktisch ausgerichteter Respondent schrieb er → *Digesta* (40 B.), das letzte Werk der röm. Jurisprudenz unter diesem Titel, und → *Responsa* (›Rechtsgutachten‹, 6 B.). Diese Schriften enthalten wortgetreu die von S. lakonisch beschiedenen Anfragen und ermöglichen insoweit Einblick in die Rechtspraxis, bes. des hell. Ostens [5. 115 f.]. *Quaestiones* (›Fragen‹, 20 B.) sind Protokolle der Lehrtätigkeit des S. [3. 214–216; 5. 115]. Die Überl. seiner weiteren Werke, *Regulae* (›Rechtsregeln‹, 4 B.), *Notae* (›Anmerkungen‹) zu den *Digesta* des Salvius → Iulianus [1] und zu denen des → Ulpius Marcellus sowie der »Einzelbücher« *Quaestiones publicae tractatae* (›Öffentlich erörterte Rechtsfragen‹) [4; 5. 116 f.] und *De quaestione familiae* (›Über die Vernehmung von Sklaven einer Familie‹) ist äußerst bruchstückhaft [1]. S. war Lehrer des → Iulius [IV 16] Paulus und des → Tryphoninus. Ersterer annotierte seine *Responsa*, letzterer *Responsa* und *Digesta* [2. 219–233]. Von → Modestinus (Dig. 27,1,13,2) wurde S. auf gleicher Stufe mit Paulus und → Ulpianus zu den *koryphaíoi* der Jurisprudenz gerechnet [5. 116].

1 O. Lenel, Palingenesia iuris civilis, Bd. 2, 215 ff.
2 H. T. Klami, Wie schlecht hat ein Klassiker schreiben

können?, in: Studi A. Biscardi, Bd. 4, 1983, 215–237 3 P. Frezza, »Responsa« e »Quaestiones«, in: SDHI 43, 1977, 203–262 4 D. Johnston, On a Singular Book of Cervidius S., 1987 5 D. Liebs, Jurisprudenz, in: HLL 4, 1997, 113–117.

T. G.

Scala s. Treppenanlagen

Scaldis. Fluß in Gallia → Belgica (Caes. Gall. 6,33; Plin. nat. 4,98; 105; Geogr. Rav. 263,6: *Scaldea*; Ptol. 2,9,3; 9: Ταβούλλα), h. Schelde (frz. Escaut). Er entspringt am Mont St. Martin nahe Augusta Viromanduorum (h. St. Quentin, Dépt. Oise), fließt durch Camaracum (h. Cambrai) und Turnacum (h. Tournai) und trennt die *civitates* der → Atrebates [1] und → Menapii auf dem linken von der *civitas* der → Nervii auf dem rechten Ufer. In dem von german. Stämmen (u. a. den Texuandri) besiedelten Mündungsgebiet (Plin. l.c.) verzweigt sich der S. in einem Delta, in dem in ant. Zeit (Caes. l.c.) der Hauptarm nicht direkt, sondern über den → Mosa [1], das Mare Germanicum (Nordsee) erreichte. Dort sind von röm. Zeit bis ins hohe MA Brandgrubengräber [1] nachgewiesen, ab 525 n. Chr. die für die Zeit der → Merowinger typische Reihengräberstruktur [2].
→ Scaldis pons

1 A. van Doorselaer, M. Rogge, Continuité d'un rite funéraire, in: Les Ét. Classiques 53, 1985, 153–170 2 Dies., Spätröm. und völkerwanderungszeitliche handgefertigte Keramik, in: Stud. zur Sachsenforsch. 7, 1991, 113–120.

F. Baptiste, Habitat et activité économique dans la vallée de l'Escaut ..., 1975/6.

F. SCH.

Scaldis Pons. Röm. Brückenstation der Straße Turnacum – Bagacum am → Scaldis, der hier die Grenze zw. Menapii und Nervii bildete (Itin. Anton. 376,8; Tab. Peut. 2,3). Vgl. den h. ON Escau(t)pont (Dépt. Nord).

F. SCH.

Scapegoat rituals
s. Pharmakos [2]; Sündenbockrituale

Scaptius
[1] S., M. Hatte als *praef.* des Ap. Claudius [I 24] Pulcher fünf Ratsherren des zyprischen Salamis verhungern lassen, als er für M. Iunius [I 10] Brutus die Rückzahlung eines Kredits erpressen sollte. 51 v. Chr. unterband Cicero dies und erreichte 50 die Rückzahlung mit 12 % Zinsen jährlich, doch lehnte S. ab und beharrte auf dem Zins von 48 % jährlich (Cic. Att. 5,21,10ff.; 6,1,5ff.; 6,2,7f.).
[2] S., M. 50 v. Chr. Agent für M. Iunius [I 10] Brutus' Kredite an König Ariobarzanes [5] (Cic. Att. 6,1,4; 3,5).

W. Will, Julius Caesar, 1992, 228–232.

J. BA.

Scar(a)bantia. Stadt in → Pannonia an der Bernsteinstraße, h. Sopron (Ungarn). Nach spätkelt. Höhensiedlung Veteranendeduktion im frühen 1. Jh. n. Chr. (Plin. nat. 3,146), seit Domitianus (81–96 n. Chr.) *municipium Flavium S.* (Ptol. 2,14,4). Zerstörung im Markomannenkrieg (167–182 n. Chr.), seit Anf. des 4. Jh. mit Befestigung und christl. Gemeinde. Erforscht sind Forum, Mauerring, Amphitheater und Nekropolen.

J. Gömöri, Recent Archaeological Finds Concerning the Topography of Scarbantia, in: G. Hajnóczy (Hrsg.), La Pannonia e l'Impero Romano, 1995, 251–261.

H. GR.

Scardona (Σκάρδων). Stadt der → Liburni (Strab. 7,5,5: Λιβυρνὴ πόλις, vgl. Plin. nat. 3,141; Ptol. 2,17,3; Prok. BG 1,7) am rechten Ufer des Flusses Titius (auch Titus, Tityus, Katarbates, h. Krka), ca. 20 km vom Meer entfernt im Hinterland von Šibenik, h. Skradin. Bis hierher war der Fluß schiffbar. Der röm. Soldat, der uns durch sein Grab (ILS 2258) für S. bezeugt ist, gehörte wohl zu einem Außenposten von → Burnum, wo die *legio XI Claudia* stationiert war. Bezeugt ist auch ein *conventus Scardonitanus* der → Iapodes und Liburni (Plin. nat. 3,139). S. war → *municipium*, *tribus Sergia*, seit den Flaviern (CIL III 2809f.; E. 1. Jh. n. Chr.). Vor 31 n. Chr. wurde Nero, dem Sohn des Germanicus [2], von den *civitates Liburniae* eine Statue mit Inschr. gesetzt (ILS 7156), wohl im Zusammenhang mit der Organisation des → Kaiserkultes in S. (*ara Augusti Liburniae*, CIL III 2802, ILS 7157). Die Familien der Oberschicht stammen aus Verbindungen von Immigranten aus anderen Städten der Prov. und einheimischen Familien: So war T. Turranius → *decurio* [1] und *duumvir*, Priester des Kaiserkults (ILS 7157), T. Turranius Verus Aedil in S. (CIL III 2805, ILS 4105).

J. J. Wilkes, Dalmatia, 1969, 218 • A. Mayer, Die Sprache der alten Illyrier, 1957, 310f.

PI. CA./Ü: E. N.

Scarponna. Röm. Brückenstation, h. Scarponne bei Dieulouard, Dépt. Meurthe et Meuse, an der Route vom Rhodanus (Rhône) zum Rhenus (Rhein) zw. Divodurum (h. Metz) und Tullum (h. Toul), wo die röm. Straße die in vier Arme geteilte Mosella auf Brücken überquerte (Itin. Anton. 365,5; Tab. Peut. 3,1; Geogr. Rav. 4,26: *Scarbonna*; CIL XIII 9050). Die Anf. des gallo-röm. *vicus* der *civitas* der → Mediomatrici (keine vorröm. Siedlungsspuren) sind im Zusammenhang mit dem Ausbau des Verkehrsnetzes Anf. 1. Jh. n. Chr. zu sehen. Die Zivilsiedlung lag vom 1. bis 4. Jh. zw. drei Mosel-Armen (ca. 10 ha). Auf Handel und Handwerk weisen z. B. die Inschr. CIL XIII 4569–4622 und Espérandieu, Rec. 4604–4624; die Nekropole liegt entlang der Straße und westl. des *vicus* (»Vieux Paquis«). 366 n. Chr. besiegte Iovinus [1] bei S. die → Alamanni (Amm. 27,2). Mit der Errichtung des von der Mosella umflossenen *castellum* (verm. letztes Drittel 4. Jh.) – wohl weniger Ortsbefestigung als Garnison (ca. 1 ha) – bekam S. mil.-strategischen Charakter. 451 wurde S. von den → Hunni belagert (Paulus Diaconus, MGH SS 2,262). In merowingisch-karolingischer Zeit (7.–9. Jh.) war S. Münzstätte, Hauptort des *pagus Scarponensis* (Fredegar, MGH Scriptores rerum Merovingicarum, Chronicae 4,52).

J.-L. MASSY, Dieulouard-Scarponne, in: J.-P. PETIT, M. MANGIN (Hrsg.), Atlas des agglomérations secondaires de la Gaule Belgique et des Germanies, 1994, 178 f. Nr. 177 • J.-L. MASSY, Dieulouard-Scarponne, in: Ders., Agglomérations secondaires de la Lorraine romaine, 1997, 107–141. F. SCH.

Scaurus. Röm. Cogn. (»mit hervorstehenden Knöcheln«), in republikanischer Zeit in den Familien der Aemilii (→ Aemilius [I 37–38]) und Aurelii (→ Aurelius [17–18]).

KAJANTO, Cognomina, 242. K.-L. E.

Schabe. Dt. Name für Vertreter der seit dem Karbon in etwa 3000 Arten weltweit verbreiteten Insektenordnung der Blattaria, wie etwa die Küchen-Sch. Blatella germanica. Die lat. Bezeichnung ist meistens *blatta*; bei Isid. orig. 12,8,7 ist dies jedoch eine Schmetterlingsart, nämlich eine Motte, deren Name von der Farbe abgeleitet wird: Bei Berührung hinterläßt sie auf der Hand einen von den abfärbenden Flügeln herrührenden schwärzlich-dunklen Fleck (*blatteum colorem*, »Purpurfarbe«). Die einzige naturkundliche Aussage über das Tier ist dort ihre Lichtscheu im Gegensatz zur Lichtliebe (Adj.: *lucipeta*) der Fliege (*musca*). Plinius (nat. 11,99) nennt zusätzlich als Entstehungsort die feucht-warmen Bäder (vgl. Verg. georg. 4,243). Von dem häßlichen Tier (*animal inter pudenda*) unterscheidet Plin. nat. 29,140 f. drei Arten: eine weiche, eine Bewohnerin der Mühlen (*myloecon* = μύλοικος/*mýloikos*) und eine stinkende mit zugespitztem Hinterleib (*exacuta clune*). Die Köpfe dieser Sch.-Arten (Plin. nat. 29,139–142, s. [1. 56 f.]) bzw. die ganzen Tiere wurden, in Öl gekocht, u. a. auf Warzen und schwer heilbare Geschwüre oder verletzte Ohren aufgelegt, bei Mittelohrentzündung eingeträufelt (Dioskurides 2,36 WELLMANN = 2,38 BERENDES empfiehlt hierzu die in Bäckereien vorkommende Sch.-Art σίλφη/*sílphē*) oder bei Gebärmutterkrämpfen aufgestrichen (Plin. nat. 30,131).

1 LEITNER C. HÜ.

Schachtelhalm s. Equisetum

Schaden, Schadensersatz. Sch. ist die Einbuße, die jemand an seinem Vermögen oder an einem ideellen Rechtsgut (z. B. Ehre) erleidet; Sch.-E. ist deren Ausgleich. Davon zu unterscheiden ist die Buße. Sie dient nicht dem Ersatz des Schadens, sondern der Bestrafung des Schädigers und der Genugtuung des Verletzten [1. 498–502; 6. 223–228]. Mit dem Begriff Sch. verbinden sich die Fragen, ob neben der unmittelbaren Einbuße die entstandenen Unkosten und der entgangene Gewinn auszugleichen sind und ob Naturalrestitution oder Wertersatz zu leisten ist. Die jeweilige Rechtsordnung bestimmt im einzelnen die Sch.-Folgen und deren Voraussetzungen.

Die außerröm. ant. Rechtsordnungen differenzieren nicht zwischen Sch. und Buße (vgl. dazu »Komposition«/»Kompositionensystem« im spätant. und ma. Recht [3. 120–129, 304–320]; ferner [2; 5; 7]). Dementsprechend geht die heutige Lit. zum ant. Recht auf die Differenzierung nicht ein. »Sch.« bezeichnende Wörter (vgl. z. B. akkadisch *bitiqtum* »Sch.«, »Ausfall«; *ḫabālum* »Gewalt antun«; altäg. *mn* »Verlust«; *ngꜣw* »Verlust«, »Mangel« und selbst griech. βλάβη/*blábē* »schädigende Handlung, Sch.«) haben keine rechtstechnische Bed.; diese findet sich erst in den attischen Gerichtsreden (→ *blábēs díkē*; [4]). Maßgebend ist nicht der objektiv eingetretene Sch., sondern die Verletzung der – ggf. durch Abmachung (»Vertrag«) eingeräumten – Rechtssphäre. Die abstrakte Beeinträchtigung ist die hauptsächliche Bemessungsgrundlage für die (meist mehrfache) Komposition (auch im Falle der → Talion); von vornherein vereinbart bei → Vertrags-Strafen), mit der urspr. die unbegrenzte Rache, später die Vollstreckung abgewendet wird. Der Schaden wird nicht objektiv ermittelt; Kuh steht vielmehr für Kuh wie »Zahn für Zahn«. Zum röm. Recht s. → *damnum*; → *interesse*.

1 KASER, RPR I 2 E. KAUFMANN, s. v. Buße, in: A. ERLER (Hrsg.), HWB zur dt. Rechtsgesch., Bd. 1, 1971, 575–577 3 E. LEVY, Weström. Vulgarrecht. Das Obligationenrecht, 1956 4 H. MUMMENTHEY, Die *dike blabes*, Diss. Freiburg 1971 5 W. OGRIS, s. v. Schaden(s)ersatz, in: A. ERLER (Hrsg.), HWB zur dt. Rechtsgesch., Bd. 4, 1990, 1335–1340 6 HONSELL/MAYER-MALY/SELB 7 Z. O. SCHERNER, s. v. Kompositionssystem 2, in: A. ERLER (Hrsg.), HWB der dt. Rechtsgesch., Bd. 2, 1978, 995–997. JO. HE.

Schaf I. VORDERASIEN UND ÄGYPTEN II. GRIECHENLAND III. ROM

I. VORDERASIEN UND ÄGYPTEN

(Sumerisch udu, Schaf, u_8, Mutterschaf, udu.nita, Fettschwanzschaf; akkadisch *immeru* (Kulturwort) [4]; äg. *zr* (*wꜣp.t*).

Vorderasien liegt im urspr. Verbreitungsgebiet des Wild-Sch. (*ovis orientalis*), das offenbar an verschiedenen Orten zur Züchtung des Woll-Sch. verwendet wurde; die frühesten Beispiele für diesen wichtigen Schritt [8] stammen aus dem südostanatolisch/nordlevantinisch/nordmesopotamischen Bereich aus dem 7. Jt. v. Chr. [7. 73]. Ab dem 7./6. Jt. v. Chr. spielte das Sch. zu allen Zeiten und in allen Regionen des Vorderen Orients eine herausragende Rolle. Dies schlägt sich nieder in zahlreichen bildlichen Darstellungen, die allerdings kaum interne Differenzierungen zulassen, und v. a. in den schriftlichen Quellen. Seit Beginn der schriftl. Überl. in Mesopotamien (E. 4. Jt. v. Chr.) sind Sch. häufig erwähnt [6]. Neben der Bed. als hauptsächliches Opfertier (→ Opfer) und als Lieferant von Milch, Fleisch und Dung stellten v. a. die aus → Wolle gefertigten Textilien (in vielen verschiedenen Qualitäten) zu allen Zeiten das wichtigste Exportgut Mesopotamiens dar [5]. Der überragenden wirtschaftlichen Bed. des Sch. entspricht eine stark differenzierte Terminologie nach Spezies, Geschlecht, Altersklasse, Beschaffenheit, Züchtung, Haltung und Verwendungsweise [4. 131 f., 134].

Domestizierte Sch. [2. 1122] sind in Äg. seit Beginn des 4. Jt. v. Chr. bekannt. Darstellungen belegen v. a. das Sch. mit waagerecht abstehenden korkenzieherförmigen Hörnern (*ovis longipes palaeoaegyptiaca*) und vom MR an das Sch. mit eingedrehten Ammonshörnern (*o. platyura aegyptiaca*). Eine merkwürdige Diskrepanz besteht zw. der Häufigkeit der Widdergötter und der offenbar geringen Rolle der Sch. im normalen Wirtschaftsleben. Dazu gehört, daß Details aus der Sch.-Zucht kaum in Wandmalereien auftauchen. Zwar wurden Fleisch und Milch als Nahrungsmittel verwendet, doch erscheinen Sch. nicht in den Opferlisten. Auch daß zwar die Haut für Leder, aber nicht die Wolle für Kleidung (stattdessen → Leinen) verwendet wurde, deutet auf ein nicht benennbares Tabu.
→ Domestikation; Kleintierzucht

1 J. Boessneck, Die Haustiere in Altäg., 1953
2 E. Brunner-Traut, s. v. Domestikation, LÄ 1, 1120–1127
3 Bull. on Sumerian Agriculture, Bd. 7–8 (Domestic Animals of Mesopotamia), 1993/1995 4 Chicago Assyrian Dictionary I/J, 1960, s. v. *immerum*, 128–134 5 H. E. W. Crawford, Mesopotamia's Invisible Exports in the Third Millennium, in: World Archaeology 5, 1973, 232–241
6 M. W. Green, Animal Husbandry at Uruk in the Archaic Period, in: JNES 39, 1980, 1–35 7 L. K. Horwitz et al., Animal Domestication in the Southern Levant, in: Paléorient 25, 1999, 63–80 8 M. L. Ryder, Changes in the Fleece of Sheep Following Domestication, in: P. J. Ucko et al. (Hrsg.), The Domestication and Exploitation of Plants and Animals, 1969 9 L. Störk, s. v. Sch., LÄ 5, 522–524
10 E. Vila, L'exploitation des animaux en Mésopotamie aux IVe et IIIe mill. avant J. C., 1998 11 F. E. Zeuner, Gesch. der Haustiere, 1967.

H. J. N. u. J. RE.

II. Griechenland

Seit dem 7. Jt. v. Chr. gab es in Griechenland neben dem Ackerbau die Viehwirtschaft. Wie neuere Forsch. zeigen, hatte die Viehzucht im neolithischen Thessalien nur relativ geringen Umfang; es bestand zudem eine enge Verbindung zw. der Tierhaltung und dem Anbau. Für die myk. Epoche belegen die → Linear-B-Texte große Sch.-Herden, die Eigentum der Paläste waren und von diesen auch verwaltet wurden.

Bei Homer beruht der Reichtum des Adels v. a. auf dem Besitz von Viehherden; so erzählt der Hirt Eumaios, daß → Odysseus zwölf Rinderherden, ebenso viele Sch.-Herden sowie eine größere Zahl von Schweinen und Ziegen gehörten (Hom. Od. 14,100–104), und an anderer Stelle wird berichtet, daß 300 Sch. von den Messeniern gestohlen worden seien (Hom. Od. 21,18–19). Im archa. und klass. Griechenland gab es neben den Herden, die jahreszeitlich bedingt größere Entfernungen zw. den Sommer- und den Winterweiden zurücklegten (→ Transhumanz; vgl. dazu Soph. Oid. T. 1125–1140), auch den kleineren Viehbestand in Nähe der Höfe und ländlichen Siedlungen, wo die Tiere zusätzlich Futter erhielten und zw. benachbarten Weiden wechselten. Für die klass. Epoche sind eher kleinere Tierbestände bezeugt, so etwa eine Herde von 50 Sch., die Theophemos als Sicherheit für ausstehende Zahlungen an sich nahm (Demosth. or. 47,52), oder eine Herde von Sch., die Theophon vererbte (Isaios 11,41). Die Tätigkeit der Viehhirten war eine schwierige, wenig angesehene Arbeit, die meist von Sklaven verrichtet wurde. Thessalien, Thrakien, Makedonien und Epeiros waren für ihre Sch. bekannt, und Arkadien hatte den poetischen Beinamen πολύμηλος/*polýmēlos* (»mit vielen Sch.«).

Aufschlußreiche Informationen zur Sch.-Zucht bietet Aristoteles [6] (Aristot. hist. an. 573b; 596a; 610b). Wichtigstes Produkt der Sch.-Zucht war die → Wolle; besonders geschätzt war die feine Wolle der athenischen und milesischen Sch. (Athen. 2,43c; 12,519b; 12,540d; 12,553b; 15,691a). Die Milchwirtschaft diente vor allem zur Erzeugung von → Käse, der als bekömmlich galt (Hom. Od. 9,218–233). Sch. erzeugen weniger Milch als Ziegen, müssen häufiger getränkt werden und benötigen besseres Futter (Aristot. hist. an. 596a).

Das Sch. war in der griech. Ant. das häufigste Opfertier; es lieferte weniger Fleisch und war weniger hoch angesehen als das von den Poleis als öffentliche Opfergabe bevorzugte Rind, aber es war für einzelne Bürger oder kleine Gruppen sehr viel erschwinglicher. Der Opferkalender des Demos → Erchia in Attika erwähnt keine Rinder. Im Gegensatz zu Ziegen waren mit Sch. keine negativen Konnotationen verbunden. Gelegentlich wurde die symbolische Potenz des Sch.-Bockes beschworen: Ein Beispiel ist der unkastrierte Sch.-Bock für Poseidon Temenites auf Mykonos, der nicht in die Stadt gebracht werden durfte (LSCG, Suppl, 96,5–6). Interessanterweise wurden auch der → Persephone vornehmlich Sch.-Böcke geopfert.

Zu welchem Zeitpunkt die Schlachtung von Sch. erfolgte, hing wesentlich davon ab, für welchen Zweck eine Herde gehalten wurde. Wenn der Fleischverzehr im Vordergrund stand, wurden viele Jungtiere, besonders männliche, getötet. In einer Herde hingegen, die vornehmlich auf die Erzeugung von Wolle ausgerichtet war, fanden sich vor allem ältere kastrierte Tiere. Eine auf Milchwirtschaft ausgerichtete Sch.-Haltung erforderte hingegen Herden von ausgewachsenen Mutter-Sch. Wie die Opferkalender andeuten, war der Zeitpunkt der rel. Feste so gewählt, daß einerseits genügend Jungtiere vorhanden waren, andererseits ihre Fütterung noch nicht notwendig war.
→ Milch; Käse; Opfer; Textilherstellung; Viehwirtschaft; Wolle

1 O. Brendel, Die Schafzucht im alten Griechenland, Diss. Giessen, 1934 2 A. Burford, Land and Labour in the Greek World, 1993, 151–156 3 R. Hägg, Osteology and Greek Sacrificial Practice, in: Ders. (Hrsg.), Ancient Greek Cult Practice from the Archaeological Evidence, 1998, 49–56
4 P. Halstead, Counting Sheep in Neolithic and Bronze Age Greece, in: I. Hodder u. a. (Hrsg.), Pattern of the Past. FS D. Clarke, 1981, 307–330 5 Ders., Pastoralism or Household Herding. Problems of Scale and Specialization in Early Greek Animal Husbandry, in: World Archaeology

28, 1996, 20–42 **6** S. Hodkinson, Animal Husbandry in the Greek Polis, in: Whittaker, 35–74 **7** Isager/Skydsgaard, 91–92 **8** M. H. Jameson, Sacrifice and Animal Husbandry, in: Whittaker, 87–119
9 M. H. Jameson u. a., A Greek Countryside: The Southern Argolid from Prehistory to the Present Day, 1994, 285–287
10 W. Richter, Die Landwirtschaft im homerischen Zeitalter (Archaeologia Homerica II H), 1968, 53–64
11 V. Rosivach, The System of Public Sacrifice in Fourth-Century Athens, 1994. MI.JA./Ü: A.H.

III. Rom

A. Einleitung B. Rassen und Haltung des Schafs C. Nutzung

A. Einleitung

Die Haltung von Sch. ist bereits für die röm. Frühzeit arch. nachgewiesen und bildete im 2. Jh. v. Chr. einen Bestandteil der röm. Gutswirtschaft; Cato erwähnt Sch. in seinem Inventar eines 240 Morgen großen Gutes und in einem Vertrag über die Verpachtung einer Sch.-Herde (Cato agr. 10,1; 150; vgl. 96). Die späteren → Agrarschriftsteller behandeln ausführlich Zucht und Haltung (Varro rust. 2,2; Verg. georg. 3,284 ff.; Colum. 7,2–5; Plin. nat. 8,187–199). Unter dem Kleinvieh (Ziegen, Schweine, Sch.) nahm das Sch. (*ovis*) in seiner Funktion als Woll-, Fleisch- und Milchlieferant eine bes. Stellung ein (Colum. 7,2,1), nicht nur in der Villenwirtschaft ital. Prägung, sondern bes. auch in den Regionen des Imperium Romanum, in denen Nomaden große Viehherden hielten. Die Haltung von Sch. ist etwa für das Gebiet von Palmyra bezeugt; auch die Talmudische Überl. gibt Hinweise auf die wichtige Rolle, die diese im jüd. Palaestina spielte. Für das röm. Äg. gewähren zahlreiche Papyri darüber Aufschluß.

B. Rassen und Haltung des Schafs

Vorrangiges Ziel der Sch.-Haltung war der Ertrag an Wolle. Bevorzugt wurden Sch., die weiße, möglichst feine Wolle lieferten, da diese am leichtesten zu färben war (Colum. 7,2,4). Deshalb wurde die Haltung von tarentinischen Sch. empfohlen, die wegen ihrer großen Empfindlichkeit allerdings bes. Sorgfalt der Hirten und möglichst des Gutsbesitzers erforderten (Colum. 7,4). Vor Columellas Zeit wurden v. a. das calabrische, apulische und milesische Sch. geschätzt, zu seiner Zeit Rassen aus Gallia Cisalpina (aus Altinum, Parma und Mutina; Colum. 7,2,3–5; vgl. Plin. nat. 8,190–191). Inwieweit diese unterschiedliche Rassen waren, kann nicht mit Sicherheit entschieden werden, da die ant. Beschreibungen des Aussehens auf nahezu jede Rasse zutreffen können und ausschließlich zw. Sch. mit feiner oder grober Wolle unterschieden wurde (Varro rust. 2,2,20; Colum. 7,2,6; 7,3,7; Plin. nat. 8,189).

Viele Sch.-Herden wurden während des Sommers in Gebirgsregionen geweidet, überwinterten aber in den Ebenen Südit.s und legten somit jährlich längere Strecken zurück; für diese Form der → Transhumanz galten gesetzliche Regelungen (Varro rust. 2,2,9; CIL IX 2438). Das illegale Abweiden von Feldern wird in Äg. im Zusammenhang mit der Sch.-Haltung häufig beklagt (vgl. [15. 59–64]). Daneben ist aber auch Weide- und Stallhaltung belegt (Varro rust. 2,2,7; Colum. 7,3,19–26). Genaue Angaben über Größe, Zusammensetzung und Gesamtbeständen von Sch.-Herden kommen aus der papyrologischen Überl. für Äg.: Hier schwanken die durchschnittlichen Herdengrößen je nach Bezirk zwischen 70 und 99 Tieren; eingerechnet sind allerdings auch Ziegen, die gewöhnlich zusammen mit den Sch. gehalten wurden (ca. 8 % des jeweiligen Einzelbestandes). Nachzuweisen ist hier auch die Praxis, daß Eigentümer kleinerer Herden diese unter der Leitung eines Hirten zu größeren Beständen zusammenlegten (vgl. P Oxy. 3778). Nach Varro, der Herden von 700 und 800 Tieren erwähnt (Varro rust. 2,10,11), war es in Epeiros üblich, daß ein Hirte 100 Sch. mit grober Wolle hütete, 2 Hirten 100 Sch. mit feiner Wolle (Varro rust. 2,2,20; vgl. 2,10,11 mit leicht abweichenden Zahlen und Cato agr. 10,1). Besondere Bed. für den Erfolg der Sch.-Haltung wurde der Person des Hirten beigemessen (Varro rust. 2,10; Colum. 7,3,16; 7,3,26); auf ital. Gütern unterstanden diese einem *magister pecoris* genannten Oberhirten, der nicht nur über veterinär- und humanmedizinische Kenntnisse verfügen, sondern auch des Lesens und Schreibens kundig sein sollte, um seinem Herrn Rechenschaft über die Herden ablegen zu können (Varro rust. 2,10,10; vgl. Colum. 7,3,16).

Wurden die Sch. nicht in Transhumanz gehalten, sollten sie von Mai bis September von morgens bis zum Sonnenuntergang auf der Weide verbleiben und zweimal täglich getränkt werden. Im Herbst ließ man sie auf den abgeernteten Getreidefeldern weiden (Varro rust. 2,2,10–12; Colum. 7,3,23–25). Mußte im Winter zugefüttert werden, sollte dies mit Ulmen- und Eschenlaub, Heu, Luzerne, Schneckenklee, Wicken, Hülsenfrüchtenspreu, Bohnen, Blatterbsen und Gerste geschehen; grundsätzlich mußte den Sch. zusätzlich Aufnahme von Salz ermöglicht werden (Colum. 7,3,19–22). Bei der Zucht war das Bestreben, weiße Lämmer zu bekommen, ausschlaggebend. Die für die Zucht bestimmten Widder wurden sorgfältig ausgewählt; die geforderten Eigenschaften werden genau beschrieben (Varro rust. 2,2,4; Colum. 7,3,1–4). Es wurde auch versucht, die Qualität der Wolle durch eine Kreuzung von Haus-Sch. mit wilden Widdern zu verbessern (für Spanien vgl. Colum. 7,2,4 f.). Als geeignetes Alter für die Zucht werden für Widder drei bis acht J., für Mutter-Sch. zwei bis sieben J. genannt. Die Sch. wurden in der Zeit von E. April bis E. Juli gedeckt, so daß sie bei durchschnittlicher Tragezeit von 150 Tagen zw. Oktober und Dezember lammten (Varro rust. 2,1,18; 2,2,14–18; Colum. 7,3,6–7; 7,3,11–19; Plin. nat. 8,187; 8,189; Pall. agric. 8,4,2–5).

C. Nutzung

Die wirtschaftliche Bed. der Sch.-Haltung beruhte in röm. Zeit wesentlich darauf, daß Kleidung zum allergrößten Teil aus Sch.-Wolle hergestellt wurde (vgl. Plin. nat. 8,187: *ita corporum tutela pecori debetur,* »so verdankt man dem Sch. den Schutz des Körpers«). Wertvolle → Wolle wurde durch Decken, die den Sch. angelegt wurden, geschützt; bes. qualitätvolle Wolle wurde dadurch gewonnen, daß Widder der tarentinischen Rasse kastriert und später im Alter von zwei J. geschlachtet wurden (Colum. 7,4,4). Die Schur sollte in einer Zeit stattfinden, in der das Sch. nicht fror, aber auch noch nicht unter der Hitze leiden konnte: im Frühjahr bzw. in kalten Regionen im Frühsommer (Varro rust. 2,11,6; Colum. 7,4,7; Pall. agric. 5,6; 6,8; 7,6). Nach der Schur, für die große Bügelscheren verwendet wurden, behandelte man das Fell der Sch. drei Tage lang mit einer Flüssigkeit aus gekochten Lupinen, Wein und Armurca, danach wurden die Sch. mit Salzwasser gewaschen. Die Rohwolle wurde in Form eines Vlieses verkauft (s. z. B. SEG VII 403–407); im röm. Äg. rangierten die Preise für Vliese zw. 16 und 24 Drachmen [3. 352]. In Pompeii wurde Rohwolle von spezialisierten Werkstätten (*officinae lanifricariae*) verarbeitet.

Weitere wichtige Produkte der Sch.-Haltung waren → Milch und damit verbunden → Käse, der vorzugsweise aus Sch.- und Ziegenmilch hergestellt wurde (Varro rust. 2,11,1–3; vgl. Edictum Diocletiani 6,95). Nicht ohne Grund behandelt Columella die Herstellung von Käse direkt im Anschluß an seine Ausführungen über Sch. und Ziegen (Colum. 7,8). Auch das Fleisch des Sch. wurde geschätzt; in Stadtnähe wurde ein großer Teil der Lämmer geschlachtet (Colum. 7,3,13; Edictum Diocletiani 4,3; zum Leder vgl. 8,13–14). Es gab auch Handel mit Sch.; so bietet Columella Anweisungen für den Kauf von Sch. (Colum. 7,2,6; vgl. Varro rust. 2,2,5 f.) und führt an anderer Stelle an, daß Lämmer aus der eigenen Haltung fremden, also wohl gekauften, vorzuziehen sind (Colum. 7,3,13–14). Preise für Sch. sind aus dem röm. Äg. überliefert [3. 302–305]. Weite Verwendung fand das Sch. schließlich auch als Opfertier in verschiedenen Kulten des röm. Reiches (Plin. nat. 8,187), was auch Impulse für den Handel geliefert haben dürfte.

Das Sch. war das häufigste Opfertier der Ant.; dies ist auch Hintergrund für jüd.-christl. Metaphorik: Das AT vergleicht das Schicksal der leidenden Propheten mit einem ›Lamm, das zur Schlachtbank geführt wird‹ (Jer 11,19; Jes 53,7). Insbes. im Zusammenhang mit dem sog. »Vierten Gottesknechtslied« (Jes 52,13–53,12) entwickelt sich im Christentum das Verständnis von Jesus Christus als ›Lamm Gottes, das die Sünde der Welt trägt‹ (Jo 1,29; vgl. die Auslegung von Jes 53,7 f. auf Jesus in Apg 8,32 ff.).

→ Käse; Landwirtschaft; Opfer; Stallviehhaltung; Textilherstellung; Viehwirtschaft; Wolle

1 A. Ben-David, Talmudische Ökonomie. Die Wirtschaft des jüd. Palästina zur Zeit der Mischna und des Talmud, Bd. 1, 1974, 128–130 2 H.-J. Drexhage, Der Handel, die Produktion und der Verzehr von Käse nach den griech. Pap. und Ostraka, in: MBAH 15.2, 1996, 33–41 3 Ders., Preise, Mieten/Pachten, Kosten und Löhne im röm. Äg. bis zum Regierungsantritt Diokletians, 1991 4 Flach, 301–309 5 J. M. Frayn, Sheep-Rearing and the Wool Trade in Italy during the Roman Period, 1984 6 W. Habermann, Die Deklarationen von Kleinvieh (Sch. und Ziegen) im röm. Äg. Quantitative Aspekte, in: P. Herz (Hrsg.), Landwirtschaft im Imperium Romanum, 2001 (Pharos 14), 77–100 7 W. Kroll, s. v. lana, RE 12,1, 594–617 8 J. F. Matthews, The Tax Law of Palmyra: Evidence for Economic History in a City of the Roman East, in: JRS 74, 1984, 157–180, hier 172 f. 9 W. O. Moeller, The Wool Trade of Ancient Pompeii, 1976 10 F. Orth, s. v. Sch., RE 2 A, 373–399 11 A. Papathomas, Fünfundzwanzig griech. Papyri (P. Heid. VII), 1996 12 J. Peters, Röm. Tierhaltung und Tierzucht. Eine Synthese aus archäozoologischer Unt. und schriftlich-bildlicher Überl., 1998, 75–107 13 M. Schnebel, Die Landwirtschaft im hell. Äg., 1925, 323–328 14 White, Farming, 301–312 15 C. R. Whittaker (Hrsg.), Pastoral Economies in Classical Antiquity, 1988.

K.RU.

Schahrab (Šahrab) s. Satrap

Schahrbaraz. Eroberte als Feldherr → Chosroes' [6] II. 614 n. Chr. Jerusalem und belagerte 626 Konstantinopolis. Am 27. April 630 stürzte er → Ardaschir [3] III. und herrschte bis zu seiner eigenen Ermordung am 9. Juni 630 als persischer Großkönig [1]. PLRE 3B, 1141–1144.

1 M. Ibn-G. at Tabari, Gesch. der Perser und Araber zur Zeit der Sasaniden (mit Übers., Komm. und Ergänzungen von Th. Nöldeke), 1879 (Ndr. 1973), 290–303, 388–390.

M.SCH.

Schakal. Dieser hauptsächlich in Afrika verbreitete Wildhund (Canis aureus) kommt noch h. in Eurasien vom Balkan an vor. Er jagt, oft in Rudeln, nachts v. a. Kleinsäuger und Vögel, frißt aber auch Aas. Die früher vertretene These, er sei neben dem Wolf Stammvater des Haushundes ([1]; vgl. [2. 70–72]), ist h. aufgegeben. Der vom → Wolf unterschiedene θώς/*thōs* war Aristoteles gut bekannt (hist. an. 2,17,507b 17: innere Teile ähneln denen des Wolfes; 6,35,580a 26–31: Geburt von 2 bis 4 blinden Welpen und Betonung der geringen Körperhöhe, der Sprungfähigkeit und Schnelligkeit; 8(9),1,610a 13 f.: Feindschaft mit dem Löwen aus Nahrungskonkurrenz; 8(9),44,630a 9–17: geringe Scheu und Gewöhnung an den Menschen, Sommer- und Winterfell sind unterschiedlich). Wahrscheinlich ist der Sch. als der ›träge und kleine Wolf in Afrika‹ (*inertes hos parvosque [sc. luporum] Africa ... gignunt*) bei Plin. nat. 8,80 zu deuten [3. 158]. Auf einem röm. Jagdmosaik aus Karthago soll ein von einem Jäger mit seinem Hund verfolgter Sch. zu sehen sein [5. 14]. Ein anderes auf dem Paviment der spätant. Kirche von Cosmas und Damian in Syrien (Gerasa, h. Ǧaraš) bietet in viereckigen Feldern neben Vögeln und diversen Säugetieren einen Sch. [6. nach 5. 280]. Auch auf Mz. [7. Taf. 1,1] und Gemmen [7. Taf. 16,7 und 17,17] scheint er vorzukommen.

1 K. LORENZ, So kam der Mensch auf den Hund, 1950
2 F. E. ZEUNER, Gesch. der Haustiere, 1967 3 LEITNER
4 M. A. MAHJOUBI, Une nouvelle mosaïque de chasse à Carthage, in: CRAI 1967, 263–278 mit Abb. 5 TOYNBEE, Tierwelt, 14 und 360 6 J. W. CROWFOOT, Early Churches in Palestine, 1941, 134, Taf. 17 7 F. IMHOOF-BLUMER, O. KELLER, Tier- und Pflanzenbilder auf Mz. und Gemmen des klass. Alt., 1889 (Ndr. 1972). C. HÜ.

Schale s. Gefäße, Gefäßformen; Patera, Patella; Phiale

Schalenpalmette. Die Sch. ist ein einem Palmblatt nachgebildetes Ornament assyrischen Ursprungs, das in der phöniz. Kunst, verkürzt, als einfaches Blatt verwendet wurde, oder mit Trauben von Früchten (Datteln oder Weinbeeren) und Stämmen sowohl als Symbol für einzelne – heilige – Pflanzen, Bäume und Buschwerk als auch auf floralen Friesen oder als dekoratives Füllmotiv, häufig in Verbindung mit ornamentalen Lotusblüten.
→ Lebensbaum; Ornament CH. B.

Schami s. Šamī

Schapur (Šāpūr) s. Sapor

Schattenmalerei (σκιαγραφία/*skiagraphía*). Technik der ant. → Malerei, seit dem letzten Viertel des 5. Jh. v. Chr. zunächst von griech. Künstlern entwickelt und im Laufe des folgenden Jh. mit immer größerer Perfektion angewandt. Sch. ermöglichte durch differenzierte Auswahl und gezielt plaziertes Auftragen bestimmter Farbtöne und -werte die plastische Modellierung der Bildgegenstände und damit deren räuml. Wirkung in der Fläche. Dieser neue Umgang mit den → Farben bedeutet stilgeschichtlich einen Durchbruch in der Entwicklung der → Malerei, was bereits in der Ant. so empfunden wurde (Plin. nat. 35,29). Ein Experimentierstadium der neuen Technik vertrat wohl noch der Erfinder → Apollodoros [15] (Plut. de gloria Atheniensium 2, 346A), das jedoch bereits von → Zeuxis zu Beginn des 4. Jh. überwunden worden war (Plin. nat. 35,60 ff.). Die Technik wurde von den spätklass./hell. Meistern → Pausias, → Apelles [4] und → Nikias [3] durch spezielle koloristische Effekte mit vielen Varianten bereichert (Plin. nat. 35,92; 127; 131). Auch die röm. campanischen Wandfresken zeigen diese Maltechnik (→ Freskotechnik).

Trotz der bes. schwerwiegenden Verluste fast sämtlicher zeitgenössischer Originale – abgesehen von den wenigen Grabgemälden aus Vergina und dem übrigen Makedonien – läßt sich das Verfahren anhand der Schriftquellen (z. B. Poll. 7,126) und sekundärer malerischer Zeugnisse annähernd rekonstruieren, nicht jedoch die eigentliche Bildwirkung. Bes. aussagekräftig sind die polychromen Szenen auf wgr. Keramik, v. a. auf Lekythen des letzten Jahrzehnts des 5. Jh. v. Chr. und aus der Zeit kurz nach 400, sowie auf gleichzeitigen und späteren Vasen aus Unter-It., aber auch hell. bemalte Grabstelen aus → Demetrias [1].

Am Beginn der Entwicklung dürfte zunächst die partielle dunklere Abtönung einer vollständig farbig grundierten Fläche gestanden haben, sei es durch breiten Pinselauftrag oder feine Schraffur, was die Plastizität eines Gegenstandes erhöhte. Diese Abschattierung konnte auch bereits im Zuge der Vor- und Unterzeichnung angelegt sein. Später berücksichtigten die Künstler die modellierende Wirkung des auf die Darstellung einfallenden Lichtes, wobei einzelne Bildpartikel nun im Sinne einer kontrastierenden Licht-Schattenmalerei (*lumen et umbrae*; Plin. nat. 35,131) zusätzlich durch hellere Töne oder reines Weiß aufgehöht wurden. Die Übergänge zw. diesen Flächen wurden harmonisch abgemischt oder auch hart voneinander abgesetzt. Darüber hinaus setzten die Maler Glanzlichter (*splendor*; Plin. nat. 35,29) und Schlagschatten ein. Alle diese Maßnahmen erhöhten, zusammen mit den Mitteln der linearperspektivischen Zeichnung (→ Perspektive), die Tiefenräumlichkeit der Bilder und das plastische Volumen ihrer Einzelelemente. Die Sch. war somit ein konstituierendes Element für die in dieser Epoche erstrebte und gerühmte »Naturnachahmung«.
→ Malerei

V. VON GRAEVE, F. PREUSSER, Zur Technik griech. Malerei auf Marmor, in: JDAI 96, 1981, 120–156 • N. HOESCH, Bilder apulischer Vasen und ihr Zeugniswert für die Entwicklung der griech. Malerei, 1992, 156 ff. • N. J. KOCH, Techne und Erfindung in der klass. Malerei, 2000, 137–160 • U. KOCH-BRINKMANN, Polychrome Bilder auf wgr. Lekythen, 1999, 105 ff. • A. ROUVERET, Histoire et imaginaire de la peinture ancienne, 1989, Kap. I • I. SCHEIBLER, Griech. Malerei der Ant., 1994. N. H.

Schatzhaus s. Thesauros

Schatzung. In vielen polit. Gemeinwesen der Ant. waren das Vollbürgerrecht, das aktive und/oder passive Wahlrecht, die Einteilung in eine Waffengattung oder die Umlage finanzieller Leistungen des Staates auf seine Bürger an die ökonomische Leistungsfähigkeit und damit indirekt an einen sozialen Status gebunden. Durch eine Sch. erfolgte die Zuweisung dieser Rechte und Pflichten. Vermögens- oder Einkommensqualifikationen als Voraussetzung für das Bürger- oder Wahlrecht wurden von der ant. polit. Theorie als Merkmale einer oligarchischen Verfassung gewertet, eine darauf aufbauende Verfassung als *politeía apó timēmáton* (Plat. rep. 550c-d) bzw. als → *timokratía* (Aristot. eth. Nic. 1160a 33–37) bezeichnet. In Athen legte → Solon nach der Höhe der landwirtschaftlichen Erträge vier Sch.-Klassen (*télos*) fest, nach denen sich die polit. Rechte bemaßen. Im → Attisch-Delischen Seebund wird die Festsetzung der Schiffskontingente bzw. der finanziellen Beiträge der Mitglieder (→ *phóros*) ebenfalls als Sch. bezeichnet.

Im republikanischen Rom führten die → *censores* alle fünf Jahre eine Sch. (→ *census*) der röm. Bürger durch. Die Höhe des Vermögens entschied über die Zugehö-

rigkeit zu den Waffengattungen des Heeres (*classes*; vgl. Servius → Tullius) und damit über das Gewicht der Wahlstimme in der jeweiligen → *centuria* bei Abstimmungen in den → *comitia centuriata*. Zur Festlegung der Steuerleistungen wurden auch in den röm. Prov. Sch. durchgeführt.
→ Census; Eisphora; Hippeis; Pentakosiomedimnoi; Status; Steuern; Theten; Time; Zeugitai

L. Foxhall, A View from the Top. Evaluating the Solonian Property Classes, in: L. G. Mitchell, P. J. Rhodes (Hrsg.), The Development of the Polis in Archaic Greece, 1997, 113–136 • C. Nicolet, The World of the Citizen in Republican Rome, 1980, 49–88 • W. Schmitz, Reiche und Gleiche, in: W. Eder (Hrsg.), Demokratie, 573–597.
W. S.

Schaukel-Maler. Attischer sf. Vasenmaler, ca. 540–520 v. Chr., benannt nach der Schaukel-Szene auf einer Amphora (Boston, MFA 98.918). Sein Zeichenstil ist recht gut zu erkennen, so daß ihm mittlerweile 167 Vasen, v. a. Amphoren, zugewiesen werden konnten. Von bes. Interesse ist die Vielfalt und Originalität seiner Darstellungen, darunter auch einzigartige Szenen wie die kostümierten Stelzenläufer, die mit Keulen bewaffnete Leibgarde des → Peisistratos [4], die Nekyia-Szene mit dem grollend abgewandten → Aias [1] (Hom. Od. 11,541–564) oder die Rückführung der → Alkestis durch Herakles u. a. Die zunehmend flüchtige und vereinfachende Zeichenweise des Sch.-M. führt zu formelhaften Figuren mit vorgeschobenem Kopf und überlangen Füßen.
→ Schwarzfigurige Vasenmalerei

E. Böhr, Der Sch.-M., 1982 • Dies., Weitere Werke des Sch.-M., in: B. von Freytag gen. Löringhoff u. a. (Hrsg.) Praestant Interna. FS U. Hausmann, 1982, 213–220.
H. M.

Schauspiele I. Haupttypen
II. Politische Bedeutung und Organisation
III. Fest und Publikum
IV. Kirche und Schauspiele

I. Haupttypen
A. Griechenland B. Rom

A. Griechenland

Grundlegend für das griech. Schauwesen ist die Unterscheidung zw. gymnischen, hippischen und musischen Agonen (→ Wettbewerbe). Alle Spiele erwuchsen aus dem Kult, sei es der Toten oder der Götter; sie blieben dem Kult verhaftet und finden anläßlich von Festen statt (→ Fest, Festkultur). Die Veranstaltung von gymnischen und hippischen Spielen (z. B. Wagenrennen, Hom. Il. 23,257–538; → Sportfeste), aber auch von chorischen Agonen (Hom. Od. 8,256–366) ist bereits bei Homer greifbar; ein musischer Agon ist bei Hesiod bezeugt (Hes. erg. 650–659).

In der archa. Epoche entwickelten sich Spiele mit panhellenischer Ausstrahlung. Am bekanntesten sind die → Olympia (Olympischen Spiele), die ohne musische Wettkämpfe auskamen, wichtig auch die → Pythia [2] (Pythischen Spiele) von Delphoi, die → Isthmia (Isthmischen Spiele) bei Korinth, ferner die → Nemea [3] (Nemeischen Spiele), die oft nicht in Nemea stattfanden. All diese Spiele waren zunächst an Heiligtümer, nicht an Poleis gebunden. Der Turnus war zwei-, drei- oder vierjährig. Freie männliche Griechen besaßen die Teilnahmeberechtigung. Der Wert der Siegespreise war gering, das Prestige gewaltig. Die Gewinner konnten überdies in der Heimat mit großen materiellen wie immateriellen Ehrungen rechnen. Daneben gab es zahlreiche weitere Agone teils überregionaler, teils lokaler Bed. Am bekanntesten sind die → Panathenaia Athens (Panathenäischen Spiele), die musische sowie gymnische und hippische Agone umfaßten. Zu einem Teil der Wettbewerbe (etwa zum athenischen Männlichkeits- und Schönheits-Agon *agṓn euandrías*) waren allein Athener zugelassen.

Neben diesen Festen mit überlokalem Anspruch standen solche, deren Beteiligte typischerweise der Bürgerschaft der jeweiligen → Polis entstammten. Am besten bezeugt sind die Großen → Dionysia in Athen, die u. a. den Rahmen für Theateraufführungen boten, wobei verschiedene Darbietungen unter unterschiedlichen Aspekten im Wettbewerb standen. Auch an anderen Festen (etwa den → Lenaia) fanden solche Vorführungen statt, ebenso außerhalb Athens an verschiedenen Spielorten in den att. Demen (→ *dḗmos* [2]).

Vergleichbare Feierlichkeiten wurden auch außerhalb Attikas abgehalten. Die Lebendigkeit des Schauwesens zeigen die ihm zuzuordnenden, zahlreich erh. Bauwerke im griech. Raum. Es ist aber grundsätzlich mit erheblichen regionalen Unterschieden zu rechnen.

Das 5. und v. a. 4. Jh. v. Chr. brachte einen Wandel hin zu einer Professionalisierung der Akteure. Bei den panhellenischen Spielen traten immer weniger Aristokraten und immer mehr berufsmäßige, auf die entsprechenden Einkünfte angewiesene Athleten, Wagenlenker und Künstler auf. Die mod. Forsch. ist davon abgekommen, hierin ein Niedergangssymptom zu sehen. Sehr vereinzelt tauchen Frauen als Agonistinnen auf.

Im Laufe der Zeit gewann die Reisetätigkeit einzelner Schauspieler und ihres Gefolges größere Bed. Begünstigt wurde das Phänomen durch die Blüte der Agonistik im Hell. An zahlreichen Orten der griech. Welt wurden Agone durchgeführt, z. T. in regelmäßigen Abständen, z. T. zu bes. Anlässen. Die oben angedeutete Unterscheidung zw. den Wettspielen verfestigte sich zur Trennung zw. heiligen Agonen bzw. Kranzagonen (ἀγῶνες ἱεροὶ στεφανῖται/*agṓnes hieroí stephanítai*), den panhellenischen Agonen, bei denen es vornehmlich um die Ehre ging und bei denen indirekte materielle Vorteile winkten, und den ἀγῶνες θεματικοί/*agṓnes thematikoí* bzw. χρηματῖται/*chrēmatítai*, bei denen Preisgelder in unterschiedlicher Höhe ausgesetzt wurden. Während erstere eine Ausstrahlung in die → Oikumene hatten, waren letztere gewöhnlich von regionaler Bed. Bei den musischen Agonen entwickelte sich eine Trennung zw. thymelischen (d. h. den auf der Orchestra abgehaltenen, tendenziell solistischen) und szenischen Agonen. Die angesehensten Agone (*Olýmpia*, *Pýthia*, *Ísthmia*, *Némea*, wobei die musischen Agonisten die *Olýmpia* durch die *Hēraía* von Argos ersetzten) bildeten die → *períodos*, deren Gewinn bes. großen Ruhm einbrachte. Dieses System überlebte mit Abstrichen bis in die Spätant. hinein.

Erhebliche Förderung erfuhr das Schauwesen durch die sich formierenden hell. Höfe, an denen gerne Aufführungen gegeben wurden. Vorbild war → Alexandros [4] d.Gr., der wichtige Feiern durch prunkvolle Theateraufführungen untermalen ließ. In den hell. Monarchien boten Siegesfeiern, Hochzeiten und andere Feierlichkeiten den Rahmen für Sch., daneben lebte das städtische Schauwesen weiter. Die augusteische Zeit brachte eine *explosion agonistique* [1]. In röm. Zeit drangen Darbietungen röm. Charakters (s.u.) in den griech.-sprachigen Osten vor.

B. Rom

Ludi scaenici (Theater, → *ludi*), *ludi circenses* (Circusspiele, → *circus* II.) sowie *munera* und *venationes* (Gladiatorenkämpfe und Tierhatzen in der Arena) bilden die Elemente röm. Schauwesens, wobei es auch zu Überschneidungen kommt (z. B. szenische Darbietungen im *circus*). Die *ludi* Roms hatten etrusk. und überhaupt ital. Wurzeln, waren aber auch, in mehreren Schüben, von Griechenland her wesentlich beeinflußt. Im Ergebnis liegt etwas Eigenes vor, zumal sie in den röm. Kult integriert wurden.

Neben den statarisch, jährlich durchgeführten Spielen stehen solche, die zu speziellen Anlässen veranstaltet wurden (etwa bei → Triumphen, später bei kaiserlichen Festen). Urspr. beherrschten Wagenrennen die Spiele, dann traten Vorführungen szenischen Charakters hinzu; im 3. Jh. v. Chr. kamen, zunächst als Teil von Leichenspielen, Gladiatorenkämpfe (→ *munus*) auf, die in der Kaiserzeit verstaatlicht wurden; athletische Vorführungen waren selten und galten wegen der Nacktheit der Teilnehmer als anstößig. Je nach dem Bedürfnis des Veranstalters konnten auch ungewöhnlichere Programme vorgeführt werden. Bei den Darbietungen fanden zwar auch Konkurrenzen statt, die jedoch von den Agonen zu trennen sind.

Agone als selbständige Feste wuchsen seit der Kaiserzeit in das röm. System hinein. Die *períodos* wurde um die Aktischen Spiele von Nikopolis (→ Aktia), die → Sebasteia von Neapolis [2] und den Kapitolinischen Agon (→ Kapitoleia) erweitert. Die westl. Agone weisen Besonderheiten auf; so waren auch Pantomimen zu Hl. Agonen zugelassen [2. 169 ff.].

In der Kaiserzeit wurde das Programm der *ludi* größer und reicher, veränderte sich aber nicht grundsätzlich gegenüber der Republik. Indessen kam es bei den *ludi scaenici* zu einer Verschiebung von Komödie und Trag. zu → Mimos und → Pantomimos.

II. Politische Bedeutung und Organisation

A. Griechenland B. Rom

A. Griechenland

Die Sch. waren nicht allein Bildungsgut oder Entertainment, sondern typischerweise in einen gemeingriech. oder polisspezifisch polit. Zusammenhang eingebettet. Die panhellenischen (»gesamt-griech.«) Spiele wie z. B. die von Olympia wurden von einzelnen Poleis verantwortet und organisiert, wobei die Beherrschung der häufig polit. umstrittenen Heiligtümer (etwa das Heraion von Argos oder Nemea) das Recht zur Veranstaltung gab. Eigentlich waren die panhellenischen Spiele polit. neutral, aber – zumal während des → Peloponnesischen Krieges – ist auch der polit. motivierte Ausschluß von Teilnehmerstaaten bezeugt.

Die Sch. konnten dem Repräsentationsbedürfnis von Monarchen (archa. Tyrannen wie hell. Fürsten), aber auch einer Demokratie als Forum bürgerlicher Selbstdarstellung dienen. Oligarchische Ordnungen scheinen sich weniger förderlich ausgewirkt zu haben.

Das klass. attische Drama (→ Tragödie, → Komödie, → Satyrspiel) war trotz Wurzeln in früherer Zeit vollkommen in die demokratische Polis eingebettet. Sein Publikum konstituiert sich als Festversammlung der Bürger. Die Choregen und Choreuten (→ *chorēgós*, → Chor) mußten Bürger sein, nicht aber die Dichter, Schauspieler und Musiker. Sämtliche Beteiligten waren Männer, die Choreuten wohl Epheben ([3. 20–62]; → *ephēbeía*) und zunächst Laien. Die Richter wurden aus den zehn → Phylen erlost. Städtische Beamte hatten die Leitung. Die Dichter bewarben sich um die Teilnahme und erhielten vom zuständigen Archonten (→ *árchontes* [I]) einen Chor zugeteilt. Finanziert wurden die Spiele durch die → Liturgie der → Choregie, die bes. für die Ausstattung aufkam. Der *chorēgós* ist zu unterscheiden vom *chorodidáskalos* (oft der Dichter), der die Einstudierung übernahm. Es konnten auch spezielle Beamte für die Organisation einzelner Feste gewählt werden, wie die auf vier J. bestimmten Athlotheten (→ *agōnothétēs*) bei den → Panathenaia. Zum Rahmen (insbes. der Großen Dionysia, bei denen auch viele Auswärtige zuschauten) gehörte eine Vielzahl von Ritualen, die die Bürgeridentität bekräftigten: Präsentation der Tribute der Mitglieder des Seebundes (→ Attisch-Delischer Seebund), Ehrungen usw.

In hell. Zeit gab es Veränderungen (etwa Ersetzung des Choregen durch Agonotheten in Athen), doch war der Wandel weniger gravierend als oft angenommen [4]. Mit der Professionalisierung der Akteure setzte ein Prozeß der Lösung der Spiele, zumal der Akteure, aus dem Poliszusammenhang ein, der allerdings nie vollständig erfolgt ist. Die musischen Agonisten organisierten sich in dem mehrere lokale Gilden umfassenden Verband der Dionysischen → *technítai* (→ Vereine), der sich vielleicht in der Triumviralzeit, spätestens im frühen Prinzipat zu einem Weltverband zusammenschloß. Die Techniten erhielten verschiedene Privilegien wie die → *asylía* und die → *atéleia*, die ihnen ihre reisende Tätigkeit erleichterten. Ihre Verbände handelten körperschaftlich und interagierten mit polit. Instanzen. Analog dazu bildete sich in der Kaiserzeit ein Verband der Athleten (σύνοδος ξυστική, *sýnodos xystikḗ*).

Für die Durchführung der hell.-röm. Agone, deren organisatorische Einzelheiten von Ort zu Ort variiert haben dürften, ist die Rolle des → *agōnothétēs* entscheidend. Er konnte zur Finanzierung der Wettbewerbe, deren Grundlage oft Stiftungen bildeten, wesentlich beitragen und auch den Ablauf der Spiele beherrschen, wobei er im Sinne des → Euergetismus auf ein Einvernehmen mit dem Publikum abzielen mußte. Die Akteure boten ihre Künste nicht nur während der Wettbewerbe dar, sondern auch bei sog. *epideíxeis* (»Schaukämpfen«).

B. Rom

Die Organisation der *ludi publici* (→ *ludi*) oblag urspr. vielleicht Priestern, später zumindest im wesentlichen stadtröm. Magistraten (v. a. den → *aediles*, daneben den → *praetores*, → *consules*, ab der Kaiserzeit zunehmend den → *quaestores*) bzw. lokalen Amtsträgern. Die Veranstalter erhielten eine gewisse Geldsumme zugewiesen, es wurde aber erwartet, daß sie diese aus eigenen Mitteln ergänzten, was Möglichkeiten zur Profilierung bot. Die Akteure selbst wurden in der Regel von Unternehmern ausgebildet und unterhalten (Leiter von Gladiatorenschulen, Circusparteien, Theatertruppen o.ä.) und konnten vom Spielgeber angemietet werden.

Neben den *ludi publici* gab es *ludi privati*, etwa aus Anlaß von Begräbnissen (*ludi funebres*, → Totenkult).

Während des Prinzipats machte sich ein Prozeß der »Verkaiserung« des Spielwesens bemerkbar. Der Kaiser zog alle bedeutenderen Veranstaltungen an sich und gab sich als der eigentliche → *euergétēs* (»Wohltäter«) gegenüber dem Publikum. Sämtliche Spiele waren in den → Kaiserkult eingebunden, die Vereine der Techniten und Athleten ehrten den Kaiser. Viele Akteure – etwa die herausragenden Pantomimen – waren kaiserliche Freigelassene. In der Spätant. hatte der Kaiser faktisch ein Monopol auf gute Pferde. Auf regionaler Ebene allerdings blieb eine erhebliche Vielfalt an Organisationsformen der öffentlichen Spiele erh.; umherreisende Künstler wurden oft von einheimischen Ensembles begleitet. Spiele konnten daneben auch privat, durch Eintritte finanziert, abgehalten werden.

III. Fest und Publikum
A. Griechenland B. Rom

A. Griechenland

Die Zusammensetzung des Publikums variierte je nach Veranstaltung. Es war typischerweise männlich sowie griech. bzw. einheimisch. Doch Frauen konnten etwa als Priesterinnen oder unter bestimmten Bedingungen (in Olympia mußten sie unverheiratet sein) zuschauen, mancherorts vielleicht auch regulär (für Athen in diesem Sinne zuletzt [5]). Auch Sklaven und Fremde mischten sich gewiß unter die Zuschauer; manche Feste – so die Großen Dionysia in Athen – scheinen auch darauf angelegt gewesen zu sein, Auswärtigen zu imponieren. Üblich waren Ehrenplätze für in- und auswärtige polit. Würdenträger sowie für Priester und Priesterinnen.

Die Zahlen der Zuschauer gingen in die Tausende. Es war verhältnismäßig unruhig, zumal etwa die dramatischen Aufführungen in Athen vom Morgen bis zum Abend währten, so daß man währenddessen auch aß und trank; Beifall und Ablehnung wurden lautstark kundgetan, von emotionalen Ausbrüchen (etwa Tränen) ist öfters die Rede; Akteure konnten auch beworfen werden, umgekehrt konnten Gegenstände von der Bühne in die Zuschauerreihen fliegen (für das att. Drama im 5./4. Jh. vgl. [6]). Publikum und Akteur waren überhaupt weniger scharf getrennt als in mod. Einrichtungen. Das Publikum war zwar vielfältig zusammengesetzt, intendiert als Publikum waren durch die Aufführungen aber die Bürger, die möglicherweise nach → Phylen geordnet saßen.

Eintritt konnte erhoben werden, so auch in Athen, wo er allerdings späterhin durch das *theōrikón* (Schauspielgeld aus der Staatskasse) für die Bürger ausgeglichen wurde [7].

B. Rom

Das Publikum saß seit der hohen Republik gemäß der sozialen Stellung. In dem Bereich, der der griech. Orchestra (→ Theater, mit Abb.) entsprach, lagen die Plätze der Senatoren und Ritter sowie Ehrenplätze (etwa für → Vestalinnen). In der Cavea, den Zuschauerrängen, tummelte sich das einfachere Volk, weit oben saßen Sklaven und Frauen.

Von der röm. Elite wurde das bei Spielen versammelte Volk als bedrohlich erlebt, insbes. bei szenischen Vorführungen, die das Monopol des Beamten auf das Wort vor der Versammlung durchbrachen. Lange wurde die Errichtung von Steintheatern unterbunden; erst Cn. → Pompeius [I 3] Magnus ließ ein solches erbauen, wobei er den Bau mit einem Tempel verband.

Während des Prinzipats kam es mehrfach zur Ausweisung von Histrionen (→ *histrio*) bzw. ihren Anhängern, die sich mißliebig gemacht hatten. Die rechtliche Diskriminierung der Akteure – Histrionen ebenso wie Gladiatoren und Wagenlenker [8] waren *infames* (»übel beleumundet«, »ehrlos«; → *infamia*) – ist wohl auch in diesem Kontext zu sehen (→ Randgruppen). Die Rolle der → *factiones* (»Circusparteien«), die während der Kaiserzeit an Einfluß gewannen und die auch Zuschauer an sich banden, ist schwer zu fassen. In der Spätant. scheinen sie das private Engagement ersetzt und auch andere Akteure eingeschlossen zu haben, wobei sie mindestens funktional u. a. Nachfolger der Techniten wurden [9. 143 ff.]; zugleich dienten sie als Instrument der kaiserlichen Kontrolle über das Schauwesen und übernahmen öffentliche Aufgaben (etwa in der Stadtverteidigung).

Ferner entwickelten sich in der Kaiserzeit zunehmend spezifische Rituale der Kundgebungen des Volkes in Theater, Amphitheater oder Circus, die eine wichtige Gelegenheit zur polit. Kommunikation boten und insofern von zentraler Bed. für das polit. System waren.

IV. Kirche und Schauspiele

Die frühe Kirche kritisierte die Sch. hauptsächlich aus zwei Gründen: wegen ihrer Unsittlichkeit und wegen der Einbindung in die alte Rel. Es erwies sich allerdings als äußerst schwierig, die Christen von der Verderblichkeit der Spiele zu überzeugen, selbst Klerikern mußte die Teilnahme an Spielen bedenklich oft untersagt werden [10].

Als → Constantinus [1] d.Gr. Kaiser geworden war, ging er nur halbherzig gegen Gladiatorenkämpfe vor. Das Schauwesen blieb im christl. Reich lebendig. Freilich wurde es aber seines rel. Rahmens entkleidet. Erst seit → Theodosius I. (379–395 n. Chr.) erfolgten energischere Maßnahmen im Sinne der kirchl. Kritik. Endgültig abgeschafft wurden allerdings allein und erst im 5. Jh. die Gladiatorenkämpfe [11]. Im übrigen führte das Ende der Stadtkultur bzw. ihr Wandel zu einem Ende der Spiele im Westen. In Ostrom hingegen herrschte v. a. bei Wagenrennen noch in den folgenden Jahrhunderten Kontinuität.

→ Amphitheatrum; Athleten (mit Karte); Circus; Fest, Festkultur; Freizeitgestaltung; Gladiator; Histrio; Hypokrites; Komödie; Mimos; Munus, munera; Pantomimos; Satyrspiel; Sportfeste; Theater (mit Abb.); Tragödie; Unterhaltungskünstler; Wettbewerbe, künstlerische

1 Robert, OMS 6, 709–719 **2** H. Leppin, Histrionen, 1992 **3** J. J. Winkler, F. I. Zeitlin, Nothing to Do with Dionysos?, 1990 **4** B. Le Guen, Théâtre et cités à l'époque hellénistique, in: REG 108, 1995, 59–90 **5** J. Henderson, Women in the Athenian Dramatic Festivals, in: TAPhA 121, 1991, 133–147 **6** R. W. Wallace, Poet, Public, and »Theatrocrazy«, in: L. Edmunds, R. W. Wallace (Hrsg.), Poet, Public, and Performance in Ancient Greece, 1997, 97–111, 157–163 **7** A. Sommerstein, The Theatre Audience, the Demos, and the Suppliants of Aeschylus, in: Ch. Pelling (Hrsg.), Greek Tragedy and the Historian, 1996, 63–80 **8** G. Horsmann, Die Wagenlenker der röm. Kaiserzeit, 1998 **9** C. Roueché, Performers and Partisans, 1993 **10** G. Binder, Pompa diaboli, in: Ders., B. Effe (Hrsg.), Das ant. Theater (Bochumer altertumswiss. Colloquium 33), 1998, 115–147 **11** J. Blänsdorf, Der ant. Staat und die Sch. im Codex Theodosianus, in: Ders. (Hrsg.), Theater und Ges. im Imperium Romanum, 1990, 216–274.

F. Bernstein, Ludi publici, 1998 • H.-D. Blume, Einführung in das ant. Theaterwesen, [3]1991 • A. Cameron, Circus Factions, 1976 • W. Decker, Sport in der griech. Ant., 1995 • J. R. Green, Theatre Production, in: Lustrum 37, 1995 (1998), 7–202 • Pickard-Cambridge/Gould/Lewis • G. M. Sifakis, Studies in the History of Hellenistic Drama, 1967 • G. Ville, La gladiature en Occident, 1985.

H. L.

Schauspieler s. Histrio; Hypokrites

Scheda (*schida, scida*) hat bei lat. Autoren unterschiedliche Bed.: (1) ein Blatt oder Stück von Papyrus oder Pergament (→ *pugillares*) für Notizen oder für Kurzmitteilungen (Cic. Att. 1,20,7; Quint. inst. 1,8,19; Mart. 4,89,4; CGL IV 422,52; V 243,10 und 482,57; vgl. [1. 49[20]]). (2) In der Spätant. bezeichnet *s.*/*schedula* eine »Kladde« eines lit. Werkes; vgl. Isid. etym. 6,14,8 (*s. est quod adhuc emendatur, et necdum in libris redactum est*, ›S. bezeichnet einen Text, der noch korrigiert werden muß und noch nicht fertiggestellt ist‹; die Interpretation von [2] ist falsch) und bes. Rufinus adv. Hieronymum 2,48,22–24 (*schedulae imperfectae inemendatae*, ›unfertige und unkorrigierte Blätter‹; vgl. auch ebd. 2,43,15–17). Rufinus (ca. 345–411 n. Chr.) bezieht sich hier auf eine Kladde der lat. Übers. von Origenes' [2] Περὶ ἀρχῶν (*Perí archṓn*, ›Über die Prinzipien‹), an der er gerade arbeitete. (3) Bei Plin. nat. 13,77 bezeichnet *schida* die Streifen der → Papyrus-Pflanze, die im rechten Winkel zu zwei Schichten übereinandergeklebt werden und aus denen man so die einzelnen Blätter der Papyrusrolle herstellt [3].

1 N. Lewis, Papyrus in Classical Antiquity, 1974 **2** T. Dorandi, Den Autoren über die Schulter geschaut, in: ZPE 87, 1991, 20–30, Anm. 121 **3** U. Wilcken, Recto oder verso?, in: Hermes 22, 1887, 488.

T. D./Ü: J. DE.

Schedia s. Zoll

Schedios (Σχεδίος).

[1] Sohn des Königs Iphitos und Enkel des Naubolos; geb. in Panopeus (Paus. 10,4,2). Anführer der Phoker, der zunächst um → Helene [1] wirbt (Apollod. 3,129) und dann mit seinem Bruder Epistrophos und 40 Schiffen in den Troianischen Krieg zieht (Hom. Il. 2,517–526). Beim Kampf um die Leiche des Patroklos tötet ihn → Hektor (Hom. Il. 17,305–311). Seine Gebeine werden ins phokische Antikyra (Paus. 10,36,10) oder nach Daphnus (Strab. 9,4,17) gebracht. Nach anderer Version überleben die Brüder und gründen Temesa (schol. Lykophr. 1067).

[2] Phokerfürst, Sohn des Perimedes, der von Hektor vor Troia erschlagen wird (Hom. Il. 15,515 f.).

[3] Freier der → Penelope aus Dulichion (Apollod. epit. 7,27).

HE. B.

Schedographie. Von bed. byz. Gelehrten und einfachen Lehrern verfaßte Schulübungen unterschiedlichen Inhalts und Schwierigkeitsgrades, die zur Erlernung der griech. Gramm., Rechtschreibung und Syntax dienten. Bes. beliebt in der mittelbyz. Zeit (12. Jh. n. Chr.), bestand das σχέδος/*schédos* aus absichtlichen itazistischen (→ Itazismus) Verunstaltungen und falschen Silbenzusammenstellungen und war auf der Homonymie der *antístoicha* (e-, o- und i-Laute) aufgebaut. Schreibweise und Worttrennung dieses Rätsel-Wortspiels, das in der Regel erbauliche Geschichten, Fabeln, Gnomen, Heiligenviten u.ä. zum Thema hatte, sollten vom Schüler richtig wiederhergestellt werden. Im Laufe der Zeit beschränkte sich die Sch. auf die ausführliche gramm.-lexikalische Analyse eines kurzen Textes, die den → Epimerismi nahestand.

1 HUNGER, Literatur 2, 22–29 2 C. GALLAVOTTI, Nota sulla schedografia di Moscopulo e suoi precedenti fino a Teodoro Prodromo, in: Bollettino dei Classici ser. 3.4, 1983, 3–35
3 I. VASSIS, Graeca sunt non leguntur. Zu den schedographischen Spielereien des Theodoros Prodromos, in: ByzZ 86/7, 1993/4, 1–19. I.V.

Scheidung. Die Auflösung der → Ehe durch Sch. scheint in der Ant. von Mesopotamien bis Rom überall möglich gewesen zu sein, freilich nicht immer für Männer und Frauen in gleicher Weise. So war zwar in Äg. im 1. Jt. v. Chr. Frauen ebenso wie Männern die Erklärung der Sch. möglich; im altjüd. Recht wie wohl auch in Mesopotamien war hingegen nur die Verstoßung durch den Mann bekannt. Das jüd. Recht knüpfte die Auflösung der Ehe jedenfalls in späterer, talmudischer Zeit (→ Halakha) zudem an Sch.-Gründe (→ Ehe IV.). Ferner gab es in der Ant. vielfach Sch.-Strafen. Zeugnisse hierfür sind bereits aus dem Alten Orient in Gestalt einer Art von Vertragsstrafe aus dem Ehevertrag bekannt (→ Ehe I.). Bußen für grundlose oder verschuldete Sch. kannte man auch im klass. Griechenland; solche Sanktionen standen der Wirksamkeit einer Sch. nicht entgegen. Einen griech. t.t. für die Sch. hat es nicht gegeben. Man sprach vom »verstoßen« (*apopémpein*) oder »verlassen« (*apoleípsein*) und einfach von »Trennung« (*apallagḗ*). Demnach war die Sch. eher ein tatsächlicher als ein rechtlicher oder gar rechtsförmlicher Vorgang. Die »Sch.-Urkunden« der hell. Zeit aus Ägypten enthalten Verträge über die Sch.-Folgen (Rückgewähr der Mitgift, → *phernḗ*, Gestattung der Wiederverheiratung); eine »Rechtsfigur« war die S. selbst auch im 3.–1. Jh. v. Chr. nicht.

Im röm. Recht war lange Zeit nur die → *diffarreatio* eine förmliche Sch. Sie war das Gegenstück zur → *confarreatio*, die aber als Begründung einer → *manus*-Ehe (mit »eheherrlicher Gewalt«) während der Prinzipatszeit kaum mehr weit verbreitet gewesen sein dürfte. Andere *manus*-Ehen wurden wie die *manus*-freie Ehe von den Ehegatten selbst formlos geschieden. Zur Auflösung der *manus* bedurfte es dann einer → *remancipatio*. Typische Gestalt der einfachen röm. Sch. (→ *divortium*) war das → *repudium* (Sch.-Erklärung), das auch die Grundlage für den in der Spätant. als Voraussetzung der Sch. nötigen Sch.-Brief (*libellus repudii*) wurde. Die christl. Auffassung von der Ehe führte in der Spätant. noch nicht zur Unzulässigkeit der Sch. Sie wurde aber zunehmend erschwert, bis Iustinianus [1] 542 n. Chr. in Nov. 117 die Sch.-Gründe (bes. bei Straftaten) endgültig festlegte. Eine Sch. ohne solche Gründe war jedoch nicht unwirksam, führte freilich zu erheblichen Strafen (bes. Verlust der Mitgift/→ *dos*; Wiederverheiratungsverbot), an die schon ungefähr seit der Zeitenwende geltenden öffentlichen Strafen für → *adulterium* (Ehebruch) angelehnt, das in der Spätant. sogar mit dem Tode bestraft werden konnte.

→ Adulterium; Ehe; Ehebruch; Eheverträge; Frau

E. LEVY, Der Hergang der röm. Ehescheidung, 1925 • H. A. RUPPRECHT, Kleine Einführung in die Papyruskunde, 1994, 108 • TH. THALHEIM, s. v. Ehescheidung, in: RE 5, 2011–2013 • TREGGIARI, 435–482. G.S.

Schemel (θρῆνυς/*thrḗnys*, ὑποπόδιον/*hypopódion*, σφέλας/*sphélas*, selten χελώνη/*chelṓnē*; lat. *scabellum*, *scamnum*). Der Sch. diente als Fußbank, wenn man auf dem → Klismos, → Thron oder einer ähnlich hohen Sitzgelegenheit saß (vgl. Hom. Od. 17,409 f.), oder als Tritt, um auf die → Kline auf- oder von ihr herunterzusteigen. Es gab drei Sch.-Varianten: rechteckige Sch. mit einfachen, senkrechten Beinen, rechteckige Sch. mit geschwungenen Beinen, die in Tierfüßen (Löwenfüßen), Sphingen u. a. endeten, sowie eine Bank ohne Beine. V. a. die zweite und dritte Variante konnte mitunter ziemlich lang sein. In der griech., etr. und röm. Kunst wurden Sch. häufig dargestellt, z. B. in Symposionszenen, wo die Schuhe oder Stiefel der Symposiasten auf ihnen stehen, sowie bei thronenden Personen: Göttern, Königen, Frauen usw. Der lit. Überl. nach erschlagen die thessalischen Frauen mit Sch. die Hetäre → Lais [2] aus Eifersucht (Athen. 13,589a) und Antinoos wirft einen Sch. nach Odysseus (Hom. Od. 17,462–464). Seit der myk. Epoche sind fragmentierte oder vollständig erhaltene Sch. aus Holz und anderen Materialien – wenn auch in geringer Stückzahl – erhalten.

H. A. G. BRIJDER, An Etruscan Terracotta Footstool from the Fifth Century B. C. in Amsterdam, in: BABesch 62, 1987, 67–74 • V. KARAGEORGHIS, Note on a Footstool from Salamis, in: Kadmos 6, 1967, 98–99 • RICHTER, 49–54, 93, 104 • Y. SAKELLARAKIS, Mycenaean Footstools, in: G. HERRMANN (Hrsg.), The Furniture of Western Asia (Conference London, 1993), 1996, 105–110. R.H.

Schenute von Atripe (koptisch »Kind Gottes«; griech. Σινούθιος); Abt und bedeutender Autor der kopt. Lit., † zw. 436 und 466 n. Chr. (466 wird meist als Todesjahr genannt). Stationen seines Lebensweges können aus seinen Schriften sowie aus der von seinem Nachfolger Besa verf. panegyrischen Vita [6] erschlossen werden. Der aus einer bäuerlichen Familie stammende Sch. trat früh in das von seinem Onkel mütterlicherseits gegr. sog. Weiße Kloster bei Sauhāǧ in Oberägypten ein, dessen Leitung er wohl um 385 übernahm. Unter seiner charismatischen Führung wurde das in der Nähe des Dorfes Atripe auf dem westl. Nilufer gelegene Kloster zu einem wichtigen monastischen Zentrum mit weiter Ausstrahlung. Sch. bemühte sich als Klostervorsteher, die auf → Pachomios zurückgehende Form des monastischen Gemeinschaftslebens den örtlichen Verhältnissen anzupassen, wobei er eine strenge Askese lehrte und auch vor körperlicher Züchtigung nicht zurückschreckte. 431 begleitete der gesuchte Ratgeber, der neben Kopt. auch Griech. beherrschte, den Bischof von Alexandreia [1], → Kyrillos [2], zum Konzil von Ephesos (→ *sýnodos*).

Sch. hinterließ ein umfangreiches Werk in Sahidisch, dem oberägypt. Hauptdialekt des → Koptischen. Nach der neueren Forschung ([7; 8]) umfaßte das exklusiv in der Bibl. des Weißen Klosters gesammelte Corpus (Incipit-Liste von 119 Schriften: [7. 772–779]) neun Bd. *Kánones* mit Regelungen zum monastischen Leben sowie acht Bd. *Lógoi*, vornehmlich Predigten und Traktate. Hinzu kommt eine beachtliche Korrespondenz. Aufgrund der äußerst schwierigen Überl. sind die vorhandenen Gesamtausgaben ([1; 2]) unzureichend. Als frühe originale Zeugnisse sind die Werke des Sch., der wiederholt gegen ausbeuterische Grundbesitzer und das ›Heidentum‹ polemisiert, für die Koptologie von großer Bedeutung.

→ Mönchtum

Ed.: **1** J. Leipoldt, W. E. Crum, H. Wiesmann (Hrsg.), Sinuthii archimandritae vita et opera omnia, Bd. 1, 3 und 4, 1906–1913, 1931–1936 (CSCO 41, 42, 73: Text; CSCO 96, 108, 129: Übers.) **2** E. C. Amélineau, Œuvres de Schenoudi, 2 Bde., 1907–1914 (mit frz. Übers.) **3** T. Orlandi, Shenoute Contra Origenistas, 1985 (mit it. Übers.) **4** D. W. Young (Hrsg.), Coptic Manuscripts from the White Monastery: Works of Shenoute, 2 Bde., 1993 **5** H. Behlmer (Hrsg.), Sch. von Atripe: De iudicio (Cat. del Mus. Egizio di Torino I/8), 1996 (mit dt. Übers.) **6** D. N. Bell, Besa, The Life of Shenoute, 1983 (engl. Übers.).

Lit.: **7** S. Emmel, Shenoute's Literary Corpus, Diss. Yale 1993 **8** Ders., Shenoute's Literary Corpus: A Codicological Reconstruction, in: D. W. Johnson (Hrsg.), Acts of the Fifth International Congr. of Coptic Studies 2.1, 1993, 153–162 **9** P. J. Frandsen, E. Richter-Aerøe, Shenoute: A Bibliography, in: D. W. Young (Hrsg.), Studies in Honour of H. J. Polotzky, 1981, 147–176 **10** J. Leipoldt, Sch. von Atripe und die Entstehung des national ägypt. Christentums (TU 25.1), 1903 **11** T. Orlandi, s. v. Shenoute d'Atripé, Dictionnaire de Spiritualité 14, 797–804.

J. RI.

Schera (Σχέρα). Die westsizilische Stadt ist mit ihrem Ethnikon Σχερῖνοι/*Scherínoi* im 5. Volksbeschluß von → Entella (Z. 21, vgl. [2]) zusammen mit anderen Städten erwähnt, die den Synoikisten (→ *synoikismós*) von Entella Weizen und Gerste spendeten. S. wurde im 1. → Punischen Krieg von den Karthagern teilweise zerstört.

1 G. Manganaro, Metoikismos. Metaphora di poleis à Sicilia, in: ASNP 20, 1990, 391–408, bes. 400, Anm. 41 **2** G. Nenci, I decreti di Entella I–V, in: ASNP 21, 1991, 137–145, bes. 144 **3** G. Bejor, Città di Sicilia nei decreti di Entella, in: ASNP 12, 1982, 815–839, bes. 834 **4** M. I. Gulletta, S., in: Giornate Internazionali Studi area elima (1991), Atti, Bd. 1, 1992, 379–394.

GI. MA./Ü: J. W. MA.

Schere (ψαλίς/*psalís*; lat. *forfex*, *forpex*, *forficula*). Sch. aus Eisen oder Br. wurden gebraucht bei der Schaf- und Ziegenschur, um Tuche und Metall zu zerschneiden, zur Haar- und Bartschur, in der Flickschusterei und in der Landwirtschaft zum Zerschneiden von Pflanzen und Früchten bzw. zum Schneiden von Weintrauben aus den Rebstöcken. Die Sch. scheint ab dem beginnenden 5. Jh. v. Chr. in Griechenland in Gebrauch gewesen zu sein, im ital. Raum der schriftl. Überl. nach um 300 v. Chr. (Varro rust. 2,11,9), doch war noch im 1. Jh. n. Chr. das Auszupfen von Haaren bei der Schafschur verbreitet (Plin. nat. 8,191). Sch. waren von unterschiedlicher Größe, wobei die Tuch-Sch. weit über 1 m Länge aufweisen konnte. Man unterscheidet zwei Formen der ant. Sch.: Bei Bügel-Sch. werden die parallel aufeinander zugeführten Klingen mit einem federnden Metallbügel verbunden (daher auch Feder-Sch.); die Gelenk- oder Scharnier-Sch. funktioniert nach dem Prinzip der mod. Scheren.

W. Gaitzsch, Röm. Werkzeuge (British Archaeological Reports, International Ser. 78), 1980, 209–219 · Ders., Röm. Sch., in: Fundberichte aus Hessen 29–30 (1989–1990), 1995, 263–275.

R. H.

Scherie (Σχερίη). Land der → Phaiakes, letzte Station auf → Odysseus' Irrfahrten. Wie bei fast all diesen Stationen hat man sich auch bei S. seit der Ant. den Kopf über die Lokalisierung zerbrochen. Unter den zahlreichen Lösungsvorschlägen erscheint sehr früh (Alk. fr. 441 Voigt: [1. 19]) und am häufigsten → Korkyra [1] (Korfu) [2. 294]. Für das auf der Rückfahrt von Ithaka in Stein verwandelte Schiff der Phaiaken (Hom. Od. 13,161–164) kommen gleich mehrere Felsformationen vor Korfu in Frage. Mit Homer hat das alles wenig zu tun. Er schreibt den Phaiaken wundersam schnelle Schiffe zu (ebd. 8,557–563), läßt ihnen das ganze Jahr Früchte wachsen (ebd. 7,117–128) und lokalisiert sie ebenso in einer »utopischen« Märchenwelt wie etwa die → Laistrygonen oder die → Lotophagen (so sinngemäß bereits Eratosthenes [1. 19–20]). Ob man sich S. als Insel vorzustellen hat, ist nicht völlig klar [1. 20].

1 A. F. Garvie (ed.), Homer. Odyssey, Books 6–8, 1994 (mit Komm.) **2** A. Heubeck et al., A Commentary on Homer's Odyssey, Books 5–8, 1988.

RE. N.

Schicksal A. Allgemeines B. Griechisch-römische philosophische Schicksalslehre

A. Allgemeines

Wie die Vielzahl der – z. T. unpersönlichen – Bezeichnungen der Schicksalsmächte (→ *aísa*, *aísimon*, → *anánkē*, → *moíra(i)*, *móros*, *mórsimon*, → *némesis*, *pepromménē*) schon bei Homer erkennen läßt, sind sie nicht persönliche Gottheiten, sondern erklären unausweichliche Ereignisse wie den frühen Tod herausragender Helden. Auch die Götter können ihre Autorität dem »Los« gegenüber nur begrenzt geltend machen [1; 2].

B. Griechisch-römische philosophische Schicksalslehre

In der frühgriech. Philos. tritt an die Stelle der Frage menschlichen Sch. bei → Herakleitos [1], bei → Empedokles [1] oder im → Atomismus die nach der Naturordnung und ihrer Gesetzlichkeit. Eine Verbindung zw. mythischen Sch.-Mächten und einer allg. rationalen Naturordnung stellt → Platon [1] her: Im 10. B. der ›Politeia‹ (Plat. rep. 161c) sind die Moiren (→ Moira), als Töchter der → *Anánkē* (→ Notwendigkeit), zugleich Garanten einer harmonischen Weltordnung und der eigenverantwortlichen Lebenswahl von Individuen. → Aristoteles [6] entwickelt zwar eine umfassende Ursachenlehre, leitet daraus aber bewußt keine lückenlos funktionierende »Weltmechanik« ab [3].

Im Hell. stellen die Stoiker (vgl. → Stoizismus) der Atomlehre des → Epikuros mit ihrer rein mechanistischen Erklärung unendlicher Welten eine allumfassende Sch.-Lehre durch eine die ganze Welt gestaltende geistig-physikalische Kraft gegenüber (*heimarménē*, lat. *fatum*). Der göttliche → *lógos* [1], der zugleich als Zeus, Sch., Notwendigkeit und Vorsehung (*prónoia*, lat. *providentia*) bezeichnet wird, durchdringt und bestimmt als → *pneúma* (eine Mischung aus Luft und → Feuer) die gesamte Welt. Dieses *pneúma* hält die Welt als ganze zusammen, bestimmt aber auch in jeweils verschiedener Konkretion die Konsistenz und das Verhalten der Einzeldinge [4; 8]. Das Zusammenwirken der verschiedenen pneumatischen Kräfte konstituiert auch das menschliche Sch. im Sinne einer lückenlosen Kausalkette (vgl. die etym. Ableitung von *heimarménē* von *eírein* = »fügen«, oder von *heirmós aitiṓn* = »Ursachenverknüpfung«). Die Vorsehung ist keine unabdingbare Vorbestimmung (→ Prädestinationslehre), sondern eine an Bedingungen (*confatalia*, Cic. fat. 30) geknüpfte »Verwaltung« (*dioíkēsis*) der Welt, die auf Grund gewisser Zeichen auch vorhersehbar sein kann und → Divination als Wiss. (*mantikḗ*, lat. *divinatio*) rechtfertigt (Cic. div. 2,130; Cic. fat. 11–17; S. Emp. adv. math. 9,132) [8].

Das göttliche *pneúma* bestimmt auch die innere Natur des Menschen. Damit wird für die Gegner der Stoiker die ansonsten angenommene moralische Autonomie des einzelnen zum Problem. Ciceros Schriften ›Über das Sch.‹ (*De fato*) [5] und ›Über Weissagung‹ (*De divinatione*), sowie Alexandros' [26] von Aphrodisias Abh. ›Über das Sch.‹ (*Perí heirmaménēs*) zeugen von einer Jh. dauernden Polemik und entsprechenden Verteidigungsstrategien der Stoiker [6; 7]. Zum Problem der Willensfreiheit kommt noch das der Gerechtigkeit der Vorsehung (→ Theodizee).

Die stoische Sch.-Lehre war keine einheitliche Doktrin [8]. Obwohl Originalquellen nicht erh. sind (bis auf → Seneca [2] d. J., der sich zwar dem Stoizismus verbunden sah, aber oft eigene Wege ging), reflektieren die sekundären Quellen unterschiedliche Positionen und Strategien, auch über die Strenge der deterministischen Vorstellungen, die Vorhersehbarkeit, die Ursachenlehre und die Autonomie des Individuums. Zw. der in logischer und physikalischer Hinsicht raffiniert ausgestalteten Theorie von → Chrysippos [2], den Vertretern der Mittleren Stoa wie → Panaitios [4] und → Poseidonios [3] von Rhodos und den fast ausschließlich an ethischen Fragen (der Eigenverantwortung und der Kompatibilität mit dem Sch.) interessierten Anhängern der späten Stoa wie → Epiktetos [2] und → Marcus [2] Aurelius liegt eine lange Entwicklung [9]. V. a. die Frage der Willensfreiheit und der Offenheit der Zukunft beeinflußte die frühchristl. Theologen; neben Iustinos Martys (*Apologia*), Eusebios (Pr. Ev. 6), und Augustinus auch Origenes (*Contra Celsum*, *De principiis*) oder Tertullianus (*Apologeticum*) [10] und wirkte im MA wie auch in der Neuzeit fort [3].

→ Prädestinationslehre; Wille

1 W. C. Greene, Moira: Fate, Good and Evil in Greek Thought, 1948 **2** E. R. Dodds, The Greeks and the Irrational, 1951 (dt. 1970) **3** W. L. Craig, The Problem of Divine Foreknowledge and Future Contingents from Aristotle to Suarez, 1988 **4** S. Sambursky, The Physics of the Stoics, 1957 **5** R. W. Sharples (ed.), Cicero: On Fate, 1991 (mit engl. Übers. und Komm.) **6** Ders. (ed.), Alexander of Aphrodisias, On Fate, 1983 (mit engl. Übers. und Komm.) **7** A. Zierl (ed.), Alexander von Aphrodisias, Über das Sch., 1995 (mit dt. Übers. und Komm.) **8** S. Bobzien, Determinism and Freedom in Stoic Philosophy, 1998 **9** W. Theiler, Tacitus und die ant. Sch.lehre, 1946 • M. Kranz, s. v. Sch., HWPh 8, 1275–1289

D. FR.

Schiedsgerichtsbarkeit. Die Sch. wird seit jeher im Gegensatz zu der mit staatlichem Zwang arbeitenden Straf- und Zivilgerichtsbarkeit freiwillig von den streitenden Parteien eingesetzt. Weder bewiesen noch vollständig widerlegt ist, daß die Sch. wegen dieses Fehlens staatlichen Einflusses den Anfang aller Gerichtsbarkeit darstelle (so für Rom insbes. [1]). In den röm. Quellen jedenfalls steht die Sch. selbständig neben allen drei Typen staatlicher Verfahren (→ *ordo*). Auch in Griechenland hat es schon Sch. gegeben (s. → *diaitētaí* [1]).

Das röm. *compromissum* (Vereinbarung der Parteien, sich einem Privatmann als Richter zu unterwerfen) führt allein noch nicht zu einer Bindung der Parteien an den einmal erlassenen Richterspruch. Ohne jede Bindung würden sich die Parteien freilich dem Spruch gar nicht erst aussetzen. Deshalb tauschen sie gleichzeitig Strafstipulationen aus, und üben so mittelbarer wechselseitigen Druck zur Unterwerfung. Die Verpflichtung des privaten Schiedsrichters (→ *arbiter*) erfolgt durch eine weitere Vereinbarung der Parteien mit ihm, das → *receptum*. Obwohl dieser das Richteramt freiwillig übernimmt (Dig. 4,8,3,1), verpflichtet ihn der einmal geschlossene Vertrag zu dessen Ausübung. Dazu hält ihn nötigenfalls der Praetor an (Dig. 4,8,3,2; Ausnahmen: Dig. 4,8,15–18)

In der Spätant. nahm die Bed. der Sch. durch die bischöfliche Gerichtsbarkeit zu (zusammenfassend Cod. Iust. 1,4). Ihr konnte sich jedermann unterwerfen. Attraktiv wurde das Verfahren bes. dadurch, daß der Staat die Schiedssprüche dieses Gerichts als geeignete Titel für die Durchführung der staatlichen Zwangsvollstreckung (s. → *manus iniectio*, → *missio in possessionem*) anerkannte. Iustinianus [1] schließlich hat die Sch. ebenfalls in seine Gesetzgebung aufgenommen (Cod. Iust. 2,55). Er verleiht dem Schiedsspruch zwar keine Rechtskraftwirkung, erzielt aber ein durchaus ähnliches Ergebnis, indem er dem freigesprochenen Schuldner vor dem erneut angerufenen staatlichen Gericht eine → *exceptio* (»Einrede«) gewährt und dem siegreichen Gläubiger eine *actio in factum* (auf den Sachverhalt zugeschnittene Klage, s. → *actio* B.), mittels derer er – der *actio iudicati* (»Klage auf Vollstreckung«) vergleichbar – die Vollstreckbarkeit des Spruchs einleiten konnte.

1 M. Wlassak, Der Judikationsbefehl im röm. Prozesse, 1921.

D. Daube, Compromise, in: Ders., Collected Studies in Roman Law (hrsg. von D. Cohen), Bd. 2 1991, 1373 • M. Kaser, K. Hackl, Das röm. Zivilprozeßrecht, [2]1996, 29, 639–643 • R. Knütel, Stipulatio poenae, 1976 • K. H. Ziegler, Das private Schiedsgericht im ant. röm. Recht, 1971. C. PA.

Schierling (griech. κώνειον/*kṓneion* wegen des kegelförmigen Fruchtknotens *kṓnos*, lat. *cicuta*, weitere Namen, z. B. bei Dioskurides 4,78 Wellmann = 4,79 Berendes, sind von seiner Giftwirkung abgeleitet), die in Europa vielfach wildwachsende Umbellifere mit zwei Arten (Gefleckter Sch. Conium maculatum und Wasser-Sch. Cicuta virosa). Theophrast (h. plant. 1,5,3) erwähnt den fleischigen und hohlen (ebd. 6,2,9) Stengel der dem Steckenkraut (→ Narthex [1]) ähnlichen Pflanze. Der Bodensatz des Aufgusses der Wurzel (anders Plin. nat. 25,151) ist stärker als derjenige der Dolde und bewirkt als (narkotisierender) Zusatz zu anderen Giftpflanzen schnelleren Tod (Theophr. h. plant. 9,8,3). Diese Rezeptur soll ein Thrasyas von Mantineia erfunden haben (ebd. 9,16,8). Die beste Beschreibung der Wirkung des Sch. findet sich bei Dioskurides (4,78 Wellmann = 4,79 Berendes), der den aus der unreifen Dolde gepreßten Saft u. a. mit Wein (der als Gegenmittel galt) zur Schmerzstillung und Unterdrückung des Geschlechtstriebes in der Pubertät empfahl. Plinius (nat. 25,151–154) bestätigt dies und erwähnt als Hauptanwendung des aufgestrichenen Saftes u. a. Hemmung des Tränenflusses und Linderung von Augenschmerzen; die Wirkung bestehe im Kaltwerden der Glieder und der Verdickung des Blutes (so auch Ail. nat. 4.23). Eine eingehende Beschreibung des langsamen Todes von → Sokrates nach dem Trinken des Sch.-Bechers im J. 399 v. Chr. gibt Platon (Phaid. 117a–118). Manche Hinrichtungen (→ Todesstrafe), bes. in Athen, und wohl viele Giftmorde im Alt. wurden durch den Sch. bewerkstelligt.

→ Gifte

H. Gossen, s. v. Sch., RE Suppl. 8,706–710. C. HÜ.

Schiffahrt I. Alter Orient und Ägypten II. Phönizien III. Klassische Antike

I. Alter Orient und Ägypten

In Äg. wie im südl. Mesopotamien spielte die Sch. eine große Rolle, v. a. für den landesinternen Verkehr, aber auch bei den Verbindungen über See. In beiden Ländern waren Flüsse und Kanäle Hauptverkehrsadern, die auch von den Göttern bei ihren gegenseitigen Besuchen und dem Herrscher bei seinen Fahrten benutzt wurden. Über die alltägliche Bed. als Transportmittel für Personen und Waren hinaus hatten Schiffe daher auch rel. Konnotationen. Im Äg. fanden Ausdrücke der Sch. Eingang in die Alltagssprache.

In beiden Gebieten wurden Boote gesegelt und getreidelt, in Südmesopot. auch häufig gestakt. Flußschiffe waren von unterschiedlicher Größe: Lastschiffe konnten in Südmesopot. bis zu 45 m^3 Getreide laden (in den Schiffsbezeichnungen steckt bereits das Ladevermögen: má–120–gur (18 000 kg), má–60–gur (9000 kg) etc.). Aus Äg. ist das für die Königin Hatschepsut (1472–1458 v. Chr.) gebaute Schiff zu nennen, das zwei Obelisken von je 350 t Gewicht und 30 m Länge transportierte. Während aus Äg. eine Reihe von Schiffen erh. ist, dazu eine große Menge von Darstellungen, gibt es aus Südmesopot. keine Schiffe oder Boote und nur relativ wenige Darstellungen, so daß wir hauptsächlich auf die schriftlichen Erwähnungen angewiesen sind. Von bes. prächtiger Ausstattung waren die Schiffe, die den toten Pharao zu seiner Begräbnisstätte brachten.

Seetüchtige Schiffe sind bereits aus früher Zeit (4. Jt. v. Chr.) von Felsmalereien im Wādī Ḥammamāt (Äg.) bekannt; v. a. aber ist ihre Existenz aus Handelsbeziehungen übers Meer zu erschließen, so von Äg. an die Ostküste des Mittelmeers, woher man u. a. Zedernholz für Bauten, aber auch für den → Schiffbau bezog (ab 1. Dyn.), oder von Mesopot. ins Gebiet des → Persischen Golfs und des → Indos [1] (von der Mitte des 3. Jt. an). Außer schriftl. Bezeugungen sind auch Reste der Handelsware (z. B. Halbedelsteine) erh. Bereits im AR sind Syrer als Besatzung äg. Schiffe belegt – Zeugnis für die bereits entwickelte Sch. in der Levante (s. u. II.). Im 15. Jh. v. Chr. finden sich Darstellungen von syr.-kanaanäischen Schiffen, die in Äg. ihre Ladungen löschen.

E. Martin-Pardey, s. v. Sch., LÄ 5, 601–610 • M.-Ch. de Graeve, The Ships of the Ancient Near East (2000 – 500 B. C.), 1981 • G. F. Bass, Sea and River Craft in the Ancient Near East, in: J. Sasson (Hrsg.), Civilizations of the Ancient Near East, Bd. 3, 1995, 1421–1431 • A. Salonen, Die Wasserfahrzeuge in Babylonien (Stud. Orientalia Fennica VIII,4), 1939 • C. Qualls, Boats of Mesopotamia before 2000 B. C., Diss. Columbia, 1981. H. J. N.

II. Phönizien

Die Sch. war in den phöniz. Städten der Levanteküste schon in der späten Brz. hochentwickelt und nach Routen spezialisiert. Sie wurde bevorzugt mit Flotten durchgeführt: Der die Zeit um 1075 v. Chr. spiegelnde Bericht des äg. Emissärs Wenamun (vgl. [1]) erwähnt Flotten von offensichtlich nur Küsten-Sch. treibenden Ägyptenfahrern in → Byblos (20 Schiffe) und → Sidon (50 Schiffe); daneben sind im AT die Flotten der Taršiš-Fahrer bezeugt (1 Kg 10,22 u.ö.; [2]). Eine *Tyria classis* (»tyrische Flotte«) gründete → Gades (Vell. 1,2,1–3), die phöniz. Getreideflotte soll → Dido/Elissa zur Flucht nach Karthago (Serv. Aen. 1,362) gedient haben: Sie war also für transmediterrane Hochsee-Sch. geeignet.

Die phöniz. Sch. war u.a. deswegen berühmt, weil sie aufgrund vertiefter astronomischer Kenntnisse die Nachtfahrt und eine Verlängerung der sonst auf den Sommer beschränkten Fahrt über das hohe Meer bis in den späten Herbst hinein erlaubte. Zur Orientierung diente der im 1. Jt. v. Chr. dem Himmelsnordpol nahe Stern β (*stella Phoenicia*, arab. *Kọchab*) im Sternbild des Kleinen Bären. Die Vermittlung dieses Wissens an die Griechen wird → Thales (angeblich phöniz. Abkunft) zugeschrieben [3]. Wichtigste Route war der über 2000 Seemeilen lange Seeweg von der Levanteküste zu den »Säulen des Herakles« (Straße von Gibraltar) – und darüber hinaus an die Atlantikküsten Marokkos und Portugals. Sie verlief entlang der Südküste Kretas, der Peloponnes und Siziliens und konnte im besten Falle in ca. 30 Tagen bewältigt werden. Später, ab dem 8./7. Jh., frequentierten phöniz. Schiffe auch die Route vor der Küste Nordafrikas.

→ Astronomie; Kolonisation; Phönizier; Schiffbau

1 H. Goedicke, The Report of Wenamun, 1975
2 M. Koch, Tarschisch und Hispanien, 1984 3 G. Kirk et al., Die vorsokrat. Philosophen, 1994, 84–92 (engl. ²1983).

P. Bartoloni, Navires et navigation, in: V. Krings (Hrsg.), La civilisation phénicienne et punique (HbdOr I 20), 1995, 282–289, bes. 282–285 • S. Medas, ›Siderum observationem in navigando Phoenices (invenerunt)‹ (Plinio, NH VII, 209). Appunti sulla »navigazione astronomica« fenicio-punica, in: Riv. di Studi Fenici 26, 1998, 147–173. H.G.N.

III. Klassische Antike

A. Der Mittelmeerraum und Schiffahrt
B. Griechenland C. Rom

A. Der Mittelmeerraum und Schiffahrt

Im Mittelmeerraum hatte die Sch. herausragende Bed. für den überregionalen Handel, bes. für den Fernhandel, für den Transport von Lebensmitteln und schweren Gütern sowie für → Reisen zu entfernten Zielen. Der Transport mit Schiffen war auf den meisten Routen wesentlich kostengünstiger als der → Landtransport, für den eine Vielzahl von Last- oder Zugtieren benötigt wurde, der auf gute Straßen angewiesen war und mit dem tagsüber nur relativ kurze Strecken bewältigt werden konnten. Für den Gütertransport wurden in der Regel Segelschiffe eingesetzt; sie nutzten die Windenergie und waren damit nicht auf die menschliche Muskelkraft angewiesen.

In vieler Hinsicht begünstigt der Mittelmeerraum die Sch. Aufgrund der in Küstennähe gelegenen hohen Gebirge ist eine Orientierung auf See leicht möglich; es besteht auf vielen Sch.-Routen Küstensicht; im Sommer, meist trocken und wolkenlos, herrschen gute Sichtverhältnisse, nachts dagegen konnten die ant. Seeleute sich an den Sternen oder am Mond orientieren. Da im Winterhalbjahr heftige Stürme nicht selten waren und die Sicht auf See durch Regen, Nebel und Wolken beeinträchtigt wurde, mußte die Sch. zwischen Oktober und April allerdings weitgehend eingestellt werden (vgl. Hes. erg. 663–686; Cod. Theod. 13,9,3,3; Veg. mil. 4,39). Der Handel und die wirtschaftlichen Aktivitäten in den Hafenstädten waren an den Rhythmus der Jahreszeiten angepaßt. Wie die zahlreichen Wrackfunde zeigen, blieb die Sch. risikoreich; einzelne Routen galten als bes. gefährlich, so etwa die Fahrt um das Kap Malea im Süden der Peloponnes (Strab. 8,6,20). Oft wurden Fahrten durch ungünstige Winde, die das Auslaufen aus dem Hafen unmöglich machten, beträchtlich verzögert (Cic. Att. 5,12,1; Bell. Afr. 98; Plin. epist. 10,15).

Das Mittelmeer bot für die ant. Städte eine natürliche Infrastruktur; es war aber notwendig, in den wichtigen, an der Küste gelegenen Handelszentren – oft mit erheblichem finanziellem und technischem Aufwand – → Hafenanlagen zu errichten; durch den Bau von Molen wurden große Hafenbecken geschaffen, in denen Schiffe sicher anlegen und ankern konnten. Alexandreia [1], an einer flachen Küste gelegen, erhielt zudem auf der vorgelagerten Insel Pharos einen hohen → Leuchtturm, der zum Vorbild für die zahlreichen röm. Leuchttürme wurde (Strab. 17,1,6; Plin. nat. 36,83). Es ist für die Ant. nicht mit der Existenz von Seekarten zu rechnen, es gab aber die Seefahrts- und Küstenbeschreibungen der *períploi* (→ *períplus*), die eine eigene Lit.-Gattung darstellten.

B. Griechenland

Durch Wrackfunde (Wrack von Kap Ulu Burun, 14. Jh. v. Chr.; Wrack von Kap Gelidonya, um 1200 v. Chr.) und die Wandgemälde von → Thera ist die Sch. in der Ägäis und im östlichen Mittelmeerraum für die Bronzezeit gut bezeugt. Da die Sch. notwendig war, um die Verbindung zwischen den Siedlungen auf dem Festland und den vielen Inseln aufrechtzuerhalten, ist auch für die *Dark Ages* (→ Dunkle Jahrhunderte) ein reger Schiffsverkehr anzunehmen; gleichzeitig mag auch der Fischfang die Sch. vorangetrieben haben (→ Fischerei). Auf Vasenbildern des 8. Jh. v. Chr. sind langgestreckte, schmale Boote abgebildet, die von Ruderern vorwärts bewegt und mit Hilfe von zwei seitlich am Heck angebrachten Steuerrudern gelenkt werden. Viele Informationen zum → Schiffbau und zur Sch. bieten die Epen Homers und Hesiods; die Schiffe wurden gerudert, bei günstigem Wind konnte auch gesegelt werden. Mehrmals wird beschrieben, wie ein Schiff in See sticht (Hom. Od. 2,418–429; 4,576–580; 15,284–294). Auch von Fahrten zu entfernten Zielen wird berichtet; so erzählt → Odysseus, er habe von Kreta aus am fünften Tag Äg. erreicht (Hom. Od. 14,243–257; Temesa: Hom. Od. 1,182–184). Im Zusammenhang mit der Sch. erscheinen bei Homer auch die → Phönizier (Hom. Il. 23,743 f.; Od. 14,287–309; 15,415–483). Bei Hesiod dient die Sch. vornehmlich dem Zweck, neben der Landwirtschaft Handel zu treiben und Gewinn zu erzielen (Hes. erg. 618–691).

In der archa. Zeit unternahmen die Phokaier Seefahrten in die Adria, nach Etrurien, Iberien und Tartessos; bei Herodot werden außerdem einzelne weite Fahrten von Händlern wie Kolaios aus Samos oder Sostratos aus Aigina erwähnt (Hdt. 1,163; 4,152); regelmäßig wurde griech. Wein nach Äg. exportiert, wo Naukratis ein wichtiges Handelszentrum für die Griechen war (Hdt. 3,6; 2,178 f.). Während der → Perserkriege brachten griech. Schiffe Getreide aus Pontos nach Aigina und zur Peloponnes (Hdt. 7,147,2). Wie Vasenbilder aus der 2. H. des 6. Jh. v. Chr. zeigen, hatten die griech. Handelsschiffe der spätarcha. Zeit im Unterschied zu den Kriegsschiffen einen kurzen, gedrungenen Rumpf mit hohen Bordwänden und einem Mast mit einem großen Rahsegel; solche eigens für den Gütertransport gebauten Schiffe wurden nicht gerudert, sondern nutzten den Wind als Antriebskraft.

Nicht nur der Handel war auf eine leistungsfähige Sch. angewiesen, auch die griech. Expansion und die Gründung der zahlreichen Kolonien (→ *apoikía*) an den Küsten des Mittelmeerraumes hatten die Beherrschung des Meeres zur Voraussetzung (Hdt. 1,165 f.; 4,153; Thuk. 6,3 f.; → Kolonisation); der Bau von Kriegsflotten, die den Seehandel vor Piraterie schützten, sicherte einzelnen Städten wie Korinth oder Samos polit. Macht und Reichtum (Thuk. 1,13 f.; Hdt. 3,39,3 f.).

Aufgrund der zunehmenden Abhängigkeit Athens von Getreideimporten gewannen Sch. und Sicherung der Seewege im 5. und 4. Jh. v. Chr. weiter an Bed.; die Einfuhr von Weizen aus dem → Pontos nahm im 4. Jh. v. Chr. beträchtlichen Umfang an; so soll Leukon [3], der Herrscher des Bosporanischen Reiches, gegen 355 v. Chr. im Jahr 400 000 *médimnoi* Weizen, also etwa 16 000 t, nach Athen geliefert haben (Demosth. or. 20,30–33). Um eine ausreichende Versorgung der Bevölkerung Athens mit Getreide zu gewährleisten, wurden Sch. und Handel durch Gesetze geregelt und von Amtsträgern beaufsichtigt (Aristot. Ath. pol. 51,3). Der Fernhandel wurde arbeitsteilig organisiert; Händler schlossen mit den Schiffseignern Kontrakte über Handelsfahrten, der Kauf der Waren wurde von Darlehensgebern finanziert (→ *nautikón dáneion*). Auseinandersetzungen über solche → Seedarlehen hatten Prozesse zur Folge, die wertvolle Informationen über Sch. und Fernhandel gewähren (Demosth. or. 32; 34; 35).

Die Sch. war zweifellos ein wichtiger Faktor in den öffentlichen Finanzen größerer Handelsstädte; in Athen wurde der Hafenzoll in den J. nach dem → Peloponnesischen Krieg für 30 und dann für 36 Talente verpachtet (And. 1,133 f.); die Einkünfte der Stadt Rhodos aus dem Hafenzoll sollen sich vor dem 3. Maked. Krieg (171–168 v. Chr.) auf etwa 1 Mio. Drachmen (etwa 160 Talente) belaufen haben (Pol. 31,7).

C. Rom

Während des 6. und des 5. Jh. v. Chr. beherrschten Etrusker, Karthager und Griechen die Sch. und den Fernhandel im westlichen Mittelmeerraum; gemeinsam gingen Etrusker und Karthager gegen → Seeraub vor (Hdt. 1,166). Im 3. Jh. v. Chr. waren dann Händler aus It. im Fernhandel aktiv; nach dem 1. Punischen Krieg (264–241 v. Chr.) versorgten Schiffe aus It. die Gegner Karthagos mit Lebensmitteln. Für diese Zeit ist auch eine Präsenz ital. Schiffe in der Adria belegt (Pol. 1,83; 2,8). Zeugnis für eine röm. Beteiligung an der Sch. auf dem Mittelmeer ist die *lex Claudia de nave senatorum*, die Senatoren den Besitz eines Seeschiffes mit einer Tragfähigkeit von mehr als 300 Amphoren untersagte (218 v. Chr.; Liv. 21,63,3).

In der Prinzipatszeit hatten die Schiffseigner die Aufgabe, die für die Versorgung der Stadt Rom mit Getreide, Öl und Wein benötigten Transportkapazitäten bereitzustellen. Seit dem 1. Jh. n. Chr. privilegierten die Principes die Schiffseigner, damit sie sich für den Transport öffentlicher Güter, bes. von → Getreide aus Äg., engagierten (Claudius: Suet. Claud. 18,2; Nero: Tac. ann. 13,51,2). Gleichzeitig sollte durch die Schaffung von *corpora* oder → *collegia* (»Berufsvereinigungen«) der Schiffseigner die bürokratische Organisation des Transportwesens erleichtert werden. In der Spätant. gehörten die → *navicularii* zwangsweise *corpora* an, waren dafür aber von vielen Lasten und Verpflichtungen befreit (Cod. Theod. 13,5). Die Sch. wurde in der Prinzipatszeit zudem durch einen forcierten Ausbau von Häfen (Puteoli; Ostia/Portus [1]; Ancona; Centumcellae) gefördert. Es gab durchaus eine Spezialisierung auf bestimmte Routen; so wird auf einem Grabstein aus Hierapolis [1] in Asia stolz erwähnt, der Verstorbene habe 72 Schiffsfahrten am Kap Malea vorbei nach It. unternommen (IGR 4,841). In den großen Hafenstädten hatten Schiffseigner, die aus einer Stadt kamen, gemeinsame Räume (*stationes*), die Kommunikation und Organisation der Fahrten erleichterten. In Ostia befanden sich diese *stationes* auf dem Platz hinter dem Theater (Piazzale delle Corporazioni); durch Inschr. in den Mosaiken sind hier die Räume der *navicularii* aus Narbo (Gallia Narbonensis), aus Carales (Sardinia) oder aus Syllectum (Africa) nachweisbar.

Entsprechend der Entwicklung der ant. Sch. kam es zur Herausbildung einer Vielzahl von Schiffstypen, die unterschiedliche Funktionen im Transportwesen hatten. Ein Mosaik einer röm. Villa aus Althiburnus in Africa zeigt und benennt verschiedenartige Fahrzeuge, darunter etwa ein zum Pferdetransport benutztes Ruderschiff (*hippago*). Größere Ruderschiffe, die oft auch Segel besaßen, wurden eingesetzt, wenn Personen oder Güter schnell befördert werden mußten. Die *actuaria* besaß eine größere Zahl an Rudern (Liv. 38,38,8); daneben existierte der Typ kleiner schneller Boote (κέλης/

kélēs, lat. *celes*). Für die Küsten-Sch. wurden kurze Schiffe mit einem gedrungenen Rumpf verwendet (*codicaria*); diese Schiffe wurden wahrscheinlich auf dem Tiber bis nach Rom getreidelt. Im Hafenbereich wurden kleinere Boote eingesetzt, um die Handelsschiffe an ihren Liegeplatz zu ziehen oder um ihre Fracht zu übernehmen (*lembus/linter*).

Nach den Rechtstexten und den Wrackfunden zu urteilen, besaßen durchschnittliche Handelsschiffe eine Tragfähigkeit von 50–250 t. Größere Frachter wie das bei Lukianos beschriebene Getreideschiff *Isis* waren wohl eine Ausnahme (Lukian. navigium, bes. 73,5–6). Für einige Sch.-Wege bietet Plinius [1] Angaben zur Fahrtdauer, wobei allerdings kaum die durchschnittliche Fahrtzeit genannt wird, sondern eher die Dauer einzelner, bes. schneller Fahrten (Plin. nat. 19,3 f.): Sizilien – Alexandreia 7/6 Tage; Puetoli – Alexandreia 9 Tage; Ostia – Gades 7 Tage; Ostia – Hispania citerior 4 Tage; Ostia – Gallia Narbonensis 3 Tage; Ostia – Africa 2 Tage.

Im Gegensatz zu Griechenland gab es in It. und vor allem auch in den nw Prov. schiffbare Flüsse, auf denen sich eine rege und wirtschaftlich bedeutende Binnen-Sch. entwickelte; von Ostia aus konnten die für die Stadt Rom bestimmten Güter auf dem Tiber (→ Tiberis) stromaufwärts befördert werden.

→ Binnenschiffahrt; Flottenwesen; Hafen; Handel; Getreideversorgung; Landtransport; Periplus; Reisen; Schiffbau; Seeraub

1 L. Casson, Mediterranean Communications, in: CAH 6, ²1994, 512–526 **2** Ders., Ships and Seamanship in the Ancient World, ²1986 **3** F. Cordano, La geografia degli antichi, 1992 **4** J. H. D'Arms, D. C. Kopff (Hrsg.), The Seaborne Commerce of Ancient Rome, Studies in Archaeology and History, 1980 **5** A. Göttlicher, Die Schiffe der Ant., 1985 **6** O. Höckmann, Ant. Seefahrt, 1985 **7** F. Meijer, History of Seafaring in the Classical World, 1986 **8** F. Meijer, O. van Nijf, Trade, Transport and Society in the Ancient World, 1992 **9** A. J. Parker, Ancient Shipwrecks of the Mediterranean and the Roman Provinces, 1992 **10** P. Pomey u. a., La navigation dans l'antiquité, 1997 **11** J. Rougé, La marine dans l'antiquité, 1974 **12** Ders., Recherches sur l'organisation du commerce maritime en méditerranée sous l'empire romain, 1966 **13** White, Technology, 141–156.

J. M. A.-N.

Schiffbau I. Alter Orient und Ägypten II. Phönizien III. Klassische Antike

I. Alter Orient und Ägypten

Mangels Originalfunden aus den meisten Gebieten des Alten Orients ist über den Sch. außer für Äg. nur wenig zu sagen. Daß auf äg. Schiffswerften viele Syrer beschäftigt waren und daß ein bei Ulu Burun/Türkei gefundenes Schiff (um 1300 v. Chr.) in derselben Technik wie die äg. Schiffe gebaut war, weist darauf hin, daß im gesamten östl. Mittelmeerraum eine einheitliche Sch.-Technik angewandt wurde. Dabei wurden Holzplanken mittels Holzdübeln in die gewünschte Lage gebracht; auf einem Bodenbrett (kein Kiel) wurden dann gleichfalls mit Hilfe von Holzdübeln die weiteren Bretter befestigt, bisweilen zusätzlich auch durch Taue. Zum Schluß wurden die Dübel ihrerseits verkeilt und die Fugen verpicht.

Die zahlreichen Schiffsdarstellungen auf äg. Reliefs und Malereien lassen eine Vielzahl von Schiffstypen erkennen. Gemäß der Bed. der → Schiffahrt in Äg. und Südmesopotamien hatte auch der Sch. einen großen Stellenwert, der sich darin ausdrückt, daß sich höhere Beamte dieser Tätigkeit rühmen. Eine Vielzahl von Spezialbezeichnungen für die Beteiligten, Teile des Schiffes und verwendete Materialien sind in in Äg. und Südmesopot. belegt. Während für Südmesopot. nicht bekannt ist, wo Schiffe gebaut wurden, kennen wir in Äg. eine größere Anzahl von Werften, die z. T. bereits vorgefertigte Schiffsteile geliefert bekamen. In der 18. Dyn. (15./14. Jh. v. Chr.) befand sich die Hauptwerft bei → Memphis, wo die Kriegsschiffe für Angriffe im Bereich der Levanteküste und zur Absicherung der dortigen Stützpunkte gebaut wurden. Als Material wurde überall in der Region Holz verwendet – in Äg. und der Levante meist Zedernholz –, offensichtlich aber auch Schilf: Für Äg. bezeugen dies verschiedene bildliche Quellen, für Südmesopot. ist dies Darstellungen von Schiffen auf frühen Rollsiegeln zu entnehmen, deren hochgezogener Bug und Heck noch die belaubten Spitzen von Schilf zeigen.

W. K. Simpson, s. v. Sch., LÄ 5, 616–622 • M.-Ch. de Graeve, The Ships of the Ancient Near East (2000 – 500 B. C.), 1981 • G. F. Bass, Sea and River Craft in the Ancient Near East, in: J. Sasson (Hrsg.), Civilizations of the Ancient Near East, Bd. 3, 1995, 1421–1431 • A. Salonen, Die Wasserfahrzeuge in Babylonien (Stud. Orientalia Fennica VIII,4), 1939.

H. J. N.

II. Phönizien

Die phöniz. Sch.-Trad., deren Ursprünge bis in die Früh-Brz. zurückreichen, kannte wenigstens drei Fahrzeugtypen: das schnelle, leichte »Langschiff« für ausgedehnte Handelsreisen und Expeditionen sowie Kriegsfahrten, das geräumige »Rundschiff« als Frachter für kürzere Handelsfahrten und Boote für die Küstenschiffahrt.

Eine gewisse Vorstellung, die als Grundlage für manche Spekulationen über Konstruktion und Aussehen der phöniz. Schiffe diente, vermitteln in erster Linie assyr. Darstellungen auf den Br.-Beschlägen der Türen aus dem Palast des Salmanassar III. in → Balāwāt (9. Jh. v. Chr.), auf den Kalksteinreliefs im Palast des Sargon II. in Ḫorsābād (8. Jh.) und des Sanherib (7. Jh.) in Ninive (→ Ninos [2]), Bilder auf Mz. der phöniz. Metropolen Arados, → Byblos, → Sidon und vereinzelt → Tyros (Mitte 5.–4. Jh.), aber auch punische Grabstelen aus dem Tofet von → Karthago (4.–3. Jh.) und Grabmalereien in Kef el-Blida und Djebel Mlezza, Tunesien. Schiffswrackfunde wie jene vor Ulu Burun und Gelidonya Burnu, Türkei (14. bzw. 12. Jh.), Kyrenia, Zypern (4. Jh.), oder Marsala, Sizilien (3. Jh.), geben ausschnittweise wertvolle Einblicke in Konstruktionstechniken, bes. der Rümpfe, auch in die Zusammenstellung von Schiffsladungen, doch ist die urspr. Silhouette der Schiffe verlorengegangen.

Die »Langschiffe« hatten einen spitzen Rammbug und ein hohes, konvexes Heck mit Steuerrudern auf beiden Seiten, zwei Ruderdecks für 18 bis 32 Ruderer und ein Oberdeck für Passagiere oder Soldaten, an dessen Dollbord die Schilde zu ihrem Schutz aufgehängt waren. Ein Mast in der Mitte des Schiffes trug das Großsegel. Die »Langschiffe«, insbes. die phöniz. Trireme mit drei Ruderdecks und noch immer einzeln geführten Rudern (7. Jh.), gaben Anstoß zur Entwicklung der griech. Kriegsschiffe (6. Jh.). Spätere Erfindungen (4. Jh.) waren die Quadrireme und die Qinquereme mit einfachen Ruderdecks und nun vier bis fünf Mann pro Ruder.

Die großen und geräumigen »Rundschiffe« (griech. *gaúlos*, phöniz. *gôlah*) waren Frachtfahrzeuge mit rundem Bug und Heck, ohne Mast und Segel, ebenfalls mit zwei Ruderdecks (für bis zu 18 Ruderer) sowie einem Oberdeck mit schildbesetztem Dollbord. Dieser Schiffstyp war bis in das 4. Jh. kaum so bedeutenden Entwicklungen ausgesetzt wie das »Langschiff«.

Ein wesentlich kleineres, leichtes Boot (griech. *híppos*) mit rundem Bug und Heck sowie offenbar charakteristischen, namengebenden Pferdeköpfen als Bug-, mitunter auch als Heckzier, diente für zwei bis vier Ruderer. Diese kleineren Fahrzeuge konnten ebenfalls mit Mast und Segel ausgestattet sein.

→ Phönizier; Schiffahrt

M. E. AUBET, The Phoenicians and the West, 1993, 146–151, 329 (mit Lit.) • P. BARTOLONI, Schiffe und Sch., in: S. MOSCATI (Hrsg.), Die Phönizier 1988, 72–77, 132–138 • Ders., Navires et navigation, in: V. KRINGS (Hrsg.), La civilisation phénicienne et punique (HbdOr I 20), 1995, 282–289 • J. DEBERGH, s. v. navires, DCPP 310f. (mit Lit.) • K. DEVRIES, M. KATZEV, Greek, Etruscan and Phoenician Ships and Shipping, in: G. F. BASS, A History of Seafaring Based on Underwater Archaeology 1972, 38–64. CH. B.

III. KLASSISCHE ANTIKE

Im Laufe der Ant. gab es auf dem Gebiet des Sch. wesentliche Veränderungen, die durch die zahlreichen Wrackfunde aus dem Mittelmeerraum und NW-Europa sowie durch Abbildungen von Schiffen auf Vasenbildern, Reliefs und Mosaiken nachvollziehbar sind.

Im Mittelmeerraum ist der Kiel schon für die ägäischen Schiffe von Syros (3. Jt. v. Chr.) bezeugt. Kiel, Spanten und Querbalken erscheinen auf Darstellungen und Terrakottamodellen aus dem 2. Jt. v. Chr. Den ersten Beleg für Plankenverbindungen mit Nut und Feder bietet das Wrack von Ulu Burun (W-Küste Kleinasiens; 14. Jh. v. Chr., s.o. I. und II.). Bis zum E. der archa. Zeit ist das Verschnüren der Plankennähte aber noch häufig belegt (vgl. Hom. Il. 2,135; Hom. Od. 14,383). Erst danach dominiert die schon bei Homer (Od. 5,248)

Schematische Darstellung des Schiffbaus

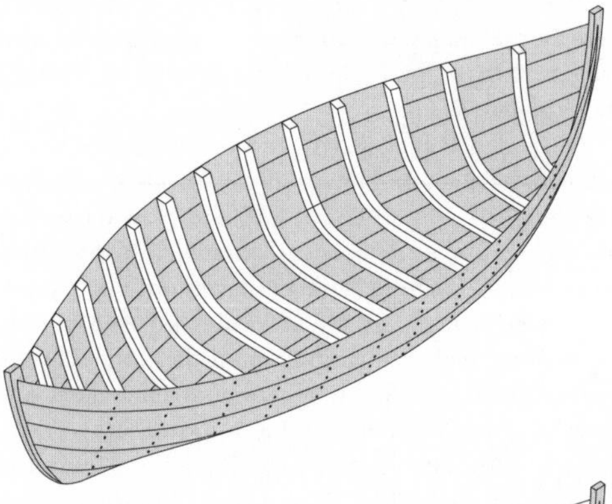

Schalenbau

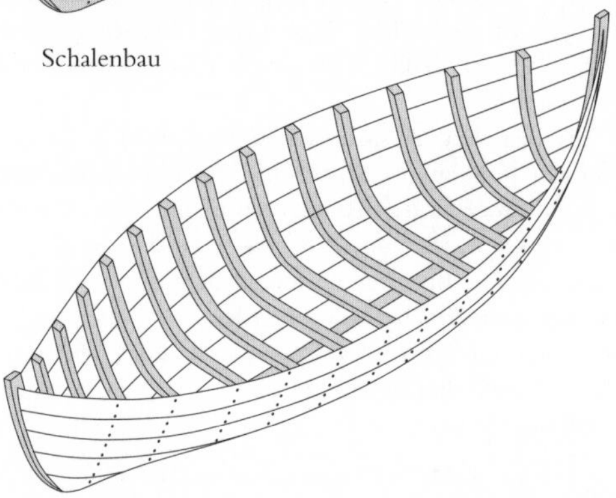

Skelettbau

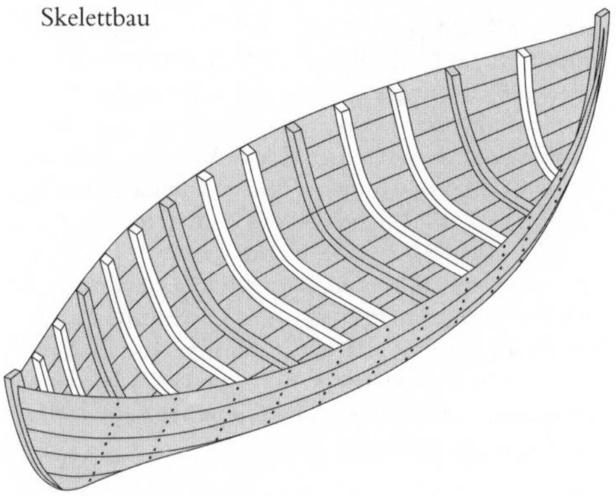

Mischbauweise

überl. Nut- und Federtechnik: Die Planken sind durch (in gegenüberliegende Schlitze gesteckte) Brettchen miteinander verbunden und die Enden dieser Federn durch Dübel in den Nuten zusätzlich fixiert.

Die Schiffsbauer der Ant. befolgten das Prinzip des »Schalenbaus«: Zunächst brachten sie Vorder- und Achtersteven – oft auch einige Hauptspanten – am Kiel an, um dann mit den Stück für Stück aneinandergefügten Planken den Rumpf zu bilden. In diesen paßten sie die Bodenwrangen und Spanten ein. Die Rumpfstabilität

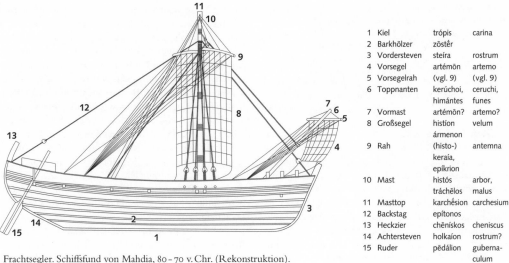

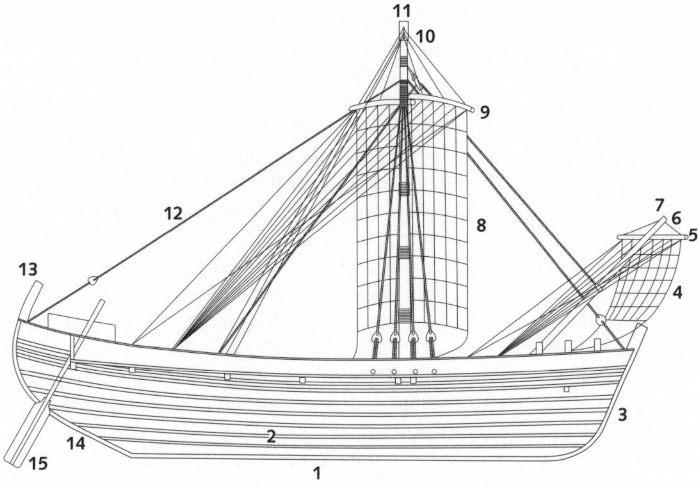

1	Kiel	trópis	carina
2	Barkhölzer	zōstḗr	
3	Vordersteven	steíra	rostrum
4	Vorsegel	artémōn	artemo
5	Vorsegelrah	(vgl. 9)	(vgl. 9)
6	Toppnanten	kerúchoi, himántes	ceruchi, funes
7	Vormast	artémōn?	artemo?
8	Großsegel	histíon ármenon	velum
9	Rah	(histo-) keraía, epíkrion	antemna
10	Mast	histós tráchēlos	arbor, malus
11	Masttop	karchḗsion	carchesium
12	Backstag	epítonos	
13	Heckzier	chēnískos	cheniscus
14	Achtersteven	holkaíon	rostrum?
15	Ruder	pēdálion	guberna-culum

Frachtsegler. Schiffsfund von Mahdia, 80 - 70 v. Chr. (Rekonstruktion).

konnte durch sich horizontal über die Schiffsaußenhaut erstreckende Barkhölzer, durch eine doppelte Beplankung, die Anbringung eines Innenkiels oder die Vernagelung von Längsbalken und -planken im Schiffsinnern weiter verstärkt werden. Dies ermöglichte seit dem 5. Jh. v. Chr. den Bau von Handelsseglern mit Rumpflängen von über 40 m und Ladekapazitäten von mehr als 450 t. Die große Mehrheit der Frachtschiffe blieb mit 20–150 t aber relativ klein. Riesenschiffe wie das des Hieron [2] von Syrakus (Athen. 5,206d–209e) wurden äußerst selten gebaut.

Gegen E. der Prinzipatszeit vollzog sich im Mittelmeerraum langsam der Übergang von der Schalen- zur Skelettbauweise. Nun wurden die Planken auf das bereits fertiggestellte Gerippe aus Kiel und Spanten aufgenagelt. Diese auch als *frame-orientated* bezeichnete Bauweise und die Praxis der Plankenüberlappung (Klinkerbauweise) läßt sich in NW-Europa aber schon früher beobachten.

Als Material für den Sch. dienten Nadelhölzer für die Planken und feste Hölzer wie Eiche, Buche, Ulme, Esche und Zypresse für die Kiele und Spanten (Theophr. h. plant. 5,7). Im nordalpinen Raum war Eichenholz bevorzugtes Material (Caes. Gall. 3,13,2). Aus Metall – Kupfer bzw. Bronze, später auch Eisen – waren normalerweise nur die Bolzen, mit denen die Spanten und Wrangen in der Schale befestigt wurden, und die auf viele Frachtschiffsrümpfe genagelten Bleche, durch die der gefährliche Schiffswurm ferngehalten werden sollte. Als außen am Schiffsrumpf aufgetragene Konservierungsmittel dienten harzartige Substanzen sowie Teer und → Pech. Mediterrane Kriegs- und Lastschiffe führten an beiden Heckseiten je ein schräg im Wasser liegendes Steuerruder, das ein im Achterschiff sitzender Steuermann mittels Hebel bediente (Lukian. navigium 6). Die Verwendung nur eines Heckruders am Achtersteven ist für römerzeitliche Rheinschiffe bezeugt. Mast und Segel gehörten schon früh zur Ausstattung größerer Schiffe. Man beließ es zunächst bei einem mittschiffs plazierten Rahsegel. Seit dem 5. Jh. v. Chr. erscheinen auf bildlichen Darstellungen Zwei- und Dreimaster. Röm. Handelsschiffe waren zumeist Zweimaster mit einem Rahsegel und einem dreieckigen Toppsegel am Großmast sowie einem schrägen Vormast, der ein kleines Rahsegel (*artémōn*; lat. *artemo(n)*) trug. Die Verwendung des Spriet- und Lateinersegels ist ebenfalls belegt. Über die Organisation des Sch. bietet ein äg. Pap. aus der Zeit um 250 n. Chr. Aufschluß: Er vermerkt die tägliche Entlöhnung von Schiffsbauern und Sägern, die drei Wochen lang an der Fertigstellung eines größeren Fahrzeuges arbeiteten (P Flor. 1, Nr. 69 [13]). Im mil. Sch. ist seit der hell. Zeit mit der Anwendung von Serienbauverfahren mit vorfabrizierten, standardisierten Bauteilen und von geplantem Sch. (*formal construction*) zu rechnen.

Hauptwerkzeuge beim Sch. waren Stoßsäge, Dechsel, Hobel, Fuchsschwanz, Beitel, Hammer, Axt, Holzklammern, Messer und Keil sowie Maßstab und Zirkel. Ferner wurden Säge- und Arbeitsgerüste zum Fixieren und Bearbeiten der Bauhölzer und Rumpfabstützungen verwendet. Ein röm. Grabrelief aus Ravenna zeigt den Schiffsbauer P. Longidienus in seiner Werkstatt [12]. Rampen und Hellingen werden das Zuwasserlassen der Schiffe ermöglicht haben; zum Bau größerer Schiffe dienten im röm. Äg. bereits Trockendocks.

→ Schiffahrt; Takelage

1 L. Basch, Le musée imaginaire de la marine antique, 1987 **2** L. Casson, Ships and Seamanship in the Ancient World, [2]1986 **3** D. Ellmers, Vor- und frühgesch. Boots- und Schiffbau in Europa nördlich der Alpen, in: Das Handwerk in vor- und frühgesch. Zeit 2, Arch. und philol. Beitr., AAWG 1983, 471–534 **4** J. Hausen, Sch. in der Ant., 1979 **5** O. Höckmann, Ant. Seefahrt, 1985 **6** P. Marsden, Ships of the Port of London, 1994 **7** Meiggs, 116–153

8 A. J. PARKER, Ancient Shipwrecks in the Mediterranean and the Roman Provinces, 1992 9 I. u. TH. PEKÁRY, Artemon und Dolon, in: Acta Archaeologica Academiae Scientiarum Hungarica, 41, 1989, 477–487 10 M. RIVAL, La charpenterie navale romaine. Matériaux, méthodes, moyens, 1991 11 WHITE, Technology, 141–156
12 ZIMMER, Kat. Nr. 62–68 13 D. COMPARETTI, G. VITELLI (Hrsg.), Papiri Fiorentini, Bd. 1 (Nr. 1–105), 1906.

H. KON.

Schiiten (< Schia/*Šīʿa*, wörtl. »Partei«, elliptisch für »Partei des → Ali«). Bezeichnung der Anhänger Alis im Streit um das Kalifat (→ Kalif). Je nach Anerkennung einer Anzahl von → Imamen unterscheidet man Fünfer- (z. B. Zaiditen im Jemen), Siebener- (so z. B. Ismailiten in Pakistan und Zentralasien; Fatimiden 909–1171 in Nordafrika und Ägypten, → Fatima) und Zwölfer-Sch. (Gruppierung mit den meisten Anhängern, heute z. B. Iran, Afghanistan, Irak, Libanon). Das Märtyrertum, d. h. das Sterben für die Verbreitung und Verteidigung des → Islam und der direkte Eingang ins → Paradies, spielt v. a. im schiitischen Islam eine Rolle (→ Hussain). Weniger als ein Fünftel aller h. Muslime sind Sch.
→ Hassan; Sunniten

H. HALM, Die Schia, 1988. H. SCHÖ.

Schild I. GRIECHENLAND II. ROM

I. GRIECHENLAND

Der Sch. diente primär dem Schutz der Soldaten im Kampf; wie ein Krater aus Mykene (um 1200 v. Chr.) anschaulich zeigt, gehörte der Sch. bereits in der myk. Zeit zur Ausrüstung von Kriegern. Bei Homer wird ein Rund-Sch. (ἀσπίς/*aspís*) erwähnt, der aus Bronzeblech getrieben und mit Häuten von → Rindern verstärkt war (Hom. Il. 12,294–297; 13,156–166). In der Mitte war ein Sch.-Buckel angebracht (ὀμφαλός/*omphalós*; Hom. Il. 13,192). Ein Tragriemen (τελαμών/*telamṓn*; Hom. Od. 11,609–614) ermöglichte es, den Sch. mit sich zu führen, ohne ihn mit der Hand zu tragen. Die Soldaten der frühen Hoplitenphalanx (→ *hoplítai*) kämpften mit Rund-Sch. (Chigi-Kanne, spätes 7. Jh. v. Chr., Rom, VG), die einen Durchmesser von etwa 70–100 cm besaßen. In der klass. Zeit blieb der Sch. ein wichtiger Teil der Ausrüstung von Hopliten; auf zahlreichen Vasen in troianischen Kampfszenen oder in der Abschiedsszene (Hektor-Andromache) ist der Sch. dargestellt (Stamnos des Kleophon-Malers, München, SA; Beazley, ARV² 1143,2). Die Hopliten-Sch. bestanden aus Holz, oft verstärkt durch Bronzeblech, und waren auf der Außenseite mit bildlichen Darstellungen versehen. An der Innenseite besaß der Sch. eine Schlaufe für den Unterarm, so wie einen Handgriff. Es galt als ein Vergehen, wenn ein Soldat während eines Feldzuges oder einer Schlacht seinen Sch. wegwarf, um zu fliehen (And. 1,74).

II. ROM

Die röm. Soldaten verwendeten in der Frühzeit einen rechteckigen Sch., der dann – unter etr. Einfluß – durch den Rund-Sch. (*clipeus*) ersetzt wurde (Diod. 23,2,1 f.). Der rechteckige Lang-Sch., der den ganzen Körper deckte (*scutum*), kam erst später auf, als die in Manipeln gegliederte Schlachtreihe die starre → Phalanx ablöste (Liv. 8,8,3). In der Mitte des 2. Jh. v. Chr. gehörte zur Ausrüstung der schwerbewaffneten Soldaten ein gewölbter Lang-Sch. von etwa 1,20 m H und 0,75 m Br, der aus mehreren Lagen von Holzbrettern bestand und mit Leinwand sowie Rindsleder überzogen war; an der Ober-/Unterkante war er mit eisernen Beschlägen verstärkt, um ihn gegen Beschädigungen durch Schwertschläge oder beim Aufsetzen auf die Erde zu schützen; der eiserne Schildbuckel sollte Stöße und Steinwürfe abwehren. Die leichtbewaffneten Fußsoldaten und Reiter (→ Reiterei) waren mit einem kleinen, runden Sch. (*parma*, Dm ca. 0,90 m) ausgerüstet (Pol. 6,22–23).

Gegen E. des 2. Jh. v. Chr., zur Zeit des C. Marius [I 1], erschien ein neuer Typ des Sch. von länglicher, ovaler Form. Beide Typen, das *scutum* und der ovale Sch., bestanden in der Prinzipatszeit fort, gleichzeitig tauchten neue Formen auf (Cass. Dio 49,30,1; Ios. bell. Iud. 3,93–97). Das *scutum*, das in der Prinzipatszeit die Form eines senkrecht durchschnittenen Hohlzylinders und einen *umbo* (»Schildbuckel«) in Form einer Halbkugel hatte, blieb im röm. Heer vorherrschend, aber es gab auch – bes. in Auxiliareinheiten (→ *auxilia*) – andere Sch.-Typen. Elitetruppen eines Feldherrn waren an ihren runden Sch. erkennbar, während die Soldaten der → Legionen mit dem *scutum* ausgerüstet waren (Ios. bell. Iud. 3,95). Die Reliefs der Traians- und der Marc-Aurel-Säule dokumentieren die Verwendung der verschiedenen Sch. in den Legionen und *auxilia*. Die Bezeichnung *scutata* für Cohorten der *auxilia* (ILS 2611; 2692) verweist auf die Ausrüstung mit einem *scutum* und war kaum ein Ehrentitel.

1 M. C. BISHOP, J. C. N. COULSTON, Roman Military Equipment from the Punic Wars to the Fall of Rome, 1993
2 M. FEUGÈRE, Les armes des Romains, 1993
3 C. SAULNIER, L'armée et la guerre dans le monde étrusco-romain, 1980 4 C. SAULNIER, L'armée et la guerre chez les peuples samnites, 1983 5 A. M. SNODGRASS, Arms and Armour of the Greeks, ²1999. Y. L. B./Ü: C. SK.

Schildkröte

[1] (χελώνη/*chelṓnē*, ἐμύς/*emýs*: Aristot. hist. an. 5,33, 558a 7–11, vgl. Arr. Ind. 21; lat. *testudo*, bei Plin. nat. 9,71 und 166 *mus marinus*, wörtlich »Meermaus«). Bekannt waren 1.) die griech. Land-Sch., χελώνη (χελών, χελύς, χελύνη) χερσαία; 2.) die sehr ähnliche maurische Sch., χ. ὄρειος bei Ail. nat. 14,17 und Plin. nat. 9,38: *chersinae*; 3.) die Teich-Sch., ἐμύς oder χ. λιμναία; 4.) die Karett-Sch., Thalassochelys caretta, χ. θαλαττία bzw. lat. *testudo marina* bei Plin.; 5.) die Ganges-Weich-Sch., χ. ποταμία bei Ail. nat. 12,41 und 16,14. Plin. nat. 32,32 (und Isid. orig. 12,6,55) unterscheidet Land-Sch. (*testudines terrestres*), Meer-Sch. (*marinae*), Sumpf-Sch. (*lutariae*) und Süßwasser-Sch. (*emydes*). Der homerische Hermeshymnus (Hom. h. 4,33 ff.: ein Sch.-Panzer dient als Resonanzboden der *lýra*, vgl. → Musikinstrumente V.A.1., vgl. Paus. 2,19,7) sowie das Fragment Emp. B 76 (31 B 76 DK) sind die frühesten Belege.

Aristoteles bietet viele Angaben über Körper, innere Organe wie die Stimme (ein unterbrochenes Zischen, Plin. nat. 11,267 nach Aristot. hist. an. 4,9,536a 6f.) und Fortpflanzung der Sch. (Legen und Vergraben der Eier auf dem Land, ebd. 5,33,558a 4–14; Aristot. de respiratione 10,475b 23; Plin. nat. 9,37; Plut. soll. an. 33 = mor. 982b-c), ebenso Plin. nat. (z.B. 9,158) In Arkadien kamen große Land-Sch. vor (Paus. 8,23,9).

Verbreitet war die Ansicht, mit → Origanon schütze sich eine Sch. gegen das Gift einer von ihr gefressenen Schlange (zuerst Aristot. hist. an. 8(9),6,612a 24–28). Den Panzer (vgl. Aristoph. Av. 1292) knacken Greifvögel wie z.B. Adler (Plin. nat. 10,7) durch Emporheben und Fallenlassen auf Steine (Soph. fr. 279; Ail. nat. 7,16). Die sprichwörtliche langsame Fortbewegung (z.B. Anth. Pal. 11,436; Plut. mor. 1082e; S. Emp. P.H. 3,77) – der *testudineus gradus* (Tert. de pallio 3; Hieron. epist. 125,18) – war auch ein Motiv in der Fabel (Aisop. 106, 226 und 230 Perry). In südlichen und östlichen Ländern wurden See-Sch. zum Verzehr gefangen, z.B. in → Karmania (Plin. nat. 6,109; GGM 1,352; Diod. 3,21). Das Zerschneiden und Kochen einer Sch. durch Kroisos (Hdt. 1,48) wird im Zusammenhang mit dem delphischen Orakel erwähnt; es war jedoch bei Griechen nicht üblich (Zenob. 2,29) und galt als durchfallerregend (Zenob. 4,19). Das Fleisch der Land-Sch. wurde geräuchert, außerdem zur Abwehr magischer Künste und gegen Gifte gebraucht (Plin. nat. 32,33), das Blut, mit Mehl gebunden und zu Kügelchen geformt, gegen den Star der Augen und das Gift von Schlangen, Spinnen und Fröschen (Plin. l.c.). Auch der Galle, der Asche des Rückenschildes und dem Harn wurden bes. Heilkräfte zugeschrieben (Plin. l.c.). Für die anderen Sch.-Arten kennt Plin. nat. 32,35–41 ebenfalls entsprechende Rezepte.

Der Panzer – bes. der großen Arten – fand angeblich zum Decken von Dächern Verwendung (so Strab. 16,4,14; Diod. 3,21; Plin. nat. 6,91; Curt. 9,8,2; Ail. nat. 16,17) sowie als Rohstoff für Schildpatt (Vell. 2,56,2; Varro Men. 448; die Vortäuschung von Edelholz durch Schildpatt bei Plin. nat. 16,233). Auch stellte man daraus Zimmerwände her (Ov. met. 2,737f.), Türen (Verg. georg. 2,463) und sogar Betten (Plin. nat. 33,146; Iuv. 6,80 und 11,94), was Carvilius Pollio (um 80 v.Chr.) erfunden haben soll (Plin. nat. 9,39).

Die Sch. war dem → Pan heilig (Paus. 8,54,7); Athene und Apollon verwandeln sich in sie (Antoninus Liberalis 32; Serv. Aen. 1,509). Nach Pallad. 1,35,14 (vgl. Geop. 1,14,8) besitzt die Sumpf-Sch. magische Kräfte gegen Sturm und Hagel.

Aus Ton und Bronze wurden Sch. hergestellt, u.a. als Vasen, Lampen und Spielzeug, aber auch als Gewichte. Auf Mz., bes. aus Aigina, findet man Sumpf- und Meer-Sch. [2. Taf. 6,24–28] (s. Sch. [2]), Land-Sch. auf Gemmen [2. Taf. 37–40,50]. Auch auf Vasen [1. Fig. 98], Wandgemälden und einem Mosaik aus Aquileia [3. Abb. 115] gibt es gute Darstellungen. Philos. Bed. gewinnt die Sch. im Zweiten Paradox des → Zenon von Elea über Achilleus und die Sch. (→ Bewegung).

1 Keller 2,247–259 2 F. Imhoof-Blumer, O. Keller, Tier- und Pflanzenbilder auf Mz. und Gemmen des klass. Alt., 1889, Ndr. 1972 3 Toynbee, Tierwelt.

Toynbee, Tierwelt, 215–217. C.HÜ.

[2] (χελώνη/*chelṓnē*). Ant. Bezeichnung (Poll. 9,74; Hesych. s.v.) der → Statere von → Aigina mit Schildkröte auf dem Av. Die spätere Überl. schrieb ihre Einführung fälschlich Pheidon [3] von Argos zu (FHG I S. 546 Z. 45f.; [1. 350]). Aigina als wichtigste Handels- und Seemacht prägte zwar die ersten Mz. in Griechenland, nach neueren Forsch. aber erst nach 600 v.Chr. Münzmetall war das auf dem Handelsweg erreichbare → Silber. Die älteren Serien zeigen als Zeichen von Aiginas Stärke zur See eine Meer-Sch. in 2 Varianten (s. Sch. [1]). Auf dem Rv. erscheint ein → Quadratum incusum, zunächst ein rohes, ab ca. 550 v.Chr. ein regelmäßiges mit 5 Feldern. Aigina hatte einen eigenen → Münzfuß, der von vielen Städten in Griechenland, Kreta und Kleinasien übernommen wurde. Die Sch. wurden die wichtigsten griech. Mz. der archa. Zeit. Sie waren weit verbreitet und kommen noch in Horten des 3.Jh.v.Chr. vor. Frühestens mit der Besetzung Aiginas durch Athen und dem E. seiner Seemacht 456 v.Chr. wurde die Meer-Sch. auf den Mz. durch eine Land-Sch. ersetzt [4]. Das archa. Rv. wurde beibehalten. Während des Exils der Aigineten 431–404 v.Chr. war die Prägung unterbrochen.

Ed.: 1 F. Hultsch, Metrologicorum scriptorum reliquiae, Bd. 1, 1864 (Ndr. 1971).
Lit.: 2 M.R. Alföldi, Ant. Numismatik, 1978, 81f.
3 R.R. Holloway, An Archaic Hoard from Crete and the Early Aeginetan Coinage, in: ANSMusN 1971, 1–21
4 R. Rago, Il cambio di tartaruga ad Egina, in: Riv. Italiana di Numismatica 1963, 7–15. DI.K.

[3] s. Poliorketik (mit Abb.)

Schilfrohr (griech. κάλαμος/→ *kálamos* [2], lat. *(h)arundo*). Phragmites communis und andere Grasarten werden häufig bei Theophrast und Plinius (vgl. die Indices zu der *Naturalis historia* s.v. *harundo*) als Pflanzen an und in Seen und Flüssen erwähnt. Die vielfältige Verwendung der »nützlichsten Wasserpflanze« (Plin. nat. 16,173: *qua nulla aquatilium utilior*) und verwandter Arten – u.a. für Strohdächer und als Pfeile (s.a. → Feder; → Musikinstrumente V.B.) – stellt Plin. nat. 16,156–173 zusammen.
→ Gramineen C.HÜ.

Schimpfwörter sind definierbar über den Sprechakt, d.h. die Absicht, eine Person (oder Sache) durch einen verbalen Angriff auf Eigenschaften, persönliche Umstände o.ä. herabzusetzen. Dabei ist das spezielle lexikalische Mittel des Sch. im engen Sinne, d. h. die nominale Feindanrede (bzw. Feindbezeichnung), für die Formulierung einer Beschimpfung nicht unbedingt nötig [7. 18; 9. 1190].

Innerhalb der ant. Lit. finden sich Sch. in den verschiedensten Gattungen, z. B. in Iamben (→ Iambographen), → Invektiven, → Epigrammen, auch in → *Fescennini versus*, ferner in Texten, die der Umgangssprache nahekommen, wie in der → Komödie oder bei → Petronius [5], aber auch in bestimmten Passagen von Epos und Elegie. Auch Graffiti sind eine Fundgrube [3], wobei sich Sch. und sexueller/obszöner Wortschatz nicht immer klar trennen lassen [2. 6].

Den mod. Leser überraschen mögen Sch. in Gerichtsreden (z. B. »Monster«, lat. *belua*); doch Sachargumente und Persönliches wurden nicht getrennt, und Lob und Tadel waren wichtige Bestandteile nicht nur der polit. Rede [1]. So finden sich in den ant. rhet. Hdb. praktische Hinweise (z. B. Aphthonios 2,40–42 SPENGEL; Theon, 2,109–112 SPENGEL; Cic. inv. 1,22; 2,108), welche Aspekte zum Tadel Anlaß geben können (der nicht berechtigt, sondern nur nicht völlig unwahrscheinlich sein muß, vgl. Cic. Font. 37); aus der tadelnden Darstellung wird dann leicht eine Beschimpfung. Wenig Zurückhaltung üben auch christliche Autoren gegenüber Nichtchristen, Juden und Häretikern [8] (→ Häresie I.).

Ant. theoretische Äußerungen zum Gebrauch von Sch. sind rar. Im Rahmen von Gedanken zur Metapher äußert Cicero (Cic. de orat. 3,164 f.), daß (wenn auch treffende) abstoßende Bilder zu meiden seien, wie z. B. »Exkrement der Kurie« (*stercus curiae*).

Wenn einerseits heftige Invektiven überl. sind und verbale Aggression offenbar in hohem Maße geduldet wurde, so war andererseits das Verfassen und Verbreiten von Schmähliedern und -schriften im röm. Reich unter bestimmten Umständen wegen Gefährdung des Gemeinwesens als → *iniuria* strafbar [6].

Das Repertoire an Sch. wurde verschieden klassifiziert: HOFFMANN [4] geht z. B. von der urspr. Bed. aus und ordnet die einzelnen Sch. den Sphären zu, denen sie entnommen sind (z. B. Gestalt, Alter, moralische Mängel, Beruf). Die Typologie von OPELT [7] hingegen gliedert nach den Sprechsituationen (z. B. Herr und Sklave, Schimpfen im mil. Bereich, im Rechtsstreit, lit. Polemik). Überwiegend bedeuten die Sch. moralische Urteile über Benehmen oder Charakter [7. 264]. Stilistisch reicht die weite Skala von Obszönitäten (»Ficker«, lat. *futator*) über »Allerweltswörter« (»böse«, griech. κακός/*kakós*; »dumm, verrückt«, lat. *stultus, insanus*) sowie Tier- und Verbrechermetaphern (z. B. »Hund«, griech. κύων/*kyō̆n*; »Dieb«, lat. *fur*) bis zu phantasievollen Metaphern (z. B. Häretiker als »Motten, die am Gewand der Kirche nagen«, lat. *tinea*, Ambr. de spiritu sancto 1,16,164) und solchen, die sich nur mit Kenntnis von Mythos (»Paris«), Gesch. (»Hannibal«), Ges. (»Tänzer«, lat. *saltator*) oder Kirchengesch. (»Abgefallener«, lat. *lapsus*, während der Christenverfolgung) als Sch. verstehen lassen.

1 G. ACHARD, Pratique rhétorique et idéologie politique dans les discours »optimates« de Cicéron, 1981, 187–355 **2** J. N. ADAMS, The Latin Sexual Vocabulary, 1982 **3** E. DIEHL, Pompejanische Wandinschriften und Verwandtes, [2]1930 **4** G. HOFFMANN, Sch. der Griechen und Römer, 1892 **5** J. B. HOFMANN, Lat. Umgangssprache, [3]1951, § 82 **6** MOMMSEN, Strafrecht, 794 f., 800 f. **7** I. OPELT, Die lat. Sch. und verwandte sprachliche Erscheinungen, 1965 **8** Dies., Die Polemik in der christl. lat. Lit. von Tertullian bis Augustin, 1980 **9** W. SEIBICKE, Das Schimpfwörterbuch, in: Wörterbücher (Hdb. zur Sprach- und Kommunikationswiss., Bd. 5.2), 1990, 1190–1193.

B.-J. SCH.

Schirin (Šīrīn, Σειρέμ /*Seirém*, Σιρήν/*Sirḗn*). Die aus Ḫūzistan stammende Christin war eine der Frauen des → Chosroes [6] II., der sie 592 n. Chr. zur Königin erhob (Theophylaktos Simokattes, Historiae 5,13,7). Sie war 627 noch am Leben (Theophanes, Chronographia *anno mundi* 6118). Nur späte orientalische Autoren berichten von Sch.s Selbstmord über der Leiche ihres Gatten [1. 401–405]. Der Sch.-Stoff erfuhr in der islamischen Welt viele lit. Bearbeitungen, von denen das 1180 oder 1181 vollendete Epos ›Chosrou und Sch.‹ des persischen Dichters Neẓāmī (Nesami; dt. von J. CH. BÜRGEL, 1980) die bekannteste ist. PLRE 3B, 1144.

1 FIRDAUSI, The Epic of Kings (engl. Übers. von R. LEVY, 1967).

M. SCH.

Schirm (σκιάδιον/*skiádion* oder σκιάδειον/*skiádeion*; lat. *umbella, umbraculum*). Runde, zusammenklappbare Sch. und solche mit festem Gestänge kannten die Griechen seit dem 5. Jh. v. Chr.; wie in den vorderasiatischen Staaten war auch in Griechenland der Sch. ein Standessymbol und Würdezeichen. Vornehme griech. Frauen ließen ihn sich von einer Dienerin nachtragen (Athen. 12,534a, vgl. Ail. var. 6,1). Bei griech. Männern galt das Tragen von Sch. als Zeichen der Verweichlichung (Pherekrates PCG 7, 70 (64)). Im Mittelmeerraum dienten Sch. auch in der Ant. v. a. als Schattenspender (z. B. um die Ware von Salbenverkäufern vor der Sonne zu schützen: Athen. 13,612a; vgl. auch Amm. 28,4,18; Ov. ars 2,209) oder als Schutz vor starkem Wind (Mart. 14,28); sicher ein Scherz des Dichters ist die Nutzung eines Sch. als Versteck (Aristoph. Av. 1507). Sch. kamen in unterschiedlichen Farben vor (Iuv. 9,50; Ov. fast. 2,311) und waren oft mit herabhängenden Quasten und anderem Zierat versehen. Als Material werden Palmblätter für die *umbracula* (Plin. nat. 13,30) genannt, daneben gab es elfenbeinerne (Athen. 12,534a) und mit Gold verzierte Sch. (Athen. 2,48f) zum zeremoniellen Gebrauch. Aufgespannte Sch. wurden vielfach bildlich dargestellt, zusammengeklappte nur selten. Neben runden zeigen Grabreliefs des norisch-pannonischen Raumes auch rechteckige Sch.

E. DIEZ, Norisches Mädchen in bes. Tracht, in: JÖAI 41, 1954, Beibl. 107–128 • H. LOHMANN, Grabmäler auf unterital. Vasen, 1979, 75.

R. H.

Schisma (σχίσμα/*schísma*, »Spaltung«). Im Lauf der Gesch. des Christentums hat sich ein zunächst einleuchtender Wortgebrauch durchgesetzt: → Häresie ist eine von der Orthodoxie differierende Lehrmeinung, S. dagegen bedeutet eine (Kirchen-)Spaltung, die auf persönliche, disziplinäre, polit. oder andere nicht-dogmatische (bzw. im engeren Sinne lehrhafte) Differenzen zurückgeht. Häresie oder »Ketzerei« bezeichnet somit eine Abweichung von der Wahrheit, S. eine Abweichung von der Einheit. Zu einzelnen Schismen vgl. → Damasus, → Donatus [1], → Felix [5] II., → Lucifer [2], → Melitios von Lykopolis, → Montanismus, → Novatianus.

Im vor- und außerchristl. Kontext ist die erwähnte Begriffsverwendung so gut wie nicht anzutreffen (zu den griech. und hebr. bzw. jüd. Äquivalenten s. [1. 964]; lat. *sc(h)isma* ist nur christl. belegt). Im NT fehlt eine Abgrenzung von S. und Häresie. Beide Begriffe bezeichnen Spaltungen, die nicht mit Lehranschauungen verbunden sein müssen (1 Kor 1,10; 11,18 f.). Eine deutliche terminologische Unterscheidung ist gegen E. des 2. Jh. bei → Eirenaios [2] von Lyon (Adversus Haereses, 4,33,7; 26,7 ohne Terminus *schísma*), bei → Tertullianus (v. a. De praescriptione 5; De baptisma 14,2; 17,3; De pudicitia 14,5; Adversus Marcionem 4,35,9) und bei → Cyprianus [2] festzustellen (Testimonia 3,86; sonst verwendet er beide Termini gleichbedeutend). Unabhängig davon, ob die Unterscheidung sachlich für relevant oder berechtigt angesehen wurde, bürgerte sie sich im Bereich des Christentums im Lauf des 4. Jh. ein und blieb maßgebend. Die staatliche Gesetzgebung vollzog eine ähnliche Entwicklung: Ununterschieden sind beide Begriffe bei → Constantinus [1] I. (Eus. vita Const. 3,64 f.; Optatus, Contra Parmenianum, Appendix 10; Cod. Theod. 16,5,1; interessant die unpolemische Erwähnung des novatianischen S. in Cod. Theod. 16,5,2). Theodosius I. verwirft die klare Unterscheidung (Cod. Theod. 16,6,4).

Bedeutsam, weil mit praktischen Konsequenzen verbunden, ist die Unterscheidung etwa bei Novatianern und Donatisten: Die von Schismatikern gespendeten Sakramente, v. a. die Taufe, werden als gültig und bei Rückkehr in die *una sancta* (»eine heilige [Kirche]«) als heilswirksam angesehen; nicht so aber bei von Häretikern (z. B. Arianern oder Manichäern) gespendeten Sakramenten (vgl. die klare, aber ungewöhnliche Formulierung bei Optatus 1,10–12). Das Verfahren bei der Wiederaufnahme war jedoch faktisch nie konsequent von der S.-Definition abhängig. So gilt nach Augustinus etwa auch eine bei Pelagianern und Arianern korrekt gespendete Taufe als gültig.

Unverkennbar ist bei praktisch allen ant. christl. Autoren die Tendenz, eine enge Verbindung, ja Interdependenz von S. und Häresie zu lehren: Jedes S. bedarf mit der Zeit einer Rechtfertigung, die ihrem Wesen nach häretisch sein wird (Hier. commentarius in Titum 3,10; Aug. contra Cresconium 2,7/9, vgl. dazu [2]). Bei der staatlichen Gesetzgebung war nicht immer klar, ob Strafbestimmungen für Häretiker sich auch auf Schismatiker erstreckten, so daß das Akzeptieren der Klassifizierung einer Gruppierung als »Schismatiker« mehr Toleranz versprach als die Verurteilung als Häretiker [3].

In dieses Bild einer unscharfen inhaltlichen Definition paßt auch, daß andere Begriffe zur Kennzeichnung einer christl. Spaltung verwendet werden konnten, so u. a. διχοστασία/*dichostasía* (lat. *dissensio*, »Spaltung«; Gal 5,20 und → Apostelväter; dazu [4]), παρασυναγωγή/*parasynagōgḗ* (»Gegenversammlung«; dazu Basileios [1] von Kaisareia, epist. 188,1).

Das Problem der Häresien und S. konnte in der Alten Kirche nicht »ökumenisch« bzw. pluralistisch gelöst werden. Sie wurden als Erscheinungen der Endzeit wahrgenommen. Dazu diente die Warnung Jesu vor den falschen Propheten (Mt 7,15; 24,5 und Parallelen) in Verbindung mit einem apokryphen Jesuswort, wonach es in den letzten Tagen ›S. und Häresien geben wird‹ (→ Iustinos [6], Dialog 35,3; dazu [5]).
→ Christentum

1 C. Maurer, s. v. σχίζω, σχίσμα, ThWB 7, 1964, 959–965
2 W. A. Löhr, s. v. S., TRE 30, 1999, 129–135 (Lit.)
3 A. Schindler, Die Unterscheidung von S. und Häresie in Gesetzgebung und Polemik gegen den Donatismus, in: E. Dassmann, K. S. Frank (Hrsg.), Pietas, FS B. Kötting (JbAC Ergbd. 8), 1980, 228–236 4 Bauer/Aland, s. v. διχοστασία, Sp. 402 5 H. Paulsen, S. und Häresie, Unt. zu 1 Kor 11, 18.19, in: Zschr. für Theologie und Kirche 79, 1982, 180–211. AL. SCHI.

Schiz s. Šīz

Schlachtordnung s. Phalanx; Taktik

Schlaf s. Somnus; Traum

Schlange. Ὁ ὄφις/*óphis*, bereits bei Hom. Il. 12,208; lat. *anguis* oder aufgrund der kriechenden Bewegungsweise *serpens*; manchmal auch allg. ὁ δράκων/*drákōn* (s. u. B. 3.; = *óphis* bei Hom. Il. 12,202; Hes. theog. 322 und 825), ἡ ἔχιδνα/*échidna* (Hdt. 3,108; auch als schlangenartiges Ungeheuer → Echidna und in übertragenem Sinne für »Verräter/in«, z. B. Aischyl. Choeph. 249), ἡ χέρσυδρος/*chérsydros* (z. B. Nik. Ther. 359); lat. *vipera* (seit Cic. har. resp. 50), *coluber, colubra* (von Plautus bis Petronius nur poetisch).

I. Zoologie II. Mythos und Religion

I. Zoologie
A. Allgemein B. Einzelne Arten

A. Allgemein
Das Fehlen von Sch. auf bestimmten Inseln – Kreta, Balearen (→ Baliares), Pityusen (→ Pityussai) – und von Gift-Sch. auf Sizilien wurde seit Aristoteles vermerkt. Häufig galt dagegen das Vorkommen in Indien (u. a. Strab. 15,1,45; Megasthenes fr. 47) und Afrika (Diod.

3,36). Die verbreitete Sch.-Furcht sorgte für genaue Beobachtung, doch gab es Irrtümer (z. B. daß der Samen aus dem Rückgrat käme: Aristot. hist. an. 2,17,508a 12f. und 3,1,509b 16–19; daß Sch. 30 Rippen besäßen: Aristot. hist. an. 2,17,508b 3; Plin. nat. 11,207).

Richtige morphologische Feststellungen: schuppige Haut (Verg. georg. 3,426), Knochen aus Knorpel (Aristot. part. an. 2,9,655a 20), unterschiedliche Zähne (Aristot. l.c.; Plin. nat. 11,163), eine lange, dreifach gespaltene Zunge (Aristot. l.c.; Plin. nat. 11,171: *tenuissima ... et trisulca*; Verg. georg. 3,439), eine Lunge (Aristot. hist. an. 2,17,508a 32f.), einen Eierstock und – weichschalige – Eier (Aristot. hist. an. 2,17,508a 10; 5,34,558a 26f.) sowie die Art der Begattung (Aristot. hist. an. 5,4,540a 33–b 3; Aristot. gen. an. 1,7,718a 27f.). Auch ihr Verhalten bei der Ernährung (mit langen Hungerperioden), ihr Winterschlaf und ihre Häutungen (Aristot. hist. an. 7(8),17,600b 27–601a 1; Ail. nat. 9,16) waren bekannt. Für röm. Dichter war ihr »Zischen« (Aristot. hist. an. 4,9,536a 6) charakteristisch. Trotz der Kenntnis nichtgiftiger Sch. (z. B. Lucan. 9,727) wurden sie gewöhnlich als gefährlich, giftig und heimtückisch beschrieben (u. a. Hom. Il. 3,33f.; 22,93–95; Cic. ac. 2,38; Verg. georg. 3,425; Aen. 2,379–82). Die Giftwirkung (vgl. die Sage von → Philoktetes: Hom. Il. 2,723; Soph. Phil.; Ov. trist. 5,2,14) wurde oft gewaltig übertrieben (Aristot. fr. 334; Paus. 9,28,1; → Nigidius bei Plin. nat. 29,69; Ail. nat. 8,7), aber auch ihr Versagen erwähnt.

B. Einzelne Arten

Mit Vorbehalten lassen sich 11 Arten (15 Arten im Sch.-Katalog bei Lucan. 9,700ff.) unterscheiden:

1. Ἀσπίς, lat. *aspis*, die Uräus-Sch. (Naja haje L.) in Äg., beschrieben von → Phylarchos [4] (u. a. Philumenos 16; Ail. nat. 10,31 und 17,5; Paus. 9,21,6). Die ca. 1,5 m lange, graue bis gelbe Sch. ist bes. für den → Ichneumon gefährlich (s. Mosaik aus Pompeii, [1. Abb. 57]); ihres tödlichen Giftes wegen wurde sie in Äg. zur schmerzlosen Hinrichtung verwendet (Ail. nat. 10,31). Mit ihrem Gift verübten → Demetrios [4] von Phaleron und → Kleopatra [II 12] VII. Selbstmord. Möglicherweise ließ sie sich schon in der Ant. abrichten (Ail. nat. 4,54; 17,5 und 9,62; Ex 4,3 und 7,15). Als göttliches Symbol hatte der Pharao ihr Abbild am Diadem.

2. Διψάς, lat. *dipsas*, wahrscheinlich die Avicenna-Viper (Cerastes vipera L.), die Nikandros (Ther. 334) bei der Ersterwähnung als ähnlich der Nr. 5 beschreibt. Lukianos widmete ihr eine Monographie (*Perí dipsádōn*). Philumenos (20,1) beschreibt die in Arabien und Afrika lebende Sch. von 0,5 m Länge mit ihrem wirksamen Gift (20,2; vgl. Lucan. 9,722).

3. Δράκων/*drákōn*, lat. *draco*, die indische Riesen-Sch. (Python molurus L.), von der zuerst wohl → Nearchos [2] Kunde gab (Arr. Ind. 15; Strab. 15,1,45; vgl. Kleitarchos bei Ail. nat. 17,2). Die ant. Größenangaben dieser ungiftigen Würge-Sch. schwanken zw. 4,20 m und 7,40 m oder noch mehr (z. B. Paus. 2,28,1; Megasthenes fr. 47; Onesikrates bei Strab. 15,1,28). Ihr Hauptfeind soll der indische → Elefant sein (Plin. nat. 8,32f.; Ail. nat. 6,21f.). Rührende Geschichten über ihre hilfreiche Liebe zum Menschen bieten Plin. nat. 8,61; Ail. nat. 6,17 und 63.

4. Afrikanische Riesen-Sch., Assala (Python sebae Gm.) aus Äthiopien und Libyen (Philumenos 30; Nik. Ther. 441ff.) mit einer angeblichen L bis 17 m (Alexandri periplus bei Ail. nat. 17,1). Diod. 3,36 (vgl. Ail. nat. 16,39) schmückt eine Jagd des Hofes Ptolemaios' [3] II. auf diese als gefährlich dargestellten Riesentiere weidlich aus; sie soll selbst afrikanische Elefanten erwürgen. Übertreibungen finden sich auch bei Liv. 21,22; Prop. 4,8,3 und Ail. nat. 11,16f.

5. Ἔχιδνα/*échidna*, ἔχις/*échis*, die von der it. Aspisviper nur schwer unterscheidbare giftige (Philumenos 17,1f.; Nik. Ther. 235ff.) Sandviper (Vipera ammodytes L.) aus Südeuropa und Kleinasien. Ihre Viviparie beschreibt Aristot. hist. an. 3,1,511a 16f. und 5,34,558a 25–31 (vgl. Aristot. gen. an. 2,1,732b 21f.), weitere Eigenschaften: Nik. Ther. 209ff. und 223ff. Nachdem die Sch. Wein genossen hat, kann man sie angeblich greifen (Aristot. hist. an. 7(8),4,594a 9–12). Mit der → Muräne soll sie sich paaren und vor dem Hineingleiten ins Wasser ihr Gift ablegen (Plin. nat. 9,76; Opp. hal. 1,554–579; Ail. nat. 1,50 und 9,66; vgl. Aischyl. Choeph. 994; Aischyl. Suppl. 896). Wie Nr. 1 (Opp. kyn. 3,410f. und 433–448) kämpft sie mit dem → Ichneumon (Strab. 17,1,39). Haut und getrocknetes Fleisch galten als Allheilmittel (z. B. als Bestandteil von Theriak; Hippokr. de mulieribus 2; Dioskurides 2,17 Wellmann = 2,19 Berendes; Plin. nat. 29,70).

6. Κεράστης, lat. *cerastes*, die wegen ihrer beiden charakteristischen hornartigen Anhänge am Kopf so genannte Hornviper (Cerastes cornutus Forsk.), die zuerst von Hdt. 2,74 und 4,192 sowie von Aristot. hist. an. 2,1,500a 4f. erwähnt wird. Philumenos 18,1 (vgl. Ail. nat. 1,57) bietet eine gute Beschreibung der 45–90 cm langen Sch., die oft im Sand verborgen lauert, um dann blitzschnell ihren tödlichen Biß anzubringen (vgl. Philumenos 18,2ff.; Nik. Ther. 272ff. mit den Gegenmitteln).

7. Παρείας/*pareías*, die harmlose Äskulapnatter (Elaphe longissima Laur.), eventuell = lat. *parias* seit Lucan. 9,721 zit. bei Isid. orig. 12,4,27, vgl. Hor. sat. 1,3,27 (*serpens Epidaurius* wegen der Bed. im Kult des → Asklepios in → Epidauros, vgl. Paus. 2,28,1). Sie wurde aus dem östlichen Mittelmeerraum durch die Verehrung des Heilgottes von den Römern weit verbreitet (Ov. met. 15,626–744; Val. Max. 1,8,3). Die bis 2 m lange gelbbraune Schlange ist leicht zähmbar (Philumenos 32,1; Plin. nat. 29,71; Ail. nat. 8,12) und wurde oft auf dem Stab des Gottes abgebildet. Nachbildungen dienten als Armreif [1. Fig. 113]; sie findet sich auf Mz. und Gemmen ([2. Taf. 23,1] in Verbindung mit der → Hygieia).

8. Σηπεδών/*sēpedṓn* (σήψ/*sḗps*), lat. *seps*, mit der → Eidechse verwechselbar. Sie ist nach Philumenos 23 und Ail. nat. 15,18 (vgl. Nik. Ther. 320–23) etwa 90 cm lang und hell gefleckt. Ihr Körper soll sich stark verjüngen. Da ihr Name von der durch sein Gift bewirkten

Fäulnis (*sepsis*) abgeleitet scheint, ist sie möglicherweise eine reine Fiktion.

9. Ὕδρα/*hýdra* oder ὕδρος/*hýdros*, lat. *hydra, natrix* oder bloß *colubra* bezeichnet die auch in Mitteleuropa heimische Ringelnatter (Natrix natrix L.), die am und im Wasser u. a. von Fröschen, Mäusen und Vögeln lebt, 1,5 bis 2 m lang und schwärzlich mit hellem Kopf ist. Ihre amphibische Lebensweise gab Anlaß zu wundersamen Behauptungen, z. B. daß sie sich beim Austrocknen des Sumpflandes in eine *échis* (Nr. 5.) verwandle (Aristot. fr. 328; Theophr. h. plant. 2,4,4; Plin. nat. 32,53). Sie hat ein kräftiges Gebiß, ist aber – im Gegensatz zu der Darstellung bei Verg. georg. 3,425 – ungiftig (Ktesias bei Ail. nat. 16,42).

10. Ὕδρος/*hýdros* bzw. χέρσυδρος, lat. *chersydrus*, soll mit der Plattschwänzigen Zeilen-Sch. (Laticauda laticauda L.) zu identifizieren sein (vgl. Ail. nat. 16,8). Diese Nr. 1 ähnliche Wasserschlange von der Küste am Indischen Ozean (Serv. georg. 3,415) ist giftig (Philumenos 24, vgl. Ail. nat. 4,57 und 8,7; Nik. Ther. 359ff. verwechselt sie mit Nr. 9).

11. *Vipera*, wahrscheinlich die kleine, bis 75 cm lange it. Aspisviper (Vipera aspis L.). Man kannte ihre von der Kreuzotter geteilte Vorliebe für die Dunkelheit (Verg. georg. 3,417; Mart. 3,19). Sie ließ sich zähmen (Manil. 5,190; Mart. 1,41,7).

Das Gift der Sch. benutzte man zur Vergiftung von Pfeilen (Nep. Hann. 10; Sil. 1,322), möglichweise auch als Medizin. Organotherapeutisch wurden u. a. Fett, Haut, Herz, Knochen und Zähne verwendet, etwa gegen Bauch-, Ohren- und Zahnschmerzen, die Haut aber auch bei Tier- (Plin. nat. 30,148) und Baumkrankheiten (Pall. agric. 4,10,3 und 12,7,4). Man aß auch das Fleisch (Aristot. mir. 24,832a 18–20; Plaut. Stich. 321; Plin. nat. 7,27), die Juden lehnten es aber als schlecht ab (Mt 7,10; Lk 11,10).

→ Gifte

1 KELLER 2,284–305 2 F. IMHOOF-BLUMER, O. KELLER, Tier- und Pflanzenbilder auf Mz. und Gemmen des klass. Alt., 1889 (Ndr. 1972) 3 TOYNBEE, Tierwelt, 217–223. C.HÜ.

II. Mythos und Religion

Die Sch. nimmt wegen ihrer Giftigkeit und Fähigkeit, sich zu häuten/verjüngen, eine ambivalente Stellung in der griech. und röm. Kultur ein. Im minoischen und myk. Griechenland war sie in erster Linie Wächterin des Hauses [1. 30, 48] – eine Funktion, die sie auch in späterer Zeit ausübte [2]: So wurde in Athen die Akropolis von einer Sch. im Tempel des → Erechtheus bewacht (Hesych. O 270), welche die Priesterin der → Athena Polias mit Honigkuchen fütterte (Hdt. 8,41; Aristoph. Lys. 759; Plut. Themistokles 10). Eine Sch. konnte auch Wächterin eines Heiligtums (Soph. Phil. 1327), Brunnens (Soph. fr. 226 RADT), der goldenen Äpfel der → Hesperiden (Apoll. Rhod. 4,1398) oder des Goldenen Vlieses (Pherekydes FGrH 3 F 31) sein; sogar → Zeus Ktesios in seiner Eigenschaft als Beschützer von Besitz konnte, wie auch andere Götter und Heroen, als Sch. erscheinen [6].

Weitere Aspekte treten in archa. Zeit hinzu [3; 4]: Seit Homer ist die Sch. ein ehrfurchtgebietendes Tier (Hom. Il. 3,33–35; 22,93–95), das Waffen ziert (Hom. Il. 11,39; Pind. P. 8,44–47; Aischyl. Sept. 493–496; Paus. 10,26,3). Dadurch erklärt sich vielleicht die enge Verbindung mit Heroen in der Ikonographie [5. 253–255; 6]. Bei Hesiod hingegen gehört unter nahöstl. Einfluß die Sch.-Gestalt zum Erscheinungsbild von Ungeheuern (Hes. theog. 299: → Echidna; 313: → Hydra; 322f.: → Chimaira; 825: → Tryphoeus; [8. 302, 366f., 461]).

Biß durch Gift-Sch. ist eine häufige myth. Todesursache (Paus. 8,4,7; Apoll. Rhod. 4,1502; Apollod. epitome 6,28; Verg. georg. 4,457). Manchmal werden Sch. von Göttern geschickt, so zu → Laokoon [1] (Apollod. epitome 5,18) und dem Säugling → Herakles [1] ([7]). Daraus entwickelte sich die Vorstellung von der Sch. als einem bösen Tier, verbreitet in Dichtung (Thgn. 599–602), Trag. (Klytaimestra als Viper: Aischyl. Ag. 1233; Aischyl. Choeph. 994; 1047) und Fabeln (z. B. Aisop. 33; 81f.; 115–117 CHAMBRY). Von Sch. zu träumen bedeutete Krankheit und Feindschaft (Artem. 2,13).

Die Griechen verbanden den Ursprung ihrer Stämme und Gründerkönige mit der Sch., einem »Kind der Erde« (Hdt. 1,78,3): vgl. die → Ophi(on)eis (Thuk. 3,94,5; Strab. 10,2,5), die Ophiogeneis (Strab. 13,1,14; Ail. nat. 12–39), → Kekrops von Athen, über dem Bauch ein Mensch, darunter eine Sch. (Eur. Ion 1163–1164; Aristoph. Vesp. 438), und Kychreus von Salamis (Paus. 1,36,1; Apollod. 3,12,7). Die Verbindung der Sch. mit Erde und Höhlen erklärt vielleicht auch ihre Nähe zur → Divination (manchmal in Höhlen). Sch. waren mit dem → Orakel des → Trophonios (schol. Aristoph. Nub. 508; Suda T 1065) und einem nicht lokalisierten Apollonorakel in Epeiros (Ail. nat. 11,2) verbunden. Sie fütterten den Säugling → Iamos (Pind. O. 6,45ff.) und leckten an den Ohren der Seher → Kassandra und → Helenos (Antikleides, POxy. 56,3830; rationalisierend umgedeutet bei Arrianos FGrH 156 F 102) und Melampus (Apollod. 1,9,11); vgl. Apollons Begründung des Orakels von Delphi nach seiner Vernichtung der Sch. (*drákōn*) Python [1] ([16]). Die Erdverbundenheit erklärt auch die Feindschaft der Sch. gegen den Adler – »unten« gegen »oben« – in der griech. Lit. (seit Hom. Il. 12,200–229), Wiss. (Aristot. hist. an. 9,1; Ail. nat. 17,37) und Ikonographie [9].

Seit spätklass. Zeit spielt die Sch. in einigen nichtoffiziellen Kulten wie auch in → Mysterien eine Rolle. → Mänaden des → Dionysos haben Sch. im Haar, und Sch. kommen im Kult des → Sabazios und in den eleusinischen → Mysteria vor ([10. 362–365]; SEG 46,1342). Vielleicht zeigen sie göttlichen Schutz an; vgl. die frühen Christen, denen versprochen wird, daß sie ohne Verwundungen Sch. anfassen können (Mk 16,18; [10]). Auch Pythagoras [2] galt in der Spätant. als immun gegen Sch.-Bisse (Iambl. v. P. 28). Das letzte wichtige Auftreten einer Sch. in der ant. Rel. ist die »Erfindung« des Sch.-Gottes → Glykon [3] durch → Alexandros [27] von Abunoteichos (Lukian. Alexandros; im Rückgriff auf die Sch.-Gestalt im → Asklepios-Kult: z.B. Paus. 3,23,6f.; vgl. SEG 30,1388). Die Sch.-Gestalt von Göttern führt auch zu Legenden über sch.-gezeugte Personen, z.B. Alexandros [4] d. Gr., P. Cornelius [I 71] Scipio Africanus und auch Augustus (Liv. 26,19,7; Gell. 6,1,3; Suet. Aug. 94,4).

In It. sollen faliskische und tarquinische Priester Sch. getragen haben, um die Römer zu beeindrucken (Liv. 7,17,1f.); die → Marsi [1] galten als Sch.-Händler [11; 12. 167–172] und die lavinische → Iuno stand in Verbindung mit einer Sch. (Prop. 4,8,3–14; Ail. nat. 11,16). Die Römer sahen die Sch. als gutes (Liv. 1,56,4; 26,19,7; Plin. nat. 8,153) oder als schlechtes (Ov. fast. 2,711; Plin. nat. 29,4; 22; Val. Max. 1,6,9) Omen. In der Lit. (Verg. Aen. 5,84–96; Pers. 1,113) und bildlichen Darstellung [13] erscheint die Sch. als *genius loci* und Schutzgeist eines Ortes oder Hauses (weitergehende Mutmaßungen über die Sch. als Repräsentation des → *genius* des Mannes bei [14. 60f., 367, 502f.]). Spätestens in augusteischer Zeit zeigt sich griech. Einfluß [15. 366–381].

Auch im frühen Judentum und im Christentum war die Sicht der Sch. ambivalent. Daß sie im bibl. Schöpfungsbericht Eva zur Erkenntnis und so zum Sündenfall verführt (Gn 3,1), hat ihr Bild einerseits stark negativ beeinflußt; sie gilt als verschlagen und dient als Werkzeug für Gottes Strafe (Nm 21,4–9; 1 Kor 10,9; Apk 9,19). Andererseits belegt die Erzählung von der ehernen Sch. (Nm 21,4–9), welche die Israeliten bei ihrem Auszug aus Ägypten rettet (von den Christen wird der Pfahl bildlich auf das Kreuz Christi hin gedeutet, z.B. Jo 3,14) auch ihre positiven Kräfte. Die gnostischen → Naassener – deren Name sich von äg. Sch., *nahaš*, herleitet, von griech. Autoren auch mit den → Ophiten (von ὄφις, *óphis*) identifiziert – kehrten das negative Bild gänzlich zu soteriologischer Bed. um [16]: Die Sch. vermittelt heilbringende Erkenntnis (Orig. contra Celsum 6,24ff., Hippolytus, Refutatio 5,6–28; Epiphanios, Panarion 37).
→ Asklepios; Chimaira; Echidna; Gorgo; Hydra; Typhoeus; Python

1 Burkert 2 R. López Melero, La serpiente guardiana en la antigua Grecia, in: J. Alvar u.a. (Hrsg.), Héroes, semidioses y daimones, 1992, 11–31 3 M.L. Sancassano, Il serpente e le sue immagini, 1997 4 Dies., 'Ο δράκων ποικίλος. Beobachtungen zum Sch.motiv in der ältesten griech. Dichtung, in: WJA 21, 1996–97, 79–92
5 G. Salapata, Hero Warriors from Corinth and Lakonia, in: Hesperia 66, 1997, 241–260 6 E. Mitropoulou, Deities and Heroes in the Form of Snakes, 1977 7 J.-M. Moret, The Earliest Representations of the Infant Herakles and the Snakes, in: B.K. Braswell, A Commentary on Pindar Nemean One, 1992, 83–90 8 M.L. West, The East Face of Helicon, 1997 9 M. Schmidt, Adler und Sch., in: Boreas 6, 1983, 61–71 10 J.A. Kelhofer, Miracle and Mission, 2000
11 G. Piccaluga, I Marsi e gli Hirpi, in: P. Xella (Hrsg.), Magia, 1976, 207–231 12 B. de Gaiffier, Receuil d'hagiographie, 1977 13 G.K. Boyce, The Significance of the Serpent on Pompeian House Shrines, in: AJA 46, 1942, 13–22 14 Dumézil 15 J. Bayet, Croyances et rites dans la Rome antique, 1971 16 M.G. Lancellotti, The Naassenes, 2000, 37–88, 353–358 17 J. Fontenrose, Python, 1959.

E.P. Hamp, Δράκων, in: Glotta 74, 1997, 57 • E. Küster, Die Sch. in der griech. Kunst und Rel., 1913.

J.B./Ü: S.KR.

Schlangensäule. Weihgeschenk der am → Perserkrieg gegen Xerxes beteiligten griech. Staaten an den Apollon von → Delphoi in Form einer Bronze-Säule aus drei seilartig gedrehten Schlangenleibern, deren Köpfe einen goldenen Dreifuß-Kessel trugen. Auf den Windungen sind, beginnend mit den Spartanern (*Laked[aimónioi]*), die Namen von 31 griech. Staaten in dorischem Dialekt eingetragen. Der goldene Kessel wurde im Dritten → Heiligen Krieg (356–346 v.Chr.) von den Phokern geraubt (Paus. 10,13–19), die Säule von Kaiser Constantinus [1] nach Konstantinopolis gebracht, wo sie noch (seit 1700 ohne Schlangenköpfe) auf dem Hippodrom steht.
→ Perserkriege, Säulenmonumente; Weihungen

StV II 130 • ML 27, 57–60 • K. Brodersen u.a. (Hrsg.), Histor. griech. Inschr. in Übers., Bd. 1, 1992, Nr. 42.

W.ED.

Schlauch (ἀσκός/*askós*; lat. *culleus*, *uter*). Zum Transport von festen (Thuk. 4,26) und flüssigen Nahrungsmitteln (Hom. Il. 3,247; Hom. Od. 5,265; 9,196) nutzte man neben Fässern auch Tierhäute (von Rind, Schaf, Ziege; im arabischen Bereich auch Kamelhaut, Hdt. 3,9), die zugenäht wurden, wobei ein Tierbein als Ein- bzw. Ausguß diente. Darstellungen von Sch. sind in der ant. Kunst bei Transportszenen häufig; auch gehört der den Wein-Sch. tragende → Silen fest zur Ikonographie dionysischer Szenen (→ Dionysos). Im Mythos spielt der Sch. eine geringe Rolle; vgl. aber in der Odyssee (Hom. Od. 10,19ff.) den die Winde des → Aiolos [2] enthaltenden Sch. Die Stadt → Damaskos trägt nach einer aitiologischen Sage ihren Namen nach dem Giganten Askos, den Hermes oder Zeus besiegte (ἐδάμασε/*edámase*) und die Haut (*askós*) abzog [1]. Zur Vasenform s. → Askos [2] und → Gefäßformen Abb. E 13. Zur Säkkung (Ertränken in einem Sack) als Todesstrafe vgl. [2].
→ Askoliasmos; Culleus

1 K. Tümpel, s.v. Askos, RE 2, 1701 2 H. Hitzig, s.v. Culleus, RE 4, 1747f.

R.H.

Schleuderblei (μολυβδίς/*molybdís*, μολύβδαινα/*molýbdaina*, *glans*). Sch. waren der fortschrittlichste Typ ant. Schleudergeschosse; sie werden in den Quellen mehrfach genannt und sind in Tausenden von Expl. erhalten. Geschosse aus → Blei (μόλυβδος/*mólybdos*) waren vor Ort in gewünschter Form und gewünschtem Kaliber relativ einfach herzustellen (im Zweischalenguß, in Sets von bis zu neun Stücken [7. 40; 8. 153]). Die bes. ballistischen Eigenschaften der Sch. beruhten v.a. auf der hohen Dichte des Materials. Die sicher schon im → Peloponnesischen Krieg erprobten Sch. waren 401 v.Chr.

noch eine spezielle Waffe der Rhodier (Xen. an. 3,3,6–18). Sie wurden im Ägäisraum schnell eine Standardwaffe [3]; so finden sich zahlreiche Sch. verschiedener Kombattanten im 348 v. Chr. zerstörten Olynthos, auch mit dem Namen Philippos' II. [6]. Auch in der röm. Kriegführung wurden Sch. als Waffe eingesetzt.

Die griech. Sch. hatten durchweg die Idealform großer Oliven bzw. bauchiger Kerne mit mehr oder weniger spitzen Enden. Form und Material bewirkten optimale ballistische Eigenschaften und machten sie anderen Schleudergeschossen sowohl in der Reichweite (wohl um 300 m) als auch in der Aufschlagenergie weit überlegen [1]; die Wirkung der Projektile war gefürchtet [7. 43]. Die Masse der griech. Sch. wiegt bei einer L von 2,8 bis 3,5 cm zw. ca. 30 und 45 g. Die Gußtechnik ermöglichte es, sie mit Aufschriften oder Symbolen zu versehen. Viele tragen kurze Inschr., Monogramme oder Bildsymbole auf einer oder auf beiden Seiten, darunter Ethnika, städtische oder rel. Symbole (z. B. der Stern bei Milet, ein Bukranion bei den Phokern; Blitzbündel), Waffen (z. B. Lanzenspitze), auch die Evozierung der Sieghaftigkeit (NIKH/*NIKĒ*) von Schutzgottheiten und Feldherrn [5] und sarkastische Adressen an den Feind, z. B. ΔΕΞΑΙ/*DEXAI* (»nimm das«). Weitaus am häufigsten sind Personennamen (meist im Gen.) wie ΔΗΜΟΚΛΕΟΣ/*DĒMOKLEOS*, ΜΕΝΩΝΟΣ/*MENŌNOS*, ΕΥΒΟΥΛΙΔΑΣ/*EUBULIDAS*, von denen man bisher über 100 kennt. Obgleich viele griech. Sch. in auffälliger Weise beredt sind bzw. sein wollten, gelingt es sogar bei Kenntnis der FO nur in seltenen Fällen, sie in den Kontext bestimmter Kampfhandlungen zu setzen oder die Identität und mil. Stellung der Personen zu ermitteln (vgl. [8]; zu gelungenen Bsp. [2; 3; 5]). Auffällig ist das fast vollständige Fehlen von Namen hell. Könige.

Die Römer [7] kamen mit dieser hell. Standardwaffe über ihre mil. Konflikte mit den Griechen in Berührung. Röm. Schleuderer verwendeten spätestens seit Mitte des 2. Jh. v. Chr. Sch. (im 2. Sizilischen Sklavenaufstand auch die Rebellen [5]). Röm. Sch., *glandes* (*plumbeae*; »Bleieicheln«), waren in den Formen vielfältiger und tendenziell schwerer (bis ca. 150 g und 6 cm L). Bis zum Ende der Bürgerkriege trugen auch sie häufig Aufschriften, u. a. Namen von Feldherren, Legionsnamen, teilweise mit Blitzsymbolen, im Perusinischen Krieg (41/40 v. Chr., → Perusia) auch derbe Sprüche wie *Octavia(ni) culum peto* (»Ich ziele auf den Hintern Octavians«), *Fulviae [la]ndicam peto* (»Ich ziele auf Fulvias Klitoris«) [9. 55–56]; in diesem Kontext finden sich auch Sch. mit Phallus. Sch. blieben im röm. Heer bis zur Spätant. in Gebrauch (mit abnehmender Tendenz), ab dem späten 2. Jh. n. Chr. in Form von Bleikugeln.

→ Funditores; Schleuderer

1 D. Baatz, Schleudergeschosse aus Blei, in: Saalburg Jb. 45, 1990, 59–67 2 C. Foss, Greek Sling Bullets in Oxford, in: Archaeological Reports 21, 1975, 40–44 3 Ders., A Bullet of Tissaphernes, in: JHS 95, 1975, 25–30 4 G. Fougères, s. v. Glans, DS 2, 1608–1611 5 G. Manganaro, Monete e ghiande inscritte degli schiavi ribelli in Sicilia, in: Chiron 12, 1982, 237–244 6 D. M. Robinson, Excavations at Olynthus 10, 1941, 418–443 7 T. Völling, Funditores im röm. Heer, in: Saalburg Jb. 45, 1990, 24–58 8 P. Weiss, Sch. und Marktgewichte, in: V. von Graeve, Milet 1994–1995, Vorbericht, in: AA 1997, 143–153 9 C. Zangemeister, Glandes plumbeae (EEpigr 6), 1885. P. W.

Schleuderer. Zum Heeresaufgebot griech. Städte gehörten auch Sch. (σφενδονῆται/*sphendonētai*), die kleinere Steine, Blei-, Bronze- oder Tonkugeln mit Hilfe einer einfachen Schlaufe aus Leder, Leinen oder Roßhaar auf gerader Bahn mit großer Wucht abschossen (Syrakus 480 v. Chr.: Hdt. 7,158,4; Sizilische Expedition 415 v. Chr.: Thuk. 6,22,1; 6,25,2; 6,43; Sparta 394 v. Chr.: Xen. hell. 4,2,16); Platon erwähnt Sch. im Heer der Insel Atlantis (Plat. Kritias 119b). Sch. dienten bes. der Abwehr einer überlegenen → Reiterei (Thuk. 6,22,1). Die Perser setzten in den Kämpfen gegen die Griechen 401 v. Chr. ebenfalls Sch. ein, die selbst den kretischen Bogenschützen überlegen waren (Xen. an. 3,3,6; 3,3,15; 3,4,2; 4,3,29). Zu dieser Zeit wurden von den Rhodiern bereits → Schleuderbleie anstelle von Steinen verwendet (Xen. an. 3,3,16 f.). Im röm. Heer kämpften ebenfalls Sch. (→ *funditores*).

Th. Völling, Funditores im röm. Heer, in: Saalburg Jb. 45, 1990, 24–58. S. L.

Schleuderstock. Die Stockschleuderer des röm. Heeres (*fundibulatores*) schleuderten größere Steine von etwa einem Pfund Gewicht mit Hilfe eines Sch. (*fustibalus*), der knapp 120 cm lang war (Veg. mil. 3,14,14). Während die Handschleuderer (*funditores*) ein Ende der *funda* (»Schleuderriemen«) am Handgelenk festbanden, befestigten die *fundibulatores* ein Ende in der Mitte des Sch.; sie hakten das andere Ende der *funda* an der Spitze des Sch. ein. Griff der *fundibulator* den Stock mit beiden Händen am unteren Ende und schwang ihn über den Kopf nach vorn, hakte die Schleuder aus; die Geschosse flogen in einer bogenförmigen Bahn. Die *fundibulatores* wurden im röm. Heer zusammen mit den *funditores* eingesetzt (Veg. mil. 3,14,13).

→ Funditores

Th. Völling, Funditores im röm. Heer, in: Saalburg Jb. 45, 1990, 24–58. S. L.

Schloß, Schlüssel I. Klassische Antike II. Keltisch-germanischer Bereich

I. Klassische Antike

(Schloß: κλεῖθρον/*kleíthron* oder κλεῖστρον/*kleístron*, βαλανάγρα/*balanágra*; vgl. lat. *claustrum*/*claustra*; Riegel: μοχλός/*mochlós*; Schlüssel: κλεῖς/*kleís*, κλειδίον/*kleidíon*; lat. *clavis*). Neben der Verriegelung einer Tür oder eines Tores durch einen Balken wurde in der griech.-röm. Ant. ein System angewandt, das bereits bei Hom. Od. 21,6 f.; 46–50 beschrieben ist und noch in röm. Zeit gebräuchlich war: Mit einem Strick wurde ein mit Hökkern versehener Riegel von außen in seine Schließstellung gezogen; wollte man die Tür öffnen, mußte man einen kurbelförmigen Schlüssel (=Schl.) durch ein Loch in der Tür stecken und den Riegel an den Höckern zurückschieben (vgl. Abb. 1). Schl. dieser Art waren – wie Darstellungen zeigen – unhandlich und groß [1. Taf. 468–471]. Eine Vereinfachung war das im 5. Jh. v. Chr. aufkommende spartanische Balanos-Sch. (vgl. Abb. 2), das an Toren, Haus- und Zimmertüren (Aristoph. Thesm. 421–423) angebracht wurde: Der Schl. mit ein oder mehreren Zinken (γόμφιος/*gómphios*) hebt die in den Riegel sperrend eingreifenden Klötzchen (βάλανοι/*bálanoi*; lat. *pessuli*; »Eicheln«) hoch, schiebt sie zur Seite und löst so den Verschluß des Riegels. Im röm. Bereich wurde das Balanos-Sch. übernommen und das System weiterentwickelt, indem die Klötzchen durch eine Feder festgehalten wurden; beim Öffnen wurde der Schl. umgedreht und die Klötzchen so hochgehoben (vgl. Abb. 3). Aufgrund des größeren Widerstandes der Klötzchen reichten hölzerne Sch. und Schl. nicht mehr – sie wurden nunmehr aus Eisen hergestellt. Im Unterschied zum heutigen Schl. mit senkrechtem Bart war dieser beim röm. Schl. waagerecht zum Schl.-Griff angebracht. Einer der ältesten erhaltenen Schl. ist der vom Artemis-Tempel in → Lusoi (6. Jh. v. Chr.) [2]; insbes. aus der röm. Zeit sind Schl. oder Schl.-Griffe bzw. Sch. oder Vorhänge-Sch. überliefert.

Schl. dienen als Attribut diverser Gottheiten wie → Hades, → Hekate, → Hera, → Ianus, → Persephone, → Portunus; einen Schl.-Bund trägt → Aiakos. Als Symbol ihrer Würde tragen Priester und Priesterinnen große, unförmige Schl. In der christl. Überl. und Ikonographie hält → Petrus [1] die Schl. zum Himmelreich. Die Darstellung von Schl. oder Menschen mit Schl. ist in der griech. und röm. Kunst recht häufig, den Moment des Aufschließens einer Tür hat man dagegen sehr selten abgebildet.

→ Kleiduchos

1 L. Kahil, s. v. Iphigeneia, LIMC 5, 714 f. Nr. 18–25
2 M. Comstock, C. Vermeule, Greek, Etruscan and Roman Bronzes in the Museum of Fine Arts Boston, 1971, 435 Kat. Nr. 638.

A. Neuburger, Die Technik des Alt., [4]1977, 338–342 · G. Schauerte, A. Steiner, Das spätröm. Vorhänge-Sch., in: BJ 184, 1984, 371–378 · N. Franken, Die ant. Bronzen im Röm.-German. Museum Köln, in: Kölner Jb 29, 1996, 42–49, 129 · J. Heiden, Eine archa. Tür aus Sybaris, in: MDAI(R) 106, 1999, 237–247 · A. G. Mantes, Προβλήματα της εικονογραφίας των ιερειών και των ιερέων στην αρχαία ελληνική τέχνη (AD 42), 1990. R. H.

II. Keltisch-gemanischer Bereich

In der keltischen und weniger ausgeprägt auch in der germanischen Welt spielen Sch. und Schl. eine große Rolle im arch. Fundgut; erh. sind vornehmlich Schl. aus Eisen, seltener aus Bronze. Sch. bzw. Sch.-Teile (Riegel, Führungen) bestanden fast nur aus Holz, daher kommen lediglich Beschlagbleche von Schl.-Löchern häufiger vor. Die vielen Siedlungsfunde v. a. aus den

Griechische und römische Schlösser

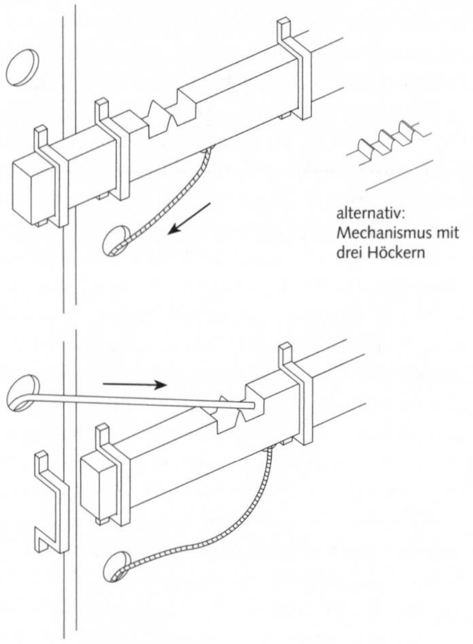

Abb. 1: Homerisches Schloß

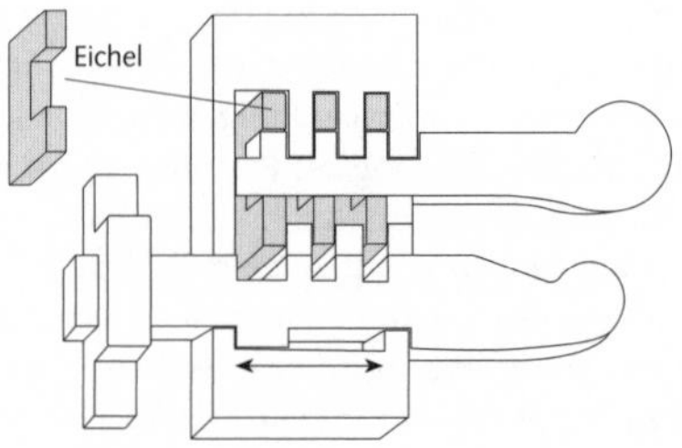

Abb. 2: Griechisches Balanos-Schloß

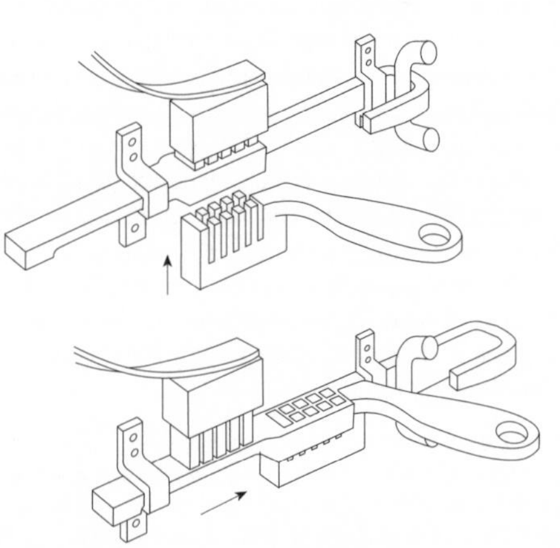

Abb. 3: Römisches Balanos-Schloß

spätkelt. → Oppida zeigen, daß Sch. und Schl. meist von Türen und Toren stammen, während kleinere Expl. aus Gräbern eher zu Kisten oder Truhen gehören.

An Hand der Schl.-Formen lassen sich drei Sch.-Systeme rekonstruieren, die bei den Kelten und z.T. auch Germanen in Benutzung waren. Einmal sind es »Schubriegel-Sch.« mit einfachen Haken-Schl., wie sie schon aus dem homer. Griechenland (s.o. I.: »homerisches Sch.«, mit Abb.) überl. sind. Von dort gelangten sie evtl. über Italien auch in das südl. Mitteleuropa der späten Brz. (9./8. Jh. v. Chr. – z.B. in die schweizerischen Seeufersiedlungen) und wurden bis in die → Hallstatt-Kultur der Kelten des 6./5. Jh. v. Chr. (z.B. → Heuneburg) und die spätkelt. Oppida des 2./1. Jh. v. Chr. von Frankreich bis Ungarn (z.B. → Manching) benutzt. Die geläufigste Sch.-Form der Kelten des 5.–1. Jh. v. Chr. war das auch in Griechenland ab dem 5. Jh. geläufige »Fallriegel-Sch.« (s.o. I.: Balanos-Sch., mit Abb.), für das bes. in den Oppida zahlreiche typische Schl.-Formen gefunden wurden. Das dritte Sch.-System, das »Feder-Sch.« – konstruktionsbedingt mit zwei Schl. – gilt als kelt. Erfindung und war auch bei den kaiserzeitlichen Germanen bekannt. Es wurde offensichtlich v.a. für Kisten und Truhen der Grabausstattung bei den späten Kelten des 2./1. Jh. v. Chr. und der german. Bevölkerung des 1./2. n. Chr. benutzt.

Eine kultische Bed. des Schl. ist in arch. Befunden der → keltischen Archäologie und → germanischen Archäologie nicht belegt.

→ Tür

G. Jacobi, Werkzeug und Gerät aus dem Oppidum von Manching (Die Ausgrabungen in Manching Bd. 5), 1974, 153–174 · S. Sievers, Die Kleinfunde der Heuneburg, in: Röm.-German. Forsch. 42, 1984, 68–69. V.P.

Schlußmünze s. Münzfunde

Schmetterling (ἡ ψυχή/*psychḗ*, wörtl. »Seele« z.B. bei Aristot. hist. an. 5,19,551a 14; νύμφη/*nýmphē*, wörtl. »junges Mädchen« bei Aristot. gen. an. 3,9,758b 33; lat. *papilio* bzw. *papiliunculus* bei Tert. de anima 32). Sch. ist der Kollektivname für die Insektenfamilie der Lepidoptera. Trotz ihrer gewiß großen Verbreitung im Mittelmeergebiet wurden sie im Alt. wenig in naturwiss. Abh. erfaßt. Aristot. hist. an. 5,551a 13–27 (vgl. Aristot. gen. an. 1,18,723b 5f. und 2,1,733b 13–16) zählt sie zu Recht zu den Kerbtieren (ἔντομα, vgl. → Insekten) mit vollständiger Metamorphose (1. Ei, 2. Larve/Raupe: κάμπη/*kámpē*, lat. *eruca* oder *uruca*; 3. Puppe: χρυσαλλίς/*chrysallís*, lat. *chrysallis*; 4. Imago, d.h. Sch.). Ihre auffallenden Fühler (κεραίαι/*keraíai*) beschreibt er hist. an. 4,7,532a 26. Mit Ausnahme der Mottenart ἴπες/*ípes* (wahrscheinlich Tinea vastella L.) bei Homer (Od. 21,395) erwähnen Sch. nur noch Theophrast (h. plant. 2,4,4 u.ö.) und Nikandros (Ther. 87f.). In der röm. Kaiserzeit war den Autoren die Bekämpfung der die Pflanzen schädigenden Sch.-Raupen wichtig (z.B. Plin. nat. 17,266 und 18,78; Colum. 11,3,63: Absammeln der *urucae* oder Verhinderung des Befalls durch vorheriges Aufweichen der Rübensamen mit Sedum; Dioskurides 2,60 Wellmann = 2,64 Berendes und 2,70,5 Wellmann = 2,77 Berendes; Geop. 12,8). Die Identifizierung von 86 Arten bei [3. 572–585] beruht fast nur auf ant. Abb. (vgl. [2. 18]), ist also lit. nicht relevant. Neun Arten sind allerdings sicher nachweisbar:

1. Kohlweißling (Pieris brassicae L.), κραμβίς/*krambís*, lat. *uruca* bei Ail. nat. 9,39, von dem nur die Kohlblätter fressende Raupe erwähnt wird (Aristot. hist. an. 5,19,551a 13–17, Theophr. h. plant. 7,5,4; Plin. nat. 17,266 und 19,156; Geop. 12,8). Mag. Von → Demokritos [1] berichtet Colum. 11,3,64 über magische Umgänge im von Raupen befallenen Beet.

2. Kiefernprozessionsspinner (Thaumetopoea pinivora Treitschke), πιτυοκάμπη/*pityokámpē*, deren Raupe die Nadeln von Fichte und Pinie frißt: Dioskurides 2,61,1 Wellmann = 2,66 Berendes und Plin. nat. 23,62. In gerösteter Form sollten sie gegen Flechten und Krebs helfen.

3. Ostmittelmeerischer Seidenspinner (Pachypasa otus Dr.), βόμβυξ/*bómbyx*, den Aristoteles beschreibt (hist. an. 5,19,551b 9–16; etwas verändert Plin. nat. 11,76–78). Pamphile, die Tochter des Plates, soll auf der Insel Kos das Verspinnen des Seidenfadens aus dem Kokon zu durchsichtigen Gewändern (→ *Coae vestes*; vgl. Alki. 4,14,4; Prop. 2,3,15; Mart. 8,33,16 und 68,7; Apul. met. 8,27) erfunden haben.

4. Chinesischer Seidenspinner (Seidenraupe, Bombyx mori L.). Die Griechen lernten auf dem Zug Alexandros' [4] d.Gr. nach Indien dort die → Seide (*serica*) kennen. Nearchos (bei Strab. 15,1,20) kennt den Kokon noch nicht genau, und Paus. 6,26,6ff. glaubt, er werde von Spinnen erzeugt. Erst 551 n. Chr. schmuggelten Mönche lebende Raupen nach Konstantinopel (Prok. BG 4,17,1–8, vgl. Zon. 14,9). Vorher galten sie als identisch mit den Raupen von Nr. 3.

5. Der Sackträger (Epichnopterix pulla Esq.), eine in einem mit Holzstückchen belegten Sack überwinternde Art aus der mottenähnlichen Familie der Psychidae, wird als Larve unter dem Namen ξυλοφόρος/*xylophóros* von Aristot. hist. an. 5,32,557b 12–25 (vgl. Plin. nat. 11,117) genau beschrieben. Den fertigen Sch. kennt er aber nicht.

6. Die von Honigwaben der Bienen lebende (Aristot. hist. an. 9(8),40,625a 10f., vgl. Plin. nat. 11,65f.) Große Wachsmotte (Galleria mellonella L.), der sog. Bienenwolf, oder die Kleine Wachsmotte (Achroia grisella F.), griech. πυραυστής/*pyraustḗs*, bei Aristot. hist. an. 9(8), 27,605b 16–18 aber τερηδών/*terēdṓn*. Zur Bekämpfung erfand man schon in der Ant. das Ausräuchern (Verg. georg. 4,246; Colum. 9,7,5; vgl. Ail. nat. 1,58).

7. Der Wickler aus der Familie der Tortricidae, dessen Raupe als ἴξ/*íx*, lat. *convolvulus/involvulus* ein gefährlicher Parasit der Reben ist (Alkman fr. 93 P.; Cato agr. 95; Plin. nat. 17,229 und 264). Die Methoden der Bekämpfung finden sich bei Geop. 5,30 und 48,6.

8. Der Weidenbohrer (Cossus cossus L.) aus der Familie der Holzbohrer (Cossidae) wird als κεράστης/ *kerástēs* von Theophr. h. plant. 5,4,4 (= Plin. nat. 16,220 *cerastes*) deutlich gekennzeichnet.

9. Die Motte (Tineola bisseliella Hummel), griech. σής/*sḗs*, lat. *tinea*, war als geradezu sprichwörtliche (Pind. fr. 222; Mt 6,19) Zerfresserin von Wollstoffen gefürchtet (z.B. Aristoph. Lys. 730; Varro Men. 227; Vitr. 5,12,7; Isid. orig. 12, 5,11: *tinea vestimentorum*). Aristot. hist. an. 5,32,557b 1–6 (= Plin. nat. 11,117) erklärt, natürlich unzutreffend, ihre Entstehung aus staubiger Wolle, aus der eine Spinne die Feuchtigkeit ausgesaugt habe. Wie man sie bekämpfte, erfährt man von Theophr. h. plant. 9,11,11, Cato agr. 98 und Plin. nat. 20,195. Auf Mz. finden sich unidentifizierbare Sch. [2. Taf. 7,26–29], ebenso auf Gemmen [2. Taf. 21,26; 23,19–28 und 32; 25,21–22].

1 KELLER 2,435–446 **2** F. IMHOOF-BLUMER, O. KELLER, Tier- und Pflanzenbilder auf Mz. und Gemmen des klass. Alt., 1889 (Ndr. 1972) **3** H. GOSSEN, s. v. Sch., RE 2 A, 569–585.

C. HÜ.

Schminke s. Kosmetik

Schmuck I. VORDERER ORIENT II. ÄGYPTEN III. PHÖNIZIEN IV. KLASSISCHE ANTIKE V. KELTISCH-GERMANISCHER BEREICH

Material und Motive weisen darauf hin, daß Sch. in der Ant. als übelabwehrend oder glückbringend gelten konnte. Neben Männern, Frauen und Kindern schmückte man auch die Götterbilder. Häufig fand Sch. auch Verwendung als Grabbeigabe.

I. VORDERER ORIENT

Perlen aus Muschel und Knochen (später auch Holz) finden sich seit dem 7./6. Jt. v. Chr. immer wieder in Gräbern. Aus der Mitte des 3. Jt. v. Chr. ist aus dem Vorderen Orient Gold- und Silber-Sch., teilweise mit eingelegten Halbedelsteinen, in vielfältigen Formen bekannt (Perlen, Ohrringe, Anhänger, Diademe, Haarspiralen, Ringe) [20]. In dieser Zeit wurde schon die Granulationstechnik (s.u. IV.) angewandt, die sich wohl vom Zweistromland aus verbreitete. Ähnlich prunkvoller Sch. wurde in → Troia (Schicht II) gefunden [5]. Nur zu Beginn des 2. Jt. v. Chr. gab es Anhänger in Form von betenden Göttinnen [12. Abb. 62]; von dieser Zeit bis zum Ende der ant. vorderasiatischen Kulturen waren zudem kreisrunde Anhänger mit Sternen und Rosetten verbreitet [12. 140–149. Abb. 108–109. 111–112], die in Verbindung mit den Göttinnen → Ištar und → Astarte gebracht werden können. In diesen Zusammenhang gehören auch die in der Levante verbreiteten Anhänger aus sich nach unten verjüngenden Metallfolien mit vollständigen oder abgekürzten Darstellungen einer nackten Göttin mit äg. Frisur [12. 138–140. Abb. 102–107]. Sch. aus der 1. H. des 1. Jt. v. Chr. ist in erster Linie von den neuassyrischen Reliefs bekannt [10. Taf. 8–9]; neben Ohrringen und Ketten treten hier zum ersten Mal Tierkopfarmreifen auf [18. 50]. Bisher wurden nur wenige Sch.-Stücke dieser Zeit ausgegraben [4]. Sie zeigen u.a. die Anwendung von *émail cloisonné* [2]. In der nachfolgenden Perserzeit kam als neue Sch.-Form, beeinflußt durch die Steppenvölker, der Halsreif hinzu [18. 83–85]; hell. und altoriental. Elemente wurden in der Arsakidenzeit (Partherzeit) miteinander verwoben [11. 282–285].

Seit dem 2. Jt. v. Chr. orientierte sich die Sch.-Produktion in der Levante auch an Äg., während im kleinasiat. Gebiet eigene Trad. dominierten. Nur in diesen westl. Gebieten sind im 1. Jt. v. Chr. Fibeln (→ Nadel) als Teil der Tracht zahlreich belegt [16; 18. 229–231].

II. ÄGYPTEN

Obwohl bereits aus dem AR Sch. in höchster Qualität, u. a. mit figürlichen Einlagen, bekannt ist [19. Abb. 8], darf das MR als Blütezeit des Sch. gelten, da die Arbeiten dieser Zeit überaus fein sind [9. 668]. Als Form kommt der Ring, vielleicht durch kretische Trad. beeinflußt, neu hinzu. Bes. durch das Grab des → Tutenchamun ist die Vielfalt des Sch. des NR bekannt [3. Taf. 75–86]. In der Spätzeit zeigt sich der Sch. noch in äg. Trad., während in der ptolem. Epoche griech. Einfluß deutlich hervortritt.

Neben den üblichen Formen wie Ringen, Armbändern und Ketten sind für Äg. bes. die meist in Zell-Technik [6; 7; 8] gefertigten Pektorale hervorzuheben, die seit dem MR beliebt sind; oft durch die geflügelte Sonne oder die mag. Horus-Augen (Udjat) bekrönt, präsentieren sie heraldische Götterszenen. Ebenfalls typisch äg. – und anders als in Mesopotamien sehr zahlreich – sind Anhänger in Form kleiner Götterfiguren, die aus Gold, aber auch aus Fritte gefertigt waren. Letztere sind in sehr großer Zahl gefunden worden. Sie waren, wie auch Fritteanhänger in Form von Hieroglyphen [13], in vielen Ländern der ant. Welt verbreitet.

Der aufgrund seines Goldreichtums bekannte Sch. von → Meroë aus der Zeit um Christi Geb. [17] zeigt zwar äg. Elemente, ist aber stark von einheimischen Trad. durchsetzt, teilweise erweitert durch hell. Motive und Formen.

1 C. ANDREWS, Ancient Egyptian Jewellery, 1990
2 J. BOESE, U. RÜSS, s. v. Goldschmiedetechniken, RLA 3, 519–531 **3** H. CARTER, Tut-ench-Amun. Ein äg. Königsgrab, Bd. 2, 1927 **4** M S. B. DAMERJI, Gräber assyr. Königinnen aus Nimrud, in: JRGZ 45, 1999 3–83
5 W. P. TOLSTIKOW, M. J. TREJSTER (Hrsg.), Der Schatz aus Troja, Ausst.-Kat. Moskau 1996/97 **6** E. FEUCHT, Pektorale nicht königl. Personen, 1971 **7** Dies., s. v. Einlegearbeiten C., LÄ 1, 1208–1209 **8** Dies., s. v. Goldschmiedekunst, LÄ 2, 751–754 **9** Dies., s. v. Schmuck, LÄ 5, 668–670 (mit weiterführender Lit.) **10** B. HROUDA, Die Kulturgesch. des assyr. Flachbildes, 1965 **11** K. LIMPER, Uruk. Perlen, Ketten, Anhänger, 1988 **12** K. R. MAXWELL-HYSLOP, Western Asiatic Jewellery c. 3000–612 B. C., 1971
13 C. MÜLLER-WINCKLER, Die äg. Objekt-Amulette, 1987
14 B. MUSCHE, Vorderasiat. Schmuck von den Anfängen bis zur Zeit der Achaemeniden (10.000–330 v. Chr.), 1992

15 Dies., Vorderasiat. Schmuck zur Zeit der Arsakiden und der Sasaniden, 1988 16 F. PEDDE, Vorderasiat. Fibeln, 2000 17 K.-H. PRIESE, Das Gold von Meroe, Ausst.-Kat. Berlin 1992 18 E. REHM, Der Schmuck der Achämeniden, 1992 19 M. VILÍMKOVÁ, Altäg. Goldschmiedekunst, 1969 20 C. L. WOOLLEY, The Royal Cemetery (Ur Excavations Bd. 2), 1934. E.RE.

III. PHÖNIZIEN

Das Sch.-Handwerk florierte bereits in der Brz. im Gebiet der späteren phöniz. Stadtstaaten an der syrischen Levanteküste. Der Sch. aus den Königsgräbern des frühen 2. Jt. v. Chr. in → Byblos war zu höchstem technischem Niveau entwickelt und erweist sich als Amalgam mesopotamischer und ägypt. Einflüsse. Die spät-brz. Goldfunde aus dem Schatzhaus (Grabbau?) der Palastanlage von Kāmid al-Lauz/Kumidi in der Beka'a-Ebene (im phöniz. Hinterland) bezeugen die frühe Ausbildung der für das 1. Jt. v. Chr. charakteristischen Formen und Merkmale des phöniz. Sch. [1], bes. die Dekoration von Flächen mit gegenständigen Dreiecken aus Granulationsperlen und den Typus des aus rechteckigen und trapezförmigen reliefierten Blechplatten zusammengesetzten Diadems [2].

Phöniz. Sch., spätestens seit dem 9. Jh. v. Chr. an die mediterranen Aristokratien verhandelt, führte in der Ägäis und in Etrurien zur Wiederbelebung bzw. Entstehung von Granulation und Filigrantechnik. Weiteste Verbreitung, bes. im Westen, fanden ab dem 7. Jh. v. Chr. u. a. Scheiben-, Schlauch-, Kugel- und Blutegelanhänger, Ringe mit beweglicher Ringsteinfassung (u. a. für Skarabäen), als Ohrgehänge oder im Collier getragen, die aufwendigeren davon mit Granulation und Filigran, gelegentlich mit Sch.-Stein- oder Glasflußeinlage verziert. Werkstätten können mit Gewißheit in → Gades, → Karthago und → Tharros erschlossen werden.

Figürliche Dekoration war meist an äg. Vorbildern orientiert (geflügelte Sonnenscheibe, Horusfalke, Uräus-Schlange etc.); phöniz. Sch. hatte überwiegend magische Bed. (Amulettfunktion).
→ Steinschneidekunst

1 R. MIRON, Kamid el-Loz. Das Schatzhaus im Palastbereich. Die Funde, in: Saarbrücker Beitr. zur Altertumskunde 46, 1990, 45–61, Taf. 1–10
2 H. G. NIEMEYER, Zw. Sichem und Aliseda: Bemerkungen zu einem orientalischen Schmucktypus und seiner Rezeption im Mittelmeerraum, in: E. ACQUARO (Hrsg.), Alle soglie della classicità. FS S. Moscati, Bd.2, 1996, 881–887.

G. MARKOE, Phoenicians, 2000, 152–156 · G. PISANO, Orfèvrerie, in: V. KRINGS (Hrsg.), La civilisation phénicienne et punique (HbdOr I 20), 1995, 494–500 · B. QUILLARD, Bijoux carthaginois, Bd. 1: Les colliers, 1979 · Dies., Bijoux carthaginois, Bd. 2: Porte-amulettes, sceaux-pendentifs, etc., 1987. H. G. N.

IV. KLASSISCHE ANTIKE

A. EINLEITUNG B. MATERIALIEN
C. GATTUNGEN D. GESCHICHTE E. TECHNIK

A. EINLEITUNG

Die wichtigsten Zeugnisse für die Kenntnis des ant. Sch. sind die Originalfunde aus Gräbern, Siedlungen und Heiligtümern; hinzu treten Depot- bzw. Schatzfunde. Sie geben Auskunft über die Vielfalt der ant. Sch.-Formen und -Arten, ferner über technische und modische Veränderungen. Bildliche Darstellungen in der Vasenmalerei, an statuarischen Kunstwerken, auf Wandgemälden, Mosaiken, Mumienporträts, Mz. usw. ergänzen zusammen mit den lit. Quellen das Bild.

B. MATERIALIEN

Zur Anfertigung des Sch. standen in der Ant. diverse Materialien zur Verfügung: → Blei, → Bronze, → Eisen, → Elektron, → Elfenbein, → Glas (bzw. Glasperlen), → Gold, → Holz, Knochen, → Perlen, Ton und → Silber, Niello. Hinzu treten Halbedelsteine und → Edelsteine (→ Steinschneidekunst). Das wohl am meisten geschätzte Edelmetall war Gold, das in nahezu allen Teilen des Mittelmeergebietes vorkam.

C. GATTUNGEN

Zu den ant. Sch.-Formen gehörten Halsketten (→ Halsschmuck), Ohrringe und Ohrgehänge (→ Ohrschmuck), Armbänder und -ringe (→ Armschmuck), Kopf-Sch. (→ Diadema, → Kranz, Scheitel-Sch.), Fingerringe (→ Ringe); des weiteren sind Sonderformen, wie Amulette (→ Phylakterion), Bullae, → Crepundia und Pektorale, im weiteren Sinne auch Fibeln (→ Nadel) und Gürtelschnallen hier anzuführen; als Bein-Sch. sind Oberschenkelbänder (→ Periskelis) und Knöchelringe (z. B. Anth. Pal. 6,172; 206; 207 περισφύριον/*perisphýrion*, ἐπισφύριον/*episphýrion*) zu nennen. Körper-Sch. (τὸ περίαμμα/*períamma*, lat. [*ornamentum*] *mamilare*) bestand aus kreuzförmig über den Oberkörper geführten Ketten, die vielfach mit Medaillons verziert waren.

Kleider-Sch. war bereits in der myk. Zeit sehr beliebt (Goldperlen oder dünne Goldplättchen wurden hier auf die Gewänder genäht). Vereinzelte Funde der archa., spätklass. und hell. Periode lassen auf eine fortdauernde Beliebtheit dieser Form der Gewandverzierung (vgl. Demosth. Meidias 22) schließen.

D. GESCHICHTE

1. GRIECHENLAND 2. ROM

1. GRIECHENLAND

Im ägäischen Bereich sind bereits um die Mitte des 3. Jt. v. Chr. Sch.-Funde aus Troia (Schicht II) und Kreta, aus dem 2. Jt. v. Chr. aus Aigina (London, BM) und aus der Thyreatis (→ Kynuria [1]; Berlin, SM) bekannt. Zum Formenrepertoire gehören Halsketten aus Golddrahtringen und -perlen, Diademe, Haarschmuck sowie Ohr- und Fingerringe. Bereits mit dem Beginn des 2. Jt. v. Chr. kamen in Kreta die Granulations- und Filigrantechniken auf, die aus dem Vorderen Orient und

Ägypten übernommen wurden. Der myk. Sch., der v. a. durch die Funde aus den Schachtgräbern von → Mykenai (nach 1600 v. Chr., Athen, NM) bekannt ist, zeichnet sich durch strenge Ornamentik (Spiralen, konzentrische Kreise, Rosetten) und eine Vorliebe für symmetrisch-heraldische Formen aus. An Materialien wurden u. a. Gold, Bergkristall, → Bernstein, Karneol und → Lapis Lazuli verwendet.

Nach dem Untergang der → Mykenischen Kultur ist der griech. Sch. eher von schlichten Formen und einem sparsamen Gebrauch an Gold und anderen kostbaren Materialien bestimmt. Br. wurde zum vorherrschenden Werkstoff. Im 8. Jh. v. Chr. wurde durch Kontakte mit dem Orient v. a. das Darstellungsrepertoire erweitert: Pflanzen- und Tierdekor, orientalische Motive (Sphingen, Greifen, geflügelte Pferde) und menschliche Figuren oder myth. Szenen wurden jetzt beliebt, auch wurde Gold als Werkstoff häufiger. Sch. aus dieser wie auch der archa. Epoche ist u. a. aus Heiligtümern (Samos, Olympia, Ephesos, Delphi) bekannt, seltener sind Grabfunde (z. B. aus Sindos, h. in Thessaloniki, Arch. Mus.). Neu war in der klass. Periode (5. und 4. Jh. v. Chr.) die Erweiterung des technischen Repertoires: Farbiges → Email kam auf und die Filigrantechnik wurde bevorzugt verwendet, daneben wurden Tier- und Pflanzenmotive, ferner Aphrodite- und Erotenfiguren verstärkt in das bildliche Repertoire aufgenommen. Funde aus dieser Zeit kommen v. a. aus den Randzonen der griech. Welt (Rhodos, Zypern, Schwarzmeergebiet, Makedonien). Im Hell. wird der Wunsch nach Polychromie deutlich, der sich in der Verwendung von → Edelsteinen (Amethyst, Bergkristall, Beryll, Granat, Karneol, Smaragd u. a.) äußert. Farbeffekte wurden ferner durch farbige Glaspasten erzielt.

2. Rom

Bereits in der röm. Republik wurde Gold-Sch. getragen, wie ein Verbot des Zwölftafelgesetzes (→ Tabulae duodecim 10,7) belegt, Gold mit ins Grab zu geben. Das Tragen von aufwendigem und kostbarem Sch. wurde 215 v. Chr. durch die *Lex Oppia* eingeschränkt; das Gesetz bestimmte, daß keine Frau mehr als ½ Unze Gold (13–14 g oder drei röm. Gold-Mz.) besitzen durfte, vgl. Liv. 34,1 und Oppius [I 1]; das Gesetz wurde allerdings 195 v. Chr. wieder aufgehoben. Trotzdem gab es immer wieder Klagen über den verschwenderischen Gebrauch von Sch., den die Gesetzgebung einzudämmen trachtete (z. B. Suet. Iul. 43,1). Insbes. die Frauen des Kaiserhauses standen hier im Zielpunkt der Kritik (Plin. nat. 9,117; vgl. 33,40). Die Damen der röm. Ges. des 1. Jh. n. Chr. trugen gerne ein Band oder Scheitel-Sch. im Haar, selten Haarnadeln oder ein Haarnetz; zu den beliebtesten Sch.-Stücken gehörten Ohrringe und -gehänge, aber ebenso Halsketten, von denen auch mehrere gleichzeitig getragen wurden. Armbänder oder -reifen zierten Armgelenk und Oberarm, wobei Frauen jeweils an beiden Armen ein identisches Exemplar trugen. → Ringe waren anfänglich nur am Ringfinger der linken Hand üblich, doch wechselte die Mode dahingehend, daß auch Daumen, Zeige- und die kleinen Finger mit Ringen versehen wurden (Plin. nat. 33,1; 24). Gemmenringe, die wohl als Siegelringe dienten (→ Siegel), waren die bes. beliebt unter den Ringen. Allgemein ist beim röm. Sch. ist eine Bevorzugung von geom. Mustern und Formen festzustellen. Auch setzte man auf die Wirkung der glatten Metalloberfläche, die im Gegensatz zu etr. und hell. Sch. nicht durch Granulation o.ä. aufgelöst wurde. Im Verlauf des 1. und mehr noch im Verlauf des 2. Jh. n. Ch. nahm die Anbringung von farbigen Steinen auf der glatten Metallfläche zu, charakteristisch ist weiterhin die gesteigerte Verwendung von Emailarbeiten.

Am E. des 2. Jh. n. Chr. brachten in Ketten, Medaillons und Armbänder eingearbeitete Edelmetall-Mz. eine neue Variante in das Sch.-Angebot, die sich über die Spätant. bis ins frühe MA fortsetzte. Ebenfalls am E. des 2. Jh. setzte mit dem *opus interrasile* (s.u. E.) eine neue Ziertechnik ein, die im 3. und 4. Jh. an Bed. gewann und v. a. im byz. Sch. zu voller Blüte gelangte.

E. Technik

Zu den ant. Techniken zur Ausgestaltung von Sch. zählt zunächst die zu allen Zeiten angewandte Gravierung – das Herausarbeiten des Werkstoffs (Spanabnahme) mit Hilfe eines Grabstichels aus Br. oder Eisen, um figürliche oder ornamentale Muster anzubringen. Ebenso verbreitet wie die Gravierung war das Punzieren: Hierbei werden mit Hammer und Punze Ziermuster in die Metalloberfläche eingeschlagen.

Das Email erzielt seine Wirkung durch die bes. Vielfarbigkeit. Bei den meist aus Br. gegossenen Sch.-Stükken waren bereits in der Gußform vertiefte Gruben vorgesehen (Grubenemail), oder sie wurden durch Punzieren und Gravieren angelegt. In die Vertiefungen wurde die mit Metalloxiden gefärbte Glasmasse eingeschmolzen.

Eine Fassung diente dazu, einen Edelstein oder eine Gemme zu rahmen und zu halten. Sie konnte verschiedene Formen (z. B. rund, oval, kastenförmig) haben, die sich an der Form des Steines orientierten und hielt ihn mit ihrem oberen angedrückten Rand fest. Daneben konnten durchbohrte Steine aufgestiftet oder durch Drähte gehalten werden (spätere Krappenfassung des MA).

Unter Filigran (lat. *filum* = Faden; *granum* = Korn) versteht man die Verzierung mit Gold- oder Silberdraht; der Draht konnte als Rund-, Kerb- oder Perldraht aufgetragen bzw. zu einem eigenen Sch.-Stück in durchbrochener Arbeit geformt werden. Bes. Wirkung erzielte der Kordeldraht, der durch Tordieren (Drehen) oder Verzwirnen eines oder mehrerer Drähte entstand.

Bei der Granulation wurden kleinste Gold- und Silberpartikel in Holzkohlenstaub erhitzt, bis sie sich zu kleinen Kügelchen (Granalien) formten, die man dann nach ihrer Größe sortierte. Darauf wurden diese mit organischem Leim auf der zu verzierenden Fläche befestigt; durch Erhitzen eines aufgetragenen Kupfersalzes erfolgte mittels des zu Kohlenstoff verbrennenden Leims eine Reduktion des Kupfers. So wurde eine feste Verbindung der Granalien mit dem Metallgrund hergestellt. Filigran und Granulation gehören zu den ältesten Techniken und sind im griech. Sch. bereits im 3. Jt. v. Chr. (Troia-Sch.) belegt.

Beim Tauschieren arbeitete man mit einem Flachstichel Vertiefungen in das Grundmetall, indem man es seitlich untergrub, und füllte diese Vertiefungen durch Einhämmern andersfarbiger weicherer Metallplättchen (Feingold oder -silber) wieder aus. Anders war das Verfahren in der »Niellotechnik« (von *nigellum*, »schwärzlich«); das vorwiegend in Silber, seltener in Gold eingravierte Motiv wurde mit einer Metallpaste (hauptsächlich aus Blei und Schwefelsilber), welche je nach Mischungsverhältnis dunkelgrau bis schwarz war, ausgefüllt; nach dem Erhitzen und Abschleifen hob sich diese Masse eindrucksvoll vom hell glänzenden Metallhintergrund ab.

Im späten 2. Jh. n. Chr. kam eine neue Technik auf: Das *opus interrasile* erzielte große dekorative Wirkung dadurch, daß Goldblech ornamental durchbrochen wurde, indem man es großflächig mit Hilfe von Sticheln oder Punzen perforierte. Das so entstandene Netzwerk konnte man durch eingesetzte Steine oder Perlen bereichern.

→ Armschmuck; Halsschmuck; Ohrschmuck; Ringe; Torques

H. Hoffmann, P. F. Davidson, Greek Gold. Jewellery from the Age of Alexander, 1965 • E. Bielefeld, Sch. (ArchHom I C), 1968 • A. Greifenhagen, Sch.-Arbeiten in Edelmetall, Bd. 1, 1970; Bd. 2, 1975 • B. Pfeiler, Röm. Gold-Sch. des 1. und 2. Jh. n. Chr. nach datierten Funden, 1970 • I. Blanck, Stud. zum griech. Hals-Sch. der archa. und klass. Zeit, 1974 • St. G. Miller, Two Groups of Thessalian Gold, 1979 • R. Higgins, Greek and Roman Jewellery, [2]1980 • J. Ogden, Jewellery of the Ancient World, 1982 • T. Hackens, R. Winkes (Hrsg.), Gold Jewelry. Craft, Style and Meaning from Mycenae to Constantinopolis, 1983 • E. M. De Juliis (Hrsg.), Gli ori di Taranto in età ellenistica, Ausst. Milano 1984, Hamburg 1989 • B. Deppertz-Lippitz, Griech. Gold-Sch., 1985 • M. Pfrommer, Unt. zur Chronologie früh- und hochhell. Gold-Sch. (IstForsch. 37), 1990 • F. Falk (Hrsg.), Gold aus Griechenland. Sch. und Kleinodien aus dem Benaki-Museum Athen, Ausst. Pforzheim 1992 • L. Pirzio Stefanelli, L'oro dei Romani. Gioielli di età imperiale, 1992 • C. Reinholdt, Der Thyreatis-Hortfund in Berlin. Unt. zum vormyk. Edelmetall-Sch. in Griechenland, in: MDAI(A) 108, 1993, 1–41 • T. G. Damm, B. Schneider, Gold-Sch. der röm. Frau, Ausst. Köln 1993 • D. Williams, J. Ogden, Greek Gold. Jewellery of the Classical World, 1994 • W. Rudolph, A Golden Legacy. Ancient Jewelry from the Burton Y. Berry Collection, Ausst. Bloomington 1995 • M. Effinger, Minoischer Gold-Sch. (British Archaeological Reports, International Series 646), 1996 • A. Böhme-Schönberger, Kleidung und Sch. in Rom und den Prov. (Schriften des Limesmuseums Aalen 50), 1997 • K. Demakopulu (Hrsg.), Götter und Heroen der Brz., Europa im Zeitalter des Odysseus, Ausst. Bonn 1999 • M. A. Guggisberg, Der Goldschatz von Erstfeld. Ein kelt. Bilderzyklus zw. Mitteleuropa und der Mittelmeerwelt, 2000 • E. Despinis, ΑΡΧΑΙΑ ΧΡΥΣΑ ΚΟΣΜΗΜΑΤΑ, 1996.

R. H.

V. Keltisch-germanischer Bereich

s. Germanische Archäologie

Schnecke. Von den Griechen nicht von anderen beschalten Weichtieren (κογχύλια/*konchýlia*, lat. *conchylia* oder *conchae*) als Unterordnung durch eine eigene kollektive Bezeichnung unterschieden. Aristoteles (hist. an. 4,4,528a 11–13) stellt die Sch. als μονόθυρα/*monóthyra* jedoch den zweischaligen (δίθυρα/*díthyra*) ὀστρακόδερμα/*ostrakóderma* (→ Muscheln) gegenüber. Manche Arten hatten aber eigene Namen:

1. Die Meeres-Sch. κῆρυξ/*kḗryx*, lat. *bucinum*, das Kink- oder Tritonshorn bzw. Herold-Sch. (Tritonium nodiferum Lam.). Ihre Körperteile beschreibt Aristoteles (hist. an. 4,4,528a 1–11; 528a 33–b 13; 528b 17–529a 24), ebenso ihre Fortpflanzung und Lebensweise (544a 15 f.; 23 f.; 5,15,546b 25–29; 547b 1–10). In vielem gleicht sie bei Aristoteles und Geop. 20,22 der unter 5. dargestellten Sch. Als kulinarischer Leckerbissen ist sie bei Klearchos (fr. 90 Wehrli) und Alkiphron (epist. 4,13,16) genannt; sie wurde u. a. gegen Potenzstörungen verordnet. Dioskurides (2,4 Wellmann = 2,5 Berendes) empfiehlt mit Salz gebrannte Herold-Sch. als Zahnputzmittel und Umschlag auf Brandwunden. Er erwähnt auch, daß man aus ihren Schalen Kalk brannte. Da die Gehäuse (s. Fischmosaik aus Pompeii [1. Abb. 124, hinter 392]) manchmal als Trompete dienten, wurden sie als τρίτων (lat. *triton*) bezeichnet (Theokr. 22,75; Verg. Aen. 6,172 f. und 10,209); z. B. heißt eine Art von Meergöttern wegen des Blasens auf diesen Schalen bei Theognis (1231) und Cicero (nat. deor. 1,78) → Triton.

2. Die Schnirkel-Sch. (Familie Helicidae; κοχλία/*kochlía*, lat. *cochlea*, bzw. φερέοικος/*pheréoikos*, »Hausträger«, bei Hes. erg. 571) beschreibt Athenaios (10,455e) mit zwei zitierten Hexametern. Als Landbewohner unterschiedlicher Größe (Varro rust. 3,14,4) sind sie fest mit dem Gehäuse verwachsen (Aristot. hist. an. 4,2,525a 27 f.; 4,4,528a 7–9) und besitzen Fühler statt Augen (Plin. nat. 9,101; 11,140; vgl. Aristot. hist. an. 4,4,528b 24; in Wirklichkeit sitzen die Augen auf diesen!) sowie kleine spitze Reibezähne (ebd. 528b 28; Plin. nat. 11,164). Aristoteles (gen. an. 3,11,762a 33) berichtet, man habe nur bei diesen Ostrakodermen die Begattung beobachtet. Im Winter sind sie nach Aristot. hist. an. 5,12,544a 23 f. trächtig und laichen im Frühjahr (Plin. nat. 9,164). Als Schädling z. B. am Feigenbaum waren diese Sch. auf dem Feld und im Garten unbeliebt (Theophr. h. plant. 4,14,3; Plin. nat. 17,223). Eidechsen (Plin. nat. 8,141), Vögel und Schweine waren als ihre Vertilger bekannt (Aristot. hist. an. 9(8),37,621a 1 f.). Man aß die zu dieser Familie gehörende Sprenkel-Sch. (Helix adspersa) damals wie h. gerne als Leckerbissen (z. B. Aisop. fab. 54 Perry; Anth. Pal. 11,319,4; Alki. 4,13,16): Bei den Römern berichtet Plin. nat. 9,173 f. nach Varro rust. 3,14,4 f. (ohne Namensnennung) über

die Einführung der Zucht in besonderen Behältern (*vivaria*) durch Q. Fulvius Lupinus (um 50 v. Chr.). Sie galten auch als Aphrodisiakum (z. B. Athen. 2,64a; Theokr. 14,17; Petron. 130). Galenos (de facultatibus alimentorum 3,2) lobt das zwar harte, aber nahrhafte, dreimal in jeweils frischem Wasser zu kochende Fleisch. Die jeweils nach ihren Ausfuhrgebieten benannten etwa 20 Arten mit unterschiedlicher medizinischer Verwendung sind h. unbestimmbar. Ihre langsame Fortbewegung (auf dem ausgeschiedenen Schleimbett) war schon in der Ant. sprichwörtlich (Plaut. Poen. 531; Rhet. Her. 4,62). Über medizinische Verwendung berichtet Dioskurides (2,9 WELLMANN = 2,11 BERENDES).

3. Κόχλος/*kóchlos* bezeichnete Arten von Vorderkiemern (Prosobranchia) bei Aristoteles (hist. an. 4,4,528a 1–530a 31, verstreute Angaben, und part. an. 4,5,678b 23–679b 14).

4. Der an den Küsten der Ägäis häufige Seehase (Aplysia depilans Gm.) λαγὼς θαλάττιος/*lagṓs thaláttios*, lat. *lepus marinus*, ist eine giftige Meeres-Nackt-Sch., vor deren Genuß Ailianos (nat. 2,45; vgl. Plin. nat. 9,155) warnt. Auch Plutarchos (de sollertia animalium 35 = mor. 983f), Ailianos (nat. 9,51) und Plinius (nat. 32,8 und 70) erklären übereinstimmend sein Fleisch als giftig. Gegengifte nennen Nikandros (Alex. 465 ff.) und Dioskurides (2,164,1 WELLMANN = 2,193 BERENDES). Seine Asche wurde zum Enthaaren verwendet (Plin. nat. 32,70; Dioskurides 2,18 WELLMANN = 2,20 BERENDES; Dioskurides, Euporista 1,97 WELLMANN). Den Schleim empfiehlt Plinius äußerlich gegen Geschwüre im Mund (Plin. nat. 32,88), das mit Honig zerriebene Tier gegen Darmbrüche (32,104) und die Einreibung mit einem frischen Exemplar gegen Podagra (32,110). Eine in den Meeren um Indien heimische, bes. große Art erwähnen Plin. nat. 9,155 und 32,9 sowie Ail. nat. 16,19.

5. Λεπάς/*lepás*, lat. *lopas*, soll eine Gattung der Napf-Sch. (v. a. Patella scutellaris L., vgl. Athen. 3,86d) bezeichnen, die auf Felsen sitzt (Aristot. hist. an. 4,4,530a 18 f., vgl. die übertreibende Angabe von Ail. nat. 6,55 über die Unmöglichkeit, sie abzureißen). Ihr Aussehen und ihre Lebensweise schildert Aristoteles (hist. an. 4,4,528a 13 f.; b 1; 529a 31 und 7(8),2,590a 32 f.). Nach Athenaios (3,91e) ist sie eßbar.

6. Πορφύρα/*porphýra* (κάλχη/*kálchē*: Nik. Alex. 391), lat. *purpura* oder *ostrum* (*concha*: Lucr. 2,501), ist der Name der wirtschaftlich sehr wichtigen Purpur-Sch. (Purpura patula L.). Aristoteles bietet viele Angaben über das v. a. an der palästinischen Mittelmeerküste lebende Weichtier, z. B. die lange, harte Zunge (hist. an. 4,7,532a 9 und 5,15,547b 5–7; vgl. Plin. nat. 9,128; Ail. nat. 7,34), die Ablage des Laichs (Aristot. hist. an. 5,15,546b 18–25), ihr schnelles Wachstum bis zu einem Gewicht von etwa 375 g und ihre Lebenszeit bis zu 6 J. (ebd. 547a 1–b 11; vgl. Plin. nat. 9,125 und 128), ihre Empfindlichkeit gegen Süßwasser und gegenseitiges Abweiden von Schalenbewuchs (Arist. hist. an. 9(8),20,603a 13–15; Plin. nat. 9,132: Köderung mit Muscheln). Den Fang in Reusen und die technische Zubereitung der roten Färbebrühe (Plin. nat. 9,133 f.) kannte man rund um das Mittelmeer (→ Purpur; → Farben). 70 Fangorte und Werkstätten sind bekannt. Bes. die Leber und Asche wurden in der Heilkunde gebraucht (Plin. nat. und Athen. 3,87e). Das kalkige Gehäuse wurde zu Zahnpulver verbrannt (Dioskurides 2,4 WELLMANN = BERENDES). Die Römer schreckten vor einer Mästung auch dieser Sch. nicht zurück (Lucil. 3,132; Colum. 8,16,7 mit Andeutung der Zucht auf schlammigem Untergrund, vgl. 3,15,1; Macr. Sat. 3,13,12). Purpurpergament und Purpurtinte kannte man erst in der Spätant. [1. 537 f.].

7. Eine andere für die → Purpur-Gewinnung wichtige Sch. (Murex brandaris L.) wurde nur teilweise von 6. sprachlich unterschieden (*murex*: Plin. nat. 5,12; 22,3); mit ihren harten und stacheligen Schalen wollte Cato [1] das röm. Forum pflastern (ebd. 19,24). Auch diese Sch. lieferte roten Farbstoff (u. a. Tib. 2,4,28; Hor. carm. 2,16,136; Ov. met. 1,332).

8. Στράβηλος/*strábēlos* (στρόβιλος: schol. Aristoph. Pax 864) oder στρόμβος/*strómbos* nannte man alle auf Sizilien und am Bosporus lebenden (Theokr. 9,25; Ail. nat. 7,32) kreiselförmigen Sch., die als Köder für Purpur-Sch. dienten (Aristot. part. an. 2,17,661a 21–23; Ail. nat. 7,34). Vom Genuß als Speise (Theokr. 9,27) riet Xenokrates (de alimentis 56) ab. Eine große indische Art erwähnen Ailianos (nat. 15,8) und Strabon (17,2,4).

9. Χοιρίνη/*choirínē*, die Porzellan-Sch. (Cypraea vitellus L.), deren Schalen den athenischen Richtern als Stimmsteine dienten (Aristoph. Equ. 1332 und schol.; Aristoph. Vesp. 333 und 349). Ihrer Gestalt wegen (vgl. Plaut. Rud. 704 *concha* = *cunnus*, das weibliche Genitale) waren sie ein erotisches Symbol (Hesych. s. v. θαλάσσιαι ψῆφοι/*thalássiai psḗphoi*), das man an Amulettketten trug [1. 542, Fig. 156].

Fast alle Sch. finden sich auf ant. Mz. und Gemmen (z. B. [2. Taf. 23,29; 24,42/43]).

1 KELLER 2, 519–545 2 F. IMHOOF-BLUMER, O. KELLER, Tier- und Pflanzenbilder auf Mz. und Gemmen des klass. Alt., 1889 (Ndr. 1972).

H. GOSSEN, A. STEIER, s. v. Sch., RE 2 A, 585–614. C. HÜ.

Schnellwaage (lat. *statera*, *campana*; καμπανός/*kampanós*, καμπανόν/*kampanón*). Als Sch. bezeichnet man die seit dem späten 1. Jh. v. Chr. in It. nachgewiesene und später im gesamten röm. Imperium verbreitete Form von Laufgewichtswaagen mit variablem Armlängenverhältnis. Die typische röm. Sch. und ihr mechanisches Prinzip wird in ihrer Frühzeit von Vitruvius beschrieben, der als damals gängige Bezeichnung *statera* (»Waage«; Vitr. 10,3,4) angibt, während Isidorus sie sehr viel später, um 600 n. Chr., *campana* nennt (Isid. orig. 16,25,6). Entsprechend heißt sie, was bisher kaum beachtet wurde, griech. in spätant.-byz. Zeit καμπανός/*kampanós*, καμπανόν/*kampanón*, καμπανάριον/*kampanárion*, mit dem Verb καμπανίζειν/*kampanízein* (»wägen«) und mit καμπανιστής/*kampanistḗs* (»Schwind-

Antike Schnellwaagen

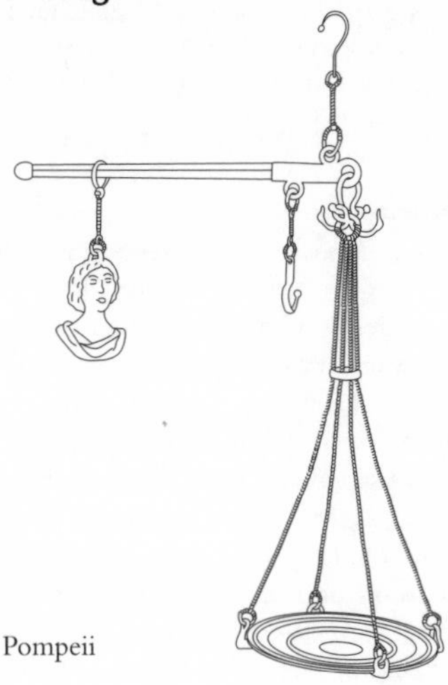

Abb. 1: Typus Pompeii

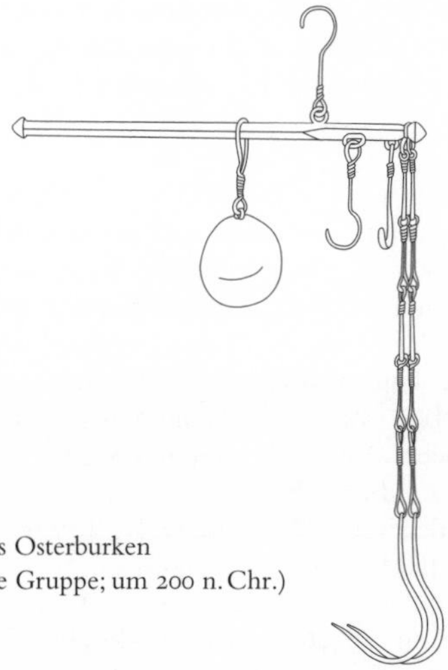

Abb. 2: Typus Osterburken
(frühe Gruppe; um 200 n. Chr.)

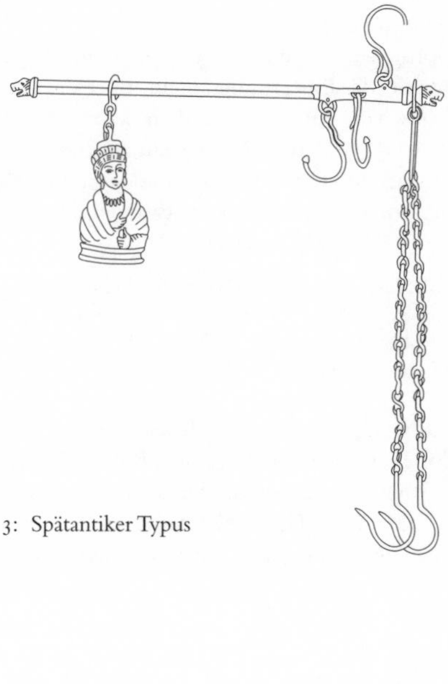

Abb. 3: Spätantiker Typus

ler/Betrüger«) [6. s.v.]. Der neben einigen Sonderformen [4; 5] weitaus gebräuchlichste Typ ist in verschiedenen Entwicklungsstufen bis über das 7. Jh. hinaus in vielen hunderten, meist nur unzureichend publizierten Expl. nachgewiesen. Bei ihm sind vor dem kompakter gestalteten Balkenende, an dem das Lastgeschirr hängt, in kleineren Abständen zwei, später drei versetzte Aufhängehaken bzw. -bügel (*ansae*) angebracht, so daß sich mehrere exzentrische Drehpunkte (*centra*) und damit Hebelverhältnisse bzw. Wägebereiche ergeben. An dem langen, gegenüber diesem variablen kurzen »Lastarm« um 45° gedrehten vierkantigen »Skalenarm« läßt sich mittels eines hängenden Laufgewichts (*aequipondium, vagum pondus*) jeweils der Gleichstand herstellen (Abb. 1–3). Das Wägeergebnis ist an Skalen abzulesen, die den jeweiligen Aufhängungen entsprechen und an verschiedenen Seiten des langen Arms eingraviert sind (*virga signata libris et unciis*: Isid. l.c.). Alle Geräte sind so ausgelegt, daß der Skalenarm nach links zeigt, d. h. daß man rechtshändig hantierte und das Laufgewicht mit der linken Hand verschob (*per puncta vagando perducere*: Vitr. l.c.). Die weitaus meisten Sch. waren aus Bronzelegierungen gefertigt; es wurden aber auch Sch. aus Eisen und aus Holz mit Metalltüllen hergestellt (in den nw Provinzen [1. 94–102; 4]).

Die Entstehungsgesch. der S. ist noch nicht ausreichend geklärt. Fest steht, daß diese außerordentlich erfolgreiche, in der Fabrikation anspruchsvolle technische Neuerung im ausgehenden 1. Jh. v. Chr. in It. in Gebrauch war und daß die Herstellungszentren der beiden verwandten frühen Typen in It. gelegen haben müssen, sicher auch in Campanien mit seiner florierenden Rotschmiedeindustrie, denn in Pompeii wurden viele Sch. eines dieser Typen gefunden (Abb. 1; vgl. die Bezeichnung *campana*; Isid. l.c. betrachtet Campanien als Ursprungsgebiet). In der folgenden Zeit sind Veränderungen in der Konstruktion sowie eine schnell wachsende Verbreitung festzustellen. Dabei müssen Produktionsstätten auch in den Prov., zunächst im Westen, entstanden sein. Die Haupttypen [1] lassen sich – mit Überschneidungen – in eine grobe zeitliche Abfolge bringen, ihre Herstellungszeit ist aber nur ungefähr zu ermitteln, zumal die einzelnen Geräte lange in Gebrauch bleiben konnten. Die Tendenzen sind deutlich zu erkennen: Die Typenvarianten nahmen zunächst zu, dann ging die Varianzbreite zurück. Die Aufhängebereiche wurden häufig auf drei erweitert, die Waagschale durch ein Kettenpaar mit Lasthaken in Form von Fleischerhaken verdrängt. Etwa seit der 2. H. des 2. Jh. n. Chr. setzten sich Sch. durch, bei denen die dritte Aufhängung an einer dritten Seite des Lastarms angebracht war und die dementsprechend eine frei bewegliche, drehende Aufhängung des Lastgeschirrs erforderten (Abb. 2). Diese Bauart wurde weiter perfektioniert, bis die Sch. in der Spätant. ihre vollkommenste, dann lange kanonische Form mit einer perfekten Beweglichkeit aller Elemente erhielt (Abb. 3). Die bes. zahlreich erhaltenen spätant. S. [1; 3; 7] sind von solcher Einheitlichkeit, daß man spätestens bei ihnen an eine staatliche Regie bei der Fabrikation denken muß, zumal die Laufgewichte großer Sch. aus dem Osten häufig als Büsten von Kaiserinnen gestaltet sind.

Die Wägebereiche der Sch. beginnen bei 1 → *libra* oder darunter; die Skalen der verschiedenen Seiten überlappen sich meist. Markiert wurden im leichtesten Bereich → *unciae* (durch Punkte oder Kerben), halbe röm. Pfunde (kleine Striche, oft mit Punkten) und die Pfunde (ganze Striche). Bei der zweiten Skala fallen die Unzen meist weg, bei der dritten für die schwersten Lasten auch die halben Pfunde. Mit röm. Zahlzeichen sind meist der Skalenbeginn und mindestens die Fünfer- und Zehnerschritte der Pfunde markiert. Griech. Zahlzeichen werden bei spätant. Sch. aus dem Osten verwendet. Mit Sch. konnten erstaunlich große Lasten gewogen werden, z.B. mit einer frühen Sch. mit zwei Aufhängungen bis 26 *librae*/ca. 8,5 kg (L 28 cm), mit einer vom Typ wie Abb. 2 bis 77 Pfund/ca. 25,2 kg (L 24 cm; unpubl.), mit spätant. Sch. von 30 bis 45 cm L max. um 50 bis 100 Pfund/ca. 16,4 bis 32,8 kg [3. 220]. Daß Beschädigungen durch Abnutzung und Materialermüdung häufig vorgekommen sein müssen, zeigen Reparaturen sowie die zahlreichen Bruchstücke im Fundgut.

Die Tendenz zur Erschließung größerer Wägebereiche erreichte im 5.–7. Jh. im Osten mit Groß-Sch. [3; 7] den Höhepunkt, bei denen man dann wieder zu zwei Aufhängungen zurückkehrte (größtes bekanntes Expl. bei 1,46 m L für max. 400 *librae*/ca. 131 kg). Die Laufgewichte waren bis ins 2. Jh. und wieder in der Spätant. oft als Büsten gestaltet (Hohlguß mit Bleifüllung; Corpus [2]), meist aber kugelig, eichel- oder zwiebelförmig mit vielen Varianten, oft aus Blei mit einem Mantel aus Bronzeblech. Zierelemente finden sich bei den Sch. selbst nur in bescheidenem Maß; frühbyz. Groß-Sch. sind dann an beiden Enden mit Tierkopftüllen (Eber, Löwin) ausgestattet [7]. Eich-Inschr. sind äußerst selten [3. 220, 211; vgl. 1. 75], griech., meist mit Kreuzzeichen versehene Besitzer-Inschr. in der spätant.-frühbyz. Zeit häufig [3; 7].

Der Siegeszug der Sch. erklärt sich durch die einfache, schnelle Handhabung und das große Wiegespektrum. Die Sch. haben die gleicharmigen Waagen nicht ersetzt, aber in vielen Anwendungsbereichen (nachgewiesen u.a. auf Märkten, in Läden, bei Metzgern, auf Schiffen, in Militärlagern, später auch in Kirchenbesitz) sind sie offenbar zu einem Rückgrat des Wirtschaftslebens in der Prinzipatszeit und v.a. in der Spätant. geworden. Ihre große Fernwirkung reicht bis weit in die Neuzeit hinein und in östlichen Kulturkreisen bis in die neueste Zeit.

→ Waage

1 N. Franken, Zur Typologie ant. Sch., in: BJ 193, 1993, 69–120 2 Ders., Aequipondia. Figürliche Laufgewichte röm. und frühbyz. Sch., 1994 3 J. Garbsch, Wagen oder Waagen?, in: Bayer. Vorgeschichtsblätter 53, 1988, 201–222 4 H. R. Jenemann, Zur Gesch. der Waagen mit variablem Armlängenverhältnis im Alt., in: TZ 52, 1989, 319–352 5 E. Michon, s.v. Libra, DS 3, 1225–1229 6 E. A. Sophocles, Greek Lexicon of the Roman and Byzantine Periods, 1914 7 D. Stutzinger, Zwei spätant. Sch., in: E. Dassmann (Hrsg.), Tesserae. FS J. Engemann, 1991, 304–328. P.W.

Schoineus

(Σχοινεύς, lat. *Schoeneus*; vgl. σχοῖνος, »Binse«).

[1] Sohn des → Athamas und der → Themisto, der Tochter des → Hypseus; Bruder von → Leukon [1], Erythrios und Ptoos/Ptoios (Herodoros FGrH 31 F 38; Apollod. 1,84; Nonn. Dion. 9,312–321; Tzetz. ad Lykophr. 22, z.T. mit Namensvarianten). Vater sowohl der boiotischen als auch der arkadischen → Atalante (Hes. fr. 72,9f.; 75,12–15; 76,9 M.-W.; Apollod. 1,68; 1,112; 3,109; Hyg. fab. 173; 185; 244; Ov. met. 10,609; 10,660 u.ö.) und des → Klymenos [6] (Hyg. fab. 206; 238; 242; 246). Entsprechend Eponym der boiotischen Stadt Schoinos (schol. und Eust. ad Hom. Il. 2,497) wie der arkadischen Stadt → Schoinus [4] (Paus. 8,35,10; Steph. Byz., s.v. Σχοινοῦς) und des boiot. Flusses Schoinus [1] (Herodian. de prosodia catholica 10, p. 241,22f. Lentz; Steph. Byz. l.c. = Tryphon, fr. 84 de Velsen).

A. Nercessian, s.v. S., LIMC 7.1, 703 • J. Zwicker, s.v. S. [1], RE 2 A, 616.

[2] Sohn des Autonoos und der → Hippodameia [6], Bruder des Erodios, → Anthos, der → Akanthis und des Akanthos. Nachdem Anthos von den rasenden Stuten seines Vaters zerrissen wurde, verwandeln → Zeus und → Apollon aus Mitleid die ganze trauernde Familie in Vögel. S. wird in den (unbekannten) Vogel gleichen Namens verwandelt (Antoninus Liberalis 7; vgl. Hesych. s.v. Σχοίνικος).

[3] Pflegevater des → Orestes [1] (Ioannes Antiochenus FHG 4,551, fr. 25). SI.A.

Schoinos (σχοῖνος, »Binse«). Nach Hdt. 2,6 ein äg. Längenmaß, das 60 Stadien (→ Stadion [1]) entspricht, laut Strab. 17,1,24 und 41 aber variiert es je nach Ort zw. 30 und 120 Stadien. Die äg. Entsprechung *jtrw* ist ein nach örtlichen Gegebenheiten unterschiedliches Wegemaß, das die Entfernung angibt, über die eine Treidelmannschaft ein Schiff ziehen kann. Als Durchschnittswert werden meist 10,5 km angenommen. Der Name *s.* ist durch eine etym. Mißdeutung entstanden: Das äg. *jtrw* hat sich durch Lautwandel dem Wort für »Binse« (u.ä.) (*ἰ3rw*) angeglichen.

1 A. B. Lloyd, Herodotus, Book II, Commentary 1–98, 1976, 43–45 2 A. Schwab-Schlott, Die Ausmaße Äg.s nach altäg. Texten, 1981, 101–136 3 F. Hultsch, Griech. und röm. Metrologie, ²1882, 362–366. K.J.-W.

Schoinus (Σχοινοῦς, wörtlich »Binsen«).

[1] Fluß im Gebiet von Theben in Boiotia (Σχοινεύς bei Steph. Byz. s.v. Σχοινοῦς; Stat. Theb. 7,268; Nonn. Dion. 13,63; Nik. Ther. 889), der durch die Land- bzw. Ortschaft Schoinos (ca. 9 km von Thebai; h. Muriki) floß (Strab. 9,2,22 bzw. Hom. Il. 2,497) und in die Trephia Limne (h. Limni Paralimni) mündete. Nach Steph. Byz. l.c. leitete man S. von einem der Söhne des thebanischen Heros → Athamas ab.

FOSSEY, 229–232.

[2] Berggipfel im Grenzgebiet zw. Korinthos und Epidauros. Inschr.: IG IV² 1, 71, Z. 24f.

J. WISEMAN, The Land of the Ancient Corinthians, 1978, 138. K.F.

[3] Hafenort (Strab. 8,6,4; 6,22; 9,1,2; Ptol. 3,16,13; Plin. nat. 4,23) an der Ostküste des Isthmos von Korinthos im NW des → Saronikos Kolpos, nicht weit westl. des h. Kalamakion; wenige ant. Überreste.

PHILIPPSON/KIRSTEN 3, 73. A.KÜ.

[4] Örtlichkeit in der Ebene Polos südl. von → Methydrion in der nördl. Arkadia, genaue Lage unbekannt. Quellen: Paus. 8,35,10; Eust. ad Hom. Il. 265,20; Steph. Byz. s.v. Σ.

E. CURTIUS, Peloponnesos 1, 1851, 308f., 340 • N.D. PAPACHATZIS, Παυσανίου Ελλάδος Περιήγησις 4, 1980, 325f. H.LO.

Schola, entlehnt von griech. *scholḗ* (σχολή), erstmals belegt bei Lucil. 756, bezeichnet allg. die → Muße, Ruhe von der Arbeit (Begriffsdefinition bei Fest. 470 L.) und daher a) eine gelehrte Abhandlung, Unterredung oder Vorlesung (etwa Cic. Tusc. 1,8), b) den Ort, wo Lehrer und Schüler zusammenkommen, die → Schule (Mart. 1,35,2) und c) die Anhänger eines Lehrers oder Lehrsystems, eine Schulrichtung (Plin. nat. 20,85). Der Aspekt der Muße und Erholung hat sich teilweise auch in folgenden Bed. des t.t. *s.* der röm. Architektur erhalten:

[1] Laut Vitr. 5,10,4 waren *scholae* die in → Thermen üblichen apsisartigen Nischen, in denen man sich vor und nach dem Bad im Wasserbecken aufhielt.

[2] Als lokalspezifische Besonderheit → Pompeiis wurden nach inschr. Belegen (CIL 10,831) halbkreisförmige Sitzbänke als *s.* bezeichnet, die v.a. an Gräberstraßen, aber auch in Heiligtümern (Forum Triangolare, Liber-Pater-Heiligtum bei S. Abbondio) errichtet wurden. Ein typologisch verwandter Grabbau liegt an der Porta Marina in Ostia [5. 167 mit Abb. 81]. Überwiegend in augusteische bis tiberische Zeit zu datieren, fungierten die teilweise als → Kenotaphion konzipierten Grabstätten als städtisch finanzierte Ehrenmale für Magistrate und deren Angehörige.

[3] Laut Plin. nat. 35,114 und 36,22 fungierte ein als *s.* bezeichneter Saal in der Porticus Octaviae in Rom als öffentliche Statuen- und Gemäldegalerie. Diese ist wahrscheinlich identisch mit der *curia Octaviae* (Plin. nat. 36,28), in der unter Tiberius der Senat zusammentrat (Cass. Dio 55,8).

[4] Vereinsgebäude, primär zur Mitgliederversammlung und zum gemeinsamen Mahl genutzt (→ Vereine). Obwohl meist als *s.* bezeichnet (z.B. CIL 14,285; 11,2702; 8,2554; 6,10231), sind auch andere Termini wie → *templum, aedes, statio, curia* (→ *curiae*), *basilica* oder *tetrastylum* belegt (CIL 6,647; 10,6483; AE 1940,62; CIL 5,5447; 6,10295; 6,33885; zur Terminologie [1. 47]). *S.* sind auf ital. Boden – und dort primär in Campanien, Rom und Ostia – erst seit dem 1. Jh. v. Chr. arch. identifizierbar. In der Republik dürften, wie kaiserzeitliche Belege nahelegen (Suet. Claud. 33; Liv. 9,30,5ff.; CIL 6,2086; 6,2104; pompeianische Graffiti erweisen Schenken als Treffpunkt der *fullones*, »Walker«, und *librarii*, »Buchhändler« [1. 161]), neben temporär angemieteten → *tabernae* oder öffentlich-städtischen Gebäuden und Tempeln v.a. die Privathäuser der Patrone und *magistri* (»Vorsteher«) oder reihum der einzelnen Mitglieder als Treffpunkt gedient haben ([12; 14. 639ff.]; vgl. etwa den Bankettsaal in der Mysterienvilla in Pompeii). In Griechenland sind seit dem Hell. Vereinsgebäude nachweisbar, die meist als Peristylhäuser gestaltet sind und bisweilen Vorgängerbauten kaiserzeitlicher *s.* darstellen (zu hell. Vereinsgebäuden in Pergamon [15]; zum Poseidoniastenhaus und den dem Serapeum A und B zugeordneten *koiná* in Delos [11. 196–213]; zum hell. Vorgängerbau des Iobacchenlokals in Athen [13]).

Entsprechend ihrer Multifunktionalität prägten die *s.* die unterschiedlichsten Raumformen aus (zur Typologie [1. 58–122]), von einfachen *tabernae* (etwa beim Amphitheater in Puteoli) und Saalbauten (*s.* der *mensores frumentarii* und del Filosofo in Ostia) bis zu prunkvollen Peristylhäusern (*s.* der *fabri tignuarii* in Ostia) und Tempelanlagen (*s.* der *fabri navales*, Vereinstempel der *fabri tignuarii* in Ostia). Die permanente und transportable Zweckausstattung der Gebäude läßt sich aus Inschr. und arch. Befunden rekonstruieren: Altäre, Nischen und → Aediculae (Augustalenbau in Herculaneum und Ostia) oder Podientempel belegen die regelmäßige Durchführung von Opfern und Kulthandlungen inklusive der Bestattungsfürsorge (CIL 10,6483; 5,7906). Bänke, Sitze und Klinen oder gemauerte Triklinien wurden für Bankette und Gedenkmähler genutzt (*s.* der *fabri tignuarii* in Ostia; Trikliniengebäude in der Contrada Murecine bei Pompeii); Lampen und Kandelaber sowie Maße, Waagen und Gewichte ermöglichten die Raumbeleuchtung und die Verteilung der Essens- und Getränkeportionen (CIL 6,832; 10237; 10,114). Hinzu treten häufig Brunnen und Wasserbecken (CIL 6,10237; *s.* der *fabri tignuarii*, der *mensores frumentarii*/Ostia), vereinzelt Küchen (CIL 3,7960) und Latrinen (*s.* der *mensores frumentarii*, der *fabri tignuarii*, der *stuppatores*, Traians-*S.* in Ostia) sowie Mietstabernen, Speicher (Serapeum in Ostia) und vereinseigene Thermen ([2]; Thermen der *cisarii* in Ostia [9. 157ff.], der → *Arvales* in Rom [14. 144ff.]).

Aus den zahlreichen Kaiserbildnissen in *s.* läßt sich auf die große Bed. des → Kaiserkultes im Vereinswesen schließen ([1. 138–145]; AE 1940,62 zu einer *s.* in Ostia; Augustalenheiligtum in Misenum). Götterstatuen können gleichermaßen dekorativen wie kultischen Charakter haben [13; 1. 145–152]. Ehrenstatuen und -inschr.

(Ärzte-*s.* in Velia), Bodenmosaiken, Marmorinkrustationen und Wandmalereien (Trikliniengebäude bei Pompeii) sowie prunkvolle Eingangsfassaden (*s.* des Traian, Vereinstempel der *fabri tignuarii* in Ostia) zeugen vom Repräsentationswillen und der städtischen Konkurrenz der Vereine, die ihre Gebäude bevorzugt an belebten Hauptstraßen und Verkehrsknotenpunkten errichteten (*s.* der *fabri tignuarii*, der *mensores frumentarii* in Ostia).

Die Blütezeit dieser *s.* liegt im 1. und v.a. im 2. Jh. n. Chr., als in → Ostia als Konsequenz des Hafenausbaus zahlreiche Vereinshäuser entstanden [4. 55–121; 9; 2]. Das 3. und 4. Jh. bildet dagegen bereits die Spätphase der Vereinsbauten, die im Zuge der Wirtschaftskrise im 3. Jh. an Bed. verloren. Die um- und neugebauten spätant. *s.* des 4. Jh. n. Chr. weisen oft Einflüsse der zeitgenössischen Wohnhäuser auf (Traians-*s.* und Augustalensitz in Ostia) und sind deshalb von diesen nicht immer eindeutig zu scheiden. Die inschr. belegten *s.* in → Nekropolen (z.B. CIL 6,10237; 10294) konnten bisher nur in Ausnahmefällen arch. nachgewiesen werden (z.B. in den → Katakomben von S. Sebastiano: [6. 14–113]). Andere Vereinsgebäude in der Peripherie Roms (*s.* der → *sodales Serrenses*, des *collegium Aesculapi et Hygieiae*, des Silvanus: [1. 238f., 248ff., 266ff.]) dienten – entgegen der älteren Forsch. – nicht ausschließlich, sondern nur unter anderem der Begräbnisfürsorge, daneben der Pflege von Mahlgemeinschaft und Kultvollzug.

[5] Nach Iohannes Diaconus (vita Gregorii 2,6) wurde von Papst Gregorius [3] d.Gr. (Amtszeit 590–604 n. Chr.) die *s. cantorum* als Sängerschule gegr. und die Chorknaben in zwei Häusern bei der Petrusbasilika und dem Lateran untergebracht [7. 285f.]. Im Gottesdienst stand der Chor während des Einzugs des Bischofs und der Gesänge in dem – bisweilen seitlich abgeschrankten und durch das Bodenmosaik hervorgehobenen (S. Clemente Unterkirche, S. Marco, S. Pietro in Vincoli, vgl. [10. 73f.]; zur Basilica Ursiana in Ravenna [3. 132ff.]) – Gang zw. Altar im Mittelschiff und Apsis (Ordo 1, 49; Ordo 4, 37; zur → Liturgie in Rom und Ravenna [3. 120–139; 6]). Daher wird dieser Teil der Basilika in der arch. Forsch.-Lit. in Parallelisierung zum byz. Terminus σολέα/σολαία (*soléa, solaía*, Theophanes Homologetes 681,18; Niketas von Paphlagonia 536 D) ebenfalls als *s.* bezeichnet [10. Abb. 1].

→ Basilika; Collegium [1]; Grabbauten; Scholae Palatinae; Schule; Vereine

1 B. Bollmann, Röm. Vereinshäuser. Unt. zu den S. der röm. Berufs-, Kult- und Augustalen-Kollegien in It., 1998
2 U. Egelhaaf-Gaiser, Religionsästhetik und Raumordnung am Beispiel der Vereinsgebäude von Ostia, in: Dies., A. Schäfer (Hrsg.), Raum und Gruppe. Rel. Vereine in der röm. Ant., 2001 (im Druck) 3 K. Gamber, Liturgie und Kirchenbau. Stud. zur Gesch. der Meßfeier und des Gotteshauses in der Frühzeit, 1976
4 G. Hermansen, Ostia. Aspects of Roman City Life, 1981
5 H. von Hesberg, Röm. Grabbauten, 1992, 164–170
6 E. Jastrzebowska, Unt. zum christl. Totenmahl aufgrund der Monumente des 3. und 4. Jh. unter der Basilika des Hl. Sebastian in Rom, 1981 7 E. Josi, Lectores, schola cantorum, clerici, in: Ephemerides liturgicae 44, 1930, 281–290 8 V. Kockel, Die Grabbauten vor dem Herkulaner Tor in Pompeji, 1983 9 R. Mar, Santuarios e inversion inmobilaria en la urbanística ostiense del siglo II, in: A. Gallina Zevi, A. Claridge (Hrsg.), »Roman Ostia« Revisited. Gedenkschrift R. Meiggs, 1996, 115–164
10 Th.F. Mathews, An Early Roman Channel Arrangement and Its Liturgical Functions, in: RACr 38, 1962, 73–95 11 H. B. McLean, The Place of Cult in Voluntary Associations and Christian Churches on Delos, in: J. S. Kloppenborg, S. G. Wilson (Hrsg.), Voluntary Associations in the Graeco-Roman World, 1996, 186–225
12 J. Rüpke, Collegia sacerdotum. Rel. Vereine in der Oberschicht, in: s. [2] 13 A. Schäfer, Raumnutzung und Raumwahrnehmung im Vereinslokal der Iobakchen von Athen, in: s. [2] 14 J. Scheid, Romulus et ses frères. Le collège des Frères Arvales, modèle du culte public dans la Rome des empereurs, 1990 15 H. Schwarzer, Vereinslokale im hell. und röm. Pergamon, in: s. [2]. UL. EG.-G.

Scholae Palatinae. Berittene Gardetruppen im Dienst der röm. Kaiser seit Constantinus [1] I., gemäß der → *Notitia dignitatum* fünf Regimenter im Westen und sieben im Osten des Reiches zu je 500 Mann, anfangs meist germanischer Herkunft, die insgesamt nicht zum Reichsheer gehörten, sondern dem → *magister officiorum* unterstanden und von je einem Tribunen befehligt wurden [2]. Aber bereits seit Kaiser → Zenon wurden die *S. P.* nur noch als Paradetruppen im Hofzeremoniell verwendet, und ihre Rolle als Schutzgarde des Kaisers wurde faktisch von der damals entstandenen kleineren, nur 300 Mann umfassenden, aber zuverlässigeren Garde der *excubitores* übernommen. Iustinianus [1] I. gliederte die *S. P.* dem Reichsheer ein; sie behielten jedoch manche ihrer Privilegien [2. 119–130]. Seit dem späteren 6. Jh. n. Chr. unterstanden sie einem → *comes domesticorum*, der bereits seit dem 4. Jh. gelegentlich im Zusammenhang mit ihnen erwähnt wird; doch blieb der *magister officiorum* ihr oberster Vorgesetzter [2. 142–150], bis Constantinus [7] V. sie im Rahmen einer Heeresreform zu einem sog. *tágma*, einem direkt dem Kaiser zur Verfügung stehenden schlagkräftigen Feldheer, umwandelte und einem hochrangigen General, dem *doméstikos tōn scholṓn*, erstmals erwähnt 767, unterstellte; in dieser Form bestanden die *S. P.* bis zum späteren 11. Jh. weiter [3. 228–235; 4. 73–92].

1 A. Kazhdan, s. v. S. P., ODB 3, 1851f. 2 R. I. Frank, S. P., 1969 3 J. F. Haldon, Byzantine Praetorians, 1984 4 H.-J. Kühn, Die byz. Armee im 10. und 11. Jh., 1991. F.T.

Scholastikos (σχολαστικός).

[1] *S.* (wörtlich etwa: der »Schulgelehrte«) ist im röm. Verfahrensrecht der Spätant. der Sachwalter einer Partei, ein später Nachfolger des → *causidicus* mit einigen formal-rhet., aber auch juristischen Kenntnissen.

M. Kaser, K. Hackl, Das röm. Zivilprozeßrecht, ²1996, 563. G.S.

[2] (lat. *Scholasticus* oder *Scholasticius*), Palastbeamter in Konstantinopolis, erstmals 422 n. Chr. bezeugt. Gemäß den Akten des Konzils von Ephesos 431 war er als *kubikulários* (→ *cubicularius*, »kaiserl. Kämmerer«) einer der Hofeunuchen; er starb bald nach dem Konzil. Seinen Ruf als frommer Christ verdankte er zweifellos Bischof Kyrillos [2] von Alexandreia, denn dieser gab ihm für die Unterstützung seines theol. Konzeptes hohe Bestechungsgelder, die in S.' Nachlaß dokumentiert waren.
PLRE 2, 982, Nr. 1. F. T.

Schole s. Nachträge in Band 12/2

Scholia Bembina. Ca. 1500 marginale und interlineare → Scholien in der Terenz-Hs. (→ Terentius) des Codex Bembinus (4./5. Jh., Vat. lat. 3226), zu allen Terenz-Komödien außer der *Hecyra*. Die S. B. sind aus paläographischen Gründen ins 6. Jh. zu datieren und lassen sich zwei Schreibern zuweisen, die ungefähr um ein halbes Jh. zu trennen sind [1. 4]. Sie wurden wahrscheinlich nicht direkt aus einem ausführlichen Terenz-Komm. kompiliert, sondern gehen auf Randnotizen in älteren Terenz-Hss. zurück ([1. 117]: nur eine Vorlage; ablehnend: [4. 343–347]). Inhaltlich läßt sich zumindest für Teile der S. B. (v. a. zu Ter. Phorm. 1–59) ein enger Bezug zum Terenz-Komm. des → Donatus [3] (in einer ausführlicheren Fassung als der h. erh., vgl. [4. 347–353]) feststellen, der als Quelle gedient haben dürfte [3].

Ed.: **1** J. F. Mountford, 1934 (Ndr. 1969) **2** S. Prete, 1970.
Lit.: **3** E. Löfstedt, Die Bembinusschol. und Donatus, in: Eranos 12, 1912, 43–63 **4** J. E. G. Zetzel, On the History of Latin Scholia, in: HSPh 79, 1975, 335–354. B. BR.

Scholien (τὰ σχόλια, lat. *scholia*). Der Sg. σχόλιον (*schólion*), Diminutiv zu σχολή (*scholḗ*, → »Muße«), erscheint zuerst im Sinne von »gelehrter Diskussion« (Cic. Att. 16,7,3); später »Notiz« zu einem Autor (Marinos, Vita Procli 27), dann »Randbemerkung« (Anastasios Sinaïtes, Viae Dux 3,1,1–3; 24,134–136). Sch. sind daher exegetische Anmerkungen, die neben den Text an den Rand ma. → Handschriften geschrieben wurden und seit dem 6. Jh. n. Chr. bezeugt sind.

I. Griechisch II. Lateinisch

I. Griechisch
A. Allgemein
B. Archaische und klassische Literatur
C. Hellenistische und kaiserzeitliche Literatur D. Ausblick

A. Allgemein
Zu einer Anzahl griech. Autoren sind Sch. überl. Sie wurden aus ant. → Kommentaren exzerpiert, die in der Regel nicht erh. sind (abgesehen von einigen Resten auf → Papyrus; → *hypómnēma*). In mod. Textausgaben sind Sch. als Komm. abgedruckt, ggf. mit rekonstruierten Lemmata (Stichwörtern, auf die sich die Erklärungen jeweils beziehen). Der Übertragungsprozeß vom Komm. zu Sch. war (mit wenigen Ausnahmen) im 5.–6. Jh. n. Chr. abgeschlossen [1; 2. Bd. 2, 547; 3. 96–97]. Sch. variieren stark in der Qualität ihrer Text-Trad. und dementsprechend in ihrer Bed. für die Forsch. Im günstigsten Fall bewahren sie ant. Textvarianten, die in der ma. Text-Überl. verlorengingen, sowie Reste der ant. Textexegese, Textkritik oder Literaturkritik; im schlimmsten Fall tradieren sie falsche ant. Schlußfolgerungen (gewonnen z. B. aus dem Kontext oder aus homerischem Wortgebrauch [4]). Glossen (→ Glossographie) sind Begriffsdefinitionen, die auch in alphabetischer Reihenfolge (wie in einem Lexikon) geordnet sein können – nicht entsprechend der Wortfolge eines bestimmten Texts. Die Grenze zwischen Glossen und Sch. ist fließend, insofern Glossen ebenfalls aus Glossarien exzerpiert und an den Textrand als Sch. geschrieben sein können.

Mod. wiss. Sch.-Ausgaben, die auf systematischer Rezension und Hss.-Analyse beruhen und die Sch.-Texte nach ihren Quellen klassifizieren, sind selten. Oft sind wir noch auf Ausgaben angewiesen, welche die Sch. nur durch die Siglen der Manuskripte differenzieren, ohne Unt. der einzelnen Überl.-Stränge, so daß Überbleibsel antiker *hypomnḗmata* neben rhet. Analysen aus der röm. Kaiserzeit oder elementaren Erläuterungen für den byz. Schulunterricht stehen [5]. Im folgenden sind die wichtigsten Entwicklungen der mod. Sch.-Forschung seit Gudeman [6] (1921) zusammengefaßt.

B. Archaische und klassische Literatur
Bahnbrechend war die monumentale und detaillierte Ausgabe der Ilias-Sch. durch H. Erbse [2] ab 1969: Sie weckte das Interesse an den Homerstudien zahlreicher ant. Philologen [7–11] und Autoren [12–14]; die sog. *Scholia minora* (Vorläufer der D-Sch.) wurden auf der Grundlage von ma. Hss. und von Papyri ediert ([15; 16]; gelegentliche Erweiterungen seitdem z. B. in [17]; eine neue Ausgabe der D-Sch. zur Ilias sowie der Odyssee-Sch. bleibt ein Desiderat). In begrenzterem Umfang bieten auch die Hesiod-Sch. einen Zugang zu ant. Gelehrsamkeit (z. B. des Aristarchos [4]). Die Sch. zu Hesiods ›Werken und Tagen‹ beruhen zum Teil auf einem *hypómnēma* des Proklos [2], der verm. gelehrtes Material aus Plutarchos [2] entlehnte; die Sch. zur ›Theogonie‹ sind jedoch minderwertig. Kritische Ausgaben der Hesiod-Sch.: [18; 19]; eine Neuausgabe der Sch. des Iohannes → Tzetzes muß [20] erst ersetzen. Unter den lyrischen Dichtern sind die Pindaros-Sch. das größte Corpus (neben [21] jetzt [22]).

Ein gewisser Fortschritt ist für die Tragiker zu verzeichnen (Aischylos-Sch.: [23; 24]). Die hohe Qualität der Sophokles-Sch. wurde schon lange erkannt, bes. derjenigen zu Soph. Oid. K. [25], in denen der Komm. des Didymos [1] Chalkenteros mit relativ wenigen Kürzungen übernommen wurde; vgl. [26] zu Quellen und Gesch. dieser Slg., einer Mischung von Komm. des Didymos, Pius (2. Jh. n. Chr.) und Salustios (4./5. Jh.

n. Chr.), daneben Herodianos, *Scholia minora*, das Lex. des Diogenianos. Byzantinische Sch. zu Soph. Oid. T.: [27]. Neues Material zu Euripides wurde kürzlich veröffentlicht, vgl. bes. [28. 108–110] (Sch. im Jerusalemer Palimpsest). Zur byz. Trias [29] liegt jetzt eine Slg. metrischer Sch. vor, dazu eine Unt. zur Trad. der palaiologischen Sch. [30]. Bei den exegetischen Sch. zu Euripides' ›Phoinikierinnen‹ (enthalten in den Mss. Parma 154, Mitte 14. Jh., und Modena α.U.9.22, Mitte 15. Jh.) fand [31] Elemente ganz unterschiedlicher Herkunft (→ Moschopulos, Thomas Magistros, → Demetrios [43] Triklinios u. a.)

Die Aristophanes-Sch. bilden ein ungewöhnlich reichhaltiges und wichtiges Corpus. Da die → Suda eine Anzahl davon übernommen hat, brachte die Neu-Ed. dieses Lex. [32] Klarheit in einen Teil der Überl. Zudem haben wir nun Sch. zu zahlreichen Stücken in [33], einer paläographisch detaillierten Ausgabe, welche byz. und ältere Sch. sorgfältig voneinander trennt. [34] bleibt für die Quellen von grundlegender Bed.

Die Sch. zu den attischen Prosaautoren sind seit 1921 bemerkenswert vorangeschritten; es gibt neue Ed. der Sch. zu Thukydides, Platon [1], Demosthenes [2] (zu den Quellen: [39]) und Aischines (vgl. [35–38]); zu Isokrates aber immer noch [40].

C. Hellenistische und kaiserzeitliche Literatur

Da die hell. Dichter in den letzten Jahrzehnten stark an Interesse der Forsch. und an Wertschätzung gewonnen haben, hat auch die Unt. ihrer Sch. große Fortschritte gemacht, bes. dank der Arbeiten von [41–44] (kritische Ausgaben der Sch. zu Theokritos und Apollonios [2] von Rhodos mit detaillierter Unt. zur Überl.). [45] enthält die geringen scholiastischen Reste zu Kallimachos [3]. Zu den Aratos-Sch.: [46]; Nikandros-Sch.: [47; 48]; Index zu Tzetzes' Sch. zu Lykophron [49; 50]. Wie im Fall Homers führte eine bessere Kenntnis der Sch. zur alexandrinischen Dichtung zu einer näheren Beschäftigung mit den ant. Philologen, deren Gelehrsamkeit sie tradieren; daraus ergab sich die Neu-Ed. des augusteischen Grammatikers Theon von Alexandreia (ohne Berücksichtigung der Papyruszeugnisse [51]).

Gudemans [6] Ausschluß mancher Sch.-Slgg. als nicht der klass. griech. Lit. zugehörig ist nicht mehr zu rechtfertigen. Diejenigen zu Dionysios [17] Thrax haben eine gute Ed. erfahren [52]; sie enthalten wertvolle Reste ant. Sprachtheorie [53. 19]. An den Sch. zu Lukianos ist der beleidigende Umgang mit diesem Autor bemerkenswert [54. 336]; ihre Quellen wurden durch [55] geklärt. Erh. sind auch Sch. zu Marcus [2] Aurelius [56], Ailios Aristeides [57], Maximos [1] von Tyros [58], Pausanias [59], Oppianos' *Halieutiká* [60–62], zu den Rhetorikern Aphthonios [63] und Hermogenes [64], zu Gregorios [3] von Nazianz [65; 66] und Oreibasios [67].

D. Ausblick

Obwohl seit 1921 ein bemerkenswerter Fortschritt bei der Ed. griechischer Sch. erzielt wurde, bleibt noch viel zu tun. In einigen Überl.-Strängen (etwa zu Aristophanes, Demosthenes) wurden Erklärungen, die sich als ma. Sch. ausgaben, erst vor kurzem als aus der Renaissance stammend entlarvt. Hinzu kommt, daß die Unt. ant. Sch.-Gelehrsamkeit und anderer philol. Bereiche einander wechselseitig bedingen: So gehen etwa Fortschritte in der ant. Lexikographie und in der Analyse von Sch. Hand in Hand (vgl. oben die Aristophanes-Sch.). Abgesehen von weiteren Textausgaben und Quellenstudien wird die künftige Sch.-Forsch. verm. der Rezeption alexandrinischer Gelehrsamkeit bei griech. und lat. Autoren nachgehen. Die Erkenntnisse alexandrinischer Philologen haben z. B. Horaz' *imitatio* des Pindaros beeinflußt [14. 280–281 = 158–160]. Hier ist viel Raum für zukünftige Forschung.

→ Glossographie; Hypomnema; Kommentar; Lexikographie; Philologie; Philologische Methoden

(Scholia = Sa.)

Allg.: **1** N. G. Wilson, A Chapter in the History of Sa., in: CQ 61, 1967, 244–256 **2** H. Erbse (ed.), Sa. Graeca in Homeri Iliadem (Sa. Vetera), 7 Bde., 1969–1988
3 K. Dover (ed.), Aristophanes, Frogs, 1993
4 M. R. Lefkowitz, The Influential Fictions in the Sa. to Pindar's Pythian 8, in: CPh 70, 1975, 173–185
5 N. G. Wilson, Scoliasti e commentatori, in: Studi classici ed orientali 33, 1983, 83–112 **6** A. Gudeman, s. v. Sch., RE 2 A, 625–705.

Sch. zu archa. und klass. Lit.: **7** M. Schmidt, Die Erklärungen zum Weltbild Homers und zur Kultur der Heroenzeit in den bT-Sch. zur Ilias, 1976 **8** K. Nickau, Unt. zur textkritischen Methode des Zenodotos von Ephesos, 1977 **9** H.-L. Barth (ed.), Die Fr. aus den Schriften des Grammatikers Kallistratos zu Homers Ilias und Odyssee, Diss. Bonn 1984 **10** W. J. Slater (ed.), Aristophanis Byzantii Fragmenta, 1986 **11** D. Lührs, Unt. zu den Athetesen in der Ilias und zu ihrer Behandlung im Corpus der exegetischen Sch., 1992 **12** R. Schlunk, The Homeric Sa. and the Aeneid, 1974
13 T. Schmidt-Neuerburg, Vergils Aeneis und die ant. Homerexegese, 1999 **14** M. R. Lefkowitz, The Pindar Sa., in: AJPh 106, 1985, 269–282 (=Dies., First-Person-Fictions, 1991, Kap. 6) **15** V. de Marco (ed.), Sa. Minora in Homeri Iliadem, Bd. 1.1, 1946 **16** A. Henrichs, Sa. minora zu Homer, in: ZPE 7, 1971, 97–149, 229–260; 8, 1971, 1–12; 12, 1972, 17–43 **17** S. Daris, Sa. minora al libro I dell' Iliade (P. Palau Rib. inv. 147), in: Studia Papyrologica 13, 1974, 7–20 **18** A. Pertusi (ed.), Sa. vetera in Hesiodi Opera et dies, 1955 **19** L. di Gregorio (ed.), Sa. vetera in Hesiodi Theogoniam, 1975 **20** Th. Gaisford (ed.), Poetae Minores Graeci, Bd. 2, 1823 **21** A. B. Drachmann, Sa. vetera in Pindari carmina, 3 Bde., 1903–1927 **22** A. Tessier (ed.), Sa. metrica in Pindari carmina, 1989 **23** O. L. Smith (ed.), Sa. Graeca in Aeschylum quae exstant omnia, 2 Bde., 1976–1982 **24** C. J. Herington (ed.), The Older Sa. on the Prometheus Bound, 1972 **25** V. de Marco (ed.), Sa. in Sophoclis Oedipum Coloneum, 1952 **26** J. Havekoss, Unt. zu den Sophokles-Sch., Diss. Hamburg 1961 **27** O. Longo (ed.), Sa. Byzantina in Sophoclis Oedipum tyrannum, 1971 **28** S. G. Daitz, The Sa. in the Jerusalem Palimpsest of Euripides, 1979 **29** O. L. Smith (ed.), Sa. metrica anonyma in Euripidis Hecubam Orestem Phoenissas, 1977
30 H.-C. Günther, The Manuscripts and the Transmission

of the Palaeologan Sa. on the Euripidean Triad, 1995
31 B. Schartau, Observations on the Commentary on Euripides' Phoenissae in the MSS Parma 154 and Modena α. U.9.22, in: Illinois Classical Studies 6, 1981, 221–241
32 A. Adler (ed.), Suidae Lexicon, 5 Bde., 1928–1938
33 W. J. W. Koster et al. (ed.), Sa. in Aristophanem. Prolegomena de comoedia, 1969ff. **34** G. Stein (ed.), Sa. in Aristophanis Lysistratam, 1891 **35** C. Hude (ed.), Sa. in Thucydidem, 1927 (neue Ed. durch A. Kleinlogel in Vorbereitung) **36** G. C. Greene (ed.), Sa. Platonica, 1938
37 M. R. Dilts (ed.), Sa. Demosthenica, 2 Bde., 1983–1986
38 Ders. (ed.), Sa. in Aeschinem, 1992 **39** M. Lossau, Unt. zur ant. Demosthenesexegese, 1964 **40** G. Dindorfius (ed.), Sa. Graeca in Aeschinem et Isocratem, 1852.

Sch. zu hell. und kaiserzeitlicher Lit.:
41 C. Wendel (ed.), Sa. in Theocritum vetera, 1914
42 Ders., Überl. und Entstehung der Theokrit-Sch. (AAWG 17.2), 1921 (Ndr. 1970) **43** Ders. (ed.), Sa. in Apollonium Rhodium vetera, 1935 **44** Ders., Die Überl. der Sch. zu Apollonios von Rhodos (AAWG 3. Folge, 1.), 1932 (Ndr. 1972) **45** R. Pfeiffer (ed.), Callimachus, Bd. 2, 1953, 41–79
46 J. Martin (ed.), Sa. in Aratum vetera, 1974
47 A. Crugnola (ed.), Sa. in Nicandri Theriaca, 1971
48 M. Geymonat (ed.), Sa. in Nicandri Alexipharmaca cum glossis, 1974 **49** I. Gualandri, Index glossarum quae in scholiis Tzetzianis ad Lycophronem laudantur, 1965
50 Ders., Index nominum propriorum quae in scholiis Tzetzianis ad Lycophronem laudantur, 1962 **51** C. Guhl (ed.), Die Fr. des Alexandrinischen Grammatikers Theon, 1969 **52** A. Hilgard (ed.), Sa. in Dionysii Thracis Artem grammaticam, 1901 **53** D. L. Blank, Ancient Philosophy and Grammar: the Syntax of Apollonius Dyscolus, 1982
54 H. Rabe (ed.), Sa. in Lucianum, 1906 **55** C. Helm, De Luciani scholiorum fontibus, 1908 **56** J. Dalfen, Sch. und Interlinearglossen in Marc Aurel-Hss., in: SIFC 50, 1978, 5–26 **57** G. Dindorfius (ed.), Aelius Aristides, Bd. 3, 1829
58 H. Hobein (ed.), Maximi Tyrii Philosophumena, 1910 (in app.) **59** F. Spiro, Pausanias-Sch., in: Hermes 29, 1894, 143–149 **60** U. C. Bussemaker (ed.), Sa. et paraphrases in Nicandrum et Oppianum in: F. Dübner (ed.), Sa. in Theocritum, 1849, 260–364 **61** R. Vári (ed.), Parerga Oppianea: I. Sa. in Oppiani Halieuticorum libros I–IV Ambrosiana, in: Egyetemes Philologiai Közlöny 33, 1909, 17–32, 116–125; II. Sa. in Oppiani Halieuticorum librum V ad fidem codicum recensita, in: Ebd., 125–131 **62** F. Fajen, Überl.gesch. Unt. zu den Halieutika des Oppian, 1969
63 Walz, Bd. 2, 1–68, 565–584 **64** Walz, Bd. 4; Bd. 7, 697–1087 **65** E. Piccolomini (ed.), Scolii alle orazioni di Gregorio Nazianzeno ..., in: Annali delle Università Toscane, I: Scienze noologiche 16, 1879, 231ff.
66 V. Puntoni, Scolii alle orazioni di Gregorio Nazianzeno ..., in: E. Piccolomini (Hrsg.), Studi di Filologia Greca 1, 1882, 133–180 und 207–246 **67** I. Raeder (ed.), Oribasii Collectionum medicarum reliquiae (= CMG VI 1,1), 4 Bde., 1928–1933 (in app.).

A. DY./Ü: TH. G.

II. Lateinisch

Für lat. Sch. gilt dieselbe Definition wie für griech. mit der Einschränkung, daß eine Überl. auf Pap. fehlt. Terminologisch wird zw. *Scholia* (=Sa.) *vetera* (»antik«) und *recentiora* (»ma.«) unterschieden, doch ist ant. Material häufig Bestandteil kürzender oder erweiternder ma. Kompilationen. Die Sch.-Corpora sind zudem durch → Interpolationen verändert, mit fragwürdigen oder falschen späten Zuschreibungen versehen oder bilden anon. Trad., so daß die Unterscheidung im Einzelfall unmöglich ist bzw. hypothetisch bleibt.

Lat. Sch. antiken Ursprungs sind erh. zu Terenz (→ Donatus [3]; [1]), Cicero (→ Asconius; Sa. Bobiensia [2; 3]), Vergil (→ Servius [2]; [4]), Horaz (→ Helenius Acron; [5]; → Pomponius Porphyrion; [6]), Ovids *Ibis* [7; 8], Germanicus' *Aratea* [9; 10], → Lucanus [9; 11], den Epen des → Statius [II 2] (→ Fulgentius [1]; → Lactantius [2] Placidus, vgl. [12]), → Persius [2] (vgl. [13]) und → Iuvenalis.

Sa. vetera bieten in ihren antiquarischen Erklärungen Informationen über den Horizont ant. Wissens, sind aufschlußreiche Dokumente der Lit.-Rezeption, Träger der Überl. ant. Texte (Hauptüberl. sonst verlorener und Nebenüberl. der erklärten Texte) und in ihrer Exegese wichtige, aber widerspenstige Zeugen für die lat. → Philologie. Die Analyse der Überl.-Schichten ist daher ein Hauptproblem der Sch.-Forsch.; außer der Beachtung von Klauseln und der Mitteilung von glaubwürdigen singulären Informationen gibt es freilich kaum sichere Kriterien zur Identifizierung ant. Materials in der über Jh. gärenden Masse. Den Stand der Forsch. markieren v. a. Neueditionen [11–13]. Als Desiderate seien etwa Forsch. zu den Quellen der Vergil- oder Horaz-Sch. [1. 149; 5. 255] und weitere Editionstätigkeit [6. 261] genannt. Eine instruktive Darstellung der Probleme bietet [1. 148–154] am Beispiel des nur in Resten bzw. fremder Rezeption erh. *Commentum Vergili* des Aelius Donatus [3].
→ Flavius [II 14] Caper; Grammatiker; Kommentar; Textverbesserung; Textverderbnis; Vergilius

Die folgenden Angaben ergänzen und aktualisieren die Bibliogr. der Artikel zu den einzelnen lat. Autoren.
1 P. L. Schmidt, Aelius Donatus, in: HLL 5, § 527
2 Th. Stangl (ed.), Ciceronis orationum scholiastae, Bd. 2, 1912 (Ndr. 1964) **3** P. L. Schmidt, Aelius Festus Asmonius (Aphthonius?), in: HLL 5, § 526.1 **4** Ders., in: HLL 6, § 612 (in Vorbereitung) **5** Ders., Helenius Acron, in: HLL 4, § 444 **6** Ders., Pomponius Porphyrion, in: HLL 4, § 446 **7** F. W. Lenz (ed.), Ovidius, Ibis, Ndr. [2]1956
8 A. La Penna (ed.), Ovidius, Ibis, 1957 **9** A. Dell'Era, in: Atti della Academia Nazionale dei Lincei, Memorie, Classe di Scienze morali, storiche e filologiche 23, 1979, 301–379
10 P. L. Schmidt, Scholia in Germanicum Basileensia, in: HLL 4, § 445.4 **11** H. Szelest (ed.), Adnotationes super Lucanum (angekündigt) **12** R. D. Sweeney (ed.), Lactantius Placidus, In Statii Thebaida commentum, 2 Bde., 1997–2000 **13** W. O. Clausen, J. E. G. Zetzel (ed.), Persius-Sch. (in Vorbereitung).

AN. GL.

Schollen. Für die Familie der Plattfische (Pleuronectidae) findet sich meist die Bezeichnung ψῆτται/*psēttai* (etym. von ψήχειν, »abreiben«; lat. *pisces plani*, z. B. Plin. nat. 9,72). Die zahlreichen Gattungen waren schwer zu unterscheiden (vgl. Athen. 7,329e–330b). Nach schol. Plat. symp. 191d ist ψῆττα/*psētta* das attische Wort für βούγλωσσος/*búglōssos*, »Ochsenzunge«.

HAUPTGATTUNGEN:

1. Scholle, Pleuronectes, a) die ψῆττα im engeren Sinn. Aristoteles (mot. an. 17,714a 6–8) weist auf ihre charakteristische Asymmetrie hin, Platon (symp. 191d) auf ihre leichte Halbierbarkeit. Nach Aristoteles (hist. an. 4,11,538a 20) übt sie Selbstbefruchtung und laicht einmal im Jahr (ebd. 5,9,543a 2f.). An den Küsten von Attika (Clem. Al. paedagogus 2,1,3; Athen. 7,330a) wird die Sch. häufig mit Netzen gefangen (Aristot. l.c.). Sie hält sich gern in Sandmulden auf (Ail. nat. 14,3), die der Mensch künstlich angelegt hat. Künstliche Zucht erwähnt Columella (8,17,9). Hippokrates (de victu 2,48) und Galenos (de facultatibus alimentorum 3,29) loben ihr weiches und damit gut verdauliches Fleisch, Xenokrates (de alimentis 22) beurteilt es negativ. b) στρουθός/*struthós*, lat. *passer* (»Sperling«), ist vielleicht der Glattbutt, Rhombus laevis Ron. (vgl. Plin. nat. 9,72: *rhombus*). Er wird häufig mit anderen Sch. erwähnt, z. B. bei Ail. nat. 14,3; Hor. sat. 2,8,29; Ps.-Ov. Halieutica 125.

2. Rhombus, der Butt, ῥόμβος/*rhombos*, lat. *rhombus* (der »Kreisel«), der bes. bei den Römern beliebte Steinbutt, Rhombus maximus L. Nach Athenaios (7,330a) hat ihn Nausikrates (4. Jh. v. Chr.) zuerst erwähnt. Auch wegen seiner teilweise erheblichen Größe (vgl. Iuv. 4,39ff.; Mart. 13,81) schätzten ihn die Römer sehr (z. B. Hor. epod. 2,50; Hor. sat. 1,2,116; Iuv. 11,121). Die besten Exemplare wurden angeblich bei Ravenna gefangen (Plin. nat. 9,169). Die Zucht in Teichen war äußerst lohnend (Colum. 8,17,9; Mart. 10,30,21).

3. Seezunge aus der Gattung Solea, βούγλωσσος(-ον)/*búglōssos(-on)* (seit Epicharmos CGF 65), lat. *solea* (seit Plautus), bei Athen. 7,330a (und Plin. nat. 9,72) zu recht den Plattfischen zugeordnet; sie glänzt weiß wie *passer* und *rhombus* (Ps.-Ov. Halieutica 124), wurde aber in kulinarischer Hinsicht wie die *psḗtta* unterschiedlich beurteilt. Galenos (de facultatibus alimentorum 3,29) zieht sie der Sch. (Nr. 1.a) vor. Plaut. Cas. 497 benutzt sie zu einem Witz.

4. Zur Gattung Arnoglossus gehört der κίθαρος/*kítharos*, lat. *citharus*, der trotz der Beschreibung bei Aristot. fr. 319 nicht bestimmbar ist. An Sandküsten lebend (Opp. hal. 1,98), ist er Apollon geweiht (Apollod. bei Athen. 7,306a), gilt aber als schlechter Tafelfisch (Plin. nat. 32,146 *citharus rhomborum generis pessimus*; vgl. Galen. de facultatibus alimentorum 3,29). Kallias (bei Athen. 7,286b) rät, ihn gebacken zuzubereiten.

5. Mit κιθαρῳδός/*kitharōidós* ist wahrscheinlich die Zebrazunge (Synaptura zebra Bl.) gemeint, die rotgoldenen Glanz mit schwarzer Längszeichnung aufweist. Ail. nat. 11,23 unterscheidet zwei Arten im Roten Meer.

6. Die ὕαινα/*hýaina* (ὑαινίς/*hyainís*), lat. *hyaena*, ist verm. Rhomboidichthys podas Delar., welche nach Ailianos (nat. 9,49 und 13,27; vgl. Athen. 7,326f) im Menschen Schreckbilder hervorruft. Plinius (nat. 32,154) hat auf Ischia einen gefangenen Hyänenfisch gesehen.

H. GOSSEN, s. v. Sch., RE 2 A, 705–710 • KELLER 2, 366–369.

C. HÜ.

Schraube. Unter den fünf einfachen mechanischen Instrumenten erscheint in der ›Mechanik‹ → Herons von Alexandreia (1. Jh. n. Chr.) neben Welle, Hebel, Flaschenzug und Keil auch die Sch. (Heron, Mēchaniká 2,5), die weder in der Beschreibung medizinischer Instrumente bei Hippokrates (Hippokr. perí agmṓn 31) noch in der aristotelischen Mechanik erwähnt ist. Die Sch., für deren Verwendung vor → Archimedes [1] es keinen Hinweis gibt, kann damit als eine der bedeutendsten technischen Erfindungen in der Zeit des Hell. gelten.

Das Prinzip der Sch. scheint zuerst für das Heben von Wasser genutzt worden zu sein; zu diesem Zweck konstruierte Archimedes ein Gerät, das aus einem langen runden Holzstamm bestand, um den schraubenförmig Weidenruten herumgelegt und befestigt wurden. Indem diese wiederum mit schmalen Holzbrettern abgedeckt und abgedichtet wurden, entstanden Kammern, in denen das Wasser durch Drehen der in einem flachen Winkel installierten Sch. gehoben wurde. Die Archimedische Sch. diente zunächst in Äg. zur Bewässerung, fand aber schnell Verbreitung; in den Bergwerken Spaniens wurde sie zur Wasserhaltung eingesetzt (Diod. 1,34,2; 5,37,3; vgl. Strab. 3,2,9; 17,1,30).

Die Entwicklung einer Sch. als Teil eines neuen Typs von Geräten scheint noch im späten 3. Jh. v. Chr. erfolgt zu sein; → Biton beschreibt in seiner Schrift über Belagerungsgeräte eine von Damios konstruierte *sambýkē* (Fallbrücke; → Poliorketik), bei der die Leiter mittels einer senkrechten Sch. so angehoben werden konnte, daß Soldaten die Mauer einer belagerten Stadt besteigen konnten. Die Konstruktion weist allerdings derartige Schwächen auf, daß sie wohl nie eingesetzt werden konnte (Biton 57,1–61,1).

Für die → Landwirtschaft – speziell für den Weinbau und die Erzeugung von Olivenöl – hatte die Erfindung der Sch. insofern eminente Bed., als die → Pressen durch Einsatz der Sch. erheblich verbessert werden konnten. Es existierten zwei Formen der Sch.-Presse: Bei der ersten war die Sch. mit dem langen Preßbalken verbunden; bei dem zweiten Typ wurde durch Drehung der Sch. direkt Druck auf das Preßgut ausgeübt (Vitr. 6,6,3; Plin. nat. 18,317; Heron, Mēchaniká 3,15; 3,19; 3,20). Voraussetzung für die Konstruktion solcher Pressen war die Fähigkeit, ein Muttergewinde herzustellen; das dafür verwendete Verfahren ist bei Heron ausführlich dargestellt (Heron, Mēchaniká 3,21). Die direkte Sch.-Presse wurde bereits im 1. Jh. n. Chr. im städtischen Handwerk als Tuchpresse verwendet.

Während die Sch. der Pressen aus Holz bestanden, waren die Sch. → medizinischer Instrumente (mit Abb.; Vaginalspecula) aus Bronze hergestellt, wobei das Gewinde wahrscheinlich auf der Drehbank eingeschnitten wurde. In der Spätant. diente die Sch. ferner als Verschluß kostbarer Schmuckstücke, etwa goldener Armbänder. Neben den Texten sind Abb. (Wandgemälde in Pompeii; Mosaiken der Spätant.) sowie Überreste von Geräten oder vollständig erhaltene und funktionsfähige

Instrumente wie auch Schmuckstücke wichtige Zeugnisse für Sch. in der Antike.
→ Heron; Mechanik; Pressen

1 A. G. Drachmann, The Mechanical Technology of Greek and Roman Antiquity, 1963 2 F. Kiechle, Sklavenarbeit und technischer Fortschritt im röm. Reich, 1969, 20–44 3 O. Lendle, Texte und Unt. zum technischen Bereich der ant. Poliorketik, 1983, 107–113
4 E. W. Marsden, Greek and Roman Artillery, Technical Treatises, 1971, 61–103 5 W. O. Moeller, The Wool Trade of Ancient Pompeii, 1976, 23 f. 6 D. Planck (Hrsg.), Die Sch. zw. Macht und Pracht. Das Gewinde in der Ant., 1995.
H. SCHN.

Schreiber

I. Mesopotamien II. Ägypten
III. Griechenland und Rom

I. Mesopotamien
A. Schreiber und Schule
B. Schreibausbildung C. Schulliteratur
D. Schulen

A. Schreiber und Schule

Sch. und Schule (Schu.) haben sich in der langen Gesch. der mesopot. Keilschriftkultur von ca. 3200 bis zum E. des 1. Jt. v. Chr. sicher stärker gewandelt, als das die Kontinuität der Terminologien erkennen läßt. Zu Beginn des 3. Jt., als die → Schrift bereits seit ca. 200 J. in Gebrauch war, war die Schreibkunst noch keine professionell differenzierte Tätigkeit. Dies zeigt sich in Texten aus dem 27. Jh. v. Chr., in deren Kolophonen als Verfasser der oberste Verwalter eines Tempelhaushalts (sanga) erscheint. Das Schriftzeichen für sanga bezeichnet auch das Verbum šid »zählen, rechnen«, was einerseits auf die Haupttätigkeit des sanga verweist, andererseits auf die enge Verknüpfung der frühen Schriftlichkeit in Mesopot. mit Buchhaltung und Rechnen. In den Kolophonen erscheinen außer den Namen der Sch. auch die anderer Personen, deren Beteiligung am Werk bzw. der Niederschrift unklar ist, u. a. ein um.mi.a »Techniker« (vielleicht wie später auf den Bereich der Gelehrsamkeit zu beziehen). Erst ab etwa Mitte des 3. Jt., wohl im Zuge beruflicher Spezialisierung, begegnet dub.sar, nunmehr der Terminus par excellence für Sch. [22], später im Akkadischen als *tupšarru* entlehnt. Im 1. Jt. v. Chr. wurde das Logogramm sanga/šid archaisierend für akkad. *tupšarru* verwendet. Etwa gleichzeitig (ab dem 6. Jh. v. Chr.) bezeichnete *sepīru* den Sch. von alphabetschriftlich (meist auf Leder) verfaßten Dokumenten.

Darstellungen von Sch. finden sich in der Glyptik der Späturukzeit (E. 4. Jt. v. Chr.) [17. 235–245], später auf Orthostatenreliefs der neuassyrischen Zeit (7. Jh. v. Chr.) [1. 36].

Die Sch.-Klasse verfügte über bes. Standesbewußtsein: Im 3. Jt. war die Göttin Nisaba ihre Patronin, später → Nabû [15. 242]. Oft, z. B. in Siegelinschr. aus dem 21. Jh. v. Chr., wurde dub.sar, »Sch.«, nicht als Beruf, sondern im Sinne eines Bildungsgrades (etwa in der Bed. »Akademiker«) verwendet [14. 62; 18. 229]. Durch ihre Siegel mit Filiation und Berufsangabe lassen sich Sch.-Karrieren innerhalb von Familien über mehrere Generationen hinweg verfolgen. Im 1. Jt. kann man z. B. in Assur oder in Uruk anhand der Kolophone die Familienverknüpfungen und Interessen oder lit. Spezialisierung einiger Gelehrtenfamilien verfolgen (vgl. [15. 242]: Sch. astronomischer und astrologischer Texte). In Verträgen erscheint der Urkunden-Sch. in der Regel als erster Zeuge; darunter sind in der altbabylonischen Zeit (18./17. Jh. v. Chr.) auch Sch.innen zu finden [28].

B. Schreibausbildung

Über die Schu. als Institution informieren hauptsächlich lit. Werke der altbabylon. Zeit. Aus älteren Perioden legen Vokabulare und Sch.-Übungen auf kleinen, linsenförmigen Tontafeln (Schultäfelchen) indirekt Zeugnis für die Existenz von Schu. ab. Der Lehrer schrieb einen kurzen Text auf eine Seite, den der Schüler auf der anderen Seite zu wiederholen hatte. In der Schu. erlernte man die → Keilschrift und die für den Beruf eines Sch. wichtigen Kenntnisse. Seit Beginn des 2. Jt., als das → Sumerische als gesprochene Sprache zunehmend vom → Akkadischen verdrängt wurde, kam dem Erlernen des Sumer. eine bes. Bed. zu: ›Ein Sch., der kein Sumerisch kann, was ist das für ein Sch.?‹ [19. 161]. Da das Akkad. mit Silbenzeichen geschrieben wurde, kam man normalerweise mit einem Repertoire von ca. 80 Zeichen aus, was es auch dem professionellen Sch.-Stand nicht angehörenden Personen ermöglichte, akkad. zu schreiben – z. B. den assyr. Händlern, die im 20./18. Jh. v. Chr. Handelskolonien in Anatolien unterhielten (→ Kaneš; s. auch [28]).

Der bes. Bed. des Sumer. in der Sch.-Ausbildung ist zu verdanken, daß wenigsten ein kleiner Teil der sumer. Lit. erh. geblieben ist – derjenige, den die Lehrer nach eigenen Kriterien (moralischem, histor., rel. Wert) für das Schu.-Curriculum auswählten, und den die Schüler zur Übung abschreiben mußten. Ziel der Erziehung war es, nicht nur intellektuelles Wissen, sondern auch moralische Werte (nam.lú.u$_{18}$.lu = *humanitas*) zu vermitteln [26. 25–27]. Da sich ein großer Teil des Unterrichts mündlich abspielte, viel auswendig gelernt wurde, ist vieles unwiderruflich verloren. Nur das, was Teil des schriftl. Curriculums war, ist noch faßbar. Die wichtigsten Zeugnisse für die Sch.-Ausbildung sind die ab der Späturukzeit (E. 4. Jt. v. Chr.) belegten, sehr früh standardisierten sog. lexikalischen → Listen [8], die meist Schriftzeichen bzw. Wörter nach Form und Bed. ordnen. Einige, deren Kompositionssystematik uns entgeht, dürften auf kanonisierte Mustertexte zurückgehen. Bes. im 2. Jt. v. Chr. erfuhr diese Gattung starke Verbreitung, wobei sich einige wenige Kompositionen deutlich als »Fibeln« oder didaktische Werke erweisen. Eine »Fibel« zum Erlernen der Schriftzeichen ist eine Liste von einfachen Silbenzeichen nach dem Prinzip

TU-TA-TI usw.; daneben existierten sumer.-akkad. »Fibeln« (Vokabulare) zum Erlernen des sumer. Wortschatzes [6. 1–3; 22. 2–5].

C. Schulliteratur

Trotz aller Unterschiede in der mesopot. polit. und gesellschaftlichen Entwicklung war die Sch.-Ausbildung erstaunlich einheitlich. Die grundlegenden Texte für die Ausbildung und wohl auch die Lernmethoden gelangten im Zuge der Verbreitung der Keilschrift seit der Mitte des 3. Jt. auch in zahlreiche Gebiete außerhalb Mesopot.s [2; 13]: So findet sich die Liste von Funktionen und Berufen bereits im 24. Jh. v. Chr. im nordsyr. → Ebla, wo man sie v. a. als eine Art »Zeichenfibel« für den Elementarunterricht exzerpiert hatte.

Die Institution der Schu. (sumerisch é.dub.ba.a, »Haus des Tafelverteilens«) ist erst ab dem 21. Jh. v. Chr. zu belegen. So rühmt sich Šulgi, ein Herrscher der 3. Dyn. von Ur, die Schu. von → Nippur begründet zu haben [10]. Die mesopot. Schu. hat eine eigene Lit. hervorgebracht: Eine satirische Erzählung aus altbabylon. Zeit (18. Jh. v. Chr.) [13] und Dialoge zw. Schülern informieren über die Lebensweise im é.dub.ba.a (z. B. monatlich drei Tage Urlaub und drei Festtage) und das Erziehungsprogramm (Schreiben und Auswendiglernen; die Reihenfolge der Lernstoffe: Zeichenlisten und sumer.-akkad. Vokabulare, gramm. Paradigmen, Eigennamen, Zahlen und metrologische Einheiten, mathematische Problemtexte [11], Musterkontrakte und Briefformulare usw. [15. 243]). Die altbabylon. Schuldialoge vermitteln wohl teilweise ein idealisiertes Bild der mesopot. Schu. Die Terminologie (ad.da/dumu é.dub.ba.a, »Vater/Sohn des é.dub.ba.a«, šeš.gal, »großer Bruder« (= Ausbildungsgehilfe) für einen fortgeschrittenen Eleven) weist auf die familienähnliche Struktur der Schu. hin.

Im é.dub.ba.a wehte manchmal ein Wind von Unbändigkeit und Aufruhr: So verzweifelt in einer sumer. Schulsatire [20] ein Vater über seinen faulen Sohn und versucht, ihn davon zu überzeugen, daß das Erlernen des Sch.-Berufs die Mühe lohne; die Eltern der städtischen Eliten strebten danach, aus ihren Söhnen Schriftgelehrte zu machen.

D. Schulen

Gelehrt wurde in speziellen Gebäuden, aber arch. lassen sich Schu. nur selten als solche identifizieren. Befunde, z. B. in Ur [4. 420–432, 482–486] oder Sippar [26. 6], legen allerdings nahe, daß viele Sch. im Familienrahmen oder als Lehrlinge in einer Verwaltung ausgebildet wurden, wo sie oft nur die nötigsten Grundkenntnisse ihres Berufs erlernten. Das eigentliche é.dub.ba.a stand vielleicht im engen Umkreis des Palastes [26. 10].

→ Schreibmaterial; Schrift

1 R. D. Barnett, Assyr. Palastreliefs, 1959 2 G. Beckman, Mesopotamians and Mesopotamian Learning at Hattuša, in: JCS 35, 1983, 97–113 3 J. Bottéro, Mesopotamie. L'écriture, la raison et les dieux, 1987, 75–130
4 D. Charpin, Le clergé d'Ur, 1986, 420–432, 482–486
5 M. Civil, Sur les »livres d'écolier« à l'époque paléo-babylonienne, in: J.-M. Durand (Hrsg.), Miscellanea Babylonica. FS M. Birot, 1985, 67–78 6 Ders., Bilingual Education, in: S. Maul (Hrsg.), tikip santakki. FS R. Borger, 1998, 1–7 7 J.-J. Glassner, L'écriture sumérienne: Invention et premiers usages, in: Rev. européenne des sciences sociales 36, 1998, 33–45 8 J. Goody, What's in a List?, in: Ders. (Hrsg.), The Domestication of the Savage Mind, 1977, 74–111 9 Ders., The Logic of Writing and the Organization of Society, 1986 10 W. W. Hallo, Nippur Originals, in: H. Behrens et al. (Hrsg.), DUMU-E$_2$-DUB-BA-A. FS Å. Sjöberg, 1989, 237–247 11 J. Høyrup, Mathematics and Early State Formation (Filosofi og Videnskabsteori pa Roskilde Universiteitscenter, 3. Reihe, Nr. 2), 1991 12 H. Klengel, Zur Rezeption der mesopot. Keilschrift im hethitischen Anatolien, in: 34th International Assyriology Congress (Istanbul 1987), 1998, 333–339 13 S. N. Kramer, Schooldays, in: Journ. of the American Oriental Soc. 69, 1949, 199–215
14 P. Michalowski, Charisma and Control: On Continuity and Change in Early Mesopotamian Bureaucratic Systems, in: McG. Gibson, R. D. Biggs (Hrsg.), Power and Propaganda. Aspects of Bureaucracy in the Ancient Near East, 1987, 55–68 15 A. L. Oppenheim, The Scribes, in: Ders., Ancient Mesopotamia, ^{2}1977, 235–249
16 G. Pettinato, Testi Monolingui della Biblioteca L. 2796, 1981 17 H. Pittmann, Pictures of an Administration: the Late Uruk Scribe at Work, in: M. Frangipane (Hrsg.), Between the Rivers and over the Mountains. FS A. Palmieri, 1993, 235–245 18 W. Sallaberger, A. Westenholz, Mesopotamien. Akkad-Zeit und Ur III-Zeit, 1999 19 Å. Sjöberg, The Old Babylonian Eduba, in: Assyriological Stud. 20, 1976, 159–179 20 Ders., Der Vater und sein mißratener Sohn, in: JCS 25, 1973, 105–169
21 Ders., CBS 11319+. An Old Babylonian Schooltext from Nippur, in: ZA 83, 1993, 1–21, bes. 2–5 22 M. Tanret, Les tablettes scholaires découvertes à Tell ed Dēr, in: Akkadica 27, 1982, 46–49 23 N. Veldhuis, Sumerian Proverbs in Their Curricular Context, in: Journ. of the American Oriental Soc. 120, 2000, 383–399 24 G. Visicato, The Power and the Writing. The Early Scribes of Mesopotamia, 2000 25 K. Volk, Methoden altmesopot. Erziehung, in: Saeculum 47, 1996, 178–216 26 Ders., Edubba'a und Edubba'a-Lit., in: ZA 90, 2000, 1–30 27 H. Waetzoldt, Das Schreiberwesen in Mesopot., Heidelberg 1974 (unveröffentl. Habil.-Schrift) –28 C. Wilcke, Wer las und schrieb in Babylonien und Assyrien?, 2000. AN. CA.

II. Ägypten

A. Tätigkeitsfelder B. Ausbildung
C. Göttliches Patronat

A. Tätigkeitsfelder

Zu allen Zeiten der pharaonischen Gesch. bildete der Sch.-Stand die führende soziale Schicht, einzig die Fähigkeit zu schreiben und zu lesen ermöglichte die Zugehörigkeit zur Elite. Ihrem Selbstverständnis nach waren die Sch. die »Aufseher« über alle übrigen Berufe. In der Frühzeit (um 3000 v. Chr.) noch überwiegend mit der Notierung administrativer Vorgänge betraut, wuchsen dem Sch.-Amt im Laufe des AR weitere Aufgaben zu, so das Verfassen theologischer Werke (z. B. königliche Pyramidentexte ab der 5. Dyn.; → Totenliteratur), medizinischer und magischer Traktate und spätestens ab dem MR (um 2000 v. Chr.) auch lit. Werke. Haupttätigkeitsfeld war aber die Landesverwaltung. Die Residenz unterhielt neben ihrer eigenen Zentrale in allen Provinzen Büros, in denen Urkunden-Sch. die Bewirtschaftung und Besteuerung der staatlichen Ländereien überwachten. Auch juristische Fälle unterlagen schriftlicher Beurkundung, nach dem König war der Wesir oberster Richter und Chef der Administration. Freiberufliche Sch. gab es nicht, alle Amtsinhaber waren Staatsbeamte. Der Anteil der Schreib- und Lesefähigen dürfte im AR 1% nicht überschritten und in den folgenden Epochen nur unwesentlich höher gelegen haben [1; 2]. Für die Ramessidenzeit (1306–1070 v. Chr.) ist ein begrenzter Anteil schreib- und lesefähiger Frauen nachweisbar, jedoch ohne jegliche Professionalisierung.

B. Ausbildung

Die Schüler übten überwiegend auf kostenlosem Schreibmaterial wie Ostraka (Ton- und Kalksteinscherben; → Ostrakon), erst ab einer bestimmten Versiertheit beschrieben sie den relativ teuren → Papyrus. Daneben fanden Holzpaletten und für bes. kostbar erachtete Texte auch Leder Verwendung.

Von einer Schule im engeren Sinne (äg. *ʿt-sbꜣw*, »Unterrichtsraum«) hören wir erstmals in der Autobiographie des Gaufürsten Cheti von Asyūṭ aus der 9./10. Dyn. (22. Jh. v. Chr.). Danach ist die Existenz dieser Institution sporadisch inschr. und/oder arch. bezeugt, vornehmlich in Tempeln. Inwieweit sie aber obligatorisch für die Ausbildung zum Sch. war, bleibt unklar. Unterrichtet wurde am Vormittag, wie eine Stelle in der ›Lehre des Cheti‹ aus der 12. Dyn. (1991–1786) nahelegt. Das schon im AR zu vermutende *famulus*-System scheint zu allen Zeiten die Regel gewesen zu sein: Der Vater bildete seinen Sohn im Schreiben und Lesen aus, wobei diese Verwandtschaftsbezeichnungen auch rein fiktiv für das Meister- und Schülerverhältnis stehen konnten. Erblichkeit des Amtes war die Regel. Zwischen dem MR und NR hieß die Nachfolgeinstitution »Stab-des-Alters«. Bisweilen konnte ein Sch. den Sohn seines Kollegen ausbilden und umgekehrt (Ramessidenzeit). Hauptamtliche Lehrer sind nicht nachweisbar – die Ausbildung entsprach eher einem Praktikum, der Schüler war zugleich Assistent seines Meisters.

Die Dauer der Ausbildung ist unbekannt, Erwähnungen von ›4 Jahren‹ mögen zumindest für die Grundausbildung repräsentativ sein (Priester Bekenchons, 19. Dyn.; 1306–1186). Spezialisierungen dürften weitere Jahre intensiven Studiums umfaßt haben. Examina sind erst aus hell.-röm. Zeit bekannt, in denen zukünftige → Priester neben ihren → Hieroglyphen- und → Demotisch-Kenntnissen auch solche des inzwischen antiquierten → Hieratischen nachweisen mußten. Das Amt erforderte neben der Beherrschung der hierat. Kursive (ab dem 7. Jh. v. Chr. auch der des Demotischen) Kenntnisse des Briefformulars und der Grundrechenarten zur Dokumentation wirtschaftlicher Transaktionen. Im NR gehörten Fremdsprachen wie → Kanaanäisch und → Akkadisch (s. → Amarna-Briefe) zur Kompetenz des Sch., um etwa ausländische Produkte, Länder- und Personennamen in eigens dafür entwickelter syllabischer Orthographie notieren zu können. Beschäftigung mit vorderasiatischer Geo- und Topographie war für die im Militärwesen beschäftigten Sch. von Bed. »Geschichtsschreibung« bestand wohl im wesentlichen aus der chronologischen Auflistung von Königsnamen der Vergangenheit und aus dem Verfassen entsprechender höfischer Erzählungen. Die Annalistik diente der Archivierung von Namen und Ereignissen bei Hofe und scheint nicht Gegenstand der Standardausbildung gewesen zu sein.

Die Ganzwortmethode stand im Zentrum der Schriftlehre; aus röm. Zeit kennen wir auch Listen von Zeichen mit Angaben über ihre Bed. Nicht selten haben diese Listen eine regelrecht »alphabetische« Anordnung, die auf die sehr ähnliche Reihenfolge des altsüdarab. (minäischen) Alphabets zurückgeht [4; 5]. Inwieweit sie im Schreibunterricht eine Rolle spielten, ist unklar. Die eigene Sprache wurde anhand gramm. Paradigmen (z. B. Personalsuffixe und deren Reihenfolge) gelehrt, was im Demotischen zu systematischen Tabellen der Präfix- und Suffixkonjugationen (mit Verben im Infinitiv und Qualitativ) ausgebaut wurde. Seit dem NR gehörten die lit. »Klassiker« aus dem MR zum Gegenstand von Lektüre und Reproduktion und damit zum Bildungskanon. Auch Übertragungen mittel- oder klassisch-äg. Texte ins Neuäg. und Demotische nebst Interpretationen gehörten in post-ramessid. Zeit zum Curriculum, vornehmlich in Priesterkreisen. Die Beherrschung der hieroglyphischen Monumentalschrift und die Anfertigung entsprechender Vorlagen auf Papyrus war verm. auf eine kleine Gruppe innerhalb der Sch.-Zunft beschränkt.

Unterrichtstexte wurden nach Diktat des Lehrers, aus dem Gedächtnis oder nach direkter Vorlage niedergeschrieben. Anschließend erfolgten supra- oder sublineare Korrekturen, ob vom Lehrer oder Schüler, läßt sich nicht eindeutig feststellen. Das Auswendiglernen (äg. »ins Herz geben«) spielte eine wichtige Rolle. Gelesen wurde stets laut. Das Pensum bestand bei lit. Schreibübungen in der Ramessidenzeit (1306–1070 v. Chr.) aus »einem Kapitel täglich«. Disziplinarische Strafen im Falle mangelnden Fleißes – Prügel oder Arrest im »(Fuß-)Block« – waren an der Tagesordnung. Das »Lebenshaus« oder Scriptorium der Tempel war die Werkstatt der Theologen, Mythologen, Mediziner, Magier, Mathematiker, Astronomen und Onomastiker.

C. Göttliches Patronat

Schutzpatron war der ibis-, pavian- oder mischgestaltige → Thot, der in der Götterwelt das Sch.-Amt innehatte, für Mathematik und die Berechnung der Mondphasen zuständig war, sowie die Göttin Seschat. Auch Sch.-Beamte wie der in griech. Zeit mit → Asklepios gleichgesetzte Imhotep (→ Imuthes [2]) aus der 3. Dyn. (2628–2575) oder der Oberbaumeister seines Königs, Amenophis, Sohn des Hapu, aus der 18. Dyn.

(1506–1306) erlangten quasi-göttlichen Status und wurden in beruflichen und Dingen des täglichen Lebens um Beistand ersucht.

1 J. R. Baines, Literacy and Ancient Egyptian Society, Man 18 Nr. 3, 1983, 572–599 **2** Ders., C. J. Eyre, Four Notes on Literacy, in: Göttinger Miszellen 61, 1983, 65–96 **3** H. Brunner, Altäg. Erziehung, ²1991 **4** J. F. Quack, Äg. und Südarab. Alphabet, in: Rev. d'Égyptologie 44, 1993, 141–151 **5** Ders., Notwendige Korrekturen, in: Rev. d'Égyptologie 45, 1994, 197 **6** A. Schlott, Schrift und Sch. im Alten Äg., 1989, bes. Kap. II **7** J. Tait, Aspects of Demotic Education, in: B. Kramer (Hrsg.), Akten des 21. Internationalen Papyrologenkongr. (Berlin 1995), Bd. 2, 1997, 931–938.

H.-W. F.-E.

III. Griechenland und Rom

Professionelle Sch. waren in drei Situationen erforderlich: a) als selbständige gewerbliche Dienstleister für Analphabeten; b) vor der Erfindung des Buchdrucks als Hersteller von Büchern für den Buchhandel; c) als Sekretäre sowohl im privaten als auch im öffentlichen Sektor, wobei in diesem Fall die Tätigkeit nicht selten über reine Aufzeichnungsaufgaben hinausging.

A. Alphabetisierungsgrad und gewerbliche Schreiber

Für die Beurteilung, wie oft in der griech.-röm. Ant. auf gewerbliche Sch. zurückgegriffen werden mußte, ist die Frage nach dem Alphabetisierungsgrad der entsprechenden Gesellschaft unerläßlich; dies wird in der Forsch. allerdings kontrovers diskutiert: Harris [2] etwa schätzt für das klass. Athen den Bevölkerungsanteil, der der Schrift mächtig war, gering ein, während andere optimistischer urteilen. Darstellungen von Schreib- und Lesevorgängen auf Vasen finden sich ab dem 5. Jh. v. Chr. (z. B. Schale des Duris, vgl. [1. 24]). Zeugnisse der klass. Lit. weisen auf ein blühendes Schulwesen (z. B. Hdt. 6,27,2: Einstürzen einer Elementarschule auf Chios, in der Kinder gerade »die Buchstaben«, *grámmata*, lernten), und bereits in der älteren Komödie gilt Analphabetismus als Grund für Spott. Bei Platon umfaßt die → *paideía* auch Schreiben und Lesen (*grámmata*), wobei aber Lektüre auch auswendig zu lernen war und somit fraglich ist, ob Bücher nicht vorwiegend als Gedächtnisstütze dienen sollten (Plat. Prot. 325c ff.). Auch das zahlreiche Vorhandensein von öffentlichen Inschriften setzte nicht zwingend voraus, daß jeder in der Lage war, sie zu lesen ([5] verweist auf den memorialrepräsentativen Charakter von Polis-Inschr.). Problematisch ist ebenso die Deutung des → *ostrakismós* (in Syrakus entsprechend der → *petalismós*): Ging man bisher davon aus, daß eine solche Institution zumindest rudimentäre Schreibfertigkeiten der Polis-Bürger voraussetzte, so ist dieses Bild durch die Feststellung etwas ins Wanken geraten, daß oft eine ganze Reihe von Ostraka offenbar von derselben Hand beschrieben wurden – verm. eine Gefälligkeitshandlung. Dafür spricht die Anekdote (Ail. var. 13,38), nach der Aristeides [1] von einem Mitbürger gebeten wurde, ausgerechnet seinen, des Aristeides, Namen auf das Ostrakon zu ritzen. Anders ist die Situation im hell. Äg. mit seiner ausgefeilten → Bürokratie, die schon für sich einen erhöhten Aufwand an Aufzeichnungstätigkeit voraussetzte; dort wird oft von Personen explizit gesagt, sie seien *agrámmatoi* (Analphabeten) oder *bradéōs gráphontes* (wörtl. »langsam schreibend«, also kaum des Schreibens kundig). Damit ist aber die Unfähigkeit gemeint, sich schriftlich auszudrücken; in einigen Fällen konnten für eine als *agrámmatos* bezeichnete Person demotische Schreibkenntnisse nachgewiesen werden [6]. Man wird auch für Äg. mit einer hohen Anzahl gewerbsmäßiger Sch. wohl aus dem Gymnasion zu rechnen haben (etwa Demetrios und Heliodoros, PTebtunis II 316), zumal auch im privaten Bereich für Verträge (und Deponierung in Archiven) immer mehr die Schriftform zur Norm wurde (→ Urkunde; → Vertrag). Es ist aber nicht zwingend, daß diese Dienste nur von illiteraten Personen in Anspruch genommen wurden. Dies setzte sich bis in byz. Zeit fort: vgl. Nov. Iust. 73,9 zu den Schwierigkeiten, in ländlichen Regionen jemanden zu finden, der eine Unterschrift leisten kann.

B. Buchhandel

Ein funktionierender Buchhandel (→ Buch C.), der professionelle Sch. voraussetzt, muß spätestens für das Athen des 4. Jh. v. Chr. angenommen werden (→ Abschrift). Das Wort *bibliopṓlēs* (»Buchhändler«) ist erstmals beim Komiker Theopompos belegt (fr. 77 Kock); Xen. an. 7,5,12 ff. berichtet von Bücherexport per Schiff. Die Bezahlung erfolgte offenbar nach Zeilen (daher die Praxis der → Stichometrie) und Schriftqualität (im → *Edictum* [3] *Diocletiani* werden auch für diese Dienstleistung Höchstpreise festgelegt). Dennoch blieb daneben das Anfertigen privater Kopien (als Auftragsarbeit?) eine gängige Form der Buchproduktion für den privaten Gebrauch. Aus Rom sind auch die Namen von Verlegern bekannt: Prominent sind → Pomponius [I 5] Atticus (Verleger u. a. für Ciceros Schriften) mit seiner Werkstatt auf dem Quirinal, besetzt mit Kopisten (*librarii*) und Korrekturlesern (*anagnostae*), die Gebrüder Sosius (für Horaz), Tryphon (für Martial und Quintilian). »Sortimentsbuchhändler« werden u. a. bei Plinius [2] d. J. (der sich erfreut darüber zeigt, daß ein *bibliopola* in Lugdunum seine Bücher vorrätig hatte; Plin. epist. 9,11,2), Martial (Atrectus und Secundus; Mart. 1,2; 1,117), Aulus Gellius [6] (Gell. 2,3; 5,4; 9,4; 18,4) und Athenaios [3] von Naukratis erwähnt. → Bibliotheken jedoch kauften nicht bei professionellen Buchhändlern ein, sondern hatten üblicherweise ein eigenes → *scriptorium*: bekannt ist der Erlaß des Kaisers Valens aus dem Jahr 372 n. Chr., der vorsieht, für die kaiserliche Bibliothek in Konstantinopel griech. und lat. Sch. einzustellen (Cod. Theod. 14,9,2).

C. Privathaushalte

Für h. Vorstellungen ungewöhnlich ist die Beobachtung, daß auch hochgradig gebildete und literate Persönlichkeiten sich professioneller Vorleser (*anagnṓstēs*, lat. auch *lector*, Nep. Att. 14,1; Cic. Att. 1,12,2) und auch Sch. bedienten (zumeist Sklaven oder Freigelassene) und Schriftsteller ihre Werke oft diktierten (dt. »dichten« geht auf lat. *dictare* zurück). So ist z. B. von → Euripides bekannt, daß er (neben einer umfangreichen Privatbibliothek) auch einen eigenen zum Sch. ausgebildeten Sklaven namens Kephisophon besaß; Antigonos [2] Gonatas schenkte Zenon von Kition einen Sklaven *eis bibliographían* (»zum Bücherschreiben«, Diog. Laert. 7,36). Zahlreiche Hinweise auf das Vorhandensein fester Sch. in Haushalten der röm. Oberschicht finden sich bei Plinius d. J. In einem Brief an Sueton erwägt er, die Rezitation eigener Werke künftig von einem Sklaven vornehmen zu lassen (Plin. epist. 9,34). Schon Cicero vermerkt aber in seiner Korrespondenz an Atticus, er habe den vorliegenden Brief im Gegensatz zur sonstigen Gewohnheit, private Briefe selbst zu schreiben, diktiert (Cic. Att. 2,23,1). Von Caesar und Origenes [2] (Eus. HE 6,23,1) ist bekannt, daß sie mehrere Stenographen (*tachygráphoi* bzw. *notarii*) gleichzeitig beschäftigt hielten (→ Tachygraphie), dazu kamen *bibliográphoi*, die daraus dann Reinschriften anzufertigen hatten.

D. Öffentlicher Sektor

Was den öffentlichen Sektor angeht, sind Sch. v. a. in → Kanzleien und Archiven (was für die Ant. noch nicht wie h. strikt zu trennen ist) anzutreffen. Für das klass. Athen kann gesagt werden, daß ein Archivwesen im h. Sinne nicht existiert hat; am ehesten einem Zentralarchiv nahe kam das Metroon (Kybele-Heiligtum, das als Staatsarchiv diente; dessen Leitung hatte ein Staatssklave inne). Verantwortlich für die Ausfertigung der Beschlüsse von → *bulḗ* und → *ekklēsía* war der *grammateús*, ein für jeweils ein Jahr gewählter oder erloster Schriftführer (die Vorgehensweise nach Los setzt natürlich voraus, daß damit zu rechnen war, daß die Kandidaten über Schreibkenntnisse verfügten). Die Terminologie ist allerdings nicht konsequent: *grammateús* kann auch den privaten Sekretär (Epik. fr. 172) oder den Kopisten (Aristot. rhet. 1409a 20) bezeichnen (→ *grammateís*). Für Kreta um 500 v. Chr. sind öffentliche Sch. (*poinikastaí*, Meister der phönizischen Technik) z. T. sogar namentlich erwähnt (Ehrung eines Spensithios [9]), es finden sich aber keine Inschr.-Typen, die auf weit verbreitete Schriftlichkeit schließen lassen (Abecedaria, Graffiti etc.), so daß man hier von einer professionellen Sch.-Klasse, die allein über Schreibfertigkeiten verfügte, ausgehen muß.

Das ptolem. Äg. mit seiner hoch entwickelten Bürokratie verfügte erwartungsgemäß über eine hohe Anzahl spezialisierter Sch.: Die Leitung der königlichen Kanzlei oblag dem *epistolográphos* (Abfassen von Erlassen, königlichen Briefen etc.); der *hypomnēmatográphos* führte die *ephēmerídes* (Amtstagebücher) und erledigte Eingaben, muß also angesichts des anfallenden Arbeitsaufwands Sch. unter sich gehabt haben. Der Stratege (→ *stragēgós*) als Leiter der Gauverwaltung hatte beigeordnet einen *basilikós grammateús* (königlichen Schreiber); unter ihm stand der *epistátēs tōn phylakitṓn* (Polizeichef), der seinerseits über einen *grammateús tōn phylakitṓn* (polizeilichen Amtsschreiber) verfügte. Ebenso verfügte der *topárchēs* über einen *topogrammateús* und der → *kōmárchēs* über einen *kōmogrammateús*. Offenbar konnten hier aber Verwaltungskenntnisse die wichtigere Rolle spielen: notorisch ist der Fall des *kōmogrammateús* Petaus (2. Jh. n. Chr.), der offenbar selbst nur über marginale Schreibfertigkeit verfügte und es (im Falle eines Kollegen) für völlig hinreichend erachtete, daß er in der Lage war, eine Unterschrift zu leisten.

In Rom wurde der → *scriba* eingesetzt (Sch. im privaten Dienst oder öffentlicher Verwaltung); der Buchkopist hieß dagegen *librarius*. *Scribae* gehören als Staats-Sch. zur obersten Klasse der → *apparitores* (als Assistenten von Amtsträgern); am höchsten in der Hierarchie standen die des → *aerarium*, die mit der Kassenführung und den Rechnungsbüchern betraut waren. Für die kaiserlichen Kanzleien ist anzumerken, daß im Laufe der Kaiserzeit erstens zunehmend neue Ämter geschaffen wurden und zweitens die entsprechenden Tätigkeiten offenbar eine soziale Aufwertung erfuhren: Der *a* → *libellis* (zuständig für das Bearbeiten von Bittschriften) war zunächst ein Freigelassener, seit Hadrian aber war der Posten Rittern vorbehalten; die reguläre Einrichtung des *a* → *commentariis* (Protokollführer) existierte seit den Zeiten des Claudius [III 1]; der *ab* → *epistulis* (Führung der kaiserlichen Korrespondenz) war zu augusteischer Zeit noch ein Sklave, seit Claudius (der das Amt auf einen *ab epistulis Graecis* und einen *ab epistulis Latinis* verteilte) ein → Freigelassener, seit Hadrian aber wurde das Amt mit Literaten und Rittern besetzt. Jedoch erschöpfte sich die Qualifikation für diese Ämter keineswegs im reinen Schreiben; es handelte sich vielmehr um anspruchsvolle Verwaltungsaufgaben.

→ Kommunikation; Schriftlichkeit-Mündlichkeit; Schule; Scriba; Tabelliones

1 H. Blanck, Das Buch in der Ant., 1992 **2** W. Harris, Ancient Literacy, 1989 **3** T. Dorandi, Le stylet et la tablette, 2001 **4** H. Hunger, Schreiben und Lesen in Byzanz, 1989 **5** R. Thomas, Literacy and Orality in Ancient Greece, 1992 **6** H. C. Youtie, Ἀγράμματος. An Aspect of Greek Society in Egypt, in: HSPh 75, 1971, 160–175
7 O. Mazal, Gesch. der Buchkultur, Bd. 1, 1999
8 T. Kleberg, Buchhandel und Verlagswesen in der Ant., 1967 **9** L. H. Jeffery, A. Morpurgo Davies, Ποινικαστάς and ποινικάζειν, in: Kadmos 9, 1970, 118–154. V. Bl.

Schreibmaterial

I. Beschreibstoffe II. Schreibgerät

I. Beschreibstoffe

Im Alt. wurde eine Vielzahl von Materialien als Sch. genutzt; die mod. Forsch. unterteilt sie in anorganische und organische Beschreibstoffe.

A. Anorganisch B. Organisch

A. Anorganisch

Zu den anorganischen Sch. zählt der natürliche Fels, auf den man Inschr. einmeißelte, seit der 2. H. des 3. Jt. v. Chr. in Ägypten und in dem Mesopot. im Osten benachbarten Bergland. Ein frühes Beispiel aus Griechenland sind die ans E. des 8. Jh. v. Chr. zu datierenden Inschr. von → Thera (IG XII 3,536–601; 1410–1493). Daneben boten sich Mauern, Wände, Pfeiler, Säulen und Pylonen von Tempeln und sonstigen öffentlichen Gebäuden für Tempelverordnungen, Gesetzestexte u. a. an; hier sind in erster Linie die ägypt. Tempel und zahlreiche Gräber mit ihren z. T. sehr ausführlichen rituellen, histor. und autobiographischen Texten zu nennen, die von der Frühzeit bis in röm. Zeit reichen. Im steinarmen Mesopot. wurden als bes. wichtig erachtete Texte, z. B. → Staatsverträge (sog. Geier-Stele), Landschenkungsurkunden (*Kudurrus*), herausragende Feldzugsberichte, auch Gesetzesslgg. (sog. Codex Hammurapi; → Keilschriftrechte) in Stein, v. a. Diorit, gemeißelt. Für Griechenland sind als Gesetzestexte die aus der 2. H. des 7. Jh. v. Chr. stammenden kretischen Inschr. aus Dreros und die entspechenden Texte aus → Gortyn (6. Jh. v. Chr.), zu nennen. Mit dem beginnenden 6. Jh. v. Chr. tauchen die ersten griech. Inschr. auf vierseitigen Steinpfeilern auf (→ Stele, → Inschriften); bevorzugtes Material war → Marmor, doch griff man auch auf Stein (Kalkstein u. a.) zurück, wenn Marmor fehlte oder zu kostspielig war. Inschr. finden sich ferner auf Grabdenkmälern aller Art (Sarkophag, Grabstele, -altar; → Grabinschriften).

Ein weiteres Medium waren Tongefäße, die man mit dem Namen der dargestellten Personen und Künstler, → Lieblingsinschriften, persönlichen Mitteilungen, Preisen der Gefäße, Inhaltsangaben u. a. versah. Die ältesten griech. Inschr. auf Gefäßen stammen aus Dipylon (→ Dipylon-Maler) in Athen, aus → Rhodos und → Pithekussai (Ischia), 2. H. des 8. Jh. v. Chr. Scherben von Tongefäßen und flache Steine bildeten ein fast kostenloses Material für Kurzmitteilungen, das sich in einer Fülle von Expl. erh. hat (→ Ostrakon). Auch Türen und der Verputz von Zimmer- oder Hauswänden dienten für persönliche oder offizielle Mitteilungen (→ Werbung): Hierfür ist der aram. Bileam-Text des 8. Jh. v. Chr. an der Wand eines Kultraumes in Dair ʿAllā (Jordanien) ein frühes Zeugnis. Auch sind aus den Vesuvstädten (→ Herculaneum, → Pompeii) zahlreiche Belege überliefert. Ton ist in den Keilschriftkulturen Mesopotamiens, Syriens, Anatoliens und des Iran seit der Zeit der Schrifterfindung ein bevorzugtes Sch. für alle Arten von Texten, wobei die Tafel in der Regel nur getrocknet, seltener (z. B. für Bibl.- bzw. Archivzwekke) auch gebrannt wurde. In der 2. H. des 2. Jt. v. Chr. wurden Tontafeln auch für die in Kreta (und Pylos) gebräuchlichen Schriften → Linear A und → Linear B verwendet; einige Schriftträger aus Ton aus dem 1. Jt. v. Chr. sind auch aus Zypern bekannt. Im 7. Jh. v. Chr. wurden noch zahlreiche, meist herzförmige Tonurkunden (sog. *dockets*) mit aram. Kons.-Schrift beschrieben.

Weniger häufig wurde → Glas als Sch. verwendet; hier sind v. a. aus röm. Zeit Gläser mit dem Namen der Werkstattbesitzer oder der dargestellten Personen, mit Sinn- und Trinksprüchen zu nennen. Unter den Metallen waren → Gold und → Silber die selteneren Beschreibstoffe; einige keilschriftliche Königsinschr. in assyr. und altpers. Sprache, die phöniz. und etr. Weihungen des Tefarie Veliunas aus Pyrgi und griech. silberne und goldene Fluchtäfelchen sind erh. Nicht erh. ist das Original des Staatsvertrages zw. Ramses II. und Ḫattusili II. von → Ḫattusa (1259 v. Chr.), der auf einer Silbertafel fixiert war. → Zinn war ein offensichtlich nur selten genutzter Beschreibstoff (Paus. 4,26,8); an Funden lassen sich zwei Rollen aus den Höhlen von → Qumran anführen. Auch → Blei diente als Sch., z. B. für assyr. Bauinschriften, im griech. Bereich für Anfragen an das Orakel des Zeus von → Dodona; daneben sind Fluchtafeln (→ *defixio*) aus Blei erh.; beliebt war Blei offenbar auch für briefliche Mitteilungen, so z. B. schon im frühen 1. Jt. v. Chr. mit luwischer Hieroglyphenschrift. Auch umfangreichere Texte wurden auf Blei geschrieben (Paus. 9,31,4; Plin. nat. 13,69). Große Bed. hatte ferner → Bronze als Sch., da sie sehr häufig – neben der Stele aus Stein – als Beschreibstoff für Staatsverträge genommen wurde (so beim hethit. Vertrag zw. Kurunta und Tutḫalija IV. von Hatti aus dem 13. Jh. v. Chr., der in Boğazköy gefunden wurde; vgl. auch z. B. Paus. 5,23,3; Thuk. 5,47,11; Suet. Vesp. 8,5). Beschriebene Br.-Platten haben sich verschiedentlich, z. B. aus → Olympia, erh.

B. Organisch

Papyrus als Beschreibstoff wurde v. a. in Ägypten verwendet, wo er sich auch am besten erh. hat (weiteres s. → Papyrus). → Plinius [1] spricht von Büchern aus Bast und Palmblättern (Plin. nat. 13,69), und vielfach werden in der röm. Lit. Bücher aus Leinen erwähnt (*libri lintei*, Plin. nat. 13,69; Liv. 4,7,12; 4,13,7; 4,20,8; 4,23,2; 10,38,6; SHA Aurelius 1,7; → Lein, Flachs); sie enthielten sakrale Texte, offizielle Beamtenlisten, wurden aber auch im privaten Bereich, z. B. für Familienchroniken, verwendet. Eine erh. Schrift dieser Art ist die Mumienbinde von Zagreb (100 v. Chr.; → Buch A.; → *liber linteus*).

Einer der wichtigsten Beschreibstoffe war → Holz, das bereits in Ägypten, in Mesopot. und bei den Hethitern in Anatolien seit dem 2. Jt. v. Chr., dann aber auch während der gesamten Ant., in Form handlicher Brettchen, mit den unterschiedlichsten Texten beschrieben wurde. Es standen verschiedene Holzarten zur Verfügung. Die Holztafeln wurden in zweierlei Weise beschrieben: Sie wurden in einer leichten Vertiefung innerhalb eines Rahmens mit durch Zusätze gehärtetem Wachs beschichtet, der Text wurde mit einem → Griffel eingekratzt (→ Diptychon); oder man weißte sie und beschrieb sie mit → Tinte. Auf der geweißten Holztafel (λεύκωμα/*leúkōma*, lat. *album*) wurden in

Griechenland und Rom öffentliche Bekanntmachungen, Schriftstücke von allg. Interesse, Ratsbeschlüsse, Verordnungen, Abrechnungen, Siegerlisten und Verträge publiziert, die man in den Vorhallen der Tempel und Amtsgebäude oder auf öffentlichen Plätzen aufstellte. Ausnahmsweise konnten auch private Mitteilungen auf einer Holztafel veröffentlicht werden (Diog. Laert. 6,33). Eine Besonderheit sind die hölzernen Stäbe (ἄξονες/*áxones*), die Gesetzestafeln → Solons [1], die um eine Achse gedreht werden konnten (Paus. 1,18,3, vgl. Plut. Solon 25).

Ein weiteres, bes. im Orient sehr gebräuchliches Sch. war → Leder (vgl. die βασιλικαὶ διφθέραι/*basilikaí diphthérai* genannten persischen Chroniken, Diod. 2,32,4); zuerst scheinen die Ionier, dann die übrigen Griechen das Leder als Sch. übernommen zu haben (→ Skytale), bis → Papyrus und → Pergament aufkamen (Hdt. 5,58,3). Auch im ital. Bereich nutzte man Leder als Beschreibstoff; so berichtete z.B. Dion. Hal. ant. 4,58, daß man Verträge auf Kuhhäute zu schreiben pflegte. Auch → Elfenbein wurde schon früh als Sch. genutzt, wie ein Diptychon mit einem Omen-Text aus Nimrud/Kalḫu, ein Kästchen mit phöniz. Inschr. aus Ur (KAI 29), aber auch die → Schreibtafel aus Marsiliana d'Albegna zeigen. Große Berühmtheit erlangten die aus der späten Kaiserzeit stammenden elfenbeinernen → Diptychen, die von Consuln oder anderen hohen Magistraten als Geschenke verteilt wurden; aus Mart. 14,5 geht hervor, daß man das weiße Elfenbein mit schwarzer Farbe oder Tinte beschrieb (vgl. die *libri elephantini*, SHA Tac. 8,1 f.).

In seltenen Fällen wurden Texte oder Zeichen auch auf ungewöhnlichen Schriftträgern angebracht: in Babylon die Markierung von Sklavinnen und Sklaven am Handgelenk, die Kennzeichnung von Tieren auf ihrem Fell, die Kopfhaut eines Sklaven (Hdt. 5,35) oder Sand, in den → Demetrios [2] eine Nachricht mit einem Speer schrieb (Plut. Demetrios 4).

II. Schreibgerät

Für Texte, die man in einen harten Untergrund einritzte, genügte ein harter Metallstift. Diese eingekratzten Inschr. sind vornehmlich auf → Ostraka und Vasen anzutreffen. Mit einem zugespitzten Rohrgriffel wurden Keilschrifttafeln beschrieben, wobei in der Frühzeit das runde Ende des Griffels für die Zahlzeichen benutzt wurde. Der Schreibgriffel wurde für die Beschriftung der mit Wachs beschichteten Holztafel verwendet (→ Griffel, → Schreibtafel). Er hatte ein spitzes Ende zum Eingravieren des Textes, während das andere Ende spachtelartig verbreitert war, um bei einer Korrektur das Wachs wieder zu glätten. Auf Pap. und auf Pergament, geweißten oder nicht mit Wachs beschichteten Holztafeln schrieb man dagegen mit der pinselartigen Binse oder mit → Feder und Tinte. Letztere gab es in zwei Farben: Die schwarze Tinte (μέλαν/*mélan*, lat. *atramentum*) bestand aus Ruß (Ofen- oder Kienruß), dem man zum Gebrauch Wasser beigab und Gummi arabicum zusetzte; die rote Tinte wurde aus → Zinnober (κιννάβαρι/*kinnábari*, lat. *cinnabaris*) oder aus Mennige (μίλτος/*míltos*, lat. → *minium*) hergestellt. Man verwahrte Tinte in kleinen Fäßchen (μελανδόχιον/*melandóchion*, lat. *atramentarium*), von denen sich eine nicht unbeträchtliche Anzahl – v.a. aus röm. Zeit – erh. hat: zylindr. Büchsen aus Ton oder Br. mit einer kleinen Öffnung für das Hineintunken der Feder; man findet sie gelegentlich paarweise für rote und schwarze Tinte. Daneben gab es Gold- und Silbertinten, in der Spätant. und der byz. Zeit auch grüne, blaue und gelbe Tinten. Zuletzt sei Purpurtinte angeführt, mit der die byz. Kaiser ihre Erlasse unterschrieben (Cod. Iust. 1,23,6).

→ Album [2]; Buch; Codex; Kryptographie; Linear B; Papyrus; Pergament; Rolle; Schreibtafel; Skytale

H. Hunger, Die Überlieferungsgesch. der ant. Lit. und der Bibel, [2]1961, 21–43 • A. Kisa, Das Glas im Altertume, Bd. 3, 1908, 923–967 • H. Blanck, Das Buch in der Ant., 1992, 40–63 • E. B. Dusenbery, Samothrace II. The Nekropoleis. Catalogues of Objects 1, 1998, 1148–1168 • S. Breton-Gravereau, D. Thibault (Hrsg.), L'aventure des écritures. Matières et formes (Ausst. Paris, Bibliothèque Nationale 1998/9), 1998 • O. Mazal, Griech.-röm. Ant. (Gesch. der Buchkultur, Bd. 1), 1999, 61–98. R.H.u.W.R.

Schreibtafel. Die Verwendung einer mit Wachs überzogenen Holztafel (δέλτος/*déltos*, vgl. Hdt. 8,135, bzw. δελτίον/*deltíon*, vgl. Hdt. 7,239), um schriftliche Nachr. zu übermitteln (also in Form eines Briefes: Plat. epist. 312d), scheint bei den Griechen seit E. des 8. Jh. v. Chr. bekannt gewesen zu sein (→ Schrift). Das homer. Epos (Hom. Il. 6,168–170) spricht in diesem Zusammenhang von einem πίναξ πτυκτός/*pínax ptyktós* (vgl. Hdt. 7,239: δελτίον δίπτυχον/*deltíon díptychon*). Diese »zusammengeklappte« Holztafel (→ Diptychon) bestand aus zwei Brettchen, die mit einem Scharnier verbunden waren; ihre mit einer Wachsschicht bezogenen Innenseiten wurden beschrieben. Neben diesen verschließbaren Tafeln gab es noch einfache Tafeln aus unterschiedlichen Materialen wie Holz, Elfenbein (Täfelchen aus Marsiliana d'Albegna [1. 154 Nr. 203]) oder Metall (Soph. Trach. 683); der Begriff *déltos* wurde auch syn. verwendet für eine ganze Schrift-Slg. (Dion. Hal. ant. 2,27,3) oder für ein Buch (Batr. 3). *Déltos* nannte man auch eine Br.-Tafel (→ Schreibmaterial), auf der Verträge und Gesetze festgehalten waren; diese Tafeln waren im griech. Raum seit dem 6. Jh. v. Chr. in Gebrauch und fanden auch in Etrurien und Rom Verwendung (vgl. Suet. Vesp. 8,5; Plin. nat. 34,97). Für die archa. Zeit ist ferner die Bezeichnung ξύλα/*xýla* überl.; auf diesen »Holztafeln« waren Gesetze »aufgemalt« (Diod. 9,27,4). Daneben gab es – bes. in Athen – mit Gips bedeckte Tafeln (σανίδες/*sanídes*), die zur Bekanntmachung von vorgeschlagenen oder abzuändernden Gesetzen, von anstehenden Prozessen (Aristoph. Vesp. 349; 848; Aischin. or. 3, 39) oder von öffentlichen Schuldnern (Demosth. or. 25,70) dienten.

Die lat. Bezeichnungen für Sch. waren *pugillares* (Plin. epist. 6,5,8; Amm. 28,4; 28,13), *pugillaria* (Catull.

42,5), *codicilli* (Plin. nat. 16,155) oder einfach *tabellae* (Ov. am. 1,11,23–28); diese Sch. dienten für schriftliche Nachr. aller Art (z. B. Prop. 3,23; Plin. nat. 13,88). Die lat. Entsprechung zu Diptychon war *tabella duplex* (z. B. Suet. Aug. 27,4). Nicht unerwähnt bleiben sollen die aus zwei zusammenklappbaren Sch. bestehenden brn. → Militärdiplome.

→ Brief; Buch; Codex; Diploma; Griffel; Feder; Militärdiplome; Schreibmaterial

1 M. Cygielman (Hrsg.), Etrusker in der Toskana, Ausst. Hamburg, Mus. für Kunst und Gewerbe, 1987.

A. Heubeck, Schrift (ArchHom 3), 1979, X 143–145 • A. K. Bowman, The Vindolanda Writing Tablets (Tabulae Vindolandenses 2), 1994 • H. Blanck, Das Buch in der Ant., 1992, 46–51 • W. Schubart, Das Buch bei den Griechen und Römern, [3]1961. R. H.

Schreibübungen

I. Quellen II. Begriff und Typologie

I. Quellen

Sch. werden in griech. und lat. lit. Quellen erwähnt (u. a. Plat. Prot. 326c–e; Sen. epist. 94,9 und 51; Clem. Al. strom. 5,8,48,4–9; 49,1 Stählin; Quint. inst. 1,1,35 und 37); danach sollten diese Übungen die Kenntnis des → Alphabets verbessern, indem man einmal oder mehrfach kurze Texte (meist Maximen) nach Vorlagen des Lehrers kopierte. Ein einheitlicher Begriff ist aus den o.g. Quellen nicht zu gewinnen; die Vorlagen für Sch. heißen *hypogrammoí paidikoí* oder lat. *praescripta*. Am besten für uns kenntlich sind die Sch. des griech.-röm. Ägypten vom 3. Jh. v. Chr. bis 7. Jh. n. Chr.

Sch. wurden auf Holz- und Wachstäfelchen durchgeführt, seltener auf Papyrus. Vorlagen der Lehrer mit den entsprechenden Kopien der Schüler sind auf – leicht auswischbaren – Wachstäfelchen (→ Schreibtafel) zu finden. Ostraka (Keramikscherben und Bruchstücke von Kalkstein; → *óstrakon*) enthalten zwar ebenfalls Sch., jedoch keine kalligraphischen Übungen, für die man eine weichere Oberfläche benötigt.

II. Begriff und Typologie

Sch. sollten die Handhabung des Stiftes und die Koordination von Auge und Hand von Anfängern trainieren; fortgeschrittene Schüler verbesserten ihre Handschrift und erwarben kalligraphische Fähigkeiten; Schreiberlehrlinge übten für ihre Tätigkeit als professionelle → Schreiber. Erh. sind zahlreiche Übungen für angehende professionelle Schreiber (vgl. [2; 3], dazu PLondinensis lit. 253; PLugdunensis Batavorum XXV, 15; PFlorentinus XXII,28–31): Durch Wiederholung geübt wurden einzelne Wörter und Formeln von Urkunden, auch ganze Dokumente und Passagen aus lit. Texten. Über Schreibschulen, die Zeitdauer und Modalitäten der Ausbildung ist jedoch wenig bekannt.

Die Grundausbildung konzentrierte sich auf die Kenntnis des Alphabets: Anfänger schrieben das ganze Alphabet in Buchstabenreihen; Fortgeschrittene übten dann offenbar einzelne Buchstaben. In Auslassungsübungen zum Alphabet mußten in bestimmten Intervallen einzelne Buchstaben übersprungen werden (z. B. jeder 5. und 6.). Die sog. *chalinoí* bestanden aus Versen oder Wörtern, die alle Buchstaben des Alphabets in nichtalphabetischer Reihenfolge enthielten, die schwer auszusprechen waren (z. B.: κναξζβιχ, θυπτης φλεγμο δρωψ, *knaxzbich, thyptēs, phlegmo drōps*).

Nach dem Erlernen der Buchstabenfolgen schrieben Schüler ihren Namen. Die nächste Übung bestand aus der schriftlichen Wiederholung kurzer Texte (Maximen, Aussprüche, Homerverse). Ob es sich bei einer Textkopie um eine Schüler-Kopie zur Verbesserung der Handschrift handelt, zeigt sich, wenn die Lehrervorlage erhalten ist. Anfänger sind daran erkennbar, daß sie Buchstabe für Buchstabe passiv aneinanderreihen, ohne etwaige Fehler korrigieren zu können. Laut Quint. inst. 1,1,28 sollte man bei der höheren Erziehung eine gute und lesbare Handschrift erreichen. Manche Schulübungen trainierten einen elaborierten und dekorativen, formalen runden Schreibstil (vgl. etwa [1. Nr. 256, 257, 258, 261, 262]). Von Schülern wurde aber nicht die Flüssigkeit und Perfektion erwartet, welche die Berufsschreiber (→ Schreiber) anstrebten.

1 R. Cribiore, Writing, Teachers and Students in Graeco-Roman Egypt, 1996 2 Dies., A Schooltablet from the Hearst Museum, in: ZPE 107, 1995, 263–270
3 H. Harrauer, P. J. Sijpesteijn, Neue Texte aus dem ant. Unterricht, 1985. R. C./Ü: J. DE.

Schreibwerkzeug s. Schreibmaterial

Schrift

I. Definition II. Alter Orient
III. Klassische Antike

I. Definition

Unter Sch. versteht man einen Satz von Zeichen zur visuellen Konservierung menschlicher Sprachäußerungen. Schaffung und Gebrauch von Sch. setzen kulturgesch. (1) ihre Verwendbarkeit, (2) einen erheblichen Grad an Sprachanalyse und (3) die zündende Idee voraus. Da Sch. schon von Sechsjährigen mühelos gemeistert wird und, einmal vorhanden, für verschiedenste kulturelle Zwecke Verwendung findet, ist der entscheidende Faktor für den Zeitpunkt der Erfindung die Idee. Das bedeutet aber, daß man nicht bereitwillig annehmen sollte, Sch. sei an verschiedenen, gegenseitig leicht erreichbaren Orten unabhängig erfunden worden, und schon gar nicht zu so ähnlicher Zeit wie in Äg. und Mesopot. (kurz vor 3000 v. Chr.).

Viele (öffentliche oder geheime) Sch. aus der Ant. mußten, weil ihre Gebrauchstrad. längst abgebrochen war, in der Neuzeit wieder neu erschlossen werden (vgl. → Kryptographie; → Bilingue; → Entzifferungen). Die genaue Kenntnis dessen, was jede Sch. zu jedem Zeitpunkt ihrer Gesch. leistet, ist nicht nur für die Auswertung (gegebenenfalls Restitution) der Texte und ihrer Inhalte, sondern auch der Sprache selbst wichtig (vgl. → Aussprache, → Sprachwissenschaft). R. WA.

II. ALTER ORIENT
A. ÄGYPTEN B. MESOPOTAMIEN, SYRIEN, ANATOLIEN C. SYRIEN-PALAESTINA

A. ÄGYPTEN
Charakteristisch ist hier das Nach- und Nebeneinander von zwei bzw. drei Sch.-Typen: Hieroglyphisch, Hieratisch und Demotisch. Die → Hieroglyphen, zu Beginn des 3. Jt. v. Chr. in bildhafter Form entwickelt, blieben als Monumental-Sch. auf Stein (Tempelwänden, Statuen, Gräbern) bis in die äg. Spätzeit erhalten, wurden sogar im Zeichenbestand in ptolem. und röm. Zeit durch zahlreiche Ideogramme erweitert. Sie waren von Anfang an Teil der äg. Kunst und deshalb in der Sch.-Richtung nicht festgelegt, tendierten ab dem NR auch zur Kryptographie. Das → Hieratische entwickelte sich aus einer kursiven Hieroglyphen-Sch.; es wurde auf → Papyrus zunächst in senkrechten Kolumnen, ab dem MR auch in waagrechten Zeilen linksläufig geschrieben. Neben einer sorgfältigen »Buch-Sch.«, z. B. in den Totenbüchern (→ Totenliteratur), wurde für Briefe, Wirtschaftstexte usw. (häufig als Ostraka) eine »Alltags-Sch.« verwendet, die sich allmählich zum → Demotischen entwickelte, das erst nach der Übernahme der griech. Sch. im Alltagsleben auch für rel. und lit. Texte Verwendung fand. Die äg. Sch.-Kultur spielte mit den unterschiedlichen Verwendungsweisen dieser Schriften und ihrer Anordnung in Kolumnen, Tabellen usw., wobei auch bildliche Darstellungen, z. B. Stationen des Weges ins Totenreich, eingeflochten wurden. Königsnamen und Titel wurden meist in Kartuschen eingeschrieben. Gliederung lit. Texte in Kapitel, Verse usw. wurden durch Rubren oder Trennzeichen, gelegentlich Verspunkte vorgenommen. Differenzierungen erfolgten auch durch rote bzw. schwarze Tinte.

B. MESOPOTAMIEN, SYRIEN, ANATOLIEN
Die am Ende des 4. Jt. v. Chr. in Südmesopotamien für Wirtschaft und Verwaltung geschaffene Sch. entwickelte sich aufgrund der Verwendung der Tontafel als bevorzugtem Sch.-Träger früh zur → Keilschrift, einer gemischten Wort-Silben-Sch., deren Übernahme in nicht sumerischsprechende Kulturen nicht schwierig war. Eine Monumental-Sch., vergleichbar den äg. Hieroglyphen, wurde nicht verwendet. Allerdings sind bei offiziellen Inschr. (Gesetzesstelen, Königs-Inschr. u. ä.) und Beischriften von Rollsiegeln häufig archaisierende Tendenzen feststellbar. Während des rund drei Jt. währenden Gebrauchs der Keil-Sch. waren verschiedene regional und zeitlich differenzierte Sch.-Varianten in Gebrauch, die sich oft stark von den z. B. in der neuassyrischen Sch. standardisierten Zeichenformen unterscheiden. Sie sind – neben sprachlichen Kriterien – für chronologische und örtliche Zuordnung von Texten verwendbar. Die Zeichen der altsumer. Texte wurden zunächst (in Gruppen zusammengefaßt) in Kästchen auf der (Ton-)Tafel angeordnet, doch bildete sich allmählich noch im 3. Jt. v. Chr. eine rechtsläufige Anordnung der Zeichen auf waagrechten Zeilen heraus. Kolumnenschreibung wurde auch bei kürzeren Texten beibehalten, so daß die Tafel jeweils um ihren unteren Rand herum gedreht wurde, die Zeichen der Rs. im Verhältnis zur Vs. auf dem Kopf stehen. Neben Rechts- und Verwaltungsurkunden sowie Briefen wurden als »Schultexte« schon früh → Listen mit Namen und Begriffen (zunächst identisch mit Zeichenlisten) verfaßt. Lit. Texte im engeren Sinne (→ Mythos, → Epos, → Gebet, Hymnos, Beschwörung usw.) unterscheiden sich graphisch nicht von Alltagstexten, sind aber – da umfangreicher – oft in bis zu zehn Kolumnen angeordnet. Worttrenner wurden sehr selten (im Altassyr.) verwendet; Spatien kommen gelegentlich in jüngeren Texten vor. In der Regel fallen Wort- und Zeilenende zusammen. Für einzelne Urkundentypen konnten unterschiedliche Tafelformate Verwendung finden.

Mit dem Untergang des Hethiterreiches erlosch kurz nach 1200 v. Chr. in Kleinasien, mit dem Assyrerreich um 600 v. Chr. in Syrien die Keil-Sch. bis auf wenige Ausnahmen. Die luwische Hieroglyphen-Sch. (→ Luwisch) blieb – neben der phöniz./aram. Konsonanten-Sch. – in den (allein erh.) Monumentalinschr. bis ins 7. Jh. v. Chr. lebendig (→ Karkemiš; → Karatepe). Die fast nur in → Ugarit verwendete alphabetische, linksläufige Keil-Sch. ging mit dieser Stadt ca. 1190 v. Chr. unter. Auch die von Dareios [1] I. geschaffene und nur in königlichen Verlautbarungen verwendete → altpersische Keilschrift überlebte das Achaimenidenreich nicht, das für wirtschaftliche Vorgänge in der → Elymais noch die (stark abgewandelte) elamische Sch. bewahrte.

C. SYRIEN-PALAESTINA
Die seit dem 17. Jh. v. Chr. mit starken lokalen Varianten nachweisbaren linearen Alphabet-Sch. kamen hier erst seit dem 11. Jh. v. Chr. – wohl ausgehend von → Byblos [1] – in der jetzt standardisierten phöniz. Form mit 22 Zeichen allmählich in Gebrauch. Überl. sind hauptsächlich Stein-Inschr., Siegel, Gefäßaufschriften, Pfeilspitzen aus Bronze. Die Sch. ist stets linksläufig, verwendet teilweise Worttrennung durch Punkte bzw. kurze Striche, läßt Wörter auch über das Zeilenende hinausgehen. Im Laufe des 9./8. Jh. v. Chr. entwickelte sich eine Kursive, in der dann regionale Varianten (z. B. Aram., Hebräisch) hervortreten. Bedingt durch unterschiedliche → Schreibmaterialien (Stein, Ton, Ostraka, Papyrus) variieren die Zeichenformen. Gelegentlich wurden auch Absätze oder Zwischenstriche zur Gliederung längerer Texte verwendet. Eine genormte Verwaltungspraxis ist am klaren Aufbau von Wirtschaftstexten und Briefen ablesbar. Lit. Texte sind selten und unterscheiden sich äußerlich nicht von solchen der Administration. Schriftrollen, die es nach Zeugnissen des AT (2 Kg 22,8) gegeben haben muß, sind alle verloren.

→ Alphabet; Bilingue; Inschriften; Keilschrift; Papyrus; Quadratschrift; Schreiber; Trilingue; ENTZIFFERUNGEN

1 B. ANDRÉ-LEICKNAM, C. ZIEGLER (Hrsg.), Naissance de l'écriture, [4]1982 **2** R. BORGER, Assyr.-babylonische Zeichenliste (AOAT 33a), [2]1981 **3** M. DIETRICH, O. LORETZ,

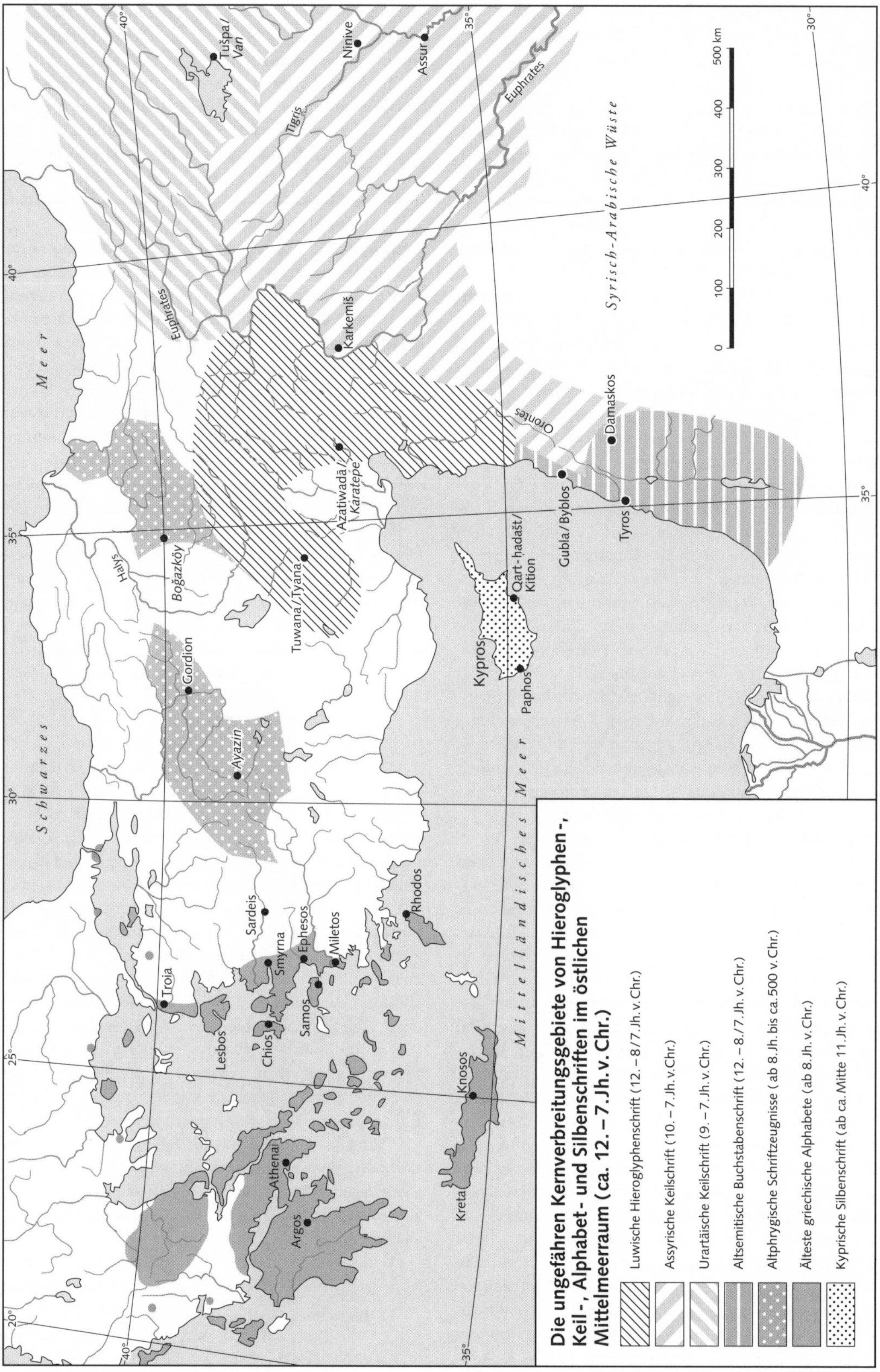

Die ungefähren Kernverbreitungsgebiete von Hieroglyphen-, Keil-, Alphabet- und Silbenschriften im östlichen Mittelmeerraum (ca. 12. – 7. Jh. v. Chr.)

Die Keilalphabete, 1988 **4** G.R. Driver, S.A. Hopkins, Semitic Writing from Pictograph to Alphabet, ²1976 **5** I.J. Gelb, s.v. Writings, Forms of, The New Encyclopaedia Britannica, Bd. 19, 1981, 1033–1045 **6** J. Goody, The Logic of Writing and the Organization of Society, 1986 **7** M. Green, The Construction and Implementation of the Cuneiform Writing System, in: Visible Language 15, 1981, 345–372 **8** M. Krebernik, H.J. Nissen, Die sumer.-akkad. Keilsch., in: H. Günther, O. Ludwig (Hrsg.), Sch. und Schriftlichkeit – Writing and Its Use, Bd. 1, 1994, 274–288 **9** J. Naveh, Early History of the Alphabet, 1982 **10** W. Röllig, Das Alphabet und sein Weg zu den Griechen, in: Jb. der Heidelberger Akad. der Wiss. 1999, 2000, 28–33 **11** A. Schlott, Sch. und Schreiber im Alten Äg., 1989 **12** W. von Soden, W. Röllig, Das akkadische Syllabar (Analecta Orientalia 42), ⁴1991 **13** C. Wilcke, Die Keilsch.-Kulturen des Vorderen Orients, in: s.[8], 491–503.

Karten-Lit.: K. Kessler, Assyrien bis 800 v. Chr., TAVO B IV 10, 1987 • Ders., Das Neuassyr. Reich der Sargoniden (720–612 v. Chr.) und das Neubabylon. Reich (612–539 v. Chr.), TAVO B IV 13, 1991 • F. Prayon, Kleinasien vom 12.–6. Jh. v. Chr., TAVO B IV 9, 1991 • Ders., A.-M. Wittke, Kleinasien vom 12.–6. Jh. v. Chr., TAVO Beih. B 82, 1994 • W. Röllig, Über die Anf. unseres Alphabets, in: Das Altertum 31, 1985, 83–91, bes. 85 • Ders., Östliches Kleinasien. Das Urartäerreich (9.–7. Jh. v. Chr.), TAVO B IV 12, 1992 • F. Starke, s.v. Kleinasien, DNP 6, 523 f. W.R.

III. Klassische Antike

A. Mykenische Zeit

Im 2. Jt. v. Chr. waren in Griechenland, auf Kreta und auf Zypern verschiedene Silbenschriften in Gebrauch (→ Griechenland, Schriftsysteme; → Kyprominoische Schriften). Von diesen wurde höchstwahrscheinlich nur → Linear B für die Sprache Griech. verwendet. Keine einzige dürfte der Tradierung von Lit. gedient haben, denn das Prinzip der Silben-Sch. mit Zeichen nur für offene Silben (so mit Sicherheit Linear B) eignet sich nicht für elaborierte, über Stereotype erheblich hinausreichende Texte. Erstaunlicherweise konnte dieses Sch.-Prinzip auf Zypern in Form der → Kyprischen Schrift bis in hell. Zeit überleben, offenbar v.a. weil nie ein vollständiger Traditionsbruch stattgefunden hatte.

B. Griechenland in alphabetischer Zeit

Verm. im frühen 8. Jh. v. Chr. wurde wohl in Kooperation (mindestens) eines Phöniziers und eines Griechen (letzterer von Athen oder Euboia?) als erste reine Phonem-Sch. das griech. Alphabet geschaffen (→ Alphabet II., mit Tab.). Es hat sich seither in nicht abbrechender Trad. mannigfaltig aufgespalten und weiterentwickelt. Sehr früh, zweifellos noch im 8. Jh., wurden davon das etr. Alphabet (s.u. C.) sowie im Osten mindestens das phrygische (→ Kleinasien VI. Alphabetschriften) abgezweigt. Das Alphabet wurde sogleich für die »klass.« Typen von → Inschriften verwendet, insbesondere Hersteller-, → Bauinschriften, Besitz-, → Ehreninschriften und → Grabinschriften sowie die der rel. Sphäre angehörigen → Weihinschriften und – etwas später – *defixionum tabellae* (s.u. IV. und → *defixio*). Daneben diente es fast von Anfang an auch lit. Zwecken (→ Schriftlichkeit-Mündlichkeit), was sich in bemerkenswert zahlreichen frühen *Carmina epigraphica* niedergeschlagen hat (z.B. Nestorbecher-Inschr. von Ischia CEG 454, Dipylon-Inschr. von Athen CEG 432, beide aus dem 8. Jh.). Auch für Archiv-Zwecke (→ Archiv) wurde Sch. früh verwendet. Zudem diente das griech. Alphabet der Notierung der Zahlen (→ Zahlensysteme).

Die → Schriftrichtung war zunächst nach dem semitischen Vorbild linksläufig; ab ca. 600 v. Chr. begann die Rechtsläufigkeit zu überwiegen. Für die Wiedergabe von Versen muß ganz früh schon die (allein sinnvolle) zeilenweise (stichische) Anordnung üblich geworden sein (so auf dem Nestorbecher). Prosatexte dagegen wurden meist in *scriptio continua* notiert, längere Texte in *bustrophēdón* (d.h. wie beim Pflügen: Im »echten *bustrophēdón*« stehen die Zeichen zweier Z. immer Kopf an Fuß, im »falschen *bustrophēdón*« Kopf an Kopf bzw. Fuß an Fuß). Etwa Mitte 6. Jh. wurde eine *stoichēdón* genannte Technik beliebt, bei der die Texte in eine Tab. von immer gleich vielen Zeichen pro Z. eingepaßt werden (ohne Rücksicht auf Wort- oder Silbengrenzen); dies machte Texte sicher gegen Verfälschungen durch Korrektur, Einfügung oder Streichung. Markierung von Absätzen (z.B. durch horizontale Linien) und Interpunktion von Wörtern (genauer: Akzenteinheiten) oder von Wortgruppen (oft syntaktische Einheiten) waren zunächst die einzigen Gliederungsmittel [1]. Ab dem 4. Jh. kamen weitere Lesehilfen dazu wie Satzinterpunktion, Akzente, Spiritus usw., v.a. auf → Papyrus (vgl. [2] und → Lesezeichen). Auch entwikkelten sich früh verschiedene → Schriftstile; schon im 6. Jh. sind deutliche Unterschiede zw. z.B. sorgfältig eingemeißelten Steininschr. und flüchtig gemalten Vaseninschr. festzustellen [3. 15–19].

Zunächst waren verschiedene griech. Lokalalphabete in Gebrauch, die bezüglich Buchstabenformen und Sch.-System (Reihenfolge der Zeichen und ihre Zuordnung zu Lautwerten) deutlich voneinander abwichen, aber meist gegenseitig leicht lesbar waren. Diese schon auf dieser Ebene herrschende Vielfalt verhinderte andererseits verm. die Herausbildung eigentlicher Kursiven (s. den Bleibrief von Berezan, LSAG pl. 80.1, um 500 v. Chr.). Im 5. Jh. nahm wegen der zunehmenden Wichtigkeit der Lit. (v.a. → Homeros [1]) immer mehr das ostionische Alphabet überhand (die Mischung ist z.B. auf attischen Vasen gut zu beobachten [3. 176–182; 4. 41–49]). Es wurde in Athen 403/2 unter → Eukleides [1] im offiziellen Gebrauch für obligatorisch erklärt, setzte sich im 4. Jh. in der griech. Welt durch und entwickelte – nach Ausweis der Papyri – im 3./2. Jh. kursive Abwandlungen, die Grundlage für die späteren Sch.-Stile.

C. Italien und Rom

Nach der Übernahme des Alphabets der euboiischen Kolonisten von → Pithekussai (Ischia) und Umgebung durch die kampanischen Etrusker (→ Etrusci I. H.) verbreitete sich das Alphabet im 7. und 6. Jh. unter den Völkerschaften Italiens (→ Italien, Alphabetschriften, mit Tab.). Die Etrusker und fast alle idg. Sprachgemeinschaften, die ihre Alphabete von ihnen entlehnten, blieben bei der Linksläufigkeit, nur die Römer wechselten um 500 v. Chr. zur Rechtsläufigkeit über und modernisierten gleichzeitig auch einige Buchstabenformen (z. B. neu vier- statt fünfstrichiges M), zweifellos beides nach griech. Vorbild und wohl in bewußter Abgrenzung von den Etruskern (in etr. Stil z. B. noch die → Duenos-Inschrift). Die Anlehnung des Sch.-Stils an die griech. Sch. setzte sich im 4. Jh. fort, und auch verschiedene zu Beginn der lit. Epoche (ab Mitte 3. Jh.) eingeführte orthographische Merkmale lassen sich am besten durch griech. Vorbild (d. h. Griechen in Latium und Rom) verstehen [5. 125, 144, 324–333, 338–342, 497–504]. Damals entwickelten sich wohl auch erste Formen der nachmaligen Kursive (v. a. II für E und I' für F, beide unbekannter Herkunft), wie sie etwa für die lat. Wachstäfelchen, *defixionum tabellae* sowie die pompeianischen Wandinschr. typisch ist.

D. Kelten, Germanen u. a.

Das Alphabet wurde auf der iberischen Halbinsel für die Bildung eigener Schriften verwendet (→ Hispania, III. Schriftsysteme; → Entzifferungen II.), unter anderem für die Sprache der → Celtiberi. In Gallien dagegen schrieben die Kelten (wenn überhaupt; Caes. Gall. 6,14,3) mit dem griech., in röm. Zeit mit dem lat. Alphabet. Ein Spezialfall ist die irische Schrift → Ogam (ab 5. Jh. n. Chr.).

Die Germanen verwendeten im Süden wohl gelegentlich das lat. Alphabet, im Norden entstanden ca. ab dem 2. Jh. n. Ch. die → Runen (Alphabet mit eigener Zeichenreihenfolge); für die Goten schuf Bischof Wulfila (→ Ulfila) um 350 n. Chr. zum Zwecke seiner → Bibelübersetzung nach dem griech. Alphabet (mit wenigen lat. Merkmalen) die → Gotische Schrift [1].

Im Mittleren Osten wurde, inspiriert durch das griech. Alphabet, aber sonst unabhängig, die → Avestaschrift (3. Jh. n. Chr.?) geschaffen, in deutlicher Anlehnung an das griech. Alphabet (mit gleicher Zeichenreihenfolge) hingegen die georgische (→ Georgisch; 4. Jh.) und die armenische Sch. (→ Armenisch; 5. Jh.).

→ Alphabet; Schriftstile; Schriftwissenschaft

1 R. Wachter, Evidence for Phrase Structure Analysis in Some Archaic Greek Inscriptions, in: A. C. Cassio (Hrsg.), Katá Diálekton. Atti del 3. Colloquio Internazionale di Dialettologia Greca (1996), 1999, 365–382 (=AION, Sezione Filol.-Lett. 19, 1997) **2** E. G. Turner, Greek Manuscripts of the Ancient World, hrsg. von P. J. Parsons (BICS Suppl. 46), 1987, 1–23 **3** H. R. Immerwahr, Attic Script: A Survey, 1990 **4** L. Threatte, The Grammar of Attic Inscriptions, Bd. 1: Phonology, 1980 **5** Wachter.

P. T. Daniels, W. Bright (Hrsg.), The World's Writing Systems, 1996 • H. Günther, O. Ludwig u. a. (Hrsg.), Sch. und Schriftlichkeit, 1994–1996. R. WA.

E. Religiöser Schriftgebrauch

Sch. spielt in der griech. und röm. Rel. eine bedeutende Rolle. Zu heuristischen Zwecken lassen sich grob vier Kategorien von Sch.-Gebrauch unterscheiden, auch wenn diese in der Praxis nicht scharf voneinander getrennt waren.

1. Zunächst wurde Sch. beim Erzählen von Geschichten über Götter (→ Mythos) und bei der Erörterung der Natur des Göttlichen (→ Philosophie) eingesetzt. Göttermythen finden sich regelmäßig in der ant. Lit. von Hesiodos' *Theogonía* bis zu den *Dionysiaká* des Nonnos. Manchen gelten solche Texte nicht als »rel.«, weil nicht mit dem Kult verbunden, doch ist diese Unterscheidung problematisch [3]. Spekulationen über das Wesen des Göttlichen stellen ein wichtiges Element der ant. Philos., insbes. der platonischen, stoischen und neuplatonischen Trad. dar. Wenngleich diese Spekulationen ebenfalls kaum mit dem Kult in Zusammenhang standen, hatten sie doch Einfluß auf die christl. Lehre.

2. Sch. war auch von Bed. im Ausdruck von Frömmigkeit und im persönlichen Kontakt mit der Gottheit [1. 39–48]. Weihgaben an Götter wurden oft in Inschr. festgehalten (→ Weihung). Weniger ist von schriftl. → Gebeten erh.; Bitten konnten auf vergänglichen Materialien niedergeschrieben und in Tempeln hinterlegt werden (Iuv. 10,54 f.). Fluchtäfelchen und Amulette repräsentieren vielleicht am besten die ursprüngliche Diversität des Materials (→ *defixio*; → *phylaktḗrion*). Unter dem überl. Material sind Zeugnisse für die Macht einer Gottheit häufiger, u. a. die als Aretalogien bekannten Listen der von einem Gott erwiesenen Wohltaten, bes. in Verbindung mit Heilgöttern wie Asklepios [5]; etwas anders ausgerichtet sind die »Beichtinschriften« aus Anatolien [7]. Schließlich existierten schriftl. Fassungen von Hymnen, die in kultischen Kontexten aufgeführt wurden [2], daneben auch lit. Werke wie die Hymnen des Kallimachos [3] (→ Hymnos).

3. Prophetische (→ Prophet) oder Orakeltexte (→ Orakel) spielten selten eine wichtige Rolle im öffentlichen Kult, von den → *Sibyllini Libri* in Rom abgesehen. In privaten Kontexten scheinen solche Texte jedoch schon von früher Zeit an in regem Gebrauch gewesen zu sein, trotz der Mißbilligung durch die städtischen Behörden. Im archa. und klass. Griechenland verwendeten professionelle Seher (*chrēsmológoi*, »Orakeldeuter«) Slg. von Orakeln, die legendären Sehern wie → Musaios [1], → Bakis und der → Sibylle zugeschrieben wurden (Aristoph. Pax 1043–1126; Aristoph. Av. 959–90; Hdt. 7,6,3), im republikanischen Rom zirkulierte eine Slg. unter dem Namen des Sehers Marcius [I 2] (Liv. 25,12,2–11). Erh. Texte dieser Art reichen von den → Sibyllinischen Orakeln aus jüdisch-christl. Trad. bis zu den als »Lose des → Astra(m)psychos« bekannten Fragen und Antworten. Einige dieser anon.

oder pseudonymen Werke fungierten als göttliche Offenbarungen.

4. Die Aufzeichnung rel. Vorschriften war in der griech. Welt zum größten Teil beschränkt auf die offiziellen → Kalender und auf die sog. »heiligen Gesetze« (*leges sacrae*), in öffentlichen Inschr. festgehaltene Regelwerke (Tempelvorschriften und Durchführung öffentlicher Feste) [8; 11; 12]. In der ital., bes. der röm. Trad. besaßen schriftl. Aufzeichnungen größere Bed. Die öffentlichen → Priester in Rom hielten ihre Aktivitäten und Entscheidungen zu Ritualgesetzen in Aufzeichnungen fest (Cic. dom. 136–138; Cic. nat. deor. 2,11; Cic. div. 2,42; 73); die *pontifices* (→ *pontifex*) bewahrten auch Niederschriften der in verschiedenen Ritualen verwendeten *formulae* auf, die sie den Magistratsbeamten diktierten (Liv. 8,9,4; 9,46,6; Plin. nat. 28,11). Vom 2. Jh. v. Chr. an begannen → Antiquare mit der Slg. dieses Materials und der Abfassung systematischer Abh. zu Aspekten der Sakralgesetzgebung; in welchem Maße sie dabei auf früheren Systematisierungen der Priester aufbauten, ist unklar [6; 10]. Inschr. Reproduktionen des offiziellen röm. Kalenders sind in ganz It. gefunden worden; sie hatten große symbolische und auch eine praktische Funktion [9]. Nach [4] besaß die zunehmende Bed. der Schrift in der röm. religiösen Trad. die ideologische Funktion, die Vorherrschaft der Elite in rel. Angelegenheiten auszubauen. Doch konnten schriftl. Ritualregeln auch denen Macht verleihen, die nicht zur gesellschaftl. und polit. Elite gehörten. Von Privatpersonen angebotene Bücher rituellen oder theogonischen Inhalts erwähnt Plat. rep. 364e–365a; die sog. → Zauberpapyri illustrieren die Bed. inoffizieller schriftl. Ritualvorschriften in der röm. Kaiserzeit.

1 M. Beard, Writing and Rel., in: Dies. (Hrsg.), Literacy in the Roman World, 1991, 35–58 **2** J. M. Bremer, Greek Hymns, in: H. S. Versnel (Hrsg.), Faith, Hope and Worship, 1981, 193–215 **3** D. Feeney, Literature and Rel. at Rome, 1998 **4** R. Gordon, From Republic to Principate: Priesthood, Rel. and Ideology, in: M. Beard, J. North (Hrsg.), Pagan Priests, 1990, 177–198 **5** L. R. LiDonnici, The Epidaurian Miracle Inscriptions, 1995 **6** J. Linderski, The Libri Inconditi, in: Ders., Roman Questions, 1995, 496–523 **7** G. Petzl, Die Beichtinschriften Westkleinasiens (EA 22), 1994 **8** G. M. Rogers, The Sacred Identity of Ephesus, 1991 **9** J. Rüpke, Kalender und Öffentlichkeit, 1995 **10** J. Scheid (Hrsg.), Les documents sacerdotaux, in: La Mémoire perdue: Recherches sur l'administration romaine, 1998, 5–197 **11** LSAM **12** LSCG **13** LSCG, Suppl.

J. B. R./Ü: T. H.

Schriftlichkeit-Mündlichkeit

I. Grundlagen

Die griech. Schriftkultur ist Folge der Übernahme des phönizischen → Alphabets, zu der es – so die h. verbreitete, auf mannigfache Indizien gestützte Annahme – in der 1. H. des 8. Jh. v. Chr. kam. Als Reflex der Übernahme bewahrte sich im Ionischen der Begriff Φοινικήια (*Phoinikḗïa*) für Schriftzeichen, den Herodot (5,58) für eine in den Grundzügen zutreffende Rekonstruktion des Vorganges auswertet. Für längere Texte wurde im Orient die Lederrolle verwendet. Daß sie von den Griechen zusammen mit der → Schrift übernommen wurde, geht daraus hervor, daß sich bei den Ioniern die Bezeichnung διφθέρα/*diphthéra* (»Leder«) für Buch auch dann noch hielt (Hdt. l.c.), als sich die Pap.-Rolle (βίβλος/*bíblos*, βιβλίον/*biblíon*) längst durchgesetzt hatte (wohl seit dem späten 7. Jh. v. Chr.). Sie war in den folgenden Jh. das zentrale Medium der griech. Schriftkultur. Erst in nachchristl. Zeit wurde sie durch den Pergamentkodex abgelöst (→ Buch; → Codex; → Papyrus; → Rolle).

Das Erbe der Mündlichkeit (=M.) blieb die ganze Ant. hindurch insofern wirksam, als laut gelesen wurde: Der Leser inszenierte dann gleichsam für sich selbst eine mündliche (=m.) Kommunikationssituation. Doch hat es, was oft verkannt wird, auch eine Praxis stillen Lesens gegeben, die sich mit dem Fortschreiten der Literarisierung ausbildete und spätestens für das 5. Jh. v. Chr. anzusetzen ist [1]. Etwa vom 3. Jh. v. Chr. an wurde Lesen dadurch unterstützt, daß Akzente, Spiritus und Elemente von Interpunktion, welche die gebräuchliche *scriptio continua* gliederten, in die Texte Eingang fanden (→ Lesezeichen).

II. Archaische und klassische Zeit

Die Entwicklung im ant. Griechenland ist geprägt von der großen Dynamik, mit der die neue Errungenschaft, die Buchstabenschrift, eine ehedem m. Kultur durchdrang. Mit vollem Recht ist hier von einer kulturellen »Revolution« gesprochen worden [2]. Von Anf. an verbreitete sich die Schriftkenntnis über einen engeren Zirkel von Experten hinaus: Die frühesten → Inschriften haben durchweg privaten Charakter; vom 7. Jh. an wird über erklärende Vasenbeischriften sowie Töpfer- und Malersignaturen eine verbreitete Schriftbenutzung durch Handwerker faßbar. Erst sekundär, in der 2. H. des 7. Jh., treten öffentliche Inschr. hinzu, beginnend mit einer Rechtsinschr. aus Dreros, wie überhaupt die Fixierung von Recht eine der wichtigen frühen Funktionen der Schrift war [3. 273–280].

Vor allem setzt die Überl. der griech. Dichtung mit dem 7. Jh. v. Chr. in ganzer Breite ein; dafür, daß auch die ›Ilias‹ erst in dieses Jh. gehört, sprechen beachtliche Gründe ([4]: zw. 670 und 640 mit einer Präferenz für 660–650; vgl. → Homeros II. A., mit etwas früherer Datier.: um 700). Es war zwingend, daß die Schrift auch den dichterischen Schaffensprozeß von Grund auf veränderte. Ein poetischer Text mußte nicht mehr extemporierend hervorgebracht werden. Er konnte nun in einem Akt der Abfassung entstehen, der von der Darbietungssituation getrennt war und dessen Tempo der Autor selbst bestimmte. Doch bewahrten sich bei aller Verfeinerung, die die schriftliche (=sch.) Abfassung ermöglichte, Elemente der M.: so die epischen »Formeln« (→ Epos II. B. 1.) oder die Hinwendung zu einem oder zu mehreren Adressaten in → Lyrik und → Lehrgedicht. Auch blieb die Zweckbestimmung von Dichtung für den m. Vortrag einstweilen unangefochten (→ Literatur III. B.). Wohl erst im späten 5. und dann im 4. Jh. verdrängte individuelles Lesen allmählich das kollektive Zuhören als Normalfall der Rezeption. Aristoteles [6] faßt diese Entwicklung in zugespitzter Weise zusammen, wenn er sogar im Hinblick auf dramatische Dichtung die Ansicht vertritt, eine Trag. entfalte ihre Wirkung auch ohne Aufführung im Akt des Lesens (Aristot. poet. 26, 1462a 11–13).

Ein bes. zukunftsweisendes Produkt der Literarisierung war das Prosabuch. Prosaschriften kamen in der 2. H. des 6. Jh. v. Chr. im Umkreis vorsokratischer Theoriebildung auf; das 5. Jh. brachte eine explosionsartige Ausweitung. Zu nennen sind sophistische Traktate und Fachschriften, etwa medizinischen Inhalts (→ Fachliteratur); auch die Entstehung der → Geschichtsschreibung war mit dem Prosabuch verbunden. In der 2. H. des 5. Jh. begann sich ein organisierter Buchvertrieb herauszubilden. Gefördert wurde die Entwicklung der griech. Schriftkultur durch die Rechtschreibreform von 403/2, mit der Athen die ion. Form des Alphabets übernahm [5. 108–110]. Dieses wurde das Alphabet der griech. Gemeinschaftssprache, der → *koinḗ*, die wiederum wesentlich aus dem Attischen hervorging.

III. Hellenismus und Kaiserzeit

Ein auf Schriftlichkeit (=Sch.) aufbauender Wissenschaftsbetrieb wurde im späten 4. Jh. v. Chr. durch Aristoteles [6] und seine Schule begründet. Damit begann der letzte Abschnitt im Prozeß der Literarisierung, in dem nun die Fähigkeit der Schrift, Wissen zu akkumulieren und so weiteren Wissensfortschritt in Gang zu setzen, in großem Umfang realisiert wurde. Zentrum der hell. Wiss. wurde → Alexandreia [1], wo Ptolemaios [1] I. mit Unterstützung der Aristoteles-Schüler Demetrios [4] von Phaleron und Straton [2] von Lampsakos eine Forsch.-Stätte, das → *Museíon*, mit einer angeschlossenen, in der Folgezeit auf das üppigste ausgebauten → Bibliothek errichtete [6; 7]. Die neue Institution setzte sich das Ziel, die lit. Trad. Griechenlands in umfassender Weise zu sammeln und aufzuarbeiten. Hierfür mußten ebenso die methodischen Grundlagen wie die erforderlichen Verfahren und Techniken entwickelt werden: kritische Ed. und Kommentar, Katalogisierung und → Lexikographie; daneben entfaltete sich ein reiches Spektrum kultur-, literatur- und sprachgesch. Sekundär-Lit. (→ Philologie I. C.). Eine mit Alexandreia konkurrierende Institution entstand in → Pergamon. Das Aufblühen der Wiss. beschränkte sich aber keineswegs auf den Bereich der Philol. Eine überaus reiche Fach-Lit. entfaltete sich in den Naturwiss. und der → Medizin, und für → Philosophie und → Geschichtsschreibung (um nur noch diese beiden Bereiche zu nennen) ist eine entsprechende Ausweitung des Schrifttums zu konstatieren.

Der Prozeß setzte sich in der Kaiserzeit fort, in der der Kommentar (→ *hypómnēma*) auch zur zentralen Textgattung der Philos. wurde (ein Eindruck vermittelt sich durch [8]). Das gewaltige Œuvre des Arztes → Galenos (er selbst bezifferte es auf 153 Werke in über 500 B.; die letzte, aus dem 19. Jh. stammende Gesamtausgabe umfaßt 19, genaugenommen sogar 21 stattliche Textbände [9]) beleuchtet den Stand der griech. Schriftkultur im 2. und frühen 3. Jh. n. Chr. In der Folgezeit ließ die evolutionäre Dynamik nach, die dem Prozeß der Literarisierung innegewohnt hatte. Nach der Schließung der Platonischen Akademie (→ *Akadḗmeia*) durch Iustinianus [1] 529 ging die griech. Schriftkultur in die byz. über.

IV. Rom

Die röm. bzw. lat. Schriftkultur [10] ist in zweifacher Hinsicht aus der griech. erwachsen. Zum einen leitete sich das lat. Alphabet über die Etrusker als Zwischenglied aus dem griech. Alphabet her (die Übernahme ist auf das 7. Jh. zu datieren; → Italien, Alphabetschriften C.). Zum anderen orientierte sich die röm. Lit., die mit der Expansion Roms im Mittelmeerraum um die Mitte des 3. Jh. v. Chr. einsetzte, wesentlich am griech. Vorbild. Zu konstatieren ist, daß die Schrift in der röm. Frühgesch. keine mit der Entwicklung in Griechenland irgendwie vergleichbare Dynamik entfaltete; ihre Verwendung beschränkte sich weitgehend auf staatliche Verwaltung, Rel. und v. a. Recht. Dies änderte sich ab dem 3. Jh. v. Chr., wobei die Schrift nun auch mehr und mehr in die private Lebenspraxis hineinwirkte. → Ciceros ausgedehnte Korrespondenz dokumentiert dann den Wandel, welcher im 1. Jh. v. Chr. vollzogen war. Die Entwicklung der röm. Lit. verlief in der Folgezeit auf dem Literarisierungsniveau der griech. (→ Literatur V.). Als Repräsentant sowohl des im 1. Jh. n. Chr. erreichten Entwicklungsstandes der röm. als auch ihrer Verbindung mit der griech. Schriftkultur ist der ältere → Plinius [1] zu nennen [11], dessen enzyklopädische *Naturalis historia* nach den eigenen Angaben des Verf. in der Vorrede (§ 17) 20000 Sachverhalte aus ca. 2000 B. von 100 ausgewählten Autoren behandelt. Die Inhaltsangaben, die das 1. B. ausfüllen, nennen dann sogar 146 röm. und 327 griech. Autoren als Quellen; der Befund wird illustriert durch das Bild, das der jüngere Plinius [2] von der Arbeitsweise seines Onkels als eines rastlosen Lesers und Exzerptors zeichnet (Plin. epist. 3,5).

V. Wissenschaftsgeschichte

F. A. Wolf wandte sich mit seinen *Prolegomena ad Homerum* gegen die bestehende Tendenz, Homer, Kallimachos, Vergil, Nonnos und Milton in einheitlicher Weise als »Lit.« zu betrachten (Kap. 12). Daraus ergab sich das Ziel, die Bed. der M. für Genese und Vermittlung der Homerischen Epen zu rekonstruieren. Die erbitterten Kontroversen, die aus diesem Ansatz erwuchsen, hatten als Konsequenz, daß das Problem der M. und die → Homerische Frage für lange Zeit eng miteinander verklammert blieben. Erst zwei 1963 erschienene Arbeiten bewirkten nachhaltig, daß sich die Fragestellung ausweitete und daß der Status der M. in der Kultur des archa. Griechenland insgesamt zum Unt.-Gegenstand wurde [12; 13]. Dabei waren die jeweils gesetzten Akzente durchaus verschieden. HAVELOCK (s. auch [2; 14]) ermittelte als primäre Funktion von frühgriech. Dichtung die einer *tribal encyclopedia*, in der das relevante Wissen und das Wertesystem der archa. Ges. in memorierbarer Form niedergelegt gewesen sei. Dieser Mechanismus einer m. Trad.-Vermittlung sei bis weit ins 5. Jh. v. Chr. hinein in Geltung geblieben. Platons [1] Dichterkritik im ›Staat‹ verstand er als Schlußwort zu dieser Epoche (deren Darstellung sich deshalb pointiert als *Preface to Plato* bezeichnen ließ). Das Anliegen von GOODY und WATT war es, demgegenüber gerade die Ausbreitung der Schrift auf ihre Folgen hin zu untersuchen (für sie stellte das ant. Griechenland einen Modellfall dar, dem sie sich als Kulturanthropologen zuwandten): Während eine Ges. ohne Schrift durch (so die von GOODY und WATT verwendete Metapher) »homöostatische« Organisation der kulturellen Trad. (*homeostatic organization of the cultural tradition*) gekennzeichnet sei, werde durch die Schrift eine Akkumulation von Überl. bewirkt, in der zwangsläufig Unstimmigkeiten und Widersprüche angelegt seien. In Griechenland habe sich aus der kritischen Auseinandersetzung mit diesem Befund eine neue Einstellung zur Vergangenheit entwickelt, woraus sodann Gesch.-Schreibung und (vorsokratische) Philos. erwachsen seien, beide ersichtlich im Geiste jener Trad.-Kritik (Xenophanes, Herakleitos, Hekataios), die ohne die Schrift nicht möglich gewesen wäre (später hat GOODY unter dem Eindruck einer problematischen Früh-Datier. des griech. Alphabets diese nicht zuletzt durch ihre chronologische Geschlossenheit beeindruckende Entwicklungsskizze modifiziert [15], was man bedauern kann).

Die Resonanz, welche die Arbeiten von GOODY und WATT sowie HAVELOCK in Verbindung mit den Homer-Forsch. von M. PARRY und A. LORD fanden, hatte zwei Effekte: 1) Der Übergang von der M. zur Sch. im ant. Griechenland etablierte sich als zentrales Paradigma interdisziplinärer Mediengesch. und -theorie. Erwähnt sei W. ONG, der unter Berufung auf die Genannten eine allg. Theorie des Verhältnisses von M. und Sch. ausarbeitete [16]. Heute, im Zeichen der neuen Gegenstandsbezeichnung »Medialität«, erscheint das griech. Alphabet mit seinen Folgen neben der Erfindung des Buchdrucks und der elektronischen Revolution der Gegenwart als eine von drei großen medialen Revolutionen der westlichen Zivilisation. 2) Die gräzistische Forsch. wurde im Zuge dieser wiss. Neuorientierung zu mannigfachen neuen Einsichten und Interpretationen inspiriert. Zunächst profitierte hiervon die Lyrik, namentlich, seit den späten sechziger Jahren, durch die Arbeiten von B. GENTILI (eine Bibliogr. bis 1992 in [17. XXXI-XLVII]), der den Anstoß, den [13] für ihn bedeutete, nachdrücklich anerkannt hat [18]. Längst sind andere Forsch.-Gebiete hinzugekommen, so Herodot (buchgesch. Status des Gesch.-Werkes, Verhältnis zu Thukydides), Platon (Funktion der Dialogform, Schriftkritik) oder die Frühgesch. der Rhet. Auch ein verstärktes Interesse seitens der Latinistik an Aspekten der M. in röm. Lit. (z. B. [19] und weitere Bände der Reihe *Script-Oralia*) ist auf diese Impulse zurückzuführen.

→ Alphabet; Enzyklopädie; Kommunikation; Schreiber; Schreibmaterial; Schrift

1 A. K. GAVRILOV, Techniques of Reading in Classical Antiquity, in: CQ 47, 1997, 56–73 **2** E. A. HAVELOCK, The Literate Revolution in Greece and Its Cultural Consequences, 1982 (dt. Teilübers.: Sch., 1990)
3 K.-J. HÖLKESKAMP, Schiedsrichter, Gesetzgeber und Gesetzgebung im archa. Griechenland, 1999 **4** M. L. WEST, The Date of the *Iliad*, in: MH 52, 1995, 203–219
5 W. RÖSLER, Kulturelle Revolutionen in Ant. und Gegenwart, in: Gymnasium 108, 2001, 97–112
6 G. ARGOUD, J.-Y. GUILLAUMIN (Hrsg.), Sciences exactes et sciences appliquées à Alexandrie, 1998 **7** B. SEIDENSTICKER, Alexandria, in: A. DEMANDT (Hrsg.), Stätten des Geistes, 1999, 15–37 **8** Commentaria in Aristotelem Graeca, hrsg. von der Königlich Preußischen Akad. der Wiss., 23 Bde., 1882–1909 **9** C. G. KÜHN (ed.), Galenus, Opera omnia, 19 Bde., 1821–30 (17 und 18 in je 2 Hbd.)
10 G. VOGT-SPIRA, Die lat. Schriftkultur der Ant., in: H. GÜNTHER, O. LUDWIG (Hrsg.), Schrift und Sch., Bd. 1, 1994, 517–524 **11** O. NIKITINSKI, Plinius der Ältere, in: W. KULLMANN et al. (Hrsg.), Gattungen wissenschaftlicher Lit. in der Ant., 1998, 341–359 **12** J. GOODY, I. WATT, The Consequences of Literacy, in: Comparative Stud. in Soc. and History 5, 1963, 304–345 (=J. GOODY (Hrsg.), Literacy in Traditional Societies, 1968, 27–68; dt. 1981, 45–104)
13 E. A. HAVELOCK, Preface to Plato, 1963 **14** Ders., The Muse Learns to Write, 1986 (dt. 1992) **15** J. GOODY, Literacy and Achievement in the Ancient World, in: F. COULMAS, K. EHLICH (Hrsg.), Writing in Focus, 1983, 83–97 (überarbeitet in: J. GOODY, The Interface Between the Written and the Oral, 1987, 59–77) **16** W. ONG, Orality and Literacy, 1982 (dt. 1987) **17** R. PRETAGOSTINI (Hrsg.), Tradizione e innovazione nella cultura greca da Omero all'età ellenistica. FS B. Gentili, 1993 **18** B. GENTILI, Remarks at the American Academy in Rome, February 12, 1994, in: L. EDMUNDS, R. W. WALLACE (Hrsg.), Poet, Public, and Performance in Ancient Greece, 1997, 124–127
19 G. VOGT-SPIRA (Hrsg.), Stud. zur vorlit. Periode im frühen Rom, 1989.

O. MAZAL, Griech.-röm. Ant. (Gesch. der Buchkultur, Bd. 1), 1999 • E. PÖHLMANN, Einführung in die Überl.-Gesch. und in die Textkritik der ant. Lit., Bd. 1: Alt., 1994 • K. ROBB, Literacy and Paideia in Ancient Greece, 1994 • W. RÖSLER, Die griech. Schriftkultur der Ant., in: H. GÜNTHER, O. LUDWIG (s. [10]), 511–517 • R. THOMAS, Literacy and Orality in Ancient Greece, 1992.

W. RÖ.

Schriftrichtung

I. GRIECHISCH II. LATEINISCH

I. GRIECHISCH

Die Sch. der ältesten griech. → Inschriften ist nicht festgelegt; d. h. sowohl ein- als auch mehrzeilige Inschr. können jeweils links oder rechts beginnen und auch ebenso fortgesetzt werden ([3. 44] gegen [5. 141]). Ebenso begegnet von Anfang an (und dies sogar auf der wohl ältesten Stein-Inschr. überhaupt, CEG 433: 8. Jh. v. Chr.), daß der Text *bustrophēdón* (»wie man das Ochsengespann wendet«) geschrieben ist, d. h. er beginnt (im betrachteten Fall) rechts in der ersten Zeile und fährt in der zweiten Zeile links beginnend fort [2. 119]. Paus. 5,17,6 schildert eine solche *bustrophēdón*-Inschr. der → Kypseloslade, und erst nach dem 4. Jh. v. Chr. scheint diese beliebte Art der Beschriftung aus der Mode gekommen zu sein [3. 49]. Gelegentlich begegnet auch vertikales *bustrophēdón*, noch seltener wird eine Schreibart, in der die Buchstaben sorgfältig in Kolumnen untereinander angeordnet sind (*stoichēdón*, »elementweise«), mit der *bustrophēdón*-Beschreibung verbunden [3. 50]. Die ältesten auf Inschr. bezeugten griech. Hexameter sind linksläufig (CEG 432: 740–720 v. Chr.; CEG 454: 535–520 v. Chr.); → Linear B ist rechtsläufig.

II. Lateinisch

Die Sch. der ältesten lat. Inschr. [6. 29] ist rückläufig (CIL I² 3 und 4) oder *bustrophēdón* (CIL I² 1 und 5), die des sprachlich verwandten → Oskisch-Umbrischen wechselt in der Regel je nach dem benutzten Alphabet [7. 3; 4. 527]: In etr. oder nationalem einheimischen Alphabet gehaltene Inschr. sind gewöhnlich von rechts nach links geschrieben, in griech. und lat. Alphabeten verfaßte Inschr. dagegen geben den Text von links nach rechts. Das Etr. selbst zeigt beide Sch. [1].

1 M. Cristofani, Sull'origine e la diffusione dell'alfabeto etrusco, in: ANRW I 2, 1972, 466–489 **2** A. Heubeck, Schrift (Archaeologia Homerica 3 X), 1979 **3** L. H. Jeffery, The Local Scripts of Archaic Greece, ²1990 **4** A. Maniet, La linguistique italique, in: ANRW I 2, 1972, 522–592 **5** E. Schwyzer, Griech. Gramm., Bd. 1, 1939 **6** Sommer/Pfister **7** Vetter.

GE. SCH.

Schriftspiegel s. Mise en page

Schriftsprache s. Sprachschichten

Schriftstile

I. Begriff
II. Griechische Schriftstile
III. Kursive

I. Begriff

Der Begriff des Sch. wird in der griech. Paläographie eingesetzt, um einige häufig verwendete und immer wiederkehrende Schriftarten zu klassifizieren. Unter Stil (bzw. Stilstufen oder Stilisierungsniveau) versteht man auch die verschiedenen kalligraphischen Ebenen einer Schrift (=S.). Im Gegensatz dazu spricht man in der lat. Paläographie nur selten von Sch., wesentlich häufiger aber von Stilisierung oder Typ einer S., um Buchschriften voneinander zu differenzieren. P. E.

II. Griechische Schriftstile
A. Klassifikation B. Minuskel

A. Klassifikation

Um die Sch. griech. Hss. zu klassifizieren – zumindest der ersten vier nachchristl. Jh. (das ältere Material ist zuwenig aussagekräftig) –, werden seit Turner [5] folgende Kriterien berücksichtigt: a) Formalisierungsgrad der S.; b) Geschwindigkeit der Ausführung; c) Geschicklichkeit; d) S.-Größe; e) Buchstabentypologie; f) Neigungswinkel; g) Position der Buchstaben zw. zwei gedachten Linien (Bilinearität) bzw. zw. zwei geschriebenen Zeilen (Interlinearität bzw. ober- und unterzeilige S.). Drei Hauptgruppen von Buchschriften werden unterschieden: 1) *informal round hands*; 2) *formal round hands*; 3) *formal mixed hands* [5. 20–23].

Turner differenziert in den o.g. formalen Gruppen (2) und (3) zw. verschiedenen Typen, die Cavallo [1] als *stili* oder *canoni* bezeichnet: Ab dem 3. Jh. v. Chr. (in dem die Produktion von Papyrusrollen verstärkt einsetzt) beginnen sich Sch. (*stili*) und S.-Kanones (*canoni*) auszubilden; reiche Schreibertätigkeit bewirkte graphische Innovationen; S. entstanden, die sich zu Stilklassen (*classi stilistiche*) zusammenfassen lassen. Von einem Sch. kann gesprochen werden, wenn die am häufigsten wiederkehrenden Charakteristika ein System bilden und eine Gruppe von S. eine deutliche gemeinsame Struktur besitzt. Trotz eher strenger Regeln kann ein Stil Variationen aufweisen, die dem noch nicht vereinheitlichten S.-System zuzuschreiben sind. Unter den Buch-S. aus der Zeit vom 1. Jh. v. Chr. bis 3. Jh. n. Chr. sind der »Epsilon-Theta-Stil« [2], der → Strenge Stil sowie der sog. *stile intermedio* (»Mittlerer Stil«) [4] anzuführen. Die unter dem Begriff → Zierstil zusammengefaßten S. können nicht als »Stile« im Sinne Cavallos gelten; dieser stammt von Schubart, welcher (wie andere Paläographen auch) »Stil« in viel weiterem Sinne auf jede S.-Gruppe anwandte, die eine allg. Ähnlichkeit aufweist, sich jedoch nicht in ein System fügt [4].

Ab dem 2. Jh. n. Chr. läßt sich der Übergang von verschiedenen Stilen zu S.-Kanones beobachten. Bei diesen handelt es sich um nichts anderes als Sch., die ihre urspr. Spontaneität verloren hatten und sich über Jh. in erstarrten typologischen Formen fortsetzen. Beispiele dafür sind die Rundmajuskel (auch Röm. Unziale genannt), die Bibelmajuskel, die senkrechte sowie die rechtsgeneigte spitzbogige Majuskel und die alexandrinische Majuskel (→ Unziale; vgl. → Majuskel).

1 G. Cavallo, Fenomenologia »libraria« della maiuscola greca: stile, canone, mimesi grafica, in: BICS 19, 1972, 131–140 **2** Ders., Lo stile di scrittura »epsilon-theta« nei papiri letterari, in: CE 4, 1974, 33–36 **3** G. Menci, Per l'identificazione di un nuovo stile di scrittura libraria greca, in: Atti del XVII Congresso Internazionale di Papirologia, Bd. 1, 1984, 51–56 **4** W. Schubart, Griech. Paläographie, 1925 **5** E. G. Turner, Greek Manuscripts of the Ancient World, ²1987.

G. CAVALLO, La scrittura greca libraria tra i secoli I a.C. – I d.C. Materiali, tipologie, momenti, in: D. HARLFINGER, G. PRATO (Hrsg.), Paleografia e codicologia greca, 1991, Bd. 1, 11–29; Bd. 2, Taf. 1–24 • Ders., Scritture ma non solo libri, in: Ders. (Hrsg.), Scrivere libri e documenti nel mondo antico, 1998, 3–12. G.M.

B. MINUSKEL

Minuskel-S. (→ Minuskel) haben weitgehend dieselben Merkmale wie Majuskel-S. (→ Majuskel), jedoch mit zusätzlichen Charakteristika wie z. B. → Ligaturen und anderen graphische Zierformen.

Der erste der wichtigen Sch. und Stilisierungen ist – abgesehen von den ersten Stilisierungsversuchen der frühen Minuskel in der Levante und im Umkreis des Studiu-Klosters in Konstantinopel (8.–9. Jh. n. Chr.) – der sog. → Anastasios-Stil (E. 9. Jh.). Im 10. Jh. sind die → Bouletée und die → Perlschrift zu nennen, in der 2. H. des 13. Jh. der sog. → Beta-Gamma-Stil und die → Fettaugen-Mode. Ab der Wende vom 13. zum 14. Jh. werden die kanonisierten Formen der Perlschrift als → archaisierende Schrift wiederaufgenommen; hierzu gehört der Hodegon-Stil (benannt nach dem gleichnamigen Kloster in Konstantinopel; → Minuskel), dessen Einfluß sich noch im 15. und 16. Jh. erkennen läßt. Unter den Gelehrtenschriften der 1. H. des 14. Jh. ist bes. der → Metochites-Stil wichtig. Die → humanistischen Schriften des 15. und 16. Jh. nehmen oft ältere Stilrichtungen und Tendenzen wieder auf.

In einigen ehemaligen oström. Reichsprovinzen entwickelten sich deutlich charakterisierte eigene Sch. Unter den griech. → süditalienischen Schriften lassen sich der im nordöstl. Sizilien und in Kalabrien gebrauchte Reggio-Stil (Anf. 12.–14. Jh.), der Rossano-Stil (11.–12. Jh.) sowie die Stilisierungen von Neilos von Rossano († 1004) und seiner Schule (sog. *Scuola niliana*) differenzieren. In der Gegend um Otranto entwickelten sich zwei Stile; für den einen sind viereckige Buchstaben (11.–12. Jh.), den anderen eher »barocke« Formen (13.–14. Jh.) kennzeichnend. Kaum als eigenen Stil bezeichnen kann man die »As de pique«-Schrift (10. Jh. bis 1. H. 11. Jh.), charakterisiert durch eine Ligatur von Epsilon-Rho in Form eines Pik As. Schließlich begegnen in Palästina und Zypern (vgl. → zypriotische Schrift) verschiedene Stilisierungen; unter ihnen ein Epsilon-Stil (12.–13. Jh.) sowie eine »Bouclée«-S. (13.–14. Jh.).

P. CANART, Paleografia e codicologia greca. Una rassegna bibliografica, 1991, 40–48. P.E.

III. KURSIVE

1. BEGRIFF 2. STILE UND VARIANTEN 3. LATEINISCHE KURSIVE

1. BEGRIFF

Kennzeichen der Kursive (=K.) ist die Ausführung aller oder einiger Striche eines Buchstabens oder ihrer Kombinationen in einem einzigen Zug, d. h. ohne Absetzen des Schreibgerätes vom Schriftträger, um schneller, ökonomischer und zweckmäßiger zu schreiben (»K.« daher oft gleichbedeutend mit »urkundlich«). Arbeitssparende Buchstabenkombinationen sind zwar in Inschr. und Wachstafeln bezeugt; erst das Schreiben mit Tinte und ein Schreibgerät mit feiner und eher starrer Spitze führen zu nennenswerter Beschleunigung des Schreibvorgangs.

2. STILE UND VARIANTEN

Im Gegensatz zu den → Majuskel- und Minuskelschriften (s.o. II. A.) lassen sich eindeutige Stile in der griech. K. nur schwer abgrenzen. Zwar sind zahlreiche griech. Hss. in K.-Schriften (=S.) verfaßt; eine klare Einteilung von Entwicklungsschritten oder Epochen ist jedoch (noch) nicht möglich.

Eine Gebrauchs-S., die mit einem zusammenhängenden, fließenden Federzug schnell und einfach viele Buchstaben schreiben läßt, gibt es während der griech. Ant. schon in griech. Papyri (→ Papyrus) und Ostraka (→ *óstrakon*); wegen ihrer Verwendung in Dokumenten des Geschäfts- und Alltagslebens wird sie auch als → Urkundenschrift bezeichnet. Auch die Abschriften, die durch oder für Privatleute zu Studienzwecken auf Pap. angefertigt wurden, weisen eine mehr oder weniger kursive S.-Form auf, die sog. Halb-K.: diese ist weniger zusammenhängend und steht der Buchmajuskel noch recht nahe.

Im 4. Jh. v. Chr. entspricht die S.-Form von griech. Pap.-Urkunden noch derjenigen von lit. Texten; in der 1. H. des 3. Jh. v. Chr. bewirkten veränderte Bedingungen in Verwaltung, Ges. und Kultur eine zügigere Schreibweise. Während sich die Buch-S. weiter an epigraphischen Vorbildern orientierte, entfernte sich die Urkunden-S. bald von ihnen: In der 1. H. des 3. Jh. v. Chr. verbreitete sich die sog. alexandrinische oder zenonische Kanzlei-S. (benannt nach dem Archiv des → Zenon, [1. 41–42]). Sie verlängert die horizontalen Bestandteile der Buchstaben und schiebt sie nach oben, so daß die S.-Zeichen wie an einem Faden aufgehängt scheinen. Viele ptolem. K.-S. bezeugen diesen Einfluß, in anderen etwa zeitgleichen S. dagegen entwickeln sich die Vertikalen. Im 2. Jh. v. Chr. tauchen auf Pap. Verbindungsstriche zw. den einzelnen Buchstaben auf. Zur gleichen Zeit gewinnt die Buchstabenform ihre Proportionen von Höhe und Breite wieder. In den griech. Pap. aus Äg. der 2. H. dieses Jh. wird die Höhe der Buchstaben stärker betont, die vertikalen Striche von N, T, K und I werden etwas gebogen, bis sie sich im 1. Jh. v. Chr. stark krümmen. Gleichzeitig schließen zunehmend → Ligaturen zwei oder mehr Buchstaben zu einem einzigen graphischen Zeichen zusammen.

Im 1. Jh. n. Chr. entwickeln sich drei Varianten der K.: (1) eine sehr kleine, rundliche, gewundene, mit zahlreichen Ligaturen versehene S., (2) eckige S.-Typen, (3) der sog. »demotisierende« S.-Typ (»Volks«-S.) mit kleinem Buchstabenkörper und eng zusammenhängendem Verlauf, aber mit ausgeprägten vertikalen Strichen, Verlängerungen und Schnörkeln. Im 2. Jh. n. Chr.

beeinflußte die elegante Buchmajuskel der »Röm. Unziale« oder »Rundmajuskel« die griech. K.: die sog. »röm. K.« kennzeichnen rundliche und klare Buchstabenformen mit wenigen Ligaturen und Verformungen.

Im Brief des Praefekten Subatianus Aquila von 209 n. Chr. (PBerolinensis 11532) zeigt die griech. K. eine neue Entwicklung: Schmale, gerade vertikale Striche werden von kleinen Ringeln und »Augen« auf der Oberlinie unterbrochen [2]; diesen Stil nannte SCHUBART [4. 73] »Gitter-S.«. Ein anderer Typus, der sich im Laufe des 2. Jh. ausbreitet, weist beträchtliche Neuerungen bei einigen Buchstaben auf; die Buchstaben sind nach rechts geneigt.

Ende des 2. Jh. verstärkt sich der lat. Einfluß auf die griech. K., zunächst in Militärdokumenten, später auch in Verwaltungs- und Gerichtsdokumenten, die seit Diocletianus (E. 3. Jh. n. Chr.) nicht mehr ausschließlich in lat. Sprache verfaßt wurden. Das Vierliniensystem der lat. → Minuskel bestimmt auch die Entwicklung zur griech.-byz. K. im 4. Jh. n. Chr., einer S. mit häufigen Übertretungen der Zweilinien-Regel durch Schnörkel und Strichverlängerungen sowie überflüssigen, künstlichen Ligaturen. Einige Buchstaben nehmen Formen analoger lat. Zeichen an (α = *a*; δ = *d*; η = *h*). Die starre Form der griech. K. des 4. Jh. n. Chr. (vergleichbar der zeitgenössischen koptischen S.) ist offensichtlich durch zweisprachige Schreiber verursacht. Während der folgenden Jh. orientiert sich die K. vornehmlich am Vierliniensystem und wird von Ligaturen beherrscht. Unter den Arabern (7. bis 8. Jh.) nimmt die griech. Urkunden-K. oft schon die Form der späteren ma. Minuskel an [3].

→ Papyrus; Ligatur; Majuskel; Minuskel

1 G. MESSERI SAVORELLI, R. PINTAUDI, Documenti e scritture, in: G. CAVALLO, E. CRISCI et al. (Hrsg.), Scrivere libri e documenti nel mondo antico, 1998, 39–53
2 G. CAVALLO, La scrittura del PBerol. 11532, in: Aegyptus 45, 1965, 216–249 **3** J. IRIGOIN, De l'alpha à l'omega, in: Scrittura e Civiltà 10, 1986, 7–19 **4** W. SCHUBART, Griech. Paläographie, 1925.

A. BLANCHARD, Les origines lointaines de la minuscule, in: La paléographie grecque et byzantine, 1977, 167–173 • P. DEGNI, La scrittura corsiva greca nei papiri e negli ostraca greco-egizi (IV secolo a.C.-III d.C.), in: Scrittura e civiltà 20, 1996, 21–88 • G. MESSERI SAVORELLI, R. PINTAUDI, s. [1] • R. SEIDER, Paläographie der griech. Papyri, Bd. 1.1: Urkunden, 1967 • Ders., Paläographie der griech. Papyri, Bd. 3.1: Urkundenschrift I, 1990.

G.M./Ü: J.HA.

3. LATEINISCHE KURSIVE

Die älteste lat. K. wies vielfältige Formen auf; sie enthielt ein zusammenhängendes System von → Ligaturen, das bis zum Ende des 12. Jh. durchgehend benutzt wurde. Im 1. und 2. Jh. traten zunehmend neue Buchstabenformen (immer arbeitssparender und auf morphologischer Ebene weiter ausdifferenziert) neben die bestehenden, ohne sie zu ersetzen. Seit Anf. des 3. Jh. n. Chr. benutzten Schreiber in der röm. Verwaltung für eine einheitliche Gruppe amtlicher Dokumente nur noch schnell ausführbare Buchstabenformen und schlossen somit komplexere aus. Mitte des 3. Jh. teilte sich also die K. einerseits in eine Büro- oder Kanzlei-S., andererseits in eine Gebrauchs-S. für private Dokumente. Im J. 367 wurde der Gegensatz zw. diesen beiden S., den *litterae coelestes* (wörtl. »himmlischen Buchstaben«, jetzt bereits ausschließlich Vorrecht der kaiserlichen Kanzlei) und den *litterae communes* (wörtl. »gemeinen Buchstaben«) durch ein Reskript des Valentinianus und des Valens gesetzlich festgelegt (Cod. Theod. 1,19,3). Während die Kanzleischrift in der kaiserlichen Kanzlei verwendet wurde, bildete nach der Abschaffung des Lat. als S.-Sprache im byz. Reich die Gebrauchs-S. (oder »jüngere K.«) die eigentliche Fortsetzung der K. Mit dem Ende der polit. Einheit und der administrativen Strukturen des röm. Reiches im Westen fungierte dort die jüngere K. als verbindendes Element.

Seit dem 7. Jh. fand die K. – mit langsamem Schriftzug – auch Verwendung als Buch-S. in zahlreichen stilistischen Varianten, die sich nur in einigen Fällen zur Kalligraphie entwickeln.

Mit der Verbreitung der → Karolingischen Minuskel als kanonisierte Buchschrift begann eine Periode des Niedergangs der K. Schon im 3. Jahrzehnt des 9. Jh. drang in der kaiserlichen Kanzlei (dort waren auch Geistliche tätig, also in Buchschrift ausgebildete Schreiber) die karolingische Minuskel in einzelne Teile der Urkunde (z. B. ins *datum*) ein und bewirkte normsetzend, daß die schnellsten Buchstabenverbindungen der K. eliminiert werden. In Deutschland war dieser Prozeß in der 2. H. des 9. Jh. so weit fortgeschritten, daß die karolingische Minuskel die K. der spätröm. Trad. – außer einigen kursiven Stilelementen – völlig verdrängte. In It. hielt sich die jüngere K. länger als anderswo, sei es wegen der konservativen Schreibgewohnheiten starker Notarvereinigungen oder durch ihre ausschließliche und intensive Verwendung im privaten Urkundenwesen. Doch auch hier bewirkte die Buch-S. zw. dem 11. und 12. Jh. eine fortschreitende Reduktion der Buchstaben- und Ligaturenform. Davon ausgenommen waren diejenigen Gebiete Süditaliens, wohin die karolingische Minuskel sehr spät und regional begrenzt vordrang, ohne die jüngere K. zu bedrohen, die noch im 13. Jh. für Urkunden und Bücher in gänzlich veralteten Formen gebraucht wurde.

Der wachsende alltägliche Bedarf an Urkunden und häufigerer Schriftgebrauch (auch durch neue Schreibergruppen) gegen E. 12. und im Verlauf des 13. Jh. führte zu einer Erneuerung der K., die gegenüber der Buchschrift wieder unabhängig wurde. Wesentlich dafür war das Auftreten eines neuen Systems von Ligaturen, welches das traditionelle röm. ergänzte: Zu den von der Buchstabenform abhängigen Ligaturen, die *sine virgula et superius* ausgeführt wurden (d. h. der letzte Querstrich eines Buchstabens wird mit dem ersten Längsstrich des folgenden verbunden) kamen nun die *virgulariter et inferius* ausgeführten hinzu (für die Buchstaben, die mit einem absteigenden Längsstrich enden). Die Verbindung mit dem folgenden Buchstaben erhielt man in diesem Fall mit einer Bewegung von unten durch ein Element, das nicht zum Aufbau des Buchstabens gehört. Diese erneuerte K. wurde – wie bereits im 7. und 8. Jh. – seit E. des 13. Jh. (und in den folgenden Jh. zunehmend entschiedener) stilisiert und senkrecht, mit einer breiteren Feder geschrieben, wie die *littera textualis* (→ Gotische Schrift [2]), und auch für Abschriften lit. Texte v. a. in Nationalsprachen benutzt.

Anf. des 15. Jh. bezog die Restauration der *littera antiquae formae* (d. h. der spätkarolingischen Schrift) oder die Nachahmung von Vorbildern des 11. und 12. Jh. durch florentinische und venetische Humanisten auch diese zur Buchschrift erhobene K. mit ein und schuf so eine S. ohne reale trad. Grundlage, die aber als Alternative zur Antiqua empfunden und zumindest anfangs für Kopien geringeren formalen Anspruchs benutzt wurde. Anf. des 15. Jh. wurde diese K. zunehmend auch für Urkunden verwendet, namentlich für die in den wichtigsten Kanzleien produzierten. In der Hand von befähigten Kopisten wurde sie zum raffinierten Instrument für die Anfertigung von Luxusexemplaren; in den ersten Jahren des 16. Jh. wurde diese K. in einer von der in den Hss. bezeugten nicht weit entfernten Form durch die Lettern von Aldus MANUTIUS in den Buchdruck übernommen.

→ SCHRIFT/TYPOGRAFIK

E. CASAMASSIMA, Litterulae latinae, in: S. CAROTI, S. ZAMPONI, Lo scrittoio di Bartolomeo Fonzio, 1974, IX-XXIII • Ders., Tradizione corsiva e tradizione libraria nella scrittura latina del Medioevo, 1988 • E. CASAMASSIMA, E. STARAZ, Varianti e cambio grafico nella scrittura dei papiri latini, in: Scrittura e civiltà 1, 1977, 9–110 • J. MALLON, Paléographie romaine, 1952 • A. MASTRUZZO, Ductus, corsività, storia della scrittura, in: Scrittura e civiltà 19, 1995, 403–464 • J. WARDROP, The Script of Humanism, 1963. T. d. R./Ü: E. D.

Schriftwinkel. In der Gesch. der griech. und lat. Paläographie hat sich das Augenmerk erst spät auf den Sch. gerichtet. Erste ernsthafte Beschäftigung mit dem Gegenstand und seiner Begriffsbestimmung: J. MALLON [1]. Dessen Studien zum Wandel der lat. Schrift im 2. Jh. n. Chr. veranlaßten ihn zu der Annahme, daß der Übergang von der → Majuskel zur → Minuskel auf einem gewandelten Sch. beruhe; Sch. verstand er als die Stellung, die das Schreibinstrument zur intendierten Zeile einnimmt. Die behauptete Veränderung des Sch. habe ihre Ursache im Beschreibstoff: Der immer mehr verwendete → Pergament-Codex gestatte dem Schreiber – im Gegensatz zur Papyrusrolle (→ Rolle) – eine neue (bequemere) Handhabung, mithin vielleicht einen anderen Neigungswinkel der → Feder [1. 22, 81–82]. Eine solche These jedoch, die den gewandelten Sch. als Erklärung für die Entstehung der Minuskel glaubhaft machen will, gilt inzwischen als überzogen, um so mehr, als die zugrundeliegende Analyse nur einzelne Elemente der Schrift (wie Grund- und Haarstrich) in Betracht zog – die ihrerseits ein Schreibinstrument mit breit geformter Spitze voraussetzen (wohingegen Schriftzüge einer festen und feinen Spitze nicht ausgeschlossen werden dürfen [2]). Eine umfassende Begriffsbestimmung beschreibt den Sch. als denjenigen Winkel, der komplementär ist zu dem aus der Geraden (die die Enden des Schreibinstruments verbindet) und der Grundlinie gebildeten Winkel [3. 25 Anm. 3]. Der Sch. ist nur ein konstitutives Element unter mehreren bei der Evaluation eines Schreiberduktus bzw. einer Hs.; die Analyse des Sch. sollte nicht verabsolutiert oder gar der Sch. als vom Schreiber unabhängiges Phänomen katalogisiert werden.

1 J. MALLON, Paléographie romaine, 1952 2 M. PALMA, Per una verifica del principio dell'angolo di scrittura, in: Scrittura e civiltà 2, 1978, 263–273 3 G. CAVALLO, Ricerche sulla maiuscola biblica, 1967. P. E.

Schuhe, → Sandalen und Stiefel (St.) gab es der ant. Lit. zufolge (Poll. 5,18; 7,85–94; 10,49; Herodas 7,54 ff.) in großer Variantenvielfalt; die Identifizierung der namentlich genannten mit der auf Kunstdenkmälern dargestellten oder original erh. Fußbekleidung ist nur in wenigen Fällen möglich (z. B. → *calceus*).

Allein aus dem klass.-griech. Bereich sind 82 Namen für Sch. überl., die nach Herkunft, Personen, Form, Farbe, Material oder Gebrauch benannt wurden: Viele Sch.- und St.-Sorten wurden aus dem Ausland übernommen und mit dem Namen ihres Herkunftslandes versehen, z. B. die »Persischen Schuhe«, Περσικαί/*Persikaí*. Andere wurden nach demjenigen benannt, der sie einführte, so die leichten Soldaten-St. ἰφικρατίδες/*iphikratídes* (Diod. 15,44; Alki. 3,57) nach dem athenischen General → Iphikrates. Darstellungen und erh. Realia erlauben, zw. Pantoffeln, Sandalen, (Halb-)Sch. und St. zu unterscheiden, wobei die geschnürte Sandale bei weitem am häufigsten getragen wurde.

Der geschlossene Sch. – wie der St. – wurde bereits in der myk. und minoischen Kunst dargestellt. Beliebte Sch. der archa. und klass. Zeit sind die → *krēpís* [2], die → *lakōnikaí* und die ἀρβύλη/*arbýlē*, die bis zu den Knöcheln reichte; sie gelangte wohl aus dem Osten E. 6. Jh. v. Chr. nach Griechenland. Die ἐνδρομίς/*endromís* war ein bequemer St., der die halbe Wade bedeckte; ihre seitlich geschlitzten Schäfte wurden durch waagerechte Riemenführung geschlossen. Ein weicher Filz-St. war die ἐμβάς/*embás*, die von Frauen, Armen und Greisen getragen wurde; sie hatte über den Schaftrand herabhängende Laschen und wurde wie die *endromís* geschnürt. Zum *kóthornos* (Schaftstiefel aus weichem Leder) vgl. → Kothurn.

Zur Fußbekleidung der Römer zählten neben der *solea* (→ Sandale) und dem → *calceus* auch die *caliga*, die nicht nur der typische Soldaten-St. war (→ Caligula), sondern auch von Bauern und Arbeitern getragen wurde; sie hatte eine meist genagelte Sohle, deren Oberleder laschenartig den Fuß bedeckte (→ *karbatínē*). Ein

Griechische Schuhe

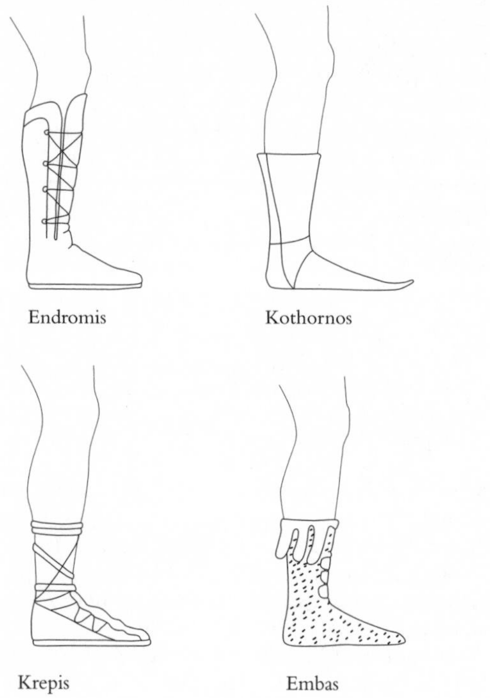

Halb-St. war der *pero*, der urspr. zur Tracht der röm. Bürger gehörte, dann aber zum Sch. der Bauern und einfachen Leute wurde. Er hatte ein geschlossenes Oberleder (im Gegensatz z.B. zum *calceus*) und wurde oberhalb des Knöchels zusammengebunden. Ein weiterer St. war der *mulleus*, der in der kaiserzeitlichen Kunst an Panzerstatuen der Kaiser, aber auch an Götterfiguren und Naturpersonifikationen erscheint: ein Laschen-St., bei dem vorne am oberen Rand des Schaftes ein Löwen- oder Pantherskalp angebracht war, während seitlich die Tierpfoten herabhingen. Der *mulleus* bedeckte die Knöchel, konnte bis zur Wade reichen und war meist geschlossen, mitunter auch sandalenartig geöffnet und ließ dann die Zehen frei. Die *crepida* war ein bequemer Halb-Sch., dessen Sohlen mit Nägeln z.B. aus Eisen verstärkt waren; an der Ferse oder ringsherum war ein Seitenleder auf der Sohle aufgenäht, das durch Ösen (*ansae*) durchbrochen war, durch welche die Riemen (*amenta*) liefen, die den Fuß bis oberhalb der Knöchel umschnürten. Speziellen Zwecken dienten u.a. die genagelten Arbeiter-Sch., wie sie z.B. in Trier gefunden wurden [5], oder die *sculponea*, die aus Holz geschnitzt war und von Sklaven und Bauern getragen wurde. Die *gallica* (sc. *solea*) war ein urspr. aus Gallien stammender, bäuerlich-ländlicher Männerschuh (Cic. Phil. 2,76).

Aus Xen. Kyr. 8,2,5 läßt sich entnehmen, daß zumindest in griech. Städten das Handwerk der → Schuster spezialisiert war. Das Motiv des Putzens von Sch. ist in der ant. Kunst ungewöhnlich selten [4]. Bereits aus

Römische Schuhe

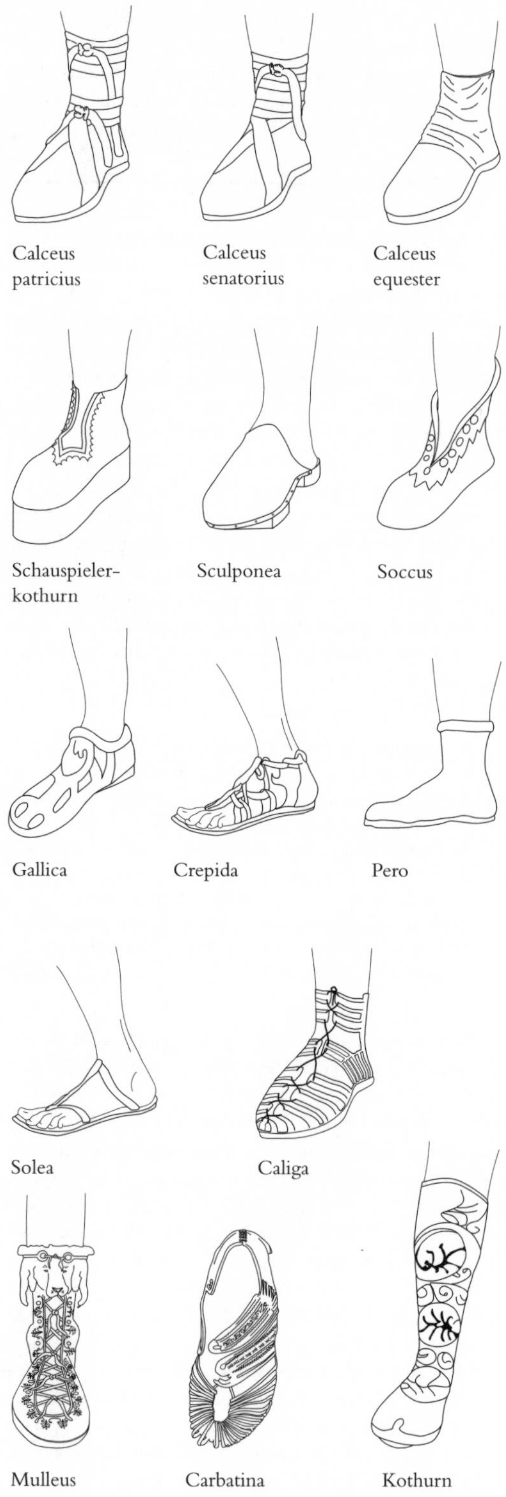

geom. und archa. Zeit sind tönerne Nachbildungen von Sch. und St. erh.; weitere aus Ton, Bronze, Glas u.a. stammen aus der klass. und röm. Periode. Bes. aus der röm. Zeit ist originales Schuhwerk, v.a. aus den Legionslagern nördl. der Alpen (z.B. [5]) und aus den Gräbern der Trockengebiete Äg.s (z.B. [6]) bekannt geworden.

→ Kothurn; Sandale; Schuster; Soccus

1 Zimmer 2 J.M. Camp, Die Agora von Athen, 1989
3 G. Pugliese Carratelli (Hrsg.), Pompei, Pitture e Mosaici III, 1991 4 R. Hurschmann, Symposienszenen auf unterital. Vasen, 1985, 156 Taf. 22 Kat. Nr. A 34
5 A.L. Busch, Die römerzeitlichen Sch.- und Lederfunde der Kastelle Saalburg, Zugmantel und Kleiner Feldberg, in: Saalburg Jb. 22, 1965, 158–210 6 H. Philipp, Vergoldete Lederpantoffeln, in: Jb. der Berliner Mus. 13, 1971, 5–17.

K. Ehrbacher, Griech. Schuhwerk, Diss. Würzburg 1914 • O. Lau, Schuster und Schusterhandwerk in der griech.-röm. Lit. und Kunst, 1967 • L. Bonfante, Etruscan Dress, 1975, 59–66 • K.D. Morrow, Greek Footwear and the Dating of Sculpture, 1985 (mit Liste griech. Termini und Bibliogr.) • H.R. Goette, Mulleus, Embas, Calceus, in: JDAI 103, 1988, 401–464.

R.H.

Schulden, Schuldenerlaß

I. Alter Orient II. Griechenland und Rom

I. Alter Orient

Verschuldung (=V.) der von der Landwirtschaft lebenden Bevölkerung ist ein generelles Phänomen in agrarischen Gesellschaften. Sie führte letztlich zu Schuldsklaverei und bedrohte so das soziale Equilibrium. Schuldenerlasse (=Sch.-E.) durch herrscherliches Dekret waren ein gängiges Mittel, die Folgen von V. zu mindern oder zu beseitigen, d.h. »Gerechtigkeit im Land« wieder herzustellen. Sch.-E. sind in Mesopotamien seit dem 3. Jt. v. Chr., v.a. aber zw. dem 20. und 17. Jh. gut bezeugt [4; 9]. Unter den Herrschern der 1. Dyn. von Babylon (19.–17. Jh.) erfolgten sie zumeist zu Beginn der Regierung des Herrschers. Sie wurden v.a. notwendig, seitdem der Großteil der (dienstpflichtigen) Bevölkerung nicht mehr durch regelmäßige → Rationen (wie unter den Bedingungen der → Oikos-Wirtschaft), sondern durch Zuweisung von Unterhaltsfeldern bzw. Pachtland versorgt wurden. Die für Agrar-Ges. typische Verschuldungsautomatik – hervorgerufen durch natürliche und mil. Katastrophen und dadurch bedingte Mißernten – machten solche Maßnahmen nötig. Seit Mitte des 2. Jt. führte die V. der von Subsistenzproduktion lebenden Bevölkerung zu zunehmender Landkonsolidierung in den Händen einer aus Angehörigen der städtischen Amtseliten bestehenden Schicht von Großgrundbesitzern bzw. institutionellen Haushalten (→ *oíkos*). In neuassyrischer Zeit (9.–7. Jh. v. Chr.) wurden mit dem Terminus *andurāru* zum einen auf die Zukunft gerichtete Lastenbefreiungen privilegierter Städte, zum anderen aber der rückwirkende Erlaß von Schuldverpflichtungen bezeichnet. Dabei konnten letztere – im Gegensatz zur altbabylonischen Zeit – durch entsprechende Vertragsklauseln umgangen werden. Die Existenz von Sch.-E. (*andurāru*) ist auch für Assyrien (20./19. Jh.), Mari (18. Jh.), Nordsyrien (Ebla [5] Alalaḫ, 18. Jh.), Elam (18. Jh.), Nuzi (15./14. Jh.) bezeugt [1. 116]. Hethitische Sch.-E. beziehen sich auf Rand- bzw. eroberte Gebiete [1. 116].

Texte aus Äg. sprechen kaum von Sch.-E. [2; 10]. Für die ptolem. Zeit ist auf die *philanthrōpía*-Erlasse ptolem. Herrscher zu verweisen [3].

Nach Dt 15,1–18 wird alle sieben Jahre ein Sch.-E. (*šᵉmiṭṭā*) wirksam, der nicht auf Autorität des Königs sondern auf die → Jahwes zurückgeht. Er erstreckt sich verm. nicht nur auf konsumptive, sondern auch auf kommerzielle Darlehen. Die *šᵉmiṭṭā* reflektiert die Konsequenzen sozialer Umbrüche in Juda zu Beginn des 7. Jh. v. Chr. in Folge der Bedrohung durch das neuassyrische Reich. Histor. erstmalig nachweisbar ist die *šᵉmiṭṭā* 164/3 oder 163/2 v. Chr. (1 Makk 6,49; Ios. ant. Iud. 12,378).

→ Sklaverei

1 Chicago Assyrian Dictionary A/2, 1968, s.v. andurāru, 115–117 2 I. Grumach, Unt. zur Lebenslehre des Amenope, 1973 3 W. Huss, Äg. in hell. Zeit, 2001
4 F.R. Kraus, Königliche Verfügungen in altbabylonischer Zeit, 1984 5 Ders., Ein mittelbabylonischer Rechtsterminus, in: J.A. Ankum (Hrsg.), Symbolae M. David, Bd. 2, 1968, 9–40 6 E. Neu, Das hurritische Epos Freilassung, 1996 7 H. Niehr, The Constitutive Principles for Establishing Justice and Order in Northwest Semitic Societies with Special Reference to Ancient Israel and Judah, in: Zschr. für Altorientalische und Biblische Rechtsgesch. 3, 1997, 112–130 8 E. Otto, Programme sozialer Gerechtigkeit, in: Ebd., 26–63 (mit Lit.)
9 J. Renger, Royal Edicts of the Old Babylonian Period, in: M. Hudson, M. van de Mieroop (Hrsg.), The International Scholars Conference on Ancient Near Eastern Economics 3 (im Druck; mit Lit.) 10 H.S. Smith, A Note on Amnesty, in: JEA 54, 1968, 209–214.

J.RE.

II. Griechenland und Rom

A. Das allgemeine Problem der Verschuldung
B. Schuldsklaverei
C. Darlehensvergabe in Griechenland
D. Soziale Probleme
E. Rom und die Provinzen
F. Die römische Republik
G. Prinzipat

A. Das allgemeine Problem der Verschuldung

Schulden (=Sch.) und Verschuldung (=V.) waren in der Ant. weit verbreitet und oft dadurch verursacht, daß reiche Landbesitzer Geräte, Zugtiere, Nahrungsmittel oder Saatgetreide an arme Bauern verliehen. Nach der Durchsetzung der → Geldwirtschaft in verschiedenen Regionen der ant. Welt kann das Problem der V. nicht mehr von dem der Geldknappheit und Zahlungsfähigkeit getrennt werden. Mit der V. war das soziale Problem der Versklavung von Schuldnern in der archa. griech. und röm. Ges. verbunden; durch Gesetzgebung konnte Schuldsklaverei beseitigt werden (→ Sklaverei). In den griech. Poleis kam es im 4. Jh. v. Chr. und in hell. Zeit zu häufigen Forderungen nach Schuldenerlaß (=Sch.-E.). Im klass. Athen war die Vergabe von → Seedarlehen zur Finanzierung von Getreideimporten verbreitet. Allg. liehen in den griech. Städten Angehörige der polit. Elite große Geldbeträge, und in Rom nahm im letzten Jh. der Republik der Geldverleih innerhalb der reichen Oberschicht und die V. selbst von Königen und Städten bei reichen Römern eminenten Umfang an.

B. Schuldsklaverei

Nach Hesiod waren Kleinbauern darauf angewiesen, von Verwandten, Freunden und Nachbarn zu leihen; allerdings warnt Hesiod davor, aufgrund einer V. in Abhängigkeit vom Gläubiger zu geraten (Hes. erg. 349–354; 394–404). Die Überl. zu → Solon [1] nimmt an, daß er einen Sch.-E. (→ *seisáchtheia*) durchsetzte, Schuldsklaven befreite und die Schuldsklaverei insgesamt aufhob (Plut. Solon 15). In Rom ist die Schuldsklaverei im Zwölftafelrecht bezeugt; ihre Aufhebung wurde einer *lex Poetelia* von 326 oder 313 v. Chr. zugeschrieben (Varro ling. 7,105; Cic. rep. 2,59; Liv. 8,28,1–9). Menandros [4] (um 300 v. Chr.) hingegen erwähnt zwei Kinder im attischen Demos Ptelea, die aufgrund der Sch. ihres Vaters faktisch als Sklaven arbeiteten (Men. Heros 28–39; vgl. Isokr. or. 14,48). Ähnliche Zeugnisse existieren auch für Rom: Wahrscheinlich hat die Gesetzgebung das → *nexum* nicht aufgehoben, sondern es nicht zugelassen, daß Personen aufgrund eines *nexum* gebunden wurden. In Athen war es wohl nicht möglich, Verträge, die den Schuldner zur Arbeit verpflichteten, vor Gericht einzuklagen; diese Annahme wird von Aristoteles gestützt, der erwähnt, daß es in manchen Städten keine Gerichtshöfe für bestimmte Arten von Darlehensverträgen gab (Aristot. eth. Nic. 1162b).

Außer in Athen soll es bis 504 v. Chr. in drei anderen Städten, in Megara, Kroton und Kyme [2], zu einem Sch.-E. gekommen sein; bis 408 v. Chr. ist kein weiterer derartiger Fall bekannt. Daraus sollte nicht gefolgert werden, daß aufgrund des Aufstiegs der Polis die V. kein akutes soziales Problem mehr darstellte; vielmehr ist anzunehmen, daß in diesem Zeitraum die Kriege gegen Persien und Karthago und danach die wachsenden Spannungen zw. Athen und Sparta im Zentrum der Politik standen und die inneren Konflikte eher verdrängten.

C. Darlehensvergabe in Griechenland

Die Struktur der Darlehensvergabe und V. ist für Athen besser als für andere griech. Städte belegt, und dies gilt insbes. für → Seedarlehen, die dazu dienten, den Kauf und Transport von Getreide nach Athen zu finanzieren. Es besteht eine deutliche Verbindung zw. der Institution des Seedarlehens und der Geldwirtschaft. Zw. 520 und 450 v. Chr. wurden athen. Silber-Mz. in großem Umfang nach Äg. und Kleinasien ausgeführt, es gibt aber kaum Funde athen. Mz. im Schwarzmeergebiet, aus dem Athen in der 2. H. des 5. Jh. und im 4. Jh. v. Chr. große Mengen von Getreide importierte. Die übliche Währung des Schwarzmeergebiets war in klass. Zeit der Elektron-Stater von Kyzikos, mit dem das Getreide vorwiegend bezahlt wurde. Das Geld wurde demnach nicht in Athen ausgezahlt, sondern es war dem Schuldner erlaubt, auf dem Weg zum Schwarzen Meer Statere aus Kyzikos aufzunehmen; dies setzte ein enges Zusammenwirken zw. dem Darlehensgeber in Athen und dem Geldverleiher in Kyzikos voraus.

Die wiss. Diskussion hat sich v. a. auf zwei Fragen konzentriert, (1) ob die → Darlehen dem Konsum oder der Finanzierung der Produktion dienten, und (2) in welchem sozialen Kontext die Darlehensvergabe erfolgte. Nach [3] zeigen die attischen Gerichtsreden deutlich, daß es üblich war, durch Darlehen wirtschaftliche Aktivitäten zu finanzieren. Einige dieser Darlehen wurden von → Banken gewährt, die somit keineswegs mehr nur Institutionen zur Geldhinterlegung waren; auch das Geldvermögen der → Tempel wurde zumindest teilweise verliehen. Für das soziale Umfeld der Darlehensvergabe hat [10] nachgewiesen, daß eine Ideologie der → Reziprozität alle mit einem Darlehen verbundenen Geldtransaktionen prägte. Dabei ist zu betonen, daß diese Verhaltensnormen nur zw. sozial annähernd gleichrangigen Bürgern bestanden und daß die V. der Armen soziale Abhängigkeit zur Folge haben konnte.

Zum Quellenmaterial für Darlehen im klass. Athen gehören auch die Grenzsteine (ὅροι/→ *hóroi*), auf denen angegeben ist, daß ein Stück Land als Sicherheit verpfändet worden war. Sie erscheinen auch in den Gerichtsreden: So wird berichtet, daß das Landgut des Phainippos nicht belastet war (Demosth. or. 42,5; vgl. zur Verpfändung eines Hauses auch 53,4–13). Wahrscheinlich wurde eine Verpfändung als ὑποθήκη/ → *hypothḗkē* bezeichnet, bisweilen auch als πρᾶσις ἐπὶ λύσει/→ *prásis epí lýsei* (Kauf mit der Möglichkeit eines Rückkaufs); diese Begriffe erscheinen häufig auf den *hóroi* und meinen wohl dieselbe Institution. Im 4. Jh. v. Chr. und in der hell. Epoche gingen auch Städte zunehmend dazu über, Darlehen aufzunehmen, v. a., um die Kriegführung, darunter auch den Bau von Stadtmauern, sowie die → Getreideversorgung in Zeiten der Knappheit zu finanzieren.

D. Soziale Probleme

Die Darlehensvergabe und die öffentl. sowie private V. waren seit dem 4. Jh. v. Chr. strukturelle Merkmale der ant. Ges. und nicht notwendig mit sozialen Problemen verbunden. Allerdings zeigen viele Belege, daß die V. tatsächlich ein gravierendes soziales und mithin polit. Problem darstellte. Schon im J. 427 v. Chr. töteten Schuldner während der *stásis* (→ Soziale Konflikte) in Kerkyra ihre Gläubiger (Thuk. 3,81,4), und Aineias Taktikos befürchtete, daß im Fall einer Belagerung verschuldete Bürger ihre Stadt verraten könnten, um sich von ihrer Sch.-Last zu befreien (Ain. Takt. 14,1). Viele

Maßnahmen für einen Sch.-E. stammen aus der Zeit zw. 408 und 324/3 v. Chr. [2. Nr. 5–18], und nur wenig mehr sind auf die Zeit zw. 316/5 und 86/5 v. Chr. zu datieren [2. Nr. 19–40]. Die Maßnahmen für eine Landverteilung folgen demselben chronologischen Muster. Nach Platon wurde ein Sch.-E. oft von Politikern versprochen, die eine → Tyrannis errichten wollten (Plat. rep. 566a; 566e; vgl. Plat. leg. 684d–e; 736c). Wahrscheinlich kam es in Athen bis zur Zeit der röm. Herrschaft deswegen nicht zu einer *stásis*, weil die Bürger für die Teilnahme an der Volksversammlung (→ *ekklēsía*) oder die Übernahme von Ämtern und Funktionen Geld von der Polis erhielten.

E. Rom und die Provinzen

Im 1. Jh. v. Chr. hatte die öffentl. und private V. im griech. Osten einen kritischen Punkt erreicht; die Situation im westlichen Mittelmeerraum war wohl ähnlich, aber hierfür existieren weniger Zeugnisse. Nikomedes [6] IV. von Bithynia fiel 89 v. Chr. in das Gebiet des → Mithradates [6] VI. ein, in der Hoffnung auf Beute, mit deren Hilfe er seine Sch. bei röm. Beamten und anderen Römern bezahlen wollte (App. Mithr. 11). Die von Cornelius [I 90] Sulla nach der Rückeroberung der Prov. Asia geforderten Kontributionen hatten in der Zeit des Prokonsulats des L. Licinius [I 26] Lucullus 73 v. Chr. zu einer geradezu hoffnungslosen V. der Prov.-Bevölkerung geführt (Plut. Lucullus 20). Für die nachsullanische Zeit ist die V. der Prov. im Osten durch eine eher beiläufige Bemerkung des Suetonius über die Eintreibung von Sch. in Bithynia durch Caesar und ferner durch Ciceros Bemerkungen über die Sch. der Stadt Sikyon bei Pomponius [I 5] Atticus belegt (Suet. Iul. 2; Cic. Att. 1,19,9; 1,20,4). 66 v. Chr. hatten viele Römer Interesse an einem schnellen Sieg über Mithradates [6] VI., da sie große Summen in der Prov. Asia verliehen hatten (Cic. Manil. 18); typisch für die Verhältnisse im westlichen Mittelmeerraum war die V. der Allobroger, die im Herbst 63 v. Chr. in der Hoffnung auf einen Sch.-E. beinahe → Catilina unterstützt hätten (Cic. Catil. 3,4–13; Sall. Catil. 40 f.).

Weder die *lex Iulia de repetundis* (→ *repetundarum crimen*) des J. 59 v. Chr. noch die Gesetzgebung des Clodius [I 4] 58 v. Chr. oder die von Cicero zu Unrecht kritisierte Prov.-Verwaltung von Calpurnius [I 19] Piso und Gabinius [I 2] trugen zur Verbesserung der Situation bei. Um Belastungen wie einer Einquartierung zu entgehen, wurden in den Prov. röm. Magistrate bestochen, und so bestand der Kreislauf von Bestechung und folgender V. fort. Ptolemaios [18] Auletes von Äg., Brogitaros von Galatia und Ariobarzanes [5] III. von Kappadokia waren aufgrund dieser Strukturen stark verschuldet. Cicero war als Proconsul in Cilicia damit konfrontiert, daß Iunius [I 10] Brutus in dieser Prov. seine Sch. mit großer Härte eintrieb (Cic. Att. 5,21,10–13; 6,1,5–8; 6,2,7–9; 6,3,5–7). Einer der größten Gläubiger der Provinzen war Pompeius [I 3] (vgl. Cic. Att. 6,1,3); in einem seiner letzten Briefe an Atticus erwähnt Cicero, daß die Stadt Buthrotum Sch. bei Caesar hatte, was vielleicht auf den Versuch zurückzuführen ist, Caesar 48 v. Chr. zu veranlassen, eine Legion aus der Stadt abzuziehen (Cic. Att. 16,16A; Caes. civ. 3,16,1–2).

F. Die römische Republik

In der späten Republik war die röm. Oberschicht in geradezu spektakulärer Weise verschuldet. Ursache hierfür waren ohne Zweifel die steigenden Ausgaben für die polit. Karriere (→ *cursus honorum*), die auch die Bestechung von Wählern oder Richtern einschlossen. Die V. der Plebs resultierte vornehmlich aus dem Bestreben der reichen Oberschicht, von Abhängigen, Mietern und Pächtern möglichst hohe Abgaben zu erhalten. Populare Politiker hielten es für notwendig, die Sch.-Last der Plebs zu erleichtern; → Catilina, zu dessen Anhängern viele Verschuldete gehörten, versprach einen Sch.-E. (*tabulae novae*; Sall. Catil. 21,2; Cic. Catil. 2,18 f.; Cic. off. 2,84). Die Verschwörung Catilinas kann wesentlich als eine Sch.-Krise interpretiert werden, die durch Geldknappheit noch verschärft wurde. Caesars Maßnahmen nach 49 v. Chr. stellten einen Höhepunkt der popularen Bestrebungen dar, die Sch.-Frage zu regeln. Alle diese Maßnahmen wurden von Cicero kritisiert, der sie gegen Ende seines Lebens als Angriff auf die *fundamenta rei publicae* ansah (Cic. off. 2,78–85).

G. Prinzipat

Die Entstehung des Prinzipats führte zu keiner grundlegenden Verbesserung im polit. Verhalten der Prov.-Statthalter; immerhin hatte das Ende der Bürgerkriege eine wirtschaftliche Erholung der Prov. zur Folge. Wie der Aufstand stark verschuldeter gallischer Stämme 21 n. Chr. zeigt, war aber das Sch.-Problem in den Prov. keineswegs gelöst (Tac. ann. 3,40–47). Noch später verliehen reiche Römer wie → Seneca [2] in den Prov. in großem Stil Geld (Tac. ann. 13,42,4). Es war ein Charakteristikum des frühen Prinzipats, daß die Principes und die Oberschichten der Prov. ein gemeinsames Interesse daran hatten, die sozialen Verhältnisse unverändert zu bewahren. Daher lehnte Dion [I 3] Chrysostomos einen Sch.-E. wie eine Landverteilung entschieden ab (31,66–71). Geldverleih und V. dienten in Griechenland vornehmlich der Finanzierung des Luxuskonsums der Oberschichten, wie aus einer gegen die V. gerichteten Schrift des Plutarch hervorgeht (Plut. de vitando aere alieno, mor. 827d–832).

In It. kam es 33 n. Chr. zu einer Finanzkrise, als Klagen über die hohen Zinssätze (→ Zins) die Geldverleiher zur Kündigung der Darlehen veranlaßt hatten; das Ausmaß dieser Krise macht deutlich, daß die Oberschicht weiterhin hoch verschuldet war, obgleich die Kosten für eine polit. Karriere stark gesunken waren. Diese Vorgänge verdeutlichen auch die Verbindung von Geldwirtschaft, Geldknappheit, Zahlungsfähigkeit und V.; allerdings ist nicht anzunehmen, daß ein strukturelles Problem der Zahlungsfähigkeit bestand: Nachdem Tiberius interveniert hatte, um die Auswirkungen der Krise zu mildern, kam es auf dem Geldmarkt nicht mehr zu derartigen Schwierigkeiten. Für die Landwirtschaft sind die Klagen des Plinius über die chronische V. seiner

Pächter und ihre Unfähigkeit, die → Pacht zu zahlen, aufschlußreich (Plin. epist. 3,18,6; 7,30,3; 9,30,3).

Während der Prinzipatszeit wurden oft Rückstände an → Steuern erlassen; wahrscheinlich nützten solche Maßnahmen v.a. der reichen Oberschicht. Darlehensvergabe und Kreditaufnahme innerhalb der röm. Oberschicht bestanden auch in der Spätant. fort, wie der Codex Iustinianus (5,37) und die Polemik des Ambrosius gegen den Geldverleih (Ambr. de Tobia) zeigen.

→ Armut; Banken; Daneion; Darlehen; Geld, Geldwirtschaft; Publicani; Reichtum; Seedarlehen; Seisachtheia; Sklaverei

1 J. Andreau, Banking and Business in the Roman World, 1999 **2** D. Asheri, Leggi greche sul problema dei debiti (Studi classici e orientali 18), 1969, 5–122 **3** E.E. Cohen, Commercial Lending by Athenian Banks: Cliometric Fallacies and Forensic Methodology, in: CPh 85, 1990, 177–190 **4** J.A. Crook, Law and Life of Rome, 1967 **5** M.I. Finley, Land Debt and the Man of Property in Classical Athens, in: Finley, Economy, 62–76 **6** Ders., Studies in Land and Credit in Ancient Athens, 500–200 B.C., 1952 (^{2}1985) **7** M.W. Frederiksen, Cicero, Caesar and the Problem of Debt, in: JRS 56, 1966, 128–141 **8** E.M. Harris, When Is a Sale Not a Sale? The Riddle of Athenian Terminology for Real Security Revisited, in: CQ 38, 1988, 351–381 **9** L. Migeotte, L'emprunt public dans les cités grecques, 1984 **10** P. Millett, Lending and Borrowing in Ancient Athens, 1991 **11** G.E.M. de Ste. Croix, The Class Struggle in the Ancient Greek World, 1981 **12** K. Shipton, Leasing and Lending in Fourth-Century B.C. Athens, 2000 **13** B. Tenger, Die V. im röm. Äg. (1.–2. Jh. n. Chr.), 1993. M.C.

Schuldsklaverei s. Addictus; Nexum; Poetelius [3]; Schulden; Sklaverei

Schule

I. Alter Orient

s. Schreiber

II. Griechenland

s. Agoge; Ephebeia; Erziehung; Gymnasion II.; Paideia; Rhetorik

III. Rom

A. Ludus B. Schulformen

C. Gesellschaft, Staat und Schule

D. Ende der römischen Schule

A. Ludus

Für Festus ist die Bezeichnung *ludus* (»Zeitvertreib«) für Sch. ein Euphemismus, ›damit nicht wegen einer strengen Bezeichnung die Kinder sich ihrer Verpflichtung entziehen‹ (*ne tristi aliquo nomine fug<iant pueri suo fungi mu>nere*, Fest. p. 470 L.). Eher richtig ist, daß *ludus* urspr. ein nicht zweckgerichtetes spielerisches oder übendes Tun bezeichnete [1].

B. Schulformen

1. Einleitung 2. Elementarunterricht

3. Unterricht beim Grammatiker

4. Unterricht beim Rhetor

1. Einleitung

Die altröm. → Erziehung kannte nur die Elementar-Sch. (von den Etruskern [2. 459f.]); für das 5. und 4. Jh. v.Chr. wird sie von Livius [III 2] bezeugt (3,44,6; 5,27; 6,25,9) – vielleicht eine Rückprojektion [3. 34]; fraglich ist aber auch, ob es die erste Sch. erst um 240/230 gab (Plut. qu.R. 278e [4. 213]). Die höheren Formen der hell. Sch. wurden frühestens von der 2. H. des 3. Jh. an übernommen und röm. Bedürfnissen angepaßt.

2. Elementarunterricht

In der Elementar-Sch. (*ludus litterarius*) brachte der *ludi magister* (auch: *litterator*) den Kindern im Alter von etwa 7–11 J. (Quint. 1,1,15) – Jungen wie Mädchen – Lesen, Schreiben und Rechnen bei. Die Kinder reicherer Eltern wurden von ihrem *paedagogus* (→ *paidagōgós*) begleitet [3. 34–46]. Der Unterricht fand in primitiven, kaum abgeschirmten Läden (*pergulae*) oder Bretterbuden (*tabernae*) statt und wurde vor- und nachmittags erteilt. Das Schuljahr begann im März, nur wenige Tage blieben schulfrei; ob es von Juli bis Mitte Oktober Ferien gab, ist umstritten [4. 216; 5. 316f.]. Beim Üben von Lesen und Schreiben (meist auf Wachstafeln, → *cera*; → Schreibübungen) sowie Rechnen ([3. 165–188]; nur Grundständiges, vgl. Cic. Tusc. 1,5 und Hor. ars 325–330, erlernt mittels Fingern [5. 91f.] und → *abacus*) herrschten unpädagogische Monotonie und rohe Strenge mit Züchtigungen vor (Liv. 6,25; Mart. 9,68; 12,57,4) [2. 498–504; 5. 236f., 312f.]. Die Elementar-Sch. war selbst in kleinsten Ortschaften anzutreffen (Plin. nat. 9,25; Suet. Cal. 45,2; Dig. 50,5,2,8; Plut. qu.R. 59,278e; ILS 57).

3. Unterricht beim Grammatiker

Die mit der Grammatiker-Sch. (→ *grammaticus*) einsetzende höhere → Bildung war zweisprachig [6] – ein merklicher Rückgang des Griech. ist erst im 3. Jh. n.Chr. zu verzeichnen [2. 478–484] – und erreichte nur die führende soziale Schicht, deren Kinder Griech. und wohl auch Lesen und Schreiben zuerst am Griech. lernten (ILCV 742) [2. 484]. Die Grammatiker-Sch. besuchten Jugendliche vom 11./12. bis zum 16./17. Lebensjahr. Die ersten Lehrer – zunächst meist Kriegsgefangene [7] oder griech.-sprachige Zuwanderer (*peregrini*) – lehrten in beiden Sprachen (Suet. gramm. 1: → Livius [III 1] Andronicus und → Ennius [1]). Im 1. Jh. v.Chr. [7. 10–72] trat der *grammaticus Latinus* – zunächst wohl überwiegend ein Haussklave (*verna*) [7. 177] – neben den *grammaticus Graecus*.

Nach Vermittlung des gramm. und metr. Grundlagenwissens folgte Dichterlektüre. Voraussetzung für den lat. Unterricht waren geeignete Texte. Noch in augusteischer Zeit waren → Naevius [I 1], → Ennius [1], → Plautus, → Terentius, selbst noch → Livius [III 1] Andronicus Schulautoren (Hor. epist. 2,1,50–72; in klassizistischer Rückwendung wieder von Quint. inst. 1,8,8–12 empfohlen). Andererseits brachte der Grammatiker → Caecilius [III 3] Epirota schon in der 2. H. des 1. Jh. v. Chr. Vergils *Bucolica* und *Georgica* sowie die Werke anderer neuer Dichter fortgeschrittenen Schülern nahe (Suet. gramm. 16,3 [7. 63 f.]). Neue Dichter (P. → Vergilius Maro, Q. → Horatius [7] Flaccus, P. → Ovidius Naso, M. Annaeus → Lucanus [1] und P. Papinius → Statius [II 2]) fanden sodann auch Eingang in den regulären Unterricht [2. 510–513] (einschränkend: [8. 188 f.]). Kanonisch wurden Vergil und Terenz sowie die Prosaautoren → Sallustius [II 3] und → Cicero (nach Quint. inst. 2,5,1 eigentlich Gegenstand des Rhet.-Unterrichts). Die Unterrichtsmethode beruhte auf korrektem Vor- und Nachsprechen (bzw. Aufschreiben) und überaus detaillierter Beantwortung gramm., stilistischer, metr., antiquarischer, myth., histor., geogr. und sonstiger Fragen [3. 189–249], zielte also auf Gelehrsamkeit, nicht auf kunstverständige Interpretation [2. 513–517]. In Rom gab es zeitweise über 20 Grammatiker-Sch.; auch in die Provinzen, zuerst wohl in die → Gallia Cisalpina, verbreitete sich der Grammatikunterricht (Suet. gramm. 3,4.6).

4. Unterricht beim Rhetor

Auf der Grammatiker-Sch. baute die (urspr. griech.) Rhetoren-Sch. auf. Auch sie erhielt ihr lat. Pendant: die wohl 94 v. Chr. eröffnete Sch. des ersten lat. Rhetors, L. → Plotius [I 1] Gallus, die freilich 92 v. Chr. durch Censoren-Edikt geschlossen wurde (Suet. gramm. 25,1; Cic. de orat. 3,93 f.; zu den Hintergründen [2. 463 f.; 3. 71–74]). Die Entwicklung der lat. Rhetoren-Sch. konnte dieser Eingriff nicht aufhalten (Suet. gramm. 27–30). Manche Grammatiker lehrten ihrerseits Rhet. (z. B. M. → Antonius [I 12] Gnipho, Suet. gramm. 7). Cicero, der nach eigenem Zeugnis (bei Suet. gramm. 26,1) Plotius [I 1] Gallus nicht hören durfte, trug mit der lat. Wiedergabe griech. → Rhetorik durch die Veröffentlichung seiner Reden und den von ihm selbst in seinem Hause unentgeltlich gewährten lat. Rhet.-Unterricht (Suet. gramm. 25,3; Cic. orat. 140–148; [9. 148–150]) zu dieser Entwicklung bei.

Der Rhet.-Unterricht bestand in der Vermittlung des theoretischen Gerüsts, in der Prosalektüre bes. von Geschichtswerken und Reden, in leichteren Vorübungen (sog. → *progymnásmata*), die auf einer → Chrie, einer Sentenz (→ *gnṓmē*), einer → Fabel oder einer mythischen Begebenheit beruhten – soweit man sie nicht, was Quint. inst. 2,1 kritisiert, den Grammatikern überließ [3. 252] –, schließlich in den Deklamationsübungen (→ *controversiae*, d. h. fiktiven Prozeßreden, und → *suasoriae*, d. h. fingierten Beratungssituationen [3. 250–327]). Die florierenden lat. Rhetoren-Sch. augusteischer Zeit dokumentiert → Senecas [1] d. Ä. Slg. von *controversiae* und *suasoriae* (→ Rhetorik VI. B.). Grammatiker- wie Rhetoren-Sch. gab es auch in kleineren Städten (für Afrika untersucht bei [10. 562–574]). Von höherer Qualität aber waren die Sch. in Rom und in bedeutenderen ital. Städten wie Mailand/Mediolanium [1] und Neapel/Neapolis [2], Marseille/Massalia, Autun/Augustodunum und Bordeaux/Burdigala in Gallien und Karthago in Afrika.

→ Philosophie war bei den Römern Angelegenheit einer Minderheit; eine röm. Sch. für Philos. hat es nie gegeben [2. 465 f.], Griechisch blieb – sieht man von Cicero und Seneca ab – die Fachsprache der Philos.; auch röm. Philosophen (Q. → Sextius [I 1]; L. Annaeus → Cornutus [4]; → Musonius [1]; → Marcus [2] Aurelius) dachten und schrieben in griech. Sprache. Wer als Römer eine Philosophen-Sch. besuchen wollte, begab sich nach Athen.

Eine genuin röm. Leistung stellt die Rechtskunde (→ *iuris prudentia*) dar. Der Rechtsunterricht blieb lange mit der Rechtspraxis verbunden, erst vom 2. Jh. n. Chr. an bildeten sich öffentliche → Rechtsschulen in Rom, im 3. Jh. die Rechts-Sch. von → Berytos [2. 530–533]. Zu den Hoch-Sch. für Medizin vgl. → Ausbildung (medizinische).

C. Gesellschaft, Staat und Schule

Nach röm. Anschauung war für Erziehung und Bildung die → Familie zuständig (Cic. rep. 4,3); darum entstand die röm. Sch. als private Einrichtung. Die Elementarlehrer waren wenig geachtet – sittliche Erziehung blieb Sache der Familie [2. 282] – und bis in die Spätant. schlecht bezahlt [2. 495 f.; 4. 233 f.]; nach Diocletians Höchstpreisedikt (→ *edictum* [3] *Diocletiani*; CIL III p. 830 f.) wurden ihm max. 50 Denare pro Schüler und Monat an Schulgeld zugestanden, dem → *grammaticus* dagegen 200 und den Lehrern der Rhet. und der Philos. gar 250 Denare. Erst mit 30 Schülern erreichte der Elementarlehrer die Einkünfte eines Facharbeiters; ferner war er von den Steuerprivilegien der Lehrer in den → *artes liberales* ausgeschlossen (Dig. 50,4,11,4). Der Privatcharakter der Sch. bedingte zunächst große Unterschiede in Herkunft und Qualifikation der Lehrer, ebenso in Höhe und Regelmäßigkeit ihrer Bezahlung [2. 506 f.]. Erst in der Kaiserzeit übernahmen nach dem Vorbild hell. Kommunen auch röm. Gemeinden für die Sch. Verantwortung. Spenden und Stiftungen bessergestellter Bürger unterstützten die Kommunen (s. z. B. Plin. epist. 4,13; CIL V 5262). In der Spätant. wurden diese Leistungen (→ *munus* II.) zu drückender Verpflichtung. Das Interesse der Kaiser an der Heranbildung einer Führungsschicht forderte aber auch die kaiserliche Politik zum Handeln (grundlegend [11]).

Schon Caesar hatte Lehrern in den *artes liberales* (sowie Ärzten), die sich in Rom niederließen, das röm. Bürgerrecht (→ *civitas*) versprochen. Spätestens seit Vespasianus (69–79 n. Chr.) genossen von der Kommune approbierte Lehrer (Dig. 27,1,6,4) Abgabenfreiheit (→ *atéleia*; Dig. 50,4,18,30). Kaiserliche Sch.-Politik beschränkte sich auf regulierende Eingriffe in die kommunale Selbstverwaltung: die Festlegung der Professorenzahl (so im 2. Jh. n. Chr. Antoninus [1] Pius für die Städte Kleinasiens, wohl zur Schaffung von Planungssicherheit: Dig. 27, 1,6,2); Festlegung der Höchsthonorare (Diocletians

Edikt vom J. 301 *De pretiis rerum venalium*, CIL III p. 830f.; für Gallien erneut Gratianus [2] im J. 376, vgl. Cod. Theod. 13,3,11); Abhängigkeit der Lehrbefugnis von der Genehmigung des Stadtrats und förmlicher Bestätigung durch die kaiserliche Obrigkeit (Verfügung des Iulianus [11], vgl. Cod. Theod. 13,3,5–7; kaiserliche Bestätigung von Iustinianus [1] im 6. Jh. n. Chr. wieder aufgehoben, Cod. Iust. 10,53,7). Aber auch privater Unterricht bestand weiter (Cod. Theod. 14,9,3). Zur Sch.-Politik des Kaisers Iulianus [11] s. [12].

Kaiserliche Eigeninitiative galt nur den Reichsmetropolen. Die (schon von Caesar geplante) Einrichtung öffentlicher → Bibliotheken unter Augustus schuf in Rom eine wichtige Grundlage (Plin. nat. 7,115; 35,9; Suet. Iul. 44; Suet. Aug. 29). Den Hochschullehrern wurden öffentliche Säle zur Verfügung gestellt [2. 522]. Vespasianus richtete in Rom eine Professur für griech., eine weitere für lat. Rhet. ein (Suet. Vesp. 17f.; erster Inhaber der letzteren war M. Fabius → Quintilianus [1]). Hadrianus (117–138 n. Chr.) gründete das *Athenaeum Romanum* als »Schule der edlen Künste« (*ludus ingenuarum artium*: SHA Hadr. 16,8–11), wohl ein Vorlesungsgebäude. Marcus Aurelius finanzierte aus dem → Fiscus vier Lehrstühle für Philos. und einen für Rhet. in Athen. Theodosius II. (402–450) errichtete per Edikt vom 27. Febr. 425 in Konstantinopolis eine Staatsuniversität mit Monopolanspruch: Ihren Professoren für lat. und griech. Gramm. (je zehn) sowie Rhet. (drei bzw. fünf), für Philos. (einer) und Jurisprudenz (zwei) war Privatunterricht untersagt (Cod. Theod. 14,9,3 = Cod. Iust. 11,19,1).

D. Ende der römischen Schule

Im romanisierten Teil des Reiches hielt sich die röm. Sch. auch nach dem Sieg des Christentums als weltliche Sch. (→ Erziehung D.), bis die Germaneneinfälle, die in einem vom 5. bis 7. Jh. sich erstreckenden Prozeß nach und nach alle Regionen des Reiches von Britannien über Gallien, Spanien und Italien bis Afrika erfaßten, der kulturellen Entwicklung zunächst ein Ende bereiteten. Schon seit dem 9. Jh. nahmen jedoch die Kloster-Sch. die ant. Trad. wieder auf. [2. 617–634].

→ Artes liberales; Bildung; Erziehung; Rhetorik; Domschule; Fürstenschule; Humanistisches Gymnasium; Jesuitenschule; Klosterschule; Lateinschule

1 A. Yon, A porpos de latin Ludus, in: Mél. de philol., de littérature et d'histoire anciennes offerts à A. Ernout, 1940, 389–395 **2** Marrou **3** S. F. Bonner, Education in Ancient Rome, 1977 **4** V. Weber, Elementar-Sch. in Rom und im Röm. Reich, in: Das Altertum 31, 1985, 213–220 **5** K.-W. Weeber, Alltag im Alten Rom, 1995 **6** R. Weis, in: C. W. Müller, K. Sier u. a. (Hrsg.), Zum Umgang mit fremden Sprachen in der griech.-röm. Ant., 1992, 137–142 **7** J. Christes, Sklaven und Freigelassene als Grammatiker und Philologen im ant. Rom, 1979 **8** R. A. Kaster (ed.), C. Suetonius Tranquillus: De grammaticis et rhetoribus, 1995 (mit Übers. und Komm.), 1995 **9** J. Christes, Bildung und Ges., 1975 **10** K. Vössing, Sch. und Bildung im Nordafrika der Röm. Kaiserzeit, 1997 **11** C. Barbagallo, Lo stato e l'istruzione pubblica nell'impero Romano, 1911 **12** R. Klein, Kaiser Julians Rhetoren- und Unterrichtsgesetz, in: RQ 76, 1981, 73–94.

J. Carcopino, Rom. Leben und Kultur der Kaiserzeit, 1977, 153–175 (frz.: Ders., La vie cotidienne à Rome, 1963) • J. Christes, Ges., Staat und Sch. in der griech.-röm. Ant., in: H. Kloft (Hrsg.), Sozialmaßnahmen und Fürsorge (Grazer Beiträge Suppl. 3), 1988, 55–74 • M. J. Clarke, Higher Education in the Ancient World, 1971 • E. Eyben, Restless Youth in Ancient Rome, 1993 • I. Hadot, Gesch. der Bildung; Artes liberales, in: F. Graf, Einl. in die lat. Philol., 1997, 17–34 • H.-Th. Johann, Erziehung und Bildung in der heidnischen und christl. Ant., 1976 • M. Karras, J. Wiesehöfer, Kindheit und Jugend in der Ant.: eine Bibliogr., 1981 • M. Kleijwegt, Ancient Youth, 1991 • A. Quacquarelli, Scuola e cultura dei primi secoli cristiani, 1974 • A. M. Reggiani, Educazione e scuola (Vita e costumi dei Romani antichi 10), 1990 • A. Rösger, Der naturwiss. Unterricht in der röm. Ant., in: G. Prinz zu Hohenzollern, M. Liedtke (Hrsg.), Naturwiss. Unterricht und Wissensakkumulation (Schriftenreihe zum Bayer. Schulmus. Ichenhausen 7), 1988, 93–110 • Ders., Lehrer und Lehrerbildung im Imperium Romanum, in: Dies. (Hrsg.), Schreiber, Magister, Lehrer (ebd. Bd. 8), 1989, 119–130 • U. Schindel, s. v. Schulen, LAW, 2735–2740 • K. Vössing, Schreiben lernen, ohne lesen zu können?, in: ZPE 123, 1998, 121–125 • Th.E. J. Wiedemann, Adults and Children in the Roman Empire, 1989 • E. Ziebarth, s. v. Schulen, RE 2, 758–768.

J.C.

Schuster

I. Allgemeines und Berufsbezeichnungen
II. Herstellung III. Werkstätten und Verkauf IV. Soziales Ansehen der Schuster

I. Allgemeines und Berufsbezeichnungen

Wie die zahlreichen lit. Anspielungen und Erwähnungen zeigen, war die ant. Ges. mit dem Handwerk des Sch. gut vertraut (Aristoph. Lys. 414–419; Xen. Kyr. 8,2,5; Herodas 7; Hor. sat. 2,3,106; Lukian. Gallus). Seine Nützlichkeit war anerkannt; der Sch. gehört bei Platon zu den Handwerkern der urspr. Polis (Plat. rep. 369d; vgl. 370a; 370d; 370e). Obwohl Schuhe sicherlich auch im Haushalt hergestellt und repariert wurden (Hom. Od. 14,22ff.; Hes. erg. 541f.; Theophr. char. 4,15), war das Sch.-Handwerk weit verbreitet; im Bergwerksbezirk von Vipasca (h. Portugal) wurde die Sch.-Konzession verpachtet (CIL II 5181=ILS 6891).

Verschiedene Bezeichnungen für Sch.: σκυτοτόμος/*skytotómos* (wörtl. »Lederschneider«), lat. *sutor* (»Näher«); außerdem ὑποδηματοποιός/*hypodēmatopoiós*, σκυτεύς/*skyteús*, καττυματοποιός/*kattymatopoiós*, νευρορράφος/*neurorráphos*; lat. *crepidarius*, *sandalarius*, *caligarius*. Manche dieser Berufsbezeichnungen deuten auf eine Spezialisierung hin, nennen vielleicht aber nur einen von mehreren Tätigkeitsbereichen eines Sch.

II. Herstellung

Die Herstellung der Schuhe umfaßte mehrere Arbeitsschritte und Techniken: Zunächst wurde das Leder zugeschnitten; mit einer Ahle wurden Löcher in die einzelnen Stücke gebohrt, um sie mit Tiersehnen zusammenzunähen; schließlich wurden Sohlen aus Holz oder Kork angenäht. Zu ihrer Befestigung verwendete man z. T. Nägel, wie sie in Athen in der Werkstatt des Simon gefunden wurden (vgl. Theophr. char. 4,15; Plin. nat. 9,69; 22,94; Iuv. 16,24; vgl. → Simon [3]). Schuhleder war gewöhnlich schwarz, bisweilen auch rot und blau gefärbt. Das Werkzeug des Sch., das sich im Verlauf der Ant. wenig veränderte, bestand aus verschiedenen Messern mit geraden und gebogenen Klingen, einem harten Holzblock mit Tisch und Bank, auf dem das Leder geschnitten wurde, Ahlen und Instrumenten zum Glätten des Leders.

III. Werkstätten und Verkauf

Der Sch. arbeitete im allg. in einer kleinen Werkstatt allein oder mit einem Gehilfen. Es gab auch größere Werkstätten; so besaß der Vater des Timarchos ein → *ergastérion* mit neun oder zehn Sklaven, die ausgebildete Sch. waren (Aischin. Tim. 97). In Rom waren viele Sch. Freigelassene oder Sklaven. Erhöhte Nachfrage führte normalerweise nicht zur Einrichtung von großen Werkstätten mit Massenproduktion, sondern eher zur Etablierung neuer kleiner Werkstätten. Auch in kleinen Werkstätten gab es Arbeitsteilung, etwa zw. dem Handwerker und seinem jungen Gehilfen. Wenn Xenophon von Spezialisierung unter den Sch. in einer großen Stadt spricht, betrifft dies die Qualität, nicht die Arbeitsproduktivität (Xen. Kyr. 8,2,5). Die Werkstätten der Sch. gehörten zum ant. Stadtbild und lagen bisweilen an zentralem Ort. In Athen war die Werkstatt des Simon [3] in direkter Nähe der Agora Schauplatz philos. Gespräche zw. prominenten Persönlichkeiten der Stadt (Diog. Laert. 2,122 f.; Plut. mor. 776b). Es ist daher verständlich, daß das Handwerk des Sch. in der Argumentation des Sokrates eine wichtige Rolle gespielt haben soll (Plat. Gorg. 490d–491a; Plat. symp. 221e). In Rom gab es den *vicus sandalarius* und das *atrium sutorium* (Gell. 18,4,1; Varro. ling. 6,14; vgl. Suet. Aug. 57,1). Abb. von Werkstätten der Sch. sind eher selten; wichtig sind das sf. Vasenbild des → Eucharides-Malers (Oxford, AM; Beazley ABV 396,21) und das Weihrelief des Sch. Dionysios aus dem 4. Jh. (Athen, Agora-Museum).

Form und Material der → Schuhe variierten nach Geschmack und Bedarf; Cato empfahl, für die auf dem Land arbeitenden Sklaven Holzschuhe in Rom zu kaufen (Cato agr. 135,1; vgl. 59). Schuhe wurden v. a. auf Bestellung angefertigt, wobei Maßnehmen und Anpassen in der Werkstatt erfolgte. Allerdings muß auch immer ein Markt für Fertigschuhe existiert haben, die entweder vom Hersteller oder von Händlern anderenorts verkauft wurden (OGIS 629,79; Herodas 7). Vielseitigkeit in der Herstellung und ein größeres Angebot garantierten einen regelmäßigen Verkauf; so ist der von Herodas beschriebene Sch., der 16 Arten von Schuhen vorrätig hatte, vielleicht nicht untypisch (Herodas 7,57–61).

IV. Soziales Ansehen der Schuster

Die zuweilen bemerkenswerten sozialen Ambitionen von Sch. kommen auf Grabreliefs und Grabstelen zum Ausdruck, z. B. den Grabsteinen des Atheners Xanthippos oder des röm. Freigelassenen C. Iulius Helius (CIL VI 33914=ILS 7544). Andererseits findet sich in der ant. Lit. eine Vielzahl von verächtlichen Bemerkungen über Sch. und ihr Handwerk (Cic. Flacc. 17; Mart. 3,16; Iuv. 3,293 f.).

→ Handwerk; Schuhe

1 Blümner, Techn. 1, 273–292 2 A. Burford, Craftsmen in Greek and Roman Society, 1972 3 J. M. Camp, Die Agora von Athen, 1989, 166–169 4 W. K. Pritchett, The Attic stelai, in: Hesperia 25, 1956, 178–328 5 Zimmer, Kat. 47–55. A. B.-C./Ü: A. H.

Schuwalow-Maler. Attischer rf. Vasenmaler um 440–410 v. Chr., benannt nach dem Vorbesitzer eines seiner Gefäße in St. Petersburg. Der Sch.-M. war als Figurenmaler in einer spezialisierten Keramikwerkstatt tätig, die zumeist Kannen unterschiedlicher Typen, Halsamphoren und Hydrien (→ Gefäße A3, B4–8, B11) hervorbrachte, die größtenteils in den westl. Mittelmeerraum exportiert wurden. Diese Ausrichtung übernahm der Sch.-M. vom Gründer der Werkstatt, dem Mannheimer Maler, dem er auch in gewissen Kannentypen mitsamt Dekoration folgte (Kanne der Form VII mit Eule auf dem Hals). Er selbst verließ die Werkstatt nicht, → Aison [2] und der → Eretria-Maler gesellten sich zu ihm. Seine wichtigsten Bilder finden sich auf Kannen der Form IV (→ Gefäße, ähnlich B7) mit meist drei Figuren und einem für die Werkstatt charakteristischen Henkelornament, z. B. → Perseus [1], die Bestechung der → Eriphyle oder der Tod des → Orpheus. Szenen auf Kleeblattkannen, Hydrien und Amphoren (→ Gefäße A5, B4, B11–12) sind stärker auf Apollon ausgerichtet, während die Choen (→ Gefäße B6) aus dem Knabenleben erzählen. Das Bild der Kanne Berlin (SM F 2414) – eine Hetäre besteigt den Schoß eines Jünglings – gießt den Akt in klass. Form. Merkmale des Reichen Stils prägen späte kleinformatige Trinkgefäße.

Beazley, ARV², 1206–1210 • Beazley, Paralipomena, 463 • Beazley, Addenda², 334–347 • A. Lezzi-Hafter, Der Sch.-M., 1976 • B. Freyer-Schauenburg, CVA Kiel 1 (Deutschland 55), 1988, Taf. 39, 40,1–4 • E. Rohde, CVA Berlin 1 (DDR 3), 1990, Taf. 36,3–6 • M. Robertson, The Art of Vase-Painting in Classical Athens, 1992, 227–229 • Charles Ede Ltd., Liste Apollo, 1995, Nr. 25, 27. A. L.-H.

Schwalbe. In Griechenland und dem südlichen It. kommen h. folgende Arten vor: 1. Rauch-Sch. (Hirundo rustica), 2. Felsen-Sch. (Ptyonoprogne rupestris), 3. Rötel-Sch. (Cecropis daurica), 4. Ufer-Sch. (Riparia riparia) und 5. Mehl-Sch. (Delichon urbica). Ob sich die ant. Nachrichten über die χελιδών/*chelidṓn*, lat. *hirundo* auf andere als Nr. 1 oder 5 bzw. den Mauersegler Apus apus L. beziehen, ist fast immer unsicher. Die Brut wird meistens in kunstvollen Lehmnestern (Aristot. hist. an. 8(9),7,612b 23; Varro rust. 3,5,6; Ov. fast. 1,175 f.; Calp. ecl. 6,1; Plut. de sollertia animalium 10 = mor. 966d) an Häusern (Aristot. hist. an. 6,1,559a 11) aufgezogen; diejenige der Mehl-Sch. wurde gut beobachtet: zwei Gelege jährlich (Aristot. ebd. 5,13,544a 26 und 6,5,563a 13; Plin. nat. 10,147) mit je 4–5 Eiern (Aristot. gen. an. 774b 29; Ail. nat. 3,25), die Jungen sind zunächst blind (u.a. Aristot. gen. an. 774b 29; Plin. nat. 10,92; Theokr. 14,39f.; Verg. Aen. 12,473); sie frißt Fleisch (Aristot. hist. an. 7(8),3,592b 16), im wendigen (vgl. Hom. Od. 22,24) Flug (Plin. nat. 10,73; Plut. symp. 8,7,3) erbeutet, nämlich Insekten (Plut. de sollertia animalium mor. = mor. 976d; Ail. nat. 8,6), die beide Eltern an die Jungen verfüttern (u.a. Plin. nat. 10,92; Theokr. 14,39f.; Verg. Aen. 12,473). Eine opfermütige Sch.-Mutter beschreibt Oppianos (hal. 5,579–586). Als Sommervogel (ἐναύσιος/*enaúsios*; Herodian. vita Homeri 33,10f.) fliegt sie mit dem Wind Chelidonias (Theophr. h. plant. 7,15,1; Plin. nat. 2,122) nach Griechenland, um den 23. Februar herum (Ov. fast. 2,853; Colum. 11,2,21) erreicht sie It. Der Abzug erfolgt Mitte September (Demokr. B 14,7DK; Plin. nat. 18,311). In Äg. (Hdt. 2,22; Paus. 10,4,9) und Palaestina (Jer 8,7; Jes 38,14) kommt die Schw. auch im Winter vor. Aristoteles (hist. an. 7(8),16,600a 18; vgl. Plin. nat. 10,70; Ail. nat. 1,52) behauptet, man habe federlose Sch. in Felshöhlen gefunden, was eine Ausnahme unter Vögeln sei.

Als Botin des Frühlings (Hes. erg. 568f.; Stesich. 34 P.; Aristoph. Pax 800; Hor. epist. 1,7,13; Ov. fast. 2,853 u.ö.) feiert das Volk sie in Liedern (Anakr. 49a P.; Lied aus Rhodos bei Athen. 8,360 c-d). Ihr Singen (t.t.: χελιδονίζειν, τιττυβίζειν, ψιθυρίζειν, τραυλίζειν, τρύζειν, κωτίλλειν) interpretierte man u.a. als barbarisches Geschwätz (z.B. Aischyl. Ag. 1050f.; Aristoph. Av. 1681) bzw. als melancholisch (Anth. Pal. 5,273 und 9,57; Mosch. 3,39). Im Mythos wird Philomela in eine Sch. verwandelt (→ Prokne).

In der Medizin fanden die Sch. vielfältige Verwendung [1. 322f.]. Steine aus dem Magen von Sch. (sog. *chelidonii*) wurden magisch verwendet (Plin. nat. 11,203; Dioskurides 2,60 Berendes = 2,56 Wellmann). Das Erscheinen oder Nisten der Sch. konnte als gutes (Aristoph. Lys. 770ff.) oder schlechtes Vorzeichen (Plut. Antonius 60; Arr. an. 1,25; Ail. nat. 10,34) gedeutet werden. Sie kündigen Regen an (Arat. 944; Verg. georg. 1,377). Die Insel der Isis Kopton in Äg. wurde von Sch. durch eine von ihnen errichtete Mauer (*chelidónion teíchos*) gegen Überflutung geschützt (Ps.-Plut. de fluviis 16,2; Plin. nat. 10,94f.). → Isis selbst erschien als Sch. (Plut. Is. 16). In der Tierfabel (Aisop. 39 Perry) sucht sie beim Menschen Schutz. Aisop. 63 legt dem Redner → Demades eine Fabel mit einer Sch. in den Mund. Bekannt ist das Sprichwort ›Eine Sch. macht noch keinen Sommer‹ (u.a. Aristot. eth. Nic. 1,7,1098a 18; Aristoph. Av. 1417). Auf Mz. [2. Taf. 5,27] und Gemmen [2. Taf. 21,20] kommt sie selten vor.

1 D'Arcy W. Thompson, A Glossary of Greek Birds, 1936 (Ndr. 1966), 314–325 2 F. Imhoof-Blumer, O. Keller, Tier- und Pflanzenbilder auf Mz. und Gemmen des klass. Alt., 1889 (Ndr. 1972).

H. Gossen, s.v. Sch. und Segler, RE 2 A, 768–777 • Keller 2, 114–118. C.HÜ.

Schwamm

I. Naturwissenschaft
II. Hygiene und Medizin

I. Naturwissenschaft

Σπόγγος/*spóngos*, σπογγία/*spongía* (attisch σπογγιά/*spongiá*), lat. *spongia* (mit Spezialname *peniculus* bei Komödiendichtern wie Plautus und Terenz, *penicillus* bei Colum. 12,18,5 und Plinius) ist der im Mittelmeer wachsende Bade-Sch. (Euspongia officinalis Bronn.). Vier geogr. Unterarten, drei schwarze und eine weiße (ἀπλυσία/*aplysía* aus der Gattung Sarcotragus Schmidt), unterscheidet Aristoteles in seiner genauen Beschreibung (hist. an. 5,16,548a 30–549a 13; vgl. Plin. nat. 9,148–150) und eine weitere Dioskurides (5,118,1 Wellmann = 5,135 Berendes). Plinius (nat. 27,69) erwähnt auch einen Süßwasser-Sch. Bei Aristoteles (hist. an. 1,1,487b 9–11; 9(8),1,588b 20f.; part. an. 4,5,681a 10f. und 15–17) bleibt die Frage einer tierischen oder pflanzlichen Existenz trotz des Vorhandenseins von Empfindung offen, für Plinius (nat. 9,146 und 148; 31,124f.) ist der Sch. ein Tier.

H. Gossen, A. Steier, s.v. Sch., RE 2 A, 777–782 • Keller 2, 583–586. C.HÜ.

II. Hygiene und Medizin

Der Sch. war ein wichtiger Gebrauchsgegenstand des ant. Alltags, den man zum Abwischen von Tischen (schon bei Hom. Od. 1,111 u.ö.), Bänken (Demosth. or. 18,258), Gefäßen (Colum. 12,9,2; 12,52,14), Körben (Cato agr. 67,2), Schuhen (Aristoph. Vesp. 600), Schreib- und Schultafeln (Aischyl. Ag. 1329; Anth. Pal. 6,65; Demosth. or. 22,439; 453), sogar des Forums nach einem Blutbad (Cic. Sest. 77) verwandte; auch nutzte man den Sch. (am Holzstiel) zur Afterreinigung auf Latrinen (z.B. Aristoph. Ran. 487; Mart. 12,48). Bei der Reinigung des Körpers benutzte man den Sch. (Hom. Il. 18,414; Aristoph. Ach. 436) weniger zum Waschen als zum Abtupfen des Wassers (Aristoph. Ach. 463; Athen. 15,686d; Plin. nat. 31,131). Daneben diente der Sch. als weiche Polsterung in Helmen, Beinschienen und Brustpanzern (Liv. 9,40,2; Plin. nat. 31,131). Aufgrund seines Jodgehaltes war der Sch. ein gern verwendetes Heilmittel in Tierheilkunde und Humanmedizin (Hauptstelle: Plin. nat. 31,123–131).
→ Körperpflege und Hygiene R.H.

Schwan (Κύκνος/*kýknos*, lat. *cygnus* oder *olor*) bezeichnet nicht nur den in Europa brütenden Höcker-Sch., Cygnus olor, sondern auch die nordische Art Sing-Sch., C. cygnus (L.), der als Wintergast gelegentlich wohl bis nach Griechenland und It. gezogen ist. Hom. Il. 2,460–463 läßt ihn sich mit Gänsen und Kranichen auf der »asischen Wiese« in Lydien (vgl. Strab. 14,1,45) sammeln. Der homerische Hymnus 21 auf Apollon lokalisiert ihn am → Peneios in Thessalien, Aristoph. Av. 768 am → Hebros in Thrakien, Ov. epist. 7,1 am → Maiandros [2], Ps. Aristot. mir. 839a 24 am Avernersee in Unteritalien, spätere Autoren am → Padus (h. Po) (z. B. Sil. 14,189; Claud. carm. minora 31,12; Claud. epithalamium 109).

An körperlichen Eigenschaften bemerkte man seinen langen, gewundenen Hals (z. B. Hom. Il. 2,460 und 15,692: δουλιχοδείρος/*dulichodeíros*, »langhalsig«; Bakchyl. 16(15),6; Eur. Iph. A. 793), das weiße Gefieder (Eur. Herc. 110; Aristoph. Vesp. 1064; Paus. 8,17,3; Verg. ecl. 7,38; Verg. georg. 2,199), weshalb *olorinus* (»vom Sch.«) auch »weiß« bedeutet (Verg. Aen. 10,187; Ov. met. 10,718). Hor. carm. 4,1,10 bezeichnet mit *purpureus* die leuchtende Färbung. Dagegen ist bei Iuv. 6,165 der schwarze Sch. eine Unmöglichkeit. Gesang und angebliche Weisheit des Sch. (Anth. Pal. 5,134; Opp. kyn. 2,547–550) wurden viel bewundert. Als Kämpfer (z. B. Aristot. fr. 344; Aristot. hist. an. 8(9), 1,610a 1 f. und 615a 33–b 1; Ail. nat. 5,34) setzt er sich gegen den Adler (Hom. Il. 15,690; Verg. Aen. 1,393–95) oder die Schlange (Ail. nat. 5,48) durch. Seine Flugkeile beschreibt treffend Plin. nat. 10,63.

Für seine Stimme war der Sing-Sch. berühmt (z. B. Hes. scut. 316; Eur. Iph. T. 1104 und fr. 775; Anth. Pal. 5,124), mit der er angeblich singen konnte (Hom. h. 21; Anth. Pal. 9,363; Lucr. 2,505 f.; Verg. ecl. 8,55; Verg. Aen. 7,699–701). Trotz einiger Zweifel (Alex. Myndios bei Athen. 9,393d; Plin. nat. 10,63) hielt sich die Vorstellung des den eigenen Tod vorahnenden Gesanges (»Schwanengesang«; Plat. Phaid. 84e-f; Aristot. fr. 344; Cic. Tusc. 1,73) während der gesamten Ant. [1. 181 f.]. Der Sch. wurde auch zur Metapher für den Dichter/Sänger (Eur. Herc. 691; Eur. Bacch. 1365) wie → Orpheus in der Unterwelt (Plat. rep. 10,620a), Anakreon (Anth. Pal. 7,30), Pindar (Hor. carm. 4,2,25) und Horaz (ebd. 2,20; vgl. Prop. 3,3,39). Den alten Dichter mit seiner vollendeten Kunst symbolisiert er im Gegensatz zum Raben (Kall. fr. 260,65 Pfeiffer; Mart. 1,53,7; Apul. de deo Socratis pr.), zur Schwalbe (Lucr. 3,6 f.), zum Kranich (Lucr. 4,181), zur Eule (Verg. ecl. 8,55) oder zur Gans (ebd. 9,36; Prop. 2,34,83 f.). Antipatros von Tarsos wertet seinen Gesang als der Zikade unterlegen (Anth. Pal. 9,92), jedoch als gleich gut mit dem der Lerche (ebd. 9,307 und 380). Das Weiß des Gefieders und der Gesang begegnen in vielen Sprichwörtern und in den aisopischen Fabeln (233, 396, 398 und 399 Perry). Auf Münzen [2. Taf. 6,11–18] und Gemmen [2. Taf. 22,20–29] ist der Sch. häufig anzutreffen.

In der Myth. ist der Sch. der Vogel des → Apollon (Aristoph. Av. 772; Kall. fr. 260,56 Pfeiffer; Cic. Tusc. 1,73), bei dessen Geburt das Tier zugegen ist (Kall. h. 2,5; Kall. h. 4,249 ff.); der Sch. trägt ihn durch die Luft (Sappho fr. 208) und erteilt durch ihn Weissagungen (Plat. Phaid. 84e; Verg. Aen. 1,393). Bei den Römern zieht der Sch. den Wagen der Venus (Ov. met. 10,708; Sil. 7,441; Stat. silv. 3,4,22). Zeus naht der → Leda als Sch. (erst ab Eur. Hel. 16–19; Eur. Or. 1386), was in der röm. Kunst oft dargestellt wurde (z. B. auf einem Marmorrelief aus Argos [3. 217, Fig. 81]). Im griech. und röm. Mythos wurden einige Personen (z. B. der Apollonsohn Kyknos und seine Mutter → Hyrie, Ov. met. 7,371 ff.) in Sch. verwandelt.

1 D'Arcy W. Thompson, A Glossary of Greek Birds, 1936 (Ndr. 1966), 179–186 **2** F. Imhoof-Blumer, O. Keller, Tier- und Pflanzenbilder auf Mz. und Gemmen des klass. Alt., 1889 (Ndr. 1972) **3** Keller 2, 213–220.

H. Gossen, s. v. Sch., RE 2 A, 782–792 • P. Cassel, Der Sch. in Sage und Leben, 1872. C. HÜ.

Schwarzes Meer s. Pontos Euxeinos; Goti; Kolonisation; Mithradates [6] VI.; Regnum Bosporanum; Schwarzmeergebiet

Schwarzfigurige Vasenmalerei. In der sf. V. sind die Figuren in geschlossenen schwarzen Silhouetten auf die tongrundige Gefäßoberfläche gemalt; die Binnenzeichnung ist eingeritzt und die Figuren sind mit roter und weißer Erdfarbe differenziert und belebt. Diese Technik, die einen regulierten Brand in drei Phasen erfordert, wurde um 700 v. Chr. in Korinth erfunden (→ Keramikherstellung).

I. Attisch II. Ausserattisch

I. Attisch

Die bedeutendste unter den sf. Gattungen ist die attische. Gegen 630 v. Chr. übernahmen die att. Vasenmaler die sf. Technik von den Korinthern und verbesserten sie mit Hilfe ihres bes. eisenhaltigen Tons immer weiter. Etwa ein Jh. lang wurde die att. Keramik ausschließlich in der sf. Technik bemalt. Die Erfindung der → rotfigurigen Vasenmalerei (um 530 v. Chr.), die für die weitere künstlerische Entwicklung tonangebend werden sollte, konnte die sf. V. nur sehr langsam verdrängen. Nach 480/470 v. Chr. wurde die sf. Technik nur noch für die → panathenäischen Preisamphoren beibehalten. Bei den reifen att. sf. Vasen ist der Malschlicker gleichmäßig tiefschwarz und glänzend und der terrakottafarbene Tongrund fein geglättet und farbintensiv. Weiße Deckfarbe wurde grundsätzlich für die Haut der Frauen, einzelne Pferde und besondere Gewänder verwendet, sonst eher für kleinere Details und Ornamente (v. a. Punktreihen), während mit der dickflüssigeren roten Deckfarbe eher größere Partien abgehoben wurden. (Die matten Deckfarben sind h. weitgehend abgerieben.) Die att. Vasenmaler haben die sf. Malweise zu einer graphischen Kunst von hohem Rang entwickelt, die in hervorragenden Meisterwerken bezeugt ist. Daneben gibt es allerdings auch viele mittelmäßige Erzeugnisse und flüchtige Serienware.

Der flächige Silhouettenstil hat nur begrenzte Ausdrucksmöglichkeiten und verwendet daher eine formelhafte Bildsprache. Die Figuren sind noch aus verschiedenen charakteristischen Ansichten zusammengesetzt (»Wechselansichtigkeit«): Unterkörper und Kopf werden regelmäßig im Profil wiedergegeben, der Oberkörper im Profil oder frontal und das Auge immer frontal. Diese vorperspektivische Darstellungsweise (→ Perspektive) entspricht dem Entwicklungsstadium der gleichzeitigen großen → Malerei, von der fast keine Zeugnisse erh. sind. Die Vasenbilder sind daher trotz der eingeschränkten Farbpalette die authentischste Quelle für die Entwicklung der archa. Flächenkunst.

Die Bed. der att. sf. V. liegt v. a. in ihrem Reichtum an erzählenden Bildern. Diese sind eine unerschöpfliche Quelle für die griech. Myth. und geben einen Einblick in Mentalität und Leben der Archaik. Bemalt wurden fast alle Gefäßtypen (→ Gefäße), die als Gebrauchsformen bekannt sind. Wie weit die bemalten Gefäße allerdings praktischen Zwecken dienten, ist umstritten. In der Dekorationsweise bildeten sich formspezifische Konventionen heraus, die auch die Wahl der Ornamente umfassen, nicht jedoch die Bildthemen; nur bei wenigen kultischen Gefäßformen wie den panathenäischen Preisamphoren oder den → Lutrophoren war die Bemalung an bestimmte Themen gebunden. Gelegentlich nehmen die Bilder Bezug auf die Verwendung der jeweiligen Gefäßform (z. B. Symposiongefäße mit Gelageszenen, Komasten oder dionysischen Szenen; Hydrien mit Brunnenhausszenen), aber in der Regel wählten die Maler ihre Themen unabhängig von der Bestimmung der Gefäße aus dem großen Bildrepertoire ihrer Zeit. Die eingeschränkten Ausdrucksmöglichkeiten der Archaik setzten der Phantasie der sf. Vasenmaler gewisse Grenzen, trotzdem gibt es kaum einen Meister, der die Bild-Trad. nicht durch neue Themen oder eigene Bilderfindungen bereichert hat.

Neben den Tierfiguren und Fabelwesen der Frühzeit stehen von Anfang an mythische Handlungsbilder; am beliebtesten waren die Abenteuer des → Herakles [1]. Götter, die an ihren Attributen erkennbar sind, wurden sowohl in Mythenbildern (z. B. → Gigantomachie, Geburt der → Athena) wie in handlungslosen Daseinsbildern (z. B. apollinische Trias: Apollon, Artemis, Leto; → Dionysos mit seinem Gefolge) dargestellt. Breiten Raum nehmen die Bilder aus dem troianischen Sagenkreis (→ Troia) ein, die nicht immer bestimmte Szenen aus dem Epos wiedergeben, sondern sich häufiger allg. auf die heroische Vergangenheit der Adelskultur beziehen (z. B. Kampf- und Gespannszenen). Auch Bilder vom Leben der Vornehmen (z. B. Sport und Gelage) gehören ins Repertoire, während solche von Handwerk und Gewerbe (z. B. Töpferwerkstatt, Olivenernte, Marktszenen) originelle Ausnahmen geblieben sind.

Nicht nur die Darstellungen, auch die Maler sind eingehend erforscht. Wegweisend war hierbei Sir John Beazley (1885–1970), der die Gattung nach Malern und Gruppen geordnet hat. Dadurch wird deutlich, daß sehr unterschiedliche stilistische Tendenzen gleichzeitig auftreten können (vgl. Abb.) und daß die Entwicklung durch einzelne Malerpersönlichkeiten beeinflußt wird. Als Zeichen des wachsenden Selbstbewußtseins (vgl. → Könnensbewußtsein) sind die Signaturen der Töpfer und Maler zu bewerten, die im Lauf des 6. Jh. v. Chr. zunehmen. Wir kennen in der att. sf. V. 68 Meisternamen, 32 davon entfallen allerdings auf die → Kleinmeister-Schalen, bei denen Inschr. zur Konvention der Schalendekoration gehören. Signaturen mit der Verbform ἐποίησεν/*epoíēsen* (»hat gemacht«) sind häufiger als mit ἔγραφσεν/*égraphsen* (sic; »hat gemalt«), zu denen nur etwa 10 Namen erh. sind; *epoíēsen* kann allerdings auch die Tätigkeit des Bemalens einschließen. Der erste signierende att. Maler ist → Sophilos [1], und es ist sicher kein Zufall, daß die führenden sf. Vasenmaler der Blütezeit (570–530 v. Chr.) alle signiert haben: → Klitias, → Nearchos [1], → Lydos [2] und → Exekias. Amasis (→ Amasis-Maler) signierte nur mit *epoíēsen*, war aber höchstwahrscheinlich Töpfer und Maler in einer Person, wie auch Nearchos und Exekias. Eine Ausnahmeerscheinung sind die vielen (149) Signaturen des → Nikosthenes: Sie sind keine Garantie für die Eigenhändigkeit, sondern ein Markenzeichen seiner Werkstatt, die ihre umfangreiche Produktion dem Geschmack der etr. Käufer anpaßte. Die Maler, deren ant. Namen wir nicht kennen, die aber nach ihren Stilmerkmalen identifiziert werden können, tragen mod. Benennungen (z. B. nach Töpfer- oder → Lieblingsinschriften, nach dem Aufbewahrungsort oder Bildthema einer Schlüsselvase oder nach bes. Stilmerkmalen).

Die erh. sf. Vasen, deren Zahl auf ca. 20 000 (z. T. in Frg.) geschätzt wird, bewahren etwa 1% der urspr. Produktion. Die reiche Überl. ermöglicht eine dichte relative Chronologie, die, in das Gerüst der histor. Daten eingefügt, eine annähernd zuverlässige Datier. erlaubt.

Der größte Teil der att. sf. Vasen stammt aus etr. Gräbern, in denen sie auch bes. gut erh. geblieben sind. Griech. Vasen waren im ganzen Mittelmeerraum eine begehrte Handelsware und wurden v. a. nach Etrurien exportiert. Im 3. Viertel des 6. Jh. konnten die att. sf. Vasen die korinthische Keramik aus ihrer Vorherrschaft auf den Exportmärkten verdrängen. Die große Nachfrage hat zweifellos das Aufblühen der att. Werkstätten gefördert, zugleich aber auch die Herstellung von Serienware für den Export begünstigt, wie z. B. der → tyrrhenischen Amphoren oder der Vasen aus der Werkstatt des Nikosthenes.

→ Farben; Keramikherstellung; Ornament; Töpfer; Tongefäße; Vasenmaler

Beazley, ABV • Ders., Paralipomena • Ders., Addenda² • J. D. Beazley, The Development of Attic Black-Figure, ²1986 • J. Boardman, Athenian Black Figure Vases, ²1991 • E. Simon, Die griech. Vasen, ²1986, Abb. 44–80, Farbtaf. XXI-XXX.

H. M.

II. Ausserattisch

Die in der → korinthischen Vasenmalerei entwickelte sf. Technik war im 6. Jh. v. Chr. auch außerhalb Athens vorherrschend, wenngleich etwa in Ionien immer noch Vasen in Aussparungstechnik bemalt wurden (z. B. Fikellura-Keramik). Obwohl gerade die mutterländische, aber etwa auch die ostgriech. sf. V. (→ ost-

Zeittafel zu den attischen schwarzfigurigen Vasengruppen und Malern

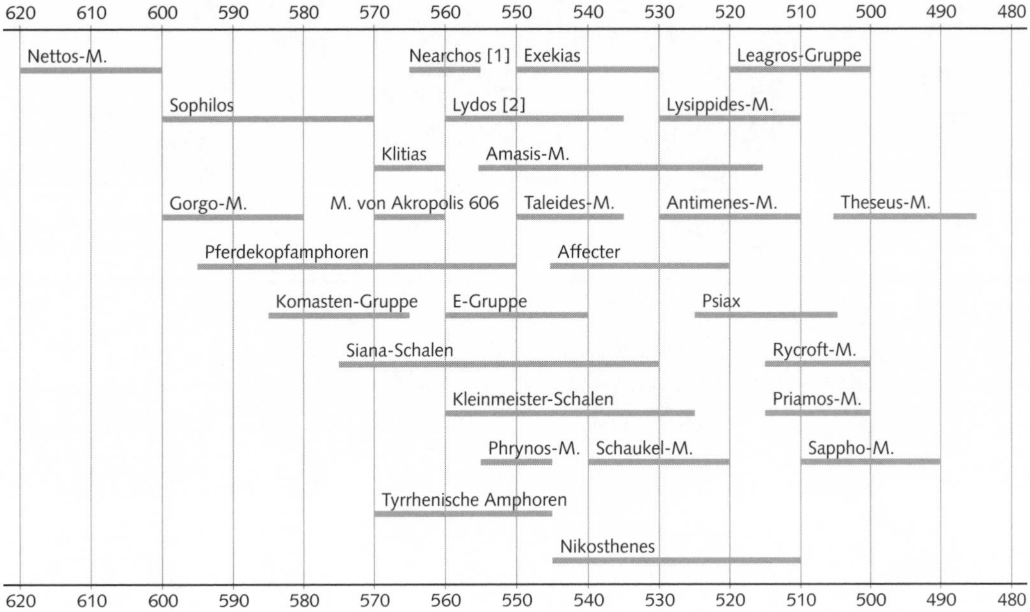

griechische Vasenmalerei) reiche Anregungen aus Athen und Korinth empfingen, ist im Unterschied zur → rotfigurigen Vasenmalerei eine große regionale Vielfalt der Formen und Bildinhalte auszumachen.

Die bedeutendsten mutterländischen Werkstätten außerhalb Athens sind die der → chalkidischen Vasenmalerei (sie wird auch in It. lokalisiert), der → korinthischen Vasenmalerei und der → lakonischen Vasenmalerei. Nach einer reichen Produktion subgeom. und orientalisierender Vasen des 7. Jh. v. Chr. entstanden auch in Boiotien vom 6. bis 4. Jh. v. Chr. sf. Vasen [1. 213–215]; die Abgrenzung attischer sf. und boiotischer sf. Vasenmaler ist z. T. umstritten, zumal sich die mitunter qualitätvolle sf. V. in Boiotien stark an Athen orientierte. Hauptthemen sind Tierfriese, Symposion und Komasten (→ *kõmos*), seltener Mythenbilder (etwa → Herakles [1] oder → Theseus). Im späten 6. und im 5. Jh. v. Chr. ist ein Silhouettenstil typisch, der jedoch nicht mit einer Vernachlässigung der Bildinhalte einhergeht (vgl. [1. Abb. 450]). An Gefäßtypen finden sich v. a. → Kantharos [1], Lekanis (→ Gefäße, Gefäßformen), Schale und Teller, aber auch Kannen. Von etwa 420 bis etwa 350 v. Chr. bilden die »Kabiren-Vasen« mit ihren grotesken Figuren (→ *kábeiroi*) und Mythenparodien die Hauptgattung der boiot. sf. V.; bemalt wurden fast ausschließlich → Skyphoi, die v. a. im Kabirenheiligtum von → Thebai gefunden wurden [1. 258]. Die sf. V. auf Euboia wurde ebenfalls von Athen und zudem von Korinth beeinflußt, auch ihre Abgrenzung zur att. sf. V. ist nicht immer eindeutig [1. 215 f.]. Bemalt wurden hier v. a. Amphoren, Lekythen und Teller, aber auch großformatige Amphoren, die reiche Mythenbilder (Herakles, Parisurteil [1. Abb. 458 f.]) zeigen. Andere, eher seltene Zeugnisse der sf. V. sind einige Alabastra von → Andros, Teller von → Thasos [1. 216] oder die lokale Keramik von Halai [3] (vgl. [2. 308 Nr. 18]).

Eine große Vielfalt an unterschiedlichen und lokal geprägten Formen der sf. V. bietet Ionien, wo bereits im 7. Jh. höchst qualitätvolle Vasen hergestellt wurden [3]. Um 600 v. Chr. begegnen in verschiedenen Städten Ioniens sf. Vasen oder sf. Bilddetails: So ahmt der wenig qualitätvolle späte *Wild Goat Style* (→ ostgriechische Vasenmalerei) in Nordionien korinth. sf. Vorbilder nach; auf »rhodischen Tellern« in polychromer Technik werden manche Details sf. geritzt [1. Abb. 290]. Auf Chios entstand seit 575/550 v. Chr. eine von Korinth beeinflußte, wenig qualitätvolle sf. V. auf Schalen, Tellern und den sonst so hervorragenden chiotischen Bechern, die v. a. Tierfriese oder Komasten zeigt; mitunter läßt sich auch lakon. Einfluß fassen [3. 73–76]. Rhodos werden einige von 560–530 v. Chr. hergestellte Situlen (eimerförmige Gefäße nach äg. Vorbild; → Situla) mit sf. V. zugeschrieben, die z. T. griech. Themen (z. B. → Typhoeus), z. T. aber auch äg. Motive aufweisen (so Hieroglyphen, äg. Sportarten [3. 116–118]; auch in Äg. selbst entstand wohl eine griech. sf. V. (vgl. [5]).

Für die sf. V. bedeutsamer sind indessen die Werkstätten von → Samos und → Klazomenai. Angeregt von Athen wurden um 560/550 v. Chr. auf Samos → Kleinmeister-Schalen und auch Gesichtskantharoi in einem präzisen und dekorativen Stil bemalt; berühmt ist das Innenbild einer Schale mit Dionysos zw. Rebbäumen [3. 92–94]. In Klazomenai wurden wenig elegant geformte Gefäße (Amphoren, Hydrien) mit flächigen und

Gefäßformen der außerattischen schwarzfigurigen Vasenmalerei

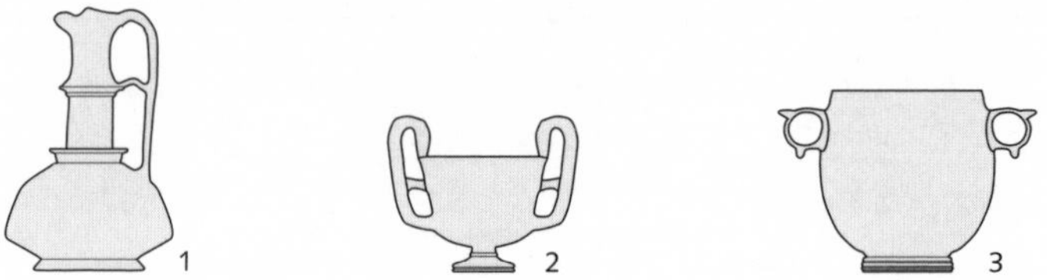

A. Boiotische Vasen

1 Kanne
2 Kantharos
3 Kabiren-Skyphos

B. Ostgriechische Vasen

1 Situla
2 klazomenische Amphora
3 samischer Gesichts-kantharos
4 chiotischer Becher
5 samische Schale
6 Lydion

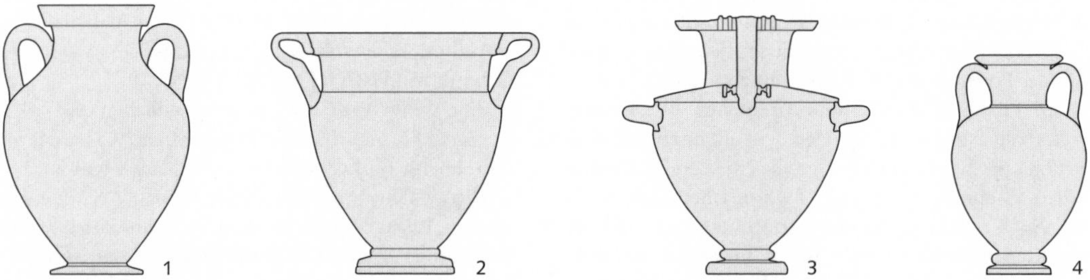

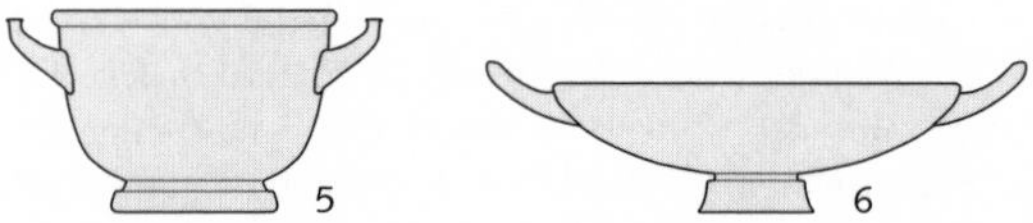

C. Chalkidische Vasen

1 Bauchamphora
2 Krater
3 Hydria
4 Halsamphora
5 Skyphos
6 Schale

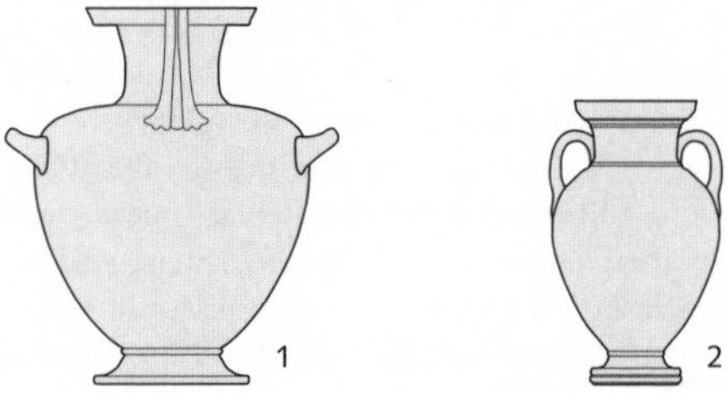

D. Andere

1 Caeretaner Hydria
2 Northampton-Amphora

mitunter eckig wirkenden Figuren von etwa 550 bis 530 v. Chr. bemalt; beliebte Themen sind Frauenreigen oder Tiere [1. 148 f.; 3. 95–107]. Zeitlich weiter hinab führen Tonsarkophage, die reich mit Kämpfen, Mythen und Tierfriesen bemalt sind [3. 121–128; 4]. In Nordionien entstanden auch einige qualitätvolle, jedoch nicht lokalisierbare sf. Vasen mit originellen Bildern wie Satyr und Widder oder Skythe mit baktrischem Kamel [1. 149]. Meist nur mit Streifenverzierung, selten figürlich werden ionische Salbölgefäße nach lydischem Vorbild (Lydion; → Lydia III. D.) bemalt.

Bei einigen Gattungen der sf. V. ist umstritten, ob sie im Mutterland oder in It. gefertigt wurden (→ Chalkidische Vasenmalerei, → Tyrrhenische Amphoren). Unter den in It. von Griechen hergestellten sf. Vasen sind neben den → Caeretaner Hydrien [3. 111–113] v. a. die um 540 v. Chr. verm. in Etrurien gefertigten, ionisch geprägten »Northampton-Amphoren« zu nennen – qualitätvolle Halsamphoren mit reichen Ornamenten und z. T. sehr dekorativen und originellen Bildern (Fürst mit Pferden; Kranichreiter [1. 220]). Ihnen steht die »Gruppe der Campana-Dinoi« nahe, deren Vasenmaler in einem handfesten Stil v. a. Kessel, aber auch Hydrien bemalt haben; als originelles Bild sei nur eine Rückführung des → Hephaistos in den Olymp genannt [3. 108–111]. Seit dem 7. Jh. v. Chr. wurden in Etrurien sf. Vasen geschaffen, die sich an korinth. und ostgriech. Vorbildern orientieren [1. 143]. Auf die bedeutende → Pontische Vasenmalerei folgt v. a. von etwa 530 bis 500 v. Chr. das große Œuvre des → Micali-Malers und seiner Werkstatt, in der überwiegend Amphoren, Hydrien und Kannen bemalt wurden; mitunter begegnen sehr sorgfältige Mythenbilder, häufiger sind indessen Komasten oder Symposiasten und Tierfriese [7. 308–311]. Andere etr. sf. Vasen lehnen sich eng an die attischen Vorbilder an [7. 306 f.]. Die etr. sf. V. endet mit meist sehr manieriert bemalten Gefäßen sowie einer wenig sorgfältigen Silhouettentechnik um 480 v. Chr. [7. 311 f.]. Einige wenige sf. Vasen im keltischen Frankreich dürften ebenfalls durch die griech. sf. V. angeregt worden sein; das bedeutendste Frg. zeigt einen Reiter [6].

1 J. Boardman, Early Greek Vase Painting, 1998
2 J. E. Coleman et al., Halai. The 1992–1994 Field Seasons, in: Hesperia 68, 1999, 307 f. 3 R. M. Cook, P. Dupont, East Greek Pottery, 1998 4 S. Hackbeil et al., Ein wiedergewonnener klazomenischer Sarkophag, in: AA 1998, 271–280 5 F. Hoffmann, M. Steinhart, Apries und die ostgriech. Vasenmalerei, in: JÖAI 67, 1998, Hauptblatt, 49–61 6 Ch.H. Lagrand, Le Pegue – Drôme. Salle d'exposition archéologique, 1978 7 M. A. Rizzo, La ceramica a figure nere, in: M. Martelli (Hrsg.), La ceramica degli Etruschi, 1987, 31–42. M.ST.

Schwarzfirnis-Keramik. Mod. t.t. für eine Gattung der griech. Feinkeramik (→ Tongefäße), bes. spätklass. und hell. Zeit. Durch Sinterung des eisenhaltigen Tonschlickers im reduzierenden Brand entstand ein schwarz glänzendes Produkt (→ Keramikherstellung). Sch.-K. wurde sowohl auf der Scheibe gedreht als auch in Formschüsseln hergestellt. Die Oberflächenschicht wurde mit dem Pinsel auf laufender → Drehscheibe aufgetragen oder entstand durch Untertauchen in die ausgeschlämmte Schlickermasse. Sch.-K. konnte zusätzlich mit weißer, roter und goldener Bemalung verziert sein. Auch sich wiederholende Stempelungen (→ Stempelkeramik) und reliefierte Gefäßwandungen (→ Reliefkeramik) waren üblich. Ab dem 5. Jh. v. Chr. verdrängte Sch.-K. innerhalb eines Jh. die rf. Keramik (→ Rotfigurige Vasenmalerei) von den Mittelmeermärkten. Im Hell. waren sehr viele, jetzt auch nichtgriech. Werkstätten tätig, die meistens, aber nicht nur für einen lokalen oder regionalen Markt produzierten. Sch.-K. wird in zunehmendem Maße als Informationsquelle für Eßgewohnheiten und Formen der Kontakte zw. Regionen und Kulturlandschaften benutzt.
→ Keramikhandel

J. W. Hayes, Fine Wares in the Hellenistic World, in: T. Rasmussen, N. Spivey (Hrsg.), Looking at Greek Vases, 1991, 183–202 • J. P. Morel, Céramique campanienne: Les formes, 1981 • S. I. Rotroff, Hellenistic Pottery. Athenian and Imported Wheelmade Tableware and Related Material (Agora 29), 1997 • B. A. Sparkes, L. Talcott, Black and Plain Pottery of the 6th, 5th and 4th Centuries B. C. (Agora 12), 1970. R.D.

Schwarzmeergebiet
I. Geographie
II. Archäologie, Kultur, Geschichte

I. Geographie
Vgl. → Pontos Euxeinos; Pontos.

II. Archäologie, Kultur, Geschichte
A. Eisenzeit und klassische Antike
B. Spätantike bis frühes Mittelalter

A. Eisenzeit und klassische Antike (ca. 1000 v. Chr. bis 3. Jh. n. Chr.)
Anker- und Barrenfunde im Gebiet von → Apollonia [2] bis → Mesambria [1] und ägäische Funde zw. → Halys- und → Iris [3]-Mündung weisen auf erste Kontakte des griech. Gebietes zum Sch. während der Spät-Brz. (2. H. 2. Jt. v. Chr.) hin (Sage vom Goldenen Vlies, → Argonautai, → Iason [1]). Seit der Eisenzeit sind durch die im 8. Jh. v. Chr. einsetzende → Kolonisation des Sch. durch griech. Siedler schriftliche Nachrichten erhalten (u. a. bei Herodotos, B. 4; → Pontos Euxeinos).

Das Vordringen der Griechen im Sch. ging von → Miletos aus. Seit dem 8. Jh. v. Chr. kennen wir Namen und Gebiete verschiedener Völker der Küsten des Schwarzen Meeres (= Sch.M.), wobei sich die Quellen allerdings teilweise widersprechen (u. a. die umstrittenen → Kimmerioi mit arch. – ungesicherter – Zuordnung der Funde vom Černoles-/Černogorovka- und Novočerkassk-Typ sowie Verbindungen auch nach Westen bis in das Karpatenbecken bzw. nach Mitteleuropa).

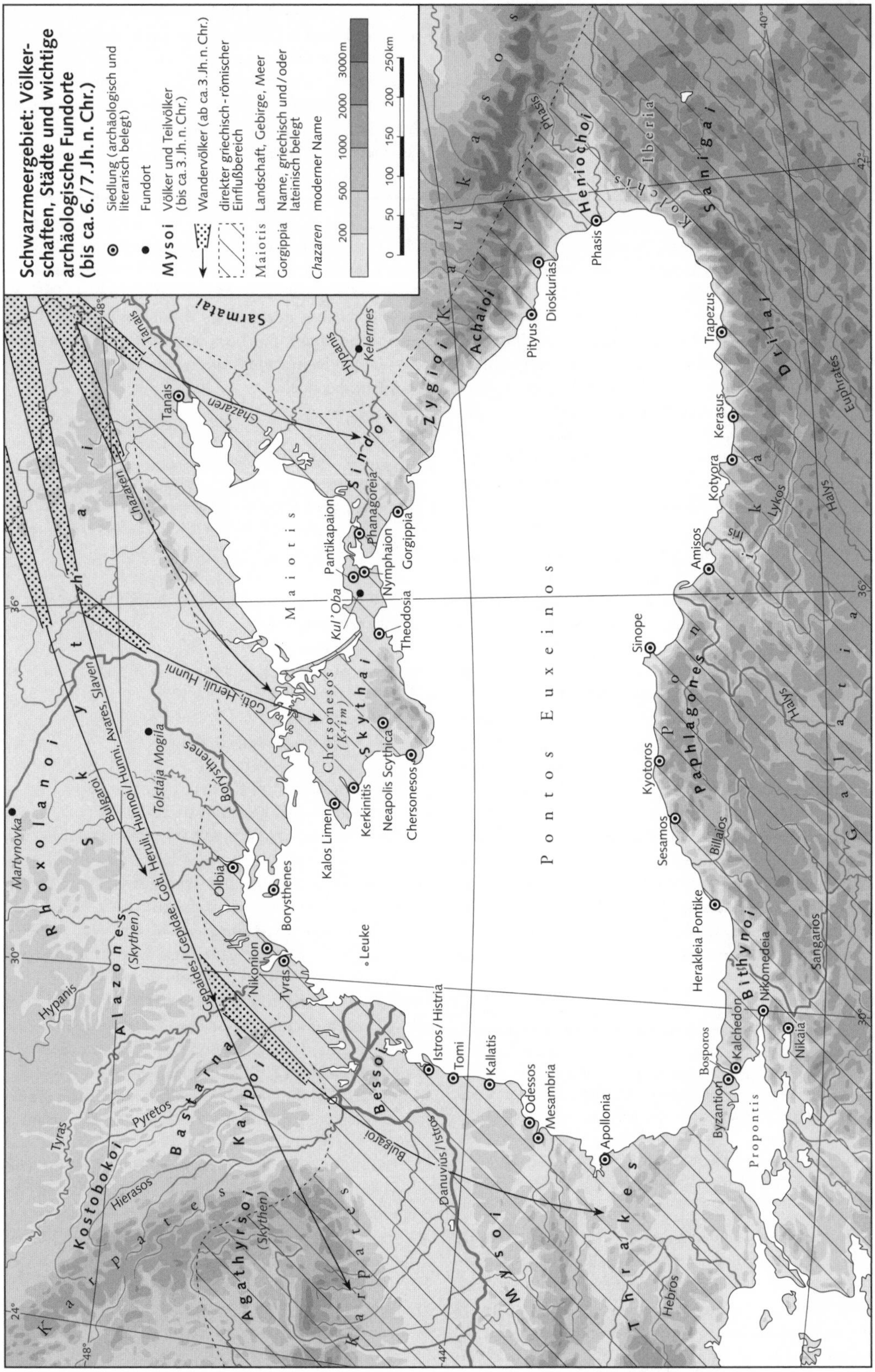
Schwarzmeergebiet: Völkerschaften, Städte und wichtige archäologische Fundorte (bis ca. 6./7. Jh. n. Chr.)
Siedlung (archäologisch und literarisch belegt)
Fundort
Mysoi Völker und Teilvölker (bis ca. 3. Jh. n. Chr.)
Wandervölker (ab ca. 3. Jh. n. Chr.)
direkter griechisch-römischer Einflußbereich
Maiotis Landschaft, Gebirge, Meer
Gorgippia Name, griechisch und/oder lateinisch belegt
Chazaren moderner Name
200 500 1000 2000 3000 m
0 50 100 150 200 250 km
Pontos Euxeinos
Maiotis
Propontis
Bosporos
Chersonesos (Krim)
Skythai
Sindoi
Zygioi
Achaioi
Heniochoi
Kolchis
Iberia
Saniga i
Drilai
Paphlagones
Bithynoi
Galatia
Thrakes
Mysoi
Bessoi
Karpoi
Bastarnai
Agathyrsoi (Skythen)
Kostobokoi
Alazones (Skythen)
Rhoxolanoi
Sarmatai
Karpates
Kaukasos
Chazaren
Goti, Heruli, Hunni
Gepaides/Gepidae, Goti, Heruli, Hunnoi/Hunni, Bulgaroi
Bulgaroi/Hunni, Avares, Slaven
Bulgaroi
Tanais
Kelermes
Hypanis
Kul'Oba
Pantikapaion
Phanagoreia
Nymphaion
Gorgippia
Theodosia
Neapolis Scythica
Chersonesos
Kerkinitis
Kalos Limen
Olbia
Borysthenes
Tolstaja Mogila
Martynovka
Nikonion
Tyras
Leuke
Istros/Histria
Tomi
Kallatis
Odessos
Mesambria
Apollonia
Byzantion
Kalchedon
Nikomedeia
Nikaia
Herakleia Pontike
Sesamos
Kyotoros
Sinope
Amisos
Kotyora
Kerasus
Trapezus
Pityus
Dioskurias
Phasis
Danuvius/Istros
Hebros
Hierasos
Pyretos
Borysthenes
Billaios
Sangarios
Halys
Iris
Lykos
Euphrates
24°
30°
36°
42°
40°
44°
48°

Im 7. und 6. Jh. v. Chr. wurden durch weitere Koloniegründungen v. a. von Miletos (Sesamos; → Sinope; Apollonia [2] Pontike; Istros/→ Histria; → Pantikapaion) und Megara (→ Byzantion, → Kalchedon: Kontrolle des Bosporos [1]; Herakleia [7] Pontike, Mesambria [1], Chersonesos [2] Taurike, → Kallatis) neue Gebiete der südl. Küste, des Westens und Nordens des Sch.M. erschlossen. Die milesischen Gründungen u. a. von → Dioskurias, → Gorgippia, → Odessos, → Olbia [1], → Phanagoreia, → Phasis [2], → Pityus, → Tanais, → Theodosia, → Tomi, → Tyras, → Kerasus, → Kotyora, → Kytoros und → Trapezus festigten die Kontakte und machten das → Kaukasos-Gebiet und die → Kolchis zugänglich.

Im Westen trafen die Griechen auf die → Getai, → Moesi/Mysoi und → Thrakes – thrakische Stämme, die das Westufer des Sch.M. und dessen Hinterland besiedelten; sie sind seit dem 6. Jh. auch arch. bis in das heutige Moldawien nachzuweisen (griech. Einfluß in allen Lebensbereichen. Später standen die Getai in Zusammenhang mit den → Dakoi (in der Spätant. werden beide nicht mehr unterschieden), dem wichtigsten thrak. Stamm nördl. der Unteren Donau (unter → Burebista im 1. Jh. v. Chr. und unter → Decebalus in der 2. H. des 1. Jh. n. Chr. Angriffe auf die griech. Kolonien der westl. Sch.M.-Küste; im 2. Jh. n. Chr. wiederholte Angriffe auf den röm. Donaulimes durch den dakischen Stamm der Kostobokoi). Weitere thrak. Stämme waren z. B. die → Astai (südl. von Apollonia), → Bessi/Bessoi in den Rhodopen (um die Zeitenwende in das Gebiet zw. Tomi und Histria umgesiedelt), Karpoi (zw. Olbia und der Donaumündung), → Krobyzoi und → Trogodytai (beide in der Dobrudscha) oder die → Odrysai, deren Reich östl. des Hebros/Marica mehrere griech. Städte seit dem 5. Jh. v. Chr. tributpflichtig waren. Im Hinterland lagen auch größere skythische Gebiete, von denen das der → Agathyrsoi (im h. Siebenbürgen) das wichtigste war und noch bis 165 n. Chr. inschr. belegt ist. Die thrak.-dak. Kunst, bes. die Toreutik, war deutlich von der griech. und der skyth. beeinflußt, wurde jedoch eigenwillig umgesetzt (im Süden v. a. aus Grabfunden, im Norden vorwiegend aus Schatzfunden bekannt). Wichtige Handelsgüter waren Getreide, Pferde, Pökelfische und Sklaven.

Die ganze Nordküste des Sch.M. nahmen Stämme ein, die unter dem Sammelbegriff → Skythen bekannt waren. Von Anfang an kam es zu Auseinandersetzungen zw. griech. Kolonisten und Skythen (z. B. um Olbia) sowie auch mit den → Tauroi.

Im Osten, zw. Tanais/Don und Hypanis [1]/Bug, siedelten die iranischen Sauromatai oder → Sarmatai, zu denen auch die Asaioi am Tanaisknie, Doskoi an der → Maiotis, → Sirakoi und Toretai gehörten. Insbes. die sarmatischen → Rhoxolanoi lieferten sich in der Zeit → Aurelianus' [3] mit den Römern häufig Grenzkämpfe. Sarmaten verdrängten ab dem 1. Jh. n. Chr. die Skythen auch aus den nördl. und westl. Teilen des skythischen Gebietes und drangen bis in das Gebiet der Unteren Donau vor. Zw. Phanagoreia und Gorgippia lagen die Gebiete der mit den Skythen oder Sarmaten verwandten → Sindoi. Hier und weiter südl. vom Gebiet der Sindoi (s. Karte) wurden verschiedene Völker des Kaukasos als → Maiotai zusammengefaßt. Im einzelnen sind → Achaioi [2], → Heniochoi, → Kerketai, → Moschoi und → Zygioi u. a. bekannt, die mit den griech. Städten Handel trieben. Es kam dabei – ebenso wie um die Kontrolle der Pässe durch den Kaukasos – wiederholt zu Streitigkeiten, und Städte wie Dioskurias und Pityus waren im 1. Jh. n. Chr. verlassen oder wurden von den Heniochoi geplündert. Pityus war unter Hadrianus wieder → Limes-Stützpunkt und diente ab dem 4. Jh. n. Chr. als Bischofssitz. Durch den reichen Baumbestand der Kolchis war der → Schiffbau hier ein bedeutender Wirtschaftszweig. Getreide und Salz mußten eingeführt werden; eine kleine, aber sehr milchreiche Rinderart wurde vor Ort gezüchtet. Die wichtigsten Güter des Kaukasos und der Kolchis waren Metalle, Edelsteine, verschiedene Luxusgüter (z. B. Fasane, nach Phasis [1] und [2] benannt), → Lein und Sklaven.

An der Südküste des Sch.M. (→ Kleinasien III.) waren in der Umgebung von Trapezus die Bergvölker der → Drilai, → Makrones (auch → Makrokephaloi) und → Sannoi angesiedelt. Westl. des Halys bis nach Sesamos wohnten die Paphlagones (→ Paphlagonia). Ihnen im Westen benachbart waren thrakische Stämme wie die → Mariandynoi oder Bithynoi (auch Thynoi). Zur Kolchis hin lagen seit Vespasianus östl. von Trapezus mehrere Kastelle des Pontischen Limes (unter Iustinianus aufgegeben).

An der kleinasiat. Südküste des Sch.M. kam es unter griech. und pers. Einfluß ab dem 5. Jh. v. Chr. zu Staatenbildungen (z. B. Königreich → Bithynia mit der neu gegr. Hauptstadt → Nikomedeia). Ferner spielten keltische Verbände (→ Kelten III. B.) ab dem späten 3. Jh. v. Chr. eine Rolle; sie waren von Nikomedes [2] I. nach Kleinasien geholt worden und erhielten in → Galatia Territorien (bis E. des 1. Jh. v. Chr.). Seit dem 6. Jh. v. Chr. kam es auch im westl., thrak. Bereich zur Staatenbildung – verm. nach griech. Vorbild, da vor dem Kontakt keine derartigen Entwicklungen erkennbar sind. Weiter im Norden drangen seit dem 3. Jh. v. Chr. germanische Stämme (bes. die → Bastarnae) aus dem Weichselgebiet ein; sie siedelten sich in der Gegend zw. Olbia und dem Donaudelta an und finden E. des 3. Jh. n. Chr. noch in Thrakia Erwähnung. Ähnlich verhielt es sich im nördl., skyth. Bereich, wo seit dem 5. Jh. v. Chr. auf der Chersonesos und an der Maiotis das → Regnum Bosporanum lag, das ab 437 v. Chr. von den Spartokiden (hellenisierten Thrakern; → Spartokos) regiert wurde, bis es 107 v. Chr. durch → Mithradates [6] VI. Eupator dem Regnum Ponticum eingegliedert wurde. Dieses umfaßte damit den größten Teil der Süd-, Ost- und NO-Küsten des Sch.M., von Herakleia [7] Pontike über Sinope, Trapezus bis nach Pantikapaion und Tanais.

B. SPÄTANTIKE BIS FRÜHES MITTELALTER (CA. 3.–13./15. JH. N. CHR.)

Die Spätant. ist im Sch. durch die Zerstörungen der german. → Goti (arch. mit der Sîntana de Mureş-Černjachov-Kultur verbunden) geprägt: Ab Mitte des 3. Jh. n. Chr. kam es zur Einnahme der h. Gebiete Moldawien und Ukraine, im 4. Jh. zu Angriffen zusammen mit den verwandten Stämmen der → Gepidae und → Heruli auf andere Teile des Sch. Im 3. Jh. litt die Chersonesos unter Goteneinfällen, Istros wurde gebrandschatzt, 258 wurden das Bistum Kalchedon geplündert, Paphlagonia angegriffen und 267 Athen überfallen. An den Küsten des Sch.M. wurden u.a. während des 3. und 4. Jh. Apollonia [2], Nikonion, Nymphaion, Olbia, Pantikapaion, Tanais und Tyras zerstört und erholten sich nicht wieder. Städte wie Gorgippia, das im 5. Jh. in Eudusia umbenannt wurde, wurden von den Goti weiter bewohnt. Sie drangen an der Ostküste des Sch.M. nicht weit vor, wo sich in der Kolchis im 2. Jh. n. Chr. mit röm. Hilfe das Reich der → Lazai gebildet hatte (→ Lazika). Auch diese waren bis in das 6. Jh. wegen der Kontrolle der Kaukasos-Pässe wiederholt in Streitigkeiten mit dem byz. und dem → Sāsāniden-Reich verwickelt.

Seit dem 4. Jh., als Byzantion/→ Konstantinopolis zum christl. orthodoxen Zentrum wurde, breitete sich das → Christentum auch im westl. Sch. aus, mit Bistümern etwa in Mesambria [1] und Odessos. Das erste ökumenische Konzil fand 325 n. Chr. in Nikaia [5] statt.

Die Goten wurden E. des 4. Jh. von den → Hunni, deren schnelle, berittene Bogenschützen sehr gefürchtet waren, und ihren Verbündeten (darunter Gepidae und Heruli) geschlagen. Got. Bevölkerung hielt sich noch länger auf der Chersonesos (s.o.). Die Hunnen errichteten im Gebiet nördl. des Sch.M. ein eigenes Reich und fielen von dort in den Kaukasos, an der Unteren Donau bis nach Thrakia und in westlichere Gebiete ein, bis sie sich E. des 5. Jh. in anderen Bevölkerungsgruppen aufgingen. Die Südküste des Sch.M. wurde seit dem 7. Jh. teils von Byzanz, teils von den Sāsāniden oder Arabern kontrolliert. Nw des Sch.M. siedelten seit dem 6. Jh. – im h. Wolhynien und am oberen Dnepr – → Slaven, die seit dem 7. Jh. nach SO expandierten und sich u.a. mit → Antai, → Avares und → Bulgaroi vermischten. Als typisches arch. Zeugnis für diese Zeit kann der Schatzfund von Martynovka gelten, der avarische, byz., baltische, spätsarmat. und donauländische Elemente vereint. Vor den im 6. Jh. von Osten eindringenden (vorwiegend) Turkstämmen flohen die Avares, schlugen auf ihrem Weg nach Westen die Gepidae, zerstörten Istros und Odessos und ließen sich im Karpatenbecken nieder. Die Bulgaroi, seit dem 5. Jh. im Donau-Wolga Gebiet ansässig, bildeten Anfang des 7. Jh. das Altbulgarische Reich um die → Maiotis. Sie wurden E. des 7. Jh. durch die → Chazaren vertrieben, überquerten die Donau und gründeten südl. davon das Erste Bulgarenreich. Im Verlaufe des 9. Jh. verschmolzen sie mit der mehrheitlich slav. Bevölkerung und nahmen deren Sprache an. Das Verhältnis zu Byzanz entspannte sich durch die Christianisierung (→ Kyrillos [8] und → Methodios [4]).

Im Osten bildeten die turkstämmigen Chazaren ein Reich mit Statthaltersitz in Phanagoreia. Es wurde 737 von den Arabern erobert und zahlreiche Chazaren traten wenig später zum Judentum über. Sie besiedelten die Stadt Chersonesos [3] bis in das 15. Jh. Die Grenze zw. dem Chazarenreich und den Slaven wurde von den → Alanoi bewohnt, einem iran. sprechenden Volk, das arch. mit der Saltovo-Majaki-Kultur identifiziert wird. Verbunden mit den Chazaren waren auch die Magyaren (auch Ugri oder Ungari), die sich im 9. Jh. nördl. des Sch.M. befanden, verm. zw. Don (Tanais) und Dnepr (Borysthenes), gegen Ende des 9. Jh. bis nach Wien vordrangen und sich im h. Ungarn niederließen.

→ Billaios; Chersonesos [2]; Dakoi; Hypanis [1] und [2]; Iris; Kaukasos; Kelten III.; Kolchis; Lazika; Limes (mit Karten); Lykos [16]; Maiotis; Pontos Euxeinos; Sarmatai; Skythen; Slaven; Thrakes

ALLGEMEIN: M. MELLINK, M. GATES, A. M. GREAVES, B. HELWING, Archaeology in Turkey, in: AJA bis 2001 • Archeologija Ukrainskoj SSR I–III, 1985 (Arch. der Ukraine, ukrain./russ.) • C. DAICOVICIU et al., Istoria României, Bd. 1, 1960 (Gesch. Rumäniens, rumän.) • C. M. DANOFF, s. v. Pontos Euxeinos, RE Suppl. 9, 866–1175 • O. LORDKIPANIDZE, Drevnjaja Kolchida. Mif i archeologija, 1979 (Die alte Kolchis, Mythos und Arch., russ.) • M. J. TREISTER, YU.G. VINNOGRADOV, Archaeology on the Northern Coast of the Black Sea, in: AJA 97, 1993, 521–563.

ZU II. A.: P. ALEXANDRESCU, W. SCHULLER (Hrsg.), Histria. Eine Griechenstadt an der rumän. Sch.M.-Küste, 1990 • M. BABEŞ, Die Poieneşti-Lukaševka-Kultur, 1993 • E. BELIN DE BALLU, Olbia, cité antique du littoral nord de la Mer Noire, 1972 • G. BICHIR, The Archaeology and History of the Carpi from the Second to the Fourth Century AD, 1976 • D. BRAUND, Georgia in Antiquity, 1994 • H.-G. BUCHHOLZ, Doppeläxte und die Frage der Balkanbeziehungen des Ägäischen Kulturkreises, in: A. G. POULTER (Hrsg.), Ancient Bulgaria, 1983, 43–134 • G. A. CVETAEVA, Bospor i Rim, 1979 (Der Bosporus und Rom, russ.) • N. EHRHARDT, Milet und seine Kolonien, 1983 • S. FELD, Bestattungen mit Pferdegeschirr- und Waffenbeigabe des 8.–6. Jh. v. Chr. zw. Dnestr und Dnepr, 1999 • R. F. HODDINOT, Bulgaria in Antiquity, 1975 • K. JETTMAR, Die frühen Steppenvölker, 1980 • M. KOROMILA, The Greeks in the Black Sea, 1991 • G. A. KOSELENKO, Antičnye gosudarstva Severnogo Pričernomor'ja, 1984 (Ant. Staaten im nördl. Sch., russ.) • B. KULL, Tod und Apotheose. Zur Ikonographie in Grab und Kunst der jüngeren Eisenzeit an der unteren Donau ..., in: BRGK 78, 1997, 197–466 • J. A. H. POTRATZ, Die Skythen in Südrussland, 1963 • R. ROLLE, Die Welt der Skythen, 1980 • S. JU. SAPRYKIN, Ancient Farms and Land-Plots on the Kohora of Khersonesos Taurike, 1994 • H. SAUTER, Stud. zum Kimmerierproblem, 2000 • V. SCHLITZ, Die Skythen und andere Steppenvölker, 8. Jh. v. Chr. bis 1. Jh. n. Chr., 1994 • W. SCHULLER, Die bulgar. Schwarzmeerküste im Alt., 1985 • A. V. SIMONENKO, Sarmaty Tavrii, 1993 (Sarmaten, Taurier, russ.) • A. SUCEVEANU, A. BARNEA, La Dobroudja romaine, 1991 • G. R. TSETSKHLADZE, Die Griechen in der Kolchis, 1998 •

V. Vasiliev, Sciţi agatîrşi pe teritoriul României, 1980 (Die agathyrsischen Skythen auf dem Gebiet Rumäniens, rumän.) • V. Velkov, Gesch. und Kultur Thrakiens und Moesiens, 1988 • J. Vinogradov, Pont. Stud., 1997.
Zu II. B.: B. Anke, Stud. zur reiternomadischen Kultur des 4. bis 5. Jh., 2 Bd., 1998 • V. Bierbrauer, Arch. und Gesch. der Goten vom 1.–7. Jh. in: FMS 28, 1994, 51–171 • C. Diculescu, Die Gepiden, 1922 • I. Fodor, Altungarn, Bulgarotürken und Ostslawen in Südrussland, 1977 • P. B. Golden, Khazar Studies: An Historico-Political Inquiry into the Origins of the Khazars, 1980 • Gy. Györffy, Die Landnahme der Ungarn aus histor. Sicht, in: M. Müller-Wille, R. Schneider (Hrsg.), Ausgewählte Probleme der Landnahmen des Früh- und Hoch-MA, 1994, 67–79 • B. Hänsel (Hrsg.), Die Völker SO-Europas im 6.–8. Jh., 1987 • R. Harhoiu, Die frühe Völkerwanderungszeit in Rumänien, 1997 • D. M. Lang, The Bulgarians from Pagan Times to the Ottoman Conquest, 1976 • C. Mango, The Art of the Byzantine Empire 312–1453, 1972 • L. V. Pekarskaja, D. Kidd, Der Silberschatz von Martynovka (Ukraine) aus dem 6. und 7. Jh., 1994 • H. Pillinger, A. Pülz, H. Vetters (Hrsg.), Die Schwarzmeerküste in der Spätant. und im frühen MA, 1992 • P. Schreiner, Byzanz, 1994 • V. Spinei, Ultimele valuri migratoare la nordul Mării Negre şi al Dunării de Jos, 1996 (Die letzten Wellen der Völkerwanderung nördl. des Sch.M. und an der Unteren Donau, rumän.) • J. Werner, Beitr. zur Arch. des Attila-Reiches, 1956.
N. BO.

Schwefel (θεῖον/*theíon*, episch θέειον/*théeion* bzw. θήιον/*thḗion*, lat. *sulphur*). Wegen seiner angeblich Unheil abwehrenden Kraft von *theíos* (»göttlich«) abgeleitet, bereits bei Homer (Od. 14,307; 22,481 f. und 493 f.: als Reinigungsmittel nach der Ermordung der Freier durch Odysseus) erwähnt. Aristoteles (meteor. 3,6, 378a 23) nennt ihn als Beispiel für durch trockene Exhalation (ξηρὰ ἀναθυμίασις/*xērá anathymíasis*) verbrannte fossile Substanzen [1. 42 f.]. Der Sch. wurde u. a. auf Sizilien bergmännisch abgebaut und diente zur Bekämpfung von Schädlingen und zur Haltbarmachung von Wein (bis in die Neuzeit »Schwefelung« von Weinflaschen). Zur Desinfektion der Haut fand er Verwendung in Salben oder als Sch.-Bad.

1 D. E. Eichholz (ed.), Theophrastus De lapidibus, 1965.
C. HÜ.

Schweigen (griech. σιγή/*sigḗ*, σιωπή/*siōpḗ* und dazugehörige Verben; lat. *silentium*, *taciturnitas*, *quies* und dazugehörige Verben). Auch wenn die griech.-röm. Ant. bes. als Kultur der Rede (→ Rhetorik) beeindruckt, bekunden viele ant. Zeugnisse aus Lit., Rel., Philos., Medizin und Alltagsverständnis ein hohes Bewußtsein für die Bed. des Sch., das über ihm eigene Formen des Ausdrucks und der Performanz verfügt [2; 3; 11]. Programmatische Aussagen zum Sch. finden sich in der ganzen Ant., z. B. bei → Pindaros [2] (N. 5,18), der das Sch. als das Weiseste, was der Mensch ersinnen könne, bezeichnete, bis hin zu dem aus → Boethius erschlossenen geflügeltem Wort *si tacuisses, philosophus mansisses* (Boeth. philosophiae consolatio 2 pr. 7).

Beim Sch. als gleichwohl kulturell determiniertem Humanspezifikum in Alternanz zum Sprechen ist zu unterscheiden zw. auferlegtem (z. B. innerhalb einer Gruppe im Sinne einer Schweigeverpflichtung, *omertà*, [9]), freiwilligem und dem einer dauerhaften oder zeitweiligen Sprechunfähigkeit entspringenden Sch. Hinzu kommt das mit verschiedenen Implikationen behaftete Ver-Sch. bzw. Verstummen (der Verlust der Stimme bedeutet den Tod des Dichters; das Verschweigen von Taten oder Leistungen eines Menschen lassen diesen der Vergessenheit anheimfallen [11. 82–115]). Sch. wird auch Tieren (Plin. nat. 11,95) oder Abstrakta (Nacht: Verg. georg. 1,247) zugeschrieben.

Eine Psychologie und Empirie des Sch. umreißen außer den medizinischen Fachschriftstellern [4; 11. 228–232] v. a. die ant. Dichter. Bes. in Epos und Trag. werden schweigende Personen mit großem Effekt eingesetzt. Sch. ist hierbei Ausdruck aller heftigen Emotionen, z. B. des Erstaunens, des Zorns, der Verachtung (so das Sch. des Aias [1], Hom. Od. 11,563 f., vgl. Ps.-Longinos, De sublimi 9,2; [7]), der Verliebtheit oder der Traumatisierung, die zum Verlust der den Menschen auszeichnenden Qualität, der → Sprache, führt (bekanntestes Beispiel ist die → ›Niobe‹ des Aischylos [1], vgl. [5]). Bes. Frauen der Trag. gehen schweigend in den Tod (→ Iokaste, → Deianeira [11. 213–251]).

In der Rhet. ist das Reden über das Sch. in Form einer *praeteritio* oder der Aussage, über etwas nicht sprechen zu können (Unaussprechlichkeitstopos), eine wirksame Strategie; in Prozeßreden wird damit das Verbrechen des Angeklagten oder das Leiden des Opfers betont.

Sch. als Teil einer umfassenderen Konzeption der Stille ist Ausdruck des Göttlichen, des Heiligen oder einer bestimmten rel./philos. Geisteshaltung [10]. Das Göttliche manifestiert sich in Ruhe und Sch., etwa an numinosen Orten wie hl. → Hainen, wobei die Stille der Natur mit dem Sch. des Menschen korreliert. Im Umfeld von oder in Alternanz mit Gebeten (→ Gebet, → Fluch) sowie beim röm. → Opfer ist rituelles Sch. geboten. Im röm. Kult gilt zeremonielles *silentium* als Voraussetzung eines gelungenen *augurium* (→ *augures*). Das Sch.-Gebot, das der Apostel Paulus (1 Kor 14,34 f.) den Frauen in der Kirche auferlegt, zielt als Mittel der Diskriminierung in eine andere Richtung (vgl. auch entsprechende Aussagen in paganen Texten, etwa Eur. Herc. 534 f.).

In einigen rel. Strömungen wie den bes. seit Beginn der Kaiserzeit vermehrt Zulauf findenden → Mysterienkulten wird das Sch. als Mittel der inneren Sammlung und der Kommunikation mit dem Göttlichen stark betont [1; 12]. Auch wird Sch. mit der lautlosen Unterwelt in Verbindung gebracht. Sch. spielt in der Philos. vor der Spätant. trotz einschlägiger Aussagen bei Platon (z. B. Plat. Euthyd. 300b, auch Plat. symp. 211a) keine determinierende Rolle. Geltung erlangte es im Kontext der *hēsychía* (»Seelenruhe«) in der späten griech.-röm. und der patristischen Lit. und in der Monastik, z. B. in der

Konzeption des »schweigenden Logos« bei → Plotinos oder des »beredten Sch.« bei → Marius [II 21] Victorinus (vgl. Aug. conf. 9,10,23–26) [13. 1483].
→ Lärm

1 L. Angel, The Silence of the Mystic, 1983 2 H. Bardon, Le silence, moyen d'expression, in: REL 21/2, 1943, 102–120 3 M. G. Ciani (Hrsg.), Le regioni del silenzio: Studi sui disagi della communicazione, 1983 (engl. Übers. 1987) 4 Dies., I silenzi del corpo. Difetto e assenza di voce in Ippocrate, in: [3], 159–172 5 A. Garzya, Sur la Niobé d'Eschyle, in: REG 100, 1987, 185–202 6 G. Kalmaras, Reclaiming the Tacit Dimension: Symbolic Form in the Rhetoric of Silence, 1994 7 G. Lombardo, Il silenzio di Aiace (de subl. 9,2), in: Helikon 29/30, 1989, 281–292 8 O. Longo, Silenzio verbale e silenzio gestuale nella Grecia antica, in: Orpheus 2, 1985, 241–249 9 F. Maiulliari, Sul concetto di omertà a partire della Grecia antica, in: Quaderni di storia 51, 2000, 77–109 10 S. Mensching, Das hl. Sch., 1926 11 S. Montaglio, Silence in the Land of Logos, 2000 12 M. J. Vermaseren, Die orientalischen Rel. im Römerreich, 1981, bes. 53, 142 13 G. Wohlfart, J. Kreuzer, s. v. Sch., HWdPh 8, 1483–1495. C. W.

Schwein

I. Vorderasien und Ägypten II. Judentum III. Klassische Antike

I. Vorderasien und Ägypten

Vorderasien liegt im urspr. Verbreitungsgebiet des Wild-Sch. (Sus scrofa L.), das offenbar an verschiedenen Stellen zur Züchtung des Haus-Sch. verwendet wurde; die frühesten Beispiele stammen aus dem 7. Jt. v. Chr. [6. 73]. Das Sch. (sumerisch šaḫ(a); akkadisch *šaḫû* [3]) spielte in den meisten Perioden und Regionen des Vorderen Orients eine gewisse Rolle, wohl v. a. als Fleischlieferant. Auf den wenigen bildlichen Darstellungen finden sich v. a. Wild-Sch. Seit Beginn der schriftlichen Überl. in Mesopotamien (E. 4. Jt. v. Chr.) sind Sch. erwähnt, insbesondere als Generalthema einer lexikalischen → Liste, die 58 Kategorien anführt, differenziert nach Alter, Geschlecht, Farbe und anderen nicht benennbaren Kriterien [4]. Für ein Speisetabu gibt es in Mesopot. keine Hinweise.

In Äg. sind domestizierte Sch. (äg. *rrj*, *šꜣj*) seit Beginn des 4. Jt. v. Chr. bekannt und wurden verm. ebenfalls aus dem Wild-Sch. gezüchtet. Darstellungen sind selten im Vergleich zur häufigen Erwähnung in Wirtschaftstexten, nach denen z. B. Tempel große Sch.-Herden besitzen konnten. Das Sch. war offenbar das am wenigsten geachtete Haustier und entsprechend billig. Ein Speiseverbot galt wohl nicht durchgängig; bis in die Spätzeit halten sich Sch.-Opfer.

1 J. Boessneck, Die Haustiere in Altäg., 1953 2 Bull. on Sumerian Agriculture, Bd. 7–8, 1993/1995 (Domestic Animals of Mesopotamia) 3 Chicago Assyrian Dictionary, Bd. Š/1, 1989, 102–105 s. v. šaḫû 4 R. K. Englund, H. J. Nissen, Die lexikalischen Listen der Archa. Texte aus Uruk, 1993 5 W. Helck, s. v. Sch., LÄ 5, 1984, 762–764 6 C. Becker, Early Domestication in the Southern Levant as Viewed from Late PPNB Basta, in: L. K. Horwitz et al., Animal Domestication in the Southern Levant, in: Paléorient 25, 1999, 63–80 7 E. Vila, L'exploitation des animaux en Mésopotamie aux IVe et IIIe mill. avant J. C., 1998 8 F. E. Zeuner, Gesch. der Haustiere, 1967. H. J. N. u. J. RE.

II. Judentum

Nach Lv 11,1 ff. bzw. Dt 14,1 ff. gilt als reines Tier, dessen Fleisch gegessen werden darf, dasjenige, das zugleich Wiederkäuer und Paarhufer ist; beim Sch. trifft die erste Bedingung nicht zu. In Jes 65,4; 66,3; 66,17 wird das Sch. im Kontext von kritisierten kultischen Handlungen genannt. Im Verfolgungsedikt des → Antiochos [6] IV. Epiphanes (1 Makk 1,50) wird von den Juden neben der Darbringung heidnischer Opfer u. a. gefordert, Sch. zu schlachten. Da dies in der Folgezeit bis in die Neuzeit immer wieder während Verfolgungen von Juden verlangt wurde, wurde der Genuß von Sch.-Fleisch zum *casus confessionis*.

Das Verbot, Sch.-Fleisch zu essen, wird unterschiedlich erklärt: Neben der rabbinischen Ansicht, daß es ein Gebot Gottes sei, das keiner weiteren Begründung bedarf (Sifra Qᵉdôšîm 11,22), wurden oft hygienische Argumente angeführt (Philon [12], De specialibus legibus 4,100–118; Maimonides, More Nevukhim 3,48).

In der Forsch. wird meist aufgrund der Jes-Stellen versucht, das Verbot im Kontext der Abgrenzung von nichtjüd. Kulten, in denen das Sch. eine Rolle spielte, zu sehen. M. Harris [2] vertritt aufgrund von Lv 11 die These, daß die Ursache im ökologischen Bereich zu suchen sei: Mit seinen Wasser- und Nahrungsbedürfnissen stehe das Sch. im Nahen Osten in direkter Konkurrenz zum Menschen, anders als die »reinen« Tiere → Rind, → Schaf und → Ziege, die als Wiederkäuer dem trockenen, heißen Klima angepaßt sind.

1 F. S. Bodenheimer, Animal and Man in Bible Lands, 1960 2 M. Harris, Wohlgeschmack und Widerwillen, 1991 3 W. Helck, s. v. Sch., LÄ 5, 1984, 762–764 4 W. Kornfeld, Reine und unreine Tiere im AT, in: Kairos 7, 1965, 134–147 5 P. Schäfer, Judeophobia, 1997 6 R. de Vaux, Les sacrifices de porcs en Palestine et dans l'Ancien Orient, in: J. Hempel, L. Rost (Hrsg.), Von Ugarit nach Qumran, FS O. Eißfeldt, ²1961, 250–265. G. RE.

III. Klassische Antike

A. Griechenland B. Rom

A. Griechenland

Die Zucht und Haltung von Sch. (σῦς/*sys*; lat. *sus*, *porcus*) hatte in der griech. Ant. allein den Zweck der Produktion von Fleisch, das die sonst überwiegend pflanzliche → Ernährung ergänzte; damit unterschied sich die Sch.-Haltung in ihrer Funktion grundsätzlich von der Rinderzucht, die die ant. Wirtschaft v. a. mit Arbeitstieren versorgte, und der Schafzucht, die primär Wolle liefern sollte (obgleich auch Rind- und Lammfleisch im geringeren Mengen gegessen wurde). Der Verzehr von Sch.-Fleisch wird bei Homer erwähnt

(Hom. Il. 9,208; 19,196f.; 23,32; Hom. Od. 8,474ff.; 14,16ff.; 14,26ff.; 14,81; 14,414–438) und die Sch.-Haltung wird in der Odyssee präzise beschrieben (Hom. Od. 10,237–243; 10,388–397; 14,5–20; 14,410ff.; 15,555ff.): Auf Ithaka werden die Sch. am Tag von Hirten in der freien Landschaft gehütet, die Nacht verbringen sie in den Kofen, in die jeweils 50 Sauen gesperrt werden; die Herde des → Eumaios umfaßte insgesamt 600 Sauen und 360 Eber. Die lit. Texte bieten relativ wenig Informationen zur Sch.-Haltung in Griechenland; da das Sch. der Fleischerzeugung diente, spielte die Mast eine große Rolle; sie soll nach Aristoteles rund 60 Tage gedauert haben. Während dieser Zeit wurden die Tiere mit Gerste, Hirse, Feigen und Eicheln gefüttert (Aristot. hist. an. 595a), das Alter der Zuchteber sollte mindestens ein Jahr betragen, und in demselben Alter warfen Sauen zum ersten Mal Ferkel (Aristot. hist. an. 545a; vgl. 573a–573b). Aus einer bei Plutarch überl. Anekdote über Sokrates kann geschlossen werden, daß in der Stadt Athen große Sch.-Herden gehalten wurden (Plut. mor. 580e-f); Ferkel wurden von armen Frauen gewerbsmäßig gemästet (Athen. 14,656f). Ein rf. Vasenbild (Cambridge, FM) zeigt ein Sch. und ein Ferkel auf dem Weg zum Markt [2. Taf. 5.8].

B. Rom

Die röm. Agrarschriftsteller behandelten ausführlich die Zucht und Haltung von Sch. (Varro rust. 2,4; Colum. 7,9–11; Plin. nat. 8,205–213). Die Sauen wurden in Ställen gehalten, in denen die Tiere voneinander getrennt werden konnten; dies war notwendig, damit die Ferkel nicht von älteren Tieren zerquetscht wurden (Varro rust. 2,4,13–15; Colum. 7,9,9f.); es wurde empfohlen, die Ställe sorgfältig sauberzuhalten (Varro rust. 2,4,15; Colum. 7,9,14). Bei einem größeren Wurf wurden nicht alle Ferkel aufgezogen; v.a. in Stadtnähe wurden Ferkel verkauft (Varro rust. 2,4,19; Colum. 7,9,4). Morgens wurden die Sch. auf die Weide getrieben. Als bes. geeignet für die Sch.-Haltung galten Wälder mit einem Eichenbestand (Colum. 7,9,6); das Gelände sollte feuchte Flächen aufweisen, damit die Sch. sich im Schlamm wälzen konnten (Varro rust. 2,4,8; Colum. 7,9,7; 7,10,6). Die Eber wurden im Alter von 1 J. oder 3–4 J., nachdem sie mehrmals gedeckt hatten, kastriert (Varro rust. 2,4,21; Colum. 2,9,4; 2,11; → Kastration). Eine Herde sollte nach Auffassung Varros etwa 100 Sauen und 10 Eber umfassen; es gab aber auch Züchter, die Herden von über 150 Tieren hielten (Varro rust. 2,4,22). Es bestanden klare Vorstellungen über das Aussehen der für die Zucht verwendeten Tiere, bes. der Eber, die einen gedrungenen, nicht langgestreckten Körper mit hervortretendem Bauch, nicht sehr hohen Beinen, einen kräftigen Nacken und kurzen Rüssel haben sollten (Varro rust. 2,4,3; Colum. 7,9,1). Ein Zentrum der Sch.-Zucht war im 2. Jh. v. Chr. die Poebene mit ihren Eichenwäldern, wo mehr Sch. als im übrigen It. geschlachtet wurden (Pol. 2,15).

In röm. Zeit wurde Sch.-Fleisch zu einem üblichen Bestandteil der Ernährung; das Fleisch wurde mit → Salz konserviert (Cato agr. 162); im Milieu der Gutsbesitzer diente die Sch.-Haltung auch der Versorgung des eigenen Haushaltes, und in den Städten wurde Sch.-Fleisch von Schlachtern verkauft (Varro rust. 2,4,3). Gesalzenes Sch.-Fleisch wurde in augusteischer Zeit in großen Mengen aus Gallien nach It. importiert (Varro rust. 2,4,10f.; vgl. auch Strab. 4,3,2; 4,4,3). Es bestand die Sitte, bei Festessen das Sch. nicht zu zerlegen, sondern in einem Stück auf die Tafel zu bringen (Athen. 4,129b; vgl. Petron. 49). In der Spätant. wurde die Versorgung der Stadt Rom mit Sch.-Fleisch von der Verwaltung organisiert; es war Aufgabe der → *suarii*, die Sch. vor allem aus Süd-It. nach Rom zu bringen und dort das Fleisch zu verteilen (Cod. Theod. 14,4,1–8).

Das Sch. gehörte zu den wichtigen Opfertieren (→ Opfer) der Ant. (Varro rust. 2,4,9f.; vgl. Cato agr. 134); in Rom wurde bei den → Suovetaurilia neben Stier und Widder ein Eber geopfert. Auf der Ara des Domitius Ahenobarbus wird ein Eber als Opfertier dargestellt (Paris, LV).

→ Ernährung; Fleischkonsum; Macellum; Rind; Schaf

1 J. Frayn, The Roman Meat Trade, in: J. Wilkins u.a. (Hrsg.), Food in Antiquity, 1995, 107–114 **2** Isager/Skysgaard, 93f. **3** Jones, LRE, 702–704 **4** J. Peters, Röm. Tierhaltung und Tierzucht, 1998, 107–134 **5** White, Farming, 316–321 **6** Zimmer, Kat. 1–17. H. SCHN.

Schwert

I. Klassische Antike
II. Keltisch-Germanischer Bereich

I. Klassische Antike

Das in der röm. Frühzeit verwendete Sch. wird in der Überl. als *ensis* oder *gladius* bezeichnet (Verg. Aen. 7,743; 9,431; 12,458; Liv. 1,43,2). Laut Livius waren die Soldaten der ersten drei *classes* (»Abteilungen«) der servianischen Centurienordnung (→ *centuria*) mit dem Sch. ausgerüstet (Liv. 1,43,2). Das gallische Sch. war länger und hatte keine Spitze, das hispanische Sch. war kurz, hatte eine Spitze und war mehr zum Stich als zum Hieb geeignet (Liv. 22,46,5). In der Zeit des 2. → Punischen Krieges kam ein neuer Typ des Sch. auf; die schwerbewaffneten Soldaten der drei Schlachtreihen (*hastati*; *principes*; *triarii*) kämpften mit dieser Waffe, deren Klinge etwa 60–70 cm lang war und die in gleicher Weise zum Hieb und Stoß taugte (Pol. 2,30,8); durch seine hohe Festigkeit war dieses röm. Sch. dem Bronze-Sch. der Gallier überlegen (Pol. 2,33,5).

Infolge der Kontakte mit den Keltiberern im 2. Punischen Krieg übernahmen die Römer ein Sch., das in der Lit. »spanisches Sch.« genannt wird (Pol. 6,23,6–7; Liv. 31,34,4); es wurde auf der rechten Seite getragen. Diese Waffe konnte furchtbare Wirkung haben: Im 2. → Makedonischen Krieg waren die durch Sch.-Hiebe erzeugten Verwundungen bes. schrecklich, Arme, Schultern oder Köpfe wurden von den Körpern feindlicher Soldaten abgetrennt, die Körper selbst aufgeschlitzt (Liv. 31,34,4–5). Tacitus unterscheidet für das

1. Jh. n. Chr. das Sch. der Legionssoldaten (*gladius*) von dem der → *auxilia* (*spatha*; Tac. ann. 12,35,3). Die *spatha*, eine Waffe germanischer Herkunft war länger als das röm. Sch. und wurde an der linken Seite getragen; diese Unterscheidung ist allerdings nicht verallgemeinerbar, denn die *spatha* fand erst seit dem 3. Jh. wirkliche Verbreitung. Iosephos berichtet in seinem Exkurs über das röm. Heer, daß die Legionssoldaten zwei Sch. hatten, ein längeres an der linken Seite und ein weit kürzeres an der rechten; die Reiter hatten ein längeres Sch. als die Fußtruppen (Ios. bell. Iud. 3,93–96). In der Spätant. war die *spatha* die übliche Waffe röm. Soldaten (Veg. mil. 2,15,4; 3,14,13); dieses Sch. hatte eine Länge von ca. 0,70–0,90 m. Zum griech. Schwert (u. a. τὸ ξίφος/*xíphos*) s. → Bewaffnung I., → Waffen.
→ Bewaffnung; Waffen

1 M. C. Bishop, J. C. N. Coulston, Roman Military Equipment from the Punic Wars to the Fall of Rome, 1993
2 M. Feugère, Armes des Romains, 1993, 144–146
3 C. Saulnier, L'armée et la guerre dans le monde étrusco-romain, 1980 4 Ders., L'armée et la guerre chez les peuples samnites, 1983. Y. L. B./Ü: C. SK.

II. Keltisch-germanischer Bereich

Das Sch. war die wichtigste Nahkampfwaffe der Kelten und Germanen. Es kam allerdings erst mit der Herausbildung der → Latène-Kultur (Mitte 5. Jh. v. Chr.) – wohl im Gefolge mediterraner Anregungen – auf und blieb bis zu deren Ende (E. 1. Jh. v. Chr.) in intensivem Gebrauch. Die eisernen Sch. wurden in z. T. reich mit typisch keltischer Ornamentik versehenen Scheiden aus Br.- oder Eisenblech an eisernen Sch.-Ketten oder Gurten (Wehrgehängen) getragen. Zunächst waren die Sch. relativ kurz (ca. 60 cm) und spitz, um als Hieb- und Stichwaffe zu dienen; gegen Ende der Latènezeit (2./1. Jh. v. Chr.) wurden sie länger (ca. 80 cm) und stumpf an der Spitze und dienten primär als Hiebwaffen.

Sch. sind meist als Grabbeigaben in reichen Kriegerbestattungen und aus Opferfunden überl.; sie waren Rangabzeichen für den bes. Status des Kriegers. Gelegentlich wurden Sch. und ihre ranghohen Träger auch bildlich dargestellt, wie z. B. der »Kriegerfürst« vom → Glauberg. Sch. hatten somit hohen sozialen, aber auch materiellen Wert, der z. B. durch die reichhaltige und charakteristische Verzierung (»Schwertstil«) der Scheiden ebenso dokumentiert wird wie durch die häufig vorkommenden »Schlagmarken« der Schmiede. Teilweise sind kelt. Sch. auch in aufwendiger Lamellentechnik in Art einer Damaszierung geschmiedet, was ihnen bes. Stabilität und Biegsamkeit verleiht.

Bei den Germanen (→ Germanische Archäologie) spielten Sch. in der vorröm. Zeit keine bes. Rolle. Um Christi Geburt kamen neben einzelnen einschneidigen Hieb-Sch. lokaler Trad. v. a. Lang-Sch. kelt. Art auf, allerdings meist ohne Metallscheiden und Wehrgehänge, die dann im 1./2. Jh. n. Chr. die german. Bewaffnung prägten. Ab dem 3. Jh. n. Chr. wurden die Sch. unter röm. Einfluß wieder kürzer. Den Sch. kam bei den Germanen im Grab- und Opferbrauch eine ähnliche Bed. zu wie bei den Kelten.
→ Keltische Archäologie; Waffen

W. Adler, Stud. zur german. Bewaffnung, 1993 • K. Raddatz et al., s. v. Bewaffnung, RGA 2, 361–430 • A. Haffner, Das Sch. der Latènezeit, in: R. Cordie-Hackenberg (Bearb.), Hundert Meisterwerke kelt. Kunst, 1992, 129–136 • J. M. de Navarro, The Finds from the Site of La Tène, Bd. 1: Scabbards and the Swords Found in Them, 1972 • R. Pleiner, The Celtic Sword, 1993 • K. Raddatz, Die german. Bewaffnung der vorröm. Eisenzeit, 1967 • Ders., Die Bewaffnung der Germanen in der jüngeren röm. Kaiserzeit, 1967 • M. Szabó, É. F. Petres, Decorated Weapons of the La Tène Iron Age in the Carpathian Bassin, 1992 • T. Weski, Waffen in german. Gräbern der älteren röm. Kaiserzeit südlich der Ostsee (British Archaeological Reports, International Ser. 147), 1982 • K. W. Zeller, Kriegswesen und Bewaffnung der Kelten, in: L. Pauli (Red.), Die Kelten in Mitteleuropa, 1980, 111–132. V. P.

Schwimmen (äg. *nbj*; griech. κολυμβᾶν; lat. *natare*). Bereits im alten Äg. war Sch. eine Kulturtechnik [1] (wie später in Griechenland, Plat. leg. 689d; in Rom, Suet. Aug. 64,3: Augustus lehrt Enkel schwimmen) und gehörte zum Unterrichtsprogramm der Vornehmen, sogar der Königskinder (Biographie des Gaugrafen Cheti, E. 3. Jt. v. Chr. [2. Dokument 3]). Auch für den Alten Orient reichen die Quellen aus, um das Sch. als bekannt vorauszusetzen [3]. In beiden Bereichen kommt es auch im Mythos in der Form des Tauchens vor: → Gilgamesch holt ein Kraut aus der Tiefe des Meeres (TUAT III 4, 737, Z. 271a–275b'; [3. 149–151]), die äg. Götter → Horus und → Seth tragen um die Weltherrschaft einen Wettkampf im Tauchen aus [2. Dok. 36].

Sportliches Sch. ist in griech.-röm. Zeit höchst selten. Nach Paus. (2,35,1) richtet → Hermione einen Wettkampf im Sch. (ἅμιλλα κολύμβου/*hámilla kolýmbu*) aus; im späten Epos erscheint das Motiv an zwei Stellen (Nonn. Dion. 11,7–55; 11,406–423). Als Fertigkeit wurde Sch. u. a. beim Fischfang, Schwammtauchen, im Krieg (Caesar bei Alexandreia: Suet. Iul. 64) und bei Schiffbruch (Hom. Od. 5,342–345) benötigt. In den röm. Thermen gab es Schwimmbecken (*natatio*, → *piscina* [2], κολυμβήθρα/*kolymbḗthra* [4; 5]), deren Tiefe voraussetzt, daß man schwimmen konnte.

Dominierende Technik der Ant. war das Wechselzug-Sch. (ähnlich dem h. Kraul-Sch.). In der Kunst tritt das Motiv Sch. häufig auf. Aus Äg. sind Salblöffel, deren Griff in Form einer Schwimmerin gestaltet ist [6], bekannt. Neuassyr. Reliefs zeigen Kraulschwimmer und des Sch. Unkundige, die sich auf aufgeblasenen Tierbälgen im Wasser fortbewegen (Palast des Aššurnasirpal II. [3. Abb. 2–6]. Bekannt ist die griech. Grabdarstellung eines Kunstspringers (meist als Taucher bezeichnet, Poseidonia/Paestum, 5. Jh. v. Chr. [7. Abb. 63]).

1 W. Decker, Sport und Spiel im Alten Äg., 1987, 96–103 2 Ders., Quellentexte zu Sport und Körperkultur im alten Äg., 1975 3 R. Rollinger, Sch. und Nichtsch. im Alten Orient, in: Ch. Ulf (Hrsg.), Ideologie-Sport-Außenseiter, 2000, 148–165 4 I. Nielsen, Thermae et balnea, 1991, 153–156 5 F. Yegül, Baths and Bathing in Classical Antiquity, 1992, 37f., 158–160 6 I. Wallert, Der verzierte Löffel, 1967 7 I. Scheibler, Griech. Malerei in der Antike, 1994.

E. Mehl, Ant. Schwimmkunst, 1927 · Ders., s. v. Sch., RE Suppl. 5, 847–864 · F. Maniscalco, Il nuoto nel mondo greco-romano, 1995 · J. Auberger, Quand la nage devint natation, in: Latomus 55, 1996, 48–62. W.D.

Schwur s. Eid; Sacramentum

Scipio. Röm. Cogn. (»Knotenstock, Stab«) in der Familie der Cornelii (→ Cornelii [I 65–85] Scipiones); die Darstellung des Stabes wurde auch als Familienwappen benutzt.

Kajanto, Cognomina, 19f.; 91; 345. K.-L.E.

Scipioneninschriften. Bezeichnung für die neun erhaltenen Sarkophag-Inschr. des sog. »Scipionengrabes«, der Begräbnisstätte der Cornelii Scipiones seit etwa Mitte des 3. Jh. bis zum E. des 2. Jh. v. Chr. (CIL I[2] 6–16, ILLRP 309–317). Die frühesten Texte bilden die Elogien für L. Cornelius [I 76] Scipio Barbatus (*cos.* 298) und seinen Sohn L. Cornelius [I 65] Scipio (*cos.* 259), die jeweils aus einem gemalten Namen und einem folgenden eingemeißelten Gedicht in Saturniern bestehen (wobei das Elogium auf den Vater gewöhnlich zeitlich *nach* dem des Sohnes angesetzt wird; für eine zeitgenössische Entstehung [7]). Sonst sind nur Grabinschr. und -epigramm auf Cn. Cornelius [I 79] Hispanus (*praet.* 139) sicher zuzuweisen (ILLRP 316); weiter werden genannt ein Sohn und ein Enkel (?) des L. Cornelius [I 72] Asiagenes (ILLRP 313–314) und Paulla Cornelia, Frau (?) des Cn. Cornelius [I 78] Hispallus (*cos.* 176); unsicher bleiben die Adressaten der beiden weiteren Gedichte in Saturniern (ILLRP 311–312) und von ILLRP 315. Aus der Weiterbenutzung der Grabstätte in der Kaiserzeit stammen die Nischeninschr. für Cornelia Gaetulica und M. Iunius Silanus, Tochter bzw. Enkel des Cn. Cornelius [II 29] Lentulus Gaetulicus (*cos.* 26 n. Chr.). Die Inschr. zählen die Abstammung, die polit. Ämter des Verstorbenen und ggf. seine mil. Leistungen auf und unterstreichen dessen herausragendes Ansehen bei den Mitbürgern; bei den jung verstorbenen Mitgliedern werden stattdessen die persönlichen → Tugenden (*virtutes*) wie *honos, fama, gloria, sapientia* usw. hervorgehoben. Die Inschr. sind damit ein wertvolles Zeugnis für die sich unter hell. Einfluß entwickelnde Selbstdarstellung der röm. Nobilität (→ *nobiles*) und ihrer Standesethik im 3. und 2. Jh. v. Chr.
→ Cornelius; Grabinschriften

1 F. Coarelli, Il sepolcro degli Scipioni, 1989 2 Ders., Rom. Ein arch. Führer, 2000, 352–359 3 Hölkeskamp, 225–227 4 G. Radke, Beobachtungen zum Elogium auf L. Cornelius Scipio Barbatus, in: RhM 134, 1991, 69–79 5 J. van Sickle, The elogia of the Cornelii Scipiones and the Origin of the Epigram at Rome, in: AJPh 108, 1987, 41–55 6 Ders., The First Hellenistic Epigrams at Rome, in: N. Horsfall (Hrsg.), Vir bonus discendi peritus. FS O. Skutsch, 1988, 132–156 7 Wachter, 301–342 9 F. Zevi, s. v. Sepulchrum (Corneliorum) Scipionum, in: LTUR 4, 1999, 281–285. K.-L.E.

Scipionenkreis. Mod. Bezeichung für den (in seiner Historizität umstrittenen) Freundeskreis, der um P. Cornelius [I 70] Scipio Aemilianus Africanus (*cos.* 147, 134 v. Chr) existiert haben soll. Seine Mitglieder – u. a. C. Laelius [I 2] (*cos.* 140), L. Furius [I 28] Philus (*cos.* 136), Sp. Mummius [I 4], P. Rupilius [I 1] (*cos.* 132) – sollen ein bes. Interesse für griech. Kultur (→ »Philhellenismus«) und eine humanere röm. Außenpolitik (beeinflußt durch stoisches Gedankengut vermittelt durch → Panaitios [4]) verbunden haben. Die Vorstellung einer festen Gruppe geht auf → Cicero zurück, der für den histor. Hintergrund seiner Dialoge *De re publica* und *Laelius* (fiktives Datum 129 v. Chr.) das Bild eines gemäßigt konservativen hocharistokratischen Milieus entwirft (Cic. Lael. 69; 101; rep. 1,18); die kulturelle und polit. Haltung ist mod. Konstrukt.

1 H. Strasburger, Der »Scipionenkreis«, in: Hermes 94, 1966, 60–72 2 A. E. Astin, Scipio Aemilianus, 1967, 294–306 3 J. E. G. Zetzel, Cicero and the Scipionic Circle, in: HSPh 76, 1972, 173–179 4 G. Perl, Röm. Humanismus vor Ausprägung des Humanitas-Begriffes, in: Philologus 117, 1973, 49–65 5 J.-L. Ferrary, Philhellénisme et impérialisme, 1988, 589–602. K.-L.E.

Sciri. Germanischer Stamm an der Weichsel (Plin. nat. 4,97), der im 3. Jh. v. Chr. bis ans Schwarze Meer vordrang (Syll.[3] 495, Z. 100 aus Olbia). Ab dem 4. Jh. n. Chr. siedelten die S. am nördl. Karpatenrand, gerieten in die Abhängigkeit der → Hunni und unternahmen Einfälle ins röm. Reich (Zos. 4,34,6; Soz. 9,5,5; Sidon. carm. 7,322). Nach → Attilas Tod 453 n. Chr. unterlagen die S. den → Goti, ein Teil fand Aufnahme in Moesia (Iord. Get. 265; → Moesi), Reste zogen mit → Odoacer nach It. (Prok. BG 1,1,3; Iohannes Antiochenus fr. 209,1).

L. Schmidt, Die Ostgermanen, 1941, 86–99 ([1]1904; Ndr. 1969). H.GR.

Scodra. Illyrische Stadt (Liv. 44,31; Vibius Sequester 148; Itin. Anton. 339,4; Tab. Peut. 7,1f.; Pol. 28,8,4: Σκόδρα; Ptol. 2,17,12; Hierokles, Synekdemos 656,4; Liv. 45,26: *Scodrenses*) im SO des Lacus Labeatis (h. Liqeni Shkodres), 17 röm. Meilen (ca. 28 km; Plin. nat. 3,144; Geogr. Rav. 5,14) von der Küste des → Ionios Kolpos entfernt, im Mündungsgebiet von Drilon und Barbanna (h. Bojanna), h. Shkodra (Albanien). Münzprägung ist seit Mitte des 3. Jh. v. Chr. belegt (ΣΚΟΔΡ(Ε)ΙΝΩΝ, HN 316; als Residenzstadt des → Genthios: ΒΑΣΙΛΕΩΣ ΓΕΝΘΙΟΥ, HN 316f.). S. spielte im Zusammenhang der Kämpfe des Genthios und des

→ Perseus [2] gegen die Römern im 3. → Makedonischen Krieg eine Rolle (Pol. 28,8; Liv. 44,21; Plut. Aemilius Paullus 13; App. Ill. 9). Nach der Aufteilung des Königreichs in drei Teile (Liv. 45,26,11–15) wurde S. Hauptort der Region der → Labeates. Im J. 40 v. Chr. wurde im Vertrag von Brundisium der Meridian von S. als Grenze der Machtbereiche des nachmaligen → Augustus und des → Antonius [I 9] festgelegt (App. civ. 5,65). In der röm. Kaiserzeit war S. *colonia Claudia Augusta* mit entsprechenden Magistraten (ILS 7159) und als Verkehrsknotenpunkt wirtschaftspolit. von Bed.

S. Islami, Le monnayage de S., Lissos et Genthios, in: Iliria 2, 1972, 379–408, hier 384–386, 394f. • TIR K 34 Naissus, 1976, 112. PI.CA./Ü: E.N.

Scordisci. Kelt. Völkerschaft mit illyrischen und thrakischen Elementen. Urspr. siedelten sie im Norden des mittleren Balkan (Strab. 7,5,12) – die »großen S.« östl. des → Noaros bis zum → Margus [1] (h. Morava), die »kleinen S.« an dessen rechtem Ufer. In südl. Richtung reichte das Gebiet der S. bis zu den Quellen des Margus. Die genauen Grenzen des Stammesgebietes sind jedoch schwer zu ermitteln; im 1. Jh. v. Chr. lag sein Kern an der Mündung des Savus in die Donau.

Zu Anf. des 3. Jh. v. Chr. drangen die S. mit anderen kelt. Stämmen in Griechenland ein (Iust. 32,3,6). Seit Mitte des 2. Jh. v. Chr. kam es immer wieder zu Zusammenstößen mit den Römern; die S. wurden mehrfach schwer geschlagen und schließlich 88 v. Chr. nahezu völlig aufgerieben (App. Ill. 13). Die Reste waren dem Druck der → Dakoi unter → Burebista ausgesetzt. Endgültig wurden die S. im J. 15 v. Chr. unterworfen (Eus. bei Hier. chron. 2,133). In der Kaiserzeit siedelten die S. in Pannonia Inferior, Moesia Superior und Dalmatia, und zwar in der *civitas Scordiscorum* (Pannonia), der *civitas Celegerorum* (Moesia) und der *civitas Dindarorum* (Dalmatia).

G. Alföldy, Bevölkerung der röm. Prov. Dalmatien, 1965, 55f. • J. Wilkes, The Illyrians, 1992, 201 • TIR L 34 Budapest, 1968, 100 • TIR L 33, 1961, 65. J.BU.

Scotti (*Scoti*, »Schotten«). Kelt. Volk, nach röm. Angaben wild und kriegerisch, das urspr. im Norden von → Hibernia (Irland) siedelte (Oros. 1,2,81f.). Die S. setzten zu Ende des 4. Jh. n. Chr. teilweise nach → Britannia über (Amm. 18,2,3; 26,4,5; 27,8,1; 29,4,7). Das Christentum wurde ihnen in Hibernia durch den Diakon Palladius vor 431 n. Chr. vermittelt (Prosp. 1301). Bei den S. entwickelte sich eine sehr aktive Klosterkultur.

G. und A. Ritchie, Scotland, 1985. M.TO./Ü: I.S.

Scriba. *Scribae* (Pl.) hießen in Rom professionelle Schreibkundige mit höherer Qualifikation, also nicht einfache Abschreiber (*librarii*), sondern Sekretäre und Rechnungsführer, in früher Zeit sogar Schriftsteller (Fest. p. 446). *S.* waren im privaten wie im öffentlichen Bereich tätig.

I. Scribae in Privathaushalten
II. Scribae des römischen Staates
III. Scribae römischer Städte
IV. Weitere scribae

I. Scribae in Privathaushalten

Sklaven, die ihre Herren bei Schreibarbeiten unterstützten, wurden meist *(servi) librarii* (Plin. nat. 7,91; ILS 7398; 7401) oder *amanuenses* (Suet. Nero 44,1; ILS 7395) genannt, nur selten ist der Ausdruck *s. librarius* belegt (CIL VI 8881). Die mit anspruchsvolleren Aufgaben betrauten Sekretäre hießen z. B. *a commentariis* bzw. *ab epistulis* (Tac. ann. 15,35,2), so auch die gleichartigen (freien oder freigelassenen) Funktionsträger im kaiserlichen Haushalt (z. B. ILS 1666–1671; → *commentariis, a*; → *epistulis, ab*).

II. Scribae des römischen Staates

Unter dem Hilfspersonal (→ *apparitores*) der röm. Magistrate (→ *magistratus*) nahmen die *s.* den höchsten Rang ein. Am angesehensten und am besten bezahlt waren die *s. quaestorii*, die wahrscheinlich auch den *praetores*, *consules* und *censores* dienten. Spätestens in der Kaiserzeit unterschied man die eigentlichen *s.* von den für einfachere Arbeiten verwendeten *s. librarii*. Sie waren in (jeweils?) drei *decuriae* gegliedert (*decuriae minores*: ILS 1896), denen die *sexprimi* vorstanden (Cic. nat. deor. 3,74; ILS 1886; 1888; 1889), unter denen der *princeps* (ILS 1429) wohl der Rangälteste war. Je zwei *s.* wurden jedem Prov.-Quaestor beigegeben (Cic. Verr. 2,3,181–184); der Rest amtierte in Rom; allerdings ließen manche die tatsächlichen Amtsgeschäfte von Stellvertretern (*vicarii*; → *vicarius*) erledigen [1. 602; 2. 112].

Die nächsten im Rang waren die *s.* der curulischen → *aediles* (*s. aedilicii*: z. B. Liv. 30,39,7; Cic. Cluent. 126; ILS 1885; 6954), die in einer *decuria* (ebenfalls zweigeteilt) organisiert waren. Weitere *s.* gab es für die Volkstribunen (→ *tribunus*; Liv. 38,51,12; ILS 1885), die → *aediles plebeii* und *cereales* (ILS 1893; 503) sowie für Ämter des Vigintivirats (→ *vigintiviri*; ILS 1900; 1901) und für die *curatores aquarum* (→ *cura* [2]; Frontin. aqu. 100,1 f.).

Die Staatsschreiber waren überwiegend Freigeborene; Freigelassene finden sich fast nur in den *decuriae minores*. Viele *s. quaestorii* waren röm. Ritter oder erlangten diese Stellung durch Rang und Einkünfte des Amtes. Ehemalige *s.* begegnen in den *militiae equestres* und als → *procuratores* (CIL XIV 5340; ILS 1429; AE 1934, 107). In Einzelfällen stiegen sie in republikan. Zeit in die senatorischen Ämter auf (zuerst Cn. Flavius [I 2]; weiteres [1. 583 f.]); viel häufiger begegnen sie jedoch in munizipalen Ämtern [4. 101].

III. Scribae römischer Städte

Unter den munizipalen *apparitores* gab es ebenfalls *s.*, im allg. die ranghöheren *s. duumvirales* (oder *s.* der *IIviri*), die für das städtische → *aerarium* und das Archiv (z. B. ILS 140,58) zuständig waren, und die *s. aedilicii* (ILS 6460; weiteres bei [3. 278 Anm. 5]). Die Systematik der städtischen *s.* ist bes. gut für → Urso bekannt (→ *lex Ursonensis*; [5. Kap. 62]); ein detaillierter Amtseid findet sich in der → *lex Irnitana* (Kap. 73). Städtische *s.* stiegen manchmal (z. B. ILS 6498) zu munizipalen Magistraturen auf.

IV. Weitere scribae

Es gab außerdem *s.* der röm. → *tribus* (z. B. ILS 6057). In den kaiserlichen Flotten begegnen ebenfalls *s.* (ILS 2888–2889), während im Heer nur *librarii* erwähnt werden. In Anlehnung an die Munizipalverfassungen gab es *s.* in vielen → Vereinen (s. → *collegium*), vereinzelt bis zu sechs (ILS 7225), in kleineren *collegia* aber wohl regelmäßig nur einen.

→ Schreiber

1 E. Badian, The *s.* of the Roman Republic, in: Klio 71, 1989, 582–603 **2** W. Kunkel, Staatsordnung und Staatspraxis, 1995, 110–119 **3** Liebenam **4** N. Purcell, The *apparitores*: a Study in Social Mobility, in: PBSR 51, 1983, 125–173 **5** M. H. Crawford (ed.), Roman Statutes, Nr. 25.

W. K.

Scribonia

[1] Geb. ca. 66 v. Chr., Tochter des L. Scribonius Libo, Schwester des L. Scribonius [I 7] Libo, *cos.* 34. Sie heiratete in dritter Ehe 40 v. Chr. Octavianus (→ Augustus; Tac. ann. 2,27), davor war sie mit Cn. Cornelius [I 52] Lentulus Marcellinus, *cos.* 56, und P. Cornelius Scipio verheiratet, von dem sie einen Sohn P. Cornelius Scipio hatte (Suet. Aug. 62, vgl. aber die Genealogie bei [2], wonach S. in zweiter Ehe P. Cornelius Scipio, *cos. suff.* 35, Sohn des Lentulus heiratete). E. 39 ließ sich Octavianus von S. scheiden – einen Tag, nachdem sie die gemeinsame Tochter Iulia [6] geboren hatte (Cass. Dio 48,34,3). Als Augustus 2 v. Chr. seine Tochter auf die Insel Pandateria verbannte, begleitete S. sie (Cass. Dio 55,10; Vell. 2,100,5).

1 J. Scheid, S. Caesaris et les Julio-Claudiens, in: MEFRA 87, 1975, 349–375 **2** Ders., S. Caesaris et les Cornelii Lentuli, in: BCH 100, 1976, 485–491.

CAH 10, ²1996, Index s. v. • D. Kienast, Augustus, ³1999, Index s. v. • PIR S 220 • Vogel-Weidemann, 157 Anm. 94, 238 Anm. 167.

[2] Tochter des M. Scribonius [II 4] Libo, Enkelin des Sex. Pompeius [I 5], Frau des M. Licinius [II 9] Crassus Frugi, des *cos.* 27 n. Chr. Aus der Ehe gingen die Kinder M. Licinius [II 10] Crassus Frugi, *cos.* 64, (L.) Licinius [II 11] Crassus Scribonianus, L. Calpurnius [II 24] Piso Frugi Licinianus, geb. 38 n. Chr. (Tac. hist. 1,14), Licinia [9] Magna und eine weitere Licinia hervor.

PIR S 221 • Raepsaet-Charlier, 689. ME. STR.

Scribonianus. S. Camerinus, zur Familie der Licinii gehörig. Sohn wohl des Licinius [II 10] Crassus, des *cos.* 64 n. Chr. Verm. kam S. zusammen mit seinen Eltern unter Nero um. Unter Vitellius gab sich ein Sklave mit dem Namen Geta als S. aus, wurde aber überführt und hingerichtet (Tac. hist. 2,72). PIR² L 241. W. E.

Scribonius. Name einer röm. plebeiischen Familie, wohl aus Caudium stammend (CIL I² 1744 f.) und seit dem 2. Punischen Krieg bezeugt. Der Zweig der Libones (S. [I 5–7; II 4–7]) erlangt mit S. [I 7] das Konsulat und gehört in der frühen Kaiserzeit zum röm. Hochadel. Die im 2. und 1. Jh. v. Chr. prominenten Curiones (S. [I 1–4]) erlöschen am Ende der Republik.

I. Republikanische Zeit

[I 1] S. Curio, C. Erbaute 196 v. Chr. als Aedil den Faunustempel auf der Tiberinsel, war 183 *praetor urbanus* und wurde 174 als zweiter Plebeier zum → *curio [2] maximus* gewählt (Liv. 41,21,9), woher dieser Zweig der Familie ihren Beinamen erhielt.

[I 2] S. Curio, C. Altersgenosse des C. Sempronius [I 11] Gracchus, um 120 v. Chr. Praetor, bekannter Redner, verteidigte Ser. Fulvius (=Ser. Fulvius [I 13] Flaccus?) gegen den Vorwurf des Inzests (Rhet. Her. 1,80; Cic. inv. 1,80; Cic. Brut. 124; Cic. de orat. 2,98 u. a.; ORF I⁴ 173 f.); diese Rede galt im 1. Jh. v. Chr. als unmodern.

[I 3] S. Curio, C. Sohn von S. [I 2], Vater von S. [I 4], begann trotz mäßiger rhet. Begabung seine Laufbahn als Gerichtsredner; *tr. pl.* 90 v. Chr. 88 ging er mit L. Cornelius [I 90] Sulla in den Krieg gegen Mithradates [6] VI., bereicherte sich nach der Rückkehr bei den → Proskriptionen (Cic. Att. 1,26,10), wurde spätestens 80 Praetor und 76 Consul. Er bekämpfte die Versuche zur Wiederherstellung der Rechte des Volkstribunats (Cic. Brut. 216–222; Sall. hist. 3,48,10 M u. a.). Im selben J. ging er nach Macedonia, wo er bis 73 blieb, das Gebiet bis zur unteren Donau unterwarf und triumphierte (Sall. hist. 2,80; 3,49–50 M; Liv. per. 92; 95). 66 unterstützte er die Übertragung des Oberbefehls im Mithradates-Krieg an Pompeius (Cic. Manil. 68), 63 verlangte er die härteste Strafe für die Catilinarier (Cic. Att. 12,21,1). Vielleicht 61 Censor (MRR 3,186), verteidigte er überraschend P. Clodius [I 4] im Bona Dea-Skandal, was Cicero zu einer (unautorisiert veröffentlichten) Invektive veranlaßte (*In Clodium et Curionem*: fr. 14,1–33 Schoell; schol. Bobiensia 85–91 St.), deren Autorschaft er später in der Verbannung zu verleugnen suchte (Cic. Att. 3,12,2; 3,15,3). S. söhnte sich mit Cicero aus und blieb bis zu seinem Tod 53 Gegner Caesars, den er noch 55 in einer Invektive angriff (Cic. Brut. 218 f.). ORF I⁴ 297–303. K.-L. E.

[I 4] S. Curio, C. Vor 84 v. Chr. geb., gehörte der Sohn von S. [I 3] zur Generation der *barbatuli iuvenes* (»jugendlichen Dandys«) [1; 4. 62 ff.]. 61 trat er als Führer dieser Gruppe für Clodius [I 4] ein (Cic. Att. 1,14,5) und wurde 59 als Gegner der Triumvirn populär (Cic. Att. 2,18,1). Der Versuch, S. durch die → Vettius-Affäre auszuschalten, scheiterte (Cic. Att. 2,24). Vor 53 verm. als Quaestor in Asia (Cic. fam. 2,6,1; SEG 14,641), ehrte er danach seinen toten Vater mit aufwendigen Spielen, für die er in Rom zwei Theater aus Holz errichten ließ, die, in Angeln drehbar, entweder voneinander abgewandt oder zu einem Amphitheater verbunden werden konnten (Plin. nat. 36,116–120). 52 heiratete S. Clodius' [I 4] Witwe → Fulvia [2]; ihr Sohn wurde 31 von Octavian (→ Augustus) ermordet (Cass. Dio 51,2,5). 50 stand S.' Tribunat zunächst im Zeichen antipompeianischer und popularer Gesetzesvorschläge (Liste: [1. 48 ff.]). Ähnlich wie zuvor Clodius (vgl. [4]) versuchte S., sich so mittels der Plebs eine eigene Machtbasis aufzubauen und Pompeius aus dem Bündnis mit Caesar zu verdrängen. Daher vertrat er Caesars Interessen, indem er bis zum E. seiner Amtszeit dessen Abberufung aus Gallien verhinderte und den gleichzeitigen Amtsverzicht vorschlug. Im Dez. 50 erwirkte er einen entsprechenden Senatsbeschluß (Plut. Pompeius 58; App. civ. 2,119), doch überging der Consul Claudius [I 8] Marcellus diesen und übertrug Pompeius den Krieg gegen Caesar [2. 470–490; 3. 29 f.]. Im Bürgerkrieg besetzte S. für Caesar Sizilien, wurde aber nach ersten Erfolgen in Africa von → Iuba [1] besiegt und fiel (Caes. civ. 2,23–43). Vielseitig und mit mehr polit. Instinkt als viele seiner Zeitgenossen begabt, war er diesen unheimlich, während er später den in der Ruhe der *pax Augusta* Aufgewachsenen als Brandstifter und Mietling Caesars erschien (z. B. Vell. 2,48; Tac. ann. 11,7; App. civ. 2,101 ff.).

1 M. H. Dettenhofer, Perdita iuventus, 1992 2 Gruen, Last Gen. 3 K. Raaflaub, Dignitatis contentio, 1974 4 W. Will, Der römische Mob, 1991. J. BA.

[I 5] Scribonius Libo, L. War 204 v. Chr. *praetor peregrinus*; das damalige Kommando in Gallia ist nicht glaubhaft (Liv. 29,11,11; 29,13,2; 30,1,7). Daß er sich als Volkstribun 216 der Sache der bei → Cannae gefangenen Römer angenommen hätte, ist eine zu verwerfende Überl.-Variante (Liv. 22,61,7). Im selben J. gehörte er zu den wegen Mangel an Silber eingesetzen → *tresviri mensarii* (Liv. 23,21,6). Aufgabe und Amtsdauer sind unbekannt, da spätere anon. Zeugnisse (Liv. 24,18,12; 26,36,8) nicht ohne weiteres auf dieses Collegium bezogen werden dürfen.
→ Punische Kriege

T. Schmitt, Hannibals Siegeszug, 1991, 256–269. TA. S.

[I 6] S. Libo, L. Beauftragte als *tr. pl.* 149 v. Chr. den Rückkauf der vom Praetor Ser. → Sulpicius [I 10] Galba versklavten Lusitaner und die Bestrafung Galbas (Cic. Att. 12,5,3). K.-L. E.

[I 7] S. Libo, L. Wurde verm. in den 80er Jahren des 1. Jh. v. Chr. geb. 56 agitierte er (als Senator?) für Pompeius [I 3] (Cic. fam. 1,1,3) und blieb auch in den Bürgerkriegen dessen Familie treu: 49 war er zunächst in It. tätig (Florus 2,13,19; Cic. Att. 8,11B,2), um dann in der Adria eine Flotte zu befehligen (Caes. civ. 3,5,3; 23,1–24,4; Cass. Dio 41,40,1 f.; 48,1–4). S. verfügte aber auch über Kontakte zur Gegenseite, so daß er als Vermittler agierte (Caes. civ. 1,26; 3,15–17). E. 48 war er wohl wieder in Rom, wo er sich lit. betätigte (Cic. Att. 13,30,2). 44 wurde er im Interesse seines Schwiegersohns Sex. Pompeius [I 5] wieder polit. aktiv (Cic. Att. 16,4,1), wurde 43 proskribiert und floh zu Pompeius [I 3]. Erst als dieser 35 in Asia den Krieg gegen Antonius [I 9] begann, verließ er ihn. Im Gefolge des Antonius wurde S. 34 Consul (CIL I² p. 66), dann verliert sich seine Spur. J. BA.

II. Kaiserzeit

[II 1] Usurpator unbekannter Herkunft im → Regnum Bosporanum, wahrscheinlich ein Freigelassener. S. stiftete um 15 v. Chr. Unruhen gegen Asandros, die diesen zum Selbstmord trieben (Ps.-Lukian. macrobii 17). Er gab sich als Enkel des Mithradates [6] VI. aus und verbreitete, → Augustus habe ihn in die Herrschaft eingesetzt. Er heiratete → Dynamis, die Witwe des Asandros (ca. 14 v. Chr.). Nachdem Agrippa [1] den pontischen König → Polemon [4] mit S.' Vertreibung beauftragt hatte, ermordeten ihn die Bosporaner (Cass. Dio 54,24,2), wahrscheinlich von Dynamis unterstützt, um einen Krieg mit Rom zu verhindern.

V. F. Gajdukevič, Das Bosporanische Reich, 1971, 326 f. • S. Ju. Saprykin, Pontijskoe carstvo, 1996, 314 f. I. v. B.

[II 2] S. Aphrodisius. Ein Freigelassener → Scribonias [1], der zweiten Gattin des Augustus, und ehemaliger Sklave von Horatius' [7] Lehrer → Orbilius. S. schrieb über lat. Orthographie und griff Werk und Charakter seines Zeitgenossen → Verrius Flaccus (Suet. gramm. 19) an.

R. A. Kaster (ed.), Suetonius, De Grammaticis et Rhetoribus, 1995, 203–205 (mit engl. Übers. und Komm.). R. A. K./Ü: M. MO.

[II 3] S. Largus. Verf. von *Compositiones* (Rezeptbuch, 47/8 n. Chr.), dem Freigelassenen C. Iulius [II 36] Callistus, Sekretär des Kaisers Claudius [III 1], gewidmet. Geb. um die Zeitenwende in Nordafrika oder (wahrscheinlicher) Sizilien, zweifellos zweisprachig (lat. und griech.), scheint S. die Medizin bei sizilischen Ärzten und bei → Vettius Valens erlernt zu haben. S. ging zwar am Hof des röm. Kaisers ein und aus, war aber nicht dessen Arzt, obwohl er Callistus behandelte.

Die Slg. beginnt mit Ausführungen zur pharmazeutischen Ethik, zu einer Zeit, als Fälschungen in Mode waren und aus seltenen Substanzen jeder Art zusammengesetzte Medikamente in großer Zahl umliefen. Seine 271 Rezepte sind in vier Gruppen angeordnet: nach Erkrankungen von Kopf bis Fuß angeordnete Rezepte (1–162); Medikamente gegen pflanzliche und tierische Gifte, auch Präventivpräparate (163–200); in der Chirurgie eingesetzte Medikamente (201–242), auch solche gegen Erkrankungen der Haut (243, 247–254) und das heilige Feuer (Erysipelas, Wundrose; 246); *malagmata* (»aufweichende Mittel«, 255–267) und *acopa* (»Mittel zur Linderung«, 268–271). Die Rezepte entspringen sowohl der persönlichen Erfahrung des S. als auch diversen medizin. und nichtmedizin. Quellen. Die medizin. Stoffe umfassen 242 Pflanzen, 36 Mineralien und 27 tierische Substanzen, zum größten Teil aus dem mediterranen Raum.

→ Galenos zitiert Rezepte des S. auf Griech., die wahrscheinlich aus einem anderen, nicht erh. Werk stammen und ihm durch Asklepiades [9] Pharmakion und Andromachos [5] d. J. bekannt waren.

Die *Compositiones* sind das einzige lat. Werk ihrer Art bis zu dem des Marcellus [8] Empiricus, der zahlreiche Rezepte daraus übernahm. Der Text wurde 1528 von Jean RUELLE nach einer einzigen später verlorenen Hs. hrsg., ist aber jüngst durch die Entdeckung einer anderen Hs. revidiert worden.

→ Pharmakologie

B. BALDWIN, The Career and Works of S. L., in: RhM 135, 1992, 54–82 · K. DEICHGRÄBER, Professio medici. Zum Vorwort des S. L., 1950 · J. S. HAMILTON, S. L. on the Medical Profession, in: BHM 60, 1986, 209–216 · F. E. KIND, s. v. S. (15) Largus, RE 2 A, 876–880 · V. NUTTON, S. L., the Unknown Pharmacologist, in: Pharmaceutical Historian 25, 1995, 5–8 · F. RINNE, Das Receptbuch des S. L., in: Kobert's »Historische Studien« 5, 1896, 1–99 · W. SCHONACK, Die Rezepte des S. L., 1913 · S. SCONOCCHIA, Concordantiae Scribonianae, 1988.

A. TO./Ü: T. H.

[II 4] L. (S.) Libo. Sohn des S. [I 7], des gleichnamigen *cos.* vom J. 34 v. Chr.; verheiratet mit Pompeia Magna; wohl Vater von S. [II 5] und [II 6]. PIR² S (im Druck).

[II 5] L. S. Libo. Wohl Sohn von S. [II 4]. Er war *cos. ord.* im J. 16 n. Chr. Er dürfte ein Bruder von S. [II 6] sein. PIR² S (im Druck).

[II 6] M. S. Libo Drusus. Über Scribonia [1], die Schwester seines Großvaters S. [I 7] und zweite Frau des Octavianus [1] mit dem Haus des *princeps* verwandt; außerdem über seine Mutter (s. S. [II 4]) mit Pompeius [I 3] Magnus (Tac. ann. 2,27,2). Wohl Sohn von S. [II 4], verm. adoptiert von M. Livius [I 9] Drusus Libo (nach [1. 349 ff.] ist er dessen Sohn). Als S. im J. 16 n. Chr. die Praetur verwaltete, wurde er von Fulcinius [II 4] Trio und Vibius Serenus im Senat wegen Verschwörung gegen → Tiberius und andere *principes civitatis* angeklagt. Wegen seiner Einbindung in vornehmste Familien erhielt der Prozeß eine erhebliche polit. Bedeutung. Am zweiten Tag des Prozesses (13.9.16 n. Chr.: Sen. epist. 70,10) beging S. Selbstmord; der Prozeß wurde dennoch fortgesetzt. Die Ankläger wurden mit Teilen seines Vermögens und mit der Praetur belohnt. Gegen ihn wurden noch nach seinem Tod Strafen ausgesprochen (Tac. ann. 2,32; vgl. [2. 102 f.; 141 f.; 189; 191]). PIR² S (im Druck).

1 J. SCHEID, Scribonia Caesaris et les Julio-Claudiens, in: MEFRA 87, 1975, 349–375 2 W. ECK, A. CABALLOS, F. FERNANDEZ, Das Senatus consultum de Cn. Pisone patre, 1996.

[II 7] (S.) Libo Frugi. Als Consular im J. 99 n. Chr. bei Plinius (epist. 3,9,33) bezeugt. Wohl kein S., sondern eher ein Rupilius (vgl. PIR² R p. 126).

[II 8] S. Mathematicus, d. h. »Astrologe«. Er sagte → Tiberius als Kind voraus, er werde einst herrschen, aber keine königlichen Insignien tragen (Suet. Tib. 14,2).

[II 9] S. Proculus. Senator, der im J. 40 n. Chr. mit Zustimmung Caligulas von Mitsenatoren in der *curia* getötet wurde (Cass. Dio 59,26,1–3).

[II 10] P. Sulpicius S. Proculus. Senator, wohl Sohn von S. [II 9] und Bruder von S. [II 11]. Er wurde zusammen mit seinem Bruder im J. 58 n. Chr. nach Puteoli gesandt, um dort, unterstützt von einer Praetorianerkohorte, eine innerstädtische Revolte niederzuschlagen. Nach einem Suffektkonsulat entweder 56 oder erst 60/1 wurde er zum Kommandanten des obergermanischen Heeres ernannt, während sein Bruder das niedergermanische Heer befehligte, wohl bis 66 oder 67. Beide wurden von → Nero nach Griechenland berufen, wo sie schließlich Selbstmord begingen (Cass. Dio 63,17,3): angeblich hatte Paccius [1] Africanus sie angeklagt (Tac. hist. 4,41,3). Die beiden Brüder waren wegen ihrer Eintracht und der Gleichartigkeit ihrer Laufbahn berühmt (Cass. Dio 63,17,3; Tac. hist. 4,41,3).

M. A. SPEIDEL, S. Proculus, in: ZPE 103, 1994, 209–214 · ECK, Statthalter, 27; 125–128.

[II 11] P. Sulpicius S. Rufus. Bruder von → S. [II 10] (zu weiteren Informationen s. dort). Als Legat des niedergermanischen Heeres ließ er in → Colonia Agrippinensis (h. Köln) ein großes Bauwerk errichten, vielleicht die Stadtmauer.

ECK, Statthalter, 125–128.

W. E.

Scrinium

I. BEDEUTUNG II. BUCHBEHÄLTER III. KANZLEI

I. BEDEUTUNG

Etym. evtl. mit lat. *scribere*, »schreiben«, verwandt [1; 2]: ein verschließbarer röm. Schrank oder ein Behältnis für Buchrollen, Briefe, Urkunden usw., dann auch ein Archiv oder Büro (Plin. epist. 7,27,14; 10,65,3) und seit Diocletianus (E. 3. Jh. n. Chr.) speziell ein Büro in der kaiserlichen Hofverwaltung oder in einer außerhöfischen Zivilverwaltungs- oder Militärbehörde mit hohem Umfang an Aktenführung im behördlichen Schriftverkehr. C. G.

II. BUCHBEHÄLTER

S. (oder *capsa*) war ein rechteckiger, aber in der Regel zylindrischer Behälter, meist aus Holz (Buche: Plin. nat. 16,229), mit einem Deckel, bisweilen mit einem Gurt. Es diente zu Transport und Aufbewahrung von Dokumenten und Bücherrollen (von → *armarium* zu unterscheiden; vgl. z. B. Hier. commentaria in Matth. 3,21,21), von Dokumenten in öffentlichen und privaten → Archiven (*s.* hierbei oft metonymisch: Plin. epist. 10,65,3; Gesta collationis Carthaginiensis anno 411 3,217; Fulg. Rusp. epist. 15,18); ferner gehörte es zur Ausstattung von Autoren, die Entwürfe und Unveröffentlichtes darin aufbewahrten (Mart. 1,3,2; 1,66,6; 4,33,1; Suet. Nero 47 etc.). Das *s.* ist damit eng mit der schriftstellerischen Tätigkeit verbunden und erscheint auf Bildern und Porträts von Intellektuellen sowie (in der Kaiserzeit) von Verwaltungsbeamten.

In der Epoche der Papyrusrolle war insbes. das *s.* der Buchbehälter par excellence für die Lagerung der Rollen in den Buchhandlungen (Catull. 14,8; Stat. silv. 4,9,21) und → Bibliotheken (Mart. 1,2,4; 6,64,10; 14,37 etc.). Der Übergang von der → Rolle zum → Codex brachte andere Arten von Aufbewahrungsutensilien (→ *arca, armarium* etc.) mit sich; der Begriff jedoch blieb – zumindest im gehobenen Sprachgebrauch – erh., für jede Art von Buchaufbewahrung (vgl. Historia Apollonii Regis Tyri 6, Red. A: *aperto scrinio codicum suorum*), für eine Bücher-Slg. oder eine Bibliothek (Luxorius, Anth. Lat. 289,2 R.; CLE 1411,4).

→ Bibliothek; Buch; Codex; Rolle

Th. Birth, Die Buchrolle in der Kunst, 1907, 248–255, 259–261 • J. Kollwitz, s. v. Capsa, RAC 2, 891–893 • A. Mau, s. v. Capsa, RE 3.2, 1553 • E. Saglio, s. v. Capsa, in: DS I.2, 911–912 • O. Seeck, s. v. S., RE 2 A 1, 893–894.

L. M.

III. Kanzlei

Als Verwaltungseinrichtungen sind *scrinia* v. a. die Büros der kaiserl. Hofkanzlei (→ *magister officiorum*) oder der zentralen Finanzverwaltung (→ *comes sacrarum largitionum*), aber auch große Büros der Präfekturverwaltung (→ *praefectus praetorio* B.), des → *magister militum* oder des → *praefectus urbi*; zuweilen auch Büros auf unteren Stufen der röm. Zivil- und Militäradministration.

Die Hofkanzlei (Not. dign. or. 19; Not. dign. occ. 17; Cod. Iust. 12,19) hat drei schon auf die Anfänge der Kaiserzeit zurückgehende Büros: das *s. memoriae* mit 62, das *s. epistolarum* mit 34 und das *s. libellorum* mit 34 Beschäftigten (unter den Kaisern Leo [4] und Iustinianus [1]; Cod. Iust. 12,19,10); dazu im Osten für den griech. Schriftverkehr ein *s. epistolarum Graecarum* (Not. dign. or. 19) und zeitweise ein *s. dispositionum* für die eher privaten Verfügungen des Kaisers (Cod. Iust. 12,19,1; 3; 4; 11), ein *s. actorum* und ein *s. rei militaris* (Cassiod. var. 11,24). Den hohen Status der Bediensteten zeigen beachtliche titulare Ehren und Privilegien (Cod. Iust. 12,19).

Für die zentrale Finanzverwaltung (*sacrae largitiones*) sind 8 von 19 Abteilungen ausdrücklich als *s.* erwähnt (Cod. Iust. 12,23,7), doch galten wohl alle als *s.* In den Präfekturen (z. B. für Africa z. Z. des Iustinianus: Cod. Iust. 1,27,1) sind vier numerierte *s.* (*primum* bis *quartum*) und 5 weitere mit speziellen Aufgaben und je 6–20 Beschäftigten genannt.

Die Zuordnung der Aufgaben konnte altem Brauch folgen, genügte aber häufig speziellen bzw. wechselnden Bedürfnissen des Regierungshandelns; Büronamen bieten daher ein Indiz, jedoch keinen Nachweis der Aufgabenbereiche. Die jährlichen Gehälter der *s.*-Bediensteten bewegten sich (z. B. in der Präfekturverwaltung) zwischen 23 (einmal 46) *solidi* (→ *solidus*) für die Büroleiter und 9 *solidi* für die niedrigste Besoldungsklasse und gehörten damit teilweise zum »höheren Verwaltungsdienst«, waren jedoch weit von den Gehältern hoher Würdenträger entfernt (z. B. → *praefectus praetorio*: 7200 *solidi*).

→ Epistulis, ab; Kanzlei; Libellis, a; Memoriales

1 Lewis/Short, s. v. *s.* 2 Walde-Hoffmann 2, 500.

Jones, LRE, 427 f., 459 f., 575–578 • O. Seeck, s. v. S., RE II A, 893–903.

C. G.

Scriptio continua s. Lesezeichen; Orthographie

Scriptio plena (dt. etwa: »vollständige Schreibung«). T. t. zur Bezeichnung von Schriftsystemen, in denen Konsonanten und Vokale gleichermaßen durch Schriftzeichen wiedergegeben werden (Gegensatz: *scriptio defectiva*, bei der nur Konsonanten notiert werden). Bes. in der semitischen Sprachwiss. bezeichnet man als »Pleneschreibung« die Schreibung von Wörtern mitsamt den üblicherweise fortgelassenen Vokalbuchstaben, den sog. *matres lectionis*, während die Vokalisierung ansonsten, wenn überhaupt, durch diakritische Zeichen angegeben wird. In der Papyrologie und Kodikologie bezeichnet *s. p.* die auffällige Ausschreibung ansonsten zumeist in Abbreviatur geschriebener Wörter, der Epigraphik ist sie (trotz identischer Phänomene) fremd.

P. KR.

Scriptor s. Schreiber; Scriptorium

Scriptores Historiae Augustae s. Historia Augusta

Scriptorium. Im heutigen fachsprachlichen Gebrauch bezeichnet man mit »S.« die Schreibwerkstatt zur Buchproduktion in den Zeiten vor der Erfindung des Buchdrucks. Für die Ant. ist das Wort *scriptorium* in dieser Bed. nicht belegt; Erstbeleg ist Isid. orig. 6,9,2 (in der Bed. »Schreibgriffel«). Dennoch wissen wir, daß ant. → Bibliotheken über eine entsprechende Institution verfügt haben müssen, da Bücher zur Bibliotheksausstattung nicht bei Sortimentsbuchhändlern erworben, sondern vor Ort hergestellt wurden; bei Galenos ist die Anekdote überl., nach der das Staatsexemplar der drei großen griech. Tragiker ins → Museion nach Alexandreia zum Zwecke der → Abschrift gegen eine exorbitante Kaution von 15 Talenten ausgeliehen, aber nicht rückerstattet wurde, weil man es vorzog, statt der Kaution das Original selbst zu behalten (Gal. 17,1,607 Kühn). Ferner bezeugt Eusebios (vita Const. 4,36–57), daß Constantinus [1] I. bei der Etablierung von Konstantinopolis als Reichshauptstadt Kalligraphen mit der Herstellung von Hss. zum Gebrauch in der christl. Liturgie beauftragt habe, und ein Edikt des Valens regelt die Einstellung von → Schreibern für griech. und lat. Texte an der dortigen kaiserlichen Bibliothek (372 n. Chr.; Cod. Theod. 14,9,2).

Im MA blieb die Verbindung zw. Bibliothek und S. gewahrt. Der Schwerpunkt der Buchproduktion, d. h. dem Abschreiben (und Illustrieren) von → Handschriften (in aller Regel in Form des → Codex auf → Pergament), lag bei den Klöstern (beginnend mit dem *Vivarium* des → Cassiodorus in Squillace, wenn auch keine erh. Hs. sicher darauf zurückzuführen ist) und mithin bei den Kloster-S., als deren Blütezeit man die Zeit zw. dem 8. und 12. Jh. bezeichnen kann (so zeigt etwa der Klosterplan von St. Gallen ein S. im Erdgeschoß, die Bibliotheksräume direkt darüberliegend), und bei den Bischofssitzen (etwa bei Hinkmar von Reims, 2. H. 9. Jh.). Vorher war die Zeit im Hinblick auf Herstellung von Abschriften und Tradierung von Texten weniger günstig: Erh. → Palimpseste stammen zum größten Teil aus dem 7. und frühen 8. Jh., bes. aus Luxeuil und Bobbio, wo z. B. Ciceros *De re publica*, ein Unzialkodex aus dem 4./5. Jh., mit Augustinus-Texten (*Enarrationes in Psalmos*) überschrieben wurde (Cod. Vaticanus Lat. 5757). Zu Zeiten der karolingischen Renaissance (ca. 780–E. 9. Jh.) wurden Codices in großem Umfang in karolingischer → Minuskel geschrieben (die vorherigen regionalen Minuskelschriften wie z. B. die → Beneventana verloren an Bed.). Im späten MA entstanden neue Schreibzentren in den Städten, v. a. im Umfeld der Kathedralschulen, der neu entstehenden Universitäten und auch Herrscherresidenzen. Die Zuordnung einzelner Hss. zu einzelnen S. etwa anhand von Schriftmerkmalen ist ein wichtiger Bestandteil der Text- und Rezeptions-Gesch. und dient auch dazu, Wege des Kulturtransfers zu erhellen.

Auch in Byzanz blieb die Verbindung zw. Bibliothek (etwa des Kaisers oder des Patriarchen) und S. unangetastet, bezeugt noch für die Zeit des → Konstantinos [1] VII. Porphyrogennetos (Mitte 10. Jh.), in der umfassende Aktivitäten zur Sicherung des lit. Erbes, bes. durch Epitomierung, vorgenommen wurden. Die Buchproduktion lag im byz. Reich ebenfalls oft in der Hand von Klöstern, die nicht ohne Bibliothek gegr. wurden, nicht zuletzt in Süditalien; bes. prominent ist das Studiu-Kloster in Konstantinopolis selbst (dessen Abt Theodoros Studites, 759–826, sogar Vorschriften für das S. erließ) sowie die Athos-Klöster (z. B. Lavra). Profanes Schrifttum ist dort allerdings eher selten zu finden. Gelegentlich können sogar einzelne Schreiber identifiziert werden, z. B. Ephraim (Mitte 10. Jh.) oder Theophanes (Ivreonkloster, Anf. 10. Jh.). Insgesamt aber ist die Zuordnung von Mss. häufig schwieriger als im Westen – dies liegt nicht nur an der Forsch.-Situation, sondern auch daran, daß Bibliotheksbestände seltener an Ort und Stelle verblieben, v. a. nach der Eroberung von Konstantinopolis durch die Türken und dem endgültigen Ende des byz. Reichs 1453. Zusätzlich muß damit gerechnet werden, daß gelegentlich *ad hoc* zusammengestellte Teams tätig wurden, man also von einem eigentlichen S. mit individueller, kontinuierlicher Schreib-Trad. nicht immer reden kann. Im 9./10. Jh. wurde in großem Stil in → Minuskel (entwickelt aus der Papyruskursive) umgeschrieben; zunächst handelte es sich um reinen *metacharaktērismós* (Transliteration), bald trat dem aber eine philol. Bearbeitung an die Seite.

Neben der Schreibtätigkeit an Bibliotheken und in Klöstern wissen wir auch von Buchproduktion Intellektueller und Philologen, meist für den eigenen Gebrauch; von S. kann man hier kaum reden. Anders als im Westen sind für das byz. Reich auch etliche Autorenautographen erhalten, bes. von Intellektuellen und Philologen wie etwa dem Homerkommentator Eustathios [4] von Thessalonike, des Demetrios [43] Triklinios oder Maximos → Planudes. Erwähnenswert ist, daß auch nach dem Fall Konstantinopels die Buchproduktion in S. in den von den Türken nicht besetzten griech. Gebieten (z. B. Kreta) weiterging.

→ Abschrift; Bibliothek; Buch; Handschriften; Schreiber; Schriftstile; Philologie

B. Bischoff, Paläographie des röm. Alt. und des abendländischen MA, ²1986 · L. Reynolds, N. Wilson, Scribes and Scholars, ²1974 · N. Wilson, Medieval Greek Bookhands, 1973 · H. Hunger, Schreiben und Lesen in Byzanz, 1989 · G. Cavallo (Hrsg.), Libri e lettori nel mondo bizantino, 1982 · Ders. (Hrsg.), Libri e lettori nel medioevo, ²1983 · D. Harlfinger (ed.), Griech. Kodikologie und Textüberl., 1980 · R. Devreesse, Introduction à l'étude des manuscrits grecs, 1954 · J. Irigoin, Trad. et critique des textes grecs, 1997 · J. Darrouzès, Littérature et histoire des textes byzantins, 1972. V. Bl.

Scriptura (wörtl. »das Aufgeschriebene«), bezeichnet im juristischen Bereich alle röm. → Urkunden, und (mit der Zunahme der Schriftlichkeit) seit dem Prinzipat, v. a. aber in der Spätant., u. a. das → Testament, den Schuldschein (→ *cheirógraphon*), überhaupt den → Vertrag, aber auch eine Rechtsansicht oder eine rechtliche Entscheidung, soweit diese schriftlich niedergelegt waren. In einem engeren Sinne – wohl daher, daß die röm. Steuerpächter (→ *publicani*) das Geschäft zur Überlassung von öffentlichem Weideland an private (Unter-)pächter aufschrieben – war *s.* das Entgelt, das die Pächter für dieses bes. Geschäft, das eher eine »Zuweisung« als ein privater Pachtvertrag war, entrichten mußten.

B. Kübler, s. v. S., in: RE 2 A, 904 f. G. S.

Scripulum (auch *scrupulum*, »Steinchen«, von *scrupus*; griech. γράμμα/*grámma*, vgl. dt. Skrupel). Röm. Gewichtseinheit von 1/24 → *uncia* = 1/288 → *libra* [1] (»Pfund«) = 1,137 g. Das *s.* liegt wohl manchen mittelital. und etr. Gold- und Silbermz. zugrunde. In Rom wurden der → Quadrigatus, die ihn begleitenden Schwurszenen-Goldmz. sowie der älteste → Denarius mit dem dazugehörigen Mars-Adler-Gold am *s.* ausgerichtet. Der Quadrigatus entsprach 6, der Denar 4, der → Sestertius 1 *s.* Dieser wurde trotz seiner nur kurzen Ausprägung wegen der Beliebtheit dieser Gewichtsstufe zur Rechnungs-Mz. Mit der de facto noch vor 200 v. Chr. einsetzenden Reduzierung des Denars ging das gerade Verhältnis der geprägten Mz. zum *s.* verloren. Der Denar Neros (zu 1/96 röm. Pfund = 3 *s.*), der davon abgeleitete Argenteus Diocletians sowie der → Solidus Constantins I. (zu 1/72 röm. Pfund = 4 *s.*) waren gerade *s.*-Vielfache, doch waren diese Mz. nicht von unten aus dem *s.*, sondern von oben aus dem Pfund abgeleitet.

Als Flächenmaß beträgt das *s.* (1/288 As) (As = → *iugerum*) 8,76 m² = *decempeda quadrata*; als Hohlmaß (As = → Sextarius) 1,9 cm³; als Längenmaß (Frontin. aqu. 22,3; 39–63) 1/288 des *digitus* (→ *dáktylos* [1]) und der *quinaria* (Normröhrenquerschnitt).

1 K. Regling, s. v. *s.*, RE 2 A, 905–907 2 R. Thomsen, Early Roman Coinage, Bd. 2, 1961, 272–277. DI.K.

Scultenna. Rechter Nebenfluß des Padus (Po) in der Aemilia, der vom Appenninus aus dem Gebiet der Ligures Friniates (Liv. 41,12,18) in das Gebiet von → Mutina hinabfließt. Im Tal des S. wurde Schafzucht betrieben (bes. weiche Wolle, vgl. Strab. 5,1,12: Σκουλτάννα). Der Fluß heißt h. im Gebirge Scoltenna, in der Ebene Panaro. G.U./Ü: J.W.MA.

Scurra s. Unterhaltungskünstler

Scyphaten. Von griech. σκύφος/*skýphos*, »Becher«, abgeleiteter mod. t.t. für spätbyz. schüsselförmige Mz. Im Laufe des 11. Jh. n. Chr. nahmen die byz. Gold-Mz. (*histámena*) – nach ersten Prägungen unter Michael IV. (1034–1041) – unter Konstantinos IX. (1042–1055) immer mehr diese Form an, gegen E. des 11. Jh. wurden die Gold-Mz. ausschließlich als S. ausgeprägt [1; 2]. Der Typus wurde bis in die Zeit der Palaiologen (ab Mitte 13. Jh.) beibehalten [3]. Neben den S. aus Gold gibt es auch solche aus → Elektron, Silber und Kupfer [1; 3].

S. in Silber und Br. prägten auch ostkeltische Stämme [4], in Gold die kušano-sāsānidischen Herrscher im 4. Jh. n. Chr. [5].

→ Geld IV.

1 C. Morrisson, Cat. des monnaies byzantines de la Bibliothèque Nationale, Bd. 2: De Philippus à Alexis III (711–1204), 1970, 618 f. und Taf. LXXXV 2 M. F. Hendy, Coinage and Money in the Byzantine Empire 1081–1261, 1969, 29–31 3 Ph. Grierson, Cat. of the Byzantine Coins in the Dumbarton Oaks Collection, Bd. 5,2: Michael VIII to Constantine XI (1258–1453), 1999 4 M. Kostial, Kelten im Osten. Gold und Silber der Kelten in Mittel- und Osteuropa, 1997, Nr. 564–579 5 R. Göbl, System und Chronologie der Münzprägung des Kušanreiches, 1984, Taf. 62–69.

Schrötter, s. v. Scyphatus, 619. GE.S.

Sebaste (Σεβαστή). Stadt in Phrygia, unter Augustus durch → *synoikismós* (u. a. mit Διοσκωπητεῖς/*Dioskōpēteís*, wohl auch Φλημεῖς/*Phlēmeís*; [1. 85 f. Nr. 16]) am Ostrand des Sindros-Tals (Σινδρός, Mz. HN 684; h. Banaz Çayı) gegr. (IGR IV 635; 682 Z. 18). Daß sich hier schon zuvor eine Polis befand, lassen hell. Mauerreste beim h. Selçikler, 2 km südwestl. von Sivaslı (vgl. Name!) vermuten. Teilstück der ant. Straße östl. von Selçikler nachgewiesen. Spätant. Bistum (Hierokles, Synekdemos 667,8).

1 Chr. Habicht, New Evidence on the Province of Asia, in: JRS 65, 1975, 64–91.

L. Bürchner, W. Ruge, s. v. S. (1), RE 2 A, 951 f. • Magie, 472, 1334 Anm. 14 • Belke/Mersich, 376–378. E.O.

Sebasteia (Σεβάστεια/*Sebásteia*, Σεβαστά/*Sebastá*, Σεβάστηα/*Sebástēa*, Σεβάσμεια/*Sebásmeia* oder Σεβάσμια/*Sebásmia*). Spiele der röm. Kaiserzeit, lediglich durch Inschr. aus einigen griech. Städten bezeugt. Eine Inschr. aus Sparta, auf der das Wort *S.* (σεβαστός/*sebastós* ist griech. Syn. zu lat. *augustus*) in Verbindung mit einem Kaisernamen auftritt (CIG I 1424: Σεβάστεια Νερουανίδεια, »S. zu Ehren Nervas«), zeigt, daß die Spiele zu Ehren der Kaiser gefeiert wurden. Über Programm und Durchführung ist allerdings nichts bekannt. Eine Liste der wichtigsten epigraphischen Zeugnisse der Orte, an denen S. organisiert wurden, findet sich bei [1]. Doch scheinen die Spiele kaum das Interesse neuerer Forsch. auf sich gezogen zu haben. Eine Verbindung zu den → Augustalia ist zweifelhaft.

1 M. Fluss, s. v. Σεβάστεια, RE 2 A, 952.

E. Cahen, s. v. S., DS IV.2, 1163. G.F.

Sebastianus

[1] Höherer Offizier in der 2. H. des 4. Jh. n. Chr. Von 356 bis 358 war er als *dux Aegypti* beauftragt, gegen die Anhänger des → Athanasios vorzugehen (Athan. hist. Ar. 59–63; 72; vgl. Lib. epist. 318; 520). Am 24.12.358 vertrieb er sie aus den Kirchen (→ Historia acephala 2,4). 363–378 war er *comes rei militaris*, nahm 363 am Perserfeldzug des → Iulianus [11] Apostata (Amm. 23,3,5) und 368 am Unternehmen des → Valentinianus I. gegen die Alamannen (Amm. 27,10,6) teil. Nach Valentinianus' Tod galt er als möglicher Nachfolger, weil er bei den Soldaten beliebt war (Amm. 30,10,3). Von → Valens zum *magister peditum* ernannt, riet er ihm 378, die Schlacht bei → Hadrianopolis [3] vor der Ankunft des Gratianus [2] zu beginnen. Er fiel in der Schlacht (Amm. 31,12,5–7; 31,13,18; vgl. Eun. fr. 47 Müller-Dindorf =44,3 f. Blockley). Angeblich war er Manichäer (→ Mani; Athan. hist. Ar. 59,1; 61,3). PLRE 1, 812 (Nr. 2). W.P.

[2] 432 n. Chr. *comes et mag. mil. (utriusque militiae)*, Nachfolger seines Schwiegervaters → Bonifatius [1], 433 von Aëtius [2] seines Amtes enthoben, 434 aus It. verbannt, 435 und erneut 444 aus Konstantinopolis vertrieben und zum Staatsfeind erklärt. Dazwischen begegnet S. als Seeräuber in der Propontis, nach 444 als Helfer des Westgoten → Theoderich und des Vandalen → Geisericus, der als Arianer das orthodoxe Christentum des S. nutzte, um ihn aus polit. Gründen 450 töten zu lassen.

F. M. Clover, Count Gainas and Count S., in: AJAH 4, 1979, 65–76 • PLRE 2, 983 f. (S. 3) • R. Scharf, S., ein 'Heldenleben', in: ByzZ 82, 1989, 140–156. K.G.-A.

Sebastopolis (Σεβαστόπολις).
[1] Stadt im Gebirgsland der südöstl. Karia zw. → Tabai und → Themisonion an der Straße von Herakleia [6] und Apollonia Salbake nach Kibyra, beim h. Kızılca. Der urspr. ON ist unbekannt; in der Kaiserzeit wurde der Ort in S. umbenannt und ist durch Inschr. und Mz. (HN 624; [1. 150f.]), erst in frühbyz. Zeit auch lit. bezeugt (Hierokles, Synekdemos 689).

1 F. Imhoof-Blumer, Kleinasiatische Mz., 1901/2.

L. Bürchner, s. v. S. (2), RE 2 A, 955 • W. M. Calder, G. E. Bean, A Classical Map of Asia Minor, 1958 • Jones, Cities, 77 • Magie 2, 1157, 1334, 1524, 1534 • Robert, Villes, 220f. • L. Robert, Ét. Anatoliennes, 1937, 336f.
H.KA.

[2] Stadt in → Pontos [2] am Skylax (h. Çekerek Irmağı), wo urspr. Karana (Κάρανα, Strab. 12,3,37) lag; h. Sulusaray. Mz. [1], Inschr. [2].

1 HN 499 2 T. B. Mitford, Inscriptiones Ponticae, in: ZPE 87, 1991, 181–243.

C. Marek, Stadt, Ära und Territorium in Pontus-Bithynia und Nord-Galatia (IstForsch 39), 1993, 54–57.
E.O.

Sebastos (Σεβαστός). Urspr. griech. Äquivalent für den lat. Titel *Augustus*, wurde am byz. Hof erst im 11. Jh. n. Chr. als Titel eingeführt, der nach 1081 von den Komnenenkaisern – auch in Kombinationen wie *Sebastokrátōr* – vornehmlich an Mitglieder ihrer Familie verliehen wurde.

A. Kazhdan, s. v. S., ODB 3, 1862f.
F.T.

Sebennytos (Σεβεννῦτος). Ort im zentralen Nildelta, am Nilarm von Damiette gelegen, äg. *Ṯb-nṯr*, assyrisch *Ṣabnūti*, das h. Samannūd. Als Stadt ist S. (zugleich der Name des 12. unteräg. Gaus) erst im 8. Jh. v. Chr. bezeugt – als Residenz libyscher Lokalfürsten. In der 2. H. des 1. Jt. wurde es zu einem der bedeutendsten Orte des Deltas. Die Könige der 30. Dyn. (380–342) stammen hierher, ebenso der äg.-hell. Historiker → Manethon [1]. Hauptgott von S. war → Osiris(–Schu) (griech. mit Ares gleichgesetzt), von dessen Tempel aus dem 4.–3. Jh. v. Chr. noch Reste vorhanden sind. Auch → Isis und eine Löwengöttin wurden in S. verehrt. Die Stadt blieb in byz. und ma. Zeit als Bischofssitz ein wichtiges Zentrum.

R. S. Bianchi, s. v. S., LÄ 5, 766–768.
K.J.-W.

Sebethus. Fluß in Campania, mündet zw. Neapolis [2] und Herculaneum ins Mare Tyrrhenum (*Sebethos*: Stat. silv. 1,2,263; Vibius Sequester 151 R.; ΣΕΠΕΙΘΟΣ auf Mz. von Neapolis: HN 40), h. fiume della Maddalena oder auch Sebeto. Dem Mythos zufolge gebar die Tochter des S. (*Sebethis nympha*: Verg. Aen. 7,734; Colum. 10,134) dem Telon den → Oibalos [2]. Eine *aedicula* für S. erwähnt die Inschr. CIL X 1480.

M. Frederiksen, Campania, 1984, 19 (hrsg. und erg. von N. Purcell).
V.S.

Sebritai, Sembritai (Σε(μ)βρῖται). Nach Strab. 16,4,8 und 17,1,2 Bezeichnung (»Fremde«) der (angeblich 240000) äg. Soldaten, die unter → Psammetichos [1] I. (664–610 v. Chr.) aus ihrer Garnison in Elephantine desertierten (vgl. Hdt. 2,30 und Diod. 1,67) und sich im Sudan ansiedelten. Über den genauen Ort dieser Siedlung gehen die Quellen auseinander (vgl. neben Strab. auch Plin. nat. 6,191 ff.; Ptol. 4,20 ff.). Die Historizität von Herodots Erzählung läßt sich aus äg. Quellen nicht erhärten; unter → Apries (589–570 v. Chr.) ist aber ein ähnlicher Vorfall bezeugt.

T. Eide (ed.), Fontes Historiae Nubiorum, Bd. 1, 1994, 302–312 • A. B. Lloyd, Herodotus, Book II, Commentary 1–98, 1976, 125–132.
K.J.-W.

Secessio. Als *s.* (von lat. *secedere*, »fortgehen, sich zurückziehen«) bezeichnet die röm. Überl. den demonstrativen Auszug der Plebeier Roms aus dem durch das → *pomerium* abgegrenzten Stadtbereich auf einen nahegelegenen Hügel. In diesem Vorgang kulminierte jeweils die Auseinandersetzung zw. Patriziern (→ *patricii*) und → Plebs; bes. die erste *s.* dürfte konstitutiv für die Bildung einer plebeiischen Sondergemeinschaft unter der Führung von zunächst zwei, dann angeblich fünf Volkstribunen (→ *tribunus plebis*) gewesen sein, zu deren Schutz sich alle Plebeier durch eine *lex sacrata* (»Gesetz, dessen Übertretung mit Verfluchung geahndet wird«) verpflichteten. Ziel der ersten *s.* war der Mons Sacer in Rom, der als Ziel alternativ genannte Aventin ist eine Erfindung des Historikers Calpurnius [III 1] Piso (fr. 22 HRR=24 Ch.). Das überl. Datum – 494 v. Chr. – kann annähernd zutreffen, ebenso die Schilderung der *s.* als Auszug der bewaffneten Plebeier, also als einer Art »Wehrstreik« (Ascon. 60 St.=76 Cl.; Cic. rep. 2,58; Liv. 2,32–33).

Die zweite *s.* soll 449 v. Chr. das röm. Heer vom Mons Algidus (Cic. rep. 2,63; Diod. 12,24,4) oder Mons Vecilius (Liv. 3,50,1) zum Aventin und zum → Capitolium geführt und damit den Sturz des Dezemvirats (Pomp. Dig. 1,2,2,24), nach der übrigen Überl. des zweiten Dezemvirats, eingeleitet haben (→ *decemviri*). In ihrer Folge sollen die *leges Valeriae Horatiae* beschlossen worden sein. Die Historizität dieser Vorgänge ist umstritten. Unhistorisch ist eine *s.* im J. 445 v. Chr. im Zusammenhang mit dem Kampf gegen das Eheverbot zw. Patriziern und Plebeiern, die nur durch Florus (1,17,25) bezeugt wird; auch die Meuterei des J. 342 v. Chr. (Liv. 7,38–42) hat nichts mit einer *s.* zu tun.

In der dritten *s.* zog die verschuldete (*propter aes alienum*) Plebs auf das → Ianiculum (Liv. per. 11; vgl. Cass. Dio. fr. 37; Zon. 8,2). Gestützt auf den Kompromiß der *lex Hortensia* (Gleichstellung von *plebiscita* mit *leges*) bewog der Dictator Q. Hortensius die Plebs zur Rückkehr. Das Motiv der Verschuldung ist wohl von dieser *s.* später auf die erste *s.* übertragen worden.

Die Vorstellung der *s.* diente in der späten röm. Republik dem Rückzug des C. Sempronius [I 11] Gracchus auf den Aventin und dem des L. Appuleius [I 11]

Saturninus auf das Capitolium als Vorbild. Auch in der tribunizischen Agitation spielte sie eine Rolle (Sall. Iug. 31,6,17; Sall. hist. 3,48,1M.). Erschien dies selbst Caesar als Aufruhr (Caes. civ. 1,7,5; 31,6; 31,17), so ist umso bemerkenswerter, daß er nach dem Zeugnis Ciceros den Bürgerkrieg als *s.* aufgefaßt wissen wollte (Cic. Lig. 19).

→ Patricii; Plebs; Tribunus; Roma I.D.; Ständekampf

1 T.J. Cornell, The Beginnings of Rome (c. 1000–264 BC), 1995 2 G. Forsythe, The Historian L. Calpurnius Piso Frugi and the Roman Annalistic Tradition, 1994 3 Ed. Meyer, Der Ursprung des Tribunats und die Gemeinde der vier Tribus, in: Ders., KS 1, ²1924, 333–361 4 G. Poma, Considerazioni sul processo di formazione della tradizione annalistica: Il caso della sedizione militare del 342 a.C., in: W. Eder (Hrsg.), Staat und Staatlichkeit in der frühen röm. Republik, 1990, 139–157 5 K.A. Raaflaub, From Protection and Defense to Offense and Participation: Stages in the Conflict of the Orders, in: Ders. (Hrsg.), Social Struggles in Archaic Rome, 1986, 198–243 6 J. von Ungern-Sternberg, The Formation of the »Annalistic Trad.«: The Example of the Decemvirate, in: s. [5], 77–104.

J.v.U.-S.

Sechshundert (*to tōn hexakosíōn synédrion*). Die Oligarchie der 600 spielte von → Timoleons Tod 337 v.Chr. bis zum Staatsstreich des → Agathokles [2] 316 in der Politik von → Syrakusai eine herausragende Rolle. Ursprünge, Kompetenzen, Zusammensetzung und staatsrechtliche Stellung der S. sind wegen der disparaten Quellenlage unklar (vgl. die Übersicht bei [1]). So bezeichnet → Diodoros [18] (19,5,6) die S. bald als reguläres Verfassungsorgan, bald als polit. Faktion (→ *hetairía* [2]) weshalb auch die mod. Forsch. speziell in dieser Frage uneins ist (vgl. [2]). Nach der wohl zutreffenden Ansicht von [1] und [3. 79] wurden die S. bereits von Timoleon im Zuge seiner Verfassungsreform als legaler Rat eingesetzt, dem die vornehmsten und reichsten Syrakusier angehörten. Seit ca. 330 standen die S. unter Führung des Sosistratos [1] und Herakleides und gerieten in wachsenden Gegensatz zu den Demokraten unter Agathokles, der sie zuerst mit wechselndem Erfolg bekämpfte (Diod. 19,3,3–4,4) und gelegentlich seines Staatsstreiches 316 definitiv ausschaltete (Diod. 19,5,4–6,6).

1 S.N. Consolo Langher, Le istituzioni di Siracusa in età arcaica e classica. Il problema del Consiglio dei Seicento, in: Dies., Siracusa e la Sicilia Greca tra età arcaica e alto ellenismo, 1996, 255–315 (=Dies., in: Helikon 9/10, 1969/70, 107–143) 2 H. Berve, Die Herrschaft des Agathokles (SBAW 1952.5), 21–45 mit Anm. 17 3 M. Sordi, Timoleonte, 1961.

K.MEI.

Secretarium. Ein »abgetrennter Raum«, der nicht allg. zugängliche Gerichtsraum im röm. Amtsgebäude (→ *praetorium*), schon vor 303 n.Chr. (Lact. mort. pers. 15,5) in diesem Sinne erwähnt (vgl. [2. 166]). Schranken (*cancellum*: Amm. 30,4,19; Lyd. mag. 3,37) trennten das Publikum vom *s.*, das außerdem noch durch Vorhänge (*vela*) gänzlich abgeteilt werden konnte. Bestimmten Standespersonen (*honorati*) war der Zutritt jedoch gestattet.

1 A. Checchini, Scritti giuridici e storico-giuridici, Bd. 2, 1925 (Ndr. 1958), 119ff., 171ff. 2 R. Hanslik, S. und tribunal in den Acta martyrum Scillitanorum, in: Mélanges Ch. Mohrmann, 1963, 165ff.

C.E.

Sectio bonorum (»Vermögensverkauf«) ist das Modell für die röm. Vermögensvollstreckung (→ *missio in possessionem*) gegen Schuldner im röm. Recht. Blieb jemand, insbes. ein Steuerpächter (→ *publicani*), dem röm. Staat etwas schuldig, wurde sein ganzes Vermögen veräußert. Der Erwerber mußte die Schuld übernehmen. Der Verkaufspreis ging an den Staatsschatz (→ *aerarium*). Die *s. b.* fand auch bei den Bürgen (*praedes*) statt, die der Staatsschuldner vielfach beizubringen hatte.

→ Schulden

M. Kaser, K. Hackl, Das röm. Zivilprozeßrecht ²1996, 389f.

G.S.

Secundus. Häufiges röm. Cogn., urspr. zur Bezeichnung des Zweitgeborenen.

1 Degrassi, FCIR, 267 2 Kajanto, Cognomina, 292.

K.-L.E.

[1] Saturninius S. Salutius. *Praef. praet. Orientis* 361–365 und 365–366 (*iterum*), aus nicht-senator. Familie in Gallien, kein Christ. Er übte zw. 324 und 350 mehrere Hofämter und Statthalterschaften im Westen des Reiches aus. 355–359 bekleidete er die *quaestura sacri palatii* am Hof des Caesar Iulianus [11] (CIL VI 1764 = ILS 1255) in Gallien, der Vertrauen zu S. faßte und ihn als Augustus nach dem Tod des Constantius [2] II.E. 361 zum Praetorianerpraefekten des Ostens ernannte (Amm. 22,3,1). Seine exzellente Amtsführung brachte ihm so hohes Ansehen, daß er zwei Thronwechsel überstehen konnte. Beide Angebote der Armee, die Kaiserwürde zu übernehmen, lehnte er wegen seines hohen Alters ab (Amm. 25,5,3; Zos. 3,36,1–2). Valens entband den amtsmüden S. im Sommer 365 von seinen Aufgaben, mußte ihn E. 365 wegen der Usurpation des Prokopios [1] wieder einsetzen und schickte ihn 366 endgültig in den Ruhestand. S., der einen Sohn hatte, starb spätestens 375 (Amm. 30,2,3).

A. Gutsfeld, Die Macht des Prätorianerpräfekten. Stud. zum *praef. praet. Orientis* von 313 bis 395 n.Chr., 2001 • PLRE 1, 814–816 (Salutius 3).

A.G.

[2] S. von Tarent. Epigrammatiker des »Kranzes« des → Philippos [32]. Erh. sind vier epideiktische Gedichte: geschickte Variationen verbreiteter Themen (Anth. Pal. 9,36; 260; 16,214), darunter herausragend durch Originalität und gesuchten Ausdruck die Klage eines Esels, dem zur Last des Mühlsteins auch die Last des Dreschens neben den Pferden auf der Tenne auferlegt wird (9,301).

GA II.1, 374–377; 2, 406–409.

M.G.A./Ü: T.H.

Securis. Das Beil, Hoheitszeichen (→ *imperium*), zusammen mit den *fasces* (Rutenbündeln) von den Liktoren (→ *lictor*) getragen, diente in der röm. Frühzeit zur Vollstreckung der Enthauptung (nach lit. Trad. in Rom zuletzt für die Söhne des → Iunius [I 4] Brutus, Liv. 2,5,5); später meist nur noch außerhalb Roms verwendet. Anf. des 3. Jh. n. Chr. stellt Ulpian lapidar fest: *animadverti gladio oportet, non securi* (›die Vollstreckung ist mit dem Schwert auszuführen, nicht dem Beil‹, Dig. 48,19,8,1). Etwa zur selben Zeit ließ aber Caracalla → Papinianus – wohl zur bes. Demütigung – mit dem *s.* enthaupten (SHA Carac. 4).
→ Todesstrafe

E. Cantarella, I supplizi capitali in Grecia e a Roma, 1991, 154–167. C.E.

Securitas. Kaiserzeitliche lat. Personifikation der allg. öffentlichen und polit. »Sicherheit«, die auf einem gefestigten Regiment und herrschaftlicher Kontinuität des Kaiserhauses basiert (häufiges Motiv in innenpolit. Krisenzeiten). Neben den nur spärlichen lit. und inschr. Zeugnissen (Vell. 2,103,4; Tac. Agr. 3,1; CIL VI 2051,1,30) treten bes. Mz. und Medaillons der Kaiser als Quellen hervor. Frühestes sicheres Zeugnis: Bronze-Mz. Neros (54–68 n. Chr.) mit der Aufschrift *S. Augusti* (weitere gängige Beischriften *S. Augg., perpetua, publica, temporum* u. a.). S. ist sitzend oder stehend, ohne charakteristisches Attribut (oft mit Kranz, Zepter oder Weltkugel) dargestellt; die Mz.-Zeugnisse reichen bis über die Zeit des Constantinus [1] hinaus. CA. BI.

Sedatius. M. S. Severianus Iulius Rufinus Acer Metilius Nepos Rufinus Ti. Rutilianus Censor. Senator, aus der Stadt Limonum in Aquitania stammend (AE 1981, 640). Er wurde wohl vom Ritterstand in den Senatorenstand aufgenommen. Nach Quaestur, Volkstribunat und Praetur gelangte er über ein Legionskommando, die *cura viae Flaminiae* und die praetorische Statthalterschaft in Dacia (150/1–153 n. Chr.) im J. 153 zum Konsulat. Noch von Antoninus [1] Pius wurde er als consularer Legat nach Kappadokien entsandt. Dort wurde er im J. 161 von den Parthern bei Elegaia mit seinem Heer geschlagen; er fiel in der Schlacht, eine Legion, wohl die *legio IX Hispana*, wurde vernichtet. Lukianos [1] gibt von ihm ein sehr negatives Bild (Alexander 27; Quomodo historia conscribenda sit 21), vielleicht zu Unrecht.

Piso, FPD 1, 61–65. W.E.

Seder Olam Rabba (hebr./aram., wörtlich »Große Weltordnung«, im Gegensatz zu dem weniger umfangreichen Werk *Seder ʿôlām zuṭâ*, »Kleine Weltordnung«). Midraschwerk, das chronographisch die Daten von der Erschaffung der Welt bis zum Bar-Kochba-Aufstand (132–135 n. Chr.; → Bar Kochba) zusammenstellt. Auffälligerweise umfaßt die persische Zeit nur 34 J.; die Daten von Alexandros [4] d.Gr. bis zu Bar Kochba werden zudem nur summarisch wiedergegeben. Das Werk, das dem rabbinischen Gelehrten Jose ben Ḥalaftâ (ca. 160 n. Chr.; vgl. bJeb 82b; bNid 46b) zugeschrieben wird, entstand verm. erst in amoräischer Zeit (→ Amoräer). Der *S.o.r.* bildet die Grundlage für die Zeitrechnung »seit der Erschaffung der Welt«, die die Zerstörung des Tempels unter Titus auf das J. 3828 (d. h. 68 n. Chr.) ansetzt. Diese Zählung erscheint lit. (vgl. *Baraita di-Šmuel*) bzw. auf Grabsteinen in Süditalien im 8. oder 9. Jh. zum ersten Mal und hat sich im 11. Jh. als die für das Judentum allg. gültige Zählung der Jahre durchgesetzt.
→ Rabbinische Literatur

G. Stemberger Einleitung in Talmud und Midrasch, [8]1992, 319f. • J. M. Rosenthal, s. v. Seder Olam, Encyclopaedia Judaica 14, 1091–1093. B.E.

Seditio. Cicero definiert *s.*, vielleicht in Analogie zum griech. Begriff der *stásis*, als *dissensio civium, quod seorsum eunt alii ad alios* (›Zwietracht der Bürger, die getrennt unterschiedliche Wege gehen‹: Cic. rep. 6,1). Gewöhnlich aber bezeichnet *s.* eine schwerwiegende Störung der öffentlichen Ordnung, also »Aufruhr«, im mil. Bereich auch »Meuterei« (Frontin. strat. 1,9). Die Versuche einer gesetzlichen Vorkehrung gegen *s.* gehen bis auf die Zwölf Tafeln zurück, die *coetus* (*nocturni*) (»nächtliche Zusammenkünfte«) verboten (Lex XII tab. 8,26–27 Bruns = 14f. Crawford). Im J. 133 v. Chr. blieb dem Senator P. Cornelius [I 84] Scipio Nasica im Kampf gegen Ti. Sempronius [I 16] Gracchus indes nur der Rückgriff auf die altüberl. Form einer irregulären Truppenaushebung im Notfall (*evocatio*: *qui rem publicam salvam esse volunt me sequantur*; ›diejenigen, die die res publica bewahren wollen, mögen mir folgen‹, Val. Max. 3,2,17; vgl. auch Cic. Tusc. 4,51; Vell. 2,3,1). Der Senat unternahm den Versuch, mit dem → *senatus consultum ultimum* 121 v. Chr. die Kompetenz der Bekämpfung einer *s.* an sich zu ziehen und mit der im J. 88 v. Chr. erstmals erfolgten → *hostis*-Erklärung sein Instumentarium zu verfeinern (App. civ. 1,60). Der offenkundige Mißbrauch beider Institutionen in den Bürgerkriegen der 80er J. veranlaßte den Consul des J. 78 v. Chr., Q. Lutatius [4] Catulus, zu einer gesetzlichen Regelung (Cic. Cael. 1; 70). Die *lex Lutatia de vi* wie die bald darauf folgende *lex Plautia de vi* sahen die gerichtliche Ahndung einer *s.* durch die neu eingerichtete *quaestio perpetua de vi* vor (Sall. Catil. 31,4; Sall. in Ciceronem 3; Cic. Mil. 35; Cic. har. resp. 15: *lege de vi, quae est in eos, qui universam rem publicam oppugnassent*; ›ein Gesetz gegen polit. Gewalt, das gegen alle diejenigen gerichtet ist, die die ganze res publica bekämpft hatten‹). Doch zeigte sich im Falle der Catilinarischen Verschwörung (→ Catilina) wie bei den von Clodius [I 4] und Milo (→ Annius [I 14]) hervorgerufenen Unruhen, daß *seditiosi* (»Urheber einer *s.*«) allenfalls im nachhinein vor Gericht gezogen werden konnten. Nach einer *lex Iulia de vi* des Dictators Caesar (Cic. Phil. 1,23) brachte dann eine *lex Iulia de vi* des Augustus die endgültige, mehrfach freilich ergänzte und abgewandelte rechtliche Regelung des Deliktes in der Prinzipatszeit.

Als *seditiosi* schlechthin erschienen dem späteren röm. Urteil die Gracchen (C. und Ti. → Sempronius [I 11; I 16]; Iuv. 2,24: *quis tulerit Gracchos de seditione querentes?*). Nach Ciceros Aufassung waren vor allem die → *populares* für die *seditiones* der späten Republik verantwortlich; so werden C. Gracchus und Q. Varius ausdrücklich zu den *seditiosi* gezählt, und den Gegnern der → *optimates* wird generell die Neigung zu *discordia* (»Zwietracht«) und *s.* zugeschrieben (Cic. Sest. 101; 99). Die *s.* gingen primär von den Volkstribunen aus (→ *tribunus plebis*), weswegen Cicero das Volkstribunat als eine Institution bezeichnen kann, die in der *s.* für die *s.* geschaffen worden sei (Cic. leg. 3,19). Während aber bei Cicero in der Aufzählung der bedeutenden Popularen die Gracchen neben L. Appuleius [I 11] Saturninus und P. Sulpicius [I 19] erscheinen (Cic. har. resp. 41; 43), kennt die Historiographie der Prinzipatszeit ein Schema von vier großen *s.*, das die Gracchen, Saturninus und M. Livius [I 7] Drusus erfaßt (Flor. epit. 2,1–5; L. Ampelius, liber memorialis 26; Aug. civ. 3,26; vgl. außerdem Tac. ann. 3,27 und App. civ. 1,2; 1,7–36).
→ Roma I. D.; Soziale Konflikte; Ständekampf

1 D. Cloud, Lex Julia de vi, in: Athenaeum 66, 1988, 579–595; Athenaeum 67, 1989, 427–465 2 A. W. Lintott, Violence in Republican Rome, 1968 3 W. Nippel, Public Order in Ancient Rome, 1995 4 G. Osthoff, Tumultus-seditio. Unt. zum röm. Staatsrecht und zur polit. Terminologie der Römer, Diss. Köln 1952 (maschr.)
5 J. von Ungern-Sternberg, Unt. zum spätrepublikanischen Notstandsrecht. Senatusconsultum ultimum und hostis-Erklärung, 1970. J. v. U.-S.

Sedulius. Christl.-lat. Dichter, verfaßte verm. in der 1. H. des 5. Jh. neben einem abecedarischen → Hymnus auf Christus und einem aus epanaleptischen elegischen Distichen bestehenden Gedicht heilsgesch. Inhalts das *Carmen Paschale*, eine → Bibeldichtung von 1750 vergilianisierenden Hexametern. B. 1 zitiert eine Reihe von Wundern des AT, die in typologischem Sinne die im NT wirksam werdende Gnade Gottes präfigurieren. Die B. 2–5 (B.-Einteilung umstritten) haben das Leben und Wirken Christi zum Thema, wobei S. vorzugsweise spektakuläre Heilstaten herausgreift, die er als Einzelszenen aneinanderreiht (»Kollektivgedicht«, [1. 37 ff.]). Die Darstellung ist häufig durchwoben mit Elementen meditativer Reflexion, die auf geistliche Erbauung abzielen. Daneben finden sich bei der Behandlung der Passion Christi allegorische Ausdeutungen bescheidenen Umfangs. In einer späteren Prosafassung, dem *Opus Paschale*, verstärkt S. die fachgerechte Schriftexegese. Rezipiert ist das *Carmen Paschale* bei → Arator und zahlreichen ma. Dichtern. Seit der Karolingerzeit gehörte S. zu den Schulautoren. Die hsl. Bezeugung ist für das gesamte MA überaus reich.

1 M. Mazzega, S., Carmen Paschale, B. III, 1996.

Ed.: J. Huemer, CSEL 10, 1885 (unzulänglich).
Konkordanz: M. Wacht, 1992.
Komm.: M. Mazzega, 1996 (B. 3) • W. A. T. van der Laan, 1990 (B. 4).
Lit.: R. Herzog, La meditazione poetica, in: La poesia tardoantica, 1984, 75–102 • W. A. T. van der Laan, Imitation créative dans le »Carmen Paschale« de S., in: J. den Boeft (Hrsg.), Early Christian Poetry, 1993, 135–166 • C. P. E. Springer, A solis ortus cardine, in: Ephemerides Liturgicae 101, 1987, 69–75 • Ders., The Gospel as Epic in Late Antiquity, 1988 • Ders., The Manuscripts of S., 1995. J. SCH.

Seduni. Kelt. Stamm an der oberen Rhône im Wallis (Liv. 21,38,9), von Caesar bekriegt (Caes. Gall. 3,1,1 ff.; 3,7,1) und von Augustus unterworfen (Plin. nat. 3,137); nach ihnen wurde ihr spätant. Hauptort Sion (dt. Sitten) benannt.

G. Barruol, Les peuples préromains du sud-est de la Gaule, 1969, 309–311. H. GR.

Seedarlehen. Das S. wird im Griech. ναυτικά/*nautiká*, ναυτικὸς τόκος/*nautikós tókos* oder ναυτικὸν δάνεισμα/*nautikón dáneisma* (vgl. → *nautikón dáneion*) und im Lat. *traiectitia* oder *pecunia nautica* genannt; der Ausdruck → *fenus nauticum* findet sich erst seit Diocletianus. In Griechenland ist das S., das bereits in babylonischen Texten erscheint, seit dem 5. Jh. v. Chr. belegt und bestand dann in röm. Zeit und im MA fort. Obgleich weniger Quellen zur Verfügung stehen als für das 4. Jh. v. Chr., ist anzunehmen, daß das S. auch in röm. Zeit in großem Umfang praktiziert wurde.

Ein S.-Vertrag wurde zw. dem Geldgeber und einem Händler oder auch einem Schiffseigner abgeschlossen, wobei ein Bankier oder ein anderer Geschäftsmann eine Kopie des Vertrages aufbewahrte; meistens wurde der Vertrag für eine Schiffahrtssaison abgeschlossen, in der Regel für eine Fahrt bzw. für eine Hin- und Rückfahrt. Vertragsgegenstand war eine Geldsumme, für die das Schiff, die Ladung, andere Waren oder aber der Landbesitz des Schuldners als Sicherheit dienten. Bisweilen wurde die Warenladung mit dem geliehenen Geld gekauft, das nur im Falle einer glücklichen Rückkehr zusammen mit den Zinsen zurückgezahlt werden mußte. Wenn es zu einem Verlust des Schiffes oder der Ladung kam, war der Schuldner von jeglicher Verpflichtung einer Rückzahlung befreit, sofern er dies nicht verschuldet hatte; damit trug allein der Geldgeber das Risiko an der Handelsreise, was auch den hohen Zinssatz (*pretium periculi*) rechtfertigte.

Der Text eines S.-Vertrages ist in der Gerichtsrede des Demosthenes [2] gegen Lakritos (etwa 340 v. Chr.) überl.: Es handelt sich um 3000 Drachmen für eine Fahrt von Athen zum Bosporos und vielleicht bis zum Borysthenes (h. Dnjepr) und für die Rückfahrt; der Zins beträgt 22,5 %. Als Sicherheit sollen 3000 Amphoren mit Wein aus Mendes dienen. Es wurde ferner vereinbart, daß die im Pontos gekauften Waren nach Athen gebracht würden und die Schuldner das Darlehen zusammen mit den Zinsen innerhalb von 20 Tagen nach ihrer Ankunft zurückzahlten (Demosth. or. 35,10–13). Auch in anderen Prozessen war das S. Streitgegenstand; in den entsprechenden Reden des Demosthenes werden weitere S. erwähnt: Phormion wurde ein Darlehen in Höhe von 2000 Drachmen für eine Fahrt zum Pontos gewährt (Demosth. or. 34,6); Dionysodoros verletzte einen S.-Vertrag, indem er mit seinem Schiff nicht nach Athen zurückkehrte, sondern nach Rhodos fuhr und das Darlehen nicht zurückzahlte (Demosth. or. 56,3). Ferner existieren zwei S.-Verträge auf Papyri (1. H. des 2. Jh. v. Chr.; Mitte des 2. Jh. n. Chr.; [3]).

Nach Auffassung der Darlehensgeber war Voraussetzung für die Vergabe von S., daß grundsätzlich alle freiwillig geschlossenen Verträge Gültigkeit besaßen und ein Darlehensnehmer stets gerecht handelte (Demosth. or. 56,2). Gleichzeitig wird die wirtschaftliche Bed. des S. am Schluß einer Rede im Appell an die Richter betont und prononciert festgestellt, daß die Darlehensgeber das für den Handel benötigte Geld zur Verfügung stellten und ohne das S. kein Schiffsbesitzer und kein Passagier in See stechen könne (Demosth. or. 34,51).

Geldgeber waren in der Regel Grundbesitzer, aber auch Geschäftsleute und Händler mit finanziellen Interessen; um mit S. Geld zu verdienen, mußte ein Geldgeber mit dem Handel im Mittelmeerraum vertraut sein. So war ein Geldgeber, der in der Rede gegen Apaturios erwähnt wird, selbst lange Zeit im Fernhandel tätig und kannte daher viele Händler und Häfen; er hatte sieben J. zuvor das Handelsgeschäft aufgegeben und war nun darauf spezialisiert, Darlehen für den Fernhandel zu gewähren (Demosth. or. 33,4–5). Der Vater des Demosthenes hatte bei seinem Tod 7000 Drachmen als S. verliehen (Demosth. or. 27,11). Auch die Bankiers (→ *trapezítēs*; → *argentarius* [2]) spielten eine Rolle bei der Vergabe von S.; in vielen Fällen wurde der Vertrag bei ihnen hinterlegt; der schriftliche Vertragstext konnte als Beweismittel von Bed. werden, wenn es wegen des S. zu einem Prozeß kam. Wahrscheinlich waren auch Oberschichtsangehörige über Mittelsmänner aus der Finanzwelt, die das Milieu des Seehandels gut kannten, in diesen Geldgeschäften aktiv.

In der Lit. wurde das S. wegen des Risikos oft kritisiert; so erzählt Philostratos, Apollonios von Tyana habe Kaufleute und Schiffsbesitzer wegen der Notwendigkeit, Geld gegen Wucherzinsen zu leihen, bedauert (Philostr. Ap. 4,32). Es überrascht, daß die meisten Kirchenväter hingegen das S. nicht verdammt haben.

Neuere Forsch. haben gezeigt, daß das S. in röm. Zeit strukturell dem griech. S. entsprach und eher Kontinuität als Wandel zu erkennen ist. Das S. verlor seine Funktion nicht dadurch, daß röm. Händler seit Beginn des 2. Jh. v. Chr. *societates* (→ *societas*) bildeten. Dies zeigt auch das Beispiel Catos, falls man die Verträge, die er über seinen Freigelassenen abschloß, als eine bes. Form des S. interpretiert (Plut. Cato maior 21,6). Auch Papyri machen deutlich, daß Verträge mit mehreren Schuldnern abgeschlossen werden konnten, wobei allerdings unklar bleibt, ob diese Schuldner eine *societas* bildeten.

→ Darlehen; Handel; Naukleros; Nautikon Daneion; Schiffahrt; Zins

1 A. Biscardi, Actio pecuniae traiecticiae. Contributo alla dottrina delle clausole penali, 1974 **2** R. Bogaert, Banques et banquiers dans les cités grecques, 1968 **3** Ders., Banquiers, courtiers et prêts maritimes à Athènes et à Alexandrie, in: Chronique d'Égypte 40, 1965, 140–156 **4** L. Casson, New Light on Maritime Loans, P. Vindob. G. 40822, in: ZPE 84, 1990, 195–206 **5** P. Millett, Maritime Loans in the Structure of Credit in Fourth-Century Athens, in: Garnsey/Hopkins/Whittaker, 36–52 **6** J. Rougé, Prêt et société maritime dans le monde romain, in: D'Arms/Kopff, 291–303 **7** Ders., Recherches sur l'organisation du commerce maritime en Méditerranée sous l'Empire romain, 1966 **8** G. E. M. de Sainte-Croix, Ancient Greek and Roman Maritime Loans, in: H. Edey, B. S. Yamey (Hrsg.), Debits, Credits, Finance and Profits. FS W. T. Baxter, 1974, 41–59 **9** A. Tchernia, Moussons et monnaies: les voies du commerce entre le monde gréco-romain et l'Inde, in: Annales 50, 1995, 991–1009 **10** J. Velissaropoulos, Les nauclères grecs, 1980.

J. A.

Seeigel (ἐχῖνος ὁ θαλάσσιος/*echínos ho thalássios*; lat. *echinus*). Der Stachelhäuter (Klasse Echinodermata), wird von Aristoteles (hist. an. 4,4,528a 7) zu den Schaltieren (ὀστρακόδερμα/*ostrakóderma*) gerechnet und in mehreren Arten, darunter der eßbare Echinus esculentus L., beschrieben (ebd. 4,5,530a 32–b 20). Dessen Eier, die bes. von den Römern als Delikatesse gegessen wurden (Plaut. Rud. 297; Hor. sat. 2,4,33 über die besten aus Misenum; Sen. epist. 95,26), erwähnt Aristot. hist. an. 5,12,544a 18–23 (vgl. Plin. nat. 9,100, der auch seine Fortbewegung mithilfe der Stacheln und das Beschweren mit Steinchen gegen Unwetter beschreibt [1, Bd. 2. 573 f.]). Nach Plin. nat. 9,164 laichen die S. im Winter und werden nachts von Seeanemonen (*urticae*) gejagt (Plin. nat. 9,147). Plin. nat. 18,361 führt sie unter den Wetterpropheten an. S. waren, lebend zerstoßen oder zu Asche verbrannt, ein beliebtes Heilmittel u. a. gegen Blasensteine, Blutfluß, Haarausfall, Hodenschwellungen und Vergiftungen (Plin. nat. 32,58; 67; 72; 88; 103; 106 und 130).

1 Keller.

C. HÜ.

Seekrieg

I. Griechenland II. Karthago III. Rom

I. Griechenland

Der S. ist vom → Seeraub zu unterscheiden; S. wurde von Städten, Völkern und Herrschern gegeneinander geführt, während Seeraub und Piraterie von einzelnen Banden oder Gruppen betrieben wurde und vornehmlich gegen die Handelsschiffahrt gerichtet war. In der Frühzeit hatten Schiffe im Krieg v. a. die Funktion, ein Heer zum Kriegsschauplatz zu bringen, dienten als Transportmittel (Hom. Il. 2,494–760); das feindliche

Gebiet konnte mit Hilfe einer Flotte unerwartet überfallen werden, aber die Flotten kämpften nicht auf hoher See oder in Küstengewässern gegeneinander. Die erste wirkliche Seeschlacht soll gegen Mitte des 7. Jh. v. Chr. zw. den Flotten von Korinth und Kerkyra stattgefunden haben (Thuk. 1,13,4).

In der archa. Zeit wurde der Typ des langgestreckten, von Ruderern vorwärtsbewegten und damit vom Wind unabhängigen Kriegsschiffes entwickelt; schließlich hatten solche Schiffe an jeder Bordseite mehrere Reihen von Ruderern (Thuk. 1,13,2) und am Bug einen Rammsporn aus Metall. In einer Seeschlacht war es vorrangiges Ziel, die feindlichen Schiffe durch einen Rammstoß zu beschädigen oder zu versenken.

Im 6. und 5. Jh. v. Chr. hatte der S. herausragende Bed. für die polit. Entwicklung; die Überlegenheit zur See war in vielen Fällen für den Ausgang eines Krieges entscheidend. Im westlichen Mittelmeerraum führte die Seeschlacht bei Alalia 535 v. Chr. (Hdt. 1,166) zum Rückzug der Griechen aus Korsika; die Seeschlacht vor Kyme [2] 474 v. Chr. hatte die Schwächung der Position der Etrusker in Mittel-It. zur Folge. Im Osten konnten die Perser sich während der Kriege gegen die Griechen v. a. auf die Flottenkontingente der Phönizier stützen (Hdt. 7,89–99); der Sieg bei Salamis [1] (480 v. Chr.) und die Vernichtung der persischen Flotte bei Mykale an der kleinasiatischen Küste (479 v. Chr.) trugen wesentlich dazu bei, daß der persische Angriff auf Griechenland abgewehrt werden konnte (→ Perserkriege, mit Karte). Die polit. Stellung Athens nach 480 v. Chr. beruhte primär auf der Flotte, zu deren Bau → Themistokles gedrängt hatte (Hdt. 7,143 f.), und auf der Präsenz Athens in der gesamten Ägäis. Die Flotte sicherte die Seewege und damit die → Getreideversorgung Athens. Die mil.-strategische Bed. einer Flottenmacht hat → Perikles [1] betont und klar formuliert; seiner Auffassung nach war Athen aufgrund der Stärke der Flotte Sparta überlegen (Thuk. 1,142 f.; 2,62). Der → Peloponnesische Krieg (mit Karte) trat genau dann in seine entscheidende Phase ein, als die Spartaner mit persischem Geld eine eigene Flotte bauen konnten, und die Niederlage in der Seeschlacht von Aigospotamoi am Hellespontos (405 v. Chr.) führte zu der Kapitulation Athens. Die Seeherrschaft Spartas war allerdings nur von kurzer Dauer, sie endete bereits 394 v. Chr. mit der Niederlage der spartanischen Flotte bei Knidos gegen die Perser. Knidos bedeutet in der Gesch. der Kriegführung insofern eine Zäsur, als die folgenden Kämpfe um die Hegemonie in Griechenland in Schlachten zu Lande entschieden wurden.

Erst in den → Diadochenkriegen gewannen die Flottenoperationen wieder größere Bedeutung. Insbes. Demetrios [2] Poliorketes stützte sich auf die Flotte; er ließ die Schiffe auch mit einer Vielzahl von → Katapulten ausrüsten, was die Taktik des S. wiederum veränderte (Diod. 20,49,4). Aber auch andere Herrscher verfügten über große Flottenkontingente, so Ptolemaios [1] I., der 306 v. Chr. 140 Kriegsschiffe und 120 Versorgungsschiffe nach Zypern entsenden konnte (Diod. 20,49,2). Der Seesieg des Demetrios [2] bei Salamis [2] auf Zypern im J. 306 v. Chr. (Diod. 20,51 f.) war insofern ein wichtiger Schritt zur Herausbildung der hell. Monarchien, als Antigonos [1] und Demetrios [2] Poliorketes nach Salamis den Königstitel annahmen (Plut. Demetrios 16–18).

II. Karthago

Im westlichen Mittelmeer besaß Karthago eine Seeherrschaft, durch die seine Position auf Sizilien, Sardinien, Korsika und später auch in Spanien gesichert wurde. Im Krieg gegen Dionysios [1] I. von Syrakus erfochten die Karthager 396 v. Chr. bei Katane einen Seesieg; bemerkenswert war, daß die Flotten nicht die übliche Taktik der Seeschlacht anwandten, sondern die Besatzungen der Schiffe wie in einer Landschlacht gegeneinander kämpften (Diod. 14,60).

III. Rom

Im 1. → Punischen Krieg (mit Karte) war Rom gezwungen, gegen Karthago auch zur See Krieg zu führen; es wurde eine der karthagischen Seemacht ebenbürtige Flotte gebaut, die dann schnell einen ersten Erfolg erzielte (Mylai, 260 v. Chr.). Da die Römer im → Schiffbau und in der S.-Führung keine Erfahrung besaßen, entwickelten sie eine neue Taktik: Sie enterten mit Hilfe des → *corvus* [1], eines Enterhakens, die feindlichen Schiffe, die dann von den röm. Soldaten im Nahkampf erobert werden konnten. Welche Bed. der S. für diesen Krieg insgesamt hatte, wird daran deutlich, daß ein Seesieg (241 v. Chr.; bei den Aegatischen Inseln) die endgültige Niederlage der Karthager herbeiführte: Nach Polybios hatten sie den Fehler begangen, die Flotte zu vernachlässigen (Pol. 1,61). In den folgenden Kriegen gegen Karthago und gegen die hell. Monarchien im Osten verschaffte die Überlegenheit zur See den Römern entscheidende strategische Vorteile, indem sie die Flotte für den Transport und die Versorgung der Truppen ungehindert einsetzen konnten. Auch im 2. Jh. v. Chr. waren die Römer v. a. dann überlegen, wenn auf den Schiffen wie in einer Landschlacht gekämpft wurde (Liv. 36,44,9: *pugnam pedestri similem fecissent*).

Die Schlagkraft der röm. Flotte im 1. Jh. v. Chr. demonstriert deutlich der Krieg gegen die Seeräuber 67 v. Chr., den Pompeius [I 3] in kurzer Zeit erfolgreich abschließen konnte. Auch in den Bürgerkriegen fielen wichtige Entscheidungen in Seeschlachten: M. Agrippa [1] gelang es nach umfassenden Flottenrüstungen, Sex. Pompeius [I 5] 36 v. Chr. (Seeschlacht bei → Naulochoi) im Kampf um die Macht auszuschalten; dasselbe Schicksal ereilte M. Antonius [I 9] in der Seeschlacht von Actium (→ Aktion; 2.9.31 v. Chr.). Die großen äg. Kriegsschiffe der Flotte des Antonius besaßen Türme mit Katapulten; ihr Rumpf war zudem gepanzert, so daß die Taktik des Rammstoßes nicht mehr angewendet werden konnte. Diesen nur schwer manövrierbaren Schiffen erwiesen sich jedoch die kleinen wendigen *liburnae* unter dem Befehl des Agrippa als überlegen. Auch diese Schlacht wurde wesentlich durch das Entern der Schiffe entschieden (Plut. Antonius 66).

Die röm. Kriegsflotten der Prinzipatszeit, die keine Gegner mehr hatten, besaßen danach primär die Aufgabe, die Sicherheit der Seewege im Mittelmeerraum und der Verbindungen nach Britannien zu garantieren; daneben blieb es eine wichtige Funktion der Flotte, röm. → Legionen und → *auxilia* möglichst schnell zu einem Kriegsschauplatz zu transportieren.

→ Binnenschiffahrt; Flottenwesen; Schiffahrt; Triere

1 Casson, Ships 2 O. Höckmann, Ant. Seefahrt, 1985 3 D. Kienast, Unt. zu den Kriegsflotten der röm. Kaiserzeit, 1966 4 H. C. Konen, Classis Germanica. Die röm. Rheinflotte im 1.–3. Jahrhundert v. Chr., 2000 5 M. Reddé, Mare Nostrum. Les infrastructures, le dispositif et l'histoire de la marine militaire sous l'empire romain, 1986 6 C. G. Starr, The Influence of Sea-Power on Ancient History, 1989 7 H. D. L. Viereck, Die röm. Flotte, 1975.

J. M. A.-N.

Seelenlehre

A. Seelenbegriff B. Platon und Aristoteles C. Stoizismus D. Spätantike E. Metaphysik

A. Seelenbegriff

Zum Verständnis des Seelenbegriffes und der S. (»Psychologie«: λόγος/*lógos*, »Lehre«, von der ψυχή/*psychḗ*, »Seele«) in der griech.-röm. Ant. ist es wichtig, zwei Vorstellungen von der Seele zu unterscheiden: Seele als eines wesentlichen Bestandteils des Menschen, als des Subjekts von Denken und Fühlen, welches sein Verhalten lenkt, und der Seele ganz allg. als das, was ein Lebewesen zu einem belebten Wesen macht. Die erste Vorstellung hat ihren Ursprung in der Auffassung von der Seele (*psychḗ*) als dem schattenhaften Doppelgänger der Person, der sich beim Tode vom Körper trennt, wie sie sich bei Homer findet (Hom. Il. 23,72; 104; Hom. Od. 11,83). Unter dem Einfluß von rel. Bewegungen wie der → Orphik entwickelt sich daraus die Vorstellung von der Seele (*psychḗ*) als dem eigentlichen Selbst, das das menschliche Verhalten bestimmt (Sokrates, Platon). Dieser Begriff setzt voraus, daß man die verschiedenen psychologischen Funktionen wie die des Intellekts (*nóos, nus*), des Herzens (*kē̂r*), des Mutes (*thymós*), die bei Homer noch recht isoliert nebeneinander stehen, in ein System so integriert, daß sich aus seinem Funktionieren das menschliche Verhalten erklären läßt. Ein solcher integrierter Seelenbegriff ist erstmals deutlich bei → Sokrates [2] faßbar, jedenfalls so wie er in Platons ›Protagoras‹ dargestellt wird.

Bei den Vorsokratikern (etwa bei → Empedokles [1], → Anaxagoras [2] und → Demokritos [1]) findet sich die andere Vorstellung, daß alle Lebewesen eine Seele haben. Im Griech. werden Lebewesen allgemein »beseelt« (ἔμψυχα, *émpsycha*) genannt. Das scheint urspr. eine bestimmte Vorstellung vom Leben vorauszusetzen, daß Leben – jedenfalls bei belebten Körpern – Wahrnehmung und Begehren voraussetzt; folglich werden diese auch Pflanzen zugeschrieben (Plat. Tim. 77a–c; [Aristot.] De plantis 815a 10–15). Erst unter Aristoteles' Einfluß werden Pflanzen und Tiere klar getrennt. Laut Aristoteles haben Pflanzen eine Seele, aber keine Wahrnehmung und folglich kein Begehren (Aristot. an. 411b 27–30). Die Stoiker (→ Stoizismus) dagegen sprechen Pflanzen eine Seele ab, weil sie nicht wahrnehmen (Ps.-Plut. Placita 5,26,3). Platon, Aristoteles und in ihrem Gefolge viele spätere Philosophen schreiben nicht nur Pflanzen, Tieren und Menschen eine Seele zu, sondern allen Lebewesen, zumindest allen belebten Körpern, etwa den Sternen. So wird der Welt von → Platon [1] im ›Timaios‹ und dann den Platonikern und den Stoikern eine Seele zugeschrieben.

Die Unterscheidung zweier Arten des Seelenbegriffs wird dadurch verwischt, daß im Falle des Menschen Lebensprinzip und Selbst in eins gesetzt werden, im Falle von Seelenwanderungslehren auch dadurch, daß eine Art von Seele (die menschliche) angenommen wird, welche verschiedene Arten von Körpern beleben kann (→ Seelenwanderung). Im folgenden ist nur von der menschlichen Seele die Rede.

B. Platon und Aristoteles

Konstitutiv für die ant. S. ist, daß Menschen aufgrund der Seele Kenntnis von den Dingen haben und sie begehren. Die (wirkliche oder vermeintliche) Kenntnis und das Begehren bestimmen das Verhalten des Menschen. Nach Sokrates, wie er in Platons ›Protagoras‹ dargestellt wird (Plat. Prot. 358b-d), ist es sogar die bloße → Meinung (*dóxa*), welche sein Verhalten bestimmt: Wir halten etwas für gut und gerade deshalb wollen wir es. Niemand tut etwas willentlich, wenn er es nicht letztlich für gut hält. Freud und Leid, Begehren und Furcht sind vom Meinen abhängig, wenn nicht selbst Formen des Meinens (ebd. 358d–359a). Gegen diese Position, daß menschliches Verhalten durchgängig vernunftbestimmt ist, wendet sich Platon im ›Staat‹ (Plat. rep. 437b–441c) und unterscheidet einen rationalen und einen nichtrationalen Teil der Seele mit ihnen jeweils eigenen Formen des Begehrens (der Begierde/*epithymía* und dem *thymós*), die in Konflikt mit der Vernunft (*nus, logistikón*) geraten und obsiegen können. Ihm folgt Aristoteles [6], v. a. in der Moral-Psychologie, aber auch der spätere Platonismus und Aristotelismus. Es ist wichtig zu sehen, daß die Seelenteilung nicht darauf beruht, daß die kognitiven Fähigkeiten der Vernunft, die Formen des Begehrens aber einem nicht-rationalen Teil der Seele zugeschrieben werden. Vielmehr haben alle Seelenteile sowohl die ihnen eigene Form des Begehrens als auch ihre spezifische Form der Kognitivität. Auch die nichtrationalen Teile formen ihre Meinung (*dóxa* in Platons ›Staat‹) oder zumindest ihre Vorstellung (→ *phantasía*).

C. Stoizismus

Die Stoiker kehren zu der Auffassung in Platons ›Protagoras‹ zurück, wonach die Vernunft (→ *lógos*, lat. *ratio*) immer herrscht, weil die Seele im engeren Sinn nichts als Vernunft ist. Die Vernunft formt, z. B. unter der Einwirkung von Gegenständen auf unsere Sinne, Vorstellungen und Gedanken, welche sie beurteilt und denen sie entsprechend zustimmt oder nicht. Meinungen (*dóxai*) sind Zustimmungen zu Vorstellungen: Emotionen, Wollen und Begehren beruhen sämtlich auf Zustimmung zu einer bestimmmten Art von Vorstellungen, nämlich impulsiven oder emotiven (*hormētikaí*, Stob. ecl. 2,86,17–87,13 W.; vgl. Sen. epist. 113,18; Cic. Tusc. 4,14–15). Was als emotionaler Konflikt erscheint, ist nichts als das Schwanken der Vernunft in ihrer Zustimmung. Diese Auffassung von der Seele führt zur Ausbildung eines Willensbegriffs (*prohaíresis, búlēsis, thélēsis*; lat. *voluntas*; → Wille) als einer Disposition der Vernunft, Vorstellungen (insbes. impulsiven) zuzustimmen oder nicht, und an ihnen festzuhalten. Der Willensbegriff wird vor allem von christl. Autoren seit der Mitte des 2. Jh. n. Chr. aufgenommen (Iustinos [6], Tatianos, v. a. Origenes [2], *De principiis*, B. 6).

D. Spätantike

In der Spätant. wird der Unterschied zw. dem → Intellekt und dem nicht-rationalen Teil der Seele so betont, daß anstelle der Teilung Körper – Seele oft eine Dreiteilung Körper – Seele – Intellekt (*sṓma – psychḗ – nus*) tritt, wobei die Abhängigkeit der Seele vom Körper betont wird (vgl. z. B. Galenos' Abh. *Quod animi mores corporis temperamento sequantur*, ›Daß die Seelenstimmungen von den Mischungsverhältnissen des Körpers abhängen‹). An die Stelle des Intellekts tritt in orthodox-christl. und gnostischen Texten oft der Geist (→ *pneúma*). An die Stelle der Unterscheidung von Seele und Intellekt oder Geist kann auch die Unterscheidung von zwei Seelen, einer rationalen und einer irrationalen, treten (so bei → Numenios oder den Manichäern, → Mani).

E. Metaphysik

Was die Metaphysik der Seele angeht, so wird sie von den → Vorsokratikern als Stoff verstanden, der den Körper belebt, z. B. in Form von kleinen runden, feuerartigen Atomen (so Demokritos bei Aristot. an. 405a 8–13; → Atomismus). Bei Platon findet sich zum ersten Mal die Vorstellung von der Seele als einer immateriellen → Substanz mit eigenem Leben (dem Innenleben), welche in den Körper eintritt, um ihn zu beleben, aber selbst, weil immateriell, unsterblich ist. Diese Art von Dualismus findet sich auch beim frühen Aristoteles und in der gesamten platonischen Trad. Bei dem späten Aristoteles (z. B. *De anima*) tritt an ihre Stelle die Auffassung der Seele als der immateriellen Form des belebten Körpers, die aber nur als verkörperte Form existiert. Diese Theorie findet wenig Anklang im hell. → Peripatos, wird aber in der Kaiserzeit vor allem von Alexandros [26] von Aphrodisias aufgegriffen. Danach ist nicht die Seele, sondern nur der aktive Intellekt, der in der Seele wirkt, unsterblich. Die Stoiker kehren zu einer materiellen Auffassung der Seele zurück. Die christl. Lehre, vor allem im Westen, ist schwankend: Die Seele (*psychḗ*, lat. *anima*) wird oft nicht ihrer Natur nach, sondern aus göttlicher Gnade für unsterblich gehalten, da geschaffen – z. T. unter dem Einfluß der Lehre, daß alles Gewordene von Natur aus vergeht, aber auch von Platons ›Timaios‹ (Iren. adv. haereses 2,34,2–4). Auch wird die Seele oft – weil erschaffen, oder unter stoischem Einfluß – als stofflich aufgefaßt (Tert. de anima 6–9; Faustus von Riez, epist. 3; Maximos Homologetes, epist. 6, PG 91,424–433).

→ Ethik; Intellekt; Metaphysik; Ontologie; Psyche; Rationalität; Seelenwanderung; Wille

H. J. Blumenthal, Plotinus' Psychology, 1971 • J. Bremmer, The Early Greek Concept of the Soul, 1983 • D. B. Claus, Toward the Soul, 1981 • A. J. Festugière, La révélation d'Hermès Trismégiste, Bd. 3: Les doctrines de l'âme, 1950 • J.-P. Gourinat, Les stoïciens et l'âme, 1996 • B. Gundert, Soma and Psyche in Hippocratic Medicine, in: J. P. Wright, P. Potter (Hrsg.), Psyche and Soma, 2000, 13–35 • W. K. C. Guthrie, Plato's Views on the Nature of the Soul, in: G. Vlastos (Hrsg.), Plato, Bd. 2: Garden City, 1971, 230–243 • J. Holzhausen (Hrsg.), Psyche – Seele – Anima. FS K. Alt, 1998 • M. Nussbaum, A. Rorty (Hrsg.), Essays on Aristotle's ›De anima‹, 1992 • R. J. O'Connell, The Origin of the Soul in St. Augustine's Later Works, 1987 • E. Rohde, Psyche, [1]1898 • G. Romeyer Dherbey, C. Viano (Hrsg.), Etudes sur le ›De anima‹ d'Aristote, 1996.

M. FR.

Seelenruhe s. Ataraxia

Seelenwägung (Psychostasie). Bereits in der äg. Rel. begegnet eine S., bei der unter Aufsicht des → Osiris das als Gedächtnis der Taten aufgefaßte Herz der Toten mit einer Feder aufgewogen wird [1. 321–323]. Grundverschieden ist die griech. Vorstellung der S.: Sie findet vor dem Tod statt und bewertet nicht nach moralischen Kriterien. Gewogen werden hier die Todeslose von Menschen (κήρ, → *kēr*), wodurch über Leben und Tod entschieden wird (Kerostasie). Diese Form kannte wohl schon die → *Aithiopís*, von der die Ilias das Motiv übernahm [2. 316–318]. In Hom. Il. 22,209–213 ergreift Zeus eine Waage und legt die zwei *kḗres* von Achilleus und Hektor hinein. Hektors Schicksalstag neigt sich dabei, so daß er im Kampf sterben muß [3. 14–21]. In Hom. Il. 8,68–74 werden sogar kollektiv zwei *kḗres* für Griechen und Troianer gewogen. Anscheinend hat erst Aischylos in der Tragödie *Psychostasía* (TrGF 3 F 279–280a; vgl. schol. Hom. Il. 8,70 und 22,210) die *kḗres* durch Seelen ersetzt, was mit der inzwischen veränderten Auffassung der Seele zusammenhängt. Hier wiegt Zeus die Seelen von Memnon und Achilleus, während deren Mütter Eos und Thetis neben den Waagschalen stehen. Bildliche Darstellungen dieser S. sind aus dem 6./5. Jh. v. Chr. erhalten und zeigen die *kḗres* der beiden Helden auf den Waagschalen [4]. Parodiert wird die S. in Aristoph. Ran. 1364–1410.

→ Seelenlehre

1 K. Koch, Gesch. der äg. Rel., 1993 2 W. Kullmann, Die Quellen der Ilias (Hermes ES 14), 1960 3 W. Pötscher, Moira, Themis und τιμή im homerischen Denken, in: WS 73, 1960, 5–39 4 R. Vollkommer, s. v. Ker, LIMC 6.1, 14–23.

J. STE.

Seelenwanderung. Die griech. Bezeichnungen μετεμψύχωσις (*metempsýchōsis*, wörtl. »Um-Beseelung«), μετενσωμάτωσις (*metensōmátōsis*, »Um-Einkörperung«), παλιγγενεσία (*palingenesía*, »Wieder-Werdung«) sind in den ant. Quellen nicht vor dem 1. Jh. v. Chr. belegt (nur die Verbalphrase πάλιν γίγνεσθαι/*pálin gígnesthai* bereits bei Platon; das Nomen in anderem Sinn – von der periodischen Welterneuerung – in der alten Stoa). Die S.-Lehre ist jedoch spätestens in der 2. H. des 6. Jh. v. Chr. im griech. Kulturraum nachweisbar: Schon → Pherekydes [1] von Syros scheint sie vertreten zu haben [1]. Sicher bezeugt ist sie dann für → Pythagoras [1] (vgl. Xenokrates 21 B 7 DK). Hdt. 2,123 denkt wohl ebenfalls nicht zuletzt an Pythagoras, wenn er – irrtümlicherweise – die S. von den Ägyptern herleitet. In der mod. Forsch. wird die Möglichkeit eines indischen Einflusses erwogen (vgl. [2. 133]; skeptisch [3]; für unabhängige Entwicklung [4. 140f.]). Umstritten ist das zeitliche Verhältnis von pythagoreischer und orphischer S.-Lehre (vgl. [4], der sich für die Priorität der → Orphik ausspricht). Wichtigste Anhänger der S. nach Pythagoras sind → Empedokles [1] und → Platon [1], dessen Darstellung für die Folgezeit (bes. den Mittel- und Neuplatonismus) bestimmend wurde.

Bereits in den frühesten Zeugnissen hat die S. in Griechenland eine ethische Dimension: Sie wird als Strafe für eine frühere Schuld gedeutet, sei es für eine mythische Urschuld (die Zerreißung des Dionysos in der orphischen Trad.: vgl. [5. 494–500]) oder ein individuelles Vergehen (Mord oder Meineid: Emp. 31 B 115 DK; vgl. zu Pherekydes [1. 123f.]; da die menschliche Seele in Tiere eingehen kann, gilt auch der Fleischgenuß als Mord: Emp. 31 B 136–139 DK). Eine gute Lebensführung vermag das zwischenzeitliche Los der Seelen im Jenseits zu verbessern (vgl. Pind. O. 2,61–67; Plat. Phaidr. 249a; rep. 614c; zu Pythagoras vgl. [6].

Sie wirkt sich auch auf die Wiedergeburt vorteilhaft aus: Wem es gelingt, sich rein von jedem unrechten Tun zu halten, kann bei der nächsten Wiedereinkörperung mit einem Aufstieg rechnen, während Übeltäter ein schlechteres Lebenslos ziehen (vgl. Plat. rep. 617e–620d, der die Eigenverantwortung des einzelnen betont). Die Skala der Wiedergeburten reicht von versch. Tierarten – vereinzelt sogar Pflanzen (Emp. 31 B 117; 31 B 127 DK; vielleicht auch im berühmten pythagoreischen Bohnenverbot vorausgesetzt? dazu [2. 183–185]) – über Frauen (Plat. Tim. 42b-c; 90e–92c) bis zur sozialen Elite (Pind. fr. 133; Emp. 31 B 146 DK; vgl. auch Plat. Phaidr. 248d–249b; die »Affinität« der S. »zu Oberschichten« betont [7]). Am Ende erfolgt – nach dreimaliger Inkarnation auf höchster Stufe (Pind. O. 2,68–70; Plat. Phaidr. 249a und 256b) – die Heroisierung (Pind. fr. 133; Goldblättchen B 1,11 Zuntz) bzw. Vergottung der Seele (Goldblättchen A 1,8 und A 4,4 Zuntz; vgl. Emp. 31 B 112,4 DK; Entrückung auf die Insel der Seligen: Pind. O. 2,70–80). Damit ist der urspr. Zustand wiederhergestellt (vgl. [8]; Dauer des gesamten Umlaufs: 10000 – d.h. unzählbar viele – Jahre nach Plat. Phaidr. 248e, vgl. Emp. 31 B 115,6 DK; die einzelnen Reinkarnationen sind durch 1000 J. voneinander getrennt: Plat. Phaidr. 249a; rep. 615a). Menschen, welche am Übergang zur Vergottung stehen, zeichnen sich u.a. durch bes. Erinnerungskraft (*mnḗmē*) aus: Sie können sich und andere an ihre früheren Existenzen erinnern (vgl. Emp. 31 B 129 über Pythagoras; Porph. vita Pythagorica 26; → Myllias).

Orphisch-bakchische Mysterienkulte bieten Hilfe auf dem Weg zum Ziel an: Sie versprechen den Initianden durch ihre Riten »Reinigung« (κάθαρσις, → *kátharsis*) von früherer Schuld und geben Anleitungen für das richtige Verhalten in der Unterwelt; die Eingeweihten schöpfen daraus die Zuversicht, ›dem leidschweren, schmerzlichen Kreislauf‹ endgültig zu entrinnen (Goldblättchen A 1,5 Zuntz; vgl. OF 229f.). Platon, in dessen Denken die S.-Lehre eine bed. Rolle spielt, knüpft ausdrücklich an diese Kulte an (u.a. Plat. Phaid. 69c; vgl. [9]) und überträgt deren Funktion auf die »wahre Philos.«, die bes. im ›Phaidon‹ als *kátharsis* auf höherer Stufe (Reinigung vom Körper, von der durch diesen verursachten Trübung der Erkenntnis) und Wegbereiterin für jenseitiges Glück gefaßt wird (vgl. Plat. Phaid. 82b 10f. und 114b-c; die philos. Existenz gilt entsprechend als höchste Reinkarnation: Plat. Phaidr. 248d).

Über Platon und den zunehmend platonisch betriebenen Pythagoreismus hat die S. seit → Ennius [1] auch in die lat. Trad. (vgl. bes. Verg. Aen. 6,713–751 und Ov. met. 15,153–175; 453–478; [10. 87–92]), ferner in Manichäismus (→ Mani) und → Gnosis Eingang gefunden (vgl. [10. 96–101, 134–137]). Zu Origenes [2], dem häufig auf problematischer Grundlage eine S.-Lehre zugeschrieben wird, vgl. [10. 137–145].

→ Jenseitsvorstellungen; Mysterien; Orphik; Pythagoras [1]; Seelenlehre; Vegetarismus; Vergöttlichung

1 H. S. Schibli, Pherekydes of Syros, 1990, 104–127 **2** W. Burkert, Lore and Science in Ancient Pythagoreanism, 1972 **3** K. Karttunen, India in Early Greek Literature, 1989, 112–115 **4** G. Casadio, La metempsicosi tra Orfeo e Pitagora, in: Ph. Borgeaud (Hrsg.), Orphisme et Orphée, 1991, 119–155 **5** R. Parker, Early Orphism, in: A. Powell (Hrsg.), The Greek World, 1995, 483–510 **6** B. Centrone, Introduzione ai Pitagorici, 1996, 59 **7** G. Lorenz, Seelenwanderungslehre und Lebensführung in Oberschichten: Griechenland und Indien, in: ThLZ 115, 1990, 409–416 **8** Ch. Riedweg, Initiation-Tod-Unterwelt, in: F. Graf (Hrsg.), Ansichten griech. Rituale, 1998, 380–382 **9** A. Bernabé, Platone e l'Orfismo, in: G. Sfameni Gasparro (Hrsg.), Destino e salvezza, 1998, 69–80 **10** H. Zander, Gesch. der S. in Europa, 1999.

A. Böhme, Die Lehre von der S. in der ant. griech. und ind. Philos., 1989 · Casadio (s. [4]) · H. S. Long, A Study of the Doctrine of Metempsychosis in Greece, 1948 · Rohde, Bd. 2 · F. Solmsen, Reincarnation in Ancient and Early Christian Thought, in: Ders., KS 3, 1982, 465–494 · W. Stettner, Die S. bei Griechen und Römern, 1934 · H. Zander, (s. [10]).

C.RI.

Seepferdchen s. Hippokampos

Seeraub

A. Allgemeines B. Griechenland C. Rom

A. Allgemeines

Piraterie ist bewaffneter Raub mit Schiffen auf hoher See oder in Küstengewässern; dabei sind die Grenzen zw. → Seekrieg und Piraterie nur schwer festzulegen; ähnliches gilt für Seehandel und Piraterie. Der S. wurde im östlichen Mittelmeer wesentlich durch permanente Kriege – vom → Peloponnesischen Krieg bis zu den → Diadochenkriegen – begünstigt, denn es war den griech. Städten nicht möglich, für die Sicherheit der Seewege zu sorgen; überdies unterstützten Piraten oft kriegführende Mächte und festigten so ihre eigene Position.

Auch im Wirtschaftsleben spielten Piraten eine erhebliche Rolle, denn sie beherrschten im Osten den → Sklavenhandel (vgl. → Sklaverei) und erzielten damit große Gewinne (Strab. 14,5,2). Die Tolerierung des S. stand allerdings im eklatanten Widerspruch zum Interesse an sicheren Seewegen und am Fernhandel; Cicero stellte fest, daß die Römer oft Kriege führten, weil Kaufleute oder → *navicularii* ungerecht behandelt worden waren (Cic. Manil. 11; vgl. Pol. 2,8).

B. Griechenland

Der Beginn der Piraterie im Mittelmeerraum ist nicht genau zu datieren; Thukydides nahm an, daß in Griechenland vor dem Troianischen Krieg ein nahezu permanenter Kriegszustand herrschte und S. alltäglich war. Piraterie brachte Gewinn und war durchaus geachtet: Aus Schutz vor den Seeräubern wurden Städte häufig in einiger Entfernung von der Küste angelegt, und erst → Minos konnte den S. schließlich unterdrücken (Thuk. 1,2–8). Bei Homer wird S. häufig erwähnt; Odysseus rühmt sich, zu Schiff Raubzüge unternommen zu haben (Hom. Od. 14,222–234; vgl. 3,71–74; 9,252–255). In archa. Zeit gingen die Korinther gegen die Piraten vor (Thuk. 1,13,5). Im westlichen Mittelmeerraum wurde S. in großem Stil von den Phokaiern betrieben, die wegen der persischen Expansion Kleinasien verlassen und sich auf Korsika festgesetzt hatten; Etrusker und Karthager verbündeten sich schließlich gegen sie und zwangen sie zur Aufgabe ihrer Niederlassung (Hdt. 1,166).

S. war von den Perserkriegen bis zur Mitte des 2. Jh. v. Chr. wohl nicht selten, stellte aber keine grundlegende Bedrohung der ant. Ges. dar. In Texten des 4. Jh. v. Chr. erscheinen einzelne Hinweise auf S. Demosthenes berichtet etwa, daß das Schiff des Lykon aus Herakleia im Golf von Argos von Piraten überfallen und er selbst getötet worden sei (Demosth. or. 52,5), und der Athener Nikostratos fiel in die Hände von Piraten und wurde auf dem Sklavenmarkt in Aigina verkauft (Demosth. or. 53,6). Der Ruhm von Rhodos beruhte im späten 4. Jh. v. Chr. vor allem darauf, daß es erfolgreich die Piraterie bekämpft hatte (Diod. 20,81,3).

C. Rom

Die Römer wurden im Zuge der außerital. Expansion mit der Piraterie konfrontiert; sie bekämpften im 3. Jh. v. Chr. illyrische Piraten in der Adria (Pol. 2,8), dann 122 v. Chr. die Seeräuber auf den Balearen (Flor. epit. 1,43; Strab. 3,5,1). Auf Kreta gab es ebenfalls viele Piraten, die dann von den kilikischen Seeräubern verdrängt wurden (Strab. 10,4,9). Seit der Mitte des 2. Jh. v. Chr. wurde aufgrund des Niedergangs des Seleukidenreiches die Aktivität von Seeräubern im östlichen Mittelmeer immer stärker. Diese Piraten operierten von Kilikien aus, wurden durch die Kriege des Mithradates [6] VI. noch gestärkt (App. Mithr. 92 f.) und beherrschten den Sklavenhandel, dessen Zentrum Delos war (Strab. 14,5,2). Mehrere Versuche der Römer, die Piraterie im östlichen Mittelmeer zu beseitigen, scheiterten; M. Antonius [I 7] (*cos.* 99 v. Chr.) bekämpfte 102 v. Chr. als Praetor den S. im Osten, 74 v. Chr. führte M. Antonius [I 8] als Praetor erfolglos Krieg gegen die Piraten auf Kreta. In den J. vor 67 v. Chr. störten die Piraten nicht nur die Getreideversorgung empfindlich, sondern demonstrierten auch durch Raubüberfälle an den Küsten Italiens ihre Macht (Cic. Manil. 29–35; Cic. Flacc. 29; Plut. Pompeius 24–28; Cass. Dio 36,20–37). Pompeius [I 3], der unter diesen Voraussetzungen 67 v. Chr. ein außerordentliches → *imperium* gegen die Seeräuber mit umfassenden Kompetenzen erhielt (*lex Gabinia*), konnte die Sicherheit der Seewege im Mittelmeer in wenigen Wochen wieder herstellen.

In der Prinzipatszeit sorgte die Präsenz der röm. Flotte dafür, daß S. im großen Umfang nicht mehr entstehen konnte; wenn Piraten auftraten, griffen die Provinzstatthalter sofort ein (vgl. etwa Ios. bell. Iud. 3,414–431). In der Lit. dieser Zeit blieb die Piraterie aber ein attraktives Thema; insbes. thematisiert der → Roman S. im östlichen Mittelmeerraum. In der Spätant. war weniger Piraterie die Ursache für die Unsicherheit der Seewege als vielmehr das Auftreten germanischer Stämme, die Raubzüge an der Atlantikküste und im Mittelmeerraum unternahmen.

→ Handel; Räuberbanden; Randgruppen; Schiffahrt

1 A. Avidov, Were the Cilicians a Nation of Pirates?, in: Mediterranean Historical Review 10, 1997, 5–55 2 M. Benabou, Rome et la police des mers au 1er siècle avant J. C.: la répression de la piraterie Cilicienne, in: M. Galley, L. Sébai (Hrsg.), L'homme méditerranéen et la mer, 1985, 60–69 3 H. G. Dell, The Origine and Nature of Illyrian Piracy, in: Historia 16, 1967, 344–358 4 P. de Souza, Greek Piracy, in: A. Powell (Hrsg.), The Greek World, 1995, 179–198 5 Ders., Piracy in the Graeco-Roman World, 1999 6 Y. Garlan, War, Piracy and Slavery in the Greek World, in: M. I. Finley (Hrsg.), Classical Slavery, 1987, 7–21 7 A. Giovannini, E. Grzybek, La lex de piratis persequendis, in: MH 35, 1978, 33–47 8 H. A. Ormerod, Piracy in the Ancient World, 21978 9 H. Pohl, Die röm. Politik und die Piraterie, 1993 10 J. Rougé, Recherches sur l'organisation du commerce maritime en Méditerranée sous l'empire romain, 1966 11 S. Sahin, Piratenüberfall auf Teos: Volksbeschluß über die Finanzierung der Erpressungsgelder, in: EA 23, 1994, 1–36. J. M. A.-N.

Seetransport s. Schiffahrt

Seevölkerwanderung

I. Bezeichnung II. Frühe Phasen
III. Höhepunkt IV. Herkunft der Seevölker

I. Bezeichnung

Der Begriff »Seevolk« bzw. »Seevölker« (=Sv.) ist äg. Königs-Inschr. der 19. und 20. Dyn. entnommen und charakterisiert dort v. a. als Zusatz zu Ethnonymen die Krieger-Stammesgruppen, die als seefahrende Invasoren ›von der Mitte des Meeres‹ aus (bzw. ›von den Inseln inmitten des Meeres‹) vom Ausgang des 14. Jh. bis weit ins 12. Jh. v. Chr. Unteräg. und den äg. Machtbereich in Südsyrien heimsuchten. Im Siegesbericht des Pharao Merenptaḥ (1213–1203) wird unter den »Nordkrieger«-Gruppen, die 1209/8 den Invasionsversuch libyscher Stämme (von der Kyrenaika bis ins westl. Nildelta) unterstützten, der bes. starke und führende Verband der *Aqajwaša* (=hethit. *Aḫḫijawā/Achawia/Achaiwoi*) eigens als ›das Fremdland des Meeres‹ hervorgehoben (neben kleineren Kontingenten von ›*Turša* des Meeres‹, *Šardana*, *Luku*/Lykiern und *Škrš*). Auch die Charakterisierung der (erst um 1200 v. Chr. im östl. Mittelmeerraum aktiven) *Sikalaju*-Krieger als Angreifer, ›die auf Schiffen wohnen‹ (in einem Brief des hethit. Großkönigs an die Regierung in Ugarit: sog. *Lunadušu*-Brief: Ras Shamra 34.129), zeigt, daß der Kern dieser Bewegung aus See-Invasorengruppen bestand. Die S. stellt jedoch keine »Völkerwanderung« dar, sondern umfaßt zahlreiche, weiträumig-vielgestaltige Invasionsbewegungen von See her, die von relativ kleinen Krieger-Stammesgruppen, zuweilen in Verbindung mit anderen, getragen wurden [2. 35 f.].

II. Frühe Phasen

Bereits in der äg. Hofkorrespondenz von El-Amarna (ca. 1340–1330; → Amarna-Briefe) werden *Šerdanu*-Krieger als Leibwächter im Dienst äg. Vasallenfürsten in der Levante beiläufig erwähnt; in Dokumenten des 13. Jh. begegnen *Šerdanu* als Militärkolonen im nordsyrischen Königreich von → Ugarit. Unteräg. war dagegen schon geraume Zeit vor der Ära → Ramses' [2] II. (wohl 1279–1213) nicht nur von (freundlichen oder feindlichen) Infiltrationen berührt, sondern auch durch Landungsunternehmungen von *Šardana*-Kriegergruppen ›auf ihren Kämpfer-Schiffen von der Mitte des Meeres her‹ gefährdet (Tanis- und Assuan-Stele vom 2. Jahr Ramses' II.). Zu Beginn der Regierung Ramses' II. reichte die Zahl kriegsgefangener *Šardana*-Krieger jedenfalls aus, um eine Elite-Infanterietruppe innerhalb des äg. Feldheeres zu bilden. Nach den Bild- und Textquellen zur Schlacht von → Qadesch (1275) konnte diese Truppe den Pharao vor einer völligen Niederlage gegen den hethit. Großkönig bewahren, in dessen Heer u. a. auch *Dardaner*-Hilfstruppen kämpften. Bald besaß jede der drei bis vier »Divisionen« des äg. Mobilheeres eine reguläre *Šardana*-Einheit; auch später, in den Kämpfen Ramses' III. gegen die große »Sv.«-Koalition (um 1180) erwiesen sich diese Truppen als effizient und loyal.

Diese (in den bildlichen Darstellungen »europäid« wirkenden) *Šardana*-Krieger tragen einheitlich Hörnerhelm, Rundschild, Hieb- und Stichschwert und sind mit einem verstärkten Brustkoller offenbar für den Nahkampf in fester Formation ausgerüstet. Den gleichen »europäiden« Phänotyp und identische Bewaffnung und Tracht (statt des Hörnerhelms erscheint jedoch eine feste Sturmhaube mit hoher, eng gesteckter Schilfblattkrone) weisen auch die *Palastu*- (=→ Philister-) und *Sikar-/Sikal-Šikalaju*-Krieger auf, die später (E. 13. Jh.) unter den See-Invasoren und in den regulären äg. *Šardana*-Einheiten zahlenmäßig stark vertreten sind. Auch der Typ der »Sv.«-Segelschiffe, der in Texten und Bilddarstellungen Ramses' III. (ca. 1183–1152) in Medīnat Hābū dokumentiert ist, unterscheidet sich mit den hochgezogenen, in Vogelköpfen auslaufenden Vorder- und Achtersteven deutlich von den Segel-/Ruderbarken in der frühgriech. Ägäis; dort findet sich dieser Typ erst auf Vasenbildern aus der Zeit nach dem großen Zerstörungshorizont auf dem griech. Festland um 1200 (Ende Mykenisch III B/III C 1; → Schiffbau). Ebenso tauchen in der Ägäiswelt Helmformen, die den »Sv.«-Helmen gleichen oder ähneln, erst auf Vasenbildern des 12. Jh. auf (Mykenisch III C – *Pictorial Style*).

III. Höhepunkt

Ihren Höhepunkt erreichte die S. in den 80er Jahren des 12. Jh. zu Beginn der Regierungszeit Ramses' III.; im zentralen Abschnitt der Königs-Inschr. zum 8. Jahr seiner Regierung wird die eben erfolgte Katastrophe des (inzwischen längst mit Äg. verbündeten) hethit. Reiches von → Ḫattusa und seiner wichtigsten Klientel-Fürstentümer im östl. Levanteraum ausdrücklich den Invasoren-Scharen zugeschrieben, die anschließend von → Amurru [2] (Libanon) aus einen kombinierten Land- und Seeangriff auf Äg., seine Königsresidenz im östlichen Nildelta und den äg. Machtbereich in Syrien-Kanaan führten. Der Text nennt fünf Regionen, nämlich ›(die Länder) von Ḫatti (hethit.-anatolisches Kernland), Qedi (Kilikien), → Karkemiš (hethit. Vize-Königreich in Nordsyrien), → Arzawa (hethit. Vasallenreich in Westkleinasien) und Alašija (Alašia/Zypern; → Kypros)‹, die ›entwurzelt waren auf (einen Schlag)‹ durch einen Bund von fünf »Sv.«-Stämmen, der aus den ›*Palaštu* (»Philistern«), *Sikar/l* (»Sikelern«), *Škrš*, *Danu* (»Danaoi«!) und *Wšš*‹ bestand. Nichts konnte ihnen widerstehen, ›sie legten ihre Hände auf die Länder bis zum Umkreis der Erde; ihre Herzen waren zuversichtlich und voll Vertrauen; (sie sprachen zueinander:) »Unsere Pläne gelingen!«‹ [3]. Die anschließenden Textpartien und Bildszenen betonen die entscheidenden Abwehrerfolge Ramses' III. über das Landheer und den Troß in Syrien-Palaestina und über die Flotte der »Sv.«-Koalition im östl. Nildelta.

Der stilisierte (und aus äg. Perspektive komprimierte) Bericht über eine große Invasionsbewegung, die vom Ägäisbereich aus die Kerngebiete des hethit. Reiches erfaßte, wird weitgehend in der Alašia-Korrespondenz (→ Alaschia) aus der Endphase der Regierungszeit des Königs Ḫammurapi von Ugarit (Ras Shamra 20, 18 sowie L 1 und 20.238) und in den Texten Suppiluliumas II., des letzten Großkönigs von Ḫattusa (Keilschrifttexte Boghazköy XII 38[v] col. III) bestätigt: Diese Quellen dokumentieren Details eines vom Großkönig organisierten verzweifelten Abwehrkampfes zur See gegen Invasoren-Flottillen, die von Lukka/Lykien über die kilikische Steilküste bis zu den Häfen Ugarits vordrangen, und wohl auch zu Land, da auf dem Höhepunkt der Krise ugaritische Gardetruppen in das »Ḫatti-Land« abkommandiert wurden. Dennoch erfolgte der endgültige Zusammenbruch der hethit. Macht im anatolischen Kernland und in Kilikien erst später, in den 80er Jahren des 12. Jh. v. Chr., da der Großkönig in seinem Tatenbericht noch von einer großen Zypern-Expedition und Seeschlachten gegen offenbar sehr seemächtige »Feinde von Alašia« spricht, als Ugarit und Zypern den »Sv.« schon erlegen waren [6. 21–34].

In der aktuellen Forsch.-Diskussion ist umstritten, ob und in welchem Umfang den »Sv.«-Invasionen bei den großen Umbrüchen im östl. Mittelmeerraum nach 1200 Bed. zukommt; es dominieren monokausale Erklärungsmuster, die endogene Krisenfaktoren bevorzugen (Erdbebenserien, Hungerrevolten oder dynastische Kämpfe in der Sippe des hethit. Großkönigs). Sicherlich dürften auch die nordpontischen Kaška-Stämme (→ Kaškäer) als Erbfeinde der Hethiter eine wichtige Rolle bei der Katastrophe des Großreiches gespielt haben, doch läßt sich die histor. Zäsur des Untergangs von Ḫattusa und aller Zentren im anatol. Kernland nicht allein daraus erklären. Diese Zäsur wird auch nicht dadurch relativiert, daß sich die Dyn. der hethit. »Vizekönige« von → Karkemiš nunmehr als »Großkönige« am oberen Euphrat weiter behauptete und eine mit der Großkönigsfamilie rivalisierende Linie noch einen Rückzugsbereich in Lykaonien/→ Tarḫuntašša (Karadağ/Kızıldağ) kontrollierte.

Das Ende des »Sv.«-Sturmes hatte keine weitreichende oder dauernde Inbesitznahme der eroberten Gebiete durch die Invasoren zur Folge. Zumindest reichen arch. Indizien für eine wenigstens zeitweilige Festsetzung von »Sv.«-Scharen nicht über die kilikische Ebene, Zypern und die Levante hinaus. Die bedeutende Machtbildung der *Palaštu*/»Philister« (nach der AT-Trad. aus Kaphtor/Kreta stammend: Am 9,7; Gn 10,14) ist keine unmittelbare Folge der »Wanderung«, sondern ging im 12./11. Jh. erkennbar von den äg., unter Ramses III. zum Grenzschutz verstärkten Garnisonen in Kanaan aus; ihre materielle Kultur zeigt relativ enge Beziehungen zur myk.-ägäischen Welt [5].

IV. Herkunft der Seevölker

Ausgangsbereich der S. war nach Ausweis der äg. und ugaritischen Zeugnisse längere Zeit der Ägäisraum; für eine Beteiligung auch frühgriech.-ägäischer Mächte an den Heerfahrten spricht u. a. die in den Merenptaḥ-Texten akzentuierte Rolle der *Aqajwaša* bei dem Invasionsversuch 1209/8 von Libyen her (s. oben I.; [2. 50–55]). Dagegen könnte in den *Danu/na* der Text- und Bildzeugnisse Ramses' III. schon die neue Krieger-Herrenschicht in der Peloponnes nach der Katastrophe der myk. Palastzentren gesehen werden. Nur schwer bestimmen läßt sich der Anteil fremdstämmiger »Sv.«-Invasoren an dem großen Zerstörungshorizont um 1200 auf dem griech. Festland und auf Kreta, der in der Argolis wohl von einem starken Erdbeben seinen Ausgang nahm: Neben Analogieschlüssen aus den besser dokumentierten Vorgängen im östl. Mittelmeerraum stehen nur einige arch. Indizien (u. a. *Barbarian Ware*-Keramik, Waffenformen und Krieger-Bilder des *Pictorial Style*) und die primär in der *o-ka*-Tafelserie des → Linear B-Archivs von → Pylos [2] faßbare Bedrohung des messenischen Palastzentrums durch See-Invasoren [2. 15–20; 4]) zur Verfügung.

Die Verteilung der bezeugten »Sv.«-Ethnonyme (s. Karte bei [6; 9]), von denen einige im 1. Jt. v. Chr. eine wichtige Rolle im westl. Mittelmeerraum spielten, spricht – im Einklang mit den arch. Befunden – dafür, das urspr. Ausgangsgebiet zumindest eines Teils der S. nördl. und nw der myk.-ägäischen Welt im ital.-adriatischen bzw. balkanischen Raum zu suchen. Von dort stammen wohl auch die Hylleer (→ Hyllos [1]), die als vornehmste Phyle und Träger der Herakliden-Trad. (→ Herakleidai) offenbar eine wichtige Rolle bei der Ausprägung des peloponnesischen Doriertums (→ Dorieis) gespielt haben (→ Dorische Wanderung).

→ Dunkle Jahrhunderte; Ḫattusa II.; Kleinasien III. C.; Mykenische Kultur

1 S. Deger-Jalkotzy (Hrsg.), Griechenland, die Ägäis und die Levante während der »Dark Ages« vom 12. bis zum 9. Jh. v. Chr., 1983 **2** G. A. Lehmann, Die myk.-frühgriech. Welt und der östl. Mittelmeerraum in der Zeit der »Seevölker«-Invasionen um 1200 v. Chr., 1985 **3** E. Edel, Der Sv.-Ber. aus dem 8. Jahr Ramses' III., in: P. Posener-Kriéger (Hrsg.), Mel. G. Mokhtar 1985, 223–237 **4** S. Jalkotzy, Die Erforschung des Zusammenbruchs der sog. myk. Kultur und der sog. dunklen Jh., in: J. Latacz, Zweihundert Jahre Homer-Forsch. 1991, 127–154 **5** O. Loretz, Les Serdanu et la fin d'Ougarit, in: Ras Shamra-Ougarit XI, 1995, 125–140 **6** Tr. und M. Dothan, People of the Sea: The Search for the Philistines, 1992 **7** G. A. Lehmann, Umbrüche und Zäsuren im östl. Mittelmeerraum und Vorderasien zur Zeit der »Seevölker«-Invasionen, in: HZ 262, 1996, 1–38 **8** W.-D. Niemeier, The Mycenaeans in Western Anatolia and the Problem of the Origins of the Sea Peoples, in: S. Gitin et al. (Hrsg.), Mediterranean Peoples in Transition, FS Tr. Dothan, 1998, 17–65 **9** E. D. Oren (Hrsg.), The Sea Peoples and Their World: A Reassessment, 2000. G. A. L.

Segen (hebr. *bᵉrakā*, griech. εὐλογία/*eulogía*, lat. *benedictio*) meint in seiner Grund-Bed. im AT »heilschaffende Kraft«. Mit dem Pass. *bārūḵ* (»gesegnet«) ist der Zustand ihres Besitzes gemeint, freilich auch ohne daß eine entsprechende S.-Handlung vorangehen muß [1. 355]. Mit *bārūḵ* kann auch der Urheber einer heilvollen Situation bezeichnet werden, sowohl ein Mensch als auch Gott, der somit als Inhaber der heilschaffenden Kraft gepriesen wird (z. B. 1 Chr 29,10 u.ö.). Daher bedeutet das Verb *beraḵ* im AT neben »segnen« oft auch »lobpreisen«, »danken«. Unter Menschen kann *beraḵ* auch schlicht »Glück wünschen« heißen; ein »gesegneter Mensch« ist somit ein glücklicher Mensch. Diese Bed. wird in der Erzählung von der Segnung Jakobs durch Isaak veranschaulicht. Sie verdeutlicht, wie das Abschiednehmen zw. Menschen ausgesprochen faktitiv verstanden wurde: Der Segnende wird zuerst mit einem Mahl gestärkt, damit er sodann den Empfänger des S. mit vermehrter Kraft zu einem mit heilschaffender Kraft ausgestatteten Menschen (*bārûḵ*) machen kann (Gen 27,19). Im frühen Judentum entwickelt sich das Segensverständnis hin zu einem Zeichen der Annahme des Einzelnen durch Gott. In der jüd.-hell. Erzählung Joseph und Aseneth (→ Roman IV.) zeigt sich durch den S., daß Aseneth uneingeschränkt von Gott angenommen und nun in die jüd. Gemeinschaft aufgenommen ist [2. 40]. Dem entspricht auch das nt. Segensverständnis. Εὐλογεῖν (*eulogeín*, »segnen«) wird vorwiegend im Gotteslob verwendet. S. ist Ausdruck der Zugehörigkeit zum Bund Gottes mit seinem Volk [3]. So hat der S. eine soziale Funktion, insofern die Gesegneten mit Gott und der Gemeinde in eine Gemeinschaft aufgenommen sind. Der Tisch-S., ein Lobpreis Gottes über Brot und Wein, ist von großer Bed. für die Entwicklung der Eucharistiegebete des altchristl. Gottesdienstes.

1 C. A. Keller, G. Wehmeier, s. v. ברך brk pi. segnen, in: E. Jenni, C. Westermann (Hrsg.), Theologisches HWB zum AT 1, 1971, 353–376 2 A. Obermann, An Gottes S. ist allen gelegen, 1998 3 M. Frettlöh, Theologie des S., 1998. LUK.KU.

Segericus. Westgotenkönig 415 n. Chr., Bruder des → Sarus, Nachfolger des → Ataulfus, aber wohl wegen seiner proröm. Haltung nach wenigen Tagen ermordet (Oros. 7,43,9).

1 PLRE 2, 987 2 P. Heather, Goths and Romans, 1991, 197f. WE.LÜ.

Segesta

[1] (Σέγεστα, Ἔγεστα/Egesta, Αἴγεστα/Haigesta). Stadt (318 m H) der → Elymoi, wie Entella und Eryx [1] im Westen von → Sicilia (mit Karte), 10 km südwestl. von Castellammare; nw der Stadt ragt auf dem Monte Bàrbaro (431 m) die Akropolis auf. In traditioneller Rivalität zu → Selinus [4] (früheste nachweisbare Auseinandersetzungen 580/576 v. Chr.; Diod. 5,9) widersetzte sich S. der griech. Landnahme. Traditionell war auch die Allianz mit → Karthago. Anläßlich der 1. Sizilischen Expedition (→ Peloponnesischer Krieg) trat S. auf die Seite der Athener (427–424; Thuk. 6,6,2). 416/5 löste S. die 2. Sizilische Expedition aus (vgl. Thuk. 6,46,3). 410 v. Chr. siegte S. mit karthagischer Hilfe über Selinus (Diod. 13,44,4). 397 wurde S. als Bundesgenossin der Karthager von Dionysios [1] I. belagert (Diod. 14,48,5). Im 4. Jh. geriet S. polit. und wirtschaftlich in starke Abhängigkeit von Karthago. Das Bündnis, das S. dann doch mit Agathokles [2] im Krieg gegen Karthago schloß, konnte 307 v. Chr. die Stadt nicht vor Bestrafung durch Agathokles schützen, dessen Forderungen nach finanzieller Unterstützung S. nicht in vollem Umfang nachgekommen war (kurzzeitige Umbenennung in Dikaiopolis; Diod. 20,71); beim Friedensschluß 306 kehrte S. unter punische Oberhoheit zurück (Diod. 20,79,5). S. unterstützte 276 v. Chr. Pyrrhos [3] während seines sizilischen Feldzugs (Diod. 22,10,2). Im 1. → Punischen Krieg trat S. 263 auf die Seite der Römer (Diod. 23,5,1); 260 wurde die Stadt, Hauptstützpunkt des röm. Heeres, von den Karthagern belagert, aber durch Duilius [1] nach dem Seesieg von Mylai entsetzt (Pol. 1,24,2; Zon. 8,11); seither war S. für die Römer eine *civitas immunis et libera* (abgabenfrei und frei) mit einem bes. großen Territorium (Cic. Verr. 2,3,13). Athenion [2], einer der Anführer im 2. Sklavenkrieg (104–101; → Sklavenaufstände), stammte aus der Gegend um S. (Diod. 36,5,1).

Die frühesten Siedlungsspuren stammen aus dem Neolithikum (Funde bes. im Bereich des Theaters). Die auf zwei Akropoleis aufgeteilte und mit mächtigen Befestigungsanlagen versehene Stadt erlebte verschiedene Bauphasen, deren älteste bis Anf. des 6. Jh. v. Chr. zurückreicht. In die klass. Zeit (um 420 v. Chr.) gehören der unvollendete dorische Peristyltempel (wohl das Werk einer att. Bauhütte) und das Heiligtum im Bereich von Mango am Fuß des Monte Bàrbaro mit einem dorischen Tempel des 6. Jh. v. Chr. Die Anlage von S. auf großen Terrassen mit Agora, Theater, Buleuterion und evtl. einem Gymnasion wurde in hell.-röm. Zeit umgestaltet. Von der Mitte des 1. Jh. n. Chr. an begann der Niedergang der Stadt. Seit hadrianischer Zeit besuchte man S. nur noch selten – hauptsächlich mit dem Ziel, die landwirtschaftlichen Ressourcen zu nutzen, bis S. im 6. Jh. n. Chr. schließlich ganz aufgegeben wurde. Inschr.: IG XIV 278–292; CIL X 7263. Mz.: HN 164–167.

R. J. A. Wilson, Archaeology in Sicily 1988–95, in: Archaeological Reports, 1995–1996, 59–123, bes. 115–118 • E. Manni, Geografia fisica e politica della Sicilia antica, 1981, 222f. • V. Tusa, s. v. S., EAA 7, 1966, 151–154 • R. Camerata Scovazzo, s. v. S, EAA 2. Suppl. 5, 1997, 197–203 • D. Mertens, Der Tempel von S. und die dorische Tempelbaukunst des griech. Westens in klass. Zeit, 1984. GI.F.u.E.O./Ü: J.W.MA.

[2] S. Tigulliorum. Ortschaft der ligurischen Tigullii (Itin. Maritimum 501,7; 502,1; Plin. nat. 3,48; Mela 2,4,72), h. Sestri Levante. In der Kaiserzeit zählte S. zur *regio IX* und stand unter der Gerichtsbarkeit von Genua.

G. Mennella, I Tigullii e la Liguria orientale in nuovi documenti epigrafici, 1989, 175–190. G.ME./Ü: J.W.MA.

[3] Nicht lokalisierbare, z.Z. des Plinius (nat. 3,131) verlassene Ortschaft der Carni im Hinterland von Aquileia [1]. E.O.

Segestes. Wichtigster romtreuer Führer der → Cherusci, Antipode des → Arminius. Wie dieser und → Flavus [1] besaß S. röm. Bürgerrecht (Tac. ann. 1,58,1). Er warnte P. Quinctilius [II 7] Varus vergeblich vor der Verschwörung des Arminius (Vell. 2,118,4; Flor. epit. 2,30,33; Cass. Dio 56,19,3) und riet, alle Führer (darunter auch Arminius und S. selbst) zu verhaften (Tac. ann. 1,55,2; 58,2). Nach der Varus-Katastrophe 9 n. Chr. mußte S. sich – so seine Darstellung vor → Germanicus [2] im J. 15 – mit der Mehrheit des Stammes an der Erhebung beteiligen (Tac. ann. 1,55,3), doch folgten wechselvolle Kämpfe zw. Arminius und S., der seine von Arminius entführte und von diesem schwangere Tochter Thusnelda zurückgewinnen konnte. Im Frühjahr 15 v. Chr. befreite Germanicus den von Arminius eingeschlossenen S., dessen Dedition aber die Position des Arminius stärkte. Beim Triumph des Germanicus 17 n. Chr. war S. geehrter Zuschauer (Strab. 7,1,4), seine Kinder → Segimundus und → Thusnelda und deren Sohn → Thumelicus wurden im Zug vorgeführt. Weiter ist nur seine Deportation nach Gallien (Tac. ann. 1,58,5) bekannt. In national-»germanisch«-dt. Sicht galt S. als »Verräter« und »Überläufer«.

D. Timpe, Arminius-Stud., 1970. V.L.

Segetia. Röm. Göttin (von **sēi*, »säen«: [1. 285]; von *seges*: Plin. nat. 18,8; vgl. Isid. orig. 17,2,7). Zu einer Trias verbunden bei Aug. civ. 4,8 (=Varro antiquitates rerum divinarum fr. 166 Cardauns), der gegen die Vielzahl der röm. Götter polemisiert: Seia sei für das Getreide im Boden, S. für dasselbe auf dem Halm und Tutilina für das geerntete verantwortlich. Die Bilder (*simulacra*) dieser Gottheiten waren *in circo* zu sehen (Plin. nat. 18,8), vielleicht sind damit ihre Reliefs auf Säulen gemeint (Tert. de spectaculis 8,3; vgl. Macr. Sat. 1,16,8); wohl deshalb unterdrückt Plin. ebd. den der Tutilina. Eine Münze der → Salonina, der Gattin des → Gallienus, mit der Darstellung der *dea S.* [2] könnte in Verbindung mit der Polemik des Augustinus auf einen Kult noch in der Spätant. hinweisen.

1 Radke, Götter 2 E. Simon, s. v. S., LIMC 7.1, 705; 7.2, 524. JO.S.

Segimerus. Cheruskerführer, Vater des → Arminius, für den auch Sigimerus überl. ist (Vell. 2,118,2). Unklar ist, ob der von Cassius Dio (56,19,2) als Mitverschwörer des Arminius erwähnte S. mit diesem S. oder mit dem gleichnamigen Bruder des → Segestes, der sich 15 n. Chr. mit seinem Sohn Sesithacus den Römern unterwarf, identisch ist (Tac. ann. 1,71,1; Strab. 7,1,4). Auch ein dritter S. wird als »Verschwörer« in Betracht gezogen [1. 142].

1 D. Timpe, Arminius-Stud., 1970. V.L.

Segimundus. Sohn des Cheruskerführers → Segestes (Strab. 7,1,4). 9 n. Chr. zum Priester am Kaiseraltar der → Ubii (Ara Ubiorum) gewählt, zerriß er bei der Erhebung des → Arminius seine Priesterbinden und floh zu den Rebellen (Tac. ann. 1,57,2). Das Priesteramt und der Altar belegen vielleicht eine augusteische Prov. Germania; sie unterstreichen die enge Kooperation der → Cherusci mit den Römern. 15 n. Chr. sandte ihn sein von Arminius belagerter Vater mit einem Hilfsgesuch zu → Germanicus [2]. Dieser verzieh ihm und schickte S. unter Bewachung an das linke Rheinufer (Tac. ann. 1,57,1–3). 17 n. Chr. wurde er mit seiner Schwester → Thusnelda und deren dreijährigem Sohn → Thumelicus im Triumphzug des Germanicus [2] mitgeführt (Strab. 7,1,4).

R. Wolters, Röm. Eroberung und Herrschaftsorganisation, 1990. V.L.

Segisamo. Station der Straße von Tarraco nach Asturica beim h. Sasamón (Strab. 3,4,13; Plin. nat. 3,26; Ptol. 2,6,50; CIL II Suppl. p. 932 f.).

P. Barceló, Das kantabrische Gebirge im Alt., in: E. Olshausen, H. Sonnabend (Hrsg.), Gebirgsland als Lebensraum (Geographica Historica 8), 1996, 53–61, Taf. XIX • F. J. Lomas Salmonte, Asturia prerromana y altoimperial, 1989, 87 • TIR K 30 Madrid, 1993, 207 f. P.B.

Segni. Nur von Caesar (Caes. Gall. 6,32,1 f.) zusammen mit den → Condrusi genannte german. Völkerschaft zw. → Treveri und → Eburones, welche ihm 53 v. Chr. durch eine Gesandtschaft versicherten, keine gemeinsame Sache mit den linksrheinischen Germani zu machen. Ihr Siedlungsplatz wird in den luxemburgischen und belgischen Ardennen vermutet.

J. B. Keune, s. v. S., RE 2 A, 1075 f. • Ch.B. Rüger, Germania inferior, 1968, 35 f. RA.WI.

Segobriga

[1] Ibero-röm. Stadt (Strab. 3,4,13: Σεγοβρίγα; Ptol. 2,6,56: Σεγουβία/ *Segubía*; Plin. nat. 3,25), Ruinen – u. a. ein Amphitheater – auf dem Hügel Cerro de Cabeza del Griego, 2 röm. Meilen südl. von Saelices (Prov. Cuenca). S. gehörte zum *conventus* von → Carthago Nova (CIL II 4252).

[2] Bistum bei Castellón, Suffragan von Tarragona, später von Cartagena, h. Segorbe [1].

1 M. Almagro, Historía de Albarracín y su sierra, 3, 1959.

M. Almagro, S., 1978 • Ders., S., Bd. 1 (Excavaciones Arqueológicas en España 123), 1983 • Tovar 3, 216–219. P.B.

Segobrigii. Ligurisch-kelt. Volksstamm im Mündungsbereich des Rhodanus, dessen König Nannos und dessen Sohn Komanos in der Gründungslegende von → Massalia vorkommen (Iust. 43,3,4–13, vgl. Aristot. fr. 503 R.). Ein Zusammenhang mit Begriffen wie Segovii, Segobriga und Segovia wird diskutiert.

G. Barruol, Les peuples préromains du sud-est de la Gaule, 1969, 207 f. • D. Pralon, La légende de la fondation de Marseille, in: M. Bats u. a. (Hrsg.), Marseille greque et la Gaule (Études Massaliètes 3), 1992, 51–56. E.O.

Segodunum Rutenorum, Hauptort der → Ruteni in Aquitania (Ptol. 2,7,21: Σεγόδουνον; Notae Tironianae 87,46: *Segundunum* oder *Secundunum*; Tab. Peut. 2,3: *Segodum* oder *Segoduni*), h. Rodez am Aveyron. Die Wirtschaft des Umlandes umfaßte Bergwerke und Kunsttöpferei (Zentrum der Produktion von → Terra Sigillata bei La Graufesenque im Tal des Tarn, 2 km südl. von Millan).

J. B. Keune, s. v. S. (1), RE 2 A, 1078–1080 · Villes et agglomérations urbaines antiques du Sud-Ouest de la Gaule (Aquitania Suppl. 6), 1992, 133–136. MI. PO.

Segontia. Stadt der keltiberischen → Arevaci, *mansio* der Straße Caesaraugusta – Toletum, h. Sigüenza. Im J. 195 v. Chr. von Cato [1] belagert (Liv. 34,19,10), bedeutsam auch im Krieg des → Sertorius (77–72 v. Chr.; App. civ. 1,110; Plut. Sertorius 21). In christl. Zeit Bischofssitz.

Tovar 3, 365 · TIR K 30 Madrid, 1993, 208. J. J. F. M. u. KA. A.

Segontiaci. Kelt. Stamm wohl im SO von Britannia, der sich im J. 54 v. Chr. Caesar ergab (Caes. Gall. 5,21).

A. L. F. Rivet, C. Smith, The Place-Names of Roman Britain, 1979, 453 f. M. TO./Ü: I. S.

Segontium. Eines der Hauptkastelle der röm. Besatzung von Nord-Wales [1], h. Caernarfon am SW-Ausgang des Menai Strait. Die erste Bauphase datiert aus der Statthalterschaft des Iulius [II 3] Agricola (ca. 77/8 n. Chr.). Mindestens drei Bauphasen weisen die Wohnbaracken seit dem frühen 2. Jh. n. Chr. auf. Ein Umbau in Stein fand unter Hadrianus (117–138) statt. Die Garnison des 2. Jh. war offensichtlich klein. Eines der Hauptgebäude antoninischer Zeit war wohl das *officium* eines *procurator* [2]. Nach Zerstörung und Wiederaufbau wurde das Kastell im späten 3. und im 4. Jh. von einer größeren Garnison bis in die 90er J. des 4. Jh. hinein gehalten.

1 R. E. M. Wheeler, S. and the Roman Occupation of Wales, 1924 2 P. J. Casey, J. L. Davies, Excavations at S., 1975–1979, 1993.

TIR N 30/O 30, 1987, 15. M. TO./Ü: I. S.

Segora. → *Mansio* oder → *vicus* der *civitas* der → Pictones in der Prov. Aquitania, 33 Leugen (72,6 km) von Lemonum und 18 Leugen (39,6 km) von Portus Namnetum (h. Nantes) oder von Iuliomagus (h. Angers) entfernt (Tab. Peut. 2,3). Von den 12 verschiedenen Lokalisierungen ist La Ségourie (Gemeinde Le Fief-Sauvain, Dép. Maine-et-Loire) am wahrscheinlichsten.

A. Champigneulle, Le problème de S., in: Annales de Bretagne 70, 1963, 69–92 · M. Provost, Carte Archéologique de la Gaule 49, Maine-et-Loire, 1988, 32 und 47–50 (unter Le Fief-Sauvin). MI. PO.

Segorigium. Nur inschr. bezeugter → *vicus* verm. in der Nähe von (Köln-)Worringen (CIL XIII 8518: *vicani Segorigienses*; die Inschr. ist h. verschollen).

J. B. Keune, s. v. S., RE 2 A, 1087 f. RA. WI.

Segovellauni. Kelt. Stamm in der röm. Prov. Gallia → Narbonensis in der Gegend zw. Rhodanus und Druna (h. Dep. Drôme). Die S. gingen mit Gründung der Prov. in der *civitas Valentinorum* bzw. in der unter Caesar oder Augustus gegr. *colonia Valentia* auf (Plin. nat. 3,34; Ptol. 2,10,12: Σεγαλλαυνοί). Strab. 4,1,11 subsumiert sie unter dem Namen der Cavari.

Evans, 254–257, 272–277 · J. Whatmough, The Dialects of Ancient Gaule, 1970, 80, 185 · G. Barruol, Les peuples préromains du sud-est de la Gaule, in: Revue archéologique de Narbonnaise, Suppl. 1, 1969, 267–271. W. SP.

Segovesus. Keltisches Namenskompositum, von *sego-*, »Kraft«, »Stärke«, »Kühnheit« (vgl. auch CIL II 2871: Secovesus [1. 254–255; 2. 1452]). Bruder des → Bellovesus und Schwestersohn des → Ambigatus. S. fiel nach der bei Livius (5,34,3–6) bezeugten kelt. Wanderungssage das Los zu, um 600 v. Chr. mit seiner Gruppe nach Osten in den Hercynischen Wald (→ Hercynia silva) zu ziehen. Nach ant. Trad. wurde infolgedessen das heutige Süddeutschland kelt. besiedelt. Der histor. Gehalt dieser Sage ist sehr umstritten.
→ Kelten

1 Evans 2 Holder.

F. Fischer, Die Kelten und ihre Gesch., in: K. Bittel et al. (Hrsg.), Die Kelten in Baden-Württemberg, 1981, 56–57. W. SP.

Segovia. Kelt. ON (evtl. »Festung«); Ethnikon: *Segoviensis*.

[1] Stadt der keltiberischen → Arevaci (Plin. nat. 3,27; Ptol. 2,6,56; Itin. Anton. 435,5; dagegen Liv. fr. 21: *Segoviam et in Vaccaeorum gentem*) am Zusammenfluß von Eresma und Clamores am Nordhang des Guadarrama zw. Madrid und Valladolid, h. ebenfalls S. Die Stadt wird im Zusammenhang der Kämpfe der → Lusitani unter Viriathus gegen Rom 147–139 v. Chr. erwähnt (Frontin. strat. 4,5,22), desgleichen 76/5 v. Chr. anläßlich des Krieges, den → Sertorius gegen die Regierenden in Rom führte (Liv. 91 fr. 22; Flor. epit. 2,10,7). In der röm. Kaiserzeit war S. als wohl flavisches *municipium* Teil des *conventus Cluniensis*. Arch.: neben Gebäudegrundmauern, Keramik, Wandmalereien, Inschr. u. ä. ein Aquaedukt (unter Traianus im J. 98 restauriert [1; 2; 3. 348 f.]).

[2] Nicht lokalisierte Ortschaft in der → Hispania Baetica am Singilis (h. Genil), im Zusammenhang der Kämpfe zw. Cassius [I 5] und den Lusitani im J. 48 v. Chr. erwähnt (Bell. Alex. 57,6; [3. 113 f.]).

1 G. Alföldy, Die Inschr. des Aquäduktes von S., in: ZPE 94, 1992, 231–248 2 TIR K 30, Madrid, 1993, 209 3 Tovar 3. R. ST.

Segovii. Stamm in den → Alpes Cottiae, erwähnt auf dem Augustusbogen in → Segusio (CIL V 7231; [1. 77]). Nicht lokalisiert, verm. am Mont Genèvre in den frz. Alpen.

1 J. Prieur, La province romaine des Alpes Cottiennes, 1968, 77. H. GR.

Segusiavi. Kelt. Volkstamm zw. Allobroges, Vellavii, Arverni, Haedui und Ambarri mit drei *oppida* (Essalois, Crêt-Chatelard, Jœuvre), die den ihr Gebiet nordsüdl. durchfließenden Liger (Loire) kontrollierten. Als *clientes* der Haedui (Caes. Gall. 7,64; 75) kamen auch sie → Vercingetorix 52 v. Chr. bei Alesia zu Hilfe. Unter Augustus *civitas libera* der Gallia → Lugdunensis (Plin. nat. 4,107; CIL XIII 8862; 8864), mußten sie einen Teil ihres Territoriums an die Kolonieneugründung von → Lugdunum 43 v. Chr. abtreten. Mehrere Straßen (Tab. Peut. 2,4f.) kreuzten ihr Gebiet. Der Bau der Straße Lugdunum – Mediolanum [4] Santonum (vgl. [6]) unter Agrippa [1] 40–37 v. Chr. machte aus dem dort befindlichen gallischen Dorf einen Verkehrsknotenpunkt: Forum Segusiavorum (h. Feurs), den Hauptort der *civitas Segusiavorum* [1]. Vervollständigt wurde dieses Straßennetz durch die Verbindungen Lugdunum – Rodumna (h. Roanne), Mediolanum Santonum – Nemausus (vorröm. Route, ausgebessert um 230–240 n. Chr., CIL XIII 8866), und Vienna – Forum Segusiavorum – Rodumna, die es ermöglichte, Liger und Rhodanus (Rhône) durch Überlandtransporte ab Vienna, einem Handelsumschlagplatz, zu verbinden. Der Aquaedukt von Gier, einer der vier Aquaedukte, die Lugdunum mit Wasser versorgten, durchquerte über 85 km das Gebiet der S.

Als Beamte der S. sind bekannt ein *duumvir* und Priester, ein *sacerdos* und ein *flamen* (CIL XIII 1633; 1642; 1629). Der erste der S., der das Priesteramt des Heiligtums der → Roma (IV.) und des → Augustus an der Mündung des Arar (Saône) in den Rhodanus bekleidete, gehörte zur Familie der Vlatii (CIL XIII 1712; [5]); Vertreter dieser Familie haben es häufiger bekleidet (vgl. CIL XIII 1851; um 214/217). Forum Segusiavorum (80 ha) hatte ein orthogonales Straßennetz [3. 96f.], ein Forum mit Tempel, Kryptoportikus und Curia [7], dazu Thermen und ein nicht lokalisiertes Theater, das zuerst aus Holz errichtet, unter Claudius [III 1] als Steinbau erneuert wurde (CIL XIII 1642). Rodumna (Roanne), eine Bauernsiedlung [3. 169] mit Flußhafen am Liger, entwickelte sich im 1. und 2. Jh. n. Chr. zu einem Handwerkszentrum (8 Werkstätten, 13 Brennöfen), wo eigenständige Keramik (»Schüsseln im Roanne-Stil bemalt«) hergestellt wurden [4]. Aquae Segetae (h. Moingt) – nach Segeta, der Schutzgöttin der Heilquellen, benannt – besaß ein Theater sowie einen Kult- und Thermenkomplex [3. 136–140]. Seit der Mitte des 3. Jh. erlebten Forum Segusiavorum und Rodumna [1] wegen der Verlagerung der Handelswege an den Rhenus (Rhein) einen wirtschaftlichen Niedergang.

→ Caesar (mit Karte); Gallia (mit Karte)

1 M. Génin, M.-O. Lavendhomme, Rodumna (Roanne-Loire) ..., 1998 2 J. B. Keune, s. v. S., RE 2 A, 1093–1106 3 M.-O. Lavendhomme, Carte archéologique de la Gaule 42. La Loire, 1997 4 R. Périchon, La céramique peinte celtique et gallo-romaine en Forez et dans le Massif Central, 1974 5 B. Rémy, Une grande famille ségusiave: les Vlattii, in: Mél. A. Bruhl (Rev. Archéologique de l'Est et du Centre-Est, Suppl. 1), 1974, 95–110 6 J.-M. Roddaz, Marcus Agrippa (Bibliothèque des Écoles Françaises d'Athènes et de Rome 253), 1984, 1–25 7 P. Valette, V. Guichard, Le forum gallo-romain de Feurs (Loire), in: Gallia 48, 1991, 109–164. J.-M. DE./Ü: E. N.

Segusio. Hauptort der Segusini in den → Alpes Cottiae, h. Susa (Plin. nat. 3,123: *regio XI*; Ptol. 3,1,40 verlegt S. irrtümlich in die Alpes Graiae [2. 393–408; 3. 331–333]). S. kontrollierte die Route über den Mont Genèvre und war Einfallstor nach It. (Amm. 15,10,3; Paneg. 4,17,3; 21; 22,2). S. besaß → latinisches Recht wohl seit Augustus und war → *municipium* seit Nero. Constantinus [1] eroberte S. 312 n. Chr. Ein Augustus-Bogen mit einer für die Alpenvölker aufschlußreichen Inschr. (ILS 94; 9/8 v. Chr.; [1]), ein Amphitheater und die Befestigung (E. 3. Jh. n. Chr.) sind herausragende Monumente.

1 D. Fogliato, L'arco de Augusto a Susa, 1992
2 A. Crosetto u. a., Per una carta archeologica della Valle di Susa, in: Bollettino storico-bibliografico subalpino 79, 1981, 355–412 3 G. Barruol, Les peuples préromains du sud-est de la Gaule, 1969. H. GR.

Segustero. Ortschaft an der Mündung des h. Buëch in den Druentia, h. Sisteron, Dépt. Basses-Alpes, ohne Zweifel ein *vicus* der *civitas* der → Vocontii in der röm. Prov. Gallia Narbonensis (vgl. Plin. nat. 3,37), nach der Prov.-Reform des Diocletianus eigene *civitas* (*Segesteriorum*: Notitia Galliarum 16,7). Station an der frequentierten Strecke (vgl. Sall. hist. fr. 2,98,4 M.) von Arelate über Brigantio (h. Briançon), den Paß von Matrona [3] (1854 m H) und Segusio nach Augusta [5] Taurinorum (Tab. Peut. 3,1; Itin. Anton. 342,5; Becher von Vicarello 64). Spätant. Bischofssitz.

A. L. F. Rivet, Gallia Narbonensis, 1988, 294f. • G. Barruol, La Durance dans l'Antiquité et au Moyen Âge, in: Delta 14, 1965, 19–25 • Ders., P. Martel, La voie romaine de Cavaillon à Sisteron sous l'Haut-Empire, in: Rivista di Studi Liguri 28, 1962, 125–202. E. O.

Šēḫ Ḥamad, Tall. 70 km nw der syrischen Bezirkshauptstadt Dair az-Zaur am Ostufer des → al-Ḫābūr in der syrischen Steppe (35°37'N, 40°45'O) gelegene Stadt. In mittel- und neuassyrischer Zeit (1300–612 v. Chr.) gleichzusetzen mit dem Prov.- und Verwaltungszentrum Dūr-Katlimmu; im 7. Jh. v. Chr. aram. Zweitname Magdalu, der in hell.-parthisch-röm. Zeit (3. Jh. v. Chr. – 3. Jh. n. Chr.) zu Magdala abgewandelt wird.

→ Magdala (Nachträge)

Die Dynastie der Könige von Sēḫa (ca. 1350–1200 v. Chr.)

K König von Sēḫa
VK Vasallenkönig von Sēḫa
U Usurpator des Thrones von Sēḫa
U* Usurpator des Thrones von Sēḫa mit Unterstützung des Königs von Aḫḫijawa. Sohn des arzawischen Prinzen Pijamaradu (s. → Mirā, mit Stemma)?

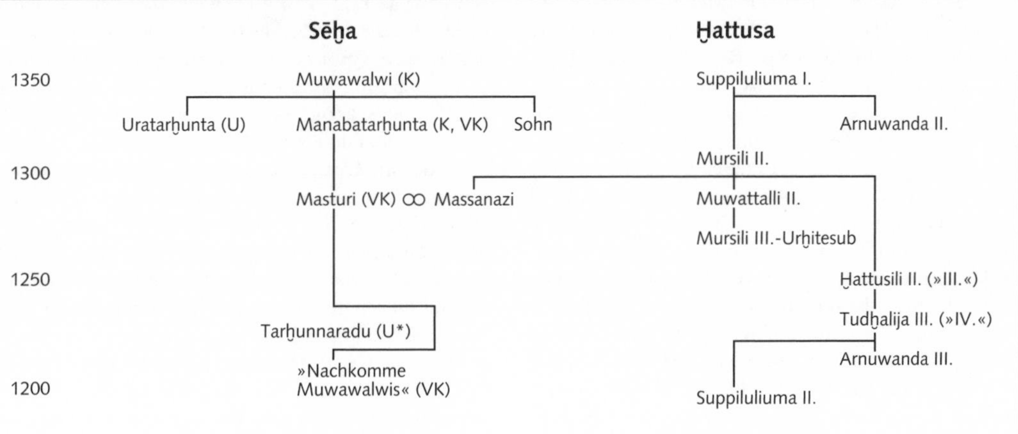

H. KÜHNE (Hrsg.), Die rezente Umwelt von Tall Šēḫ Ḥamad, 1991 · Ders., A. LUTHER, Tall Šēḫ Ḥamad/Dūr Katlimmu/Magdalu, in: Nouvelles Assyriologiques Brèves et Utilitaires 1996, 106–109. H. KÜ.

Sēḫa

I. GEOGRAPHISCHE LAGE, GRENZEN
II. GRUNDZÜGE DER POLITISCHEN GESCHICHTE

I. GEOGRAPHISCHE LAGE, GRENZEN

Im 15.–13. Jh. v. Chr. durch die hethit. Überl. bezeugter luw.-sprachiger (→ Luwisch) Staat in NW-Kleinasien, der in seinem Kerngebiet die (küstennah ineinander übergehenden) Täler des Hermos [2] und Kaïkos [1] umfaßte und von einem dieser beiden Flüsse auch seinen Namen bezog. Die hethit. Bezeichnung ist *Sēḫas utnē* (akkadograph. KUR ^{ID}*ŠE-E-ḪA*) »Land S.«, während das in der Sekundärlit. oft begegnende »S.-Flußland« auf unzulässiger Mitübersetzung des Determinativs ÍD »Fluß« beruht.

S. grenzte im Norden (beim Golf von Edremit) an → Wilusa; im Süden bildete der → Tmolos die Grenze zu → Mirā (→ Arzawa). Auf den Oberlauf des → Makestos als Grenze zum Land Māsa (Ost-Mysien/Bithynien) weist die wahrscheinliche Namensidentität des S. angeschlossenen Landes Abbawija (< luw. Ethnikon *Abbaui-**) mit der *Abbaeïtis* in griech. Zeit. Zu S. gehörte ferner die Insel Lazba/→ Lesbos (vgl. [1. 451, 453; 2. 23–24] und → Ḫattusa II., Karte).

II. GRUNDZÜGE DER POLITISCHEN GESCHICHTE

Obwohl bereits im Zusammenhang der Feldzüge Tudḫalijas I. (ca. 1420–1400) nach Arzawa und Āssuwa (s. → Wilusa) erwähnt, rückt S. erst z.Z. Arnuwandas II. (ca. 1320–1318) voll in das Blickfeld hethit. Politik. Innerdynastische Streitigkeiten der königlichen Sippe (=kö.Si.) von S. hatten den legitimen Thronerben Manabatarḫunta zur Flucht in das kleine Land Karkisa (im Grenzbereich von S., Māsa und Wilusa) gezwungen, wo er auf hethit. Empfehlung hin Aufnahme fand. Nach dem innenpolit. Scheitern des Usurpators (und Bruders) Uratarḫunta mit hethit. Unterstützung wieder als König von S. eingesetzt, trat Manabatarḫunta indes in der entscheidenden mil. Konfrontation zw. Ḫattusa und Arzawa (3. Regierungs-J. Mursilis II., ca. 1316) auf die Seite des arzawischen Königs Uḫḫazidi. Zwar konnte er sich nach dessen Niederlage im Königsamt halten, doch wurde S. vertraglich dem hethit. Großreich angeschlossen, wo es mit den aus Arzawa neu gebildeten Staaten Mirā und Ḫaballa den Verband der »Arzawa-Länder« bildete.

Die im Rahmen des (erh.) Staatsvertrags bestehende Pflicht zur Stützung der instabilen Regierung des polit. vorrangigen Königs von Mirā (Masḫuiluwa, später Kubantakurunta) bedingte, daß S. in der Folgezeit wiederholt in die Auseinandersetzungen der arzaw. kö.Si. von Mirā hineingezogen wurde. Dies gilt bes. hinsichtlich des im Schutz des Königs von Aḫḫijawa (→ Achijawa; Griechenland) von Millawa(n)da/→ Miletos [2] aus operierenden arzaw. Prinzen Pijamaradu, der in den letzten Reg.-J. Manabatarḫuntas (bereits unter Muwattalli II., ca. 1290–1272) vorübergehend in Wilusa (und Māsa?) Fuß fassen konnte, mithin auch S. bedrohte, schließlich sogar die Insel Lazba überfiel und von dort im Dienste Manabatarḫuntas sowie des hethit. Großkönigs stehende Handwerker nach Millawa(n)da verschleppte [3. 38–64].

Da auch die innenpolit. Position des Königs Alaksandu von Wilusa, das bald hierauf dem hethit. Reich vertraglich angeschlossen wurde, wenig gefestigt war, wuchs allerdings die Bed. von S. als Stabilitätsfaktor in

NW-Kleinasien. Von hethit. Seite wurde dem durch die Vermählung der Schwester Muwattallis II. mit Manabatarḫuntas Nachfolger Masturi Rechnung getragen, der dadurch in den Kreis der einflußreichsten Mitglieder der kö.Si. von Ḫattusa aufstieg (zur Prosopographie s. [4. 111 f.]). Als einer der wichtigsten Verbündeten seines Schwagers Ḫattusili II. (»III.«, ca. 1265–1240) war er maßgeblich an der Absetzung des Großkönigs Mursili III.-Urḫitesub (ca. 1272–1265) beteiligt.

Nach dem Tode Masturis z.Z. Tudḫalijas III. (»IV.«, ca. 1240–1215) kam es anscheinend zu internen Machtkämpfen der kö.Si. von S., in deren Folge ein gewisser Tarḫunnaradu den Thron vorübergehend usurpieren konnte. Für seine Herkunft aus der arzaw. Dyn.-Linie Uḫḫazidis und Pijamaradus spricht v. a., daß er hierbei die Unterstützung des Königs von Aḫḫijawa besaß. Das hethit. Textfrg., das von diesen Ereignissen und der mil. erzwungenen Einsetzung eines Angehörigen der Dyn. von S. (»Nachkomme Muwawalwis«) berichtet [5], stellt zugleich die letzte hethit. Nachricht über S. sowie über die Verwicklung Aḫḫijawas in die polit. Geschehnisse Westkleinasiens dar.

1 F. Starke, Troia im Kontext ... Kleinasiens im 2. Jt., in: Studia Troica 7, 1997, 447–487 2 J. D. Hawkins, Tarkasnawa King of Mira, in: AS 48, 1998, 1–31
3 Ph. Houwink ten Cate, Sidelights on the Ahhiyawa Question ..., in: Jaarbericht van het Voor-Aziatisch-Egyptisch Genootschaap 28, 1983–84, 33–79 4 Th. van den Hout, Der Ulmitešub-Vertrag, 1995
5 H. G. Güterbock, A New Look at one Aḫḫiyawa Text, in: H. Otten et al. (Hrsg.), Hittite and Other Anatolian and Near Eastern Studies, FS S. Alp, 1992, 235–243.

T. Bryce, The Kingdom of the Hittites, 1998 • S. Heinhold-Krahmer, Arzawa, 1977. F. S.

Seia s. Sallustia

Seianus s. Aelius [II 19]

Seide. Die S. ist die feinste und kostbarste Naturfaser der Ant.; wie Wolle ist S. ein tierisches Produkt und wird aus fertigen Fäden gewonnen. Grundlage ist das feine, fadenförmige Gespinst einer Schmetterlingsart, der Bombycidae. Als wichtigster Vertreter gilt der in China beheimatete Maulbeer-Spinner, *Bombyx mori*; die etwa 2–3 mm langen Raupen werden ausschließlich mit frischen Blättern des → Maulbeerbaumes ernährt. Nach mehrmaliger Häutung beginnen die Raupen sich einzuspinnen, indem sie über zwei Drüsen mit Öffnungen an der Unterlippe ein Sekret aussondern, das an der Luft sofort erstarrt und zum S.-Faden wird; der nach einigen Tagen fertige Kokon besteht aus einem bis zu 4000 m langen Faden. Das technische Wissen, aus dem mittleren Teil des Kokons die wertvolle Haspel- oder Rohseide zu gewinnen, diese zu entbasten und zu färben, blieb für lange Zeit ein streng gehütetes Geheimnis der Kultur Chinas. Die ältesten Seidenstoffragmente (frühes 3. Jt. v. Chr.) wurden in China entdeckt und als Produkte der domestizierten *Bombyx mori* bestimmt. Der Höhepunkt der S.-Produktion wurde in der Hanzeit (206 v. Chr.–220 n. Chr.) erreicht. Jh.-lang hielt das chinesische Kaiserhaus das Monopol für die Herstellung von S.-Stoffen.

In Europa kamen wahrscheinlich zuerst die Griechen in den Besitz echter S. Aus *Bombyx mori*-Fasern sind die Stoffe, die in Grab 73 der → Kerameikos-Nekropole E. 5. Jh. v. Chr. in Athen gefunden wurden. Sie waren aus ungefärbter S. hergestellt, teilweise aber mit purpurfarbenen Streifen und feinen Stickereien verziert.

In der lit. Überl. werden die S.-Stoffe erst in der Prinzipatszeit erwähnt; als erster berichtet Pausanias (Paus. 6,26,6–8) über die »S.-Leute« (Chinesen; Σῆρες/→ *Sḗres*), über die Zucht der S.-Raupe (σήρ/*sēr*) und die Herstellung von Kleidern. Aus den verschiedenen Quellen geht hervor, daß nicht nur fertige Textilien (ὀθόνια σηρικά/*othónia sēriká*; lat. *vestes sericae*), sondern auch S.-Fäden (σηρικὰ νήματα/*sēriká nḗmata*) den Westen über den See- und den Landweg (→ Seidenstraße) erreichten. Das bestätigen auch die zahlreichen Funde (206 v. Chr.–220 n. Chr.) in den Nekropolen der syrischen Oasenstadt → Palmyra, die als Handelszentrum die Verbindung zw. Ost und West herstellte (S. blieb neben → Bernstein, → Elfenbein, → Perlen, → Weihrauch und → Pfeffer immer ein Hauptanliegen des röm. Fernhandels; vgl. zum → Indienhandel: peripl. m.r. 49; 56; 64): Ungefärbte wie gefärbte, auch mit reichen Webmustern versehene Stoffe sind hier erh. geblieben. Die charakteristische Webtechnik beweist, daß die importierten chinesischen Seidengarne erst im Lande verarbeitet wurden. Nach Prokopios wurden in der Spätant. Gewänder aus S. vor allem in den phönizischen Städten → Berytos und → Tyros verfertigt (Prok. HA 25,14).

Neben der echten China-S. gab es andere Sorten, auch solche, die aus dem Mittelmeergebiet, bes. aus Kos, stammten; das Material für ihre Herstellung lieferte der Seidenspinner (*bombyx*), den Aristoteles beschreibt (Aristot. hist. an. 551b). Die Frauen von Kos waren in der Lage, die Kokons aufzulösen, abzuhaspeln und schließlich die S.-Fasern zu weben (Plin. nat. 11,76; 11,78). Die oft erwähnten Kleider aus Kos, → *coae vestes*, sind nach heutiger Auffassung mit den langen, transparenten Kleidern identisch, die die statuarische Überl. bezeugt. Es war üblich, diese Gewänder über einem Unterkleid aus dichterem Gewebe zu tragen. S.-Gewänder wurden als fein, glänzend, durchsichtig und kostbar definiert; sie wurden mit → Purpur gefärbt, gelegentlich sogar mit Gold durchwirkt. Am wertvollsten freilich waren die Stoffe, die ganz aus S. bestanden, die *holoserica*. Als vergleichsweise preiswert galt die Halbseide, *subserica*, ein Mischgewebe; hierbei verwendete man Leinen, Wolle oder Baumwolle für die Kette und nur für den Schußfaden S.

S. verlieh ihren Trägern das Flair des Exklusiven und Luxuriösen, wie gerade ein Text des Lucanus (10,141–143) über das Gewand der → Kleopatra [II 12] zeigt: Es bestand aus chinesischer S., die in Sidon mit Purpur gefärbt und in Äg. weiter bearbeitet worden war. Röm. Kaiserinnen und Kaiser (etwa Gaius Caligula, Heliogabal), aber auch Angehörige des *ordo senatorius* (des röm. Senatorenstandes) trugen feine S.-Kleider (vgl. auch Suet. Cal. 52; SHA Heliog. 26,1; Tac. ann. 2,33,1). Wie nicht anders zu erwarten, blieb die S.-Kleidung Statussymbol einer reichen Bevölkerungsschicht. S.-Stoffe gehörten zu den teuren Luxusgütern und werden als solche im → Edictum [3] Diocletiani aufgeführt (23; 24).

Umstritten ist, wann, wo und wie chinesische S.-Raupen in den Westen gelangten. Prokopios berichtet, daß Mönche 551 n. Chr. die S.-Raupe nach Byzanz brachten (Prok. BG 4,17,1–8). Von Byzanz aus verbreitete sich die S.-Kultur in viele Mittelmeerländer und entwickelte sich zu einem blühenden Wirtschaftszweig.
→ Schmetterling (3.–4.); Seidenstraße; Textilherstellung; Textilkunst

1 E. J. W. Barber, Prehistoric Textiles. The Development of Cloth in the Neolithic and Bronze Ages, 1991
2 Blümner, Techn. 1, 201–203 3 H. W. Haussig, Arch. und Kunst der S.straße, 1992 4 H.-J. Hundt, Über vorgesch. S.funde, in: JRGZ 16, 1969, 59–71
5 A. Pekridou-Gorecki, Mode im ant. Griechenland, 1989, 26–28 6 G. M. A. Richter, Silk in Greece, in: AJA 33, 1929, 27–33 7 H. Weber, Coae vestes, in: MDAI(Ist) 19/20, 1969/70, 249–253 8 J. P. Wild, Textile Manufacture in the Northern Roman Provinces, 1970, 10–13. A. P.- G.

Seidenstraße. Sammelbegriff für die von China nach Vorderasien führenden Karawanenwege. Für den allg. Handel und Austausch genutzt, erlangte die S. bes. Bed. durch die Verbringung von Seidenstoffen ins Mittelmeergebiet, wo sie v. a. im Rom geschätzt wurden (→ Seide war dort seit dem 1. Jh. v. Chr. bekannt; Belege s. → Seres). Der Beginn der Nutzung dieser Handelswege ist nicht bekannt – verm. geht sie bis in das 4. Jt. v. Chr. zurück; sie ist bis in das 16. Jh. n. Chr. belegt. Die h. – für den Verkehr ungünstigen – Klimaverhältnisse v. a. in Ost-Turkestan sind neueren Datums; noch um 200 n. Chr. zog sich am Südrand von Xinjiang zw. der Steppe und den Bergen eine Seenplatte entlang, die später austrocknete. Im nördl. Xinjiang war noch bis 1500/1600 ein Streifen von 50–80 km Breite bewässerbar. Nur im Inneren der Taklamakan gab es schon vor 10 000 J. Wüsten. Verantwortlich für die h. Situation ist ein Abtauen der eiszeitlichen Gletscher und das Nachlassen der Niederschläge.

Die S. führte von Xiang über Lanzhou nach Westen, teilte sich in einen Weg nördl. der Taklamakan über Turfan, Kutscha und einen südl. über Dunhuang, Cherchen, Yarkand, die sich in Kashgar trafen. Über Samarkand (→ Marakanda), → Merw, den NO-Iran und → Seleukeia [1] erreichte die S. bei Antiocheia [1] das Mittelmeer. Daneben gab es Karawanen-»Straßen« durch das Ferghanatal und durch die Waldsteppe zum Altai und dann in die Mongolei oder solche, die am West-Rand des Tien-shan nach Süden und dann entweder in den Iran oder nach Indien (h. Pakistan) führten; letztere brachte den Buddhismus nach Zentralasien und China.

Auch wenn der Handel auf dem westl. Teil der S. durch die Auseinandersetzungen des röm. Reiches mit den Reichen der Parther und → Sāsāniden häufig beeinträchtigt war (→ Parther- und Perserkriege), profitierten doch die an der S. gelegenen Handelszentren wie Seleukeia [1], → Dura Europos, Aleppo (→ Beroia [3]) und Antiocheia [1] (→ Palmyra auf dem Seitenstrang nach Kairo) von diesem Handel ebenso wie die zentralasiatischen Städte Merw oder Samarkand.

Im östl. Teil bewahrten die h. zumeist verödeten Oasen in Xinjiang bedeutende Kulturschätze. Die wichtigsten Anlagen sind am Süd-Weg: 1. Chotan mit indischen, sakischen und chinesischen Einwohnern; herrschende Rel. war der Mahayana-Buddhismus. 982 wurde der Ort von den türkischen Karachaniden gewaltsam islamisiert und ist h. turksprachig. Er bietet reiche Funde buddhistischer Kunst. 2. Miran, die Hauptstadt des Staates Schanschan im östl. Tarimbekken, bekannt durch Malereien in einem indo-hell. Stil (2.–4. Jh.); eine Beischrift gibt den Künstlernamen Tita (evtl. Titus?). Die Bevölkerung sprach tocharisch, eine alt-indeur. Sprache; von 670 bis 842 stand sie unter tibetischer Herrschaft, von 1035 bis 1226 war sie tangutisch.

Bedeutendste Zentren am Nord-Weg: 1. Kutscha, mit tocharischer Stammbevölkerung. Aus den im 6. bis 8. Jh. angelegten Kult- und Wohnhöhlen von Ming-Oi stammen prachtvolle Gemälde buddhistischen Inhalts wie auch indische und tocharische Texte; die Malereien aus den Klöstern von Qyzil und Qumtara stammen aus dem 6./7. Jh. 2. → Turfan. 3. Dun-huang, mit Bewohnern aus vielen Völkern. Die »Tausend Buddha-Höhlen« entstanden zw. dem 4. und dem 14. Jh.; erh. sind 492 Höhlen mit chinesischer Malerei und Plastik. Kurz nach dem J. 1900 entdeckte der taoistische Abt Wang Guolu eine zu Beginn des 11. Jh. »vermauerte Bibliothek« mit 13 500 Schriftrollen, Gemälden und anderem Kunstgut, h. fast alle im Ausland.
→ Seide

L. Boulnois, The Silk Road, 1966 • H. G. Franz (Hrsg.), Kunst und Kultur entlang der S., 1986 • P. Hopkirk, Die S., 1986 • J. P. Drège, S., [5]1993. B. B.

Seife. Feste S. im h. Sinn war dem Altertum unbekannt. Zur Reinigung des Körpers verwendete man Bimsstein, Kleie, Natron, Öl, Soda, Tonerde – wobei die Kimolische bes. bekannt war (Aristoph. Ran. 712) – und Wasser. Diese Reinigungsmittel nannten die Griechen ῥύμμα/*rhýmma* oder σμῆγμα/*smḗgma* (ein entsprechender lat. Begriff fehlt). In den öffentlichen Badeanstalten wurden die Waschmittel vom Bademeister auf Verlangen zur Verfügung gestellt (Aristoph. Lys. 377; Athen. 8,351e) oder man brachte sie von zu Hause mit. Wie die h. S. wurden auch die ant. Waschmittel mit wohlriechenden Essenzen versetzt (z.B. Athen. 9,409d). Um die Haut weiß und zart zu erhalten, benutzten vornehme Römerinnen auch Eselsmilch (Plin. nat. 11,238; 28,183). Zum Waschen von Textilien diente in erster Linie Wasser (Brunnen-, Fluß-, See- oder Meerwasser, vgl. Hom. Od. 6,58–59; 6,90–95), ferner auch Seifenkraut (Plin. nat. 19,48: *radicula*; 24,96 *struthion*, Saponaria officinalis L.), Soda und Pottasche und der in Kübeln gesammelte Urin, der durch Lagerung reinigendes Ammoniak entwickelte. Die Wäsche wurde dabei in Bottiche gelegt, und man trat sie mit den Füßen oder knetete sie mit den Händen.

→ Körperpflege und Hygiene

R. J. Forbes, Stud. in Ancient Technology, Bd. 3, 1955, 174–181. R.H.

Seikilos-Lied. Das einzige erh. altgriech. Lied mit Notenzeichen, das weder liturgischen noch dramatischen Ursprungs ist; inskribiert auf einer Grabstele des 1. Jh. n. Chr., die 1883 in Tralleis (Kleinasien) gefunden wurde, h. in Kopenhagen, NM (inv. 14897). Über dem Lied steht eine Weihinschr., unter ihm folgte eine jetzt größtenteils zerstörte Erklärung, beides im Namen des Stifters Seikilos (Σείκιλος). Der Liedtext, vier iambische Dimeter, ermahnt: ›Solange du lebst, leuchte!‹ Die Vertonung gibt Rätsel auf: Die Ecktöne sind nicht die, welche die notierte Oktavspezies erwarten läßt; die quintbasierte, diatonische Melodik und eine die Textmetra ausgleichende Rhythmik legen Vergleiche mit Volksmusik nahe.

1 W. Anderson, Music and Musicians in Ancient Greece, 1994, 222–227 2 Th. Mathiesen, Apollo's Lyre, 1999, 148–151. RO.HA.

Seilenos s. Silen

Sein/Nichtsein s. Ontologie

Seisachtheia (σεισάχθεια). Spätestens seit dem 4. Jh. v. Chr. verwenden griech. Autoren den Begriff *s.* für die Aufhebung oder Reduzierung der Schulden durch → Solon [1]. Die Darstellung von Solons Maßnahmen bei Aristoteles deutet darauf hin, daß das Wort im 4. Jh. v. Chr. allg. gebräuchlich war (Aristot. Ath. pol. 6,1); während es laut Androtion (FGrH 324 F 34; Plut. Solon 15,4) von denjenigen geprägt wurde, die durch eine Zinssenkung von einem Teil ihrer Schulden befreit worden waren, bezeichnete nach Diodoros (Diod. 1,79,4) und Plutarchos Solon selbst den Schuldenerlaß als *s.* (eine überlegte euphemistische Wortschöpfung: Plut. Solon 15,3). In den erh. Gedichten Solons ist der Begriff *s.* allerdings nicht zu finden.

Ant. Autoren bieten zwei Interpretationen: Einerseits bezog man *s.* auf den Schuldenerlaß in Verbindung mit der Aussage Solons, er habe ›die Grenzsteine beseitigt und die schwarze Erde befreit‹ (Sol. fr. 36,6–7 West; Aristot. Ath. pol. 12,4; Plut. Solon 15,5–6), andererseits erklärte Androtion, die *s.* sei kein vollständiger Schuldenerlaß gewesen, sondern eine Reduzierung des Betrages, den die Schuldner zu bezahlen hatten, um etwa ein Drittel, was durch eine Neufestsetzung der Relation von Mine und Drachme erreicht worden sei (FGrH 324 F 34; Plut. Solon 15,4). Beide Auffassungen beruhen jedoch auf anachronistischen Annahmen: Die Funktion der Grenzsteine (ὅροι/→ *hóroi*) als Kennzeichnung solcher Ländereien, die als Sicherheit für → Darlehen dienten, ist erst im 4. Jh. v. Chr. belegt, und die → Münzprägung setzte in Athen frühestens 50 J. nach dem Achontat Solons ein. Die solonische Gesetzgebung reduzierte auf verschiedene Weise die materiellen Belastungen der attischen Bevölkerung, daher ist es vielleicht sinnvoll, den Begriff *s.* nicht auf eine einzelne Maßnahme zu beziehen.

→ Schulden

1 M. I. Finley, Studies in Land and Credit in Ancient Athens 500–200 B. C., 1951, 6–7 2 P. J. Rhodes, A Commentary on the Aristotelian Athenaion Politeia, 1981, 125–130; 164–169. R.O./Ü: A.H.

Seius

[1] S. Fuscianus. Senator, Freund des → Marcus [2] Aurelius seit früher Jugend, mit dem zusammen er auch Philos. studierte (HA Aur. 3,8). S. war *cos. suff.* spätestens 151 n. Chr. [1. 159f.], *cos ord. II* im J. 188 und *praef. urbi* wohl bis zum J. 189 (HA Pert. 4,3); sein Nachfolger war der spätere Kaiser → Pertinax. Vor S. wurden auch Prozesse gegen Christen verhandelt (Tert. nat. 1,16; Hippolytos, refutatio 9,11,4; 12,7f.).

1 Alföldy, Konsulat.

[2] L. S. Strabo. Vater von L. → Aelius [II 19] Seianus. Er stammte aus Volsinii in Etrurien (Tac. ann. 4,1,2; 6,8,3; CIL XI 2707) und gehörte zu den Spitzen des Ritterstandes (Vell. 2,127,3). Augustus ernannte ihn zu einem → *praefectus praetorio*. In dieser Eigenschaft legte er nach Augustus' Tod den Eid auf Tiberius ab (Tac. ann. 1,7,2). Bald darauf, noch im J. 14 n. Chr., wurde sein Sohn neben ihm Praetorianerpraefekt (Tac. ann. 1,24,2). Im J. 15 ging er als Praefekt nach Äg., wo er schon ein Jahr später durch C. Galerius [1] abgelöst wurde; verm. starb er im Amt (Cass. Dio 57,19,1). Zu seiner Verwandtschaft vgl. [1. 181–183; 234–237].

1 Demougin.

[3] S. Superstes. Senator, *cos. suff.* vor 193 n. Chr., dem Jahr, in dem er als *curator operum publicorum* mit zwei verschiedenen Kollegen bekannt ist (CIL VI 1585b = ILS 5920; AE 1974, 11; [1. 237f.]).

1 Kolb, Bauverwaltung.

[4] L. S. Tubero. Im J. 16 n. Chr. Legat des → Germanicus [2] in Germanien (Tac. ann. 2,20,1); *cos. suff.* im J. 18 vom 1. Februar an zusammen mit Germanicus; vielleicht war S. Sohn von Q. Aelius [I 17] Tubero und adoptiert von S. [2] Strabo [1. 302–310 mit Stemma Nr. XXIII]. Im J. 24 wurde S. von Vibius Serenus angeklagt, er habe eine Verschwörung gegen → Tiberius initiiert, doch wurde er wegen seiner engen Verbindung mit Tiberius sogleich von der Anklage freigesprochen (Tac. ann. 4,29,1).

1 Syme, AA.

[5] M. S. Varanus. Als *cos. suff.* am 17.6.41 bezeugt (AE 1984, 228). Zur Herkunft vgl. [1. 4ff.]; dort auch zu CIL III 8753.

1 G. Camodeca, Per una riedizione dell' archivio Puteolano dei Sulpicii, in: Puteoli 6, 1982, 3–53. W. E.

Šekinā (wörtl. »Einwohnung [Gottes]« von hebr. *šākan*, »wohnen«). Rabbinische Bezeichnung für die Gegenwart Gottes in der Welt; lehnt sich begrifflich an die Beschreibung der Einwohnung Gottes im Heiligtum (Jes 8,18; Ez 43,7–9) bzw. bei seinem Volke (Ex 29,45) an (vgl. auch die entsprechende Rezeption der Vorstellung in der johanneischen Inkarnationstheologie, Jo 1,14). Die Vorstellung der Š. dient zur Beschreibung der Immanenz des eigentlich transzendenten Gottes. Ausgehend von der Idee der kontinuierlichen Gegenwart der Š. im Heiligtum (nach [1] die sog. »Gegenwarts-Š.«), die die Gemeinschaft Gottes mit seinem Volk zum Ausdruck bringt, kam es sekundär zu einer Übertragung auf das punktuelle Erscheinen der Š. in anderen Zusammenhängen ([1]: »Erscheinungs-Š.«): Gottes Š. offenbarte sich u. a. bereits im Garten Eden, bei den Vätern Israels, bei Moses im Dornbusch, beim Auszug aus Äg. oder in der Wüste und bei den Propheten. Für die Gegenwartsdeutung der Rabbinen spielt der Gedanke, daß die Š. Israel ins Exil begleitet, eine bed. Rolle. Die Š. wird aber auch in der Betergemeinde, in der Synagoge, im Richterkollegium und bei den Lernenden sowie bei den Kranken als temporär anwesend vorgestellt. Sie ist keine Hypostase Gottes, sondern mit diesem subjektsidentisch. Gleichzeitig ist sie auch vom Hl. Geist als einer Offenbarungsweise Gottes zu unterscheiden.

1 A. Goldberg, Unt. über die Vorstellung von der Schekhinah in der frühen rabbininischen Lit. – Talmud und Midrasch (Studia Judaica 5), 1969 (mit Zusammenstellung und Dokumentation des Textmaterials). B. E.

Sekoma s. Hohlmaße III.

Selbstmord s. Suizid

Selene (Σελήνη, Μήνη/*Mḗnē*, vgl. lat. → Luna [1]). Der (weiblich gedachte) → Mond, obwohl allg. als nächtliches Gegenstück der Sonne (Helios/→ Sol) bekannt, wurde im Griechenland der archa. und klass. Zeit kaum personifiziert (→ Personifikation): Weder in der epischen Trad., wo Nacht (→ Nyx) S. gewissermaßen ersetzt, noch (mit zwei Ausnahmen) bei den elegischen und lyrischen Dichtern kommt sie als Gottheit vor. Hesiodos scheint S. fast nachträglich in seine Kosmologie einzupassen, nämlich als Tochter des Titans → Hyperion und somit als Schwester von Helios und → Eos (»Sonnenaufgang«; Hes. theog. 371–374). Der einzige signifikante S.-Mythos, ihre Liebe zu → Endymion (erstmals in Sappho fr. 134 Voigt nachweisbar), wird mit dem karischen → Latmos [1] in Verbindung gebracht [1]. In den frühesten ikonographischen Darstellungen (ca. 490–480 v. Chr.) führt eine geflügelte S. einen mit Pferden, später oft mit Ochsen, bespannten Wagen (Biga), manchmal aber reitet S. auf einem Pferd oder Maultier [2].

Als der Himmelskörper, dessen zunehmendes bzw. abnehmendes Gesicht (Etym.: σέλας/*sélas*, »Glanz«) den Nachthimmel dominiert, nahm S. aber einen zentralen Platz im Volksglauben ein (Plat. leg. 887e), z. B. in bezug auf biologisches Wachstum, die → Menstruation oder Krankheiten, bes. bei dämonischer Besessenheit (→ Dämonen) oder Epilepsie [3]. Diese Vorstellung führte zu einer engen Verbindung mit → Hekate (vgl. [4]). Die Mondphasen, v. a. Neu- (*neomēnía*) und Vollmond (*dichomēnía*), hatten bes. Bed. in der landwirtschaftlichen Praxis inne.

Mondfinsternisse wurden zwar in der gesamten Ant. als erschreckend empfunden (z. B. Thuk. 7,50,4; Tac. ann. 1,28,1–3; → Finsternisse), gaben aber auch Anlaß zu rationalen Erklärungsversuchen (Demokr. 68 A 75 DK). Solcher Rationalismus führte schließlich sowohl zur Theorie der konzentrischen Himmelssphären (→ Planeten) als auch zur Darstellung der Himmelskörper als erkennbare Gottheiten (Plat. leg. 885d-e). Im Mittel- und Neuplatonismus jedoch wurde der Mond als Aufenthaltsort der → Dämonen (Xenokrates fr. 56 Heinze) und Heimat der menschlichen Seelen (Plut. mor. 943a–45f) angesehen.

Mit → Helios bildete S. oft ein Götterpaar, das den Begriff des geordneten Himmels darstellte, aber auch analog zu vielen asymmetrischen Oppositionen gesetzt werden konnte, z. B.: männlich/weiblich, König/Königin, primär/sekundär, trocken/feucht, Befruchtung/Wachstum. Ihre Identifikation mit → Artemis ist wahrscheinlich eine Konsequenz der Gleichstellung → Apollons mit Helios.

→ Artemis; Hekate; Luna; Magie; Mond; Mondgottheit

1 T. Gantz, Early Greek Myth, 1993, 34–36 2 F. Gury, S./Luna, LIMC 7.1, 1994, 706–715 3 E. Riess, s. v. Aberglaube, RE 1, 1894, 39–41 4 S. I. Johnston, Hekate Soteira, 1990, 29–38.

C. Préaux, La lune dans la pensée grecque, 1973 • F. Buffière, S.: la lune dans la poésie, la science et la rel. grecque, in: Bulletin de la Société toulousaine d'études classiques 196–7, 1990/1, 5–20 • A.-M. Tupet, La magie dans la poésie latine, 1976, 92–103. R. GOR.

Selenes oros (Σελήνης ὄρος). ›Mondgebirge, von dem die Seen des Nil das Schneewasser aufnehmen‹ (Ptol. 4,9,3) – nach den Grad-Angaben bei Ptol. l.c. wohl der h. Kilimandjaro (5895 m H) in NO-Tansania. E. O.

Seleucus mons. Ort im Gebiet der → Vocontii (Itin. Anton. 357,8; Itin. Burdigalense 555; *Seleucus* die lat. Form eines kelt. PN [1. 1462]) an der Straße vom Matrona-Paß nach Valentia (h. Valence) am Rhodanus, h. La Bâtie-Montsaléon, Dépt. Hautes-Alpes, ca. 6 km nordöstl. von Serres. Zahlreiche Funde (Inschr., Votivgaben; h. im Museum von Gap) bezeugen eine frequentierte Kultstätte (Allobrox, Silvanus, Mars, Victoria, Isis, Mithras). Bei *S.m.* wurde 353 n. Chr. → Magnentius von Constantius [2] II. entscheidend geschlagen (Sokr. 2,32: Μιλτοσέλευκος/*Miltoséleukos*; Soz. 4,7,3: Μοντιοσέλευκον/*Montioséleukon*).

1 Holder 2.

I. Ganet, Carte archéologique de la Gaule 05. Les Hautes-Alpes, 1995, 62–82 • I. Béraud, Le site de La Bâtie-Montsaléon, in: Cat. du Musée départemental de Gap, 1991, 253–274. E.O.

Seleukeia (Σελεύκεια, lat. *Seleucia*).

[1] S. am Tigris (Σελεύκεια ἡ ἐπὶ τῷ Τίγρει: Strab. 16,738; 743; 750 u.ö.; lat. *Seleucia Magna*: Plin. nat. 6,43, keilschriftlich *Selukuja* [1], h. Tall ʿUmar). Am rechten Tigrisufer, ca. 60 km nö von Babylon und 35 km südl. von Baghdad, an der Mündung des Nahr Malkā (Verbindungskanal zw. Euphrat und Tigris) und damit sehr verkehrsgünstig gelegen. S. wurde um 300 v. Chr. von → Seleukos [2] Nikator in der Nähe des alten → Opis [3] gegründet, laut Plin. nat. 6,30,121 ff., um die Bevölkerung von Babylon abzuziehen. Die Funktion der Reichshauptstadt ging jedoch bereits 293 an → Antiocheia [1] verloren. Nach Plin. nat. 6,122 war die Stadt mit einer 6,7 km langen Doppelmauer und Wassergräben befestigt. Als Handelszentrum und durch Zuzug von Babyloniern, Makedonen, Griechen und Juden erlangte S. bald große Bed. mit einer Einwohnerzahl von 600 000 (Plin. nat. 6,122; Paus. 1,16,3; App. Syr. 55).

S. war zunächst Zankapfel zw. den → Seleukiden und lokalen Machthabern, dann auch den → Parthern, die in der 1. H. des 2. Jh. v. Chr. auf der anderen Flußseite ihre Hauptstadt → Ktesiphon [2] gründeten. S. wurde 141 v. Chr. von den Parthern erobert. Der triumphale Zug des → Surenas nach dem Sieg über die Römer unter Licinius [I 11] Crassus 53 v. Chr. führte durch S. Nach innerparthischen Auseinandersetzungen wurde S. 43 n. Chr. durch → Vardanes zurückerobert (Tac. ann. 11,8–9). Die Römer eroberten die Stadt dreimal: 116 öffnete S. Traianus kampflos die Tore, 165 n. Chr. wurde es aus unbekannten Gründen von → Avidius [1] Cassius in Brand gesteckt, worauf im röm. Heer die Pest ausbrach (Cass. Dio 71,2; Amm. 23,6,24; Zon. 12,2 usw.). 198/9 n. Chr. wurde S. von Septimius Severus erobert, was dieser auf seinem Triumphbogen in Rom verewigte. S. verlor danach völlig seine Bed., bestand aber bis in die sāsānidische Zeit weiter (→ Parther- und Perserkriege).

S. hatte eine republikanische Staatsform mit eigenem Recht und berühmter Münze – unter den Parthern die Hauptmünzstätte des Reiches. Eine Patrizierpartei stellte den Senat mit 300 Mitgliedern, angefeindet von einer Volkspartei. Unter → Artabanos [7] III. kam es in diesem Zusammenhang zu einer Judenverfolgung, bei der 50 000 Juden ermordet wurden. Aus S. stammten nach Diog. Laert. 6,2,81 die Philosophen → Diogenes [15] von Babylon (um 240–150 v. Chr.) und Diogenes der Epikureer (gest. um 144 v. Chr.), außerdem der Astronom → Seleukos [11] (170–125 v. Chr.; Strab. 16,1,6).

Ausgrabungen der Univ. von Michigan (1927–1937) und Turin (1964–1976; 1986–1989) zeigten, daß die Stadt nach einem »hippodamischen Plan« angelegt war (→ Hippodamos). Ein Kanal trennte den hauptsächlich durch öffentliche Bauten gekennzeichneten nördl. Teil von den südl. Wohnvierteln. Zwar sind die hell. Reste von mächtigen Schichten der parth. Zeit überdeckt, dennoch ist es erstaunlich, daß keine typisch griech. Bauten (Theater; Agora) entdeckt wurden. Auch sonst ist die babylonische Trad. stärker als bei einer seleukid. Gründung zu erwarten: Bestattungen fanden sich unter dem Fußboden der Wohnhäuser. Geschnittener Gipsstuck mit abstrakten Mustern bedeckte die Mauern. Räumlichkeiten von zwei Archiven, die um 154/152 v. Chr. enden, enthielten zwar keine der verm. auf Papyrus geschriebenen Dokumente mehr, aber Hunderte der zugehörigen gesiegelten Tonbullen wurden im Feuer, das zur Zerstörung der Bauten führte, gebrannt. Zahlreiche Terrakotta-Figürchen aus der parth. Zeit zeigen hell. Prägung.

1 J. Epping, J. N. Strassmaier, Neue babylon. Planeten-Tafeln, in: ZA 6, 1891, 234 ff.

R. H. McDowell, Stamped and Inscribed Objects from Seleucia on the Tigris, 1935 • S. B. Downey, s. v. Seleucia on the Tigris, Oxford Encyclopedia of Archaeology in the Near East, Bd. 4, 1997, 513 f. • A. Invernizzi et al., La terra tra e due fiumi, 1985 • Grabungsberichte in: Mesopotamia, ab 1966. H. J. N.

[2] S. Pieria. Hafenstadt von → Antiocheia [1], etwa 40 Stadien nördl. der Orontesmündung am Hang des Koryphaios, einem südl. Ausläufer des → Amanos. Das Stadtgebiet lag, umgeben von einer 12,5 km langen Mauer, zw. zwei Bachtälern. Zwar gründete um 300 v. Chr. → Seleukos [2] I. Nikator diese Stadt als Reichshauptstadt, doch wurde die Residenz schon von seinem Nachfolger → Antiochos [2] I. nach Antiocheia verlegt. Im 3. → Syrischen Krieg fiel S. 246 v. Chr. an die Ptolemaier, erst 219 v. Chr. konnte → Antiochos [5] III. die Stadt zurückgewinnen. 109 v. Chr. erlangte S. die Autonomie, die 66 v. Chr. von Pompeius [I 3] bestätigt wurde, weil sich die Stadt der Eroberung durch → Tigranes I. widersetzt hatte.

Den Binnenhafen von S., in dem eine Abteilung der kaiserlichen Flotte stationiert war, verbanden Kanäle mit Vorhäfen an der Küste. Von Vespasianus (69–79 n. Chr.) bis zu den Antoninen sind mehrfach Arbeitseinsätze von Soldaten bezeugt, die eine Verlandung des Hafens verhindern sollten. Ihre eindrucksvollste Leistung ist nach lat. Felsinschr. die Anlage einer Talsperre und eines Felskanals, die den westl. Bach um den Hafen herumleiteten. 325 als Bischofsitz bezeugt, ging S. jedoch bereitwillig auf Kaiser Iulianus' [11] Erneuerung der alten Religion ein. Im 5. Jh. begann mit fortschreitender Verlandung des Hafens der Niedergang. 403 wurde S. von Isauroi (→ Isauria) geplündert. 526 und 528 erlitt die Bevölkerung bei Erdbebenkatastrophen so starke Verluste, daß man 540 die Stadt beim Heranrükken der Perser aufgab.

G. Downey, A History of Antioch in Syria, 1961, bes. 56–66 • D. van Berchem, Le port de Séleucie Piérie et l'infrastructure logistique des guerres parthiques, in: BJ 185, 1985, 49–87.

[3] *S. pros Bḗlōi* (Σ. πρὸς Βήλῳ). Kleinstadt am Ostufer des Orontes südl. von → Apameia [3], h. Ṣaqlabīya. Mehrfach erwähnt (Plin. nat. 5,85; Paus. fr. 2), bei spätant. Schriftstellern wie Steph. Byz. unter dem Stichwort Σελευκόβηλος/*Seleukóbēlos*. J. WA.

[4] Neuerdings wird eine Stadt S. an der Mündung des Peri 15 km westl. von → Side lokalisiert [1. 21–23], während die bisher für S. in Anspruch genommene Ruinenstätte 23 km nördl. von Side (h. Şıhlar) mit Lyrbe (Λύρβη) identifiziert wird [2. 206–208; 3. 15, 105]. Einer sidetisch-griech. Bilingue zufolge existierte in Lyrbe vielleicht eine vorgriech. Siedlung [4]. Eine hell. Polis bezeugen einzelne Bauteile der überwiegend röm. bis zu zwei Geschossen hoch erh. Agora. Zahlreiche kaiserzeitliche Baureste, Thermen und ein Heroon innerhalb der Stadtmauer spiegeln die kaiserzeitliche Prosperität von Lyrbe. Aus dem 5. Jh. n. Chr. ist eine Basilika mit Nekropole erh.

1 J. Nollé, Side im Alt., Bd. 1, 1993 2 Ders., Pamphylische Stud., in: Chiron 16, 1986, 199–212 3 J. Inan, Toroslar'da bir antik kent. Lyrbe? – S.?, 1998 4 C. Brixhe, G. Neumann, Die griech.-sidetischen Bilinguen von S., in: Kadmos 27, 1988, 35–43. W. MA.

[5] Von Seleukos [2] I. gegr. Stadt in der Kilikia Tracheia (→ Kilikes) im Mündungsbereich des → Kalykadnos, h. Silifke. 260 n. Chr. von den Sāsāniden erobert (Res gestae divi Saporis 29). Bei der diocletianischen Reichsreform (→ Diocletianus) wurde S. Metropolis der Prov. → Isauria mit 33 Suffraganbistümern. 359 war S. Tagungsort einer Arianer-Synode (→ Arianismus). Im 10. Jh. war S. Hauptort des gleichnamigen byz. → *théma*. Die Stadt war reich mit öffentl. Bauten ausgestattet: Theater, Stadion, mehrere Tempel (z. T. in Kirchen umgewandelt); erh. sind auch eine Zisterne, Nekropolen, auf der Akropolis eine byz.-armenische Burg.

J. Keil, A. Wilhelm (Hrsg.), MAMA 3, 1931, 3–22 • Magie, 268, 1142 Anm. 21 • L. Robert, Documents de l'Asie Mineure Méridionale, 1966, 101–105 • T. S. MacKay, s. v. Seleucia ad Calycadnum, PE, 821 f. • Hild/Hellenkemper, s. v. S. F. H.

[6] Kleine, in hell. Zeit gegr. [1. 43] Siedlung in der nördl. → Pisidia, 2 km nordöstl. vom h. Bayat, Siedlungshügel Selef (Flurname). In röm. Zeit hieß der Ort Klaudioseleukeia, in byz. Zeit begegnet er unter dem Namen S. Sidera als Bischofssitz [2. 378].

1 Aulock 2, 43 f. 2 Belke/Mersich. H. B.

[7] S. am → Euphrates (Σ. ἐπὶ τοῦ Ζεύγματος/*S. epí tu Zeúgmatos*). Um 300 v. Chr. von → Seleukos [2] I. Nikator am Euphratübergang gegr. Stadt, in der sich 221 v. Chr. → Antiochos [5] III. mit einer pontischen Prinzessin vermählte und → Tigranes I. → Kleopatra [II 8] Selene hinrichten ließ. Als Pompeius [I 3] 65/4 v. Chr. S. an → Antiochos [16] I. von Kommagene gab und die Stadt 31/30 v. Chr. zur Prov. Syria geschlagen wurde, bürgerte sich mehr und mehr der neue Name → Zeugma ein.

J. Wagner, S. am Euphrat/Zeugma (TAVO Beih. B 10), 1976. J. WA.

Seleukiden. Die S. – als Könige werden so zumeist → Antiochos [2–14] und → Seleukos [2–8], seltener Demetrios [I 7–9] und Philippos [24–25] benannt –, mit anderen Königsfamilien vielfach verschwägert, herrschten als Nachfahren des maked. Reichs- und Dynastiegründers → Seleukos [2] in Klein-, Vorder- und Mittelasien über das mit max. ca. 3 500 000 km^2 größte Reich in der Nachfolge → Alexandros' [4] d. Gr. (→ Diadochen; → Diadochenkriege). Größe und Stärke des sehr heterogenen und daher strukturell schwachen S.-Reichs schwankten schon früh (→ Hellenistische Staatenwelt, mit Karten). Unter dem Vordringen der → Parther und der Römer und unter Thronstreitigkeiten schmolz das Reich im 2. Jh. v. Chr. zusammen und fand bei der Einrichtung Syriens als röm. Prov. im J. 64 v. Chr. durch → Pompeius [I 3] sein Ende.

Die vielen seleukid. Gründungen von Siedlungen mit maked. und griech. Bewohnern bewirkten → Hellenisierungs-Vorgänge im Nahen und Mittleren Osten. Indem Seleukos' Nachfolger, beginnend mit → Antiochos [2] I., die Regierungsjahre des Reichsgründers weiterzählten, entstand die einzige offizielle dynastische Ära in den Diadochenreichen.

E. Bevan, The House of Seleucus, 1902 • A. Mehl, Zw. West und Ost/Jenseits von West und Ost, in: K. Brodersen (Hrsg.), Zw. West und Ost. Stud. zur Gesch. des S.-Reichs, 1999, 9–43 • S. Sherwin-White, A. Kuhrt, From Samarkand to Sardis. A New Approach to the Seleucid Empire, 1993 • Will. A. ME.

Seleukidenära s. Zeitrechnung

Seleukos (Σέλευκος, lat. *Seleucus*).

[1] Mitregent des Satyros [2] I. im → Regnum Bosporanum 433/2–393/2 v. Chr. (nach Diod. 12,36,1). Da an anderer Stelle (Diod. 14,93,1) Satyros als Alleinherrscher bezeichnet wird und andere Quellen seinen Namen nicht kennen, ist seine Existenz nicht gesichert.

Die Seleukiden und ihre dynastischen Verflechtungen

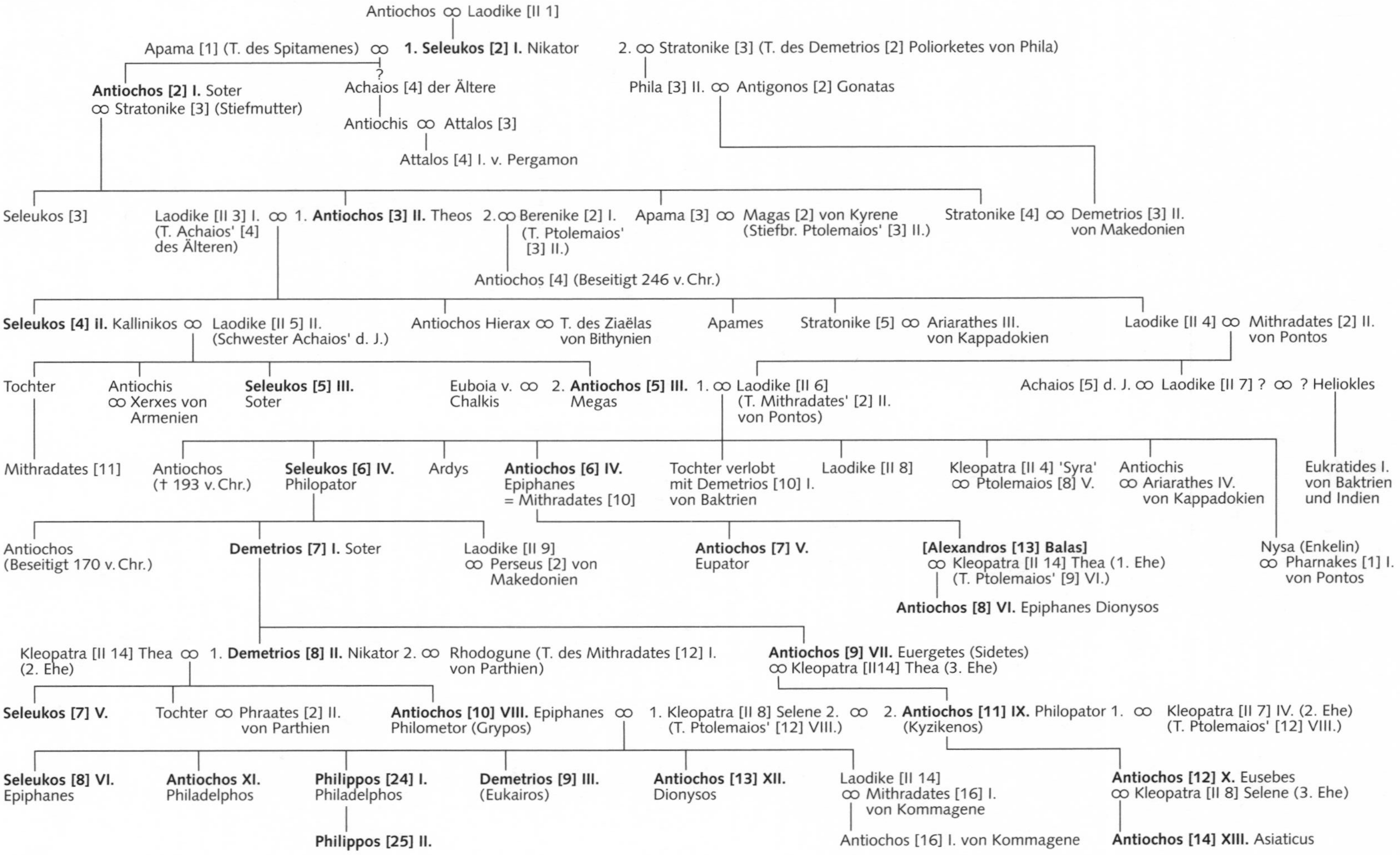

V. F. Gajdukevič, Das Bosporanische Reich, 1971, 231 • E. H. Minns, Scythians and Greeks, 1913, 571 • R. Werner, Die Dynastie der Spartokiden, in: Historia 4, 1955, 419–421. I. v. B.

[2] S. I. Nikator (Νικάτωρ, »Sieger«). Begründer von Reich und Dyn. der → Seleukiden. S. wurde ca. 355 v. Chr. als Sohn eines Makedonen namens Antiochos geb., nahm am Asienfeldzug seines Königs → Alexandros [4] d.Gr. teil, unter dessen »Gefährten« er aufgenommen wurde, und war bes. in Indien 326 erfolgreich (Arr. an. 5,13,4). Bei den von Alexandros betriebenen Verheiratungen zw. Makedonen und Iranerinnen erhielt er 324 → Apama [1], die Tochter des Baktrers → Spitamenes, zur Frau (Arr. an. 7,4,6). Von diesem Paar stammen alle → Seleukiden ab.

Nach Alexandros' Tod erhielt S. 323 das zentrale, aber untergeordnete Amt des → *chiliárchos*, nach der Ermordung des Reichverwesers → Perdikkas [4], an der er beteiligt war, 320 bei der Neuordnung von → Triparadeisos jedoch eine Satrapie, Babylonien (Diod. 18,39,6). Gegenüber dem in den Iran marschierenden → Eumenes [1] behauptete sich S. 316 mit Mühe, wurde dann jedoch durch den Herrschaftsanspruch des über Eumenes siegreichen → Antigonos [1] bedroht und floh 315 zu Ptolemaios [1] I. ([2. Nr. 10 r 13 ff.]; Diod. 19,12 f.; 19,55). Als wesentlicher Initiator der ersten gegen Antigonos gerichteten Koalition kämpfte S. gegen diesen zw. Phoinikien und der Ägäis mit Truppen des Perdikkas und besiegte mit Perdikkas 312 bei der südsyrischen Stadt Gaza Antigonos' Sohn → Demetrios [2]. S. kehrte nun nach Babylonien zurück und zählte seine Regierungsjahre seit Herbst 312 in maked. bzw. seit Frühjahr 311 in babylon. Berechnung (s. auch → Seleukiden; [3. 138–155]).

S. erhielt nicht Antigonos' Anerkennung als eigenständiger Satrap und war auch nicht in den Friedensschluß der → Diadochen im J. 311 einbezogen [3. 120–128]. Obwohl er in Babylonien bis 301 immer wieder durch Antigonos bzw. Demetrios bedroht war ([2. Nr. 10 v 1 ff., 21 ff.]; Diod. 19,80–86; 90), konnte er 311 bis ca. 303/2 die iran. Satrapien und Baktrien-Sogdiane annektieren und weit nach Indien hinein ziehen. Gegen die Gabe von 500 Elefanten und eine in ihrem Inhalt nicht eindeutige Eheregelung verzichtete er gegenüber dem indischen König → Sandrakottos (Tschandragupta) auf alles indische Land auch westlich des Indos, soweit es in der Satrapienliste von 315 nicht mehr aufgeführt war (Diod. 19,48; Strab. 15,2,9; App. Syr. 55,278–282; [3. 173–181, bes. 178]). Als sich 306/5 die Diadochen die Königswürde zulegten, tat dies auch S. Den Krieg der zweiten großen Koalition gegen Antigonos [1] beendete S. zusammen mit → Lysimachos [2] bes. dank seiner Elefanten in der Schlacht von → Ipsos 301 siegreich. Von dem mit den Verbündeten vereinbarten Kriegsgewinn erhielt S. Teile Kappadokiens und von Syrien nur den Norden, da → Ptolemaios [1] I. Südsyrien besetzt hatte und behielt (Pol. 5,67,4–13), was zu mehreren Kriegen zw. Seleukiden und Ptolemaiern führte (→ Syrische Kriege).

In den folgenden fast 20 J. gründete S. teils selbst, teils mit seinem Sohn → Antiochos [2] zusammen bzw. durch diesen zahlreiche Städte von Nordsyrien bis Baktrien-Sogdiane, deren wichtigste dynastische Namen erhielten: u. a. den Hafen → Seleukeia [2] Pieria, die spätere Hauptresidenz → Antiocheia [1] am Orontesknie, den mil. Hauptort → Apameia [3] am Orontes und → Seleukeia [1] am Tigris als Residenz für die »Oberen Satrapien«, das seleukid. Gebiet östl. des Euphrats. Gebiete im Norden Zentralasiens ließ er erkunden (→ Patrokles [3]). Zu griech. Poleis wie Miletos oder Athenai hielt er Kontakte. Seine ca. 299 geheiratete (zusätzliche?) Frau → Stratonike [3], die Tochter des Demetrios [2], verheiratete er 292 mit seinem Sohn Antiochos [2], machte diesen zum Mitkönig und schickte ihn mit seiner neuen Gattin – wieder – in die »Oberen Satrapien« ([1. Nr. 3; 2. Nr. 11; 5. Nr. 291]; Plut. Demetrios 31,3 f.; 38; App. Syr. 59–61). Je nach der polit. Großlage koalierte S. mit Demetrios, Ptolemaios I. u. a., errang jedoch in seinen Bemühungen um Territorialgewinn in Syrien und Kleinasien nur geringe Erfolge. Die Flotte des zuletzt (285) von S. besiegten und internierten Demetrios ging jedoch zu Ptolemaios I. über. Intrigen in der Familie des Lysimachos [2] und teilweise daraus resultierende Spannungen zw. diesem und S. führten zum letzten Krieg zw. zwei Diadochen: S. besiegte Lysimachos 281 in Lydien bei Kurupedion. Er ließ weite Gebiete in Kleinasien annektieren und zumindest eine Militärsiedlung einrichten (→ Thyateira) sowie die dortigen Griechenstädte zur Unterwerfung unter seine (Ober-)Herrschaft auffordern; letzteres stieß v. a. in Herakleia [7] am Schwarzen Meer auf Widerstand (Memnon FGrH 434 F 5–7). S. selbst überschritt mit seinem Heer den Hellespontos, um Thrakien und Makedonien als weitere Beute seines Sieges über Lysimachos in Besitz zu nehmen; doch wurde er von dem in seinem Gefolge befindlichen → Ptolemaios [2] Keraunos ermordet (noch im J. 281: [6. r 8]; Memnon FGrH 434 F 8; App. Syr. 62 f.; Iust. 17,1,4–2,5). Sein disparates Reich geriet in eine schwere Krise (→ Antiochos [2]).

[3] Älterer Sohn des → Antiochos [2] I. und der → Stratonike [3], war 280–268 v. Chr. Mitregent des Vaters. Aufgrund eines Komplottverdachts wurde er getötet (OGIS 220,13; Pomp. Trog. prol. 26; Ioh. Antiochenus 55 = FHG 4,558).

[4] S. II. Kallinikos (Καλλίνικος, OGIS 233,3 f.; App. Syr. 66,347). Um 265/260 v. Chr. geb., ältester Sohn des → Antiochos [3] II. und der → Laodike [II 3], verheiratet mit → Laodike [II 5]. S. wurde vom Vater kurz vor dessen Tod als Thronfolger dem Sohn → Antiochos [4] aus zweiter Ehe mit der Ptolemaierin → Berenike [2] vorgezogen, setzte sich mithilfe seiner Mutter gegen → Ptolemaios [3] II., der zur Wahrung der Ansprüche seines (schon toten) Neffen eingedrungen war, und gegen abtrünnig gewordene Städte und Satrapen durch, wurde aber dann von seiner Mutter gezwungen, seinen Bruder Antiochos Hierax als Mitkönig mit der Herrschaft über Kleinasien und Sitz in → Sardeis zu akzeptieren. Im Bruderkrieg um das J. 240 unterlag S. seinem Bruder, der jedoch sein Territorium an → Attalos [4] I. verlor (→ Pergamon) und sich sodann 228 vergeblich in Mesopotamien festzusetzen versuchte (Pomp. Trog. prol. 27; Plut. mor. 489a-b; Iust. 27,1–3; Polyain. 4,17; Porph. FGrH 260 F 32,8). Im NO des Reiches konnte S. auch mit einem Feldzug 230–227 nicht verhindern, daß sich in Baktrien ein eigenes Königreich bildete (→ Diodotos [2]) und daß sich erst unter dem Satrapen Andragoras und dann unter den eingedrungenen → Parnern die Landschaft Parthien-Hyrkanien verselbständigte (→ Parthia; Iust. 41,4,4–10). Dem erdbebengeschädigten → Rhodos gewährte S. wie andere Herrscher Vergünstigungen und Spenden (Pol. 5,89,8 f.). 226 starb S. durch einen Sturz vom Pferd.

[5] S. III. Soter Keraunos (Σωτὴρ Κεραυνός; nach Porph. FGrH 260 F 32,9 urspr. Name Alexandros: [4. 25]). 243 v. Chr. geb., Sohn des → Seleukos [4] II. und der → Laodike [II 5]; er versuchte vergeblich, das unter seinem Vater bzw. unter seinem Onkel Antiochos Hierax an → Attalos [4] I. verlorene Kleinasien zurückzuerobern, und wurde dabei 222 von Hofleuten vergiftet (Pol. 4,48,6–13; 5,34,2; 40,6; App. Syr. 66,347 f.; Iust. 29,1,3).

[6] S. IV. Philopator (Φιλοπάτωρ; OGIS 247,2; HN 762). Nach 220 v. Chr. geb., Sohn des → Antiochos [5] III. und der → Laodike [II 6], verheiratet mit seiner Schwester (?) → Laodike [II 8], verwaltete 196–191 den von Antiochos (zurück-)eroberten thrakischen Besitz. Im Krieg zw. Antiochos und den Römern belagerte S. 190 vergeblich Pergamon, nahm L. → Cornelius [I 66] Scipio gefangen, befehligte bei Magnesia 190 zusammen mit seinem Vetter → Antipatros [7] den linken Flügel des von seinem Vater geführten Heeres und unterstützte nach der seleukid. Niederlage Cn. → Manlius [I 24] Vulso gegen die Galater (Pol. 18,51,8; Liv. 37,18; 37,21,4; 37,41,1; 38,13,8 f.; 38,15,12 f.). Ab 189 war S. Mitregent seines Vaters; als König (ab 187) hoffte er, das durch die Niederlage gegen die Römer geschwächte seleukidische Reich durch Diplomatie zu stärken: Er hielt sich aus dem Krieg zw. dem pontischen König → Pharnakes [1] I. und dem pergamenischen König → Eumenes [3] II. (182–179) heraus, verheiratete 178 seine Tochter → Laodike [II 9] unter Mitwirkung der Rhodier mit dem Antigonidenkönig → Perseus [2], erregte damit freilich den Argwohn des Eumenes, der den Vorgang als romfeindlich weitermeldete, und sandte seinen Sohn → Demetrios [7] I. im Austausch gegen seinen Bruder → Antiochos [6] als Geisel nach Rom. Um Zahlung der von Rom auferlegten Kriegsentschädigungen bemüht, ließ S. bei den Juden Gelder eintreiben (→ Judentum C. 2.). Sein damit beauftragter Kanzler → Heliodoros [1] stieß jedoch auf Widerstand und ermordete daraufhin seinen Auftraggeber und König 175 (2 Makk 3,1–4,7; App. Syr. 45,232 f.; Porph. FGrH 260 F 32,11; Hier. comm. in Danielem 11,20), der einen unmündigen Sohn Antiochos hinterließ.

[7] S. V. Älterer Sohn des → Demetrios [8] II. und der → Kleopatra [II 14], wurde von der Mutter umgebracht, weil er sich ohne ihre Erlaubnis nach dem Tod des Vaters 126 v. Chr. zum König gemacht hatte (Iust. 39,1,9; Liv. per. 60; App. Syr. 69,362).

[8] S. VI. Epiphanes Nikator (Ἐπιφανὴς Νικάτωρ; OGIS 261; BMC, Gr., Bd. 4, 95 f.). Ältester Sohn des → Antiochos [10] VIII. und der → Kleopatra [II 15]; schlug 96 v. Chr. nach dem Tod des Vaters seinen Onkel → Antiochos [11] IX., wurde jedoch 95 von dessen Sohn → Antiochos [12] X. in Kilikien besiegt und kam in → Mopsu(h)estia um (Ios. ant. Iud. 13,366–368; App. Syr. 69,365; Porph. FGrH 260 F 32,25 f.).

→ Diadochen; Diadochenkriege; Hellenistische Staatenwelt

1 A. T. Clay, Babylonian Records in the Library of J. P. Morgan, Bd. 2, 1913 2 A. K. Grayson, Texts from Cuneiform Sources, Bd. 5, 1975 3 A. Mehl, S. Nikator, Bd. 1, 1986 4 Ders., Zw. West und Ost/Jenseits von West und Ost, in: K. Brodersen (Hrsg.), Zw. West und Ost. Stud. zur Gesch. des Seleukidenreichs, 1999, 9–43 5 A. J. Sachs, H. Hunger, Astronomical Diaries and Related Texts from Babylonia, 1988/9 6 Ders., D. J. Wiseman, A Babylonian King List of the Hellenistic Period, in: Iraq 16, 1954, 202–211.

A. R. Bellinger, The End of the Seleucids, in: Transactions of the Connecticut Academy 38, 1949, 51–102 • E. Bevan, The House of Seleucus, 1902 • A. Bouché-Leclercq, Histoire des Séleucides (323–64 avant J.-C.), 1913/4 • K. Brodersen (Hrsg.), Zw. West und Ost. Stud. zur Gesch. des Seleukidenreichs, 1999 • J. D. Grainger, S. Nikator, 1990 • Gruen, Rome • E. Grzybek, Zu einer babylon. Königsliste aus der hell. Zeit (Keilschrifttafel BM 35603), in: Historia 41, 1992, 190–204 • W. Orth, Die frühen Seleukiden in der Forsch. der letzten Jahrzehnte, in: J. Seibert (Hrsg.), Hell. Stud.: Gedenkschrift H. Bengtson, 1991, 61–74 • S. Sherwin-White, A. Kuhrt, From Samarkand to Sardis. A New Approach to the Seleucid Empire, 1993 • Will.

A. ME.

[9] S. aus Rhodos, Sohn des Bithys, Vater des → Theodoros und der Artemo (PP III/IX 5039; von 141/0–116/5 v. Chr. Priesterin der Arsinoë Philadelphos); verheiratet mit Artemo, der Kanephore (→ *kanephóroi*) von 177/6 (PP III/IX 5038), Bürger von Alexandreia [1. 133, Nr. 4/5], wurde im Herbst 157 → *próxenos* von Delphi (FdD III 4, 161), was für eine wichtige Position unter Ptolemaios [9] VI. spricht; später auch *próxenos* von Lebana. S. war verm. von 145–131 Stratege und Hoherpriester Zyperns (OGIS 150–161) mit dem Titel eines »Verwandten (des Königs)« (*syngenḗs*). Verm. um 144, sicher aber vor 141/0 wurde er Nauarch der gesamten ägypt. Flotte.

1 T. B. Mitford, Seleucus and Theodorus, in: OpAth 1, 1953, 130–171.

W. A.

[10] S. aus Tarsos, vielleicht 2. Jh. v. Chr. Athenaios 1,13c nennt ihn als Verf. einer Fachschrift Ἁλιευτικά/*Halieutiká* (›Über den Fischfang‹) und referiert daraus die Behauptung (7,320a), der als Speise geschätzte Seefisch Skaros (→ Papageifisch, Scarus cretensis; [1; 2]) würde – verm. aus Furcht – nachts nicht schlafen, weshalb man ihn dann nicht fangen könne.

1 KELLER 2, 366 2 LEITNER, 217f. C.HÜ.

[11] S. von Babylon (genauer Strab. 16,1,6: aus Seleukeia; anders Strab. 3,5,9: vom Roten Meer), Astronom, wirkte um 150 v. Chr. zw. → Aristarchos [3] von Samos und → Poseidonios [3]. Er hielt das Weltall für unendlich (DIELS, DG 328a 5) und das Planetensystem für heliozentrisch, was Aristarchos nur als Hypothese aufgestellt, S. jedoch bewiesen haben soll (Plut. Platonicae quaestiones 7,1 = Plut. mor. 1006c). Demnach ging er von einer Bewegung der Erde aus (DIELS, DG 383b 26). Er beobachtete Ebbe und Flut (Strab. 1,1,9) und erklärte die Gezeiten nach dem Stand des Mondes in den äquatorialen bzw. solstitialen Tierkreiszeichen (Strab. 3,5,9; s. → Tierkreis).

S. ist zu unterscheiden von einem Astrologen desselben Namens aus der Zeit Vespasians [2. 177].

1 H. GOSSEN, s. v. S. (38), RE 2 A, 1249f. 2 W. und H. G. GUNDEL, Astrologumena, 1966, 44. W.H.

[12] S. Kybiosaktes (Κυβιοσάκτης). Während der Auseinandersetzung mit Ptolemaios [18] XII. im Sommer 56 v. Chr. aus Syrien geholter, nach wenigen Tagen der Ehe ermordeter Gatte der Berenike [7] (Cass. Dio 39,37,1; Strab. 17,1,11); wenn sich Porphyrios von Tyros (FGrH 260 F 32; 28) auf ihn bezieht, war er kein Hochstapler, sondern der Bruder von Antiochos [14] XIII.

H. HEINEN, Séleucos Cybiosactès et le problem de son identité, in: L. CERFAUX et al. (Hrsg.), Antidorum W. Peremans (Stud. Hellenistica 16), 1968, 105–114. W.A.

[13] S. Homerikos (Ὁμηρικός); griech. Grammatiker aus Alexandreia [1], am Hof des Tiberius (1. H. 1. Jh. n. Chr.) tätig (Suet. Tib. 56). Er soll in alexandrinischer Trad. eine Vielzahl von Komm. und exegetischen Werken geschrieben haben, die nur fr. und in einzelnen Scholien bzw. Glossen erh. sind. Neben Abh. über griech. Sprache und Stil werden ihm Komm. zu fast allen bedeutenden griech. Dichtern (Suda, s. v. Σ. Ἀλεξανδρεύς) zugeschrieben, darunter zu Homer, Hesiod, den Lyrikern und Simonides. S.' Arbeiten, u. a. seine Abh. ›Über die kritischen Zeichen des Aristarchos [4]‹ (Κατὰ τῶν Ἀριστάρχου σημείων), lassen im Vergleich mit zeitgenössischen Aristarchos-Schülern (vgl. bes. → Aristonikos [5] und → Didymos [1]) auf einen eigenständigen und oft kritischen Umgang mit den Autoritäten der alexandrinischen Schule schließen [8. 1256]; in der Etymologie-Lehre steht er in Auseinandersetzung mit der Ableitungstheorie des → Philoxenos [8] [4. 184–188]. Weitere sprachgesch. und exegetische Abh. finden sich in dem Komm. zu Solons Gesetzen (Περὶ τῶν Σόλωνος ἀξόνων, FGrH 341 F 1), der Schrift ›Über die griech. Sprache‹ (Περὶ Ἑλληνισμοῦ) [6. 61], einer Slg. von Synonymen (Περὶ τῆς ἐν συνωνύμοις διαφορᾶς) und dem Glossar Περὶ γλωσσῶν, das als → Onomastikon im Anschluß an → Parmenion [2] Dialektvarianten zusammenstellt ([6. 173]; fr. 36–68 MÜLLER [3]). Lit.-histor. Charakter hatten seine wohl auf lit. Persönlichkeiten zu beziehenden ›Lebensbeschreibungen‹ (Περὶ βίων); eine literarkritische Auseinandersetzung mit Paradoxographen oder Fabeldichtern könnte Περὶ τῶν ψευδῶς πεπιστευμένων (›Über die Dinge, die fälschlich Glauben gefunden haben‹) enthalten haben [9. 447]. Eine theologische Abh. ›Über die Götter‹ (Περὶ θεῶν), bei der Benutzung des Apollodoros [7] vorliegt, sowie die von Diog. Laert. 3,109 erwähnte philos.-gesch. Schrift Περὶ φιλοσοφίας (fr. 74–75 MÜLLER) und eine Zusammenstellung alexandrinischer Sprichwörter (Περὶ τῶν παρ' Ἀλεξανδρεῦσι παροιμιῶν), die als Quelle für die gleichnamige, dem Plutarchos [2] von Chaironeia zugeschriebene Slg. (→ Paroimiographoi) gilt [5. XVI-XXI], runden S.' breite schriftstellerische Tätigkeit ab. Zahlreiche Anspielungen und Zitate u. a. bei Pamphilos [6], Athenaios [3], Photios [2] und im *Etymologicum Genuinum* [4. 157–165] bezeugen ihre Bedeutung.

→ Glossographie; Grammatiker; Philologie; Scholien

ED.: 1 FHG 3, 500 2 FGrH 341 3 M. MÜLLER, De Seleuco Homerico, Diss. Göttingen 1891 4 R. REITZENSTEIN, Gesch. der griech. Etymologika, 1897.
LIT.: 5 O. CRUSIUS, Plutarchi De proverbiis Alexandrinorum, 1887 6 M. DUBUISSON, Le latin est-il une langue barbare?, in: Ktema 9, 1984, 55–68 7 K. LATTE, Glossographika, in: Philologus 80, 1925, 136–175 8 B. A. MÜLLER, s. v. S. (44), RE 2 A, 1251–1256 9 M. SCHMIDT, Seleucus der Homeriker und seine Namensverwandten, in: Philologus 3, 1848, 436–459. M.B.

[14] S. aus Emesa. Griech. Dichter unbestimmter Zeit (vielleicht 3. Jh. n. Chr. [2. 1251]), laut Suda σ 201 Verf. eines Lehrgedichts Ἀσπαλιευτικά (›Angelfischerei‹, 4 B.) und eines histor. Epos (oder Geschichtswerks, vgl. FGrH 780, test. 1) mit dem Titel Παρθικά (›Parthergeschichten‹, 2 B.). In der Suda ist ferner ein Ὑπόμνημα εἰς τοὺς Λυρικούς (›Komm. zu den Lyrikern‹) angegeben, welches S.' Bezeichnung als »Grammatiker« (γραμματικός) rechtfertigt. Unklar bleibt jedoch, ob dieses Werk ihm oder → Seleukos [13] aus Alexandreia zuzuschreiben ist.

1 R. A. KASTER, Guardians of Language, 1988, 428–429 (Nr. 253) 2 B. A. MÜLLER, s. v. S. (43), RE 2 A, 1250–1251 3 O. SEECK, Die Briefe des Libanius, zeitlich geordnet, 1906, 272–273 4 Ders., s. v. S. (33), RE 2 A, 1248–1249. ST.MA.

Selge (Σέλγη). Südpisidische Stadt, ca. 1000 m ü.M. in fruchtbarer Umgebung (Wein, Oliven; Styrax für Weihrauch, Iris für ein Medikament, das »Selitische Öl«) beim h. Altınkaya (ehemals Zerk) gelegen (Strab. 12,7,3; Plin. nat. 15,31; 23,95). S. gehörte bereits in hell. Zeit zu den bedeutendsten Siedlungen in → Pisidia und betrieb eine eigenständige, gegen → Seleukiden und Attaliden (→ Attalos) gerichtete Politik (Pol. 5,72–77; 31,2–5). In röm. Zeit verlor S. an polit. Bed. und stand hinter den pamphylischen Städten → Perge und → Side zurück. Gleichwohl hatte S. an der allg. Prosperität der röm. Kaiserzeit teil und erlebte einen bemerkenswerten Siedlungsausbau, u. a. mit einer zweiten Agora und einem großen Theater.

1 A. MACHATSCHEK, S. SCHWARZ, Bauforsch. in S., 1981
2 J. NOLLÉ, F. SCHINDLER, Die Inschr. von S., 1991. H.B.

Selinunt s. Selinus [4]

Selinus (Σελινοῦς). Name mehrerer Flüsse und Orte.
[1] Westl. von Olympia einmündender südl. Zufluß des Alpheios [1], h. Krestena (Xen. an. 5,3,8; Paus. 5,6,6). C.L.
[2] Fluß in Achaia, der am Erymanthos nahe → Leontion beim h. Vlasia entspringt, durch das Gebiet von Aigion fließt und östl. vom h. Valimitika in den Korinthischen Golf mündet, h. wieder S. (Strab. 8,7,5 [1. 82f.]; Paus. 7,24,5).

1 R. BALADIÉ, Le Péloponnèse de Strabon, 1980. Y.L.

[3] Fluß im äußersten SW von Sicilia (Plin. nat. 3,90; Ptol. 3,4,5), h. Modione. Nach ihm wurde die an seiner Mündung gelegene Stadt S. [4] benannt. Wohl identisch mit dem Lanarius im Itin. Anton. 88,8.

E. MANNI, Geografia fisica e politica della Sicilia antica, 1981, 113, 122 • R. J. A. WILSON, Archaeology in Sicily, 1982–87, in: Archaeological Reports 34, 1987/8, 105–150, hier 144–148. E.O.

[4] (Σελινοῦς, lat. *Selinuntum*, die sizilische Stadt Selinunt).
I. GESCHICHTE II. ARCHÄOLOGISCHER BEFUND

I. GESCHICHTE
Hafenstadt an der SW-Küste von Sicilia beim h. Marinella, von Megara [3] an der Mündung des S. [3] als westlichste der griech. Kolonien 628 v. Chr. (Thuk. 6,4,2; 651 v. Chr. nach Diod. 13,59,3f.) gegr. (→ Kolonisation IV., mit Karte). Mit → Phöniziern und → Sikanoi konnte sich S. arrangieren, Probleme ergaben sich immer wieder mit den → Elymoi von Segesta [1] (vgl. Diod. 5,9,2f.; Paus. 10,11,3). Wohl während einer Phase der Tyrannis (2. H. 6. Jh. v. Chr.; Theron, Peithagoras, Euryleon: Polyain. 1,28,2) wurde Herakleia [9] von S. gegr. Im J. 480 v. Chr. war S. als einzige griech. Stadt auf karthagischer Seite an der Schlacht bei → Himera beteiligt, ohne aber dafür von den Siegern zur Rechenschaft gezogen zu werden (Diod. 11,21,4f.; 13,55,1). Neben → Syrakusai schien S. den Athenern der Hauptfeind auf der Insel zu sein, als diese sich im → Peloponnesischen Krieg (D.) 416 v. Chr. zu einer 2. Sizilischen Expedition verleiten ließen (vgl. Thuk. 6,20,3; 6,47,1). In den folgenden Kämpfen unterstützte S. Syrakusai (vgl. Thuk. 6,65,1; 6,67,2; 7,1,3–5; 7,57,8; 7,58,1). Nach der Katastrophe der Athener 413 half S. Sparta im Ionischen Krieg (Thuk. 8,26,1; Xen. hell. 1,2,8–10; → Peloponnesischer Krieg E.). S. versuchte, Kapital aus dem Sieg über Athen zu schlagen, und begann einen gnadenlosen Krieg gegen Segesta, den Bundesgenossen der Athener. Da schritt → Karthago ein, um seine Interessen auf der Insel gegen die Griechen zu schützen. Der Feldzug unter Hannibal [1] endete 409 v. Chr. mit der Vernichtung von S.; die wenigen verbliebenen oder von der Flucht zurückgekehrten Einwohner durften in S. weiterleben, waren aber Karthago tributpflichtig (Diod. 13,54–59; Belege und Lit. [1. 107–114]).

Die karthag. Herrschaft über S. wurde danach selten gestört – etwa als Hermokrates [1] 408/7 v. Chr. die ehemaligen Bewohner von S. zurückrief, S. befestigte und die *epikráteia* von Karthago angriff (Diod. 13,63,3–5). Dionysios [1] I. baute auf seinem Feldzug gegen → Motya 397 v. Chr. die Befestigung von S. aus (vgl. Diod. 14,47,6). Auch Agathokles [2] (307: Diod. 20,56,3) und Pyrrhos [3] (277: Diod. 22,10,2) brachten S. nicht dauerhaft die erhoffte Freiheit. Mit dem Angriff der Römer auf Lilybaion 250 v. Chr. (1. → Punischer Krieg) wurde die Stadt aufgegeben, die Befestigung zerstört, die Bevölkerung nach Lilybaion evakuiert (Diod. 24,1,1). Zu Strabons Zeit (um die Zeitenwende) war die Stätte von S. weitgehend verödet (Strab. 6,2,6). Nur dörfliches Leben hat sich hier seitdem entwickelt (vgl. die christl. Inschr. CIL X 7201, 5. Jh. n. Chr.).

II. ARCHÄOLOGISCHER BEFUND
Reich wurde S. durch Weizenanbau auf dem großen, nördl. bis an die Grenzen von Segesta reichenden Territorium. Nicht unerheblich war auch der Ertrag der heilkräftigen Schwefel- und Thermalquellen am Monte S. Colgero (Strab. 6,2,9). Dieser Reichtum (vgl. Diod. 13,44,3; 57,4) dokumentiert sich etwa in der enormen Bautätigkeit im 6./5. Jh., dem reich ausgestatteten Schatzhaus von S. in Olympia und der Mz.-Prägung im 5. Jh. v. Chr.

Die Ruinenstätte von S. liegt auf einer Tuffebene zw. dem S. [3] im Westen und dem Hypsas (h. Belice) im Osten. Sie wird vom Gorgo di Cottone, einer sumpfigen Niederung (hier ant. Hafenanlagen), in ein westl. Plateau (47 m H) mit der Akropolis sowie dem nördl. daran anschließenden Stadtareal und ein östl. Plateau (40 m H) mit der sog. Neustadt (nach 409 v. Chr. nicht mehr bebaut) geteilt. Bei den Tempeln von S. (A, C, D, E, F, G, O; vgl. Lageplan) handelt es sich um dorische → Peripteroi; im Detail finden sich zahlreiche einheimische und/oder punische Elemente. S. ist überhaupt durch kulturelle Vielfalt gekennzeichnet. Bes. deutlich wird dies im kultischen Bereich. Die Zuordnung der Kultbauten zu bestimmten Gottheiten ist schwierig, meist hypothetisch.

Auf dem Boden vor dem Pronaos des Tempels A (490/460) der Akropolis sind punische Kultsymbole (nach 409) angebracht worden. Beim Tempel B (4./3. Jh.; nicht auf Plan) handelt es sich nicht um einen Peripteros, sondern um einen kleinen Kultbau mit vier Säulen. Der größte Tempel der Akropolis ist C (ca. 560 v. Chr.) mit einem bemerkenswerten Metopenfries. Der

Selinus. Gesamtplan

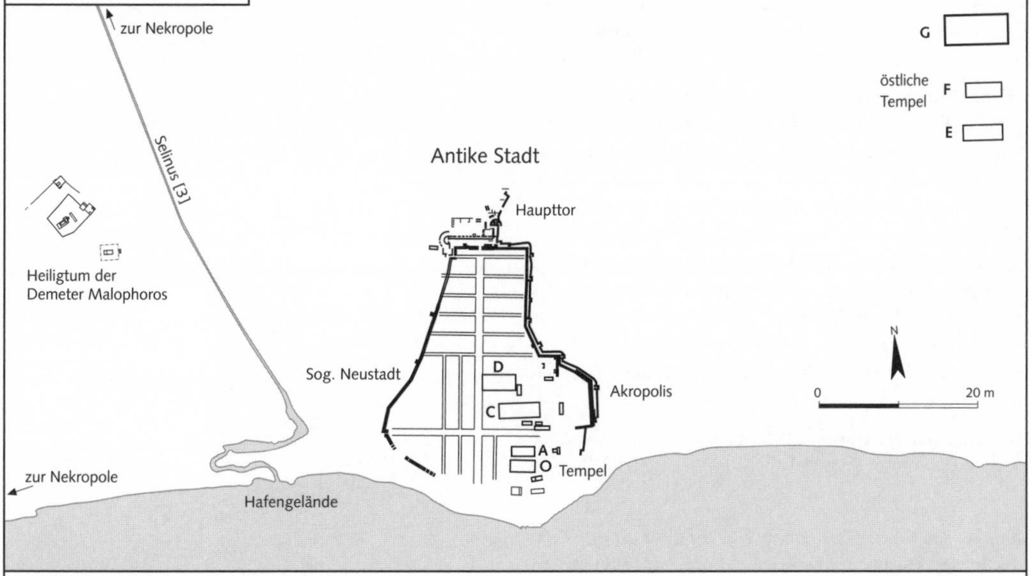

Selinus. Tempel (Grundrisse)

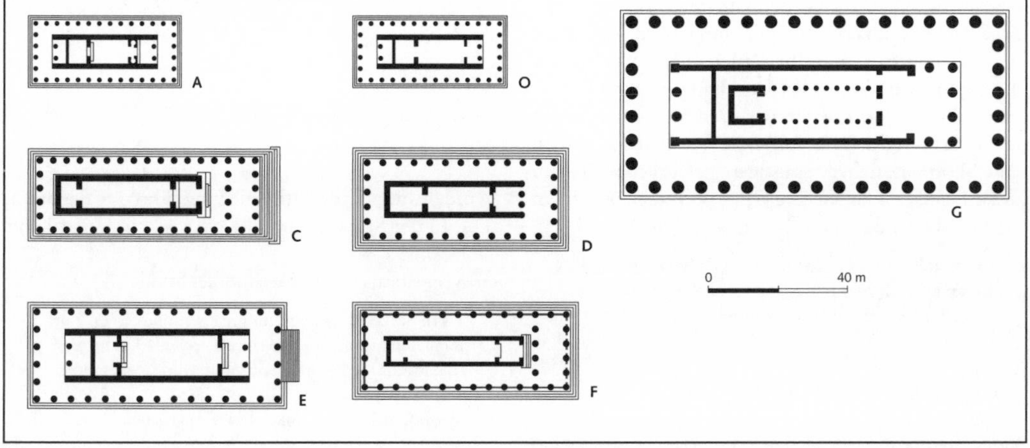

Tempel D (ca. 540 v. Chr.) fällt auf mit seinen großen Säulenabständen und der langgestreckten Cella. Westl. davon befindet sich ein punisches Heiligtum (ummauertes Temenos). Im Norden der Akropolis sind die Befestigungsanlagen gut zu erkennen. Sie weisen drei Bauphasen auf: die alte Mauer (5. Jh. v. Chr. und später), die Wehranlage des Hermokrates [1] und die des Dionysios [1] I. Auf dem östl. Plateau wurde der Tempel E (460/450 v. Chr.) über einem Vorgänger des 7. Jh. v. Chr. errichtet. Er war der Hera geweiht. Es handelt sich dabei um ein Musterbeispiel klass. Tempelbaukunst. Wie die anderen Tempel von S. wurde der Tempel E im MA durch ein Erdbeben zerstört; h. wiederaufgerichtet. Der älteste Tempel des Hügels (ca. 530 v. Chr.) ist F; ohne Opisthodom, fällt er auch durch die Länge seiner schmalen Cella und durch die großen Säulenabstände auf. Einer der größten dorischen Tempel der griechischen Welt (113,34 × 54,05 m, 8 × 17 Säulen) ist G (520/470 v. Chr.). Am Westufer des S. [3] befindet sich ein ummauertes Temenos mit Megaron, Propylon und anderen Kultbauten, das Heiligtum der Demeter → Malophoros. Umfangreich sind die Nekropolen beiderseits des S. [3]. Inschr.: IG XIV 268 ff.; SEG 4,44; 11,1179; 14,594; 26,1113; Mz.: HN 167–169 (5. Jh. v. Chr.).

1 Huss.

M. Santangelo, Selinunte, 1961 • D. Mertens, Griechen und Punier. Selinunt nach 409 v. Chr., in: MDAI(R) 104, 1977, 301–320 • Ders., A. Drummer, Nuovi elementi della grande urbanistica di Selinunte, in: Kokalos 39/40, 1993/4, 1479–1491 • L. Giuliani, Die archa. Metopen von Selinunt, 1979 • C. Marconi, Selinunte. Le metope dell'Heraion, 1994 • V. Tusa, s. v. Selinunte, in: EAA 2.

Suppl. Bd. 5, 1997, 213–215 • Ders., s.v. S., PE, 823–825 • R. ARENA, Iscrizioni greche arcaiche di Sicilia e Magna Grecia, Bd. 1, 1989 • A. CARBÈ, Note sulla monetazione di Selinunte, in: Rivista Italiana di Numismatica 1986, 3–20.
E.O.

[5] Stadt in Kilikia Tracheia (→ Kilikes) beim h. Gazipaşa; als Polis erstmals bei Skyl. 102 erwähnt. 197 v.Chr. wurde S. von Antiochos [5] unterworfen (Liv. 33,20,5). Nach dem Tod des Traianus in S. (117 n.Chr.) wurde die Stadt in Traianopolis umbenannt (Cass. Dio 68,33,3; CIG 4423), 260 n.Chr. eroberten die Perser die Stadt; im 5. Jh. wurde sie von den isaurischen Unruhen betroffen [1. 407f.]. Die auf einem Inselberg an der Mündung des Flusses S. angelegte Siedlung breitete sich in röm. Zeit in die Strandebene aus. Außer der Nekropole sind nur wenige ant. Reste oberflächlich erh. [2. 29–32, 55–58, mit Plan].

1 HILD/HELLENKEMPER 2 E. ROSENBAUM u.a., A Survey of Coastal Cities in Western Cilicia, 1967.
K.T.

Selkis. Äg. Göttin (*srq.t*); ihr Wahrzeichen ist ein Tier, das in der Forsch. teilweise als Skorpion, teilweise als Wasserskorpion gedeutet wird. Ihre Heimat liegt mutmaßlich im Westdelta. Gemeinsam mit → Isis, → Nephthys und → Neith schützt sie die Eingeweide des Toten im → Kanopen-Kasten. Ihr Zeichen findet sich unter den Symbolen der Reliefdarstellungen zum Regierungsjubiläum. Ihr Priester, der »Beschwörer der S.«, ist in Medizin und Magie vorrangig bei Schlangenbissen und Skorpionsstichen, sonstigen gefährlichen Tieren sowie Hautkrankheiten tätig [1]. S. wird auch mit einem der Sternbilder des nördl. Himmels verbunden [2].

1 F. VON KAENEL, Les prêtres-ouâb de Sekhmet et les conjurateurs de Serket, 1984 2 O. NEUGEBAUER, R.A. PARKER, Egyptian Astronomical Texts, Bd. 3, 1969, 183–192.
JO.QU.

Sella s. Sänfte; Stuhl; Subsellium

Sella curulis. Sitzmöbel röm. Magistrate in Form eines ganz oder teilweise aus Elfenbein bestehenden Klappstuhles mit s-förmig geschwungenen Beinen ohne Rükken- oder Seitenlehnen. Die *s.c.* ist etr. Ursprungs und wohl als Wagen- und Gerichtsstuhl von lat. *currus* (»Wagen«) abgeleitet (Gell. 3,18,4; Fest. 43; Serv. Aen. 11,334). Als Insignie der magistratischen Gewalt wurde sie den Beamten von *servi publici* (»Staatssklaven«) nachgetragen und bei Vorsitz im Senat, in der Volksversammlung, bei Gerichtsverhandlungen und Aushebungen aufgestellt. Auf ihnen nahmen Platz: die curulischen Magistrate (Consul, Praetor, Promagistrat, Aedil, Dictator, Magister equitum, Interrex, Consulartribun, Decemvir), im übrigen noch der Censor, der plebeiische Aedil sowie der *flamen Dialis*, später auch Munizipialbeamte und der → Princeps. Die *sellae curules* waren persönlicher Besitz, ihre Zerstörung kam bei Mißachtung der *maior* → *potestas* vor [1. 64ff.]. Beim Leichenzug

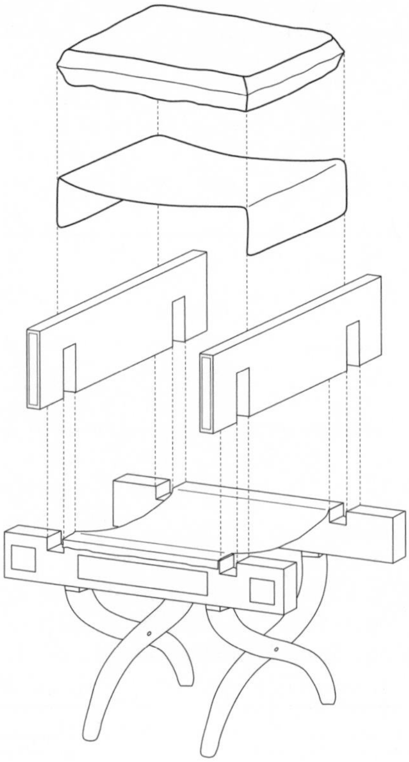

Sella curulis; schematischer Aufbau.

wurden die *s.c.* der Ahnen mitgeführt (→ Bestattung D.). In der Spätant. löste die *cathedra*, ein hoher Lehnstuhl, die *s.c.* ab.

→ Magistratus C.; Statussymbole; Stuhl

1 TH. SCHÄFER, Imperii insignia: s.c. und fasces. Zur Repräsentation röm. Magistrate, 1989 2 J. RONKE, Magistratische Repräsentation im röm. Relief, 1987
3 O. WANSCHER, S.c.: The Folding Stool, an Ancient Symbol of Dignity, 1980 4 H. GABELMANN, Ant. Audienz- und Tribunalszenen, 1984 5 A. ALFÖLDI, Die monarchische Repräsentation im Kaiserreiche, 1970.
L.d.L.

Sellasia (Σελ(λ)ασία). Polis (Diod. 15,64,1) spartanischer → *períoikoi* im Tal des Oinus [1] ca. 10 km nördl. von Sparta bzw. 5 km östl. des h. Ortes S., beherrschte den nördl. Zugang in die → Lakonike. Eine befestigte Siedlung auf dem Paleogulas mit Funden des 5.–2. Jh. v.Chr. ist nachgewiesen, ferner ein *phrúrion* (»Festung«) auf dem Hagios Konstantinos in 831 m H [1; 3]. S. wurde 389/8 v.Chr. von → Chabrias, nach der Schlacht von Leuktra 371/0 v.Chr. von → Epameinondas zerstört (Xen. hell. 6,5,27) und war nach 367 v.Chr. wieder spartanisch (Xen. hell. 7,4,12). 222/1 v.Chr. besiegte Antigonos [3] Doson bei S. Kleomenes [6] III. [1; 2; 3; 4] und zerstörte den Ort. S. fiel an die Achaioi und war z.Z. des Pausanias (2. Jh. n.Chr.) verödet (Paus. 2,9,7; 3,10,7).

1 S. Grunauer von Hoerschelmann, s. v. S., in: Lauffer, Griechenland, 610 2 Pritchett 1, 1965, 59–70 3 K. Pritchett, The Polis of S., in: A. L. Boegehold (Hrsg.), Studies Presented to Sterling Dow on His Eightieth Birthday, 1984, 251–254 4 R. Urban, Das Heer des Kleomenes bei S., in: Chiron 3, 1973, 95–102. H. LO.

Sellerie s. Eppich

Sellisternium. Vergleichbar dem *lectisternium* genannten röm. Göttermahl. Gemäß den ant. Tischsitten (Männer lagerten auf Betten, Frauen saßen) wurden beim *s.* Statuetten der Göttinnen auf *sellae* (Sessel, Hokker) gestellt und ihnen eine Mahlzeit dargebracht. Überl. sind *s.* bes. als Bestandteile der *ludi saeculares* (CIL VI 32323; 32329). Sie konnten ebenfalls bei unheilverkündenden Vorzeichen durchgeführt werden. Mz.-Prägungen unter Titus und Domitianus nehmen Bezug auf ein mit einem *lectisternium* verbundenes *s.* aus Anlaß einer Seuche, eines Brandes in Rom sowie des Vesuvausbruchs (79 n. Chr.). Die Mz. haben unterschiedliche RS-Bilder; so wird das *s.* für Minerva z. B. durch einen auf einem Hocker liegenden korinthischen Helm zum Ausdruck gebracht (RIC 23a ff.). A. V. S.

Sellius. A. S. Clodianus. Senator, der wohl mit dem in der *Historia Augusta* (HA Sept. Sev. 13,1) genannten Asellius Claudianus identisch ist. Suffektconsul vor dem J. 193 n. Chr., in dem er als *curator operum publicorum* bezeugt ist (AE 1974, 11; [1. 236]).

1 Kolb, Bauverwaltung. W. E.

Selloi (Σελλοί). Bewohner von → Dodona, Priester des dortigen Zeusorakels. Die S. erscheinen bereits bei Homer als dessen Interpreten (Hom. Il. 16,234 f.; vgl. Soph. Trach. 1166 f.; Kall. h. 4,286; Kall. fr. 186,14). Ihre Attribute (ungewaschene Füße und Schlafen auf dem Boden) deuten auf eine rituelle Verbindung zur Erde. Das archa. Priestertum der S. ging später auf die weibl. Peleiades über (Strab. 7,7,12). Als Namensvariante ist *Helloí* belegt (ScholiaIl 16,234; Pind. fr. 59; Kall. fr. 675; Strab. 7,7,10); eine etym. Verbindung zum Volksstamm der Hellenes (→ Hellas) und der Landschaft → Hellopia wird häufig angenommen (vgl. Aristot. meteor. 352b 1; Hesych. s. v. Ἑλλοί) [1]. Als Stammvater der S. gilt der Holzfäller Hellos, dem eine Taube die weissagende Eiche gezeigt haben soll (Philostr. imag. 2,33).

1 Frisk, s. v. Ἑλλάς.

H. W. Parke, The Oracles of Zeus, 1967, 1–163. A. A.

Selymbria (Σηλυμβρία). Stadt in Thrakien am Marmarameer, 60 km westl. von Byzantion/Konstantinopolis, h. Silivri. Die urspr. thrak. Siedlung, deren Name als »Stadt des Selys« zu deuten ist, wurde noch vor Byzantion von Griechen aus Megara [2] kolonisiert, d. h. um 700–660 v. Chr. S. wurde nach dem → Ionischen Aufstand 493 v. Chr. von den Persern erobert, gehörte später zum → Attisch-Delischen Seebund, kam nach dem → Peloponnesischen Krieg zeitweise unter die Herrschaft der Spartaner und war seit 377 v. Chr. Mitglied des 2. → Attischen Seebundes. In röm. Zeit wird S. selten erwähnt und gewann erst nach der Gründung von Konstantinopolis wieder an Bed. Die Umbenennung zu Eudoxiupolis nach der Kaiserin Aelia [4] Eudoxia setzte sich nicht durch. S. war seit Anastasios I. südl. Endpunkt der »Langen Mauern«; später ist S. als Sitz eines Bischofs, seit dem 12. Jh. eines Erzbischofs häufig bezeugt; 1453 wurde es von den Osmanen eingenommen. Die dokumentierten oder erh. ma. Reste stammen zumeist aus spätbyz. Zeit.

E. Oberhummer, s. v. S., RE 2 A, 1324–1327 · A. Kazhdan, s. v. S., ODB 3, 1867 f. AL. B.

Sem s. Semiten

Semachidai (Σημαχίδαι). Att. Asty(?)-Demos, Phyle Antiochis, mit einem → *buleutḗs*. Nach Philochoros bei Steph. Byz. s. v. Σ. in der Epakria, dem bergigen Norden von Attika, gelegen (beim h. Vredu [2]?). Ein zweites S., das E. 2./Anf. 3. Jh. n. Chr. bezeugt ist, war kein regulärer att. Demos [1. 13, 94 f., 121 Nr. 37].

1 Traill, Attica, 13, 54, 69, 94 f., 112 Nr. 126, 121, Nr. 37, Tab. 10 2 J. S. Traill, Demos and Trittys, 1986, 139, 149. H. LO.

Semasiologie s. Lexikon I.

Semele (Σεμέλη, etr. *Semla*; auch Θυώνη/*Thyṓnē*). Tochter des → Kadmos [1] und der → Harmonia, Schwester der → Agaue, → Autonoë, Ino und des → Polydoros (Hes. theog. 975–978). Bed. hat S. durch den thebanischen Geburtsmythos des → Dionysos: Als sie von Zeus schwanger ist (als ihr erster Freier gilt → Aktaion: Hes. fr. 217A M.-W.), wird sie von Hera überredet, ihn zu bitten, sich ihr in seiner wahren Gestalt zu zeigen. Der Wettergott tut dies als Blitz und tötet sie damit. Den ungeborenen Dionysos entnimmt er dem Bauch der Mutter, um ihn in seinen Schenkel einzunähen und auszutragen (Hom. h. 26,1–3; Pind. P. 3,98–99; Eur. Hipp. 555–564; Eur. Bacch. 2–3; 6–9; 87–102; 519–529; Ov. met. 3,256–315; Ps.-Apollod. 3,26–29). Später holt Dionysos S. aus dem Hades zurück, gibt ihr den zweiten Namen Thyone (Diod. 4,25,4; Charax FGrH 103 F 14; vgl. Ino/→ Leukothea) und führt sie als Göttin in den Olymp (Hes. theog. 940–942; Pind. O. 2,24–30; Ps.-Apollod. 3,38). Der von θύειν/*thýein* (»stürmen«) abgeleitete Name liegt den Dionysos-Epiklesen Θυωνίδας, Θυωναῖος usw. zugrunde und steht in Bezug zur Bezeichnung Θυιάδες für die att. → Mänaden. In Etrurien wurde S. mit Stimula gleichgesetzt. Ohne Schenkelgeburt kommt die lakonische Kultlegende bei Paus. 3,24,3 f. aus.

Hauptort des modellhaft schon mythischen (Pind. fr. 75; Eur. Phoen. 1751–1756 mit schol. 1752; Theokr. 26,1–6) und histor. weit verbreiteten Kults – meist neben Dionysos (Erchia: LSCG 18 A 44–51; [2. 263 f.];

Mykonos: LSCG 96,22–24; Magnesia: IMagn. 214; Messapien, als *thivina* = Thyone: [1. 94 Nr. B1.15]; Olbia: [5. 255]; Köln: CIL XIII 8244, [4. Nr. 39]) – ist S.s σηκός (*sēkós*, »Einfassung«) im thebanischen Heiligtum des Dionysos Kadmeios (Eur. Bacch. 6–12; Paus. 9,12,3; [7. Bd. 1,187f.]; ein *sēkós* der Ino in Chaironeia: [7. Bd. 2,82]). Wohl an allen Orten ihrer *ánodos* wurden Feste gefeiert (Troizen: Paus. 2,31,2; Lerna: Paus. 2,37,5; Delphoi, wo das Fest *Herōís* hieß: Plut. mor. 293cd; [4. Nr. 25]; Samos: Iophon TrGF I 22 F 3). Auf unhaltbaren Etym. beruht die ant. Gleichsetzung von S. mit Ge/→ Gaia (Apollod. FGrH 244 F 131; Diod. 3,62,9), doch überzeugen auch die mod. Ableitungen nicht. Kretschmers folgenreiche Hypothese einer thrak.-phryg. Erdgottheit ist sprachlich [3. 74–78] und rel.-histor. (durch den Nachweis der griech. Herkunft des Dionysos; vgl. schon [6]) widerlegt.
→ Dionysos

1 O. Haas, Messapische Studien, 1960 2 A. Henrichs, Between Country and City: Cultic Dimensions of Dionysus in Athens and Attica, in: M. Griffith, D. J. Mastronarde (Hrsg.), Cabinet of the Muses, 1990, 257–277
3 A. Heubeck, Phrygika I-III, in: ZVS 100, 1987, 70–85
4 A. Kossatz-Deissmann, s. v. S., in: LIMC 7.1, 713–726; 7.2, 530–534 5 B. Lifshitz, Inscriptions grecques d'Olbia, in: ZPE 4, 1969, 243–256 6 W. F. Otto, Dionysos, ³1960 (¹1933), 62–70 7 Schachter. T. H.

Sementivae feriae. Bewegliches röm. Fest (→ *feriae*) zur Förderung der Saat, das Ovid für den 24. bis 26. Januar (Ov. fast. 1,657–704) mit Bezugnahme auf die → Fordicidia vom 15. April behandelt [1. 142f.]. Das Fest umfaßte Opfer für → Tellus und → Ceres an zwei durch sieben Tage voneinander getrennten Tagen (Lyd. mens. 3,9); es wurde im Anschluß an die erste Frühjahrssaat innerhalb von 91 Tagen nach dem Herbstaequinox (Varro rust. 1,34) und vor der zweiten Frühjahrssaat im späten Januar bzw. frühen Februar gefeiert (Colum. 11,2,9; Pall. agric. 2,9; Varro rust. 1,29; 1,36; InscrIt 13,2 p. 287 und 293). Zwölf weitere agrarische Gottheiten (→ Obarator; → Runcina) wurden dabei ebenfalls angerufen (Gebet: Fabius [I 34] Pictor bei Serv. georg. 1,21, 2. Jh. v. Chr.; [2]). Das Gedeihen der Saaten im Kontext des agrarischen Jahreszyklus war offenkundiger Zweck der *S. f.*; die Erwähnung von Puppen (*oscilla*: Prob. georg. 2,385–389) läßt dazu an eine Verbindung mit den Puppen im Kult der agrarischen → *Lares compitales* (schol. Pers. 4,28) denken; sie hatten apotropäischen Charakter [3. 249f.].
→ Sondergötter

1 S. Weinstock, Tellus, in: Glotta 22, 1934, 140–162
2 J. Bayet, Les f. S. et les Indigitations dans le culte de Cérès et de Tellus, in: RHR 137, 1950, 172–206 3 C. R. Phillips, Walter Burkert *in partibus Romanorum*, in: Religion 30, 2000, 245–258.

L. Delatte, Recherches sur quelques fêtes mobiles de calendrier romain, in: AC 5, 1936, 381–391. C. R. P.

Semilibralstandard. 217 v. Chr. eingeführte Reduktionsstufe des röm.-ital. → *aes grave*, nach der der urspr. librale (pfündige) → *as* nur noch die Hälfte wog (RRC 38/1, ca. 132 g).

1 RRC, p. 615f. 2 R. Thomsen, From Libral »Aes Grave« to Uncial »Aes« Reduction. The Literary Tradition and the Numismatic Evidence, in: Les »dévaluations« à Rome. Epoque républicaine et impériale (Kongr. Rom 1975), 1978, 9–30. GE. S.

Semipelagianismus
A. Begriff B. Geschichte C. Lehre
D. Autoren

A. Begriff

S. (»Halbpelagianismus«) ist eine mod. (erstmals wohl E. 16. Jh. [2]) Bezeichnung für eine theolog. Denkbewegung des 5./6. Jh. in Klöstern Südgalliens gegen die Gnaden- und Prädestinationslehre des → Augustinus (vgl. [7]). Eingedenk folgender Vorbehalte bleibt der Begriff S. wiss. brauchbar: 1) Es sind keine direkten histor. Verbindungen zum 418 verurteilten → Pelagius [4] noch zu anderen Pelagianern erwiesen. 2) Die südgall. Mönche verstanden sich nicht als »halbe« Gefolgsleute des auch von ihnen verurteilten Pelagius, sondern als Vertreter einer uralten kirchlichen Gnadentheologie. Augustinus' eigene Bezeichnung *Massilienses* (»Marseillaner«) grenzt geogr. zu eng ein. 3) Die unter dem Begriff S. subsumierten Autoren und Schriften haben zwar ein gemeinsames Anliegen, vertreten aber keine einheitliche, widerspruchsfreie Lehre.

B. Geschichte

Um 426/7 meldete sich aus einem Kloster in Hadrumetum (h. Sousse, Tunesien) Widerstand gegen die Gnaden- und Prädestinationslehre, die Augustinus seit 410 im Konflikt mit Pelagius und → Iulianus [16] von Aeclanum entwickelt hatte. Augustinus reagierte 427 mit den Schriften *De gratia et libero arbitrio* (›Gnade und freier Wille‹) und *De correptione et gratia* (›Zurechtweisung und Gnade‹) auf diese Kritik, was wiederum bei den Mönchen Südgalliens zu Protesten und Gegenschriften führte; der semipelagian. Streit war geboren [1]. Nach Augustinus' Tod (430) führten Autoren wie → Prosper Tiro von Aquitanien, sein Freund → Hilarius [2] und → Fulgentius [2] Ruspensis den Kampf gegen den S. weiter, bis der S. 529 auf der Synode von Arausio (h. Orange) auf der Basis von acht – jedoch einseitig und überspitzt formulierten – *canones* (»Lehrsätzen«) verurteilt wurde.

C. Lehre

Als Mönche waren die Semipelagianer überzeugt, aus eigenem Antrieb durch ein asketisches und spirituelles Leben zum Heil zu gelangen [3]. Diese asket. Bemühungen sahen sie jedoch durch Augustinus' Lehre von Gnade, Prädestination und (un)freiem Willen gefährdet [4]. Sie betonten, daß der Glaube bzw. Heilswille (*initium fidei*) vom Menschen ausgehe und Gott diesen mit seiner Gnade vollende, was auch der täglichen Praxis der Mönche wie der sich moral. mühenden Menschen entspreche. Die augustin. → Prädestinationslehre disqualifiziere die Askese, mache jegliche moral. Predigt sinnlos und widerspreche der kirchlichen Trad. Gegen die Lehre von der absoluten Zahl der durch Gott Erwählten entwickelten sie die Ansicht, daß Gott jene erwähle, von denen er im voraus wisse, daß sie sich aufgrund ihrer Verdienste als würdig erweisen. Insgesamt hielten sie gegen Augustinus ebenso am allgemeinen Heilswillen Gottes fest wie sie ein Zusammenarbeiten von Gnade und menschlicher Freiheit postulierten: Die Erbsünde sei zwar eine Krankheit, aber es bleibe dem Menschen eine gewisse Freiheit, um sich von sich aus Gott zuzuwenden [8].

D. Autoren

Als wichtigste Vertreter der semipelagian. Denkbewegung [6] können gelten: 1) Iohannes → Cassianus (um 435?), der sich vor allem in seiner 13. Conlatio, *De protectione Dei* (›Der Schutz Gottes‹), mit der Gnadenlehre Augustins auseinandersetzt, wobei diese Schrift aufgrund der Autorität des Cassianus quasi zum Programm der südgall. Mönche wurde. 2) → Vincentius von Lerinum (vor 450?), der in seinem *Commonitorium* (›Merkbuch‹; 434) das Traditionsargument gegen die Neuheit der augustin. Lehre ins Spiel brachte. 3) → Faustus [3] Reiensis (490/495?), der 470 *De gratia Dei* (›Die Gnade Gottes‹) schrieb, sozusagen eine Kompilation der im Streit rund um den S. vorgebrachten Positionen, die er zu Gunsten der südgall. Mönche auswertet [5].

→ Augustinus; Prädestinationslehre (III.)

1 J. Chéné, Les origines de la controverse semi-pélagienne, in: Année théologique Augustinienne 13, 1953, 59–109
2 M. Jacquin, A quelle date apparaît le terme »Semipélagien«?, in: Revue de science philosophique et théologique 1, 1907, 506–508 3 C. M. Kasper, Theologie und Askese. Die Spiritualität des Inselmönchtums von Lérins im 5. Jh., 1991 4 Ders., Der Beitr. der Mönche zur Entwicklung des Gnadenstreits in Südgallien, dargestellt an der Korrespondenz Augustins, in: A. Zumkeller (Hrsg.), Signum Pietatis. FS C. P. Mayer, 1989, 153–182 5 Th. A. Smith, De gratia. Faustus of Riez's Treatise on Grace, 1990
6 A. Solignac, s. v. Semipélagiens, in: Dictionnaire de spiritualité, ascétique et mystique 14, 1990, 555–568
7 C. Tibiletti, Rassegna di studi e testi sui »semipelagiani«, in: Augustinianum 25, 1985, 507–522 (Lit.) 8 F. Wörter, Beitr. zur Dogmengesch. des S., 1898 (Ndr. 1978)
9 Ders., Zur Dogmengesch. des S., 1899. A. KE.

Semiramis (Σεμίραμις). Sagenhafte assyrische Königin, Protagonistin zahlreicher ant. und nachant. Erzählungen. Während Hdt. 1,184; 3,155 sie nur kurz erwähnt (Hinweis auf eine angebliche Bautätigkeit in Babylonien), bietet → Ktesias eine (u. a. von Diod. 2,4–20 überl.) ausführliche Lebensbeschreibung. Demnach ist sie die Tochter der syr. Göttin Derketo; von dieser ausgesetzt, wächst sie, von Tauben ernährt und von Hirten aufgezogen, zu großer Schönheit heran, wird die Gattin des assyr. Offiziers Onnes und folgt diesem in den Krieg gegen Baktrien, den sie durch einen kühnen Handstreich zugunsten der Assyrer entscheidet. Der assyr. König → Ninos [1] zwingt Onnes zum Selbstmord und heiratet S.; nach seinem Tod erbt sie das assyr. Reich und findet trotz eines ausschweifenden Lebenswandels Zeit, in Babylonien und Medien gewaltige Bauten zu errichten und Feldzüge in ferne Länder zu führen. Eine von ihrem Sohn → Ninyas [1] angezettelte Verschwörung gegen sie scheitert, veranlaßt sie jedoch zum Thronverzicht; zu den Göttern entrückt, wird S. auf Erden in Gestalt einer Taube verehrt. Der Bericht des Ktesias hat in der ant. Lit. mannigfache Veränderungen und Ausschmückungen erfahren (z. B. Strab. 2,1,26; 31; 15,1,5 f.; 16,1,2; Plin. nat. 6,49; 7,207; 19,49; Iuv. 2,108; Lukian. de Syria dea 14; Aug. civ. 18,2,2 f.; weitere Quellen bei [1. 305–308]); histor. Kritik an der Überl. äußern Berossos (bei Ios. c. Ap. 1,20) und Diod. 2,10, die anmerken, daß die Anlage der → »Hängenden Gärten« von → Babylon der S. zu Unrecht zugeschrieben werde. Im griech.-äg. → Ninos-Roman erscheint S. nicht als stolze Herrscherin, sondern als schüchternes Mädchen. Die armenische S.-Legende, wie sie Moses [2] von Choren mitteilt (Gesch. Armeniens XII–XIX), stellt ihren Konflikt mit dem schönen Armenierkönig Ara in den Mittelpunkt.

Histor. »Urbild« der S. war Sammu-ramat, die vermutlich aus Syrien stammende Gemahlin des assyr. Königs Šamšī-Adad V. (824–811 v. Chr.) und Mutter seines Nachfolgers Adad-nīrārī III. (811–783 v. Chr.). Monumentalinschr., die ihren Namen neben dem ihres Sohnes nennen, und eine ihr gewidmete Stele aus Assur zeugen davon, daß sie über große polit. Macht verfügte, ganz so wie die S. der Sage. Die zahlreichen Feldzüge gegen die Meder, die unter Adad-nīrārī III. unternommen wurden, scheinen in der Sage ebenfalls ein Echo gefunden zu haben; vielleicht waren es die Meder, die die S.-Legende begründeten. Andere Züge der S. (Tötung ihrer Liebhaber, Sodomie mit einem Zuchthengst) dürften auf myth. Erzählungen von der mesopot. Göttin → Ištar zurückgehen. S.' Verbindung mit Tauben ist wohl volksetym. motiviert (akkad. *summatu*, »Taube«). Zur umstrittenen tatsächlichen Etym. des Namens s. [2].

→ Bisutun; Gynaikokratie; Mesopotamien; Rhodogune

1 G. Pettinato, S., 1988 (weitere Lit. 309 f.)
2 T. Kwasman, Rez. zu: M. Cogan, I. Eph'al (Hrsg.), Ah, Assyria. FS H. Tadmor (Bibliotheca Orientalis 55), 1998, 467 f. E. FRA.

Semis (spätlat. *semissis*, »Hälfte«). Im Münzwesen halber → As = 6 → Unciae. Der S. kommt in fast allen Reihen des ital. → Aes grave vor; bei dezimaler Teilung tritt an seine Stelle der → Quincunx, besonders in Ostit. Im röm. Aes grave hat der S. (ab ca. 280 v. Chr.) das Wertzeichen S. Bis ca. 231 v. Chr. zeigt er verschiedene Münzbilder, ab ca. 225 v. Chr. (Einführung der Prora-Serie des → Aes grave) Saturnuskopf auf dem Av. und Prora auf dem Rv. Bis zur Einführung des → Sextantalstandards (ca. 214–212 v. Chr.) wurde der S. gegossen, danach geprägt. Der S. erscheint auch in den reduzierten Bronzesystemen aller Stufen herab zum → Semunzialstandard. Er wurde bis ca. 86 v. Chr. geprägt. Mit anderen Bildern erscheint der S. erst wieder in den Prägungen der Flottenpraefekten des M. Antonius [1 9] (→ Quartunzialstandard). Im röm. Bronzemünzensystem des Augustus fehlte der S.; in der Münzreihe von Lugdunum mit Altar auf dem Av. wurde er (in Messing) anstelle des → Quadrans geprägt. In Rom selbst gab es den S. nur im Münzsystem Neros (erst in Kupfer, dann in Messing). Einige seltene in Rom und im Osten geprägte Messing-Kleinmünzen von den Flaviern bis Hadrian könnten S. oder Quadranten gewesen sein. Ansonsten kommt der S. in der Kaiserzeit nicht mehr vor.

1 K. Regling, s. v. S., RE 2 A, 1348–1352 **2** RRC, passim **3** M. Tameanko, The Quadrans and S. Denominations in Roman Imperial Coinage, in: Bull. of the Soc. of American Numismatics 18/4, 1993, 86–93. DI. K.

Semiten. Der erst im 18. Jh. n. Chr. in die Wiss. eingeführte Begriff S. bezieht sich auf Sem, den Sohn → Noahs in der ›Völkertafel‹ (Gn 10,21–31). Noahs dort genannte Söhne gelten heute als *hḗrōes epṓnymoi* verschiedener → semitischer Sprachen. Der Begriff S. ist in der mod. Wiss. hauptsächlich auf den sprachwiss. Aspekt beschränkt; man geht traditionellerweise von einer Gruppe der semit. Sprachen bzw. einer semitisch-hamitischen Sprachfamilie (auch → Afroasiatisch) aus. Durch ungerechtfertigte Ausdehnung des Begriffs auf vermeintlich einheitliche rassisch-anthropologische Merkmale der Sprecher von semit. Sprachen, die in faschistischen Staaten auch polit. mißbraucht wurde, wurde seine wiss. Benutzung größtenteils obsolet. Im mod. Sprachgebrauch ist noch unscharf von S. die Rede, wenn von Völkern des Nahen Ostens gesprochen wird. Im allgemeinsten Sinne findet sich in der wiss. Lit. auch noch die Terminologie semitisch bzw. lat. *semitica*, die über die sprachwiss. Bed. hinaus auf kulturelle Phänomene dieses geogr. Raumes ausgedehnt wird. Von Semitizismen wird auch gesprochen, wenn linguistische Einflüsse des Hebräischen und Aramäischen auf das Griech. des NT untersucht werden.

→ Semitistik C. K.

Semitische Sprachen. Der Begriff wurde durch A. L. Schloezer 1781 für die Sprachen eingeführt, die man den Söhnen Sems (Gn 10,21–31; → Semiten) zuordnete und die mit den sog. hamitischen Sprachen Afrikas einen gemeinsamen Ursprung aufweisen. Gleichbedeutend mit Semito-Hamitisch wird die Bezeichnung → Afroasiatisch verwendet. Die älteste schriftlich überl. → Sprache ist das → Akkadische bzw. das → Eblaitische (Mitte 3. Jt. v. Chr.), die am längsten überl. das → Aramäische, die am weitesten verbreitete das heutige → Arabische.

In der wiss. Lit. wird die Unterteilung der s.S. kontrovers diskutiert. Nach der neuesten Gliederung (Hetzron, Voigt) lassen sie sich in einen ostsemit. Zweig mit

Aufteilung der semitischen Sprachen
(teilweise Modell nach Hetzron/Voigt)

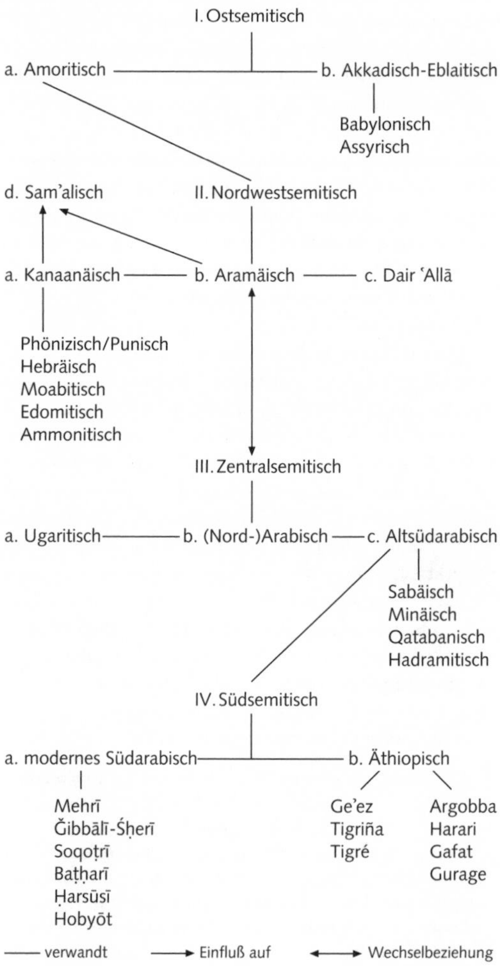

Akkadisch und → Amoritisch und in einen westsemit. Zweig einteilen, der wiederum in einen nordwestsemit. Zweig mit Aramäisch und → Kanaanäisch, einen zentralsemit. mit → Ugaritisch, Nordarabisch und → Altsüdarabisch und einen südsemit. mit dem → Äthiopischen und mod. südarab. Sprachen untergliedert wird. Die traditionelle Einteilung stuft das Akkad. als Ostsemit., das Amorit., Ugarit., Kanaan. und Aram. als Nordwestsemit., das Nordarab., Altsüdarab., das mod. Südarab. und das Äthiopische als Südsemit. ein. Die Einzelsprachen zerfallen in einzelne Dialekte, z. B. das Kanaanäische u. a. in → Hebräisch, → Phönizisch, → Ammonitisch, → Edomitisch und → Moabitisch.

Umstritten sind die meisten Versuche, eine semit. Ursprache zu rekonstruieren. Im Phonembestand (Laryngale, Pharyngale und vielfältige Dentale, Sibilanten), der in einigen Sprachen des S. sehr reduziert ist, differiert das S. erheblich vom Idg. Die Wortbildung basiert auf dem System der Triliteralität: die drei Radikale (Konsonanten) einer Wurzel sind die Träger der jeweiligen Bed. Einige der Wurzeln gehen verm. auf eine zweiradikalige Kosonantenbasis (Biliterale) zurück, die später erweitert wurde. Die drei ursemit. Grundvokale a, i, u mit Längen und Kürzen spielen nur eine untergeordnete Rolle, da sie sich in ihrer Klangfarbe an die Konsonanten anpassen und nicht für die Artikulation ausschlaggebend sind. Die einzelnen Morphemtypen werden durch Präfigierung, Infigierung und Affigierung sowie durch Vokale modifiziert. Pronomen, Verb und Nomen unterscheiden drei Numeri (Sing., Du. und Plur.) und zwei Genera (Mask. und Fem.). Die Aktionsarten (Intensiv, Iterativ, Reflexiv, Kausativ usw.) werden durch – in den einzelnen semit. Sprachen oft unterschiedliche – Verbalstämme ausgedrückt. Das Semit. kennt kein Tempussystem, sondern nur Aspekte – die abgeschlossene Handlung und die unvollendete Handlung, die von der Gegenwart bis zur Zukunft andauert, sowie eine punktuelle Handlung, den Imperativ. Die Aspekte werden mit Hilfe einer Suffix- bzw. Präfixkonjugation gebildet, doch existieren Ausnahmen wie das Akkad. Typisch für die Morphosyntax ist die Genetivverbindung (*status constructus*) mit einer engen Verbindung (Verlust der Kasusendung des *nomen regens* mit gewissen Veränderungen der verbleibenden Wortbasis) zw. *nomen regens* und *nomen rectum* (mit Genetivendung). Ein bevorzugtes Stilmittel ist die Paronomasie (Verwendung der gleichen Wurzel in unterschiedlichen syntaktischen Funktionen). Die s.S. bevorzugen die syndetische Parataxe mit teilweiser Möglichkeit zur asyndetischen Parataxe. Der → Sprachkontakt zw. s.S. und nichtsemit. Sprachen (Griech., Lat., auch Etr. u. a.) rief mehrsprachige Inschr. hervor (→ Bilingue, → Trilingue); er bewirkte auch sprachliche Entlehnungen in beiden Richtungen. Ein semit. → Lehnwort im Griech. ist z.B. χιτών/*chitōn*, »Rock« (→ Mykenisch), im Lat. der Gruß *ave*, auf → Punisch bei Plaut. Poen. 994 u.ö. noch *avo*. Etliche Hebraismen enthält die griech. und lat. → Bibel [1; 2]. Andererseits haben s.S. wie → Aramäisch und → Hebräisch griech. und lat. Begriffe: z.B. *snhdrjn* (συνέδριον, *synhédrion*) als Lehnwörter übernommen [3].

→ Alphabet II. A. (mit Abb.); Bilingue; SEMITISTIK

1 BLASS/DEBRUNNER/REHKOPF, s. v. Semitismen
2 HOFMANN/SZANTYR, s. v. Hebraismen 3 SCHWYZER, Gramm., 154 (Lit.).

G. BERGSTRÄSSER, Einführung in die s.S., ²1977 • C. BROCKELMANN, Grundriß der vergleichenden Gramm. der s.S., 1908 • R. HETZRON, La division des langues sémitiques, in: A. CAQUOT, D. COHEN (Hrsg.), Actes du premier congrès international de linguistique sémitique et chamito-sémitique, 1974, 182–194 • Ders., The Semitic Languages, 1997 • A. S. KAYE, Phonologies of Asia and Africa, 1997 • B. KIENAST, Histor. semitische Sprachwissenschaft, 2001 • E. LIPIŃSKI, Semitic Languages – Outline of a Comparative Grammar, 1997 • R. M. VOIGT, Die infirmen Verbaltypen des Arab. und das Biradikalismus-Problem, 1988.

C.K.

Semnones. Volk der → Suebi zw. Albis (Elbe) und Viadua (Oder; Strab. 7,1,3; Tac. Germ. 39; Tac. ann. 2,45,1; Ptol. 3,1,22; 51), das den Römern v. a. 5 n. Chr. durch den Feldzug des → Tiberius bekannt wurde (R. Gest. div. Aug. 26; Vell. 2,106 f.). Aufgrund ihrer Größe und kultischen Trad. verstanden sie sich als älteste und angesehenste unter den Suebi (Tac. Germ. 39; vgl. [2. 473–479]). Dem Bund des → Maroboduus zugehörig, fielen sie 17 n. Chr. zu den → Cherusci ab (Tac. ann. 2,45,1), galten gegen E. des 1. Jh. n. Chr. aber als römerfreundlich (Cass. Dio 67,5,3). In lit. Quellen werden die S. letztmalig für das J. 178 n. Chr. erwähnt, nachdem sie bereits in südwestl. Richtung abgewandert waren (Cass. Dio 71,20,2). Auf der Augsburger Inschr. AE 1993, 1231 wird ein Sieg der Römer über die *barbari gentis Semnonum sive Iouthungorum* gefeiert. Die → Iuthungi sind danach *die* [3] oder eher *eine* [4] Jungmannschaft, die aus dem Stamm der S. hervorgegangen ist und eine eigene Identität begründete. An der Ethnogenese der → Alamanni haben die S. entscheidenden Anteil [1].

1 R. WENSKUS, Stammesbildung und Verfassung, ²1977
2 D. TIMPE, Tacitus' Germania als religionsgesch. Quelle, in: H. BECK u. a. (Hrsg.), German. Religionsgesch. (Ergbd. RGA 5), 1992, 434–485 3 T. STICKLER, Iuthungi sive S., in: Bayer. Vorgeschichtsbl. 60, 1995, 231–249
4 H. CASTRITIUS, Die Inschr. des Augsburger Siegesaltars ..., in: E. SCHALLMAYER (Hrsg.), Niederbieber, Postumus und der Limesfall, 1996, 18–21.

B. KRÜGER u. a., Die Germanen, 2 Bde., ⁵1988, passim • M. SCHÖNFELD, s. v. S., RE 2 A, 1355 f.

RA.WI.

Semo Sancus s. Sancus

Semones s. Sancus

Semonides aus Amorgos (Σημωνίδης: Choiroboskos, Etym. m. 713,17; sonst meist Simonides/Σιμωνίδης). Einer der frühesten bekannten → Iambographen aus dem 7. Jh. v. Chr. Die Datier. durch Kyrillos [2] (contra Iulianum 1,14) auf 664–661 v. Chr. ist der in Suda σ 446 vorzuziehen (vgl. → Archilochos), die ihn 490 J. nach dem Troianischen Krieg ansetzt, d. h. 693 v. Chr (vgl. die in Suda σ 431 fälschlich unter Simmias überlieferte Nachr.). Laut Suda σ 431 führte S. Kolonisten von Samos an, die Minoa, Aigilaos und Arkesine auf der Insel → Amorgos gründeten. S. schrieb *Íamboi* und eine ›Frühgesch.‹ (Ἀρχαιολογία/*Archaiología*) von Samos, vielleicht die in Suda σ 446 erwähnte Elegie in 2 B. [1. 31]. Elegien des S. sind nicht erhalten: 29 DIEHL (= Simonides 8 W¹ = 19–20 W² = Stob. 4,34,28) hat POxy. 3965 Fr. 26 als von → Simonides von Keos stammend erwiesen (dagegen [2]).

Von den Iamben des S. hat Fr. 7 (zitiert bei Stob. 4,22,193; bekannt Athen. 179d und Ail. nat. 16,24), die sog. ›Weibersatire‹ (›Weibertadel‹), die meiste Aufmerksamkeit erregt: die erh. 118 Zeilen (ohne Adressaten oder Schluß) vergleichen bitter-satirisch verschiedene

Typen von Ehefrauen mit einzelnen Tieren (z. B. Fuchs, Schwein, Affe, Esel – alle negativ; einzig die fleißige Bienenfrau am Schluß kommt besser weg). Ihre Misogynie erinnert an → Hesiodos (freilich ohne direktes Zitat; vgl. bes. [3]).

Ähnlich pessimistische → Weisheitsliteratur stellt Fr. 1 W. dar, das an einen Knaben oder Sohn gerichtet ist (ὦ παῖ/*ō pai*, »Knabe!«) und Hoffnung wie Ehrgeiz als machtlos gegen Krankheit, Unglück und Tod erklärt. Einige der weiteren 40 Fr. (alle als Zitate erh., davon viele bei Athenaios und bei Lexikographen des 2. Jh. n. Chr.) sind Erzählungen in Ich-Form (einer Opferung: Fr. 24–30; eines sexuellen Abenteuers: Fr. 16–17, vgl. zum Inhalt → Archilochos und → Hipponax); ohne klar erfaßbaren Kontext ist Fr. 13. In Fr. 22 (vgl. auch Fr. 23) wendet sich der Sprecher an den Gastgeber eines Banketts. Dies legt die Interpretation von S.' *Íamboi* als Unterhaltung für Männersymposien nahe; die Fr. 1, 7 und (falls aus einer Fabel) Fr. 9 würden ebenfalls zu einem Symposion passen (→ Symposionliteratur). Keines der überl. Fr. greift eine bestimmte Person an, aber Lukianos (Lukian. Pseudologistes 2) kannte offenbar Gedichte des S., die einen Orodoikides attackierten.

S. wurde (mit Archilochos und Hipponax) von Aristarchos [4] als einer der »drei Iambographen« anerkannt und zweifellos von hell. Dichtern gelesen. In späteren Texten wird S. aber wenig zitiert; zuerst von Strabon (Fr. 21), von Plutarchos [2] sechsmal (alle Fr. 5), von Clemens [3] von Alexandreia (Fr. 6) und Ail. nat. (Fr. 7); er war → Lukianos bekannt und wohl auch in Anthologien präsent (daraus die Zitate des Stobaios, Fr. 1–4,7). Die meisten Fr. sind durch griech. Lexikographen und Grammatiker überliefert; bisher gibt es keine Pap.-Funde.

→ Iambographen

1 E. L. Bowie, Early Greek Elegy, Symposium and Public Festival, in: JHS 106, 1986, 13–35 2 T. K. Hubbard, »New Simonides« or Old S.? Second Thoughts on POxy. 3965 fr. 26 255–262, in: Arethusa 29, 1996, 255–262 3 N. Loraux, Les enfants d'Athéna, 1981, 75–117.

Ed.: IEG · D. E. Gerber, Greek Iambic Poetry, 1999 (mit engl. Übers.) · W. Marg, Griech. Lyrik, 1964, 22f. (dt. Übers. von Fr. 7) · E. Pellizer, G. Tedeschi, 1990 (ital. Übers. und Komm.).

Komm.: W. Verdenius, S. über die Frauen. Ein Komm. zu Fr. 7, in: Mnemosyne 21, 1968, 132–58; 22, 1969, 299–301 · H. Lloyd-Jones, Females of the Species, 1975 (Text, engl. Übers., Komm., Unt.).

Bibliogr. 1921–1989: D. E. Gerber, in: Lustrum 33, 1991, 98–108.

Lit.: C. G. Brown, S., in: D. E. Gerber (Hrsg.), A Companion to the Greek Lyric Poets, 1997, 70–78.

E. BO./Ü: RE. M.

Semos (Σῆμος) von Delos. Griech. Antiquar um 200 n. Chr. Die Suda s. v. Σ. (dort ὁ Ἠλεῖος ist eine Korruptel [1; 4]) nennt ihn als »Gelehrten« (γραμματικός) und Verf. von Δηλιακά (›Delische Geschichte‹, 8 B.; in anderen Quellen stets Δηλιάς sc. συγγραφή) und einer Schrift ›Über Delos‹ (FGrH 396 F 1–22, größtenteils aus Athenaios). Sie behandelte (verm. mit periegetischer Gliederung) kulturelle und rel. Altertümer und Kuriositäten von und bei → Delos. Von seinem Werk ›Über Paiane‹ ist ein weiteres Fr. (FGrH 396 F 24 = Athen. 14, 622a-d) erh., das für die Vorgesch. der → Komödie Bed. hat: Beschreibung von Masken, Gewändern und Haltungen, von vier Arten von Musikern. Von den übrigen Werken (zwei B. *Períodoi* (?), einer Schrift ›Über Paros‹ und einer ›Über Pergamon‹) ist nichts erh. Daß S. Verf. eines größeren Werks ›Über die Inseln‹ gewesen sei, meint [2] (mit Lit.; dagegen: [3]). In den erh. Fr. zeigt sich S. als sorgfältiger Gelehrter.

→ Delos

Fr.: FGrH 396 · FHG IV, 492–496.

Lit.: 1 Ph. Bruneau, Deliaca VIII, in: BCH 114, 1990, 553–591 (zu fr. 18 Jacoby) 2 P. Ceccarelli, I Nesiotika, in: ASNP 19, 1989, 924–928 (mit Lit.) 3 F. Jacoby, s. v. S., RE 2 A, 1357–1359 4 K. von Fritz, s. v. Parmeniskos, RE 18, 1569.

S. FO./Ü: T. H.

Sempronia

[1] Tochter des Ti. → Sempronius [I 15] Gracchus und der Cornelia [I 1] (Plut., Ti. Gracchus 1,3), seit 150 v. Chr. in kinderloser Ehe mit P. → Cornelius [I 70] Scipio Aemilianus verheiratet, dessen Tod sie 129 v. Chr. mitverschuldet haben soll (App. civ. 1,20 (83); Liv. per. 59). Trotz der drohenden Haltung des Volkes lehnte sie es 102 oder 101 v. Chr. ab, L. → Equitius [1] als ihren Neffen anzuerkennen (Val. Max. 3,8,6).

R. A. Bauman, Women and Politics in Ancient Rome, 1994, 48–50.

[2] Tochter des C. Sempronius [I 22] Tuditanus und Mutter des berühmten Redners Q. → Hortensius [7] Hortalus (Cic. Att. 13,6,4; vgl. 13,30,2; 13,32,3; 13,33,3).

[3] Tochter des C. Sempronius Tuditanus und Enkelin des C. Sempronius [I 22] Tuditanus, verheiratet mit M. → Fulvius [I 1] Bambalio und Mutter der → Fulvia [2], mit der sie 52 v. Chr. im Prozeß um die Ermordung des P. → Clodius [I 4] Pulcher gegen T. → Annius [I 14] Milo aussagte (Ascon. in Milonem p. 36).

[4] Tochter des C. Sempronius Tuditanus; Schwester von S. [3], Frau des Sulla-Anhängers D. → Iunius [I 3] Brutus. Gut situiert, gebildet und intelligent, war sie in die Verschwörung des → Catilina verwickelt und stellte ihr Haus zur Zusammenkunft mit den Abgesandten der Allobroger zur Verfügung (Sall. Catil. 40,5); sie wird von Sallust (Sall. Catil. 24,3–25,5) sehr negativ beurteilt.

R. A. Bauman, Women and Politics in Ancient Rome, 1994, 67f.

T. F.

Sempronius. Name einer röm. Familie. Die Angehörigen des 5. Jh. v. Chr. (Atratini, S. [I 3–8]) gelten in der Überl. als Patrizier und Verfechter der patrizischen Vorrechte (Dion. Hal. ant. 10,41,5; 10,42,3), was möglicherweise Rückprojektion ist (die Sempronii erlangen erst unter Caesar oder Augustus das Patriziat); in histor. Zeit sind in der Republik nur plebeiische Zweige der Familie bekannt (Asellio, Blaesus, Gracchus, Longus, Tuditanus), die im 3. und 2. Jh. eine bedeutende Rolle spielten.

E. BADIAN, The Sempronii Aselliones, in: Proc. of the African Classical Associations 11, 1968, 1–6. K.-L. E.

I. REPUBLIKANISCHE ZEIT

[I 1] S. Asellio. Röm. Historiker, aus senator. Familie [1], ist aber selbst nicht als Senator gesichert, 134 v. Chr. *tr. mil.* unter P. Cornelius [I 70] Scipio vor Numantia (Gell. 2,13,3). Wesentlich später verfaßte er als erster Römer ein zeitgesch. Werk (Titel verm. *Rerum gestarum libri*: Gell. 2,13,3; 4,9,12; 13,21,8) in wenigstens 14 B., das vielleicht 146 v. Chr. begann und mindestens bis 91 v. Chr. reichte (fr. 11 P.: Tod des M. Livius [I 7] Drusus). In der Vorrede (Gell. 5,18,8 f.) distanzierte er sich – in Anlehnung an → Polybios [2] (anders [3. 73–77]) – von faktenreihenden *annales* (→ Annalistik) und trat programmatisch für eine Darstellung ein, die Motivationen erläutert und patriotisch wirkt. Wahrscheinlich wurde das Werk kein Erfolg [2. 114]; Cicero (leg. 1,6) galt es stilistisch als Rückschritt gegenüber Coelius [I 1] Antipater, Reden wurden anscheinend nur indirekt referiert (fr. 7 P. = 8 CH.; 10 P. = 12 CH.). Die frühesten Zitate finden sich bei Gellius [6].

1 E. BADIAN, The Sempronii Aselliones, in: Proc. of the African Classical Associations 11, 1968, 1–6 2 BARDON 1, 113–115 3 U. W. SCHOLZ, *Annales* und *historia(e)*, in: Hermes 122, 1994, 64–79.

FR.: HRR 1², 179–184 · M. CHASSIGNET (Hrsg.), L'annalistique romaine, Bd. 2, 1999, 84–89. W. K.

[I 2] S. Asellio, A. Sohn von S. [I 1], versuchte 89 v. Chr. als *praetor urbanus* die Kreditkrise infolge des → Bundesgenossenkrieges [3] durch die Wiederbelebung alter Wuchergesetze zugunsten der Schuldner zu lösen, weshalb er in einem Aufruhr auf dem Forum erschlagen wurde; der Mord blieb unbestraft, da sich keine Zeugen fanden (Liv. per. 74; App. civ. 1,232–239; [1. 475–481]).

1 E. BADIAN, Quaestiones Variae, in: Historia 18, 1969, 447–491. K.-L. E.

[I 3] S. Atratinus, A. Der Überl. nach *cos. I* 497 und *cos. II* 491 v. Chr. (MRR 1,12; 17; InscrIt 13,1,88; 352 f.). Nach Livius (2,21,1 f.) und Dion. Hal. (ant. 6,1,4) fiel in sein erstes Konsulat die Einweihung des → Saturnus-Tempels [1. 234] und die damit zusammenhängende Einrichtung der → Saturnalia. Sein Auftreten bei Dionysios von Halikarnassos als Stadtkommandant 487 (Dion. Hal. ant. 8,64,3), im Senat bei der Behandlung des Ackergesetzes des Cassius [I 19] 485 (8,74,1–76,1) und als erster *interrex* 482 (8,90,5; hieraus bei Lyd. mag. 1,38 eine Diktatur des S.) ist annalistische Ausschmükkung.

1 F. COARELLI, in: LTUR 4, 1999, s. v. Saturnus, Aedes.

[I 4] S. Atratinus, A. 444 v. Chr. Mitglied des ersten Collegiums von Consulartribunen (MRR 1,52 f.; InscrIt 13,1,95; 368 f.), das jedoch schon nach drei Monaten zurücktrat und einem Consulncollegium Platz machte (Liv. 4,7,3; Dion. Hal. ant. 11,62,1–3; vgl. S. [I 7]).

[I 5] S. Atratinus, A. Consulartribun 425, 420 und 416 v. Chr. (MRR 1,67; 70; 73; InscrIt 13,1,26 f.; 96; 374–377). In seinem zweiten Consulartribunat zog er sich nach Livius (4,44,2–10) als Leiter der Quaestorenwahlen wegen des Vorwurfs, patrizische Bewerber ungerecht bevorzugt zu haben, den Unwillen der Volkstribunen zu, die daher, um S. zu treffen, ein Verfahren gegen S.' Vetter S. [I 6] erneut aufnahmen. Das bei Diod. 12,77,1 zw. 428 und 427 eingeschobene weitere Consulncollegium mit S. ist wohl interpoliert [1. 9].

1 BELOCH, RG.

[I 6] S. Atratinus, A. Als *cos.* 423 v. Chr. (MRR 1,68; InscrIt 13,1,96; 374 f.) leitete er nach Livius (4,37,3–4,41,9; 42,1–9; 44,6–10; vgl. Val. Max. 3,2,8; 6,5,2) eine Operation gegen die Volsker so nachlässig, daß nur das beherzte Eingreifen der Reiter unter der Führung des Sex. → Tempanius die schwierige Situation rettete. Deshalb wurde S. zunächst 422 von dem Volkstribunen Hortensius angeklagt, der die Anklage aber zurückzog, als vier Volkstribunen – jeder von ihnen ein Teilnehmer der Reiterattacke im J. zuvor, unter ihnen Tempanius – für ihn eintraten, doch im J. 420 unter dem Eindruck seines Widerstandes gegen eine *lex agraria* (→ Agrargesetze) und dem des Verhaltens seines Vetters S. [I 5] erneut vor Gericht gezogen und zu einer hohen Geldstrafe verurteilt.

R. M. OGILVIE, A Commentary on Livy Books 1–5, 1965.

[I 7] S. Atratinus, A. Der Überl. nach *cos. suff.* 444 v. Chr., nachdem das erste Collegium von Consulartribunen nach nur dreimonatiger Amtszeit zurückgetreten war (vgl. S. [I 4]), und mit L. Papirius [I 20] Mugillanus erster Inhaber des neugeschaffenen Amtes der Censur (MRR 1,53 f.; InscrIt 13,1,95; 368 f.). C. MÜ.

[I 8] S. Atratinus, L. (73 v. Chr.-7 n. Chr.). Der von einem L. Sempronius adoptierte Sohn des Calpurnius [I 3] Bestia klagte im J. 56 als Siebzehnjähriger M. Caelius [I 4] an, der zuvor seinen Vater verklagt hatte (Cic. Cael. 1 f.; Hier. chron. p. 165 HELM). 40 wurde S. Augur und verm. Praetor (MRR 2,380; 385). Anschließend war S. als *legatus pro praetore* für Antonius [I 9] in Griechenland tätig (ILS 9461; RRC 533). Verm. stammen die Ehrungen für seine Schwester(n?) in Athen (IG II/III² 4130 f.; SEG 23,130) und seine Frau Marcia Censorina in Patrai (SEG 30,433) aus dieser Zeit. 36 war er unter den Offizieren, die Antonius dem Octavian mit einer Flotte zu Hilfe schickte (BMC, Greece, Sicily 61,8) und wurde 34 *cos. suff.* (Cass. Dio 49,39,1). Zu einem unbekannten Zeitpunkt ging er zu Octavian über und erlangte das Proconsulat von Africa mit anschließendem Triumph 21. Er starb 7 n. Chr., verm. durch Selbstmord (ILS 9338; Hier. chron. p. 165 H. unter falschem Datum).

1 SYME, AA, Index s. v. S. 2 SYME, RR, Index s. v. S. J. BA.

Die Sempronii Gracchi und ihre Familienverbindungen im 3. und 2. Jh. v. Chr.

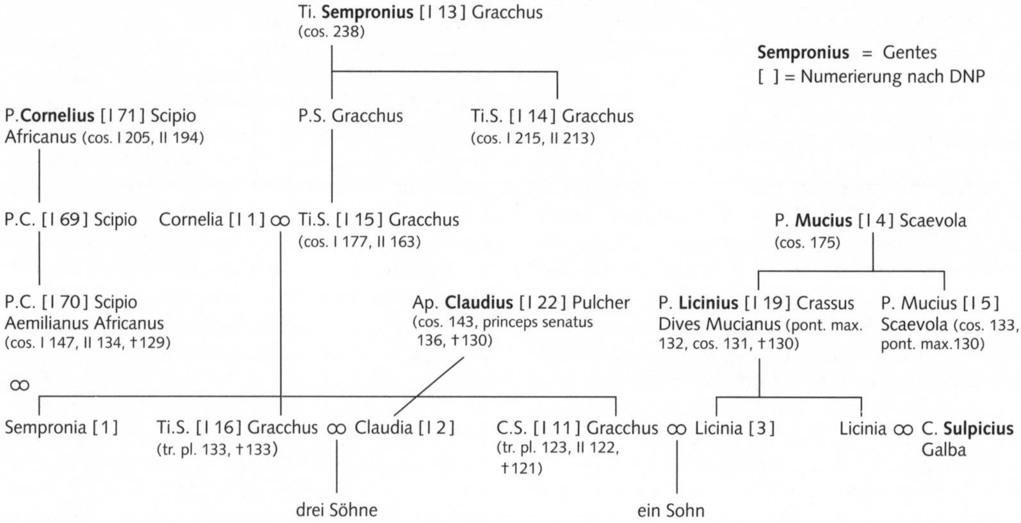

Die Mitglieder der gracchischen Ackerkommission

Ti. Sempronius [I 16] Gracchus
(133)

C. Sempronius [I 11] Gracchus
(133–121)

Ap. Claudius [I 22] Pulcher
(cos. 143) (133–130)

P. Licinius [I 19] Crassus Dives
Mucianus (cos. 131) (133–130)

M. Fulvius [I 9] Flaccus
(cos. 125) (130–121)

C. Papirius [I 5] Carbo
(cos. 120) (130–119)

C. Sulpicius Galba (?)
(121–?)

L. Calpurnius [I 1] Bestia (?)
(cos. 111) (121–?)

Die Zugehörigkeit von C. Sulpicius Galba und L. Calpurnius Bestia zur Ackerkommission ist umstritten (vgl. MRR 1, 522); zum Ende der Kommission s. Sp. → Thorius.

[I 9] S. Blaesus, C. Verlor bei der Rückkehr von einem im Konsulat 253 v. Chr. mit seinem Kollegen bis nach Africa geführten Plünderungszug sehr viele Schiffe durch Unglücksfälle, so daß die Römer Unternehmen zur See zunächst einstellten (Pol. 1,39,1–7; Diod. 23,19; Oros. 4,9,10–12). Ein für S. überl. Triumph ist wohl spätere Erfindung (InscrIt 13,1,549). 244 war er *cos. II.*

[I 10] S. Blaesus, C. Führte als Volkstribun 211 v. Chr. Anklage gegen Cn. Fulvius [I 7] Flaccus wegen dessen Niederlage bei Herdonea (Liv. 26,2,7–3,12). Da diese aber unhistor. ist, erscheint der Prozeßbericht um eine ursprüngliche Notiz von der Verbannung des Flaccus herumgesponnen ([1]; nicht überzeugend [2]). Wohl als Ergänzung dazu wird geschildert, daß S. 210 Q. Fulvius [I 10] Flaccus als Legat bei Capua unterstellt gewesen sei, der ihn aber bald mit dem Propraetor C. Calpurnius [I 8] in Etrurien ausgetauscht habe (Liv. 27,6,1).

1 D.-A. Kukofka, Süditalien im Zweiten Punischen Krieg, 1990, 87–91 mit Anm. 45 2 J. Seibert, Forsch. zu Hannibal, 1993, 237.

TA.S.

Sempronii Gracchi [I 11–I 16]
Der berühmteste Zweig der *gens*, seit dem 3. Jh. v. Chr. bezeugt und mit S. [I 13] zum Konsulat gelangt (zum Cogn. → Gracchus). Seine Urenkel Ti. und C. S. [I 16; I 11] konnten aufgrund ihres polit. Scheiterns als Volkstribune den Status der Familie nicht wahren, das Schicksal ihrer Kinder ist unbekannt (s. Stammbaum). Die Familie setzte sich vielleicht durch Adoption fort, wurde von Caesar oder Augustus in das Patriziat erhoben und gehörte zum röm. Hochadel, bis sie im 1. Jh. n. Chr. erlosch.

K.-L.E.

[I 11] S. Gracc(h)us, C. Sohn des Ti. S. [I 15] Gracchus, 153–121 v. Chr., Volkstribun 123–121 mit umfangreichem Reformprogramm. Nach dem gewaltsamen Tod seines Bruders S. [I 16] wurde S. an dessen

Stelle in die Ackerkommission gewählt, diente 126–124 unter L. Aurelius [I 15] Orestes als Quaestor und Proquaestor in Sardinien, kehrte gegen den Willen des Senats nach Rom zurück und ließ sich für 123 zum Volkstribun (→ *tribunus plebis*) wählen. Als Redner und polit. Stratege glänzend begabt, setzte er sich an die Spitze der gracchischen Reformbewegung und bündelte in den zwei J. seines Wirkens mehrere sachliche Reformanliegen, mit denen er auch breite Unterstützung gewinnen und so die Blockierung der Reformpartei aufbrechen wollte. Zwei Gesetze sollten dem Senat den Vorwand und das Mittel nehmen, gegen die Reformer vorzugehen: Die *lex de tribunis reficiendis* stellte die Wiederwahl von Volkstribunen auf eine gesetzliche Grundlage; die *lex de capite civis* verbot die Einsetzung von Strafgerichtshöfen durch den Senat und stellte die Tötung von Bürgern ohne Verurteilung durch ein vom Volk eingesetztes Gericht unter kapitale Strafe. Sein → Agrargesetz sicherte strittige Areale des Staatslandes vor Verteilung und sah Umtauschaktionen zur Gewinnung von Landkomplexen für die Anlage von Kolonien (→ *coloniae*) vor. Eine *lex frumentaria* (→ Frumentargesetze) sicherte der Bevölkerung von Rom die Versorgung mit Getreide zu einem festen, subventionierten Preis; ein Bauprogramm sollte die notwendige Infrastruktur (Straßen und Lagerhäuser) schaffen. Eine *lex militaris* schärfte das bei der Aushebung zu beachtende Mindestalter von 17 Jahren ein und legte der Staatskasse die Kosten für die Bekleidung der Soldaten auf. Der Kostendeckung diente das Gesetz, das den → *publicani* die Steuerpacht der Prov. Asia sicherte.

Alle diese Gesetze griffen regelungsbedürftige Sachprobleme auf und waren zugleich dazu bestimmt, die Nutznießer den Reformern zu verpflichten. Dies gilt z. T. auch für die Gesetze, die tief in die Stellung des Senats bzw. der Senatoren eingriffen. Die *lex de provinciis consularibus* bestimmte, daß der Senat bereits vor den Wahlen die Amtsbereiche der künftigen Consuln festlegen mußte, die zwei (?) Richtergesetze (*leges iudiciariae*) entzogen den Senatoren das Richtermonopol und schlossen sie zuletzt zugunsten der Ritter von den Richterstellen aus. Das von dem Volkstribun M. → Acilius [I 12] Glabrio, einem Parteigänger des S., eingebrachte Repetundengesetz (→ *repetundarum crimen*), das das zivilrechtliche Rückerstattungsverfahren in eine Strafsache umwandelte, schloß senatorische Richter in dem für senatorische Angeklagte geschaffenen Verfahren aus. Dies minderte Macht und Selbstbestimmung des Senatorenstandes und begünstigte den sich im Zuge der genannten Maßnahmen konsolidierenden Ritterstand (→ *equites Romani*). Die wichtigsten Nachrichten bieten Plut. C. Gracchus; App. civ. 1,91–120; weiteres bei [7. 18–47].

Das Reformprogramm kann einerseits als modernisierende Anpassung des röm. Staates an die neuen, durch die röm. Vorherrschaft im Mittelmeerraum geschaffenen Verhältnisse verstanden werden [4. 151–162] und andererseits als umfassender Versuch, der Reformpartei mehr Gewicht als der Senatsmehrheit zu verschaffen, ohne jedoch den Senat als regierende Körperschaft in Frage zu stellen.

Die Ausgangslage, vor der S. stand, war das Scheitern der Agrarreform seines Bruders Ti. S. [I 16]. Als die Akkerkommission das den ital. Bundesgenossen überlassene röm. Staatsland in die Landverteilung einbezog, verlor sie auf deren Betreiben 129 die Judikationsbefugnis; damit war die Verteilung praktisch beendet. Die Gegenstrategie der Senatsmehrheit betrieb im Zusammenhang mit dem forcierten Straßenbau die Ansiedlung von Straßenanrainern auf staatlichem Weideland und vermied so den Konflikt mit den Besitzern von staatlichem Ackerland [3]. Nach der Zerstörung von → Fregellae wurde 124 sogar wieder eine röm. Bürgerkolonie in It., → Fabrateria [2] Nova, angelegt. Schon 125 reagierte ein Anhänger der gracchischen Reformpartei, der Consul M. → Fulvius [I 9] Flaccus, mit dem Versuch, den Bundesgenossen die Wahl zw. röm. Bürgerrecht und dem Provokationsrecht zu lassen und sie so zur Aufgabe ihres Widerstands gegen das Landverteilungsprojekt zu veranlassen. Nach dem Scheitern dieses Planes ließ er in seiner Prov. Gallia Cisalpina nach dem Vorbild der Gegenseite seinerseits Straßendörfer an der Via Fulvia anlegen.

An diesen Stand der Dinge knüpfte S. 123 an. Sein Ziel war, durch Anlage von Kolonien und infrastrukturelle Maßnahmen Ansiedlungen zu schaffen, die der Verbesserung der Versorgung der Großstadt Rom dienten (→ Roma III. E.). Die gesetzlichen Grundlagen für die Anlage von Bürgerkolonien in Capua und Tarentum wurden geschaffen, eine weitere Kolonie ist im bruttischen Scolacium bezeugt (Vell. 1,15). Da sich jedoch die Wiederaufnahme der um 170 abgebrochenen Kolonisation in It. als schwierig erwies, wollte S. in seinem zweiten Tribunatsjahr einerseits eine große Kolonie an der Stätte des zerstörten → Karthago gründen, andererseits wie Fulvius Flaccus (s.o.) die Bundesgenossen durch das Angebot des röm. Bürgerrechts (für latinische Gemeinden; → *civitas*) bzw. des Stimmrechtes in der röm. Volksversammlung (für die übrigen Bundesgenossen; → *comitia*) für die Landverteilung gewinnen. Beides überforderte selbst seine Anhänger: Die Siedler wollten Bauernstellen in It., und die Ausweitung des Stimmrechts auf alle Italiker, die eine Revolution der Mehrheitsverhältnisse bedeutet hätte, fand weder Anklang bei der polit. Elite noch bei der Bürgerschaft. Bezeichnenderweise stellte sich damals C. → Fannius [I 1], der mit S.' Hilfe 122 Consul geworden war, gegen seinen Förderer. Als S. zur Vorbereitung der Kolonie nach Karthago ging, gewann der Volkstribun M. → Livius [I 6] Drusus das Volk mit dem völlig unrealistischen Antrag, 12 Kolonien in It. zu gründen und die Verbesserung der Rechtsstellung der Bundesgenossen auf den Schutz der Bewohner latin. Gemeinden vor Körperstrafen in der Armee zu begrenzen.

Nach seiner Rückkehr scheiterte S. mit dem Versuch, erneut zum Volkstribun gewählt zu werden. Als

121 der Volkstribun → Minucius [I 8] Rufus u.a. die Aufhebung der *lex Rubria* (→ Rubrius [I 1]), des Gründungsgesetzes der Kolonie in Karthago, beantragte, kam es zu gewalttätigen Konfrontationen beider Seiten. Der Senat rief, zum ersten Mal, durch das → *senatus consultum ultimum* den → Notstand aus, und der Consul L. → Opimius [1] vollstreckte blutig den Auftrag zur Niederwerfung des gracchischen Aufruhrs. S. und Fulvius Flaccus kamen dabei um, daneben angeblich 2000 ihrer Anhänger.

→ Roma; Seditio; Ständekampf

1 J. Bleicken, Gesch. der röm. Republik, [5]1999
2 D. Stockton, The Gracchi, 1979 3 F. T. Hinrichs, Der röm. Straßenbau zur Zeit der Gracchen, in: Historia 16, 1967, 162–176 4 J. Martin, Die Popularen in der Gesch. der späten Republik, 1965 5 Rotondi 6 G. Wolf, Histor. Unt. zu den Gesetzen des C. Gracchus, Leges de iudiciis und leges de sociis, 1972 7 A. H. J. Greenidge, E. W. Gray, Sources for Roman History 133–70 B.C., [2]1960. K.BR.

[I 12] S. Gracchus, C. Angeblich Sohn des Ti. S. [I 16] Gracchus, s. L. → Equitius [1].

[I 13] S. Gracchus, Ti. Erlegte 246 v.Chr. als Aedil der Claudia [I 1] wegen Beleidigung des Volkes eine Strafe auf, die mit anderen Geldern den Bau des (Iuppiter-) Libertas-Tempels auf dem Mons Aventinus finanzierte (Gell. 10,6; Liv. 24,16,19). Als Consul 238 kämpfte er zunächst gegen die Ligurer, dann auch auf Sardinia [1].

1 T. Schmitt, Der erste Zweite Pun. Krieg. Neue Überlegungen zur röm.-karthagischen Krise um Sardinien in den J. 238–237 v.Chr., 2001.
A. Ziolkowski, The Temples of Mid-Republican Rome, 1992, 85–87.

[I 14] S. Gracchus, Ti. War 216 v.Chr. curulischer Aedil und nach der Schlacht bei → Cannae *magister equitum*. Als Consul 215 und 213 sowie mit verlängertem Imperium 214 und 212 operierte er in Süditalien. Einen Sieg bei Beneventum 214 ließ er im Libertas-Tempel seines Vaters S. [I 13] auf einem Bild verewigen: Er hatte ihn wohl hauptsächlich mit Unfreien (*volones*) errungen, die dafür die Freiheit erhielten (Liv. 24,14,1–16,9, im einzelnen unzuverlässig; [1; 2]). 212 kam er in Lucania in einem Hinterhalt um, den der Lucaner und bisherige Römerfreund Flavus gelegt hatte, um den Karthagern seine Entschlossenheit zum Seitenwechsel zu demonstrieren (Pol. 8,35,1 mit [3]).

1 K.-W. Welwei, Unfreie im ant. Kriegsdienst 3, 1988, 15f. 2 Ders., Sub corona vendere, 2000, 92f. 3 D.-A. Kukofka, Süditalien im Zweiten Pun. Krieg, 1990, 60–78. TA.S.

[I 15] Ti. S. Gracc(h)us. Ca. 220–150 v.Chr., Sohn des P. S. Gracchus und Enkel des Ti. S. [I 13] Gracchus, Vater der Gracchen. Nach dem Tod des P. Cornelius [I 71] Scipio Africanus heiratete er dessen jüngste Tochter → Cornelia [I 1]; von ihren 12 Kindern überlebten drei: Ti. S. [I 16] und C. S. [I 11] sowie Sempronia [1], die mit P. Cornelius [I 70] Scipio Aemilianus die Ehe einging. 190 während des Krieges gegen Antiochos [5] III. im Stab der beiden Scipionen, wurde er als Kundschafter zu Philippos [7] V. nach Pella geschickt (Liv. 37,7,11). Als Volkstribun (184?) verhinderte er trotz polit. Gegnerschaft zu den Scipionen die Verurteilung des L. Cornelius [I 72] Scipio (Gell. 6,19). 185 nahm er an einer Gesandtschaft zu Philippos V. teil (Liv. 39,24,13) und gab 182 als curulischer Aedil prachtvolle Spiele. 180/179 Praetor und Propraetor im diesseitigen Spanien, besiegte er die Keltiberer, gründete die latinische Kolonie → Grac(c)urris und brachte eine haltbare Friedensordnung zustande (Liv. 40,35–50). Nach seinem Triumph (Liv. 41,6f.) zum Consul für 177 gewählt, kämpfte er erfolgreich 177/6 auf Sardinien (2. Triumph 175; Siegeselogium bei Liv. 41,28,8f.). Als Censor 169 mit C. Claudius [I 27] Pulcher intervenierte er gegen Aushebungen und → *publicani*, begrenzte die polit. Chancen von Freigelassenen und baute die → Basilica Sempronia (Liv. 43,14–16; 44,16,9–11). 166/5 und 161 leitete er Gesandtschaften im Osten und wirkte für eine Entspannung im Verhältnis zu → Antiochos [6] IV. und → Demetrios [7] I. (Pol. 30,27 und 30,30,7 sowie 31,32f. und 32,1,1). 163 erneut Consul, erhielt er Sardinien und Korsika als Prov. Als Wahlleiter verhalf er seinem Schwager P. Cornelius [I 83] Scipio Nasica Corculum zum Konsulat, machte dann aber aus rel. Bedenken die Wahl rückgängig [1. 104].

1 Münzer[2]. K.BR.

[I 16] S. Gracc(h)us, Ti. Volkstribun 133 v.Chr. und Verfechter einer Agrarreform. Geb. 162 v.Chr., Sohn des Ti. S. [I 15] Gracchus, verheiratet mit einer Tochter des Ap. → Claudius [I 22] Pulcher, genoß nach griech. Vorbild eine sorgfältige rhet.-philos. Bildung (Lehrer: Blossius [2] von Cumae und Diophanes [2] von Mytilene), diente während des 3. → Punischen Krieges im Stab seines Schwagers P. → Cornelius [I 70] Scipio Aemilianus und zeichnete sich 146 bei der Erstürmung Karthagos aus. Als Quaestor diente er 137 unter dem Praetor C. → Hostilius [8] Mancinus vor → Numantia und rettete das röm. Heer in auswegloser Lage durch einen Kapitulationsvertrag, der jedoch in Rom nicht anerkannt wurde und so seine Karriere gefährdete. Polit. schloß sich S. einer mit den Scipionen verfeindeten Gruppierung an, zu der neben seinem Schwiegervater die Brüder P. → Licinius [I 19] Crassus Mucianus und P. → Mucius [I 5] Scaevola sowie Q. → Caecilius [I 27] Metellus Macedonicus gehörten [1. 257–270].

133 bekleidete er das Volkstribunat mit dem Ziel, eine Agrarreform zur Schaffung bäuerlicher Siedlerstellen durchzusetzen. Ein Vorläufergesetz hatte um 180 für die private Nutzung von Staatsland Obergrenzen von 500 → *iugera* Ackerland (neben der Haltung von 100 Stück Großvieh und 500 Stück Kleinvieh auf staatlichem Weideland) vorgesehen. Dennoch war eine starke Akkumulation von Staatsland in privater Hand eingetreten. S. bestimmte, daß Ackerland, das die Obergrenze von 500 und je 250 *iugera* für zwei Söhne überstieg,

zurückgegeben und an bäuerliche Siedler verteilt werden sollte.

Voraussetzungen und Ziele des Gesetzes sind umstritten. Die auf Plutarch (Ti. Gracchus 8–13) und Appian (civ. 1,26–47) zurückgehende *communis opinio* der mod. Forsch. sieht die Voraussetzung im Ruin des ital. Bauerntums und des von ihm getragenen Milizsystems und in seiner Neufundierung durch Landverteilung das Ziel. Die Gegenmeinung verweist auf Anachronismen und falsche Sachbehauptungen bei den griech. Autoren, zieht die epigraphische Überl. und den arch. Befund heran und betont, daß das zu verteilende Ackerland begrenzt war; die griech. Überl. spiegele die demagogischen Übertreibungen der Reformer und ihrer Gegner wider. Ziel der Reformen sei vielmehr, ein Sachprogramm mit einem machtpolit. Anliegen zu verknüpfen: die mit der Eroberung der ital. Halbinsel zum Abschluß gekommene Kolonisation trotz begrenzter Verteilungsmasse wiederaufzunehmen und mit dem populären Programm eine polit. Vorrangstellung zu gewinnen [2].

Mit dem Plan einer Agrarreform hatte schon die Gegenseite um P. Cornelius [I 70] Scipio Aemilianus gespielt. Wahrscheinlich in seinem Konsulat (140) hatte C. → Laelius [I 2], der engste Freund des Scipio Aemilianus, einen entsprechenden Gesetzesvorschlag zur Diskussion gestellt, ihn aber wegen des Widerstandes wieder zurückgezogen. Auch die Verbündeten des Jahres 133 stießen im Senat auf entschlossenen Widerstand. S. ging auf Konfrontationskurs, strich die vorgesehene Entschädigung für Landrückgabe, setzte die Annahme des Gesetzes gegen den Senat nach Absetzung des interzedierenden (→ *intercessio*) Kollegen M. → Octavius [I 10] durch und ließ die Verteilungskommission mit sich, seinem Bruder C. S. [I 11] und seinem Schwiegervater Ap. Claudius [I 22] besetzen. In einem zweiten Schritt machte er diese Familienkommission zu Richtern in eigener Sache, indem er ihr die Entscheidung in Eigentumsfragen zuerkennen ließ. Zur Finanzierung der Landverteilung brachte S. ein Gesetz durch, das die Annahme und Verwendung des durch das Testament → Attalos' [6] III. an Rom fallenden pergamenischen Königsschatzes für das Siedlungsprogramm vorsah. Mit der Absetzung des M. Octavius und der Verfügung über den Königsschatz verstieß S. gegen die auf Herkommen (→ *mos maiorum*) beruhende Ordnung und stellte die auf Herkommen gegründete Macht des Senats in Frage. Seine ebenfalls ungewöhnliche Bewerbung um eine zweite Amtszeit führte dazu, daß die Senatsmehrheit auf Initiative des P. → Cornelius [I 84] Scipio Serapio unter Umgehung des Consuls Mucius [I 5] Scaevola (der weder gegen S. noch für ihn intervenierte) S. zusammen mit 200–300 Anhängern erschlug. Einem senatorischen Sondergericht unter Leitung des Consuls P. → Popillius [I 8] Laenas fielen im J. 132 weitere Parteigänger und Sympathisanten der Reform zum Opfer. Hauptquellen: Plut. Ti. Gracchus; App. civ. 1,35–70; Vell. 2,2f.; Liv. per. 58; Val. Max. 1,4,2; 3,2,17; Flor. epit. 3,14; Oros. 5,8f. (weitere Quellen bei [3. 1–10]).
→ Agrargesetze; Ständekampf

1 Münzer[2] 2 K. Bringmann, Die Agrarreform des Tiberius Gracchus, 1985 3 A. H. J. Greenidge, E. W. Gray, Sources for Roman History 133–70 B. C., [2]1960, 1–10.

E. Badian, Tiberius Gracchus and the Beginning of the Roman Revolution, in: ANRW I.1, 1972, 668–731 • D. Stockton, The Gracchi, 1979 • J. Bleicken, Gesch. der Röm. Republik, [5]1999, 61–64, 189–199 (mit Überblick über Forsch.-Probleme und Lit.). K. BR.

[I 17] S. Longus, Ti. Wollte 218 v. Chr. als Consul den eben → Karthago erklärten Krieg von Sizilien nach Africa tragen (Pol. 3,40,2). Die Nachr. von → Hannibals [4] Angriff auf die Po-Ebene zwang ihn, die dafür vorgesehenen Legionen mit dem Befehl aufzulösen, sich in 40 Tagen wieder in → Ariminum zu versammeln. Er selbst leitete auf dem Weg dorthin die Wahlen für das folgende J. (Pol. 3,61,8–14; 3,68,12f.). In der Nähe von Placentia vereinigte er seine Truppen mit denen des Kollegen P. Cornelius [I 68] Scipio und übernahm wegen dessen Verwundung den alleinigen Oberbefehl. Voll Zuversicht, den Krieg durch eine Schlacht siegreich entscheiden zu können, wagte er zur Zeit der Wintersonnenwende den Kampf (Pol. 3,71–74; Liv. 21,52–56). Die Niederlage der Römer besiegelte den Verlust der Po-Ebene. In Rom machte man S. für die Katastrophe verantwortlich. Seine Karriere brach ab. Da auch in den Folgejahren zunächst die grundsätzliche Bereitschaft fortbestand, Hannibal Schlachten zu liefern, wird man S. nicht dies, sondern wohl konkrete taktische und strategische Fehler vorgeworfen haben. Ein späterer Sieg gegen einen Unterfeldherrn Hannibals bei Grumentum 215 (Liv. 23,37,10–13) ist nicht histor. [1]. 210 starb S. als → *decemvir* [4] *sacris faciundis* (Liv. 27,6,16).
→ Punische Kriege

1 D.-A. Kukofka, Süditalien im Zweiten Pun. Krieg, 1990, 23–24.

T. Schmitt, Hannibals Siegeszug, 1991, 69–87.

[I 18] S. Longus, Ti. War seit 210 v. Chr. *augur* und *decemvir* [4] *sacris faciundis* (Liv. 27,6,15–16) und interzedierte 200 als Volkstribun zunächst dagegen, L. Cornelius [I 36] Lentulus für seine Verdienste eine → *ovatio* zuzuerkennen, weil dieser nur *pro consule* amtiert habe, beugte sich dann aber dem Senatswillen (Liv. 31,20). 198 curulischer Aedil, gehörte er 197 zu den für drei J. gewählten → *tresviri*, die insgesamt zehn *coloniae* gründen sollten (Liv. 32,29,3–4). 196 und 195 amtierte S. erst als Praetor, dann nach Verlängerung auf Sardinia. Als Consul 194 soll er eine Schlacht gegen die Boier geschlagen haben (Liv. 34,46,4–47,8), die zumindest in Einzelheiten zweifelhaft und vor dem Hintergrund einer harmonischen Zusammenarbeit des S. mit seinem Kollegen P. Cornelius [I 71] Scipio gestaltet ist, die sich von dem gespannten Verhältnis ihrer Väter als Consuln unterscheidet. Auch im folgenden J. erscheint S. auf dem gallischen Kriegsschauplatz, einmal als Legat seines Nachfolgers und einmal mit eigenem (verlängertem?)

→ *imperium* (Liv. 35,5,1; 8,6), 191 dann – wohl als Legat – in Griechenland (Liv. 36,22,7; 24,2). Rätselhaft bleibt sodann ein selbständiges Kommando in Thrakien und an der Donau (Plut. Cato 12,1). 184 unterlag er dem Rivalen M. Porcius → Cato [1] bei der Kandidatur für die Censur (Liv. 39,40,3); 174 starb er (Liv. 41,21,8). TA.S.

[I 19] S. Rufus, C. In Ciceros Umkreis durch seinen Streit mit dem puteolanischen Bankier → Vestorius bekannt; er wurde 51 v. Chr. verurteilt, weil er, um seinem Prozeß zu entgehen, M. Tuccius fälschlich *de vi* angeklagt hatte (Cic. fam. 8,8,1). Danach ging er wohl ins Exil (Cic. Att. 14,14,2). Vielleicht ist er mit dem Praetorier identisch, der den Storchbraten erfunden haben soll (Acro zu Hor. sat. 2,2,49f.). J.BA.

[I 20] S. Sophus, P. Der älteste bekannte Vertreter der seither allein als plebeiisch bezeugten Sempronii und zugleich ein bedeutender Vertreter der sich konstituierenden röm. Nobilität (→ *nobiles*). Schon 310 v. Chr. als Volkstribun bekämpfte er die Anmaßung des nicht aus der Censur scheiden wollenden Ap. Claudius [I 2] (Liv. 9,33,3–35,26, im einzelnen fiktiv). In sein Konsulat 304 v. Chr. fallen das Ende des 2. → Samnitenkrieges, ein Sieg über die Aequer und die Reformen des Aedilen C. Flavius (Liv. 9,45–46; Diod. 20,101,5; Plin. nat. 33,18). Noch im J. 300, als das *plebiscitum Ogulnium* die Möglichkeit schuf, Plebeier zu *pontifices* zu machen, wurde er Mitglied dieses Collegiums (Liv. 10,9,2). Im selben J. amtierte er als Censor und fügte den röm. → Tribus die Aniensis und die Terentina hinzu (Liv. 10,9,14). Als Praetor 296 organisierte er die Verteidigung Roms gegen eine Koalition starker Gegner und war mit der Anlage von Kolonien in Minturnae und Sinuessa befaßt (Liv. 10,21,4–9). Sein Cogn. soll er als Experte im Recht getragen haben (Pomp. Dig. 1,2,2,37).

[I 21] S. Sophus, P. Bezwang 268 v. Chr. als Consul die → Picentes. Er soll in der entscheidenden Schlacht wegen eines Erdbebens gelobt haben, der → Tellus einen Tempel zu errichten, dessen Gründung andere Quellen aber für weit älter halten [1]. 268 kam es auch zur Anlage der Kolonien Ariminum und Beneventum (Eutr. 2,16). Streng soll S. nicht nur 252 als Censor gegen Senatoren und Inhaber von Staatspferden, sondern auch gegen seine Frau vorgegangen sein (Liv. per. 18; Val. Max. 2,9,7; 6,3,12).

1 A. Ziolkowski, The Temples of Mid-Republican Rome, 1992, 155–162. TA.S.

Sempronii Tuditani [I 22–I 24]
Beiname vermutlich nach einem Hammer (*tuder*) als Erkennungszeichen der Familie.

[I 22] S. Tuditanus, C. Von Cicero mehrfach mit seinem gleichnamigen Vater S. verwechselt; nahm wahrscheinlich 146 v. Chr. als Offizier am Feldzug des L. Mummius [I 3] in Griechenland teil (Cic. Att. 13,33,2), 145 war er Quaestor (Cic. Att. 13,4,1), 132 Praetor (MRR 1,498); erreichte 129 das Konsulat (MRR 1,504). Um nicht die ihm vom Senat zugewiesene Richtertätigkeit in Streitfällen zw. der gracchischen Landverteilungskommission und enteigneten Bundesgenossen ausüben zu müssen (App. civ. 1,80), begann er in Illyrien den Kampf gegen die → Iapodes (Liv. per. 59; App. Ill. 30) und feierte nach deren Besiegung einen Triumph (InscrIt 13,1, p. 83). Seine Kriegstaten pries er auf Denkmälern (ILLRP 334; 335, neu konstituierter Text in [1]; Plin. nat. 3,129); außerdem stellte sie wohl der Dichter → Hostius [1] im *Bellum Histricum* dar. Nach Cicero (Brut. 95) hatte S. einen eleganten Stil. Er verfaßte ein staatsrechtliches Werk (*libri magistratuum*; Macr. Sat. 1,13,21) in wenigstens 13 Büchern (Gell. 13,15,4) und mit optimatischer Tendenz, außerdem verm. eine röm. Gesch. von den Anfängen bis ins 2. Jh. v. Chr. (gegen [2] akzeptiert von [3; 4]), da einige Zitate (bes. Dion. Hal. ant. 1,11,1; Gell. 7,4,1) schwerlich in das andere Werk passen.

1 M. G. Morgan, Pliny, N. H. III 129, the Roman Use of Stades and the Elogium of C. S. Tuditanus, in: Philologus 117, 1973, 29–48 2 C. Cichorius, Das Geschichtswerk des S. Tuditanus, in: WS 24, 1902, 588–595 3 Schanz/Hosius 1, 196f. 4 Bardon 1, 105f.

Fr.: HRR 1, 143–147 · M. Chassignet (ed.), L'annalistique romaine, Bd. 2, 1999, 40–43. W.K.

[I 23] S. Tuditanus, M. Als Volkstribun 193 v. Chr. stellte er Latiner und Italiker im Kreditrecht röm. Bürgern gleich (Liv. 35,7,2–5); 189 Praetor in Sicilia. Als Consul 185 unterwarf er die → Apuani (Liv. 39,32,1–5). 184 scheiterte seine Bewerbung um die Censur (Liv. 39,40,3), 183 wurde S. dennoch Pontifex; Tod 174 durch eine Seuche. K.-L.E.

[I 24] S. Tuditanus, P. Nach der Darstellung des Livius, die im Kern über Coelius auf Ennius zurückgeht, soll S. als Kriegstribun 216 v. Chr. an der Schlacht bei → Cannae teilgenommen und sich nach der Niederlage mit wenigen Leuten nach Canusium durchgeschlagen haben (Liv. 22,50,4–12 mit [1]). 214 war er curulischer Aedil, 213 Praetor. In dieser Funktion und zwei weitere J. mit Prorogation soll er ein Kommando von Ariminum aus geführt und sogar bei Atrinum gesiegt haben (Liv. 24,47,14). Das ist so wenig histor. wie derselbe Aufgabenbereich seines Vorgängers M. Pomponius [I 7] Matho. 209 wurde er wie sein Kollege vor dem Konsulat Censor und ernannte gegen das Herkommen statt des ältesten Censoriers (→ *censor*) den Q. Fabius [I 30] Maximus zum → *princeps senatus* (Liv. 27,11,9–12). 205 gelang es S., der als *privatus cum imperio* auf den illyrischen Kriegsschauplatz entsandt worden war, nicht, dem nach dem Ausscheiden der Aitoler 206 für die Römer wesentlich allein zu führenden Krieg gegen Philippos [7] V. von Makedonien eine neue Wendung zu geben: Auf Vermittlung der Epeiroten schloß er den Frieden von Phoinike (StV 3, Nr. 543). 204 Consul, ging er nach der Regelung von Rekrutierungs- und Finanzproblemen (Liv. 29,15–16,3) nach Bruttium. Sein Anteil an den Erfolgen dieser J. dort läßt sich wegen Wi-

dersprüchen in den Quellen nicht bestimmen [2]; für einen Sieg hatte er der → Fortuna Primigenia aus Praeneste einen Tempel gelobt, der 194 schließlich geweiht wurde (Liv. 29,36,8; 34,53,5 mit [3]). Auch 203 soll er mit verlängertem Kommando in Bruttium geblieben sein (Liv. 30,1,3; 27,7). 200 gehörte er mit C. Claudius [I 17] Nero und M. Aemilius [I 10] Lepidus zu einer Gesandtschaft, die nicht nur im Konflikt zwischen Seleukiden und Ptolemaiern vermitteln, sondern auch angesichts der sich verschärfenden Spannungen mit Philippos V. die Lage in Griechenland sondieren sollte (Pol. 16,25,2; 16,27; 34,2; Liv. 31,2,3–4) [4].
→ Makedonische Kriege; Punische Kriege

1 T. Schmitt, Hannibals Siegeszug, 1991, 237–254
2 D.-A. Kukofka, Süditalien im Zweiten Pun. Krieg, 1990, 146–147 3 A. Ziolkowski, The Temples of Mid-Republican Rome, 1992, 40–41 4 E. Will, Histoire politique du monde hellénistique 2, 1982, 119–121; 131–135. TA.S.

II. Kaiserzeit

[II 1] S. Caelianus. Ritter, mit mil. Funktion als *praefectus* oder *tribunus* unter Plinius [2] in Pontus-Bithynien (Plin. epist. 10,29f.); Devijver 2, S 18.

[II 2] S. Densus. Praetorianercenturio, der nach Tacitus (hist. 1,43,1) am 15. Jan. 69 n. Chr. Calpurnius [II 24] Piso Frugi, Galbas [2] Adoptivsohn, gegen die revoltierenden Praetorianer verteidigte und dabei getötet wurde (Plut. Galba 26; Cass. Dio 64,6,4f. mit Bezug auf Galba selbst).

[II 3] S. Gracchus. Nachkomme der republikanischen Familie der Sempronii Gracchi. Er galt als guter Redner und Dichter, auch wenn er seine Gaben falsch eingesetzt haben soll (Tac. ann. 1,53,3; Ov. Pont. 4,16,31). Über Ämter ist nichts bekannt, wenn er nicht mit einem augusteischen *triumvir monetalis* identisch ist. Er hatte ein Verhältnis mit Augustus' Tochter Iulia [6] während ihrer Ehe mit Agrippa und nach ihrer Heirat mit Tiberius (Tac. ann. 1,53; Vell. 2,100,5). Er soll den Brief geschrieben haben, den Iulia in aggressiver Form an Augustus richtete. Im J. 1 n. Chr. wurde S. auf die Insel Cercina verbannt, wobei ihn sein Sohn begleitete. Der wirkliche Grund für die gesamte Affäre, an der S. Anteil hatte, ist nicht genau erkennbar; vielleicht hatte Augustus ihm den Zugang zum Konsulat verweigert [1. 91]. Nach Augustus' Tod wurde S. auf Tiberius' Befehl in der Verbannung getötet (Tac. ann. 1,53,5f.).

1 Syme, AA.

[II 4] (S.) Gracchus. Praetor im J. 33 n. Chr., der als Vorsitzender einer *quaestio* Vergehen gegen Zinsgesetze zu verfolgen hatte. Wegen der großen Zahl der Betroffenen brachte er die Angelegenheit vor den Senat (Tac. ann. 6,16,3). Möglicherweise ist er mit dem Senator C. Gracchus identisch, der im J. 35 Granius [II 4] Marcianus anklagte (Tac. ann. 6,38,4).

[II 5] C. S. Gracchus. Sohn des S. [II 3]; in der Verbannung groß geworden, ohne standesgemäße intellektuelle Ausbildung. Da ihm die traditionelle Laufbahn verwehrt war (er kam wohl nie in den Senat), lebte er vom Handel in Africa und Sizilien. 23 n. Chr. angeklagt, er habe den rebellierenden → Tacfarinas mit Lebensmitteln beliefert, wurde er durch die Statthalter in Africa, Aelius [II 16] Lamia und L. Apronius [II 1], vor der Strafverfolgung bewahrt (Tac. ann. 4,13,2f.).

[II 6] M. S. Liberalis. Ritter aus Acholla in Africa; um 130 n. Chr. *praefectus alae* in Mauretania Tingitana unter dem Statthalter Gavius Bassus (CIL XVI 173). Unter Antoninus Pius Praesidialprocurator von Raetia (RMD 3, 164 am 31.10.139 bezeugt; siehe zuletzt [1. 225ff.]), ferner im J. 140 [2. 293–299]. Schließlich 154–159 *praefectus Aegypti* [3. 511–524].

1 K. Dietz, Ein neues Militärdiplom aus Alteglofsheim, in: Beitr. zur Arch. in der Oberpfalz 3, 1999 2 H. Wolff, Fr. eines Militärdiploms des J. 140 n. Chr., in: Bayer. Vorgeschichtsbl. 63, 1998, 293–299 3 A. Jördens, Ein Erlaß des Präfekten S. Liberalis zur Steuererhebung, in: Akt. 21. Int. Papyrologenkongr., 1997, 511–524.

[II 7] P. Aelius S. Lycinus. Ritter, aus Ancyra in Galatien stammend. Nach den *militiae equestres* wurde er *procurator* für die Erbschaftssteuer in der Gallia Narbonensis und Aquitania, *procurator Daciae Porolissensis, procurator* des → *ídios lógos* in Äg., *procurator* in Syria Palaestina; seine Laufbahn entwickelte sich unter Septimius [II 7] Severus und Caracalla. Sein Nachkomme war P. Aelius S. Metrophanes, der dem Senat angehörte.

Devijver 4, 1421 A 60 · H. Halfmann, Die Senatoren in den kleinasiatischen Prov., in: EOS 2, 603–650 · Pflaum 2, 700f. · PIR² A 256.

[II 8] [?Sem]pronius Senecio. Genannt in einer Inschr. aus Philomelion, am ehesten als Proconsul von Asia unter Septimius [II 7] Severus zusammen mit seinem Quaestor Maximius Attianus (AE 1997, 1448), verbessert bei [1. 205–210; 2. 141–164]. Möglicherweise war er, wenn das Gent. richtig ergänzt ist, ein Nachkomme von S. [II 9].

1 W. Eck, Prosopographica III, in: ZPE 127, 1999, 205–210
2 M. Christol, Th. Drew-Bear, Le prince et ses représentants aux limites de l'Asie et de la Galatie, in: Cahiers Glotz 9, 1998, 141–164.

[II 9] L. S. Senecio. Ritter, unter Traianus in einen Prozeß wegen Fälschung des Testaments des Iulius [II 138] Tiro (zu ihm s. CIL II 3661) verwickelt (Plin. epist. 6,31,7ff.). Der Prozeß muß ihn wohl rehabilitiert haben, da er, verm. erst danach, eine procuratorische Laufbahn absolvierte (AE 1975, 849): *praefectus fabrum, procurator Augusti a censibus provinciae Thraciae*, ebenso danach in Aquitania; *procurator monetae* in Rom; *procurator provinciae Iudaeae* (also vor 135/6, weil die Prov. noch nicht zu Syria Palaestina umbenannt ist).

Pflaum, Suppl. 33ff. W.E.

Semtheus. Ägypter, Dorfschreiber (→ *kōmogrammateús*) und (trotzdem) Inhaber einer etwa 27,5 km^2 (10 000 *árurai*; → Arura) großen *dōreá*, eines vom König verliehenen Landguts (PPetrie II 38 a; III 31; PLille I 47,2 f.; 9 f.; 48,2 f.; 8 f.) im J. 251/0 v. Chr. PP I 837 f.; 841; IV 8387. W.A.

Semuncia. Röm. Maßeinheit zu 1/24 eines größeren Ganzen. Als Gewichtsstück entspricht die *s.* einer halben Unze/→ *uncia* (*s., quod dimidia pars unciae*, Varro ling. 5,171) und damit 1/24 der → *libra* [1] = 13,64 g (Wertzeichen S oder Σ), als Längenmaß 1/24 des → *pes* = 12,3 mm, als Flächenmaß 1/24 des → *iugerum* = 105,1 m^2, als Zeitmaß 1/24 der Stunde, bei Zinsen 1/24 der → *centesima* (1 % im Monat, 12 % im Jahr) = ½ %. Im spätröm. und byz. Gewichtssystem entspricht die *s.* 12 *scripula* (Wertzeichen XII, IB; → *scripulum*) oder 3 → *solidi* (Wertzeichen SOL III, NΓ). Im Geldwesen hat die *s.* den Wert von 1/24 → *as*, später auch 1/24 → *denarius*. Als Mz. finden sich *s.* in den stadtröm. Aes Grave-Serien des libralen Standards (Wertzeichen S oder Σ) sowie in Luceria.

E. Haeberlin, Aes Grave, 1910 • K. Regling, s. v. S., RE 2 A, 1448–1449. H.-J.S.

Semunzialstandard. 91 v. Chr. auf Grund der *lex Papiria* eingeführte Reduktionsstufe des röm. Bronzegeldes (Plin. nat. 33,46; RRC, p. 77; 596), wonach der → *as* auf 1/24 des röm. Pfundes (→ *libra* [1]) = 13,64 g herabgesetzt wurde [1]. Ein Teil dieser *asses* mit Ianuskopf auf dem Av. hat auf dem Rv. über der Prora (Schiffsvorderteil) die Buchstaben L·P·D·A·P, was möglicherweise für *lege Papiria de assis pondere* steht (RRC 338/1; p. 611).

1 Schrötter, s. v. Semunziaras/Semunziarfuß, 623.

GE.S.

Sena Gallica, Senagallia. Stadt in Umbria südl. der Mündung des Sena an der Küste des → Ionios Kolpos/Adria (Lucan. 2,407; Sil. 8,453; im Unterlauf heißt der Sena h. Misa) im Gebiet des → Ager Gallicus, h. Senigallia. Die Römer gründeten hier wohl 289 v. Chr. eine *colonia maritima* (Pol. 2,19,12; Liv. per. 11; Strab. 5,2,10). 207 v. Chr. diente S. G. den Römern als Standquartier (Liv. 27,46,4; → Punische Kriege), vor der Schlacht am Metaurus [2] (*proelium Senense*, Cic. Brut. 73). 82 v. Chr. wurde die mit den → *populares* sympathisierende Stadt von Pompeius [I 3] geplündert (App. civ. 87 f.). S. G. wurde frühchristl. Bistum und diente 551 den Byzantinern als Flottenstützpunkt im Kampf gegen die Ostgoten (Prok. BG 4,23,9).

M. Ortolani, N. Alfieri, S. G., in: Rendiconti dell'Accademia dei Lincei 8, 1953, 152–180.

G.U./Ü: J.W.MA.

Senaculum. Zusammen mit der Curia der beim Comitium in Rom (→ Forum [III 8] Romanum) gelegene Versammlungsort des röm. Senats (→ *senatus*); darüber hinaus und unabhängig von diesem speziellen stadtröm. Ort die allg. Bezeichnung für einen Platz, an dem der Senat zusammentrat.
→ Versammlungsbauten

Richardson, 348. C.HÖ.

Senator s. Senatus

Senatus (der röm. Senat).
I. Königszeit II. Republik III. Kaiserzeit

I. Königszeit

Den *s.* als Beratungsorgan der Staatsführung gab es nach röm. Trad. seit der Königszeit. Schon → Romulus [1] soll einen Rat von 100 Mitgliedern eingerichtet haben (Liv. 1,8,7; Dion. Hal. ant. 2,12,1; Fest. s. v. *patres*, p. 288; Ov. fast. 3,127), der später auf 300 erweitert wurde. Die Einzelnachrichten darüber sind verm. spätere Konstruktion. Glaubhaft ist, daß früh ein Rat von älteren Männern (*s.* verwandt mit *senex*: [1. 513 f.]; vgl. die Bezeichnung *patres*, »Väter«) bestand, die vom König frei ausgewählt wurden (Liv. 1,8,7; Cass. Dio fr. 5,11; grundsätzlich Fest. s. v. *praeteriti senatores*, p. 290). Es ist umstritten, ob nur Patrizier (→ *patricii*) oder auch Plebeier (→ *plebs*) im *s.* vertreten waren. Für einen anfangs rein patrizischen *s.* spricht, daß bei der Bestätigung von Volksbeschlüssen durch die *patrum auctoritas* (vgl. Liv. 1,17,9) und bei der Wahl des → *interrex* (Cic. dom. 38) bis in die späte Republik nur patrizische Senatoren (= Sn.) beteiligt waren. Eine wichtige Rolle dürfte der *s.* bei der Wahl und Ernennung des neuen Königs gespielt haben.

II. Republik

A. Zusammensetzung B. Aufgaben
C. Verfahrensweise

A. Zusammensetzung

In republikan. Zeit umfaßte der *s.* lange ca. 300 Mitglieder, angeblich schon seit den ersten Consuln (Liv. 2,1,10; Dion. Hal. ant. 5,13,2) und unter Einbeziehung von Plebeiern (Fest. s. v. *qui patres*, p. 304), was wohl der wirklichen Entwicklung etwas vorgreift. Die Sn. wurden von den Oberbeamten nach Belieben bestellt, bis eine *lex Ovinia* (vor 312 v. Chr.) die → *lectio senatus* den → *censores* übertrug (Fest. s. v. *praeteriti senatores*, p. 290). In der Folgezeit wurden ehemalige curulische Magistrate selbstverständlich zugewählt, durften seit dem 3. Jh. sogar vor der offiziellen Zuwahl schon an den Sitzungen des *s.* teilnehmen, und der Senatssitz galt praktisch lebenslänglich, da nur schwere Verfehlungen zum Ausschluß führten. Vor 123 v. Chr. eröffnete auch die plebeiische Aedilität, gegen E. des 2. Jh. das Volkstribunat den Zugang zum *s.* (Gell. 14,8,2). Cornelius [I 90] Sulla vergrößerte den (stark dezimierten: Eutr. 5,9,2) *s.* – v. a. aus dem Ritterstand (→ *equites Romani*) – auf 600 Mitglieder (Liv. per. 89; App. civ. 1,468) und machte für die Zukunft die Quaestur zur Zugangsvoraussetzung. Damit wurden alle höheren Beamten Sn., der *s.* wurde also indirekt durch Volkswahl ergänzt (Cic. Sest. 137). Da Caesar viele Anhänger mit der Aufnahme in den *s.* belohnte, erreichte dieser 45 v.Chr. 900 (Cass. Dio 43,47,3), in der Triumviratszeit sogar mehr als 1000 Mitglieder (Suet. Aug. 35,1). Sn. trugen als Standes-Insignien breite Purpurstreifen an der Tunica (*latus* → *clavus*) und spezielle Schuhe (→ *calceus*). Seit 194 v.Chr. hatten sie reservierte Plätze bei den → *ludi* (Liv. 34,54,4; Val. Max. 2,4,3). Andererseits unterlagen sie auch Einschränkungen: insbes. durften sie seit 218 v.Chr. (*lex Claudia*) keine Handelsgeschäfte treiben (Liv. 21,63,2f.). Obwohl Zugehörigkeit zu einer senator. Familie die Chancen für den Zugang zu Magistratur und *s.* erhöhte, stiegen auch ständig »Neulinge« (*novi homines*) bes. in die unteren Ränge des *s.* auf (vgl. [2]).

B. Aufgaben

Aus der grundlegenden Aufgabe des *s.*, die Oberbeamten zu beraten, entwickelte sich eine Fülle von Kompetenzen und Einflußmöglichkeiten, die den *s.* in der mittleren Republik zum zentralen röm. »Regierungsorgan« [3. 18–20] machten. Gegenüber dem jährlichen Wechsel der Magistrate repräsentierte der *s.* die polit. Kontinuität. Der Einfluß des *s.* wuchs einerseits zu Lasten der Eigenmächtigkeit der Magistrate, die sich (mit seltenen Ausnahmen) der gesammelten Autorität und Erfahrung der früheren Amtsträger nicht widersetzten und wohl auch den persönlichen Konflikt mit ihren Standesgenossen scheuten, in deren Kreis sie nach E. der Amtszeit zurücktraten; andererseits auch zu Lasten der Volksversammlung (→ *comitia*), deren Funktionen vom *s.* kontrolliert und zum Teil übernommen wurden. Das Volk hatte zwar die Gesetzgebungskompetenz, aber zumindest die konsularischen Anträge wurden regelmäßig im *s.* vorberaten und ausgeformt, häufig sogar durch eine Aufforderung des *s.* an die Magistrate initiiert; schließlich wurden Gesetze auch vom *s.* wegen Verfahrensmängeln aufgehoben, und der *s.* maßte sich das Recht an, von der Wirkung spezieller Gesetze zu befreien (eingeschränkt 67 v.Chr. von C. Cornelius [I 2]). Die → *prorogatio* der Imperien (→ *imperium*), anfangs von *s.* und Volk gemeinsam beschlossen (Liv. 8,23,12), regelte später der *s.* allein (bes. Pol. 6,15,6).

Durch diese Entwicklung kam es dazu, daß der *s.* in der mittleren und späten Republik die wichtigsten Bereiche der Politik und der staatl. Verwaltung lenkte oder maßgeblich beeinflußte. Bes. Gewicht hatte er in der »Außenpolitik«. Das Recht der *comitia* zur Kriegserklärung und zum Abschluß völkerrechtlicher Verträge sank zur Formalität herab, da die wesentliche Beratung im *s.* stattfand, der auch für die Auslegung der Verträge und die Aufsicht über sie zuständig war. Der *s.* empfing auswärtige Gesandte und entsandte selbst → *legati* in Kriegs- und Friedensmissionen (Pol. 6,13,6f.). Im Kriegsfall verteilte er die Aufgabenbereiche der Feldherren (→ *provincia*), regelte die Zuweisung und Versorgung der Truppen (z.B. Sall. Iug. 27,5; Cic. Pis. 5), erhielt Ber. der Feldherren über den Verlauf der Aktionen (Cic. Pis. 38) und bewilligte gegebenenfalls den → Triumph. Im Inneren des Reiches beaufsichtigte der *s.* die Prov. (z.B. als Beschwerdeinstanz gegen Übergriffe von Statthaltern) und die Ordnung Italiens, hatte die Aufsicht über die Staatskasse (→ *aerarium*), über deren Ausgaben er (durch Anweisung an die Magistrate) verfügte, und traf wichtige Entscheidungen im sakralen Bereich, z.B. zur Einrichtung neuer Kulte (wie der → Mater Magna [1]), zur Anordnung öffentl. Gelübde (*votum*) und von Bitt- und Dankfesten (→ *supplicatio*) sowie zur Sühnung von Prodigien (→ *prodigium*). Zur Erhaltung oder Wiederherstellung der inneren Ordnung Roms erklärte er in Krisensituationen polit. Gegner zum → *hostis* (erstmals 88 v.Chr.), setzte außerordentliche Gerichte ein (z.B. Liv. 39,14,6) und ermächtigte (erstmals 121 v.Chr. gegen C. → Sempronius [I 11] Gracchus) durch das sog. → *senatus consultum ultimum* (vgl. Caes. civ. 1,5,3) die Magistrate, das Staatswesen ohne Rücksicht auf die bürgerlichen Schutzrechte zu verteidigen (→ Notstand).

C. Verfahrensweise

Das Verfahren des *s.* war nicht förmlich geregelt, sondern folgte dem Herkommen. Von den ordentlichen Magistraten konnten nur Consuln und Praetoren (Gell. 14,7,4) den *s.* einberufen (*cogere*), aber seit 287 v.Chr. durften auch die → *tribuni plebis* den *s.* konsultieren (Gell. 14,8,2). Promagistrate, Priestercollegia und Gesandte brauchten dagegen die Hilfe eines kompetenten Magistrats, um dem *s.* ihr Anliegen vorzutragen. Die Ladung erfolgte unter Angabe von Zeit, Ort und (manchmal) Thema (z.B. Cic. fam. 11,6,2). Die Sitzungen fanden an allen Kalendertagen statt, bis durch eine *lex Pupia* die *dies comitiales* (→ Fasti B.) ausgenommen wurden (Cic. ad Q. fr. 2,2,3; 2,11(12),3). Als Versammlungsort kam nur ein inaugurierter Platz (→ *templum*) in Rom oder seiner Bannmeile in Frage, d.h. neben der Curia Hostilia am Forum verschiedene Tempel, außerhalb des → *pomerium* bes. die des Apollo und der Bellona auf dem Marsfeld. Von den Sn. wurde regelmäßige Anwesenheit erwartet (Cic. dom. 8), aber oft wird mangelhafter Besuch beklagt (Cic. ad. Q. fr. 3,2,2; Liv. 38,44,6), und im Hinblick auf Mindeststimmzahlen mußte auf Verlangen die Beschlußfähigkeit geprüft werden (Fest. s.v. *numera senatum*, p. 174).

Die eigentliche Konsultation, der bisweilen magistratische Mitteilungen vorausgingen, bestand aus drei Teilen: der Vorlage des Magistrats (*relatio*), der Meinungsumfrage unter den Sn. (*interrogatio*) und der Beschlußfassung durch Auseinandertreten (→ *discessio*). Die Themenvorlage des Beamten wurde durch erklärende Darlegungen (*verba facere*) ergänzt, die bei Bedarf ganz oder teilweise durch andere Personen (z.B. Priester; Gesandte) vorgetragen werden konnten. Bei einfachen, bes. nicht kontroversen Themen konnte sofort danach der Beschluß gefaßt werden (*SC per discessionem*: z.B. Cic. Phil. 3,24; Liv. 42,3,10). In der Regel folgte aber zunächst die Meinungsumfrage, bei der die Sn. (außer den amtierenden Magistraten) in der Rangfolge der Senatsliste aufgerufen wurden. Als erster sprach der *princeps senatus* (der dienstälteste patriz. Censorier oder Consular), seit Sulla aber die für das Folgejahr gewählten Consuln (*consules designati*; Gell. 4,10,2; App. civ. 2,18). Die Sn. trugen ihre Stellungnahme (*sententia*, abgeschlossen durch einen Beschlußantrag) vor, stimmten einem Vorredner kurz zu (*assentiri*) oder signalisierten nur dadurch ihre Zustimmung, daß sie, ohne selbst zu sprechen, zu einem Sprecher traten. Wohl aufgrund dieser Abstimmung »mit den Füßen« (*pedibus*) diente nach Festus (s.v. *pedarium*, p. 232; vgl. Gell. 3,18,1; anders, aber sehr konstruiert: [4. 55–59]) *pedarii* (*senatores*) als inoffizielle (teils leicht abwertende: Cic. Att. 1,19,9) Bezeichnung für Sn. niedriger Rangstufen (sicher unterhalb der Praetorier: Tac. ann. 3,65,2; Frontin. aqu. 99).

Da die Redezeit nicht begrenzt war, konnte man vom Thema abschweifen und sogar durch Dauerreden (*diem consumere*: Cic. Att. 4,2,4) eine Beschlußfassung verhindern. Der Vorsitzende stellte aus den *sententiae* nach eigenem Ermessen Anträge für die Abstimmung zusammen, die durch → *discessio* erfolgte, und stellte das Ergebnis fest (*haec pars maior esse videtur*: Sen. dial. 7,2,1). Während der Abstimmung (z.B. Cic. fam. 10,12,3; Liv. 9,8,13) war → *intercessio* durch gleichrangige oder höhere Magistrate, bes. aber durch Volkstribune möglich. Der Beschluß wurde in jedem Fall protokolliert (zu Art und Form: → *senatus consultum*).

III. Kaiserzeit

In der Kaiserzeit verlor der *s.* zwar Macht und Einfluß an den → *princeps*, behielt aber sein soziales Prestige und lange auch seine Rolle als zentrales Beschlußorgan. Augustus führte (seit 28 v.Chr.) die Zahl der Sn. auf 600 zurück (Suet. Aug. 35,1), setzte den Mindestcensus auf 1 Mio HS fest (Cass. Dio 54,17,3; 54,26,3) und regelte den Zugang zum *s.* so, daß Sn.-Söhne mit der → *toga virilis* den *latus clavus* erhielten (Suet. Aug. 38,2) und durch die Wahl zum → Quaestor den Senatssitz erlangten. Seit Caligula wurde der Kreis der Aspiranten durch Verleihung des *latus clavus* an junge Ritter erweitert (Cass. Dio 59,9,5); vereinzelt durch Claudius, vermehrt seit den Flaviern wurden ältere Ritter durch → *adlectio* direkt in die mittleren Rangklassen des *s.* aufgenommen. Während der *s.* der frühen Kaiserzeit sich (abgesehen von einzelnen Mitgliedern aus Spanien und der Gallia Narbonensis) im wesentlichen aus It. rekrutierte (vgl. ILS 212, col. II, 1–4), wurden unter den Flaviern und den Adoptivkaisern vermehrt Provinziale, jetzt auch häufig aus Nordafrika und dem Osten (bes. Kleinasien) aufgenommen.

Die Aufgaben des *s.* veränderten sich mit der Zeit erheblich. Anfangs wurde er noch in fast allen Fragen konsultiert (Suet. Tib. 30; Tac. ann. 4,6,2), aber allmählich wurden viele Entscheidungen von speziellen Amtsträgern oder im → *consilium principis* getroffen. Der *s.* erhielt allerdings auch bedeutende neue Kompetenzen. 14 n.Chr. übertrug Tiberius dem *s.* die Wahl der Magistrate (Tac. ann. 1,15,1) – außer den Consuln –, wobei aber dem Kaiser ein weitgehendes Empfehlungsrecht (→ *commendatio* 5.) zustand. Nach Tiberius ging auch die Gesetzgebung (bes. zum Privatrecht und den Verwaltungsregeln) praktisch auf den *s.* über. Ebenfalls schon unter Tiberius übernahm der *s.* (zunächst in außergewöhnlichen Fällen: Tac. ann. 2,28,3; 3,12,7) die → *cognitio* in Strafprozessen, v.a. wenn Sn. angeklagt waren (zu Vorstufen und Anfängen bes. [5]). Daneben blieb die Kontrolle über das *aerarium* (mit der Zeit nur formal) erhalten, ebenso die Zuständigkeit für Ehrungen und sakrale Beschlüsse. Die Ernennung des Kaisers erfolgte unter wesentlicher Beteiligung des *s.*; er entschied auch über die Apotheose von Mitgliedern des Kaiserhauses sowie über die → *damnatio memoriae*. Insgesamt war das Ansehen des *s.* immer noch beträchtlich; im Osten erhielt er sogar kultische Ehrungen (vgl. zuletzt [6]).

Die Verfahrensweise des *s.* blieb im ganzen erh., wurde aber stärker normiert (z.B. durch Einführung regelmäßiger Sitzungstage) und an die kaiserlichen Privilegien angepaßt. Der *princeps* konnte Sondersitzungen einberufen, jederzeit Vorschläge einbringen (ILS 244,3–5), als erster oder auch später *sententiae* vortragen und abstimmen wie ein einfacher Senator. Seine Anträge wurden als *oratio principis* häufig von einem kaiserlichen Quaestor verlesen; bald kam es zu dem Mißbrauch, daß der Inhalt dieses Antrags in eine *sententia* umgeformt wurde, der alle ohne Diskussion zustimmten (getadelt von Claudius [III 1], BGU 611, col. III, 18–23). Die förmlichen Abstimmungen wurden mit der Zeit durch rhythmische Akklamationen ersetzt.

In der Spätant. gab es weitere Veränderungen. Zwar wertete Constantinus [1] I. den *s.*, der unter Diocletianus nur eine untergeordnete Rolle spielte, wieder auf (Paneg. 12,20,1), veränderte aber entscheidend seine Zusammensetzung, indem er den Clarissimat (→ *vir clarissimus*) als neue erweiterte Oberschicht durch Einbeziehung der Elite des Ritterstandes und der Munizipalaristokratie schuf und in Konstantinopel einen zweiten *s.* begründete, der zunächst minderen Ranges war (Anon. Vales. 30), aber nach 339 dem röm. gleichgestellt wurde. Beide Senate wurden rasch auf ca. 2000 Mitglieder ausgedehnt (im Osten verm. 358/9: Them. or. 34,13). An die Stelle der Rangordnung nach Ämtern trat schon im 4. Jh. eine neue Einteilung in die Rangstufen → *clarissimus*, → *spectabilis* und → *illustris vir*. Viele Sn. lebten fern vom *s.* in den Prov. Mit der Zeit nahmen nur noch die *illustres* an den Sitzungen teil, was unter Iustinianus [1] zur Regel erhoben wurde (Dig. 1,9,12,1). Da Rom seine Hauptstadtrolle verloren hatte, war der röm. *s.* nur noch eine Art Stadtrat unter der Leitung des → *praefectus urbi* ohne polit. Gewicht, bestand aber bis in die Zeit der Ostgotenherrschaft fort. Im Osten gab es den *s.* sogar bis zur Eroberung von Konstantinopel (1453).

→ Magistratus; Patricii; Roma I.

1 Walde/Hofmann 2 **2** T.P. Wiseman, New Men in the Roman Senate 139 B.C.–14 A.D., 1971 **3** W. Kunkel, Magistratische Gewalt und Senatsherrschaft, in: ANRW I 2,

1972, 3–22 4 F. X. RYAN, Rank and Participation in the Republican Senate, 1998 5 W. KUNKEL, Über die Entstehung des Senatsgerichts, 1969 (=in: Ders., KS, 1974, 267–323) 6 A. ERSKINE, Greekness and Uniqueness: the Cult of the Senate in the Greek East, in: Phoenix 51, 1997, 25–37.

M. BONNEFOND-COUDRY, Le sénat de la république romaine, 1989 • A. CHASTAGNOL, Le sénat romain à l'époque impériale, 1992 • JONES, LRE 2, 523–562 • MOMMSEN, Staatsrecht 3, 835–1271 • A. O'BRIEN MOORE, s. v. S., in: RE Suppl. 6, 660–800 • R. J. A. TALBERT, The Senate of Imperial Rome, 1984 • P. WILLEMS, Le sénat de la république romaine, [2]1883–1885 (Ndr. 1968). W. K.

Senatus consultum

[1] (SC; manchmal *senatus sententia*: ILS 18; 35a; 8208; inoffiziell auch *senatus decretum*, z. B. Cic. Mil. 87; Cic. Sest. 32, bzw. archaisierend *senati decretum*: Sall. Catil. 30,3 u.ö.). Der förmliche Beschluß, mit dem der röm. Senat auf die Frage (*consulere*) von Magistraten eine Empfehlung oder Weisung aussprach, die zwar nicht rechtlich, aber praktisch bindend war, in der Kaiserzeit sogar teilweise Gesetzeskraft erlangte (Gai. inst. 1,4; Pomp. Dig. 1,2,12; vgl. [3. 432]). Ein SC, das durch Formfehler oder tribunizische Interzession (→ *tribunus plebis*) unwirksam war, hieß (*senatus*) *auctoritas* (Caelius in Cic. fam. 8,8,5–8; Cass. Dio 55,3,4 f.). Der Beschluß wurde im allg. sofort am Ort der Sitzung (Plut. Marius 4,2 f.) in Anwesenheit interessierter Zeugen (bes. des Antragstellers), seit der frühen Kaiserzeit auch der beiden → *quaestores urbani*, protokolliert und wurde erst gültig, wenn er im Archiv des → *aerarium* deponiert war, wo er von den → *scribae* der Quaestoren in die Staatsakten (→ *tabulae publicae*) aufgenommen wurde (zu den Einzelheiten [2. 8–10; 4. 67–72]).

Die Aufzeichnung folgte in republikanischer Zeit einer standardisierten Form: In der Eingangsformel wurden der Verhandlungsleiter, Tag und Monat sowie der Ort der Senatssitzung, schließlich die Protokollzeugen in der Rangfolge des Senats genannt; mit der Formel *quod ille verba fecit* wurde das Thema der Beratung angeführt, abgeschlossen durch *d(e) e(a) r(e) i(ta) c(ensuerunt)*; dann folgte der Beschluß in indirekter Rede oder in Form eines Aufforderungssatzes und am E. der Abstimmungsvermerk *Censuere* (bzw. *C.*). In der Kaiserzeit kamen eine Zusammenfassung der Beschlußgründe, die Präsenzzahl und (seit dem 2. Jh. n. Chr.) auch der Name des Antragstellers hinzu.

Senatsbeschlüsse wurden nur in Ausnahmefällen (z. B. → *SC de Bacchanalibus*, ILS 18; → *SC de Cn. Pisone patre*) von Amts wegen publiziert. Begünstigte (Gemeinden oder Einzelpersonen) konnten aber Abschriften erhalten und auf eigene Kosten dauerhaft bekannt machen. Zahlreiche Beispiele solcher Inschr. finden sich im griech. Osten (gesammelt in [2]), wobei regelmäßig eine offiziöse, dem lat. Text oft sklavisch folgende griech. Übers. zugrundeliegt. (Ergänzungsbedürftige) Liste der überl. Senatsbeschlüsse: [1. 808–812].
→ Senatus

1 A. O'BRIEN MOORE, s. v. S.c., RE Suppl. 6, 800–812 2 SHERK (bes. 4–19) 3 R. J. A. TALBERT, The Senate of Imperial Rome, 1984 4 M. COUDRY, Sénatus-consultes et *acta senatus*: rédaction, conservation et archivage des documents émanant du sénat, in: La mémoire perdue, Bd. 1, 1994, 65–102. W. K.

[2] Als Hinweis auf einen SC erscheint die Inschr. SC oder EX SC auf Mz. der röm. Republik im 1. Jh. v. Chr., entweder mit klarem Bezug auf das Münzbild oder – freilich nur auf irregulären Ausgaben von Aedilen, Quaestoren und Tribunen – in der Bed. »geprägt aufgrund eines SC« (*senatus consulto*). Die kaiserzeitlichen Bronze-Mz. vom → Sestertius bis zum → Quadrans tragen seit ihrer Einführung unter Augustus um 19 v. Chr. bis zum E. ihrer Prägung, Mitte 3. Jh. n. Chr., auf dem Rv. ein SC. Die lange vorherrschende Erklärung als »geprägt auf Senatsbeschluß« bedeutete die Unterscheidung einer »senatorischen« Bronzeprägung mit SC von einer »kaiserlichen« Edelmetallprägung ohne SC (»Dyarchie« bei MOMMSEN [5. Bd. 3,1146; Bd. 2,1025]; wieder aufgegriffen von [2]).

Nach [3] bezog sich die Inschr. SC der neuen Bronze-Mz. des Augustus auf die Münzbilder; die auf Sestertius und → Dupondius dargestellten Ehrungen für Augustus, Eichenkranz und Lorbeerbäume, seien ihm durch SC verliehen worden. Diese These wird gestützt durch Mz. aus Republik und Kaiserzeit, bei denen sich das SC sicher auf die Münzbilder bezieht. [4] sah das SC auch in Verbindung mit den Münzlegenden; es belege die staatsrechtliche Legitimation der genannten Ehren für Augustus sowie der Stellung der → *tresviri monetales*. Später demonstriere es in Verbindung mit der Kaisertitulatur die staatsrechtliche Legitimation des Kaisers. Usurpatoren ohne diese (wie Pescennius Niger) prägten keine Bronze-Mz., da sie das SC nicht darauf setzen konnten.

Nach [1] sollte die Inschr. SC die Einführung und die Gültigkeit des neuen Bronze-Mz.-Systems von 19 v. Chr. durch SC ankündigen; so auch [6]: Das SC habe auf den Mz. aber vor allem die Funktion gehabt, diese klar als röm. zu identifizieren und ihnen trotz ihres Charakters als Scheide-Mz. »Autorität« zu verleihen. Mz. aus Edelmetall bedurften dessen nicht, daher wurden sie ohne die Aufschrift SC geprägt. Zugleich betone diese im Sinne der Politik des Augustus die Vorrangstellung des Senats.

1 A. BAY, The Letters SC in Augustan Aes Coinage, in: JRS 62, 1972, 111–123 2 A. M. BURNETT, The Authority to Coin in the Late Republic and Early Empire, in: NC 137, 1977, 37–63 3 K. KRAFT, S(enatus) C(onsulto), in: JNG 12, 1962, 7–49 4 T. LEIDIG, SC auf kaiserzeitlichen Bronzemz., in: JNG 31/32, 1981/82, 55–76 5 MOMMSEN, Staatsrecht 6 A. WALLACE-HADRILL, Image and Authority in the Coinage of Augustus, in: JRS 76, 1986, 66–87. DI. K.

Senatus consultum de Bac(ch)analibus. Edikt der Consuln Q. Marcius [I 17] Philippus und Sp. Postumius [I 8] Albinus auf der Grundlage eines Senatsbeschlusses

(→ *senatus consultum*) vom 7. Okt. 186 v. Chr., der die Unterdrückung der → Bacchanalia in Rom und It. regelte (Z. 2 f.). Das einzige erh. Expl. des Edikts – 1640 in Tiriolo (Prov. Catanzaro) gefunden – ist an Behörden im bruttischen *ager Teuranus* (Z. 30) gerichtet und befiehlt die öffentl. Bekanntmachung an mindestens drei Markttagen (Z. 22 f.). Die barock gerahmte, 27×28 cm große Br.-Tafel befindet sich h. im Kunsthistor. Museum Wien.

Der Text bestätigt im großen und ganzen die ausführliche Schilderung des Bacchanalienskandals bei Livius (39,8–19), wirft jedoch eine Reihe von Fragen bezüglich des rechtlichen Vorgehens der röm. Magistrate sowie der Modalitäten auf, unter denen auch in Zukunft Gottesdienste des Bacchuskultes (→ Bacchus) erlaubt sein sollten. Nicht befriedigend gelöst ist bislang v. a., wer die im Präskript (Z. 2) genannten *foideratei* (*foederati*, »Verbündeten«) sind. Versuche, sie als ›durch Eid einander verpflichtete(n) Bacchusverehrer‹ (vgl. [2. 169]) zu erklären, sind wenig wahrscheinlich (zu Recht dagegen [4. 290]). Da die Br.-Taf. in einem Gebiet gefunden wurde, das mit großer Wahrscheinlichkeit von Rom eingezogen wurde und damit seit dem 2. → Punischen Krieg zum → *ager publicus* gehörte, liegt zwar die Vermutung nahe, den *ager Teuranus* zur benachbarten latinischen Kolonie (→ *coloniae* D.) Vibo Valentia und damit zum Bundesgenossengebiet zu rechnen (so jüngst [1]), doch kann auch dies nicht überzeugen. Das Edikt wurde nämlich nicht in einer Gemeinde, sondern *in agro Teurano* publiziert, und die brüske, im Befehlston gehaltene Anweisung an die örtlichen Magistrate entspricht kaum dem üblichen Umgangston Roms im Verkehr mit seinen (latin.) → *socii*. Demnach ist der Text kein Beleg für eine Umsetzung röm. Beschlüsse in Gebieten außerhalb des röm. Staatsgebiets (*ager Romanus*), wie aus Livius (39,14,7 und 39,18,7) geschlossen wurde, wonach die Verfolgung ›in Rom und in ganz It.‹ (*in urbe Roma et per totam Italiam*) erfolgen sollte. Der Gleichsetzung von *tota Italia* und *ager Romanus* hier wie anderswo (so [3]) sind wenige gefolgt (vgl. [4. 330 ff.]); sie trägt auch nichts zur Frage der *foideratei* bei, die deshalb vorläufig offen bleibt.

Die Inschr., eines der frühesten im Original erh. röm. Rechtsdokumente, ist wegen ihres altertümlichen Lateins auch unter dem Aspekt der Sprach-Gesch. von hohem Interesse [5. 289–298].

→ Toleranz

1 O. de Cazenove, I destinatari dell'iscrizione di Tiriolo e la questione del campo d'applicazione del senatoconsulto de Bacchanalibus, in: Athenaeum 88, 2000, 59–68
2 H. Galsterer, Herrschaft und Verwaltung im republikanischen It., 1976, bes. 37–41 3 E. Gruen, The Bacchanalian Affair, in: Ders., Stud. in Greek Culture and Roman Policy, 1990, 34–78 4 J.-M. Pailler, Bacchanalia. La répression de 186 av. J.-C. à Rome et en Italie, 1988
5 Wachter.

Ed.: CIL I^3 581 = ILLRP 511.
Übers.: L. Schumacher, Lat. Inschr., 1990, Nr. 11.

H. GA.

Senatus consultum de Cn. Pisone patre. Text eines Senatsbeschlusses vom 10.12.20 n. Chr., der die Verhandlung gegen Cn. → Calpurnius [II 16] Piso und das Urteil des → *senatus* gegen ihn referiert. Piso war wegen Giftmords an Germanicus [2] und wegen → *maiestas* (C.) angeklagt und hatte sich bereits am 8.12. das Leben genommen. Das 176 Z. lange SC schildert nach Präskript und Beschlußvorlage (*relatio*) des Tiberius zunächst den Tatbestand und referiert dann die über Piso und seine »Begleiter« (*comites*) Visellius Karus und Sempronius Bassus verhängten Strafen sowie die Schuldloserklärung für die Kinder (→ Calpurnius [II 20] und [II 23]) und die Ehefrau des Piso, → Munatia Plancina.

Der Text sollte in allen Prov.-Hauptstädten und Legionslagern auf Br.-Taf. publiziert werden (Z. 168 ff.). In der span. Baetica veranlaßte der Proconsul Vibius Serenus eine Publikation in allen Städten. Von diesen Abschriften wurden in den letzten Jahren 6 Expl. in Südspanien gefunden; alle stammen aus Raubgrabungen, befinden sich jetzt aber im Nationalmuseum in Sevilla. Kopie A des Textes (ca. 118×45 cm) ist fast vollständig, kleinere Lücken werden durch die an dieser Stelle erhaltene Kopie B ausgefüllt. Die einzelnen Kopien unterscheiden sich kaum voneinander.

Der Prozeß gegen Piso wird auch von Tacitus (ann. 3,11–18) behandelt; sein Ber., der eine Schuld des Tiberius am Tode des Germanicus anklingen läßt, weicht so stark vom Inhalt und der offiziellen Sprachregelung des SC ab, daß vermutet werden kann, der Historiker habe das Dokument bei seiner Darstellung gar nicht benutzt [3].

1 A. Caballos Rufino et al., El senado-consulto de Gneo Pisón Padre, 1996 2 W. Eck et al., Das SC de Cn. Pisone patre, 1996 (mit dt. Übers., 38–51) 3 W. D. Lebek, Das SC de Cn. Pisone patre und Tacitus, in: ZPE 128, 1999, 183–211.

H. GA.

Senatus consultum Hosidianum. Der nach dem Suffektconsul Cn. Hosidius [4] Geta von 47 n. Chr. [1. 609–612] benannte Senatsbeschluß dient der staatlichen Regulierung privater Bautätigkeit (→ Baurecht B.). Die Br.-Taf. mit dem Text des SC wurde um 1600 in → Herculaneum ausgegraben und ist h. verschollen.

Das SC Hosidianum stellt – ähnlich wie das wenig spätere, auf derselben Taf. überl. SC Volusianum (56 n. Chr.) – den Kauf von *domus* und *villae* zum Zwecke des Abrisses und des Wiederverkaufs der Materialien und des Terrains zu höherem Preis unter Strafe, um die das Stadtbild beeinträchtigende Spekulation (vgl. Cod. Iust. 8,10,2–3: *ne publicus deformetur aspectus*) in städtischen und ländlichen Grundstücken zu unterbinden. Abriß baufälliger Gebäude und bauliche Veränderungen bei Neukauf waren mit Genehmigung des Senats erlaubt, wie das SC Volusianum zu zeigen scheint.

Das Verbot des Abrisses von städt. Gebäuden findet sich in → Stadtrechten bereits seit der *lex Tarentina* aus den 70er Jahren des 1. Jh. v. Chr. (FIRA I^2, Nr. 18 = *lex Tar.*, Z. 32 ff.; FIRA I^2, Nr. 21 = → *lex Ursonensis* § 75;

→ *lex Irnitana* § 62), mit geringen Unterschieden in der rechtlichen Ausgestaltung. Auch lit. und jurist. Quellen (vgl. die Einl. in FIRA) weisen auf den – wohl meist vergeblichen – Kampf der Kaiser und Städte gegen die Grundstücksspekulation hin [2. 74–75; 3].

1 S. PANCIERA, in: EOS 1, 609–612 2 J. CROOK, Classical Roman Law and the Sale of Land, in: FINLEY, Property, 71–83 3 P. GARNSEY, Demolition of Houses and the Law, in: s. [2], 133–136.

ED.: CIL X 1401 = ILS 6043 = FIRA I² Nr. 45.
ÜBERS.: H. FREIS, Histor. Inschr. zur röm. Kaiserzeit, ²1994, Nr. 35. H. GA.

Senatus consultum ultimum (SCU). Diese mod. Bezeichnung ist aus Caesar (civ. 1,5,3) und Livius (3,4,9) abgeleitet und meint den »letzten« bzw. »höchsten« Senatsbeschluß, mit dem der Senat einen Notstand in Rom deklarierte und den oder die höchsten jeweils in der Stadt anwesenden Magistrate mit deren Bekämpfung beauftragte. In der Regel galt der Auftrag beiden oder einem Consul, gelegentlich auch anderen Amtsträgern (*interrex; praetores; magister equitum*). Kern des im Wortlaut wohl variierenden Beschlusses war die Formel: (*consules*) *dent operam* bzw. *videant, ne quid detrimenti res publica capiat*. Damit wird der Magistrat zunächst nur an seine selbstverständliche Pflicht erinnert, »dafür zu sorgen, daß der Staat keinen Schaden nimmt«; der darin enthaltene Gedanke des Staatswohls (*res publica salva*) gemahnt aber an die *evocatio*, die irreguläre Form der mil. Aushebung, und deutet damit den Weg zur Beseitigung der → *seditio* an. Mithin trug das im J. 121 v. Chr. erstmals formulierte SCU im Kampf gegen C. → Sempronius [I 11] Gracchus → Kriegsrecht in den Stadtbereich (→ Notstand) und umging so die von diesem 123 veranlaßte *lex Sempronia de capite civis*, die den Schutz des Bürgers vor magistratischen Kapitalurteilen garantieren sollte (vgl. auch → *hostis*). Im Einzelfall umstritten, blieb das SCU ein Mittel, dessen sich bis zum E. der Republik (43/40 v. Chr.) alle in Rom an der Macht Befindlichen bedienen konnten.

S. MENDNER, Videant consules, in: Philologus 110, 1966, 258–267 • G. PLAUMANN, Das sogenannte S.c.u., die Quasidiktatur der späteren röm. Republik, in: Klio 13, 1913, 321–386 • B. RÖDL, Das s.c.u. und der Tod der Gracchen, Diss. (jur.) Erlangen 1968 • J. VON UNGERN-STERNBERG, Unt. zum spätrepublikanischen Notstandsrecht. *S.c.u.* und *hostis*-Erklärung, 1970.

J. v. U.-S.

Senatus populusque Romanus s. SPQR

Seneca
[1] L. Annaeus S. (Seneca der Ältere, *Seneca Rhetor*).
I. LEBEN II. WERK

I. LEBEN
Lat. Rhetor, wurde in → Corduba (h. Córdoba) zw. 61 und 55, wahrscheinlich 55 v. Chr. geb. (nur wegen des Bürgerkrieges konnte er Cicero nicht hören, Sen. contr. 1 praef. 11). Er stammte aus einer ritterlichen, reichen Familie und war Gutsbesitzer (Wein, Oliven) in derselben Region [8. 6]. Zweimal hielt er sich für längere Zeit in Rom auf (Sen. contr. 4 praef. 3) und hörte die berühmtesten Redner und Deklamatoren seiner Zeit: Asinius [I 4] Pollio, Arellius → Fuscus, Albucius [3] Silus, L. Cestius [II 4], Papirius [II 3] Fabianus und andere, deren Kenntnis wir nur ihm verdanken. Zusammen mit seinem Freund Porcius [II 3] Latro besuchte er Marullus' [1] rhet. Schule (contr. 1 praef. 22). Seiner Frau Helvia [2] verwehrte er, intensiver Philos. zu treiben (Sen. dial. 12,17,3), da er sie selbst ›haßte‹ (Sen. epist. 108,22). Drei Söhne entstammten der Ehe: L. Annaeus Novatus (L. → Iunius [II 15] Gallio Annaeanus), L. Annaeus S. [2], der Philosoph (= S. d. J.), und L. Annaeus [II 3] Mela (Vater des Dichters Lucanus [1]), den S. höher als die anderen Söhne schätzte (contr. 2 praef. 3). Das wahrscheinlichste Todesdatum ist 39/40 n. Chr. [8. 4]. Ob S. Anwalt wie sein Sohn Mela war, ist umstritten; seine Rückkehr aus Rom nach Corduba spricht dagegen [8. 9].

II. WERK
S. widmete sich zwei Bereichen der lit. Tätigkeit, der → Rhetorik und der → Geschichtsschreibung. Ersterer bestand in einer riesigen Slg. (*Oratorum et rhetorum sententiae, divisiones, colores*) aus den berühmtesten Rednern und Deklamatoren, die er gehört hatte und dann auswendig wiedergab. Dazu gehörten: a) Die → *Controversiae*, die dem *genus iudiciale* (→ *genera causarum*) entsprachen. b) Die *Sententiae* (→ Gnome [1] II.) waren bemerkenswerte Aussprüche der verschiedenen Redner zum behandelten Thema. c) Dann kam die Fallunterscheidung nach den → *Quaestiones* des Rechts (*Divisiones*). d) Die *Colores*, d. h. die günstige oder ungünstige Beleuchtung einer Sache, schließen, nach Rednern geordnet, die Darstellung ab. Die Gegenstände der *Controversiae* sind Phantasiestücke: Schulthemen, die manchmal dem Alltagsleben und Gesetzen, aber nicht den komplizierteren Anforderungen der → *declamationes* entsprachen. S. scheint diese Slg. von 74 Themen in 10 B. mit dem Nebentitel *Controversiarum libri X* veröffentlicht zu haben.

Später fügte er ein Buch → *Suasoriae* (*genus deliberativum*) hinzu, das sieben Reden, zumeist myth. Situationen, enthält. Im 4. Jh. [14. III] wurden die *Controversiae* epitomiert, doch blieben die Vorreden der B. 1–4, 7 und 10 unberührt; diese Fassung wurde E. des 13. Jh. von Nikolaus de Treveth kommentiert (vgl. [14. III-XV]; aufgrund der theatralischen Darstellungsweise fanden die *Controversiae* Eingang in das ma. Erzählbuch *Gesta Romanorum* [13. 13]). Die Abfassungszeit der rhet. Schriften fällt in S.s letzte Jahre.

In seinem zweiten Arbeitsbereich verfaßte S. eine röm. Gesch., die von der Zeit der Gracchen bis in seine Gegenwart reichte [11. 137–152]. Dieses Werk wurde von Florus [1], Lucanus [1] und S. [2] d. J. benutzt. Ihm könnten die Zitate in Lact. inst. 7,15,14 und Suet. Tib.

73 entstammen [8. 10]. Die Grundtendenz scheint republikanisch gewesen zu sein, aber Freiheit und Frieden unter Augustus wurden geschätzt (contr. 2,4,13; 4 praef. 5; 10 praef. 5).

Mit S. begann die Hochschätzung → Ciceros als Stilist und Redner sowie der ciceronianischen Zeit (contr. 1 praef. 6; vgl. suas. 6,17). Der Philosoph S. [2] scheint in *De vita patris* (Fr. 99 HAASE) von weiteren Schriften des Vaters zu sprechen, die wir aber nicht kennen.

Ein unvollständiger und unveröffentlichter Komm. zu S.s *Controversiae et Suasoriae* von HÅKANSON liegt in der Univ.-Bibl. Uppsala. Zur Wirkungsgesch. s. [12; 7].

LIT.: **1** S. BONNER, Roman Declamation in the Late Republic and Early Empire, 1969 **2** H. BORNECQUE, Les déclamations et les déclamateurs d'après Sénèque le père, 1902 (Ndr. 1967) **3** L. CALBOLI MONTEFUSCO, La dottrina degli »status« nella retorica greca e romana, 1986 **4** J. A. CROOK, Legal Advocacy in the Roman World, 1995 **5** J. FAIRWEATHER, The Elder S. and Declamation, in: ANRW II 32.1, 1984, 514–556 **6** Dies., S. the Elder, 1981 **7** G. CALBOLI, S. il Retore tra oratoria e retorica, in: I. GUALANDRI, G. C. MAZZOLI (Hrsg.), Gli Annei (im Druck) **8** M. GRIFFIN, The Elder S. and Spain, in: JRS 62, 1972, 1–19 **9** E. MIGLIARIO, Luoghi retorici e realtà sociale nell'opera di S. il Vecchio, in: Athenaeum 77, 1989, 525–549 **10** H. SCHMIDT, Der Einfluß der Rhet. auf das Recht der Papyri Ägyptens, Diss. maschr. Erlangen, 1949 **11** L. A. SUSSMAN, The Elder S., 1978 **12** Ders., The Elder S. and Declamation Since 1900: A Bibliography, in: ANRW II 32.1, 1984, 557–577 **13** W. TRILLITZSCH, Gesta Romanorum, 1973.

ED.: **14** L. HÅKANSON (ed.), L. Annaeus Seneca Maior, Oratorum et rhetorum sententiae, divisiones, colores, 1989.

G.C.

[2] L. Annaeus S. (der Jüngere, *Seneca Philosophus*).
I. LEBEN II. WERK III. REZEPTION

I. LEBEN

L. Annaeus S., Sohn des S. [1], entstammte einer alteingesessenen, angesehenen und reichen Ritterfamilie der Prov. Baetica. Geb. ist er wahrscheinlich in Corduba (Mart. 1,61,7f.). Da er sich noch an Asinius [I 4] Pollio erinnern konnte (Sen. dial. 9,17,7), muß er einige J. vor dessen Tod (5 n. Chr.) geb. sein; durch Kombination mit anderen Zeugnissen gelangt man in die Zeit um Christi Geburt. S.s Mutter Helvia [2] war ›in einem altertümlichen und strengen Haushalt gut erzogen‹ worden (ebd. 12,16,3). Seinen Vater kennzeichnete ›altertümliche Strenge‹ (ebd. 12,17,3); er liebte die Redekunst über alles; die philos. Interessen seiner Frau – die etwa 35 J. jünger war als er – und seines Sohnes S. (des mittleren von dreien) waren ihm zuwider (ebd. 12,17,4; Sen. epist. 108,22). S. fühlte sich seinem älteren Bruder Novatus (der im Mannesalter von L. → Iunius [II 14] Gallio adoptiert wurde und dessen Namen annahm, vgl. Iunius [II 15]) wohl enger verbunden als dem jüngeren Bruder Mela (→ Annaeus [II 3]). Melas Sohn → Lucanus gewann jedoch S.s Zuneigung schon als kleiner Junge (Sen. dial. 12,18,4–6; Anth. Lat. 441). Seine Ausbildung erhielt S. in Rom (epist. 108). Die Reden des rigorosen Moralisten → Attalos [8] begeisterten ihn. Beeindruckt von → Sotion [1], der sich auf Q. Sextius [I 1] und → Pythagoras berief, wurde S. für einige Zeit zum Vegetarier. Auch in dem Sextius-Schüler → Papirius [II 3] Fabianus fand der nach Orientierung suchende junge S. einen Wegweiser (epist. 100).

S. wurde seit seiner Jugend von Krankheiten (bes. der Bronchien und der Lunge) heimgesucht; zeitweilig dachte er an Selbstmord (ebd. 54,1f.; 78,1f.). Dankbar erinnert S. sich der Pflege durch eine Tante mütterlicherseits (dial. 12,19,2). Da diese jahrelang in Ägypten lebte, wo ihr Mann (C. Galerius [1]) Praefekt war, wird oft angenommen, daß auch S. sich dort aufhielt.

Nach ihrer Rückkehr verhalf die Tante S. zur Quaestur (ebd. 12,19,2); wann, ist nicht zu ermitteln, wahrscheinlich aber noch während der Herrschaft des Tiberius, also vor 37 n. Chr. In dieser Zeit war S. wohl auch als Anwalt tätig; daß er Prozesse führte, bezeugt er selbst (epist. 49,2).

Caligula haßte den Menschen (Cass. Dio 59,19,7f.) und verachtete den Stilisten S. (Suet. Cal. 53,2); S. spricht in späteren Schriften von Caligula mit Abscheu. Bald nach dem Regierungsantritt des Claudius [III 1] (41 n. Chr.) wurde S. in die gegen Iulia Livilla [2] gerichtete Intrige der → Messalina [2] verwickelt. Der Vorwurf des Ehebruchs war schwerlich begründet, doch wurde S. zum Tod verurteilt, dann begnadigt und mit Verbannung in ihrer milderen Form (→ *relegatio*) belegt – nach Corsica. Die siebeneinhalb J. dort wurden ihm zur schweren Last (Sen. dial. 11). Kurz vor dem Urteil war sein Sohn – sein einziges Kind – gestorben (ebd. 12,2,5). Bald nach dem Tod Messalinas endete auch S.s Verbannung (Anf. 49); Claudius' neuer Gattin → Agrippina [3] hatte S. die Rückkehr nach Rom, die Praetur und die Stellung als Lehrer des jungen → Nero [1] zu verdanken (Tac. ann. 12,8).

Als polit. handelnde Person tritt S. uns erst in der Ära Neros entgegen. Dessen – und Agrippinas – Verhalten kontrollierte er im Zusammenspiel mit → Afranius [3] Burrus, dem Kommandanten der → Praetorianer (Tac. ann. 13,2; Cass. Dio 61,4,1). Im J. 56 war er Suffektconsul. Für den jungen Kaiser entwarf S. ein Programm der »Milde« (→ *clementia*; Tac. ann. 13,11). Daß Nero sich dieses aus Eitelkeit und Furcht zu eigen mache, bezweckt der Traktat *De clementia*. In dieser und der folgenden Zeit vermehrte S. aber auch sein schon beträchtliches Vermögen noch erheblich – durch eine glückliche Hand bei Geschäften und Geschenke des Kaisers. Damit zog er Neid und Haß auf sich (ebd. 13,42; 14,52), was ihn veranlaßte, eine – verschlüsselte – Selbstrechtfertigung zu veröffentlichen (Sen. dial. 7).

Im Konflikt zw. Nero und seiner Mutter Agrippina stellten sich S. und Burrus auf die Seite des Kaisers. Sie blieben einflußreich, solange der mächtige Praefekt lebte. Nach Burrus' Tod (62) zog sich S. mehr und mehr ins Privatleben zurück (Tac. ann. 14,52–56; 15,45). Bei der Verschwörung um C. → Calpurnius [II 13] Piso (Cass.

Dio 62,24,1), war S. allenfalls Mitwisser. Nach dem Scheitern der Verschwörung wurde S. zum Selbstmord gezwungen (65); daß Pompeia Paulina, seine (zweite?) Frau, ihm in den Tod folgte, ließ Nero verhindern (Tac. ann. 15,60–64). Über S. und seine Frau berichtet Tacitus mit einiger Sympathie; Cassius Dio tendiert dazu, für ihr Verhalten niedrige Beweggründe anzunehmen.

II. Werk
A. Umfang und Datierung B. Philosophische Schriften C. Tragödien D. Apocolocyntosis

A. Umfang und Datierung
Zu S.s weitgespanntem Werk (vgl. Quint. inst. 10,1,128 f.) gehören philos. Abhandlungen (gemeinsam als ›Dialoge‹ überl.), Reden (die auch publiziert wurden), Trag. und eine menippeische Satire, eine Biographie seines Vaters. Daß auch einige der ihm zugeschriebenen Epigramme echt sind (so Anth. Lat. 232; 236 f.; 441), läßt sich nicht ernsthaft bezweifeln. Viele Werke S.s sind verloren; die überl. Werke stammen alle aus den letzten 25 J. seines Lebens.

Die früheste erh. Schrift scheint die *Consolatio ad Marciam* (›Trostschrift an Marcia‹; Sen. dial. 6) zu sein, noch in der Zeit Caligulas geschrieben. Die Trostschriften an Helvia und Polybius (ebd. 12 und 11) sind in den ersten J. des Exils verfaßt. Auf Corsica entstanden sehr wahrscheinlich auch einige seiner Trag. Vor 52 widmete S. die 3 B. *De ira* (›Über den Zorn‹, ebd. 3–5) seinem Bruder Novatus, der seinen alten Namen höchstens bis zu diesem J. geführt haben kann. Die → Satire auf die Apotheose des Claudius (*Apocolocyntosis*, s.u. D.) muß bald nach dessen Tod verfaßt sein; *De clementia* (›Über die Milde‹) gehört in dieselbe Zeit. Auch *De beneficiis* ist nach dem Tod des Claudius geschrieben (wegen benef. 1,15,5); dieses umfangreiche Werk in S.s Spätzeit zu datieren, wäre möglich, denn der Adressat, Aebutius [7] Liberalis, lebte noch im J. 64 (epist. 91,1). Doch gibt es so viele Schriften (s.u.), die mit Sicherheit in die J. 62–64 gehören – *De providentia* (Sen. dial. 1), *Epistulae morales*, *Naturales quaestiones*, die nicht erh. *Moralis philosophia* –, daß man *De beneficiis* einige Zeit früher ansetzen wird.

B. Philosophische Schriften
S.s Werke haben immer einen aktuellen Anlaß und meistens einen Adressaten, der S. nahesteht, wollen aber deutlich ein größeres Publikum erreichen. S.s philos. Bemühen gilt dem richtigen Verhalten des Menschen. Selbst die Natur-Forsch. steht im Dienst der Ethik. S. will, daß der Mensch seelisch zur Ruhe kommt, indem er sich mit der Natur und mit Gott im Einklang weiß. Dabei läßt er »Vorschriften« (*praecepta*) mit gesch. »Beispielen« (*exempla*) abwechseln. Die moralischen Einsichten werden freilich nur vom »Weisen« (*sapiens*) ganz verwirklicht, einem Ideal, das kaum ein Mensch erreicht, auch S. nicht (Sen. dial. 7; epist. 75; 116,5). Doch geht es ihm nicht nur um verstandesmäßige Erkenntnis, sondern auch um menschliche Nähe (dabei Abkehr von der »Menge«: dial. 7,2; epist. 7). Freunde waren für S. sehr wichtig, so Annaeus [II 7] Serenus (dial. 2 und 9; epist. 63) und Lucilius [II 4] (dial. 1; nat.; epist.).

S.s Gedanken kreisen v. a. um die Sterblichkeit des Menschen. Daß der Tod die ›beste Erfindung der Natur‹ sei (*optimum inventum naturae*, dial. 6,20,1) und auch freiwillig gewählt werden könne, daß es nicht auf die Länge des Lebens, sondern seine moralische Beschaffenheit ankomme, gehört zu den wesentlichen Einsichten (ebd. 6; 11; epist. 4; 26; 30; 36; 54; 61; 70; 77 f.; 99; 101 f.). Leidenschaften sind schädlich – am schädlichsten die Wut (*ira*) –, aber sie beruhen auf Irrtum und lassen sich durch die Vernunft bezwingen (dial. 3–5). Da die Tugend das einzige wahre Gut ist, kann der Verlust der »indifferenten« Güter – wie Gesundheit, Reichtum, Heimat, Familie, Freiheit – den Weisen innerlich nicht treffen (ebd. 12; epist. 66 f.; 71; 74 f.), vermeintliches Unrecht ebenfalls nicht (*De constantia sapientis*, ›Die Unerschütterlichkeit des Weisen‹ = dial. 2). Hier ist dem großen Menschen durch göttliche Fürsorge die Gelegenheit geboten, sich zu bewähren (ebd. 1). Das »Vorausbedenken (möglichen) zukünftigen Unglücks« (*praemeditatio futurorum malorum*) soll den Schlägen der *fortuna* (des → Schicksals) die Wirkung nehmen (ebd. 6,9; epist. 78,29; 98,5; 107,3 f.). Allerdings wird der Vernünftige sich der Glücksgüter nicht ohne weiteres entäußern, kann er doch besseren Gebrauch von ihnen machen als der Unvernünftige (*De vita beata*, ›Vom glücklichen Leben‹ = dial. 7). Man soll für die Ges. tätig sein, jedoch nicht um den Preis des eigenen Seelenfriedens; die vielen »Beschäftigungen« (*occupationes*) müssen ein Ende finden (*De otio*, ›Über die Ruhe‹ = dial. 8; *De tranquillitate animi*, ›Über die Seelenruhe‹ = dial. 9; *De brevitate vitae*, ›Über die Kürze des Lebens‹ = dial. 10; epist. 1; 22; 72). In den 7 B. *De beneficiis* (›Über die Wohltaten‹) entwirft S. eine Theorie der gesellschaftlichen Beziehungen in den Grenzen der stoischen Ethik (→ Stoizismus). S. erkennt darin an, daß auch Sklaven *beneficia* (»Wohltaten«) geben können (benef. 3,17–28; vgl. epist. 47), denn er sieht aus philos. Perspektive keinen Unterschied zw. Sklaven und Freien: In ihrem Menschsein sind alle Menschen von Natur gleich. Diese Überzeugung hat für ihn freilich keine durchgreifenden gesellschaftlichen Konsequenzen, da die Ges.-Ordnung ja lediglich die Verteilung der moralisch indifferenten Güter regelt und insofern keiner Änderung bedarf (→ Sklaverei).

S. bekennt sich zur Stoa, aber mit dem Anspruch, aus ihrer gesamten Trad. zu schöpfen, sich selbst ein Urteil zu bilden und die Philos. weiterzuführen (dial. 7,3; 8,3; epist. 45; 64). So übernimmt oder verwirft er Gedanken der maßgebenden Stoiker von → Zenon, → Kleanthes [2] und → Chrysippos [2] über → Panaitios [4], → Hekaton von Rhodos (benef.) und → Poseidonios [3] bis zu → Athenodoros [2] von Tarsos (dial. 9,3 f.; 9,7) und → Areios [1/2] Didymos (dial. 6,4; 6,6). Sein Rigorismus speist sich auch aus kynischer Trad. (dial. 9,8); den zu seiner Zeit in Rom lehrenden Kyniker → Demetrios

[24] bewunderte er (dial. 1; epist. 20; 62; 67; 91; → Kynismus). Das seelentherapeutische Konzept der gedanklichen Antizipation zukünftigen Übels stammt aus der Schule der → Kyrenaiker. Freunde S.s neigten dem Epikureismus zu; nicht zuletzt deshalb ist → Epikuros in S.s Schriften präsent. S. weiß z.B., daß Epikurs Begriff der »Lust« (*voluptas*) – anders als nach dem vulgären Mißverständnis – auf Mäßigkeit und Nüchternheit abzielt (dial. 7,12,4). Wenn S. einer Doktrin den Kampf ansagte, dann der peripatetischen Lehre, daß die Affekte in einem bestimmten Maß notwendig seien (*metriopatheia*: dial. 3,9; 12; 17; 5,3; epist. 85,3 f.; 85,10; 116,1). Auch Fragen der Philos. Platons werden erörtert (so Probleme der → Ideenlehre in epist. 58 und 65).

C. Tragödien

Auch die Trag. S.s philos. zu deuten, ist bisher nicht gelungen. Vielmehr begegnet uns hier ein S., der sich mit allen Konsequenzen auf den → Mythos eingelassen hat. Eine Ursache dafür kann die Verbannung gewesen sein, durch die er sich verstärkt jenen Empfindungen ausgesetzt sah (vgl. Anth. Lat. 236 und 237; Sen. dial. 11,18,9), die in seinen Trag. ausgelebt werden: Haß, Wut, Furcht, Trauer. S.s Personen agieren in einer Welt der Verbrechen und der Schmerzen, determiniert durch ein grausames Schicksal, mit dem ein moralisches Einverständnis nicht möglich ist; diese dunkle Seite S.s kommt auch in den Bosheiten der *Apocolocyntosis* (s.u.) zum Ausdruck. Dabei geben sich die Personen den Affekten hin, ohne ihre Beredsamkeit zu verlieren – ein »transpsychologisches« Konzept, das nicht zuletzt auf der zeitgenössischen Rhet. beruht. S. war von der bezwingenden Wirkung des geprägten Wortes überzeugt (dial. 10,2,2; epist. 108,10; 108,26); daher sein Hang zur pointierten und zur bildlichen Ausdrucksweise, in der Prosa wie in der Poesie.

Ihren Grundriß verdanken S.s Dramen zumeist den griech. Klassikern. Auf bekannten Trag. des → Euripides [1] basieren *Hercules (furens)* (›Der rasende Hercules‹), *Troades* (›Die Troerinnen‹), *Medea*, *Phaedra*, auf → Sophokles [1] geht der *Oedipus* zurück. *Phoenissae* (›Die Phönizierinnen‹) und *Thyestes* schulden ebenfalls diesen beiden Tragikern ihre wichtigsten Motive. Nur der *Agamemnon* stellt die Quellenforsch. vor Rätsel. Der → *Hercules Oetaeus* variiert die sophokleischen ›Trachinierinnen‹, stammt aber nicht von S. Die Gestaltung im einzelnen bezieht in starkem Maß epische Vorbilder ein (bes. → Ovidius' ›Metamorphosen‹). Die Chorlieder reflektieren jeweils die Themen des Stückes, doch hat der Chor kaum dramatische Aufgaben. Ob S.s Trag. zur Aufführung bestimmt waren, ist noch immer strittig. S. war auch in formaler Hinsicht ehrgeizig, wie bes. einige polymetrische Chorlieder, aber auch das Spiel mit den lit. Gattungen in der *Apocolocyntosis* beweisen.

D. Apocolocyntosis

Die *Apocolocyntosis* – der Titel ›Verkürbissung‹ ist noch nicht einleuchtend erklärt – rechnet gnadenlos mit den körperlichen und geistigen Gebrechen des Kaisers Claudius [III 1] ab. Dabei wird freilich das Thema der Sexualität strikt vermieden, vielleicht aus Rücksicht auf Agrippina. Diese wird aber nirgends genannt, nirgends auch Claudius' Sohn → Britannicus oder seine Tochter → Octavia [3]. »Nutznießer« der Satire ist jedenfalls Nero, der als Archeget eines neuen Goldenen Zeitalters verherrlicht wird. Die Wirkungsabsicht dieses Textes ist nicht genauer zu bestimmen, da man nicht weiß, an welches Publikum (neben Nero) er sich wandte.

III. Rezeption

A. Antike und Mittelalter B. Neuzeit

A. Antike und Mittelalter

Der Schriftsteller S. ›gefiel überaus‹ schon in der Zeit Caligulas (Suet. Cal. 53,2, vgl.o.). Den Gelehrten S. schätzte → Plinius [1] d. Ä.; allerdings erwähnt er nicht die *Naturales quaestiones* (›Natur-Probleme‹), sondern verweist auf verlorene Schriften, so *De situ Indiae* (›Geographie Indiens‹; Plin. nat. 6,60). In Columellas Augen ist S. ›ein Mann von herausragender Begabung und Gelehrsamkeit‹ (*vir excellentis ingenii atque doctrinae*) – und überaus erfolgreich als Winzer (3,3,3). Dichter sprechen von S. mit Liebe und Achtung (Mart. 1,61,7 f.; 4,40,1 f.; 7,45,1–4; 12,36,8–10; Stat. silv. 2,7,29–32; Iuv. 5,108 f.; 8,211–214). Ein für uns anon. Verehrer bringt ihn in der Praetexta → *Octavia* [4] auf die Bühne; das Stück lehnt sich auch formal an S.s Trag. an. In noch stärkerem Maß hat sich der für uns ebenfalls namenlose Autor des → *Hercules Oetaeus* die Formensprache S.s angeeignet (und seine poetische Weltsicht der philos. angenähert). Beide Dramen sind zusammen mit S.s Trag. überl. und lange Zeit für Werke S.s gehalten worden; der *Hercules Oetaeus* hat das Bild des Tragikers S. bis tief ins 20. Jh. mitbestimmt.

Quintilianus [1] (inst. 10,1,125–131) hat v. a. den Stilisten S. im Blick. Dabei zielt sein Urteil auf eine Eigenart, die anscheinend schon Caligula verhöhnte (Suet. Cal. 53,2: genaue Bed. strittig). Quintilian bemängelt, daß S. ›die Gegenstände durch knappste Zuspitzungen um ihr Gewicht gebracht‹ habe. Er verübelt S., daß er die wichtigeren Schriftsteller – gemeint sind v. a. Quintilians Lieblingsredner, mit Cicero an der Spitze (vgl. inst. 10,1,105–118) – herabgesetzt habe, und er beklagt den gewaltigen Einfluß, den S.s ›verdorbener und durch alle Unarten entkräfteter Stil‹ einst auf die Jugend ausübte.

Noch schärfer ist die Kritik der Archaisten – verständlich, da S. z. B. von Ennius noch weniger hielt als von Cicero (Gell. 12,2,2–9). Wenn ihm → Fronto [6] vorwirft, daß er ›denselben Gedanken tausendfach bald in diesen, bald in jenen Mantel kleidet‹ (De orationibus 2), so sieht er etwas Richtiges und verfehlt doch das Entscheidende, da die wesentlichen Gedanken aus psychagogischen Gründen nun einmal wiederholt werden müssen, und zwar immer in anderem »Mantel«.

Der Moralist S., dessen Philos. rel. fundiert und monotheistisch orientiert war, fand von Anf. an die Wertschätzung der christl. Schriftsteller. → Tertullianus,

→ Lactantius [1], → Hieronymus, → Augustinus zitieren ihn. So überliefern sie Fr. aus verlorenen Schriften, der *Moralis philosophia* (Laktantius), aus *De matrimonio* (Hieronymus), *De superstitione* (Augustinus). Die Annahme lag nicht fern, daß S. Christen persönlich kannte und achtete. So konnte ein Briefwechsel zw. S. und dem Apostel → Paulus von einem unbekannten Autor des 3. oder 4. Jh. fingiert werden, der mit der Aufforderung endet, S. möge sich zum Fürsprecher des Christentums machen (*novum te auctorem feceris Christi Iesu*, § 14). Diese Korrespondenz, deren Echtheit erst in der Renaissance angezweifelt wurde, hat das S.-Bild des MA stark mitgeprägt und die Nachwirkung S.s zusätzlich begünstigt. Hieronymus nahm S. in den *catalogus sanctorum* auf (Hier. vir. ill. 12), freilich ohne ihn als Christen anzusehen. Zum Christen wurde S. erst im 14. Jh. bei Giovanni COLONNA und BOCCACCIO. Übrigens war man sich auch sonst nicht zu allen Zeiten über den Umfang von S.s Œuvre im klaren: Einerseits fügte man den philos. Schriften das Werk seines Vaters (vgl. S. [1]) hinzu, andererseits hielt man den Philosophen und den Tragiker für zwei verschiedene Autoren. Beide Irrtümer sind zum ersten Mal im 5. Jh. bei Sidonius Apollinaris (carm. 9,230–240) belegt.

An der Rezeption S.s in Spätant. und MA ist bemerkenswert, daß Exzerpte und Sentenzen zusammengestellt werden, deren Breitenwirkung weit über die Kenntnis der vollständigen Werke hinausgeht. Hier fließt auch vieles ein, das sich nach S. anhört, aber zumindest in dieser Form nicht von ihm stammt, wie die *Formula vitae honestae* des → Martinus [3] von Bracara, die auf eine verlorene Schrift S.s zurückgeht (*De officiis*?) und nach Martinus' Tod (580) S. selbst zugeschrieben wurde.

Vergessen war S. zu keiner Zeit, doch gehörte er nicht immer zu den meistgelesenen Autoren. Ins 9. bis 11. Jh. gehen die ältesten Hss. zurück. Aber erst das 12. Jh. brachte eine Blüte der S.-Rezeption, so in der Schule von Chartres und bei Peter Abaelard. Für die Scholastik hatte das Denken S.s im allgemeinen wenig Bed. (Ausnahme: Roger Bacon).

B. NEUZEIT

In der Renaissance kam auch S. zu neuer Reputation. Er zog die größten Geister in seinen Bann. PETRARCAS Denken und Sprache sind durch ihn geprägt. ERASMUS bewunderte ihn in jüngeren Jahren, stand ihm jedoch später aus Gründen des Glaubens, der Moral und des Stils distanzierter gegenüber; er trat auch in der Echtheitskritik und als Hrsg. der Werke S.s hervor (Ed. 1515 und 1529). CALVIN veröffentlichte (vor seiner Konversion) einen Komm. zu *De clementia* (1532).

Den Höhepunkt der neuzeitlichen S.-Rezeption erlebte das spätere 16. Jh., als Moralisten wie der skeptische MONTAIGNE und mehr noch der Neustoiker Justus LIPSIUS sich wesentliche Gedanken S.s zu eigen machten. Auch als stilistisches Vorbild, als Gegenmodell zu Cicero, wurde S. propagiert, so von Marc-Antoine MURET und wiederum LIPSIUS (der eine maßgebende Ed. der Prosaschriften S.s veranstaltete, 1605). Zu dieser Zeit entstanden die ersten vollständigen Übers. der Werke S.s in die Nationalsprachen. Freilich gab es auch Feinde S.s in den geistigen Kämpfen dieser Epoche; sie tadelten seine Lebensführung (LA ROCHEFOUCAULD) oder seinen angeblichen Mangel an wirklicher Einsicht (MALEBRANCHE). Zu seinen letzten großen Bewunderern zählten Francis HUTCHESON, David HUME, Denis DIDEROT und Jean-Jacques ROUSSEAU.

Die erste nachant. Trag. entstand zu Beginn des 14. Jh. in lat. Sprache nach dem Vorbild S.s (Albertino MUSSATOS *Ecerinis*). Zur gleichen Zeit kommentierte Nicholas TREVET alle zehn Stücke des Corpus. Während der Renaissance und des Barock gingen von den Dramen S.s immer wieder Impulse aus, für das nationalsprachliche ebenso wie für das lat. Trauerspiel. Den späteren Jh. mit ihren Maßstäben wie »Vernünftigkeit«, »guter Geschmack«, »Natürlichkeit« konnten sie nicht mehr genügen. Während nach dem Urteil eines J. C. SCALIGER (*Poetices libri septem*, 1561, 6,6) S.s »Erhabenheit« (*maiestas*) die der Griechen erreichte, seine sprachliche Kunst (*cultus ac nitor*) die des Euripides sogar übertraf, konnte er in den Augen eines A. W. SCHLEGEL nicht im entferntesten mit den Griechen konkurrieren, wie auch der Philosoph S. den Anforderungen an die Philos. im 19. Jh. nicht mehr zu entsprechen vermochte. Erst das neue Verständnis für die »Künstlichkeit« der Kunst, das sich im 20. Jh. entfaltete, konnte mit S.s »Kunstwollen« wieder etwas anfangen. Und erst das neue Interesse für die Philos. als Lebenskunst kann dem philos. Bemühen S.s wieder gerecht werden.

→ Philosophie; Satire; Tragödie

ED.: L. D. REYNOLDS, 1977 (dial.) • Ders., 1965 (epist.) • P. FAIDER, 1928 (clem.) • F. PRÉCHAC, 2 Bde., 1926/1929 (benef.) • H. M. HINE, 1996 (nat.) • O. ZWIERLEIN, 1986 (Trag.) • C. W. BARLOW, 1938 (Briefwechsel mit Paulus). KOMM.: G. VIANSINO, 1968 (dial. 1–2) • T. KURTH, 1994 (dial. 2) • C. FAVEZ, 1928 (dial. 6) • C. E. MANNING, 1981 (dial. 6) • P. GRIMAL, 1969 (dial. 7) • Ders., ²1966 (dial. 10) • C. FAVEZ, 1918 (dial. 12) • P. FAIDE, C. FAVEZ, 1950 (Clem.) • G. SCARPAT, ²1970 (epist. 65) • A. STÜCKELBERGER, 1965 (epist. 88) • R. J. TARRANT, 1973 (Ag.) • M. BILLERBECK, 1999 (Herc. f.) • J. G. FITCH, 1987 (Herc. f.) • K. TÖCHTERLE, 1994 (Oed.) • E. J. KENNEY, P. E. EASTERLING, 1990 (Phaedr.) • M. FRANK, 1995 (Phoen.) • E. FANTHAM, 1982 (Tro.) • R. J. TARRANT, 1985 (Thy.) • P. T. EDEN, 1984 (apocol.) • A. A. LUND, 1994 (apocol.) • C. F. RUSSO, ⁵1965 (apocol.) • O. SCHÖNBERGER, 1990 (apocol.) • C. PRATO, 1964 (Epigramme).

LIT.: ANRW II 32.2, 1985 • ANRW II 36.3, 1989 • A. ARMISEN-MARCHETTI, Sapientiae facies. Étude sur les images de Sénèque, 1989 • F. L. BATTLES, A. M. HUGO, Calvin's Commentary on S.'s De clementia, 1969 • A. BÄUMER, Die Bestie Mensch. S.s Aggressionstheorie, 1982 • H. CANCIK, Unt. zu S.s Epistulae morales, 1967 • C. D. N. COSTA (Hrsg.), S., 1974, 116–165 • J. DINGEL, S. und die Dichtung, 1974 • P. FAIDER, Études sur Sénèque, 1921 • M. FUHRMANN, S. und Kaiser Nero, 1997 • M. T. GRIFFIN, S. A Philosopher in Politics, 1976 •

P. Grimal, Sénèque ou la conscience de l'Empire, 1978 (dt. 1978) • Ders. (Hrsg.), Sénèque et la prose antique, 1991 • E. Hachmann, Die Führung des Lesers in S.s Epistulae morales, 1995 • I. Hadot, S. und die griech.-röm. Trad. der Seelenleitung, 1969 • B. L. Hijmans jr., Inlaboratus et facilis. Aspects of Structure in Some Letters of S., 1976 • R. Jakobi, Der Einfluß Ovids auf den Tragiker S., 1988 • R. Junge, Nicholas Trevet und die Octavia Praetexta, 1999 • M. Lausberg, Unt. zu S.s Fr., 1970 • E. Lefèvre (Hrsg.), Der Einfluß S.s auf das europäische Drama, 1978 • M. Mauch, S.s Frauenbild in den philos. Schriften, 1997 • G. Maurach, S., ³2000 • G. Mazzoli, S. e la poesia 1970 • A. L. Motto, Guide to the Thought of L. A. S., 1970 • A. L. Motto, J. R. Clark, S. A Critical Bibliography 1900–1980, 1989 • M. Rozelaar, S., 1976 • B. Schönegg, S.s epistulae morales als philos. Kunstwerk, 1998 • C. Schubert, Stud. zum Nerobild in der lat. Dichtung der Ant., 1998 • W. Trillitzsch, S. im lit. Urteil der Ant., 2 Bde., 1971 • C. Walde, Herculeus labor. Stud. zum pseudosenecanischen Hercules Oetaeus, 1992. J. D.

[3] S. Grandio. Röm. Deklamator, von dem wir nur über den wenig jüngeren Zeitgenossen S. [1] d. Ä. (suas. 2,17) wissen. Den ironisch konnotierten »großen Beinamen« (*cognomentum*) erhielt er, weil er nur über »Großes« und »Erhabenes« reden wollte (z. B. über die Taten des »großen« Xerxes). S. [1] attestiert ihm ein verwirrtes, verstörtes Talent. Seine rednerischen Vorlieben wuchsen sich schließlich zu einer Art Pathologie aus: Er bevorzugte große Sklaven, Konkubinen und Silbergefäße, aß nur große Feigen, trug zu große Schuhe und stellte sich beim Deklamieren auf die Zehenspitzen. C. W.

Senecio. Bruder des Bassianus [3], stachelte ihn angeblich zur Rebellion gegen Constantinus [1] an (Anon. Vales. 15). Seine Identifizierung mit dem durch ILS 664 für 310 n. Chr. in Noricum bezeugten *dux* S. wird diskutiert. PLRE 1, 820 (S. 1). B. BL.

Senecta, Senectus (lat. »Greisenalter«; griech. Γῆρας/ *Gēras*). Tochter des Erebos und der → Nyx/Nacht (Cic. nat. deor. 3,17,44), Personifikation des Greisenalters (Hor. epod. 8,4), oft in Verbindung mit Krankheiten und Leiden des Menschen genannt (vgl. Sen. epist. 108,28: *senectus enim morbus est*): Verg. Aen. 6,275; Sen. Herc. f. 696; Sil. 13,583 u. ö. C. W.

Senia. Hafenstadt in Liburnia, h. Senj/Kroatien, röm. *oppidum* (Plin. nat. 3,140), evtl. aber *colonia* (vgl. Tac. hist. 4,45: *colonia Sienensis*), hier gab es → *Augustales* [1]. S. war Zollstation (*portiorum publicum Illyrici*, CIL III 3016 f.). Die Beamten von S. stammten aus ital. Familien (Gavii, Gessii, Verridii); im 2./3. Jh. n. Chr. ließen sich Familien aus östl. Prov. in S. nieder (ein Jude aus Tiberias, ein Grieche aus Nikomedeia belegt).

J. J. Wilkes, Dalmatia, 1969, 200 f. • M. Glavičić, Contributions towards the Study of the Palaeogenesis and Urban Development of Antique S., in: Radovi Filozofskog fakulteta u Zadru 32, 1993, 79–104. PI. CA./Ü: E. N.

Senis (Σῆνις; demotisch *Snj*). In versch. Namen, insbes. Τμουσάνις/*Tmusánis* (»die Insel *Snj*«) belegte griech. Form des äg. Toponyms *Snm.t* der Insel Bīğa (evtl. auch einer urspr. größeren Inselgruppe) im 1. Nilkatarakt auf der Grenze zw. Äg. und Nubien westl. von → Philai. Auf Bīğa sind ab dem MR v. a. Felsinschr. bekannt; eine Grenzfestung ist schriftlich bezeugt. Reste eines Tempels stammen aus spätptolem. und röm. Zeit. Auf Bīğa wurden von den alten Ägyptern das Grab des → Osiris (→ Abaton) und die Nilquellen lokalisiert.

1 J. Locher, Top. und Gesch. der Region am ersten Nilkatarakt in griech.-röm. Zeit, in: Archiv für Papyrusforsch., Beih. 5, 1999, 159–165 2 E. Winter, s. v. Bigga, LÄ 1, 792–793. S. S.

Sennea (Σεννέα). Aufgrund einer Inschr. [1] mit einer Ruinenstätte bei Gölcük Ören am Melas (h. Manavgat Çayı) zw. → Side und → Kotenna identifizierter Ort [2].

1 H. Swoboda u. a., Denkmäler aus Lykaonien, Pamphylien und Isaurien, 1935, Nr. 109 col. III
2 H. Brandt, Ges. und Wirtschaft Pamphyliens und Pisidiens im Alt., 1992, 106. W. MA.

Senones

[1] Keltischer Volksstamm, E. des 4. Jh. v. Chr. aus dem Süden Galliens in das Gebiet zw. dem Appenninus und dem Ionios Kolpos (Adria) in der Gegend der Flüsse Sena und Tinna in Umbria und Picenum eingewandert (Liv. 5,35,3). Als Verbündete der → Samnites im 3. Samnitenkrieg wurden sie 295 v. Chr. von den Römern geschlagen, ihr Gebiet von Rom in Beschlag genommen; sie wurden einige J. später vertrieben (→ *ager Gallicus*). Rom gründete hier wohl 289 v. Chr. Sena Gallica (Pol. 2,19,12; Liv. epit. 11). Ausgrabungen in Osimo, Arcevia, Fabriano, Filottrano, San Ginesio und Piobbico haben einiges Licht in die Kulturgesch. der S. gebracht.

M. T. Grassi, I Celti in Italia, 1991, 65–80. G. U./Ü: J. W. MA.

[2] Eines der mächtigsten kelt. Völker in Gallia (Caes. Gall. 5,54) zw. dem Mittellauf des Liger (Loire) und des Sequana (Seine), die nördl. an die Belgae jenseits des Sequana grenzten (Caes. Gall. 2,2), mit *oppida* wie Metiosedum (h. Melun) und Vellaunodunum (beim h. Montargis oder in den Terres Blanches du Grand Villon). Caesar stationierte im Winter 53 v. Chr. sechs Legionen im Gebiet der S. (Caes. Gall. 6,44). 52 schlossen sich die S. dem Aufstand des → Vercingetorix an (ebd. 7,4). Augustus organisierte die S. in einer *civitas* der Gallia → Lugdunensis mit → Agedincum als Hauptort. Die S. nahmen weder am Aufstand von 21 n. Chr. noch am → Bataveraufstand im J. 68 teil. Die Prov.-Reform des → Diocletianus nahm den S. die Region von → Autessiodurum und schloß sie in die Prov. Lugdunensis I ein (Amm. 15,11,11). Im 4. Jh. wurden Agedincum und Autessiodurum Bischofsitze, Metiosedum erst im 6. Jh.

Die Grenzen des Gebiets der S., deren Nachbarn im Osten Tricasses und Lingones, im Norden Carnutes und Parisii, im Westen Bituriges waren, sind im Süden problematisch: Intaranum (h. Entrains) und Aballo (h. Avallon) werden teils zu den Haedui [2. Abb. 44], teils zu den S. [5. 1485–1487] gerechnet. Bekannt sind zwei *pagi* (*pagus Stampensis*/Etampes: CIL XIII 10002,305a; *pagus Tutiacus*/Toucy: ILS 7049) und in Agedincum selbst ein *vicus* (ILS 7049); *vicani Masavenses*/Mesves (ILS 4702) sind belegt sowie mehrere Magistrate (*decemvir, praefectus annonae*: CIL XIII 3067; *decurio*: ILS 4547; ein *sacerdos arae inter confluentes Araris et Rhodani*: ILS 7050; *flamines munerarii*: ILS 7049 f.; AE 1992, 1240). Die *civitas* ehrte C. Iulius [II 32] Caesar in Agedincum (CIL XIII 2942). Das Gebiet der S. war wirtschaftspolit. bes. begünstigt: mit Sequana, Icauna und Liger drei schiffbare Wasserstraßen, mit Massava (h. Mesves), Condate (h. Cosne) und Brevodorum (h. Briare) drei Häfen des Liger. Die Römer machten aus Agedincum eine bedeutende *mansio* (Tab. Peut. 2,4) an der Kreuzung der Straßen nach Augustodunum, Lutetia, Samarobriva Ambianorum und Cenabum. Lediglich Agedincum, wo sich Veteranen niederließen und in dessen Gegend reiche *villae* festgestellt wurden [3. 230], war ein richtiges urbanes Zentrum mit großen Thermen [1], die innerhalb der spätant. Stadtmauern lagen. Autessiodurum, Itaranum (Zentrum des Kults der → Epona, ILS 4839, und des Ucuetis, AE 1995, 1095) und Aballo, wo die außergewöhnlichen Statuen von Montmartre [6. 2235–2339] einem einheimischen Mars geweiht wurden [4. 188 f.], blieben kleine Marktflecken.

1 J.-P. ADAM u.a., La façade des thermes antiques de Sens (Rev. archéologique de l'Est et du Centre-Est, 6. Suppl.), 1987 **2** GRENIER 2.1, 1934, 115 f. **3** J. GUERRIER, Onomastique et soc. dans la civitas des Sénons, in: Rev. archéologique de l'Est et du Centre-Est 30, 1979, 219–232 **4** J.-J. HATT, Le culte de Mars indigène dans le Nord-Est de la Gaule, in: Ebd., 183–196 **5** J.-B. KEUNE, s.v. S., RE 2 A, 1477–1494 **6** ESPÉRANDIEU, Rec. 3. J.-M.DE./Ü: E.N.

Senonia. E. des 4. Jh. n. Chr. Provinz (offiziell *Lugdunensis S.*: Notitia Galliarum 4,1; Notitia dign. occ. 3,31; 22,19; *Senonica*: ebd. 1,117; vgl. Laterculus 2,16) der Dioikesis *Septem provinciae* der Praefectura *Galliae* mit den *civitates* Senones (als Verwaltungssitz, ehemals Agedincum), Autessiodurum, Tricasses, Meldi, Parisii, Carnutes bzw. Autricum (h. Chartres) und Aureliani (h. Orléans). E.O.

Sense. Die S. (*falx faenaria*; griech.: χορτοδρέπανον/*chortodrépanon*) wurde in der Ant. als Unterart der → Sichel betrachtet und von ihr terminologisch nur durch ein Adjektiv unterschieden. Ihre Nutzung blieb auf It. und den westlichen und nördlichen Teil der ant. Welt beschränkt; in Griechenland war sie in der Ant. hingegen unbekannt. Verwendet wurde die S. bei der Gras- und Heumahd (Varro rust. 1,49,1). Plinius unterscheidet einen kürzeren ital. und einen längeren gallischen S.-Typ (Plin. nat. 18,261: *falcium ipsarum duo genera: Italicum brevius ac vel inter vepres quoque tractabile, Galliarum latius*), der arch. vielfach nachgewiesen ist. Seine zunehmende Nutzung auch außerhalb Galliens ist auf verbesserte Techniken in der Viehhaltung sowie daraus folgend auf einen höheren Bedarf an Futtermitteln und die planmäßige Bewirtschaftung von Wiesen (Colum. 2,16–18; Plin. nat. 18,258–263) zurückzuführen. Da die längere S. die Mahd größerer Flächen in kürzerer Zeit erlaubte, mag auch das Motiv der Arbeitsersparnis eine Rolle gespielt haben.

→ Landwirtschaft

1 M.-C. AMOURETTI, Le pain et l'huile dans la Grèce antique, 1986, 76; 103 **2** K.D. WHITE, Agricultural Implements of the Roman World, 1967, 98–103; 208–210 **3** WHITE, Farming, 448. K.RU.

Sententia

[1] Sentenz, s. Gnome [2] II. A.; Sprichwort

[2] Wörtlich nach der etym. Wz. *sin* der Sinn von etwas Geäußertem; in der röm. Rechtssprache z.B. der Sinn eines privaten Rechtsakts (vgl. etwa Dig. 28,1,1 zu einem Testament) oder eines Gesetzes (vgl. Dig. 23,2,44,5). V.a. bedeutet *s.* das vom Richter (→ *iudex*, → *arbiter*) erlassene zivil- wie auch strafrechtliche Urteil. In dieser Bed. wird *s.* bereits für den Legisaktionenprozeß (→ *legis actio*) verwendet. Dies weist auf ein Verständnis von der richterlichen Spruchtätigkeit als einer – wenn auch autorisierten – Äußerung der persönlichen Überzeugung hin. Darauf deutet auch die Wiedergabe der Rechtsmeinung des Richters mit *videri* hin (»es ist ersichtlich« bzw. »klar«; Cic. ac. 2,146). Für das Formularverfahren (→ *formula*) erhält *s.* bereits die Bed. eines Spruches mit Autorität, bis schließlich im Rahmen des Kognitionsprozesses (→ *cognitio*) aus der *s.* ein → *iudicatum* bzw. eine *res iudicata* (etwas richterlich Entschiedenes) wird; das dazu gehörige Vb. bezieht sich nicht mehr auf Evidenz, sondern auf einen Befehl (*iubere*, z.B. Dig. 42,1,59 pr.) oder eine gewollte Festsetzung (*statuere*, z.B. Dig. 27,2,5). Kennzeichnenderweise heißt aber das Urteil im richterrechtlich geprägten angloamerikanischen *Common Law*-Raum auch heute noch *sentence*.

Im Formularprozeß lautete die *s.* gemäß der Vorgabe in der Formel allein auf Freispruch (*absolutio*) oder Verurteilung (→ *condemnatio*), letztere grundsätzlich auf einen Geldbetrag gerichtet. Für die Abfassung der *s.* gab es ebenso wenig eine vorgeschriebene Form wie für ihre Verkündung, die aber wohl regelmäßig mündlich erfolgte. Erst im Kognitionsprozeß wurde die vorherige Niederschrift zum Formerfordernis erhoben, von der das Urteil zu verlesen war (Cod. Iust. 7,44). Im Rahmen dieses Prozeßtyps war der Richter auch frei in der inhaltlichen Fassung des Urteils; er konnte es dem konkreten Einzelfall entsprechend erlassen, da er hier nicht mehr an den Grundsatz der *condemnatio pecuniaria* (Geldverurteilung) gebunden war. Da die *s.* in allen drei Verfahrenstypen ein Endurteil, also einen den Streitgegenstand umfassend erledigenden Richterspruch darstellte, war es dem Richter verwehrt, sie nach ihrem Erlaß abzuändern. Wohl erst ab der Prinzipatszeit hat sich für das Formular- und das Kognitionsverfahren die Möglichkeit einer Berufung an den Princeps (→ *appellatio*) eingebürgert. Ihrem Charakter als Endurteil gemäß stellte die *s.* die Grundlage für die Zwangsvollstreckung dar, und zwar sowohl im Zivilprozeß wie auch im Strafverfahren.

M. KASER, K. HACKL, Das röm. Zivilprozeßrecht, [2]1996, 121, 370–374, 494–500. C. PA.

Sentinum (Σέντινον). Stadt in Umbria am gleichnamigen linken Nebenfluß des → Aesis; → *municipium*, → *regio VI* (Strab. 5,2,10; Plin. nat. 3,114; Ptol. 3,1,53), *tribus Lemonia* [1. 274], Reste 1,5 km nordöstl. von Sassoferrato. Hier siegten die Römer 295 v. Chr. in der den 3. Samnitenkrieg entscheidenden Schlacht (Pol. 2,19,6; Liv. 10,17ff.); deshalb errichteten sie das Heiligtum bei Civitalba (Tempelterrakotten, 3. Jh. v. Chr.). 41 v. Chr. wurde S. im Perusinischen Krieg (→ Perusia) von Q. Salvidienus Rufus [I 1] zerstört (Cass. Dio 48,13,4–6) und unter Augustus wiederaufgebaut. Vom Einfall des Alaricus [2] 410 n. Chr. (Zos. 5,37) und dem Krieg der Byzantiner gegen die Ostgoten unter Totila 551 (Prok. BG 4,29,4) wurde S. in Mitleidenschaft gezogen.

1 L. ROSS TAYLOR, The Voting Districts of the Roman Republic, 1960.

A. PAGNANI, S., 1957 • L. BRECCIAROLI TABORELLI, S., 1978. G. U./Ü: J. W. MA.

Sentius. Ital. Familienname, in Rom seit dem 1. Jh. v. Chr. bezeugt, aber erst unter Augustus mit S. [II 4–6] polit. bedeutend (SCHULZE, 228). K.-L. E.

I. REPUBLIKANISCHE ZEIT

[I 1] S., L. War 101 v. Chr. Münzmeister (RRC 328) und um 93–89 *praetor urbanus* (ILS 8208; SYME, RP 2, 608f.).

[I 2] S. Saturninus Vetulo. Wurde 43 v. Chr. proskribiert und rettete sich nach Sizilien (Val. Max. 7,3,9). Mit seinem Vetter Scribonius [I 7] Libo leitete er 40 für Sex. Pompeius [I 5] die Gesandtschaft zu Antonius [I 9] (App. civ. 5,217). Beide verließen Pompeius erst, als er 35 den hoffnungslosen Krieg in Asia begann (App. civ. 5,579). S. [II 4] ist verm. sein Sohn (vgl. Vell. 2,77,3). J. BA.

II. KAISERZEIT

[II 1] Cn. S. Aburnianus. *Cos. suff.* im J. 123 n. Chr. (RMD 1, 21). Mit ihm dürfte C. S. Aburnianus (CIL VI 2080, Z. 33) verwandt sein. W. E.

[II 2] S. Augurinus. Durch Briefe des jüngeren → Plinius [2] bekannter, sich selbst in die Nachfolge von → Catullus [1], Macer → Licinius [I 31] Calvus und v. a. Plinius stellender lat. Dichter an der Wende des 1./2. Jh. n. Chr. (Plin. epist. 4,27 mit größtem Lob der jugendlichen Dichtungen und Zit. des einzigen Fr. = 8 Hendekasyllaben; s. auch Plin. epist. 9,8). Er ist evtl. identisch mit Q. Gellius S. A., Proconsul von Achaia oder Macedonia unter Hadrian (CIL III 586, 12306).

ED.: FPL 167.
KOMM.: COURTNEY 365f.
LIT.: H. DAHLMANN, Die Hendekasyllaben des S. A., in: Gymnasium 87, 1980, 167–177. J.-W. B.

[II 3] S. Claudianus. Ritterlicher Praefekt der Flotte von Ravenna im J. 225 n. Chr. (unpubliziertes Militärdiplom).

[II 4] C. S. Saturninus. Aus republikanischer Senatorenfamilie, die in Atina beheimatet war [1. 605–616; 2. 45]. Zu Beginn der Triumviratszeit stand er als sehr junger Mann auf Seiten des Sex. Pompeius [I 5]; 39 v. Chr. konnte er nach Rom zurückkehren (Vell. 2,77,3). Erst 19 v. Chr. ist er wieder bezeugt: zunächst allein zum Consul gewählt, bis nach langen Unruhen Lucretius [II 5] Vespillo auf Vorschlag des Augustus neben ihm den Konsulat erhielt. Velleius Paterculus (2,92) rühmt die strenge Art, in der S. die Wahlen leitete und gegen Egnatius [II 10] Rufus vorging. In seinem Konsulatsjahr wurde auch die Form für Augustus' rechtliche Kompetenzen ausgestaltet, indem damals dessen *imperium* wie bei einem Consul auf Rom und It. ausgedehnt wurde (vgl. [3]). Als *quindecimvir sacris faciundis* nahm er an den Säkularspielen im J. 17 v. Chr. teil. Später Proconsul von Africa [4. 21]; Statthalter in Syrien etwa 10–7 v. Chr., wo er in die inneren Angelegenheiten der Familie des Herodes [1] verwickelt wurde. Seine drei Söhne (darunter S. [II 5] und [II 6]) begleiteten ihn nach Syrien [5. 20–23]. Etwa 3–6 n. Chr. als Legat in Germanien tätig, wo er für seine mil. Leistung die *ornamenta triumphalia* erhielt (Vell. 2,105). Er scheint noch vor Augustus gestorben zu sein. Der *titulus Tiburtinus* (CIL XIV 3613 = ILS 918) bezieht sich nicht auf ihn [6. 199f.].

1 R. SYME, RP II 2 O. SALOMIES, Senatori oriundi del Lazio, in: H. SOLIN (Hrsg.), Studi storico-epigrafici sul Lazio antico, 1996 3 H. M. COTTON, A. YAKOBSON, in: FS für Miriam Griffin, 2001 (im Druck) 4 THOMASSON, Fasti Africani 5 E. DABROWA, The Governors of Roman Syria, 1998 6 G. ALFÖLDY, Un celebre frammento epigrafico tiburtino anonimo, in: I. DI STEFANO MANZELLA (Hrsg.), Le iscrizioni dei Cristiani in Vaticano, 1997, 199–208.

[II 5] C. S. Saturninus. Sohn von S. [II 4]. Er begleitete seinen Vater ca. 10–7 v. Chr. nach Syrien. *Cos. ord.* im J. 4 n. Chr. Sein Bruder ist S. [II 6]; PIR[2] S (im Druck).

[II 6] Cn. S. Saturninus. Sohn von S. [II 4], Bruder von S. [II 5]. Wie seine Brüder begleitete er den Vater ca. 10–7 v. Chr. nach Syrien, vielleicht als *tribunus militum*; doch ist auch ein Kommando über eine Legion denkbar. 4 n. Chr. wurde er als Nachfolger seines Bruders S. [II 5] Suffektconsul. Im J. 17 n. Chr. begleitete er Germanicus [2] in den Osten, wo er nach dessen Tod auf Beschluß der anderen *comites* die Statthalterschaft von Syrien übernahm (Tac. ann. 2,74,1), was Tiberius nachträglich gebilligt haben muß. Als Cn. Calpurnius [II 16] Piso E. des J. 19 die Prov. wiedergewinnen wollte, trat S. ihm mit den Truppen der Prov. entgegen und besiegte ihn bei dem Kastell Celenderis. Dennoch erlaubte er Piso, ohne mil. Bewachung allein nach Rom zurückzukehren. S. blieb bis mindestens zum J. 21 n. Chr. in Syrien (CIL III 6703). Er muß auch unter Tiberius einflußreich gewesen sein, obwohl er *comes* des Germanicus war. Sein Sohn ist S. [II 7].

E. DABROWA, The Governors of Roman Syria, 1998, 34f.

[II 7] Cn. S. Saturninus. Sohn von S. [II 6]. *Cos. ord.* im J. 41 n. Chr. zusammen mit Caligula, nach dessen Tod er den Vorschlag machte, die alte *res publica* wiederherzustellen (Ios. ant. Iud. 19,166–186). Claudius scheint ihn deshalb nicht kaltgestellt zu haben; vielmehr muß S. nach Eutropius (7,13) den Kaiser, wohl als *comes*, bei der Eroberung Britanniens begleitet haben, wofür er auch die *ornamenta triumphalia* und eine *statua triumphalis* auf dem Forum Augusti erhielt [1. Nr. 13, 14, 27]. Wenn Tac. hist. 4,7,2 sich auf ihn bezieht, muß er Verbindung mit dem späteren Kaiser → Vespasianus gehabt haben und in der Zeit Neros, verm. am Ende, umgekommen sein. CIL IX 2460 bezieht sich kaum auf ihn, da er wohl patrizischen Ranges war.

1 G. CAMODECA, Tabulae Pompeianae Sulpiciorum, 1999.

W. E.

Sephres (Σεφρής, Manethon (Synk. 107); äg. *Sȝḥw-Rᶜ/ Sahure*). 2. König der 5. Dyn. (ca. 2496–2483 v. Chr.), wohl Bruder des Userkaf und Sohn der Königin Chentkaus. Die Tempel seiner Pyramidenanlage bei Abū Ṣīr, insbes. ihre Reliefdekoration, sind relativ gut erh. und repräsentieren den kanonischen Typus (→ Pyramide). Das Sonnenheiligtum des Königs ist namentlich, nicht aber arch. bekannt. Isoliert aufgefundene Statuengruppen stammen wohl von dort. Versch. Expeditionen nach dem Sinai und Nubien sind durch Annaleneinträge und Expeditionsinschr. bezeugt.

1 L. BORCHARDT, Das Grabdenkmal des Königs Sahure, Bd. 1–2, 1910–1913 2 CH. MEYER, s. v. Sahure, LÄ 5, 352f.

S. S.

Sepias (Σηπιάς).
[1] Küstenstreifen im SO der Halbinsel Magnesia [1], wo die pers. Flotte im J. 480 v. Chr. anlegte und durch Sturm große Verluste erlitt (Hdt. 7,183–191).
[2] Stadt im Süden der Halbinsel Magnesia [1] (Hdt. 7,183), die um 290 v. Chr. in den → *synoikismós* von Demetrias [1] einbezogen wurde (Strab. 9,5,15). Ihre Ruinen liegen beim h. Puri.
[3] Kap an der Südküste von Magnesia [1] (Apoll. Rhod. 1,582), h. wieder S. (ehemals Hagios Georgios) bei Platania.

PHILIPPSON/KIRSTEN 1, 161 • F. STÄHLIN, Das hellenische Thessalien, 1924, 52.

HE. KR.

Sepphoris (Σέπφωρις, vgl. Ios. ant. Iud. 14,5,9 u.ö.) Stadt in Galilaea, an der OW-Verbindung zw. → Ptolemais [8] (Akko) und → Tiberias gelegen. Schon in der Eisenzeit besiedelt, war S. unter Alexandros [16] Iannaios um 100 v. Chr. stark befestigt. Verm. schon vor der Einrichtung eines der fünf Synhedrien zur Verwaltung Iudaeas durch den röm. Statthalter Gabinius [I 2] 57 v. Chr. war S. die wichtigste Stadt Galilaeas. 37 v. Chr. fiel sie an Herodes [1]. Nach dessen Tod 4 v. Chr. kam es zu Unruhen, die durch Varus niedergeschlagen wurden. Nachdem Galilaea entsprechend dem Testament des Herodes an dessen Sohn, den Tetrarchen Herodes [4] Antipas, gefallen war, baute dieser die Stadt aus und nutzte sie bis zur Gründung von Tiberias um 20 n. Chr. als seinen Regierungssitz. In der Folge dominierten beide Städte in ständiger Konkurrenz Untergalilaea. Mitte des 1. Jh. konnte S. nach der Verlagerung der Archive und der königlichen Schatzkammer wieder die führende Rolle übernehmen. Im 1. Jüd. Krieg 67 n. Chr. stand S. auf der Seite Roms. Nach der Niederschlagung des jüd. Aufstandes verstärkte sich der polit. und kulturelle Einfluß Roms. Unter Kaiser Hadrianus wurde die alte jüd. Stadtverwaltung durch eine neue, nicht-jüd. abgelöst, ein Tempel errichtet und die Stadt in Diocaesarea umbenannt. Die Vertreibung der Juden aus Iudaea infolge des Aufstandes des → Bar Kochba (132–135 n. Chr.) führte zu einer verstärkten jüd. Ansiedlung in S., wodurch sich dort ein vielfältiges, jüd.-hell. geprägtes kulturelles Leben entwickelte. So wurde um 200 der Sanhedrin unter der Leitung des Patriarchen → Jehuda ha-Nasi nach S. verlegt, ehe sich das Patriarchat mit seinen Institutionen Mitte des 3. Jh. in Tiberias niederließ. Inwieweit S. infolge der Niederschlagung eines lokalen Aufstands durch den röm. Statthalter Gallus oder durch das Erdbeben von 363 zerstört wurde, ist ungeklärt. S. wurde wieder aufgebaut und neben der weiter überwiegend jüd. Bevölkerung entstand eine christl. Gemeinde. Ab dem 5. Jh. ist S. als Bischofssitz belegt.

R. A. HORSLEY, Galilee. History, Politics, People, 1995 • S. S. MILLER, Stud. in the History and Traditions of S., 1984 • C. L. und E. M. MEYERS, s. v. S., The Oxford Encyclopedia of Archaeology in the Near East 4, 1997, 527–536.

J. P.

Septem (auch *Septem fratres*). Bezeichnung eines aus sieben Bergen bestehenden Gebirgszuges an der afrikan. Küste bei der Meerenge von Gibraltar (Ptol. 4,1,5: Ἑπτάδελφοι ὄρος; Mela 1,5; Plin. nat. 5,18; Itin. Anton. 9,3), später wohl für die dortige Siedlung, über arab. *Sabta* das h. span. Ceuta. Arch. Überreste bezeugen S. als bed. ant. Zentrum der Salzfischherstellung [1]. Aus spätröm. Zeit stammt eine Basilika [2]. Kaiser Iustinianus [1] baute S. nach dem vergeblichen Eroberungsversuch des westgot. Königs → Theudis 534 zu einem Kastell aus (Prok. BV 1,1,6; 2,5,6; Prok. aed. 6,7,14; Isid. de origine Gothorum 42). Mit der islamischen Eroberung der Iberischen Halbinsel (710/1) fiel auch S. an die Araber. Unter diesen erlangte S. seinen wirtschaftlichen und kulturellen Höhepunkt als Drehscheibe des Handels zw. Europa und dem subsaharischen Afrika [3]. Inschr.: AE 1986, 716.

1 J. Bravo Pérez, Nuevos datos sobre la economía del territorio ceutí en época romana: las factorías del salazón, in: E. Ripoll Perelló (Hrsg.), II Congreso internacional »El Estrecho de Gibraltar«, Bd. 1, 1995, 439–472
2 E. A. Fernández Sotelo, La basílica tardoromana de Ceuta, in: Ebd., 509–533 3 H. Ferhat, s. v. Sabṭa, EI², 1999 (CD-Rom) 4 H. Dessau, s. v. S. Fratres, RE 2 A, 1550.

I. T.-N.

Septem Aquae (*Septaquae*). *Pagus* (»Gau«) im Gebiet der Sabini bei → Reate (CIL IX 4206f.; 4399), mit seinen Quellen und Seen Touristenzentrum (Dion. Hal. ant. 1,14), das auch Cicero 54 v. Chr. besucht hat (Cic. Att. 4,15,5; → Rosea rura).

Nissen 2, 474. G. U./Ü: J. W. MA.

Septem Maria. Lagunengebiet (z.Z. der Benennung sieben Lagunen) im Mündungsbereich von Padus und Atesis (Plin. nat. 119f.), die h. Laguna Veneta im Gebiet von → Atria, von den Etrusci mit dem Wasser des → Sagis angereichert, noch in der röm. Kaiserzeit teilweise über *fossae* zw. Ravenna und Altinum schiffbar. *Statio* der Via Popilia östl. von Atria (Itin. Anton. 126,6; Tab. Peut. 4,5).

L. Bosio, I S. M., in: Archeologia Veneta 2, 1979, 33–44.
G. U./Ü: J. W. MA.

Septempeda. *Municipium* im Picenum, *tribus Velina*, *regio V*, im 2. Jh. v. Chr. am linken Ufer des oberen Flusor (h. Potenza) angelegt (Strab. 5,4,2; Ptol. 3,1,52; Plin. nat. 3,111); 2 km östl. von San Severino Marche bei Macerata lokalisiert. S. lag an der Querstraße, die die Via Salaria mit der Via Flaminia verband (Itin. Anton. 312; 316; vgl. CIL IX 5936). Reste der Stadtmauer sind erh. Eine picenische Siedlung mit Nekropole bei Pitino 4 km nordöstl. von S. seit dem 7. Jh. v. Chr. ist nachgewiesen.

M. Landolfi, S., 1991. G. U./Ü: J. W. MA.

Septemviri (»Siebenmänner-Collegium«). Im Jahr 196 v. Chr. auf Volksbeschluß zuerst als Dreimänner-Collegium (Liv. 33,42,1) in Rom eingerichtet, später, vielleicht unter L. Cornelius [I 90] Sulla, auf sieben und von Caesar schließlich auf zehn Mitglieder erweitert (Cass. Dio 43,51,9), erhielt das stadtröm. Priester-Collegium der *tresviri*, später *s. epulonum* (so z. B. InscrIt 13,2 p. 114f.) bzw. *epulones* (→ *epulo*; so z. B. Liv. 33,42,1; Paul. Fest. 68 L.), seinen Namen von der Ausrichtung des → *Iovis epulum*, der Opfermahlzeit (*ludorum epulare sacrificium*: Cic. de orat. 3,73) für Iuppiter, Iuno und Minerva während der → *ludi* (III. F.) *plebeii*. Ein *Iovis epulum* während der *ludi Romani* ist erst für die augusteische Zeit sicher bezeugt, für die Mitte des 1. Jh. v. Chr. aber nicht völlig auszuschließen [1. 285–289]. Spätestens im 1. Jh. v. Chr. erfüllten die *s.* auch eine Reihe weiterer kultisch-administrativer Aufgaben bei den → *ludi* (Cic. har. resp. 21; [2. 398]).

Die *s.* wurden nominell zur Entlastung des Pontifikalcollegiums (→ *pontifex*) geschaffen (Cic. de orat. 3,73) und waren dessen Weisungsbefugnis unterworfen (Cic. har. resp. 21; vgl. Cass. Dio 48,32,4). Ob sie in der späten Republik wie andere Priesterkollegien durch Volkswahl bestimmt wurden, muß offen bleiben. Ihre Einrichtung im beginnenden 2. Jh. v. Chr. läßt sich auch mit dem Wunsch nach Vermehrung von Ämterstellen [3. 323–330] und nach Beschneidung der Kompetenzen der plebeischen Aedilen bei der Organisation der *ludi plebeii* durch das Dazwischenschalten einer untergeordneten priesterlichen Instanz für die prestigeträchtigen *Iovis epula* [1. 288–291] erklären. Dazu paßt, daß nach den ersten Jahren des Bestehens der *s.* erst für die Mitte des 1. Jh. v. Chr. wieder hochrangige *s.* nachweisbar sind (MRR 2,214; 3,68). Aber offenbar erst seit Augustus (der selbst Epulone war, R. Gest. div. Aug. 7; ILS 107,5) wurden die *s.* als viertes nach den → *pontifices*, → *augures* und → *quindecimviri sacris faciundis* zu den bedeutendsten stadtröm. Priestercollegien gezählt (R. Gest. div. Aug. 9,1; Suet. Aug. 100; Cass. Dio 53,1,5). Die Mz. BMCRE Bd. 1, 20 Nr. 98 aus dem Jahr 16 v. Chr. zeigt vielleicht zum ersten Mal die → *patera* (Schale) als Symbol der *s.* [4. 135f.]. Wie die übrigen Priestercollegien hatten auch sie nun Funktionen im Rahmen der Kaiserfeste und des → Kaiserkults zu erfüllen, die über ihren urspr. Aufgabenbereich hinausgingen (z. B. InscrIt 13,2 p. 114f.; Cass. Dio 53,1,5; [2. 305, 399]).
→ Collegium [1]; Epulo [2]; Ludi; Priester

1 F. Bernstein, Ludi publici, 1998 2 Latte 3 J. Rüpke, Kalender und Öffentlichkeit (RGVV 40), 1995
4 A. V. Siebert, Instrumenta sacra (RGVV 44), 1999.

A. BEN.

Septerion (Σεπτήριον), nicht Stepterion (Στεπτήριον), hieß eine jedes 9. J. ausgetragene Fest- und Ritualsequenz, in deren Verlauf ein Knabe einen hölzernen Bau unterhalb des Apollon-Tempels in → Delphoi verbrannte, er selbst dann in einem Prozessionszug in das thessalische → Tempe-Tal geführt und dort unter begleitenden Opfern im Fluß → Peneios für sein »Vergehen« rituell gereinigt wurde. Zentraler Bestandteil war das Pflücken eines Lorbeerzweiges bei dem dortigen Apollon-Heiligtum, den der Knabe in feierlicher Prozession entlang einer durch das Gebiet der delphischen → Amphiktyonie führenden heiligen Route zurück nach Delphoi trug; die im Tempe-Tal gewundenen Lorbeerkränze sollen die Sieger der darauffolgenden → Pythia [2] – auch diese waren vor 586 v. Chr. enneaterisch – empfangen haben (Theop. FGrH 115 F 80). In der ant. – rationalisierenden und durchaus widersprüchlichen – mythographischen Trad. seit dem 4. Jh. v. Chr. (Theop. l.c.; Ephoros FGrH 70 F 31b; ausführlich: Plut. de def. or. 15,417e–418d) galt das S. als die rituelle Dar-

stellung der Tötung des in einer Höhle (oder Hütte) hausenden Drachen (oder Menschen) → Python [1] durch → Apollon in Delphoi (oder im Tempe-Tal: Plut. qu.Gr. 12), des anschließenden Umherwanderns des Gottes, seiner rituellen Reinigung im Peneios und lorbeerbekränzten Rückkehr nach Delphoi. Seit der Ant. gibt es hierzu alternative und keineswegs überzeugendere Deutungen (Plut. de def. or. 15,418a; [1]), während die Verbindung von S., Drachentötung und anschließender → *daphnēphoría* als Kultaitiologie schon für die 1. H. des 5. Jh. v. Chr. belegt ist (Pind. paean 10a fr. 52 l SNELL-MAEHLER = A2 RUTHERFORD).
→ Aitiologie; Katharsis; Sühnerituale

1 W. BURKERT, Homo necans, ²1997, 144–147.

M. BLECH, Stud. zum Kranz bei den Griechen (RGVV 38), 1982, 224–226 • I. RUTHERFORD, Pindar's Paeans, 2001, 200–205. A. BEN.

Septicius. C. S. Clarus. Ritter, dem Plinius [2] d. J. das erste Buch seiner Briefe (Plin. epist. 1,1) und Suetonius sein Buch *De vita Caesarum* (vgl. Lyd. mag. 2,6) widmete. Ca. 120–122 n. Chr. *praef. praet.* Hadrians neben Marcius [II 14] Turbo. Nach dem Ber. der *Historia Augusta* (HA Hadr. 11,3) überschritten er und Sueton die Grenzen der Hofetikette gegenüber → Sabina, der Frau des Kaisers. Deshalb von seinem Posten abgelöst, verm. während er sich mit Hadrian in Britannien aufhielt.

SYME, RP 3, 1283–1285. W. E.

Septimania s. Westgoten

Septimius. Verm. ursprünglich etr. Gentilname, dessen Vertreter in Rom erst im 1. Jh. v. Chr. erscheinen.

SCHULZE, 229.

I. REPUBLIKANISCHE ZEIT

[I 1] Ein S. aus Camerinum sollte, verm. weil er aus dem umbrisch-picentischen Munizipaladel stammte (vgl. CIL I² 1921; 1929), 63 v. Chr. in Picenum Anhänger für → Catilina gewinnen (Sall. Catil. 27,1).

[I 2] Freund des Horaz, der hoffte, über diesen in die → *cohors amicorum* eines Mitgliedes des Kaiserhauses zu gelangen (Hor. carm. 2,6(?); Hor. epist. 1,9: Tiberius). Verm. ist er der von Sueton (vita Horatii 2) genannte S., der auch mit Augustus bekannt war.

[I 3] S., C. Trat 57 v. Chr. als Praetor für Ciceros Rückberufung aus dem Exil ein (Cic. p. red. in sen. 23) und verwaltete danach die Prov. Asia (BMC, Gr. Lydia 334,52). 51 erscheint er unter den Zeugen zweier Senatsbeschlüsse (Cic. fam. 8,8,5 f.). Vielleicht ist er mit dem 45 bezeugten Augur identisch (Cic. Att. 12,13,2; 14,1).

[I 4] S., L. Hatte 67 v. Chr. im Seeräuberkrieg unter Pompeius als Centurio gedient. 55 war er, inzwischen *tr. mil.*, von A. Gabinius [I 2] mit röm. Soldaten zum Schutz Ptolemaios' [18] XII. in Äg. zurückgelassen worden. S. war an Planung und Ausführung des Mordes an Pompeius [I 3] maßgeblich beteiligt (Caes. civ. 3,103 f.; Cass. Dio 42,3,3) und kämpfte 48/7 gegen Caesar (Cass. Dio 42,38,1).

[I 5] S., P. War zu unbekannter Zeit Quaestor des M. Terentius → Varro, der ihm B. 2–4 seines Werkes *De lingua Latina* widmete (Varro ling. 5,1; 7,109). Die Identität mit anderen Septimii, die lit. tätig waren (Vitr. 7, praef. 14; Quint. inst. 4,1,19), ist unsicher.

[I 6] S. Scaevola, P. 74 v. Chr. Geschworener im Prozeß gegen → Abbius Oppianicus, wurde 72 wegen Erpressung im Amt verurteilt. Bei der Festlegung der Schadenssumme wurde ohne Beweis die Höhe der Bestechungssumme, die er angeblich als Geschworener bekommen hatte, miteinbezogen (Cic. Verr. 1,38; Cic. Cluent. 115 f.). J. BA.

II. KAISERZEIT

[II 1] S. Flaccus. Wohl Legat der *legio III Augusta* in der flavischen Zeit. Er unternahm einen dreimonatigen Feldzug vom Land der → Garamantes bis zu den Äthiopiern (Ptol. 1,8,4).

THOMASSON, Fasti Africani, 138 f.

[II 2] P. S. Geta. Bruder des Kaisers → Septimius [II 7] Severus. Seine Laufbahn ist durch [1. 541] aus Leptis Magna vollständig bekannt. Sein gleichnamiger Vater ist sowohl durch die *Historia Augusta* (HA Sept. Sev. 1,2) als auch durch [1. 414, 607] bezeugt. S. war Praetor zu Beginn der Herrschaft des Commodus, Legionslegat, Proconsul von Sizilien und praetorischer Legat von Lusitanien; Suffektconsul um 191 n. Chr. Konsularer Legat von *Moesia inferior* wohl seit 192, sicher im J. 193. Sein kaiserlicher Bruder hielt ihn auf Abstand (HA Sept. Sev. 8,9 f.). Im J. 195 konsularer Statthalter der *Tres Daciae* (→ Dakoi, Dakia C. mit Karte). Erst 203 *cos. iterum*. Kurz vor seinem Tod warnte er seinen Bruder vor den Plänen des Praetorianerpraefekten Fulvius [II 10] Plautianus.

1 J. M. REYNOLDS, J. B. WARD PERKINS (Hrsg.), The Inscriptions of Roman Tripolitania, 1952 2 A. R. BIRLEY, S. Severus, ²1988, 218 3 PISO, FPD 1, 150–156.

[II 3] P. S. Geta. Sohn des S. [II 7], Kaiser 211 n. Chr.; vgl. → Geta [2]. W. E.

[II 4] S. Serenus. Von Hier. epist. 53,8 neben Catull und Horaz genannter und bis ins 10. Jh. gelesener, in Abhängigkeit von der Datier. des → Terentianus Maurus (Vers 1891: *nuper*) wohl im 3. Jh. n. Chr. anzusetzender lat. Lyriker, der von früherer Forsch. zu den sog. → *poetae novelli* gezählt wurde. Verf. von *Opuscula ruralia* in Auseinandersetzung mit → Annianus und strenger Normierung der Verse (27 Fr. in vielfältigen Metren). Die Identität mit dem Übersetzer des → Dictys Cretensis ist strittig (vgl. → Septimius [II 5] Serenus Sammonicus).

ED.: FPL 175–180.
KOMM.: S. MATTIACCI, I frammenti dei *poetae novelli*, 1982, 105–206 • COURTNEY, 406–420.

LIT.: J.-W. BECK, Annianus, S. S. und ein vergessenes Fr., AAWM 1994, Nr. 4 • K. SALLMANN, s. v. S. 1–3, in: HLL 4, 591–598 (§ 484). Weitere Lit. s. → *poetae novelli*. J.-W. B.

[II 5] S. Serenus Sammonicus. Nach der *Historia Augusta* Sohn des Serenus [2] Sammonicus, soll von Alexander Severus (SHA Alex. 30,2) als Dichter geschätzt worden sein. Nach [1] ist er identisch mit S. [II 4] Serenus, dem Verf. von *Opuscula ruralia* [1. 208 f.; 2. 592 f.], und dem Übers. des sog. → Dictys Cretensis [1. 194–208; 2. 593], weniger plausibel auch mit dem Antiquar Serenus [2] Sammonicus [2. 598]. Kaum glaubhaft ist, daß sein Schüler, der jüngere → Gordianus [3], ihm die reichhaltige Bibl. seines Vaters hinterlassen haben soll (SHA Gord. 18,2).

1 T. CHAMPLIN, Serenus Sammonicus, in: HSCPh 85, 1981, 189–212 2 K. SALLMANN, in: HLL 4, 591–598 (§ 484). P. L. S.

[II 6] C. S. Severus. Aus Leptis Magna stammend. Verwandt mit → Septimius [II 7] Severus, dem er den Zugang zum Senat sicherte (HA Sept. Sev. 1,2). Seine Laufbahn ist aus ILAlg I 1283 bekannt (vgl. AE 1967, 536 und AE 1971, 534). Nach der Praetur Legionslegat, praetorischer Statthalter von *Lycia-Pamphylia*, *cos. suff.* 160 n. Chr., Statthalter in *Germania (inferior?)*, *procos. Africae* 174. Gest. nach 177, da er nach AE 1971, 534 in diesem Jahr an einem *consilium* Marc Aurels teilnahm.

A. R. BIRLEY, S. Severus, ²1988, 219. W. E.

[II 7] Imp. Caesar L. Septimius Severus Pertinax Augustus, röm. Kaiser 193–211 n. Chr., Begründer der Dyn. der Severer.

I. HERKUNFT UND LAUFBAHN
II. DER WEG ZUR ALLEINHERRSCHAFT
III. PARTHERKRIEG UND BRITANNIENFELDZUG
IV. WÜRDIGUNG

I. HERKUNFT UND LAUFBAHN

Geb. als L. S. Severus am 11.4.146 n. Chr. in Leptis Magna, Sohn des Ritters P. S. Geta und der Fulvia Pia (SHA Sept. Sev. 1,1–3; Cass. Dio 76,15,2; 78,11,6; 78,17,1; CIL VIII 19493 = ILS 439). Nach dem Tod der → Paccia Marciana heiratete er 185 in 2. Ehe Iulia [12] Domna aus der Priester-Dyn. des syrischen → Emesa (h. Homs). Mit ihr hatte er zwei Söhne: Septimius Bassianus (→ Caracalla) und Septimius → Geta [2].

Nach der üblichen standesgemäßen Ausbildung in Leptis (SHA Sept. Sev. 1,4; Eutr. 8,19; Aur. Vict. Caes. 20,22) wurde er in Rom als → *advocatus fisci* tätig und auf Fürsprache von S. [II 6] durch → Marcus [2] Aurelius in den Senatorenstand aufgenommen, ohne die mil. Laufbahn eines Ritters (→ *tres militiae*) durchlaufen zu haben. Sein *cursus honorum* verlief vielversprechend: *quaestor* 170/1 [1. 88, Anm. 98; 2. 47–50], *quaestor II* in Sardinia 171/2 (SHA Sept. Sev. 2,3 f.; [2. 50]), *legatus proconsulis provinciae Africae* 173/4 (Inscriptions of Roman Tripolitania 555; [3. 112, Nr. 43; 2. 51 f.]), *tribunus plebis candidatus* 174 (SHA Sept. Sev. 3,1), *praetor* 178, *iuridicus Asturiae et Callaeciae* ca. 178–181 (SHA Sept. Sev. 3,4; [1. 88 f.; 2. 55]) und *legatus legionis IV Scythicae* in Syria während der Statthalterschaft des Helvius → Pertinax 181–183 (SHA Sept. Sev. 3,6; [2. 68–73]). Hier stockte die Laufbahn des S., wohl im Zusammenhang mit einer Revolte gegen → Commodus. Er verbrachte einige Zeit in Athen (SHA Sept. Sev. 3,7), fungierte dann nach der Ablösung des *praef. praet.* → Tigidius Perennis aber wieder als *legatus Augusti pro praetore* in Gallia Lugdunensis ca. 186–189 (SHA Sept. Sev. 3,8; 4,1; Cass. Dio 74,3,2; [2. 75 f.]), war *procos.* in Sicilia 189/190 (SHA Sept. Sev. 4,3; [2. 77]), *cos. suff.* 190 (Cass. Dio 72,12,4) und schließlich *legatus Augusti pro praetore* in Pannonia superior 191–193 (SHA Sept. Sev. 4,2; Cass. Dio 73,14,3; [2. 83]).

II. DER WEG ZUR ALLEINHERRSCHAFT

Von den pannonischen Truppen wurde S. am 9.4.193 in Carnuntum zum Kaiser ausgerufen, nachdem Helvius Pertinax von den Praetorianern ermordet worden war und sich → Didius [II 6] Iulianus den Kaisertitel von ihnen erkauft hatte (SHA Sept. Sev. 5; SHA Did. 5,2; SHA Alb. 1,1; Ps.-Aur. Vict. epit. Caes. 19,2; Cass. Dio 73,14,3; Herodian. 2,9,2; [2. 94–97]), während die Armee im östlichen Reichsteil → Pescennius Niger in Antiocheia/Syrien (Herodian. 2,7,1–2,8,9) und die britannischen Legionen → Clodius [II 1] Albinus auf den Schild gehoben hatten (Cass. Dio 73,15,1 f.; CIL VIII 1549; 17726; 26498). S., der von allen Legionen an der Donau (mit Ausnahme der *legio X Gemina* in *Vindobona*, h. Wien), am Rhein, in Spanien und Nordafrika akzeptiert wurde [4. 22 f., 152; 2. 98], zog sofort über die Alpenpässe nach It., wurde vom Senat zum *hostis* erklärt (SHA Sept. Sev. 5,5; Cass. Dio 73,16,1), aber noch vor Erreichen Roms durch den Senat (1.6.193) anerkannt; Didius Iulianus wurde tags darauf ermordet (Cass. Dio 73,17,4 f.; Herodian. 2,12,3; [2. 99–102]). Nach S.' triumphalem Einzug in Rom am 9. Juni (Cass. Dio 74,1,3 f.) nahm er den Titel *pontifex maximus* an, löste die Praetorianergarde auf und ersetzte sie durch verdiente eigene Legionäre, denen er ein außergewöhnlich hohes → *donativum* gab (Cass. Dio 74,1,1 f.; Herodian. 2,13,1–12; 2,14,3; Zon. 12,8; [2. 103 f.]).

S. betonte sogleich die Kontinuität zu Pertinax, der divinisiert wurde und dessen Namen er annahm (Cass. Dio 74,4,1–74,5,5). Albinus bot er erfolgreich den Titel *Caesar* an und brachte ihn so auf seine Seite, die Truppen des Pescennius Niger schlug S.' Feldherr → Fabius [II 6] Cilo unter großen Verlusten im Winter 193/4 bei → Perinthos in Thrakien (Cass. Dio 74,6,3; SHA Sept. Sev. 8,13–16). Trotz der erfolglosen Belagerung von Byzantion setzte er nach Kleinasien über, siegte Anf. 194 bei Kyzikos und Nikaia [5] durch Ti. → Claudius [II 17] Candidus (Cass. Dio 74,6,4 f.; SHA Sept. Sev. 8,17), erzwang den Übergang über die Tauruspässe und schlug E. März 194 bei Issos entscheidend Pescennius Niger, der gefangen und getötet wurde (Cass. Dio 74,7,2–8; Herodian. 3,4,6). Ägypten hatte S. bereits vorher (13.2.) anerkannt (BGU 326 II 12); die Prov. Syria wurde aus Sicherheitsgründen geteilt (Syria Phoenice und Syria Coele), Antiocheia wurde hart bestraft [2. 108–114]. S. verstärkte nun seine Bemühungen um Kontinuität und verkündete seine (fiktive) Adoption durch → Marcus [2] Aurelius, was ihn zum Bruder des Commodus machte (CIL VIII 9317; [2. 117]); seit Anf. 194 trug er schon den Titel → *pater patriae*.

Die Unterstützung des Pescennius durch parthische Vasallen (Cass. Dio 75,3,2f.) gab S. den Vorwand zur ersten *expeditio Parthica* in der 1. H. des J. 195, die zur Unterwerfung der → Osroene und der → Adiabene führte (Siegertitel *Adiabenicus*, *Arabicus*, auf Mz. auch *Parthicus*: SHA Sept. Sev. 9,10). Vielleicht fallen schon in diese Zeit die Sanktionen gegen Juden und Christen (vgl. SHA Sept. Sev. 17,1; Eutr. 18,18; Tert. apol. 35; [5]). E. 195 fiel auch Byzantion, die letzte Bastion der Anhänger Nigers, und verlor das Stadtrecht (Herodian. 3,6,9; Cass. Dio 74,12,1–14,6; [2. 119]). Erst jetzt kehrte S. nach Rom zurück.

Wohl schon Mitte 195 hatte S. seinem älteren Sohn Bassianus den Namen M. Aurelius Antoninus gegeben, um die dyn. Verbindung zu den Antoninen zu verstärken, und ihn zum *Caesar* ernannt (SHA Sept. Sev. 10,3; Herodian. 3,10,5), ein Affront gegen den *Caesar* Albinus. E. 195 folgte der Senat mit einer *hostis*-Erklärung gegen Albinus, die dieser erwiderte, indem er sich zum *Augustus* ausrufen ließ (SHA Sept. Sev. 10,2; Herodian. 3,6,8). Die Entscheidung fiel erst im Februar 197 bei → Lugdunum (h. Lyon) in einer für beide Seiten verlustreichen Schlacht (Cass. Dio 75,6,1–8; Herodian. 3,7,2; Zon. 12,9); Albinus kam auf der Flucht um (Cass. Dio 75,7,1f.; Herodian. 3,7,6f.; [2. 121–128]). Wie Syrien wurde auch Britannien in zwei Prov. geteilt (Herodian. 3,8,2). Die Abrechnung mit dem Senat, in dem sich viele Sympathisanten des Albinus befanden, folgte, begleitet von Hinrichtungen (Cass. Dio 74,9,1ff.; [6. 112ff.]).

III. Partherkrieg und Britannienfeldzug

Angriffe der → Parther auf röm. Gebiet boten trotz ihres geringen Erfolgs Grund für einen zweiten Krieg. Von den dafür ausgehobenen drei neuen Legionen (*I-III Parthica*, unter dem Kommando von *equites*), blieb jedoch die *II Parthica* entgegen uraltem Brauch in der Nähe Roms stationiert (Cass. Dio 55,24,4). Noch 197 drang S. nahezu ungehindert in Mesopotamien vor, nahm E. Oktober Ktesiphon [2] (SHA Sept. Sev. 16,1; Cass. Dio 75,9,4) und ließ den Sieg am 28. 1. 198 in Rom feiern; S. nahm den Titel *Parthicus maximus* an [2. 129f.]. Zugleich ließ er seine Söhne Caracalla zum *Augustus* und Geta zum *Caesar* ernennen (SHA Sept. Sev. 16,3f.). S. blieb weiter im Osten in der Absicht, ihn neu zu ordnen. Den Versuch, → Ḥatra [1] zu erobern, gab er nach zweimaligem Scheitern auf (Cass. Dio 75,10,1; 11,1–12,5), besuchte im Winter 199/200 Alexandreia [1] und besichtigte im Anschluß Äg. (CIL III 6581; [2. 135–140]). Seit E. 200 wieder in Syrien, richtete er neben der bestehenden Prov. → Osroene die neue Prov. Mesopotamia (Hauptstadt → Nisibis) ein, unterstellte sie einem ritterlichen *praefectus* und stationierte dort die Legionen *I* und *III Parthica* (Cass. Dio 75,3,2; [7. 1435f., 1539f.; 2. 132f.]).

Anf. 202 nach Rom zurückgekehrt, blieb er bis 208 – unterbrochen nur durch einen Besuch 203 in seiner Heimat Africa und bes. Leptis Magna, das er prächtig ausbauen ließ – und versuchte, die Macht der Dyn. zu festigen und sich zugleich in den Rahmen der röm. Trad. zu stellen: 204 beging er die Säkularfeier Roms (→ *saeculum* III., → *ludi* K.), die *ludi honorarii* und den → *Troiae lusus* [2. 146–160], ließ zahlreiche Bauten in Rom errichten, darunter seinen Triumphbogen auf dem Forum Romanum (Arcus Septimii Severi, vgl. Stadtplan → Roma 2., Nr. 59.; CIL VI 1033 = ILS 425), und bekämpfte 206/7 in It. das Räuberunwesen des → Bulla »Felix« (Cass. Dio 76,10,1–7; [2. 161–169]). Zusammen mit Caracalla bekleidete er 202 sein 3. Konsulat [8. 57], verheiratete ihn mit → Fulvia [3] Plautilla, der Tochter des mächtigen *praef. praet.* → Fulvius [II 10] Plautianus (Cass. Dio 76,1,2; CIL VI 226; [2. 137f., 144]) und feierte das zehnjährige Bestehen seiner Herrschaft (Decennalien: Cass. Dio 76,1,3–5; Herodian. 3,10,2).

Seinem Streben nach dyn. Stabilität standen jedoch die Herrschsucht Caracallas und der unversöhnliche Haß zw. diesem und seinem Bruder entgegen. 205 stürzte der Gardepraefekt Plautianus durch eine Intrige Caracallas. Der Zwist der Brüder nahm so deutliche Formen an, daß dem Kaiser Unruhen in Britannien gelegen kamen – so die Trad. –, um die Söhne aus Rom zu entfernen. 208 brach er mit der Familie zum Kampf gegen die im h. Schottland ansässigen Stämme der → Caledonii und → Maiatai auf (Cass. Dio 76,11,1; 12,1; Herodian. 3,14,1f.), wohl in der Absicht, die britische Hauptinsel vollständig in den röm. Machtbereich einzugliedern. Von → Eboracum (h. York) aus stieß er trotz angegriffener Gesundheit in zwei Kampagnen weit in den Norden vor, ließ Marschlager und das feste Lager von Carpow am Tay errichten (Cass. Dio 76,13,1–4; 76,15,1f.; Herodian. 3,14,4–10; [9. 52–54; 10. 47–62]) und nannte sich 210 zusammen mit seinen Söhnen (auch Geta war 209 zum *Augustus* erhoben worden) *Britannicus maximus* [2. 170–187]. Am 4. Feb. 211 starb S. in York, wurde im → Mausoleum Hadriani in Rom beigesetzt und konsekriert (SHA Sept. Sev. 24,1f.).

IV. Würdigung

Das gespannte Verhältnis zum Senat (→ *senatus*) hat die Regierungszeit des S. – bei weitem die längste zw. Marcus [2] Aurelius und Diocletianus – in der ant. Trad. negativ verfärbt. Seine Bevorzugung des Ritterstandes (→ *equites Romani*) beim Militär und in der Reichsverwaltung auf Kosten der Senatoren, die Vergrößerung der Armee und die großzügige Entlohnung der Soldaten, die nicht unwesentlich zur → Geldentwertung beitrugen, haben ebenso wie die Stationierung einer Legion in der Nähe Roms, die It. auf den Status einer Prov. herabdrückte, das Bild eines rücksichtslosen Potentaten geprägt, der – gestützt auf die Soldaten und umgeben von seinen Kreaturen – als »Afrikaner auf dem Thron« röm. Traditionen mißachtete. Auf der anderen Seite ist nicht zu verkennen, daß S. etwa mit der Verwendung von Rittern und der Autokratisierung des Kaisertums in einer langen Trad. stand und in vielem eher die Konsequenzen aus einer Entwicklung gezogen als radikale Neuerungen geschaffen hat. Nicht zuletzt waren es Ritter, die Juristen → Papinianus und → Ulpianus, denen S. die Möglichkeit bot, das röm. → Recht zu revidieren, zu systematisieren und für Jahrhunderte zu festigen. Seine lange Regierungszeit im Anschluß an das Chaos nach dem Tode des Commodus, in dem sechs Kaiser innerhalb weniger Monate auf die Bühne traten, schuf Stabilität und Ruhe, von der v.a. die Provinzen, aber auch It. profitierte, und schließlich erlebte Rom unter S. eine letzte Blüte seiner urbanistischen Entwicklung (→ Roma III. G.).

→ Legio; Parther- und Perserkriege; Vierkaiserjahr

1 Alföldy, FH **2** A. R. Birley, S. Severus, [2]1988 **3** Thomasson, Fasti Africani **4** J. Hasebroek, Unt. zur Gesch. des Kaisers S. Severus, 1921 **5** K. H. Schwarte, Das angebliche Christengesetz des S. Severus, in: Historia 12, 1963, 185–208 **6** G. Alföldy, S. Severus und der Senat, in: BJ 68, 1968, 112–160 **7** E. Ritterling, s. v. legio, RE 12, 1211–1829 **8** Degrassi, FCIR **9** J. J. Wilkes, The Roman Legionary Fortress at Carpow, Perthshire, in: Roman Frontier Stud. 1967, 52–54 **10** J. D. Leach, J.-J. Wilkes, The Roman Military Base at Carpow, Perthshire, Scotland: Summary of Recent Investigations (1964–70, 1975), in: J. Fitz (Hrsg.), Akten des 11. Internationalen Limeskongresses (Székesfehérvár 1976), 1977, 47–62 **11** E. Birley, S. Severus and the Roman Army, in: Epigraphische Stud. 8, 1969, 63–82 **12** A. R. Birley, The Coups d'état of the Year 193, in: BJ 169, 1969, 243–280 **13** E. Kettenhofen, Die syrischen Augustae in der histor. Überl., 1979 **14** A. M. McCann, The Portraits of S. Severus, 1969 **15** R. F. Smith, The Army Reform of S. Severus, in: Historia 21, 1972, 481–500 **16** T. D. Barnes, The Family and Career of S. Severus, in: Historia 16, 1967, 87–107 **17** Kienast[2], 156–159.

T. F.

[II 8] C. S. Severus Aper. *Cos. ord.* im J. 207 n. Chr. (unpubliziertes Militärdiplom). Wohl identisch mit dem Verwandten, den Caracalla 212 töten ließ (Herodian. 4,6,3; HA Carac. 3,6f.; PIR S 311). Wahrscheinlich Sohn des P. S. Aper, *cos. suff.* 153 (vgl. [1. 214f., 219]), oder des Consuls von 160 (S. [II 6]).

1 A. R. Birley, S. Severus, [2]1988.

[II 9] C. S. Vegetus. Ritter. Praefekt von Ägypten unter Domitian 85–87 n. Chr. [1. 507].

1 G. Bastianini, Il prefetto d'Egitto, in: ANRW II 10.1, 503–517.

W. E.

[II 10] Iulius Aurelius S. Vorodes (IGR 3, 1032). Der in Inschr. von 258/9 bis April 267 n. Chr. (IGR 3, 1036, 1040–1045, vgl. [1. Nr. 134], undatiert) auftretende Palmyrener war in den 260er J. *procur. Augusti ducenarius* in Syrien sowie Inhaber lokaler Ämter, bis wohl die Ermordung des → Odaenathus [2] seine Laufbahn beendete. Ob S., der *agoranómos* genannt wird (IGR 3, 1045; → *agoranómoi*), mit einem ΟΥΟΡΩΔ (Vorôd) identisch ist, der in den *Res Gestae divi Saporis*, griech. Version, Z. 67 mit dem gleichen Titel und als Anhänger des → Sapor [1] I. erscheint, ist trotz [2] fraglich (PLRE 1, 981 f.).

1 H. Seyrig, Les fils du roi Odainat, in: Annales archéologiques de Syrie (Damaskus) 13, 1963, 159–172 **2** D. Schlumberger, Vorôd l'agoranome, in: Syria 49, 1972, 339–341.

R. Stoneman, Palmyra and its Empire, 1992, Index s. v. Vorodes.

M. SCH.

Septimontium. Röm. Fest auf »sieben Hügeln«, am 11. Dezember gefeiert (=*III ID. DEC.*). Das S. wurde bereits in der Ant. mit der Gründung der Stadt → Roma in Verbindung gebracht (Antistius Labeo bei Fest. p. 474; Paul. Fest. p. 459 L.; Plut. qu.R. 69). Die Hügel, für die → *feriae* (»Feiertage«) galten (Palatin, Velia, Fagutal, Cermalus, Caelius, Oppius, Cispius) [2. 203 f.], waren nicht identisch mit den später kanonisch gewordenen »klass.« sieben Hügeln der Stadt. Die Idee einer proto-urbanen Besiedlung Roms auf den Hügeln des S. wird in der neueren Forsch. wieder diskutiert [1. 268–380], läßt sich jedoch nicht zweifelsfrei belegen.

Die Nachrichten über das Fest selbst sind disparat: Für die republikanische Zeit existieren keine sicheren Belege; Festus berichtet von Opfern, die auf jedem der o.g. Hügel dargebracht wurden, während Antistius Labeo dies ausdrücklich nur für Palatin und Velia bezeugt. Nach Varro (ling. 5,41; 6,24) war das S. ein Fest ausschließlich für die Bewohner der »sieben Hügel« (*feriae non populi*), wobei er jedoch von den »klass.« und nicht den »proto-urbanen« Hügeln ausgeht. Sueton (Suet. Dom. 4,5) hingegen weiß von einer solchen Beschränkung der Festteilnehmer nichts, sondern unterscheidet lediglich zw. Volk, Senatoren und Rittern, die von Domitian anläßlich eines vom ihm ausgerichteten Festmahls am S. beschenkt werden. Wie der von Plutarch kommentierte Brauch, am S. werde in Rom kein Gespann benutzt (Plut. qu.R. 69), einzuordnen ist, bleibt unklar. Möglicherweise wurde das Fest bis ins 3. Jh. n. Chr. gefeiert, wenn man seine Erwähnung bei Tert. nat. 2,15 als Beleg werten will (so [2. 204]).

1 A. Carandini, La nascità di Roma, 1997 **2** H. H. Scullard, Festivals and Ceremonies of the Roman Republic, 1981.

C. F.

Septimus muß als einstiger röm. Individualname erschlossen werden (s.u.), der in klass. Zeit nicht mehr als → Praenomen begegnet. Etym. entspricht er dem lat. Ordinale *septimus*, »siebter« (vgl. → Quintus, → Sextus). Ein bedeutungsgleicher Name existiert im Umbrischen (altumbr. Nom. *Se(f)tums*). Aus dem (neu)umbr. Vokativ stammt mit lautlichen und graphischen Varianten etr. *Sehtume* (Gent. *Sehtumna*). Aus älterem lat. **Septumos* ist das geläufige Gent. *Septumius*/*Septimius* regelmäßig abgeleitet.

SALOMIES, 111–114, 119 • D.H. STEINBAUER, Neues Hdb. des Etr., 1999, 464. D.ST.

Septizodium. Monumentale, knapp 90 m lange Schau- bzw. Prunkfassade am Schnittpunkt der *via triumphalis* und der in die Stadt führenden → *via Appia* nahe dem → Circus Maximus, die den sö Abschluß des Palatin-Abhanges in Rom bildet (und terminologisch oft mit dem → Septizonium verwechselt wird). Die verm. fünfstöckige Prachtfassade bestand aus drei aneinandergereihten Exedren, die zu den Seiten des Denkmals hin mit orthogonalem Abschluß versehen waren; das S. wurde während der Regentschaft des Kaisers → Septimius [II 7] Severus (verm. im Kontext der von ihm initiierten Palatin-Erweiterungen) erbaut und 201 n. Chr. eingeweiht. Die Bezeichnung S. ist antik; sie erscheint auf der (ebenfalls severischen) → *Forma Urbis Romae*.

Die Funktion des S. ist umstritten. Üblicherweise wird es als bes. herausragendes Beispiel des röm. Prunknymphäums angesehen (→ Nymphäum), jedoch deutet nichts auf einen technischen wie baulichen Zusammenhang der Anlage mit einer Wasserleitung und einer Bekkenanlage hin. Ebenfalls unwahrscheinlich ist es, im S. den repräsentativen Eingang zum Palatin (→ *Mons Palatinus*) zu sehen; hier wäre vielmehr ein den gängigen Formen entsprechender Torbau (→ Toranlagen) vorauszusetzen. Es erscheint deshalb möglich, hier eine nicht mit Wasserspielen verbundene Prunkfassade zu sehen, deren – kontrovers diskutierter – statuarischer Ausstattung dann besondere Bed. zugekommen sein muß. Eine schlüssige Rekonstruktion des Denkmals ist h. nicht mehr möglich. Bis in die 80er-Jahre des 16. Jh. blieb ein großer Teil aufrecht stehen und ist verschiedentlich auf Renaissance-Zeichnungen (allerdings wenig detailgetreu) abgebildet worden, u. a. von Marten VAN HEEMSKERCK und J. BREUGHEL; diese Zeichnungen bilden bis heute die Basis jedweder Rekonstruktion. Ab 1588 wurden die Baureste auf Veranlassung von Papst Sixtus V. beseitigt; aus den noch verwendungsfähigen Baugliedern entstand u. a. die Kirche *Santa Maria Maggiore*. Verschiedene mod. Ausgrabungen an den Fundamenten lassen sichere Rückschlüsse allein über den Grund-, nicht aber über den Aufriß zu.
→ Roma

P. CHINI, D. MANICIOLI, Il Settizodio, in: Bull. della Commissione archeologica communale di Roma 91.2, 1986, 241–262 und 92, 1987/88, 346–353 • RICHARDSON, 350 • Ders., in: N. THOMSON DE GRUMMOND, An Encyclopedia of the History of Classical Archaeology, Bd. 2, 1986, 1023. C.HÖ.

Septizonium. Bezirk der Stadt Rom, allein von Sueton (Suet. Tit. 1) als Standort des Geburtshauses des Kaisers → Titus erwähnt; verm. auf dem Quirinal zu lokalisieren. Häufig mit dem → Septizodium verwechselt.

RICHARDSON, 350f. C.HÖ.

Septuaginta
I. ENTSTEHUNG II. HANDSCHRIFTEN UND ÜBERLIEFERUNG III. BEDEUTUNG

I. ENTSTEHUNG
Die auf den Aristeas-Brief (→ Aristeas [2]; [12. 20–37; 15. 677–687; 13]) zurückgehende Entstehungslegende der S. besagt, daß König Ptolemaios [3] II. Philadelphos den → Pentateuch von 70 (bzw. 72; 70 = ἑβδομήκοντα/*hebdomḗkonta*, lat. *septuaginta interpretes*, daher der Name S./LXX) Gelehrten an 70 (bzw. 72) Tagen für seine Bibl. ins Griech. übersetzen ließ. Der Name wurde dann auf die griech. Übers. der gesamten hebräischen → Bibel einschließlich der Apokryphen (→ Apokryphe Literatur) übertragen. Diese Überl. geht verm. auf einen histor. Kern zurück (Eus. Pr. Ev. 13,12,1–2). Der Ursprung der griech. Übers. lag aber wohl in den Bedürfnissen der hell. akkulturierten jüd. Gemeinde Alexandreias [1].

Sehr umstritten ist die Frage, ob es tatsächlich einen S.-Urtext gegeben hat (so zuerst DE LAGARDE, 1863; in dieser Trad. stehen das Göttinger und das Cambridger Ed.-Unternehmen [2; 1]) oder ob von Anf. an verschiedene parallele Übers. (so zuerst KAHLE, Anf. 20. Jh.) vorlagen (vgl. [16]). Durchgesetzt hat sich eine Mittelposition (zuerst: [8]), die von einer urspr. Übers. des größten Teils der S. ausgeht, die durch die einsetzende Überl. aber schnell in verschiedene Trad.-Stränge aufgespalten wurde. An die Übers. des Pentateuchs schlossen sich die der Propheten und Schriften an; diese waren verm. vor 100 v. Chr. abgeschlossen. Wahrscheinlich handelt es sich um die Übers. eines bereits kanonisierten hebr. Textes [12. 4–7]. Vier Stufen sind nach TOV in der »Textgesch.« unterscheidbar [16. 130–133]: 1) die urspr. Übers., 2) zahlreiche parallele korrigierte Textformen, 3) ein relativ konstanter Text im 2. und 3. Jh. n. Chr., 4) neue Textverzweigungen nach Fertigstellung der *Hexaplá* des Origenes [2] (3. Jh. n. Chr.) und der lukianischen Rezension (→ Lukianos [2], gest. 312 n. Chr.). Bereits im 2. und 1. Jh. v. Chr. kam es offenbar zu Kritik an der zu freien Übers. der S. und infolgedessen zu einer Revision des Textes (vgl. [16], Stufe 2; sog. palästinische *kaige*-Theodotion-Rez.; → Aquila [3], ca. 125 n. Chr.; Symmachos, E. 2. Jh. n. Chr.). Hinweise auf die entgegengesetzte Tendenz, jede Veränderung der S. abzulehnen (weil sie wie der hebr. Urtext als göttlich inspiriert angesehen wurde), finden sich in lit. Quellen (Aristeas-Brief; Phil. de vita Moysis 2,40).

II. HANDSCHRIFTEN UND ÜBERLIEFERUNG
Die S. stellt die wichtigste griech. Bibelübers. dar. Ihre hebr. Vorlage unterscheidet sich wesentlich vom tradierten masoretischen Text (→ Masora). Deshalb kommt der S. enorme Bed. für die hebr. Textüberl. zu [16. 152–160]; die wichtigsten und frühesten Cod. (Sinaiticus, Alexandrinus und Vaticanus), stammen aus dem 4./5. Jh. n. Chr. [14; 9]. Sie repräsentieren aber weitgehend die durch die Ed. der *Hexaplá* des Origenes

entstandenen Texttypen (s. [16], Stufe 4). Die *Hexaplá* umfaßte sechs Kolumnen (1. hebr. Text, 2. Umschrift, 3. Aquila, 4. Symmachos, 5. revidierte Fassung der S., 6. *kaige*-Theodotion-Rezension). Sie ist nur durch Mailänder und Kairoer → Geniza-Palimpseste sowie durch die syrische Übers. erh. (*Syrohexaplá*; Fr. bei [2]). Daneben gibt es zahlreiche Pap.-Funde (ab 1. Jh. n. Chr.) [7], Hss.-Fr. aus → Qumran [17] sowie Zitate bei ant. Autoren (Philon [12], vgl. [11], Iosephos [4], Kirchenväter; Zitate verzeichnet in [2]).

III. Bedeutung

Die S. ist das umfangreichste Werk, das aus einer oriental. Sprache ins Griech. übersetzt wurde, und eines der wichtigsten Zeugnisse für die → Hellenisierung des → Judentums (→ Literatur IV.); sie war verm. sowohl für die innerjüdischen Bedürfnisse (Schriftlesung, Gottesdienst) als auch für eine weitere nichtjüdische Leserschaft gedacht. Da jede Übersetzertätigkeit einer Kommentierung des Urtextes gleichkommt [10. 541–571], kann die S. als erster Komm. zum AT gelten; fast wörtliche Passagen wechseln mit midraschartigen Interpretationen ab (→ Targum, → Rabbinische Literatur). Die Sprache der S., das Griech. der sog. → *koinḗ*, hat der → Testamentenliteratur und dem NT Gestalt verliehen. Im Judentum wurde sie schließlich durch die wortgenauere Übers. des Aquila (2. Jh. n. Chr., verwendet bis ins 6. Jh. n. Chr.) abgelöst und von da an auf jüd. Seite kaum mehr rezipiert [18]. Sie war die → Bibel des Urchristentums und der frühen Kirche und stellt bis h. den at. Text für die griech.-orthodoxe Kirche.

→ Vulgata

Ed.: **1** A. E. Brooke, N. McLean u. a., The Old Testament in Greek, 1906 ff. **2** Göttinger Akad. der Wiss. (Hrsg.), S. Vetus Testamentum Graecum, 1926 ff. (›Göttinger S.‹, noch nicht abgeschlossen) **3** A. Rahlfs, S., 2 Bde., [7]1962 ([1]1935)
Bibliogr.: **4** S. Brock, u. a., A Classified Bibliography of the Septuagint, 1973 **5** C. Dogniez, Bibliography of the Septuagint (1970–1993), 1995.
Lit.: **6** A. Aejmelaeus, On the Trail of S. Translators, 1993 **7** K. Aland, Repertorium der griech. christl. Papyri, Bd. 1, 1976 **8** E. J. Bickermann, Some Notes on the Transmission of the Septuagint, in: S. Liebermann (Hrsg.), FS A. Marx. Jubilee Volume, 1950, 149–178 **9** S. Jellicoe, The Septuagint and Modern Study, 1968 **10** Ders. (Hrsg.), The Phenomenon of Biblical Translations in Antiquity ..., 1974 **11** R. Hanhart, Stud. zur S. und zum hell. Judentum, 1999 **12** M. Hengel, A. M. Schwemer (Hrsg.), Die S. zw. Judentum und Christentum, 1994 **13** N. Meisner, Aristeasbrief, 1973 **14** A. Rahlfs, Verzeichnis der griech. Hss. des AT, 1914 **15** Schürer 3.1, 474–492, 677–687 **16** E. Tov, Die griech. Bibelübersetzungen, in: ANRW II 20.1, 1987, 121–189 **17** E. C. Ulrich, The Septuagint Manuscripts from Qumran ..., in: Ders. (Hrsg.), The Dead Sea Scrolls and the Origins of the Bible, 1999, 165–183 **18** G. Veltri, Eine Tora für den König Talmai, 1994.

I. WA.

Septumuleius. Seltener röm. Familienname. L. S. überbrachte 121 v. Chr. den Kopf des C. Sempronius [I 11] Gracchus dem Consul C. Opimius [1] und erhielt ihn dafür angeblich in Gold aufgewogen (Cic. de orat. 2,269; Diod. 35,29; Plut. C. Gracchus 17,4 f. u. a.).

K.-L. E.

Sepulchri violatio. Die »Grabverletzung« (z. B. Zerstörung oder Beschädigung des Grabmals; Beisetzung anderer als der vom Stifter zugelassenen Personen; Verwendung der Grabstätte als Wohnung u. a.), in der Frühzeit des röm. Rechts nicht belegt (vgl. jedoch Cic. leg. 2,24,61), war bei den Juristen des 1.–3. Jh. n. Chr. Gegenstand einer Privatstrafe, die mit einer vom → Praetor gewährten persönlichen Klage (→ *actio in personam*) verfolgt wurde. Diese *actio sepulchri violati* wurde dem am Grab Berechtigten auf *bonum et aequum* (»nach billigem Ermessen«, → *aequitas*) gegeben; wollte dieser nicht klagen oder gab es keinen Berechtigten, so konnte *quivis ex populo* (»jedermann«) die *actio* beim Praetor beantragen; sie ging dann auf eine fixe Geldbuße, die dem siegreichen Kläger zufiel; unter mehreren Klageprätendenten erhielt derjenige die Klage, *cuius iustissima causa esse videbitur* (›dessen Klagegrund sich als der berechtigtste herausstellen wird‹, Ulp. Dig. 47,12,3 pr.). Die aus dem Bedürfnis nach Ordnung und Sicherheit entwikkelte *actio s. v.* fiel verm. in die sachliche Kompetenz der Rekuperatorengerichte (→ *recuperatores*). Rechtsfolge der Verurteilung war der Ehrverlust (→ *infamia*, Ulp. Dig. 47,12,1). Ein verm. aus dem Anf. der christl. Zeitrechnung stammendes kaiserl. Edikt (Reskript? *diátagma Kaísaros* FIRA I Nr. 69), dessen zeitlicher und örtlicher Geltungsbereich unsicher ist, droht nach einem Akkusations- (oder Kognitions-?)verfahren für *tymbōrychía*, d. h. für Störung der Totenruhe bei Familiengräbern, die Todesstrafe an. Nach Macer Dig. 47,12,8 (3. Jh. n. Chr.) konnte die *s. v.* nach der *lex Iulia de vi publica et privata* (›Iulisches Gesetz zur Bekämpfung öffentlicher und privater Gewalt‹) verfolgt werden: Je nach gesellschaftlichem Stand des Täters wurde auf Bergwerksarbeit, Relegation, Deportation erkannt oder die Todesstrafe verhängt (vgl. Pauli Sent. 1,21,4; 1,21,5 und 12; Dig. 47,12,11).

→ Deportatio; Relegatio; Todesstrafe

E. Gerner, s. v. Tymborychia, in: RE 7 A 2, 1735–1745, bes. 1742–1745 • Kaser, RPR I, 378[25], 380, 610, 628, 630 • Ders., Zum röm. Grabrecht, in: ZRG 95, 1978, 15–92 • J. U. Krause, Die Familie und weitere anthropologische Grundlagen, 1992, 211–213 • B. Schmidlin, Das Rekuperatorenverfahren, 1963, 79–82 • De Visscher, Le droit des tombeaux romains, 1963, 139–142, 150–194.

FR. R.

Sequana (Σηκοάνας, Σηκουανός), h. Seine. Fluß in Gallia (Caes. Gall. 1,1,2; Mela 3,2,20; Plin. nat. 4,105; 109; Amm. 15,11,3; Strab. 4,1,14; 3,2–5; 4,1; 5,2; Ptol. 2,8,2; 9,1; Cass. Dio 40,38,4), der – gegen Strab. 4,3,2 – nicht in den Alpes, sondern auf dem Plateau von Langres entspringt, das Pariser Becken durchquert und, sich in einem stark mäandrierenden Lauf von Iuliobona (h. Lillebonne) an zu einem Ästuar erweiternd, das *mare*

Britannicum (h. Ärmelkanal) erreicht. Nach lit. Überl. bildete der S. eine ethnische Grenze zw. Belgae und Galli bzw. Celtae. Die röm. Prov.-Grenze zw. der → Lugdunensis und der → Belgica verlief aber weiter östlich. Eine strategische Rolle spielte der S. im Gallischen Krieg 54 v. Chr. (Caes. Gall. 7,57–62). Bereits 52 v. Chr. und später 296 n. Chr. im Krieg des Constantius [1] gegen → Allectus diente das Mündungsgebiet des S. als Basis für Operationen gegen Britannia (Strab. 4,3,3; Paneg. 5,14). Als Wasserstraße war der S. sowohl mil. (Not. dig. occ. 42,23) als auch wirtschaftlich von Bed. (vgl. in Schifferkorporationen organisierte *nautae*: CIL XIII 3026; [1. 3132f.]).

Eine inschr. bezeugte Dea Sequana (CIL XIII 2859–2865; ILS 9312) wurde an der Quelle des S. 8 km von Saint-Seine entfernt verehrt. Die Tempelanlage (zuletzt 1963–1967 ergraben) liegt an der Ostseite des Tals und erstreckt sich über drei Ebenen. Auf der obersten wurde die Quelle in einem von einem großen Peristyl umgebenen Bassin aufgefangen, weiter unten liegt ein *fanum*, auf mittlerer Ebene ein um ein großes rechteckiges Bekken angelegtes elliptisches Gebäude. In der Talsohle, wurden 278 Holzfiguren gefunden; einzigartig sind auch die Votive in Stein (381) und Metall (256). Die Darstellungen von symbolischen »Scheinopfern« (z. B. Kinder, die ein Hündchen tragen) lassen auf eine Form von Sühneprozession schließen, vergleichbar mit der Liturgie der röm. → Robigalia. Bes. das Quellwasser des S. wurde als Göttin verehrt, verbunden mit der Idee von Reinheit, Wiederauferstehung und Rückkehr zum urspr. (Gesundheits-)Zustand (vgl. z. B. »anatomische« Spenden, die die direkte Lokalisierung eines körperlichen Leidens abbildeten – Glieder, Brüste, Geschlechtsteile, Augen, Torsi, innere Organe, Köpfe). Schriftliche Zeugnisse auf Votivgaben beziehen sich auf die Dedikanten. Die Statuen zeigen reiche Gönner des Heiligtums. Das Heiligtum war vom 1. bis zum 4. Jh. aktiv. Funde im Musée Archéologique von Dijon.

1 Espériandieu, Rec. 3.

S. Deyts, Les bois sculptés des sources de la Seine, 1983 • Dies., Un peuple de pelerins, 1994 • TIR M 31, 1975, 186f.

F. SCH.

Sequani (Σηκοανοί, Σηκουανοί). Keltisches Volk, ethnisch und kulturell mit nord- und ostgallischen Stämmen verwandt, in vorgesch. Zeit wohl erst am Sequana [1] (Seine), später in der h. Franche-Comté lebend. Mitte des 1. Jh. v. Chr. folgte auf das Königtum des Catamantaloedes ein Adelsregime (Caes. Gall. 1,3,4). Gegen die → Haedui riefen die S. Germani ins Land und mußten große Teile ihres Territoriums an diese abtreten (Caes. Gall. 1,31). Die Kämpfe → Caesars gegen die → Helvetii und Ariovistus 58 v. Chr. brachten die S. in Anhängigkeit von Rom (Caes. Gall. 1 passim; Cass. Dio 38,32; Liv. epit. 104). Das von Germani annektierte Gebiet wurde teilweise der *colonia* Augusta [4] Raurica zugeschlagen.

Das unter Augustus als *civitas* organisierte Gebiet der S. grenzte im NO an den Rhenus (Rhein; Caes. Gall. 1,1,5; 4,10,3; Strab. 4,3,4; 4,6,10), im Osten mit dem Iura an die Helvetii (Caes. Gall. 1,2,3; 1,8,1; Strab. 4,3,4; 4,6,11), im Westen und NW mit dem Arar an Haedui und Lingones (Caes. Gall. 1,12; 7,66,2; Strab. 4,1,11; 4,3,2; 4,3,4), im Süden an den oberen Rhodanus (Rhône; Caes. Gall. 1,33,4; 7,64,7f.), während weiter westl. davon die Ambarri siedelten. Das Grenzgebiet im Norden zu den Leuci war nur dünn besiedelt (Vosegus). Bei der gallischen Verwaltungsreform 16/13 v. Chr. kam die *civitas* der S. mit Vesontio als Hauptort zur Prov. Belgica; sie wurde unter Domitianus 82/90 n. Chr. der neugegr. Prov. Germania Superior zugeschlagen (Ptol. 2,9,21). 21 n. Chr. schlossen sich die S. dem Aufstand der Haedui (→ Iulius [II 126]) an (Tac. ann. 3,45). 68/9 kämpften sie auf seiten des Iulius [II 150] Vindex für Galba und wurden dafür wohl mit dem *ius Latii* belohnt (Cass. Dio 63,24; Tac. hist. 4,67; Tac. ann. 1,51,4). Die nun einsetzende Blütezeit währte bis in die 2. H. des 2. Jh., als eine Regression der urbanen Infrastruktur bes. in Vesontio und Epamanduodurum (h. Mandeure) eintrat. Die Unruhen bei den S. unter Marcus [2] Aurelius (SHA Aur. 22,10) sind wohl als soziale Spannungen aufgrund fiskalischer Belastungen zu verstehen. Im Rahmen der Provinzreform unter → Diocletianus wurde die Gebietskörperschaft der S. wie die der Rauraci und Helvetii zusammen mit Equestris (h. Nyon) zur Prov. Sequania bzw. Maxima Sequanorum zusammengefaßt (Notitia Galliarum 9,1; Not. dign. occ. 1,109; 3,23; 22,11; 22,13) und diese wiederum in eine Reihe kleinerer administrativer Zentren aufgegliedert. Nach 443 okkupierten die → Burgundiones das gesamte Gebiet der S.; es wurde 534 in das Frankenreich eingegliedert.

1 B. Fischer, Le premier monnayage des S., in: Ét. Celtiques 25, 1988, 69–78.

M. Gschaid, Die röm. und gallo-röm. Gottheiten in den Gebieten der Sequaner und Ambarrer, in: JRGZ 64, 1994, 323–469 • J. B. Keune, s. v. S., RE 2 A, 1639–1658 • M. Mangin, Zur Besiedlung der Franche-Comté während der Römerzeit, in: Offa 44, 1987, 153–173 • H. Walter, La Franche-Comté romaine, 1979.

F. SCH.

Sequester. Wörtlich wohl (von *secare*, »trennen«) eine von den Parteien getrennte, neutrale Person. Nach dem spätklass. röm. Juristen Modestinus (3. Jh. n. Chr.) ist *s.* derjenige, bei dem mehrere eine Sache hinterlegen, um die es einen Streit gibt (Dig. 50,16,110). Bis zu dieser Zeit hinterlegten die Parteien meist freiwillig außerprozessual die Sache, um deren Herausgabe sie stritten; in Einzelfällen, etwa Dig. 43,30,3,6 (Kindsherausgabe), konnte der → Praetor allerdings diese Hinterlegung auch von Amts wegen anordnen. Dadurch nahm die Sequestration allmählich die Form eines dinglichen Arrestes (also eines einstweiligen Rechtsschutzes) an. Der prozessuale Kontext war jedoch, auch wenn er faktisch wohl vorherrschte, zu keiner Zeit Wesensmerkmal des *s.* (Paul. Dig. 16,3,6). Von diesem Kontext hing es auch ab, ob z. B. die Ersitzungsfrist für den Besitzer lief oder nicht (Dig. 41,2,39). Den hinterlegenden Personen haftete der *s.* mit der *actio depositi sequestraria* (»Herausgabeklage gegen den *s.*«, Dig. 16,3,12,2).

É. JAKAB, Vom sequestrum der legis actiones bis zum verbindlichen »Gerichtsdeposit« des Prozeßgegenstandes, in: Studia in honorem Elemer Polay, 1985, 235–243 • M. KASER, K. HACKL, Das röm. Zivilprozeßrecht, ²1996, 294. C. PA.

Sera (Σῆρα). Nach Marinos [1] aus Tyros, der sich auf einen griech. Reisebericht (um 100 n. Chr.) stützt, lag die Stadt S. am Endpunkt der → Seidenstraße (Ptol. 1,11,3–6 und 6,13,1); das kann sich auf das westl. oder östl. Ende beziehen. Die fragliche westl. Stadt wäre im Gebiet des h. Kaschgar zu suchen, für die östl. Stadt wäre Liang-tchou in Gansu zu nennen. Für die Gleichsetzung mit Kaschgar spricht die Beschreibung der → Seres als blond und blauäugig (Plin. nat. 6,87). Als *mētrópolis tōn Sérōn* (»Hauptstadt der Serer«) stellte Marinos sie sich fälschlich nicht als Grenzstadt, sondern als Zentrum der Σηρική/*Sērikḗ* (»Seidenland«) vor; letzteres identifiziert er mit dem Hinterland von Küsten-China (*Sínai*: Ptol. 1,17,4) und weiß, daß der Hoang-Ho dort entspringt (ebd. 6,16,3). B. B. u. F. L.

Seraf(im) (hebr. *sārāf*, Pl. *sᵉrāfîm*, vom Verb *srf*, »brennen«; griech. σεραφιν, lat. *seraphin*). At. Bezeichnung der Kobra-Schlange (vgl. den ägypt. Uräus). Neben der natürlichen von diesem Tier ausgehenden Bedrohung (Dtn 8,15; Nm 21,9) spielt in der at. Überl. bes. der apotropäische Aspekt eine Rolle: Ein an einer Stange befestigter S. wehrt auch die Schlangenplage im Lager der Israeliten ab (Nm 21,7–10). Zahlreiche Siegelfunde v. a. ab dem 8. Jh. v. Chr. zeigen den ägypt. Ursprung der Vorstellung. S. konnten auch geflügelt dargestellt werden. Eine dezidierte Uminterpretation und Weiterentwicklung findet sich in Jes 6,1–4, wenn die S., die den im Heiligtum thronenden Gott umgeben, bei der Proklamation der Heiligkeit Gottes mit ihren Flügeln ihr Angesicht verhüllen. So wird zum Ausdruck gebracht, daß die Numinosität Gottes so gewaltig ist, daß sich sogar diese mit höchster Macht vorgestellten Wesen schützen müssen. Mit der Entwicklung einer ausdifferenzierten Angelologie werden die S. als Engelswesen vorgestellt (äthHen 61,10; 71,7).

O. KEEL, Jahwe-Visionen und Siegelkunst, 1977, 115 • Ders., C. UEHLINGER, Göttinnen, Götter und Gottessymbole, 1992, 311–314. B. E.

Serapeum (Σαραπεῖον, Σαράπιον).
[1] Bezeichnung für Begräbnis- und Kultstätte des verstorbenen Apisstieres in Memphis (→ Apis [1]), davon abgeleitet generell für Kultbauten des Gottes → Serapis in der griech.-röm. Welt.
[2] Als Wiedergabe mutmaßlich äg. Bezeichnungen wie *pr-wsjr-hp* Ortsname in griech. und lat. Quellen (s. dazu [1]). Nach der → Tabula Peutingeriana gab es drei derartige Orte im Nildelta; einer befand sich an der Straße, die von Heliopolis [1] durch das Wādī ṭ-Ṭumailāt über Hero (d. h. Hērōōnpolis) über S. nach Klysma führte. Die genaue Lokalisierung ist unsicher.

1 H. KEES, s. v. S., RE 2 A 2, 1923, 1665 JO. QU.

Serapion (Σεραπίων).
[1] S. aus Antiocheia, mathematischer Geograph, von Plin. nat. 1,2 *gnomonicus* (»Schattenmesser«) genannt; sein Zeitgenosse Cicero erhielt 59 v. Chr. von Atticus S.s geogr. Abh. als neueste Quelle für seine geplanten *Geographica*, verstand jedoch kaum ihren Inhalt (Cic. Att. 2,4,1). Cicero fand darin eine heftige Kritik des S. an → Eratosthenes [2] (ebd. 2,6,1). S. veranschlagte den Umfang der → Sonne auf das 18fache der Erde (Anecd. Par. 1,373,25f) und verfaßte Handtafeln zur Umrechnung von bürgerlichen in astronomische Stunden (Theon zu Ptol. Syntaxis 1,10).

Vielleicht war er Schüler des → Hipparchos [6], aber kaum identisch mit dem Astrologen S. von Alexandreia (CCAG 8,4, 1922, 225–232; [3] gegen [2]).

1 A. KLOTZ, W. KROLL, s. v. S. (4), RE 2 A, 1666f. 2 W. und H. G. GUNDEL, Astrologumena, 1966, 113f. 3 D. PINGREE, Rez. von [2], in: Gnomon 40, 1968, 278. W. H.

[2] War mit Dioskurides [6] Gesandter des Ptolemaios [18] XII. in Rom und ging mit jenem für Caesar zu → Achillas (Caes. civ. 3,109,3f.), wo einer der beiden ermordet wurde (Liv. fr. 50; Cass. Dio 42,37,2). Sollte S. überlebt haben, so war er 43 v. Chr. Stratege Zyperns, unterstützte Cassius [I 10] gegen Cornelius [I 29] Dolabella, weswegen er im Juli 43 nach Tyros floh, von wo aus ihn Antonius [I 9] an Kleopatra [II 12] VII. auslieferte (App. civ. 4,262; 5,35).

H. HEINEN, Rom und Äg. von 51 bis 47 v. Chr., 1966, 100–106. W. A.

[3] 1./2. Jh. n. Chr., Freund von → Plutarchos [2] (Plut. de Pyth. or. 396d; Plut. symp. 628a), der ihn als Dichter bzw. Dithyrambiker einführt und als Stoiker und Archaisten charakterisiert. Vermutlich ist er mit dem von Stob. 3,10,2 zitierten Tragiker S. identisch (TrGF I 185).

U. v. WILAMOWITZ-MOELLENDORFF, KS 2, 1941, 217f. B. Z.

[4] Ägypt. Astrologe, der neben anderen Wahrsagern im J. 217 n. Chr. dem Kaiser → Caracalla sein baldiges Ende voraussagte und dabei auf den Gardepraefekten → Macrinus, den später nachfolgenden Kaiser, zeigte. Caracalla ließ S. einem Löwen vorwerfen, der ihn aber nicht anrührte. So mußte S. auf andere Weise getötet werden (Cass. Dio 79(78),4,4f.).

1 F. H. CRAMER, Astrology in Roman Law and Politics, 1954, 215 2 A. STEIN, s. v. S. (1), RE 2 A, 1666. W. H.

[5] S. von Thmuis (griech. häufiger Σαραπίων/*Sarapíōn*). Bischof des unterägypt. Thmuis (um 300 – nach 370 n. Chr.). Zunächst Asket und Vorsteher einer

Mönchskolonie (→ Mönchtum), wurde der rhet. begabte S. vor 335 n. Chr. Bischof. In enger Verbindung stand er mit dem Mönchsvater Antonios [5] und dem Bischof → Athanasios von Alexandreia, in dessen Auftrag er immer wieder tätig wurde (336/7 Kampf gegen Anhänger des → Melitios von Lykopolis; Durchsetzung der vierzigtägigen Fastenzeit in Ägypten). Im J. 353 vertrat er die Interessen des Athanasios am Kaiserhof in Mediolanium [1] (Mailand). Nach dessen Flucht 356 wandte er sich gegen Arianer (→ Arianismus) und die von diesen abgespaltenen sog. Tropiker, die die Gottheit des Hl. Geistes bestritten. S., der in seiner Theologie Athanasios folgt, verfaßte um 330 den ersten christl. Traktat gegen die Manichäer (*Adversus Manichaeos*, CPG 2485; dt. Übers. [1. 164–204]; → Mani). Neben Briefen an die Nachfolger des Antonios (CPG 2487) und an den Bischof Eudoxios (CPG 2486) sind zahlreiche Fr. und unechte Schriften überl. [1. 67–105]. Das sog. *Euchologium*, eine Slg. von 30, mit einer Anaphora beginnenden Gebeten (Text, engl. Übers. [2. 46–81]) ist eine wohl Mitte des 4. Jh. entstandene Kompilation älteren Materials. Genese, liturgische Verortung und Verbindung mit S. sind umstritten ([3]; S. als Kompilator: [2. 283 f.]).

1 K. Fitschen, S. (Patristische Texte und Stud. 37), 1992
2 M. E. Johnson, The Prayers of Sarapion of Thmuis (Orientalia Christiana Analecta 249), 1995 3 Ders., Baptismal Rite and Anaphora in the Prayers of Sarapion of Thmuis, in: Worship 73, 1999, 140–168. J. RI.

[6] S. von Alexandreia. Sonst unbekannter Verf. eines einzigen Grabepigramms aus dem »Kranz« des → Philippos [32]: der verzagte, in höfischer und kühner Sprache gehaltene Dialog zw. einem Passanten und dem Schädel eines verstorbenen ›unablässigen Arbeiters‹ (Anth. Pal. 7,400).

GA II.1, 376 f.; 2, 409 f. M. G. A./Ü: T. H.

Serapis (Σάραπις/*Sárapis*, auch Σέραπις, lat. *Serapis*), urspr. äg. Stiergott mit Hauptkult in Memphis, seit dem Hell. im Mittelmeergebiet weit verbreitet.

I. Ägypten II. Griechisch-römische Antike

I. Ägypten

Die griech. Form Sarapis (Σάραπις) bzw. in späteren Quellen Serapis (Σέραπις) geht auf die Verbindung *Wsjr-Ḥp* (Osiris – Apis [1]) zurück, die in den ältesten Quellen aus Memphis noch als οσεραπις wiedergegeben wird, so im ›Fluch der Artemisia‹ (UPZ 1; 4. Jh. v. Chr.). Durch Auffassung des Anlauts als Artikel (ὁ) wurde er abgetrennt, woraus die spätere Namensform entstand. Der äg. Komponente des Gottes liegt somit die Totenform des hl. Stieres von → Memphis zugrunde, wobei der Totengott → Osiris theologisch von größerer Bed. ist. Innerhalb des äg. Quellenmaterials ist S. landesweit im ptolem. Königseid belegt, wo er in der traditionellen Lautform *Wsjr-Ḥp* neben → Isis und »allen Göttern Ägyptens« erscheint [3. 163–171]. Zweisprachige Inschr. des → Serapeums von Alexandreia [1] nennen hieroglyphisch ebenfalls diese Form als Entsprechung zu S. [5]. Darüber hinaus tritt er in Äg. fast nur im memphitischen Bereich auf. Der erh. äg. Kultbau im Serapeum von Memphis geht auf → Nektanebos [2] II. zurück, jedoch sind inschr. und durch Spolienblöcke ältere Kultbauten der Ramessidenzeit (13./12. Jh. v. Chr.) gesichert. PKairo CG 31045 (saïtisch) und 50117 (ptolem.) zeigen Briefe der Gläubigen an den Gott *Wsjr-Ḥp* [2]. Der memphit. äg. *Wsjr-Ḥp* ist weniger exklusiv hervorgehoben als der griech. S., er steht neben anderen verstorbenen hl. Stieren wie dem *Wsjr-Mr-wr* (Osiris-→ Mnevis) aus Heliopolis [4. 12]. Ebenso wird in memphit. Dokumenten neben Osiris-Apis auch der lebende → Apis [1] thematisiert.
→ Stierkulte

1 D. Kessler, Die hl. Tiere und der König, 1989, 56–101
2 A.-G. Migahid, Demotische Briefe an Götter, 1986
3 M. Minas, Die hieroglyphischen Ahnenreihen der ptolem. Könige, 1999 4 J. Ray, The Archive of Hor, 1976
5 A. Rowe, Discovery of the Famous Temple and Enclosure of S. at Alexandria, 1946 6 UPZ, Bd. 1. JO. QU.

II. Griechisch-römische Antike

Der Nachfolger Alexandros' [4] d. Gr., Ptolemaios [1] I. Soter, erkannte als neuer Herrscher in Äg. schnell die Wichtigkeit des dortigen S.-Kultes; so gab er 50 Talente für das Begräbnis eines Apis-Stieres (Diod. 1,84,8; [1]). Die erh. Quellen nennen die ersten drei ptolem. Herrscher als Gründer des → Serapeums in Alexandreia [2; 3]. Ptolemaios I. ließ auf Geheiß eines Traumes die Statue des Pluton(?) aus Sinope nach Alexandreia [1] bringen; der neue Gott wurde S. genannt; → Bryaxis soll die erste Kultstatue geschaffen haben (Tac. hist. 4,83 f.; Plut. Is. 361f–362e; Clem. Al. protreptikos 4, 48,1–3). Griech. Quellen stellen S. dem → Dionysos, → Hades, → Zeus und → Asklepios gleich (Diod. 1,25). Das ikonographische Merkmal dieses synkretistischen Gottes ist der → *kálathos* (»Korb«) mit Kornähren auf gelocktem Kopf [4]. Zusätzlich kann der letzte Teil des Namens S. auch mit dem in Äg. verstorbenen griech. König Apis in Zusammenhang gebracht werden. Diese Mehrdeutigkeit kann den dyn. Ansprüchen der → Ptolemaier nur von Nutzen gewesen sein: Als Schutzgottheit Alexandreias (πολιεύς, *polieús*) evozierte der hell. S. als teils äg. (*Wsjr-Ḥp*), teils ptolem. Gott die unterschiedlichen kulturellen Trad. Als solcher nahm er die Eigenschaften des urspr. Isis-Gemahls → Osiris an. Obwohl S. der Adressat von Gebeten und Weihungen wurde, zusammen mit → Isis auf Monumenten erschien und in enger Verbindung mit der königlichen Familie stand, verdrängte er Osiris im myth. und rituellen Kontext nicht; diesem verblieb die zentrale kultische Position.

Rasch erfolgte die Verbreitung des S.-Kultes im Mittelmeerraum. Tempel finden sich z. B. in Athen (Paus. 1,18,4 f.; 4. Jh. v. Chr.) und Korinth (Paus. 2,4,6). S.-Anhänger organisierten sich als *Sarapiastaí* in *thíasoi*

(→ *thíasos*; → Vereine). Die größte Konzentration von Inschr. und Heiligtümern findet sich auf Delos (Quellen: [5]). Dort waren zuerst nur Ägypter Priester äg. Gottheiten, seit dem E. des 3. Jh. v. Chr. auch Einheimische und athenische Bürger [6]. Es waren wohl v. a. Händler, die S. nach It. brachten. In der republikanischen und frühen Kaiserzeit erscheint S. allerdings dort nur im Zusammenhang mit Isis; in diesem Zusammenhang steht auch die Erhebung des S.-Kultes zu einem öffentlichen Kult (*sacrum publicum*) in Rom.

Ausschlaggebend für die Verbindung von S. mit dem Kaiserhaus war → Vespasianus, der in Alexandreia zum *princeps* ausgerufen wurde und dessen bes. Beziehung zu S. belegt ist (z. B. Tac. hist. 4,81; [7]). Ios. bell. Iud. 7,123 f. berichtet, Vespasianus und Titus hätten die Nacht vor ihrem Triumphzug 71 n. Chr. nach dem Sieg im jüd. Krieg im *Iseum Campense* verbracht. Zu diesem Tempelkomplex gehörte, wenn nicht schon gleich danach, so doch sicherlich seit Domitianus' umfassender Renovierung nach einem Brand in den 80er Jahren des 1. Jh. auch ein Serapeum, das sich an den Tempel der Isis anschloß [8]. Alexandrinische Mz. und auch ein Kameo zeigen Kaiser → Hadrianus und → Faustina [2] als S. und Isis – vielleicht auch ein Zeugnis der Berufung auf ptolem.-griech. Trad. [9. Nr. 137]; in hadrianischer Zeit dokumentiert die griech. Formel Διὶ Ἡλίῳ μεγάλῳ Σαράπιδι (›für Zeus Helios den Großen S.‹) auch zuerst die Verbindung zu Helios (→ Sol). Unter Commodus erscheint S. auf Mz.-Prägungen; die Junktur *Serapidi Conservatori* bezieht sich auf S.' Funktion als Schützer der Transportschiffe aus der getreidereichen Prov. Ägypten. Porträts des Septimius Severus bilden diesen mit ikonographischen Merkmalen des S. ab, v. a. mit den in die Stirn fallenden Haarlocken. Hier zeigt sich die Konvergenz röm. und pharaonisch-ptolem. Dyn.-Ideologien. Caracalla dedizierte dem S. in Alexandreia das Schwert, mit dem er seinen Bruder und Mitregenten ermordet haben soll (Cass. Dio 77,23,3; 78,7,3 f.), und ließ einen Tempel für S. auf dem Quirinal in Rom erbauen [10] – möglicherweise als Pendant zum Tempel des → Iuppiter Optimus Maximus auf dem Kapitol.

Auf Mz., die aus Anlaß der öffentl. Gelübde (*vota publica*) zu Jahresbeginn geprägt wurden, und auf → Kontorniaten, die von röm. Kaisern als Neujahrsgaben an die Bevölkerung verteilt wurden, erscheint auch S. bis in das 5. Jh. n. Chr. [11; 12]). Im 5. Jh. mag S. für einige eine rel. Bed. gehabt haben, für andere fungierte er als eine Abstraktion Äg.s; das Getreide aus dieser Prov. war für Anhänger aller Rel., auch die Christen, eine unentbehrliche Garantie des öffentl. Wohlergehens (→ *salus publica*). Aufgrund von Theodosius' Religionsedikt, das das Christentum zur einzigen Staatsreligion erklärte, kam es 391 n. Chr. unter der Aufsicht des Patriarchen Theophilos zur Zerstörung des alexandrinischen Serapeums.

1 D. J. Thompson, Memphis under the Ptolemies, 1988, 212–265 **2** P. M. Fraser, Ptolemaic Alexandria, Bd. 1, 1972, 246–259 **3** J. Stambaugh, S. under the Early Ptolemies (EPRO 25), 1972 **4** G. Clerc, J. Leclant, s. v. S., LIMC 7.1, 666–692; 7.2, 504–518 **5** L. Vidman, Sylloge Inscriptionum Religionis Isiacae et Sarapiacae (RGVV 28), 1969 **6** F. Dunand, Le culte d'Isis dans le bassin oriental de la Méditerranée (EPRO 26), 1973 **7** A. Henrichs, Vespasian's Visit to Alexandria, in: ZPE 3, 1968, 51–80 **8** K. Lembke, Das Iseum Campense, 1994 **9** T. Tam Tinh, s. v. Isis, LIMC 5.1, 761–796; 5.2, 501–526 **10** R. S. Valenzani, s. v. Serapis, LTUR 4, 302 f. **11** A. Alföldi, Die alexandrinischen Götter und die Vota Publica am Jahresbeginn, in: JbAC 8/9, 1965–66, 53–87 **12** Ders., E. Alföldi, Die Kontorniat-Medaillons, 1990.

G. Hölbl, s. v. S., LÄ 2, 870–874 • W. Hornborstel, S., 1973 • R. Merkelbach, Isis regina, Zeus S., 1996 • S. A. Takács, Isis and S. in the Roman World, 1995 • L. Vidman, Isis und S. bei den Griechen (RGVV 29), 1970.

S. TA.

Serben (Σέρβοι). Die serbische Frühgesch. ist wie die kroatische durch die Quellenlage nur sehr umrißhaft bekannt: Außer einer kurzen Erwähnung in den karolingischen Reichsannalen (Annales regni Francorum, MGH SS 1,209: *ad Sorabos, quae natio magnam Dalmatiae partem obtinere dicitur*) aus dem 9. Jh. n. Chr. gibt es nur den Ber. bei Konstantinos [1] Porphyrogennetos (de administrando imperio 32 Moravcsik/Jenkins) im Anschluß an die beiden – einander widersprechenden – Kroatenkapitel (Kap. 30 und 31). Demnach wären die S. gegen 623 n. Chr. auf Einladung von Kaiser → Herakleios [7] aus ihrer Heimat ›jenseits der Türken 〈gemeint: die Ungarn〉 ... in der Nachbarschaft des Frankenreiches‹ in ihren späteren Sitzen angesiedelt worden. Herakleios wird ebd. auch ihre Christianisierung zugeschrieben (s.u.). Konstantinos gibt im Anschluß daran (Z. 30 ff.) einen Ber. über die früheste serb. Staatenbildung und das Verhältnis zu Byzanz (→ Byzantion) und dem nach SW hin expandierenden → Bulgarischen Reich (vgl. dazu [2. 35 ff.; 4]). Wie auch bei den übrigen Kap., die sich mit der frühma. Gesch. des → Illyricums beschäftigen, ist nicht ganz klar, wo alte Überl. vorliegt, wo Stereotypen der byz. Reichsideologie und ihrer Rhet. übernommen worden sind oder wo mit sekundärer Rückprojektion von Verhältnissen des 9./10. in das 7. Jh. oder einfach mit Spekulation zu rechnen ist (so wird der wohl iranische Name S. von lat. *servi* abgeleitet!). Selbst die folgende Herrscherliste des 9./10. Jh. entbehrt nicht chronologischer und sachlicher Probleme (vgl. Komm. zu Konst. Porph., p. 130–137). Fand der Ber. des Konstantinos bis in die 2. H. des 19. Jh. zumeist uneingeschränkt Glauben, so hat ihn die kritische Schule slav. Gesch.-Schreibung zur Gänze abgelehnt (v. a. [1. 107 ff.]; vgl. dazu ausführlich [3. 139 ff.]).

Ein Umschwung trat erst zu Beginn des 20. Jh. ein, als oriental. Quellen die Existenz von nördl. S. bestätigten. Inzwischen scheint gesichert, daß die Verbindung mit den damals noch nicht christianisierten »Sorben« mehr als bloße Spekulation ist: Demnach hätte ein mil. organisierter Stammesverband von aus dem Norden eingewanderten »S.« die Herrschaft über die bereits zuvor eingewanderten Slaven im Raum des späteren Serbien angetreten (vgl. [3. 158ff.], insgesamt viel kritischer als [4]). Das frühe Serbien war somit eine → Sklavinia, wo die röm.-byz. Trad. weitgehend abgerissen waren. Anders als bei den vergleichbaren prästaatlichen Herrschaftsgebilden der Region (Zahlumier usw.) war jedoch der Kern des serb. Staates von der Küste und den dort fortdauernden Trad. der lat. Kirche weitgehend abgeschnitten. Obwohl letzlich unklar ist, inwieweit die Christianisierung von Byzanz, der Küste oder Bulgarien aus erfolgte (vgl. [5; 2. 62ff.]: endgültig zw. 867–874 n. Chr.), haben die S. doch von den Bulgaren die kyrillische Form des → Kirchenslavischen als Liturgiesprache übernommen; lit. sind sie ohnehin für Jh. von ihren Lehrmeistern abhängig geblieben. Die Lösung von der byz. Oberhoheit und der Machtzuwachs der S. unter dem Großžupan Stefan Nemanja fällt erst auf das E. des 12. Jh.; die Zwischenstellung zw. lat. und orthodoxer Christenheit blieb aber erh.: Stefan erhielt zwei Taufen, eine katholische und eine byzantinische.

→ SERBIEN

1 K. JIREČEK, Gesch. der S., Bd. 1, 1911 **2** G. PODSKALSKY, Theologische Lit. des MA in Bulgarien und Serbien 865–1459, 2000 **3** R. KATIČIĆ, Lit.- und Geistesgesch. des kroatischen Früh-MA, 1999 **4** B. FERJANČIĆ, Dolazak Hrvata i Srba na balkansko Poloustvo, in: Zbornik Radova vizantološkog instituta, 35, 1996, 117–154 (serb. mit frz. Zusammenfassung) **5** LJ. MAKSIMOVIĆ, Pokrštavanje Srba i Hrvata, in: Ebd., 155–174 (serb. mit frz. Zusammenfassung).

S. ĆIRKOVIĆ, La Serbie au Moyen Age, 1992, 13–35 • S. GAVRILOVIĆ (Hrsg.), Istorija Srbskog naroda u šest knjiga, Bd. 1, [2]1994, Teil 2, 109–169 (mit Beitr. von J. KOVAČEVIĆ, S. ĆIRKOVIĆ u. a.). J. N.

Serdica (Σερδική, h. Sofia).
I. FRÜHGESCHICHTE BIS RÖMISCHE ZEIT
II. BYZANTINISCHE ZEIT

I. FRÜHGESCHICHTE BIS RÖMISCHE ZEIT

Siedlung der thrakischen Serdoi zw. den Gebirgen Skombros und Haimos am Oescus [1], Straßenknotenpunkt (Itin. Anton. 135,4; Tab. Peut 7,5; Ptol. 3,11,8); h. Sofia. Seit dem 8./7. Jh. v. Chr. besiedelt, entwickelte sich S. im 5./4. Jh. v. Chr. unter den Königen der → Odrysai zu einem Ort mit städtischem Charakter. Licinius [I 13] durchzog im Verlauf seiner thrak. Feldzüge 29/8 v. Chr. siegreich auch das Gebiet der Serdoi (Cass. Dio 51,25,4f.). Ab 45 n. Chr. war S. Standort eines röm. Kastells, seit Traianus röm. *colonia*. Mz.-Prägung ist von Marcus [2] Aurelius bis Gallienus belegt. Seit Aurelianus war S. Hauptstadt der Prov. Dacia Ripensis, seit → Diocletianus der Dacia Mediterranea, unter → Constantinus [1] I. Residenz. Im 4. Jh. Bischofsitz, tagte hier 343 eine Synode zur Lösung des Arianischen Streits (→ Arianismus). Bezeugt sind viele Kulte (Tyche, Serapis, Apollon Iatros, der Thrakische Reiter, Zeus Hypsistos, Mithras, Kybele, Dionysos).

M. STANČEVA, Serdica au Ier-IVe siècle de nôtre ère, in: Izvestija na arheologičeskija institut 37, 1987, 61–74 • B. GEROV, Zemevladenieto v rimska Trakiha i Mizija, 1980, 121–123 • TIR K 34 Naissus, 1976, 113 • A. FROVA, s. v. S., PE, 828f. I. v. B.

II. BYZANTINISCHE ZEIT

Prok. aed. 4,1,31 (Σαρδική) erwähnt die Erneuerung der Mauern durch → Iustinianus [1]. Diese Maßnahme gehörte zu den byz. Versuchen, das Gebiet südl. des Donaulimes gegen die → Slaven zu sichern. Im Gefolge der slav.-avarischen Angriffe wurde S. ein isolierter Vorposten von Byzanz, der erst 809 den Angriffen des Chans Krum erlag [3; 4]. Von da an gehörte S. mit kurzen Unterbrechungen zum 1. → Bulgarischen Reich, (slav. *Sredec* < *Serdica*, woraus byz. Τριαδιτζα; falsch [10]) bis es von Byzanz 1018 für knapp 200 J. zurückgewonnen wurde.

Arch. [5. 269–277] ist die Kirche des Hl. Georg, die auf das 4. Jh. zurückgeht, erwähnenswert (ausführlich [2]) sowie die Kathedrale der Hl. Sophia, die der Stadt im Hoch-MA ihren h. Namen gab; ihr jetziger Zustand (mehrere Vorgängerbauten) dürfte auf das 6. Jh. zurückgehen [6; 7. 255–257]. In der Nähe dieser Kirche liegt eine der wichtigsten spätant. Nekropolen Bulgariens (4.–6. Jh.), z. T. mit Freskenschmuck [8]. Der ant. Stadtplan ist noch h. z. T. im Weichbild von Sofia zu verfolgen [9]. Ferner sind Reste der Wehranlage und von Thermen erh.

1 H. WILHELMY, Hochbulgarien, Bd. 2, 1936 **2** A. E. KIRIN, The Rotunda of St. George and the Late Antique Serdica, 2000 **3** V. GIUZELEV, Die spätant. und frühma. Stadt auf bulgarischem Territorium (6. bis 10 Jh.), in: R. PILLINGER (Hrsg.), Spätant. und frühbyz. Kultur zw. Orient und Okzident, 1986, 21–24 **4** I. VENEDIKOV, S., in: V. BEŠEVLIEV, J. IRMSCHER (Hrsg.), Ant. und MA in Bulgarien, 1960, 161–165 **5** R. F. HODINOTT, Bulgaria in Antiquity. An Archeological Introduction, 1975 **6** B. D. FIVOV, Sofijskata Tsrъkva Sv. Sofija, 1913 **7** R. KRAUTHEIMER, Early Christian and Byzantine Architecture, [4]1986 **8** R. PILLINGER u. a., Corpus der spätant. und frühchristl. Wandmalereien Bulgariens, 1999 **9** M. STANČEVA, Patrimoine archéologique de Sofia, in: Acad. Bulgare de Sciences (Inst. archéologique et Musée), S., Bd. 2, 1989, 6–36 (bulg.) **10** V. GJUZELEV, s. v. Sofia, LMA, 7, 2024f. (mit Lit.) **11** R. BROWNING, s. v. S., ODB 3, 1876 (mit Lit.). J. N.

Serena. Geb. ca. 365 n. Chr. in Spanien, Tochter des → Honorius [2], Nichte des → Theodosius I., der die hochgebildete S. sehr schätzte, sie nach dem Tode ihres Vaters 379 (?) adoptierte und 384 mit → Stilicho vermählte. Aus dieser Ehe stammten → Maria [I 3], → Eucherius [2] und → Thermantia. Bedeutenden Einfluß gewann S. am Hof des von ihr in seiner Kindheit betreuten → Honorius [3]. 408 geriet sie in Gegensatz zu Stilicho, fiel aber dennoch nach dessen Ermordung in Ungnade, wurde in Rom wegen Hochverrats angeklagt und hingerichtet. Claudianus [2], der ihr einige Wohltaten verdankte, schrieb ein Lobgedicht (*Laus Serenae*) auf sie (Claud. carmina minora 30).

PLRE 1, 824. K.G.-A.

Serenos (Σέρηνος). Mathematiker aus Äg. (Antinoupolis), lebte wahrscheinlich im 4. Jh. n. Chr. S. verfaßte zwei (vollständig erh.) Schriften über Kegelschnitte: In Περὶ κυλίνδρου τομῆς (*Perí kylíndru tomḗs*, ›Über den Schnitt eines Zylinders‹; Ed. [1. 2–117], Übers. [2; 4. 1–64]) beweist er Sätze über die Gleichheit von Zylinder- und Kegelschnitten und über die Projektion des Zylinders in die Ebene. In Περὶ κώνου τομῆς (*Perí kṓnu tomḗs*, ›Über den Schnitt eines Kegels‹; Ed. [1. 120–303], Übers. [3; 4. 65–167]) werden Sätze und Aufgaben über Schnitte behandelt, die durch die Kegelspitze laufen und daher dreieckig sind. S.' Komm. zu den Κωνικά (*Kōniká*, ›Kegelschnitte‹) des → Apollonios [13] ist bis auf ein Fr. bei → Theon von Smyrna (Ed. [1. XVIII f.]) verloren.

1 J. L. Heiberg (ed.), Sereni Antinoensis opuscula, 1896 **2** E. Nizze, Serenus von Antissa: Ueber den Schnitt des Cylinders, 1860 **3** Ders., Serenus von Antissa, Ueber den Schnitt des Kegels, 1861 **4** P. Ver Eecke, Serenus d'Antinoë: Le livre ›De la section du cylindre‹ et le livre ›De la section du cône‹, 1929 **5** T. L. Heath, A History of Greek Mathematics, Bd. 2, 1921, 519–526 **6** I. Bulmer-Thomas, Dictionary of Scientific Biography, 12, 1975, 313–315.

M.F.

Serenus

[1] Quinctius S. Sammonicus (auch *Quintus Serenius*). Verf. des *Liber medicinalis*, einer Slg. therapeutischer Rezepte, die sich weder sicher datieren noch identifizieren läßt; Q. wurde zuweilen mit S. [2] Sammonicus oder mit dessen Sohn (Septimius [II 6] S. Sammonicus) identifiziert (beide Anf. 3. Jh. n. Chr. gest.). Die Slg. (datiert vom 2. bis 4. Jh. n. Chr.) läßt sich chronologisch nicht exakt einordnen. Sie ist in Hexametern abgefaßt und umfaßt 64 Rezepte, in zwei Abschnitte eingeteilt: Rezepte zu Krankheiten, die einzelne von Kopf bis Fuß aufgelistete Organe betreffen (V. 11–788 = Rezepte 1–41); allg. Erkrankungen wie Verletzungen, Fieber, Brüche und Verrenkungen, Schlaflosigkeit, Starrsucht (Katalepsie), Epilepsie, Gelbsucht, Zahnschmerzen, Verbrennungen oder Vergiftungen (V. 789–Ende = Rezepte 42–64).

Die Quellen lassen sich nicht genau bestimmen; das Werk weist zahlreiche Gemeinsamkeiten mit → Celsus [7] und der nicht genauer datierten → *Medicina Plinii* auf. Wie der Verf. selbst mitteilt, war es für Nichtspezialisten bestimmt; dies begründet seine Versform, die nach traditioneller Interpretation das Auswendiglernen erleichtert. Die *editio princeps* wurde wohl 1474 in Venedig herausgegeben.

Ed.: F. Lombardi, Il Liber medicinalis di Quinto Sereno Sammonico, 1956 · R. Pepin, Quintus Serenus (Serenus Sammonicus), Liber medicinalis, 1950 (mit frz. Übers.) · C. Ruffato, La medicina in Roma antica: il Liber medicinalis di Quinto Sereno Sammonico, 1996 (mit it. Übers.) · F. Vollmer, Quinti Sereni Liber Medicinalis, 1916.

Lit.: K.-D. Fischer, K. Smolak, s. v. Q. S., HLL 5, 1989, 315–320 (§ 556) · F. E. Kind, s. v. S. (7) Sammonicus, RE 2 A, 1675–1677 · J. H. Phillips, The Structure of the Liber medicinalis Quinti Sereni, in: G. Sabbah (Hrsg.), Le latin médical (MPalerne 10), 1991, 337–350 · P. van de Woestijne, Index verborum in Quinti Sereni librum medicinalem, 1941.

A.TO./Ü: T.H.

[2] S. Sammonicus. Berühmter Gelehrter und Moralkritiker der Epoche des Septimius [II 7] Severus (193–211 n. Chr.; Macr. Sat. 3,16,6 ff.), wie dieser wohl afrikan. Herkunft (zur Identifikation vgl. → Septimius [II 6] S. Sammonicus). Die SHA (Geta 5,6) macht S., der wohl Erzieher der beiden Prinzen war, zum Freund von Severus' Sohn Geta, dessen Bruder → Caracalla er deswegen Ende 211 zum Opfer gefallen sein soll (SHA Car. 4,4). Von seinen teils Septimius Severus, teils Caracalla gewidmeten Büchern, die → Macrobius [1] mehrfach zitiert und benutzt, ist nur der auf einen gramm.-antiquarischen Inhalt deutende Titel *Res reconditae* (mindestens 5 B.) bekannt. Auch sonst ist S. in der Spätant. mehrfach (so bei Arnobius [1], Donatus [3], Sidonius Apollinaris, Lyd. mag. 3,32, mit verfehlter Datier.) benutzt worden.

1 PIR[1] S 122 **2** T. Champlin, S. S., in: HSPh 85, 1981, 189–194 **3** K. Sallmann, in: HLL 4, 597 f. (§ 484, Nr. 3).

P.L.S.

Seres (Σῆρες, lat. auch *Serae*), die »Seidenleute« (vgl. chinesisch *si*, »Seide« [12]). Die früher → Nearchos [2] ([1]; FGrH 133 F 19) zugeschriebene Erwähnung der → Seide (σηρικά/*sērikā*) hat sich als Zusatz Strabons herausgestellt [5. 110[1]], ebenso fraglich ist auch das Zitat des Apollodoros von Artemita bei Strab. 11,11,1: [1. 347; 5. 109]. Um eindeutig chines. Waren handelte es sich bei den seidenen *parapetásmata* (»Vorhänge«) der Spiele Caesars (Cass. Dio 43,24,2) und bei den seidenen Standarten der Parther im Krieg mit Crassus (Flor. epit. 1,46,8). Hinweise auf die S. liefert erst die augusteische Lit. (Verg. georg. 2,121; Hor. carm. 1,12,56; 3,29,27; Ov. am. 1,14,6) und damit auf den Seidenhandel, der indirekt durch die Lieferungen des Kaisers Wu (141–87 v. Chr.) an die Hsiung-nu eingeleitet wurde, die ihrerseits dann die Seide weiter nach dem Westen abgaben [6. 85]. Nach Apollodoros von Artemita (FGrH 779 F 7) trafen die baktrischen Griechen bei einem ihrer Vorstöße auf die S.; nähere Angaben fehlen. Nach Plin. nat. 6,87 waren die S. blond und blauäugig, was durch die Auffindung blonder Trockenmumien im nördl. Xinjiang an Wahrscheinlichkeit gewinnt. Chines. Angaben sprechen ebenfalls von blonden Stämmen in Zentralasien, den Wusun. Verm. bezieht sich die Nachricht bei Apollodoros auf einen Vorstoß der Griechen nach Kaschgar, das vielleicht als → Sera bei den Römern bekannt war.

Anfänglich waren die geogr. Vorstellungen über die S. unzureichend. Sie wurden östl. der → Skythen als

Anwohner des serischen Ozeans (GLM 6,30; 26,6; 45,38; 74,6; 88,38; 92,6; Oros. 1,2,14; 47) oder ganz allg. mit diesen und den Indern im Osten lokalisiert (Mela 1,2,11; 3,7,60; Sil. 6,4; 15,79; 17,595). Uneinheitlich äußert sich Plin. nat. 6,54 (s. dazu [1. 55 f.]); 7,27; 12,2; 12,17; 12,38; 12,84. Der peripl. m.r. 64 GGM 303 hat bereits genauere Kenntnisse, wenn er von der großen Stadt Θῖναι/*Thínai* im Norden der Insel → Chryse spricht; vgl. Σῖναι ἢ Θῖναι/*Sínai ē Tínai* bei Ptol. 7,3,6. Dazu gehört Τζίνιστα/*Tzínista* (vgl. altindisch *Cīnasthāna*, persisch *Činistān*, syrisch *Ṣīnastān*), bei Kosmas Indikopleustes (2,45 ff.). Thinai ist die Hauptstadt von → Sinai [2], der Bezeichnung für Süd-China; anders [7. 145]. Thinai wurde auf dem Seeweg bekannt, bei dem der indische Zwischenhandel eine große Rolle spielte. So ist in den Annalen der Han-Dynastie [1. 49 f.] von einer Gesandtschaft des Herrschers An-tun (Marcus [2] Aurelius Antoninus) aus Ta-tsʾin (Rom) die Rede. Auf intensiven Seeverkehr weisen auch die Funde von Oc-Eo im Mekong-Delta [2. 84]. Aus späterer Zeit stammt die – auf die Landverbindung mit China zurückgehende – Nachricht des Theophylaktos Simokattes (7,7,11 de Boor) von der mächtigen Stadt Ταυγάστ/*Taugást*; vgl. den türk. Namen für China Tavġač) in Nord-China [7. 169]. Gerühmt wurden die Friedensliebe und Milde der S. (Plin. nat. 6,54; Solin. 51; Amm. 23,6,67; Eus. Pr. Ev. 6,120,12 ff.), ihre Gerechtigkeit (Mela 3,7,60) und die große Mauer (Amm. 23,6,64).

Die wichtigsten Waren, die über das Meer und die Karawanenstraßen [7] nach Westen gelangten, waren: Eisen (Plin. nat. 34,145; Oros. 6,13,2), Pfeile und Bogen (Chariton 6,4,2), Kissen (Hor. epod. 8,15) und v.a. die → Seide (σηρικόν/*sērikón*; lat. *sericum*, *seta*). Teilweise richtig informiert Paus. 6,26,6 über die Kultur des Seidenwurmes (σήρ/*sēr*).

1 F. Altheim, Weltgesch. Asiens im griech. Zeitalter, Bd. 1, 1947 **2** Ders., Lit. und Ges. im ausgehenden Alt., Bd. 2, 1950 **3** Ders., Gesch. der Hunnen, Bd. 5, 1962
4 M. Wheeler, Der Fernhandel des röm. Reiches, 1965
5 W. W. Tarn, The Greeks in Bactria and India, 31966
6 H. Franke, R. Trauzettel, Das Chines. Kaiserreich, 1968 **7** N. Pigulewskaja, Byzanz auf den Wegen nach Indien, 1969 **8** M. G. Raschke, New Studies in Roman Commerce with the East, in: ANRW II 9.2, 1978, 604–1378.

B. B. u. FR. SCH.

Sergia. Ältere Schwester des L. Sergius → Catilina, verheiratet mit dem röm. Ritter Q. Caecilius [I 2], der angeblich von seinem Schwager 81 v. Chr. ermordet worden sein soll (Q. Tullius Cic. commentariolum petitionis 9; vgl. Ascon. 84 C). K.-L. E.

Sergiopolis s. Rusafa

Sergios

[1] S. von Rešʿaina. *Archiatrós* (»Oberarzt«), syrischer Übersetzer und Gelehrter (gest. 536 n. Chr.). Am bekanntesten sind seine syr. Übers. mehrerer Werke des → Galenos, der ps.-aristotelischen Schrift *Perí Kósmu* und des ps.-dionysischen Corpus (→ Dionysios [54]). Die frühen syr. Übers. der ›Eisagoge‹ des → Porphyrios und der ›Kategorien‹ des Aristoteles [6] werden ihm in der Forsch. zwar oft zugeschrieben, doch gibt es dafür keine eindeutigen Belege. S. schrieb zwei Einleitungen in syr. Sprache zu den logischen Schriften des Aristoteles und eine kurze Abh. über das geistliche Leben, die das Vorwort zu seiner Übers. des ps.-dionysischen Corpus bildete. Bei der syr. Abh. über die Prinzipien des Universums, die unter seinem Namen überl. ist, handelt es sich um eine Übers. (vielleicht von S.) des verlorenen gleichnamigen Werkes des Alexandros [26] von Aphrodisias in griech. Sprache. Barhebraeus (gest. 1286) behauptete wohl zu Recht, daß S. als erster griech. philos. und medizinische Texte ins Syr. übersetzt habe.

A. Baumstark, Lucubrationes syro-graecae, in: Jbb. für classische Philol. Suppl. 21/5, 1894, 358–384 • H. Hugonnard Roche, Aux origines de l'exégèse orientale de la logique d'Aristote: Serge de Reshʿaina, in: Journ. Asiatique 277, 1989, 1–17 • Ders., Les Catégories d'Aristote ... dans un commentaire syriaque de Serge de Reshʿaina, in: Documenti e studi sulla tradizione filosofica medievale 8, 1997, 339–363 • Ders., Note sur Sergius de Reshʿaina ..., in: G. Endress, R. Kruk (Hrsg.), The Ancient Trad. in Christian and Islamic Hellenism, 1997, 121–143.

S. BR./Ü: S. KR.

[2] S. I. von Konstantinopolis. Patriarch von → Konstantinopolis 610–638 n. Chr. S. wurde um 580 in Syrien geb. und lebte später in Konstantinopolis, wo er vor seiner Wahl zum Patriarchen zuletzt als Diakon an der → Hagia Sophia wirkte. Nach dem Sturz des Phokas [4] krönte S. 610 den neuen Kaiser Herakleios [7], zu dem er bald ein persönliches Vertrauensverhältnis entwickelte. Bei der Belagerung von Konstantinopolis durch Avaren und Perser 626 führte er gemeinsam mit dem → *patríkios* Bonos in Abwesenheit des Kaisers die Regentschaft für dessen minderjährigen Sohn Konstantinos und verteidigte die Stadt erfolgreich.

S. begann schon bald nach seinem Amtsantritt mit der Suche nach einer neuen Unionsformel zur Versöhnung der orthodoxen Kirche mit dem → Monophysitismus in Syrien, Palaestina und Äg. Als diese Gebiete mit dem E. des Perserkrieges 628 nach längerer feindlicher Besetzung unter die Herrschaft des byz. Reichs zurückkehrten, wurde die Lösung der Frage dringlich: Die Kirchenunion wurde tatsächlich 633 verkündet, scheiterte aber am Widerstand beider Seiten. Kurz vor dem Tod des S. erließ Herakleios auf dessen Betreiben und mit Zustimmung des Papstes Honorius I. die sog. *Ékthesis písteōs* (›Darlegung des Glaubens‹), die den Kirchenstreit durch ein Verbot der Diskussion über die Energien in Christus zu beenden versuchte und den → Monotheletismus propagierte, d. h. das Dogma eines Willens in zwei Naturen; doch waren Syrien und Palaestina mit Jerusalem kurz zuvor bereits in die Hand der Araber gefallen, das polit. Ziel der Unionsbestrebungen war also hinfällig geworden.

Die *Ékthesis písteōs* wurde 648 widerrufen, S. selbst auf dem Konstantinopler Konzil von 681 bei der Verurteilung des Monotheletismus postum als Häretiker verdammt.

J. L. VAN DIETEN, Gesch. der Patriarchen, 1972, 1–56, 174–178 · F. CARCIONE, Sergio di Costantinopoli ed Onorio I nella controversia monotelita del VII secolo, 1985. AL. B.

Sergius. Name einer alten patrizischen Familie, nach der die *tribus Sergia* benannt ist. Die Familie ist seit dem 5. Jh. v. Chr mit S. [I 5] auch im Konsulat bezeugt, erlangt aber in histor. Zeit keine dauerhafte Bedeutung. Der Versuch des bekanntesten Angehörigen L. S. → Catilina, wieder das Konsulat zu erreichen, scheiterte mit der »Catilinarischen Verschwörung«.

I. REPUBLIKANISCHE ZEIT

[I 1] S., M.(?) Nach Plutarch (Sulla 32,3; Cicero 10,3) Bruder des L. S. → Catilina, von diesem 81 getötet und nachträglich auf die Proskriptionsliste gesetzt; wohl spätere Erfindung. K.-L. E.

[I 2] S., (L.?). Sohn von → Catilina aus erster Ehe, den dieser angeblich ermordet haben soll, damit Aurelia [2] Orestilla ihn heiratete (Sall. Catil. 15,2; Val. Max. 9,1,9; App. civ. 2,4).

[I 3] S., L. Verm. Freigelassener → Catilinas. Cicero nennt ihn (dom. 13 f.; 21; 89) als Gefolgsmann des Clodius [I 4]. Vielleicht ist er mit dem CIL I² 1882 genannten S. identisch. J. BA.

[I 4] S. Catilina, L. Der Verschwörer, → Catilina.

[I 5] S. Fidenas, L. *Cos. I* 437, *cos. II* 429, Consulartribun 433, 424 und 418 v. Chr. (MRR 1,58 f.; 62; 65; 68; 72; InscrIt 13,1,26; 95–97; 370–377). Anders als Liv. 4,17,7 f., wo S.' Cogn. → Fidenas aus seinem Sieg als *cos. I* über die Fidenaten erklärt wird, bringt die mod. Forsch. dieses Cogn. in Verbindung mit S.' Herkunft aus der nach seiner *gens* benannten, wohl an das Gebiet von Fidenae grenzenden *tribus Sergia* bzw. der verm. hiermit zusammenhängenden Mitgliedschaft in einer Dreierkommission. Diese wurde nach Livius (4,30,5 f.) im J. 428 eingesetzt zur Unt. und Bestrafung der Unterstützung, die Fidenae den Veientern im Krieg gegen Rom gegeben hatte (vgl. hierzu [1. 560]). In seinem dritten Consulartribunat erlitt er eine Niederlage gegen die Aequer (Liv. 4,46,5 f.).

1 R. M. OGILVIE, A Commentary on Livy Books 1–5, 1965.

[I 6] S. Fidenas, L. Mitglied des als *vitio creatum* (»fehlerhaft gewählten«) vor Ablauf des Amtsjahres abgetretenen Consulartribunencollegiums von 397 v. Chr. (MRR 1,86 f.; InscrIt 13,1,28 f.; 384 f.) und 394 Mitglied einer Gesandtschaft mit einem Weihegeschenk aus der Beute des eroberten → Veii (Liv. 5,28,1–5).

[I 7] S. Fidenas, M. (InscrIt 13,1,28 f.; 380–383). Nach Livius (5,8,4–9,8; 5,11,4–12,2) führte in S.' zweitem Consulartribunat das Zerwürfnis zw. ihm und seinem Kollegen Verginius dazu, daß die Befreiung des von einem röm. Heer unter beider Führung belagerten → Veii gelang, worauf das gesamte Collegium abdanken mußte und S. im folgenden J. zu einer hohen Geldstrafe verurteilt wurde. C. MÜ.

[I 8] S. Orata, C. Wurde durch seinen Reichtum und seine Innovationsfreudigkeit berühmt. Er errichtete um den → Lacus Lucrinus prächtige Villen, die er dann verkaufte. Später begann er, dort Austern zu züchten (Val. Max. 9,1,1; Plin. nat. 9,168). Deswegen kaufte er verm. auch Gebäude von Marius [I 7] Gratidianus zurück. Im Prozeß um deren Belastung vertrat S. der Redner Licinius [I 10] Crassus (Cic. de orat. 1,178). S.' Geschäftssinn verstieß gegen die aristokrat. Werte (deutlich: Plin. nat. 9,168) und so wird er meist als negatives Beispiel der *luxuria* (→ Luxus) verurteilt. So soll S. auch sein Cogn. seinem Lieblingsfisch, der Goldforelle (*aurata/orata*), verdanken (Varro rust. 3,3,10; Colum. 8,16,5; Macr. Sat. 3,15,2 f.).

J. D'ARMS, Romans on the Bay of Naples, 1970. J. BA.

[I 9] S. Silus, L. Der Vater → Catilinas, lebte in bescheidenen Verhältnissen (vgl. über den Sohn Q. Tullius Cic. commentariolum petitionis 9; Sall. Catil. 5,7). K.-L. E.

[I 10] S. Silus, M. Schilderte in einer noch Plinius d. Ä. bekannten Rede als *praetor urbanus* 197 u. a. seine zahllosen Verwundungen in den Feldzügen seit 218 v. Chr., darunter den Verlust der rechten Hand, sowie seine zweifache Flucht aus der Gefangenschaft bei Hannibal [4] (Plin. nat. 7,104–106). Damit verteidigte er sich gegen den Vorwurf der Kollegen, seine Behinderungen schlössen ihn vom Vollzug der Opfer aus. Urgroßvater → Catilinas. TA. S.

II. KAISERZEIT

[II 1] L. S. Paullus. Senator, der wohl aus Antiocheia [5] in Pisidien stammte; *curator riparum et alvei Tiberis* unter Claudius.

HALFMANN, 101 · H. HALFMANN, Die Senatoren aus den kleinasiatischen Prov., in: EOS 2, 603–650.

[II 2] Q. S. Paullus. Proconsul von Zypern um 46/48 n. Chr. (SEG 20,302). Wohl Bruder von S. [II 1]. Er ist der in Apg 13,7 erwähnte Proconsul, mit dem der Apostel Paulus [2] zu tun hatte.

HALFMANN, 101 f.

[II 3] L. S. Paullus. Verm. Sohn von S. [II 1]; *cos. suff.* wohl im J. 70 n. Chr.

H. HALFMANN, Die Senatoren aus den kleinasiatischen Prov., in: EOS 2, 603–650.

[II 4] L. S. Paullus. Nachkomme von S. [II 3]. *Cos. ord. iterum* im J. 168 n. Chr. Vorher Suffektconsul, wohl unter Antoninus Pius. Vielleicht identisch mit dem Proconsul von Asia Servilius Paulus bei Eusebios (HE 4,26,3). Um 168 auch *praefectus urbi*.

HALFMANN, 163 f.

[II 5] L. Serg[ius Paullus? M. Antoni]us Zeno. Praetorischer Statthalter von Cilicia unter → Gordianus [3] III. AE 1990, 991.

[II 6] L. S. Volusius Matidius Heracleidianus. Proconsul von Lycia-Pamphylia wohl im 3. Jh. n. Chr., geehrt von der Stadt Patara.

S. ŞAHIN, Epigraph. Mitt. aus Antalya I, in: EA 31, 1999, 50f. W.E.

[II 7] Neffe des Solomon [2], *magister utriusque militiae* unter Iustinianus [1] I., zuletzt 559 n. Chr. als *patricius* bezeugt, wurde 543/4 Gouverneur (*dux*) der Prov. Tripolitana (Nordafrika). Hier zeigte er sich dem Berberstamm der Leuathen (Λευάθαι) diplomatisch nicht gewachsen und suchte bei seinem Onkel Solomon in Karthago Hilfe. 545/7 ist er als Heerführer in It. bezeugt. Prokopios [3] (BV 2,22,2; HA 5,28) beurteilt seinen Charakter und seine Fähigkeiten negativ.

STEIN, Spätröm. R. 2, 547–551; 553 • PLRE 3B, 1124–1128, Nr. 4. F.T.

Seriphos (Σέριφος). Westl. Insel der → Kykladen (11 km Dm, 75 km², mit dem Turlos von 486 m H; Marmor, Granit, Gneis) mit zahlreichen Buchten und drei vorgelagerten Eilanden (h. Bus, Piperi und Seriphopulon). S. war bereits im 3. Jt. v. Chr. besiedelt (frühkykladische Idole) und wurde in histor. Zeit von → Iones in Besitz genommen (Hdt. 8,48). S. widersetzte sich pers. Tributforderungen und nahm 480 v. Chr. auf griech. Seite an der Schlacht bei Salamis [1] teil (Hdt. 8,46; 48; → Perserkriege). Die Insel war Mitglied des → Attisch-Delischen Seebunds, ab 377 v. Chr. des → Attischen Seebunds. Wiederholt wurde sie von Seeräubern heimgesucht. Seit 84 v. Chr. war S. röm. Die ant. Polis S. lag beim h. Serifos im SO der Insel. Trotz Erzvorkommen (Magnet- und Roteisen, Blei, Kupfer) wurde S. wegen seiner Armut verspottet und war in der Kaiserzeit Verbannungsort (Tac. ann. 2,85; 4,21; Iuv. 6,564; 10,170). Berühmt waren die stummen Frösche von S. (Ail. nat. 3,38; Plin. nat. 8,227). Vgl. auch Pind. P. 12,21; Aristoph. Ach. 542; Skyl. 58; Strab. 10,5,3; 10; Ptol. 3,15,31; Mz.: HN 490; Inschr.: Syll.³ 153,12; 93; 562,81; IG XII 5, 509–519.

PHILIPPSON/KIRSTEN 4, 74–76 • H. RIEDL, W. KERN (Hrsg.), Geogr. Stud. auf S., 1986 • H. KALETSCH, s. v. S., in: LAUFFER, Griechenland, 611f. A.KÜ.

Serius. Altital. *nomen gentile* (SCHULZE 229).

[1] C. Iunius S. Augurinus. *Cos. ord.* im J. 132 n. Chr. (DEGRASSI, FCIR 38).

[2] C. S. Augurinus. Sohn von S. [1]. *Cos. ord.* 156 n. Chr., *procos.* von Africa 169/170 [1. 69f.]. Verm. hatten bereits er und auch sein Vater patrizischen Rang; vgl. CIL VI 1979.

1 THOMASSON, Fasti Africani. W.E.

Sermaioi (Σερμαῖοι). Die von 450/449 bis 432/1 in den Athener Tributquotenlisten (ATL 398f.) genannte und 421 v. Chr. noch einmal veranlagte Stadt dürfte auf der Westseite der Chalkidischen Halbinsel zu suchen sein; ihre spätere Gesch. ist unbekannt.

M. ZAHRNT, Olynth und die Chalkidier, 1971, 223–225. M.Z.

Sermylia (Σερμυλία). Stadt am rechten Ufer des Chavrias südl. des h. Ormilia am Nordende des Golfes von Torone (Hdt. 7,122; Skyl. 66). Die ältesten Zeugnisse für S. sind im 6. Jh. v. Chr. geprägte Silbermz. (HN 207). Nach der zw. drei und sieben Talenten schwankenden Tributhöhe während der Mitgliedschaft im → Attisch-Delischen Seebund zu schließen (ATL 400f.), war S. nach Torone die bedeutendste chalkidische Stadt. Zu Beginn des → Peloponnesischen Krieges fiel S. von Athen ab; Mitte der 420er J. fanden im Gebiet von S. Kämpfe statt (IG I³ 1184); im Nikias-Frieden 421 wurde den Athenern der Besitz der Stadt garantiert (Thuk. 5,18,8). S. prägte vorübergehend Kupfermz. [1], gehörte sicher über viele J. zum Chalkidischen Bund und fiel spätestens 348 v. Chr. in die Hand Philippos' [4] II.; später wurde ihr Territorium wohl der Neugründung Kassandreia (→ Poteidaia) zugeschlagen.

1 D. M. ROBINSON, P. A. CLEMENT, The Chalcidic Mint and the Excavation Coins Found in 1928–1934, 1938, 313.

M. ZAHRNT, Olynth und die Chalkidier, 1971, 225f. M.Z.

Serratus (von lat. *serra*, »Säge«: »sägeförmig, gezackt wie eine Säge«). *Serrati (nummi)* bezeichnen nach Tacitus (Germ. 5) die am Rand sägeartig ausgeschnittenen röm. Denare (→ Denarius) der republikanischen Zeit. Die Schrötlinge der *s.* wurden vor dem Prägen am Rand eingeschnitten. Durch die Einschnitte sollte gezeigt werden, daß die Mz. vollständig aus Silber, nicht aus unedlem Metall bestanden, das lediglich mit Silber überzogen war (→ *subaeratus*).

Ein früher *s.* ist ein Denar des Münzmeisters C. Iuventius Thalna (RRC, 202/1b, Rom) aus dem Jahr 154 v. Chr., der auch ungezackt geprägt wurde (RRC, 202/1a). In größerem Umfang kamen *s.* gegen E. des 2. Jh. v. Chr. in den Umlauf (RRC, 311–314, Rom, 106/5 v. Chr.), die letzten stammen aus den 60er Jahren des 1. Jh. v. Chr. (RRC, 412, Rom, 64 v. Chr.). Vor den Römern prägten die Karthager gegen E. des 3. Jh. v. Chr. goldene *s.*, Anf. des 2. Jh. v. Chr. die Makedonen und Seleukiden bronzene *s.*

1 K. REGLING, s. v. S., RE 2 A, 1743f. 2 SCHRÖTTER, s. v. S., 628. GE.S.

Serreion (Σέρρειον ἄκρα, Σέρρειον τεῖχος, Σέρριον; lat. *Serrheum*). Kap (Strab. 7a,1,48; App. civ. 4,101f.) und Kastell an der Nordküste der Ägäis (→ Aigaion Pelagos), im Westen der Ebene von Doriskos (Hdt. 7,59) im Siedlungsgebiet der thrakischen Satrai, h. Makri westl. vom h. Alexandrupolis. Das vom → Attisch-Delischen Seebund besetzte Kastell wurde 346 v. Chr. von Philippos [4] II. erobert (Aischin. or. 3,82; Demosth. or. 6,64; 7,37; 9,15; 10,8; 65; 18,27; 70). 200 v. Chr. nahm Philippos [7] V. im 2. → Makedonischen Krieg S. der ptolem. Garnison ab (Liv. 31,16,4).

B. Isaac, The Greek Settlement in Thrace until the Macedonian Conquest, 1986, 131 f. • Müller, 98. I.v.B.

Sertorius, Q. Geb. 123 v. Chr. in Nursia (Samnium), aus ritterständischer Familie. Er sammelte 105/4 mil. Erfahrung unter Q. Servilius [I 12] Caepio und C. Marius [I 1] in den Kriegen gegen die → Cimbri und → Teutoni und 98–93 unter T. Didius [I 4] in Spanien, wo er sich bes. auszeichnete und intime Landeskenntnisse erwarb. 91 war S. Quaestor in Gallia Cisalpina und kämpfte dann im Bundesgenossenkrieg [3]. 89 oder 88 scheiterte seine Bewerbung um das Volkstribunat am Widerstand des L. Cornelius [I 90] Sulla, und S. wechselte auf die Seite von Sullas Gegner L. Cornelius [I 18] Cinna. Er half bei der Eroberung Roms durch Marius und Cinna, ließ aber Marius' Sklaventruppen, die die Stadt terrorisierten, niedermachen. 85 (?) Praetor, kritisierte er 83 bei der Rückkehr Sullas die Kriegsführung der marianisch-cinnanischen Führer. Beim Zusammenbruch der cinnanischen Herrschaft übernahm er die beiden span. Prov., mußte sie aber 81 vor dem sullanischen Statthalter C. Annius räumen und ging nach Mauretanien.

80 wurde er von Lusitanern nach Spanien zurückgerufen und avancierte zum Führer der Hispanier und der antisullanischen röm. Exilanten. Mehrere Jahre gelang es ihm, durch seine Courage und die Unterstützung der Einheimischen (die an eine göttliche Inspiration des S. glaubten) den röm. Statthaltern Q. Caecilius [I 31] Metellus Pius und M. Domitius [I 11] Calvinus erfolgreich Widerstand zu leisten, so daß er 77 den größten Teil Spaniens unter seiner Kontrolle hatte; in diesem J. retteten sich auch die Reste der Armee des Consuls 78, M. Aemilius [I 11] Lepidus, unter Führung des M. Perperna [5] Veiento zu ihm. S. versuchte, die Hispanier zu romanisieren und bildete mit einem aus exilierten Römern und Italikern gebildeten »Gegensenat« ein Widerstandszentrum gegen die nachsullanische Herrschaft in Rom. Dem Ziel, von Spanien aus It. zurückzuerobern, sollte 76/5 auch ein Bündnis mit Mithradates [6] VI. von Pontos dienen. Als Cn. Pompeius [I 3] Hispania Ulterior übernahm, konnte S. ihn zunächst am Lauro (bei Sagunt) schlagen. 75 wurde Pompeius am Sucro erneut besiegt, aber S.' Quaestor L. Hirtuleius unterlag bei Segovia dem Metellus, eine dritte Schlacht endete unentschieden. Danach schwand S.' mil. Glück allmählich, und durch sein despotisches Verhalten verlor er die Unterstützung der Hispanier und seiner röm. Anhänger, bis er 73 einer Verschwörung unter Perperna zum Opfer fiel.

S. war neben Caesar und Pompeius der herausragendste Feldherr seiner Zeit. Seine moderate Haltung im Bürgerkrieg, der Widerstand gegen das nachsullanische Regime und sein tragisches Ende spiegeln sich in der sympathischen Bewertung in Sallusts *Historiae* (weitgehend verloren), auf der auch die biographische Hauptquelle, Plutarch, fußt (Plut. Sertorius; dazu [4]); die »röm.« Sicht vertritt Appian (civ. 1,505–538).

1 A. Schulten, S., 1926 2 E. Gabba, Republican Rome, the Army and the Allies, 1976, 103–125 3 Ph.O. Spann, Q. S. and the Legacy of Sulla, 1987 4 C. F. Konrad, Plutarch's Sertorius. A Historical Commentary, 1994
5 Ders., A New Chronology of the Sertorian War, in: Athenaeum 83, 1995, 157–187. K.-L. E.

Serubbabel (Ζοροβαβελ, LXX). Die pseudepigraphische hebr. → Apokalypse des S. entstand verm. Anf. des 7. Jh. n. Chr. in → Palaestina und spiegelt die messianischen Erwartungen der jüd. Bevölkerung wider, die – durch die antijüd. byz. Gesetzgebung bedroht – auf die persische Eroberung Palaestinas hoffte (pers.-byz. Kriege 604–630 n. Chr.; Datier. der Apokalypse ins 4. Jh. oder 5. Jh. [1]). Eingebettet in eine Rahmenhandlung, die Offenbarung der messianischen Erlösung durch → Metatron (einige Mss.: → Michael [1]) an S. (den letzten Herrscher aus dem Geschlecht des → David [1] und Erbauer des 2. Tempels in → Jerusalem), findet sich die Schilderung des endzeitlichen Kampfes zw. dem → Messias, Menahem ben Amiel, und dem Antichrist Armilos (verm. hebr. Form des lat. *Romulus*; seit [3] identifiziert mit dem byz. Kaiser → Herakleios [7]). Der Text enthält zahlreiche originelle Ideen wie die Figur des Armilos, die Schilderung seiner Abkunft von → Satan und einer (Marien-?)Statue oder auch die Rolle der Mutter des Messias, Hefzibah, im endzeitlichen Kampf. Noch ungeklärt ist, wieweit Parodie bzw. Adaptation christl. Glaubensvorstellungen geht ([3; 4]; dagegen [1. 97f.]).

1 J. Dan, Armilus: the Jewish Antichrist and the Origins and Dating of the Sefer Zerubbavel, in: P. Schäfer, M. Cohen (Hrsg.), Toward the Millenium, 1998, 73–104
2 M. Himmelfarb, Sefer Zerubavel, in: D. Stern, M. J. Mirsky (Hrsg.), Rabbinic Fantasies, 1990, 67–90
3 I. Lévi, L'apocalypse de Zorobabel, in: Rev. des Ét. Juives 68, 1914, 129–160; 69, 1919, 108–121; 71, 1920, 57–65
4 P. Speck, The Apocalypse of Zerubbavel, in: Jewish Studies Quarterly 4, 1997, 183–190 5 G. Stemberger, Die röm. Herrschaft im Urteil der Juden, 1983, 138–143.
I. WA.

Servaeus

[1] Q. S. Senator, der als Praetorier Germanicus [2] in den Osten begleitete. Dort wandelte er Kommagene in eine Prov. um (Tac. ann. 2,56,4). Im J. 20 n. Chr. nahm er an der Anklage gegen Calpurnius [II 16] Piso im Senat teil (Tac. ann. 3,13). Später mit Aelius [II 19] Seianus verbunden, wurde er im J. 32 nach dessen Sturz verurteilt, was viele im Senat bedauerten (Tac. ann. 6,7,2).

[2] Q. S. Fuscus Cornelianus. Senator aus Gightis in Africa. Seine Laufbahn führte ihn nach der Praetur zur *cura viae Salariae*, zum Iuridikat *per Calabriam, Lucaniam, Apuliam, Bruttios*. Danach Legat der *legio XIII Gemina* in

Dakien, der *legio I Italica* in Novae in Niedermoesien im J. 227 n. Chr. Ca. 230 praetorischer Legat in Galatia.

W. Eck, s. v. S. (4b), RE Suppl. 14, 663 f.

[3] S. Innocens. Nachkomme von S. [1] [1. 185–190]. Sein Cogn. *Innocens* (»der Unschuldige«) könnte deshalb gewählt worden sein, um auf die Unschuld seines Vorfahren (S. [1]) hinzuweisen [2. 1053]. Suffektconsul im J. 82 n. Chr. (FO² 43).

1 W. Eck, Ein diploma militare aus Moesia superior, in: Chiron 21, 1991, 185–201 2 Syme, RP 3.

[4] C. Sertorius Brocchus Q. S. Innocens. Zur Namensform [1. 190 f.]. Suffektconsul im J. 101 n. Chr. (FO² 46; RMD 3, 143). Proconsul von Asia wohl 117/8 (IEph 2,429).

1 W. Eck, Ein diploma militare aus Moesia superior, in: Chiron 21, 1991, 185–201. W. E.

Servenius. L. S. Gallus. *Praetor urbanus* im J. 62 n. Chr., der auf dem Forum Augusti ein Edikt veröffentlicht hatte [1].

1 G. Camodeca, La ricostruzione dell'élite municipale ercolanese degli anni 50–70, in: Cahiers du centre G. Glotz 7, 1996, 167–178 (= AE 1996, 407). W. E.

Servilia

[1] Geb. ca. 100 v. Chr., Tochter von Q. Servilius [I 13] Caepio und Livia [1], Halbschwester des M. → Porcius [I 7] Cato. Ca. 85 heiratete sie M. Iunius [I 9] Brutus (gest. 77) und wurde Mutter des späteren Caesarmörders M. Iunius [I 10] Brutus. S.s zweiter Mann, der glanzlose D. Iunius [I 30] Silanus, von dem sie drei Töchter hatte, verdankte ihr wohl das Konsulat. Die unabhängig auftretende, kluge Frau, mit → Caesar auch noch nach ihrem Liebesverhältnis in der Zeit um 59 (Suet. Iul. 50,2) intim befreundet, erzog Brutus, den sie in ihre eigene *gens* adoptieren ließ, zum Feind des Cn. Pompeius [I 3]; Cato löste sich aus ihrem Einfluß, für Brutus' Wendung zum → Stoizismus gab S. Porcia [2] die Schuld (vgl. Cic. Att. 13,22,4). Die Ehen ihrer Töchter mit M. Aemilius [I 12] Lepidus, P. Servilius [I 24] Isauricus und C. Cassius [I 10] stärkten gezielt Caesars Lager. Brutus' und Cassius' Mord an Caesar zerstörte S.s Lebenswerk; sie vertrat aber auch danach beider Interessen in Rom und bekämpfte in persönlichen Treffen im Juni 44 und Juli 43 (Cic. Att. 15,11; Cic. ad Brut. 1,18,1) die durch Cicero und den Senat geförderte Entfremdung der Verschwörer von alten Caesarianern wie M. Aemilius [I 12] Lepidus und C. Vibius Pansa. Die → Proskriptionen verschonten sie (Nep. Att. 11,4). Der Tod von Sohn und Schwiegersohn bei Philippi 42 begrub S.s Hoffnungen; M. Antonius [I 9] sandte ihr Brutus' Asche (Plut. Brutus 53,3).

[2] Schwester von [1], zweite Frau des L. Licinius [I 26] Lucullus und Mutter seines Sohnes Marcus [I 28]. Gerüchte über S.s Liebschaften trieben Lucullus zur Scheidung (Plut. Lucullus 38,1; Plut. Cato minor 24,2 u.ö.).

[3] Wohl Tochter des P. Servilius [I 24] Isauricus und Enkelin von S. [1], ca. 46–44 v. Chr. in Pergamon geehrt (IGR 4,434). Ihr Verlöbnis mit Octavianus (→ Augustus) wurde E. 43 zugunsten von Clodia gelöst (Suet. Aug. 62,1); S. heiratete ihren Vetter M. Aemilius [I 13] Lepidus, nach dessen Exekution sie sich 36 den Tod gab (Vell. 2,88,3 f., mit obskuren Details). JÖ. F.

[4] Tochter des Q. → Marcius [II 2] Barea Soranus, verheiratet mit Annius [II 12] Pollio. Ihre Mutter war vielleicht eine S., Tochter des Servilius [II 4] Nonianus [1. 96]. Nach der Verbannung ihres Mannes wurde sie im J. 66 n. Chr. auf Befehl Neros mit ihrem Vater gezwungen, sich selbst zu töten (Tac. ann. 16,30–35; [2]).

1 R. Syme, Ten Studies in Tacitus, 1970
2 Raepsaet-Charlier, Nr. 526; 710. W. E.

Servilius. Name einer römischen patrizischen Familie (inschr. auch *Serveilius*), die angeblich unter König Tullus → Hostilius [4] aus Alba Longa nach Rom übergesiedelt sein soll (Liv. 1,30,2; Dion. Hal. ant. 3,29,7). Die ältesten Zweige sind die der Ahalae und Fidenates im 5. und 4. Jh. v. Chr.; im 3. Jh. erscheinen die Caepiones und Gemini, aus denen die Vatiae (Isaurici) hervorgehen. Der letzte prominente Angehörige der Servilii Caepiones war der Caesarmörder M. Iunius [I 10] Brutus, Sohn der Servilia [1] und selbst in die Familie adoptiert.

F. Münzer, s. v. S., RE 2 A, 1777 f. (Stammbaum).

I. Republikanische Zeit

[I 1] Kommandierte 65 v. Chr. im Schwarzen Meer eine Flotte für Pompeius (Plut. Pompeius 34,5). Identifizierungen mit anderen S. sind unsicher. J. BA.

[I 2] S., C. War Praetor oder Propraetor 102 v. Chr. in Sicilia, wo er erfolglos gegen die aufständischen Sklaven kämpfte und deshalb wohl 101 in Rom verurteilt wurde (Cic. div. in Caec. 63; Ps.-Ascon. 203; Diod. 36,9,1). Die Identität mit einem Augur M.(?) S., der 102 (?) erfolglos L. Licinius [I 25] Lucullus wegen Amtsmißbrauchs anklagte (Plut. Lucullus 1,1) und darauf seinerseits von den Söhnen des Lucullus verklagt wurde (Cic. prov. 22 u. a.), ist umstritten.

Alexander, 35–38. K.-L. E.

[I 3] S., M. Seit dem 10.12.44 v. Chr. *tr. pl.*, trat S. für die Caesarmörder ein und ließ Cicero in der Volksversammlung sprechen (Cic. fam. 12,7,1; Cic. Phil. 4,16, vgl. 3,13). Danach war er als Legat der Caesarmörder in Rhodos und Lykien aktiv (BMCRR 2,483 f.). Verm. erlangte er 42 die Begnadigung und ist mit dem 39 im Senatsbeschluß über Panamara (Sherk 27) genannten S. identisch. Immerhin kannte er die Region gut. Unsicher ist, ob er der 51 *de repetundis* angeklagte S. ist (Cic. fam. 8,8,2 f.). J. BA.

[I 4] S., Q. 91 v. Chr. als Praetor oder Propraetor mit Imperium nach Picenum gesandt; seine Ermordung (mit dem Legaten Fonteius) führte zum Ausbruch des → Bundesgenossenkrieges [3] (Liv. per. 72; App. civ. 173 f. u. a.).

SERVILII AHALAE [I 5–I 6]

Alter Zweig der Familie (genaue Verwandtschaftsverhältnisse unklar), vom dem sich später die Caepiones herleiteten (zum Cogn. → Ahala). K.-L.E.

[I 5] S. Ahala, C. Die Überl. bringt S. in zwei unterschiedlichen Versionen (beide bei Dion. Hal. ant. 12,1,1–4,5) in Verbindung mit dem Tod des der *adfectatio regni* (»Streben nach der Königsherrschaft«) verdächtigen Sp. Maelius [2]. Nach der einen Version kam Maelius in einem Tumult um, der enstand, als ihn S. als *mag. equitum* auf Befehl des zum Dictator ernannten Quinctius [I 7] Cincinnatus abführen wollte zur Rechtfertigung gegenüber diesen Vorwürfen (vgl. Liv. 4,13,12–14,7, wo S. den Maelius anders als bei Dion. Hal. selbst tötet; dazu auch Cic. Cato 36). Demgegenüber tötete S. nach Cincius Alimentus und Calpurnius Piso (bei Dion. Hal. ant. 12,4,2–5 = Calpurnius Piso fr. 24 HRR [fr. 26 CHASSIGNET] = Cincius Alimentus fr. 6 HRR [fr. 8 CHASSIGNET]) den Maelius mit einem unter der Achsel (*ala*; daraus bei Dion. Hal. das Cogn. Ahala) verborgenen Dolch, und zwar als Privatmann, jedoch im Auftrag des Senats. Auch unabhängig vom Alter ihrer Gewährsleute ist die letztere Version verm. die frühere, während die erstere, die S. als *mag. equitum* handeln läßt, wohl erst durch die Auseinandersetzungen um das Vorgehen des Cornelius [I 84] Scipio Nasica gegen Ti. Sempronius [I 16] Gracchus aufkam (hierzu [1. 13–18]; vgl.[2]).

1 A.W. LINTOTT, The Tradition of Violence ..., in: Historia 19, 1970, 12–29 2 J. VON UNGERN-STERNBERG, Unt. zum spätrepublikanischen Notstandsrecht, 1970, Index, s.v. S.

[I 6] S. Ahala (Axilla), C. Trotz der verschiedenen dem S. in der Überl. beigegebenen Prae- und Cognomina (vgl. InscrIt 13,1,374–77; v.a. *Structus* in Chronograph von 354) sieht die Forsch. in dem als Consul 427 und Consulartribunen 419, 418 und 417 v.Chr. verzeichneten S. eine einzige Person ([1. 1773–75] gefolgt von MRR 1,66; 71–73; vgl. aber [2. 603] mit Hinweis auf die Unsicherheit der Überl.). Obwohl ihm Livius keine nennenswerten Leistungen zuschreibt, zeigt doch die Häufung der Ämter in dem Jahrzehnt zw. 427 und 417, daß S. eine bestimmende pol. Persönlichkeit dieser Zeit war.

1 F. MÜNZER, s.v. S. Nr. 37, RE 2 A, 1772–1775
2 R.M. OGILVIE, A Commentary on Livy Books 1–5, 1965. C.MÜ.

[I 7] S. Balatro, P. Nur durch Hor. sat. 2,8 und Ps.-Acro zu Hor. sat. 2,3,166 bekannter Klient des Maecenas [2], der seinen Spott auch gegenüber Augustus nicht zurückhielt.

SERVILII CAEPIONES [I 8–I 15]

Der patrizisch gebliebene Zweig der *gens Servilia* beanspruchte, von den frührepublikan. *Servilii Ahalae* abzustammen. Er stellte im 3. und 2. Jh. v. Chr. sieben Consuln, verlor im 1. Jh. v. Chr. aber an Bedeutung. Die Belege für *S. Caepiones* sind in der späten Republik nur schwer verschiedenen Personen zuzuweisen. Sicher belegt sind nur S. [I 14–15].

F. MÜNZER, s.v. S., RE 2 A, 1775–1780. J.BA.

[I 8] S. Caepio, Cn. Seit 213 v. Chr. Pontifex und 207 curulischer Aedil, war 205 als *praetor urbanus* mit der Umsiedlung ihres Landes enteigneter Campaner betraut (Liv. 28,46,6). Als Consul 203 in Bruttium wurden ihm sicher unhistor. Siege zugeschrieben (Liv. 30,19,11). Auch das staatsrechtlich komplizierte Verfahren seiner Rückholung von der Verfolgung → Hannibals [4] nach Africa ist nicht glaubhaft (Liv. 30,24,1–4; [1]). 195 leitete er eine Gesandtschaft nach Karthago, angeblich mit dem geheimen Auftrag, Hannibal ermorden zu lassen; dieser floh (Liv. 33,47,6–49,4; Iust. 31,2). 192 war S. Gesandter in Griechenland. Er starb 174.

1 HUSS, 413[76]. TA.S.

[I 9] S. Caepio, Cn. Sohn von S. [I 8], 179 v. Chr. *aed. cur.*, 174 Praetor in Hispania ulterior, 172 bezeugt als Mitglied einer Gesandtschaft an König → Perseus [2] von Makedonien, die Roms Kriegserklärung vorbereiten sollte (Liv. 42,25,1–13, möglicherweise annalistische Erfindung); als *cos.* 169 blieb er in Italien.

[I 10] S. Caepio, Cn. Sohn von S. [I 9] und älterer Bruder von S. [I 11]; führte als *cos.* 141 v. Chr. die Untersuchung gegen L. Hostilius [11] Tubulus (Cic. fin. 2,54); 138 mit seinem Bruder Belastungszeuge im Repetundenverfahren gegen seinen Kollegen im Konsulat Q. Pompeius [I 1] (Cic. Font. 23). 133 unterdrückte er aufgrund eines Sonderkommandos zusammen mit Q. Caecilius [I 27] Metellus Macedonicus eine Sklavenrevolte in Sinuessa und Minturnae (Oros. 5,9,4); 125 war er Censor.

[I 11] S. Caepio, Q. Sohn von S. [I 9] und jüngerer Bruder von S. [I 10]; erhielt als *cos.* 140 das Kommando in Hispania ulterior und erneuerte unter Bruch des Friedensvertrages, den sein Bruder Q. Fabius [I 29] Maximus Servilianus geschlossen hatte, erfolglos den Krieg gegen → Viriatus, bis er ihn schließlich durch einen Mordanschlag beseitigen ließ (App. Ib. 301–303; Liv. per. 54 u.a.).

H. SIMON, Roms Kriege in Spanien, 1962, 140–142.

[I 12] S. Caepio, Q. Geb. um 150 v. Chr. als Sohn von S. [I 11], 129–125 Legat des M. Aquillius [I 3] in Asia (OGIS 2,551, Z. 25; 30; BE 1963, 220); 109 Praetor in Hispania ulterior, wo er 108 die → Lusitani besiegte und 107 triumphierte. Als *cos.* 106 teilte er die Gerichtsjuries (→ *quaestio*), die seit C. Sempronius [I 11] Gracchus von Rittern (→ *equites Romani*) besetzt waren, zw. Rittern und Senatoren (so Liv. per. 66) oder gab sie ganz den Senatoren zurück (Cic. inv. 1,92; Cic. de orat. 2,199 f.; 223; Cic. Brut. 161; 156). Das äußerst umstrittene Gesetz wurde 101 von C.S. [I 22] Glaucia wieder aufgehoben. S. übernahm dann ein Kommando in Gallien und plünderte → Tolosa (h. Toulouse); die reiche Beute (*aurum Tolosanum*, »Gold von Toulouse«), die angeblich aus dem Überfall der Kelten auf den Apollon-Tempel von Delphi 271 stammte, ging auf dem Weg nach Massilia auf unerklärliche Weise verloren. 105 wurde sein Kommando gegen die → Cimbri verlängert. Da er sich dem Befehl des höherrangigen *cos.* Cn. Mallius [1] Maximus nicht fügen wollte, führte ihr Zwist zur vernichtenden Niederlage der Römer bei Arausio (h. Orange). S. wurde sein *imperium* entzogen (Ascon. 78C); er wurde aus dem Senat ausgestoßen (Rhet. Her. 1,24; Cic. Balb. 28), dann 104 wegen Unterschlagung des *aurum Tolosanum* (wohl erfolglos) angeklagt (Cic. nat. deor. 3,74), erneut 103 durch C. Norbanus [I 1] wegen Hochverrats (→ *perduellio*). Der Verurteilung entzog sich S. durch Exil in Smyrna, wo er starb.

[I 13] S. Caepio, Q. Verwandter von S. [I 12], leistete als Quaestor 103 od. 100 v. Chr. gewaltsam Widerstand gegen das Getreidegesetz des *tr. pl.* L. Appuleius [I 11] Saturninus (Rhet. Her. 1,21; 2,17; Sall. hist. 1,62 M). Nach dem Erlaß des Gesetzes emittierte er mit seinem Kollegen L. Calpurnius [I 18] Piso Münzen mit der Legende »Zum Getreideankauf auf Senatsbeschluß« (RRC 330), um die Unterstützung des Senats zu suggerieren. Ca. 95 wurde er wegen der Gewalttätigkeiten als Quaestor angeklagt, aber durch L. Licinius [I 10] Crassus verteidigt und freigesprochen. Aus privaten Gründen überwarf er sich mit seinem zeitweiligen Schwager M. Livius [I 7] Drusus und wurde so zum Gegner des Senats. 92 klagte er den *princeps senatus* M. Aemilius [I 37] Scaurus an, worauf dieser mit einer Gegenklage antwortete (Ascon. 21C). 91 drohte ihn Drusus sogar vom Tarpeischen Felsen (→ *Tarpeium saxum*) zu stürzen (Vir. ill. 66,8 f.). Spät in den 90er J. Praetor, klagte er 90 unter der *lex Varia* noch einmal Scaurus an (Cic. Sest. 101; Cic. Scaur. fr. e; Q. → Varius Hybrida), kämpfte dann als Legat im Bundesgenossenkrieg [3] und fiel in einem Hinterhalt der → Marsi [1] (Liv. per. 73).

E. Badian, Studies in Greek and Roman History, 1964, 34–70. K.-L.E.

[I 14] S. Caepio, Q. Um 100–67 v. Chr. Der Sohn der Livia [1] und verm. des S. [I 13] war 72 Militärtribun (Plut. Cato minor 8,1) und sollte 67 im Seeräuberkrieg unter Pompeius dienen, starb aber in Ainos (Flor. epit. 1,41,10; Plut. Cato minor 11).

[I 15] S. Caepio Brutus, Q. Ist nach Cic. Phil. 10,25 und seinen eigenen Mz. (RRC 501–504) mit dem Caesarmörder M. Iunius [I 10] Brutus identisch, der von einem Verwandten der Mutter adoptiert worden sein muß. Verm. ist auch mit Q. Caepio *praetor* (Cic. fam. 7,21) Brutus gemeint; ebenso der 59 durch → Vettius angezeigte Caepio Brutus (Cic. Att. 2,24). Nicht sicher ist die Zuordnung der Caepiones bei Ascon. 34 C und Cic. ad Q. fr. 1,3,7 sowie des Verlobten von Caesars Tochter (Plut. Caesar 14; Suet. Iul. 21).

D. R. Shackleton Bailey, Two Studies in Roman Nomenclature, 1976, 129–131.

[I 16] S. Casca Longus, P. War einer der Caesarmörder, wurde 43 v. Chr. *tr. pl.*, diente 43/2 unter M. Iunius [I 10] Brutus in Lykien und starb verm. 42. J.BA.

[I 17] s. Damokrates

[I 18] S. (Geminus), C. War 15 Jahre in karthagischer Kriegsgefangenschaft, bis ihn sein Sohn S. [I 19] als Consul 203 v. Chr. befreien konnte (Liv. 30,19,6–12). S. gehörte demnach dem Collegium der *tresviri* zur Gründung von Cremona und Placentia an, muß also – nach Pol. 3,40,9 – zuvor Praetor gewesen sein. Da beide Söhne Plebeier waren, muß spätestens er die → *transitio ad plebem* vollzogen haben.

[I 19] S. Geminus, C. Erstmals 210 v. Chr. als Pontifex sicher bezeugt (vgl. [1] zu Liv. 25,3,15; [2] zu Liv. 25,15,4–6). Als er 209 plebeiischer Aedil war, soll die Nachr., daß sein totgeglaubter Vater S. [I 18] in der karthagischen Kriegsgefangenschaft überlebt habe, zum Anlaß geworden sein, die Legitimität seiner Bekleidung plebeiischer Ämter – ein früheres Volkstribunat ist nicht zu datieren – zu bestreiten (Liv. 27,21,10); S. soll sich diese dann später in seinem Konsulat durch ein Gesetz bestätigen haben lassen (Liv. 30,19,9). Zusammenhänge und Rechtsfragen bleiben trotz [3] undurchsichtig, wahrscheinlich ein Indiz für erhebliche Verfälschungen. 208 war S. curulischer Aedil und *magister equitum*, 206 Praetor auf Sicilia. Als Consul 203 (Prov. Etruria) befreite er seinen Vater (Liv. 30,19,6–8); außerdem soll er Unt. gegen Verschwörungen durchgeführt haben (Liv. 30,26,12); mil. Unternehmungen sind sonst weder bekannt noch zu erschließen (trotz [4]). 202 wurde er von seinem Bruder S. [I 25] als Consul zum Dictator ernannt, als welcher er bis ins nächste Amtsjahr fungierte; er war der letzte in diesem Amte vor L. Cornelius [I 90] Sulla [5]. 201 gehörte er einer Zehnerkommission für Landanweisungen in Samnium und Apulien an. 194 weihte er den Tempel des Iuppiter → Veiovis (Liv. 34,53,7). Seit 183 *pontifex maximus*, starb er 180. Er war auch *decemvir sacris faciundis* (Liv. 40,42,8–11).

1 E. Badian, The House of the Servili Gemini, in: PBSR 52, 1984, 66 2 D.-A. Kukofka, Süditalien im Zweiten Pun. Krieg, 1990, 57–60 3 A. Aymard, Liviana, in: REA 45, 1943, 199–224 4 J. Seibert, Hannibal, 1993, 448[62]
5 A. Aymard, Liviana, in: REA 46, 1944, 237–265.

[I 20] S. Geminus, Cn. Sollte als Consul 217 v. Chr. bei Ariminum It. vor einem Einfall → Hannibals [4] schützen (Pol. 3,75,6), konnte aber den Kollegen C. Flaminius [1] nicht vor der Niederlage am Trasimenischen See (→ Lacus Trasumenus) bewahren und verlor selbst seine vorausgeschickte Reiterei. In Apulien übergab er dann die Truppen an den Dictator Q. Fabius [I 30] Maximus. Als Kommandeur der röm. Flotte vereitelte er eine Landung der Karthager bei Pisa, stieß im Gegenzug bis in die Kl. Syrte vor und legte eine Besatzung nach Kossura (Pol. 3,96,10–14). Nach dem Ende von Fabius' und M. Minucius' [I 10] Diktaturen kommandierte er – erst als Consul, dann mit (durch die *comitia*) verlängertem → *imperium* – bis zum Eintreffen der neuen Consuln zusammen mit M. Atilius [I 22] Regulus die röm. Armee (Pol. 3,106,2–11) und fiel 216 als Befehlshaber der Infanterie in der Schlacht bei → Cannae. Schon → Ennius [1] (vgl. ann. 268–286) hat ihm dabei eine herausragende Rolle als einzigem führenden Offizier zugewiesen, der mit dem Consul L. Aemilius [I 31] Paullus eine zurückhaltende Taktik empfohlen habe [1]. Diese der älteren Überl. widersprechende Version hat vielfach auf die spätere Darstellung der Ereignisse gewirkt.

→ Punische Kriege

1 T. Schmitt, Hannibals Siegeszug, 1991, 219–226.

[I 21] S. Geminus, P. Consul 252 und 248 v. Chr.; er und sein Zwillingsbruder Q. sahen einander so ähnlich, daß sie das Cogn. *Geminus* (»Zwilling«) erhielten (Cic. ac. 2,56). TA.S.

[I 22] S. Glaucia, C. War ein begabter Redner und erfolgreicher Demagoge, den Q. Caecilius [I 30] Metellus Numidicus 102 v. Chr. erfolglos aus dem Senat zu entfernen suchte. Als *tr. pl.* 101 und Praetor 100 kooperierte er mit L. Appuleius [I 11] Saturninus gegen den Senat und erließ ein Repetundengesetz (→ *repetundarum crimen*), das die Gerichtsjuries wieder mit Rittern besetzte (MRR 1,571 f.). Gesetzwidrig strebte er für 99 das Konsulat an, während Saturninus zum dritten Mal *tr. pl.* werden sollte. Nachdem sie ihre Wahl gewaltsam durchsetzen wollten, ließ C. Marius [I 1] sie auf Veranlassung des Senats töten (MRR 1,574 f.).

E. Badian, The Death of Saturninus, in: Chiron 14, 1984, 101–147. K.-L. E.

[I 23] S. Globulus, P. War 67 v. Chr. *tr. pl.* (Ascon. 58 C), 64 *praetor* und 63 *propr.* in Asia (Cic. Flacc. 76; 79; 85).

[I 24] S. Isauricus, P. Sohn von S. [I 27]. Um 94 v. Chr. geb., trat S. 60 als Quaestorier mit M. Porcius [I 7] Cato, dem Onkel seiner Frau Iunia, für die freien Städte ein (Cic. Att. 1,19,9; 2,1,10). Auch 54 stand er als Praetor an Catos Seite (Cic. Att. 4,18,4), schloß sich aber 49 sofort → Caesar an und wurde dafür 48 mit dem Konsulat belohnt (Caes. civ. 3,1). Nachdem er sich in Rom als Stellvertreter bewährt hatte (Caes. civ. 3,21; Plut. Caesar 37), war S. 46–44 Proconsul von Asia (Cic. fam. 13,66ff.; Sherk 55). Nach Caesars Tod setzte er sich gegen M. Antonius [I 9] und für Octavian ein (Cic. ad Brut. 1,15,7; fam. 12,2,1) und wurde 41 erneut Consul (Suet. Tib. 5). Danach verliert sich seine Spur. J.BA.

[I 25] S. Pulex Geminus, M. Wurde 211 v. Chr. Augur, war 204 curulischer Aedil, 203 *magister equitum* und 202 Consul als Nachfolger seines Bruders S. [I 19], den er im Laufe des Jahres zum Dictator ernannte, während er selbst nach Etrurien ging. Für die Unt. dort soll sein Imperium verlängert worden sein. 201 gehörte er einer Zehnerkommission für Ackeranweisungen in Samnium und Apulien, 197–194 der Dreierkommission zur Gründung verschiedener Kolonien an. Als Kriegsheld und pathetischer Redner fand er noch 167 die richtigen Worte, um den Unmut über einen Triumph des L. Aemilius [I 32] Paullus nach dem Sieg bei Pydna zu brechen (Liv. 45,35,5–39,20; Plut. Aemilius 30,2–32,1). TA.S.

[I 26] S. Rullus, P. War 63 v. Chr. *tr. pl.* und beantragte ein Ackergesetz, das die Bildung einer Zehn-Männer-Kommission (→ *decemviri* [3]) und die Verteilung von staatl. und angekauftem Land an Besitzlose vorsah. Cicero suggeriert, verm. nicht ganz zu unrecht, daß das Gesetz eher polit. Ziele hatte und S. nur für Gegner des Pompeius [I 3] (also wohl Licinius [I 11] Crassus) agierte (Cic. leg. agr. 1–2 passim). Nachdem Cicero das Gesetz zu Fall gebracht hatte, gibt es keine Nachr. mehr von S. J.BA.

[I 27] S. Vatia Isauricus, P., ca. 134–44 v. Chr., Enkel des Q. Caecilius [I 27] Metellus Macedonicus. 90/89 wohl Praetor und Propraetor (vielleicht in Sardinia) (MRR 2,26), erlangte er 88 durch L. Cornelius [I 90] Sulla einen Triumph und war dessen Kandidat für das Konsulat 87, wurde aber von Sullas Gegner C. Cornelius [I 18] Cinna geschlagen (Plut. Sulla 10,3). Im Bürgerkrieg auf der Seite Sullas, belohnte dieser ihn für seine Dienste mit dem Konsulat 79. S. erhielt ein Kommando gegen die Piraten und Bergstämme im südl. Kleinasien, die er in mehrjährigen Feldzügen als Proconsul 78–74 unterwarf; so schuf er eine feste Prov.-Struktur (Sall. hist. 2,87M; Strab. 14,3,3–14,5,7; Votivinschr. für die Eroberung von Isaura Vetus: CIL I^2 2954; Akklamation zum *imperator* und Annahme des Siegerbeinamens *Isauricus*: CIL I^2 741; MRR 2,90; 99; [1]). 74 triumphierte er erneut (Cic. Verr. 2,5,66). S. war dann einer der führenden konservativen Politiker, unterstützte Cicero gegen → Catilina und in seinem Kampf um die Rückkehr aus dem Exil, unterlag aber (wie Q. Lutatius [3] Catulus) 63 Caesar bei der Wahl zum Pontifex Maximus (Plut. Caesar 7,1). 55 bekleidete er mit M. Valerius Messalla Niger die Censur (Tiberregulierung nach einer Überschwemmung, CIL I^2 766a-t). Er starb 44 im Alter von 90 J. und erhielt ein Staatsbegräbnis (Hier. chron. p. 157 H). Sein Sohn: S. [I 24].

1 Magie 1, 287–291. K.-L. E.

II. Kaiserzeit

[II 1] M. S. *Cos. ord.* 3 n. Chr. Nachkomme einer alten republikanischen plebeiischen Familie. Mit einer Nonia verheiratet (Plin. nat. 37,81), tätig wohl auch in Galatien (ILS 9502 und [1. 94f.]). Im J. 17 ließ Tiberius ein Testament, in dem S. eingesetzt war, das sich aber als ungültig herausstellte, dennoch wirksam werden (Tac. ann. 2,48,1).

1 R. Syme, Ten Stud. in Tacitus, 1970.

[II 2] C. S. Diodorus. Angehöriger der *tribus Quirina*, aus Girba in Afrika stammend. Ritter mit dem Rang eines → *vir egregius*. Nach drei ritterlichen Dienststellungen – als *praef. cohortis II novae miliariae equitatae, tr. legionis XIV Geminae, praef. alae I Tungrorum Frontonianae* – wurde er *procur.* der *ratio privata*, anschließend *procur. centenarius* in *Moesia inferior* und in *Noricum*, *procur. ducenarius* in der *Hispania Tarraconensis* und Praesidialprocurator in der *Hispania superior* = *Gallaecia* kurz vor 227 oder im J. 227 n. Chr. Auf der Basis seiner Statue, die ihm in Lavinium erstellt wurde, finden sich mehrere Inschr., die die Beziehungen zw. einem Angehörigen der Reichselite und einer Stadt beleuchten.

G. Alföldy, Provincia Hispania superior (Schriften der Philos.-Histor. Kl. der Heidelberger Akad. der Wissenschaften 19), 2000, 7–16 • D. Nonis, Un patrono dei dendrofori di Lavinium, in: RPAA 48, 1995/96, 248 ff.

[II 3] M. S. Fabianus Maximus. Senator, vielleicht aus *Africa* stammend. Seine Laufbahn ist vollständig in CIL VI 1517 = ILS 1080 belegt; vgl. CIL VI Suppl. VIII 3, p. 4708 f. Nach vier praetorischen Ämtern gelangte er 158 n. Chr. zum Suffektkonsulat. Wohl im J. 160 *curator aedium sacrarum*; 161 war er für kurze Zeit Legat von *Moesia superior*; 162/3 als Legat von *Moesia inferior* bezeugt ([1. 232]; AE 1980, 818).

1 Alföldy, Konsulat.

[II 4] M. S. Nonianus. Sohn von S. [II 1]. Senator, *cos. suff.* 35 n. Chr., *VIIvir epulonum* und *procos.* von Africa unter Claudius [III 1] [1. Nr. 1170). Wohl verheiratet mit einer Considia, da auch seine Tochter diesen Namen trug (Plin. nat. 24,43). Möglicherweise war er mit anderen Senatoren verbunden, die vom → Stoizismus beeinflußt waren; Persius [2] schloß sich ihm an. Doch stand er auch Tiberius nahe; verm. hielt er sich sogar bei ihm auf Capri in dessen letzten Lebensjahren auf. Er schrieb ein histor., wohl zeitgenössisches Werk, über das jedoch nichts weiter bekannt ist. Im J. 59 gest.; Tacitus schrieb einen eigenen Nekrolog auf ihn, in dem er ihn als exemplarisch heraushob (Tac. ann. 14,19).

1 A. Merlin, Inscriptions latines de la Tunisie, 1944
2 R. Syme, Ten Stud. in Tacitus, 1970, 79–90; 91–109.

[II 5] Q. S. Pudens. Senator, aus Africa. *Cos. ord.* 166 n. Chr. Verheiratet mit Ceionia [2] Plautia, der Schwester des Kaisers → Verus. *Procos.* von Africa wohl kurz nach 180. Der in ILS 1084 = ILAlg I 281 genannte gleichnamige Senator war wohl sein Sohn.

Thomasson, Fasti Africani, 71 f.

[II 6] S. Vatia. Senator mit praetorischem Rang, wohl auf die republikanische Familie der Servilii zurückgehend. Er führte unter Tiberius in seiner Villa in Baiae ein zurückgezogenes Leben (Sen. epist. 55). W.E.

Servitus (»Dienstbarkeit«) war im röm. Recht die Belastung eines Grundstücks in der Weise, daß der Eigentümer bestimmte Einwirkungen des Berechtigten dulden oder eigene Einwirkungen auf ein anderes Grundstück unterlassen mußte (aber nicht: zu positivem Tun verpflichtet war, *in faciendo consistere nequit*). Zu *s.* an ländlichen Grundstücken (*s. praediorum rusticorum*) gehören das Wegerecht (*iter*), die Viehtrift (*actus*), der Fahrweg zum Lastentransport (*via*), das Wasserleitungsrecht (*aquae ductus*), zu *s.* in der Stadt (*s. praediorum urbanorum*) das Recht, das Regenwasser auf das Nachbargrundstück abtropfen zu lassen (*s. stillicidii*) oder in Röhren abzuleiten (*s. fluminis*), den Balken des eigenen Hauses in die Mauer des Nachbarhauses einzufügen (*s. tigni immittendi*), das eigene Gebäude auf bauliche Einrichtungen des Nachbargebäudes zu stützen (*s. oneris ferendi*), dem Nachbarn das Höherbauen zu untersagen (*s. altius non tollendi*). Diesen »Realservituten« standen die »Personalservituten« (Rechte an einem fremden Grundstück zugunsten einer Person) gegenüber, darunter insbes. der → *ususfructus* (»Nießbrauch«). *S.* ländlicher Grundstücke sind → *res mancipi* und werden durch → *mancipatio* oder, wie die anderen *s.*, durch → *in iure cessio* begründet, an Provinzialgrundstücken durch formlose Abrede (→ *pactio*) und Schuldversprechen (→ *stipulatio*). Im übrigen gibt es vielfältige Begründungsarten. Geschützt wird die *s.* durch *vindicatio servitutis* (→ *rei vindicatio*) und → *interdictum*.

Honsell/Mayer-Maly/Selb, 180–191 • Kaser, RPR Bd. 1, 440–454, Bd. 2, 298–306. D.SCH.

Servius

[1] Seltenes röm. → Praenomen; Sigle: *SER*. Es wird gelegentlich mit *Sergius* verwechselt. Im 6. Jh. v. Chr. begegnet es beim König S. → Tullius. Es wird bis in die Kaiserzeit hauptsächlich von den vornehmen Familien der Cornelii, Fulvii und Sulpicii getragen. Von *S.*, und zwar von einem nicht belegten Deminutivum, ist das Gent. *Servīlius* abgeleitet. Die Etym. gilt als unsicher; doch ist die Herleitung aus dem Etr. unwahrscheinlich. Weitgehend einmütig sieht die h. Forsch. die ant. Meinung, S. → Tullius stamme von einer Sklavin ab, als aus dem Anklang an *servus*, »Sklave«, konstruiert.

Salomies, 47–48, 162–163. D.ST.

[2] Röm. Grammatiker um 400 n. Chr.
I. Leben II. Kleinere Werke
III. Vergil-Kommentar IV. Rezeption

I. Leben

Mangels autobiographischer Hinweise ist die Schaffenszeit des S. nur vage durch sein Auftreten als Figur in → Macrobius' [1] *Saturnalia* (383 oder 384 n. Chr. spielend; verfaßt wohl nach 430) zu bestimmen: Dort ist er ein in Rom wirkender Grammatiker, und zwar ein *adulescens* (also geb. zw. 353/4 und 368/9: Macr. Sat. 7,11,2; vgl. daneben 1,2,15; 1,24,8 und 20; 2,2,12; 6,6,1). Nach dem von Macr. Sat. 1,1,5 eingeräumten Anachronismus des Lebensalters seiner Figuren könnte S. aber auch erst 370/380 geb. sein. Ob Macrobius bei seiner Stilisierung des S. als Vergilkenner bereits dessen (nicht erwähnten) Vergil-Komm. voraussetzt, ist umstritten. Auf jeden Fall gehört dieser in den Anf. des 5. Jh. und in ein durchaus paganes Milieu.

II. KLEINERE WERKE

S. wird unter differierenden Namensformen (S.; Marius/Maurus S. Honoratus; Sergius) eine Reihe kleinerer gramm. Werke zugeschrieben (Ed.: GL 4, 405–565): *De finalibus* über die Quantität der Endsilben; *Centimeter* oder *De centum metris*; *De metris Horatii*; lat.-griech. *Glossae*. Von diesen ist seine Autorschaft nur für den elementaren *Commentarius in artem Donati*, also einen Komm. zur *Ars minor* und *Ars maior* seines Lehrers Aelius → Donatus [3], gesichert. Davon abhängig sind spätere *Explanationes in artem Donati* (dazu [6]; [8]).

III. VERGIL-KOMMENTAR

Das bedeutendste Werk des S., ein Lemmata-Komm. zu → Vergilius (in den Hss.: *expositio* oder *explanatio*), ist in einer kürzeren (Serv., Vulgat-Servius, S) und in einer erweiterten (Serv. auct., nach dem Editor P. DANIEL, Paris 1600, auch Serv. Danielis, DServ. oder DS genannt; den Überschuß von DS gegenüber S, in der Ed. von THILO/HAGEN kursiv gedruckt, nennt man D-Scholien) Version überliefert. Nach der *communis opinio* fußt S auf dem großen (bis auf die Einleitung seit offenbar dem 9. Jh. verlorenen) Vergil-Komm. des Aelius Donatus [3]; der anon., vor Isidorus [9] von Sevilla Anf. des 7. Jh. wirkende Kompilator von DS erweiterte S durch erneuten Rückgriff auf Donat. Die hsl. Überl. bietet für beide Redaktionen S/DS die Abfolge *Eclogae–Georgica–Aeneis*; das interne Verweissystem (etwa S ecl. 2,31 *ut diximus in Aeneide*) erweist aber, daß S (im Gegensatz zu Donat und auch DS) die Abfolge *Aeneis-Eclogae-Georgica* hatte. Die genaueren Abhängigkeitsverhältnisse und evtl. Zwischenstufen zw. Donat/S/DS sind weitgehend ungeklärt [5; 10; 12].

Über die Klärung von Wortbedeutungen und Satzkonstruktionen hinaus (diese oft durch *ordo est* erleichternd) sucht S. geradezu nach Anlässen für gramm. Beiträge. Bes. DS interessiert sich für Rhet. (von der Identifizierung von Figuren bis zur Analyse von Reden) und auch für Literarkritik und Poetik (s. bes. [14]), etwa die Berücksichtigung des *point of view*. Gegenüber der Annahme von Allegorien ist S. zurückhaltend (vgl. etwa S ecl. 3,20; 3,71), von Anspielungen auf konkrete zeitgenössische Ereignisse praktisch frei (ob er zu Aen. 7,604 auf die Eroberung Roms 410 n. Chr. anspielt, ist umstritten).

IV. REZEPTION

Seitdem der Vergil-Komm. Donats untergegangen war, beherrschte der des S. (überwiegend als S, nur wenige Hss. bieten DS) das Feld. Eine nur für das 9.–12. Jh. vollständige Liste [12] verzeichnet 145 ma. erh. S.-Hss. (gegenüber 1017 Vergil-Hss.: [19]). Literaten des MA (vgl. [16]) beziehen viele ihrer Kenntnisse zu Mythen (auch indirekt über die von S. abhängigen → *Mythographi Vaticani*) und Realien des Alt. aus S. als einer Enzyklopädie. Das breite Interessenspektrum des S. darf noch h. generell – und speziell zu Vergil – als Vorbild klass.-philol. Kommentierung gelten.

→ Grammatiker III.; Macrobius; Vergilius

LIT.: 1 E. THOMAS, Essai sur S. et son commentaire sur Virgile, 1880 2 H. GEORGII, Die ant. Aeneiskritik, 1891, Ndr. 1971 3 Ders., Die ant. Vergilkritik in den Bukolika und Georgika, in: Philologus Suppl. 9, 1904, 209–328 4 SCHANZ/HOSIUS, Bd. 2, [4]1935, 103–105 und Bd. 4.1, [2]1914, 172–177 5 N. MARINONE, Analecta Graecolatina, 1990, 193–264, zuerst 1946 6 U. SCHINDEL, Die lat. Figurenlehren des 5. bis 7. Jh. und Donats Vergilkomm., 1975, 34–52, 115–131, 258–279 7 R. A. KASTER, Macrobius and S., in: HSPh 84, 1980, 219–262 8 L. HOLTZ, Donat et la trad. de l'enseignement grammatical, 1981, v. a. 223–230 9 J. E. G. ZETZEL, Latin Textual Criticism in Antiquity, 1981, 81–147 10 S. TIMPANARO, Per la storia della filologia virgiliana antica, 1986, 143–159, 161–176 11 P. BRUGGISSER, Romulus Servianus, 1987 12 G. BRUGNOLI, s. v. S., EV 4, 1988, 805–813 (Überl.) 13 R. A. KASTER, Guardians of Language, 1988, 169–197 14 C. LAZZARINI, Elementi di una poetica serviana, in: SIFC 82 (3a ser. 7), 1989, 56–109, 241–260 15 P. L. SCHMIDT, in: HLL § 527, 148–154 16 A. UHL, s. v. S., LMA 7, 1995, 1797f. 17 D. FOWLER, The Virgil Commentary of S., in: CH. MARTINDALE (Hrsg.), The Cambridge Companion to Virgil, 1997, 73–78 18 A. UHL, S. als Sprachlehrer, 1998 (Sprachrichtigkeit) 19 G. C. ALESSIO, s. v. Medioevo, in: EV 3, 1987, 433–443.

ED.: VERGIL-KOMM.: G. THILO (H. HAGEN), 1–3.1, 1881–87 (3.2 Appendix Serviana, ed. H. HAGEN, 1902, mit weiteren nicht-serv. Vergil-Komm.) • Editio Harvardiana, Bd. 1 (Aen. 1–2), ed. E. K. RAND u. a., 1946 (vernichtende Kritik: E. FRAENKEL, Kleine Beitr. zur klass. Philol., Bd. 2, 1964, 339–390, zuerst 1948/49); Bd. 2 (Aen. 3–5), ed. A. F. STOCKER u. a., 1965 • G. RAMIRES, 1996 (Spezial-Ed. S/DS Aen. 9 mit Bibliogr. LXVI-XCIV).

INDEX RERUM ET NOMINUM: J. F. MOUNTFORD, J. T. SCHULTZ, 1930.

BIBLIOGR.: W. SUERBAUM, in: ANRW II 31.1, 288–295 (bis 1975); auch [12. 812f.]. W. SU.

Sesam (griech. τὸ σήσαμον, aus dem Semit., lat. *sesamum*). Der ölhaltige Samen der um das Mittelmeer herum, in Mesopotamien und Äg. wachsenden, nach Plin. nat. 18,96 ursprünglich aus Indien eingeführten Pedaliacee Sesamum indicum L. (griech. σησάμη/*sēsámē* oder σησαμίς/*sēsamís*). Solon 40 WEST und Aristoph. Vesp. 676 bezeugen frühe Verwendung in Griechenland. Theophrast (h. plant. 8,3,1–4) beschreibt Blatt, Stengel, die (weiße) fingerhutähnliche Blüte sowie die Samen in der zweifächrigen länglichen Kapselfrucht (ebd. 1,11,2 und 8,5,2 = Plin. nat. 18,53). Die Aussaat erfolgte im Sommer (Theophr. h. plant. 8,1,1 und 4; Plin. nat. 18,49), z. T. noch im Juni/Juli (Colum. 11,2,50). Das aus den kleinen Samenkörnern durch Zerreiben hergestellte Öl diente zu Speisezwecken (nach Hdt. 1,193 in Assyrien als Ersatz für Olivenöl) und als Medizin, u. a. bei Ohrenentzündungen (Dioskurides 1,34 WELLMANN = 1,41 BERENDES; Plin. nat. 22,132 und 23,95), der Samen als Umschlag bei Augenkrankheiten, Brandwunden und Schlangenbiß (Dioskurides 2,99 WELLMANN = 2,123 BERENDES). In Athen gehörte das Reichen von S.-Kuchen (σησαμῆ/*sēsamḗ* oder σησαμοῦς/*sēsamús*) als Symbol der Fruchtbarkeit zu den

→ Hochzeitsbräuchen (Aristoph. Pax 869). Wie h. noch Brötchen wurde in der Ant. Brot mit S.-Körnern bestreut.

A. Steier, s. v. S., RE 2 A, 1849–1853. C. HÜ.

Sescuncia (auch *sescunx*; *sesqui unciae* = 1 ½ → *unciae*). Röm. Maßeinheit zu ⅛ eines größeren Ganzen. Als Gewichtsstück entspricht die *s.* ⅛ der → *libra* [1] = 40,93 g (Wertzeichen I-L; AE 1968, 258), als Längenmaß ⅛ des → *pes* = 3,7 cm, als Flächenmaß ⅛ des → *iugerum* = 315 m^2. Im östl. Mittelmeerraum war die *s.* als Gewichtsstück auch gleichwertig mit 12 attischen → Drachmen (Wertzeichen I-B). Im Geldwesen entspricht die *s.* ⅛ des → *as*, später auch ⅛ des → *denarius*. Als Mz. finden sich *s.* in Venusia (SNG München, 1970, 550) und in Paestum (SNG Kopenhagen, 1969, 1346).

1 F. Hultsch, Griech. und röm. Metrologie, ²1882
2 K. Regling, s. v. S., RE 2 A, 1853. H.-J. S.

Sesklo. Dorf, ca. 10 km nördl. des Pagasitischen Golfs an der Schwelle zur thessalischen Ebene. Der dort seit 1905 ergrabene Siedlungsplatz wurde namengebend für eine lange prähistor. Epoche Griechenlands (6.–4. Jt. v. Chr.). Er war seit dem präkeramischen Neolithikum besiedelt, hatte seine Blüte mit bis zu 3000 Bewohnern im Mittleren Neolithikum. Typisch für die S.-Kultur sind Rechteckhäuser, ein zentraler Megaronbau und eine bes. Keramik (Funde im Arch. Mus. von Volos). Der Ort ging durch Brand zugrunde, war aber im Jüngeren Neolithikum, der Blütezeit der nach dem Nachbardorf Dimini benannten Kultur (4. Jt.), wieder bewohnt. Siedlungsreste reichen bis zum Anf. der myk. Zeit (Tholosgräber; → Tholos).

G. Chourmouziadis, The Story of a Civilization: Magnesia, 1982, 23–29 · E. Hanschmann, s. v. S., in: Lauffer, Griechenland, 614 · Dies., s. v. Dimini, in: Ebd., 194 f. · D. Leekley, N. Efstratiou, Archaeological Excavations in Central and Northern Greece, 1980, 153 f. · D. Theocharis, Neolithic Greece, 1973. HE. KR.

Sesonchosis (Σεσόγχοσις, Σεσόγχωσις). Griech. Form von Scheschonk, äg. *šš(n)q*, Name von mutmaßlich fünf Herrschern der 22./23. Dyn.

[1] Am bekanntesten ist Scheschonk I. (ca. 945–924 v. Chr.) [1. 287–302], der nach 1 Kg 14,25 f. (dort Schischak genannt) Teile Iudaeas verwüstete und durch große Goldzahlungen von der Eroberung Jerusalems abgehalten wurde. Von ihm ist am Bubastidentor in Karnak eine Liste angeblich eroberter Orte in → Juda und Israel erhalten.

[2] Von S. II. (ca. 877–875) ist in Tanis das Grab gefunden worden [2. 37–50].

[3] Unter S. III. (ca. 837–798?) erfolgte eine Spaltung des Reiches in einen nördl. und einen südl. Teilstaat.

[4–5] S. IV. (ca. 805–790) und S. V. (ca. 774–736) bleiben schattenhaft.

[6] Variantenform zu → Sesostris, vgl. auch → Sesonchosis-Roman.

→ Sasychis

1 K. A. Kitchen, The Third Intermediate Period in Egypt, ³1995 2 P. Montet, La nécropole royale de Tanis, Bd. 2, 1951. JO. QU.

Sesonchosis-Roman. Konventioneller Titel für ein griech. Prosa-Werk, das uns aus einigen Pap.-Fr. bekannt ist (POxy. 1826, E. 3. oder Anf. 4. Jh. n. Chr.; POxy. 2466 und 3319, 3. Jh. n. Chr.). Die Hauptfigur war Sesonchosis (→ Sesostris); ihm schrieb die Legende Unternehmungen von Pharaonen verschiedener Dyn. zu. Die Erzählung weist Analogien zum sog. → ›Ninos-Roman‹ auf, doch rückt der Stil der Fr. sie eher in die Nähe des Neuen Testaments und der apokryphen Apostelakten (→ Neutestamentliche Apokryphen).

→ Roman

S. A. Stephens, J. J. Winkler (ed.), Ancient Greek Novels: The Fragments, 1995, 246–266. M. FU. u. L. G./Ü: T. H.

Sesostris (Σεσῶστρις). Griech. Form des Namens dreier äg. Herrscher der 12. Dyn., äg. *t(j)-n-Wsrt*: S. I. (1956–1911/10 v. Chr.), S. II. (1882–1872 v. Chr.) und S. III. (1872–1853/52 v. Chr.). Bei Hdt. 2,102–110 und Diod. 1,53–58 erscheint er als größter Feldherr Äg.s, der weite Teile Asiens und Europas erobert hat. Auf seine Feldzüge wird eine angebliche Ansiedlung von Ägyptern in → Kolchis zurückgeführt. Er soll zusammen mit allen am gleichen Tag geborenen Männern Äg.s erzogen worden sein, wofür es evtl. äg. Parallelen gibt [1]. Nach seiner Rückkehr von den Feldzügen nach Äg. entkam er einem Mordanschlag seines Bruders, indem er sich auf den Leibern zweier Söhne aus den Flammen rettete. Im → Alexanderroman (→ Ps.-Kallisthenes) gibt er sich (als → Sesonchosis) Alexandros [4] d. Gr. als großer Herrscher der Vergangenheit zu erkennen. Der sog. → ›Sesonchosis-Roman‹ (Fr. auf Pap. überl.) dürfte auf eine äg. Erzählung über Prinz S. und seinen Vater Amenemhet zurückgehen, die in zwei unveröffentlichten demotischen Pap. in Bruchstücken erh. ist [5]. Da in ihnen ein König Amenemhet als Vater des Prinzen S. erscheint, dürfte eher S. I. als S. III. (Nachfolger und wohl auch Sohn S.' II.) der Kristallisationspunkt der Legendenbildung gewesen sein.

1 B. Mathieu, L'enigme du recrutement des »enfants du kap«: Une solution?, in: Göttinger Miszellen 177, 2000, 41–48 2 C. Obsomer, Les campagnes de S. dans Hérodote, 1989 3 Ders., S. Ier, 1995 4 S. A. Stephens, J. J. Winkler (ed.), Ancient Greek Novels: The Fragments, 1995, 246–266 5 G. Widmer, Pharaons Maâ-Rê, Amenemhat and Sesostris: Three Figures from Egypt's Past as Seen in Sources of the Graeco-Roman Period, in: K. Ryholt (Hrsg.), Acts of the 7th Demotic Conference, 2001, 361–378. JO. QU.

Sestertius. »Sesterz«, röm. Mz., verkürzt aus *semistertius* = »dritthalb« = 2 ½ → Asse (Varro ling. 5,173; Volusius Maecianus 46; Prisc. de figuris numerorum 17 f.; Vitr. 3,1,42). Der S. wurde um 214–211 v. Chr. als dessen Viertel zusammen mit dem → Denarius zu ¹⁄₇₂ röm. Pfund eingeführt, auf den 10 → Asse des gleichzeitig eingeführten → Sextantalstandards gingen. Der S. wurde als kleine Silber-Mz. zu 1/288 Pfund = 1 → *scripulum* geprägt. Die Bilder entsprachen dem → Denarius und → Quinar: Av. Kopf der Roma im Helm, Rv. die Dioskuren zu Pferd. Als Wertzeichen trägt der Av. II S (2 As + Semis). Diese Wertangabe wurde im schriftlichen Gebrauch durchgestrichen geschrieben (CIL I,2 1 Nr. 809 Z. 9; ILS 5317), später nachlässiger als HS. Die Schreibung HS wurde auch nach der Aufwertung des S. auf 4 Asse um 141 v. Chr. bis ins 3. Jh. n. Chr. beibehalten. Im Vergleich zu den Denaren wurden die silbernen S. von Anf. an nur in geringer Zahl geprägt, bereits um 207 v. Chr. verzichtete man auf sie (RRC S. 34 f.; 628).

Wohl weil er anfänglich dem Gewicht von 1 *scripulum* entsprach, setzte sich der S. aber dennoch als Rechnungs-Mz. durch. Als solche hieß er *sestertius nummus* oder einfach → *nummus* (ILS 7313; 8302, in Ziffern ILS 7911 f.; Cic. Rab. Post. 45). Zur Vereinfachung gewann *sestertium* auch die Bed. von 1000 S. oder gar 100.000 S. [2. 1881]. In der Kaiserzeit wurden die Gehaltsklassen der Procuratoren (→ *procurator*) nach ihren Einkommen in 1000 S. benannt (*sexagenarii, ducenarii* usw.).

Der silberne S. wurde erst wieder nach der *lex Papiria* um 90 v. Chr. geprägt, dann in mehreren Emissionen von 48–44 v. Chr., alle ohne Wertzeichen und mit verschiedenen Typen. Vom Umfang her waren alle diese Prägungen gering. In der Kupferprägung der Flottenpraefekten des M. Antonius [I 9] erschien der S. wieder, nun erstmals als Messingstück. Er orientiert sich dabei vage am → Quartunzialstandard mit einem As von 1/4 → *uncia*, d. h. einem S. von 1 Unze, und trug 2 Wertzeichen, HS (durchgestrichen) und Δ (4 Asse). Bei der Wiederaufnahme der Kupferprägung durch Augustus um 18 v. Chr. (→ *senatus consultum* [2]) wurde der S. als Messing-Mz. von ca. 1 Unze eingeführt, auf dem Av. Eichenkranz und Lorbeerzweige, auf dem Rv. S C und Name des Münzmeisters. Der S. und die anderen kaiserzeitlichen Mz. aus unedlem Metall waren Scheide-Mz. Nach Augustus erscheint auf dem Av. ein Kaiserporträt, der Rv. speziell der S. wurde zur Darstellung bes. Ereignisse verwendet. Bereits im späten 2. Jh. verwischten die Unterschiede beim Münzmetall zwischen den Messing- und Bronze-Mz. Die S., nun oft aus Bronze, wurden ab dem späten 2. Jh. zudem oft auf zu knappen Schrötlingen geprägt.

Ins Griech. ging der S. als Tetrassaron (τετράσσαρον/ *tetrássaron*) oder Nummos (νοῦμμος/*númmos*; → *nómos* [4]) ein. Die Bestimmung der einzelnen Nominalwerte in den lokalen Bronzeprägungen in Thrakien, Kleinasien und Vorderasien ist jedoch schwierig; Gewichte und Größe der einzelnen Nominale können von den reichsröm. Mz. abweichen. Eindeutige Wertzeichen sind selten. Eine den reichsröm. entsprechende lokale S.-Prägung gab es etwa in Lugudunum unter Augustus und Tiberius und in Viminacium (Moesia Superior) von 240–255 n. Chr.

Im Verlauf der Geldentwertung des 3. Jh. wurden die Bronze-Mz. immer mehr aus dem Geldumlauf gedrängt; als Einheitsmz. setzte sich verstärkt der → Antoninianus aus immer schlechter werdendem Silber durch. Die Prägung von S. wurde nach 260 aufgegeben, als der Antoninian de facto zur versilberten Bronzemz. geworden war und der S. im Verhältnis dazu einen zu hohen Materialwert hatte. Episode blieben doppelte S. (Kaiserkopf mit Strahlenkrone) des Traianus Decius und des Postumus. Mit dem E. der S.-Prägung endete auch weitgehend die Rechnung nach S.

1 R. Ziegler, Methodische Überlegungen zur Rekonstruktion von Nominalsystemen der städtischen Aes-Prägung im Osten des röm. Reiches, in: Litterae Numismaticae Vindobonenses 4, 1992, 189–213
2 K. Regling, s. v. Sesterz, RE 2 A, 1878–1882 3 BMCRE, passim 4 RIC, passim 5 RRC, passim. DI. K.

Sestinum. Etr. Ortschaft im oberen Tal des Pisaurus (h. Foglia), h. Sestino, bis ins 4. Jh. n. Chr. florierendes *municipium* der *regio VI* (Plin. nat. 3,114), *tribus Crustumina* (CIL XI, p. 884). Etr. und röm. Grabfunde, Gebäudefundamente, Skulpturen, Mz., Inschr. (CIL XI 5996–6025).

A. Minto, S., 1940 · M. Corbier, De Volsinii à S., in: REL 62 (1984), 1986, 236–274 · G. Paci, Due dediche al dio Romulo d'età tardo-antica, in: Cahiers du Centre G. Glotz 7, 1996, 135–144 · M. Torelli (Hrsg.), Atlante dei siti archeologici della Toscana, 1992, 162–164.
L. S. A./Ü: J. W. MA.

Sestius. Röm. Gentilname, auch mit *Sextius* verwechselt. Die Familie erscheint Mitte des 5. Jh. v. Chr. mit S. [1] und [5] als patrizisch; in der späten Republik existieren nur noch (politisch unbedeutende) plebeiische Mitglieder. K.-L. E.

[1] S., L. Als Beleg der gerechten Amtsführung des ersten Collegiums der → *decemviri*, speziell des C. Iulius [I 13] Iullus, führen Livius (3,33,9 f.) und Cicero (rep. 2,61) die Erzählung an, daß im Haus des S. eine dort vergrabene Leiche gefunden wurde, und Iulius, der durch sein Amt den S. ohne Provokationsmöglichkeit (→ *provocatio*) hätte richten können, diesen vor dem Volk anklagte. Das von Livius dem S. gegebene Praen. P. könnte darauf hindeuten, daß ein Teil der Überl. S. mit dem *decemvir* S. [5] identifizierte. C. MÜ.

[2] S. (Quirinalis), L. Wurde um 73 v. Chr. als Sohn der Albinia und des P. S. [3] geb. Bereits 56 trat er im Prozeß des Vaters auf (Cic. Sest. 6; 10). 44–42 war er Quaestor und Proquaestor unter M. Iunius [I 10] Brutus (Cic. Att. 16,2,4; Cass. Dio 53,32,4; Sherk 56; BMCRR 2,472 f.; IPerg 406?). 43 proskribiert (App. civ. 4,223), wurde er begnadigt und schließlich 23 *cos. suff.* (Cass. Dio 53,32,4). Seit der Zeit bei Brutus war er mit → Horatius [7] befreundet, der ihm carm. 1,4 widmete.

[3] S., P. Um 95 v. Chr. geb., war S. zunächst mit Albinia, dann mit einer Cornelia verheiratet. Aus der ersten Ehe stammten die Kinder Sestia und S. [2] (Cic.

Sest. 6; fam. 5,6,1). 63 war S. als Quaestor des C. Antonius [I 2] an der Bekämpfung des → Catilina beteiligt (Cic. Sest. 8–12) und begleitete diesen danach als Proquaestor nach Macedonia (Cic. Sest. 13). Als *tr. pl.* setzte er sich 57 für die Rückberufung Ciceros ein (Cic. p. red. in sen. 20), was ihm 56 eine Anklage *de vi* einbrachte (Cic. ad Q. fr. 2,3,5). Ciceros erfolgreiche Verteidigungsrede (Cic. Sest.) ist die wichtigste Quelle für S. Um 55 bekleidete er die Praetur, da diese nach der *lex Pompeia de iure magistratuum* bei Antritt seiner Statthalterschaft in Kilikien (49: Plut. Brutus 4,2) 5 J. zurückliegen mußte. 48 gestattete Caesar S. die weitere Ausübung seines Amtes (Cic. Att. 11,7,1; Bell. Alex. 34,5). 39 und 35 erscheint er in den Senatsbeschlüssen über Panamara bzw. Aphrodisias (SHERK 27; 29). Cicero verspottete seinen Stil (Cic. Att. 7,17,2; vgl. Catull. 44), beurteilte aber S. wenigstens später positiv (Cic. ad Brut. 2,5,4).

[4] S., Q. Versuchte mit anderen 48 v. Chr., in Spanien den caesarischen Statthalter Q. Cassius [I 16] Longinus zu ermorden, wurde ergriffen, konnte sich aber freikaufen (Bell. Alex. 55,5). J.BA.

[5] S. Capitolinus Vaticanus, P. Nach Livius (3,32,5; 3,33,3 f.) setzte er sich als *cos.* 452 v. Chr. für die Einsetzung der Decemviri ein und wurde daher in ihr erstes Collegium von 451 gewählt (InscrIt 13,1,93 f.; 364 f.; MRR 1,44–46). Festus (268; 270) erwähnt ein von S. und seinem Mitconsul eingebrachtes Gesetz, das die Höhe einer → *multa* auf zwei Schafe und 30 Rinder beschränkte (hierzu [1. 98–101]). Vgl. auch S. [1].

1 D. FLACH, Die Gesetze der frühen röm. Republik, 1994.
C.MÜ.

Sestos (Σηστός). Stadt am europ. Ufer des Hellespontos (Hom. Il. 2,836), wo dieser am engsten ist (sog. *heptastádion*, Strab. 2,5,22; 7a,1,52), mit der Anlegestelle Apobathra über eine Strecke von ca. 60 m durch Mauern verbunden (Theop. FGrH 115 F 390; Strab. 13,1,22), wohl beim h. Yalıkavat. Um 600 v. Chr. am Ort einer thrakischen Siedlung von Lesbos gegr. (Ps.-Skymn. 709 f.). Von hier setzte Dareios [1] nach seinem Feldzug gegen die → Skythen 512 v. Chr. nach Kleinasien über (Hdt. 4,143,1); hier überbrückte Xerxes 480 v. Chr. den Hellespontos (Hdt. 7,33; Strab. 13,1,22) auf seinem Feldzug gegen die Griechen. Nach dem Sieg an der Mykale eroberten die Athener die von Aioleis und Persern gehaltene, stark befestigte Stadt 478 v. Chr. (Hdt. 9,114–119; Thuk. 1,89,2). Auch im → Peloponnesischen Krieg war S. von strategischer Bed. (Xen. hell. 1,1,7; 2,1,25). Hier setzten die Makedones im Frühjahr 334 v. Chr. unter Parmenion [1] nach Kleinasien über (Arr. an. 1,11,6). In röm. Zeit verlor S. seine frühere Bed.; Iustinianus [1] I. ließ S. noch einmal befestigen (Prok. aed. 4,10,24 f.).

CH. DANOV, Altthrakien, 1968, 252 • B. ISAAC, The Greek Settlements in Thrace Until the Macedonian Conquest, 1986, 195 f.
I.V.B.

Setaia (Σήταια). Eine der troischen Kriegsgefangenen der Griechen nach der Einnahme von Troia. Auf der Höhe von → Sybaris überredet sie aus Furcht vor der drohenden Knechtschaft die mitgefangenen Frauen dazu, die Flotte der Griechen in Brand zu stecken. Zur Strafe wird sie an eine Klippe gefesselt, Geiern zum Fraß (Lykophr. 1075–1082; Tzetz. ad Lykophr. 921; 1075–1081). Dieser Ort trägt nach ihr den Namen Setaion (Steph. Byz. s. v. Σηταῖον; Etym. m. s. v. Σηταῖον). Nach Apollodor (epit. 6,15c = Tzetz. ad Lykophr. 921) wird die Flotte von den Töchtern des → Laomedon [1] → Aithilla, → Astyoche [2] und → Medesikaste [2] angezündet, nach Plutarch (Romulus 1,17f–18b) von einer Rhome (einem Teil der Überl. zufolge der Eponymin der Stadt Rom). SI.A.

Seth. Als Brudermörder des → Osiris ist S. eine zentrale Figur der äg. Myth. [8]. Er wird meist mit dem Kopf eines unidentifizierten Tieres (sog. S.-Tier) dargestellt. Mit Osiris' Sohn → Horus prozessiert und kämpft er um die Herrschaft Äg.s [1]. Beide Götter zusammen verkörpern Ober- und Unter-Äg., weit geläufiger ist jedoch S.s Verbindung mit der Wüste und den Fremdländern. Dies führte im NR zu seiner Identifizierung mit dem syr. → Baal, dem die asiatischen Göttinnen → Anat und → Astarte als Gefährtinnen zugeordnet wurden. Spätestens durch diese Verbindung nahm S. auch Züge eines → Wettergottes an. Die Ramessidenzeit sah eine Blüte des S.-Kultes (Königsname → Sethos), in der Spätzeit (713–332 v. Chr.) wurde S. unter dem Einfluß des dominanter werdenden Osiriskultes zunehmend verfemt. Einzig in den → Oasen blühte der S.-Kult noch in der Römerzeit, doch mit bemerkenswerten Modifikationen [4]. Ansonsten galt S. der Spätzeit als Götterfeind [6], daher die → *interpretatio Graeca* als Typhon (→ Typhoeus). In den griech.-sprachigen → Zauberpapyri nimmt er in schwarzmagischen Zusammenhängen gelegentlich eine »Teufelsrolle« ein. Auch die ihm zugeordneten Tiere (das S.-Tier, der Eber und der Esel) waren negativ konnotiert. Das Sternbild des S., der »Stierschenkel« (d. h. der Große Wagen), gilt ebenfalls als gefährlich, weshalb er im Nordhimmel angebunden werden muß, um Orion (d. h. Osiris) nicht zu schaden [2].

Neben der negativen Rolle als Osirismörder galt S. jedoch auch als Schützer des → Re; er setzt seine alle anderen Götter übertreffende Kraft dazu ein, diesen gegen seinen Erzfeind, die Schlange Apopis, zu schützen [3]. Außer zu den unmittelbaren Göttern des Osiriskreises und den asiatischen Gottheiten wurde S. vor allem zu → Thot in – eine etwas ambivalente – Beziehung gesetzt. Gelegentlich wurde dem S. ein ephemerer Krokodildämon namens Maga als Sohn zugewiesen, dessen Mutter unbekannt ist. Meist wurde S. jedoch kinderlos gedacht, wohl wegen seines zumindest temporären Verlustes der Hoden im Kampf mit Horus; andererseits galt er jedoch als bes. lüstern.

Hauptkultorte waren Ombos (→ Omboi [1]), *spr-mrw*/Ṣafānīya (Gau von Oxyrhynchos), Awāris, Per-Ramesse und die westl. Oasen (ad-Dāḫila, al-Ḫāriğa). → Sethianismus

1 A. H. Gardiner, The Library of A. Chester Beatty, The Chester Beatty Papyri No. I, 1931 2 A. von Lieven, Der Himmel über Esna, 2000, 24–29 3 G. Nagel, S. dans la barque solaire, in: BIAO 28, 1929, 30–39 4 J. Osing, S. in Dachla und Charga, in: MDAI(K) 41, 1985, 229–233 5 E. Otto, Thot als Stellvertreter des S., in: Orientalia 7, 1938, 69–79 6 S. Schott, Bücher und Sprüche gegen den Gott S., 1929 (mit Ergänzung bei J. Goyon, in: BIAO 75, 1975, 343–347) 7 J. Vandier, Le papyrus Jumilhac, 1961 8 H. te Velde, S., God of Confusion, 1972. A. v. L.

Sethianismus. Mit S. wird nach der Rolle, die der Adamsohn → Seth in dieser Lehre spielt, und unter kritischer Aufnahme einer alten häresiologischen Bezeichnung eine charakteristische Spielart der → Gnosis bezeichnet. Sie findet sich vor allem bezeugt in einer Gruppe von bei → Nag Hammadi gefundenen Texten. Zu dieser Gruppe gehören: das Apokryphon des Johannes, NHCod II,1, III,1, IV,1 (mit Cod. Berolinensis Gnosticus 2 und Iren. adv. haereses 29); die Hypostase der Archonten, NHCod II,4; das Ägypter-Evangelium, NHCod III,2, IV,2; die Apokalypse des Adam, NHCod V,5; die drei Stelen des Seth, NHCod VII,5; Zostrianos, NHCod VIII,1; Melchisedek, NHCod IX,1; die Ode über Norea, NHCod IX,2; Marsanes, NHCod X; der Allogenes, NHCod XI,3; die dreigestaltige Protennoia, NHCod XIII. Weitere Zeugen sind: die titellose Schrift aus dem Cod. Brucianus sowie Epiphanios, adv. haereses 26 und 39 f.

Die Lehre der Sethianer ist auf ihrem Selbstverständnis als Samen des Seth aufgebaut. Entsprechend gilt Seth als der gnostische Erlöser. Die sethianische Soteriologie kann aber auch in der Form begegnen, daß Adamas der eigentliche Erlöser ist, der sich seines Sohnes Seth als eines Erlösungsmittlers bedient. Eine Art von Überbau ist die Vorstellung von den vier Äonen des αὐτογενής (*autogenḗs*, »selbstgeworden«): Harmozel, Oroiael, Daveithe und Eleleth, die die himmlischen Ruheorte für Adam, Seth, die vorzeitlichen und die jetzigen Sethianer darstellen. Der *autogenḗs* selbst ist das dritte Glied einer Götter-Trias, und zwar als göttlicher Sohn des Unsichtbaren Geistes und seiner Paargenossin Barbelo.

Typisch für diese Gnosis ist auch eine Weltzeitalterlehre. Deren konstitutive Elemente sind die Vorstellung, daß der Demiurg Jaldabaoth versucht, den Samen des Seth durch die Sintflut zu vernichten, und der Gedankenkomplex, daß die Kinder des Seth als Bewohner des Landes von Sodom und Gomorra vom Feuergericht des Jaldabaoth bedroht, aber durch Vertreter der Lichtwelt gerettet werden. Damit verbunden ist die Vorstellung, daß der Erlöser insgesamt dreimal in die Welt kommen mußte.

Der S. kannte zwei Sakramente, neben dem allgemeineren der Taufe noch das höhere und wiederholbare des kultischen Aufstiegs. Es gibt die Taufe nicht nur auf Erden, sondern auch im Himmel, das bei der Taufe auf Erden verwendete Taufwasser hat seine Quelle im Himmel, wo die drei Wächter Micheus, Michar und Mnesinūs über ihm wachen. Eine andere Personendreiheit, nämlich Jesseus, Mazareus und Jessedekeus, scheint das himmlische Taufwasser selbst verkörpert zu haben. Himmlische und auf Erden vollzogene Taufe sind von kultischer Identität. In der Taufe vollzieht sich bereits das eschatologische Ablegen der Finsternis und das Anlegen des Lichtes.

B. Layton (Hrsg.), The Rediscovery of Gnosticism. II: Sethian Gnosticism (Studies in the History of Religions 41.2), 1981 • J.-M. Sevrin, Le dossier baptismal séthien (Bibliothèque Copte de Nag Hammadi, Section »Études« 2), 1986 • J. D. Turner, Sethian Gnosticism: A Literary History, in: C. W. Hedrick, R. Hodgson (Hrsg.), Nag Hammadi, Gnosticism, and Early Christianity, 1986, 55–86. H.-M. SCHE.

Sethlans. Etr. Gott der Schmiedekunst: Auf den Mz. von → Populonia – der etr. Stadt, in der Erze verhüttet wurden – sind der Kopf des Gottes und das Werkzeug des Schmiedes (Zange, Hammer und Doppelbeil) abgebildet [1. 271 Abb. 1]. Die ins 6. Jh. v. Chr. zurückreichenden Darstellungen aus dem griech. Mythos [2. Abb. 112] weisen S. die Rolle des griech. → Hephaistos zu [3]. Auf etr. Spiegeln und Gemmen ist ab dem 4. Jh. v. Chr. sein Name mit den Varianten *σeθlans* (ET Ta S.8), *σeθlanś* (ET Ta G.3), *śetlans* (ET Fa S.4) belegt, auf der Bronzeleber von Piacenza (→ Etrusci, Etruria III. D.) ist er jedoch nicht genannt. Etym. gehört der Name S. dem umbr. Substrat des Etr. an, ein Bezug zum umbr. **Sitelans* mit der Bed. »Herr (Erzeuger) der Situlen« kann angesichts der Bedeutung des lat. Wortes → *situla* (»Eimer«) und seiner engen Verbindung mit einer spezialisierten Schmiedekunst als gesichert gelten [4. 211, 225].

In Etr. tritt S. als Blitzgott auf, er führt den Blitz zusammen mit → Tinia und anderen Göttern (Serv. Aen. 1,42). Ebenso kann er Feuer abwenden (App. civ. 5,49). Nach der etr. Disziplin (→ Etrusci, Etruria III. D.) befanden sich die Tempel des S. außerhalb der Stadtmauern (Vitr. 1,7).

1 M. Cristofani (Hrsg.), Dizionario della civiltà etrusca, 1985, 271 2 Pfiffig 3 I. Krauskopf, s. v. S., LIMC 4.1, 654–658 4 H. Rix, Teonimi etruschi e teonimi italici, in: Annali della fondazione per il Museo Claudio Faina 5, 1998, 207–229. L. A.-F.

Sethos (Σέθως). Name zweier Pharaonen, äg. *Stḫj*.

[1] Sethos I. 2. König der 19. Dyn., ca. 1290–1279 v. Chr., schon während der kurzen Regierung seines Vaters → Ramses [1] I. designierter Nachfolger. Einer seiner Namenszusätze (»der die Schöpfung wiederholt«) weist darauf hin, daß seine Herrschaft als Beginn einer neuen Ära gesehen werden sollte, und sie war es auch tatsächlich: Die meisten prägenden Züge der 19. Dyn., die in der Zeit seines Sohnes Ramses [2] II. bes. deutlich werden, begannen mit S. Er unternahm mehrere erfolgreiche Feldzüge nach Syrien und Palaestina, wo der äg. Einfluß gegen die expandierenden Hethiter zunächst gesichert wurde. Ebenso sind Feldzüge gegen Libyer und Nubier belegt. Nach den Problemen der → Amarna-Zeit wurde die äg. Herrschaft vom Orontes [7] bis zum 4. Katarakt wieder errichtet. Im Inneren ließ S. die in der Amarnazeit zerstörten Tempel und Götterdarstellungen restaurieren. Er begann den Bau einer neuen Residenz im Nil-Delta (die spätere Ramsesstadt) und ließ zahlreiche Tempel in Äg. und Nubien neu errichten oder erweitern (viele erst von Ramses II. fertiggestellt). Sein Grab und Totentempel in Theben dienten als Vorbild für die späteren Könige des NR. Seine Mumie wurde in der 21. Dyn. mehrfach umgebettet und ist in gutem Zustand erhalten.

[2] S. II. 5. (oder 6.?) König der 19. Dyn., wohl der Sohn des Merenptaḥ, ca. 1203–1197. Der chronologische Ansatz hängt davon ab, ob der (später als illegitim betrachtete) König Amenmesse sein Vorgänger war (dann hätte S. ca. 1200–1194 regiert) oder ein zeitweiliger »Gegenkönig« in Oberäg. In der Zeit S.' war Äg. von Invasionen der Libyer bedroht (und verm. auch betroffen), selbst in Oberäg. herrschte zeitweilig Kriegszustand. Daher sind nur wenige Denkmäler von S. überliefert. Die Dekoration seines Grabes wurde mehrfach geändert.

R. Stadelmann, K. A. Kitchen, s. v. S., LÄ 5, 911–918 • Th. Schneider, Lex. der Pharaonen, ²1996, 424–429.

K. J.-W.

Setia. Stadt im Gebiet der Volsci am Ufens auf dem → *ager Pomptinus*, h. Sezze. 382 v. Chr. als latinische *colonia* gegr. (Vell. 1,14), stellte sich S. im Latinerkrieg 340 (Liv. 8,3) und im 2. Punischen Krieg 209 v. Chr. (Liv. 27,9; 29,15,5) gegen Rom. 198 v. Chr. revoltierten Sklaven mit den in S. internierten karthagischen Geiseln und Gefangenen (Liv. 32,26,5–18). Erh. haben sich Teile der Stadtmauer. Tempel des Apollon (CIL X 6463) und des Augustus (CIL X 6461; 6469) sowie eine Basilika (CIL X 6462) sind nicht lokalisiert, nachgewiesen aber ein Heiligtum der Iuno (8.–6. Jh. v. Chr.) bei Archi di San Lidano, ein weiteres Heiligtum (5.–1. Jh. v. Chr.) bei Tratturo Caniò, *villae* und Thermen.

L. Zaccheo, S., 1983 • R. Volpe, S., in: Supplementa Italica 6, 1990, 19–31.

G. U./Ü: J. W. MA.

Seuchen s. Epidemische Krankheiten; Krankheiten

Seusamora (Σευσάμορα/Σεισάμορα). Eine der drei bei Strab. 11,3,5 namentlich genannten Städte des kaukasischen Iberien, Festung am Weg durch das Tal des → Aragos (h. Aragvi) zu den Portae Caucasiae (h. Dariali), bei dem h. Ort Cicamuri in Georgien. Grabungen: Hell. Stadtmauer und Bauten mit Quaderfundament (mit Klammereinlassungen), aufgehendem Lehmziegelmauerwerk und Ziegeldächern.

→ Harmozike; Iberia [1]

O. Lordkipanidze, Das alte Georgien (Kolchis und Iberien) in Strabons Geogr.: neue Scholien, 1996, 112f.; 174f.

A. P.-L.

Seuthes (Σεύθης).

[1] S. I. Odrysischer König, Sohn des → Sparadokos; er erbte 424 v. Chr. das Reich von seinem Onkel → Sitalkes [1] (Thuk. 2,101,5; 4,101,5), nachdem dieser 429 durch S.' Vermittlung den Kampf gegen → Perdikkas [2] beendet hatte. Darauf erhielt S. Perdikkas' Schwester Stratonike [1] (Thuk. 2,101,6) zur Frau. Vom zunächst mächtigen Odrysenreich des S. (Thuk. 2,97,3) spalteten sich ab 410 Teilfürstentümer unter → Maisades und → Teres ab. Die Nachfolge des S. trat ca. 410/405 v. Chr. → Medokos an [1. 119–121; 3. 78–83].

[2] S. II. Thrakischer Paradynast E. 5./Anf. 4. Jh. v. Chr. an der Propontis unter dem König → Medokos, an dessen Hof er aufgewachsen war. S. nahm den Rest von Xenophons »Zehntausend« in Dienst, um das Reich seines Vaters → Maisades zurückzuerobern (Xen. an. 7). Um 398 unterstützte er → Derkylidas (Xen. hell. 3,2,2–9). Als S. sich gegen Medokos auflehnte (Aristot. pol. 5,8,1312a), wurden beide 389 von Thrasybulos versöhnt und schlossen ein Bündnis mit Athen (Xen. hell. 4,8,26; Diod. 14,94,2; IG II/III² 21,22 = StV 238). → Iphikrates brachte S. Gebietsgewinne (Nep. Iphikrates 2,1). Kurz vor dem → Königsfrieden gehörte S. wieder zu den Gegnern Athens (Aristeid. 1,293; [1. 122–125, 216–219; 3. 84–88]). Interessante Silber- und verm. auch Br.-Mz. werden S. [1] oder S. [2] zugeschrieben [3. 76–78].

[3] Hipparch des → Kersobleptes (Polyain. 7,32), teilweise mit S. [2] bzw. S. [4] identifiziert.

[4] S. III. Odrysischer Herrscher ca. 330 bis Anf. 3. Jh. v. Chr., der seine Residenz → Seuthopolis nach griech. Muster erbaute. S. kämpfte erfolgreich gegen die maked. Fremdherrschaft von Alexandros [4] d. Gr. (Curt. 10,1,45), unentschieden endete 323 zunächst die Auseinandersetzung mit → Lysimachos [2] (Diod. 18,14, 2–4; vgl. 19,73,5; Paus. 1,9,6). 313 wurde S. jedoch besiegt, als er die Erhebung der Pontosstädte und den Antigonos [1] unterstützte (Diod. 19,73,8). Mit seiner Frau Berenike hatte S. vier Söhne: Hebryzelmis [2], → Teres, Satokos und Sadalas (IGBulg. 3,1731); ob Rhebulas und Kotys (IG II/III² 349 = Tod 193) Söhne von S. [4] oder S. [3] waren, ist umstritten. S. entfaltete eine reiche Br.-Mz.-Prägung [1. 307–316; 2; 3. 172–202].

1 Z. H. Archibald, The Odrysian Kingdom of Thrace, 1998 2 K.-L. Elvers, Der »Eid der Berenike und ihrer Söhne«: eine Ed. von IGBulg. III 2, 1731, in: Chiron 24, 1994, 241–266 3 U. Peter, Die Mz. der thrakischen Dynasten (5.–3. Jh. v. Chr.), 1997.

U. P.

Seuthopolis (Σευθόπολις). Residenzstadt des Thrakerkönigs Seuthes [4] III., 3,5 km südl. vom h. Koprinka (Kreis Kazanlak, Bulgarien) an der Mündung des Goljama Varovica in den Tonzos (h. Tundža). Eine Stadtmauer von 890 m umschloß ein Fünfeck (orthogonale Stadtanlage) von 5 ha. An der Agora stand ein Dionysos-

Tempel, in der Mitte ein großer Altar. Im Nordteil von S. befand sich die mit einer eigenen Mauer befestigte Burg (4620 m^2) mit der Residenz Seuthes' III. (40 × 17 m); hier war auch ein Heiligtum der samothrakischen Kabeiroi (→ Samothrake). S. besaß eine eigene Mz.-Prägung. Gut entwickelt waren Bauhandwerk, Töpferei und Metallverarbeitung. Zahlreiche Amphorenstempel belegen weitreichende Handelsbeziehungen. S. bestand bis in die 60er J. des 3. Jh. v. Chr.

D. P. Dimitrov, Trakijskijat Grad Sevtopolis, in: Sevtopolis 1, 1981, 11–17 · Ders., M. Čičikova, The Thracian City of S., 1978 · K. Dimitrov, Antični moneti ot Sevtopolis, in: Sevtopolis 2, 1982, 7–127 · A. G. Poulter, Ancient Bulgaria, Bd. 1, 1983, 289–303. I. v. B.

Severia. Vielfach für Griechenland bezeugte Spiele (für den röm. Raum nur CIL XIV 474), entweder unter der translitterierten Schreibung Σεβήρια/*Sebḗria* oder ähnlichen Formen wie Σεβήρεια/*Sebḗreia*, Σευήρεια/*Seuḗreia* oder Σεουήρεια/*Seouḗreia*. Die S. sind nur durch epigraphische Dokumente oder durch Münzrückseiten, nie durch lit. Texte belegt. Aus diesem Grund ist nur sehr wenig über sie bekannt; neuere Forsch. fehlen. Name und Zeitpunkt des Auftretens der S. setzen davon in Kenntnis, daß sie zu Ehren der Dyn. der Severer (193 bis 235 n. Chr.), gelegentlich auch später (252 in Sardeis) gefeiert wurden. Hauptorte waren: Athen, kleinasiat. Städte wie Nikaia [5], Nikomedeia, Sardeis, Tarsos. Manche Informationen, bes. die Verbindung zu den Nemeischen (→ Nemea [3]), Olympischen (→ Olympia IV.) und Pythischen Spielen (→ Pythia [2]), aber auch Angaben über Epheben, → Agonotheten und Gymnasiarchen (→ Gymnasiarchie) weisen deutlich darauf hin, daß die S. hauptsächlich gymnischen Charakters waren.

A. Hartmann, s. v. Σεβήρεια, RE 2 A, 961–964. G. F.

Severianos. Bischof von Gabala (h. Ǧabla) in Syrien, trat ab 401 n. Chr. als Prediger in Konstantinopolis auf. Sein Name ist v. a. mit dem erbitterten Streit mit Iohannes [4] Chrysostomos nach dessen Ernennung zum ökumenischen Patriarchen verbunden. Beide galten als begnadete Prediger, wobei ihre durch gegenseitige Kränkungen und offenes Buhlen um die Gunst der Kaiserin Aelia [4] Eudoxia gekennzeichnete Rivalität letztlich zur Absetzung und Verbannung des Chrysostomos führte. Aufgrund der dadurch bedingten Unruhen kehrte auch S. 404 in sein Bistum zurück und verstarb wohl 409. Seine gut 40 erh. Predigten (Werke vgl. CPG 2, Nr. 4185–4295, 4701, 4735, 4906) weisen ihn als Vertreter der antiochenisch-typologischen Schriftexegese mit dogmatischem Interesse aus.

H.-D. Altendorf, Unt. zu Severian von Gabala, Diss. maschr. Tübingen 1957 · K.-H. Uthemann, Forms and Communication in the Homelies by Severian of Gabala ..., in: M. B. Cunningham, P. Allen (Hrsg.), Preacher and Audience. Studies in Early Christian and Byzantine Homiletics, 1998, 139–177. L. H.

Severianus. Iulius S. Lat. Rhetor des 5. Jh. n. Chr. aus Gallien, von Sidon. epist. 9,15 für seinen hohen Stil gelobt. Sein rhet. Kompendium, das an einen nicht identifizierbaren Desiderius, wohl einen Rhet.-Schüler, gerichtet ist, legt das rhet. Lehrgebäude weder systematisch noch vollständig dar, ist aber wegen der Zit. aus sonst verlorenen Schriften und den Ausführungen zur Stilistik des Lat. von Interesse.

A. L. Castelli Montanari (ed.), Iulii Severiani Praecepta artis rhetoricae summatim collecta de multis ac syntomata, 1995 (mit ausführlicher Einleitung). C. W.

Severinus

[1] Schüler des Libanios, dann Advokat, trat in den Hofdienst ein (363 n. Chr.?), war 388–390 *comes rerum privatarum* des → Theodosius I., 391 *comes sacrarum largitionum*, endlich 398–399 *praef. urbi Constantinopolitanae.*

P. Petit, Les étudiants de Libanius, 1956 · PLRE 1, 830f. (S. 3). K. G.-A.

[2] S. von Noricum starb am 8.1.482 in dem von ihm gegr. Kloster in Favianis (Mautern/Donau). Seine wahre Herkunft (röm. Aristokrat?) verbirgt sich hinter den hagiographischen Topoi der im Kloster von Lucullanum (h. San Severino bei Neapel) im J. 511 von Abt → Eugippius verfaßten *Vita Severini* (›Leben des S.‹): S. kam Mitte 5. Jh. in die röm. Prov. Ufer-Noricum, stand in der polit. unsicheren Zeit der bedrängten Bevölkerung bei und war in Kontakt mit Rugierkönigen und → Odoacer. Als 488 die Bevölkerung Ufer-Noricums nach Süden auswandern mußte, nahmen die Mönche den Leichnam des S. mit. Barbaria, eine vornehme Aristokratin (Mutter von → Romulus [2]?), ließ für die Gebeine S.' in Lucullanum ein Mausoleum errichten.

Ed.: P. Régerat, Eugippe, Vie de Saint Séverin (mit frz. Übers.), SChr 374, 1991 (Lit.) · Th. Nüsslein, Das Leben des Hl. Severin (lat./dt.), 1986.
Lit.: F. Lotter, S. von Noricum. Legende und histor. Wirklichkeit, 1976. S. L.-B.

Severos (Σευῆρος).

[1] Platoniker verm. des 2. Jh. n. Chr. Er schrieb eine Monographie ›Über die Seele‹ [1. 80, 299; 2. 409–413, 428f., 435f.] und einen Komm. zu Platons ›Timaios‹ [1. 52, 217f.; 2. 407–409]. In diesen Werken erscheint er als eigenwilliger, leicht stoisierender Interpret der aristotelischen Kategorienlehre [1. 259; 2. 413f.; 3. 66, 288f.] sowie der platonischen Lehren von der → Seele [1. 299; 3. 56, 278f.] und der Entstehung der Welt [4. 116–118, 417–421]. Seine Schriften wurden in der Schule des Plotinos gelesen (Porph. vita Plotini 14), seine Lehren vor allem durch Proklos widerlegt [2. 422–428, 430–434].
→ Seelenlehre

1 Dörrie/Baltes 3, 1993 **2** A. Gioè, Il medioplatonico Severo: testimonianze e frammenti, in: Annali dell'Istituto Italiano per gli Studi Storici 12, 1991/1994, 405–437
3 Dörrie/Baltes 4, 1996 **4** Dörrie/Baltes 5, 1998.

FR.: A. GIOÈ (s. [2]) • S. LILLA, Introduzione al Medio platonismo, 1992, 156–157.
LIT.: L. BRISSON, Notices sur les noms propres, in: Ders. et al., Porphyre, La vie de Plotin I, 1982, 110 • W. DEUSE, Unt. zur mittelplatonischen und neuplatonischen Seelenlehre, 1983, 102–108 • J. DILLON, The Middle Platonists, ²1996, 262–264 • K. PRAECHTER, s. v. S., RE 2 A2, 2007–2010.

M. BA. u. M.-L. L.

[2] Gnostiker, E. 2. Jh. n. Chr. Eusebios berichtet, S. sei → Tatianus' Nachfolger als Schulhaupt der Enkratiten (eine Bezeichnung streng asketischer Gruppen des frühen Christentums); sie hätten Paulus und die ›Apostelgeschichte‹ abgelehnt (Eus. HE 4,29). Epiphanios beschreibt die Lehre der Severianer (adv. haereses 45): Neben dem guten Gott gebe es Weltherrscher, deren oberster (Jaldabaoth) den Teufel in Gestalt einer → Schlange gezeugt habe. Dieser wiederum habe mit der Erde zusammen den Wein und die Frau hervorgebracht; beide seien also als Satanswerk zu meiden. Epiphanios betont, daß es zu seiner Zeit (um 375 n. Chr.) nur noch wenige Anhänger des S. gebe.

F. WILLIAMS, The Panarion of Epiphanius of Salamis I, 1987, 346–348 (engl. Übers.) • R. C. CECIRE, Encratism, 1985.

J. HO.

[3] S. von Antiocheia. Theologe und syrisch-orthodoxer Patriarch von Antiocheia [1] (512–518); geb. um 468 als Kind nichtchristl. Eltern in Sozopolis in Pisidia. Er studierte in Alexandreia [1] und an der Rechtsschule von → Berytos, wo er sich 488 zum Christentum bekehrte. Er wurde Mönch und lebte von da an bei Gaza. 508–511 war er in Konstantinopolis und wandte sich gegen das Chalcedonense (→ Synodos). Nach der Absetzung des chalcedonensischen Flavianus II. wurde S. 512 zum Patriarchen von Antiocheia gewählt, jedoch 518 nach dem Regierungsantritt Iustinus [1] I. wieder abgesetzt. Abgesehen von einem kurzen Aufenthalt in Konstantinopolis 536 verbrachte er sein restliches Leben in Äg.; dort starb er am 8.2.538. Die griech. Originale seines umfangreichen Werkes sind fast alle verloren, da es 536 als häretisch verurteilt wurde (→ Häresie). Viele Schriften sind allerdings in frühen syr. Übers. erh., v. a. seine 125 Homilien (Nr. 77 als einzige auch auf Griech.), die *Orationes ad Nephalium*, *Philalethes*, *Contra Grammaticum* (d. h. gegen Iohannes [15] von Kaisareia), der Briefwechsel mit Sergios Grammatikos, Abh. gegen Iulianos [18] von Halikarnassos und eine Slg. von Hymnen. Viele Auszüge aus seinen exegetischen Schriften sind auf Griech. in → Katenen überl. Von den drei erh. Biographien ist die von Zacharias Scholastikos verfaßte früheste, die S.' Leben bis 512 schildert, von bes. Interesse.

ED.: M. BRIÈRE, F. GRAFFIN u. a., Patrologia Orientalis, Bde. 4, 8, 12, 14, 16, 20, 22 f., 25 f., 29, 35–38, 1906–1976 (Predigten; mit frz. Übers.) • J. LEBON, R. HESPEL, CSCO, Bde. 93 f., 101 f., 111 f., 119 f., 133 f., 244 f., 295 f., 301 f., 318 f., 1929–1971 (polemische Schriften) • E. W. BROOKS, Select Letters, 2 Bde., 1902–1904 (Auswahl aus den Briefen; mit engl. Übers.) • Ders., Patrologia Orientalis 6–7, 1911 (Hymnen; mit engl. Übers.) • F. PETIT, La chaine grecque sur l'Exode, Bd. 1: Fragments de Sévère d'Antioche, 1999 (mit frz. Übers.) • M. A. KUGENER, Patrologia Orientalis 2, 1907 (Biographien von Zacharias und von Iohannes von Beth Aphthonia; mit frz. Übers.) • K. E. MCVEY, CSCO 530–531, 1993 (Biographie von Bischof Georgios) • CPG 3, Nr. 7022–7081.
LIT.: A. GRILLMEIER, Jesus der Christus im Glauben der Kirche, Bd. 2.2, 1989, 20–185 • F. GRAFFIN, s. v. Sévère d'Antioche, Dictionnaire de Spiritualité 14, 1990, 748–751.

S. BR./Ü: S. KR.

Severus

[1] s. Septimius [II 7] Severus

[2] S. Alexander. Imperator Caesar M. Aurelius S. Alexander Augustus, röm. Kaiser (222–235) aus der Dyn. der Severer. Am 1. Oktober 208 n. Chr. in Arca Caesarea (Phönikien) geb. (CIL I p. 255; 274; Herodian. 5,7,4; Aur. Vict. Caes. 24,1; SHA Alex. 1,2), Sohn des Procurators Gessius Marcianus und der → Iulia [9] Avita Mamaea (SHA Alex. 1,2; Cass. Dio 78,30,3). Er hieß ursprünglich (Gessius) Iulius Bassianus Alexianus; erzogen bei seiner Mutter und der Großmutter → Iulia [17] Maesa (vgl. [1]). Priester des Sonnengottes in → Emesa (Herodian. 5,3,2–12). Durch Vermittlung der Großmutter von Elagabal [2] im Juni 221 adoptiert und zum Caesar unter dem Namen M. Aurelius Alexander erhoben (→ *Feriale Duranum*; Cass. Dio 79,17 f.). Er wurde → *princeps iuventutis* und im J. 222 *cos. I.*

Nach der Ermordung des → Elagabal [2] am 13. März 222 wurde S. Kaiser (Cass. Dio 79,19–21; SHA Alex. 1,1–3), am 14. März erhielt er die Titel *Augustus*, *pater patriae* und *pontifex maximus* durch den Senat. Er nannte sich jetzt Severus Alexander, Sohn des Divus Magnus Antoninus (Caracalla). Seine Mutter leitete mit einem Staatsrat die Regierungsgeschäfte (Herodian. 6,1,2); Ulpianus, der bald *praef. praet.* wurde, spielte eine führende Rolle, wurde allerdings 223 ermordet (Cass. Dio 80,1,1–2,2; POxy. 2565). S. war mit Seia → Sallustia Barbia Orbiana Augusta verheiratet; sein Schwiegervater, L. Seius Sallustius [II 5], war offenbar um 225 zum Caesar erhoben, im J. 227 nach einem Umsturzversuch getötet worden (Herodian. 6,1,9 f.; SHA Alex. 49,3 f.). S. war *cos. II* 226, *cos. III* 229 mit Cassius Dio, der dem Schicksal des Ulpianus nur knapp entging (Cass. Dio 80,4,2).

Auch in Mesopotamien meuterten die Soldaten; sie töteten den Feldherrn Flavius Heracleo (Cass. Dio 80,4,1–2). Im Osten begründete der Sāsānide Ardaschir [1] ein persisches Großreich und drang 230 über den Euphrat vor (→ Euphratgrenze). Im J. 231 brach S. mit seiner Mutter zum Krieg gegen ihn auf (Herodian. 6,4). Ein in Emesa ausgerufener Gegenkaiser konnte vernichtet werden (Zos. 1,12). Durch eine Schlacht am Euphrat im Frühjahr 232 wurden die Perser daran gehindert, ihren Angriff auf röm. Gebiet fortzusetzen (Herodian. 6,5–7). Während des Perserfeldzuges hielt S. sich hauptsächlich in Antiocheia [1] auf. Dort erhielt er die Nachricht von einem Germaneneinfall, der ihn zwang, 234 an den Rhein zu eilen (Herodian. 6,6f.). Am 19. März 235 meuterten die Soldaten in Mogontiacum (h. Mainz), riefen den Feldherrn aus dem Ritterstand Maximinus [2] Thrax zum Kaiser aus und töteten S. und seine Mutter (Herodian. 6,9,7; Eus. Chronik, armenische Fassung, p. 225 K; SHA Alex. 59,6). Die ausführliche *vita* in der SHA ist hauptsächlich fiktiv [2. 146–162].

1 E. Kettenhofen, Die syrischen Augustae, 1979
2 R. Syme, Emperors and Biography, 1971 3 Kienast, 177–182 4 RIC, Bd. 4.2, 62–96. A.B.

[3] S. war 365–367 n. Chr. *comes domesticorum* im Westen des Reiches (Amm. 27,8,2; Cod. Theod. 6,24,2f.), 367–372 *mag. peditum*. Er kämpfte gegen Alamannen (Amm. 27,10,6; 29,4,3f.) und Sachsen (Amm. 28,5,2). PLRE 1, 833 (Nr. 10).

[4] Valerius S. war 382 n. Chr. *praef. urbi Romae* (Cod. Theod. 6,6,1; 14,6,4 u.a.), zuvor wohl *procos. Africae* (vgl. Cod. Theod. 12,12,8). Er war Christ (ILCV Bd. 1, 1592). Valerius Pinianus [2], der Gatte von Melania [2] der Jüngeren, war sein Sohn (Pall. Laus. 61,2). PLRE 1, 837 (Nr. 29). W.P.

[5] Libius S. Röm. Kaiser im Westen (19.11.461–14.11.465); *cos.* 462. Aus lucanischem, verm. senatorischem Geschlecht, von → Ricimer in Ravenna ausgerufen, im Osten aber von → Leo(n) [4] I. nie anerkannt (insofern Usurpator). S. residierte in Rom und war anscheinend um gute Beziehungen zu stadtröm. Senatoren und zum Papst bemüht; ließ Ricimer frei schalten. Er starb wohl eines natürlichen Todes.

D. Henning, Periclitans res publica, 1999, bes. 40f.; 149–154 • PLRE 2, 1004f. H.L.

[6] Fl. Valerius S. s. Valerius

Seviri s. Ludi III. H.

Sexi. Phönizische Siedlung (Hekat. FGrH 1 F 43: Σίξος; Strab. 3,4,2; 3,5,5: Ἐξιτανοί; Mela 2,94; Plin. nat. 3,8: *Sexi Firmum Iulium*; Ptol. 2,4,7: Σέξ; Itin. Anton. 405,3: *Saxetanum*) an der Südküste der iberischen Halbinsel wohl bei Almuñécar, bis h. nicht ausgegraben. Wegen der starken Verlandung h. kaum mehr erkennbar, befand sich die phöniz. Siedlung urspr. auf einer Halbinsel oder Insel, von den Hügeln, die h. die Bucht umrahmen, eingeschlossen. Aussagen über die Chronologie von S. lassen nur die Nekropolen von Cerro de San Cristóbal und Puente de Noy zu; die typisch phöniz. Grabinventare, die man dort gefunden hat, datieren ab dem 8. Jh. v. Chr.

P. Barceló, Karthago und die Iberische Halbinsel vor den Barkiden, 1988, 33f. • J. L. López Castro, Hispania Poena, 1995, 106–111 • M. Pellicer Catalán, Ein altpunisches Gräberfeld bei Almuñécar (Prov. Granada), in: MDAI(Madrid) 4, 1963, 9–36 • Tovar 1, 81f. P.B.

Sextans. Der sechste Teil eines zwölfteiligen Ganzen, das Sechstel des Pfundes, des → *as* (Varro ling. 6,171) = zwei → *unciae*. Der S., Av. Muschel, Rv. *caduceus* (Heroldsstab; RRC, 14/5, Rom, 280–276 v. Chr) bzw. Av. Kopf des Mercurius, Rv. Prora (Schiffsvorderteil; RRC, 35/5, Rom, 225–217 v. Chr.), mit jeweils zwei Kugeln als Wertzeichen auf beiden Seiten, wurde anfänglich gegossen, nach der Gewichtsreduktion (→ Semilibralstandard) seit etwa 215 v. Chr geprägt (RRC, 41/9, Rom, 215–212 v. Chr.). Mit Einführung des → Semunzialstandards wurde die Prägung des S. eingestellt [1. 2031].

1 K. Regling, s. v. S., RE 2 A, 2030f. 2 Schrötter, s. v. S., 630. GE.S.

Sextantalstandard. Reduktionsstufe des röm.-ital. → *aes grave* mit ⅙ des urspr. libralen As-Gewichtes, in Rom zusammen mit dem → *denarius* um 214–212 v. Chr. eingeführt, auf den 10 sextantale Asse (→ *as*) gingen (Fest. 468: im 2. Punischen Krieg). Erstmals waren damit Bronze und Silber in ein festes Verhältnis zueinander gesetzt. Neu sind Beizeichen (Buchstaben oder Symbole); sie entsprechen teilweise denen der Silber-Mz. des Denarsystems. Erstmals wurden nun auch die großen Bronzenominale geprägt. Ein Teil der Münzen (Asse und Teilstücke) war untergewichtig, bereits ab ca. 207 sank der Gewichtsstandard der gesamten Bronzeprägung langsam immer weiter ab und war Mitte des 2. Jh. v. Chr. bei einem As von weniger als einer Unze (→ *uncia*) Gewicht angekommen.

1 RRC 6–8; 11–12; 24–35; 52f.; 596; 611f.; 627f.
2 R. Thomsen, Early Roman Coinage, Bd. 2, 1961, 36; 76–95 3 Ders., From Libral »Aes Grave« to Uncial »Aes«, in: Les »Dévaluations« à Rome, Bd. 1, 1978, 9–22. DI.K.

Sextarius (später griech. ξέστης/*xéstēs*, »Sechstel«). Röm. Hohlmaß für Flüssiges und Trockenes zu 1/48 der → *amphora* [2], ⅙ des → *congius* bzw. zu 2 → *heminae*, 4 → *quartarii* und 12 *cyathi* (→ *kýathos* [2]; s. Tab.); der *s.* entspricht ca. 0,546 l. Als Volumenangabe kommt *s.* auch auf ant. Maßgefäßen vor. Umgangssprachlich wurde *s.* auch für ⅙ einer beliebigen Sache verwendet. Der *s.* war die größte gemeinsame Stufe der bei höheren Einheiten unterschiedlich benannten Maße für Flüssiges und Trockenes.

1 H. Chantraine, s. v. ξέστης, RE 9 A, 2114–2129
2 F. Hultsch, Griech. und röm. Metrologie, [2]1882. H.-J.S.

Sextia

[1] Frau des L. Cornelius [II 59] Sulla Felix, der im J. 21 n. Chr. starb. Als ihr zweiter Mann Mamercus Aemilius [II 14] Scaurus 34 zum Selbstmord gezwungen wurde, tötete sie sich zusammen mit ihm (Tac. ann. 6,29,1).

Raepsaet-Charlier, Nr. 711.

Die römischen Hohlmaße für Flüssiges und Trockenes und ihre Relationen: ***sextarius***

Hohlmaß:	*cyathus*	*quartarius*	*hemina*	***sextarius***	*congius*	*amphora*
Ungefährer Inhalt:	0,045 l	0,136 l	0,273 l	**0,546** l	3,275 l	26,2 l
			96	**48**	8	1
			12	**6**	1	
	12	4	2	**1**		
					modius	
					8,75 l	
					3	1
		64	32	**16**	1	

[2] Vielleicht Schwester von S. [1]. Als ihr Schwiegersohn L. Antistius [II 12] Vetus im J. 66 n. Chr. angeklagt wurde, nahm sie sich zusammen mit ihm und ihrer Enkelin Antistia [3] Pollitta das Leben (Tac. ann. 16,10f.).

RAEPSAET-CHARLIER, Nr. 712. W. E.

Sextilia. Verheiratet mit L. Vitellius, *cos. III* 47 n. Chr. Ihre Söhne waren A. Vitellius, der spätere Kaiser, und dessen Bruder L. Vitellius. Nach dem Einzug ihres Sohnes in Rom im Sommer 69 erhielt sie den Ehrennamen *Augusta* (Tac. hist. 2,89,2); kurz darauf starb sie in hohem Alter (Tac. hist. 3,67,1). Sueton (Vit. 3) spricht anerkennend von ihr.

RAEPSAET-CHARLIER, Nr. 715. W. E.

Sextilius. Name einer röm. plebeiischen Familie, die histor. seit dem 3. Jh. v. Chr. in Rom bezeugt ist. Der Name erscheint häufig, seine Träger sind allerdings polit. unbedeutend. K.-L. E.

I. REPUBLIKANISCHE ZEIT

[I 1] Legat des L. Licinius [I 26] Lucullus 69 v. Chr., der sich im Armenienkrieg auszeichnete (Plut. Lucullus 25,4–6; App. Mithr. 381–385), 68 aber in parthische Hand geriet (Cass. Dio 36,3,2f.).

[I 2] Praetor vor 67 v. Chr., wurde mit seinem Kollegen Bellinus von Piraten verschleppt (Plut. Pompeius 24,6). JÖ. F.

[I 3] S., M. Aus Fregellae, erklärte im J. 209 v. Chr., als 12 latinische Kolonien (→ *coloniae*) sich außer Stande sahen, die Lasten des 2. Punischen Krieges weiter zu tragen, als Vertreter von weiteren 18, daß man nicht nur die ihnen auferlegten, sondern sogar noch umfangreichere Pflichten gerne erfüllen werde (Liv. 27,9–12). Einzelheiten dieses Ber. wie z. B. die Rolle des S. als Sprecher verschiedener Gemeinden bleiben unklar und sind Verzerrungen einer urspr. Nachr., in der es um die bes. Treue einzelner Kolonien gegenüber Rom ging.
→ Bundesgenossensystem; Punische Kriege

J.-L. VOISIN, Tite-Live, Capoue et les Bacchanales, in: MEFRA 96, 1986, 601–653, bes. 644f. TA. S.

[I 4] S., P. Praetor 89 (?) v. Chr., 88/7 Propraetor in Africa, wo er C. Marius [I 1] auf dessen Flucht vor den Sullanern den Aufenthalt in der Prov. verbot (Plut. Marius 40,3f.; App. civ. 1,279). Cassius [III 2] Dionysius aus Utica widmete ihm seine griech. Bearbeitung der Schrift des Karthagers Mago [12] über die Landwirtschaft (Varro rust. 1,1,10). K.-L. E.

[I 5] S. Rufus, C., zw. 51–50 und 47 v. Chr. Quaestor auf Zypern (MRR 3,198), ist wohl nicht derselbe wie C. Cassius' [I 10] Flottenchef L. Rufus (Cass. Dio 47,31,3), vielleicht aber S. Rufus, der 43 mit einem Geschwader vor Kilikien operierte (Cic. fam. 12,13,4). JÖ. F.

II. KAISERZEIT

[II 1] S. Felix. Praesidialprocurator von Noricum im J. 69 n. Chr., als Nachfolger von Petronius Urbicus. Er trat frühzeitig auf die Seite Vespasians und schützte mit seinen Auxiliareinheiten, die am Inn Aufstellung nahmen, das Gebiet gegen einen Angriff des Procurators von Raetia, der ein Anhänger des Vitellius war (Tac. hist. 3,5,2). Im J. 70 nahm er mit seinen Truppen am Kampf gegen Iulius [II 139] Tutor in Gallien teil (Tac. hist. 4,70,2).

[II 2] L. S. Paconianus. *Praetor peregrinus* im J. 26 n. Chr. (AE 1987, 163). Identisch mit dem Sextius P. bei Tacitus (ann. 6,3,4), der den späteren Kaiser Caligula ermorden wollte. Als er im J. 35 aggressive Gedichte gegen die *domus Augusta* publizierte, wurde er verurteilt und hingerichtet (Tac. ann. 6,39,1). W. E.

Sextius. Röm. Gentilname, auch mit → *Sestius* verwechselt. Die Familie tritt in der Überl. im 4. Jh. v. Chr. mit S. [I 6] hervor, der den Plebeiern den Zugang zum Konsulat verschaffte. In der Republik ist die Familie bis auf S. [I 3] unbedeutend; der bis ins 3. Jh. n. Chr. bekannteste Zweig stammt von Caesars Gefolgsmann S. [I 2] ab, führte sich aber fiktiv bis auf den ersten plebeiischen Consul S. [I 6] zurück (daher die Beinamen *Africanus* und *Laterensis*). K.-L. E.

I. REPUBLIKANISCHE ZEIT

[I 1] S., Q. Begründete Mitte des 1. Jh. v. Chr. in Rom die philos. Schule der »Sextier«. Eine polit. Karriere schlug er aus (Sen. epist. 98,13). Seneca charakterisiert S., dessen (h. nicht mehr erh.) Bücher er überaus schätzte, als ›in griech. Sprache, aber röm. Sittlichkeit philosophierend‹ (*Graecis verbis, Romanis moribus philosophantem*, ebd. 59,7). S. stand den Stoikern nahe, wollte aber kein Stoiker sein (ebd. 64,2). Tatsächlich griff er z. B. auch pythagoreische Lehren auf; so propagierte er Vegetarismus (ebd. 108,17) und allabendliche Gewissenserforschung (Sen. dial. 5,36,1). Auch in der Seelenlehre folgten die Sextier Pythagoras [1] und Platon [1] (Claudianus Mamertus, De statu animae 2,8 p. 129,9–14). Die Schule erlosch schon nach der zweiten Generation (Sen. nat. 7,32,2). Ob S. – oder sein Sohn – der bei Plinius und Dioskurides genannte Sextius Niger ist, bleibt ungewiß. J.D.

[I 2] S., T. Aus Ostia, geb. ca. 85 v. Chr. 54 oder davor wohl Quaestor, seit 53 Legat Caesars in Gallien (MRR 2,232; 239; 245). Als Propraetor von Africa Nova 44 (MRR 2,330; 349) hielt S. zu M. Antonius [I 9], wurde von den Triumvirn auch für Africa Vetus ernannt, das er vom Republikaner Q. Cornificius [3] nach schweren Kämpfen 42 mit Hilfe der Anhänger des P. → Sittius [1] eroberte (App. civ. 4,227–229; 236–242). 41 übergab S. gemäß Antonius' Absprache mit Octavian (→ Augustus) die Provinzen an C. Fuficius [2] Fango, nahm aber mit Ausbruch des *bellum Perusinum* (→ Perusia) E. 41 den Kampf wieder auf und eroberte die Gebiete zurück (Cass. Dio 48,22,1–6). Mitte 40 übernahm sie M. Aemilius [I 12] Lepidus; danach gibt es von S. keine Nachr. außer über seine Nachkommen. JÖ.F.

[I 3] S. Calvinus, C. Consul 124 v. Chr., kämpfte als Nachfolger des M. Fulvius [I 9] Flaccus 124/3 in Südgallien gegen die Liguri, Vocontii und Salluvii, über die er 122 in Rom triumphierte (InscrIt 13,1,83; Liv. per. 61; Strab. 4,1,5; Vell. 1,15,4); er gründete 122 an der Stelle seines Sieges über die Salluvii die Festung → Aquae [III 5] Sextiae (h. Aix-en-Provence).

[I 4] S. Calvinus, C. Wohl Sohn von S. [I 3], galt in Ciceros Knabenjahren (ca. 100–90 v. Chr.) als bedeutender Redner (Cic. Brut. 130); polit. gemäßigt, war er Gegner des L. Appuleius [I 11] Saturninus und Freund des C. Iulius [I 11] Caesar Strabo (Cic. de orat. 2,246; 249). Er ist vielleicht identisch mit dem Quaestor 111 des Consuls L. Calpurnius [I 1] Bestia im Krieg gegen Iugurtha (Sall. Iug. 29,4) und mit dem Praetor, der einer unbekannten Gottheit auf Verordnung des Senats einen an der Nordwestecke des Mons Palatinus stehenden Travertinaltar neu weihte (ILLRP 291). MRR 2,18; 3,198 f. K.-L.E.

[I 5] S. Naso. Praetor 44? v. Chr. (Cic. Phil. 3,25); Pompeianer, 44 unter den Caesarmördern (App. civ. 2, 474), wohl der 43 getötete Proskribierte, der noch Rache an seinem Denunzianten nahm (ebd. 4,107). JÖ.F.

[I 6] S. Sextinus Lateranus, L. Nach Livius (6,34,5–42) wurde S. zusammen mit seinem Kollegen C. Licinius [I 43] Stolo in den J. von 376 bis 367 v. Chr. als *tr. pl.* jährlich wiedergewählt. S. versuchte mit ihm in dieser Zeit, die sog. *leges Liciniae Sextiae* durchzubringen, was 367 gegen den Widerstand der Patrizier gelang. Nachdem durch die *leges* u. a. den Plebeiern das Konsulat geöffnet worden war, wurde S. 366 der erste plebeiische Consul (vgl. MRR 1,1,114 f.; InscrIt 13,1,33 f.; 104; 398 f.; zu den *leges* im einzelnen → Licinius [I 43]). C.MÜ.

II. Kaiserzeit

[II 1] T. S. Africanus. Senator. Er wollte Iunia [6] Silana heiraten, doch brachten ihn Drohungen Agrippinas [3] davon ab (Tac. ann. 13,19,2). *Cos. suff.* 59 n. Chr. Mit Volusius Saturninus und Trebellius Maximus sollte er im J. 62 den → *census* in den gallischen Prov. durchführen, worüber es zw. ihm und Saturninus zum Streit kam (Tac. ann. 14,46). Möglicherweise ist er in CIL VI 41058 mit seinem gleichnamigen Vater erwähnt. Die Familie stammte aus Ostia. Wahrscheinlich wurde er von Claudius [III 1] unter die Patrizier aufgenommen [1. 37].

1 H.-H. Pistor, Prinzeps und Patriziat, 1965.

[II 2] T. S. Africanus. Nachkomme von S. [II 1]. *Cos. ord.* im J. 112 n. Chr. Sein Sohn ist S. [II 3]. CIL VI 1518 = 41131.

[II 3] T. S. Lateranus M. Vipius Ovel[lius ? --] Secundus L. Vol[usius Torquatus ?] Vestinus. Sohn von S. [II 2]; Patrizier. Nach einer kurzen, typisch patrizischen Laufbahn erhielt er als Kollege des Kaisers Lucius → Verus den ordentlichen Konsulat im J. 154 n. Chr; Proconsul von Africa 168/9 [1. 69].

1 Thomasson, Fasti Africani.

[II 4] P. S. Lippinus Tarquitianus. Senator. Legat, wohl einer Legion, unter → Tiberius (CIL VI 1524 = 41059).

[II 5] T. S. Magius Lateranus. *Cos. ord.* im J. 94 n. Chr. PIR S 472.

[II 6] T. S. Magius Lateranus. Zum Namen CIL VI 41131. Sohn von S. [II 3]. Feldherr des Septimius [II 7] Severus im Kampf gegen die Parther 195 n. Chr. (Cass. Dio 75,2,3). *Cos. ord.* 197. Von Septimius Severus erhielt er die *domus Laterani* auf dem Caelius als Geschenk (LTUR II 179 f.; AE 1995, 222).

[II 7] C. S. Martialis. Kaiserlicher Procurator, der aus Mactaris in der Prov. Africa stammte. Seine Datier. muß offen bleiben (CIL VIII 11813; vgl. [1. 265]). Zu seinen Nachkommen s. CIL VI 41289.

1 A. Magioncalda, L'epigrafe da Mactar di C. S. Martialis, in: A. Mastino (Hrsg.), L'Africa Romana 9,1, 1992, 265–290.

[II 8] S. Paconianus s. L. Sextilius [II 2] Paconianus

[II 9] P. S. Scaeva. Proconsul von Creta-Cyrenae 8/7 oder 7/6 v. Chr.; genannt in einem der Cyrene-Edikte des Augustus (AE 1927, 166 Z. 42; 47).

[II 10] S. Sulla. Aus Karthago stammend. Mit → Plutarchos [2] bekannt, in dessen Dialog *De cohibenda ira* (452 f.) er als Gesprächspartner mit C. Minicius [4] Fundanus erscheint. W.E.

Sextos

[1] Unter dem Namen S. ist eine griech. Slg. von insgesamt 610 Sentenzen (→ *gnṓmē*) in zwei griech. Hss. überliefert (Patm. 263, Vat. Gr. 742; Pap. Palau Rib. 225^{v} um 400 n. Chr. bietet 21 Gnomen), wohl um 200 n. Chr. entstanden. Origenes [2] erwähnt als erster den

Titel Σέξτου γνῶμαι (*Séxtu gnṓmai*), u.a. mit der Bemerkung, daß ›die meisten Christen sie lesen‹ (Orig. contra Celsum 8,30). Rufinus [6] Tyrannius hat um 399 n.Chr. eine Slg. von 451 Sprüchen ins Lat. übersetzt und als Autor seiner Vorlage den Bischof und röm. Märtyrer Sixtus II. genannt (es wäre dann ein Jugendwerk). Hieronymus polemisiert gegen diese Gleichsetzung und nennt den Verf. *Xystus Pytagoricus* (Hier. commentarium in Ez. 6). Die große Beliebtheit der Schrift bis ins MA dokumentieren die armen., georg., arab., äthiop., kopt. (in NHCod XII,2) und syr. Übers. → Porphyrios benutzt in seinem ›Brief an Marcella‹ ca. 50 Sentenzen, wobei umstritten ist, ob er aus der erh. christl. oder aus einer nichtchristl. Slg. schöpft, die erst ein christl. Redaktor leicht überarbeitete, der damit die erh. Slg. schuf (vgl. → Silvanus). Die S.-Gnomen enthalten kynisch-stoisches und neupythagoreisches Gedankengut mit asketischer und enkratitisch-rigoristischer Tendenz (→ Severus [2]). Das Decretum Gelasianum 5,4,11 erklärt das Werk für apokryph und häretisch. Eine Epitome ist unter dem Namen eines Kleitarchos erhalten.

Ed.: H. Chadwick, The Sentences of S., 1959 • R. A. Edwards, R. A. Wild, The Sentences of S., 1981 (mit engl. Übers.) • J. Kroll, Die Sprüche des S. (dt. Übers.), in: E. Hennecke (Hrsg.), Nt. Apokryphen, [2]1924 • P.-H. Poirier, Les Sentences de S. (NHCod XII,1)/Fragments (NHCod XII,3), 1983 • F. Wisse, The Sentences of S., in: C. W. Hedrick, Nag Hammadi Codices XI, XII, XIII, 1990.

J.HO.

[2] S. Empeirikos s. Nachträge in Band 12/2

Sextula (»kleines Sechstel« = ⅙ der → *uncia*; vgl. Varro ling. 5,171: *aeris minima pars s., quod sexta pars unciae*). Röm. Maßeinheit zu 1/72 eines größeren Ganzen. Als Gewichtsstück entspricht die *s.* 1/72 der → *libra* [1] = 4,55 g, als Flächenmaß 1/72 des → *iugerum* = 35 m^2. Im spätröm. und byz. Gewichtssystem ist die *s.* mit 4 *scripula* gleichwertig (Wertzeichen Δ; → *scripulum*) oder 1 → *solidus* (Wertzeichen N). *S.* erscheint auch als Bestandteil der Gewichtsangabe auf spätant. Silbergeschirr (CIL XIII 3100,5; 10026,25; 29a).

1 S. Bendall, Byzantine Weights, 1996 2 F. Hultsch, Griech. und röm. Metrologie, [2]1882 3 L. Schwinden, Zu Maß und Gewicht eines neugefundenen Silbertellers, in: D. Ahrens (Hrsg.), Ordo et Mensura (1. Interdisziplinärer Kongreß für Histor. Metrologie 1989), 1991, 197–206.

H.-J.S.

Sextus

[1] Ein seltenes röm. → Praenomen; Siglen: *SEX.*, *SEXT.* oder nur *S.*; griech. Σέξτος (z.B. Sextos Empeirikos). Es ist mit dem lat. Ordinale *sextus*, »sechster«, identisch (vgl. → Quintus). Zu einer frühen Entlehnung aus dem Lat. wurde im Etr. das Gent. *Sekstalu-* gebildet. Vom Praen. *S.* leitet sich regulär das Gent. *Sextius* ab. Während aber *Sestius* die lautgesetzliche Entwicklung widerspiegelt, stellt die Schreibung *Sex-* sekundär die Beziehung zum Kardinale *sex* her.

Salomies, 49–50, 111. D.ST.

[2] S. Iulius Africanus. Verf. der ersten christl. Weltchronik (2./3. Jh. n. Chr.). Meist wird die Geburt des in höchsten Kreisen verkehrenden und weitgereisten S. um 160–170 n.Chr., der Tod nach 240 angesetzt. Beziehungen unterhielt der evtl. aus Jerusalem stammende S. (jüd. Herkunft nicht zweifelsfrei nachweisbar [8. 510; 5]) zu König Abgar IX. von Edessa (179–216), an dessen Hof er Bekanntschaft mit → Bardesanes machte. Ebenfalls belegt ist ein vor 221/2 anzusetzender Aufenthalt in Alexandreia [1], wo S. an der sog. Katechetenschule → Heraklas, einen Schüler des Origenes [2], zu hören beabsichtigte. Im J. 222 setzte sich S. für Nikopolis/Emmaus [1] – wohl sein damaliger Wohnort – bei Kaiser Alexander Severus [2] ein. Für diesen richtete er die Bibl. des Pantheon bei den Alexanderthermen ein, vielleicht ist er sogar ihr Erbauer [6. 820]. S. hat kein kirchliches Amt ausgeübt: Spätere Zeugnisse, die ihn u.a. zum Bischof von Nikopolis machen, beruhen auf Mißverständnissen.

Das früheste und bedeutendste Werk des S. ist seine mit Χρονογραφίαι/*Chronographíai* (CPG 1690) überschriebene Weltchronik. Während Phot. 34 noch das vollständige, bis ins J. 221 reichende Werk in fünf B. vorlag, sind h. lediglich Fr., v.a. bei Eusebios [7] von Kaisareia und in der Chronik des Georgios Synkellos, erh. (unvollständige Slg. der Fr. bei [1]). Erstmalig bringt S. aus apologetischen Motiven Ereignisse der jüd.-christl. Gesch. mit solchen der griech.-röm. in unmittelbaren Zusammenhang und wird so zum Begründer der christl. Chronographie. Die Gesamtdauer der Welt wird mit 6000 J. angesetzt; die Geburt Christi fällt in das J. 5500, mit dem Ende der Welt setzt für den Chiliasten S. das tausendjährige Reich ein. Neben der → Bibel nutzt er verschiedene jüd. und pagane Quellen. Das Werk wurde später u.a. von Hippolytos [2], Eusebios [7] und byz. Autoren benutzt. Ebenfalls fr. überl. sind die Alexander Severus gewidmeten Κεστοί/*Kestoí* (›Stickereien‹ bzw. ›Verzierungen‹ [2]). In enzyklopädischem Stil werden in dem wohl auf 24 B. angelegten Sammelwerk verschiedenste Themenbereiche (Militärtaktik, Medizin, Landbau u.a.) behandelt. Das Fehlen spezifisch christl. Inhalte und das Interesse des Verf. an magischen Praktiken [7] stellt Fragen an seine rel. Verortung. Vollständig erh. sind zwei Briefe: In seiner *Epistula ad Aristidem* (CPG 1693: [3. 53–62]) befaßt sich S. mit den Unterschieden zw. den Stammbäumen Jesu bei Mt und Lk, im Brief an Origenes mit der Zugehörigkeit der Susanna-Gesch. zum Buch Daniel (CPG 1692: [3. 78–80]).

Ed.: 1 M. J. Routh, Reliquiae sacrae, Bd. 2, [2]1846, 238–308, vgl. 357–509 (Ndr. 1974) 2 J.-R. Vieillefond, Les »Cestes« de Julius Africanus, 1970 (mit frz. Übers.) 3 W. Reichardt, Die Briefe des S. an Aristides und Origenes, 1909.
Lit.: 4 H. Gelzer, S. und die byz. Chronographie, 2 Bde., 1880, 1898 (Ndr. 1978) 5 E. Habas, The Jewish Origin of Julius Africanus, in: Journ. of Jewish Stud. 45, 1994, 86–91 6 H.-U. Rosenbaum, s.v. Julius Africanus,

Biographisch-Bibliogr. Kirchenlex. 3, 1992, 819–824 **7** F. C. R. Thee, Julius Africanus and the Early Christian View of Magic, 1984 **8** F. Winkelmann, s. v. Iulius Africanus, RAC 19, 508–518. J.RI.

Sexualität

I. Definition II. Eheliche und aussereheliche Sexualität in Griechenland und Rom
III. Sexualität in Literatur und Kunst
IV. Christentum

I. Definition

Der Terminus S. – abgeleitet von lat. *sexus*, »(männliches und weibliches) Geschlecht« – ist nicht antik. Er wird seit E. des 18. Jh. verwendet, um die Geschlechtlichkeit von Lebewesen zu bezeichnen; im mod. Sinne steht S. für das menschliche Geschlechtsleben in seinen biologischen, psychischen und sozialen Aspekten. Die neueren histor. Unt. der S. wenden sich gegen die Ansicht, die S. des Menschen stelle ein biologisch determiniertes, histor. invariantes Instinktverhalten dar, und betonen in Anlehnung an die mod. Anthropologie, daß sexuelles (=sex.) Verhalten vorwiegend durch soziale Normen geprägt ist, die dem histor. Wandel unterworfen sind. Der Ant. war die Vorstellung fremd, daß sex. Begehren sich ausschließlich auf ein Geschlecht richte; unter bestimmten Bedingungen gingen sowohl Männer als auch Frauen sex. Beziehungen mit Menschen des anderen oder des eigenen Geschlechtes ein; in der philos. Lit. wurde männliche → Homosexualität seit Platon allerdings auch kritisiert und abgelehnt (Plat. leg. 838e-839a; 841d; vgl. später Musonius 12). Eine ganze Reihe unterschiedlicher Termini bezeichneten das sex. Begehren (z. B. ἔρως/→ *érōs*; ἐπιθυμία/*epithymía*; lat. *cupiditas, concupiscentia, voluptas, libido*; → Trieb) bzw. den sex. Verkehr (z. B. ἀφροδίσια/*aphrodísia*). Bei Platon werden drei starke Begierden (*epithymíai*) genannt: der Trieb zu essen, zu trinken und der Sexualtrieb (Plat. leg. 782d-783c; vgl. 836ab); Musonius äußert die Auffassung, der Schöpfer des Menschen habe jedem der beiden Geschlechter ein starkes Verlangen nach der sex. Vereinigung mit dem jeweils anderen eingegeben (Musonius 14).

Die Annahme, daß die sex. Konstitution von Männern und Frauen sich unterscheide, war in der Ant. weit verbreitet und wird in medizinischen, philos. und naturkundlichen Schriften explizit ausgeführt (Aristot. hist. an. 539b; 571b; 608a-b; Plut. mor. 650F–651E). Das sex. Verhalten eines Menschen wurde in der Ant. wesentlich durch seinen Rechtsstatus als Freier oder Unfreier, durch sein Alter sowie durch sein Geschlecht bestimmt. Den verschiedenen Altersstufen wurde unterschiedliches Sexualverhalten zugeschrieben; so galten junge Männer als schnell entflammbar, junge Frauen sex. als bes. aktiv (Aristot. pol. 1335a). Die S. im Alter wird oft als unschicklich oder lächerlich dargestellt.

II. Eheliche und aussereheliche Sexualität in Griechenland und Rom

In den lit. Quellen wird bei heterosex. Beziehungen zw. ehelicher und außerehelicher S. differenziert. Weil die Heirat mit dem Ziel erfolgte, Kinder zu zeugen, spielte S. in der → Ehe eine wichtige Rolle und stellte ein tragendes Band der Ehegemeinschaft dar; ein Gesetz Solons [1] soll die Vorschrift enthalten haben, daß der Ehemann einer → *epíklēros* mit dieser dreimal im Monat sex. Umgang haben müsse (Hom. Od. 23,166ff.; Eur. Iph. A. 544–556; Plut. mor. 142F–143A; 769A-D; Plut. Solon 20). Im Rahmen der ehelichen S. kam Männern der aktive und dominierende Part zu, während demonstrative Sinnlichkeit bei Ehefrauen verpönt war. Die sex. Unberührtheit einer jungen Frau war zwar nicht zwingende Voraussetzung für eine Verheiratung, wurde aber hoch geschätzt. In Athen war es Vätern gestattet, ihre Töchter in die → Sklaverei zu verkaufen, wenn diese vor der Ehe mit Männern Verkehr hatten (Plut. Solon 23,2; vgl. auch Aischin. Tim. 182). In Rom galt die Verführung eines jungfräulichen Mädchens als Unzucht (→ *stuprum*); die Aufsicht über die Keuschheit der Töchter fiel in den Machtbereich des → *pater familias* (Val. Max. 6,1; Liv. 3,44–48).

Da die Ehe vornehmlich der Geburt legitimer Nachkommen diente, wurde das sex. Verhalten der Ehefrauen streng überwacht. In Athen wurde der gewaltsame oder einvernehmliche außereheliche Verkehr mit einer verheirateten Frau als → Ehebruch (μοιχεία/→ *moicheía*) und als Beleidigung des rechtmäßigen Ehemannes aufgefaßt. Ein angeblich auf Drakon [2] zurückgehendes Gesetz erlaubte es, einen auf frischer Tat ertappten Ehebrecher sofort zu töten, ebenso wie einen Mann, der unerlaubt der Mutter, Schwester, Tochter oder Konkubine beiwohnte (Demosth. or. 23,53; Lys. 1,30f.). Untreuen Ehefrauen drohte die → Scheidung (Demosth. or. 59,85–88) und gleichzeitig der Ausschluß von den rel. Festen, die verheirateten Bürgerinnen vorbehalten waren. Wurde in Rom eine Ehefrau von einem anderen Mann verführt, galt dies als Ehebruch (→ *adulterium*). Es war Pflicht des *pater familias* und der männlichen Verwandten, die Ehebrecherin zu bestrafen (Cato bei Gell. 10,23,4f.; Cic. Brut. 330; Dion. Hal. ant. 2,25,6; Cic. rep. 4,6). Mit der mehrere Gesetze umfassenden sog. augusteischen Ehe- und Sittengesetzgebung (*lex Iulia de adulteriis coercendis* und *lex Iulia de maritandis ordinibus*) wurden 18 v. Chr. *adulterium* und *stuprum* zu öffentlichen Delikten, für die ein ständiger Gerichtshof zuständig war. Im Gegensatz zu der für Frauen geltenden Norm der Keuschheit stehen die in der ant. Lit. gängigen Topoi von deren vermeintlich größerem sex. Lustempfinden (Apollod. 3,71) und deren Promiskuität (Aristoph. Eccl. 225).

Für freie Männer boten → Prostitution, → *concubinatus* und → Päderastie in Griechenland ebenso wie in Rom vielerlei Möglichkeiten, außereheliche sex. Beziehungen zu statusniederen Frauen oder aber zu Männern zu unterhalten. Sex. Beziehungen mit eigenen

Sklavinnen oder Sklaven standen im Einklang mit der absoluten Verfügungsgewalt der Herren, während es verboten war, sich an Sklaven, die einem anderen gehörten, zu vergreifen. Die ant. Terminologie zur Bezeichnung des erzwungenen Geschlechtsverkehrs zeigt, daß dieser mit der Gewalt, Verhöhnung (ὕβρις/*hýbris*) und Befleckung (διαφθείρειν/*diaphtheírein*; lat. *vitiare*) des Opfers einherging und als Schande (αἰσχύνειν/*aischýnein*; lat. *flagitium*) empfunden wurde. Vergewaltigung wurde hauptsächlich durch Selbstjustiz geahndet, mitunter waren gesetzlich Geldstrafen festgelegt (Lys. 1,32; Marcus Dig. 48,6,3,4; Ulp. Dig. 48,5,30,9).

III. Sexualität in Literatur und Kunst

Sex. Aktivitäten werden in vielen lit. Texten beschrieben, wobei je nach Gattung Umschreibungen (Hom. Il. 24,675 f.; Hom. Od. 5,154 f.; 10,333–347) oder drastische (etwa in der Komödie: Aristoph. Eccl. 938–1111; Aristoph. Plut. 1067–1096) sowie poetische Darstellungen (etwa in röm. Elegien: Prop. 1,1; 2,15) vorherrschen. Im → Roman wird das Entstehen sex. Begehrens beschrieben (Longos 1,11–14; 1,23–27; 1,32), in der Dichtung auch männliche Impotenz thematisiert (Ov. am. 3,7; vgl. Mart. 11,29; 11,46; 11,81; 12,86). Mitunter wird auch grenzüberschreitendes Sexualverhalten kritisiert, so bei Martial in spöttischer Absicht (Mart. 11,61; 12,55; 12,75; 12,85) oder in den Ber. über sex. Ausschweifungen von Tyrannen und röm. Kaisern, denen Perversionen jeglicher Art vorgeworfen wurden (Suet. Cal. 24; 36; Suet. Nero 27–29; Suet. Dom. 22; Tac. ann. 15,37; SHA Comm. 5,4–11; SHA Heliog. 5; 8,6 f.; 10,5–7; 26,3–5). In diesem Zusammenhang wird auch das ausschweifende Leben von Frauen der Herrscherfamilien oder der röm. Oberschicht kritisch beschrieben (Messalina: Tac. ann. 11,12; 11,34,2; Iuv. 6,116–132; Sabina Poppaea: Tac. ann. 13,45; Faustina: SHA Aur. 19,7; Theodora: Prok. HA 9,1–28).

Die griech. Philosophen erheben weniger den Sexualakt zum Gegenstand der moralischen Erörterung, vielmehr werden Ausmaße und Wirkungen des sex. Begehrens problematisiert. Platon empfiehlt ebenso wie Aristoteles die Mäßigung sex. Begehrens (Plat. rep. 389e; 559c; Aristot. eth. Nic. 1118a-b; 1147b 20 ff.). S. zw. Männern und Frauen wird meist im Rahmen ökonomischer Reflexion zur rechten Eheführung thematisiert, die Fortpflanzung und erfolgreiche Wirtschaft innerhalb des → *oíkos* garantieren soll (Xen. oik. 7,18–22; Aristot. eth. Nic. 1162a 16–33). Kaiserzeitliche Schriften zur Eheführung, etwa Plutarchs *Coniugalia praecepta* (mor. 138A–146C), charakterisieren die Ehe als wechselseitige Partnerschaft und fordern Treue von beiden Partnern (so auch Musonius 13).

Die ant. Kunst ist reich an erotischen Darstellungen von Paaren oder Gruppen (→ Erotik II.). Attische Vasenbilder aus der Zeit von ca. 575–425 v. Chr. [8], in späterer Zeit v. a. figürliche Abb. auf Handspiegeln, ferner Wandmalereien und Bodenmosaike aus röm. Zeit sowie zahlreiche Gebrauchsgegenstände (z. B. Öllampen) zeigen den Koitus und weisen dabei ein breites Spektrum von Stellungen und sex. Handlungen auf. Problematisch ist es, den abgebildeten Stellungen einen eindeutigen Symbolgehalt zuzuschreiben, etwa die Penetration *a tergo* immer als Akt der Machtausübung zu verstehen.

IV. Christentum

Die Christen sahen in der S. eine Gefahr für die ausschließliche Hinwendung des Menschen zu Gott. Die christl. Morallehre forderte daher von Anf. an prinzipiell eine strenge Regulierung sex. Betätigung. Bereits Paulus forderte sex. Enthaltsamkeit, akzeptiert aber die monogame Ehe als eine Lebensform, die der Vermeidung der Unzucht diene (1 Kor 7). Einige Kirchenväter mahnen zur Keuschheit, die den Leib für göttliche Inspirationen empfänglicher machen soll (vgl. etwa Tert. de monogamia; Tert. de exhortatione castitatis; Tert. de cultu feminarum; Clem. Al. strom. 2,23). Augustinus sieht in der S. einerseits eine natürliche Anlage, welche die Menschen bereits im Paradies besaßen, andererseits ein Symptom der Entfremdung von Gott (Aug. civ. 14,21–24). Das christl. Verständnis von S. wurde durch deren Verbindung mit der von Augustinus formulierten Lehre der »Erbsünde« über Jh. geprägt. Seit dem 3. Jh. vertritt die Kirche das Ideal der monogamen Ehe, während Minderheiten zunächst vorwiegend im Osten des Imperium Romanum ein auch sex. asketisches Leben führten (→ Askese).

→ Ehe; Erotik; Frau; Geschlechterrollen; Geschlechtskrankheiten; Homosexualität; Pornographie; Prostitution; Trieb; Gender Studies

1 P. Bing, R. Cohen, Games of Venus. An Anthology of Greek and Roman Erotic Verse from Sappho to Ovid, 1991 2 P. Brown, The Body and Society. Men, Women and Sexual Renunciation in Early Christianity, 1988 (dt.: Die Keuschheit der Engel, 1991) 3 J. N. Davidson, Courtesans and Fishcakes, 1997 4 Ders., Dover, Foucault and Greek Homosexuality: Penetration and the Truth of Sex, in: Past and Present 170, 2001, 3–51 5 G. Doblhofer, Vergewaltigung in der Ant., 1994 6 M. Foucault, Histoire de la sexualité (dt.: S. und Wahrheit), Bd. 2: L'usage des plaisirs, 1984 (dt.: Der Gebrauch der Lüste, 1986); Bd. 3: Le souci de soi, 1984 (dt.: Die Sorge um sich, 1986) 7 D. M. Halperin et al., Before Sexuality, 1990 8 M. F. Kilmer, Greek Erotica, 1993 9 A. Richlin (Hrsg.), Pornography and Representation in Greece and Rome, 1992 10 A. K. Siems (Hrsg.), S. und Erotik in der Ant., 1988 11 S. Treggiari, Roman Marriage, 1991, 229–319 12 I. Stahlmann, Der gefesselte Sexus. Weibliche Keuschheit und Askese im Westen des Röm. Reiches, 1997 13 J. J. Winkler, The Constraints of Desire. The Anthropology of Sex and Gender in Ancient Greece, 1990 (dt.: Der gefesselte Eros, 1994). E. HA.

Siagu. Stadt der Africa Proconsularis südwestl. von Neapolis [9] (Σιαγούλ: Ptol. 4,3,9; Tab. Peut. 6,1; *civitas Siagitana*: [1. 793]), h. Ksar ez-Zit/Osttunesien. 28 n. Chr. standen an der Spitze der Stadt → Sufeten (CIL V 1, 4922) – Zeichen einer starken punischen Trad. Für das 2. und 3. Jh. n. Chr. sind *decuriones* bezeugt (CIL VIII 1,

964). Inschr.: CIL VIII 1, 964–967; Suppl. 1, 12446–48; 4, 24090; [1. 792, 795]; AE 1933, 66.

1 A. Merlin (ed.), Inscriptions Latines de la Tunisie, 1944.

AATun 050, Bl. 37, Nr. 4 • H. Dessau, s. v. S., RE 2 A, 2066. W. HU.

Siana-Schalen. Attisch-sf. Schalengattung, benannt nach einem FO auf Rhodos. Im 2. Viertel des 6. Jh. v. Chr. dominierender Trinkschalentyp, der später neben den → Kleinmeister-Schalen noch lange weiterlebte. Gegenüber den Vorläufern, den Komasten-Schalen (→ Komasten-Gruppe), sind bei den S.-Sch. der abgesetzte Mündungsrand sowie der konkav ausschwingende Fuß höher, und die Henkel weisen leicht nach oben. Neu und charakteristisch ist auch das Bildtondo auf dem Schalengrund – häufig mit einer Figur im Knielauf –, das von einem Zungenband oder anderen Ornamenten umrahmt wird. Für die Dekoration der Außenseiten gibt es zwei Systeme: Die Bilder sind entweder über den durch eine schwarze Linie markierten Knick zw. Bekken und Rand hinweggemalt (*overlap*), oder die beiden Zonen sind getrennt dekoriert (*double-decker*), die untere gewöhnlich figürlich, die obere öfter ornamental. Beliebte Themen sind Symposia, Kavalkaden, Zweikämpfe, Komasten (→ *kṓmos*), Sportszenen und myth. Themen. Auf S.-Sch. spezialisierte Maler waren z. B. der C-Maler, der noch sehr von der → korinthischen Vasenmalerei beeinflußt ist, der anspruchsvollere Heidelberg-Maler, der sich mehr für myth. Themen interessiert, oder der weniger phantasievolle Greifenvogel-Maler. Auch → Lydos [2] und seine Gefährten haben S.-Sch. bemalt. Brijders Klassifizierung der über 1000 S.-Sch. nach Form und Bemalung ist für die Chronologie und Stilentwicklung dieser Zeit von Bed.

H. A. G. Brijder, Siana Cups, Bd. 1–3, 1983, 1991, 2000 (Bd. 4 in Vorbereitung). H. M.

Siberis (Σίβερις). Rechter, durch seine Hochwasser gefährlicher (Prok. aed. 5,4,1–3) Nebenfluß des → Sangarios, auch *Hieros flumen* genannt (Plin. nat. 5,149), h. Kirmir Çayı (anders noch [1]). Vom 1. bis 3. Jh. n. Chr. Grenzfluß zw. → Bithynia und → Galatia (Plin. l.c.).

1 W. Ruge, s. v. Hieros flumen, RE 8, 1589.

Belke, 224. K. ST.

Sibylle (Σίβυλλα), lat. *Sibylla*).
A. Allgemein B. Herkunft, Zahl, Namen
C. Literarische Figur und Nachleben

A. Allgemein

Sibyllen sind in der griech.-röm. Kultur von Geburt an gottinspirierte Seherinnen unbestimmter Zahl, die zeitlebens ihre Jungfräulichkeit bewahren, sehr alt werden, aber nicht unsterblich sind. Zuweilen werden sie in einem Kontext mit → Apollon genannt und zeigen insofern gewisse Ähnlichkeiten mit anderen Prophetinnen wie → Kassandra oder der → Pythia [1].

Die als Medium zw. Göttern und Menschen fungierenden S. wirken nicht im Rahmen eines institutionalisierten Orakelbetriebs, sondern prophezeien nur ungefragt und unternehmen der Sage nach oft sehr weite Wanderungen (Paus. 10,12,5). Sie tragen ihre Prophezeiungen (zumeist von Katastrophen) im eigenen Namen in Hexametern vor und schreiben diese nieder (etwa auf Pflanzenblättern). Die unter dem Namen der S. verbreiteten ›Sibyllinischen Bücher‹ und ›Sibyllinischen Orakel‹ (→ *Sibyllini libri*) sind jedoch → Pseudepigraphie unbekannter Provenienz.

B. Herkunft, Zahl, Namen

Herkunft, Zahl und Namen der S. waren schon in der Ant. Gegenstand der Forsch. Urspr. wahrscheinlich in Kleinasien anzusiedeln, breitete sich die Autorität der S. in den gesamten griech. Kulturraum, später auch nach Rom aus, wo die *Sibyllini libri* eine prominente Funktion im Orakelwesen einnahmen. S. scheint urspr. ein weibl. Eigenname gewesen zu sein (vgl. Serv. Aen. 3,445), der sich allmählich zu einem Gattungsnamen entwickelte. Einzelne S. werden meist durch den Zusatz eines Ortsnamens individualisiert (z. B. *Tiburtina*, *Cumana*: S. aus Tibur, S. aus Kyme). In späterer Zeit treten wieder S. mit individuellen Namen wie Herophile, Demo, Phoito, Sabbe auf. Die auch heute ungeklärte Etym. war schon in der Ant. umstritten: Varro, Res divinae fr. 56a,7 Cardauns (bei Lact. inst. 1,6,7), Servius (Serv. Aen. 3,445; 6,12) und Isidoros (Isid. orig. 8,8,1) leiten S. von griech. *sioú* (=*theú*) *bulḗ* (»Gottes Rat«) ab; Lydos (Lyd. mens. 4, 47) und Suda (s. v. Σ.) lesen S. als lat., Pausanias (10,12,1) als libysches Wort [4. 2074 f.].

Bis ins 4. Jh. v. Chr., etwa in der überhaupt ältesten Erwähnung bei Herakleitos (Herakl. 22 B 92 DK) oder bei Aristophanes (Pax 1095 f.; 1116), ist nur von einer einzigen S. die Rede. Obwohl immer wieder verschiedene Zahlen (z. B. zwei: Mart. Cap. 2,159; drei: schol. Aristoph. Av. 962) [4] und Namen (*Thessalica, Sardica, Aegyptiaca* u. a.; vgl. Suda s. v. Σ.) kursieren, wirkte insbes. Varros Katalog (l.c.) folgender zehn S. kanonisierend (in chronologischer Reihenfolge): *Persica, Libyca, Delphica, Cimmerica, Erythraea, Samia, Cumana, Hellespontica, Phrygia, Tiburtina* (S. aus Persien, Libyen, Delphi, Kimmerien, Erythrea, Samos, Kyme, vom Hellespont, aus Phrygien, aus Tibur).

C. Literarische Figur und Nachleben

Die Zuschreibung einer bestimmten ethnischen Herkunft erlaubte die Adaption der S. an verschiedene Kulturen und Rel. Die *S. Hebraica (Iudaica)*, hebräische (jüdische) S., fügt sich ebenso bruchlos in das System der biblischen Propheten wie andere S. in das Christentum [2]. Eine entscheidende Rolle spielt hierbei die als Anspielung auf das christl. Heilsgeschehen gedeutete vierte Ekloge des → Vergilius. Die oft weite zeitliche Dimension der S.-Prophezeiungen wurde nun durch eine christl.-eschatologische ersetzt. Zudem konnte die deutliche Welt- und Menschenverachtung der S. mit christl. und jüd. *contemptus mundi* (»Weltverachtung«) in Einklang gebracht werden.

Durch diese christl. Deutung wurden S. häufig in der Bildenden Kunst dargestellt (z. B. MICHELANGELO, Sixtinische Kapelle, 1508–1512, oder Raffaelle SANZIOS Fresken in Santa Maria della Pace in Rom, 1512). Obwohl die Orakel der S. vielfach in der Lit. Erwähnung finden (→ *Sibyllini libri*), avancierte nur die S. von Cumae (→ Kyme [2]) zur lit. Figur: Sie ist in Vergils *Aeneis* die Begleiterin des Aeneas (→ Aineias [1]) in die Unterwelt (vgl. Ovid met. 14,132–153; Petron. 48,7f.), spielt aber auch in R. VON RANKE-GRAVES' Roman *I, Claudius* (1934) eine entscheidende Rolle.
→ Orakel; Prophet; Sibyllini libri

1 M. CACCAMO CALTABIANCO, s. v. S., LIMC 7.1, 753–757; 7.2, 547–549 2 A. MOMIGLIANO, Dalla Sibilla pagana alla Sibilla cristiana, in: ASNP 17, 1987, 407–428
3 H. W. PARKE, Sibyls and Sibylline Prophecy in Classical Antiquity, 1988 4 A. RZACH, s. v. S., RE 2 A, 2073–2103.
C. W.

Sibyllini libri, Sibyllina oracula. Auf die → Sibyllen wurden in der Ant. sowohl die von den röm. → *quindecimviri sacris faciundis* für die staatlichen → Sühnerituale republikanischer Zeit genutzten *S. l.* als auch Orakeltexte der Kaiserzeit zurückgeführt (→ Pseudepigraphie). Die *S.l.* (›Sibyllinischen Bücher‹), auch *libri fatales* genannt [1. 562–565], soll die Sibylle von Cumae dem König → Tarquinius Priscus verkauft haben (Lact. inst. 1,6). Auf Senatsbeschluß wurden die geheimen, in griech. Sprache verfaßten Bücher eingesehen (Zeugnisse: [2. 2108–2117]), bis der Brand des Iuppiter-Tempels auf dem röm. Capitolium sie vernichtete (83 v. Chr.). Eine rekonstruierte Fassung wurde bis ins 4. Jh. n. Chr. verwendet. Bei → Phlegon ist ein Fr. über die Sühnung eines → *prodigium* erhalten [3. 383–388]. Weiteres s. → *quindecimviri sacris faciundis*.

Die ›Sibyllinischen Orakel‹ (=*S.o.*) der Kaiserzeit haben nur fiktiven Bezug auf die *S.l.* und fußen eher auf hell. Ideen; die Verf. bleiben verborgen (→ apokryphe Literatur). Die ältesten Texte, in griech. Sprache, sind die jüd. beeinflußten B. 3–5, die z. B. Völkerverfluchungen, → Apokalypsen oder Ansichten jüd. Ethik enthalten. B. 1 und 2 wurden wohl von Christen ergänzt, wenn auch eine jüd. Urschrift zugrunde gelegen haben mag. B. 6–8 sind christl. geprägt, B. 6 etwa in Form eines → Hymnos (nur 28 Verse). B. 7 und 8 werden von Lactantius öfters zitiert: sie sind sehr heterogen (vgl. das → Akrostichon *S. o.* 8,217–250). B. 6 mit 7,1 und 8,218–428 wird in einer Hss.-Klasse als B. 9 gezählt (dort steht B. 4 als B. 10). B. 11–14 sind gegen Rom gerichtete propagandistische Orakel jüd. Ursprungs. Der Prolog in Prosa ist der späteste Teil der *S. o.* (5. Jh. n. Chr.: [4]). Zur Nachwirkung vgl. [3. 230–329; 461–478].

1 H. CANCIK, Libri fatales, in: D. HELLHOLM (Hrsg.), Apocalypticism in the Mediterranean World and the Near East, [2]1989, 549–576 2 A. RZACH, s. v. Sibyllinische Orakel, RE 2 A 2, 2103–2183 3 J.-D. GAUGER, Sibyllinische Weissagungen, 1998 4 L. ROSSO UBIGLI, s. v. Sibyllinen, TRE 31, 240–245.

Sibyllina Oracula:
ED.: J. GEFFCKEN, 1902 (GCS 8).
ÜBERS.: J. H. FRIEDLIEB, 1852 • J. COLLINS, in: Old Testament Pseudepigrapha 1, 1983, 317–472 • J. D. GAUGER, 1998 (griech.-dt.: B. 1–8(10) und 11).
KOMM.: H. MERKEL, 1998 (Jüd. Schriften aus hell.-röm. Zeit V 8; B. 3–5) • D. S. POTTER, 1990 (B. 13).
LIT.: I. CHIRASSI COLOMBO, T. SEPPILLI (Hrsg.), Sibille e linguaggi oracolari, 1998 • H. W. PARKE, Sibyls and Sibylline Prophecy, 1988.
M. SE.

Sibyllinische Orakel s. Sibyllini libri

Sibyrtios (Σιβύρτιος). Freund des Peukestas [2], wurde von Alexandros [4] 325 v. Chr. als Satrap von Karmania eingesetzt, bald aber nach Gedrosia mit Arachosia und Oreitai versetzt (Arr. an. 6,27,1) und von Perdikkas [4] und Antipatros [1] im Amt bestätigt; nach 323 wird aber nur Arachosia erwähnt (Diod. 18,3,3; Arr. FGrH 156 F 9,36). Er schloß sich Eumenes [1] an (Diod. 19,14,6), mußte aber fliehen, als dieser ihn des Hochverrats anklagte (Diod. 19,23,4; 19,27,4). Nach Eumenes' Tod gab ihm Antigonos [1] die Satrapie zurück, mit dem geheimen Auftrag, die Störenfriede unter den → Argyraspides (»Silberschildlern«) in den Tod zu schicken (Diod. 19,48,3 f.; Plut. Eumenes 19,3 f.). → Megasthenes lebte an seinem Hof (Arr. an. 5,6,2) und war laut [1. 242–244] Gesandter des S. an → Sandrakottos.

1 A. B. BOSWORTH, A Historical Commentary on Arrian's History of Alexander, Bd. 2, 1995.
E. B.

Sicarii s. Zeloten

Sicca Veneria. Einheimische Stadt der Africa Proconsularis an der Straße von Karthago nach Cirta (Plin. nat. 5,22; Ptol. 4,3,30; 8,14,9; Itin. Anton. 45,1; Tab. Peut. 4,5; Solin. 27,8), h. El-Kef/Tunesien. 241 v. Chr. mußte S. die karthagischen Söldner aufnehmen, die aus Sizilien zurückgekehrt waren (Pol. 1,66 f.; [1. 253 f., 471]). Aufgrund des Friedensvertrags von 201 (→ Punische Kriege) dürfte S. numidisch geworden sein. Im Krieg gegen → Iugurtha (111–105 v. Chr.) war S. Schauplatz eines Scharmützels zw. Iugurtha und Marius [I 1] (Sall. Iug. 56,3–6). Die ältesten arch. Zeugnisse stammen aus numid. Zeit. Die in S. gefundene Keramik verrät punischen Einfluß. S. verdankte sein Renommée auch einem Heiligtum, in dem sakrale Prostitution praktiziert wurde (Val. Max. 2,6,15 – vom Autor falsch gedeutet). Vom nachmaligen Augustus wurde S. in den Rang einer *colonia* (*Iulia Veneria Cirta Nova*) erhoben (CIL VIII 1, 1632; Suppl. 1, 15858; 15868; 16258). Zum Gebiet der Stadt gehörten zahlreiche *castella* (ILS 444; 6807; CIL VIII Suppl. 4, 27828). 256 n. Chr. war Castus Bischof der Stadt (Cypr. sententiae episcoporum 28). Iustinianus [1] I. erbaute neue Befestigungsanlagen (Prok. aed. 6,7,10). Inschr.: CIL VIII 1, 1623–1769 bzw. 1775; 2567; 2569; 2, 10621 f.; Suppl. 1, 15669; 15723 f.; 15726; 15829–16257 bzw. 16281; 16367; 17164; 2, 18067; 3, 22175; 4, 27568–27697 bzw. 27744/5; [2. Nr. 1588–1611]; AE 1981, 867;

RIL 17; [3. 2, 1986, 315–320]. Arch. Befund: Amphitheater, Theater, Stadtmauer aus byz. Zeit, Bäder, Zisternen, zwei Basiliken, Mosaike, Statuen (im Bardo-Museum Tunis). Aus S. V. stammte der Rhetor Arnobius [1] (3./4. Jh.).

1 Huss 2 A. Merlin (ed.), Inscriptions Latines de la Tunisie, 1944 3 Revue des Ét. phéniciennes-puniques et des antiquités Libyques.

AATun 050, Bl. Environs du Kef, Nr. 145 • A. Beschaouch, Le territoire de S. V. ..., in: CRAI 1981, 105–122 • J. Desanges (ed.), Pline l'Ancien. Histoire naturelle. Livre V, 1–46, 1980, 197–199 • H. Dessau, s. v. S. V., RE 2 A, 2187f. • C. Lepelley, Les cités de l'Afrique romaine ..., Bd. 2, 1981, 156–161. W. HU.

Siccius Dentatus, L. Die Überl. zeichnet S. (in den Quellen z. T. andere Gentilnomina) als Plebeier, der sich durch sein wegen eigener mil. Leistungen selbstbewußtes Auftreten Feinde macht und daher heimtükkisch beseitigt wird: So entgeht S. nur knapp einem Plan des Romilius [1], des *cos.* 455 v. Chr. (Dion. Hal. ant. 10,36–49; 52,2; 56,2), sich seiner durch Übertragung eines zum Scheitern verurteilten mil. Kommandos zu entledigen, erwirkt danach als *tr.pl.* 454 dessen Verurteilung, wird aber auf Betreiben der von ihm kritisierten *decemviri* [1] von seinen eigenen Soldaten ermordet (Dion. Hal. ant. 11,25–27; vgl. Liv. 3,43,2–7). Der histor. (?) Kern der Gestalt des S. wurde in der Überl. dramatisch so wirkungsvoll ausgeschmückt, daß Festus und Gellius ihn als »röm. Achill« bezeichnen konnten (Fest. p. 208; Gell. 2,11,1–4; Val. Max. 3,2,24; Plin. nat. 7,101 f. u. a.).

A. Klotz, L. Siccius Dentatus, in: Klio 33, 1940, 171–79 • R. M. Ogilvie, A Commentary on Livy Books 1–5, 1965, 475f. • S. P. Oakley, Single Combat in the Roman Republic, in: CQ 38, 1985, 409. C. MÜ.

Sichel

I. Alter Orient und Ägypten
II. Klassische Antike

I. Alter Orient und Ägypten

Die S. ist das klass. Erntegerät mit weitgehend unveränderter Grundform: eine geschwungene Klinge mit innen liegender Schneide, hergestellt aus Holz, Keramik, Kupfer/Br. oder Eisen. Früheste Belege für S. in Äg. und Vorderasien stammen aus dem 8./7. Jt. v. Chr.: Silex- oder Obsidianklingen mit Gebrauchsspuren an der einen Seite (glänzende »Politur«) und Bitumenresten an der Seite, mit der die Klingen in der Innenseite eines gebogenen Holzes, seltener in Tierknochen (Unterkiefer), befestigt waren. Seit dem späten 4. Jt. v. Chr. sind für Mesopot. in großer Zahl S. aus hart gebranntem Ton belegt, für die eine Verwendung mit der linken bzw. der rechten Hand unterschieden werden kann. Seit der 2. H. des 3. Jt. v. Chr. kamen S. aus Kupfer/Br., meist mit separatem Griff, häufiger vor, in Äg. blieben jedoch Silex-S. noch im 2. Jt. in Gebrauch. Seit dem ausgehenden 2. Jt. v. Chr. konnten sich S. mit Klingen aus Eisen durchsetzen.

Neben der Funktion als Werkzeug spielten S. bes. in der Brz. eine Rolle als Zahlungsmittel, d. h. die gegossenen und normierten Kupfer-/Br.-Klingen galten als vergegenständlichte Gewichtseinheit: »xx Minen in Sichel«.

→ Landwirtschaft

A. Salonen, Agricultura Mesopotamica nach sumerisch-akkadischen Quellen, 1968, 163–169; 414–417. R. W.

II. Klassische Antike

S. (δρέπανον/*drépanon*, δρεπάνη/*drepánē*, δρεπάνιον/*drepánion*; lat. *falx, falcula, falcicula*) wurden in verschiedenen Bereichen der ant. → Landwirtschaft verwendet. Die eigentliche S. (*falx messoria*: Pall. agric. 1,42,2; *falx stramentaria*: Cato agr. 10,3) wurde bei der Getreideernte und im östl. Mittelmeerraum auch bei der Heumahd verwendet (Hom. Il. 18,550–553; Hom. Od. 18,365–370; Varro rust. 1,50,1; Colum. 2,20,3; Plin. nat. 18,296; Anth. Gr. 9,384,13–14). Die Getreideernte mit der S. war mühsam, da die Erntearbeiter gebückt arbeiten mußten; unter den röm. Reliefs ist die Darstellung auf dem Sarkophag des Annius Octavius Valerianus (Rom, VM) bes. eindrucksvoll.

→ Getreide; Landwirtschaft

1 M.-C. Amouretti, Le pain et l'huile dans la Grèce antique, 1986, 100–103 2 Isager/Skydsgaard, 52f. 3 K. D. White, Agricultural Implements of the Roman World, 1967, 72–97; 205–211. K. RU.

Sichem (hebr. *šəkæm*; Συχεμ, vgl. Gn 12,6, lat. *Sychem*). Stadt in → Samaria ca. 2 km südöstl. von Nāblus zw. den Bergen Ebal und Garizim auf dem Hügel Tall Balāṭa gelegen und h. z. T. von dem danach benannten arab. Dorf Balāṭa bedeckt. Strategische und wirtschaftliche Bed. erlangte S. aufgrund seiner Lage an einem zentralen Verkehrsknotenpunkt im Straßennetz Samarias. Schon um 3500 v. Chr. besiedelt, wurde S. im 2. Jt. mehrfach von Äg. angegriffen und zerstört. Nach dem Tod → Salomos fand dort auch aufgrund der rel. Bed. des Ortes die Wahl Jerobeams zum ersten König des Nordreiches (→ Juda und Israel) statt, dessen Haupstadt S. wurde. Mit der Verlegung des Regierungssitzes in die Stadt Samaria trat S. jedoch in den Hintergrund und wurde im 5. Jh. v. Chr. aufgegeben. Erst nach der Zerstörung Samarias durch Alexandros [4] d. Gr. 331 v. Chr. erfolgte eine Neubesiedlung durch die Samaritaner, die auf dem Berg Garizim ihren Haupttempel errichteten. Im 3. u. 2. Jh. v. Chr. wurde S. von den ptolem.-seleukidischen Auseinandersetzungen in Mitleidenschaft gezogen. Im Verlauf der Expansion des jüd. Staates zerstörte schließlich König Iohannes Hyrkanos [2] I. 126 v. Chr. den samaritanischen Tempel auf dem Berg Garizim und im J. 107 die Stadt selbst. Die unter Kaiser Vespasianus 72/3 n. Chr. erfolgte Neugründung von Neapolis [11] (Nāblus) ersetzte das verlassene S.

E. F. CAMPBELL, s. v. Shechem, The New Encyclopedia of Archaeological Excavations in the Holy Land 3, 1993, 1345–1354 • D. A. DORSEY, Shechem and the Road Network of Central Samaria, in: BASO 268, 1987, 57–70 • J. D. SEGER, s. v. Shechem, The Oxford Encyclopedia of Archaeology in the Near East 5, 1997, 19–23. J. P.

Sicherungsrechte s. Bürgschaft; Fiducia; Hypotheke; Pfandrecht; Pignus

Sicilia (Σικελία, Sizilien). Größte Insel im Mittelmeer (→ Mare Nostrum; vgl. Strab. 2,5,19; anders Hdt. 1,170 und Timaios FGrH 566 F 65): 25460 km², unter Einschluß der vorgelagerten Inseln wie den Insulae Aegates, Ustica, den Aeoli Insulae, Kossura, Lopadusa (h. Lampedusa), Aethusa (h. Linosa) und Melite [7] 25953 km².

I. NAME II. GEOLOGIE UND GEOGRAPHIE
III. TOPOGRAPHIE
IV. SICILIA IN DER ANTIKEN GEOGRAPHIE
V. SICILIA IM MYTHOS
VI. GESCHICHTE VII. RELIGION

I. NAME

Urspr. hieß die Insel Trinakria (Τρινακρία, Hellanikos FGrH 51 F 79b), später Sikania (Σικανίη, Hdt. 7,170; Σικανία, Thuk. 6,2,2) und erst dann Sikelia (Σικελία). Der Namenswechsel spiegelt die Reihenfolge der Einwanderung von → Sikanoi und → Siculi wider; Trinakria aber dürfte eine unhistor. Konstruktion nach der homerischen → Thrinakie (Hom. Od. 11,107; 12,127; 12,135; 19,275) unter Berücksichtigung der Dreiecksgestalt (*tría ákra*) der Insel sein.

II. GEOLOGIE UND GEOGRAPHIE

Die Verbindung der Insel mit It. riß im Diluvium, als das 3 km breite → Fretum Siculum entstand (schon von ant. Autoren so gesehen, vgl. Aischyl. fr. 402; Plin. nat. 3,86; Strab. 1,3,10). Von Afrika ist S. über das Mare Africum hinweg 140 km entfernt. Im Norden der Insel setzt sich westwärts der Bogen des Appenninus in den Monti Peloritani (bis 1286 m H, kristalline Schiefer, Gneise), dem → Mons Nebrodes (bis 1847 m H), der Madonie (Tertiärsandsteine, Tone, mit dem Mons Maroneus/h. Pizzo Carbonara, 1977 m H) und dem westsizil. Bergland (Trias- und Jurakalkstöcke) bis hin zum Eryx [1] fort. Im Zentrum der Insel liegt seismisch aktives Bergland (Mergel, Tone, schwefelführende Sedimente) und weiter südl. das Pliozän-Tafelland mit den Heraia (h. Monti Erei). Den Abschluß im SO bildet das Tafelland von → Hybla [1] (Kalksandstein) mit den Colles Hyblaei (h. Monti Iblei). Im mittleren Osten beherrscht schließlich der aktive Vulkan Ätna/→ Aitne [1] (h. ca. 3260 m H) eine eigene Landschaftskammer [1]. Der Berg wird bei Strab. 6,2,7f. beschrieben. Von Bed. für die Siedlungsgesch. von S. sind die Ebenen im Küstenbereich – der schmale Küstenstreifen an der gesamten Nordküste von → Lilybaion bis → Messana [1] und weiter an der NO-Küste bis an die Aitne sowie die Schwemmlandebenen im Süden davon (Campi Laestrygonii, h. Piana di Catania), von → Gela, → Akragas, → Herakleia [9] und → Selinus [4].

Günstige Naturhäfen finden sich an den Küsten von S. nur wenige (vgl. → Motya, → Panormos [3], → Syrakusai). Das subtropisch-mediterrane Inselklima ist geprägt durch heiße, trockene Sommer und milde, niederschlagsreiche Winter. S. war bekannt für seinen ergiebigen Getreide-, hauptsächlich Weizenanbau (*cella penaria rei publicae nostrae*, Cato bei Cic. Verr. 2,2,5), doch wurde auch Weinbau und Viehzucht (Pferde, Schafe, Schweine) betrieben; Wolle, Honig und Wachs aus S. kamen in den Handel.

III. TOPOGRAPHIE

Die Küsten dürften sich seit der Ant. nicht wesentlich verändert haben; immerhin hat man im südöstl. Küstenbereich (Syrakusai) eine Anhebung des Meeresspiegels festgestellt [2; 3]. Ein Küstenphänomen ist auch die Versandung der Häfen von Akragas, → Kamarina und Selinus; der Hafen von → Katane wurde Opfer des Ätna-Ausbruchs von 1669. Zahlreich sind kurze Wasserläufe, die vom gebirgigen Binnenland herunterfließen und in die See münden; größere Flüsse sind Symaithos (148 km), Halykos (84 km), Himeras (der südl. 112 km, der nördl. 32 km). Angesichts der vulkanischen Natur ganzer Landesteile verwundert die Fülle der Thermalquellen nicht (vgl. Selinus [4], → Segesta [1], → Himera). Wenig ist über das Straßennetz bekannt, das die Insel überzog. Als Quellen dienen → Ciceros Verres-Reden (bes. 2,3,192; 5,169) und die Notizen der verschiedenen Itineraria wie z. B. Itin. Anton. 86,2–98,1 (vgl. weiter [4; 5]). Nur ein einziger Meilenstein wurde auf der Insel gefunden; er stammt von der Straße von Akragas nach Panormos (vgl. [6]). Zur Erforschung der zahlreichen Landsitze auf der Insel S. [7; 8].

IV. SICILIA IN DER ANTIKEN GEOGRAPHIE

Beschreibungen der Insel finden sich bei folgenden ant. Geographen: Strab. 6,2f.; Plin. nat. 3,86–94; Mela 2,115–120; vgl. 3,51; Ptol. 3,4; Solin. 5,2–6,2; Dion. Per. 267–480; Avien. descriptio orbis terrae 631–645; Skyl. 13; Itin. Anton. 86,2–98,1; Tab. Peut. 6,5–7,2; Geogr. Rav. 23; Guido 56–62. Auch bei ant. Historikern, denen die Landschaft als realer Rahmen histor. Ereignisse erwähnenswert war, finden sich wesentliche Hinweise auf die Natur der Insel (vgl. Pol. 1,42,3–7; Sall. hist. 4 fr. 25–28; Diod. 5,2,1–5,12,4; Iust. 4,2,1–5,11). Die Griechen mit ihrer Neigung zur Schematisierung geogr. Vorstellungen erkannten früh die Dreiecksgestalt der Insel (vgl. Pind. fr. 322 SNELL), die sich zw. die Kaps Pachynos, Pelorias und Lilybaion spannt (Pol. 4,42,3–7; Dion. Per. 469; Vergleich mit einem Delta bei Mela 2,116). Doch sah man sie grundsätzlich (vgl. Strab. 6,2,1) um 90 ° verkantet (vgl. [9]). E. O.

V. SICILIA IM MYTHOS

Über Kontakte zur minoisch-myk. Kultur wurde bei den Sikanoi der Mythos vom Tod des → Minos heimisch (vgl. Hdt. 7,170f.): Bei der Verfolgung des Daidalos [1], des Schöpfers bewundernswerter Bauwerke

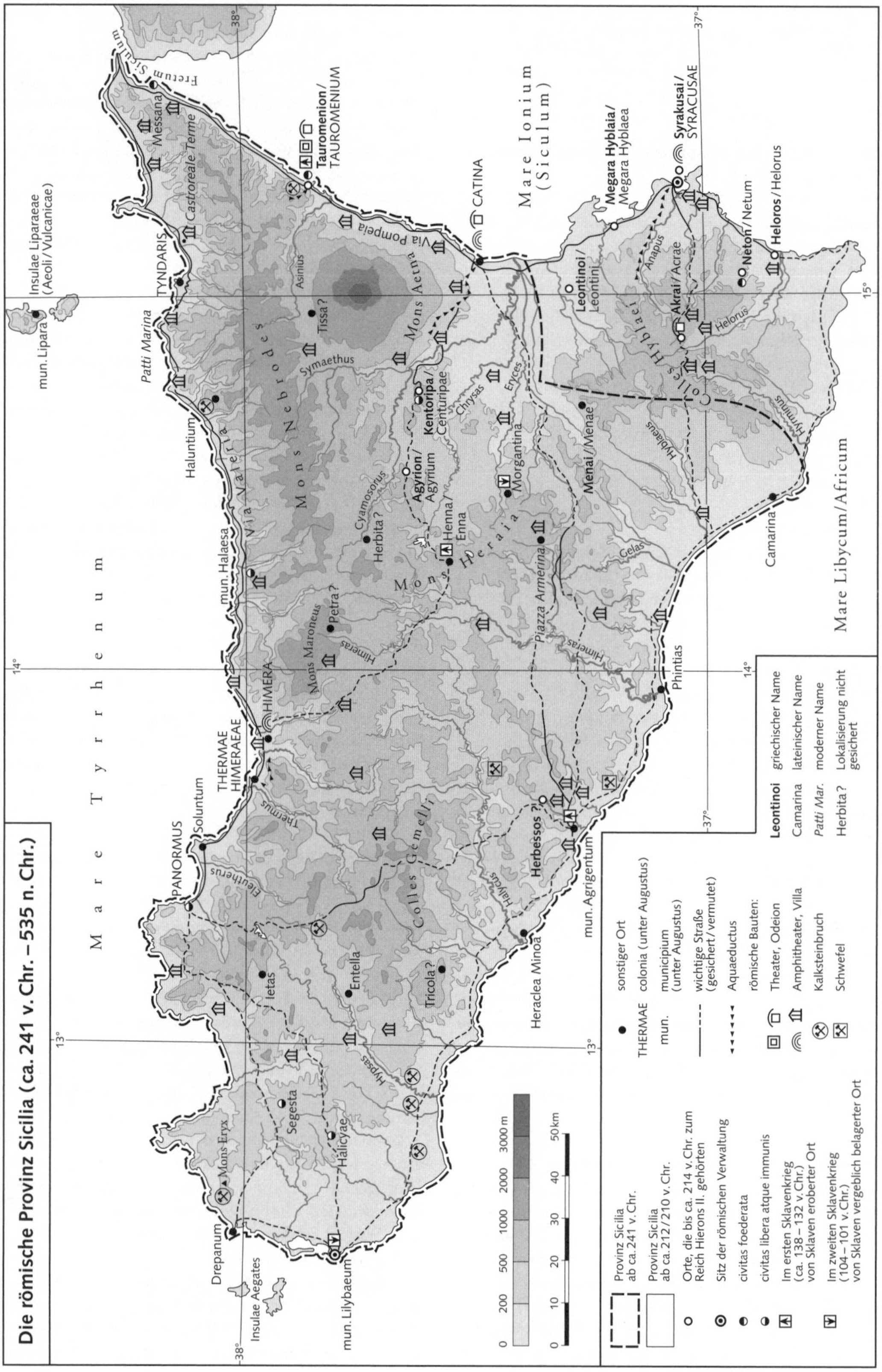
Die römische Provinz Sicilia (ca. 241 v. Chr. – 535 n. Chr.)
Mare Tyrrhenum
Mare Ionium (Siculum)
Mare Libycum/Africum
Fretum Siculum
Insulae Liparaeae (Aeoli/Vulcanicae)
mun. Lipara
Insulae Aegates
Drepanum
mun. Lilybaeum
Mons Eryx
Segesta
Halicyae
Hypsas
Ietas
Entella
PANORMUS
Eleutherus
Soluntum
THERMAE HIMERAEAE
Thermus
HIMERA
Colles Gemelli
Tricola?
Heraclea Minoa
mun. Agrigentum
Halycus
Herbessos?
Phintias
Himeras
Mons Maroneus
Petra?
mun. Halaesa
Via Valeria
Haluntium
Patti Marina
TYNDARIS
Castroreale Terme
Messana
Tauromenion/ TAUROMENIUM
Asinius
Via Pompeia
Mons Aetna
Tissa?
Mons Nebrodes
Symaethus
Cyamosorus
Herbita?
Agyrion/ Agyrium
Kentoripa/ Centuripae
Chrysas
Erykes
Henna/ Enna
Mons Heraia
Morgantina
Piazza Armerina
Gelas
Camarina
CATINA
Leontinoi/ Leontini
Megara Hyblaia/ Megara Hyblaea
Syrakusai/ SYRACUSAE
Anapus
Akrai/Acrae
Colles Hyblaei
Helorus
Neton/Netum
Heloros/Helorus
Menai/Menae
Hyblaeus
Hyrminus
13° 14° 15° 37° 38°
0 200 500 1000 2000 3000 m
0 10 20 30 40 50 km
Provinz Sicilia ab ca. 241 v. Chr.
Provinz Sicilia ab ca. 212/210 v. Chr.
Orte, die bis ca. 214 v. Chr. zum Reich Hierons II. gehörten
Sitz der römischen Verwaltung
civitas foederata
civitas libera atque immunis
Im ersten Sklavenkrieg (ca. 138–132 v. Chr.) von Sklaven eroberter Ort
Im zweiten Sklavenkrieg (104–101 v. Chr.) von Sklaven vergeblich belagerter Ort
sonstiger Ort
THERMAE colonia (unter Augustus)
mun. municipium (unter Augustus)
wichtige Straße (gesichert/vermutet)
Aquaeductus
römische Bauten:
Theater, Odeion
Amphitheater, Villa
Kalksteinbruch
Schwefel
Leontinoi griechischer Name
Camarina lateinischer Name
Patti Mar. moderner Name
Herbita? Lokalisierung nicht gesichert

auf der Insel (vgl. Paus. 7,4,5), wurde Minos, auf S. angekommen, von → Kokalos, dem König von Kamikos, getötet. Die Kreter, die herbeigeeilt waren, ihn zu rächen, bestatteten Minos nach einer vergeblichen Belagerung von Kamikos in einem → Hypogäum, über dem ein der Aphrodite geweihter und von der ortsansässigen Bevölkerung stark frequentierter Tempel errichtet wurde. In histor. Zeit wurden seine Gebeine von → Theron den Kretern zurückgegeben (Diod. 4,79,3 f.).

Auf vorkoloniale Kontakte der Insel mit der dorischen Kultur verweisen die Abenteuer des → Herakles [1], die sich im NW und SO der Insel abspielten. Er tötete Eryx [2], den eponymen König von Eryx [1], der eines der Rinder des → Geryoneus entwendet hatte (Diod. 4,23,1 f.), außerdem die Räuber Solus und Motye (FGrH 1 F 76 f.). In Syrakusai führte er den Kult von → Demeter und Kore ein (Diod. 4,23,4; 5,4,2). Bei Henna [1] wurde nach einer Mythenversion (Diod. 5,2–5) der Raub der → Persephone lokalisiert, der Zeus die Insel anläßlich ihrer Vermählung mit Pluton zum Geschenk gemacht hatte. GI. F.

VI. Geschichte

A. Frühgeschichte B. Grosse Kolonisation
C. Ältere Tyrannis
D. Jüngere Tyrannis und Königtum
E. Römische Provinz
F. Byzantinische und arabische Zeit

A. Frühgeschichte

Die geopolit. und ökonomisch bedeutsame Lage der Insel zw. dem Osten und dem Westen der Mittelmeerwelt bedingte ihre bewegte gesch. Entwicklung unter Einwirkung verschiedenster Völker und Kulturen. Die frühesten Siedler auf S., die die ant. Lit. namhaft macht, waren die → Elymoi; als ihre Städte werden → Entella (Ephoros FGrH 70 F 68), → Eryx [1] und → Segesta [1] (Thuk. 6,2,3) genannt. Sie wurden von den → Sikanoi ostwärts abgedrängt, die ihrerseits wieder von den aus It. übersetzenden → Siculi nach Osten verdrängt wurden. Vor den griech. Siedlern (s.u.) wichen die Siculi an die Nordküste und ins Landesinnere zurück, ohne nennenswerten Widerstand zu leisten (vgl. → Duketios). Während der ersten Sizilischen Expedition der Athener (427–424 v. Chr.) im → Peloponnesischen Krieg werden die Siculi zum letzten Mal erwähnt, als sie Athen unterstützten (IG I 291). Schon gegen E. des 2. Jt. hatten → Phönizier Handelsstützpunkte an den Küsten eingerichtet (→ Kolonisation III.); wie die Siculi wurden auch sie von den Griechen nach Osten abgedrängt und hielten sich schließlich nur noch in → Motya, → Solus und → Panormos [3] (Thuk. 6,2,6).

B. Grosse Kolonisation

Mit der Einwanderung von Iones (→ Kolonisation II.) und Dorieis setzte die sog. Große Kolonisation auf S. in der 2. H. des 8. Jh. ein (vgl. Thuk. 6,3–5; → Kolonisation IV.). Ihre frühesten Gründungen waren Naxos (Chalkidier aus Euboia), Syrakusai (Korinth), Akragas (Rhodos und Gela; 600 oder um 580).

C. Ältere Tyrannis

Über die innere Entwicklung der Griechenstädte auf S. informieren die ant. Quellen kaum; doch weist das Aufkommen von Tyrannen (→ Tyrannis) an verschiedenen Orten – in Analogie zu ähnlichen Vorgängen etwa in Athen, wo die Quellenlage besser ist – auf starke soziale Spannungen [10]. Zeitweise entstanden regelrechte Territorialherrschaften, wie etwa in Syrakusai (Anf. 5. Jh., → Gelon [1]). Deren Dynamik forderte den Widerstand der Karthager heraus; denn diese hatten, als → Tyros immer mehr in Abhängigkeit von den Assyrern geriet (Tiglatpilesar III., 745–727), die Schutzherrschaft über die phöniz. Kolonien auf S. übernommen. In der Schlacht bei Himera (480 v. Chr.) wurden die Karthager jedoch von den Tyrannen Gelon und Theron schwer geschlagen (Hdt. 7,165–167). Gelons Bruder → Hieron [1] griff sogar nach It. über (→ Pithekussai). Er gestaltete seine Hofhaltung in Syrakusai als ein Zentrum griech. Kultur; → Aischylos [1] und → Pindaros [2] wirkten dort. Das Scheitern der zweiten Sizilischen Expedition der Athener (415–413) im → Peloponnesischen Krieg (D.) führte aus dem sich daraus entwickelnden Konflikt zw. Selinus und Segesta die Karthager wieder aus ihrer Reserve bis vor die Mauern von Syrakusai (409–405), wo eine Seuche im Heer der Karthager dessen Feldherrn → Himilkon [1] zum Abbruch der Belagerung zwang.

D. Jüngere Tyrannis und Königtum

Der anschließende Friedensvertrag schonte zwar die Stadt und ihren Tyrannen Dionysios [1] I., etablierte aber die karthagische Hegemonie auch im Osten der Insel. Dionysios weitete 387 sein Herrschaftsterritorium sogar über das Fretum Siculum nach It. (→ Rhegion) aus. Seine außenpolit. Bemühungen richteten sich hauptsächlich gegen → Karthago und die → Etrusci. Auch unter ihm entfaltete sich der Hof in Syrakusai zu einem Mittelpunkt griech. Kultur (→ Platon [1]). 344 dankte nach etlichen Thronwirren Dionysios [2] II. ab.

Dazu veranlaßte ihn der Korinther → Timoleon, der mit einer stetig wachsenden Schar von Anhängern verschiedene Tyrannenherrschaften im Osten der Insel beseitigte und auch die Karthager am Krimisos 340/339 in die Schranken wies. Den Plan, die Karthager endgültig aus S. zu vertreiben, verfolgte 30 J. später wieder ein Tyrann in Syrakusai, → Agathokles [2]. Doch gelang ihm dies trotz zahlreicher Feldzüge (311–307) nicht; er sah sich gezwungen, den → Halykos als Demarkationslinie zw. karthagischer *epikráteia* (»Herrschaftsgebiet«) und den Griechenstädten im Osten anzuerkennen (StV 3,437). 278 ließ sich König → Pyrrhos [3] in innenpolit. Auseinandersetzungen in Syrakusai hineinziehen und folgte der Bitte um Unterstützung im Kampf gegen die Karthager. Tatsächlich gelang ihm ein siegreicher Feldzug quer durch die Insel bis nach Lilybaion, das von den Karthagern erfolgreich gehalten wurde. Hier zerbrach allerdings die Koalition zw. Pyrrhos und den Griechenstädten, weshalb der König 275 die Insel wieder räumte.

E. Römische Provinz

Aus den Auseinandersetzungen um die → Mamertini, eine campanische Söldnertruppe, die sich aus dem Dienst des Agathokles [2] gelöst und in Messana [1] festgesetzt hatte, entwickelte sich der Anlaß zum ersten der → Punischen Kriege (264–241). In diesen Kämpfen erwies sich Hieron [2] II. von Syrakusai den Römern als treuer und nützlicher Bundesgenosse im Bestreben, die Karthager ganz aus S. zu vertreiben (Pol. 1,20,1 f.), so daß sein Reich, dessen Größe freilich nicht mit den Reichen eines Hieron I. oder Dionysios I. zu vergleichen ist, im Frieden von 241 erh. blieb (kein territorial geschlossener Komplex; mit den Städten Agyrion, Akrai, Heloros, Herbessos (?), Kentoripe, Leontinoi, Megara, Neton, Tauromenion); der größere, östl. Teil der Insel aber geriet unter röm. Herrschaft. Über die Anf. dieser ersten röm. Prov. (vgl. Karte; → *provincia*) ist trotz der guten Informationen, die Cicero in seinen Verres-Reden bereithält, nur wenig bekannt, da deren Ordnung durch die Regelungen von 210 v. Chr. überdeckt wurden, als auch das Reich des Königs von Syrakusai – seit 215 → Hieronymos [3], der Enkel Hierons II. – im zweiten Punischen Krieg 212/210 v. Chr. der röm. Herrschaft unterworfen worden war.

Diese Regelungen wurden 132 v. Chr. nach dem ersten (ca. 138–132) und 99 v. Chr. nach dem zweiten Sklavenkrieg (104–101; → Sklavenaufstände) reformiert. Seit 241 v. Chr. schickte der röm. Senat einen der beiden → Praetoren – sein Amtssitz war Syrakusai/Syracusae – nach S. mit dem Auftrag, Tribute und Hafenzölle einzuziehen (App. Sic. 2,6); seit 227 v. Chr. stand grundsätzlich ein Praetor für die Verwaltung der Prov. zur Verfügung (Liv. per. 20). Dem Praetor standen zwei → Quaestoren zur Seite, von denen der eine in Lilybaion/Lilybaeum, der andere in Syrakusai amtierte. Die Gemeinden der Prov. gliederten sich in vier Klassen: drei *civitates foederatae* (Messana, Tauromenion/Tauromenium, Neton/Netum: Heeresfolge als einzige Verpflichtung), fünf *civitates liberae atque immunes* (Kenturipe/Centuripae, Alaisa/Halaesa, Segesta, Panormos/Panormus, Halikyai/Haliquae; »frei und abgabenfrei«), 34 *civitates decumanae* (darunter Katane/Catina und Leontinoi/Leontini: abgabepflichtig wie unter Hieron II.), 26 *civitates censoriae* (darunter Syracusae und Lilybaeum: ihr Land wurde → *ager publicus*). Lilybaeum war Ausgangsbasis für die Unternehmungen der Römer zu E. des 2. und zu Anf. des 3. Punischen Krieges. Die beiden Sklavenkriege offenbarten tiefgreifende soziale Probleme, die nicht nur innerhalb der Sklavenschaft, sondern auch in den Gemeinden mit ihrem unterschiedlichen Rechtsstatus und ihrer verschiedenen ethnischen Zusammensetzung zu suchen sind.

Unter → Augustus wurde S. senatorische Prov. unter einem → Proconsul mit praetorischem Imperium. In der Prov. begegnen nach den allerdings nicht sehr zuverlässigen Notizen bei Plin. nat. 88–91 insgesamt 63 Gemeinden, d. h. fünf → *coloniae* (Panormus, Syracusae, Catina, Thermae, Tyndaris, Tauromenium), eine Stadt mit röm. Bürgern (Messana), drei Städte mit → Latinischem Recht (*ius Latii*; Centuripae, Netum, Segesta), 46 *civitates stipendiariae* und 13 *oppida*, deren Rechtsstellung unbekannt bleibt. Aber auch Strabons Schilderung von S. (6,2 f.) überträgt offenbar Zustände der Zeit des Poseidonios [3] (2./1. Jh. v. Chr.), auf dessen Ber. sie sich stützt, auf die Zeit des Augustus und kann daher ebenfalls nicht als zuverlässig gelten. Nach der Prov.-Reform des → Diocletianus wurde die Verwaltung von S. von einem → *consularis* geleitet, der dem → *vicarius urbis Romae* unterstellt war. Ein *rationalis* (→ *rationibus, a*) war für das Steuerwesen verantwortlich. Spuren des Christentums lassen sich seit dem 2. Jh. n. Chr. (Katakomben) nachweisen. Ab 440 n. Chr. Raubzüge der Vandali. 535 geriet S. unter die Herrschaft des Theoderich.

1 F. Tichy, It., 1985, 46–49 **2** G. Lena u. a., Approdi, porti, insediamenti costieri e linee di costa nella S. sud-orientale, in: Archivio Storico Siracusano 2, 1988, 5–87 **3** B. Basile u. a., Landings, Ports, Coastal Settlements and Coastlines in Southeastern Sicily, in: A. Raban (Hrsg.), Archaeology of Coastal Change, 1988, 15–33 **4** G. Uggeri, La S. nella Tab. Peut., in: Vichiana 6, 1969, 127–171 **5** Ders., Sull'»Itinerarium per maritima loca« da Agrigento a Siracusa, in: AeR 14, 1970, 107–117 **6** A. Di Vita, Un milliarium del 252 a.C. e l'antica via Agrigento-Panormo, in: Kokalos 1, 1955, 10–21 **7** R. J. A. Wilson, Sicily under the Roman Empire, 1990, 194–214 **8** G. Bejor, Gli insediamenti della S. romana, in: A. Giardina (Hrsg.), Società romana e impero tardoantico, Bd. 3, 1986, 463–519 **9** K. Ziegler, s. v. Sikelia (1), RE 2 A, 2461–2522, bes. 2468 f. **10** H. Berve, Die Tyrannis bei den Griechen, 1967, 128–154, 593–607.

P. Lévêque, La Sicilie, 1967 · A. Stazio, Monetazione ed economia monetaria, in: G. Pugliese Carratelli (Hrsg.), Sikanie, 1986, 81–122 · S. Garraffo, Il rilievo monetale tra il VI e il IV sec. a.C., in: Ebd., 261–276 · E. De Miro, s. v. S., EAA 2. Suppl. Bd. 5, 1997, 242–252 · L. Bivona, Epigrafia latina, in: Kokalos 34/5, 1988/9, 223–230 · E. Gabba, G. Vallet (Hrsg.), La S. antica, 2 Bde., 1980 · G. Manganaro, La S. da Sesto Pompeo a Diocletiano, in: ANRW II 11.1, 1988, 3–89 · M. A. S. Goldsberry, Sicily and Its Cities in Hellenistic and Roman Times, 1982 · U. Kahrstedt, Die Gemeinden Siziliens in der Römerzeit, in: Klio 35, 1942, 246–267 · D. Kienast, Die Anf. der röm. Provinzialordnung in Sizilien, in: V. Giuffrè (Hrsg.), Sodalitas. FS A. Guarino, 1984, 105–123 · R. Soraci, I proconsuli di S. da Augusto a Traiano, 1974 · R. J. A. Wilson, Towns of Sicily during the Roman Empire, in: ANRW II 11.1, 1988, 90–206 · V. La Rosa, Le popolazioni della Sicilia ..., in: G. Pugliese Carratelli (Hrsg.), Italia, omnium terrarum parens, 1989, 3–112 · R. Sammartano, Origines gentium Siciliae (Suppl. Kokalos 14), 1998 · A. Pinzone, Provincia S., 1999.

Karten-Lit.: R. J. A. Talbert (Hrsg.), Barrington Atlas of the Greek and Roman World, 2000, 47. E.O.

F. Byzantinische und arabische Zeit

Nach kurzer Zeit unter ostgotischer Herrschaft fiel S. im Zuge des Gotenkriegs (535–552 n. Chr.) an Byzanz (→ Belisarios). Durch zahlreiche administrative und kirchenpolit. Maßnahmen wurde ein gezielter Regräzisierungs- und Byzantinisierungsprozeß eingeleitet, der

sich v.a. auf Ost-S. mit den Verwaltungszentren → Syrakusai und Catania (→ Katane) konzentrierte. Ab 652 stellten arabische Überfälle eine ständige Bedrohung dar; dies führte zur Befestigung der Küstenstädte und zum Rückzug der Bevölkerung in die Berge. Innere Konflikte ermöglichten schließlich ab 827 eine arab.-muslimische Landnahme, die aber die byz. Präsenz auf S. nicht ganz beendete; bis 965 blieb ein Festungsdreieck um Taormina unter byz. Herrschaft. Die arab. Inbesitznahme erfaßte v.a. den Osten um Palermo (→ Panormos [3]) und den Süden um Agrigent (→ Akragas). Ab 910 unter der Herrschaft der Fatimiden, wurde das arab. S. unter der Gouverneurs-Dyn. der Kalbiten ab 947 de facto unabhängig und erlebte eine kurze Zeit der Stabilität. Innere Unruhen ab 1040 begünstigten schließlich die Eroberung durch die Normannen im J. 1060.
→ Sizilien

A. Aziz, A History of Islamic Sicily, 1975 • P. Corsi, E. Kislinger, s.v. Sizilien II., LMA 7, 1950–1954 • L. Cracco Ruggini, La S. tra Roma e Bisanzio (Storia della Sicilia 3), 1980, 1–96 • V. V. von Falkenhausen, Il monachesimo greco in S., 1986 • A. Guillou, La Sicile byzantine: État des recherches, in: ByzF 5, 1977, 95–145 • R. Traini, s.v. Ṣiḳiliyya, EI², CD-Rom 1999. I.T.-N.

VII. Religion

Aus dem späten Paläolithikum sind auf S. Höhlenmalereien (Grotta del Genovese, Levanzo; Addaurahöhlen, Monte Pellegrino) bekannt, deren Deutung als rituelle Szenen jedoch nicht gesichert ist. In der Kupferzeit (3000–2000 v.Chr.) bestanden auf der ganzen Insel Grabkulturen, die von verschiedenen mediterranen Regionen beeinflußt waren (bes. östl. Ägäis, Unter-It.), seit Beginn der Brz. (2000 v.Chr.) auch in Fels gehauene Kammergräber (z.B. in → Pantalica; auf → Thapsos), die bis nach der phöniz. und griech. Kolonisation bestanden. Vereinzelt sind auch Spuren myk. und minoischer Rel. (Pantalica, Thapsos, → Syrakusai) faßbar, die auf lokale Imitation, nicht auf myk. Kolonisation zurückgehen. Um 1000 v.Chr., dem Beginn der Eisenzeit, entfalteten sich mit neuen Einwanderungen (→ Elymoi, → Sikanoi, → Sikeloi) erstmals eigenständige indigene Rel.-Formen, die oft nicht arch. unterscheidbar sind. Indigene Kultstätten sind oft Grotten oder Felsnischen (so das Heiligtum von Segesta in der Gemarkung Mango oder das Felsheiligtum von Agrigento/→ Akragas). Chthonische Kulte gingen in griech. Demeterkulte über. Es wurden weniger phöniz. als vielmehr griech. Rel.-Elemente (Tempelformen, Ikonographie) übernommen. Bezeugt sind einige urspr. verm. indigene Kulte in griech. Brechung: Verehrung von Quellen, Seen, Flüssen und Bäumen; Kult von Anna und den Paides (AE 1900, 91–92, Buscemi 1. Jh. n.Chr.) sowie der → Palikoi.

Für die phöniz.-pun. Rel. im Westen Siziliens ist die Verehrung der → Astarte, des → Melqart sowie der karthagischen Hauptgottheiten → Baal Hammon und → Tinnit charakteristisch. Arch. faßbar sind anikonische Baityloi (Altäre, Stelen; → Baitylia), das Symbol der Tinnit, mit Inschr. und (Opfer-)Reliefs versehene Votivstelen, Kultgebäude mit labyrinthischer Raumanlage (*Kfr*/h. Solunto), Tofet von Mtwa/→ Motye (7.–4. Jh. v.Chr., Aufbewahrungsort für Urnen und Erinnerungsstelen, keine Verbrennungsstätte). Ägypt. und griech. Einflüsse auf die phöniz.-pun. Rel. in Sizilien sind zu jeder Zeit erkennbar; letztere verstärkten sich durch den kulturellen Austausch mit den Griechen Siziliens. Unter pun. Herrschaft ist keine Kultkontinuität (außer bei Demeter Malophoros) feststellbar; Kontinuität der Kultstätte ist für indigene Kulte bezeugt (auf dem → Eryx [1], Diod. 4,83,4).

Griech. Kolonien im Süden und Osten S.s pflegten enge rel. Bindungen zu ihren griech. Mutterstädten, sie bildeten aber eigene veränderbare Panthea (oft Wechsel der Stadtgottheit von Hera oder Athena zu → Demeter). Die Aufarbeitung eines geschlossenen arch. Fundkontextes sizil. Kulte wurde bislang nur für die Demeterkulte der archa.-klass. Zeit versucht [10]. Auch Elemente anderer rel. Mittelmeer-Kulturen (Ägypt., Kleinasien) prägten die griech. Rel. in S. nachhaltig. Griech. und indigene Rel.-Formen begegneten einander in anfänglicher Koexistenz und in der Bildung neuer lokaler Kulte. Im 5. Jh. v.Chr. waren prächtige Tempelbauten Teil polit. Repräsentation der griech. Städte; aus S. kamen wesentliche Impulse für die Entwicklung des dorischen Ringhallentempels. Die griech. Mythenbildung auf S. bezog auch die Vor- und Frühgesch. sowie indigene und phöniz.-pun. Kulte mit ein.

Die röm. Prov. S. kennt griech., punische und röm. Religionen. Indigene Kulte waren in röm. Zeit nicht mehr selbständig. Der Kontakt zw. griech. und pun. Rel. führte zur Bildung von lokalspezifischen Formen; vereinzelt verbreitete sich stadtröm. Rel. durch Akkulturation. Der Kult der → Venus Erycina hatte seinerseits Bed. für die Rel.-Entwicklung in Rom. Nach S. wurden auch graeco-oriental. Kulte (→ Isis) importiert. Auch in der Kaiserzeit verbanden sich Elemente röm. Rel. mit der lokalen Trad. (→ Fasti; Podiumtempel). Durch die Gründung röm. → *coloniae* und → *municipia* kam es zur Angleichung der Organisation von Rel. (im Sakralrecht und bei den Priesterämtern). Neue Kulte (z.B. der Mithras-Kult) waren selten. Das → Christentum breitete sich seit dem 2. Jh. n.Chr. auf S. aus (Katakomben in vielen Städten). Jüd. Gemeinden sind seit dem 4. Jh. n.Chr. arch. belegt, aber wohl älter. Verbindungen zur traditionellen Rel. werden im jüd. und christl. Grabkult und in der Fortsetzung von Elementen einzelner Lokalkulte in Kulten christl. Heiliger sichtbar. In Lehre, Liturgie und Zeremonie folgte die Kirche S. bis Gregorius [3] d.Gr. (540–604) der röm. Trad., unter byz. Herrschaft nähert sie sich der östl. Trad. an.

1 E. Ciaceri, Culti e miti nella storia dell'antica S., 1911
2 B. Pace, Arte e civiltà della S. antica, Bd. 3, 1945, 451–721
3 E. Manni, S. pagana, 1963 4 A. Brelich, La religione greca in S., in: Kokalos 10/11, 1964/65, 35–63
5 R. Schilling, La place de la Sicile dans la rel. romaine, in:

ebd., 259–286 6 G. Sfameni-Gasparro, I culti orientali in S., 1973 7 A. Messina, Le communità ebraiche della S. nella documentazione archeologica, in: Henoch 3, 1981, 200–219 8 Il cristianesimo in S. dalle origini a Gregorio Magno, 1987 9 R. J. A. Wilson, Sicily under the Roman Empire, 1990 (bes. 277–312) 10 V. Hinz, Der Kult von Demeter und Kore auf Sizilien und in der Magna Graecia (Palilia 4), 1998 11 R. Leighton, Sicily before History, 1999 12 R. Barcellona, S. Pricoco (Hrsg.), La S. nella tarda antichità e nell' alto medioevo. Religione e società (Atti del convegno di studi 1997), 1999. HE.K.

Sicilicus (auch → *quartuncia* = ¼ → *uncia*; griech. σικελικός/*sikelikós*). Röm. Maßeinheit zu 1/48 eines größeren Ganzen. Als Gewichtsstück entspricht der *s.* 1/48 der → *libra* [1] = 6,82 g und damit 1 ½ → *sextulae*, als Längenmaß 1/48 des → *pes* = ca. 6 mm, als Flächenmaß 1/48 des → *iugerum* = 52,5 m², als Zeitmaß 1/48 der *hora* (Stunde) = 1 ¼ Minute (Plin. nat. 18,324). Im kaiserzeitl. Geldwesen des griech. Ostens war der *s.* gleichbedeutend mit dem → *assárion*. Im spätröm. und byz. Gewichtssystem war der *s.* mit 6 *scripula* (Wertzeichen VI oder E; → *scripulum*) oder 1 ½ → *solidi* gleichwertig. Im Münzwesen ist *s.* die kleinste tatsächlich ausgeprägte Einheit des Semilibralfußes.

1 S. Bendall, Byzantine Weights, 1996 2 F. Hultsch, Griech. und röm. Metrologie, ²1882 3 O. Viedebantt, K. Regling, s. v. S., RE 2 A, 2193–2194. H.-J.S.

Sicinius. Röm. plebeiischer Gentilname, öfter mit → Siccius verwechselt; im 5. Jh. v. Chr erscheinen Angehörige häufiger als Volkstribune, die Familie ist aber sonst unbedeutend. K.-L.E.

I. Republikanische Zeit

[I 1] S., C. Die Überl. verbindet S. mit der Entstehung und frühen Entwicklung des Volkstribunats (→ *tribunus plebis*): Zunächst ist S. Initiator der → *secessio plebis* von 494 v. Chr. und einer der danach erstmals gewählten Volkstribunen (Liv. 2,32,2; 2,33,2; Dion. Hal. ant. 6,45,2; 6,89,2; vgl. Diod. 11,68,8: S. als *tr.pl.* 470 nach der Erhöhung von deren Anzahl auf vier), dann Aedil 492 (Dion. Hal. ant. 7,14,2; Liv. 2,34,9) und als *tr.pl.* 491 Führer der → *plebs* in den von → Coriolanus ausgelösten inneren Auseinandersetzungen (Dion. Hal. ant. 7,33,1–34,2; 35,3–36,4; 61,1–3; Plut. Coriolanus 18,3–9; MRR 1,15; 17 f. jeweils mit dem Praen. L.). C.MÜ.

[I 2] S., Cn. 185 v. Chr. plebeiischer Aedil, kandidierte 184 erfolglos für die Nachfolge eines im Amt verstorbenen Praetors, erreichte 183 dieses Amt; 177 Mitglied der Gründungskommission für → Luna [3]. Direkt nach der Wahl in eine zweite Praetur für 172 bekämpfte er eine Heuschreckenplage (→ Heuschrecke) in Apulien (Liv. 42,10,7–8), kümmerte sich dann um Ariarathes IV. von Kappadokien, um den Freikauf zu Unrecht versklavter → Ligures und schließlich 171 um Rüstungen gegen Perseus [2]. Vielleicht war er 170 der Führer einer Gesandtschaft an die Illyrier (vgl. Liv. 43,5,10).

Gruen, Rome, 413 f. Anm. 85. TA.S.

II. Kaiserzeit

[II 1] S. Aemilianus. Aus einer munizipalen Familie aus → Oea. Sein Bruder S. Amicus heiratete Aemilia [6] Pudentilla. Als diese sich 14 J. nach dem Tod von Amicus mit Apuleius von Madaura (→ Ap(p)uleius [III]) vermählte, klagte S. im Namen seines Neffen S. Pudens den Apuleius vor dem Statthalter Africas, Claudius [II 47] Maximus, wohl im J. 158/9 wegen Magie an. Die Anklage, die in Sabratha verhandelt wurde, scheint erfolglos gewesen zu sein (Apul. apol. 2; 28; 32; 45 u.ö.). Zur Schilderung seines Charakters durch Apuleius s. [1. 271 f.], zu seiner Verwandtschaft [2. 728].

1 T. Barnes, Tertullian, 1971 2 M. Corbier, Les familles clarissimes d'Afrique Proconsulaire, in: EOS, Bd. 2, 685–754.

[II 2] Q. S. Clarus Po[ntianus?]. Senator aus → Oea, verwandt mit S. [II 1]. Praetorischer Statthalter von Thracia im J. 202 n. Chr. [1. 170 Nr. 45]; kurz danach Suffectconsul (AE 1972, 554; [2. 728]).

1 Thomasson 1 2 M. Corbier, Les familles clarissimes d'Afrique Proconsulaire, in: EOS, Bd. 2, 685–754. W.E.

Sicoris. Linker Nebenfluß des Iberus [2] (Ebro) in der → Hispania Tarraconensis (Caes. civ. 1,40,1; 48,3; 61,1; 63,1; Plin. nat. 3,24), h. Segre. Er entspringt im Gebiet der → Cerretani und berührt auf seinem Lauf → Ilerda (Lérida).

TIR K/J 31 Tarraco 146 f. P.B.

Siculi (Σικελοί). Volk auf Sicilia. Die ant. Lit. datiert die Ankunft der S. aus It. unterschiedlich (Hellanikos FGrH 4 F 79b 3: drei Generationen, Philistos FGrH 556 F 46,4: 80 J. vor dem Troianischen Krieg, Thuk. 6,2,5: 300 J. vor der griech. Westkolonisation). Die mod. arch. Forsch. datiert sie ans E. des 2. Jt. v. Chr. (E. der Brz., Fundlage von Cassibile, 1050–850 v. Chr.). Ihr ging die Niederlassung kleiner ausonischer Gruppen im NO seit dem 13. Jh. v. Chr. (späte Brz., Fundlage von Pantalica: 1250–1050 v. Chr.) voraus, zeitgleich mit der Entfaltung der 1. ausonischen Phase auf Lipari. Die Sprache der S. ist mit dem Oskischen verwandt ([1]; → Oskisch-Umbrisch). Von den griech. Kolonisten zur Nordküste und ostwärts ins Landesinnere abgedrängt, zogen sich die S. in feste Bergorte zurück. Die Bewegung, in der → Duketios sie 461–450 v. Chr. zu einigen versuchte, scheiterte schließlich. In der Folge öffneten sich die S. vollständig der griech. Kultur. Während der ersten Sizilischen Expedition (427–424 v. Chr.; → Peloponnesischer Krieg) unterstützten sie Athen mit über 160 Talenten (IG I 291; vgl. [2]). Die arch. noch nicht deutlich faßbaren Hauptkulte der S. um Adranos, Hyblaia und die Palikoi sieht man im Zusammenhang mit geoseismischen Aktivitäten.

1 L. Agostiniani, I modi del contatto linguistico tra Greci e Indigeni nella Sicilia antica, in: Kokalos 34/35, 1988/89, 167–206 (Lit.) 2 C. Ampolo, I contributi della prima spedizione ateniese in Sicilia, in: PdP 232, 1987, 5–11.

V. La Rosa, Le popolazioni della Sicilia: Sicani, S., Elimi, in: G. Pugliese Carratelli (Hrsg.), Italia, omnium terrarum parens, 1991, 3–110 · R. Peroni, Enotri, Ausoni, Itali e altre popolazioni dell'estremo sud d'Italia, in: Ebd., 113–189 · G. Bretschneider (Hrsg.), Da Cocalo a Ducezio. VII. Congresso internazionale di studi sulla Sicilia antica (Kokalos 34/5, 1988/9), 1992/3.

GI. F. u. E. O./Ü: H. D.

Siculus. Röm. Cogn. (Herkunftsbezeichnung: »aus Sizilien«, und Siegerbeiname; vgl. → Cloelius [I 4–7]; → Herennius [I 10]).

Kajanto, Cognomina, 52; 193. K.-L. E.

Siculus Flaccus. Neben → Frontinus und → Hyginus bedeutendster der röm. → Feldmesser. Er lebte wohl unter Traianus und Hadrianus im 2. Jh. n. Chr. und beschrieb in seinem Werk *De condicionibus agrorum* (›Über den legalen Status von Ländereien‹) die Formen des röm. Bodeneigentums und die Arbeitsmethoden der Gromatiker (→ *groma*); was uns davon erh. ist [1], bezieht sich auf Italien.

1 C. Thulin (ed.), Corpus agrimensorum Romanorum, Bd. 1.1, 1913, 98–130. J. BU.

Side (Σίδη). Hafenstadt an der ostpamphylischen Küste (Plin. nat. 5,96; Ptol. 5,5,2; Tab. Peut. 10,2) 10 km westl. der Mündung des Melas (h. Manavgat Çayı) in → Pamphylia auf flacher Halbinsel (Konglomeratgestein), ehemals Eski Antalya oder Selimiye, h. wieder S. Der Flußhafen (Mánaua am Melas) und bes. der Seehafen verhalfen S. im Hell., v. a. aber in der röm. Kaiserzeit zu großer Blüte. Der ungriech. Name und die bis in späthell. Zeit hier gesprochene einheimische luwische Sprache, das → Sidetische (vgl. [3]), sowie ein hier gefundener späthethit. Basaltkessel [1] bezeugen eine vorgriech. Siedlung. Nach ant. Überl. (Skyl. 101; Arr. an. 1,26,4; Strab. 14,4,2) war S. Kolonie von Kyme [3]. Mitte des 6. Jh. v. Chr. befand sich S. unter lyd. (Hdt. 1,28), dann persischer Herrschaft bis zur Besetzung durch Alexandros [4] d. Gr. 334/3. Die um 430 v. Chr. beginnende Mz.-Prägung dokumentiert anfangs durch den pers.-kyprischen Mz.-Fuß ihre östl. handelspolit. Orientierung, seit dem 4. Jh. v. Chr. dominieren griech. Einflüsse [4. 49–51]. Nach kurzer Zugehörigkeit zu Antigonos [1] war S. ptolem. (301–218), anschließend bis 189 v. Chr. in das Reich der → Seleukiden integriert (Liv. 35,8,6; 13,5). Die → *symmachía* mit Rom seit 169 v. Chr. führte zu einer wirtschaftlichen Blüte, die ihrerseits eine gewisse polit. Selbständigkeit von S. begünstigte (vgl. die Beibehaltung der sidetischen Sprache). Verm. sind die älteren, die Landzunge gegen das Festland abgrenzenden Teile der Stadtmauer mit 13 vorgesetzten Türmen und dem Stadttor mit rundem Innenhof in diese Phase zu datieren [2. 27–40]. Während der Kriege Roms gegen die Seeräuber (E. 2. Jh. – 67 v. Chr.; → Seeraub) dienten Hafen und Werften den Piraten, auch Sklaven wurden hier umgesetzt (Strab. 14,3,2). 78 v. Chr. wurde S. aus der Prov. → Asia [2] der Prov. → Cilicia eingegliedert und diente als Flottenstützpunkt gegen die Seeräuber. 42 v. Chr. wurde S. dem galatischen Königreich des → Deiotaros zugeschlagen, das 25 v. Chr. von Augustus als Prov. Galatia deklariert wurde (Cass. Dio 49,32,3; 53,26,3).

In der röm. Kaiserzeit erlebte S. (bes. im 2. und 3. Jh.) eine erneute Blüte als Handelsstadt (u. a. Sklavenmarkt). Unter Claudius [III 1] wurde S. neu gestaltet, z. B. durch die Anlage monumentaler Säulenstraßen vom Haupttor in das SW-Viertel (noch unerforscht) und nach Westen ins Zentrum mit Agora und Theater und weiter zum Tempelbezirk südl. des Hafens. Hier dürften → Athena und → Apollon, die Hauptgottheiten von S., verehrt worden sein [2. 77–96; 4. 106–114]. Für das späte 1. Jh. n. Chr. dokumentiert ein Monument für Vespasianus bes. Beziehungen zum flavischen Kaiserhaus. Ab der Mitte des 2. Jh. n. Chr. wurden die meisten Gebäude der Stadt umgestaltet bzw. neu errichtet, so daß Aussehen und Datier. der Vorgängerbauten unbekannt sind. Dieser Phase dürfte neben einem Aquaedukt auch der verm. dem → Kaiserkult gewidmete Peristylbau mit dem sog. Kaisersaal südl. der Agora (mit reichem Skulpturenschmuck) angehören, während der Tempel des → Men (?) am Westende der großen Säulenstraße und das monumentale Nymphaeum vor dem im späten 2. Jh. schmuckhaft ausgestalteten Stadttor in die Zeit der Severer (193–235 n. Chr.) zu datieren sind [4. 82 f.]. Zahlreiche Stiftungen von Agonen unterstreichen das bes. Interesse der Stadt an der Agonistik, sie dokumentieren wie auch die Verleihung des Asylrechts (→ *asylía*) an den Athena-Tempel (272/3) und der dritten Neokorie (→ *neokóros*) unter Valerianus überhaupt die Prosperität von S. in dieser Zeit. In dem Ehrentitel *Nauarchís*, Stadt eines Admirals, spiegelt sich die Bed. von S. für Rom in den Perserkriegen (→ Parther- und Perserkriege) als wichtiger Flottenstützpunkt [4. 91 f.]. In Verbindung mit der Bedrohung durch die Sāsāniden seit 260 und der Belagerung durch die → Goti 269 (Dexippos, fr. 23) dürfte die Stadtmauer erneuert worden sein.

Der zu E. des 3. Jh. verliehene kirchliche Titel der *mētrópolis* unterstreicht die zunehmende Bed. der christl. Gemeinde in S. Nach Abwehr isaurischer Überfälle (353–410; Amm. 14,2,8–11) dokumentieren die regen Baumaßnahmen zu E. des 5. Jh. (Theater, Agora, Thermen, drei basilikale Kirchen – eine davon über den Tempeln von Athena und Apollon –, ein Bischofspalast, Mausoleen) eine neue Blüte des Bischofssitzes; sie fand ihr Ende durch persische (611–628), v. a. aber durch arabische (seit 649) Überfälle. Das Stadtgebiet wurde jetzt durch die Anlage einer neuen Stadtmauer westl. der Agora und des Peristyls um die Hälfte verringert und verödete im 9./10. Jh. schließlich ganz. Inschr. [4]; Mz. [5].

1 A. M. Mansel, Ein Basaltkessel aus S., in: Anadolu 3, 1958, 1–3 2 Ders., Die Ruinen von S., 1963
3 G. Neumann, Die sidetische Schrift, in: ASNP ser. 3,8,3, 1978, 869–886 4 J. Nollé, S. im Alt. (IK 43), 1993 5 Ders.,

Zur Gesch. einer kleinasiat. Stadt in der röm. Kaiserzeit im Spiegel ihrer Mz., in: Ant. Welt 21, 1990, 244–265.

A. M. Mansel, S., RE Suppl. 10, 879–918 • W. Brandes, Die Städte Kleinasiens im 7. und 8. Jh., 1989, 102f. • H. Brandt, Ges. und Wirtschaft Pamphyliens und Pisidiens im Alt., 1990, 34f., 48f., 102, 174–176 • K. Graf von Lanckoronski, Städte Pamphyliens und Pisidiens, Bd. 1, 1890, 125–152. W. MA.

Sidero (Σιδηρώ). Erste Frau des → Kretheus, die als Stiefmutter die bei ihnen in Thessalien aufwachsende Kretheus-Nichte → Tyro, Tochter des → Salmoneus und der Alkidike, quält. → Neleus [1] und → Pelias, die ausgesetzten Söhne Tyros und Poseidons, befreien nach der Wiedererkennung ihre Mutter; Pelias tötet S. auf einem Hera-Altar; Kretheus heiratet Tyro (Apollod. 1,90–96). In der Trag. ist S. zweite Frau des Salmoneus in Elis, die zusammen mit ihm die Stieftochter wegen ihrer unehelichen Zwillinge durch Schläge und Abschneiden ihrer Haare peinigt (Soph. Tyro fr. 658 TrGF; Diod. 4,68; Anth. Pal. 3,9; [1. 66–99, 164–173]).

1 P. Dräger, Argo pasimelousa, Bd. 1, 1993 2 E. Simon, s. v. Neleus, LIMC 6.1, 727–731 3 Dies., s. v. Salmoneus, LIMC 7.1, 652–655. P. D.

Sidetisch. Zu den → anatolischen Sprachen gehörende, in einer eigenen, linksläufigen Alphabetschrift (→ Kleinasien VI.) überl. Sprache von → Side und Umgebung. Bis h. sind neben Mz.-Aufschriften (5./4. Jh. v. Chr.) sechs zumeist kurze Weih-Inschr., darunter drei s.-griech. Bilinguen (eine aus → Seleukeia [4]/Lyrbe), ein Stimmtäfelchen und eine Gefäßaufschrift des 3./2. Jh. bekannt ([2] und [1] mit jeweils älterer Lit.; [3]). Trotz des spärlichen Materials ist deutlich, daß das S. eine eigene, vom benachbarten → Luwisch verschiedene Sprache des westanatol. Zweiges darstellt. Auf das S. dürften auch die fremden Einflüsse im → Pamphylischen zurückgehen.

1 C. Brixhe, G. Neumann, Die griech.-s. Bilingue von Seleukeia, in: Kadmos 27, 1988, 35–43 2 G. Neumann, Die s. Schrift, in: ASNP ser. 3,8,3, 1978, 869–886 3 J. Nollé, Mitt. zu s. Inschr., in: Kadmos 27, 1988, 57–62. F. S.

Sidicini. Volk in Mittelitalien, den Samnites und Campani benachbart, wohl oskischen Ursprungs (Strab. 5,3,9; Mz.-Funde [4]). Übergriffe der → Samnites gegen die S. 343 v. Chr. lösten den 1. Samnitenkrieg aus (Liv. 7,29,4–6; [3. 540]). Im Latinerkrieg (→ Latini) schlossen sich die S. der Koalition gegen Rom an (Liv. 8,5,3; Mz. [4]). Durch ihr Gebiet zog Hannibal [4] 211 v. Chr. auf dem Marsch von Capua nach Rom (Liv. 26,9,2). Teanum Sidicinum, der Hauptort der S., prägte bis ins 3. Jh. v. Chr. eigene Mz. [1. 169f., 211f.], obgleich der *ager Sidicinus* schon 297 v. Chr. im röm. Einflußbereich lag (Liv. 10,14,4). Unter Augustus (Liber Coloniarum 1,268,6) oder Claudius [2. 383] wurde eine *colonia* (*tribus Terentina*, *regio I*; Plin. nat. 3,63) hierher deduziert.

1 M. Humbert, Municipium et civitas sine suffragio, 1978 2 L. Keppie, Colonization and Veteran Settlement in Italy, 1983 3 B. d'Agostino, L'incontro dei coloni greci con le genti anelleniche della Campania, in: G. Pugliese Carratelli (Hrsg.), I Greci in Occidente (Ausst.-Kat. Venezia 1996), 1996, 533–540 4 BTCGI 19, s. v. Teano Sidicino (im Druck). M. I. G./Ü: H. D.

Sido. War (nach Tac. ann. 12,29–30) zusammen mit seinem Bruder → Vangio an der Absetzung ihres Onkels → Vannius beteiligt, der – selbst Quade – im Auftrag Roms das den → Quadi benachbarte Reich der → Suebi regierte. Beide Brüder regierten daraufhin gemeinsam den Suebenstaat und blieben Rom treu. S. kämpfte in der Schlacht bei Cremona 68/9 n. Chr. zusammen mit → Italicus [2] auf Seiten der Anhänger des → Vespasianus mit einem Truppenaufgebot in vorderster Front (Tac. hist. 3,5,1; 3,21,2).

Holder 2, 1540. W. SP.

Sidon (Σιδών; hebr. *Ṣîdôn*, arab. *Ṣaidā*).
I. Bis Alexander d.Gr.
II. Ptolemäische und römische Zeit

I. Bis Alexander d.Gr.

S., 35 km nö von → Tyros an der östl. Mittelmeerküste gelegen, ist bei Homer (Hom. Il. 6,290f.; 23,743f.; Hom. Od. 4,83f., 618 u.ö.; vgl. Jos 13,6; 1 Kg 5,20) Syn. für Phönizien insgesamt, dessen Städte – neben S. (Gn 10,15) auch Tyros, Beirut (→ Berytos), → Byblos [1] und Arwād (→ Arados [1]) – im 1. Jt. v. Chr. Wirtschaft, Handel und Kunst überregional prägten. Trotz der starken Überbauungen ermöglichen schriftliche Quellen und Ausgrabungen ein Bild der Stadt-Gesch.

In der 2. H. des 2. Jt. dominierte Äg. die phöniz. Städte. Nach den → Amarna-Briefen (Nr. 144f.) ersuchte König Zimrida von S. um äg. Hilfe gegen polit. Feinde. In weiteren äg. sowie ugaritischen und hethitischen Texten wird S. regelmäßig neben Tyros erwähnt ([1. 23–25]; vgl. Joël 4,4; Sach 9,2). Im 9. Jh. v. Chr. blieb S. den Assyrern gegenüber loyal [TUAT 1, 360; 363], bis Luli von S. sich gegen → Sanherib (705–681 v. Chr.) auflehnte und durch Tuba'lu ersetzt wurde [TUAT 1, 388]. Die Aufkündigung der Vasallität durch Abdimilkutti von S. gegen → Asarhaddon (680–669 v. Chr.) führte 677 v. Chr. zur Zerstörung der Stadt, zur Deportation ihrer Bevölkerung und der Neugründung von *Kār-Aššur-aḫa-iddina* (»Asarhaddonshafen«) (TUAT 1, 395f., 402). Nach kurzer Zeit der Ruhe wurde S. wohl noch einmal von → Nebukadnezar [2] (605–562 v. Chr.) unterworfen (ANET 308, vgl. Jer 25,22; 27,3ff.). Unter König → Tennes wurde die Stadt nach einem Aufstandsversuch phöniz. Städte 351 v. Chr. von dem Perser Artaxerxes [3] III. Ochos (359/8–338 v. Chr.) zerstört.

Im AT wird S. fälschlich zum Gebiet Israels gerechnet (Jos 19,28). Man wußte von einer bes. Lebensweise (Ri

18,7), von Gottheiten (Ri 10,6; 1 Kg 11,5), Reichtum (Jes 23,2; 4; 12) und Handel (Ez 27,8 f.) der Stadt, gegen die in späten Texten Untergangsprophezeiungen formuliert wurden (Jer 25,22; Ez 28,20–23; Joël 4,4). Im NT wird S., in dessen Bereich sich Jesus (Mt 15,21) und Paulus (Apg 27,3) kurz aufhielten, gegenüber Orten in Galilaea positiv hervorgehoben (Mt 11,21 f.).

Die Größe der ant. Stadt ist unbekannt. Ein Groß-S. (Jos 19,28) wird neben einem Klein-S. in Inschr. Sanheribs erwähnt [TUAT 1, 388]. Vielleicht lag ein Teil von S. auf den vor der Stadt liegenden Inseln, denn Asarhaddon spricht von einer Inselstadt [TUAT 1, 395]. Ausgrabungen seit dem 19. Jh. haben Besiedlungsspuren bis in das 4. Jt. zurückverfolgt und u. a. erhebliche Murex-Reste entdeckt, die auf eine bed. → Purpur-Industrie deuten. Inschr. von Königen S.s aus persischer Zeit (6.–4. Jh.) geben zusammen mit anderen epigraphischen und numismatischen Zeugnissen Einblick in die Kulturgesch. [1. 54–58]. In der Umgebung der Stadt wurde eine Reihe von Nekropolen erschlossen, in denen u. a. die Sarkophage Ešmunazars I. und Tabnits gefunden wurden, aus deren Inschr. die Königsnamen des 6. und 5. Jh. rekonstruiert werden können. Zwei von ihnen, Ešmunazar II. und Bodaštart, erbauten den Ešmūn-Tempel, von dem ein 25 m hohes Podium erh. geblieben ist. In hell.-röm. Zeit wurde die Kult-Trad. fortgeführt und der griech. → Asklepios mit dem Heilgott → Ešmūn identifiziert [1. 59–62]. Die Ešmūn-Trad. hielt sich bis in byz. Zeit.

1 N. Jidejian, Sidon through the Ages, 1971. R. L.

II. Ptolemäische und römische Zeit

332 v. Chr. eroberte Alexandros [4] S. und setzte Abdalonymos als König ein, dem (als Auftraggeber) wohl der sog. → Alexandersarkophag zuzuschreiben ist. Später zunächst von den → Ptolemaiern, ab 200 v. Chr. von den → Seleukiden kontrolliert, wurde die Stadt 111 v. Chr. autonom (neue Ära) und 64 v. Chr. von Pompeius [I 3] unter die föderierten Städte aufgenommen. Gegen den Willen von Kleopatra [II 12] respektierte Antonius [I 9] diese Rechte, die S. aber 20 v. Chr. nach antiröm. Tumulten entzogen wurden. In der Kaiserzeit verlor S. an Bed., was auch der von Elagabalus verliehene Koloniestatus nicht verhinderte. Die Philosophen Boëthos [2] und [4] stammten aus S., ebenso der Epikureer → Zenon. Recht früh verbreitete sich das Christentum in S. Die Stadt wurde 501 von einem Erdbeben zerstört. S. wurde 637/8 arabisch.

→ Hypogäum (mit Abb. der Königsnekropole)

V. von Graeve, Der Alexander-Sarkophag und seine Werkstatt (IstForsch 28), 1970 • R. Ziegler, Antiochia, Laodicea und S. in der Politik der Severer, in: Chiron 8, 1978, 493–514 • R. Bol, Alexander oder Abdalonymos?, in: Antike Welt 31, 2000, 585–599. J. WA.

Sidonius Apollinaris. C. Sollius Apollinaris S. Der bedeutendste lat. Schriftsteller Galliens in der 2. H. des 5. Jh. n. Chr., geb. am 5. Nov. 430/1 in → Lug(u)dunum (h. Lyon).

I. Leben II. Das überlieferte Werk III. Stil

I. Leben

Der Sproß reicher Prov.-Aristokratie erhöhte seine Aussichten auf eine polit. Karriere durch die Eheschließung mit → Papianilla, der Tochter des → Avitus [1], des späteren Kaisers des weström. Reiches. Nach dessen Ermordung stand S. wahrscheinlich anfangs auf seiten der Gegner des 457 zum Kaiser erhobenen Maiorianus [1] (so [9. 36–57, bes. 181–185], vgl. ferner [6. 603 f.]), errang aber dennoch schnell dessen Gunst. Der gewaltsame Tod des Maiorianus (461) erzwang den Rückzug des S. auf sein Landgut. Die folgenden J. gehörten ganz der Schriftstellerei. 467 jedoch begab sich S. auf Bitten seiner von den Westgoten bedrohten Heimat auf eine Gesandtschaftsreise nach Rom zu Kaiser Anthemius [2], der ihn zum *praef. urbi* und *patricius* ernannte [1. XIX f.; 10. 79]. Als er 468 oder 469 nach Gallien zurückkehrte, war dort die Auflösung der röm. Staatsmacht vollendet; er trat in den geistlichen Stand über und ließ sich zum Bischof der Auvergne mit dem Amtssitz in Avernum (Clermont) wählen (zu den näheren Umständen und zur Datier. vgl. [4. 169–186; 5. 40; 10. 218]). Daß ihm den Hirtenstab weniger Glaubensinbrunst (so [7. 356–377]) als polit. Überlegungen in die Hand gelegt haben, bekennt er unverblümt (epist. 2,1,4). So war denn auch sein Episkopat geprägt von der Verteidigung der Diözese vor den → Westgoten, einem Unterfangen, das schließlich mit der Kapitulation und der Verbannung des Bischofs endete (475). S. konnte 476/7 sein Kirchenamt in Clermont wieder aufnehmen, wo er in den 480er J. starb (zur Datier. vgl. [1. XXIX; 9. 211 f.]).

II. Das überlieferte Werk

Neben den Panegyriken auf Avitus, Maiorianus und Anthemius, zusammen mit den Begleitgedichten carm. 1–8, verfaßte S. 16 gesondert veröffentlichte *carmina minora*. Die in Hexametern, elegischen Distichen und hendekasyllabischen Maßen gestalteten Gedichte – nach des Verf. eigener Einschätzung *nugae*, »Spielereien« (carm. 9,9) – werden eingeleitet durch das Widmungsgedicht an Magnus Felix (carm. 9) und abgeschlossen durch das *Propempticon ad libellum* (carm. 24: ›Reisegedicht für das Buch‹), worin die Gedicht-Slg. auf die Reise zu dem durch die Widmung Geehrten geschickt wird (dazu eingehend [8]). Carm. 11 und 15 sind Hochzeitsgedichte, carm. 10 und 14 die versifizierten *praefationes* dazu, carm. 18–21 Epigramme, carm. 13 eine Bittschrift, carm. 17 ein Einladungsschreiben, carm. 16, 22 (vgl. hierzu [2]) und 23 Dankgedichte an Gastfreunde. Die insgesamt 147 Briefe hat S. auf 9 B. verteilt, dies ausdrücklich nach dem Vorbild des Plinius (epist. 9,1,1; zur Entstehungs- und Editionsgesch. der Brief-Slg., zum Adressatenkreis, zur histor. Verläßlichkeit und zur epistolographischen Einordnung vgl. [3. 6–18]). Die Dank-, Trost-, Glückwunsch- und Empfehlungsschreiben gehen meist an hochgestellte Persönlichkeiten (aufschlußreich zu Zweck und Gestaltung des Corpus: [11]).

III. STIL

Weder in den Briefen noch in den Gedichten entfernt sich S. in Wortschatz, Flexionssystem und Syntax weit von seinen Vorbildern Statius, Ovidius, Vergilius, Horatius, Claudianus [2], Silius [II 5] Italicus und Ausonius bzw. für die Prosa Plinius, Symmachus [4] und Cicero [2. 27; 3. 25, 105 f.]. Die übermäßige Verwendung von Alliterationen, Homoioteleuta, Paronomasien und Klangspielereien ist dem Gesamtwerk ebenso eigen wie der Hang zu längeren Perioden, Hyperbolen und Synekdochen, Metonymien und Periphrasen (nach [2. 23] eine ›späte Nachwirkung des Asianismus‹). S. fußt stark auf paganem Bildungsgut, seine Zugehörigkeit zur christl. Kirche kommt selten zum Tragen, an einer denkerischen Auseinandersetzung zw. christl. und nichtchristl. Positionen ist er nicht interessiert. Auch philos. oder theologische Dispute sind seine Sache nicht, dazu ist seine Freude am Konkreten, Anschaulichen und Polit.-Praktischen zu ausgeprägt.

ED.: **1** A. LOYEN, S. A., Bd. 1, Poèmes, 1960, Bd. 2–3, Lettres, 1970 (mit frz. Übers. und Komm.) **2** N. DELHEY, A. S., carm. 22, 1993 (mit Einl. und Komm.) **3** H. KÖHLER, C. S. A. S., Briefe, B. 1, 1995 (mit Einl., dt. Übers. und Komm.).

LIT.: **4** J. HARRIES, S. A. and the Fall of Rome, 1994 **5** L. LOYEN, S. A. et l'esprit précieux en Gaule aux derniers jours de l'empire, 1943 **6** R. W. MATHISEN, Resistence and Reconciliation: Maiorian and the Gallic Aristocracy after the Fall of Avitus, in: Francia 7, 1979, 597–621 **7** P. ROUSSEAU, In Search of S. the Bishop, in: Historia 25, 1976, 356–377 **8** W. SCHETTER, Zur Publikation der Carmina minora des A. S., in: Hermes 120, 1992, 343–363 (=Ders., KS, 1994, 236–256) **9** C. E. STEVENS, S. A. and His Age, 1933 **10** K. F. STROHEKER, Der senatorische Adel im spätant. Gallien, 1948 **11** M. ZELZER, Der Brief in der Spätant., in: WS 107/108, 1994/95, 541–551. G.K.

Sidus (Σιδοῦς). Befestigter Ort im Gebiet von Korinthos nahe dem Isthmos am Saronischen Golf, h. Susaki. Nach Steph. Byz. s. v. Σ. entweder korinthische → *kṓmē* (vgl. Hesych. s. v. Σιδουντιάς) oder megarisches *epíneion*/»Ankerplatz« (vgl. auch Skyl. 55; Plin. nat. 4,23). S. besaß mit seiner Lage strategische Bed., so etwa im → Korinthischen Krieg 392/1 v. Chr. (Xen. hell. 4,4,13; 4,5,19). S. war bekannt für die Qualität seiner Äpfel (Athen. 3,82a-c).

J. WISEMAN, The Land of the Ancient Corinthians, 1978, 19 f. K.F.

Sidyma (Σίδυμα). Lykische Polis im westl. Xanthos-Tal (Plin. nat. 5,100; Ptol. 5,3,5) mit kleinem Hafen Kalabatia; Mitglied des hell. → Lykischen Bunds. Überreste beim h. Dodurga: klass. Befestigung, kaiserzeitliche Bauten und Gräber; beachtlich sind das Gründungsdokument der → *gerusía* (I.) (TAM II 175 f.) und die Darstellung einer *syngéneia* lykischer Poleis (TAM II 174; SEG 39, 1989, 1413). Bis ins hohe MA war S. Bischofssitz.

S. DARDAINE u. a., Villes de Lycie occidentale: S. et Kadyanda I, in: Ktema 10, 1985, 211–243. MA.ZI.

Sieben gegen Theben. Sagenstoff, den zuerst das griech. Epos (kyklische Thebais-Epen: EpGF p. 21–27; Thebais des → Antimachos [3]) und dann die Trag. behandelte; erh.: Aischylos ›S. g. Th.‹, Ἑπτὰ ἐπὶ Θήβας, *Septem contra Thebas*; Soph. Ant.; Soph. Oid. K.; Eur. Phoen.; Eur. Suppl.; Eur. Hypsipyle (fr.). Auch die Lyriker Stesichoros (PMGF p. 180–183; 213–218) und Pindar (O. 6,13–17; N. 9,8–27) thematisierten Aspekte des Stoffs. Die Gesch. kennt schon Homer (Hom. Il. 4,376–410 u.ö.). Spätere Quellen sind vor allem Sen. Phoen., Stat. Theb., Diod. 4,65, Apollod. 3,6 f., Hyg. fab. 68–74 und Paus. 2,20,5; 9,5,12–14; 8,3–9,5; 18,1–6; 25,1 f.; 10,10,3 f.

Statuengruppen der Sieben und ihrer Söhne, der Epigonen, standen an der Hl. Straße nach Delphoi und auf der Agora von Argos (Paus. 10,10,3 f.; 2,20,5). Verschiedene Szenen der Sage sind dargestellt auf griech. Vasen (bes. in der 1. H. des 5. Jh. v. Chr.), apulischen Gefäßen, auf dem Fries des Heroons von Gölbaşi-Trysa und einer Goldamphora von Panagjurište, vielfach in der etr. Kunst (Antepagmentum vom Tempel A in Pyrgi, Giebel aus Talamone, Aschenurnen) und vereinzelt auf Sarkophagen [1; 2; 3].

→ Eteokles [1] und → Polyneikes, die Söhne des → Oidipus, verfeinden sich im Streit um die Herrschaft über Theben (→ Thebai). Beider Vereinbarung, daß abwechselnd der eine regieren und der andere außer Landes gehen soll, bricht Eteokles, der als erster an die Macht kommt und sie nicht mehr abtritt. Polyneikes zieht daraufhin mit Unterstützung seines Schwiegervaters → Adrastos [1], des Königs von Argos, und sechs weiteren Anführern gegen Theben: Mit dem ebenfalls heimatflüchtigen → Tydeus, dem Seher → Amphiaraos (Schwager des Adrastos), → Kapaneus, fast immer → Parthenopaios und → Hippomedon [1], manchmal Mekisteus und Eteoklos, vereinzelt Halitherses (Adrastos selbst wird nicht immer zu den Sieben gerechnet; vgl. Aischyl. Sept. 375–652; Eur. Suppl. 860–938; Stat. Theb. 4,32–344; Apollod. 3,63; Hyg. fab. 70; Paus. 2,20,5; 10,10,3; Pind. s.o.). Amphiaraos, der weiß, daß die Expedition scheitern und er selbst dabei umkommen wird, opponiert gegen das Unternehmen und hält sich versteckt, doch seine Frau → Eriphyle, mit einem Halsband bestochen, verrät ihn (Hom. Od. 11,326 f.; 15,243–248). Auf der Suche nach Wasser unterbricht das Heer seinen Marsch in Nemea. Während Hypsipyle (→ Lemnische Frauen), die Amme des Königssohns Opheltes/Archemoros, den Argivern eine Quelle zeigt, wird ihr Zögling von einer Schlange getötet. Die Argiver retten Hypsipyle vor der Rache der Eltern und feiern zur Ehre des vergöttlichten Kindes die ersten Nemeischen Spiele (→ Nemea [3]; Eur. Hypsipyle; Stat. Theb. 4,646–7,104). Der Marsch wird fortgesetzt und

Tydeus zu Verhandlungen mit Eteokles geschickt, aber ohne Erfolg. Auf dem Rückweg zum Heer legen ihm die Thebaner einen Hinterhalt, doch Tydeus erschlägt alle fünfzig Mann bis auf Maion [2] (Hom. Il. 4,374–393; 5,801–808; Stat. Theb. 2,364–743). Ein Vermittlungsversuch → Iokastes scheitert ebenfalls (Eur. Phoen. 115f.; 301–637; Sen. Phoen. 363–664; Stat Theb. 7,470–615).

Die Sieben, kenntlich an ihren Schildzeichen, beziehen vor den sieben Toren Thebens Stellung und bestürmen die Stadt. Eteokles, unterstützt von → Kreon [1] und → Teiresias, organisiert die Verteidigung. Ein Orakel fordert das Leben eines Nachkömmlings der → Spartoi für die Rettung Thebens; Kreons Sohn → Menoikeus [2] opfert sich (Eur. Phoen. 833–1092; Stat. Theb. 10,580–836). Außer Adrastos, der auf seinem Roß → Areion flüchtet, kommen alle Führer der Angreifer um: Amphiaraos wird vom Erdboden verschluckt, Tydeus fällt durch → Melanippos [1], dessen Hirn er sterbend aussaugt, Parthenopaios und Hippomedon werden erschlagen, Kapaneus trifft bei der Ersteigung der Mauern der Blitz des Zeus, Eteokles und Polyneikes töten einander im Zweikampf.

Kreon als neuer König verbietet die Bestattung der gefallenen Feinde. → Antigone [3] bestattet ihren Bruder Polyneikes trotzdem, wofür sie mit dem Tod bestraft wird (Soph. Ant.). Die Witwen der Argiverfürsten kommen unter Führung des Adrastos als Bittflehende nach Athen zu → Theseus. Dieser zieht erneut gegen Theben und siegt, die Toten empfangen ihre Ehren. → Euadne [2] verbrennt sich auf dem Scheiterhaufen des Kapaneus (Eur. Suppl.; Stat. Theb. 12). Zehn Jahre später unternehmen die Söhne der Sieben, die Epigonen (vgl. → Epigonoi [2]), erfolgreich einen Rachefeldzug (Hom. Il. 4,405–410; Diod. 4,66; Apollod. 3,80–82; Hyg. fab. 71; Paus. 10,10,4).

→ Aischylos (B.2.); Epischer Zyklus; Thebanischer Sagenkreis

1 I. Krauskopf, Der etr. Sagenkreis und andere griech. Sagen in der etr. Kunst, 1974 2 Dies., s. v. Septem, LIMC 7.1, 730–748 3 Koch/Sichtermann, 186 Abb. 202; 416f. Abb. 439.

G. L. Armantrout, The Seven against Thebes in Greek Art, Diss. Univ. Michigan 1990 (1991) · E. Bethe, Thebanische Heldenlieder, 1891 · W. Burkert, Seven against Thebes: An Oral Tradition between Babylonian Magic and Greek Literature, in: C. Brillante (Hrsg.), I poemi epici rapsodici non omerici e la tradizione orale, 1981, 30–48 (Lit. 48) · M. Davies, The Epic Cycle, 1989, 23–32 · C. Robert, Oidipus, 1915 · A. Rzach, s. v. Kyklos, RE 11.2, 2361–2378 · F. G. Welcker, Der epische Cyclus, Bd. 2, [2]1892, 313–405 · Ders., Die späteren Thebaiden, auch die des Statius, in: Ders., KS zur Griech. Literaturgesch. 1, 1844, 392–401 · U. von Wilamowitz-Moellendorff, Die sieben Tore Thebens, in: Hermes 26, 1891, 191–242 · E. Wüst, s. v. Polyneikes, RE 21.2, 1774–1788 · C. Zimmermann, Der Antigone-Mythos in der ant. Lit. und Kunst, 1993. CL.K.

Sieben Weise. Platon (Prot. 343a) nennt als erster sieben Namen. Davon gehören → Thales von Miletos, → Pittakos von Mytilene, → Bias [2] von Priene und → Solon [1] von Athen fest zum Kreis der S. W. (οἱ ἑπτὰ σοφοί/*heptá sophoí*; lat. *septem sapientes*), während mit → Kleobulos [1] von Lindos, Myson von Chen und → Chilon [1] von Sparta insgesamt zehn andere Personen (v. a. → Pythagoras [2]) konkurrieren (Diog. Laert. 1,40–42). Gegenüber Platon ersetzt Demetrios [4] von Phaleron (10,3 DK) Myson durch → Periandros von Korinthos. Damit war der endgültige Kat. gefunden. Die Verbindung von → Weisheit und Siebenzahl wird durch oriental. und frühgriech. Parallelen gestützt [1. 15; 2. 106]. Nicht erst Platon hat den Kreis der S. W. erfunden ([3. 357f.], anders [4]): Die Trad. bildete sich schon im 6./5. Jh. v. Chr. heraus, verm. unterstützt vom → Orakel von Delphoi, wo am Apollontempel Sprüche zu lesen waren, die einem der S. W. zugeschrieben wurden [5. 2251f.; 6. Bd. 1, 649–652; 3. 361f.]. Ihre Entstehung wird mit dem Wandel der Zeit erklärt, der die vom griech. Mythos angebotenen Paradigmata praktischer Klugheit (→ Nestor [1], → Odysseus) nicht mehr genügten [3. 362–364].

Als charakteristisch für die S. W. gilt gnomische Spruchweisheit (v. a. Lebensweisheit und polit. Klugheit; → *gnṓmē*). Schon in klass. Zeit ließ sich Legendäres und Histor. bei alter Überl. (Alk. fr. 360 Voigt, Sim. fr. 37 und 76 Page; bes. Hdt. 1,27; 29–33; 59; 74f.; 170; 7,235) nicht mehr trennen. Bes. in hell. Zeit fanden weitere Fiktionen Niederschlag in Spruch-Slgg. (10,3 DK), Briefromanen (Diog. Laert. 1,43–122) und in der lit. Erfindung eines Symposions der S. W. (Plut. mor. 146b–164d).

Pittakos war → *aisymnḗtēs*, Solon polit. Schlichter, andere Weise gaben polit. Rat. So konnten sich im Wettstreit zw. Philos. und Rhet. beide Seiten auf sie berufen (Cic. de orat. 3,56). Die zahlreichen Einzelbildnisse (auch Doppelhermen) und Arrangements der S. W. repräsentieren Idealvorstellungen ohne Authentizität [7. 81–91; 8. 95–108].

1 B. Snell, Leben und Meinungen der S. W., [4]1971
2 W. Burkert, Die orientalisierende Epoche in der griech. Rel. und Lit., 1984 3 W. Rösler, Die S. W., in: A. Assmann (Hrsg.), Weisheit. Arch. der lit. Kommunikation, Bd. 3, 1991, 357–365 4 D. Fehling, Die S. W. und die frühgriech. Chronologie, 1985
5 O. Barkowski, s. v. S. W., RE 2 A, 2242–2264
6 Nilsson, GGR 7 G. M. A. Richter, The Portraits of the Greeks, Bd. 1, 1965 8 B. C. Ewald, Der Philosoph als Leitbild. Ikonographische Unt. an röm. Sarkophagreliefs, 1999. J. C.

Sieben Weltwunder s. Weltwunder

Siebenarmiger Leuchter (Menora). Der goldene s. L. (hebr. *m^enôrāh*, Ex 25,31–40), der den zweiten jüdischen → Tempel schmückte, ist früh zum Symbol des → Judentums geworden. Seit Mattathias → Antigonos [5] (40–37 v. Chr.) tritt er bisweilen als Symbol auf jüd. Mz.

auf. Die Darstellung auf dem Titusbogen in Rom zeigt, wie die aus dem Jerusalemer Tempel erbeutete Menora neben anderen gottesdienstlichen Geräten triumphal durch Rom getragen wird und dokumentiert ihre symbolische Bed. für das ganze Judentum. Seit dem 1. Jh. n. Chr. schmücken bildliche Darstellungen des s.L. (meist in Kombination mit Palmzweig bzw. Aschenschaufel und Schofarhorn) → Synagogen, jüd. Grabinschr., Amulette, Öllampen und Glasfläschchen. Heute steht er im Zentrum des offiziellen Emblems des Staates Israel.

M. Haran et al., s. v. Menorah, in: Encyclopaedia Judaica 11, 1971, 1355–1371. LUK.KU.

Siebenschläfer (lat. *glis*). Die mit 13–20 cm Körper- und 10–18 cm Schwanzlänge größte mittel- und südeuropäische Art der nachtaktiven Nagetierfamilie der Schlafmäuse oder Bilche. Seit dem 2. Jh. v. Chr. wurde der S. von den Römern in besonderen Zuchtgehegen (*gliraria*, Beschreibung bei Varro rust. 3,15) mit Bucheckern, Kastanien und Walnüssen für den Verzehr durch Gourmets gemästet (Beispiel für hohen Ertrag: Varro rust. 3,2,14; gebraten, mit Honig bestrichen und Mohn bestreut: Petron. 31,10; Apicius 8,408). 115 v. Chr. untersagte dies vergeblich ein Luxusgesetz (Plin. nat. 8,233) und erneut 78 v. Chr. die *Lex Aemilia*. Die S. leben in Grasnestern innerhalb von Baumhöhlen und Felsspalten, sind tagsüber schläfrig (*somniculosus*: Mart. 3,58,36) und halten Winterschlaf in selbstgegrabenen bis 1 m tiefen Erdhöhlen. Bildliche Darstellungen finden sich bei [1].

1 Keller 1,191–193.

H. Gossen s. v. S., RE 2 A, 2240–2242. C.HÜ.

Siedlungsform. Mit dem Begriff S. bezeichnen Archäobotaniker, Geographen, Historiker und Archäologen das Beziehungsfeld zw. Wohnstätten und Wirtschaftsflächen [1. 14f.], das sich aus der Wahl des Siedlungsstandorts, der Bebauung, der Bewirtschaftungs- und Produktionsformen, kurz aus der Gesamtheit räumlicher Aktivitäten des Menschen an einem bestimmten top. Standort ergibt. Die S. unterlag seit der Seßhaftwerdung in der Jungsteinzeit einem Differenzierungsprozeß, der in regional unterschiedlichem Zeitrhythmus ablief: Seit dem 6. Jt. v. Chr. begannen zunächst im Orient, später auch in Europa stadtartige Mittelpunktsiedlungen mit entsprechendem Funktionsüberschuß aus der Masse der einfachen ländlichen Siedlungen hervorzutreten. Diese Siedlungen waren in der Regel befestigt, dienten als Herrschafts- und Kultzentren und befanden sich in strategisch günstiger Lage. Sie lebten von ihren übergeordneten Funktionen für Gewerbe, Handel und Verkehr und waren für die Grundversorgung auf ihr Umland angewiesen. Neben größeren, stadtartigen Zentren (→ Stadt) sind als weitere Kategorie die umwehrten »Burgen« oder Fürstensitze (→ Fürstengrab) zu nennen, im mediterranen Raum seit der Brz. (z. B. → Mykenai, → Tiryns), nördl. der Alpen seit der Eisenzeit (z. B. → Heuneburg, Mont Lassois) faßbar. Ihre höchste Entwicklungsstufe erreichten diese Mittelpunktsiedlungen rings um die Ägäis, wo seit ca. 600 v. Chr. Poleis (→ *pólis*) mit entwickelter Stadtrechtsverfassung entstanden, deren Bürger über das umgebende → Territorium mit den von abhängigen Pächtern bewohnten Dörfern (→ *kṓmē*) verfügten. Die umwehrten spätkeltischen Großsiedlungen des Westens (→ *oppidum*) reflektieren bis zu einem gewissen Grad diese Entwicklungen der griech. Mittelmeerwelt, in der während des Hell. die Tendenz bestand, daß einander benachbarte dörfliche Siedlungen sich zu einer großen umwehrten Siedlung zusammenfanden (→ *synoikismós*).

Die griech. Polis-Verfassung stand Pate bei der Entstehung des hochdifferenzierten röm. Siedlungswesens. Dieses entwickelte sich während der → Romanisierung Italiens in republikanischer Zeit. Die späte Republik und der frühe Prinzipat breiteten diese Stadtrechtspolitik, die für Gemeinwesen von staatstragender Bed. eine privilegierte Rechtsstellung vorsah, in den Prov. aus. So kannte das → Römische Reich → *coloniae* und → *municipia* als bevorrechtete Klassen städtischer Siedlungen, deren Bürger Grundbesitz auf dem Territorium besaßen. Eingebettet in die zugehörigen Wirtschaftsflächen gab es daneben die *villa rustica* (→ *villa*) als ländliche Siedlungs- und Produktionsform. Unterhalb dieser Ebene erscheinen *vici* (→ *vicus*), *civitates* (→ *civitas*) und *oppida* als S. ohne eigenes Territorium und ohne privilegierte Rechtsstellung. Strikt von diesen Rechtskategorien zu trennen sind dagegen Größe und äußeres Erscheinungsbild der Siedlungen, da diese Komponenten von anderen Faktoren wie verkehrsgeogr. Bed. und Wirtschaftskraft abhängen. Durch die → *constitutio Antoniniana* und die Reformen des → Diocletianus und Constantinus [1] I. verloren die unterschiedlichen Stadtrechtskategorien ihre Bed., so daß die lat. Siedlungsbezeichnungen der Spätant. für siedlungsgeogr. Fragen wenig Relevanz besitzen.

→ Siedlungskontinuität; Stadt; Stadtrechte

1 G. Kossack et al. (Hrsg.), Arch. und naturwiss. Unt. an ländlichen und frühstädtischen Siedlungen ..., 1984.

Allg.: G. Schwarz, Allg. Siedlungsgeogr. (Lehrbuch der Allg. Geogr. 6), 1966, 191–248 · M. Born, Geogr. der ländlichen Siedlungen, 1977, 27–40 · H. Jankuhn, Einführung in die Siedlungsarch., 1977, 103–173 · E. Ennen, W. Janssen, Dt. Agrargesch., 1979, 20–71 · F. Kolb, Die Stadt im Alt., 1984, 18–238.
Zu einzelnen histor. Räumen: J. Collis, Oppida, 1984 · H. Galsterer, Stadt und Territorium, in: F. Vittinghoff (Hrsg.), Stadt und Herrschaft (HZ Beih. 7), 1982, 75–106 · B. Gramsch, Nordostdeutschland, in: B. Coles, A. Olivier (Hrsg.), The Heritage Management of Wetlands in Europe (Europae Archaeologiae Consilium Paper Nr. 1), 2001, 55–63 · V. Fritz, Die Stadt im Alten Israel, 1990, 15–19 · A. H. M. Jones, The Greek City from Alexander to Justinian, 1940 (Ndr. 1979) · H.-P. Kuhnen, Stud. zur Chronologie und Siedlungsarch. des Karmel (Beih. zu TAVO B 72), 1989, 234–255 · M. Müller-Wille,

Siedlungs- und Flurformen als Zeugnisse frühgesch. Betriebsformen der Landwirtschaft, in: H. JANKUHN, R. WENSKUS (Hrsg.), Geschichtswiss. und Arch. (Vorträge und Forsch. 22), 1979, 355–372 • G. PUCCI, Schiavitù romana nelle campagne, in: A. CARANDINI (Hrsg.), Settefinestre ..., 1984, 15–21 • H. VON PETRIKOVITS, Kleinstädte und nichtstädtische Siedlungen, in: H. JANKUHN et al. (Hrsg.), Das Dorf der Eisenzeit und des frühen MA ..., 1977, 86–135 • E. WILL, Die ökonomische Entwicklung und die ant. Polis, in: H.-G. KIPPENBERG (Hrsg.), Seminar: Die Entstehung der ant. Klassenges., 1977, 100–135.

H. KU.

Siedlungskontinuität. Unter S. versteht die histor. Siedlungsforsch. das ununterbrochene Fortbestehen eines Siedlerverbandes an einem Standort während eines längeren Zeitraums, vorzugsweise über Epochengrenzen hinweg. S. entsteht, wenn a) *eine* Siedlergemeinschaft an ihren Wohn- und Wirtschaftsräumen festhält oder b) wenn ein bestimmter Siedlungsstandort über einen längeren Zeitraum hin immer wieder kontinuierlich von Siedlergemeinschaften aufgesucht wird. Entsprechend dem mod. Verständnis des Begriffs »Siedlung« (= Si.) als Einheit von Wohn- und Wirtschaftsflächen ist der Begriff S. h. primär wirtschaftsgesch. definiert, während früher ethnische Aspekte im Vordergrund standen.

S. ist für die Forsch. auf verschiedenen Wegen nachweisbar: 1) durch die histor. Überl., die das Fortbestehen einer Si. im o.g. Sinn ausdrücklich vermerkt; 2) durch arch. Befunde, entweder wenn die ergrabene Schichtenfolge (Stratigraphie) einer Ortslage eine ununterbrochene Si.-Folge ergibt, oder wenn die Belegungsabfolge der zugehörigen Bestattungsplätze (über die arch. Gräberfeldanalyse) die ununterbrochene Nutzung eines Bestattungsplatzes durch die zugehörige Siedlergemeinschaft wahrscheinlich macht; 3) durch archäobotanische Befunde, v.a. die Pollenanalyse, die über die sog. »Si.-Anzeiger« (Kulturpflanzen) Phasen menschlicher Si.-Aktivitäten ebenso sichtbar macht wie durch Wildpflanzen etwaige Kontinuitätsbrüche.

Histor. gesehen steht S. für stabile Si.-Verhältnisse, während derer das Verhältnis der Siedler zu ihren Wirtschaftsflächen unverändert blieb oder sich ohne erkennbare Brüche weiterentwickelte. Dies kann aber auch wirtschaftliche Stagnation bedeuten, wenn das Festhalten an überkommenen Wirtschaftsstandorten innerhalb eines Kleinraums mit großräumigen wirtschaftsgesch. Veränderungen einhergeht. Bes. Bed. wurde der S. im Zusammenhang mit Epochenübergängen der Ereignis- oder Herrschaftsgeschichte zugemessen. Der Kulturwechsel in den ältesten Bauernkulturen der Jungsteinzeit, die sog. Landnahme der Israeliten im spätbrz. Palaestina, der Übergang des Orients von der persischen zur hell. Zeit, das »Römisch-Werden« (→ Romanisierung) im Osten und Westen, die sog. Landnahme der Germanenstämme während der Völkerwanderungszeit, schließlich der Beginn der islamischen Herrschaft im Orient und in Nordafrika werfen immer wieder die Frage nach der S. auf. Aus ideologischem Interesse wurde diese häufig auf ethnische bzw. rassische Komponenten verengt, v.a. in bezug auf die Ansiedlung von Germanen im Westen des Römischen Reiches und in bezug auf die Islamisierung des röm. Ostens nach der arabischen Eroberung. Mod. interdisziplinäre Ansätze und speziell der Beitrag der histor. Naturwiss. (Anthropologie, Archäobotanik, Paläoökologie) relativieren jedoch diese Sichtweise und unterstreichen die primär wirtschaftsgesch. Komponenten der S.

→ Stadt; STADT

P. E. HÜBINGER, Kulturbruch oder Kulturkontinuität von der Ant. zum MA, 1968 • G. NIEMEIER, Siedlungsgeogr., Bd. 4, 1977, 171 f. • C. VITA-FINZI, Archaeological Sites in Their Setting, 1978, 9–155 • J. WERNER, E. EWIG (Hrsg.), Von der Spätant. zum Frühen MA, 1979, 9–16 • B. BALDWIN, Continuity and Change, in: R. HOHLFELDER (Hrsg.), City, Town and Countryside ..., 1982, 1–25 • H.-P. KUHNEN, Stud. zur Chronologie und Siedlungsarch. des Karmel (Beih. zu TAVO B 72), 1989, 264–269. H. KU.

Siegel

I. ALTER ORIENT II. KLASSISCHE ANTIKE

I. ALTER ORIENT

A. ALLGEMEIN
B. FORMEN, MATERIALIEN, HERSTELLUNG
C. ZEITLICHE ENTWICKLUNG
D. DEKOR, VERWENDUNG E. EIGENTÜMER

A. ALLGEMEIN

Steinschneidekunst wird in der Wiss. vom Alten Orient als »Glyptik« bezeichnet; der treffendere Begriff »Sphragistik« (von griech. → *sphragís*) hat sich nicht durchgesetzt. Mit der aus allen Perioden belegten großen Zahl von Original-S. und Abdrücken bzw. Abrollungen sowie ihrer zweckbedingten großen Variationsbreite sind S. eine der wichtigsten kulturgesch. Quellen für den Alten Orient.

B. FORMEN, MATERIALIEN, HERSTELLUNG

In der Steinschneidekunst werden zwei Hauptformen unterschieden: Stempel-S. und Roll-S. in Form kleiner Steinzylinder, deren Mantelfläche den Dekor aufnimmt. Eine seltene Kombination entsteht, wenn in die Endfläche des Zylinders das Muster eines Stempel-S. eingeschnitten wird. Ebenfalls selten sind facettierte S. mit Griff, deren umlaufende Flächen als Stempel gearbeitet sind, sowie S.-Ringe mit gewölbter S.-Fläche. Im allg. gehen Stempelfläche oder Höhe des S.-Bandes nicht über 5 cm hinaus. Fast alle skulptier- und formbaren Materialien sind belegt, doch wurden in erster Linie Steine und Halbedelsteine verarbeitet. Fast ausnahmslos wurden die S. in Intaglio-Technik gearbeitet, d. h. die Darstellung ist vertieft in das S. gearbeitet, der Abdruck erscheint im Hochrelief. Stempel-S. sind oft auf dem Rücken, Roll-S. in der Regel längs durchbohrt, um sie an einer Schnur oder Kette bei sich tragen zu können.

C. Zeitliche Entwicklung

Bereits im präkeramischen Neolithikum Syriens (al-Kōm, Tall Buqrus) sind Stempel-S. und ihre Verwendung belegt (um 7000 v. Chr). Am Übergang vom keramischen Neolithikum zum Chalkolithikum findet sich im syr. Tall Ṣabīy Abyaḍ das erste große Ensemble von Stempelabdrücken in administrativem Zusammenhang (frühes 6. Jt.). Die Blütezeit des Stempel-S. lag im Chalkolithikum (ca. 6000–3000) [5]. Im späten 4. Jt. tauchte das Roll-S. auf. Früheste Beispiele für S. und Abrollungen stammen z. B. aus → Susa, → Uruk sowie Tall Birāk und Tall aš-Šaiḫ Ḥasan in Syrien. In den folgenden drei Jt. prägte das Roll-S. das Bild der Steinschneidekunst im Vorderen Orient, ohne jedoch das Stempel-S. ganz verdrängen zu können. Mit der zunehmenden Verwendung der aram. Buchstabenschrift auf anderem Untergrund als auf Tontafeln wurde vom 9. Jh. an verstärkt wieder das auf angehängten Tonplomben abgedrückte Stempel-S. verwendet, das mit den parthischen und sāsānidischen Beispielen in die nach-altorientalische, islamische Steinschneidekunst mündete. Die Verwendung des Roll-S. endete in parth. Zeit, um die Zeitenwende.

D. Dekor, Verwendung

Während zu Beginn nichtfigürlicher Dekor überwog, nahmen figürliche Kompositionen vom 5. Jt. an stetig zu und dominieren bei weitem vom Aufkommen der Roll-S. an. Zweck eines S. war es, mit dem Abdruck die Anwesenheit des S.-Inhabers kenntlich zu machen. Durch die »Unterschrift« wurde derjenige benannt, der den verschiedenen Verschlüssen aus Lehm, Gips, Asphalt etc. (an Türen, Kisten, Säcken, Körben, Gefäßen, Plomben/Bullen an Schnüren u. a.) zusätzlichen Schutz verlieh. Mit dem Aufkommen der → Schrift am Ende des 4. Jt. wurden sporadisch Tontafeln gesiegelt, jedoch erst vom Ende des 3. Jt. an trugen sie Siegelungen in großem Maße. Als Ersatz für S. konnten Gewandsaum, Fingernagel, Einritzungen von Darstellungen u. a. dienen.

E. Eigentümer

Während normalerweise die Identifikation des S.-Inhabers über das Bild erfolgte, treffen wir vom E. des 4. Jt. an vereinzelt auf die Anbringung von Inschr. Rätselhaft sind nach wie vor die sog. »Städte-S.« vom Beginn des 3. Jt., die ohne bildl. Dekor lediglich ornamentale Schriftzeichen von Städtenamen in wechselnden Kombinationen zeigen [4]. Erst von der Mitte des 3. Jt. an lassen sich Inschr. auf einzelne Personen beziehen; ab da sind Aussagen über die Zuordnung bestimmter Siegelthemen oder Materialien zu sozialen Gruppen möglich. Außer in einer kurzen Phase am Ende des 3. Jt. (Ur III-Zeit) überwogen die unbeschrifteten Siegel. Neben der praktischen Bed. hatten S. sicher auch einen Wert als → Amulett, verm. im Zusammenhang mit den dem jeweiligen Stein zugeschriebenen Eigenschaften.

Obwohl die eindeutige Verbindung zw. S. und Person die Regel war, sind Fälle bekannt, in denen einzelne Personen mehrere S. führten, bzw. S. vererbt (u. a. Phänomen des »dynastischen Siegels« [3]) oder ausgeliehen werden konnten. Auch Gottheiten konnten S. besitzen. Eine Trennung zw. »öffentlich« und »privat«, etwa im Sinne unserer »Dienstsiegel«, läßt sich nirgends eindeutig nachvollziehen. Versuche, zu Beginn der Rollsiegelentwicklung aufgrund ikonographischer Unterschiede bestimmte S. »Behörden« oder Verwaltungseinheiten zuzuweisen, sind ohne sichere Grundlage [1]. Lediglich für die 2. H. des 2. Jt. in Kleinasien (Hethiterreich; → Ḫattusa II.) und das neuassyr. Reich (9.–7. Jh.) läßt sich bei den Königs-S. ein Zusammenhang zw. Amt und Dekor nachweisen.

1 M. A. Brandes, S.-Abrollungen in den archa. Bauschichten von Uruk-Warka, 1979 **2** D. Collon, First Impressions. Cylinder Seals in the Ancient Near East, 1987 **3** McG. Gibson, R. D. Biggs (Hrsg.), Seals and Sealing in the Ancient Near East, 1977 **4** R. J. Matthews, Cities, Seals and Writing, 1993 **5** A. von Wickede, Prähistor. Stempelglyptik in Vorderasien, 1990. FE. BL.

II. Klassische Antike

Für das S. – in der Regel Verschluß-S. und -sicherung einer Papyrusurkunde – wurde feingeschlämmter ungebrannter Ton verwendet, in den das S.-Bild (→ *sphragís*) eingeprägt wurde. Die Versiegelung des Dokuments erfolgte nach einheitlichem Verfahren [1] (s. Abb.). Der lederhart getrocknete Ton mit dem eingedrückten S. umschloß die Fadenwindungen so fest, daß eine Öffnung des Dokuments ohne Beschädigung der S. nicht möglich war. Ausnahmen von dieser Praxis bilden die hell. mesopot. Funde aus → Seleukeia [1] (s. [2]) und Orchoi/→ Uruk (vgl. [3]), wo eine mit dem S. versehene ringförmige Tonmanschette das Dokument verschloß. Um eine Kontrolle des versiegelten Inhalts zu ermöglichen, wurde seit dem 6. Jh. v. Chr. die sog. Doppelurkunde entwickelt [1. 232–234, 238 f.; 4]. Dabei wurde der Text auf demselben Pap. zweimal niedergeschrieben, aber nur eine Fassung, die Innenschrift (*scriptura interior*), versiegelt. Sie beschränkte sich gelegentlich auf eine Kurzversion und diente der Beweissicherung.

Die Technik der Verschlußsiegelung stammt ebenso wie der dabei überwiegend verwendete Pap. aus Äg. und war dort seit dem AR (→ Ägypten B.) üblich. In Äg. wurde als S.-Instrument meist der → Skarabäus, der auf seiner glatten Unterseite eine eingetiefte Hieroglypheninschr. trug, verwendet.

Der aram. Sprachraum, in dem sich die kursive Buchstabenschrift entwickelte, weist die bislang ältesten S.-Funde [5; 6; 7] außerhalb Äg.s aus dem 8./7. Jh. v. Chr. auf. Zusammen mit der neuen → Schrift breiteten sich der Pap. und die Technik des tönernen Verschluß-S. sehr bald über den gesamten Mittelmeerraum aus. Indikator hierfür ist die Verbreitung des Skarabäus in seiner Funktion als S.-Stein, der seit dem 6. Jh. v. Chr. nach äg. Vorbild von phöniz.-punischen, griech. und etr. Werkstätten hergestellt wurde.

Ton-S. lassen sich erst durch die Verfeinerung der Grabungsmethoden seit der Mitte des 20. Jh. nachwei-

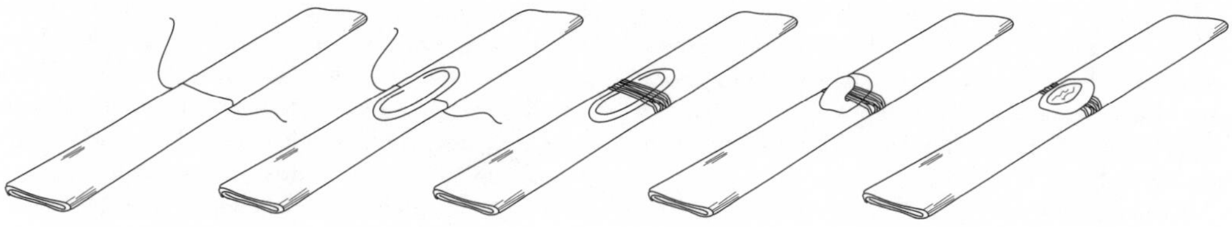

Versiegelung eines Dokuments aus Papyros

sen, oft mit Tausenden von S. [8. 33–38]. Allerdings blieben die an sich ungebrannten S. im winterfeuchten Mittelmeerklima nur erh., sofern die versiegelten Dokumente durch Brand zerstört und die S. gehärtet wurden. Ausnahmen bilden die Funde von original versiegelten Dokumenten auf der Nilinsel Elephantine [9–13] und in Samaria [14]. Die frühen S. in Karthago (spätes 6. – frühes 5. Jh. v. Chr.) gehören zu den Resten eines pun. Tempelarchivs, das bis zur Zerstörung der Stadt 146 v. Chr. in Betrieb war [8. 10–214]. Ebenfalls pun. ist der S.-Fund aus Selinus [4] (4./3. Jh. v. Chr.) [15; 16].

Die meisten Fundkomplexe von Ton-S. der hell. Zeit gehören Privatarchiven (bzw. -registraturen) an, so dasjenige einer aitolischen Familie, das in Kallipolis (s. [17; 18]) zutage kam, zerstört im 3. Maked. Krieg (ca. 169/8 v. Chr.). Diese S. enthalten Bildnisse hell. Herrscher sowie die Abdrücke öffentl. Petschafte (Beamten- und Stadt-S.). Bildnisse ptolem. Herrscher des 2. und 1. Jh. v. Chr. zeigen die Reste eines Archivs in Nea Paphos [19]. Das Archiv wohl eines Kaufmanns mit Geschäfts- und Korrespondenzunterlagen auf Delos (s. [20; 21]) wurde verm. 69 v. Chr. zerstört. Die Reste eines wahrscheinlich öffentl. Archivs wurden in der Stadt Gitana [22; 23] in der Thesprotia gefunden. Von Pap.-Archiven der röm. Kaiserzeit stammen die S. aus Doliche/Nikopolis [24–27], ferner die Reste eines umfangreichen Archivs in Kyrene [28; 29], das im Judenaufstand 117 n. Chr. zerstört wurde, und neuerdings ein sehr umfangreicher kaiserzeitlicher S.-Fund aus den Notgrabungen in Zeugma [30]. Zu S. im Handelswesen vgl. → Warenplomben.

1 K. Vandorpe, in: M.-F. Boussac, A. Invernizzi (Hrsg.), Archives et sceaux du monde hellénistique (BCH Suppl. 29), 1996, 231–291 **2** A. Invernizzi, in: s. [1], 132–143 **3** R. Wallenfells, in: s. [1], 114 **4** D. Berges, Die Tons. aus dem karthagischen Tempelarchiv. Vorbericht, in: MDAI(R) 100, 1993, 263–268 **5** R. Hestrin, M. Dayagi-Mendels, Inscribed Seals, 1979, Nr. 4, 47 **6** N. Avigad, Seals and Sealing, in: IEJ 14, 1964, 193 f. Taf. 44c **7** J. W. Crowfoot et al., The Objects of Samaria (Samaria-Sebaste 3), 1957, 2; 88 Taf. 15, 29–43 **8** D. Berges, Die Ton-S. aus dem karthagischen Tempelarchiv, in: F. Rakob (Hrsg.), Karthago 2. Die deutschen Ausgrabungen in Karthago, 1997 **9** W. Honroth et al., Ber. über die Ausgrabungen auf Elephantine, in: ZÄS 46, 1910, 14–61, bes. 22 f., 28 f. **10** O. Rubensohn, Elephantine-Papyri, 1907 **11** H. Sayce, Y. Cowley, Aramaic Papyri Discovered at Assuan, 1906 **12** E. Sachau, Aram. Papyri und Ostraka aus einer jüd. Militärkolonie zu Elephantine, 1911 **13** E. G. Kraeling, The Brooklyn Museum Aramaic Papyri, 1953 **14** M. J. Winn Leith, The Wadi Daliyeh Seal Impressions (Wadi Daliyeh 1), 1997 **15** A. M. Bisi, Un cas très rare d'emploi des »cretulae«, in: K. R. Veenhof (Hrsg.), Cuneiform Archives and Libraries (30e rencontre assyriologique internationale, Leiden 1983), 1986, 296–304 **16** C. Zoppi, in: s. [1], 327–340 **17** P. A. Pantos, Ta sphragismata tes Aitolikes Kallipoleos, Diss. Athen, 1985 **18** Ders., in: s. [1], 185–194 **19** H. Kyrieleis, in: s. [1], 316–320 **20** M.-F. Boussac, Sceaux publics, Apollon, Hélios, Artémis, Hécate (Les sceaux de Délos 1), 1992 **21** N. Stampolides, Ho erotikos kyklos (Les sceaux de Délos 2), 1992 **22** K. Preka-Alexandri, Seal Impressions from Titanis, in: Pact 23, 1989, 163–172 **23** Dies., in: s. [1], 195–198 **24** M. Maaskant-Kleibrink, Cachets de terre – de Doliché (?), in: BABesch 46, 1971, 23–63 **25** D. Klose, Nikopolis und Doliche. Neue Ton-S. aus dem Archeion des syrischen Nikopolis, in: JNG 34, 1984, 63–76 **26** P. Weiss, Neue Ton-S. von »Doliche«, in: Chiron 22, 1992, 171–193 **27** J. Spier, Ancient Gems and Finger Rings (Cat. of the J. Paul Getty Museum), 1992, Nr. 466–474 **28** G. Maddoli, Le cretule del Nomophylakion di Cirene, in: ASAA 41/42, 1963/64, 39–145 **29** D. Salzmann, Porträt-S. aus dem Nomophylakeion in Kyrene, in: BJ 184, 1984, 141–166 **30** J. Wagner (Hrsg.), Gottkönige am Euphrat (Sonderheft Ant. Welt), 2001, 105–114.

D. BER.

Siegerstatuen. Den Siegern bei griech. Agonen (vornehmlich in Olympia; → Olympioniken) war das Recht zuerkannt, am Wettkampfort (und in der Heimatstadt) lebensgroße S. aus Br. von sich aufzustellen, was der hohen Kosten wegen (zehnfacher Jahresverdienst eines Handwerkers [1. 125]) nicht für alle verwirklicht wurde. Selten erhielt der Athlet deshalb auch mehr als eine S. (drei nur für Dikon aus Kaulonia belegt, Paus. 6,3,11) für alle seine Siege. Die Praxis setzte mit dem Beginn der griech. Großplastik im 7. Jh. v. Chr. ein und ist über die gesamte griech. Kunstgesch. belegt. In der Altis von → Olympia standen Hunderte von S., die wie ein Wald ant. Sportlerruhms gewirkt haben müssen. Pausanias (6,1–18) beschreibt davon ca. 200 ausgewählte Expl. (älteste S. des Eutelidas, Sieger 628 v. Chr., Paus. 6,15,8; darunter auch den sog. Anadumenos, eine vom Bildhauer → Pheidias geschaffene S. eines Jünglings mit bekränztem Haupt, Paus. 6,4,5), von denen uns nur der Kopf des Faustkämpfers Satyros (vgl. [2]) und vielleicht der sog. Getty-Athlet [3] erh. sind. Zur Gattung der S. gehört auch der Wagenlenker von Delphoi [4] (auch hippische Sieger erhielten S. [5. 63]) und der Läufer im Arch. Museum İzmir [6], vielleicht auch der sog. Thermenboxer [7. 150–174, 201–203]. Bei vielen verlorenen griech. Originalen von röm. Marmorkopien (Diskobolos des Myron [3], Apoxyomenos des Lysippos [2] u.a.) dürfte es sich ebenfalls um S. gehandelt haben [1. 131], beim Faustkämpfer des Koblanos [8] vielleicht um eine echte S. aus Marmor.

Neben Attributen, wie Diskus und Riemen für Faustkämpfer, kann auch die Haltung (Schattenboxer, Paus. 6,10,3; Startender, Arch. Mus. Neapel Inv.-Nr. 5627) auf die jeweilige Disziplin verweisen. Zahlreiche Steinbasen von S. sind erh., deren Inschr. Name und Herkunft des Siegers sowie Ort und Anlaß der Weihung nennen, oft in poetischer Form [9]. Vom Orakel überzeugte Athleten wie Eubatas aus Kyrene brachten die S. gleich zum Wettkampf mit (Paus. 6,8,3), während anderen (z.B. Theogenes von Thasos [9. Nr. 3]) die Ehrung postum erteilt wurde. S. konnten auch herausragende Wagenlenker in Rom [10. 124–129] und Byzanz [11] erhalten.
→ Sportfeste

1 H.-V. Herrmann, Die S. von Olympia, in: Nikephoros 1, 1988, 120–183 **2** S. Lehmann, Zum Bronzekopf eines Olympioniken im Nationalmuseum Athen, in: Stadion 21–22, 1995/6, 1–29 **3** C. C. Mattusch, The Victorious Youth, 1997 **4** F. Chamoux, L'aurige (FdD 4,5), 1955, ²1990 **5** H. Buhmann, Der Sieg in Olympia, 1972 **6** H. T. Uçankus, Die brn. S. aus dem Meer vor Kyme, in: Nikephoros 2, 1989, 135–155 **7** N. Himmelmann, Herrscher und Athlet, 1989 **8** A. Kulenkampff (Hrsg.), Unter dem Vulkan. Meisterwerke der Ant. aus dem Arch. Nationalmuseum Neapel (Ausst. Köln), 1995, Kat. Nr. 7 **9** J. Ebert, Epigramme auf Sieger an gymnischen und hippischen Agonen, 1972 **10** G. Horsmann, Die Wagenlenker der röm. Kaiserzeit, 1998 **11** A. Cameron, Porphyrius, the Charioteer, 1973.

IvOl, Nr. 142–243 • W. W. Hyde, Olympic Victor Monuments and Greek Athletic Art, 1921 • F. Rausa, L'immagine del vincitore, 1994. W.D.

Siga (neupun. *Šjgʿn*). Stadt und Flußhafen der → Mauretania Caesariensis am Oued Tafna, 4 km südl. von Portus Sigensis, h. Takembrit/Algerien (Ps.-Skylax 111; Pol. 12,1,3; Liv. 28,17,15f.; Strab. 17,3,9; Mela 1,29; Plin. nat. 5,19; Ptol. 4,2,2; Itin. Anton. 12,8; Steph. Byz. s.v. Σίγαθα). Zunächst punischer Handelsstützpunkt, dann Residenzstadt des masaisylischen Königs → Syphax. In der nur teilweise ausgegrabenen Stadt scheint der Kult des → Saturnus den des Baal Ḥammon ersetzt zu haben. Inschr.: CIL VIII 2, 10470; Suppl. 3, 22630; 4, 25902; RIL 878f.

AAAlg, Bl. 31, Nr. 1 • J. Desanges (ed.), Pline l'Ancien. Histoire naturelle V, 1–46, 1980, 151–153 • E. Lipiński, s.v. S., DCPP, 416 • J. Mazard, Corpus nummorum Numidiae Mauretaniaeque, 1955, 62–64, 175 • G. Vuillemot, S. et son port fluvial, in: AntAfr 5, 1971, 39–86. W.HU.

Sigeion (Σίγειον, lat. *Sigeum*). Vorgebirge (Σιγειὰς ἄκρα, Strab. 13,1,31; 46) und Stadt an dessen Südspitze (zur Geogr. [3. 173ff.]) in der Troas; die Lage nördl. des h. Yenişehir bei Kumkale [2. 180–185] scheint durch Inschr. und Mz. gesichert. S. wurde von → Mytilene gegr. und teilte sich mit → Rhoiteion das Territorium von Ilion (→ Troia) bis zu dessen Neugründung (Strab. 13,1,42). Auseinandersetzungen zw. Athen und Mytilene E. des 6. Jh. v. Chr. führten zur Neugründung von → Achilleion durch Mytilene. Hippias, Sohn des Peisistratos [4], fand nach Hdt. 5,65 und 5,95 in S. Unterschlupf [1. 188]. Obwohl Mitglied im → Attisch-Delischen Seebund, hatte es keine Bed. im → Peloponnesischen Krieg (Thuk. 8,101; Diod. 13,39). 355 v. Chr. übernahm der Athener Chares [1] Lampsakos und S. (schol. Demosth. or. 3,21); er wurde von Alexandros [4] d.Gr. in der Herrschaft über S. bestätigt (Arr. an. 1,12,1). S. war unter Antiochos [2] I. unabhängig (CIG II 3595), wurde nach der Mitte des 3. Jh. v. Chr. von Ilion aus zerstört [4. 177] und scheint sich nicht mehr erholt zu haben, wird aber immerhin noch im Zollgesetz von Asia [5] erwähnt.

1 W. Leaf, Strabo on the Troad, 1923, 187–190 **2** J. M. Cook, The Troad, 1973, 178–188 **3** J. V. Luce, Die Landschaften Homers, 1999, s.v. S. **4** L. Robert, Sur un décret d'Ilion et sur un papyrus concernant des cultes royaux, in: Essays in Honour of C. B. Welles (American Stud. in Papyrology 1), 1966, 175–211 **5** H. D. Engelmann, D. Knibbe (Hrsg.), Das Zollgesetz der Prov. Asia (EA 14), 1889, § 9. E.SCH.

Sigerus. Langjähriger hoher → *cubicularius* Domitians, der beim Kaiser großen Einfluß hatte (Mart. 4,78,8). Er war an der Verschwörung gegen Domitian beteiligt und verletzte ihn tödlich (Cass. Dio 67,15,1–5; Suet. Dom. 17,2). W.E.

Sigillaria s. Geschenke II.

Sigillum s. Siegel

Sigismundus. König der → Burgundiones 516–523 n. Chr. Sohn → Gundobads, dessen Nachfolger 516. Hinwendung zum oström. Reich, führte den Titel *patricius* (Avitus epist. 9). Krise seiner Herrschaft, nachdem er seinen Sohn Sigerich hatte hinrichten lassen (Greg. Tur. Franc. 3,5). 523 wurde sein Reich vom Franken Chlodomer überfallen, er selbst inhaftiert und getötet (Chron. min. 2,235; Greg. Tur. Franc. 3,6).

1 PLRE 2, 1009f. **2** H. Wolfram, Das Reich und die Barbaren, ²1994, 360f. WE.LÜ.

Sigisvultus. Flavius S., 427 n. Chr. unter Felix [6] gegen Bonifatius [1] nach Africa gesandt (Chron. min. 1,472); Consul 437, *magister utriusque militiae* 437–448, Küstenverteidigung gegen die → Vandali 440 (Nov. Valentiniani 9), 448 *patricius* [2. 158f.]. Oft als Gegenspieler des Aetius [2] gesehen [3. 498–500].

1 PLRE 2, 1010 **2** T. D. Barnes, Patricii under Valentinian III., in: Phoenix 29, 1975, 155–170 **3** B. L. Twyman, Aetius and the Aristocracy, in: Historia 19, 1970, 480–503.

WE.LÜ.

Siglen. *Sigla*, früher *Notae*, ist die lat. Bezeichnung für Abkürzungen. Auf Mz. finden sich schon in griech. Zeit, bedingt durch die Enge des zur Verfügung stehenden Raums, S. für Namen, Titel, Orte usw. Bei griech. Inschr. hingegen sind S. in vorröm. Zeit außerordentlich selten, ganz im Gegensatz zu ihrem weitgehenden Gebrauch bei Etruskern und v. a. Römern. Hier werden manche Kategorien von Angaben – wie Vornamen und Tribus, bekleidete Ämter und Dedikationsformeln – fast immer abgekürzt. Die weitverbreitete Ansicht, dies sei geschehen, um die Kosten zu senken, da die Steinmetze nach Buchstaben bezahlt worden seien, läßt sich nicht verifizieren. Vielmehr war der Gebrauch von abgekürzten Formeln Moden unterworfen und kann deshalb helfen, Inschr. zu datieren.

Verzeichnisse von S. finden sich in den Indices von CIL und ILS, ferner in Hdb. zur Epigraphik (→ Inschriften, → LATEINISCHE INSCHRIFTEN) und zur Numismatik (→ NUMISMATIK).

M. AVI-YONAH, Abbreviations in Greek Inscriptions, 1940 • M. C. J. MILLER, Abbreviations in Latin, 1998.

H. GA.

Siglos (griech. σίγλος, σίκλος, oder Ntr. -ον; lat. *siclus, sicel*, von akkadisch → *šiqlu* = Schekel, hebräisch שקל). Altoriental. Gewicht von 1/60 (bzw. 1/50 bei den Juden: Ez 45,12 und bei den Griechen, wo 1 Mine = 100 Drachmen) der leichten und der schweren → Mina [1]. Als Münznorm war S. Name von unterschiedlichen Silbermünzen.

S. als → Tetradrachmon waren die nach dem phoinikischen Münzfuß (→ Münzfüße) geprägten autonomen Großsilber-Mz. (spätes 5.–4. Jh. v. Chr.) der phoinik. Städte (u. a. Sidon: 2 bis 1/64 S.; Tyros: 1 bis 1/24 S.) und dann als 1/60 oder 1/50 der schweren Mine (Ios. ant. Iud. 3,194; Hesych. s. v. σίκλον); bei Iosephos ist S. die attische Tetradrachme von Tyros (vgl. Ios. bell. Iud. 2,592), ca. 14,55 g schwer, Av. Herakles-Melkart, Rv. Adler und Datier., geprägt 126/5 v. bis 65/6 n. Chr. Diese Mz. war in Palaestina die häufigste Silber-Mz. und für die Bezahlung der Tempelsteuer von ½ Schekel vorgeschrieben (jüd. Quellen: [3. 84[7; 10]]; Cass. Dio epit. 65,7,2). [2] nimmt daher an, daß die Tyros-Tetradrachmen ab 18 v. Chr. in Jerusalem geprägt wurden, bis zur Einführung neuer Typen mit Beginn des Aufstands von 66–70 n. Chr. Die ca. 13,75 bis 14,25 g schweren Schekel des Aufstands werden in der hebräischen Aufschrift Schekel (שקל) genannt; sehr selten sind ½ und ¼ Schekel. Schekel waren auch die großen Silber-Mz. des 2. jüd. Aufstands (132–135 n. Chr.), aber ohne Wertbezeichnung. Das hebräische → Talent von 3000 »heiligen« schweren Schekel entspricht 10 000 Drachmen (Ios. ant. Iud. 3,144; 17,189 f.; 17,321–323; vgl. 17,146); im NT wird der »heilige Schekel« als → Stater [2] (=2 Didrachmen) bezeichnet (Mt 17,27; vgl. 17,24).

Der S. als → Didrachmon ist 1/60 bzw. 1/50 der leichten Mine und entspricht dem Betrag der Tempelsteuer für den erwachsenen Juden (Mt 17,24, vgl. Mt 17,27; Ios. ant. Iud. 18,312; Ios. bell. Iud. 7,218; dagegen Ios. bell. Iud. 3,194, wo ein halber=schwerer S. angegeben ist).

Der S. als → Drachme [1] (Harpokr. s. v. Dareikos) ist der medische S. zu 7 ½ oder 8 attischen → Obolen (5,46 bzw. 5,8 g; IG II 652 S. 43; Xen. an. 1,5,6 u. a.). Die Mz. des → Kroisos wurden nach 546 v. Chr. unter achäm. Herrschaft in Sardeis weiter geprägt, erst etwa 515 wurden neue achäm. Münzbilder eingeführt [5]. Der silberne Kroisos-Halbstater von 5,35 g wurde zum massenhaft geprägten persischen S. Nach der Gewichtsreform des Dareios [1] (→ *šiqlu*) und der Gewichtsanhebung der goldenen Dareikoi wurde der S. erst unter Xerxes auf 5,55 g angehoben [1. 618]. Der silberne S. war 1/20 des goldenen S. (→ Dareikos) von ca. 8,4 g wert (Xen. an. 1,7,18; Arr. an. 4,18,7: ein → Talent von 6000 S. = 300 Dareikoi), d. h. das Wertverhältnis Gold-Silber betrug 13 ⅓: 1 [1. 617 f.]. Der Av. zeigt zunächst den Großkönig als Halbfigur mit Pfeil und Bogen, dann den Bogen schießend, (ab Xerxes?) im sog. Knielaufschema mit Bogen und Speer bzw. Dolch ab E. 5. Jh. v. Chr. [5], der Rv. ein langrechteckiges → Quadratum incusum. Selten sind ⅓, ⅙ und 1/12 S. Die Prägung der S. war wohl auf Sardeis beschränkt, Hauptumlaufgebiet war nach den Schatzfunden Westkleinasien. Im übrigen Perserreich wurden sie wie das dort den Zahlungsverkehr bestimmende Rohsilber behandelt [1. 612–614, 619].

1 A. D. H. BIVAR, Achaemenid Coins, Weights and Measures, in: The Cambridge History of Iran, Bd. 2, 1985, 610–639 2 Y. MESHORER, 190 Years of Tyrian Shekels, in: A. HOUGHTON (Hrsg.), FS L. Mildenberg, 1984, 171–179 3 L. MILDENBERG, Schekel-Fragen, in: B. SCHÄRLI (Hrsg.), FS H. A. Cahn, 1985, 83–88 4 K. REGLING, s. v. Siglos, RE 2 A, 2316–2322 5 E. S. G. ROBINSON, The Beginnings of Achaemenid Coinage, in: NC 1958, 187–193 6 SCHRÖTTER, 632 f.

DI. K.

Sigma. Halbrundes Speisesofa, benannt nach der späteren Form des griech. Buchstaben C, das in der röm. Welt nach und nach den Platz des → *triclinium* einnahm und sich im 4. und 5. Jh. n. Chr. ganz durchsetzte. Wann genau sich das *s.* bei den Römern einbürgerte, ist nicht zu bestimmen. Die ersten arch. bezeugten *sígmata*, die anhand von Fußbodenmosaiken identifizierbar sind, lassen sich nicht vor E. des 2./Anf. des 3. Jh. datieren. Schon vorher gab es freilich unter der Bezeichnung *stibadium* (στιβάδιον) bei Mahlzeiten im Freien diese halbkreisförmige Anordnung. Wie auf dem *triclinium* konnte durch einen Ehrenplatz auf dem *s.* eine Hierarchie der Gäste deutlich gemacht werden; im Gegensatz zum *triclinium* bot es allerdings im allg. nicht mehr als fünf bis acht Speisenden Platz (Mart. 10,48,6). Verschiedentlich hat man die Mahlzeiten, die auf einem *s.* eingenommen wurden, als christl. Mahl identifizieren wollen, jedoch weisen zahlreiche Beispiele darauf hin, daß das *s.* generell zur Ausstattung des Privathauses gehörte. Das Motiv des *s.* wird bei Grabmalereien verwendet, um das → Gastmahl und – im christl. Kontext von → Katakomben und → Sarkophagen – das Mahl im Paradies darzustellen. Die verschiedenen Formen des Gastmahls im Liegen (zuletzt auf dem *s.*) werden gegen E. der Ant. durch das Speisen auf Bänken vor langen rechtwinkligen Tischen abgelöst.

→ Cena; Eßkultur; Gastmahl; Tafelausstattung

K. M. D. Dunbabin, Triclinium and Stibadium, in: W. J. Slater (Hrsg.), Dining in a Classical Context, 1991, 121–148, fig. 1–36 • A. Hug, s. v. Triclinium, RE 7 A, 92–10 • A. Mau, s. v. Convivium, RE 4, 1201–1208 • F. Poland, s. v. Stibadeion, Stibas, RE 3 A, 2481–2484 • G. Rodenwaldt, s. v. S., RE 2 A, 2323 f. P. S.- P.

Signale. Zur Übermittlung von Befehlen bei Manövern im Lager und in der Schlacht kannten griech. und röm. Heere S., lat. *signa* (taktische »Zeichen«; vgl. griech. σημεῖα/*sēmeía*). Vegetius führt drei Arten von S. auf (Veg. mil. 3,5,3; vgl. Arr. takt. 27): (a) *signa vocalia*, Stimm-S.: das Losungswort (*tessera*) der Soldaten für die Wache oder den Kampf; (b) *signa semivocalia*, akustische S. mit Hilfe von S.-Instrumenten (*tuba, cornu, bucina*, → Musikinstrumente VI.): musikalische Kommandos zum Kampf, zum Halten, zur Verfolgung oder zum Rückzug (Veg. mil. 2,22); im Lager S. für die Wachen zum Beziehen ihrer Posten (vgl. Pol. 14,3,6). Durch das als *classicum* bezeichnete S. wurde das Zeichen zum Aufbruch gegeben oder eine → *contio* der Soldaten einberufen (Liv. 2,59,6; 7,36,9; Amm. 21,5,1; vgl. Pol. 6,40,1); es galt als *insigne imperii* (»Zeichen des Oberbefehls«) und wurde in Gegenwart des Imperators geblasen; (c) *signa muta*, optische (wörtl. »stumme«) S. durch Fahnen, Abzeichen an Kleidern, Waffen oder Pferden, und v. a. die wichtigsten → Feldzeichen (=F.): *aquilae, dracones, vexilla*. Befehle wurden nur den Trägern der F. erteilt, denen die Soldaten unbedingt zu folgen hatten (Veg. mil. 3,5,8). Der Soldat durfte niemals das F. seiner Einheit aus den Augen verlieren (*signa sequi*: Sall. Iug. 51,1; 80,2; Liv. 10,5,1). Wenn die Träger das F. hoben, gaben sie den Marschbefehl (*signa tollere*: Bell. Alex. 57,1); wenn sie es drehten, zeigten sie Richtungswechsel an (*signa vertere*: Bell. Afr. 18). Die Soldaten formierten sich zum Schutz der F. um, wenn sie vom Feind bedrängt wurden (*signa conferre in unum locum*: Caes. Gall. 2,25,1). »Sich vom F. entfernen« (*a signis discedere*: Caes. Gall. 5,16,1; 5,33,6) bedeutete Flucht oder Desertion; der Verlust eines F. (*signo amisso*: Caes. Gall. 2,25,1) galt als schweres kollektives Vergehen.

Kompliziertere S.-Techniken wurden zur Weitergabe von mil. Nachr. über größere Entfernungen eingesetzt (→ Telegraphie).

W. Riepl, Das Nachrichtenwesen des Alt., 1913, 13–90 • A. von Domaszewski, Die Fahnen im röm. Heere, in: Ders., Aufsätze, 1972, 1–80 • M. P. Speidel, Eagle Bearer and Trumpeter, in: Ders., Roman Army Studies 1 (MAVORS 1), 1984, 3–44 • O. Stoll, Der Adler im »Käfig«, in: Ders., Röm. Heer und Ges.: Gesammelte Beiträge 1991–1999 (MAVORS 13), 2001, 13–46 • Ders., Die Fahnenwache in der röm. Armee, in: Ebd., 47–58.

A. K. u. Y. L. B./Ü: S. EX.

Signifer s. Feldzeichen

Signum (wörtl. »Zeichen«, Pl. *signa*).

[1] (Name) s. Supernomen

[2] (Militärwesen) s. Feldzeichen; Signale

[3] Brandzeichen, mit dem bei den Römern Sklaven kenntlich gemacht wurden (→ Sklaverei). Dies kam zur Verhinderung der Flucht und bei Diebstahlsgefahr vor sowie generell bei Straftätern, die zur Arbeit im Bergwerk (*in metallum*) verurteilt worden und dadurch zu Sklaven geworden waren. Wer auf diese Weise ein *s.* erh. hatte, konnte im Falle seiner → Freilassung nicht röm. Bürger werden, sondern gelangte nur in den Status der → *dediticii*. In der Spätant. verbreitete sich die Brandmarkung auch von Nicht-Sklaven in abhängiger sozialer und wirtschaftlicher Stellung sowie von Soldaten. Das *s.* ins Gesicht eines Menschen wurde aber von Constantinus [1] im J. 315 n. Chr. verboten (Cod. iust. 9,47,17). Das *s.* für Sklaven war wohl im ganzen Mittelmeerraum einschließlich des Nahen Ostens in der Ant. üblich. Im Griech. entspricht dem *s.* das *stígma* (lat. auch *stigma, punctum, nota, titulus*). Danach hießen die Gebrandmarkten auch noch in röm. Zeit *stigmatíai* (lat. *stigmatiae*).

[4] (*sigillum*). → Siegel (mit Abb.), mit dem bes. → Urkunden beglaubigt wurden. Es war aus Ton oder Wachs und wurde entweder neben die Unterschrift (→ *subscriptio*) gesetzt oder diente – häufiger – dem Verschluß der Urkunde. Dazu gab es bes. Versiegelungsvorschriften, z. B. für das Testament (→ *testamentum*) mit sieben Siegeln im röm. Recht. Auch Sachen konnten mit einem *s.* versiegelt werden, z. B. bei der Vermögensvollstreckung.

→ Steinschneidekunst

L. Wenger, s. v. S. (1), RE 2 A, 2361–2448. G. S.

Sigus. Stadt der Numidia, 35 km sö von → Cirta (Itin. Anton. 28,1; 34,8; 42,2), h. Sigus/Algerien. S. stand im 3. und 2. Jh. v. Chr. unter punischem Einfluß. CIL VIII Suppl. 2, 19121 (*castellum*); CIL VIII 1, 5693 u. ö. (*respublica Siguitanorum*); Suppl. 2, 19135 (*magistri pagi* und *decuriones*). 411 n. Chr. war S. Bischofssitz (Acta concilii Carthaginiensis anno 411 habiti 1,197; 209). Inschr.: CIL VIII 1, 5683; 5693–5879; 2, 10148–51; 10856–10861; Suppl. 2, 19112–19196 bzw. 19197; RIL 813. Grenzsteine: Rev. Africaine 83, 1939, 161–181.

AAAlg, Bl. 17, Nr. 335 • E. Lipiński, s. v. S., DCPP, 418.

W. HU.

Sikanoi (Σικανοί). Volk auf → Sicilia, dessen Herkunft schon von ant. Autoren diskutiert wurde: Timaios (FGrH 566 F 38; laut Thuk. 6,2,2 noch andere) hielt sie für autochthon, nach anderen (Hellanikos FGrH 4 F 79; Thuk. 6,2,2; Philistos FGrH 556 F 45; Ephor. FGrH 70 F 136; Dion. Hal. ant. 1,22,2) stammten sie vom Fluß Sikanos in Iberia, von wo sie von Ligures vertrieben worden seien. Von ihnen erhielt die Insel Sizilien, zuvor Trinakria genannt, ihren Namen Sikania. Von den aus

It. einwandernden → Siculi verdrängt (Thuk. 6,2,4f.; Diod. 5,2,6; auch auf der Flucht vor Ausbrüchen des Ätna/→ Aitne: Diod. 5,6,3), zogen sie sich in den Westen der Insel zurück. Arch. Forsch. zufolge sind die ersten kulturellen Ausdrucksformen der S. vor dem Eintreffen der Siculi in der Fundlage von Thapsos zu sehen (15.–13. Jh. v. Chr.), durch Kontakte mit der ägäischen Welt geprägt, sichtbar v. a. in der Sepulkralarchitektur (Tholosgräber). Der Rückzug nach Westen, der E. der Brz. mit dem Eintreffen von Völkern der it. Halbinsel (evtl. den Siculi) einsetzte (Fundlage von Cassibile: 1050–850 v. Chr.), war wohl ca. 850–730 v. Chr. abgeschlossen.

Die Lokalisierung der aus den lit. Quellen bekannten Zentren der S. (u. a. Omphake, Maktorion, Motyon, Krastos, Kydonia, Uessa) bleibt hypothetisch, da v. a. sprachliche Zeugnisse fehlen. Angesichts ihres arch. Forschungsertrags ist die Siedlung bei S. Angelo Muxaro von Bed. (Nekropolen mit monumentalen Tholosgräbern). Als Kultzentrum war das Heiligtum von Polizzello (7.–6. Jh. v. Chr.) evtl. von pansikanischer Bed. Ohne Konturen bleiben die wichtigsten Kulte der S., so der aus Kreta stammende (Diod. 4,79), bei Engyon lokalisierte Meteres-Kult und der Aphrodite-Tempel in Kamikos, der das Grabmal des Minos überlagert (Diod. 4,79,3 f.). Sikan. Ursprung und min. Substrat [1. 37f.] werden auch dem Aphrodite-Kult am → Eryx [1] zugeschrieben (Diod. 4,83,4). Der Anteil der min.-myk. Kultur an der Kultur der S. (vgl. den Mythos vom Tod des Minos in Kamikos: Hdt. 7,170) zeigt sich in der Häufung ägäischer Stilelemente bis in histor. Zeit (etwa Br.-Figuren mit Dreizack, Stierkopfplastiken, mit stilisierten Kraken dekoriertes Geschirr). Auf der Töpferscheibe gefertigte Keramik aus grauem oder dunklem Ton mit eingeprägter oder eingeritzter geom. Dekoration bezeugt die Kultur der S. in frühgesch. Zeit. Hinzu kommt in einer späteren Phase eine mit geom. Motiven bemalte, durch die orientalisierende griech. Produktion inspirierte Keramik. Die wenigen Funde von Metallgegenständen (Mitte 7. Jh. v. Chr.) erweisen ein beachtliches Niveau (goldene Becher, Ringe aus S. Angelo Muxaro). Ebenso qualitätsvoll ist Bernstein- und Knochenschmuck (Weihegaben von Polizzello). Der v. a. seit dem 5. Jh. v. Chr. beschleunigte Assimilationsprozeß an die griech. Kultur ließ die alten Zentren der S. nahezu ganz in Vergessenheit geraten.

Von Auseinandersetzungen zw. Himera und S. (1. H. 6. Jh. v. Chr.) informiert eine Inschr. aus dem Heraion auf Samos (Inv.Nr. 48). Ins 5. Jh. v. Chr. datiert der vergebliche Versuch des Teutos, des Königs der reichen Sikanerstadt Uessa, der Expansion des → Phalaris Widerstand zu leisten (Polyain. 5,1,4; Frontin. strat. 3,4,6). Sikan. Söldner nahmen 414/3 v. Chr. an den Militäraktionen des → Gylippos gegen die Athener teil (Thuk. 13,7,7).

1 G. Pugliese Carratelli, Storia civile, in: Sikanie, 1986.

V. La Rosa, Le popolazioni della Sicilia: Sicani, Siculi, Elimi, in: G. Pugliese Carratelli (Hrsg.), Italia, omnium terrarum parens, 1991, 3–110 • G. Bretschneider (Hrsg.), Da Cocalo a Ducezio. VII. Congresso internazionale di studi sulla Sicilia antica (Kokalos 34/5, 1988/9), 1992/3.

GI. F. u. E. O./Ü: H. D.

Sikanos (Σικανός). Syrakusier, Sohn des Exekestos, wurde im Herbst 415 v. Chr. mit → Hermokrates [1] und Herakleides [2] zum bevollmächtigten Strategen gewählt (Thuk. 6,73). 413 zur Eroberung von Akragas entsandt, kehrte er unverrichteter Dinge zurück (Thuk. 7,36; 7,50,1). Sein Versuch, die von den Athenern aus der verlorenen Seeschlacht (Anf. Sept. 413) geretteten Schiffe in Brand zu stecken, scheiterte (Thuk. 7,70–74). → Peloponnesischer Krieg K. MEI.

Sikeloi s. Siculi

Sikinos (Σίκινος). Insel der südl. → Kykladen (39 km²; Skyl. 48; Strab. 10,5,1; Ptol. 3,15,31), bis 552 m ansteigend (Hagios Mamas), reich an Marmor und Schiefer; ohne sichere Naturhäfen, h. ebenfalls S. Der dichterische Beiname *Oinóē* (Apoll. Rhod. 1,620; Plin. nat. 4,69; Steph. Byz. s. v. Σ.) deutet auf Weinanbau. Schon im 3. Jt. v. Chr. bewohnt (frühkyklad. Keramik), in histor. Zeit ionisch besiedelt. Im 5. Jh. v. Chr. unterwarf sich S. wohl den Persern (Hdt. 8,46). S. war Mitglied im → Attisch-Delischen Seebund, seit 377 v. Chr. im → Attischen Seebund (Xen. hell. 6,2,12; Diod. 15,47,2). Die Polis S. lag im Westen der Insel am Berg Agia Marina (geringe Reste, u. a. Nekropole und Heroon des 3. Jh. n. Chr., in frühchristl. Zeit zur Kirche umgebaut, h. Teil des Klosters Episkopi). Inschr. bezeugt ist ein Tempel des → Apollon Pythios. Weitere ant. Reste im Osten der Insel bei Kap Malta. Inschr.: IG XII 5, 24–34; Suppl. 177. Mz.: HN 491.

Philippson/Kirsten 4, 139–141 • A. Frantz, s. v. S., PE, 839 • Ders. u. a., The »Temple of Apollon Pythios« in S., in: AJA 73, 1969, 397–422 • H. Kaletsch, s. v. S., in: Lauffer, Griechenland, 614 f. A. KÜ.

Sikulisch. Sprache einer vorgriech. Bevölkerung im Osten Siziliens, bekannt aus etwa 100 Glossen, die ant. Autoren als S. überliefern, und aus einer nur ungenau abgrenzbaren Zahl von Inschr. meist aus dem 6. und 5. Jh. v. Chr., geschrieben in einem etwas abgewandelten griech. Alphabet. Die vier wichtigsten Inschr. sind: Krug (Guttus) aus Centùripe (fast 100 Buchstaben), Stele aus Sciri bei Caltagirone, Steinblock aus Mendolito (jeweils über 50 Buchstaben), Vase aus Montagna di Marzo (45 Buchstaben). Die Sprache ist sicher idg. mit vereinzelten Parallelen zum → Oskisch-Umbrischen (Mendolito: τευτα ϝερεγαιεσ, osk. *touto*, *vereiias*) und → Lateinischen (Glossen δαγκλον »Sichel«, dissimiliert < *d^halk-klo-m*, lat. *falcula*; μοιτον »Gegengabe«, lat. *mūtuum*), ist aber noch fast ganz unverständlich und sicher nicht näher mit diesen verwandt, obwohl einigen Herkunftssagen zufolge die → Siculi aus Mittelitalien stammen sollen.

A. Zamboni, Il Siculo, in: Prosdocimi, 951–1012 (beste Übersicht) • U. Schmoll, Die vorgriech. Sprachen Siziliens, 1958 • Una nuova iscrizione anellenica da Montagna di Marzo, in: Kokalos 24, 1978, 3–62. J.U.

Sikyon (Σικυών).
I. Lage II. Geschichte III. Baubestand

I. Lage
Hafenstadt am Korinthischen Golf, 26 km westl. von Korinthos. Ihr Gebiet grenzte östl. mit dem Fluß Nemea [2] an Korinthos, westl. mit dem Sythas an Pellene (Paus. 7,27,12). Die Fruchtbarkeit des Tals und des aus neogenen Mergeln gebildeten Hügellands von S. war schon in der Ant. berühmt. In archa. und klass. Zeit lag S. – eine Gemeinde von verschiedenen kleineren Siedlungen [1] – ohne natürlichen Schutz in der Ebene. Die hell. Stadt wurde 4 km landeinwärts auf zwei Hochplateaus am Nordhang des arkadisch-achaiischen Gebirges zw. den Schluchten des Asopos [3] im Osten und des Helisson [2] im Westen angelegt.

II. Geschichte
Über die gesch. Entwicklung der Stadt liegen erst für die Phase der hundertjährigen Tyrannis unter den Orthagoriden (→ Orthagoras [1]) Informationen vor, deren zeitliche Zuordnung umstritten ist [2]. Diskutiert wird auch die ideologische Ausrichtung der von Kleisthenes [1] (600–570) veranlaßten Maßnahmen (Hdt. 5,67–69): gegen die herrschende dorische Oberschicht oder gegen Argos [II 1] und die Aristokraten [3]. Aus dieser Zeit stammen, von den Orthagoriden in Auftrag gegeben, in → Delphoi (mit Plan) ein kleiner Rechteckbau mit Säulen und Metopenfries (sog. Monopteros, um 560 v. Chr.), ein Rundbau mit dorischer Säulenhalle (Tholos, um 580 v. Chr.), beide vor E. des 6. Jh. in das Schatzhaus verbaut ([4; 5]; Paus. 10,11,1), und der erste Bau des Schatzhauses in → Olympia (Paus. 6,19,1 ff.). Um 510 erfolgte der Sturz der Tyrannis mit spartanischer Hilfe (Papyrus-Fr. FGrH 105 F 1; Plut. mor. 859c-d). S. war seitdem mit Sparta verbündet und infolgedessen an allen Kriegen auf dessen Seite beteiligt, auch noch nach der Schlacht bei Leuktra 371 v. Chr. Unter der Tyrannis des Euphron [2] (368–366 v. Chr.) stellte sich die Stadt aber auf Einwirken der Thebaner gegen Sparta (Xen. hell. 7,1,44–46; 2,11; 3,1–12; 4,1; Diod. 15,70,3). Parteikämpfe führten S. mehrfach unter dem Einfluß von Thebai, Sparta und dem Makedonenkönig in z. T. blutige Auseinandersetzungen zw. Oligarchen, Demokraten und Tyrannen [6. 305–307, 676 f.]. Am → Lamischen Krieg 323/2 war S. auf seiten der Verbündeten gegen Antipatros [1] beteiligt (Syll.[3] 310). 303 v. Chr. eroberte Demetrios [2] Poliorketes S. und veranlaßte die Verpflanzung der Stadt von der Ebene auf die Anhöhe (Diod. 20,102,2–4; Plut. Demetrios 25,3; Paus. 2,7,1). Vom maked. Einfluß befreite Aratos [2] die Stadt und brachte sie zum Anschluß an den Achaiischen Bund (→ Achaioi, mit Karte), in dem S. als eine der blühendsten Bundesstädte [6. 70–87] eine führende Stellung einnahm (Pol. 2,43,3; Plut. Aratos 9; 41; Paus. 2,8,4; 7,7,2). Nach der Zerstörung von Korinthos 146 v. Chr. erhielt S. einen großen Teil des korinthischen Gebiets und die Leitung der Isthmischen Spiele (→ Isthmia; Strab. 8,6,23; Paus. 2,2,2). Ein Erdbeben um 140/150 n. Chr. zog die Stadt schwer in Mitleidenschaft (Paus. 2,7,1). Berühmt war S. als Sitz bed. Maler und Bronzegießer (vgl. Pamphilos [2], Pausias, Kanachos [2], Polykleitos [1], Lysippos [2]).

III. Baubestand
Von der Stadt der archa. und klass. Zeit sind eine Nekropole (5.–4. Jh. v. Chr. bis zur röm. Zeit) südl. des Asopos, ferner geringe Baureste und Mosaiken (5.–4. Jh. v. Chr.) [8] erh., von der 303 v. Chr. gegr. Stadt Reste des Theaters [8; 9. 134–142], des Gymnasion (Erbauer: Kleinias, Vater des Aratos), von Tempelfundamenten, des hypostylen Buleuterion [10], der 105 m lange Stoa und der h. als Museum eingerichteten röm. Thermen sowie einer großen christl. Basilika des 6. Jh. n. Chr. in der Ebene. Weitere Belegstellen: Pind. O. 13,109; Pind. N. 9,1; 9,53; 10,43; Pind. I.3,44; Strab. 8,2,2; 8,6,24 f.; 8,7,4; 8,8,5; Paus. 2,5,5–2,12,2. Inschr.: IG IV 424–438, Mz.: HN[2], 409 ff., 417.

1 N. Pharaklas, Σικυωνια (Ancient Greek Cities 8), 1971
2 V. Parker, The Dates of the Orthagorids of Sicyon, in: Tyche 7, 1992, 165–175 3 Ders., Some Aspects of the Foreign and Domestic Policy of Cleisthenes of Sicyon, in: Hermes 122, 1994, 404–424 4 P. de La Coste-Messelière, Au Musée de Delphes, 1936 5 D. Laroche, M.-D. Nenna, Le trésor de Sicyone et ses fondations, in: BCH 114, 1990, 241–284 6 H. Berve, Die Tyrannis bei den Griechen, 1967
7 K. Votsis, Nouvelle mosaïque de Sicyone, in: BCH 100, 1976, 575–588 8 W. Fiechter, Das Theater in S., 1931
9 G. Roux, Pausanias en Corinthie, 1958
10 A. Philadelpheus, Note sur le bouleutérion de Sicyone, in: BCH 50, 1926, 174–182.

G. Napolitano, s. v. Sicione, EAA 2. Suppl. 5, 1997, 252–254 • A. K. Orlandos, Ἀνασκαφαὶ Σικυῶνος, in: Πρακτικὰ τῆς Ἀκαδημίας Ἀθηνῶν, 1938, 120–123; 1939, 100–102; 1941, 56–60; 1951, 187–191; 1952, 387–395; 1953, 184–190; 1954, 219–231 • T. S. Scheer, Ein Museum griech. »Frühgesch.« im Apollontempel von S., in: Klio 78, 1996, 353–373 • C. H. Skalet, Ancient Sicyon. With a Prosopographia Sicyonia, 1928 • K. Votsis, Ανασκαφή Σικυῶνος, in: Πρακτικὰ τῆς Ἀκαδημίας Ἀθηνῶν, 1984, 241 f.; 1987, 66–68; 1988, 30 f. • A. Griffin, S., 1982. Y.L. u. E.O.

Sila
[1] Waldreiches Gebirge in Bruttium (Strab. 6,1,9; Plin. nat. 3,74; Alfius bei Fest. 150 L.; Verg. georg. 219–223; Aen. 12,715–717), dem verm. Aspromonte (Montalto, 1956 m) und Serre im Süden von Bruttium entsprechen, nicht aber die h. S. [1; 3]. Reicher Nutzholzbestand, Gewinnung des geschätzten bruttischen Pechs ([1; 2]; Cic. Brut. 85; Amphorenstempel: *Bruttia pix* [2]). Nach Dion. Hal. ant. 20,15 traten zu Ende des Kriegs gegen → Pyrrhos [3] die → Bruttii (vgl. Vibius Sequester, flumina 205: *Sila Bruttiorum*) die Hälfte der S. den Römern ab.

1 C. Turano, Le conoscenze geografiche del Bruzio nell'antichità classica, in: Klearchos 17, 1975, 71–77 2 S. De Caro, Anfore per pece del Bruzio, in: Klearchos 27, 1985, 21–32 3 A. Rusci, s. v. S., EV 4, 846–848. M. L.

[2] Stadt der Numidia, etwa 35 km südl. von → Cirta, h. Bordj el-Ksar/Algerien. CIL VIII Suppl. 2, 19198 (*res-publica Silensium*); CIL VIII 1, 5884; Suppl. 2, 19198; 19199 (*magistratus*, *ordo* und *decuriones*). 484 n. Chr. war S. Bischofssitz (Not. episc. Numidiae 92). Inschr.: CIL VIII 1, 5880–5932; 2, 10295; Suppl. 2, 19198–19209; AE 1972, 696; 1992, 1883.

AAAlg, Bl. 17, Nr. 333 • Y. Le Bohec, De S. à Gadiaufala ..., in: L'Afrique dans l'Occident romain (Actes du colloque Rome 1987), 1990, 291–313. W. HU.

Silanion (Σιλανίων). Bronzebildner aus Athen. Nach Plin. nat. 34,51 war 328–325 v. Chr. der Höhepunkt seiner Karriere. S. schuf Statuen der myth. Figuren Achilleus, Theseus und Iokaste sowie in Olympia die → Siegerstatuen der Boxer Damaretos, Telestas und Satyros. Ein ihm zugeschriebener »Sportlehrer« (*epistaten exercentem athletas*, Plin. nat. 34,82) ist vielleicht als Konnidas, Lehrer des Theseus, zu deuten. Von den Porträts des S. ist die Statue des Platon in der Athener Akademie in röm. Kopien zuverlässig erkannt. Umstritten sind hingegen die Identifizierungen der Porträts der Dichterinnen Sappho und Korinna, des Bildhauers und Philosophen Apollodoros [16] sowie des Boxers Satyros in einem Bronzekopf aus Olympia (Athen, NM). Die bes. Fähigkeiten des S. lagen in der Wiedergabe physischer und psychischer Zustände, etwa der Totenblässe bei Iokaste und des Wahnsinns bei Apollodoros (Plin. nat. 34,81). Als einziger Schüler des S., der selbst Autodidakt gewesen sei, wird → Zeuxiades genannt. Zudem habe S. ein Lehrbuch über Komposition (*praecepta symmetriarum*, Vitr. 7 praef. 14) verfaßt. In der Entwicklung des griech. → Porträts spielte S. vermutlich eine bedeutende Rolle.

Overbeck, Nr. 1350–1363 • CIG 2,1843, Nr. 3555 • IPerg Nr. 50, 198 • Picard, Bd. 3.1, 781–852 • Lippold, 272–274 • Richter, Portraits, Bd. 1, 70, 144; Bd. 2, 164–170 • P. Moreno, s. v. S., EAA 7, 1966, 288–292 • I. Linfert-Reich, Musen- und Dichterinnenfiguren des 4. und frühen 3. Jh., 1971, 65–70, 84–90 • IEph 2, Nr. 512 • A. Stewart, Greek Sculpture, 1990, 179–180, 288–289 • L. Todisco, Scultura greca del IV secolo, 1993, 108–111 • T. Lorenz, Platon, S. und Mithridates, in: Fremde Zeiten 2, 1996, 65–73 • A. Stewart, Nuggets. Mining the Texts Again, in: AJA 102, 1998, 278–280. R. N.

Silanus. Röm. Cogn. (vielleicht von *silus*, »stülpnasig«; nach ant. Auffassung von *silanus*, einem Wasserspeier in Form eines Silenskopfes), in republikanischer Zeit erblich in der Familie der Iunii (Iunius [I 28–35; II 29–41]); in der Kaiserzeit auch in weiteren Familien.

Degrassi, FCap., 148 • Kajanto, Cognomina, 237. K.-L. E.

Silarus (*Siler*). Fluß im Grenzbereich zw. Campania und Lucania (*Siler*: Lucan. 2,426; *Silerus*: Mela 2,69; *Silaris*: Strab. 5,4,13; 6,1,4), h. Sele. An der Mündung Überreste eines archa. Heiligtums der Hera Argiva (achtsäuliger → Pseudodipteros mit 17 Säulen an den Längsseiten; vgl. Strab. 6,1,1; Plin. nat. 3,70; Solin. 2,12; Plut. Pompeius 34,3). Am S. gab es eine für Viehherden gefährliche Bremsenart (Verg. georg. 3,146).

F. Cordano, Antiche fondazioni Greche, 1986, 119 f. A. BO./Ü: C. EI.

Silbe s. Lautlehre A.; Metrik; Prosodie

Silber
I. Definition II. Historischer Überblick
III. Silbergewinnung

I. Definition

S. (ἀργύριον/*argýrion*, ἄργυρος/*árgyros*; lat. *argentum*) ist ein Edelmetall, das in der Ant. v. a. durch die Verhüttung s.-haltiger Bleierze gewonnen wurde; in der Natur kommt es in vier unterschiedlichen Arten vor: 1. als gediegenes S.; 2. als S.-Erz; 3. als Bestandteil von Bleiglanz, dem einzigen wirtschaftlich interessanten Bleierz; 4. als Legierung mit → Gold, also als → Elektron, in dem der Goldgehalt weniger als 30 % betragen kann. Gediegenes S. ist selten und an der Oberfläche zersetzt, so daß es keine nennenswerte Rolle spielte. Dennoch ist nicht auszuschließen, daß vor der Entdekkung der Gewinnung von S. aus Bleiglanz S.-Objekte aus gediegen gefundenem S. oder aus s.-reichen Goldlegierungen hergestellt wurden.

Im Mittelmeerraum existierten nur wenige ertragreiche Lagerstätten s.-haltiger Erze, so in Griechenland die Insel → Siphnos (Hdt. 3,57) und das Gebiet von → Laureion in Attika (Hdt. 7,144; Xen. vect. 4; Strab. 9,1,23); im Westen wurde S. v. a. in Südwestspanien abgebaut (Strab. 3,2,3; 3,2,8–10; vgl. auch Diod. 5,35–38). S. wurde nur selten in reiner Form verarbeitet, häufiger waren Legierungen v. a. mit → Kupfer, Gold und Zink. S. und S.-Legierungen lassen sich sowohl durch Gießen als auch durch eine Verformung im kalten Zustand (Treibarbeit) bearbeiten, so daß es in der Ant. in vielfältiger Weise zur Herstellung von Zierobjekten, → Gefäßen, Statuetten und zur → Münzherstellung genutzt werden konnte. JO. R.

II. Historischer Überblick
A. Alter Orient B. Phönizien
C. Keltisch-germanischer Bereich
D. Griechenland E. Rom F. Verwendung von Silber in der klassischen Antike

A. Alter Orient

Die frühesten gesicherten S.-Funde aus dem Alten Orient stammen aus dem 4. Jt. v. Chr., etwa ein kleiner S.-Ring aus Beycesultan in Westanatolien oder kleinere Blecharbeiten aus Tappe Sialk im Iran. Seit Beginn des

3. Jt. v. Chr. waren S.-Objekte im ganzen Vorderen Orient in Gebrauch. Die aus den Königsgräbern von Ur aus der Mitte des 3. Jt. v. Chr. geborgenen reichen Funde vermitteln einen Eindruck der zu dieser Zeit im Alten Orient hergestellten S.-Objekte. Bedeutende S.-(Blei-)Erzlagerstätten befanden sich v. a. im Iran und in Anatolien (Tauros als die »S.-Berge« der akkadischen Königs-Inschr.). Seit dem ausgehenden 3. Jt. v. Chr. war S. in Vorderasien regulärer und allg. Wertmaßstab im Güteraustausch. Als Problem wurde seine nicht sofort überprüfbare Reinheit angesehen. Als Zahlungsäquivalent konnte S. bis zur Einführung gemünzten → Geldes ganz unterschiedliche äußere Formen haben: Barren (Scheiben, Stäbe, Ringe u. a.), Draht oder Hack-S.; häufige Hortfunde sind Hinweis auf Thesaurierung oder Vorrat für Umschmelzung/Recycling. In Äg. wurde S. bereits in prädynastischer Zeit zu Perlen und Amuletten verarbeitet. Aus dem AR sind S.-Objekte in relativ großer Zahl erh.; häufig findet sich die Verwendung von Blatt-S. Seit der 11. und noch stärker seit der 18. Dyn. ist S. ein übliches Edelmetall zur Herstellung von → Schmuck- und Ziergegenständen, von → Spiegeln und → Gefäßen. In späterer Zeit wird S. in Äg. noch häufiger verwendet. Aus der Spätzeit (seit 10. Jh. v. Chr.) sind auch Särge aus S. gefunden worden. Im 1. Jt. v. Chr. erreichte die S.-Verarbeitung im Vorderen Orient in → Urartu eine bes. Blüte; später (3.–7. Jh. n. Chr.) auch bei den → Sāsāniden.
→ Geld

1 A. Luca, J. R. Harries, Ancient Egyptian Materials in Industries, 1962 2 J. Mishara, P. Meyers, Ancient Egyptian Silver, 1973, 29–45 3 P. R. S. Moorey, Ancient Mesopotamian Materials in Industries, 1994, 232–240 4 C. C. Patterson, Native Copper, Silver and Gold Accessible to Early Metallurgists, in: American Antiquity 36, 1971, 286–321. JO.R.

B. Phönizien

S. war seit dem späten 2. Jt. v. Chr. von wesentlicher Bed. für die wirtschaftliche Entwicklung der phöniz. Städte und wurde nicht nur als Rohstoff für die Herstellung des als Luxusgut in Ost und West hochgeschätzten phöniz. S.-Geschirrs, sondern auch für die Tribute an das neuassyr. Reich dringend benötigt. Die S.-Vorkommen in Etrurien, auf Sardinien und in Südspanien waren Ziel der transmediterranen phöniz. Expansion [1].
→ Kolonisation; Phönizier, Punier

1 H. G. Niemeyer, The Early Phoenician City-States on the Mediterranean, in: M. H. Hansen (Hrsg.), A Comparative Study of Thirty City-State Cultures (Kongelike Danske Videnskabernes Selskab, Hist.-fil. Skrifter 21), 2000, 89–115, bes. 96–99.

M. E. Aubet, Tiro y las colonias fenicias de Occidente, 1994, 78–84 • J. Fernández Jurado, La metalurgía de la plata en epoca tartésica, in: C. Domergue (Hrsg.), Minería y metalurgía en las antiguas civilizaciones mediterráneas y europeas (Coloquio Madrid 1985), Bd. 1, 1989, 157–164. H. G. N.

C. Keltisch-germanischer Bereich

Im Gegensatz zum → Gold spielte S. im kelt. Bereich eine untergeordnete Rolle, u. a. weil S. in Mitteleuropa nur vererzt mit → Blei bzw. → Kupfer vorkommt und erst im frühen MA intensiver gewonnen wurde. Während der kelt. Zeit (6.–1. Jh. v. Chr.) wurde S. vereinzelt als Ring- und Fibelschmuck verarbeitet, dazu kommen einzelne z. T. kostbare S.-Gefäße und andere Objekte, z. B. eine S.-Schale im Fürstinnengrab von → Vix, der → Torques von Trichtingen oder der Kessel von → Gundestrup, die jeweils ihren nichtkelt. Charakter und die Herkunft aus S.-reichen Gebieten des Mittelmeerraumes und seiner Nachbarschaft (Balkan, Iberische Halbinsel) erkennen lassen. Typisch kelt. S.-Mz. tauchen häufiger als südgallische Prägungen im 2./1. Jh. v. Chr. auf.

Im german. Bereich ist Edelmetall insgesamt viel seltener und S. hält sich etwa mit Gold die Waage. Neben Ring-, Fibel- und Kettenschmuck, der meist aus röm. S.-Mz. gefertigt wurde, spielen in reichen german. → »Fürstengräbern« importierte röm. S.-Gefäße eine wichtige Rolle.
→ Bergbau; Germanische Archäologie;
Keltische Archäologie

P. Roggenbruck, Unt. zu den Edelmetallfunden der röm. Kaiserzeit zw. Limes, Nord- und Ostsee (British Archaeological Reports, International Ser. 449), 1988 • H. Steuer, U. Zimmermann (Hrsg.), Alter Bergbau in Deutschland, 1993, bes. 16–20. V. P.

D. Griechenland

Aus dem Vorderen Orient und Anatolien gelangte die Kenntnis des S. und der S.-Verarbeitung im 3. Jt. v. Chr. nach Griechenland, wobei → Troia ein wichtiges Bindeglied zu den Kulturen im Osten darstellte. Bereits aus Troia II (2300–2100 v. Chr.) sind reiche Funde aus S. erhalten; seit myk. Zeit war die Verarbeitung von S. in Griechenland weiter verbreitet. Bis in das 1. Jt. v. Chr. ist dabei der Einfluß technologischer Entwicklungen im Osten und der Import von Metallerzeugnissen aus Kleinasien noch spürbar. In der 1. H. des 1. Jt. v. Chr. nahm die S.-Verarbeitung deutlich zu, wobei seit dem späten 6. Jh. v. Chr. ein wachsender Anteil des geförderten S. zur → Münzprägung gebraucht wurde. Das wichtigste Nominal war die S.-Drachme (→ Drachme).

E. Rom

In Rom erreichte die Verarbeitung von S. einen Höhepunkt; neben den Vorkommen in Spanien wurden auch zahlreiche kleinere Vorkommen in den nw Prov., auf Sardinien, auf dem Balkan und in Nordafrika abgebaut. Die Technik der S.-Verarbeitung ging nahtlos aus der griech. und etr. Edelmetallverarbeitung hervor. Aus S. gefertigtes reliefiertes Tafelgeschirr gehörte seit dem 2. Jh. v. Chr. zu den wichtigen → Statussymbolen der röm. Nobilität (Plin. nat. 33,139–157; Tac. ann. 3,53,4). Bei Festessen wurde den Gästen das Tafel-S. präsentiert (Cic. Verr. 2,4,33 f.; → Tafelausstattung), und Horatius

[7] erwähnt ausdrücklich das für ein → Gastmahl bereitstehende S.-Geschirr (Hor. carm. 4,11,5 f.; Hor. epist. 1,5,23 f.). Fehlten S.-Gefäße im Haushalt eines Senators, wurde dies kritisch vermerkt (Cic. Pis. 67). C. Verres sammelte reliefiertes S. und eignete sich als Praetor in Sizilien eine große Zahl von Gefäßen widerrechtlich an (Cic. Verr. 2,4,30–70). Welche Bed. Tafel-S. als Statussymbol besaß, zeigen auch Wandgemälde aus Pompeii, auf denen S.-Geschirr abgebildet ist (etwa im Grab des C. Vestorius Rufus). Für S.-Gefäße bedeutender Künstler wurden extrem hohe Preise gezahlt; so erwarb L. Licinius [I 10] Crassus (*cos.* 95 v. Chr.) zwei Becher von Mentor für 100 000 HS (Plin. nat. 33,147). Einzelne Schüsseln hatten ein Gewicht von über 100 *librae*/Pfund (32,745 kg; Plin. nat. 33,145); das im Haus des Menander gefundene S.-Geschirr, das wahrscheinlich der Familie der Poppaei Sabini gehörte, bestand aus 118 Teilen. Das Tafel-S. besaß damit erheblichen Wert und demonstrierte den → Reichtum einer Nobilitätsfamilie. Reiche Schatzfunde aus → Pompeii und Umgebung, aus Germanien, den german. Prov. und aus Britannien (Pompeii, Haus des Menander: Neapel, NM; Boscoreale: Paris, LV; Hildesheimer → Silberfund: Berlin, SM; Schatz von Augst, 4. Jh. n. Chr., vgl. → Augusta [4] Raurica; Mildenhall Treasure, Norfolk, 4. Jh. n. Chr.: London, BM) vermitteln einen Eindruck vom hohen Stand der Verarbeitung des S. zu Gebrauchsgegenständen. Auch für Rom war S. ein wichtiges Mz.-Metall; nach 150 v. Chr. wurde der S.-Denar (→ *denarius*) zur röm. Standardwährung, die bis zur → Münzverschlechterung des 3. Jh. n. Chr. fortexistierte und erst unter Constantinus [1] I. durch eine Gold-Mz. (→ *solidus*) ersetzt wurde. JO.R.

F. Verwendung von Silber in der klassischen Antike

S. diente in der griech.-röm. Ant. als Göttergabe, als Schmuck, als Münzmetall und zur Thesaurierung (→ Silberfunde). Umarbeitungen und Einschmelzen waren häufig; die materielle Überl. ist deshalb ungleichmäßig. In der kykladischen und minoisch-myk. Kultur wurden Gefäße und Waffenteile in S. punziert, tauschiert oder mit Niello verziert. In Übereinstimmung mit den Nachr. bei Homer erscheint S. in Griechenland ab dem 8. Jh. v. Chr. Seit klass. Zeit waren Gefäße und → Spiegel aus S. im Privatgebrauch üblich. Überwiegend wurde jedoch für Heiligtümer produziert, wie inschr. Inventare (Delos) belegen. Eine Zunahme von S.-Gerät gab es in hell. Zeit, v. a. an den Herrscherhöfen. In Rom wurde S. unter dem Einfluß des Hell. seit dem 2. Jh. v. Chr. zunehmend verwendet. Bei Martial und Plin. nat. 33 finden sich reiche Notizen zu Kunst- und Sammelbetrieb mit Werken der griech. → Toreutik und Fälschungen. Neben figürlich dekorierte Gefäße treten Möbelappliken, → Lampen und Kandelaber sowie Toilettengegenstände. Rundplastik in S. wird lit. öfters erwähnt; erh. sind aus der Kaiserzeit wenige Porträts und Statuetten. In der spätant. Ges. nahmen Prestigefunktion und Tauschwert von S. zu, so daß es zur Bildung von S.-Schätzen kommt (→ Silberfunde). Auch in Kirchenbesitz wurden S.-Schätze aus liturgischem Gerät gebildet. Die Lokalisierung der Ateliers ist wenig erforscht; in Gallien lassen sich lokale Produktionsstätten erkennen, in Kleinasien und Syrien sind sie in schriftlichen Quellen belegt. Die Techniken wandelten sich mit dem Dekorationsstil; in Hell. und früher Kaiserzeit wurde figürlicher Dekor in getriebenen Appliken (→ *crustae*) gearbeitet, im 2.–3. Jh. n. Chr. eher in Reliefs gegossen und ziseliert. In der späten Kaiserzeit entwickelte sich die Niello-Technik mit Farbeffekten.
→ Metallurgie

M. Cagiano de Azevedo, s. v. argento, EAA 1, 1958, 621–623 • C. Vermeule, Greek and Roman Sculpture in Gold and Silver, 1974 • H. A. Cahn, A. Kaufmann-Heinimann, Der spätröm. S.schatz von Kaiseraugst, 1984 • G. Clark, Symbols of Excellence. Precious Materials as Expressions of Status, 1986 • F. Baratte (Hrsg.), Argenterie romaine et byzantine (Actes de la table ronde, Paris 1983), 1988 • L. Pirzio Biroli Stefanelli, L'argento dei Romani. Vasellame da tavola e d'apparato, 1991 • F. Baratte, s. v. argento, EAA Secondo suppl., 1, 1994, 382–388 • J.-M. Carrié (red.), L'argenterie romaine de l'antiquité tardive (Table ronde, London 1995 = Antiquité tardive 5), 1997, 25–167 • H.-H. v. Prittwitz und Gaffron, H. Mielsch (Hrsg.), Das Haus lacht vor Silber (Ausst. Rheinisches Landesmus. Bonn), 1997. R.N.

III. Silbergewinnung
A. Verfahren B. Metallanalysen

A. Verfahren

Das Bleierz von → Laureion enthielt ca. 1000–4000 g/t (=0.1–0.4%) S. Das S. konnte aus Bleierz durch das Kupellationsverfahren gewonnen werden. Dazu wurden die sulfidischen Bleierze durch Erhitzen geröstet, also in Bleioxid umgewandelt. Das Bleioxid wurde mit Holzkohle zu metallischem Blei reduziert. Dieses → Blei wurde zur S.-Gewinnung wieder durch Erhitzen unter Luftzufuhr oxidiert. Das auf dem geschmolzenen Blei schwimmende Bleioxid wurde abgeschöpft oder von porösen Ofenmaterialien aufgenommen; dadurch reicherte sich das S. im geschmolzenen Blei an. Der Prozeß wurde so lange fortgesetzt, bis alles Blei entfernt war und reines S. zurückblieb. In griech. Zeit war dieses Trennverfahren noch so unvollkommen, daß in röm. Zeit das Material alter Schlackenhalden noch einmal zur S.-Gewinnung verhüttet werden konnte (Strab. 9,1,23). Auch aus S.-Erzen gewann man S. durch einen solchen Kupellationsprozeß, indem man die S.-Erze mit Bleierzen vermischte. Öfen, in denen s.-haltige Bleierze verhüttet wurden, sind in großer Zahl in Laureion, in Südspanien, den Pyrenäen sowie in Britannien erhalten.

Das S. konnte durch Gießen nach den üblichen Gießverfahren, im kalten Zustand als Blech oder Draht verarbeitet oder zu Mz. geprägt werden. In früher Zeit wurde das S. mit erhöhten Anteilen an → Kupfer versetzt, seit der röm. Zeit lassen sich auch erhöhte Zinkanteile feststellen; in diesem Fall war das S. nicht mit reinem Kupfer, sondern mit Messing legiert worden. Die in der Ant. verwendeten Verfahren der S.-Gewinnung werden ausführlich bei Plinius dargestellt (Plin. nat. 33,95–110; 33,126–157).

B. Metallanalysen

Über die Zusammensetzung ant. S.-Objekte informieren zahlreiche Metallanalysen. Die Legierungen sind ausgesprochen heterogen, da neben fast reinen S.-Objekten alle Sorten von → Elektron, also S.-Gold-Mischungen bis hin zum reinen → Gold vorkommen. Neben den S.-Gold-Legierungen gibt es S.-Kupfer-Legierungen, in denen der Kupfergehalt bis 25 % betragen kann. Dabei besteht kein Zusammenhang zw. der Art des Objekts, der Zeit und dem Ort der Herstellung und der Zusammensetzung der S.-Legierung. Für den griech. Bereich sind Elektronsorten unterschiedlicher Art mit geringen Kupferanteilen üblich. Bei röm. Schatzfunden ist das S. relativ rein mit Kupfergehalten um 5–10 %, in Ausnahmen bis zu 15 %. Die Goldgehalte liegen unter 2 %. Vereinzelt erreichen die Bleigehalte, die aus dem Verhüttungsverfahren im S. zurückblieben, 1–2 %. In der Spätant. finden sich S.-Objekte, die extrem hohe Kupfergehalte von bis zu 60 % und teilweise ungewöhnlich hohe Zinkgehalte von bis zu 15 % aufweisen und somit kaum mehr aus S. bestehen. Es liegen zahlreiche Analysen an ant. Mz. vor; sie bieten wichtige Informationen zur Herkunft des Münzmetalls und zur → Münzverschlechterung v. a. in der röm. Prinzipatszeit. Auch die Analyse der Bleiisotopen hat wichtige Hinweise über die ant. S.-Lagerstätten und den S.-Handel gebracht.

→ Bergbau; Blei; Bodenschätze; Geld, Geldwirtschaft; Metallurgie; Münzherstellung

1 B. Andreae, Röm. Kunst, 1973, Abb. 291–309
2 Blümner, Techn. 4, 28–38; 142–162; 302–321
3 C. Domergue, Les mines de la péninsule ibérique dans l'antiquité romaine, 1990 4 J. F. Healy, Mining and Metallurgy in the Greek and Roman World, 1978
5 L. Kerschagl, S., 1961 6 G. Ludwig, G. Wermusch, S. Aus der Gesch. eines Edelmetalls, 1986 7 J. Ramin, La technique minière et métallurgique des Anciens, 1977 (coll. Latomus 153), 145–158 8 J. Riederer, Arch. und Chemie, 1987, 91–98 9 D. Sherlock, Silver and Silversmithing, in: Strong/Brown, 11–23 10 E. Simon, Augustus: Kunst und Leben in Rom um die Zeitenwende, 1986, 139–150.

JO. R.

Silberfunde. Überwiegend aus ant. Silbergegenständen zusammengesetzte Fundkomplexe. Als Schatz wurden diese zum Schutz vor Diebstahl oder Plünderung verborgen (sog. Thesaurierung). Als Grabbeigabe oder Thesauros in Heiligtümern bzw. Kirchenschatz wurde der Schatz tatsächlich oder ideell als Investition zusammengestellt und deponiert. Im privaten Bereich bildete er zu allen Zeiten und generell zugleich Hausinventar und Wertanlage. Überwiegend setzen sich S. aus kostbaren Eß- und Trinkgerät zusammen. Wichtig für die Forsch. sind die Möglichkeiten zur Datier. der meist künstlerisch hochwertigen Geräte und die Aussagekraft für die Wirtschafts- und Handels-Gesch. Bes. in der Spätant. häufen sich wegen erhöhten Sicherheitsbedarfs und zur wertbeständigeren Kapitalisierung die Schatzdeponierungen und damit die S. Spätant. Silber wird ab dem 5. Jh. n. Chr. oft mit kaiserlichen Kontrollstempeln versehen, ist mit Barren und geprägtem Geld vergesellschaftet oder wird zu Hacksilber verarbeitet.

→ Silber

E. Cruikshank Dodd, s. v. tesori, EAA 7, 1966, 753–760 • H. A. Cahn, A. Kaufmann-Heinimann, Der spätröm. Silberschatz von Kaiseraugst, 1984 • F. Baratte, s. v. argento, EAA Suppl. 2.1, 1994, 382–388 • K. Hitzl (Hrsg.), Der Hildesheimer Silberschatz. Sonderausstellung Freiburg, 1998 • M. A. Guggisberg, Der Goldschatz von Erstfeld, 2000.

R. N.

Silen (Σι-, Σειληνός/ *Silēnós, Seilēnós*; dorisch Σιλανός/ *Silanós*; lat. *Silenus, Silanus*).

I. Mythologie II. Ikonographie

I. Mythologie

Unter den im Verein auftretenden Silenen bzw. → Satyrn hebt sich ein S. als Einzelfigur ab, deren Genese unklar bleibt (vergleichbar etwa: → Chiron unter den → Kentauren; → Pan gegenüber der Vielheit von Panes). Ausgeprägt wird sie v. a. in myth. Erzählungen und im → Satyrspiel.

Der sog. Midas-S. teilt dem phrygischen König → Midas einen pessimistischen Gedanken mit, der für die archa. Zeit typisch ist, sich aber auch mit dionysischen Vorstellungen deckt; von Midas um seiner Weisheit willen gefangen, äußert sich der S. – wohl nach dem Modell der Befragung des → Proteus durch Menelaos (Hom. Od. 4,384–570) – nur widerwillig: ›Am besten ist es für den Menschen, nicht geboren zu sein, einmal geboren aber, sobald wie möglich wieder zu sterben‹ (Aristot. fr. 65 Gigon = 44 Rose[3]; Theop. FGrH 115 F 75b; Cic. Tusc. 1,114 f.; Ov. met. 11,85–145). Dieser Erzählung liegt wohl eine Überl. vom weisen S. zugrunde, wie sie die Zurechtweisung seines Schülers → Olympos [14] impliziert (Pind. fr. 156 f.: ›O du unseliger Vergänglicher, Dummheiten sagst du, wenn du mir mit Geld prahlst‹). Ebenfalls in frühklass. Zeit wird der phrygische → Marsyas [1] zum S. (Hdt. 7,26). Seine Einreihung in das Gefolge des → Dionysos dient wie schon die Erzählung vom Midas-S. der myth. Anbindung des → Kybele-Kultes an den des Dionysos. Berühmt ist Alkibiades' Vergleich des → Sokrates [2] mit diesem auch als Satyr bezeichneten Marsyas (Plat. symp. 215b–216e) – ein Vergleich, zu dem ihn nicht nur Sokrates' »silenartiges« Aussehen veranlaßt (vgl. unten II.), sondern auch seine Verachtung jeglichen Besitzes und die Ansicht von der Nichtigkeit des Menschen. An den weisen S. knüpft auch Vergil an (Verg. ecl. 6).

Im → Satyrspiel tritt der durch rote Glatze und weißes Zotteltrikot hervorstechende S. einem Chor junger Satyrn als Chorführer, Vater (»Papposilen«, Poll. 4,142) und schließlich dramatisch relativ selbständige Figur gegenüber. Hier begegnet der S., wohl nach dem Modell des Chiron, erstmals auch als Auf- und Erzieher des Dionysos (Soph. Dionysiskos; Eur. Cycl. passim; mit dem Midas-S. gleichgesetzt: Ov. met. 11,99–101). Unter dem Einfluß des Satyrspiels wird der Papposilen zu einer festen Gestalt des Dionysosgefolges, v.a. in der hell.-röm. Bildkunst auch zu einer selbständigen Figur.

Verehrung genoß der S. bes. in Attika (z.B. Plat. symp. 215ab; Paus. 1,23,5–6), doch ist Kult eines S. auch andernorts belegt (Malea: Paus. 3,25,2 = Pind. fr. 156; vgl. Poll. 4,104; Elis: Paus. 6,24,8).

→ Midas; Satyr

1 G. Conrad, Der S. Wandlungen einer Gestalt des griech. Satyrspiels, 1997 **2** R. Rocca, F. Cairns, s.v. Sileno, in: EV 4, 1988, 849f. T.H.

II. Ikonographie

S. und → Satyrn aus dem Gefolge des → Dionysos sind in der Vasenmalerei des 6. Jh. v. Chr. kaum zu unterscheiden [1. 67f.; 3. 9]. Zum ersten Mal erscheint der S. (pferdebeinig und ithyphallisch) in der frühesten Darstellung des → *thíasos*, der → Hephaistos auf den Olymp zurückführt, auf dem Volutenkrater des → Klitias. Die Unterscheidung des S. vom Satyr nach Alter, Erscheinung und Kleidern entwickelte sich wohl unter dem Einfluß des → Satyrspiels (s.o. I.) und zeigt sich auf Vasen ab ca. 470 v. Chr., wo der S. zum ersten Mal im typischen fellartigen Gewand des »Papposilen« auftaucht [7. 197f.]; als alter Satyr, meist glatzköpfig und dickbäuchig, führt er den Satyrnchor an [3. 155–178].

Das typische Silensgesicht (das auch auf sizilischen Silber-Mz. des 5. Jh. erscheint) mit eingedrückter Nase, Stirnglatze und strähnigen Haaren zeigt das Porträt des → Sokrates [2], dessen Züge die dämonische Natur, das göttliche Wesen, in der häßlichen äußeren Hülle des Philosophen verkörpern sollen. Das griech. Original (380/370 v. Chr.) dieses in zahlreichen röm. Repliken erhaltenen Porträts betont die Silenszüge, eine jüngere Fassung des → Lysippos [2] (um 320 v. Chr.) schwächt sie ab [5; 8]. In der hell. und röm.-kaiserzeitlichen dionysischen Bildwelt der Terrakotten, Mosaiken und Reliefsarkophage sind S. und Satyrn allgegenwärtig, aber kaum einzeln dargestellt. In mehreren Repliken erh. ist der hervorragende, aber keinem Künstler mit Sicherheit zuzuschreibende frühhell. S. mit dem Dionysos-Baby in den Armen (Louvre MA 922).

Zu Beginn des 17. Jh. entstanden mehrere Gemälde des trunkenen Silen (Rubens, van Dyck).

1 P. E. Arias, s.v. Satiri e Sileni, EAA Bd. 7, 1966, 67–73 **2** H. Bulle, Die S. in der archa. Kunst der Griechen, 1893 **3** G. M. Hedreen, Silens in Attic Blackfigure Vasepainting, 1992 **4** K. Schauenburg, S. beim Symposion, in: JDAI 88, 1973, 1–26 **5** I. Scheibler, P. Zanker, K. Vierneisel, Sokrates in der griech. Bildniskunst, Ausst. München 1989, 33–37, 52–59 **6** E. Simon, s.v. S., LIMC 8.1, 1997, 1108–1133 **7** A. Stähli, Die Verweigerung der Lüste, 1999 **8** P. Zanker, Die Maske des Sokrates, 1995, 38–45. B.BÄ.

Silenos (Σιληνός).

[1] S. aus Kaleakte. Griech. Historiker, wie → Sosylos im Gefolge des → Hannibal [4], ›solange das Schicksal es zuließ‹ (FGrH 175 T 2 bei Nep. Hann. 13,3). Verf. einer »offiziellen« Hannibal-Gesch. (F 1–2) und von *Sikeliká* in 4 B. (F 3–9). S. wurde von Coelius [I 1] Antipater benützt (F 2); vielleicht richtet sich die Kritik des Polybios (3,47,6–48,12) an »einigen« Hannibalhistorikern betreffend Hannibals Alpenübergang gegen S., bei dem Träume, Vorzeichen etc. eine wichtige Rolle spielten (F 2). Abzulehnen ist die These [3; 4; 5], wonach die sizilischen Partien des → Diodoros (B. 4–21) auf S. beruhten.

Fr.: FGrH 175 mit Komm.

1 K. Meister, Annibale in Sileno, in: Maia 23, 1971, 3–9 **2** Ders., Histor. Kritik bei Polybios, 1975, 155–159 **3** R. Lauritano, Sileno in Diodoro?, in: Kokalos 2, 1956, 206–216 **4** E. Manni, Da Ippi a Diodoro, in: Kokalos 3, 1957, 136–155 **5** V. La Bua, Filino-Polibio-Sileno-Diodoro, 1966. K.MEI.

[2] Glossograph (Athen. 15,699e), etwa 2. Jh. v. Chr. S. zitiert → Nikandros [4] von Kolophon (Athen. 11,482f) und wurde wohl von → Kleitarchos [3] von Aigina verwendet. Aus S.' Werk Γλῶσσαι (*Glṓssai*) sind neun Fr. v.a. mit dialektalen Ausdrücken erh. in schol. Apoll. Rhod. 1,1299 und bei → Athenaios [3], bes. zu Namen von Trinkgefäßen.

F. Susemihl, Gesch. der griech. Litt. in der Alexandrinerzeit, Bd. 2, 1892, 186f. R.SI.

[3] Tragiker, 1. Jh. v. Chr., Verf. einer Tragödie ›Chryses‹ oder ›Chrysippos‹ (TrGF I CAT B 1,17 = TrGF I 153). B.Z.

[4] S. von Chios. Mythograph unbekannter Zeit. Aus S.' zweibändigem Werk *Mythikaí historíai* ist lediglich die singuläre Ableitung des Namens Odysseus von einem Gang seiner mit ihm schwangeren Mutter im Regen (κατὰ τὴν ὁδὸν ὗσεν) erh. (Schol. Hom. Od. α 75). Die Zuweisung weiterer Zitate an diesen S. statt an S. [2] ist kaum möglich [3. 55].

Ed.: **1** FGrH 27.
Lit.: **2** F. Susemihl, Gesch. der griech. Litt. in der Alexandrinerzeit, 1891–1892, Bd. 1, 637; Bd. 2, 187 **3** F. Jacoby, s.v. S. (1–2), RE 3 A 1, 55f. R.SI.

Silentiarii (σιλεντιάριοι). Ordnungshüter an den Kaiserhöfen des röm. Reiches seit Constantinus [1] I., benannt nach dem zeremoniellen Schweigen, das den Kaiser umgab. Sie unterstanden dem kaiserlichen Oberkämmerer (*praepositus sacri cubiculi*); seit 437 n. Chr. sind am Hof von Konstantinopolis 30 *s.* unter drei *decuriones* bezeugt. Ihr Rang in der Hofhierarchie erhöhte sich bis zum 6. Jh.; danach nahm ihre Bed. ab. Doch werden die letzten *s.* noch in Quellen des 12. Jh. erwähnt.

A. Kazhdan, s.v. Silentiarios, ODB 3, 1896 · R. Guilland, Titres et fonctions de l'empire byzantin, 1976, 33–46 (Aufsatz Nr. 17 von 1967). F.T.

Sileraioi (Σιλεραῖοι). Ethnikon wohl italischer Söldner aus dem Gebiet des Sila-Gebirges (→ Sila [1], Bruttium), die bis zum Tod des Dionysios [1] I. 367 v. Chr. syrakusanische Br.-Mz. der »Drachmen«-Serie mit der Legende SILERAION und einem angreifenden Krieger prägten.

S. GARRAFFINO, La monetazione dell'età dionigiana. Contromarche e riconiazioni, in: Atti dell'VIII Convegno del Centro Internazionale di Studi Numismatici Napoli 1983, 1993, 191–244, bes. 224 • G. TAGLIAMONE, I figli di Marte, 1994, passim. GI. F./Ü: J. W. MA.

Silhouettenmalerei s. Schattenmalerei

Silicernium. Bezeichnung des röm. Totenmahls (<*cena fu*>*nebris*, Fest. p. 376 L.; *convivium funebre*, Non. p. 48,5 M.), das ähnlich dem griech. → *perídeipnon* (gleichgesetzt CGL II 183,58) von den nächsten Angehörigen unmittelbar nach der Beisetzung des Toten, aber nach »alter Sitte« am Grab begangen wurde (Varro, Men. 303, zitiert bei Non. p. 48,6–9 M.). Wahrscheinlich herrschte (wie bei vielen Völkern: [1. 23 f.]) die Vorstellung, daß der Verstorbene an diesem Mahl teilnahm (Don. in Ter. Ad. 587: *cena quae infertur dis manibus*; implizit Tert. apol. 13,7). Die Etym. des Wortes ist ungeklärt (vgl. [3]). Während die ant. Erklärungen (aus *silentes*, »Schweigende«: Paul. Fest. p. 377 L.; aus *silex*, »Kiesel«: abgelehnt schon von Nonius) willkürlich sind, verdient die Verbindung mit *siliquae* (»Hülsenfrüchte«) [2] Beachtung, da bes. Bohnen als bevorzugte Totenspeise galten (Ov. fast. 5,436–440; Plin. nat. 18,118; Paul. Fest. s. v. *Fabam*, p. 77 L.; vgl. allg. [1. 7 f., 12, 24]). → Bestattung

1 P. SARTORI, Die Speisung der Toten, 1903 2 H. EHRLICH, Zur idg. Sprachgesch., 1910, 71 f. 3 WALDE/HOFMANN 2, 536 f. W. K.

Silingi. Urspr. im h. Schlesien beheimateter vandalischer Stamm (Ptol. 2,11,18: Σιλίγγαι). Er zog wie andere Vandali zusammen mit Alanoi und Suebi 406 n. Chr. über den Rhenus (Rhein) nach Gallia und weiter nach Hispania; für das J. 411 ist er in der → Hispania Baetica bezeugt (Hydatius, Continuatio 49, in: Chron. min. 2,18). 416–418 wurden sie in röm. Auftrag von den → Westgoten bekämpft und vernichtet.

TIR M 33 Praha, 1986, 78. G. H. W.

Siliqua (griech. κεράτιον/→ *kerátion*). Samen des Johannisbrotbaumes, Gewicht und Mz. Als Gewicht die kleinste röm. Gewichtseinheit, 1/1728 → *libra* zu 327,45 g = 0,189 g, erst seit Anf. 4. Jh. n. Chr. belegt [3]. Als Rechenwert 1/24 des → *solidus* (Isid. orig. 16,25,9), als Mz. aber nicht in → Gold, sondern nur in → Silber gemünzt, bis etwa 360 n. Chr. mit einem Sollgewicht von 3,41 g = 1/96 *libra*, was dem diocletianischen → *argenteus* bzw. dem neronischen → *denarius* entspricht [2], dann von 2,27 g = 1/144 *libra* [4. XXVIII]. Bis Honorius [3] (393–423) wurde die *s.* in Massen geprägt, danach nicht mehr in größerem Ausmaß. Die starken Gewichtsschwankungen von 2,66 g bis 1,04 g zeigen, daß die *s.* eine Kredit-Mz. ist, die bei größeren Zahlungen nicht nach der Stückzahl, sondern nach dem Gesamtgewicht gewertet wurde [5]. Die häufigsten Mz.-Bilder sind die VOTA-Aufschrift und dann die sitzende → Roma (IV.) [5].

Im byz. Mz.-System des 5.–7. Jh. gehen 144 silberne *siliquae* auf das Pfund, als Nominal kommt die *s.* im 5.–8. Jh. auch in der Mz.-Prägung der Vandalen, Ostgoten und Langobarden mit Unterteilungen in Halb- und Viertel-*s.* vor [1].

1 M. AMANDRY (Hrsg.), Dictionnaire de Numismatique, 2001, 552, s. v. silique 2 P. M. BRUUN, RIC, Bd. 7, S. 6–8 3 H. CHANTRAINE, s. v. uncia, RE 9, 621 4 J. W. E. PEARCE, RIC, Bd. 9 5 SCHRÖTTER, 638, s. v. *s.* GE. S.

Silius. Name einer röm. plebeiischen Familie, seit dem 1. Jh. v. Chr. belegt (der Name bei Liv. 4,54,3 ist wohl spätere Erfindung). Unter → Augustus gelangte die Familie zum Konsulat, am E. des 1. Jh. n. Chr. verschwand sie. K.-L. E.

I. REPUBLIKANISCHE ZEIT

[I 1] S., P. Praetor ca. 58 oder 52 v. Chr., als Propraetor von *Bithynia et Pontus* 51–50 Empfänger lobender Briefe Ciceros (Cic. fam. 13,47; 61–65; vgl. 7,21). S., der als Kenner Kleinasiens galt, führte 44 einen Erbschaftsprozeß (Cic. Att. 7,1,8). Sein Sohn ist wohl S. [II 7]. JÖ. F.

II. KAISERZEIT

[II 1] C. S. Patrizier, Sohn von S. [II 3]. *Cos. des.* wohl für das J. 49 n. Chr.; schon im J. 47 so bezeichnet (Tac. ann. 11,5 f.). Verheiratet mit Iunia [6] Silana, von der er sich trennte, um → Messalina [2], die Frau des Claudius [III 1], deren Liebhaber er war, heiraten zu können (Tac. ann. 11,12,2; 13,19,2). Im Herbst des J. 48 sollen er und Messalina, während Claudius sich in Ostia aufhielt, in einer nicht verheimlichten Zeremonie geheiratet haben, wobei Messalina wichtige Objekte, die als Herrschaftszeichen verstanden werden konnten, in S.' Haus bringen ließ (Tac. ann. 11,12,3; 11,35,1). Claudius erhielt davon Nachricht, zugleich mit der Ankündigung, S. werde auch die Herrschaft übernehmen (Tac. ann. 11,30,2). Auf Drängen des Freigelassenen Narcissus [1] kehrte Claudius nach Rom zurück und übertrug diesem für einen Tag das Kommando über die → Praetorianer; S. wurde gefangengenommen und im Praetorianerlager nach kurzer Verhandlung hingerichtet (Tac. ann. 11,33; 11,35). Die Affäre, die wesentlich als von Messalinas triebhafter Sexualität verursacht dargestellt wird (vgl. Tac. ann. 11,26,1; 11,37,4), trägt in dieser Verkürzung alle Züge der Unwahrscheinlichkeit. Verm. stellt die Heirat, die kaum offiziell vollzogen worden sein kann, nur die Oberfläche eines polit. Kampfes zw. verschiedenen Gruppen in Senat und Ritterstand sowie den Freigelassenen um Claudius dar. S. könnte der Exponent einer senatorischen Gruppe gewesen sein, die sich aus Legitimitätsgründen mit Messalina verbündete. Siehe zuletzt [1. 64–67].

1 B. Levick, Claudius, 1990.

[II 2] P. S. Sohn von S. [II 7]. Praetorischer Legionskommandeur in Thrakien oder Makedonien, wo Velleius Paterculus unter ihm als Militärtribun diente [1. 1765, V 64], *cos. suff.* 3 n. Chr. [2. 3].

1 Devijver, Bd. 4 2 Degrassi, FCap.

[II 3] C. S. A. Caecina Largus (zur Nomenklatur [1. 97]). Wohl Sohn von S. [II 7] und Bruder von S. [II 2] [2. 4f.]; *cos. ord.* 13 n. Chr. Befreundet mit Germanicus [2], unter dem er seit 13 n. Chr. in Germania als Kommandeur des obergerman. Heeres agierte. 14 n. Chr. konnte er sein Heer ohne Unruhen auf Tiberius vereidigen (Tac. ann. 4,18,2). An den Feldzügen des Germanicus gegen die Germanen im J. 15 und 16 beteiligt; mit den Triumphalinsignien ausgezeichnet (Tac. ann. 1,72,1). Im J. 16 Vorstöße ins Gebiet der Chatten. Als 21 n. Chr. Iulius [II 126] Sacrovir revoltierte, schlug S. ihn vor Augustodunum. Der Sohn des bei dieser mil. Auseinandersetzung ausgeschalteten Legaten des niedergermanischen Heeres, Visellius Varro, erhob gegen S. im J. 24 vor dem Senat Anklage wegen Erpressung; auch S.' Frau, Sosia Galla, wurde angeklagt. Noch vor der Verurteilung durch den Senat tötete S. sich selbst (Tac. ann. 4,18f.). Der Teil seiner Güter, den er von Augustus erhalten hatte, wurde für das → *patrimonium* des Tiberius zurückgefordert [3. 203f.; 2. 3–6].

1 Syme, AA 2 Eck, Statthalter 3 W. Eck u. a., Das senatum consultum de Cn. Pisone patre, 1996.

[II 4] L. S. Decianus. Sohn des Dichters S. [II 5] Italicus; *cos. suff.* 94 n. Chr. In CIL XV 7302 (nach dem J. 102) auf einer *fistula aquaria* (→ Wasserleitungen) zusammen mit Memmius [II 5] Rufus genannt. Die Funktion ist umstritten [1. 241f.], vielleicht waren er und sein Kollege *curatores operum publicorum.*

1 Ch. Bruun, The Water Supply of Ancient Rome, 1991.

W. E.

[II 5] S. Italicus

I. Leben II. Punica III. Nachwirkung

I. Leben

Die Lebensdaten des Tib. Catius Asconius S. I. – so der inschr. gesicherte volle Name – lassen sich auf ca. 25/6 bis ca. 101/2 n. Chr. eingrenzen. Martial erwähnt S. (epist. 4,14 und 7,63). Plinius [2] d. J. gibt in seinem kurz nach 100 verfaßten Nachruf (epist. 3,7) über S.' Karriere Auskunft: Nach einer erfolgreichen polit. Laufbahn als Consul des J. 68, Ankläger und Proconsul in Asia (wohl 77 n. Chr.) zog sich der begüterte Dichter auf seine Ländereien nach Campania zurück. Verbürgt ist seine intensive Verehrung → Ciceros und v. a. des → Vergilius. Die Abfassung der *Punica*, seines einzigen erh. Werkes, fällt wohl weitgehend in die Regierungszeit des Domitianus. Die Nachr. über eine schwere Erkrankung und den Freitod durch Verzicht auf Nahrungsaufnahme könnte erklären, daß das Epos über den Zweiten → Punischen Krieg in 17 B. Spuren der Unfertigkeit trägt; die Huldigung an das flavische Kaiserhaus (3,594–629) wäre nach Traianus' Regierungsantritt 96 n. Chr. nicht mehr denkbar, und es gibt einzelne Unstimmigkeiten, z. B. über das E. des Regulus (2,343f. und 6,539–44).

II. Punica

Die wichtigste histor. Quelle für S.' Kriegsdarstellung ist die 3. Dekade des → Livius [III 2] ([11]), aber eine weitere annalistische Quelle, vielleicht → Valerius Antias, ist im letzten Werkdrittel wahrscheinlich [4]. Formal und stilistisch ist das Hauptvorbild Vergil, obwohl der Einfluß des → Ovidius, → Lucanus und auch der Trag. des → Seneca [2] bes. sprachlich spürbar ist (zur *Thebais* des → Statius [II 2] s. [10]). Ein Absetzen von Lucanus in der Fortentwicklung des histor. Epos bedeutet es, wenn S. den Götterkosmos wieder einführt. Die gesch. Ereignisse werden so myth. überhöht und ausgedeutet.

Die These, das Werk sei ursprünglich auf 18 B. konzipiert gewesen (zuerst [13]), ist durch den Vorschlag von [5] überholt, der einen Bauplan von drei Pentaden mit den zwischengeschalteten B. 6 und 12 plausibel macht. In den B. 1–5 wird nachgezeichnet, wie der letztlich mythische Konflikt zw. den Mächten Rom und → Karthago über Spanien auf It. übergreift. → Hannibals Erfolge steigern sich anfangs. Hannibal steht auf röm. Seite kein ernstzunehmender Gegner gegenüber. Am E. von B. 6 tritt dann Fabius [I 30] auf den Plan; als Folie für sein Wirken ist der Rückblick auf den Ersten Punischen Krieg und die mustergültige Tugend des Regulus (s. → Atilius [I 21]) anzusehen. Das Zentrum des Werks bildet in den B. 7–11 die Schilderung der größten Not Roms, mit der Schlacht von → Cannae als Mittel- und Höhepunkt. Hannibals Überlegenheit wird schließlich durch die Verweichlichung während des Aufenthaltes in Capua geschwächt. Iuppiter erweist sich am E. des 12. B., wie schon im 6., als Retter der unmittelbar bedrohten Mauern Roms. Die B. 13–15 schildern dann die Gegenwehr Roms bis zum Sieg des Cornelius [I 71] Scipio Africanus bei Zama.

S.' Grundhaltung ist ein stoisch geprägter Wertkonservatismus. Dazu stimmt, daß er keinen eigentlichen Helden, sondern mehrere Protagonisten als Verkörperung der Römertugenden – Tapferkeit, Unbestechlichkeit und Vaterlandsliebe – präsentiert. Moralischer Niedergang wird nicht nur beim Feind diagnostiziert, sondern in sorgenvoller Vorausdeutung auch im Verhalten der Römer ausgemacht. Seiner eigenen Zeit steht S. skeptisch gegenüber, obwohl direkte Zeitkritik nicht sicher zu erkennen ist [5. 9–18]. Sprache und Versbau sind klassizistisch und streben nicht nach Innovation. In epischer Trad., v. a. in der Vergilnachfolge, steht die Verwendung von Bauformen wie → Ekphrasis (z. B. 6,653–697), Nekyia (vgl. → Katabasis; 13,381–895) und

Leichenspielen (16,275–591). Homerisches Kolorit haben die Schlachtszenen wie die Flußschlacht 4,570–703 und die Götterschlacht bei Cannae 9,278–10,325. Exkurse und → Kataloge illustrieren Gelehrsamkeit, z. B. die ital. Truppen 8,356–621.

III. NACHWIRKUNG

Die hsl. Überl. geht auf einen nicht erh. St. Gallener Codex zurück, den Poggio BRACCIOLINI um 1417 wiederentdeckte. Die von diesem abstammenden Hss. lassen sich in zwei Kl. einteilen. Daneben existieren zahlreiche Misch-Hss. und wichtige frühe Drucke. Die *Punica* wurden im MA wenig gelesen. Bes. die Regulus-Episode hat allerdings auf das Waltharilied eingewirkt. Daß PETRARCA S. gekannt hat, gilt h. als unwahrscheinlich [2. 118–144]. In der Neuzeit wurden die *Punica* v. a. in England rezipiert (z. B. bei Thomas MAY, 1630). Eher ein Kuriosum ist die dt. Nachdichtung der Szene von Scipio am Scheidewege durch L. UHLAND [12].

→ Epos II. B. 3. D.; Punische Kriege

1 F. AHL et al., S. I., in: ANRW II 32.4, 1986, 352–374
2 M. v. ALBRECHT, S. I., 1964 **3** E. G. BRUGNOLI, C. SANTINI, L'Addidamentum Aldinum di Silio Italico, 1995
4 E. BURCK, Histor. und epische Trad. bei S. I., 1984
5 U. FRÖHLICH, Regulus, Archetyp röm. Fides, 2000 (mit Übers. und Komm. des 6. B.) **6** R. HAEUSSLER, Das histor. Epos von Lucan bis S. und seine Theorie, 1978
7 H. JUHNKE, Homerisches in röm. Epik flavischer Zeit, 1972 **8** W. KISSEL, Das Gesch.-Bild des S. I., 1979
9 J. KÜPPERS, Tantarum causas irarum. Unt. zur einleitenden Bücherdyade der Punica des S. I., 1986 **10** G. LORENZ, Vergleichende Interpretationen zu S. I. und Statius, 1968
11 J. NICOL, The Historical and Geographical Sources Used by S. I., 1936 **12** CH. REITZ, Scipio and Ludwig Uhland, in: Thetis 8, 2001 **13** E. BICKEL, De Silii Punicorum libris VII ss. post Domitianum abolitum editis, in: RhM 66, 1911, 500–512.

ED.: J. DELZ, 1987.
ÜBERS.: H. RUPPRECHT, 2 Bde., 1991.
KOMM.: F. SPALTENSTEIN, 2 Bde., 1986 und 1990. CH. R.

[II 6] S. Nerva. *Cos. ord.* 65 n. Chr.; so bei Tacitus (ann. 15,48,1). Vgl. A. → Licinius [II 19] Nerva Silianus.

[II 7] P. S. Nerva. Aus senatorischer Familie. Da er 20 v. Chr. *cos. ord.* wurde, muß er zu den engeren Anhängern des → Augustus gehört haben. Ab 19 v. Chr. konsularer Legat im diesseitigen Spanien noch unter dem Oberkommando des Agrippa [1] ([1. 7]). Von etwa 16–13 v. Chr. *procos.* von Illyricum, von wo aus er gegen Pannonier, Noriker und andere Alpenstämme kämpfte. Der Feldzug gegen die Alpenvölker im J. 16 v. Chr. bereitete die Eroberung des Gebiets durch Claudius [II 24] Drusus und Tiberius vor (Cass. Dio 54,20,1 f.). Damals wurde das norische Königtum aufgelöst und das Gebiet, wohl unter einem *praef.*, an Illyricum angeschlossen. Auch später eng mit Augustus verbunden, mit dem er nach dessen eigenem Zeugnis Würfel gespielt hat (Suet. Aug. 71). Zu seinen Söhnen vgl. S. [II 2] und S. [II 3] sowie Licinius [II 18].

1 ALFÖLDY, FH.

[II 8] P. S. Nerva. *Cos. ord.* 28 n. Chr., Sohn von S. [II 2]. Das Schicksal seines Onkels S. [II 3] hat seine Laufbahn nicht betroffen.

[II 9] S. Plautius Haterianus. Senator; Quaestor der Prov. Creta-Cyrenae zw. 161 und 169 (AE 1960, 200b). Wohl aus der senatorischen Familie der Silii aus Lepcis Magna stammend [1. 679; 2. 725 f.].

1 W. ECK, s. v. S. (22a), RE Suppl. 14, 679 **2** M. CORBIER, Les familles clarissimes d'Afrique Proconsulaire, in: EOS 2, 685–754. W. E.

Silloi s. Timon von Phleius

Sillybos s. Rolle

Sillyon

[1] (Σίλλυον). Stadt in Pamphylia zw. Kestros (h. Aksu Çayı) und → Eurymedon [5] auf einem 230 m hohen Tafelberg, 10 km von der Küste entfernt beim h. Asarköyü. Ob die ältesten Siedlungsspuren tatsächlich in die Frühe Brz. wie in → Perge zu datieren sind [3. 265], bedarf weiterer Unt.; gesichert ist jedoch Wohnbebauung seit dem 5. Jh. v. Chr. [3. 263], während die ersten lit. Erwähnungen von S. erst im 4. Jh. v. Chr. einsetzen (Ps.-Skyl. 101; Arr. an. 1,26,5). Eine vorgriech. Siedlung wird durch den ON *Selyviys* auf Mz. des 3. Jh. v. Chr. nahegelegt (HN 705; [1. 51]). Die Existenz einer selbständigen Polis nach griech. Vorbild mit Kult- und Kommunalbauten, Portiken und entsprechender kommunaler Verfassung bestätigt auch die Inschr. [2. 167–185] an einem vorhell. Gebäude. Die große frühhell. Befestigung schreckte verm. Alexandros [4] d.Gr. von einer Eroberung von S. ab (Arr. l.c.). Hell. dürften das Gymnasion und ein dor. Tempel sein; aus röm. Zeit stammen Theater, Stadion, Thermen und Nymphaeum. In byz. Zeit war S. als Metropolis befestigter Bischofssitz, der wegen seiner strategisch günstigen Lage im 13. Jh. von den Seldschuken als Festung genutzt wurde (mehrere Gebäude, Moschee).

1 G. E. BEAN, Kleinasien, Bd. 2, 1970, 50–57 **2** C. BRIXHÉ, Le dialecte Grec de Pamphylie, 1976 **3** M. KÜPPER, S., in: AA 1996, 259–268.

H. BRANDT, Ges. und Wirtschaft Pamphyliens und Pisidiens im Alt., 1990, 46 f. • K. GRAF VON LANCKORONSKI, Städte Pamphyliens und Pisidiens, Bd. 1, 1890, 65–84 • V. RUGGIERI, S. NETHERSCOTT, The Metropolitan City of Syllion and Its Churches, in: Jb. der öst. Byzantinistik 36, 1986, 133–156. W. MA.

[2] (Συλ(λ)εῖον, Σύλλιον, lat. *Sylleum*). Stadt im Herrschaftsbereich des Tyrannen Moagetes in der nordlykischen Kibyratis (Pol. 21,34,11; Liv. 38,14,10). Nicht lokalisiert.

W. RUGE, s. v. S. (2), RE 3 A, 101 • H. BERVE, Die Tyrannis bei den Griechen, 1967, 427–429. U. HA.

Silo. Röm. Cogn., in republikanischer Zeit beim Führer der Marser Q. → Poppaedius S., in der Kaiserzeit in den Familien der Larcii und Pompeii.

DEGRASSI, FCIR, 268 · KAJANTO, Cognomina, 118; 237.

K.-L. E.

Silphion (griech. σίλφιον, Wort nichtgriech. Herkunft, aus σίλφι oder σίρφι; lat. *sirpe*, *laserpicium* aus *lac sirpicium*). Eine aus der nordafrikan. → Kyrenaika seit dem 6. Jh. v. Chr. importierte und bis h. nicht identifizierte Pflanze sowie ihr aus Stengel und Wurzel gewonnener harziger Milchsaft (lat. *laser*, Hauptstelle bei Plin. nat. 19,38–46 und 22,100f. nach Theophr. h. plant. 3,1,6; 6,3,1; 6,3,3; 6,4). Es scheint eine Verwandte des Stinkasant Ferula asa-foetida L. gewesen zu sein. Die Pflanze soll stark, aber angenehm gerochen haben. Theophrast (h. plant. 6,3,1) bietet eine gute Beschreibung. → Kyrene erzielte von der Ausfuhr des Saftes in großen Mengen bis in die hell. Zeit hohe Gewinne (Plaut. Rud. 630; Catull. 7,4); in der Kaiserzeit wurde die offenbar in Nordafrika durch die Kultivierung des Landes ausgerottete Wildpflanze durch eine schlechtere orientalische Verwandte (Plin. nat. 19,40) ersetzt. Man aß Stengel und Blätter, mit der getrockneten Wurzel wurden z. B. in Essig eingemachte → Artischocken (*cardui*) gewürzt (Plin. nat. 19,153). In der Medizin diente v. a. der u. a. harntreibende Saft innerlich und äußerlich als Allheilmittel (Dioskurides 3,80 WELLMANN = 3,84 BERENDES; Plin. nat. 22,101–106). Auf Mz. aus Kyrene und der Nachbarschaft [1. Taf. 2,2 und 5; 3,1–2 und 4–5; 6,35; 10,11–14] sowie auf der Pariser Arkesilaos-Schale (→ Arkesilaos [2]) ist das S. mehrfach dargestellt.

1 F. IMHOOF-BLUMER, O. KELLER, Tier- und Pflanzenbilder auf Mz. und Gemmen des klass. Alt., 1889 (Ndr. 1972)
2 A. STEIER, s. v. S., RE 3 A, 103–114.

C. HÜ.

Silures. Keltischer Stamm in SO-Wales vom Meer bis zum Wye, bes. in der Küstenebene des h. Glamorgan. Die S. widersetzten sich der röm. Eroberung seit 44 n. Chr., anfangs unter → Caratacus (Tac. ann. 12,32f.; 12,38–40; 14,29), wurden aber 74–76 n. Chr. von → Frontinus endgültig unterworfen (Tac. Agr. 17). Im 2. Jh., evtl. unter Hadrianus, wurden die S. als *civitas Silurum* mit dem Hauptort Venta Silurum (h. Caerwent) organisiert. In der Küstenebene entstanden bescheidene *villae*. Die S. waren schließlich der am stärksten romanisierte Stamm in Wales.

V. E. NASH-WILLIAMS, The Roman Frontier in Wales, Bd. 2, 1969 · M. G. JARRETT, J. C. MANN, The Tribes of Wales, in: Welsh History Review 4, 1969, 161–171 · A. L. F. RIVET, C. SMITH, The Place-Names of Roman Britain, 1979, 459f.

M. TO./Ü: I. S.

Silva Bacenis. Großes Waldgebirge als innergerman. Scheidewand zw. den → Cherusci und → Suebi (Caes. Gall. 6,10,5). Etym. zu »Buche« gehörig, daher wohl der Harz (evtl. bis zum Rhön-Vogelsberg), der noch im frühen MA »Buchonia« hieß.

G. NEUMANN u. a., s. v. Bacenis silva, RGA 1, 572f.

K. DI.

Silva Caesia. Rechtsrheinisches Waldgebiet in Germania (Tac. ann. 1,50), von → Germanicus [2] nach der Meuterei 14 n. Chr., wohl von → Novaesium aus, durchzogen. Verm. mit der für 796 n. Chr. genannten *silva Heissi* nördl. der Ruhr zw. Essen-Werden und Essen-Altstadt identisch.

G. NEUMANN u. a., s. v. Caesia silva, RGA 4, 321 f. · J. KUNOW, Das Limesvorland der südl. Germania inferior, in: BJ 187, 1987, 63–77.

K. DI.

Silva Hercynia s. Hercynia silva

Silva Litana. Wald rechts vom → Padus (h. Po) an der Via Aemilia. Der Praetor L. Postumius [I 5] Albinus geriet dort 216 v. Chr. in einen Hinterhalt der → Boii (Liv. 23,24,7; Frontin. strat. 1,6,4; Zon. 9,3). Der Consul L. Valerius Flaccus nahm dort 195 v. Chr. dafür Rache (Liv. 34,22,1; 42,2).

NISSEN 2, 256.

A. SA./Ü: J. W. MA.

Silva Maesia. Wald in Süd-Etruria südwestl. von Veii am Küstenstreifen nördl. der Tibermündung zw. Meer und Lagune. Er wurde im Zuge der Anlage von Ostia unter Ancus Marcius [I 3] Veii abgenommen (Liv. 1,33,9; Dion. Hal. ant. 3,41).

NISSEN 2, 359.

G. U./Ü: H. D.

Silva Marciana. Wohl spätant. Bezeichnung (Tab. Peut. 2,4; 4,1; Amm. 21,8,2 zu 361 n. Chr.) für den sonst → *Abnoba mons* gen. Schwarzwald.

A. FRANKE, s. v. Marciana silva, RE 14, 1504f.

RA. WI.

Silva Scantia. Wald in Campania, der von den *censores* als Weideland verpachtet wurde (Cic. leg. agr. 1,3; 3,15). Nicht identifiziert, steht er möglicherweise mit Aquae Scantiae in Zusammenhang (Plin. nat. 2,240).

M. I. G./Ü: H. D.

Silvae s. Anthologie [2]

Silvanus

[1] Männliche Gottheit.

I. KULT UND KULTSTÄTTEN II. IKONOGRAPHIE

I. KULT UND KULTSTÄTTEN
A. ETYMOLOGIE UND HERKUNFT
B. ROM UND ITALIEN C. DIE PROVINZEN

A. ETYMOLOGIE UND HERKUNFT

Die bisherige Forsch. über die Herkunft des Gottes S. hat anhand der Etym. des Namens vier Hypothesen aufgestellt: S. sei mit dem etr. Gott Selvan identisch [4. 54–59; 12. 200]; S. sei eine adj. Ableitung des Wortes *silva* (»Wald«) und urspr. ein Epitheton des → Faunus [14. 213] oder des → Mars [6. 132]; S. sei direkt von lat. *silva* (»Wald«) abgeleitet und erhalte durch das Suffix *-no-* die Bed. »Herr des Waldes« [8. 92–95]. Diese letzte Hypothese einer ital. Herkunft findet in der mod. Forsch. die größte Akzeptanz [5. 7–13; 7. 15; 10. 222].

B. ROM UND ITALIEN

Aus der Zeit der Republik und der frühen Kaiserzeit stammen unsere Kenntnisse über S. ausschließlich aus lit. Quellen. S. wird als Gott des Waldes (Plin. nat. 12,2; Cato agr. 83; Liv. 2,7,2) und der Landwirtschaft (Verg. ecl. 10,24; georg. 1,20; Prop. 4,4,11), als Wächter der Grenze (Hor. epod. 2,22) oder als Widersacher der Frauen (Varro bei Aug. civ. 6,9; 25,23) beschrieben. Der Kult wird sowohl draußen in der Wildnis (Plaut. Aul. 674; Cato agr. 83) als auch drinnen in der Stadt (Plin. nat. 15,77–78) ausgeübt.

Die höchste Popularität erreichte S. in Rom und den Prov. im 2. und 3. Jh. n. Chr. Die meisten S.-Heiligtümer der Kaiserzeit (vgl. [2. 312]) – *templa* (CIL VI 543; 30985), *aedes* (CIL VI 30940; 31024) oder *aediculae* (CIL VI 293; 626) – gehören zu den S.-Kultvereinen (→ *collegium* [1] *Silvani*: CIL VI 10231, *cultores Silvani*: CIL VI 692), die für die Ausübung ihres Kultes die Plätze außerhalb der Aurelianischen Mauer oder die Randbezirke Roms bevorzugten [1. 189]. Es gab aber auch Weihungen an S. aus anderen *collegia*, die nicht in den Randbezirken lagen (CIL VI 588). Neben dieser kollektiven Verehrung gibt es auch viele Beispiele von Einzelweihungen (z.B. CIL VI 663; 683; 2829). Auf fast einem Drittel der Inschr. wird S. mit dem Beinamen → *sanctus* benannt (z.B. CIL VI 294). Die breite Palette anderer Epitheta ist Beleg für die große funktionale Bandbreite des S. in Rom (*Augustus, Salutaris, Custos, Restitutor, Castrensis*, etc.) [5. 50]. Oft wurde S. gemeinsam mit den → Laren (z.B. CIL VI 671), → Iuppiter (z.B. CIL VI 30940), → Hercules (z.B. CIL VI 293), → Diana (z.B. CIL VI 30806), → Liber Pater (z.B. CIL VI 707) verehrt. Die Anhänger des S. gehörten zu einem hohen Prozentsatz den städtischen Unterschichten an, weshalb er auch keinen Platz innerhalb der *sacra publica* (»öffentlichen Kulte«) der Stadt Rom hatte [3. 386].

Die it. S.-Funde stammen fast ausnahmslos aus Mittel- und Norditalien. Es gibt in der Verehrungsform kaum Unterschiede zu Rom. Die inschr. Sondererscheinungen *in honorem* und *in memoriam* (z.B. CIL V 821; 822) stammen aus → Aquileia [1] und könnten auf eine gewisse Rolle des S. im → Totenkult hindeuten [5. 53].

C. DIE PROVINZEN

Außerhalb It. tritt die Verehrung des S. bes. in den Donauprov. (Dalmatia, Pannonia, Dacia) hervor. Es gibt aber keine Belege in den drei Prov. für eine Verschmelzung von S. mit einer einheimischen Gottheit [5. 68–79], außer einem Fall in Siscia/Pannonia (*S. Maglus*, CIL III 3963). In Dalmatien kommt es zu einer Verbindung mit dem griech. Gott → Pan (vgl. → Synkretismus). Die am häufigsten benutzten Epitheta des S. sind *Augustus* in Dalmatia, *Domesticus* und *Silvestris* in Pannonia und Dacia. Charakteristisch für die Donauprov. ist die im Vergleich zu Rom stärkere Beteiligung der lokalen Eliten am Kult und die zentralere Plazierung der Tempel in der städtischen Topographie. In Gallia Narbonensis und Germania superior wurde S. mit dem keltischen Gott → Sucelus [5. 59, 61] und in Britannia mit Cocidius [5. 54] gleichgesetzt. In den übrigen westl. Prov., im gesamten griech. Osten und in Nordafrika wurde S. kaum verehrt [3. 383] – mit Ausnahme zweier Städte, Timgad und Lambaesis.

II. IKONOGRAPHIE

Die ikonographischen Darstellungen des S. setzen erst am Anf. des 2. Jh. n. Chr. mit dem Traiansbogen in Beneventum und einer Mz.-Emission [9. Nr. 41] ein und geben dem Gott eine Bildform, die sehr schnell im privaten Bereich übernommen wird [11. 443]. In Rom und It. wird S. als nackte, ältere und bärtige Figur dargestellt mit um die Schultern gelegtem Fell, in dem Pinienzapfen und Früchte liegen. Als Attribute erhält er noch Sichel, Pinie bzw. Pinienzweig und einen zum Gott aufblickenden Hund [9. Nr. 2–42]. Der mit einer *tunica* bekleidete S. kommt selten vor [9. Nr. 44–50]. In den Prov. wurde die Bildform den lokalen oder regionalen Besonderheiten angepaßt. In Pannonia und Dacia ist S. mit *tunica*, Mantel und einer phrygischen Mütze abgebildet. Statt des Pinienzweiges erhält S. oft Lanze oder Hirtenstab und wird von drei weiblichen Personen begleitet, die auf den Inschr. *Silvanae* genannt werden [9. Nr. 80–91]. In Dalmatien wird S. als Pan dargestellt [9. Nr. 133–151]. Im gallischen und germanischen Raum erhält S. einen Hammer und einen kleinen Topf (*olla*) [13. 49].

1 B. BOLLMANN, Röm. Vereinshäuser, 1998 **2** L. CHIOFFI, s. v. S., LTUR 4, 312–324 **3** M. CLAUSS, Die Anhängerschaft des S.-Kultes, in: Klio 76, 1994, 381–387 **4** W. DEECKE, Etr. Forsch., Bd. 4, 1880 **5** P. F. DORCEY, The Cult of S., 1992 **6** W. W. FOWLER, The Religious Experience of the Roman People, 1911 **7** S. S. JENSEN, S. and His Cult, in: Analecta Romana Instituti Danici 2, 1962, 11–42 **8** W. MEID, Das Suffix -no- in Götternamen, in: Beitr. zur Namenforsch. 8, 1957, 72–126 **9** A. M. NAGY, s. v. S., LIMC 7, 763–773 **10** R. E. A. PALMER, S., Sylvester and the Chair of St. Peter, in: PAPhS 122, 1978, 222–247 **11** E. SCHRAUDOLPH, Zur Bilderfindung des S., in: Journ. of Roman Archaeology 8, 1995, 435–446 **12** SIMON, GR **13** D. TOULEC, Images de S. dans l'occident romain, in: C. AUVRAY-ASSAYAS (Hrsg.), Images romaines, 1998, 37–60 **14** G. WISSOWA, Rel. und Kultus der Römer, ²1912.

D. MI.- LO.

[2] ›Lehren des S.‹ ist der Titel von NHCod VII,4,84–118, einer pseudonymen Schrift nach S., dem Begleiter des → Paulus [2] (1/2 Thess 1,1 u.ö.), oder von einem sonst unbekannten S. verfaßt (ca. 250–320 n. Chr. im alexandrinischen Raum). Sie enthält Spruchweisheiten (vgl. die Sentenzen des → Sextos [1]) mit Bezügen zu AT und NT (allegorisch interpretiert), beeinflußt von alexandrinischer Theologie (Philon [12], Clemens [3]), stoisch-kynischer → Diatribe und mittelplatonischer Philos.; auch klingen einige »gnostische« Motive an. Im Zentrum steht die Paränese, durch Christi Weisheit zu einer äußeren und inneren Reinheit zu gelangen und alle bösen Kräfte zu überwinden.

→ Nag Hammadi

Y. JANSSENS, Les Leçons de Silvanos, 1983 • B. A. PEARSON, Nag Hammadi Codex VII, 1996 • R. VAN DEN BROEK, The Theology of the Teachings of S., in: Vigiliae Christianae 40, 1986, 1–23 • J. ZANDEE, The Teachings of S., 1991. J. HO.

[3] Claudius (?, vgl. ILS 748) S., Sohn des Franken Bonitus, war unter → Magnentius Tribun der *armaturae* (→ Truppenübungen) und lief unmittelbar vor der Schlacht von Mursa 351 n. Chr. zu Constantius [2] II. über, wofür er wenig später trotz seiner Jugend (Aur. Vict. Caes. 42,15) zum *magister militum* erhoben wurde. Als er in Köln von gegen ihn gerichteten Intrigen am Kaiserhof erfuhr, ließ er sich im August 355 zum Kaiser erheben, wurde aber von dem nach Köln geschickten → Ursicinus überlistet und nach einer Regierungszeit von vier Wochen (Aur. Vict. Caes. 42,16; Iul. epist. ad Athenaios 273 d) von den eigenen, von Ursicinus bestochenen Soldaten umgebracht (Amm. 15,5,30–31; Zon. 13,9,24).

B. BLECKMANN, S. und seine Anhänger in It., in: Athenaeum 88, 2000, 477–483 • PLRE 1, 840f. B. BL.

Silvester. Bischof von Rom (31.1.314–31.12.335; sein Todestag ist bis heute nach ihm benannt), in der Verfolgung unter → Diocletianus wohl Bekenner. Er erhielt von der ersten Synode des → Constantinus [1] I. in Arles (1.8.314; → *sýnodos* II.) die Synodalbeschlüsse schriftlich mitgeteilt; darin wird zum ersten Mal ein röm. Bischof als *Papa* angeredet. Unter S. entstanden die Lateran- und die Peterskirche. Zur Synode von Nikaia [5] (325) sandte er lediglich zwei Priester (Vito/Victor und Vincentius). S. gewann in der Legende gesch. Bed.: In der 1. H. des 5. Jh. entstanden in Rom die *Actus Silvestri* (mit einem späteren Anhang), deren Verf. Bekehrung und Taufe des Constantinus für S. in Anspruch nimmt. Die *Actus Silvestri* liegen auch dem vor ca. 760 entstandenen *Constitutum Constantini* (›Konstantinische Schenkung‹) zugrunde.

TH. BÖHM, s. v. S., LThK³ 9, 587. S. L.-B.

Silvius. Sohn der → Lavinia [2] und des Aeneas (→ Aineias [1]; Verg. Aen. 6,760–766), der bei der Geburt sehr alt (ebd. 6,763–764) oder schon gestorben (Gell. 2,16,3–10) ist. Lavinia muß vor Ascanius (→ Iulus) in die Wälder fliehen. Dort wird S. geboren und von Hirten großgezogen. Nach dem Tod des Ascanius setzt sich S. in einer Volkswahl gegen dessen Sohn Iulus durch und wird König von → Alba Longa (Diod. 7,5,8; Dion. Hal. ant. 1,70,1–3; Origo gentis Romanae 17,4). Von einer Geburt im Wald sprechen auch Verg. Aen. 6,765; Liv. 1,3,6; Ov. fast. 4,41. Als Erzieher wird der Hirte Tyrrhus genannt (Serv. Aen. 6,760; Origo gentis Romanae 16,1). S. gilt bisweilen auch als Sohn des Iulus (Ov. fast. 4,41–42) oder des Ascanius (Liv. 1,3,6). Sein Sohn und Nachfolger ist Aeneas (Verg. Aen. 6,769; Liv. 1,3,7; Diod. 7,5,8), bei anderen aber auch → Latinus [2] (Ov. fast. 4,43; Ov. met. 14,611) oder Tiberius (Origo gentis Romanae 18,1). Alle späteren Könige Alba Longas tragen den Beinamen S. (Verg. Aen. 6,763; Liv. 1,3,8). T. J.

Sima (Dachkrempe). Die Traufleiste (mitsamt der für den Wasserabfluß des Daches nötigen Wasserspeier) des griech. Säulenbaus an den Giebelschrägen und den Langseiten des Daches. Der Name ist als lat. t.t. bei Vitruv (3,5,12 u.ö.) überl. [1; 2]. Die S. war bes. am dorischen Säulenbau in der archa. Architektur bevorzugter Ort architektonischer Dekoration; sie ist Teil des Daches und hat keine wesentliche statische Funktion. Zunächst – wohl in der Trad. des Holzbaus – überwogen *simae* aus Terrakotta; sie waren der tragenden Architektur vorgeblendet. Bei den S. wurde in Relief und Farbigkeit (→ Polychromie) figürlich wie auch ornamental in aufwendigster Weise Pracht entfaltet, in bes. Ausmaß in Westgriechenland (u. a. an den Tempeln von → Metapontion und Paestum/→ Poseidonia sowie dem Geloer-Schatzhaus in → Olympia), aber auch im griech. Mutterland (z. B. → Thermos). Schon an archa. Steinbauten konnte die S., wie seit dem 4. Jh. v. Chr. dann üblich, auch aus Marmor bestehen und reich bemalt sein (→ Athenai II.1., Alter Athena-Tempel). Die Wasserspeier sind meist als Löwenköpfe ausgestaltet und Gegenstand der → Bauplastik; definitorisch und bautechnisch der S. zugehörig ist ferner der → Akroter.
→ Ornament III.; Säule

1 EBERT, 43–45 (mit Quellen) 2 H. NOHL, Index Vitruvianus, 1876, 121 s. v. S.

J. F. BOMMELAER, Simas et gargouilles classiques de Delphes, in: BCH 102, 1978, 173–197 • P. DANNER, Figuren an S.-Ecken, in: J. DES COURTIL, J. C. MORETTI (Hrsg.), Les grands ateliers d'architecture dans le monde égéen du VIe siècle a. J. C. (Kongr. Istanbul 1991), 1993, 253–260 • E. HOSTETTER, Lydian Architectural Terracottas, 1994 • M. MERTENS-HORN, Die Löwenkopf-Wasserspeier des griech. Westens im 6. und 5. Jh. v. Chr., 1988 • W. H. SCHUCHHARDT, Die S. des Alten Athena-Tempels der Akropolis, in: MDAI(A) 60/61, 1935/36, 1–111 • W. VON SYDOW, Späthell. Stuckgesimse in Sizilien, in: MDAI(R) 86, 1979, 181–231 • N. A. WINTER (Hrsg.), Proceedings of the International Conference on Greek Architectural Terracottas of the Classical and Hellenistic Periods (Hesperia Suppl. 27), 1994 • Ders., Greek Architectural Terracottas from the Prehistoric to the End of the Archaic Period, 1993 • C. WIKANDER, Sicilian Architectural Terracottas. A Reappraisal, 1986 • U. WALLAT, Ornamentik auf Marmor-S. des griech. Mutterlandes, 1997. C. HÖ.

Simaristos (Σιμάριστος). Alexandriner aus angesehener, ins 3. Jh. v. Chr. zurückreichender Familie; führte 58 v. Chr. eine alexandrinische → *hetairía* gegen Ptolemaios [18] XII. (Dion Chrys. or. 32,70).

F. ZUCKER, Σιμαριστ<ει>οι, in: Philologus 101, 1957, 164–166. W. A.

Simbruinus ager. Gebiet (Frontin. aqu. 15,1) der → Aequi am Fuß der *colles Simbruini* (Tac. ann. 11,13,2) im oberen Tal des Anio, der durch Staudämme gesperrt wurde, um die *stagna Simbruina* (›den Simbruinischen See‹, Tac. ann. 14,22; vgl. Sil. 8,368f.) für die Villa des Nero bei Sublaqueum (h. Subiaco), zu schaffen.

M. G. Fiore Cavaliere, Sublaqueum – Subiaco, 1994.

G. U./Ü: J. W. MA.

Simeon Stylites (Σιμεὼν Στυλίτης). Syrischer Asket, erster → Stylit, geb. bei Sision in Kilikien, gest. 459 n. Chr. S. lebte als Mönch zunächst im Kloster Eusebona bei Tall ʿĀda (zw. Antiocheia [1] and Beroia [3]/Aleppo). Seine asketischen Praktiken machten ihn jedoch bei den anderen Mönchen unbeliebt, so daß er schließlich in die Nähe von Telanissos zog und fortan auf einer Säule lebte. Sie wurde erhöht, als seine außergewöhnliche Lebensweise immer mehr Besucher und Pilger aus allen Schichten anzog, die seinen Rat suchten. Nach seinem Tod wurden 476–490 eine große Pilgerkirche und ein Baptisterium um seine Säule gebaut. Ein großer Teil dieses Gebäudes ist noch erh. (Qalʿat Simʿān). Es ist umstritten, ob S. von den *phallobátai* in Hierapolis [2]/ → Bambyke (Lukian. de Dea Syria 29) zum Stylitentum angeregt wurde. Sein Leben ist gut dokumentiert: Einen zeitgenössischen Ber. gibt Theodoretos, Historia religiosa 26; ein nicht datierbarer griech. Ber. wird seinem Schüler Antonios zugeschrieben; ein in drei Rezensionen erh. syr. Panegyrikos wurde vor 473 verfaßt. Einige kurze Texte geben S. als ihren Autor an. S. ist nicht mit S. Stylites dem Jüngeren (6. Jh.) zu verwechseln, dessen Säule und Kloster sich auf dem Mons Admirabilis westl. von Antiocheia befanden.

H. Lietzmann, Das Leben des hl. S. Stylites, 1908 • R. Doran, The Lives of S. Stylites, 1992 • D. Stiernon, Bibliotheca Sanctorum 11, 1979, 1116–1138 • M. Geerard, CPG 3, 1979, 6640–6650.

S. BR./Ü: S. KR.

Simia (griech. Σημεία, Σημέα, Σίμα u. a., aram. *smy*ʾ), früher oft als (syrische) Göttin interpretiert, ist die deifizierte Götterstandarte altorientalischen Ursprungs, zumeist mit Mondsichel auf der Spitze, oft angeglichen an röm. *signa*. Vielleicht aram. Etym. [1], doch schon früh mit griech. σημεῖον/*sēmeíon* (»Standarte«) verknüpft. Lukianos (De Syria Dea 33) beschreibt das *Sēméion* von Hierapolis [2]/→ Bambyke, das dort wie in → Dura-Europos zw. Atargatis (→ Syria Dea) und Hadad (Relief, Münzen) steht. S. wird u. a. mit Sîn/Dionysos (Ḥarrān) bzw. Barmaren identifiziert.

1 H. J. W. Drivers, Cults and Beliefs at Edessa, 1980, 90–96 **2** W. Fauth, s. v. S., RE Suppl. 14, 679–701 **3** J. Tubach, Im Schatten des Sonnengottes, 1986, 184–209.

K. KE.

Simias (Σιμίας) oder Simmias (Σιμμίας) von Rhodos, alexandrinischer Dichter und Grammatiker um 300 v. Chr. (Suda s. v. Σ. Ῥόδιος). Zu seinen wichtigsten Werken zählen die Γλῶσσαι (›Glossen‹, 3 B.) und eine Gedicht-Slg. (Ποιήματα διάφορα, 4 B.), jeweils nur wenige Fr. erhalten. S. gilt als Erfinder der → Figurengedichte (*technopaígnia*) und mehrerer lyrischer Versmaße. Für seine Erklärung schwieriger Dichterstellen in den ›Glossen‹ bezeichnet ihn Strab. 14,655 als *grammatikós*. Die Gedicht-Slg. zeigt S. als typisch alexandrinischen Gelehrten, der mit Metren und Gattungen spielt und sich eines künstlichen dorischen Dialektes sowie gesuchter Ausdrucksweise bedient [6. 243–250]. Unter den 30 Fr. finden sich neben einem Rittergedicht zwei wohl in elegischem Versmaß gehaltene aitiologische Gedichte: ›Gorgo‹ (Γοργώ) und die ›Monate‹ (Μῆνες). Das Epos ›Apollon‹ (Ἀπόλλων), ein zusammenhängendes Stück von 13 Hexametern (erh. bei Tzetz. chil. 7,687–699) schildert die phantastische Reise des Erzählers zu fabelhaften Inseln und Völkern [5; 2. 257–260]. Verm. aufgrund ihrer neuartigen Versmaße [7. 112] haben sich Anfangsverse mehrerer Hymnen erhalten.

Eine eigene gattungsbegründende Gruppe innerhalb der Slg. stellen die drei in Anth. Pal. 15,22, 24 und 27 überl. Figurengedichte ›Beil‹ (Πέλεκυς), ›Ei‹ (Ὠιόν) [3] und ›Flügelpaar‹ (Πτερύγιον) dar [1. 58–74; 9. 67–89], in denen durch die Anordnung der Verse der behandelte Gegenstand abgebildet wird. Zu diesem Zweck schuf S. neue, gemischte Versmaße (Hephaistion [4], Metrik 9,4) [1. 50; 6. 218; 4. 145, 151f.]. Die Technopaignien enthalten orphische Lehren, deren mögliche Zusammenschau als Triptychon einer orphischen Kosmogonie [8. 87–90] jedoch problematisch ist [1. 73f.].
→ Glossographie

Ed.: H. Fränkel, De Simia Rhodio, 1915 • E. Diehl, Anthologia Lyrica Graeca, Bd. 2, 1942, 140–157 • CollAlex 109–120 • SH 906.
Lit.: **1** U. Ernst, Carmen Figuratum, 1991 **2** R. Merkelbach, Über zwei epische Papyri, in: Aegyptus 31, 1951, 254–260 **3** Ders., S.' Ei 1–4, in: MH 10, 1953, 68–69 **4** M. L. West, Greek Metre, 1982 **5** H. White, On a Fr. of S. of Rhodes, in: Corolla Londiniensis 2, 1982, 173–184 **6** U. von Wilamowitz-Moellendorff, Textgesch. der griech. Bukoliker, 1906 **7** Ders., Hell. Dichtung, Bd. 1, 1924 **8** G. Wojaczek, Bucolica Analecta, in: WJA 5, 1979, 81–90 **9** Ders., Daphnis, 1969.

M. B.

Simitthus. Stadt der Africa Proconsularis (Plin. nat. 5,29; Ptol. 4,3,29; Itin. Anton. 43,3; Tab. Peut. 4,5) im Tal des Bagradas südwestl. von → Bulla Regia, h. Chemtou/Tunesien; berühmt für seine Marmorbrüche (Plin. nat. 5,22; 35,3; 36,49; Isid. orig. 16,5,16). Bei S. erbaute → Micipsa nach 148 v. Chr. für seinen Vater → Massinissa ein Höhenheiligtum, das in röm. Zeit zum Tempel des → Saturnus umgestaltet wurde. Arch.: viele Funde aus numidischer bzw. punischer Zeit (u. a. ca. 300 Felsreliefs), großenteils unveröffentlicht. Seit Augustus war S. *colonia Iulia Augusta Numidica* (CIL VIII 1, 1261; Suppl. 1, 14559; 14611f.; 3,22196f.). Inschr.: CIL VIII 1, 1261–1265; 2567f.; 2, 10592–10601; Suppl. 1, 14551–14685; 2, 18068; 3, 22195–22203; 4, 25629–25701; [1; 2] AE 1957, 66; 1979, 673; 1989, 882; 1991, 1681; 1992, 1820–1824; 1994, 1848–1886; RIL 72; 72bis.

1 Bull. Archéologique du Comité des Travaux Historiques, 1928–1929, 380; 1932–1933, 476 und 509 **2** A. Merlin (ed.), Inscriptions Latines de la Tunisie, 1944, 1254.

AATun 050, Bl. 31, Nr. 70 • A. BESCHAOUCH et al., S., Bd. 1, 1993 • F. RAKOB, S., Bd. 2, 1994 • Ders., Chemtou, in: Ant. Welt 28, 1997, 1–20 • Ders., F. KRAUS, Chemtou, in: Du. Die Zschr. für Kunst und Kultur 39, 1979.3, 48–54 und 60 • J.-M. LASSÈRE, Remarques sur le peuplement de la colonia Iulia Augusta Numidica S., in: AntAfr 16, 1980, 27–44 • E. LIPIŃSKI, s. v. Chemtou, DCPP, 103 f. W. HU.

Simmias (Σιμμίας).

[1] S. aus Theben. Freund des → Sokrates [2] (Plat. Krit. 45b; Plat. Phaidr. 242b; Xen. mem. 1,2,48; 3,11,17), zusammen mit seinem Gefährten → Kebes Hauptgesprächspartner des Sokrates in Platons *Phaídōn*. Nach Plat. Phaid. 61de traf S. vor seinem Aufenthalt in Athen in Theben mit dem Pythagoreer → Philolaos [2] zusammen, doch war er selbst kein Pythagoreer [1]. Im Haus des an einer Verletzung leidenden S. in Theben läßt Plutarchos [2] das Gespräch stattfinden, das im Zentrum seiner Schrift ›Über das Daimonion des Sokrates‹ (Περὶ τοῦ Σωκράτους δαιμονίου) steht. Der Platonlegende zuzurechnen ist die Behauptung, S. habe Platon bei seiner Ägyptenreise begleitet (Plut. de genio Socratis 7,578f). Bei Diog. Laert. 2,124 werden die Titel von 23 Dialogen aufgezählt, die S. geschrieben habe.

1 TH. EBERT, Sokrates als Pythagoreer und die Anamnesis in Platons ›Phaidon‹, in: AAWM 1994 Nr. 13, 8–10. K. D.

[2] S. von Rhodos s. Simias

Simodie (σιμῳδία/*simoidía*). Eine nach ihrem wichtigen Vertreter Simos von Magnesia benannte hell. Gattung »niederer« Lyrik (Strab. 14,1,41; Aristokles bei Athen. 14,620d). Laut Aristokles ist S. eine neuere Bezeichnung für *hilaroidía* (Athen. l.c.), die sich aufgrund des Ruhms von Simos im Vergleich zu früheren *hilaroidoi* bei manchen durchsetzte. Sie wird von Strabon sowohl zur *lysioidía* und *magoidía* (Strab. l.c., cf. Athen. 14,620e) wie auch zum *kinaidologeín* (»obszön reden«) in Beziehung gesetzt (vgl. Athen. 14,620e–621b, wo auch von *ioniká poiḗmata* die Rede ist); die jüngere Forsch. ordnet diese Gattungen dem → Mimos zu [5. 231–237; 2. 5]. Mit möglicher Ausnahme eines Paraklausithyron-Fr. [2. 36–38] ist von dieser subliterarischen Lyrik nichts erh. Dafür liefert Athenaios Angaben über die Aufführungspraxis (14,620e; 621 b-d); ferner läßt Aristoxenos' [1] Bemerkung, ›die *hilaroidía*, da ernsthaft (*semnḗ*), stehe neben (*pará*) der Trag., aber die *magoidía* neben der Komödie‹ (Athen. 14,621c), Spekulation über deren Inhalt und Stil zu [3. 68–70; 6. 230–232; 2. 6].

1 A. BARKER, Greek Musical Writings, Bd. 1, 1986, 278–280
2 I. CUNNINGHAM (ed.), Herodas, Mimiambi, 1971
3 E. HILLER, Zu Athen., in: RhM 30, 1875, 68–78
4 P. MAAS, s. v. Σιμῳδοί, RE 3 A, 159–160 5 H. REICH, Der Mimus, Bd. 1, 1903 (Ndr. 1974) 6 U. v. WILAMOWITZ, Des Mädchens Klage, in: Nachr. von der königlichen Ges. der Wiss. zu Göttingen, 1986, 209–232. RO. HA.

Simoeis (Σιμόεις). Nebenfluß des → Skamandros in der Troas, h. Dümrek Çayı. In der von diesen Flüssen gebildeten Ebene fanden die Kämpfe um Troia statt (vgl. Hom. Il. 4,475).

W. LEAF, Strabo on the Troad, 1923, 158–164, 173–177 • J. M. COOK, The Troad, 1973, s. v. S. • J. V. LUCE, Die Landschaften Homers, 1999, s. v. S. E. SCH.

Simon (Σίμων).

[1] Bronzebildner aus Aigina. S. war mit einem Pferd samt Pferdeführer am Weihgeschenk des Phormis in Olympia beteiligt; daraus ergibt sich eine Schaffenszeit um 480–460 v. Chr. Die zugehörige Basis wurde identifiziert. Ein Hund und ein Bogenschütze des S. (Plin. nat. 34,90) bildeten wohl eine weitere Gruppe.

OVERBECK, Nr. 402, 437 • M. ZUPPA, s. v. S. 2, EAA 7, 1966, 315 • F. ECKSTEIN, Anathemata, 1969, 43–49 • E. WALTER-KARYDI, Die äginetische Bildhauerschule, 1987, 39–43. R. N.

[2] Verfaßte eine Schrift Περὶ ἱππικῆς/*Perí hippikḗs*, die Xenophon für seine eigene Darstellung der → Reitkunst auswertete. Laut Xenophon ließ S. im Eleusinion in Athen die Br.-Statue eines Pferdes aufstellen, auf deren Basis seine Taten aufgezeichnet waren (Xen. equ. 1,1). Ob der Autor mit dem bei Aristophanes erwähnten S. (Aristoph. Equ. 242) identisch ist, kann kaum geklärt werden. Da S. den Maler → Mikon wegen der Darstellung des Pferdeauges kritisierte, ist die Schrift auf die Zeit zw. ca. 450 und ca. 365 v. Chr. zu datieren. Der Anf. der Schrift, in dem das Aussehen eines zum Reiten geeigneten Pferdes behandelt wird, ist erh. Xenophon zitiert S. im Abschnitt über die Hufe (Xen. equ. 1,3) und stimmt der grundsätzlichen Aussage zu, ein Pferd dürfe in der Ausbildung nie gewaltsam behandelt werden, da erzwungene Bewegungen nicht schön (καλά/*kalá*) seien (Xen. equ. 11,6).

K. WIDDRA (Hrsg.), Xenophons Reitkunst, 1965, 9–15. H. SCHN.

[3] S. der Schuster. Diog. Laert. 2,122–123 berichtet, S. habe sich von den Gesprächen, die er mit → Sokrates [2] bei dessen Besuchen in seiner Werkstatt führte, Aufzeichnungen gemacht, aus denen die von ihm verfaßten »Schusterdialoge« erwachsen seien, und nennt 30 Titel solcher Dialoge. S. war die Titelfigur eines der beiden Dialoge des → Phaidon aus Elis. Die vor einiger Zeit am Rande der Athener Agora entdeckte Werkstatt eines Schusters namens S. könnte die des Sokratesfreundes gewesen sein [3].

ED.: 1 SSR VI B 87–93.
LIT.: 2 F. HOCK, S. the Shoemaker as an Ideal Cynic, in: GRBS 17, 1976, 41–53 (auch in: M. BILLERBECK (Hrsg.), Die Kyniker in der mod. Forsch., 1991, 259–271)
3 D. B. THOMPSON, The House of S. the Shoemaker, in: Archaeology 13, 1960, 234–240. K. D.

[4] Mit att. Bürgerrecht ausgezeichneter Feldherr des thrakischen Dynasten Amadokos [2], seines Schwagers, dem er in den 360er Jahren v. Chr. mit Bianor half, seinen Reichsteil zu verteidigen, während → Berisades und → Kersobleptes von Athenodoros [1] und Charidemos [2] unterstützt wurden (Demosth. or. 23,10; 12; 17; 123; 180; 189). U.P.

[5] Zwei zadokidische (→ Zadokiden) Hohepriester am Jerusalemer Tempel mit Namen S. sind bei Iosephos belegt: S. I. (Ios. ant. Iud. 12,2,5; Anf. 3. Jh. v. Chr.) und S. II. (Ios. ant. Iud. 12,4,10; E. 3. Jh. v. Chr.), der Sohn des Onias [1] I. Der Beiname »der Gerechte«, bei Iosephos dem S. I. verliehen, gilt wohl eher S. II., der in den ptolem.-seleukidischen Auseinandersetzungen auf der Seite der → Seleukiden stand, die u. a. dieses Verhalten nach dem Sieg des Antiochos [5] III. (198 v. Chr.) mit projüd. Erlassen belohnten. In Konkurrenz zur wirtschaftspolit. einflußreichen hell. Familie der → Tobiaden gelang es S., durch eine Koalition mit den konservativen Gruppierungen dem Hohepriesteramt wieder größere polit. Bed. zu verleihen. Seine Amtszeit wird im Buch → Sirach äußerst positiv geschildert (vgl. auch 3 Makk 2,1; Mischna Avot 1,2).

1 M. Hengel, Judentum und Hellenismus, [3]1988, 44–49, 492–495 2 J. Neusner, The Rabbinic Traditions about the Pharisees before 70, Bd. 1, 1971, 24–59 3 Schürer 1, 359f. I. WA.

[6] Bruder des jüd. Hohenpriesters Jonathan (→ Hasmonäer mit Stemma) und dessen Nachfolger 143–135 v. Chr. Als Feldherr in den Feldzügen der Makkabäer bewährt (1 Makk 5,17–23; 9,64–69; 11,65f.; 12,38), wurde er 145 von → Antiochos [8] VI. zum seleukidischen Strategen der palaestinischen Küstenebene ernannt. Nach der Gefangennahme und Ermordung Jonathans durch Diodotos Tryphon bestellte ihn die jüd. Volksversammlung 143 zu Jonathans Nachfolger. Er erneuerte das Bündnis mit Rom (1 Makk 14,16–24; 15,16–24; Ios. ant. Iud. 14,145–148: Datier. und Echtheit der Dokumente umstritten) und trat zu → Demetrios [8] II. über. Die von diesem gewährte Abgabenfreiheit gab Anlaß zur Einführung einer jüd. Freiheitsära im J. 143/2 (1 Makk 13,41 f.). S. eroberte Gazara und die seleukidische Zwingburg Akra in Jerusalem (Mai 141). Aufgrund seiner Erfolge bestätigte die jüdische Volksversammlung im Aug./Sept. 140 seine Stellung, ›bis ein wahrer Prophet auftrete‹ (1 Makk 14,27–49). Nach der Gefangennahme Demetrios' II. durch die Parther erneuerte dessen Bruder → Antiochos [9] VII. Sidetes 139/8 die Zugeständnisse seines Vorgängers, widerrief sie jedoch, als er die Oberhand über den Usurpator Diodotos Tryphon gewann, und forderte die Rückgabe von Ioppe, Gazara und der Akra sowie Steuern für Gebiete außerhalb Iudaeas bzw. eine hohe Ablösungspauschale. Der Versuch, die Forderung – nach ihrer Ablehnung – gewaltsam durchzusetzen, scheiterte jedoch. Anf. 135 wurde S. mit zwei Söhnen von seinem Schwiegersohn Ptolemaios [57], der sich an seine Stelle setzen wollte, in der Nähe von Jericho umgebracht. Quellen: 1 Makk 13,31–16,22; Ios. ant. Iud. 13,194–229.

Schürer 1, 189–199. K.BR.

[7] **Š. ben Šetaḥ.** Bedeutender Vertreter des pharisäischen Judentums (1. Jh. v. Chr.; → Pharisaioi), der in der rabbinischen Traditionskette von der Weitergabe der Mose-Tora (→ Pentateuch) zu den sog. »fünf Paaren« (*zugot*; vgl. mAvot 1,18) zählt. Š. erscheint als Gegenspieler des Alexandros [16] Iannaios (103–76 v. Chr.), der die Pharisäer verfolgte und viele von ihnen töten ließ. Während einzelne Pharisäer nach Äg. flohen, wurde Š. von der Königin → Alexandra Salome, die seine Schwester gewesen sein soll, verborgen (bSan 107b). Š. soll schließlich der Tora (wohl in ihrer pharisäischen Auslegung) wieder zu ihrem Recht verholfen haben und so eine segensreiche Zeit eingeleitet haben (bQid 66a). Die Trad. schreibt ihm außerdem zu, den Besuch von Schulen angeordnet zu haben.

M. Hengel, Rabbinische Legende und frühpharisäische Gesch. Schimeon ben Schetach und die achtzig Hexen von Askalon, 1984. B.E.

[8] **S. Magus**, »der Magier«, vollbringt nach Apg 8,9–24 in → Samaria Wundertaten und wird als ›Kraft, welche die große genannt wird‹ (aram. *hlyj* ist männl.) verehrt; er läßt sich vom Diakon Philippos taufen und möchte von → Petrus die Fähigkeit kaufen, durch Handauflegen den Heiligen Geist zu verleihen (daher wird kirchlicher Ämterkauf als → »Simonie« bezeichnet). Iustinos [6] (oder seine Quelle) setzt ihn irrtümlich mit dem röm. Gott Semo → Sancus Dius gleich; S.s Anhänger hätten ihn für den »ersten Gott« und seine Begleiterin Helena für dessen »ersten Gedanken« (*énnoia*) gehalten (Iust. apol. 1,26). Bei Eirenaios [2] wird S. zum Urvater aller Häretiker: Nach seiner Lehre habe die *énnoia* nach dem Willen des Vaters die weltschöpferischen Engel und Kräfte geschaffen, sei aber von diesen festgehalten und sogar in einen Menschenleib eingeschlossen worden, u. a. als die Helena des Troianischen Krieges; sie sei in einem Bordell gelandet, aus dem S. sie befreit habe; in Samaria sei er als Vater, in Iudaea als Sohn und bei allen anderen als Heiliger Geist erschienen (Iren. adv. haereses 1,23,1–4; vgl. Tert. de anima 34). Hippolytos [2] zitiert die *Apóphasis megálē* (oder eine Paraphrase derselben), die angeblich S. verfaßt habe (Hippolytos, Refutatio 6,9–18).

Einen Zugang zur histor. Person bieten diese Quellen nicht; sie bezeugen lediglich, daß christl.-häretische Gruppen im 2. Jh. ihren kosmogonischen Erlösermythos mit der Gestalt des in Samaria als Wundertäter verehrten S. verbunden haben, der nun an Christi Stelle trat (im 3. Jh. weiß Orig. contra Celsum 1,57 nur von sehr wenigen Simonianern in Palaestina). In den apokryphen Apostelakten (Acta Petri, → Pseudo-Clementinen) erscheint S. als Scharlatan und Gegenspieler der Apostel: sein Flug über Rom wird durch Petrus' Gebet beendet. → Gnosis; Häresie

R. BERGMEIER, Die Gestalt des S. Magus, in: ZNTW 77, 1986, 267–275 • K. BEYSCHLAG, S. Magus und die christl. Gnosis, 1974 • J. FRICKEL, Die ›Apophasis Megale‹ in Hippolyts refutatio 6,9–18, 1968 • G. LÜDEMANN, Unt. zur simonianischen Gnosis, 1975 • K. RUDOLPH, S. – Magus oder Gnosticus, in: Theol. Rundschau 42, 1978, 279–359. J. HO.

[9] S. bar Giora (aram. »Sohn eines → Proselyten«; ὁ τοῦ Γιώρα, Ios.; Cass. Dio 66,7,1: Βαργιώρας/*Bargiṓras*; Tac. hist. 5,12: *Bargiora*, fälschlich mit EN Iohannes). Einer der radikalsten Führer der → Zeloten (Ios. bell. Iud. 2,251; 652ff.; B. 4–6 passim) im jüd.-röm. Krieg (66–74 n. Chr.). S. hatte von 68 n. Chr. an als Führer räuberischer Banden das Land südl. Jerusalems unter Kontrolle und herrschte ab Frühjahr 69 neben Iohannes [2] von Gischala und Eleazaros [11] in Jerusalem. Dort wurde er nach der Zerstörung von Stadt und Tempel 70 n. Chr. gefangengenommen und im J. 71 während des Triumphes von Titus und Vespasianus in Rom hingerichtet (Ios. bell. Iud. 7,154). Charakteristisch für S. waren messianische Ambitionen, die im Kontext der sozialen Verwerfungen in Palaestina unter röm. Herrschaft zu verstehen sind. Zu seinen Anhängern gehörten befreite Sklaven und Kleinbauern, aber ›auch eine stattliche Zahl von Bürgern, die ihm wie einem König gehorchten‹ (Ios. bell. Iud. 4,510).

1 S. FUKS, Some Remarks on S. bar Giora, in: Scripta Classica Israelica 8–9, 1985–1988, 106–119 **2** R. HORSLEY, J. S. HANSON, Bandits, Prophets and Messiahs. Popular Movements at the Time of Jesus, 1985 **3** SCHÜRER 1, 499–510. I. WA.

Simonides (Σιμωνίδης).
[1] (der Iambograph) s. Semonides

[2] Griech. lyrischer Dichter, 6./5. Jh. v. Chr.
I. LEBEN II. WERK III. ANTIKES URTEIL

I. LEBEN

S. wurde in Iulis auf Keos als Sohn des Leoprepes geb.; er war Onkel des → Bakchylides. Von den zwei Geburtsdaten in der Suda – die 56. Ol. (556/553 v. Chr.) und die 62. Ol. (532/529 v. Chr.) – wird das frühere allg. akzeptiert. Laut Suda starb S. in der 78. Ol. (468/465 v. Chr.) im Alter von 89 J.; sein Grab wurde in Akragas (Sizilien) gezeigt (Kall. fr. 64,4). Sein am sichersten zu datierendes Werk stammt aus der Zeit der → Perserkriege. Nach Plat. Hipparch. 228b-c und [Aristot.] Ath. pol. 18,1 brachte Hipparchos [1], der Sohn des Peisistratos, S. und Anakreon nach Athen. Dank S.' Anwesenheit auf Sizilien soll sich in den 470er J. Hieron [1] von Syrakus mit Theron von Akragas versöhnt haben (Pind. O. 29d = Tim. FGrH 566 F 93b). S. wird in Anekdoten auch mit Themistokles und thessalischen Dynastien (bes. den → Skopadai und den → Aleuadai) in Verbindung gebracht.

II. WERK

S. ist der einzige im alexandrinischen → Kanon der neun lyrischen Dichter, von dem keine genaue Bücherzahl angegeben wird. Die Suda nennt Klagelieder (*thrḗnoi*), Enkomien, Epigramme, Paiane, Tragödien und ›andere Werke‹. Es gibt keine Spur mehr von den Trag. oder den Dithyramben, mit denen S. 57 Siege errang (vgl. Anth. Pal. 6,213). Des weiteren schrieb er offenbar Epinikien, Hymnen (576; 589 PMG), ein Propemptikon (580 PMG), »Gebete« oder »Flüche« (*kateuchaí*, 537; 538 PMG) und verm. Elegien, die bei Symposien vorgetragen wurden (19–33 IEG, Bd. 2). Die Erwähnung von »Gemischtem« oder »Miszellen« (*sýmmikta*, 540 PMG) scheint eine Verwirrung in der alexandrinischen Klassifizierung darzustellen. S. verfaßte epinikische → Oden für Sieger bei Wettkämpfen (506–519 PMG; → *epiníkion*). Die Fr. lassen oft einen Bezug zu den → Dioskuroi und zu → Herakles [1] erkennen. Eine Anekdote bei Cic. de orat. 2,86,351–353 und Quint. inst. 11,2,11–16 (= 510 PMG, über S.' berühmte mnemotechnische Fähigkeiten) belegt außerdem die Bed. der Dioskuroi in der Preisdichtung des S. Die Quellen betonen, daß S. der erste Dichter war, der für Entgelt schrieb (Schol. Pind. I. 2,9a): S. war ein bezahlter Berufsdichter, der im Auftrag seiner Patrone arbeitete.

Die zwei längsten erh. Passagen aus Werken des S. (542; 543 PMG) wurden aus ant. Texten rekonstruiert, die sie in Prosa zitieren. 542 PMG (aus Plat. Prot. 339a-346d) ist eine Rede an Skopas darüber, was es bedeutet, gut zu sein, wobei der gelobt wird, der aus freiem Willen nicht niedrig handelt. Panegyrisches Vokabular ist in diesem Gedicht auffällig; es könnte ein → *enkṓmion*, → *epiníkion* oder → *skólion* gewesen sein. Andere Fr. thematisieren die Schwierigkeit oder Unerreichbarkeit der Tugend (541?, 579) und die Hilflosigkeit der Menschen (520–527), häufig mit sehr pessimistischen Aussagen. 543 PMG, von Dion. Hal. comp. 26 als Beweis dafür angeführt, daß triadische Dichtung (Strophe – Antistrophe – Epode) nicht leicht von Prosa zu unterscheiden ist, ist das Gebet der → Danae (die nachts mit ihrem Säugling Perseus im Meer treibt) an Zeus; es ist berühmt für seine Zartheit wie für sein Pathos. Das *enkṓmion* auf die Gefallenen bei den → Thermopylai (531 PMG), ein lyrisches Gedicht zur Schlacht von Artemision [1] (532–535 PMG), eine Elegie auf Artemision [1] (1–4 IEG) und eine Elegie auf → Salamis (5–9 IEG) stehen im Zusammenhang mit den → Perserkriegen. Laut Suda dichtete S. in dorischem Dialekt, was bei den lyrischen Fr. offenkundig ist; seine Elegien hingegen stehen in der ionischen Trad.

Längere auf Pap. erhaltene Fr. stammen von einer Elegie zur Schlacht von → Plataiai (10–14 IEG); das Prooimion ist eine Anrufung des Achilleus [1] mit der Beschreibung seines Todes und seiner Bestattung zusammen mit Patroklos. Homeros [1] wird als der Dichter erwähnt, der den Kriegern vor Troia Ruhm schenkte; dann ruft der Dichter die Muse zur Hilfe, die Krieger von Plataiai zu feiern (→ Musenanruf); S. nennt bemerkenswerte Details der Schlacht. Dieses Gedicht stützt die These, daß lange Elegien so wie Trag. bei öffentlichen Ereignissen und Wettkämpfen vorgetragen wurden [4].

S. hielt unbestritten die Vorrangstellung in der griech. Elegie- und Epigrammdichtung: Zw. seiner Lebenszeit und der Zusammenstellung der *Anthologia Palatina* (ab Hell.) wurden ihm recht wahllos Epigramme zugeschrieben. Von den drei bei Hdt. 7,228 zitierten Epigrammen wird nur das an Megistias gerichtete allg. als authentisch akzeptiert, daneben häufig auch das bekannte, u. a. von Cic. Tusc. 1,101 und F. SCHILLER nachgedichtete Thermopylendistichon (›Wanderer, kommst du nach Sparta ...‹), in dem die Verstorbenen den am Grab Vorübergehenden bitten, die Nachricht von ihrem Gehorsam nach Sparta zu bringen (vgl. → Leonidas [1]). In der Zeit nach Herodot schreibt erst Aristoteles [6] (4. Jh. v. Chr.) dem S. wieder Epigramme zu. Griech. Distichen enthalten normalerweise den Namen ihres Autors nicht; in manchen Fällen ist die Zuordnung unmöglich. Bei der Zuammenstellung seines »Kranzes« (*Stéphanos*) um 100 v. Chr. stützte sich → Meleagros [8] auf eine Gedicht-Slg., die S. verm. im späten 4. Jh. v. Chr. zugeschrieben worden war.

III. ANTIKES URTEIL

Die weitverbreitete anekdotische Trad. über die Käuflichkeit und den Geiz des S. ist stereotyp und ohne biographischen Wert; seine bes. »Weisheit« (*sophía*, Plat. rep. 331d-e; 335e) mag von seinen Kontakten zur herrschenden Klasse seiner Zeit herrühren: Die Verbindung zw. griech. Weisen und Herrschern war traditionell. Die Neuheit, daß ein Dichter Entgelt für seine Gedichte erhielt, führte unweigerlich dazu, daß S. in der mod. Forsch. als »Proto-Sophist« (vgl. → Sophistik) betrachtet wurde. Seine Dienste waren in ganz Griechenland gefragt, und seine vielen Patrone, darunter Tyrannen und demokratische Führer, sind Beweis für sein Ansehen, nicht aber für eine bestimmte polit. Loyalität. S. wurde in der Ant. für sein Pathos sehr bewundert (Quint. inst. 10,1,64). Sein Ausspruch, daß Malerei stumme Dichtung sei, und Dichtung Malerei, die sprechen könne (Plut. mor. 346f.), ist Ausgangspunkt von LESSINGS ›Laokoon‹.

1 J. M. BELL, Κίμβιξ καὶ σοφός: S. in the Anecdotal Trad., in: Quaderni urbinati 28, 1978, 29–86 2 D. E. GERBER, Greek Lyric Poetry Since 1920, in: Lustrum 36, 1994, 129–152 3 J. H. MOLYNEUX, S.: A Historical Study, 1992 4 E. L. BOWIE, Early Greek Elegy, Symposium and Public Performance, in: JHS 106, 1986, 13–35 5 D. BOEDEKER, D. SIDER (Hrsg.), The New S., 2001 6 O. POLTERA, Le langage de Simonide, 1997.

ED.: FGE · IEG · PMG · D. A. CAMPBEL, Greek Lyric, Bd. 3, 1991 (mit engl. Übers.) · M. L. WEST, Greek Lyric Poetry, 1993, 160–172. E. R./Ü: TH. G.

[3] Laut Diog. Laert. 4,5 Verf. eines dem → Speusippos gewidmeten Gesch.-Werks über die ›Taten des Dion‹ von Syrakus und des ›Bion‹ (Βίωνος verm. verderbt; getilgt von [2], vgl. [3]). Man hat den Namen S. aufgrund von Plut. Dion 35,4 in Τιμωνίδης, den Historiker Timonides von Leukas, geändert [4].

1 FGrH 561 2 MÜLLER, FHG II, 82–83 3 E. SCHWARZ, s. v. Diogenes Laertios, RE 5, 742. 4 L. TARÁN, Speusippus of Athens, 1981, 199.

[4] Epischer Dichter aus Magnesia [3] (Lydien); nach der Suda (IV 362, 21–23 ADLER = SH 723) lebte er ›in der Zeit Antiochos' des Großen‹ und schrieb über dessen Taten und über den Krieg gegen die Galater. Da aber Antiochos [2] I. Soter (281–261) und nicht Antiochos [5] III. Megas (223–187 v. Chr.) die Galater in der bekannten Elefantenschlacht (vgl. [5]) besiegte, wurde das Epitheton τοῦ Μεγάλου aus dem Suda-Text getilgt (vgl. FGrH 163, Komm. II B, 594). Es ist jedoch nicht auszuschließen, daß S., auch wenn er am Hof Antiochos' [5] III. lebte, die Taten von dessen Vorgänger episch besungen hat (vgl. [4]; zum Thema vgl. auch das elegische Papyrusfr. SH 958).

ED.: 1 SH 723 2 FGrH 163.

LIT.: 3 E. PACK, Antiochia, in: G. CAMBIANO et al. (Hrsg.), Lo spazio letterario della Grecia antica, Bd. 1.2, 1993, 746 4 B. BAR-KOCHVA, On the Sources and Chronology of Antiochus I's Battle against the Galatians, in: PCPhS 199, 1973, 1–8 5 J. MA, Antiochos III and the Cities of Western Asia Minor, 2000, 34. S. FO./Ü: TH. ZI.

Simonie. Der Begriff S. leitet sich von → Simon [8] Magus her, der den Aposteln die Wunderkraft des Hl. Geistes abkaufen wollte (Apg 8,18–25), und bezeichnet dementsprechend den unzulässigen Handel mit geistlichen Würden und bes. materielle Zuwendungen beim Erwerb von Weihen und Ämtern. Entsprechende Praktiken und zugleich der innerkirchliche Widerstand dagegen sind seit dem Beginn des 4. Jh. faßbar (306 n. Chr.: Synode von Elvira, canon 48 [1. 305 f.], gegen Entgelt für → Taufe), als durch den wachsenden Reichtum der Kirche einerseits und durch die Privilegierung von Klerikern unter Constantinus [1] I. andererseits die Übernahme geistlicher Ämter materielle und andere Vorteile (Freistellung vom Militär- oder Kurialendienst: Basil. epist. 53 f.; Pall. vita Chrysostomi 13,172 ff.; 14,50 ff. MALINGREY) mit sich brachte.

Initiativen zur Unterbindung der S. gingen oft vom Herrscher aus: Das Konzil von Chalkedon verurteilte sie im J. 451 auf Wunsch des → Marcianus [6] (canon 2 [2. 354]). Seitdem folgten regelmäßige konziliare Verurteilungen der S. (vgl. im Westen Conc. Arelate II, canon 54): Gennadios I. von Konstantinopolis berief um 459 eine Synode zum Problem der Ämter-S. ein (Synodalbrief: PG 85, 1613–1621), und in Rom fanden 499, 501 und 502 Synoden zum Thema statt. Die kaiserliche Gesetzgebung gegen S., bes. bei Bischofswahlen (gegen Bestechung und Korruption), begann 472 unter Kaiser Leo [4] (Cod. Iust. 1,3,31). Die Regelmäßigkeit simonistischer Praktiken zeigt sich in der Herausbildung gewohnheitsrechtlicher fester *insinuativa*, die neu bestellte Geistliche ihrer Kirche zu entrichten hatten; bei Bischofserhebungen waren exorbitante Konsekrationsgebühren üblich, die von Iustinianus [1] ausdrücklich gestattet wurden. Ihre Höhe richtete sich nach dem Ertrag der zu besetzenden Diözese (Nov. Iust. 56 und 123,16; [2. 457]; Nov. Iust. 123,3). Im Westen, wo bes. in Gallien und Germanien eigenkirchliche Strukturen die Verfügungsgewalt von Laien über kirchliche Würden bedingten, bekämpfte Gregorius [3] d.Gr. entschieden simonistische Mißbräuche: Er verurteilte sie als → Häresie, forderte Weihungen *non praemiis aut precibus* (›nicht aufgrund von Belohnungen oder Bitten‹, Greg. M. epist. 5,16) und entwickelte einen ausgedehnten S.-Begriff (Greg. M. in euangelia homiliae 1,4,4), der selbst Schmeichelei und Unterwürfigkeit (*munera a lingua, a obsequio*) umfaßte und auch Vorleistungen für Segnungen oder Begräbnisse einbezog.

ED.: 1 J.D. MANSI (ed.), Sacrorum conciliorum nova et amplissima collectio, Bd. 2, ²1903 2 E. SCHWARTZ (ed.), Acta conciliorum oecumenicorum, Bd. 2.1, ²1990.
LIT.: 3 R. BONINI, Alcune note sulla venalità delle cariche ecclesiastiche, in: Subseciva Groningana 4, 1990, 39–50 4 JONES, LRE, 909 f. 5 R. A. MARKUS, Gregory the Great and His World, 1997, 171–174 6 L. PIETRI, Grégoire le Grand et la Gaule: le projet pour la réforme de l'Église Gauloise, in: Gregorio magno e il suo tempo, Bd. 1, 1991, 109–128 7 R. SCHIEFFER, s. v. S., TRE 31, 2000, 276–280.

J.H.

Simonius. D. S. Proculus Iulianus, Senator, *homo novus* mit Karriere unter 7 Kaisern, wohl aus It., Landbesitz in der Poebene und eine Villa in Rom. S. war ca. 234–235 n. Chr. *iuridicus per Transpadum*, 236 Statthalter Thrakiens (IGR I 691–693), 237–238 *legatus Augusti pro praetore provinciae Arabiae* (CIL III 14149, 33; AE 1904, 67) und 238 wohl *cos. suff.* [1. 66; 2. 232]; Statthalter, vielleicht von *Pannonia inferior* um 238/9–240, dann der *tres Daciae* 241–243 (CIL III 1573; VI 1520 = ILS 1189; [3. 206 f.]); 244–245 *leg. Aug. pro praetore provinciae Syriae Coeles* (CIL VI 1520 = ILS 1189), 245–247 (?) *praef. urbi* (CIL XV 7528; ILS 8627).

1 DEGRASSI, FCap. 2 M. LEUNISSEN, Konsuln und Konsulare (180–235 n. Chr.), 1989 3 FPD I 4 PIR S 529 5 K. DIETZ, Senatus contra principem, 228–231, Nr. 79.

T.F.

Simos (Σῖμος).

[1] Exponent einer Gruppe der → Aleuadai, Machthaber in → Larisa [3] (Aristot. pol. 1306a 26–30) etwa zw. 358 und 344 v. Chr.; sein Name erscheint auf Mz. der Stadt (HN p. 299). Er errang seine Stellung aus einer Mittlerposition (ἄρχων μεσίδιος, »Vermittler mit Vollmacht«) im oligarchischen Streit, Exempel für Aristoteles (gegen [1. 503; 2. 295, 672; 3. 196; 4. 364–366]). Sprichwörtlich war die Grausamkeit seiner Reaktion auf die Ermordung eines Bruders (Aristot. fr. 166 R.; Kall. fr. 588; schol. Hom. Il. 22,397; schol. Ov. Ib. 331 f.). Die Aleuadai und S. riefen → Philippos [4] II. (mehrfach?) gegen die Tyrannen von → Pherai (Diod. 16,14,2; Suda s. v. S.). Dies kostete sie schließlich selbst die Macht (Demosth. or. 18,48; schol. Demosth. or. 1,22; Diod. 16,69,8; Polyain. 4,2,11).

1 E. GRUMACH et al. (ed.), Aristoteles, Politik, B. 4–6, 1996 (mit dt. Übers. und Komm.) 2 H. BERVE, Die Tyrannis bei den Griechen, 1967 3 H.-J. GEHRKE, Stasis, 1985
4 M. SORDI, La lega tessala fino ad Alessandro Magno, 1958.

J.CO.

[2] S. von Magnesia s. Simodie

Simplicinius Genialis. M. S. G. Ritter, der im J. 260 n. Chr. als *vir perfectissimus* die Prov. Raetia anstelle eines senatorischen Statthalters leitete (*agens vice praesidis*) und dafür eigens nach Raetia gesandt worden war; er schlug am 24./25. April des J. ein Heer der Semnones bei Augsburg und errichtete im September desselben J. einen Siegesaltar ([1] = AE 1993, 1231b). Er könnte aus der Prov. Germania inferior stammen (vgl. zuletzt [2; 3. 226 f.; 4]).

1 L. BAKKER, Raetien unter Postumus, in: Germania 71, 1993, 369–386 2 M. CHRISTOL, M. S. G.: ses fonctions, in: Cahiers du Centre G. Glotz 8, 1997, 231–241
3 S. DEMOUGIN, Nouveautés pour les procurateurs des Gaules et de Germanies, in: s. [2] 9, 1998 4 M. JEHNE, Überlegungen zur Chronologie der J. 259 bis 261 n. Chr. im Lichte der neuen Postumus-Inschr. aus Augsburg, in: Bayerische Vorgeschichtsblätter 61, 1996, 185–206. W.E.

Simplikios (Σιμπλίκιος, lat. *Simplicius*; ca. 490–560 n. Chr.). Neuplatonischer, laut Agathias (Historiae 2, 30,3–31,4 KEYDELL) aus Kilikien stammender Philosoph; Schüler der Neuplatoniker → Ammonios [12] und → Damaskios. Erh. ist ein Komm. zum ›Handbüchlein‹ des Epiktetos [2] sowie Komm. zu Schriften des Aristoteles [6]: zu den ›Kategorien‹, zur ›Physik‹ und zu ›Über den Himmel‹ und ›Über die Seele‹. Die Authentizität des letzteren Komm. ist von C. STEEL [1. 105–140] ohne hinreichende Gründe [2] bestritten worden. Verloren sind die Komm. zum 1. Buch von Eukleides' [3] ›Elementen‹, zur ›Metaphysik‹, zu den ›Meteorologica‹ des Aristoteles, zu Iamblichos' [2] Schrift über die pythagoreische Sekte und zu Platons [1] ›Phaidon‹ [3. 5–7; 4] sowie eine ›Epitome‹ der ›Physik‹ des Theophrastos (falls es sich, wie [5. 10] vermutet, nicht um einen Komm. des S. zu Theophrastos' Epitome seiner eigenen ›Physik‹ handelte).

Agathias zufolge (Historiae 2,30,3–31,4 K.) gehörte S. einer Gruppe herausragender griech. Philosophen an, die, geführt von Damaskios, bei dem persischen König Chosroes [5] I. Zuflucht vor den »antiheidnischen« Maßnahmen des Kaisers Iustinianus [1] suchten. Agathias berichtet, daß die Philosophen bis zum Friedensschluß von 531 zw. Chosroes I. und Iustinianus dort blieben, der ihnen in einer von Chosroes I. eingebrachten Vertragsklausel Schutz vor Nachstellungen bei ihrer Heimkehr ins byz. Reich zusicherte. Die lange für glaubwürdig gehaltene Vermutung, die Philosophen seien entweder nach Alexandreia [1] oder nach Athen zurückgekehrt, hat sich jedoch als unhaltbar erwiesen

[3. 8–28]. Nach [6; 7; 8] (vgl. auch [9]) nahm S. – entweder zusammen mit allen oder einem Teil der von Agathias genannten Philosophen – Wohnsitz in → Ḥarran, einer zum byz. Reich gehörigen, aber an der Grenze zu Persien liegenden und unter dem Einflußbereich des Perserkönigs stehenden, weitgehend den alten Kulten treu gebliebenen Stadt, wo sie entweder Aufnahme in eine schon bestehende neuplatonische Schule fanden oder selbst eine Schule gründeten, deren Spuren dort noch im 10. Jh. n. Chr. nachweisbar sind [6]. Die Komm. des S. sind wahrscheinlich alle dort geschrieben worden.

Alle Werke des S. wurden unter dem Einfluß des philos. Systems seines Lehrers Damaskios verfaßt, auch der Komm. zum ›Handbüchlein‹ des Epiktetos, in dem K. Praechter zu Unrecht mittelplatonische Elemente entdecken wollte [10; 11; 12; 3. 61–113]. Seine Einschätzung der Philos. dieses Kommentars (sowie der alexandrinischen neuplatonischen Philos. im allg.) berücksichtigt nicht das stufenweise fortschreitende, das jeweilige Niveau des Hörers oder Lesers genau berücksichtigende pädagogische System der Neuplatoniker, wie es in den Einleitungen zu den ›Kategorien‹-Komm. des Ammonios [12], Philoponos, Olympiodoros [4], David [2] von Armenien (Elias) und S. dargestellt ist [13]. Diesem System zufolge, das die aristotelische und platonische Philos. harmonisiert, hat der Komm. zum ›Handbüchlein‹ des Epiktetos rein propädeutischen Charakter [12. 147–165], und S.' ›Kategorien‹-Komm. steht ganz am Anfang des in einen aristotelischen und einen nachfolgenden platonischen Kursus geteilten philos. Studienganges [14] (→ Philosophischer Unterricht). Metaphysische Erörterungen haben daher in diesen Komm. keinen Platz und finden ihre Berechtigung erst am Ende des aristotelischen Studienganges, d. h. in den Komm. zur ›Metaphysik‹ des Aristoteles (der Komm. des S. hierzu ist nicht erh.), und v. a. im platonischen Zyklus anläßlich der Interpretationen des ›Timaios‹ und des ›Parmenides‹. S.' Kommentare zu Aristoteles' *De caelo* und zu dessen ›Physik‹ richten sich an schon einigermaßen fortgeschrittene Studenten; dies gilt in noch höherem Maße für den Komm. zur aristotelischen Schrift *De anima*, welche in der Sicht der Neuplatoniker den Übergang von der ›Physik‹ zur Ersten Philos. bildet (vgl. S., In Aristot. de an. 3,14ff.).

Bei allen diesen Komm. des S. handelt es sich keineswegs um objektive, sondern um durchaus neuplatonische Interpretationen sowohl des stoischen Textes als auch der aristotelischen Schriften; sie unterscheiden sich voneinander nur dadurch, daß in einem Komm. zur aristotelischen Logik die Verfälschung des Gedankengutes dem behandelten Gegenstand gemäß nicht in dem Maße ins Auge fällt wie in Komm., die sich mit ontologischen Fragen befassen, wie der Komm. zu *De anima*. Aus den genannten Gründen darf man nicht erwarten, in den erh. Komm. des S. eine vollständige Darstellung seines metaphysischen Systems zu finden, wenn man auch in den Komm. zur ›Physik‹, zu *De caelo* und *De anima* zahlreichere diesbezügliche Details antrifft als in den Komm. zu den ›Kategorien‹ und zum ›Handbüchlein‹ des Epiktetos. Aber selbst in letzterem finden sich charakteristische Hinweise auf die Philos. seines Lehrers Damaskios, so z. B. die Definition des *skopós* (Ziels) des platonischen ›Ersten Alkibiades‹ [3. 69], die Seinsstufe des *Hen pánta pro pántōn* (»das All-Eine vor allen und allem«) [12. 47–65] und die Lehre von der Veränderlichkeit der → Substanz der menschlichen vernünftigen → Seele [3. 70–113], womit Damaskios, wie in vielem anderen, gegen → Proklos auf die Lehre des Iamblichos zurückgriff. Aus dieser Tendenz seines Lehrers erklärt sich, daß S. sich in den Komm. zu den ›Kategorien‹ und zu *De anima* ausdrücklich auf Schriften des Iamblichos stützt.

→ Damaskios; Neuplatonismus

Ed.: CAG VII, 1894; VIII, 1907; IX, 1882; X, 1885; XI, 1882 • I. Hadot (ed.), Simplicius, Commentaire sur le Manuel d'Épictète, 1996.

Lit.: 1 P. Huby, C. Steel (ed.), Priscian – On Theophrastus, On Sense-perception with »Simplicius« – On Aristotle, On the soul, 1997 (Übers.) 2 I. Hadot, Priscianus or Simplicius, in: Phronesis 54, 2001 3 Dies., Simplicius – Commentaire sur le Manuel d'Épictète, 1996 (Ed.) 4 Dies., Recherches sur les fragments du commentaire de Simplicius sur la ›Métaphysique‹ d'Aristote, in: Dies. (Hrsg.), Simplicius – Sa vie, son œuvre, sa survie (Actes du colloque international de Paris 1985), 1987, 225–245 5 P. Steinmetz, Die Physik des Theophrast (Palingenesia 1), 1964 6 M. Tardieu, Sabiens coraniques et »Sabiens« de Harran, in: Journal Asiatique, 274, 1986, 1–44 7 Ders., Les calendriers en usage à Harran d'après les sources arabes et le commentaire de Simplicius à la Physique d'Aristote, in: I. Hadot (Hrsg.), s. [4], 40–57 8 Ders., Les paysages reliques. Routes et haltes syriennes d'Isidore à Simplicius, 1990 9 R. Thiel, S. und das Ende der neuplatonischen Schule in Athen (AAWM, geistes- und sozialwiss. Kl. 8), 1999 10 K. Praechter, s. v. S., RE 3 A, 204–213 11 Ders., Richtungen und Schulen im Neuplatonismus, in: Genethliakon C. Robert, 1910, 105–156 12 I. Hadot, Le problème du néoplatonisme alexandrin: Hiéroclès et Simplicius, 1978 13 Dies., Simplicius – Commentaire sur le Manuel d'Épictète, 2001, XLV-LXXII 14 Dies. et al., Simplicius – Commentaire sur les Catégories I (Philosophia Antiqua 50), 1990. I. H.

Simpuvium (*simpulum*, *simpuium*). Schöpfkelle mit kurzem Stiel der röm. Priester und Vestalinnen, meist aus Ton (Plin. nat. 35,158); sie diente dazu, den für das → Opfer (mit Abb.) benötigten Wein auf die Opferschale zu gießen. *S.* sind verschiedentlich auf Mz. und Reliefs dargestellt. Im Alltag wurde das *s.* durch den langstieligen griech. *kýathos* ersetzt (Varro ling. 5,124).

E. Zwierlein-Diehl, Simpuvium Numae, in: H. A. Cahn (Hrsg.), Tainia. FS R. Hampe 1980, 405–422 (ebd. Anm. 58 und 69 zur Wortform *simpuium*). R. H.

Simylos (Σίμυλος).

[1] Dichter der Neuen → Komödie, war im Jahr 284 v. Chr. mit dem Stück Ἐφεσία (›Das Mädchen von Ephesos‹) an den Lenäen siegreich [1. test. 1]. Bei Pollux ist ferner die Komödie Μεγαρική (›Das Mädchen von Megara‹) erwähnt, die einer unsicheren Ergänzung der Liste der Dionysiensieger zufolge im J. 185 als »Alte Komödie« aufgeführt worden sein soll [1. test. 2]. Ebenfalls unsicher ist, ob zweieinhalb bei Theophilos von Antiocheia zitierte iambische Trimeter dem Komiker S. zuzuweisen sind [1. fr. 2] (vgl. S. [2]).

1 PCG VII, 1989, 591 f. T.HI.

[2] Ein Dichter, dem das Etym. gen. s.v. ἀργανθώνειαν (vgl. Etym.m. 135,26ff.) einen Hexameter und Plut. Romulus 17,6 zwei elegische Distichen über → Tarpeias Verrat des röm. Kapitols (nach S.' Version an die Kelten) sowie zwei weitere über Tarpeias Hinrichtung zuschreibt. Der Thematik nach lebte S. wohl nicht vor Augustus. Ob iambische Trimeter über die fünf Sinne (Stob. 1,51,1) und den Gegensatz zw. Natur und Kunst (Stob. 4,18a 4) von S. oder S. [1] stammen, ist unsicher.

SH 724–727. E.BO./Ü: RE.M.

Sin s. Mondgottheit

Sinai

[1] (Σινᾶ, Σινά, Σεινά, später auch Σιναΐ, lat. *Sina*; hebr. *sīnay*). Berg des Bundesschlusses zw. → Jahwe und Israel in gleichnamiger Wüste. Der S. ist v.a. im AT bezeugt, im NT erscheint Σινᾶ nur in Apg 7,30 bzw. 38 und Gal 4,2; die Etym. ist strittig. Verm. ist S. abzuleiten von der hebr. Wz. *sny*, »strahlen, leuchten« [1. 520[33]]. Oft kommt S. mit dem späteren Zusatz »Berg«, »Wüste« vor. Euseb. On. 172,9f. unterscheidet den S. vom Berg Horeb (Χωρήβ), für Hieronymus (ebd. 173,15f.) bezeichnen die zwei Namen denselben Berg. Die poetischen Belege für den S. im AT (Dtn 33,2; Ri 5,5; Ps 68,9; 68,18) deuten durch ihren theophanen Bezug auf eine erhöhte Region. Traditionell wird der Ǧabal Mūsā (2244 m) mit dem S. identifiziert. Die Elias-Grotte aus dem 4. Jh., die Identifizierung des S. mit Horeb und mit Ǧabal Mūsā bildeten die Voraussetzung für die Gründung des »Klosters der Verklärung« (auch Katharinenkloster) durch Kaiser Iustinianus (Prok. aed. 5,8) am Fuß des Ǧabal Mūsā.

1 J. Wellhausen, Prolegomena zur Gesch. Israels, ²1883 (Ndr. 1981) 2 R. Solzbacher, Mönche, Pilger und Sarazenen. Stud. zum Frühchristentum auf der südl. S.halbinsel, 1989. K.SA.

[2] (Σῖναι). Volk in Ostasien (Ptol. 1,17,5 und mehrfach in Ptol. 7,3) mit Hauptstadt *Thínai*, lat. *Thinae* (Ptol. 7,3,6, peripl. m. r. 64); auch Bezeichnung für Süd-China, das man vom Meer her aufsuchte, während Nord- und Ost-China von den zentralasiatischen Karawanenstraßen her als *Serica*, das Land der → *Seres*, oder »Seidenland« galt. S. und *Serica* wurden nie miteinander in Verbindung gebracht. Der Name S. stammt vom Namen der chin. Qin-Dynastie (3. Jh. v. Chr.), wahrscheinlich über das altind. Cīna.

→ China

J. Ferguson, China and Rome, in: ANRW II.9, 581–603. K.K.

Sinai-Inschriften s. Protosinaitische Schrift

Sinai-Schrift. Zwei lat. liturgische Codices des 9.–10. Jh., die erst Anf. der 60er Jahre des 20. Jh. in der Bibliothek des Katharinenklosters auf dem Sinai wiederentdeckt wurden, weisen eine beachtliche starke Ähnlichkeit mit der → Westgotischen Schrift sowie Einflüsse des arab. und byz. Buchwesens auf. Die Hss. entstammen verm. ein und demselbem → *scriptorium*, das oriental. Einflüssen ausgesetzt war, jedoch auch lat. Traditionen bewahrte. Dieses befand sich wohl in der syro-palästinensischen Region; eine Lokalisierung auf der Sinai-Halbinsel, die seit dem 7. Jh. unter islamischer Herrschaft stand, ist aber nicht auszuschließen. Eine dritte lat. liturgische Hs. desselben Klosters aus dem 9. Jh. ist in einer sehr eng gehaltenen und nach rechts geneigten Kursive geschrieben, die an die griech. Minuskel des Codex Vaticanus Graecus 2200 (und anderer griech. Mss. vom Sinai) erinnert.

B. Bischoff, Paläographie des röm. Alt. und des abendländischen MA, ²1986, 131–132 • E. A. Lowe, Palaeographical Papers 1907–1965, 1972, Bd. 2, 417–440, 520–545, 546–574. P.E./Ü: K.L.

Sinatrukes s. Sanatrukes [1]

Sindike (Σινδική). Urspr. wohl das gesamte Gebiet der Halbinsel und Inselgruppe Taman nördl. des Hypanis [1]/Bug (Ps.-Skyl. 72), benannt nach den → Sindoi; später trug wohl nur der südl. Teil der Halbinsel diesen Namen (Strab. 11,2,10). Die S. wurde aber auch von anderen Stämmen besiedelt, u.a. von Aspurgianoi (Strab. 11,2,11; 12,3,29). Die S. war ein landwirtschaftlich bed. Gebiet mit dichtem Siedlungsnetz. An den Küsten entstanden im 6. Jh. v. Chr. griech. Kolonien (Hermonassa, Apaturon). Die eigentliche Hauptstadt war Sindikos Limen (das spätere Gorgippeia), die auch S. genannt wurde (Mela 1,110). Ab Leukon [3] I. wurde die S. zum → Regnum Bosporanum gezogen, unterstand später Mithradates [6] VI., um in röm. Zeit wieder zum Regnum Bosporanum zu gehören (IOSPE 2,36).

V. F. Gajdukevič, Das Bosporanische Reich, 1971, 40–43, 71 f., 208, 226–229. I.v.B.

Sindoi (Σινδοί). Bevölkerung der → Sindike auf der Halbinsel Taman nördl. des Hypanis zw. Toretai, Dandarioi und Psessoi mit dem Hauptort Sindos (bzw. Sindikos Limen: Strab. 11,2,14; Ps.-Skymn. 888; vgl. Hdt. 4,28; Hellanikos FGrH 4 F 69). Ihre Kultur weist starke skythische Elemente auf. Durch intensive Beziehungen zum → Regnum Bosporanum wurden sie früh und intensiv hellenisiert. Seit dem 5. Jh. v. Chr. sind Könige und Mz. bekannt. Den von den S. vertriebenen König Hekataios inthronisierte Satyros [2] I. wieder und gab ihm eine Tochter in die Ehe (Polyain. 8,55). Unter Leukon [3] I. schlossen sich die S. dem Regnum Bosporanum an.

V. F. GAJDUKEVIČ, Das Bosporanische Reich, 1971, 59f., 71f., 226–229 • M. ROSTOVTZEFF, Skythien und der Bosporus, Bd. 2 (Historia ES 83), 1993, 78, 98f. (hrsg. von H. HEINEN) • A. DILLER, The Trad. of the Minor Greek Geographers, 1952, 130 • J. G. F. HIND, Greek and Barbarian Peoples on the Shores of the Black Sea, in: Archaeological Reports 30, 1983/84, 71–97, hier 90f.

I. v. B.

Singara (h. *Singār*), am Südrand des *Ǧabal Singār*, NW-Irak [1]. Der Ort wird erstmals in einem assyrischen Brief aus dem 9. Jh. v. Chr. als *māt Singara* genannt [2. 155f.] und gehörte zur Prov. Rasapa. Als wichtiger Schnittpunkt auf den Wegen vom oberen Ḫābūr zum Tigris und von → Nisibis nach → Ḥatra [1] ist S. auch in der → Tabula Peutingeriana als Singara vermerkt [2; 3]. E. des 2. vorchristl. Jh. war S. Teil der severischen Grenzlinie zw. al-Ḫābūr und Tigris (→ Limes VI.). Im 3. Jh. n. Chr. wurde S. kurzzeitig zur Colonia Aurelia Septima Singara; im 4. Jh. ist S. als Garnison der *Legio I Parthica* bezeugt, die 360 bei der Eroberung durch → Sapor [2] II. in Gefangenschaft geriet (Amm. 20,6, 1–9). Seine größte Ausdehnung erreichte S. unter den Atabeg-Fürsten von Mossul im 11./12. Jh. Arch. Forsch. ermittelten den größten Teil der Stadtmauer mit Türmen und einem Tor (4. Jh.) [3. Fig. 8–12].

1 P.-L. GATIER, T. SINCLAIR, Karte 3 D2; 89 D4, in: R. J. A. TALBERT, The Barrington Atlas of the Greek and Roman World, 2000 2 K. KESSLER, Unt. zur histor. Top. Nordmesopot.s, 1980 3 D. OATES, Stud. in the Ancient History of Northern Iraq, 1968, 97–106 4 J. WAGNER, Weltkarten der Antike, TAVO B S 1.2 Tabula Peutingeriana (Segmente VIII–XII nach der Bearb. von Konrad Miller), 1984 5 E. WEBER, Tabula Peutingeriana, 1976. H. J. N. u. J. RE.

Singidunum (Σινγίδουνον). Stadt an der Mündung des Savus in den Istros [2] (Ptol. 3,9,3; Itin. Anton. 132,1) mit Flußhafen, h. Belgrad/Serbien. Der Platz war seit dem Neolithikum besiedelt, später von den Römern besetzt, nach 86 n. Chr. Standquartier der *legio IV Flavia Felix*. S. lag in der Prov. Moesia Superior, wurde nach 169 *municipium*, 238 *colonia*. Die Inschr. (CIL III 1660; 6307f.; 6452; 14534[1]) nennen *ordo, duoviri, decurio, Augustalis*. Iustinianus [1] I. ließ S. befestigen (Prok. aed. 4,5,12–15), das seit dem 4. Jh. Bischofsitz war. S. geriet im frühen 7. Jh. unter die Herrschaft der Avares. In S. wurde der Kaiser Iovianus geb. (Ps.-Aur. Vict. epit. Caes. 44,1). Als arch. Reste erh. sind Lager, Zivilsiedlung, Nekropole; nachgewiesen wurde eine Ponton-Brücke über den Savus.

A. MÓCSY, Ges. und Romanisation in der röm. Prov. Moesia superior, 1970, 126–130. PI. CA./Ü: E. N.

Singos (Σίγγος). Stadt am nach ihr benannten Golf, auf dem Isthmos der → Sithonia beim h. Hagios Nikolaos. Nach ihrer Nennung während des Zuges des → Xerxes I. (Hdt. 7,122) erscheint sie in den Athener Tributquotenlisten mit meist zwei Talenten (ATL 1, 402f.). 432/1 v. Chr. fiel die Stadt von Athen ab und verlor den größten Teil ihrer Einwohner an → Olynthos. Nach Kämpfen in ihrem Gebiet (IG I^3 1184) wurde sie von den Athenern zurückgewonnen und im Nikias-Frieden von 421 (→ Peloponnesischer Krieg D.) für unabhängig erklärt (Thuk. 5,18,6). Weitere Nachr. fehlen.

M. ZAHRNT, Olynth und die Chalkidier, 1971, 226–229.

M. Z.

Singulares. S. waren röm. Soldaten, die höheren Offizieren als Ordonnanz dienten (P Oxy. 1022; CIL III 7334=ILS 2080); sie sind für die *officia* des → *praefectus praetorio*, der Tribunen der Praetorianer und der *cohortes urbanae*, der senatorischen Militärtribunen und der *praefecti* der → Reiterei belegt. Ein *singularis* des *praefectus praetorio* stand in der Rangordung unter dem → *tesserarius* und gehörte zu den → *principales*.
→ Equites singulares J. CA./Ü: B. O.

Sinis (griech. Σίνις, »Räuber«). Einer der Schurken, die von → Theseus auf ihre eigene bösartige Weise vernichtet werden (u. a. Bakchyl. 18,19–22): S., ein Sohn des Poseidon mit dem Beinamen *Pityokámptēs* (»Fichtenbieger«), ist ein Straßenräuber auf dem korinthischen Isthmos, der die Reisenden mit den Armen und Beinen an Fichten fesselt, die er zuvor heruntergebogen hat. Dann läßt er die Bäume in die Höhe schnellen, und die angebundenen Menschen werden auseinandergerissen. So stirbt er dann auch selbst nach dem Prinzip der → Talion. S. ZIM.

Sinnaces. Sohn des → Sūrēn → Abdagaeses, Zentrum einer Verschwörung gegen den Partherkönig → Artabanos [5] II. Auf sein Betreiben erwirkte eine parthische Gesandtschaft 35 n. Chr. bei Tiberius die Entsendung des Prinzen Phraates als Thronprätendenten. Nach dessen Tod wurde Phraates' Sohn oder Neffe → Tiridates als Nachfolger von L. Vitellius, dem Legaten von Syrien, im Partherreich eingesetzt. S. schloß sich Tiridates mit eigenen Truppen an (Tac. ann. 6,31f.; 6,36f.). S.' weiteres Schicksal ist unbekannt. M. SCH.

Sinnius Capito. Lat. Gelehrter des 1. Jh. v. Chr. Seine gelehrten Schriften waren Quellen u. a. für → Verrius Flaccus und → Gellius. Dazu gehören eine Abh. über Silben (das erste derartige lat. bezeugte Werk neben dem nicht erh. *Liber de litteris syllabisque*, das fälschlich dem Dichter Ennius [1] zugeschrieben wurde, Suet. gramm. 1,3), → Episteln philol. Inhalts (Gell. 5,20,2; 21,9f. erwähnt eine an den Gelehrten → Clodius [III 4] Tuscus und eine an Pacuvius Antistius [I 13] Labeo) und antiquarische Abh. (Lact. inst. 6,20 führt *Libri spectaculorum* (›Über Spiele‹) an; Hier. quaestiones Hebraicae in Genesim p. 15,10 LAGARDE erwähnt unter dem allgemeineren Titel *De antiquitatibus libri* Abh. offenbar geo- und ethnographischer Art).

GRF 457–466 · HLL Bd. 2, § 283. R.A.K./Ü: M.MO.

Sinon (griech. Σίνων, »Schädling«). In der griech. Myth. Sohn des Aisimos und Cousin des → Odysseus. Nach Verg. Aen. 2,57f. griech. Held im Troianischen Krieg. Er läßt sich, während die Griechen einen Rückzug vortäuschen, absichtlich von den Troianern gefangennehmen. Von König → Priamos verhört, gibt er sich überzeugend als einen Verwandten von Odysseus' Gegner → Palamedes [1] auf der Flucht vor Odysseus aus und bringt die Troianer dazu, eine Bresche in ihre Mauer zu schlagen, um das Troianische Pferd in die Stadt zu ziehen. S.ZIM.

Sinope (Σινώπη).
I. LAGE, FRÜHGESCHICHTE
II. KLASSISCHE BIS RÖMISCHE ZEIT
III. SPÄTANTIKE UND BYZANTINISCHE ZEIT

I. LAGE, FRÜHGESCHICHTE

Stadt an der Südküste des Schwarzen Meeres (→ Pontos Euxeinos) mit vorzüglichem Hafen, h. Sinop, gegr. im 7. Jh. v. Chr. am Ostrand eines weit ins Meer ragenden Landvorsprungs (nördlichstes Kap Anatoliens, h. Başkaya Burnu). Die archa. Besiedlungsgesch., schon in der Ant. uneinheitlich dargestellt (Ps.-Skymn. 986–997 D.: S. als thessalische → *apoikía*, von → Kimmerioi zerstört, Neugründung durch Miletos [2]; Hdt. 4,12: urspr. Kimmeriersiedlung; Xen. an. 6,1,15 und spätere Lit., vgl. Strab. 12,3,11: milesische Siedlung), konnten Ausgrabungen (1951–1953) nicht restlos klären; milesisches Erbe läßt sich immerhin in Kulten und Einrichtungen nachweisen [1. 57f.].

II. KLASSISCHE BIS RÖMISCHE ZEIT

S. war in klass. und frühhell. Zeit die bedeutendste Seehandelsstadt am Pontos Euxeinos (vgl. die Mengen gestempelter Amphorenhenkel). Handelspolit. bedingt war die Anlage verschiedener Sekundärgründungen wie → Kotyora, → Kerasus und → Trapezus. Waren aus Kleinasien, vom Kaukasos und der Chersonesos [2] (Krim) fanden in S. ihren wichtigsten Umschlagplatz zur Verschiffung ins Mittelmeer. Die Perser bemächtigten sich S.s im 4. Jh. v. Chr. (Polyain. 7,21,2), die Mithradatiden 183, die ihre Residenz hierher verlegten (Pol. 23,9,2; Strab. 12,3,11). Von der Königsherrschaft befreit wurde S. 70 v. Chr. (städtische Ära in Inschr. und auf Mz.). Pompeius, der hier 63 v. Chr. Mithradates [6] VI. bestatten ließ (App. Mithr. 113), gliederte S. der Teilprov. Pontus ein (→ Bithynia et Pontus), 46/5 v. Chr. siedelte Caesar die *colonia Iulia Felix* an (Strab. l.c.; Mz.). In der Kaiserzeit gewann S. wieder als Handelsstadt Bed. in Konkurrenz zu Herakleia [7], Amastris und Amisos. Aus S. stammten Diogenes [14], Diodoros [10], Dionysios [31] und → Markion.

1 N. EHRHARDT, Milet und seine Kolonien, 1983, 55–58.

D. M. ROBINSON, Ancient S., in: AJPh 27, 1906, 125–153, 245–279. C.MA.

III. SPÄTANTIKE UND BYZANTINISCHE ZEIT

Seit dem 4. Jh. n. Chr. gehörte S. zur Prov. Helenopontos (Suffraganbistum von → Amaseia), seit dem 7. Jh. zum Thema Armeniakon. Bezeugte Bischöfe sind u. a. Antiochos (451), Aelianus (457/8) und Pythagoras (518) [1. 286]. Abgesehen von kurzen Intermezzi (Seldschuken 1081, 1214) blieb S. stets im byz. bzw. trapezuntischen Reichsverband bis zur Eroberung durch die Osmanen 1461. Daß der Hafen weiterhin von Bed. war, erweist die Handelsmesse am Festtag des Hl. Phokas sowie die Präsenz it. Kaufleute (seit dem 13. Jh.).

1 R. SCHIEFFER, Acta conciliorum oecumenicorum 4,3,3, 1984 (Index-Bd.).

K. BELKE, s. v. S., LMA 7, 1931 · Ders., Paphlagonien und Honorias (TIB 9), 1996, 316 (Register) · A. BRYER, D. WINFIELD, The Byzantine Monuments and Topography of the Pontos, Bd. 1, 1985, 69–88 · C. F. W. FOSS, s. v. S., ODB 3, 1904 · W. RUGE, s. v. S. (1), RE 3 A, 252–255. E.W.

Sinos (Σίνος). Stadt in der → Bottike, nur aus den Athener Tributquotenlisten bekannt, wo sie zw. 434/3 und 421/0 v. Chr. viermal verzeichnet ist (ATL 1,406f.). Eine in Poteidaia gefundene Urkunde aus der Zeit des → Kassandros (Syll.[3] 332) nennt Ländereien im Gebiet der Sinaia.

M. B. HATZOPOULOS, Une donation du roi Lysimaque, 1988 · M. ZAHRNT, Olynth und die Chalkidier, 1971, 230f. M.Z.

Sintflutsage
I. ALTER ORIENT II. KLASSISCHE ANTIKE

I. ALTER ORIENT

Die S. ist in Mesopotamien in einer sumerischen und einer akkadischen Version erh.; die akkad. ist in Abschriften des 17. Jh. v. Chr. im → Atraḫasīs-Mythos (=A.-M.) [3. 612–645] überl. Sie wurde in weiten Teilen wörtlich in die 11. Tafel der ninivitischen Rezension des → Gilgamesch-Epos [3. 728–738] übernommen und ist später auch bei → Beros(s)os überl. [1. 20f.]. Das lärmende Verhalten der Menschen wird von den Göttern als Hybris empfunden und veranlaßt sie, die Menschheit durch eine große Flut bis auf einen Gerechten (Atraḫasīs, »Der überaus Weise«, im gleichnamigen Mythos, Utanapištī, »Ich habe mein Leben gefunden«, im Gilgameš-Epos) auszulöschen. Dieser Gerechte wird gewarnt, baut eine »Arche« und wird zusammen mit zahlreichen Tieren gerettet. Die große Flut gilt in der histor. Überl. (u. a. in der Sumerischen Königsliste) als urzeitlicher Epochentrenner [2. 42f.]. Wesentliche Erzählelemente der biblischen S. in Gn 6–8 (verm. im 6. Jh. v. Chr. entstanden) sind im babylonischen Exil mesopot. Vorbildern entnommen worden. Menschliche Verderbtheit gilt hier als Ursache für das Handeln

Gottes. Der A.-M. wie auch Gn 6–8 betten die S. in einen aitiologischen Kontext ein: Die vor der Flut unbegrenzte Lebenszeit der Menschen wird nach der Flut reduziert [4. 98 f.]. Die ungeminderte Fortpflanzung der Menschen wird u. a. durch eine hohe Kindersterblichkeit, für die die Dämonin Lamaštu (→ Dämonen) verantwortlich gemacht wird, hervorgerufen; daher wurden Tontafeln mit dem Text des A.-M. auch als → Amulett getragen. Wiederholte Versuche, die Sintflut arch. nachzuweisen, hatten bisher keinen Erfolg, wohl auch deswegen, weil sie den Charakter des zugrunde liegenden Mythos als Aitiologie verkennen.

1 S. M. Burstein, The Babyloniaca of Berossos, 1978
2 J. Renger, Vergangenes Geschehen in der Text-Überl. des alten Mesopot., in: H.-J. Gehrke, A. Möller (Hrsg.), Vergangenheit und Lebenswelt, 1996, 9–60 3 TUAT, Bd. 3
4 C. Wilcke, Weltuntergang als Anfang, in: A. Jones (Hrsg.), Weltende, 1999, 63–112. J. RE.

II. Klassische Antike

In der griech.-röm. Lit. ist die S. bes. mit → Deukalion und → Pyrrha [1] verknüpft, die, von → Prometheus gewarnt, der durch Zeus ausgelösten großen Flut entgehen und dann durch Steinwurf das Menschengeschlecht begründen (Epicharmos fr. 113–120 PCG; Pind. O. 9,41–56; Ov. met. 1,253–415; Apollod. 1,46–48). Übereinstimmungen mit orientalischen Texten (→ Atrahasis; → Gilgamesch-Epos; Gn 6–8; s.o. I.) weisen auf die Herkunft des Stoffes aus dem Orient hin, der verm. zuerst im griech. Epos → ›Titanomachie‹ übernommen wurde [1]. So zeigt die ant. S. die aus den oriental. Quellen bekannten Grundzüge [3. 489–493]: Der höchste Gott löst die Flut aus, um die Menschheit zu vernichten, und demonstriert so seine Macht. Trotzdem entkommt ein Mensch durch einen göttlichen Hinweis. Der Flutheros baut ein kistenförmiges Boot (*lárnax*), in dem er zusammen mit seiner Frau die durch Regen herbeigeführte Überschwemmung übersteht, bis sie beim Rückgang der Flut auf einem hohen Berg landen. Nach ihrer Rettung bringen sie ein Opfer dar. Von der at. Version (s.o. I.) unterscheidet sich die griech.-röm. S. dadurch, daß die Flut urspr. wohl regional begrenzt ist (Lokris, Thessalien) und außer dem Flutheros und seiner Frau weitere Menschen überleben (greifbar noch bei Apollod. l.c.; [2. 73–76]). Gleichwohl markiert die Flut eine Epochengrenze, da der Heros die Menschheit wiedererschafft und als Zivilisationsstifter fungiert. Auch das E. des Ehernen Geschlechtes wird mitunter auf die Flut zurückgeführt (Apollod. l.c.). Die griech.-röm. S. ist rein anthropozentrisch und ignoriert – anders als die des AT – die Tierwelt völlig.

In der Philos. ist die S. durch die periodische Wiederkehr solcher Katastrophen gekennzeichnet, die durch Vernichtung Zäsuren in der Menschheits-Gesch. bilden (Anaximand. 12 A 27; Xenophan. 21 A 33 DK; Aristot. meteor. 1,14,352a-b; Plat. Tim. 22c-e). Nach Platon [1] hat die erste und größte von ihnen den Staat Atlantis vernichtet (Plat. Kritias 110d–112a; Plat. Tim. 25c-d; → Okeanos).
→ Kulturentstehungstheorien; Naturkatastrophen

1 J. N. Bremmer, Near Eastern and Native Trad. in Apollodorus' Account of the Flood, in: F. García Martínez, G. P. Luttikhuizen (Hrsg.), Interpretations of the Flood, 1999, 39–55 2 G. A. Caduff, Ant. S., 1986
3 M. L. West, The East Face of Helicon, 1997. J. STE.

Sintoi (Σιντοί). Thrakischer Stamm am westl. Ufer des Strymon wohl zw. den Gebirgen Malaševska und Ogražden, evtl. auch etwas südlicher; westl. Nachbarn der illyrischen Dardanoi (Strab. 7a,1,36; App. Mithr. 55); westlichster Stamm des Reichs der → Odrysai (Thuk. 2,98,1: zum Feldzug des Sitalkes [1] 429 v. Chr. gegen Makedonia). Hauptort der S. war das noch nicht lokalisierte Herakleia Sintike (Diod. 31,8,8; Liv. 45,29,6). Die Sinties bei Hom. Od. 8,294 sind nicht mit den S. identisch.

T. Spiridonov, Istoričeska geografija na trakijskite plemana do 3.v.pr.n.e., 1981, 53 f., 119 • F. Papazoglou, Les villes de Macedoine à l'époque romaine, 1988, 366–368. I. v. B.

Sinuessa (Σινοέσσῃ). Stadt im Süden von Latium (Σενοεσανοί, Pol. 3,91,4; Strab. 5,2,1; 3,4–9; 4,3 f.; 6,3,7; Itin. Anton. 108,4; Tab. Peut. 6,3), im 3. Samnitenkrieg (→ Samnites) 296 v. Chr. als röm. *colonia maritima* im *saltus Vescinus* westl. des Mons Massicus am → Mare Tyrrhenum angelegt; Vorgängersiedlung soll eine griech. Stadt *Sinope* gewesen sein (Liv. 10,21,8; 22,14,4; Vell. 1,14,6; Plin. nat. 3,59). Bei Perticale sind Überreste erh.: Stadtbefestigung in pseudo-polygonalem Mauerwerk, Aquaedukt, Thermen (*aquae Sinuessanae* bei Bagnole, Liv. 22,13,10), Amphitheater, Hafenanlagen.

M. Pagano, S., storia e archeologia di una colonia romana, 1990 • Ders., Nuove osservazioni sulle colonie romane di Minturnae e S., in: Rendiconti dell'Accademia di Acheologia, Lettere e Belle Arti di Napoli 65, 1995, 51–71. M. M. MO./Ü: J. W. MA.

Sinuhe (äg. *zꜣ-nh.t*). Held einer äg. Erzählung, die allg. als Meisterwerk der äg. Lit. angesehen wird. Der Text ist in etlichen Papyri und Ostraka aus der Zeit von ca. 1800 bis 1100 v. Chr. überl. Das Original dürfte aus der Zeit → Sesostris' I. stammen. S. dient dem damaligen Kronprinzen Sesostris als Gefolgsmann. Auf der Rückkehr von einem Feldzug nach Syrien erfährt der Prinz vom Tod seines Vaters und bricht mit seinem Gefolge zur Residenz auf. S., der die Nachricht unbemerkt mitgehört hat, desertiert und flieht nach Vorderasien. Er wird von einem Stammesfürsten aufgenommen, zu dessen Schwiegersohn gemacht und steigt als Militärexperte auf. In einem siegreichen Zweikampf gegen einen lokalen Helden beweist er seine Tapferkeit. Nach Begnadigung durch den Pharao kann er nach Äg. zurückkehren und stirbt als angesehener Höfling. Stilistisch zeichnet sich der Text durch eine gekonnte Verbindung

eigentlich heterogener Sprechsitten zu einem überzeugenden Ganzen aus.
→ Autobiographie; Literatur II.B.

1 A. H. Gardiner, Notes on the Story of S., 1916
2 R. Koch, Die Erzählung des S., 1990 3 M. Lichtheim, Ancient Egyptian Literature, Bd. 1, 1973, 222–235. A.v.L.

Sinus Terinaeus (Τεριναῖος κόλπος). Nach der Hafenstadt → Terina benannte Bucht an der tyrrhenischen Küste von Bruttium (Thuk. 6,104,2; Plin. nat. 3,72; 95), h. Golfo di Sta. Eufemia. Evtl. identisch [1] mit dem *kólpos Napētínos* (Antiochos FGrH 555 F 3; 5), *Lamētikós* (Aristot. pol. 1329b) oder *Hippōniátēs* (Strab. 6,1,4).

1 G. De Sensi Sestito, Tra l'Amato e il Savuto, Bd. 1, 1999, 63–68, 214, 227–229. M.L.

Siphai (Σῖφαι). Boiotischer Hafenort am Korinthischen Golf (→ Boiotia, mit Karte). Im 5. Jh. v. Chr. von → Thespeia abhängiger Hafen (επίνειον/*epíneion*; Thuk. 4,76,2 f.; 77,1; 89,1 f.; SEG 24, 361), seit hell. Zeit autonomes Mitglied im Boiotischen Bund mit engen Beziehungen zu → Aigosthena (IG VII 207). In röm. Zeit wurde S. Τίφα/*Típha* genannt; die Bewohner bezeichneten sich als bes. seekundig (Paus. 9,32,4). Der Steuermann der → Argo, Tiphys, soll aus S. stammen (Apoll. Rhod. 1,105). Möglicherweise war Aphormion ein weiterer Hafenplatz in der Nähe von S. (Steph. Byz. s. v. Ἀφόρμιον). Reste der befestigten Stadtanlage sind südl. vom h. Aliki in der Bucht von Domvréna erh. [1]. Der Ort war seit myk. Zeit besiedelt [2] (vgl. Aristot. hist. an. 504b 32; Skyl. 38; Plin. nat. 4,8; Ptol. 3,15,5; Steph. Byz. s. v. Σ.; Hesych. s. v. Σίφα).

1 E.-L. Schwandner, Die Böotische Hafenstadt S., in: AA 1977, 513–551 2 Fossey, 167–176.

K. Freitag, Der Golf von Korinth, 2000, 159–164. K.F.

Siphnos (Σίφνος). Westliche Insel der → Kykladen (89 km²; Strab. 10,5,3; Ptol. 3,15,30; Plin. nat. 4,66; 36,159), bis 696 m ansteigend (Prophitis Elias), bes. im Süden und Westen buchtenreich; reich an Schiefer und Marmor, Vorkommen von Gold, Silber, Eisen, Blei; h. ebenfalls S. Poetische Beinamen: *Merópē* bzw. *Meropía* und *Acis* (Steph. Byz. s. v. Σ.; Plin. nat. 4,42). Ab dem 3. Jt. v. Chr. Siedlungsspuren; Silber und Bleiglanz wurden in frühkykladischer Zeit abgebaut (frühkyklad. Siedlung südl. von Apollonia, in myk. und erneut in geom. Zeit befestigt); um 1000 v. Chr. wurde S. von Iones aus Attika besiedelt (Hdt. 8,48). Die ant. Polis, seit dem 8. Jh. v. Chr. nachgewiesen, lag an der Ostküste beim h. Kastro; Mauerzug (4. Jh. v. Chr.) und weitere Reste erh. Im 6. Jh. v. Chr. galt S. als die reichste der Kykladen (Schatzhaus in → Delphoi 530/525 v. Chr.: Hdt. 3,57 f.; Paus. 10,11,2). Mz.-Prägung ab dem 6. Jh. v. Chr. nachgewiesen, bezeugt u. a. Kult des → Apollon. S. widersetzte sich den Persern und nahm 480 v. Chr. an der Schlacht bei Salamis [1] teil (Hdt. 8,46; 48; Syll.³ 31 Z. 32). S. war Mitglied im → Attisch-Delischen Seebund (vgl. ATL 1,406 f.), ab 375 im → Attischen Seebund (Syll.³ 147 Z. 126). Seit dem 4. Jh. v. Chr. waren die Bergwerke z. T. erschöpft, an der NO-Küste (Hagios Sostis) überflutet. Unter Alexandros [4] d.Gr. war S. Flottenstation (Arr. an. 2,2,4; 2,13,4). Arch.: Ant. Siedlungsreste auch im SW und Westen; Wachttürme zum Schutz gegen Seeräuber im NO, SO, SW (vgl. Diod. 31 fr. 56); röm. Grabfunde. Inschr.: Syll.³ 153, Z. 12 f. und 113; 294; 359; IG IV, 839; XII 5, 480–508; Suppl. 227–230. Mz.: HN 491.

N. G. Ashton, S. Ancient Towers, 1991 • Philippson/Kirsten 4, 76–79 • A. G. Troullos, S., 1976 • G. A. Wagner, G. Weisgerber (Hrsg.), Silber, Gold und Blei auf S., 1985 • H. Kaletsch, s. v. S., in: Lauffer, Griechenland, 619 f. A.KÜ.

Siphon (Druckrohrleitung) s. Wasserversorgung

Sipontum. Stadt an der adriatischen Küste südl. des Berges Garganus, h. Siponto. Daunischen Ursprungs, nach Strab. 6,3,9 Gründung des Diomedes [1], 330 v. Chr. von Alexandros [6] besetzt (Liv. 8,34), 194 v. Chr. röm. *colonia* (Liv. 34,45), 185 v. Chr. neuerliche Deduktion (Liv. 39,23). Bed. Getreidehandelshafen (Cic. Att. 16,7,1; Strab. 6,3,9). Reste der Stadt wurden in zwei verschiedenen Zonen gefunden: Die vorröm. Zeit (10.–3. Jh. v. Chr.) ist im Gebiet von Cupola-Beccarini dokumentiert, die röm. und ma. Zeit bei der Kirche S. Maria di Siponto. Arch.: Zahlreiche Stelen (Graffiti und Dipinti) aus der Eisenzeit; aus röm. Zeit stammen die mauerumgebene Stadtanlage sowie bauliche und inschr. Zeugnisse, vornehmlich aus dem 1. Jh. v. Chr./Anf. des 1. Jh. n. Chr. Reste einer frühchristl. Basilika, spätant. Hypogäen außerhalb der Stadtmauern.

BTCGI 7, 47–50 (s. v. Cupola) • M. Mazzei, s. v. Siponto, EAA Suppl. 5 (1997), 270 f. M.G./Ü: H.D.

Sippar, voller Name S.-Jaḫrurum [1; 2], h. Abū Ḥabba. Eine der bedeutendsten Städte Nordbabyloniens, die in der sumerischen → Königsliste unter die Städte »vor der Sintflut« gerechnet wird; Hauptkultort des → Sonnengottes Šamaš. Die Anfänge gehen in das 4. vorchristl. Jt. zurück, die Blütezeit fällt in das 2. und 1. Jt. Als S. kann auch die nahe gelegene Zwillingsstadt S.-Amnānum (h. Tall ad-Dair) bezeichnet werden. Reiche Textfunde aus der 1. H. des 2. Jt. und aus dem 7./6. Jh. v. Chr. ergänzen die Ergebnisse der Grabungen des 19. Jh. und späten 20. Jh. Von außerordentlicher Bed. ist die 1985 in S. entdeckte Bibl., in der Hunderte von Tontafeln des 6. Jh. v. Chr. noch in den aus Wandnischen gebildeten »Regalen« standen. Es sind zum großen Teil Abschriften älterer lit. und histor. Keilschrifttexte.

1 H. Gasche, C. Janssen, s. v. S., in: E. M. Meyers (Hrsg.), Oxford Encyclopedia of Archaeology in the Near East, Bd. 5, 1997, 47–49 2 L. de Meyer (Hrsg.), Tell ed-Der, Bd. 1, 1971; Bd. 2, 1978; Bd. 3, 1980; Bd. 4, 1984. H.J.N.

Sipylos (Σίπυλος). Gebirgszug in Lydia (h. Manisa Dağı), der sich zw. dem Hermos [2] und Smyrna ca. 30 km landeinwärts erstreckt. Auf dem S. vermutet man den Saloë-See, in dem die Stadt S. sowie deren Vorgängerin Tantalis untergegangen sein sollen (Plin. nat. 2,205; 5,117; Paus. 7,24,13; → Tantalos). Etwa 100 m über dem Tal des Hermos am S. befindet sich neben zwei hethit. Graffiti eine Felsskulptur, deren Deutung seit der Ant. diskutiert wird [1].

1 B. André-Salvini, M. Salvini, Fixa cacumine montis, in: H. Gasche, B. Hrouda (Hrsg.), Collectanea Orientalia, 1996, 7–20. E.O.

Šiqlu. Akkad. Wort für ein altorientalisches Gewicht, daraus abgeleitet der hebr. Begriff Schekel und → *síglos*, 1/60 der *manû* (→ Mina [1]) bzw. 1/3600 *biltu* (→ Talent), ab dem 3. Jt. v. Chr. durch Hunderte von Rechnungen in der keil-inschr. Lit. belegt. Im mesopotamischen Gewichtssystem wog die Mine 499,98 g, der *š.* 8,333 g [3. 510], für ca. 738 v. Chr. ist in Iudaea und Samaria ein Schekel von 11,4 g belegt [1. 612], der dem phoinikischen entspricht [2. 21]. Die Perser übernahmen das babylon. System, unter Dareios [1] I. wurden die Mine auf 504 g, der *š.* auf 8,40 g erhöht. Der neue Standard ist aus Herodot (3,89) zu erschließen, wonach zur Perserzeit 1 babylon. Talent 70 euböischen (d. h. attischen) Minen entsprach [1. 623]. Erh. Gewichte fallen tatsächlich etwas leichter aus [1. 624]. In Gold wurde der *š.* als → *dareikós* ausgemünzt. Das att. → Tetradrachmon wurde als 2 *š.* gerechnet und erlangte im Achaimenidenreich weite Verbreitung [1. 615 f.]. Zu *š.* als Silber-Mz. vgl. → *síglos*. Wie oft bei altorientalischen Gewichten, kommt ab spätassyrischer Zeit (7. Jh. v. Chr.) die Mine und damit auch der *š.* mit doppeltem Gewicht unter gleichem Namen vor (16,66 g). Epiphanios bestimmt den hebräischen Gewichts-Schekel als 1/4 röm. → *uncia* =6,66 g (weitere Stellen: [4. 2317 f.]).
→ Geld

1 A. D. H. Bivar, Achaemenid Coins, Weights and Measures, in: The Cambridge History of Iran, Bd. 2, 1985, 610–639 2 J. und A. G. Elayi, Recherches sur les poids phéniciens, 1997 3 M. Powell, s. v. Maße und Gewichte, RLA 7, 457–530 4 K. Regling, s. v. Siglos, RE 2 A, 2316–2322. DI.K.

Sirach (Σοφία Σιραχ). Das apokryphe Buch ›Jesus S.‹ (hebr. *Ben Sîrâ*), eines der bedeutendsten Werke der → Weisheitsliteratur, wurde von einem Jerusalemer jüd. Schriftgelehrten S. um 190 v. Chr. auf Hebräisch verfaßt und später von seinem Enkel ins Griech. übersetzt (vgl. Vorrede). Die ältesten hebr. Fr. wurden in → Qumran und → Masada gefunden; zwei Drittel des hebr. Textes entdeckte man in Hss. der Kairoer → Geniza. Obwohl von der jüd. Trad. nicht in den Kanon aufgenommen, wird S. im Talmud (→ Rabbinische Literatur) wie ein kanonisches B. zitiert.

S. besteht aus einzelnen Weisheitssprüchen, die sich – ohne deutliche Gliederung – auf ganz unterschiedliche Themen beziehen: Gottesfurcht; Geduld, Selbstbeherrschung; Pflicht gegenüber Eltern; Demut; Liebe zu den Armen; Gefahren des Reichtums; Warnung vor der fremden Frau; richtiges Herrschen. Das Ideal des Weisen, der seine gesamte Existenz der Tora widmet (39,1–11), verbindet sich mit Hochschätzung des Kultes und der Priester (45,6 ff.; 50,1–21). Eine Einheit stellt der Lobpreis der Väter (44,1–50,26) dar, in dem in einer Art Geschichtsrückblick die großen Gestalten der biblischen Gesch. von → Henoch bis → Nehemia genannt werden. Dem ist ein Lobpreis auf den Hohenpriester Simon angefügt (50). Eine bed. Rolle für das Handeln spielt – wie bereits in der frühen Spruchweisheit – der Lohngedanke (vgl. u. a. 1,13 ff.; 2,7 ff.; 7,1 ff. u. ö.; vgl. dagegen die sog. »Krise« der Weisheit in → Qohelet). Ideengeschichtlich relevant ist die Ineinssetzung von Weisheit und Tora (24), die die Universalität der Tora unterstreicht. S. betont außerdem die Vollkommenheit, Zweckmäßigkeit und Vernunftgemäßheit der Schöpfung (39,24–34). S.s Ausführungen zeigen einerseits den deutlichen Einfluß griech. → Popularphilosophie und Gnomik (→ *gnṓmē*); mit seiner Betonung der Torafrömmigkeit scheint er sich aber gegen die zunehmende Hellenisierung Judas und Jerusalems zu richten: Der Bewunderung der griech. Kultur setzt er mit dem Lob der Väter die ruhmreiche Gesch. seines eigenen Volkes entgegen.

M. Hengel, Judentum und Hellenismus, 1988, 241–275 • J. Marböck, s. v. S./S.buch, TRE 31, 307–317 (Lit.) • G. Sauer, Jesus S., 1981. B.E.

Sirakoi (Σιρακοί lat. *Sirachi*). Sarmatischer Stamm, der zw. den Maiotai und Thateoi das Steppengebiet im Westen des Kaspischen Meers bewohnte (Mela 1,114). Unter ihrem König Ariphanes unterstützten sie Eumelos [4] gegen seine Brüder (Diod. 20,22: hier ist statt Θρᾷκες besser Σ. zu lesen). Nach der Zeitenwende breiteten sich die S. nach Süden aus, wo sie am Hypanis [1] bezeugt sind (Ptol. 5,9,17: Σερακά). Ihre Reiterei unterstützte Pharnakes [2] II. (Strab. 11,5,8) sowie unter ihrem König Zorsines im J. 49 n. Chr. Mithradates [9] VIII. gegen Kotys [II 1] und C. Iulius [II 16] Aquila. In diesen Auseinandersetzungen fiel ihre Stadt Uspe (Tac. ann. 12,15–21; zur Lage der Stadt vgl. [1]). Im 2. und 3. Jh. n. Chr. waren sie unter den stärksten sarmatischen Stämmen, die immer wieder das → Regnum Bosporanum in Unruhe versetzten (IOSPE 2,423).
→ Sarmatai

1 H. Treidler, s. v. Uspe, RE 9 A, 1092 f.

V. F. Gajdukevič, Das Bosporanische Reich, 1971, 85 f., 324, 342, 356. I.v.B.

Sirbonis (Σιρβωνὶς λίμνη/*Sirbōnís límnē*). Strandsee östl. von → Pelusion an der NO-Grenze Äg.s, nur durch schmalen Landstreifen vom Mittelmeer getrennt, westl. vom Berg → Kasion begrenzt, nach Strabon (16,2,32; 16,2,42) 200 Stadien lang und 50 Stadien breit und ziemlich tief. Der See war angeblich aufgrund von Versumpfung (vgl. Diod. 1,30; 16,46) und Seebeben (Strab. 16,2,26) gefährlich. K.J.-W.

Sirenen (Σειρῆνες/*Seirḗnes*; lat. *Sirenes, Sirenae*).
I. MYTHOLOGIE II. IKONOGRAPHIE

I. MYTHOLOGIE

S. sind Fabelwesen (im Mythos weiblich) aus dem Umfeld der ant. Seefahrermärchen (der früheste Beleg – freilich ohne Kontext – reicht in myk. Zeit zurück [1]). Ihr verlockender Gesang läßt die Seefahrer die Heimat vergessen (vgl. → Lotophagen) und dahinsterben. Von → Kirke instruiert, überlistet → Odysseus die S.: Seinen Gefährten schmiert er mit Wachs die Ohren zu und läßt sich mit der Anweisung an den Mast binden, ihn unter keinen Umständen loszubinden. Der Lockruf der S. – sie versprechen ein Lied über Troia, Odysseus' größte Tat, und Allwissenheit – verhallt nicht ungehört, aber wirkungslos (Hom. Od. 12,39–54; 12,158–200). In der Argonauten-Sage (→ Argonautai) werden die S. nicht überlistet, sondern von → Orpheus buchstäblich »übersungen« (Apoll. Rhod. 4,891–919; 4,1264–1290). In welchem Verhältnis die beiden Sagenvarianten zueinander stehen, ist umstritten (zuletzt [2], mit Lit.). Daß die S. wegen der Niederlage Selbstmord begehen, findet sich lit. nicht vor dem Hell. (Lykophr. 714). Die frühen Quellen äußern sich gar nicht oder nur vage zu Aussehen (Mischwesen aus Vogel und Mensch zuerst auf Bilddarstellungen (s. II.), danach Apoll. Rhod. 4,898 f.), Abstammung (Soph. fr. 861 TrGF nennt als Vater → Phorkys [1]) und Anzahl (zwei: Hom. Od. 12,52; drei: Hes. cat. 27; acht: Plat. rep. 617b). Für Vergleiche mit Sängern (Hom. Od. 12,183–196) und den → Musen (Alkm. fr. 30 PMGF) sind die S. durch ihren bestrickenden Gesang prädestiniert. Von dort ist es nur ein Schritt zu den S. als Chiffre für Verführung (Plat. symp. 216a; Alexandros [21] Aitolos Fr. 7 CollAlex), oft mit negativer Färbung. In der röm. Lit. gibt es keine längere zusammenhängende Darstellung außer Ov. ars 3,311–314; Mart. 3,64.

1 H. MÜHLESTEIN, S. in Pylos, in: Glotta 36, 1957, 152–166 2 G. DANEK, Epos und Zitat, 1998, 252–255.

G. WEICKER, s. v. S., ROSCHER 4, 601–639 • A. HEUBECK et al., A Commentary on Homer's Odyssey, Books 9–16, 1989, 118–120 (mit Lit.). RE.N.

II. IKONOGRAPHIE

In den Darstellungen Mischwesen aus Vogel und Mensch, in den ältesten – seit dem 2. Viertel des 7. Jh. – manchmal männlich, sogar bärtig (v. a. in der korinthischen Kleinkunst [4; 5. 1103; 6; 7]). Die S. gehören zu den schwer faßbaren dämonischen Mächten, die in der Frühzeit ohne konkret mit ihnen verbundenen Mythos einzeln oder antithetisch auf zahlreichen Vasen erscheinen [7]. Nach der Mitte des 6. Jh. tritt der Vogelkörper zurück, erscheinen weibl. Brust und Arme, mit denen Instrumente, Fächer, Granatäpfel gehalten werden. Durch den → Polos [3], Ranken, Pflanzen oder dionysische Szenen wird Fruchtbarkeit angedeutet [5. 1103]. Auf zahlreichen Vasen und auf Grabmonumenten sind S. aber als Todesdämonen dargestellt [2. 36 f.; 3; 4. 243–248; 5. 1099 Nr. 73]. Darstellungen des S.-Abenteuers des → Odysseus beginnen auf Vasen etwa hundert Jahre nach Abfassung des Epos [1. 288–302] und sind auch auf röm. → Sarkophagen beliebt [8. 172–176, 253].

Das Dämonisch-Bedrohliche verschwindet E. 5. Jh. v. Chr., als die musizierende oder klagende S. als schöne Frau mit Vogelattributen zur typischen Figur des klass. Grabbezirks wird, freiplastisch wie auf Grabreliefs [4. 151–186; 11. 134–140; 12. 91–99]. Diese Helferinnen und Ausführenden der Totenklage sind auch im Hell. verbreitet; sie werden oft paarweise dargestellt, bekleidet wie nackt; sie werden in der röm. Wandmalerei und provinzialröm. Plastik aufgegriffen.

In der christl. Spätant., im MA und in der Neuzeit symbolisiert die S. die Verlockungen der Welt (oft als Gegenstück zum posauneblasenden Engel) [10].

1 B. ANDREAE, Odysseus. Mythos und Erinnerung (Kat. Ausstellung München), 1999 2 E. BUSCHOR, Die Musen des Jenseits, 1944 3 H. GROPENGIESSER, Sänger und S., in: AA 1977, 585–610 4 E. HOFSTETTER, S. im archa. und klass. Griechenland, 1990 5 Dies., s. v. S., LIMC VIII 1, 1997, 1093–1104 6 U. KOPF-WENDLING, Die Darstellung der S. in der griech. Vasenmalerei des 7., 6. und 5. Jh. v. Chr., 1989 7 E. KUNZE, S., in: MDAI(A) 57, 1932, 124–141 8 H.-I. MARROU, Mousikós anér, 1938 9 J. POLLARD, Birds in Greek Life and Myth, 1977 10 W. SALMEN, Musizierende S., in: F. KRINZINGER (Hrsg.), Forsch. und Funde. FS B. Neutsch, 1980, 393–399 11 U. VEDDER, Unt. zur plastischen Ausstattung att. Grabanlagen des 4. Jh. v. Chr., 1985 12 D. WOYSCH-MÉAUTIS, La représentation des animaux et des êtres fabuleux sur les monuments funéraires grecs, 1982. B.BÄ.

Sirikios (Σιρίκιος; lat. *Siricius*). Sophist des 4. Jh. n. Chr. aus Neapolis [11] in Palaestina, Schüler des Andromachos (vgl. [1]). S. lehrte einige Zeit in Athen und verfaßte *Progymnásmata* und *Melétai* (Suda, s. v. Σιρίκιος; Nikolaos von Myra, *Progymnásmata*, in: [2]).

1 L. COHN, s. v. Andromachos [20], RE 1.2, 2154 2 SPENGEL 3, 465 (Kap. 4). SI.A.

Šīrīn (Σιρή). Persische Märtyrerin, † 559 n. Chr. S. war die Tochter eines angesehenen pers. Magiers, die nach ihrer Konversion zum Christentum unter dem Perserkönig → Chosroes [5] I. öffentlich durch Erhängen hingerichtet wurde.

P. DEVOS, Saint Šīrīn Martyr Khosrau Ier Avrošarvan, in: Analecta Bollandiana 64, 1946, 87–131. K.SA.

Siris (Σῖρις). Stadt nördl. der Mündung des gleichnamigen Flusses (h. Sinni) beim h. Policoro in den Ionios Kolpos (Golf von Tarent), mit fruchtbarem Umland (Archil. fr. 18 D.; Timaios FGrH 566 F 51 f.; Aristot. fr. 584 R.). Mythische Gründung durch Troianer, histor.

Gründung über einer epichorischen Vorgängersiedlung um 670 v. Chr. durch Kolophon (unter dem Namen Polieion: Strab. 6,1,14). S. wurde um die Mitte des 6. Jh. v. Chr. von einer Koalition achaiischer Kolonien zerstört (Lykophr. 978–992; Iust. 20,2,3–9). Arch., numismat. und lit. Quellen legen aber ein Überdauern des Stadtzentrums von S. nahe (Hdt. 8,62,2; Strab. l.c.). Darüber entstand 433 v. Chr. Herakleia [10], die Kolonie von Taras und Metapontion, für die S. als Hafenstadt fungiert haben soll. Reste des Stadtzentrums von S. wurden auf dem Hügel Policoro lokalisiert. Nekropolen lassen auf ein Nebeneinander von Griechen und Einheimischen schließen. Verbindungen zu Kleinasien sind faßbar im Kult der Athena Ilias und des Kalchas (Lykophr. 979–983). An den Hängen des Hügels Castello finden sich Spuren eines chthonischen Heiligtums.

A. DE SIENA (Red.), S.-Polieion, 1986 • S. e l'influenza ionica in Magna Grecia (Atti del 20. convegno di studi sulla Magna Grecia, 1980), 1987 • L. MOSCATI CASTELNUOVO, S., 1989 • G. CAMASSA, I culti delle poleis italiote, in: V. MARCHI (Red.), Storia del Mezzogiorno, Bd. 1, 1991, 467–471 • E. GRECO (Hrsg.), Siritide e Metapontino, 1998. A. MU./Ü: H. D.

Sirius s. Sternbilder

Sirmio. Ortschaft und Halbinsel im Süden des → Lacus Benacus (Catull. 31; Paulus Diaconus, Historia Langobardorum 3,31: *Sermiana*), h. Sirmione am Gardasee. Nachgewiesen sind auf der Halbinsel Pfahlbausiedlungen aus der Brz. In S. besaß Catullus [1] eine Villa, die aber wohl nicht identisch ist mit »Le Grotte di Catullo«, einer Villa vom Anf. des 1. Jh. n. Chr. mit → Wandmalereien (Anklänge an den 3. Pompeianischen Stil); weiter südl. davon dürfte die Straßenstation S. an der Straße von Brixia nach Verona gelegen haben (Itin. Anton. 127,12).

R. BOSCHI, Sirmione, 1987 • E. ROFFIA, Nuove richerche sulla villa romana di Sirmione, in: Archeologia e architettura romanica nel Basso Garda bresciano, 1991, 7–18 • N. CRINITI (Hrsg.), Società e cultura della »Cisalpina« tra tarda antichità e altomedioevo, in: Giornata Catulliana di Sirmione, 1995 • TIR L 32 Mediolanum, 1966, 124. M. M. MO./Ü: J. W. MA.

Sirmium. Pannonische Stadt mit Hafen am Savus im NW von → Singidunum, h. Sremska Mitrovica. Um S. lebten die einheimischen Amantini (vgl. App. Ill. 63 für die Zeit vor der röm. Eroberung 35 v. Chr.: ›Sie bewohnen nicht Städte, πόλεις, sondern Äcker oder Dörfer in Familienverbänden, κώμας κατὰ συγγένειαν; sie gingen nicht in gemeinsame Versammlungen und hatten auch keine Oberbeamten‹). Unter den Flaviern war S. *colonia, tribus Quirina* (CIL III 4991); inschr. bezeugt sind *duumviri, decurio, ordo, quaestor*. Kaiserresidenz war S. unter Licinius [II 4]. In S. wurde Decius [II 1] geb., Claudius [III 2] II. starb hier 270 n. Chr. an der Pest, Probus [1] wurde hier geb. und 282 ermordet. Arch. Überreste von Kaiserpalast, Hippodrom, zwei großen Nekropolen, einem *horreum* (»Speicher«), kaiserlichen Bädern sind erhalten.

A. MÓCSY, Die Bevölkerung von Pannonien, 1939, 77–97 • M. MIRKOVIĆ, S., 1971 • TIR L 34, Aquincum – Sarmizegetusa – Sirmium, 1968, 103 • V. POPOVIĆ (Hrsg.), S., 2 Bde., 1971/2. PI. CA./Ü: E. N.

Siron (Σίρων). Epikureischer Philosoph, 1. Jh. v. Chr.; lebte und lehrte in Neapolis. Nur aus spärlichen Zeugnissen [1] bekannt. Es ist unsicher, ob er überhaupt schrieb. S. war ein Bekannter des → Philodemos (fr. 1) und Freund des → Cicero (fr. 2–5). Sein zweifellos berühmtester Schüler war der röm. Dichter → Vergilius, der in seiner Jugend bei ihm epikureische Philos. studierte und ihm Zeit seines Lebens verbunden blieb (fr. 6–13).

1 M. GIGANTE, I frammenti di Sirone, in: Paideia 45, 1990, 175–198. T. D./Ü: J. DE.

Sirona. Keltische Quell- und Heilgöttin, Kultgenossin des → Apollo Grannus. Neun epigraphisch gesicherte Einzelweihungen an (überwiegend *Dea*) S. stehen derzeit 15 Votiven für Apollo (Grannus) und S. gegenüber. Auf die Funktionen der S. deutet ferner bei den kaiserzeitlichen Darstellungen die ikonographische Übernahme des Attributs der um den Arm gewundenen Schlange von → Hygieia/→ Salus ebenso wie zweite Bildtyp mit Zweig oder Früchten sowie die Fundstätten der Votive an (heilkräftigen) Quellen bzw. in Kurorten. Die inschr. Votive für S. allein finden sich außer in Gallia Belgica und Germania superior vereinzelt in Gallia Celtica, Aquitania und Lugdunensis. Die Apollo/S.-Votive dringen dagegen nicht bis in den Westen Galliens vor, sind aber zudem in Raetien, Noricum, Pannonien, Dakien sowie einmal in Rom belegt.

A. M. NAGY, s. v. S., LIMC 7.1, 779–781 (Lit.). M. E.

Siscia. Röm. Siedlung in → Pannonia Superior (*Sicce*, Geogr. Rav. 4,20; Σεγεστική/*Segestikḗ*, Strab. 7,5,2) am Zusammenfluß von Colapis (h. Kulpa) und Savus (h. Sava), h. Sisak/Kroatien. Das Gebiet war schon in vorröm. Zeit besiedelt. 35 v. Chr. geriet es unter röm. Herrschaft. Im 1. Jh. n. Chr. war hier bis 42/3 die *legio IX Hispania* stationiert. Unter Vespasianus wurde S. zur *colonia* erhoben, unter Septimius [II 7] Severus als *colonia Flavia Septimia* bezeichnet. Als Beamte werden → *decurio* [1], → *duoviri*, → *praefectus*, *flamen* (→ *flamines*) und *Augustalis* [1] inschr. erwähnt. S. hatte Straßenverbindung nach → Emona, → Poetovio und → Sirmium. Der Flußhafen wurde wirtschaftlich und mil. genutzt. Erh. haben sich Reste von Gebäuden, einer Wasserleitung, Keramik- und Metallwarenerzeugung sowie Inschr. und Mz. Auch in der Spätant. war S. bedeutend als Mz.-Stätte und Stützpunkt der Flußflotte.

TIR L 33 Trieste, 1961, 67 (Quellen und Lit.) • J. ŠAŠEL, s. v. S., RE Suppl. 14, 702–741. J. BU.

Sisenna
I. Leben II. Werke

I. Leben
L. Cornelius S., aus senatorischer Familie wohl etr. Herkunft, geb. spätestens 118 v. Chr., leistete (wohl unter → Cornelius [I 90] Sulla) Militärdienst im Bundesgenossenkrieg. Ob er in den 80er J. in Rom (so [2]) oder mit Sulla im Osten war [3. 215], ist ungeklärt. Praetor 78 [7. 22], wahrscheinlich anschließend Statthalter Siziliens (Cic. Verr. 2,2,110: MRR 2, 90); 70 an der Verteidigung des → Verres beteiligt (Cic. Verr. 2,4,43); er führte 67 als Legat des Cn. → Pompeius [I 3] im Seeräuberkrieg das Kommando in Griechenland (App. Mithr. 95,435) und erlag auf Kreta einer Krankheit (Cass. Dio 36,19,1).

II. Werke
S. war ein tüchtiger, aber kein hervorragender Redner (Cic. Brut. 228; leg. 1,7). Wegen Ov. trist. 2,443 f. schreibt man ihm eine lat. Übers. der *Milēsiaká* des → Aristeides [2] zu (skeptisch [6. 331–333]). Allg. anerkannt war sein zeitgesch. Werk (*Historiae*) in mehr als 13 B. über den Bundesgenossenkrieg, die Herrschaft der Marianer und die Diktatur Sullas, von dem ca. 140 (meist sehr kurze) Fr. erh. sind. Letztes datierbares Fr.: HRR 1, 295, Nr. 132 zum Nov. 82 v. Chr., aber das Werk reichte wohl bis 79/8, so daß die *Historiae* des → Sallustius [II 3] unmittelbar anschlossen. Die detailreiche Darstellung berücksichtigte mil. Ereignisse ebenso wie Innenpolitik und bediente sich der dramatischen Mittel der hell. Historiographie (Träume; → Reden); Cicero (leg. 1,7) kritisiert die einseitige Anlehnung an → Kleitarchos [2]. Die Sprache verbindet vorklass. Vielseitigkeit mit Einflüssen mod. *doctrina* (analogistische Formen und Neologismen; rhet. Figuren in Reden). Die prosullanische Haltung (Sall. Iug. 95,2) beeinträchtigte die Wertschätzung des Werkes nicht. Nach Cicero (Brut. 228) übertraf S. alle Vorgänger; er wurde benutzt von Sallust und → Livius [III 2] (Liv. per. 79; s. HRR 1, S. 294 Nr. 129). Die Archaisten der Kaiserzeit griffen natürlich auf ihn zurück (Tac. dial. 23,2; Gell. 12,15,1).

1 E. Badian, The Early Historians, in: T. A. Dorey (Hrsg.), Latin Historians, 1966, 25 f. 2 Ders., Where was S.?, in: Athenaeum 42, 1964, 422–431 3 E. Candiloro, Sulle Historiae di L. Cornelio S., in: Studi Classici e Orientali 12, 1963, 212–226 4 P. Frassinetti, S. e la guerra sociale, in: Athenaeum 50, 1972, 78–113 5 W. D. Lebek, Verba Prisca, 1970, 267–286 6 E. Rawson, L. Cornelius S. and the Early First Century B. C., in: CQ N. S. 29, 1979, 327–346 (= Rawson, Culture, 363–388) 7 Sherk.

Fr.: HRR 1, 276–297 · G. Barabino, Frammenti delle »Historiae« di Lucio Cornelio S., in: Studi Noniani 1, 1967, 67–251. W. K.

Sision (Σίσιον, Σίσσιον). Ort in der Kilikia Pedias, h. Kozan. Für das 7. Jh. v. Chr. ist hier ein König von Kundi (Kyinda) und Sizu bezeugt [1. 57 f.[71]]. S. war Grenzfestung der Byzantiner bzw. Araber im 8.–10. Jh., Hauptstadt des Königreiches Kleinarmenien (bis 1375), armenisches Erzbistum.

1 A. Erzen, Kilikien bis zum E. der Perserherrschaft, 1940 2 Hild/Hellenkemper, s. v. S. F. H.

Sistrum (griech. σίστρον). Äg. Musikinstrument, eine brn. Klapper, die bes. im Kult der → Isis verwendet wurde. Zwei Formen sind bekannt: 1) Bügel-*s.*: Griff bzw. Handhabe mit angesetztem U-förmigem Bogen; zw. den Armen drei bewegliche Querstreben, auf die in älterer Zeit Metallringe aufgezogen waren. 2) Naos-*s.*: in Form eines Tempeltores, d. h. rechteckig bis leicht trapezoid. Statuarische Darstellung der Isis mit *s.* vgl. [1. 128, Kat. Nr. 51]. Mit der Ausbreitung des Isis-Kultes in der griech. und röm. Welt wurde auch das *s.* verbreitet, u. a. auch als Weihgabe in griech. Heiligtümern [2].

1 J. Eingartner, Isis und ihre Dienerinnen in der Kunst der röm. Kaiserzeit, 1991 2 A. Lambropoulou, A Bronze S. from the Sanctuary of Syme/Crete, in: AA 1999, 514–521.

N. Genaible, s. v. S., LÄ 5, 959–965. A. V. S.

Sisygambis (Σισύγαμβις, bei Diodoros meist Σισύγγαμβρις/*Sisýngambris*). Tochter des Ostanes, eines Bruders → Artaxerxes' [2] II., Schwester und Gattin des Arsames [2] (Diod. 17,5,5) sowie Mutter → Dareios' [3] III. Nach der Schlacht bei Issos 333 v. Chr. Alexandros [4] d. Gr. in die Hände gefallen (Arr. an. 2,11,9; Plut. Alexandros 21; Curt. 3,11,24) und von diesem mit Ehrerbietung behandelt (vgl. ihre Rettung der aufsässigen Uxier: Curt. 5,3,12 ff.), blieb sie mit dem Prinzen Ochos und den Enkelinnen → Stateira [3] und Drypetis 331 v. Chr. in Susa zurück (Diod. 17,67,1); dort empfing sie wohl auch den Leichnam ihres Sohnes (Plut. Alexandros 43). Nach Alexandros' Tod soll sie aus Kummer den Hungertod gesucht haben (Diod. 17,118,3; Curt. 10,5,21 ff.; Iust. 13,1,5).

1 Berve, Bd. 2, Nr. 711. J. W.

Sisyphos (Σίσυφος). Myth. Betrüger und Büßer in der Unterwelt. Sohn des → Aiolos [1], Vater des → Glaukos [2], Großvater des → Bellerophon, Gründer und König von Korinth (→ Korinthos), legendärer und sprichwörtlicher Betrüger, der zur Strafe in der → Unterwelt einen Felsblock den Berg hochwälzen muß, der jeweils unmittelbar vor Erreichen des Gipfels ins Tal zurückrollt (Hom. Od. 11,593–600). Die Strafe handelt S. sich dadurch ein, daß er den Tod überwindet (d. h. die dem Menschen gesetzten Grenzen verläßt, vgl. → Asklepios), wofür die Quellen verschiedene Varianten angeben: (a) S. entwischt aus der Unterwelt (Alk. fr. 38a Voigt), indem er → Persephone beschwatzt (Thgn. 702–712). (b) S. hinterbringt dem Flußgott Asopos die Entführung von dessen Tochter → Aigina durch → Zeus, der ihm zur Strafe → Thanatos (den Tod) schickt. S. fesselt diesen, weshalb die Menschen nicht mehr sterben. → Ares befreit Thanatos und übergibt ihm S., der aber seiner Frau → Merope [1] verboten hat, das übliche Totenritual durchzuführen. Vorgeblich um sie zu ermahnen,

kehrt S. an die Oberwelt zurück – und bleibt natürlich oben (Pherekydes FGrH 3 F 119). Weiter berichten die Quellen: S. überführt den notorischen Dieb → Autolykos [1] des Rinderdiebstahls, indem er die Hufe seiner Rinder vorbeugend kennzeichnet (Polyain. 6,52; Hyg. fab. 201; Gegenstand von Euripides' Satyrspiel *Autólykos*). Außerdem soll S. Autolykos' Tochter → Antikleia vor ihrer Hochzeit mit → Laertes verführt haben, was S. zum Vater des → Odysseus machen würde (Aischyl. fr. 175 TrGF; Soph. Phil. 1311; Eur. Iph. A. 524). Bei dieser Gesch. scheint es in erster Linie darum zu gehen, Odysseus zu verleumden. Schließlich wird S. die Begründung der isthmischen Spiele (→ Isthmia) zugeschrieben (Pind. fr. 5; Apollod. 3,29; Paus. 2,1,3). S. war ein beliebtes Sujet auf der att. Bühne. Aischylos [1], Sophokles [1], Euripides [1] und Kritias (?) haben den Stoff z.T. mehrmals behandelt (offenbar meist in Satyrspielen, aber Aristot. poet. 1456a 19 bezeichnet S.' Bestrafung als für die Trag. geeigneten Gegenstand). Auf bildlichen Darstellungen überwiegt das Steinrollen.
→ Unterwelt

E. Wilisch, s.v. S., Roscher 4, 958–972. • J.H. Oakley, s.v. S. (1), LIMC 7.1, 781–787. RE.N.

Sitalkes (Σιτάλκης).
[1] Thrakerkönig in der 2. H. des 5. Jh. v. Chr., Sohn des Gründers des Odrysenreiches → Teres, Bruder des → Sparadokos. Den thrak.-skythischen Konflikt mit seinem Neffen → Oktamasades löste S. durch Auslieferung des → Skyles. Sein Schwager Nymphodoros aus Abdera vermittelte 431 v. Chr. einen Vertrag zw. S. mit Athen und einen zw. Perdikkas [2] und Athen (Thuk. 2,29; vgl. Aristoph. Ach. 141–153; Diod. 12,50,3; StV 165). Der Sohn des S., Sadokos, erhielt att. Bürgerrecht (Thuk. 2,29,5; 2,67,2). 429 kämpfte S. gegen die Makedonier und Chalkidier, zog sich aber auf den Rat seines Neffen und Nachfolgers Seuthes [1] zurück (Thuk. 2,95–101; Diod. 12,50,4–7; 51,2). Er starb im Kampf gegen die Triballer 424 (Thuk. 4,101,5).

Ch.M. Danov, Altthrakien, 1976, 292–317 •
Z.H. Archibald, The Odrysian Kingdom of Thrace, 1998, 102–125.

[2] Thrak. Truppenführer, spätestens seit 333 v. Chr. im Heer Alexandros' [4] und 330 an der Ermordung des → Parmenion [1] beteiligt. Wegen Beschwerden Untergebener ließ ihn Alexandros 325 in Medien hinrichten (Arr. an. 1,28,4; 2,5,1; 2,9,3; 3,12,4; 3,26,3; 6,27,3 f.).

Berve 2, 712 • Heckel, 334. U.P.

Siteresion (σιτηρέσιον, »Verpflegungsgeld«). Seit Mitte des 5. Jh. v. Chr. wurde in Griechenland den als Reiter, Fußsoldaten oder als Ruderer auf Kriegsschiffen dienenden Bürgern Sold für die Verpflegung ausgezahlt. Daher wurden die Begriffe μισθός/*misthós*, τροφή/*trophé*, σῖτος/*sítos* und *s.* im 5. Jh. v. Chr. syn. gebraucht. Seit dem 4. Jh. v. Chr. wurde deutlicher zw. → Sold und einem Beitr. zur Verpflegung (=*s.*) unterschieden (Xen. an. 6,2,4; Demosth. or. 4,28 f.; 50,53; Aristot. oec. 1353a 19–23).

1 V. Gabrielsen, Financing the Athenian Fleet, 1994, 110–114 2 G.T. Griffith, The Mercenaries of the Hellenistic World, 1935, 264–307 3 M. Launey, Recherches sur les armées hellenistiques, Ndr. 1987, 725–735; 755–759. W.S.

Sitesis (σίτησις). Eine gelegentliche oder regelmäßige »Speisung« auf Staatskosten, die drei Gruppen gewährt wurde [5. 308 f.]:

1. Amtsträgern, die für die Dauer der Amtszeit das Recht auf *s.* hatten. In Athen speisten die *prytáneis* (→ Prytanen) in der Tholos ([Aristot.] Ath. Pol. 43,3; s. → Athenai) zusammen mit Schriftführern (→ *grammateís*) und anderen Beamten [1. 7–20]; diese Gruppe wurde → *aeísitoi* genannt (›immer [d.h. regelmäßig] Speisende‹; vgl. [1. Nr. 86, 84]). Die → *árchontes* aßen im Thesmotheteion (schol. Plat. Phaid. 235d; Lage unbekannt).

2. Empfängern bedeutender öffentlicher Ehrungen, die ein lebenslanges Recht auf *s.* erhielten und im → Prytaneion speisten (z.B. Demosth. or. 20,120; [2. 275–278]).

3. Gesandten auswärtiger Staaten (z.B. Demosth. or. 19,234 f.) und athen. Gesandten in auswärtige Staaten (z.B. Demosth. or. 19,31 f.), die zu einer einmaligen *s.* geladen wurden.

Eine ähnliche Einladung konnte an Empfänger weniger bedeutender Ehrungen ergehen [2. 262–275]. Auswärtige wurden dabei zu *xenía* (»Gastfreundschaft«) geladen, athen. Bürger zum *deípnon* (»Mahlzeit«), verm. derselben Art der Bewirtung. Inschr. Belege für *s.* außerhalb Athens: [3. 392–394; 4. 518 f.].

1 Agora 15, 1974 2 A.S. Henry, Honours and Privileges in Athenian Decrees, 1983 3 W. Larfeld, Griech. Epigraphik, 1914, 392–394 4 Ders., Hdb. der griech. Epigraphik, Bd. 1, 1907, 518 f. 5 P.J. Rhodes, Commentary on the Aristotelian Athenaion Politeia, 1981, 308 f. 6 Ders., ξένια and δεῖπνον in the Prytaneum, in: ZPE 57, 1984, 193–199. P.J.R.

Sithon (Σίθων). Thrakerkönig (Tzetz. zu Lykophr. 583; 1161; 1356), Fürst der → Odomantoi (Parthenios 6) oder der → Chersonesos [1] (Konon FGrH 26 F 10). Eponym der → Sithones. Sohn des → Ares (Tzetz. l.c.) oder des → Poseidon und der Ossa (Konon l.c.). Mit Mendeis (Konon l.c.) oder Achiroe bzw. Anchinoe, der Tochter des Neilos (Tzetz. l.c.), hat er die Töchter → Pallene [2] (Parthenios l.c.; Konon l.c.) und Rhoiteia (Tzetz. l.c.). Die Freier um Pallene läßt S. gegeneinander kämpfen, bis nur noch → Dryas [4] und → Kleitos [4] übrig sind. Auch dem mit Pallenes Hilfe siegreichen Kleitos will er seine Tochter nicht geben, sondern diese lieber töten. Durch göttliches Eingreifen wird der Mord aber verhindert (Parthenios l.c.; Konon l.c.). Nach Nonnos (Dion. 48,90–237) tötet → Dionysos S. und nimmt daraufhin Pallene zur Frau. T.J.

Sithones (Σιθῶνες, Σίθωνες). Die S., die Strab. 7a,1,11 zur Gruppe der thrakischen → Edones rechnet, mögen die urspr. Bewohner der → Sithonia und ihres Hinterlandes gewesen und bei der Kolonisierung dieses Gebietes durch die euboiischen Chalkider (→ Euboia [1]) zurückgedrängt worden sein. Ihre Beziehungen zu den bei Plin. nat. 4,41 an der Küste des Schwarzen Meeres genannten *Sithoni* sind unbekannt.

M. B. Hatzopoulos, Actes de vente de la Chalcidique centrale, 1988, 52f. • Ders., Grecs et barbares dans les cités de l'arrière-pays de la Chalcidique, in: Klio 71, 1989, 60–65. M. Z.

Sithonia (Σιθωνία). Mittlerer Finger der Chalkidischen Halbinsel, zusammen mit dem Hinterland das Siedlungsgebiet der Chalkider. Nördl. des Isthmos, auf dem → Singos lag, können die Städte → Olynthos, → Mekyberna, → Sermylia, Piloros, → Assera und evtl. → Stolos, südl. des Isthmos Gale, → Torone und → Sarte lokalisiert werden. In den Athener Tributquotenlisten sind diese Städte teils ab 454/3 v. Chr., teils erst kurz vor 432 verzeichnet, als sie bis auf Torone und Sarte von Athen abfielen, z. T. ihre Einwohner an Olynthos verloren; 424/3–422 war auch Torone vorübergehend abgefallen. Der Nikias-Frieden (→ Peloponnesischer Krieg D.) bestimmte die Rückkehr zu den Zuständen der Vorkriegszeit (Thuk. 5,18), doch wissen wir nicht, inwieweit die Athener das erzwingen konnten. In der 1. H. des 4. Jh. gehörten die Städte der Halbinsel zeitweilig zum Chalkidischen Bund, ehe sie 349/8 maked. wurden.

F. Papazoglou, Les villes de Macedoine à l'époque romaine, 1988, 429–431 • M. Zahrnt, Olynth und die Chalkidier, 1971, 229f. M. Z.

Sitifis. Stadt der Mauretania Caesariensis, h. Sétif/Algerien (Σίτιφα, Ptol. 4,2,34; *Sitifi*, Itin. Anton. 24,7), seit Nerva *colonia Nerviana Augusta Martialis veteranorum Sitifensium* (vgl. CIL VIII 2, 8473 u.ö.). Vor 288 n. Chr. war S. Zentrum der neugeschaffenen Prov. Mauretania Sitifensis. In S. lebte auch punisch geprägte Bevölkerung. 372 n. Chr. war S. Hauptquartier der kaiserlichen Truppen im Kampf gegen Firmus [3]. Unter Iustinianus [1] I. war S. Hauptstadt der Prov. Mauretania Prima (Prok. BV 2,20,30) mit neuen Befestigungsanlagen (Prok. aed. 6,7,9). Inschr.: CIL VIII 1, 4692; 2, 8422; 8432–8654; 10337–10368; Suppl. 2, 18602; 3, 20340–20416; 22403–22409; 22543; AE 1955, 57; 1969–1970, 718; 1972, 743; 1992, 1908; 1993, 1777f.; 1995, 1780f. Arch. Reste: Tempel, Theater, Amphitheater, Circus, Hippodrom, Nekropolen, zwei christl. Grab-Basiliken, Wasserturm, Straßenzüge mit Hausgrundrissen.

AAAlg, Bl. 16, Nr. 364 • N. Benseddik, Nouvelles inscriptions de Sétif, in: Bull. d'Archéologie Algérienne 7 (1977–1979), 1986, 33–52 • P.-A. Février, Inscriptions de Sétif et de la région, in: Bull. d'Archéologie Algérienne 4 (1970), 1972, 319–410 • M. Leglay, Saturne Africain. Monuments, Bd. 2, 1966, 265–285 • C. Lepelley, Les cités de l'Afrique romaine ..., Bd. 2, 1981, 497–503 • E. Lipiński, s. v. Sétif, DCPP, 407 • A. Mohamedi et al., Fouilles de Sétif (1977–1984), 1991. W. HU.

Sitometrie (σιτομετρία). »Zumessung« von Getreide an Bürger griech. Staaten durch einen *sitométrēs* (z. B. Hyp. F 271a Blass; Aristot. pol. 1299a 23; noch in der röm. Kaiserzeit belegt) und aus einem eigenen Fond (vgl. → Rationen an → Söldner). *S.* konnte aber auch eine in Geld umgerechnete staatliche oder private Bezahlung in täglichem oder monatlichem Rhythmus heißen. Regelmäßigkeit des Betrages oder ein Zusammenhang mit dem Status des Empfängers ist dabei nicht unbedingt gegeben.

H. Dirscherl, Die Sitonia von Oxyrhynchos: Menge, Kosten, Finanzierung, ökonomische Bed. und Dauer (MBAH 18,1), 1999, 72f. • G. F. Franko, Sitometria in the Zenon Archive, in: Bull. of the American Soc. of Papyrologists 25, 1988, 13–98. W. A.

Sitones. Volksstamm in der Nachbarschaft der Suiones, z.Z. des Tacitus (Tac. Germ. 45,6) von einer Frau regiert. Ihr Siedlungsgebiet läßt sich nicht sichern, evtl im h. Finnland.

A. A. Lund (ed.), P. Cornelius Tacitus, Germania, 1988, 237f. • G. Perl, Tacitus, Germania, in: J. Herrmann (Hrsg.), Griech. und lat. Quellen zur Frühgesch. Mitteleuropas ..., Bd. 2, 1990, 257f. • J. B. Rives, Tacitus, Germania, 1999, 321. RA. WI.

Sitophylakes (σιτοφύλακες, »Getreideaufseher«). In Athen hatten die *s.* die Aufgabe, den Preis von ungemahlenem → Getreide zu kontrollieren und darauf zu achten, daß die Müller Mehl entsprechend dem Preis für Gerste und die Bäcker Brot entsprechend dem Preis für Weizen verkauften; ferner überprüften sie das Gewicht des Brotes (Aristot. Ath. pol. 51,3). Sie hatten außerdem dafür zu sorgen, daß die Getreidehändler alle Vorschriften zum Getreidehandel einhielten (Lys. 22,16). Die *s.* führten genaue Listen, aus denen Menge und Herkunft des eingeführten Getreides hervorging (Demosth. or. 20,32). Obwohl *s.* nur für Athen belegt sind, ist anzunehmen, daß auch in anderen Poleis der Getreidehandel kontrolliert wurde (ML Nr. 30 zu Teos; für Tauromenion sind *s.* belegt: Syll.[3] 954,25; 65; 97; σιτομέτραι/*sitométrai*: Aristot. pol. 1299a 23; → Sitometrie). In Athen wurden zunächst jährlich fünf *s.* für die Stadt und fünf *s.* für den Hafen per Los bestimmt, ihre Zahl wurde zu einem nicht genannten Zeitpunkt – wahrscheinlich um 325 v. Chr. – auf 20 für die Stadt und 15 für den Hafen erhöht (Aristot. Ath. pol. 51,3).
→ Getreidehandel

1 Garnsey, 139–142 **2** T. J. Figueira, *Sitopolai* and *S.* in Lysias' Against the Graindealers, in: Phoenix 40, 1986, 149–171 **3** Rhodes, 577–579 **4** R. Seager, Lysias Against the Corndealers, in: Historia 15, 1966, 172–184. S. v. R.

Sittake (Σιττάκη, vgl. Hekat. FGrH 1 F 285). Stadt in der nach ihr benannten Landschaft Sittakene (im Zweistromland), die später Apolloniatis genannt wurde. Dort siegte Antiochos [5] III. 220 v. Chr. über den aufständischen Molon [1] (Pol. 5,53,2 ff.) und richtete einen eigenen Verwaltungsbezirk ein. In parthischer Zeit verlief die Grenze zw. der Apolloniatis und Babylonia bei Seleukeia [1] (Isidoros aus Charax, Stathmoí Parthikoí 2). Wenn bei Xen. an. 2,4,13 bzw. 2,4,25 S. und Opis [3] (h. *Tulūl al-Muǧailiʿ*) verwechselt wurden, dann wäre S. wohl mit *Imām aš-Šaiḫ Ǧābir* gleichzusetzen [1. 114 ff.]. Nach der Schlacht bei → Gaugamela wurden Karer und Sittakener deportiert (Arr. an. 3,8,5).

1 O. Lendle, Kommentar zu Xenophons Anabasis (B. 1–7), 1995. J. W.

Sittas (Σίττας, Ζτίττας; lat. auch *Zetas* u. ä.: [1. 1160]). *Magister utriusque militiae* 530–538/9 n. Chr.; *doryphóros* des → Iustinianus [1] noch vor dessen Erhebung zum Kaiser. Erster *magister militum per Armeniam* 528 (Cod. Iust. 1,29,5; [2. 266 f.]). Heiratet eine Schwester der → Theodora (Ioh. Mal. 430). *Magister utriusque militiae praesentalis* 530–538/9; 538/9 im Kampf gegen die Armenier in einem Hinterhalt getötet (Prok. BP 2,3,19–26).

1 PLRE 3, 1160–1163 2 B. Rubin, Das Zeitalter Justinians, Bd. 1, 1960. WE. LÜ.

Sitte s. Mos maiorum; Nomos [1]

Sittius (auch *Sitius*). Ital. Personenname, urspr. kampanisch [1. 232].

[1] S., P. Sohn eines 91–88 v. Chr. romtreuen Bürgers von Nuceria [1] (Cic. Sull. 58), in Campania begüterter Unternehmer, engagiert im Getreidehandel mit den mauretanischen Königen, bis zum Bürgerkrieg Freund Ciceros. 63 warb S., wohl für → Catilina, Truppen in Spanien, mit denen er beim Scheitern der Verschwörung nach Nordafrika floh, um einem Prozeß zu entgehen. P. Cornelius [I 89] Sulla finanzierte dieses Abenteuer durch den Verkauf von S.' Land. Ein späteres Urteil verbannte S. aus Rom [2]; 51 erscheint er als potentieller Pantherlieferant für Spiele (→ *venatio*; Cic. fam. 8,2,2; 8,4,5 u. ö.). 46 trat S. mit Bocchus [2] II. von Mauretanien auf Caesars Seite und fiel mit seiner Privatarmee in Numidia ein, wo er Cirta, die Hauptstadt Iubas [1] I., nahm (Cass. Dio 43,3,1–4; Bell. Afr. 25,2 f.) und mit einem Sieg über → Saburra das Land an sich brachte (Cass. Dio 43,4,6; 8,4). Zum Dank schenkte Caesar ihm Cirta samt Umland, wo S. seine Soldaten wie reguläre Veteranen ansiedelte (App. civ. 4,233; Plin. nat. 5,22; [3. 65–77]). Im Frühjahr 44 ermordete ihn Arabion, der Sohn des → Massinissa (App. civ. 4,234), was Cicero nun fast begrüßte (Cic. Att. 15,17,1).

1 Schulze 2 J. Heurgon, La lettre de Cicéron à P. S. (Ad Fam. 5,17), Latomus 9, 1950, 369–377 3 L. Teutsch, Das röm. Städtewesen in Nordafrika, 1962. JÖ. F.

Situ dike (σίτου δίκη). Wörtlich »Getreide-« oder »Brotklage« auf Unterhalt. Im ant. Athen hatte ein Mann, der eine nach → *engýēsis* (Begründung ehemännlicher Gewalt), aber noch vor dem Zusammenleben mit der Frau (→ *ékdosis* [1]) empfangene Mitgift (→ *proíx*) bereits in Händen hatte oder diese nach Auflösung der Ehe noch zurückbehielt, der Frau einen Unterhalt von jährlich 18 % des Wertes der Mitgift (1,5 % monatlich) zu bezahlen. Der → *kýrios* (»Gewalthaber«) konnte für seine Schutzbefohlene die *s.d.* erheben, aber auch mit δίκη προικός (*díkē proikós*, »Mitgiftklage«) vorgehen (Demosth. or. 59,52). Nach den Lexika (Anecd. Bekk. 238; Harpokr. s. v. σίτος) war die *s.d.* auch gegen den → *epítropos* [2] (»Vormund«) eines Mündels gegeben (vgl. Aristot. Ath. Pol. 56,7).

A. R. W. Harrison, The Law of Athens, Bd. 1, 1968, 57–66, 104 • G. Thür, Armut, in: D. Simon (Hrsg.), Eherecht und Familiengut in Ant. und MA, 1992, 121–132 (bes. 127). G. T.

Situla

I. Italisch, keltisch und germanisch
II. Griechisch-römisch

I. Italisch, keltisch und germanisch

Eimerförmiges Gefäß, in der Regel aus Metall, zum Transport und zur kurzzeitigen Aufbewahrung von Flüssigkeiten. Die Form ist generell konisch, mit flacher Schulter und breiter Mündung, an welcher häufig auch die Tragehenkel mittels Ösen befestigt sind. Boden, Körper und Rand sind meist einzeln gearbeitet und anschließend miteinander vernietet. In Etrurien sind S. seit dem 9. Jh. v. Chr. belegt und fanden dort ab der orientalisierenden Zeit weite Verbreitung. Ungleich größere Bed. erlangten die S. jedoch im Osthallstattkreis (→ Hallstatt-Kultur) und den angrenzenden Gebieten von SO-Deutschland über Österreich und Slowenien bis nach Ungarn, ebenso im Bereich der → Golasecca- und → Este-Kultur und der östl. Po-Ebene. Dort war die S. einer der profiliertesten Verzierungsträger und wurde bis ins 3. Jh. v. Chr. produziert. In dieser sog. »Situlenkunst« zeigt sich die Verarbeitung von Kultureinflüssen aus Mittel- und Süditalien, da die Künstler sich zwar an den etr. und griech. Vorbildern orientierten, die Personen aber mit Tracht und Gegenständen abbildeten, die ihrer eigenen Sphäre entstammten. Die Motive der »Situlenkunst« finden sich auch auf Helmen, Gürtelhaken und anderen Gegenständen. Aristokratisches Leben, kriegerische Handlungen, festliche Umzüge und Symposionszenen wechseln sich ab mit Tierdarstellungen, v. a. von Vögeln. Das Repertoire wird zumeist in horizontale Zonen gegliedert auf der verzierten Fläche dargestellt.

In der jüngeren Eisenzeit (5.–1. Jh. v. Chr.) kommen bei den Kelten nördl. der Alpen wie dann auch bei den Germanen der ersten Jh. n. Chr. S. als mediterrane Importstücke (Luxusgeschirr) vor. In der Fachlit. wird der Begriff S. zudem auf bestimmte german. Tongefäße der

Zeit um Christi Geburt übertragen, die durch ein stark eingezogenes Unterteil charakterisiert sind. Sie bilden einen wichtigen Teil der german. Grabkeramik in bestimmten Regionen, z.B. bei den Elbgermanen.
→ Etrusci, Etruria; Germanische Archäologie (mit Karte); Toreutik; Villanova-Kultur

O.-H. FREY, Die Entstehung der Situlenkunst, 1969 • J. KASTELIC, Situlenkunst, 1964 • W. LUCKE, O.-H. FREY, Die S. in Providence, 1962 • R. MÜLLER, Grabfunde der Jastorf- und Latènezeit an unterer Saale und Mittelelbe, 1985, 102f. • R. VON USLAR, Westgerman. Bodenfunde, 1938. C.KO. u. V.P.

II. GRIECHISCH-RÖMISCH

Die Eimer mit Tragehenkel aus Br. waren bes. im griech. Unteritalien verbreitet und wurden dort auch in der Keramik häufig nachgebildet. Da sie oft dem Transport von Wein dienten, sind sie in der dionysischen Bilderwelt häufig dargestellt. In der röm. Kultur wurde die *s.* bzw. der *situlus* aus unterschiedlichen Materialien (Br., Glas, Holz, Messing oder Silber) hergestellt, diente weiter zum Transport von Wasser und Wein, ferner zum Sammeln von Regenwasser (Cato agr. 10,2) und als Schöpfeimer (Vitr. 10,4,4). Auffällige Exemplare sind die silbernen Prunkexemplare der röm. Kaiserzeit, z.B. aus dem Hildesheimer → Silberfund.

W. HILGERS, Lat. Gefäßnamen (BJ, 31. Beih.), 1969, 77–79, 282f. Nr. 340 • G. ZAHLHAAS, Großgriech. und röm. Metalleimer, 1971 • A. KOSSATZ-DEISSMANN, Eine neue Phrygerkopf-S. des Toledo-Malers, in: AA 1990, 505–520. R.H.

Situlus s. Situla

Siwa s. Ammoneion

Šīz. Von islamischen Autoren genannter Platz in Aserbaidschan, ca. 30 km nördl. von Takāb, identisch mit dem Taḫt-e Soleimān. Auf diesem leicht die Ebene überragenden Kalksinterplateau, in dessen Mitte sich ein über 60 m tiefer See (ohne Leben) gebildet hat, befand sich in sāsānidischer Zeit eines von drei Hauptfeuerheiligtümern des Reiches (Āzurgušnasp). Von der engen Beziehung des Ortes zu den Sāsānidenkönigen des 5.–7. Jh. (→ Sāsāniden) kündet nicht nur der administrative Autonomiestatus, sondern auch der arch. Befund (Mauern, Tempelkomplex, Altäre, Gefäße, Mz., Tonbullen) und die Erwähnung des Heiligtums in der spätsāsānid. Lit. und in Firdausīs *Šāhnāme* (zumeist im Zusammenhang mit Königsbesuchen und -geschenken) [1; 3]. 624 n. Chr. wurde der Ort von Kaiser → Herakleios [7] zerstört [4. 315ff.; 2. 16f.], später aber wieder genutzt. Über den Ruinen des Heiligtums (v.a. der Südhälfte) erbaute der Īlḫān Abaqa in der 2. H. des 13. Jh. einen riesigen Jagdpalast.

1 M. BOYCE, s.v. Ādur Gušnasp, EncIr 1, 475–476
2 J. HOWARD-JOHNSTON, Heraclius' Persian Campaigns, in: War in History 6, 1999, 1–44 3 R. NAUMANN, Die Ruinen von Tacht-e Suleiman und Zendan-e Suleiman, 1977
4 K. SCHIPPMANN, Die iran. Feuerheiligtümer, 1971, 309–357. J.W.

Sizilien s. Magna Graecia; Sicilia

Sizilische Expedition s. Peloponnesischer Krieg D.

Sizilische Vasen. Noch vor Ende des 5. Jh. v. Chr. begann in Himera und Syrakus auf Sizilien die Produktion von rf. Vasen. Diese lassen in Stil, Ornamentik, Vasenform und Thematik eine starke Anlehnung an die att. Vasenmalerei (→ Meidias-Maler) erkennen. Mit dem 2. Viertel des 4. Jh. v. Chr. wanderten einige sizil. Vasenmaler aus, um auf dem it. Festland den Grundstock für die kampanische und paestanische Vasenmalerei zu legen (→ Kampanische Vasenmalerei; → Paestanische Vasen). In begrenztem Maße blieb eine Vasenproduktion in Syrakus bestehen, doch erst ab 340 v. Chr. entstanden die typischen S.V. Drei Werkstattgruppen sind zu unterscheiden: Die erste Gruppe wirkte in Syrakus und Gela (Lentini-Manfria-Gruppe). Die zweite Gruppe ist im Gebiet des Aetna (→ Centuripe-Gattung) und die dritte auf Lipari zu lokalisieren.

S.V. zeichnen sich durch eine starke Verwendung von Zusatzfarben (insbes. weiß) aus. Großflächige Gefäßtypen (Kelchkrater, Hydria) wurden hauptsächlich in der Anfangsphase der S.V. verwendet, doch sind kleinere Gefäßtypen (Flasche, Lekanis, Lekythos, skyphoide Pyxis; vgl. → Gefäße) vorherrschend. Myth. Themen tauchen auf S.V. relativ selten auf, stattdessen sind Bilder aus der Welt der Frauen, Darstellungen von Eroten, Frauenköpfe als alleiniges Motiv und → Phlyaken häufig. Gegen 300 v. Chr. endete die Produktion rf. Vasen auf Sizilien.

TRENDALL, Lucania, 575–664 • TRENDALL, Lucania, Suppl. 3, 265–305 • A.D. TRENDALL, Red Figure Vases of South Italy and Sicily. A Handbook, 1989, 29f., 233–254 • J.M. PADGETT, M.B. COMSTOCK u.a., Vase Painting in Italy. Red-Figure and Related Works in the Museum of Fine Arts, Boston, 1993, 186–188. R.H.

Skaiai (Σκαιαί sc. πύλαι/*pýlai*). Das »Skäische Tor« in → Troia (Hom. Il. 3,145; 3,149 u.ö.; ohne *pýlai*: Hom. Il. 3,263; Strab. 13,1,21; im Sg.: Q. Smyrn. 11,338), auch *Dardaníai* genannt. Mehrere Erklärungen des Namens sind möglich: »linkes« bzw. »westl. Tor« oder »Unglückstor« (abgeleitet von σκαιός [2]), »Schieftor« oder benannt nach seinem Erbauer Skaios (schol. Hom. Il. 3,145; 9,354; 11,170 BEKKER; Hesych. s.v. Σκαιῇσι πύλῃσιν) bzw. dem Volksstamm der Skaioi [1].

1 L. BÜRCHNER, s.v. Skaiisches Tor, RE 3 A, 424 2 LSJ, 1603, s.v. σκαιός. SI.A.

Skamandrios (Σκαμάνδριος).
[1] s. Astyanax
[2] Troer, Sohn des → Strophios; geschickter Jäger, von Artemis persönlich unterrichtet, was ihn aber nicht vor

dem Tod durch die Hand des Menelaos bewahrt (Hom. Il. 5,49–58).

P. WATHELET, Dictionnaire des Troyens de l'Iliade, 1988, Nr. 308. MA.ST.

Skamandros (Σκάμανδρος, lat. *Scamander*). Fluß in der Troas, h. Menderes Suyu, der unterhalb des höchsten Gipfels des Ida [2] entspringt. Zusammen mit dem → Simoeis bildet er die Ebene von Troia (vgl. Hom. Il. 5,77). Unterhalb von Skepsis und Kebren führte an seinem Ufer entlang eine Straße ins Innere von Kleinasien. In der Ilias tritt der S. als Gott auf; so wird er nur von den Menschen genannt, die Götter nennen ihn Xanthos (Hom. Il. 20,73). Als Sohn des Zeus (ebd. 14,434) und der Idaia ist er Vater des → Teukros und damit ein Ahnherr des → Priamos. Er nahm an der Olympischen Götterversammlung teil (ebd. 20,73) und hatte in Troia einen eigenen Priester (ebd. 5,77), der ihm Stiere und Pferde opferte.

Eine bis in byz. Zeit bezeugte Stadt in der Troas (Keramik des 5. Jh. v. Chr.; vgl. den Sympolitie-Vertrag mit Ilion/→ Troia aus dem J. 100 v. Chr. [1]) war nach S. benannt; sie lag wohl beim h. Akköy, 6 km nördl. von Ezine am S.

1 P. FRISCH, Die Inschr. von Ilion (IK 3), 1975, Nr. 63.

W. LEAF, Strabo on the Troad, 1923, 158–164, 199–202 • J. M. COOK, The Troad, 1973, bes. 293–295 • J. V. LUCE, Die Landschaften Homers, 1999, s. v. S. E.SCH.

Skambonidai (Σκαμβωνίδαι). Attischer Asty-Demos der Phyle Leontis, ab 126/7 n. Chr. der Hadrianis, mit drei (vier) *buleutaí*, im NW von Athenai. Die *lex sacra* IG I³ 244 des Demos S. bezeugt einen *dḗmarchos* [3], einen *eúthynos* (→ *eúthynai*), → *métoikoi*, eine Agora sowie Beteiligung am Fest der *synoíkia* in Athenai, evtl. auch einen → *tamías*.

TRAILL, Attica, 18, 44, 59, 62, 68, 112 Nr. 127, Tab. 4, 15 • WHITEHEAD, Index s. v. S. H.LO.

Skandeia (Σκάνδεια). Hafensiedlung, 10 Stadien östl. der Stadt Kythera (Paus. 3,23,1) im SO der Insel → Kythera, h. Kastri an der Bucht von Ablemonas. Seit dem FH besiedelt; erstmals bei Hom. Il. 10,268 erwähnt. Oberhalb von S. befand sich auf steilem Felsen die Akropolis mit einem Tempel der Aphrodite Urania. 424 v. Chr. eroberten die Athener S., das von den Spartanern kurz zuvor besetzt worden war (Thuk. 4,54). Im 6. Jh. n. Chr. durch ein Kastell gesichert, war S. bis ins 7. Jh. bewohnt. SEG 22, 300.

PHILIPPSON/KIRSTEN 3, 516 • H. WATERHOUSE, R. HOPE SIMPSON, Prehistoric Laconia 3, in: ABSA 56, 1961, 114–175, bes. 152f. • R. HOPE SIMPSON, A Gazetteer and Atlas of Mycenian Sites (BICS Suppl. 16), 1965, 56 • H. KALETSCH, s. v. Kastri, in: LAUFFER, Griechenland, 311. A.KÜ.

Skaphe (σκάφη, σκαφίς, σκάφιον, σκάφος; lat. *scapha, scaphium*). Vielfältig verwendeter Begriff für ein Bekken, einen Kessel, Kübel, Trog (oder ein kleines Boot) und eine Wanne aus Holz oder Metall, ein in der Landwirtschaft (Hom. Od. 9,223; vgl. Theokr. 5,59) und im Haushalt genutztes Behältnis (Aristoph. Eccl. 738–739, vgl. Anth. Pal. 6,306). Auch konnte der → Nachttopf der Frauen *s.* heißen. In eine *s.* warfen Skythen laut Hdt. 4,73,2 heiße Steine für das reinigende »Schwitzbad«. In einer *s.* sollen Romulus und Remus ausgesetzt worden sein (Plut. Romulus 3; bei Soph. Fr. 574 N eine Wiege), aber ebenso wird ein Grab *s.* genannt (BCH 24, 1900, 393 f. Nr. 60–62). Daneben konnte ein Spucknapf (Poll. 10,76), ein Trinkgefäß (Athen. 11,475c; dem *skýphos* verwandt, Athen. 11,499f; bei Plut. Kleomenes 13,4 wohl eine Phiale) oder Schöpfgefäß (Athen. 11,501e) *s.* genannt werden; auch heißt ein Teil der Wasseruhr (Vitr. 9,8,5) und die konkave Auffangfläche der Sonnenuhr (→ Uhr) *s.* Im Panathenäenfestzug trugen Metoiken in rotem Chiton *skáphai*, die mit Honig oder Wachs gefüllt waren (z. B. Ail. var. 6,1; Harpokr., Hesych., Suda s. v. σκαφηφόροι; vgl. Athen. 8,335b). Diese *skaphēphóroi* hat man auf den Platten des Nord- und Südfrieses des → Parthenon wiedererkannt, dazu auf einigen Vasenbildern. *S.* werden in den Tempelinventaren unter den ποτήρια/*potḗria* (Trinkgefäßen) aufgeführt (IG XI 4, 1307, 16 ff.). Schließlich wird eine Haartracht mit kurz und rund um den Kopf geschnittenen Haaren *s.* genannt (Aristoph. Av. 805 und Aristoph. Thesm. 838, danach Hesych. s. v. σκάφιον und Poll. 2,29).

E. SIMON, Festivals of Attica. An Archaeological Commentary, 1983, 65 f., 70. R.H.

Skapsa (Σκάψα). Die seit 452/1 v. Chr. in den Athener Tributquotenlisten (ATL 1, 408f.) verzeichneten Skapsaioi dürften mit den Bewohnern der bei Hdt. 7,123,2 in der → Krusis lokalisierten Stadt Kampsa identisch und nordwestl. vom h. Nea Iraklia zu suchen sein. 432 fielen sie von Athen ab, wurden aber zurückgewonnen und sind 415/4 als Seebundsmitglied nachweisbar. Mitte des 4. Jh. war S. Mitglied des Chalkidischen Bundes, ehe die Stadt von Philippos [4] II. erobert wurde.

M. ZAHRNT, Olynth und die Chalkidier, 1971, 231–233. M.Z.

Skapte Hyle (Σκάπτη ὕλη, Σκαπτησύλη). Nicht lokalisierte Ortschaft der → Peraia von → Thasos im Pangaion-Gebirge mit Goldbergwerken, aus denen Thasos vor den Perserkriegen 80 Talente jährlich zuflossen (Hdt. 6,46; Thuk. 1,100,2). Der Historiker → Thukydides hatte dort Besitzungen und ist auch dort gestorben (Plut. Kimon 4,3; Markellinos, Vita Thucydidis 19,25,47).

P. PERDRIZET, Skaptésylé, in: Klio 10, 1910, 1–27 • MÜLLER, 100f. I.v.B.

Skarabäus (vielleicht entstellt aus κάραβος; lat. *scarabaeus*, vgl. Plin. nat. 30,30). Funde von getrockneten Käfern sowie (zunächst undekorierten) Nachbildungen in Stein, äg. Fayence und anderen Materialien zeigen, daß der S. (Scarabaeus sacer L.) und verwandte Käfer in Äg. seit spät-vordyn. Zeit (Anf. 3. Jt. v. Chr.) Amulettkraft besaßen. Die Gewohnheit der Käfer, große Dungballen zu rollen, war eine Metapher für den Lauf der Sonne; der S. (äg. *ḫprr*) galt als Erscheinungsform des morgendlichen, d. h. entstehenden → Sonnengottes (*ḫprj*, dazu *ḫpr* »entstehen«, »sich verwandeln«). In der 1. Zwischenzeit (ca. 2190–1990 v. Chr.) wurden nachgebildete S. auf eine ovale Platte gestellt und diese mit geom. Mustern, Symbolhieroglyphen sowie Darstellungen von Pflanzen, Tieren und Menschen dekoriert. Seit E. der 11. Dyn. (ca. 1938 v. Chr.) verwendete man S. als → Siegel; die hieroglyph. Inschr. geben nun Privatnamen, seit der 12. Dyn. Königsnamen und später auch Sprüche aller Art wieder. Damit wurden die S. zu den für Äg. charakteristischen Siegelamuletten. Ab dem frühen MR (ca. 1990–1630 v. Chr.) wurden S. nach Kreta und in das westl. Vorderasien exportiert, wo spätestens seit der Mittleren Brz. IIB (1. Viertel 2. Jt. v. Chr.) lokale Produktionen in Jaspis und Steatit existieren. Im 1. Jt. bestanden S.-Manufakturen in Israel und Phönizien bzw. mit z. T. rein äg. Motiven auch im phöniz.-punischen Westen (→ Tharros, E. 6. bis Anf. 3. Jh. v. Chr.). Nach der Unterbrechung während der Dunklen Jh. gelangten ab Zypro-Geom. II-Zeit (ca. 950–850 v. Chr.) äg. S.-Importe wieder nach Zypern, ab dem 9./8. Jh. in den griech. und ital. Raum. Diese beeinflußten die ägäische Produktion von Fayence-S. (mit Hieroglyphendekor) im späten 8. und 7. Jh., auf die die Ausbreitung der Naukratis-S. von E. 7. bis Mitte 6. Jh. folgte.

Die Amulett-Bed. der S. betraf die weibliche Fruchtbarkeit und den Schutz von Kleinkindern (die Funde stammen aus Frauen- und Kindergräbern sowie aus Votivdepots für weibl. Gottheiten; nach Plin. nat. 30,138 trugen Kinder Hörner von echten S. als Amulette). Eigene Kunstzweige stellen die archa.-griech. und etr. S. ohne äg. Motive dar. Christus wird bei Ambr. expositio Evangelii secundum Lucam 10,113 (1528D) als ›Guter S.‹ bezeichnet.

→ Amulett; Siegel

A. F. Gorton, Egyptian and Egyptianizing Scarabs, 1996 • B. Jaeger, Essai de classification et datation des scarabées Menkhéperré, 1982 • O. Keel, Corpus der Stempelsiegel-Amulette aus Palästina/Israel, 1995 ff. • G. T. Martin, Scarabs, Cylinder Seals and Other Egyptian Seals. A Checklist of Publications, 1985 • E. Staehelin, Ägyptens hl. Pillendreher, 1982 • W. A. Ward, O. Tufnell, Stud. on Scarab Seals, Bd. 1–2, 1978–1984.

G. HÖ.

Skardon oros (Σκάρδον ὄρος; lat. *mons Scordus*). Hohes Gebirge, das Strab. 7a,1,10 in die Kette der Makedonia im Norden begrenzenden Gebirgen hinter Bertiskos (h. in Montenegro) und vor Orbelos, Rhodope (h. Rhodope, Rila und Prin), Haimos (h. Stara planina) stellt. Nach Liv. 44,31,4f. (vgl. 43,20,1; Pol. 28,8,3, im Zusammenhang mit dem 3. → Makedonischen Krieg) ist das S.o. im Osten von Dardania, im Süden von Makedonia und im Westen vom Illyricum umschlossen. So identifiziert man allg. das S.o. mit der h. Šar planina.

TIR K 34 Naissus, 1976, 115.

I. v. B.

Skarpheia (Σκάρφεια). Stadt der Lokris Epiknemidia (Hom. Il. 2,532; vgl. Strab. 9,4,4; Tab. Peut. 8,1; Geogr. Rav. 375,6), beim h. Molo in einer seismisch aktiven Zone gelegen, durch Tsunamis 426 v. Chr. (Demetrios von Kallatis FGrH 85 F 6; Thuk. 2,32) und 551 n. Chr. (Prok. BG 4,25,16–23) schwer in Mitleidenschaft gezogen. Anfangs in Rivalität mit Thronion um die Vorherrschaft in der Region (vgl. den Streit um die Zahl der delphischen → *hieromnḗmones* und Grenzstreitigkeiten: FdD Bd. 3, 38,3; 42,7), wurde S. in der Spätant. Hauptort der Region, seit dem 4. Jh. Bischofssitz. Bei S. siegten die Römer 146 v. Chr. über die Truppen des Achaiischen Bundes (Paus. 7,15,3 f.; vgl. Lykophr. Alexandra 1147; Liv. 36,19,5; Paus. 10,1,2; Plin. nat. 4,17; Inschr.: IG IX 1,314–317; Syll.[3] 908; Mz.: HN 337).

Pritchett 4, 166f. • S. L. Ager, Interstate Arbitrations in the Greek World, 1996, 370–372, 482–490 • G. Daverio Rocchi, La sismicità della Focide orientale e della Locride, in: E. Olshausen, H. Sonnabend (Hrsg.), Naturkatastrophen in der ant. Welt (Geographica Historica 10), 1998, 316–328.

G. D. R./Ü: H. D.

Skedasos (Σκέδασος). Heros von → Leuktra, dem die Thebaner vor der Schlacht ein weißes Fohlen opferten. Die Töchter des S. (und des Leuktros, Diod. 15,54) werden von durchreisenden Spartanern vergewaltigt; S. fordert in Sparta vergeblich Gerechtigkeit und nimmt sich (wie zuvor schon die Töchter) das Leben, nachdem er die Heimat der Täter verflucht und ihrem Heer eine Niederlage prophezeit. S. soll dem → Pelopidas vor dem Kampf 371 v. Chr. gegen die Spartaner erschienen sein; ein Denkmal für die Töchter lag beim Schlachtfeld (Xen. hell. 6,4,7, ohne Namen). Die Gesch. ist vielfach überl. (u. a. Paus. 9,13,5; Plut. Pelopidas 20–23; Ps.-Plut. Amatoriae narrationes 773b–774d), der Überl.-Kern wurde rasch weiter ausgeschmückt.

HE. B.

Skeironides petrai (Σκειρωνίδες πέτραι, »Skironische Felsen«). Der hohe Steilabsturz der → Geraneia zum Saronikos Kolpos (Hdt. 8,71; Pol. 16,16,4; Strab. 9,1,4) westl. von Megara [2], noch h. Kaki Skala (»gefährliche Steige«). Der Küstenpaß, auf dem der Sage nach → Skiron Reisende ins Meer stürzte (vgl. Diod. 4,59,4), war als gefährlich berüchtigt. Er wurde durch Hadrianus (117–138 n. Chr.) als fahrbare Straße ausgebaut (Paus. 1,44,6).

Philippson/Kirsten 1, 949 • F. Geyer, s. v. Skironische Felsen, RE 3 A, 546f. • E. Meyer, s. v. Megara (2), RE 15, 152–205, hier 167–169.

E. MEY. u. E. O.

Skelmis s. Kelmis

Skene (σκηνή; lat. *scaena*) bedeutet Zelt (Eur. Hec. 1289), auch Plane eines Wagens (Xen. Kyr. 6,4,11). Der Begriff wurde in der ant. Architektur bes. zur Bezeichnung des Bühnengebäudes des → Theaters verwendet (u. a. IG II², 161 A 115; vgl. auch Vitr. 5,6,1 u.ö.; dazu [1]). Die älteste in Stein gebaute S. war diejenige des Dionysostheaters in Athen (→ Athenai, mit Plan der Akropolis), welches von Lykurgos [9] um 330 v. Chr. eingeweiht wurde. Es handelte sich um eine Paraskenien-S. mit seitlich neben der niedrigen Bühne vorspringenden Flügeln (*paraskḗnia*). Um 300 v. Chr. entstand der zweite griech. S.-Typus, die Proskenion-S., bei der der rechteckigen S. eine hohe Spielbühne (*proskḗnion*) vorgelagert ist. Zw. den Stützen waren bemalte Holztafeln (*pínakes*) befestigt. Neben Proskenien mit rechteckigem Grundriß sind auch trapezförmige und solche mit seitlichen Rampenaufgängen bekannt.

Die ältesten röm. *scaenae* bestanden aus Holz. Bes. prachtvoll war die S., welche M. Aemilius [I 38] Scaurus 58 v. Chr. errichten ließ (Plin. nat. 36,5,50). Die röm. S. bildet zusammen mit der → Cavea einen einheitlichen, frei stehenden Baukörper; die Bühne ist niedrig und breit. Charakteristisch für die röm. S. ist die mehrgeschossige *scaenae frons* mit einer gegliederten Architekturfassade. Seitlich neben der Bühne liegen *parascaenia* und *basilicae*, dahinter das *postscaenium*.
→ Odeion; Theater

1 H. Nohl, Index Vitruvianus, 1876, 116 s. v. *scaena*.

H. P. Isler, Das griech. Bühnengebäude, in: P. Ciancio Rossetto, G. Pisani Sartorio (Hrsg.), Teatri greci e romani alle origini del linguaggio rappresentato, Bd. 1–3, 1994, 99–107. H. I.

Skenikoi agones s. Wettbewerbe, künstlerische

Skenographie s. Bühnenmahlerei; Perspektive

Skepsis (Σκῆψις, Σκᾶψις). Aiolische Siedlung in der Troas, h. Kurşunlu Tepe, am oberen Skamandros, nach Strab. 13,1,52 von Hektors Sohn → Skamandrios gegr. Im 5. Jh. v. Chr. wurde S. wohl von milesischen Siedlern kolonisiert. Von Antigonos [1] wurde es Alexandreia [2] Troas eingemeindet, durch Lysimachos [2] wieder selbständig (Strab. 13,1,52). Angeblich wurde hier die Bibliothek des Theophrastos und des Aristoteles [6] zum Schutz vor den Attaliden vergraben (Strab. 13,1,54). Die Siedlung bestand bis in byz. Zeit.

W. Leaf, Strabo on the Troad, 1923, 268–275 • J. M. Cook, The Troad, 1973, 345–347 • N. Ehrhardt, Milet und seine Kolonien, ²1988, 29f. E. SCH.

Skeptizismus s. Nachträge in Band 12/2

Skerdilaidas (Σκερδίλαιδας). Fürst der illyrischen → Labeates, mit dem Sardiaierfürsten → Agron [3] verschwägert [1. 45 f.]. 229 v. Chr. unterstützte S. → Teuta gegen die Epeirotenstadt Phoinike (Pol. 2,5,6–6,7), festigte nach dem ersten Illyr. Krieg (229/8) seine Herrschaft über südillyr. Stämme und setzte seine Raubzüge südl. der Lissosgrenze (→ Lissos) fort (Pol. 4,16,6), zumal 220 als Verbündeter der Aitoler, bevor er auf die Seite von → Philippos [7] V. wechselte (Pol. 4,29,2–7). Doch bereits im sog. zweiten Illyr. Krieg ging S. als Rivale des Demetrios von Pharos 219/8 gegen Makedonien vor [1. 74, 80] und rief 216 die Römer zu Hilfe, als deren Freund er 212 mit seinem Sohn → Pleuratos [1] dem aitolisch-röm. Bündnis beitrat (Pol. 5,3,3; 4,3; 95,1–4; 110,8; [1. 144–146]). S. starb wohl 206.

1 D. Vollmer, Symploke, 1990. L.-M. G.

Sketische Wüste. Bereich jenseits des Westrandes des äg. Deltas, speziell im h. als Wādī n-Naṭrūn bezeichneten Bereich. Rückzugsgebiet für christl. Mönche ab dem 4. Jh. n. Chr., vier Klöster noch h. bewohnt.

A. Cody, in: A. S. Atiya (Hrsg.), The Coptic Encyclopedia, Bd. 7, 1991, 2102–2106. A. v. L.

Skeuophylax (σκευοφύλαξ). Klerikales Amt der byz. Kirche, zuständig für liturgische Geräte, Heiligtümer und kirchliches Ritual, mit der Leitung eines Büros und höherem Ansehen verbunden; an großen Kirchen wie der → Hagia Sophia in Konstantinopolis.

P. Magdalino, A. M. Talbot, s. v. S., ODB 3, 1909 f. F. T.

Skeuothek (σκευοθήκη). Ant. griech., inschr. dokumentierte Bezeichung für ein Lagerhaus, ein Arsenal bzw. eine Takelhalle für Kriegsschiffe (bes. IG II² 1668 für eine S. im Peiraieus bei Athen). Die S. gehört in den von der Öffentlichkeit finanzierten Bereich der griech. Nutzarchitektur, die im 4. Jh. v. Chr. zunehmend repräsentative Ausprägung erfuhr; zuvor vorhandene Zweckbauten aus Holz wurden bisweilen in aufwendiger Steinbauweise neu errichtet. Die S. entspricht typologisch in ihrer Konstruktion weitgehend dem über Geleise (Slip-Anlagen) zugänglichen Schiffshaus (*neṓrion*) – beides langrechteckige, oft mehrschiffige, gelegentlich mit einem Obergeschoß versehene Bauten. Allerdings diente die S. immer der gesicherten Verwahrung von Waffen und → Takelage, nicht der Schiffskörper selbst. Weitere S. sind aus Milet und Pergamon arch. überliefert.
→ Hafen, Hafenanlagen

O. Höckmann, Ant. Seefahrt, 1985, 147–152 • W. Hoepfner, E. L. Schwandner, Haus und Stadt im klass. Griechenland, ²1994, 44–50 (Bibliogr.: Anm. 85) • A. Linfert (u. a.), Die S. des Philon im Piräus, 1981 • W. Müller-Wiener, Griech. Bauwesen der Ant., 1988, 172 f. • A. v. Szalay, E. Boehringer (Hrsg.), Altertümer von Pergamon, Bd. 10: Die hell. Arsenale, 1937. C. HÖ.

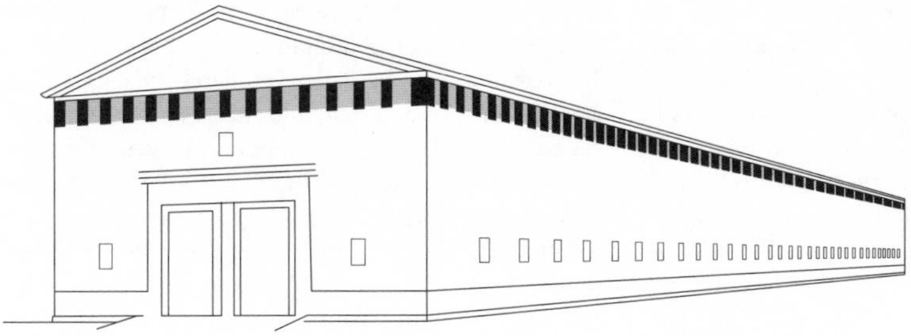

Peiraieus; Skeuothek des Philon (um 330 v. Chr.; hypothetische Rekonstruktion).

Skiagraphie s. Schattenmalerei

Skiathos (Σκίαθος). Westlichste der nördl. → Sporaden (45 km², L 11 km, bis 435 m hoch; Hdt. 7,176,1; 179; 183,1 f.; 8,7,1; 92,1; Skyl. 58; Skymn. 580 ff.; Mela 2,106; Plin. nat. 4,72; Ptol. 3,13,47), h. ebenfalls S. Die Insel wurde im 8. Jh. v. Chr. von Chalkis [1] aus besiedelt; damals wurde Palaiskiathos angelegt (nicht lokalisiert, bis ins 5./4. Jh. v. Chr. bezeugt). Im 6./5. Jh. v. Chr. wurde die Polis S. an der Ostküste mit strategisch wichtigem Hafen gegr. (Mauerreste erh.). 480 v. Chr. war S. Vorposten gegen die Perserflotte, von 478/7 bis 404 war S. Mitglied im → Attisch-Delischen Seebund, seit 377 v. Chr. Mitglied im → Attischen Seebund. Ab 338 v. Chr. maked., wurde S. 200 v. Chr. von Philippos [7] V. auf der Flucht vor den Römern verwüstet. 42 v. Chr. wies Antonius [I 9] S. Athen zu. Inschr.: IG XII 8, 631–639; Mz.: HN 313.

PHILIPPSON/KIRSTEN 4, 41–44 • W. GÜNTHER, s. v. S., in: LAUFFER, Griechenland, 621 f. • MÜLLER, 365–367 • KODER/HILD, 257. A. KÜ.

Skilla s. Meerzwiebel

Skillus (Σκιλλοῦς). Schon seit myk. Zeit besiedelter Ort in Triphylia südl. von → Olympia, evtl. westl. vom h. Makrisia auf dem Agios Elias (nicht beim h. Skilluntia; hier wohl Reste des Tempels der Athena Skilluntia von Phellon: Strab. 8,3,14). Mit Pisa (→ Pisatis) verbündet (Paus. 5,6,4; 6,22,4), soll S. den Hera-Tempel in Olympia gestiftet haben (Paus. 5,16,1). Nachdem S. um 570 v. Chr. von Elis zerstört worden war (Paus. 5,6,4), wurde es um 400 von den Spartanern wiederaufgebaut, die S. dem aus Athen verbannten → Xenophon als Wohnsitz zuwiesen; er errichtete hier der Artemis von Ephesos einen Tempel (Xen. an. 5,3,7–13; Paus. 5,6,5; Diog. Laert. 2,52). Nach 371 fiel die seit 386 autonome Polis (Xen. hell. 6,5,2) wieder an Elis. Pausanias (5,6,6) sah noch Xenophons Grab im wohl seit hell. Zeit verlassenen S.

J. HOPP, s. v. S., LAUFFER, Griechenland, 622 f. • R. H. SIMPSON, Mycenaean Greece, 1981, 94 f. • É. DELEBEQUE, Un point de géographie xénophontique, in: Annales de la Faculté des Lettres d'Aix 29, 1955, 3–11 • L. L'ALLIER, Le Domaine de Scillonte, in: Phoenix 52, 1998, 1–14. SA. T.

Skiluros (Σκίλουρος). In der 2. H. des 2. Jh. v. Chr. König des skythisch-taurischen Krimstaates mit der Hauptstadt Neapolis (h. Simferopol). Seine Mz. lassen ein zeitweises Protektorat über Olbia vermuten ([2]; dagegen [1. 146–148]). Als S. die *chṓra* von Chersonesos [2] verwüstete, riefen die Bewohner Mithradates [6]. Gegen dessen Feldherrn Diophantos [2] kämpfte einer der vielen Söhne des S., Palakos, erfolglos (Strab. 7,4,3 und 7; 7,3,17; Syll.³ 709 = IOSPE 2, 352; SEG 39, 692). Seine Tochter Senamotis war mit einem bosporanischen Griechen verheiratet ([3]; SEG 37, 674).
→ Skythen II.

1 V. A. ANOCHIN, Die Mz. der skyth. Könige, in: Hamburger Beitr. zur Arch. 18 (1991), 1996, 141–150
2 N. A. FROLOVA, Monety skifskogo carja Skilura, in: Sovetskaja Archeologija 1964.1, 44–55
3 J. G. VINOGRADOV, Pontische Studien, 1997, 526–562.
U. P.

Skione (Σκιώνη). Stadt an der Südküste der Pallene [4] zw. Nea Skioni und Hagios Nikolaos. Der Lokaltrad. zufolge (Thuk. 4,120,1; vgl. Konon FGrH 26 F 13; Polyain. 7,47) wurde S. nach dem Troianischen Krieg von Achaioi aus → Pellene gegr. Im Winter 480/79 v. Chr. beteiligte sich S. an der Verteidigung von → Poteidaia gegen die Perser (Hdt. 8,128). S. erscheint dann mit durchwegs sechs Talenten in den Athener Tributquotenlisten (ATL 1, 410 f.). Im → Peloponnesischen Krieg fiel S. 423 von Athen ab und trotzte zwei J. lang allen Rückeroberungsversuchen (Thuk. 4,120 ff.; 129 ff.). Im Nikias-Frieden 421 der Willkür Athens ausgeliefert (Thuk. 5,18,7 f.), wurde S. im Sommer 421 eingenommen, entvölkert und Flüchtlingen aus → Plataiai überlassen (Thuk. 5,32,1). Nach 404 wurde S. von Lysandros [1] den urspr. Bewohnern zurückgegeben (Plut. Lysandros 14,4) und brachte es noch einmal zu einer bescheidenen Blüte. Seit 349 war S. makedonisch.

M. ZAHRNT, Olynth und die Chalkidier, 1971, 234–236. M. Z.

Skiras (Σκίρας). ›Dichter der sog. ital. Komödie‹ [1. test. 1] aus Tarent, der in einem späten Zeugnis [1. test. 2] zusammen mit dem Phlyakendichter → Rhinthon und (dem Menippeendichter?) Blaisos wenig glaubhaft zu den Pythagoreern gerechnet wird. Von S.' Werk sind lediglich zwei iambische Trimeter aus dem Mythenstück Μελέαγρος (*Meléagros*) erh., die eine Parodie auf Eur. Hipp. 75 f. darstellen. Für S.' Datier. gibt es kaum Anhaltspunkte; er wird meist in die Nähe Rhinthons (um 300 v. Chr.) gerückt.

1 CGF 190. H.-G. NE.

Skiritai (Σκιρῖται). Die S., die vielleicht ethnisch zu den Arkadiern gehörten, kamen aus dem Distrikt (χώρα/*chōra*) der → Skiritis auf der Peloponnes (Diod. 15,64,3; vgl. Thuk. 5,33,1); der wichtigste befestigte Platz dieser Region war nach 375 v. Chr. Oion (Xen. hell. 6,5,24 f.). In der Schlacht von → Mantineia kämpften 418 v. Chr. 600 S. auf spartanischer Seite (Thuk. 5,67,1; 5,68,3; 5,71,2). Sie hatten in dieser Zeit bereits das Recht, die äußerste linke Position der spartanischen → *phálanx* einzunehmen (Thuk. 5,67,1; vgl. Diod. 15,32,1); nach 378 v. Chr. nahmen die S. an den Kämpfen in Boiotien teil (Xen. hell. 5,4,52 f.). Ihr polit. Status ähnelte vielleicht dem der → *períoikoi*, aber Xenophon unterscheidet beide Gruppen sorgfältig (Xen. hell. 5,2,24; Xen. Lak. pol. 12,3; 13,6; Xen. Kyr. 4,2,1). 370/69 v. Chr. beteiligten sich die S. am Abfall der *períoikoi* von Sparta und gehörten danach zu Megalopolis (Xen. hell. 6,5,24 f.; vgl. 7,4,21). Im 2. Jh. v. Chr. wurde die Skiritis durch ein Schiedsverfahren wiederum Sparta angegliedert (Syll.[3] 665,31; 35) und blieb im Prinzipat unter Spartas Kontrolle.

1 H. BECK, Polis und Koinon, 1997 2 G. SHIPLEY, The Other Lakedaimonians, in: M. H. HANSEN (Hrsg.), The Polis as an Urban Centre and as a Political Community, 1997, 189–281. P. C.

Skiritis (Σκιρῖτις). Nördl. Grenzlandschaft von Lakonia (Thuk. 5,33,2) zw. dem ostarkadischen und dem spartanischen Becken, im Norden ca. 13 km, im Süden 4 km breit, Schiefergebiet der NW-Abdachung des nördl. → Parnon ohne größere Ortschaften. Sie zählte urspr. zu Arkadia (Steph. Byz. s. v. Σκίρος). Im 5. Jh. v. Chr. hatten die → Skiritai den Status spartanischer → *períoikoi*. 369 v. Chr. erfolgte der Anschluß an → Megale polis (Xen. hell. 6,5,24 ff.; 7,4,21; Diod. 15,64,3 ff.; Syll.[3] 665,31 f. von 164 v. Chr.).

F. GEYER, s. v. S., RE 3 A, 536 f. • F. BÖLTE, s. v. Sparta, RE 3 A, 1265–1582, bes. 1308 f. • PHILIPPSON/KIRSTEN 3, 464. C. L. u. E. O.

Skiron (Σκίρων, Σκείρων/*Skeírōn*). Entweder Sohn von → Henioche [4] und Kanethos (Plut. Theseus 10,1–4; 25,4) oder Sohn des → Poseidon oder Sohn bzw. Enkel des → Pelops [1] (Apollod. epit. 1,2). Eponym der »Skironischen Felsen« (→ *Skeirōnídes pétrai*) und des »Skironischen Weges« an der → Geraneia (Hdt. 8,71). Während S. bei den Megarern urspr. als wohlwollender Heros und Erbauer des Weges galt (Paus. 1,44), wandelte er sich mit dem Aufblühen der → Theseus-Sage zu dem bekannten Unhold, der Wanderer zunächst zwang, ihm die Füße zu waschen, und sie dann über die Felsen in den Abgrund stieß, wo bereits eine menschenfressende Schildkröte lauerte. Erst Theseus besiegt S. und schleudert ihn seinerseits ins Meer (→ Talion), wo seine Gebeine zu den bekannten Klippen werden (Diod. 4,59,4; Ov. met. 7,443–47). Im Zuge der Theseus-Sage tritt S. seit E. 6. Jh./Anf. 5. Jh. v. Chr. häufig in bildlichen Darstellungen auf. Da S. in Athen neben → Boreas am Turm der Winde dargestellt war (→ Argestes), ist auch eine Deutung als Windgeist möglich. FR. D.

Skironides (Σκιρωνίδης). Athener, führte als Stratege zusammen mit → Phrynichos [2] und anderen im Sommer 412 v. Chr. die Offensive zur Rückeroberung von → Miletos [2], die trotz siegreicher Feldschlacht wegen der spartan. Flottenübermacht – gegen das Votum u. a. des S. – abgebrochen wurde (Thuk. 8,25–27). Als Befehlshaber der Flotte bei Samos wurden er und Phrynichos Anf. 411 abgesetzt (Thuk. 8,54,3). Seine Einstellung zur Oligarchie der Vierhundert (→ *tetrakósioi*) ist unklar.

D. KAGAN, The Fall of the Athenian Empire, 1987 • PA 12730. U. WAL.

Sklavenaufstände. Die großen S. der röm. Ant. ereigneten sich in einem relativ begrenzten Zeitraum, im 2. und frühen 1. Jh. v. Chr., und hatten ihr Zentrum auf Sizilien und in Süd-It. Die Bandenbildung flüchtiger Sklaven (=Sk.) in früherer und späterer Zeit hat das Ausmaß dieser großen S. nie erreicht und ist mit diesen nicht vergleichbar (Chios: Athen. 6,265d–266e; → Bulla Felix in It.: Cass. Dio. 77,10). Obgleich die Aufstandsbewegungen der Unfreien als Reaktion auf ihre Ausbeutung in der → Landwirtschaft angesehen werden müssen, sind sie jedoch präzise in die histor. und wirtschaftliche Situation des 2. und 1. Jh. v. Chr. einzuordnen. Die S. waren bedingt durch eine Reihe spezifischer Voraussetzungen und können nicht als Strukturmerkmal der ant. → Sklaverei bewertet werden.

Zwei Tatsachen waren für die S. entscheidend: In der Zeit nach dem 2. → Punischen Krieg kamen Sk. in großer Zahl aus dem Osten nach Sizilien; diese Menschen waren als Jugendliche und Erwachsene versklavt worden, hatten also noch eine Erinnerung an die Freiheit, die sie verloren hatten. Da viele dieser Sk. denselben kulturellen und sprachlichen Hintergrund besaßen, konnten sie sich verständigen und gemeinsam handeln. Der zweite Faktor war die weite Verbreitung der → Viehwirtschaft auf Sizilien und in Süd-It. Die unfreien Viehhirten weideten die großen Herden im Sommer in den Gebirgsregionen und waren damit der Aufsicht ihrer Besitzer weitgehend entzogen. Da die Hirten auf diesen Wanderungen große Strecken zurücklegen mußten, handelte es sich meist um gut trainierte, ausdauernde Männer, die zudem bewaffnet waren, um die Herden vor wilden Tieren oder Viehdieben schützen zu können (vgl. Varro rust. 2,10). Unter diesen Bedingungen ging von den Sk. eine latente Gefahr aus, und es bedurfte nur eines Anlasses, damit es zum bewaffneten Widerstand der Sk. kam.

Das Banditentum solcher Hirten scheint der erste Schritt zur Revolte gewesen zu sein; als in Apulien Hirten das Land und die Straßen zunehmend unsicher machten, konnte diese Sk.-Bewegung (*motus servilis*) 185 v. Chr. noch schnell unterdrückt werden; immerhin war es notwendig gewesen, einen Praetor nach Tarentum zu schicken, um gegen die Sk. vorzugehen, und die Tatsache, daß 7000 Menschen verurteilt wurden, zeigt das Ausmaß dieser Bewegung (Liv. 39,29,8–10). Auf Sizilien, wo neben den Angehörigen der griech. Oberschicht auch Römer große Ländereien (→ Großgrundbesitz) besaßen, scheinen die Lebensbedingungen der Sk. extrem hart gewesen zu sein. Bedingt durch die lange Friedenszeit herrschte auf der Insel Prosperität, die dazu führte, daß Großgrundbesitzer Sk. aus dem Osten in großer Zahl kauften, dann aber nicht ausreichend mit Nahrungsmitteln und Kleidung versorgten. Die Sk. bildeten daher Banden und gingen gewaltsam gegen Reisende und Bewohner des Landes vor (→ Räuberbanden).

Die erste Revolte (*bellum servile*) brach aus, als die Sk. sich in Enna an einem bes. grausamen Großgrundbesitzer, Damophilos [2], rächten; sie plünderten die Stadt und machten den Syrer → Eunus, der als Wundertäter und Wahrsager zu Ansehen gekommen war, zu ihrem König. Die Römer waren zunächst nicht in der Lage, den Aufstand mil. niederzuschlagen, und so gelang es den Sk., das Land um Enna zu beherrschen und Städte wie Tauromenion zu erobern. Eunus nannte sich Antiochos, trug ein Diadem, ernannte einen Rat und herrschte wie ein hell. König. Ihm schloß sich Kleon [4], ein Sk. aus Kilikien, an, der auf die Nachr. der Erfolge des Eunus hin selbst einen Aufstand begonnen und die Stadt Agrigentum erobert hatte. Trotz anfänglicher Siege über röm. Praetoren hatten die Sk. langfristig keine Chance, sich zu behaupten. 132 v. Chr. eroberte der Consul P. Rupilius [I 1] Tauromenion und Enna; mehr als 20 000 Sk. sollen in den Kämpfen umgekommen sein (Diod. 34/35,2,20 f.; Flor. epit. 2,7).

Ein zweiter Aufstand wurde etwa 30 J. später (104 v. Chr.) durch einen Senatsbeschluß ausgelöst, der die → Freilassung aller Sk., die aus verbündeten Ländern stammten und in die Prov. verkauft worden waren, anordnete. In Sizilien wurden daraufhin durch den Praetor in kurzer Zeit 800 Menschen freigelassen. Damit wurde unter den Sk. die Hoffnung auf Freiheit geweckt; der Praetor jedoch nahm, wahrscheinlich auf Druck der reichen Großgrundbesitzer hin, keine weiteren Freilassungen mehr vor. In ihren Erwartungen enttäuscht, begannen die Sk. einen Aufstand. Nach den ersten Erfolgen wählten sie Salvius, einen Flötenspieler und Wahrsager, zum König; ein gleichzeitiger Aufstand im Westen der Insel wurde von dem Kiliker → Athenion [2] angeführt. Es gelang den Sk. allerdings nicht, größere Städte zu erobern; Salvius brach die Belagerung von Morgantina erfolglos ab, und Athenion trat vor Lilybaion den Rückzug an. In Triokala im Westen der Insel vereinten sich die 30 000 (Salvius) und 3000 Mann starken Heere der beiden Anführer; Salvius gab sich nun nach hell. Vorbild den Beinamen → Tryphon und ließ den Ort Triokala zu einer Residenz ausbauen. Tryphon trug röm. Rangabzeichen, eine Toga mit Purpursaum, und war begleitet von Liktoren. Damit rezipierte er sowohl hell. als auch röm. Trad. Eine röm. Belagerung von Triokala scheiterte; erst als die Römer den Consul M. Aquillius [I 4] 101 v. Chr. nach Sizilien entsandten, konnten die Sk. endgültig besiegt werden (Diod. 36,1–11; Flor. epit. 2,7).

Der dritte große S. wurde von → Spartacus, einem Gladiator, in It. 74–71 v. Chr. angeführt. Auch für diesen S. ist die Teilnahme von Hirten belegt (Plut. Crassus 9). Der Schwerpunkt der Aufstandsbewegung lag wiederum in Gebieten, in denen die Viehwirtschaft vorherrschend war. Insgesamt scheint die Anhängerschaft des Spartacus weniger homogen als die der sizilischen Sk.-Könige Eunus und Salvius gewesen zu sein; die Niederlage ist auch auf ihre Uneinigkeit zurückzuführen.

Der anfängliche mil. Erfolg der S. ist auch damit zu erklären, daß Rom gerade zur Zeit dieser Revolten mil. außerordentlich stark belastet war: 135 v. Chr. war Rom in Spanien engagiert, 104 v. Chr. war It. durch die Züge der → Cimbri und → Teutoni bedroht, und auch zur Zeit des Spartacusaufstandes standen keine größeren mil. Reserven zur Verfügung. Es war daher verständlich, daß die Römer zunächst versuchten, die Sk. mit nur geringen mil. Kräften zu bekämpfen und erst nach ihren Niederlagen alle Kräfte für den Krieg gegen die Sk. mobilisierten.

Arme Freie nahmen an den S. teil, besaßen aber keinen größeren Einfluß auf die Aufstände und deren mil. Verlauf. Allein für Sizilien ist belegt, daß arme Freie aus Ressentiment gegen die reichen Großgrundbesitzer deren Besitzungen plünderten. Es ist unklar, welche Ziele die Sk. hatten; es ist möglich, daß sie auf Sizilien sich in einem eigenen Königtum behaupten wollten; im Gegensatz dazu versuchte ein Teil der Anhänger des Spartacus wohl, It. zu verlassen, um so die Freiheit wiederzugewinnen. Eine wirkliche polit. Perspektive besaßen die Sk. angesichts der gesellschaftlichen Verhältnisse der Ant. kaum, denn es war undenkbar, die Sklaverei vollständig zu beseitigen. Dennoch ging von den S. auf Sizilien eine erhebliche Wirkung auf andere Regionen im Mittelmeerraum aus. So wird berichtet, daß es nach den ersten Siegen des Eunus zu weiteren Aufständen in Rom, Attika und Delos kam (Diod. 34/35,2,19); immerhin gelang es in diesen Fällen aber schnell, die Sk.-Bewegung zu unterdrücken.

Bei der Bewertung der S. ist den Sk. angesichts ihrer brutalen Ausbeutung die Berechtigung zum Widerstand nicht abzusprechen. Außerdem ist festzustellen, daß

auch die röm. Republik auf die S. nur mit mil. Repression zu reagieren vermochte und nicht in der Lage war, Maßnahmen zur Verbesserung der Lebenssituation von Sk. durchzusetzen. Erst sehr viel später, im Prinzipat, gab es eine Gesetzgebung, die sich gegen die Exzesse grausamer Sk.-Besitzer richtete und den Sk. einige wenige Rechte ihren Besitzern gegenüber einräumte.
→ Sklavenhandel; Sklaverei; SKLAVEREI

1 K. R. BRADLEY, Slavery and Rebellion in the Roman World 140 BC–70 BC, 1989 **2** T. GRÜNEWALD, Räuber, Rebellen, Rivalen, Rächer, 1999 **3** W. Z. RUBINSOHN, Die großen S. der Ant. 500 J. Forsch., 1993. H.SCHN.

Sklavenhandel

I. ALLGEMEINES II. PIRATERIE UND KRIEG
III. ZENTREN DES SKLAVENHANDELS, SKLAVENHÄNDLER
IV. KAUF UND VERKAUF
V. BEDEUTUNG DES SKLAVENHANDELS

I. ALLGEMEINES

Für den ant. S. gibt es keine statistischen Angaben wie für den S. der frühen Neuzeit zw. Afrika und Amerika; es fehlen auch Informationen über die → Sterblichkeit im ant. S., so wie sie für die frühe Neuzeit gegeben sind, in der der Prozeß der Versklavung selbst, der Marsch der Sklaven (=Sk.) an die westafrikanische Küste, der Aufenthalt bis zur Einschiffung und die grauenvolle Fahrt auf den Sk.-Schiffen nach Amerika eine Sterblichkeit von 50 bis 70 % zur Folge hatten. Für die Ant. sind wir stattdessen auf eine unzulängliche Kombination von lit. Anspielungen, epigraphischen Zeugnissen und einigen wenigen bildlichen Darstellungen angewiesen, die in der Regel mit großem theoretischen Aufwand und unter Heranziehung von hypothetischen Modellen oder von Zeugnissen anderer Ges. interpretiert werden. In der mod. Forsch. wird viel über die Frage diskutiert, ob der Bestand an Sk. etwa durch Geburt und Aufzucht von Sk.-Kindern, Selbstverkauf in die → Sklaverei, Bestrafung bestimmter Personengruppen oder aber durch die Einfuhr versklavter Menschen von außen aufrechterhalten wurde. Allerdings ist die Quellenlage extrem schlecht, weswegen diese Frage kaum zu entscheiden ist. So hängt z. B. die natürliche Reproduktion einer Sk.-Bevölkerung vom zahlenmäßigen Verhältnis zw. den Geschlechtern ab. Die Censuserklärungen aus dem röm. Äg. scheinen ein deutliches Übergewicht von weiblichen gegenüber männlichen Sk. anzudeuten (ansonsten scheint dies im Imperium Romanum nicht der Fall gewesen zu sein). Von einem Rückgang der Zahl der Sk. und einer Krise in der Beschaffung von Sk. kann für keine Epoche der griech. und röm. Gesch. gesprochen werden.

II. PIRATERIE UND KRIEG

Schon in den Homerischen Epen begegnet eine wichtige Form der Sk.-Beschaffung, nämlich der Menschenraub und der Verkauf durch Piraten (→ Seeraub); charakteristisch ist das Schicksal des Schweinehirten → Eumaios auf Ithaka (Hom. Od. 15,403–484) und das negative Bild der phoinikischen Piraten. Die Massenversklavungen von Frauen und Kindern (wie von Männern) im Krieg sind ein späteres Phänomen, das mit der Entstehung eines Sk.-Marktes um 600 v. Chr. zusammenhing; im → Peloponnesischen Krieg wurden sowohl von Athen als auch von Sparta Frauen und Kinder eroberter Städte, aber auch → Kriegsgefangene in die → Sklaverei verkauft (Thuk. 3,68,3; 5,116,4; 6,62,3 f.; Demosth. or. 57,18). Auch während der röm. Expansion vom 3. bis zum 1. Jh. v. Chr. wurden in den eroberten Gebieten Menschen in großer Zahl versklavt (Tarentum, 209 v. Chr.: Liv. 27,16,7; Epeiros, 167 v. Chr.: Liv. 45,34,5). In der späten Republik waren die kilikischen Piraten im S. aktiv (Strab. 14,5,2); Kriegsgefangene wurden normalerweise noch auf dem Kriegsschauplatz verkauft (Cic. Att. 5,20,5).

III. ZENTREN DES SKLAVENHANDELS, SKLAVENHÄNDLER

Die meisten in Griechenland lebenden Sk. stammten aus Thrakien und Kleinasien (Phrygien, Karien), eher als aus den Ländern am Schwarzen Meer. Die Griechen auf Chios sollen sich nach Auffassung des Theopompos (bei Athen. 6,265b; vgl. Hdt. 8,105) als erste Sk. durch den Kauf auf dem Markt beschafft haben, und die Insel war vielleicht das erste wirkliche Zentrum des S. in der griech. Welt. Später nahmen Delos (Strab. 14,5,2) und Ephesos eine ähnlich wichtige Position ein. Sk. aus den Balkanländern kamen über Aquileia nach It. (Strab. 5,1,8); auch aus Gallien importierten die Römer zahlreiche Sk. (Diod. 5,26,3). Die Griechen versuchten wie später die Römer zu vermeiden, Mitbürger zu eigenen Sk. zu machen; so wurden athenische Schuld-Sk. in andere Gebiete verkauft, und das Zwölftafelrecht sah den Verkauf versklavter Römer in das Gebiet jenseits des Tiber vor (Aristot. Ath. pol. 12,4; Lex XII tab. 3,5).

Gegenüber professionellen Sk.-Händlern (ἀνδραποδισταί/*andrapodistaí* oder ἀνδραποδοκάπηλοι/*andrapodokápēloi*, später σωματέμποροι/*sōmatémporoi*) bestand eine ambivalente Einstellung; obgleich ihr Gewerbe für notwendig gehalten wurde, verachtete man sie, bes. wenn sie Griechen verkauften. Für den röm. S. in der Zeit zw. 200 v. Chr. und 100 n. Chr. existieren auch bildliche Darstellungen wie etwa auf dem Grabstein des Aulus Kapreilios Timotheos; das Grabrelief zeigt acht aneinander gekettete Sk., die wahrscheinlich gegen Wein eingetauscht worden waren (AE 1946,229; Amphipolis, 1. Jh. n. Chr.; vgl. auch die Grabstele des M. Publilius Satur, Capua); für Köln ist ein Sk.-Händler (*mango*) epigraphisch bezeugt (CIL XIII 8348).

IV. KAUF UND VERKAUF

Kauf und Verkauf von Sk. waren rechtlich geregelt; Platon formuliert genaue Vorschriften zu der Frage, wann der Kauf eines Sk. rückgängig gemacht werden konnte (Plat. leg. 916a-c); in Rom waren vom Verkäufer Krankheiten oder Delikte eines Sk. anzugeben (Gell. 4,2,1). Aus Äg. sind Verträge für den Kauf von Sk. erh. (POxy. 95, 129 n. Chr.). Die Preise für Sk. variierten je nach Epoche und Region außerordentlich stark (Preise in Athen 415 v. Chr.: Syll.³ 96). Daher bleibt es eine rein akademische Fragestellung, ob der Durchschnittspreis für einen gewöhnlichen Sk. eher hoch oder niedrig gewesen ist. Der Verkauf von Sk. geschah unter entwürdigenden Umständen; der nackte Körper des Sk. war dem Blick potentieller Käufer ausgesetzt (Sen. epist. 80,9; vgl. Mart. 6,66).

V. Bedeutung des Sklavenhandels

Unser Bild des ant. S. bleibt in vieler Hinsicht vage und hypothetisch. Dennoch besaß der S. gewiß eminente Bed. nicht nur für die Versorgung der → Landwirtschaft und des → Handwerks mit Arbeitskräften, sondern auch für die → Prostitution, denn viele Frauen, die als Sklavinnen verkauft worden waren, wurden zur Prostitution gezwungen (Sen. contr. 1,2,3; Dion Chrys. 7,133). Zweifellos stammten viele Prostituierte in Rom aus dem Osten (Iuv. 3,62–65). Auf jeden Fall ist offensichtlich, daß die griech. und röm. Ges. *slave societies* waren und dem S. eine wichtige Funktion bei der Aufrechterhaltung dieser Ges. zukam.

→ Seeraub; Sklavenaufstände; Sklaverei; Sklaverei

1 R. S. Bagnall, B. W. Frier, The Demography of Roman Egypt, 1994 **2** D. Braund, G. Tsetskhladze, The Export of Slaves from Colchis, in: CQ 49, 1989, 114–125
3 P. de Souza, Piracy in the Graeco-Roman World, 1999
4 H. Duchêne, Sur la stèle d'Aulus Caprilius Timotheos, sômatemporos, in: BCH 110, 1986, 513–530 **5** D. Eltis et al. (Hrsg.), The Atlantic Slave Trade, 1999 **6** M. I. Finley, Aulus Kapreilios Timotheos, Slave Trader, in: Ders., Aspects of Antiquity: Discoveries and Controversies, ²1977, 154–166 **7** Ders. (Hrsg.), Classical Slavery, ²1999 **8** Ders., The Black Sea and Danubian Regions and the Slave Trade in Antiquity, in: Finley, Economy, 167–175
9 W. Fitzgerald, Slavery and the Roman Literary Imagination, 2000 **10** M. L. Gordon, The Nationality of Slaves under the Early Roman Empire, in: M. I. Finley (Hrsg.), Slavery in Classical Antiquity, 1968, 171–189
11 W. V. Harris, Towards a Study of the Roman Slave Trade, in: D'Arms/Kopff, 117–140 **12** Ders., Demography, Geography and Sources of Slaves, in: JRS 89, 1999, 62–75
13 W. Johnson, Soul by Soul. Life inside the Antebellum Slave Market, 1999 **14** W. Scheidel, Quantifying the Sources of Slaves in the Early Roman Empire, in: JRS 87, 1997, 156–169 **15** L. Schumacher, Sklaverei in der Ant., 2001, 44–65 **16** H. Volkmann, Die Massenversklavungen der Einwohner eroberter Städte in der hell.-röm. Zeit, ²1990. P. C.

Sklaverei

I. Alter Orient II. Ägypten
III. Griechenland IV. Rom
V. Byzanz VI. Frühes Mittelalter

I. Alter Orient

Im alten Vorderasien ist die S. seit dem frühen 3. Jt. v. Chr. durch mesopot. Keilschrifttexte bezeugt [1]. Zu keiner Zeit jedoch waren Sklaven (=Sk.) die entscheidenden Produzenten im Rahmen der Gesamtökonomie [2]. Vom 3.–1. Jt. v. Chr. erfolgte der Einsatz von Sk. in erster Linie in privaten Hauswirtschaften, in geringerem Maße im Bereich der institutionellen Haushalte (→ Palast, → Tempel). Die Hauptquellen entstammen daher v. a. der Privatrechtssphäre und der staatlichen Gesetzgebung [3]. Sk. in den institutionellen Wirtschaftseinheiten waren z. T. → Kriegsgefangene und Deportierte [4; 5. 226 f.], in den privaten Hauswirtschaften hingegen in der Regel hausgeboren bzw. gekauft sowie auf Grund eines (eigenen oder durch Familienangehörige zu verantwortenden) Deliktes oder infolge von Schuldverpflichtungen versklavt [6; 7. 67–468]. Neben der (weitgehend unspezifizierten) Verwendung von Sk. als persönlich Bedienstete und von Sklavinnen als Ammen bzw. Kinderfrauen ist auch der Einsatz als Fach- oder Hilfskräfte in der handwerklichen Produktion, in Landwirtschaft und Gartenbau bezeugt [5. 223 f.; 7. 246–307; 8. 222 f.].

Sk. konnten als Eigentum ihres jeweiligen Gewalthabers verkauft, vermietet, verpfändet, verschenkt, vererbt und freigelassen werden [8]. Ein Recht, seinen Sk. zu töten, besaß der Eigentümer jedoch nicht, wohl aber ein Züchtigungsrecht. Verboten war z. T. der Verkauf einheimischer Sk. ins Ausland. Sk. konnten durch (Brand-)Markierungen oder Haartracht speziell gekennzeichnet sein [5. 225 Anm. 1243–1245]; im Falle ihrer Flucht [9] stand die Sk.-Hehlerei unter Strafe. Sk. waren z. T. aber auch geschäfts-, rechts- und prozeßfähig [5. 220–222; 8. 225], was sich bes. in den neu- und spätbabylonischen Quellen (7.–4. Jh. v. Chr.) manifestiert [7. 308–437] und auch für die hell. Zeit in Babylonien anzunehmen ist [10. 120–124]. Sk. in neu- und spätbabylon. Zeit konnten über ein *peculium* verfügen [11] und zahlten aus den Einkünften ihrer selbständig und auf eigene Rechnung getätigten Geschäfte eine spezielle Abgabe (akkad. *mandattu*) an ihren Herrn [12. 108 f.].

1 I. J. Gelb, Terms for Slaves in Ancient Mesopotamia, in: Societies and Language of the Ancient Near East. FS I. M. Diakonoff, 1982, 81–97 **2** Ders., Quantitative Evaluation of Slavery and Serfdom, in: B. L. Eichler (Hrsg.), Kramer Anniversary Volume, 1976, 195–207
3 I. Cardellini, Die biblischen »Sklaven«-Gesetze im Lichte des keilschriftlichen Sklavenrechts, 1981
4 I. J. Gelb, Prisoners of War in Early Mesopotamia, in: JNES 32, 1973, 70–98 **5** K. Radner, Die neuassyrischen Privatrechtsurkunden, 1997 **6** R. Westbrook, Slave and Master in Ancient Near Eastern Law, in: Chicago-Kent Law Review 70, 1995, 1631–1676 **7** M. A. Dandamaev, Slavery in Babylonia, 1984 **8** H. Neumann, Bemerkungen zur Freilassung von Sklaven im alten Mesopot., in: Altorientalische Forsch. 16, 1989, 220–233 **9** D. C. Snell, Flight and Freedom in the Ancient Near East, 2001
10 J. Oelsner, Recht im hell. Babylonien, in: M. J. Geller, H. Maehler (Hrsg.), Legal Documents of the Hellenistic World, 1995, 106–148 **11** M. A. Dandamaev, The Economic and Legal Character of the Slaves' Peculium in the Neo-Babylonian and Achaemenid Periods, in: D. O. Edzard (Hrsg.), Gesellschaftsklassen im Alten Zweistromland und in den angrenzenden Gebieten, 1972, 35–39 **12** H. Petschow, Neubabylonisches Pfandrecht, 1956. H. N.

II. Ägypten

Die Institution der S. ist im pharaonischen Äg. aufgrund terminologischer und juristischer Unklarheiten nur ansatzweise zu erfassen; ihre wirtschaftliche Bed. ist jedoch unerheblich. Für Sklaven (=Sk.), Diener und andere Abhängige wurde eine Vielfalt von Begriffen verwendet. Ab der 18. Dyn. setzt sich *ḥm* als Bezeichnung für die Sk. durch. Darüber hinaus können Sk. in Texten erscheinen, ohne als solche gekennzeichnet zu sein. Werden aber Personen explizit als Sachen bezeichnet oder verkauft, so handelt es sich um Sk.

Die Hauptgründe für Versklavung waren Kriegsgefangenschaft und Verschleppung besiegter Bevölkerungsgruppen. Aus der Spätzeit (ca. 1085–330 v. Chr.) sind aus Notlagen resultierende Selbstverkäufe in die S. bezeugt, die auch die Nachkommen betrafen. Sk. wurden auch durch professionelle Handelsagenten zum Kauf angeboten. Die Versklavung ausgesetzter Kinder ist für Äg. nicht belegt.

Sk. konnten staatlichen Einrichtungen, Tempeln und Einzelpersonen gehören. Staatl. Sk., meist → Kriegsgefangene, wurden gebrandmarkt und zu Bauarbeiten eingesetzt oder an Tempel überstellt, wo sie auch in der Landwirtschaft eingesetzt wurden. Frauen, v. a. Syrerinnen, arbeiteten vorwiegend als Weberinnen, konnten aber auch in diversen Funktionen Privatpersonen zur Verfügung gestellt werden. Private Sk. wurden vorwiegend im häuslichen Bereich eingesetzt und waren hauptsächlich weiblich; die Männer arbeiteten im Handwerk sowie in der Viehwirtschaft. Die Zahl dieser Sk. pro Haushalt war niedrig, in der Regel weniger als zehn, oft nur zwei. Die Preise schwankten z. B. zw. mehreren 100 g Silber, dem Gegenwert weniger Rinder. Die Arbeitskraft der Sk. konnte unter mehrere Personen aufgeteilt werden [4]. Ehen zwischen Sk. und Freien sind bezeugt; Kinder erbten den Status der Mutter. Sk. konnten Land und anderes Eigentum besitzen und veräußern. Flucht und Freilassungen sind vereinzelt belegt.

S. im ptolem. Äg. differiert nicht wesentlich von der des pharaonischen. Terminologische Unklarheit besteht auch im Griech.; die häufigsten Begriffe sind *dúlos* und *país*. Hauptquelle war die Herkunft durch Geburt, im 3. Jh. v. Chr. auch Kriegsgefangenschaft; Schuld-S. findet sich durchgängig, aber oft nur temporär. Die Ein- und Ausfuhr von Sk. war staatlich überwacht. Staats- und Tempel-Sk. sind nicht belegt, solche von Privatleuten arbeiteten vorwiegend im häuslichen Bereich und spielten in der Landwirtschaft keine große Rolle. Der Kaufpreis entsprach etwa einem jährlichen Spitzenlohn [5. 140], eine Steuer auf Sk. ist wahrscheinlich.

In röm. Zeit ist *dúlos* die häufigste Bezeichnung. Hauptquellen für S. waren Geburt durch eine Sklavin sowie ausgesetzte Kinder, alle anderen Arten gingen zurück, Selbstverkauf ist nicht belegt. Neben kaiserlichen Sk. gab es v. a. private Sk. im häuslichen Bereich. Ihre Preise differierten erheblich [6. 906–911]; ihr Besitz wurde nicht besteuert, aber Eigentumswechsel sowie die meist testamentarische → Freilassung. Der Anteil der Sk. an der Gesamtbevölkerung betrug etwa 10 Prozent, in den Städten war er höher als auf dem Land.

1 A. M. Bakir, Slavery in Pharaonic Egypt, 1952 (Ndr. 1978) 2 I. Biezunska-Malowist, L'esclavage dans l'Égypte gréco-romaine, Bd. 1: Période ptolémaique, 1974; Bd. 2: Période romaine, 1977 3 B. Menu, Recherches sur l'histoire juridique, économique et sociale de l'ancienne Égypte, Bd. 2, 1998, 209–223; 369–383 4 R. Navailles, F. Neveu, Qu' entendait-on par »Journée d'esclave« au nouvel empire?, in: Rev. d'Égyptologie 40, 1989, 113–123 5 R. Scholl, S. in den Zenonpapyri, 1983 6 J. A. Straus, L'esclavage dans l'Égypte romaine, in: ANRW II 10.1, 841–911.

R. M.-W.

III. Griechenland

A. Definition und Bewertung
B. Historische Entwicklung
C. Strukturelle Elemente

A. Definition und Bewertung

Im ant. Griechenland hat sich mit der S. (δουλεία/*duleía*) eine bes. rigide Form persönlicher Abhängigkeit herausgebildet; im Unterschied zu anderen Formen von Hörigkeit und Knechtschaft (engl. *serfdom*) spricht man von Kauf-S. (vgl. engl. *chattel slaves*). Die Sklaven (=Sk., δοῦλος/*dúlos*; auch ἀνδράποδον/*andrápodon*, wörtl. »auf Menschenfüßen gehend«; θεράπων/*therápōn* bzw. θεράπαινα/*therápaina*, »Diener« bzw. »Dienerin«; οἰκέτης/*oikétēs*, »Haus-Sk.«; παῖς/*pais*, wörtlich »Junge« bzw. »Mädchen«; σῶμα/*sṓma*, wörtl. »Körper«) befanden sich rechtlich und wirtschaftlich in der völligen Verfügungsgewalt ihres Herren (→ *kýrios*), der juristisch gesehen ihr Eigentümer war. S. war dem polit. Freiheitskonzept (→ Freiheit) und der sozioökonomischen Vorstellung von Abkömmlichkeit und → Muße, die normativ überhöht wurden, komplementär. So verband sich mit der S. schon früh die Vorstellung einer physisch-moralischen Inferiorität gegenüber den Freien und bes. den Aristokraten (Hom. Od. 17,320ff.; Thgn. 535ff.; vgl. später auch Plat. leg. 776e–777a). Dies führte in der klass. Philos. – trotz anderslautender Stimmen aus der → Sophistik (schol. Aristot. rhet. 1373b 18) – zu der Auffassung, es gebe Sk. von Natur aus; dies gelte gerade für → Barbaren (Plat. polit. 309ab; Aristot. pol. 1252b 5ff.; 1253b 15ff.). Vorstellungen von der prinzipiellen Gleichheit der Menschen und die Ethisierung der S. in der kynisch-stoischen Philos. änderten am System wenig: Wenn Freiheit und S. zur Frage sittlicher Qualität wurden und die reale juristische und soziale Situation überlagerten, konnte der Zustand eines Sk. als letztlich indifferent erscheinen.

B. Historische Entwicklung

Obgleich es ein Äquivalent des griech. Begriffspaares ἐλεύθερος/*eleútheros* (»Freier«) und δοῦλος/*dúlos* (»Sk.«) im Myk. gibt (*e-re-u-te-ro* und *do-e-ro*), ist unklar, ob die schroffe Form der S. bereits in myk. Zeit existierte. Belegt sind in den Linear-B-Texten vornehmlich »Sk./

Sklavinnen von Gottheiten« bzw. Tempel-Sk. (*te-o-jo do-e-ro* bzw. *do-e-ra*), die sogar Rechtsgeschäfte tätigen konnten, und Handwerks-Sk. (Schmiede), die mit ihren Herren zusammenarbeiteten, sowie bestimmte Arbeiterinnen. Man wird hier wohl mit loseren Formen von Unfreiheit rechnen müssen [5. 16–18]. In homerischer Zeit signalisiert die Begrifflichkeit (neben *dúlos* ist v. a. δμώς/*dmōs*, οἰκεύς/*oikeús* und ἀμφίπολος/*amphípolos* bezeugt) zunächst ein differenziertes Bild. Doch finden sich hier schon deutliche Indizien für die spezifische Ausprägung der vollen Verfügungsgewalt. Zwar sind Sklavinnen und Sk. vornehmlich im häuslichen Bereich zu finden und sind demgemäß auch innige und loyale Beziehungen belegt, doch zeigt sich der Gewaltcharakter der S. darin, daß neben Menschenraub v. a. Kriegshandlungen der Rekrutierung von Sk. dienten und daß davon v. a. Frauen betroffen waren, die in die völlige – auch sexuelle – Verfügung der Sieger gerieten.

War deshalb häufig der Sk. der Fremde (vgl. Archil. fr. 79a D.), so bedeutete in der archa. Zeit die Schuldknechtschaft nicht selten Verkauf in die S. [8. 26–28]. Mit der markanten Formierung des aristokratischen Habitus in dieser Epoche und dem damit verbundenen Bedarf an Arbeitskräften hatte sich der Druck v. a. auf die kleineren Bauern verstärkt, andererseits wurde in verschiedenen Poleis – bes. in Athen durch → Solon [1] – die Versklavung auf dem Weg über die Schuldknechtschaft unterbunden. Arbeitskräfte waren hinfort »richtige« Sk. [5. 57 f.], und in der sich entfaltenden Polis verstand sich der Bürger gerade als frei von der S. Der Status des freien Bürgers und des für »edlere« Tätigkeiten abkömmlichen Mannes bildete das Gegenbild zur S., die entsprechend weit verbreitet war. Schon im 6. Jh. v. Chr. konnte »S.« als polit. Kampfbegriff gegen die → Tyrannis gewendet werden; im 5. Jh. v. Chr. wurde die Abwehr gegen die Perser als Kampf gegen drohende S. verstanden [7. 65–125]. Verschiedene Formen von Abhängigkeit bestanden aber auch neben der Kauf-S. weiter, und dabei gab es gerade zw. den einzelnen Poleis und Regionen z. T. erhebliche Unterschiede.

C. Strukturelle Elemente

Nach wie vor waren zahlreiche Sk. im Haus bzw. Haushalt tätig (→ *oíkos*), als Dienerinnen und Dienstboten, aber auch in der Kindererziehung, etwa als Ammen und → Paidagogen. V. a. aber wurden sie in allen Bereichen der Wirtschaft als Arbeitskräfte eingesetzt. In der polit. Theorie gilt der Sk. dabei als Werkzeug (ὄργανον/*órganon*), das die Aufgaben vieler Werkzeuge erfüllt (Aristot. pol. 1253b). Wir finden die Sk. in der → Landwirtschaft, v. a. in der Viehzucht, als Handwerker (→ Handwerk) in verschiedenen verarbeitenden Gewerben, aber auch als Agenten in → Bank- und Handelsgeschäften [7. 163 ff.]. Je nach dem Vermögen ihrer Herren bzw. entsprechend deren Lebensstil arbeiteten sie gemeinsam mit ihrem Herrn wie Knechte, Gesellen oder Lohnarbeiter (bei gleicher Bezahlung) oder aber in Abwesenheit des Herrn von einem Aufseher überwacht, der ebenfalls aus dem Sk.-Stand kam, während der Sk.-Besitzer in diesem Fall etwa als Großgrundbesitzer oder als Betreiber eines größeren Handwerksbetriebs das Leben eines Rentiers führen konnte. In einem → *ergastḗrion* des Timarchos arbeiteten neun oder zehn Sk., die → Schuhe herstellten (Aischin. Tim. 97), und der Vater des Demosthenes [2] besaß eine Werkstatt, in der Schwerter verfertigt wurden, mit 32 oder 33 Sk., sowie eine Möbelwerkstatt mit 20 Sk. (Demosth. or. 27,9). Bes. reiche Personen zogen sogar aus der Vermietung ihrer Sk. Gewinn; so erwähnt Xenophon, daß Nikias [1], Hipponikos und Philemonides eine große Zahl von Sk. an Pächter von Bergwerken im Laureion vermieteten (Xen. vect. 4,14 f.; → Bergbau). Beim Umgang mit Sk. sollte jede Ungerechtigkeit vermieden, bei der Bestrafung aber härter als mit Freien verfahren werden (Plat. leg. 777b–778a). Einzelne Sk. konnten bes. in Geldgeschäften erhebliche Verantwortung übernehmen und etwa wie Pasion [2] für ihren Besitzer eine Bank leiten. Tätigkeiten, die eine bestimmte Spezialisierung voraussetzten oder als hart bzw. verächtlich galten, wurden bes. häufig von Sk. ausgeübt: Einerseits nahmen öffentliche Sk. wichtige Aufgaben in der Verwaltung oder im Bereich der öffentlichen Sicherheit wahr (skythische Sk. dienten als → »Polizei« in Athen [7. 180 ff.]), andererseits wurden Sk. für schwerste Arbeiten in Bergwerken eingesetzt, wo sie allerdings zugleich als Spezialisten geschätzt und begehrt waren. Nicht zuletzt war die S. im Milieu der → Prostitution weit verbreitet (Demosth. or. 59,18–32).

Viele Sk. waren dies von Geburt an, da die Kinder einer Sklavin normalerweise dem Stand der Mutter angehörten. Ansonsten erwarb man Sk. durch Kauf, dem v. a. → Kriegsgefangene ausgesetzt waren. Auch ausgesetzte Kinder wurden nicht selten versklavt (→ Kindesaussetzung). Die Kaufpreise für Sk. richteten sich naturgemäß nach deren körperlicher Konstitution, v. a. aber nach ihren Fähigkeiten und Kenntnissen, die eine unterschiedliche Verwendbarkeit ermöglichten. Dementsprechend konnten die Preise erheblich differieren [7. 47 f.].

Die → Freilassung von Sk. war möglich, führte aber nicht zur völligen Integration in den Bürgerverband: In Athen etwa erlangten die → Freigelassenen nur den Status eines → *métoikos*. Sehr häufig erfolgte die Freilassung über eine formelle Übereignung an eine Gottheit bzw. ein Heiligtum, die dann den neuen Status des ehemaligen Sk. garantierten; sie war darüber hinaus oft daran geknüpft, daß der Sk. bis zum Tode des Freilassers diesem zu Dienstleistungen verpflichtet blieb (παραμονή/→ *paramonḗ*). Einen Rechtsanspruch auf Freilassung gab es nicht, obgleich Sk. die Möglichkeit hatten, sich freizukaufen. In der Regel diente die Freilassung als Anreiz für ein Verhalten, das sich an den Erwartungen des Sk.-Besitzers orientierte. Dies galt auch für die – in höchster mil. Notlage zugesagte – Emanzipation im Falle einer Beteiligung an den Kampfhandlungen. Sk.-Flucht war relativ selten, was aber nicht zuletzt daran lag, daß Flucht kaum eine reale Chance auf Freiheit bedeutete und in der Regel streng geahndet wurde. So gab es auch kaum → Sklavenaufstände (Athen. 6,265c–266c), und Massenfluchten sind nur für Kriegszeiten belegt (Thuk. 7,27,5).

Auch wenn sich im Zusammenleben zw. Herren und Sk. nicht selten affektive Beziehungen ergaben (etwa zw. Ammen und ihren Zöglingen), Sk. in öffentlichen Institutionen oder als Spezialisten in bestimmten Berufen einflußreich sein konnten und in manchen rel. Kontexten (etwa im Bereich der → Mysterien) die Grenzen zw. Sk. und Freien zeitweise aufgehoben waren, blieb die S. als grundlegende soziale Institution ein strukturelles Gewaltverhältnis: Sk. hatten keine Rechte und in der Regel keine Möglichkeit, eine Ehe einzugehen; Familien, die in die S. geraten waren, konnten demgemäß jederzeit auseinandergerissen werden. Sk. waren letztlich in der absoluten Verfügungsgewalt ihrer Herren, konnten verkauft oder verpfändet werden und besaßen auch keinen Anspruch auf körperliche Unversehrtheit. Sie waren körperlichen Züchtigungen und der → Folter vor Gericht ausgesetzt.

Angaben über die Zahl der Sk. sowie über das Zahlenverhältnis von Sk. und Freien sind selten und meist wenig glaubwürdig (Athen. 272cf.); noch im klass. Athen besaßen Angehörige der Oberschicht offenbar nur in Ausnahmefällen Sk. in größerer Zahl (über 100 und bis zu 1000; [7. 48ff., 94]). Auch weniger begüterte Bauern und Handwerker verfügten über einige wenige Sk. Die S. war in Griechenland also nicht nur als Gegenbild des freien Polisbürgertums durchaus ubiquitär. Man kann die griech. Ges. deshalb auch als *slave society* [3. 67–92] bezeichnen.

→ Arbeit; Freigelassene; Freiheit; Menschenrechte; Personenrecht; Sklavenaufstände; Sklavenhandel; SKLAVEREI

1 N. BROCKMEYER, Ant. S., ²1987 **2** E. HERRMANN, N. BROCKMEYER, Bibliogr. der ant. S., 2 Bde., 1983
3 M. I. FINLEY, Ancient Slavery and Modern Ideology, 1980, ²1998 (dt.: Die S. in der Ant., 1981) **4** Y. GARLAN, Les esclaves en grèce ancienne, 1984 **5** F. GSCHNITZER, Griech. Sozialgesch., 1981 **6** LAUFFER, BL **7** K. RAAFLAUB, Die Entdeckung der Freiheit, 1985 **8** L. SCHUMACHER, S. in der Ant. Alltag und Schicksal der Unfreien, 2001
9 K. W. WELWEI, Unfreie im ant. Kriegsdienst, 3 Bde., 1974–1988 **10** TH. WIEDEMANN, Slavery, ²1997. H.-J. G.

IV. ROM

A. KÖNIGSZEIT UND FRÜHE REPUBLIK
B. SPÄTE REPUBLIK UND AUGUSTEISCHE ZEIT
C. PRINZIPAT BIS DIOCLETIANUS
D. SPÄTANTIKE

A. KÖNIGSZEIT UND FRÜHE REPUBLIK

Die Etym. des lat. *servitus* ist unklar; vielleicht geht das Wort über ein etr. Lehnwort auf indeur. *sóru-*, »Beute« zurück. Demnach bedeutet *servus* (»Sklave«, = Sk.): »Erbeuteter«. Die S. begegnet schon in der Überl. zur röm. Frühzeit: Romulus' [1] Asyl stand auch entflohenen Sk. offen, und Servius → Tullius soll als kriegsgefangenes Kind zusammen mit seiner Mutter nach Rom gelangt sein (Liv. 1,8,6; 1,39). Beide Erzählungen bezeugen die schon in der Ant. auffallende Integrationsfähigkeit der röm. Ges. gegenüber nach Rom gelangten Fremden und Sk. (Cic. Balb. 24; vgl. Syll.³ 543, 33ff.). Diese Offenheit wurde zunächst durch ethnische Nähe zu Kriegsgefangenen mittel-ital. Völker, später durch kulturelle Orientierung am griech.-hell. Osten begünstigt.

Die Zahl der röm. Sk. war für die Zeit vor ca. 200 v. Chr. wahrscheinlich nicht sehr hoch, zumal mit dem → *nexum* (Schuldknechtschaft) und der *clientela* (→ *cliens*) Institutionen existierten, die mit einer Verpflichtung weiter Kreise der Bevölkerung zu Arbeitsleistungen verbunden waren. Schon diese gesellschaftlichen Abhängigkeiten relativierten die Bed. der frühröm. S. Die Sk. gehörten der *familia* ihres Besitzers an und waren der Gewalt des → *pater familias* unterworfen [15. 175–196]. Mit dessen Zustimmung verfügten sie über ein rechtlich prekäres Sondervermögen an Geld und Sachwerten (→ *peculium*), das dem Freikauf dienen konnte. In der Regel markierte eine → Freilassung, unter Erwerb röm. Bürgerrechts (→ *civitas* B.), den Übergang von der *familia* in die *clientela* des ehemaligen *dominus*, der zum → *patronus* wurde.

B. SPÄTE REPUBLIK UND AUGUSTEISCHE ZEIT

Seit dem 2. → Punischen Krieg nahm die Zahl der nach Rom und It. importierten Sk. erheblich zu, was auf die Umstrukturierung der röm. → Landwirtschaft von einer bäuerlichen Wirtschaft zu einer extensiven Viehwirtschaft und einer auf die Produktion von Wein und Olivenöl spezialisierten Gutswirtschaft zurückzuführen ist [12. 96ff.]. Die hierfür notwendigen qualifizierten Arbeitskräfte kamen seit dem 2. Jh. v. Chr. v. a. aus dem griech. Osten; nach It. gelangten sie primär infolge von Kriegen [16; 19] und → Seeraub (oft über Delos: [12. 51ff.]). Die Ausweitung des röm. Herrschaftsbereichs ließ darüber hinaus einen größeren Bedarf an unfreiem Dienstpersonal entstehen, so etwa bei den Ges. der → *publicani*, bei den Fernhändlern oder im Geldgeschäft [6. 69–76]. Das zunehmende Repräsentationsstreben der röm. Oberschicht hatte zur Folge, daß in den Haushalten mehr Sk. eingesetzt wurden [6. 51–62], denen nun stark spezialisierte Aufgaben zugewiesen wurden (vgl. z. B. Sen. epist. 47,5–8). Auch im → Handwerk waren zahlreiche Sk. tätig, obgleich nur wenige große Werkstätten, etwa im Bereich der → Keramikherstellung, entstanden [11].

Hatte die röm. S. in der Frühphase eher patriarchalischen Charakter, so wurde sie im 2. und 1. Jh. v. Chr. zu einem Faktor kapitalistischen Gewinnstrebens. Catos *De agri cultura* macht diesen Wandel deutlich: Neben Nutztieren, Gebäuden und Gerät werden unfreie Menschen als bloße Produktionsfaktoren aufgefaßt (Cato agr. 10f.; vgl. auch Plut. Cato Maior 21 und für das 1. Jh. v. Chr. Varro rust. 1,17,1). Das rein auf wirtschaftl. Gewinn fixierte Denken ist mitverantwortlich für mehrere große Aufstände primär in der Landwirtschaft eingesetzter Sk.: Zw. 140 und 70 v. Chr. [12. 95 ff.] erschütterten → Sklavenaufstände Sizilien und Unteritalien. Zu einem allg. Aufbegehren der Unfreien auch in den Städten kam es allerdings nicht. Entscheidend hierfür waren die persönlichen Erwartungen der Sk., die bei untadligem Verhalten die Freilassung und Aufnahme in den röm. Bürgerverband erhofften [2. 162 ff.; 3]. Gerade die Sk. und → Freigelassenen, die zu den Bildungseliten gehörten, wurden entsprechend respektvoll behandelt und in ihren Leistungen durchaus anerkannt [5]. Für durchschnittliche Haussklaven weniger bildungsbeflissener Besitzer dürften aber erhebliche Einschränkungen gelten.

In Zeiten polit. Instabilität kam es zur massenhaften Sk.-Flucht; ein röm. Magistrat erwähnt auf einer Inschr., er habe als Praetor 917 flüchtige Sk. ihren Besitzern zurückgegeben (2. Jh. v. Chr.; ILS 23), und nach 43 v. Chr. stellten *fugitivi* (»flüchtige Sk.«) große Teile der Rudermannschaften des Sex. Pompeius [I 5], was später Augustus dazu veranlaßte, diesen Krieg als *bellum servorum* (»Sk.-Krieg«) zu bezeichnen (R. Gest. div. Aug. 25,1). Es ist nicht auszuschließen, daß manche der *fugitivi* aus städtischem Umfeld stammten. Die Überlebenden wurden ihren *domini* zur Hinrichtung überstellt oder direkt ans Kreuz geschlagen (Cass. Dio 49,12,4 f.; vgl. → *crux*; → Todesstrafe) wie einst die Anhänger des → Spartacus.

C. Prinzipat bis Diocletianus

Die nachaugusteische Friedenszeit hatte negative Auswirkungen auf den Sk.-Nachschub. Er basierte nun zunehmend auf dem Verkauf hausgeborener Sk. [8] und auf → Sklavenhandel mit Gebieten jenseits der Reichsgrenzen [6. 23 ff.]. Auch mögen die Kriege seit Claudius [III 1] in Britannien, 66–70 gegen Iudaea sowie gegen die Daker (→ Dakoi) und im Orient unter Traianus zeitweise entlastend gewirkt haben. In weiten Gebieten des Imperium Romanum, die noch nicht tiefgreifend romanisiert waren oder in denen noch traditionelle Abhängigkeitsformen existierten, bestand eine deutlich geringere Nachfrage nach Sk. als in It. (insges.: [4; 10; 14]), und auch dort hatte die Latifundienwirtschaft ihren Zenit überschritten. Insgesamt erforderte die Arbeit in den Haushalten, im Gewerbe, Dienstleistungssektor sowie in der städtischen, provinzialen und kaiserlichen Administration und sogar in der Landwirtschaft qualifizierte Sk., die aber kaum über Importe, eher durch Ausbildung hausgeborener röm. Sk.-Kinder (*vernae*) zu bekommen waren. Diese akzeptierten infolge unfreier Geburt und Erziehung die S., waren röm. akkulturiert und wurden aufgrund ihres Wertes besser behandelt [8]. Auch dies führte zu einer partiellen Humanisierung der S., die freilich bisweilen durch kaiserliche Sanktionen erzwungen bzw. abgesichert werden mußte [6. 120 ff.]. Von Philos. und Rel. gingen ebenfalls Impulse aus, die dazu beitrugen, die Unterschiede zw. → Freiheit und Unfreiheit zu nivellieren; die Respektierung familiärer Bindungen der Sk. [6. 52 ff., 160 ff.] brachte weitere Erleichterungen.

D. Spätantike

Seit diokletianisch-konstantinischer Zeit setzten sich die Tendenzen der Prinzipatszeit fort. Ein nochmaliger Rückgang der S. dürfte mit der Verarmung weiter Bevölkerungskreise zusammenhängen; das Sk.-Personal senatorischer Familien hingegen verringerte sich kaum. In der Landwirtschaft wurde die Sk.-Arbeit zunehmend durch freie Pächter (*coloni*, vgl. → *colonatus*) ersetzt, die durch kaiserliche Verfügung an das Land gebunden wurden und damit in den Status der Hörigkeit gerieten [12. 97 ff.]. Auch die städtischen Handwerker wurden erblichem Berufszwang unterworfen. Solche Alternativen machten die S. weitgehend überflüssig, ohne sie ganz abzulösen.

→ Arbeit; Colonatus; Familie; Freilassung; Kriegsgefangene; Sklavenaufstände; Sklavenhandel; Sklaverei

1 H. Bellen, Studien zur Sk.-Flucht im röm. Kaiserreich, 1971 2 K. Bradley, Slavery and Society at Rome, 1994 3 Ders., Slaves and Masters in the Roman Empire, 1984 4 A. Carandini, Schiavi in Italia. Gli strumenti pensanti dei Romani fra tarda repubblica e medio impero, 1988 5 J. Christes, Sk. und Freigelassene als Grammatiker und Philologen im ant. Rom, 1979 6 W. Eck, J. Heinrichs, Sk. und Freigelassene in der Ges. der röm. Kaiserzeit, 1993 7 W. Eder, Servitus publica, 1981 8 E. Herrmann-Otto, Ex ancilla natus, 1994 9 Dies. et al., Bibliogr. zur ant. S., 1983 10 L. P. Marinovic et al. (Hrsg.), Die S. in den östlichen Prov. des röm. Reiches, 1992 11 G. Prachner, Die Sk. und Freigelassenen im arretinischen Sigillatagewerbe, 1980 12 L. Schumacher, S. in der Ant., 2001 13 P. P. Spranger, Histor. Unt. zu den Sk.-Figuren des Plautus und Terenz, ²1984 14 E. M. Staerman u. a. (Hrsg.), Die S. in den westl. Prov. des röm. Reiches im 1. bis 3. Jh., 1987 15 Vittinghoff 16 H. Volkmann, Die Massenversklavungen der Einwohner eroberter Städte in der hell.-röm. Zeit, ²1990 17 A. Watson, Roman Slave Law, 1987 18 R. P. C. Weaver, Familia Caesaris, 1972 19 K.-W. Welwei, Sub corona vendere, 2000 20 Ders., Unfreie im ant. Kriegsdienst, Bd. 3: Rom, 1988. JO.H.

V. Byzanz

Im Byz. Reich wurde die S. (δουλεία/*duleía*) von keiner Seite prinzipiell in Frage gestellt. Nur scheinbar bildet hier die kritische Einstellung des Kirchenvaters Gregorios [2] von Nyssa (s. Homilia 4 in Ecclesiasten) eine Ausnahme, blieb sie doch ohne praktische Konsequenzen. Er und Basileios [1] von Kaisareia sowie Gregorios [3] von Nazianz billigten die S. grundsätzlich (vgl. zur Position der Apostel auch 1 Tim 6,1 f.; Tit 2,9 f. und 1 Petr 2,18–25), wiesen aber häufig auf negative Begleiterscheinungen der S. deutlich hin, verurteilten Übergriffe gegen Sklaven (=Sk.) und ermahnten zum brüderlichen Umgang mit Sk. Basileios erlaubte es sogar Klöstern, Sk., die man gezwungen hatte, gegen ihr rel. Gewissen zu handeln, aufzunehmen und so dem Zugriff ihrer Herren zu entziehen. Auch später noch übten einzelne Oberhirten der orthodoxen Kirche (z. B. Eustathios [4] von Thessalonike) ähnlich differenzierte Kritik an der S.

Auch wenn die S. in Byzanz wohl insgesamt, bes. seit dem 11. Jh., im Rückgang begriffen war, so bestand sie noch – rechtlich allerdings nach Iustinianus [1] I. noch öfter modifiziert – bis zum E. des Reiches im 15. Jh. fort. Im Zusammenhang mit der S. sind auch für Byzanz die üblichen Folgeerscheinungen wie Versklavung (meist von → Kriegsgefangenen; teils auch aus strafrechtlichen Gründen), Sklavenflucht, → Sklavenhandel (gesetzlicher Festpreis zw. 20–72 *nomísmata*) und → Freilassung (ἀπελευθέρωσις/*apeleuthérōsis*; *manumissio*) vielfach belegt. Diese erfolgte meist testamentarisch oder zuvor schon mit Zustimmung des Herrn unter bestimmten gesetzlich geregelten Bedingungen, wobei unter Einfluß der Kirche die Freilassungsmöglichkeiten im Laufe der Zeit ausgeweitet wurden.

Am deutlichsten greifbar wird die S. in kaiserlichen Gesetzeswerken (etwa in den *Basiliká*, der *Eklogḗ*, den → *Novellae*, bes. denen Leons VI.), Verträgen und anderen Regelungen (Eparchenbuch, *Nómos geōrgikós*, s. auch [4. Nr. 161, 230, 239, 253, 305, 356, 359, 556, 563, 647, 678, 679, 754, 1177]) sowie in kirchlichen Kanones. Die Erforschung der S. wird jedoch wegen der teils ambivalenten, teils unklaren Terminologie und wegen des allenfalls punktuell auf die S. gerichteten Interesses der Historiographie und anderer narrativer Quellen erschwert. Die terminologische Ambivalenz zeigt sich etwa am Begriff δοῦλος, fem. δούλη (*dúlos*, *dúlē*), der sich ebenso auf einen Sk./eine Sklavin wie auf einen freien Diener/Dienerin erstrecken kann. Andere, oft nur noch syn. (meist schon ant.) Bezeichnungen für Sk. sind etwa ἀνδράποδον/*andrápodon* (wörtl. »auf Menschenfüßen gehend«), θεράπων/*therápōn*, θεράπαινα/*therápaina* (»Diener« bzw. »Dienerin«), οἰκέτης/*oikétēs* (»Haus-Sk.«), παῖς/*pais* (wörtl. »Junge« bzw. »Mädchen«), ψυχάριον/*psychárion* (wörtl. »Seelchen«) und σῶμα/*sṓma* (wörtl. »Körper«); σκλάβος/*sklábos* in der Bed. »Sk.« ist in byz. Quellen erstmals 1061 urkundlich belegt. Am aufschlußreichsten sind Texte aus der Praxis der Rechtsprechung wie die *Peíra*, urkundliche Quellen (darunter Pap. bis ins 7./8. Jh.), Testamente und Heiligenviten.

Sk., darunter auch viele → Eunuchen, besaß in Byzanz v. a. der kaiserliche Hof, der sie in seinen Palästen, Werkstätten und Domänen beschäftigte. Aber es gab sie auch in begüterten Haushalten, ferner im (Luxus-)Gewerbe und sogar im Heer. Ihr Anteil an den Arbeitskräften der → Landwirtschaft scheint spätestens nach dem 6. Jh. stark zurückgegangen zu sein. Zentrum des byz. oder über Byzanz abgewickelten → Sklavenhandels waren Konstantinopolis und die Krim. Rechtlich bedeutete die S. die fast absolute Unterstellung der Sk. unter die Gewalt ihrer Herren, die sie verkaufen, vererben und verpfänden, aber auch freilassen konnten. Freigelassene fanden indes, obwohl Iustinianus [1] I. alle ihre früheren Rechtsnachteile abgeschafft hatte, wegen ihrer Herkunft kaum volle soziale Anerkennung. Iustinianus hatte auch bestimmt, daß eine von ihrem Herrn förmlich geehelichte Sklavin die Freiheit erlangen solle und Kinder aus dieser Verbindung legitim seien. Sk. konnten jedoch untereinander keine förmliche Ehe schließen; daran änderte auch die von Kaiser Alexios I. 1095 [4. Nr. 1177] gewährte kirchliche Einsegnung einer Sk.-Ehe nichts.

→ Freilassung; Sklavenaufstände; Sklavenhandel

1 P. Boumis, L'affranchissement des esclaves, in: Kanon 15, 1999, 59–71 2 W. Brandes, Studien zur byz. Steuer- und Finanzverwaltung vom ausgehenden 6. bis zum beginnenden 9. Jh. (ungedr. Habil.-Schr., Köln 2001)
3 A. Demandt, Die Spätant., 1989, 288–296 4 F. Dölger, P. Wirth, Regesten der Kaiserurkunden des oström. Reiches von 565–1453, 5 Bde. (davon Teil 2 und 3 in Neubearbeitung), 1924–1995 5 A. J. E. Hoogendijk, Byz. Sk.-Kauf, in: APF 42, 1996, 225–234 6 M. Kaplan, Les hommes et la terre à Byzance du VIe au XIe siècle, 1992, 275–277 7 R. Klein, Die Haltung der kappadokischen Bischöfe Basilius v. Caesarea, Gregor v. Nazianz und Gregor v. Nyssa zur S., 2000 8 H. Köpstein, Zur S. im ausgehenden Byzanz, 1966 9 Dies., Zum Bedeutungswandel von Σκλάβος/Sclavus, in: ByzF 7, 1979, 67–88
10 Dies., Sk. in der Peira, in: L. Burgmann (Hrsg.), Fontes Minores 9, 1993, 1–33 11 T. G. Kolias, Kriegsgefangene, Sk.-Handel und die Privilegien der Soldaten, in: Byzantinoslavica 56, 1995, 129–135 12 M. Melluso, La schiavitù nell'età giustinianea, 2000 13 F. Tinnefeld, Die frühbyz. Ges., 1977, bes. 56–58; 142–146
14 F. Winkelmann (Hrsg.), Volk und Herrschaft im frühen Byzanz, 1991 15 P. Yannopoulos, La société profane dans l'Empire byzantine des VIIe, VIIIe et IXe siècles, 1975, 267–299. G. PR.

VI. Frühes Mittelalter

Aufgrund einer unscharfen Terminologie der Quellen ist es der Forsch. bislang nicht gelungen, die S., das härteste soziale Abhängigkeitsverhältnis in der Ant. und im frühen MA, für den Zeitraum vom 4. bis zum 9. Jh. gültig zu definieren. Abgesehen von den Begriffen *mancipium* und *servus* bzw. *ancilla* sind alle anderen Wörter, die für soziale Abhängigkeit gebraucht wurden, ungenau. Die wichtigsten Zeugnisse für die S. sind Stammesrechte, Konzilsakten, Herrscheranordnungen, Urkunden und Formulare, Testamente, Listen, Viten, dogmatisches, hagiographisches und erzählendes Schriftgut; es mangelt also nicht an Quellen, doch es kommt darauf an, die Dimensionen der Unselbständigkeit klar zu erfassen, so die Begrenzung der → Mobilität, die Identität (Name), Arbeit und Gattenwahl, den Verbrauch (Haushalt), die dinglichen Verfügungen (Besitz, Erbe), die generationellen Verfügungen (Ehe, Kinder), die Repräsentation vor anderen (Konfession, Zeugnis, Klage, Strafe) und den sozialen Umgang außerhalb des Herrenhauses.

Konsens besteht in der Forsch. darin, daß mit den Kriegen, den Raub- und Plünderzügen, den Unterwerfungen und Landnahmen der germanischen *gentes* sich die Zahl der *servi* erhöhte und sich der Umgang mit ihnen verschärfte; die Sklaven (*captivi*) stammten in der Regel aus dem NO, wurden dann durch Handel in den Süden gebracht und auch in den außerchristl. Mittelmeerraum verkauft. Dies ändert jedoch nichts an dem schrittweisen, regional ungleichen Niedergang der Haus-, Gewerbe- und Acker-S. Reichweite und Chronologie dieses Vorgangs sind dabei nach wie vor umstritten. Seine Konturen kann man in der mediävistisch-formativen Sicht der Genesis der feudalen Servilität erfassen, und zwar in den Prozessen der Verkirchlichung, der dominialen Bindung, der Ruralisierung und der Parzellierung der Gewalten: Langfristig wurden alle Unfreien in den christl.-kirchlichen Herrschafts- und Erlösungszusammenhang (Bekehrung, Taufe) integriert; daneben entstand ein enger Zusammenhang von personaler und dinglicher Bindung der Unfreien (Leibeigenschaft und Grundhörigkeit), und im Zuge der Ruralisierung kam es wiederum zu einer breiten Teilverselbständigung (Casatierung, Verhufung) von Haus- und Hofsklaven und zu Freilassungen. Schließlich ergaben sich Gruppenvertretungschancen der Unfreien dadurch, daß den Herren ehemals öffentliche Gewalten zuwuchsen (*iustitia, militia, mercatus*), die von den Unfreien mitgenutzt werden konnten. Wie weit diese Tendenzen sich jeweils regional durchsetzten, entscheidet über die Frage, in welchem Umfang S. für die sozialen Verhältnisse bestimmend blieb. Sicher ist aber, daß der Niedergang der S. in den zentralen Regionen des fränkischen Reiches früher zu bemerken ist als in den mediterranen, slawischen und nordischen Regionen.

1 P. BONNASSIE, From Slavery to Feudalism in South-Western Europe, 1991 2 H. GRIESER, S. im spätant. und früh-ma. Gallien, 1997 3 H. NEHLSEN, Sklavenrecht zw. Ant. und MA, 1972. LU.KU.

Sklavinia (auch Sklavinie; Σκλαβηνία, lat. *Sclavinia*). Seit dem 6. Jh. n. Chr. im Griech. und Lat. übliche, vom Volksnamen Σκλαβηνοί/*Sklabēnoí* bzw. *Sclavi* (→ »Slaven«) abgeleitete Bezeichnung der von slav. Stämmen gebildeten Gemeinschaften inner- und außerhalb von ehemals röm. Territorium auf der Balkanhalbinsel, in Kärnten, Pannonien und Transsylvanien. Sie waren in kriegerischen Stammesverbänden meist ohne feste territoriale Grenzen organisiert und umfaßten auch Angehörige nicht-slav. Völker; teils waren sie autonom, teils unterstanden sie der Oberherrschaft der → Avares und → Bulgaroi. Unter dem Druck der Verhältnisse wurde ihre Existenz von den byz., seit Karl d.Gr. auch von den westl. Kaisern anerkannt oder toleriert. Die Anführer der S. führten den Titel eines *župan*, später eines *éxarchos* oder *árchōn*.

Die S. umfaßten im 7. und 8. Jh. auch den größten Teil des griech. Festlands einschließlich der → Peloponnesos, bis sie unter Nikephoros [2] I. um 810 unterworfen wurden. Bald danach verschwanden die S., als Folge von Taufe und Seßhaftwerdung der slav. Stämme, durch die sich feste, von einer Aristokratie getragene Herrschaftsstrukturen herausbildeten. Der Begriff S. wird zuletzt im 10. Jh. bei Constantinus [9] VII. im allg. Sinn eines von Slaven bewohnten Landes für Rußland verwendet.
→ Slaven

1 J. FERLUGA, Byzanz und die Bildung der frühesten südslavischen Staaten, in: Ders., Byzantium on the Balkans, 1976, 245–259 2 O. PRITSAK, The Slavs and the Avars, in: Settimane di Studio del Centro Italiano di Studi sull'Alto Medioevo 30, 1983, 353–424 3 J. REISINGER, G. SOWA, Das Ethnikon Sclavi in den lat. Quellen bis zum J. 900, 1990 4 G. WEISS, Das Ethnikon Sklabenoi, Sklaboi in den griech. Quellen bis 1025, 1988 5 H. WOLFRAM, Salzburg, Bayern, Österreich, 1995, 15–192. AL.B.

Sklerias (Σκληρίας) oder Sklerios (Σκλήριος), von Stobaios zitierter Tragiker (TrGF I 213), Lebenszeit unbekannt. Daß das nur von Stobaios (TrGF I 213 F 5) S. zugeschriebene Skolion (PMG 890) tatsächlich von ihm stammt, ist unwahrscheinlich (Testimonien in PMG 651). B.Z.

Skolion (σκόλιον). Ein zum Symposion (→ Gastmahl) gesungenes griech. Lied. Anders als die ebenfalls bei Symposien vorgetragene → Elegie wurde das in lyrischem Versmaß gefaßte *s.* von der Lyra begleitet. Der Ursprung des Begriffs liegt verm. in dem Brauch der Vortragenden, beim Singen einen Myrtenzweig zu halten und aufs Geratewohl an andere Sänger weiterzureichen (vgl. Aristoph. fr. 444 PCG Bd. 3.2); weit hergeholt sind andere Ableitungen, bes. die von *dýskolon* (»schwierig«: weil es schlechtere oder betrunkene Sänger nicht zustandebrachten, vgl. schol. Plat. Gorg. 451e; Athen. 15,693f–694c). Erstmals wird das *s.* bei Pind. fr. 122,14 erwähnt, von alexandrinischen Herausgebern als »Enkomion« klassifiziert. Das Singen beim Bankett ist mehrfach bei Aristophanes erwähnt: *skólia* von → Alkaios [4] und → Anakreon [1] (Aristoph. fr. 235 aus den *Daitalḗs*, den ›Bankett-Teilnehmern‹), ein nach dem Abendessen zur Lyra gesungenes Lied des → Simonides [1] von Keos (Aristoph. Nub. 1355), Anfänge von mehreren *s.* (Aristoph. Vesp. 1216–1250). Eine Slg. von 25 attischen *s.* (zum Großteil aus dem späten 6. und frühen 5. Jh. v. Chr.) findet sich bei Athenaios (l.c.; 884–916 PMG); der Begriff *s.* bezieht sich im allg. auf solche att. Lieder (dazu auch auf anon. Verse und Gedichte, die Dichtern wie Alkaios zugeschrieben werden konnten), meist in vierzeiligen äolischen Strophen. Die bekanntesten *s.* haben polit. Inhalte, so z.B. die Toten bei → Leipsydrion (907) oder die Tyrannenmörder → Harmodios [1] und → Aristogeiton [1] (893–896); viele loben Loyalität und Freundschaft unter Männern (889, 892, 903, 908). Nicht erh. sind *s.* aus dem 4. Jh. v. Chr., jedoch drei auf einem Pap. des 3. Jh. v. Chr. (917 PMG).
→ Lied

ED.: PMG, 884–917 · D. A. CAMPBELL, Greek Lyric 5, 1993, 270–303 (mit engl. Übers.).
LIT.: 1 R. REITZENSTEIN, Epigramm und S., 1893
2 D. E. GERBER, Greek Lyric Poetry Since 1920, in: Lustrum 36, 1994, 180–184. E.R./Ü: TH.G.

Skolopoeis (Σκολοπόεις). Küstenplatz am Gaison zw. Priene und Thebai am Südfuß der Mykale mit Heiligtum der eleusinischen Demeter (wohl beim h. Domatia

[1. 17]), wo 479 v. Chr. die Griechen über die Perser siegten (Hdt. 9,97; → Perserkriege [1]). Grenze zu Thebai: IPriene 361.

1 Th. Wiegand, Priene. Ergebnisse der Ausgrabungen und Unt. in den J. 1895–1898, 1904. H.LO.

Skolos (Σκῶλος). Siedlung in Boiotia (Hom. Il. 2,498: *kṓmē*), südl. vom h. Neochorakion, nördl. des Asopos [2] (Paus. 9,4,4; Funde von myk. bis röm. Zeit [2; 4; 5; 6; 7], anders [1; 8]; Verlagerung 395 v. Chr.: [3]). S. lag im Gebiet von Thebai, zeitweilig auch von Plataiai (Strab. 9,2,23 f.; als *pólis* nur bei Steph. Byz. s. v. Σ.). S. gehörte einem von Thebai abhängigen Bezirk des Boiotischen Bundes an, seine Bevölkerung wurde 431 nach Thebai evakuiert (Hell. Oxyrh. 19,3,387; 20,3,438–441). Pausanias (Mitte 2. Jh. n. Chr.) fand S. in Ruinen; er erwähnt einen Kult für → Demeter und Kore [7].

1 F. Geyer, s. v. S. (1), RE 3 A, 567 2 Fossey, 119–126 3 M. H. Hansen (Hrsg.), Introduction to an Inventory of Poleis, 1996, 103 f. 4 E. Meyer, s. v. S. (1), RE Suppl. 14, 741 5 Müller, 577–579 6 Pritchett 1, 107–109; 3, 289–294; 4, 97–99; 5, 99–101 7 Schachter 1, 160 f.; 2, 132–137 8 P. M. Wallace, Strabo's Description of Boiotia, 1979, 88–90. M. FE.

Skombros (Σκόμβρος). Stark bewaldetes Gebirge mit Erzvorkommen im Westen von Thrake (Thuk. 2,96,3; *Scopius*, Plin. nat. 4,35), h. Vitoša im Süden von Sofia. Aristot. meteor. 350b 16 f. läßt hier irrtümlicherweise auch → Nestos [1] und → Hebros entspringen. I. v. B.

Skopadai (Σκοπάδαι). Adelsgeschlecht aus → Krannon, das im 6. Jh. v. Chr. neben den → Aleuadai zu den führenden Clans Thessaliens zählte. Ihr Reichtum aus Vieh- und Weidewirtschaft (vgl. Theokr. 16,36–39) brachte die S. zeitweise an die Spitze des Thessalischen Bundes (→ *tágos*). Wie dem Aleuas wurden auch ihrem (myth.-)histor. Begründer, Skopas I., konstitutive Maßnahmen bei der Einrichtung der thessal. Wehrordnung zugeschrieben (vgl. Xen. hell. 6,1,19; Athen. 10,438C; Quint. inst. 11,2,15). Die Brautwerbung des Skopaden Diaktorides um → Agariste [1] zeigt ihre regen Beziehungen zu den großen Adelsfamilien (Hdt. 6,127,4). Offenbar weilte auch Simonides [2] an ihrem »Hof«, verfaßte ein Epinikion auf Skopas II. (PMG 37 P) und besang das tragische E. der S., die um 510 v. Chr. beim Bankett durch einen Deckeneinsturz umgekommen sein sollen (Cic. de orat. 2,352 f.).

H. Beck, Polis und Koinon, 1997 · B. Helly, L'état thessalien, 1995. HA. BE.

Skopas (Σκόπας).
[1] Bildhauer aus Paros. Im mittleren 4. Jh. v. Chr. tätig, meist in → Marmor und selten in Br. arbeitend, zählte S. nach ant. Urteil zu den bedeutendsten Meistern griech. Bildhauerkunst. Die schriftliche Überl. weist ihm ca. 25–30 Einzelwerke und Großprojekte zu, die verm. auf mehrere gleichnamige Bildhauer verschiedener Generationen aufzuteilen sind. Als Ausgangspunkt für eine Rekonstruktion des Œuvre gelten die erh. Giebelskulpturen des Tempels der Athena Alea in → Tegea aufgrund von Paus. 8,45,5, der jedoch S. für den Architekten des Tempels hält. Umstritten ist daher, wie weit eine mögliche Mitarbeit des S. an den Skulpturen reichte; sie lassen eine ausgeprägte Künstlerpersönlichkeit mit Vorliebe für pathetischen Ausdruck und unruhige Bewegungsmotive erkennen. Am → Maussolleion in Halikarnassos habe S. sich mit dem Ostfries beteiligt, der unter den erh. Reliefs jedoch nicht zuverlässig identifiziert werden kann (Plin. nat. 36,30; Vitr. 7 praef. 12). Von 36 Reliefsäulen (*columnae caelatae*) des Artemision zu Ephesos sei eine einzige von S. gefertigt gewesen (Plin. nat. 36,95; nur eine ist erh.). Unbekannt bleibt das Aussehen der zahlreichen Götterstatuen, die S. in Griechenland und Kleinasien geschaffen haben soll, so laut ant. Quellen eine brn. Aphrodite in Elis, Hygieia in Gortys, Athena Pronaos und Artemis in Theben, Dionysos und Athena in Knidos, Hekate in Argos, Apollon in Chryse, Asklepios und Hygieia in Tegea, Herakles in Sikyon, Erinnyen in Athen, in Megara die Gruppe von Eros, Himeros und Pothos, vielleicht ein weiterer Pothos in Samothrake sowie Leto mit Ortygia und ihren Kindern in Ortygia.

Keines dieser Werke ist sicher wiedererkannt. Einige wurden später nach Rom entführt, u. a. eine unbekleidete Aphrodite, die derjenigen des → Praxiteles vorzuziehen sei (Plin. nat. 36,27) sowie ein Apollon Kitharoidos im augusteischen Tempel des Apollo Palatinus; seine Wiedergabe auf der sog. Basis von Sorrent erlaubt nur einen vagen Eindruck von seiner Erscheinung. Schon in der Ant. war die Zuweisung der Niobiden im Tempel des Apollo Sosianus in Rom an S. oder Praxiteles unsicher, ebenso die einer angeblich aus Äg. nach Rom verbrachten Statue des Ianus Pater. Bei weiteren Skulpturen in Tempeln und Slgg. Roms ist eine Verwechslung des Bildhauers mit S. [2] nicht auszuschließen. Für die Kunstgesch. der Ant. kann angesichts der unzuverlässigen schriftlichen Überl. und der ungesicherten stilkritischen Basis das Werk des S. keine wesentliche Rolle spielen, zumal eine ant. Charakterisierung seines Stils ebenfalls nicht vorliegt.
[2] S., genannt *Minor* (der Jüngere). Bildhauer des 2. Jh. v. Chr., verm. aus Paros und vielleicht Vater des im 1. Jh. v. Chr. auf Delos tätigen Bildhauers Aristandros [2]. Eine bei Plin. nat. 34,90 verderbt überl. Notiz weist verm. auf diesen sowie den namensgleichen Bildhauer [S. [1]) des 4. Jh. v. Chr. hin. Nachweislich schuf S. die Statue des Hercules Invictus Olivarius in Rom (CIL VI, 33936).

Overbeck, Nr. 755, 766, 1149–1189 (S. [1]); Nr. 1159, 1175 (S. [2]) · Lippold, 249–254 · P. E. Arias, s. v. S. 1 (=S. [1]), EAA 7, 1966, 364–369 · M. Zuffa, s. v. S. 2 (=S. [2]), EAA 7, 1966, 369 · F. Coarelli, Classe dirigente romana e arti figurative, in: Dialoghi di archeologia 4/5, 1970/71, 241–265 (zu S. [2]) · P. Mingazzini, Sui quattro scultori di nome Scopas, in: RIA 18, 1971, 69–90 · P. W. Lehmann, S.

in Samothrace, 1973 · A. F. Stewart, S. of Paros, 1977 · A. Stewart, S. in Malibu, 1982 · L. Todisco, Scultura greca del IV secolo, 1993, 79–88 · W. Geominy, s. v. S., EAA 2. Suppl. 5, 1997, 314–316 · B. S. Ridgway, Fourth-Century Styles in Greek Sculpture, 1997, 251–258. R. N.

[3] Sohn des Sosandros, aus Trichonion. Er war 224/3 v. Chr. *grammateús* des Aitolischen Bundes (→ Aitoloi), 220/19 plante und führte er als *stratēgós* den Krieg gegen den Hellenenbund, 212/1 suchte er wieder als Stratege das Bündnis mit Rom gegen Philippos [7]. 205/4 sollte S. als *stratēgós* mit → Dorimachos, dem er während seiner ganzen Karriere eng verbunden war, Gesetze in einer Schuldenkrise finden. Der Versuch schlug fehl, und S. floh nach Ägypten, wo er hohen mil. Rang erhielt. 202 oder 201 rekrutierte und kommandierte er wenigstens teilweise Aitoler für Ptolemaios [8] V. Im Winter 201/0 gewann er die an Antiochos [5] III. gefallenen Gebiete zurück, verlor aber 200 die Schlacht bei Paneion, wurde bis Mitte 199 in Sidon belagert, warb dann erneut Aitoler an, wurde aber 198 in Alexandreia [1] von Aristomenes [2] vor Gericht gestellt; er beging nach dem Prozeß Selbstmord oder wurde vergiftet (Pol. 18,53 f.). Sein Bild ist durch Polybios (z. B. 13,2; 18,55,1) und polit. Mißerfolg entstellt.

J. D. Grainger, The League of the Aetolians, 1999, 583 · Ders., Aitolian Prosopographical Stud., 2000, 30 f.; 298 f. · W. Huss, Äg. in hell. Zeit, 2001, 489 f.; 502 f. W. A.

[4] Steinschneider, signierte einen Hyazinth (h. in Leipzig) mit dem Porträt eines jungen Römers, dessen »Flockenhaare« als Indiz für eine Datier. um die Mitte des 1. Jh. v. Chr. gewertet werden. Die Inschr. S. auf einem Karneol in Florenz (AM) ist nicht Signatur, sondern Hinweis, daß das Bild des nackten Epheben nach einer Statue des Bildhauers → Skopas [2] geschnitten wurde.
→ Steinschneidekunst

Zazoff, AG, 285 Anm. 109, Taf. 79,9. S. MI.

[5] Rechter Nebenfluß des → Sangarios (Plin. nat. 5,149, hsl. auch *Scopius*), h. Aladağ Çayı, an dessen Unterlauf → Iuliupolis lag, von Iustinianus [1] durch Wasserbaumaßnahmen geschützt (Prok. aed. 5,4,5 f.).

Belke, 226 · W. Ruge, s. v. S. (4), RE 3 A, 579. K. ST.

Skopelianos (Σκοπελιανός). Sophist aus → Klazomenai, aktiv ca. 80–115 n. Chr. Laut Philostr. soph. 1,21, 514 (der einzigen Quelle) war S. Schüler von → Niketes [2], wohl in Smyrna, wo S. ebenfalls unterrichtete (→ Polemon war einer seiner Schüler) und deklamierte. S. war bes. berühmt für Themen aus den → Perserkriegen und hatte einen lebhaften, als »dithyrambisch« getadelten Stil (so offenbar auch in seinem Epos Γιγαντία (*Gigantía*). Wie seine Vorfahren war er Hoherpriester der Prov. Asia (ἀρχιερεύς, *archiereús*). S. war oft Gesandter zu den Kaisern; ca. 92 n. Chr. opponierte er erfolgreich gegen ein Edikt des Domitianus, das die Weinanbaumenge in Asia halbierte. S. wurde während seines Besuches in Athen (ca. 115?) von → Herodes [16] bewundert und beschenkt; vor 117 war er bereits zu alt, um als Smyrnas Gesandter zu Kaiser Traianus zu fungieren (Philostr. soph. 1,21,514–521; 1,25,536).
→ Philostratos [5–8]; Zweite Sophistik E. BO./Ü: RE. M.

Skopelos (Σκόπελος). Ausläufer des Amanos zw. Rhosos und Seleukeia [2] Pieria (Ptol. 5,15,2) mit dem Kap Raʾs al-Ḫinzīr. Er bildete die natürliche, in der Spätant. auch polit. Grenze zw. Syria und Kilikia; im MA griech., syr., armen., lat. Klöster.

Hild/Hellenkemper, s. v. Raʾs al-Hinzir, s. v. S. F. H.

Skorpion
[1] s. Spinnentiere
[2] (*scorpio*) s. Katapult C.

Skorpios s. Sternbilder

Skotussa (Σκοτοῦσσα). Stadt in der thessalischen Pelasgiotis, ca. 20 km westl. von → Pherai beim h. S. (ehemals Supli; → Kynoskephalai). Durch Funde, Überreste und Mythos als sehr alt bezeugt, ging die erste Blütezeit 367 v. Chr. durch die Niedermetzelung der Bevölkerung durch Alexandros [15] von Pherai zu Ende (Diod. 15,75,1; Paus. 6,5,2 f.). S. war unter maked. Herrschaft nicht unbedeutend (Pol. 18,20,2–6; Liv. 33,6,8), ebenso im Thessalischen Bund nach 197 (Liv. 36,9,3). Nach einer letzten Erwähnung im Zusammenhang mit dem röm. Bürgerkrieg 48 v. Chr. (Plut. Pompeius 68,3) bezeichnet Paus. l.c. S. als unbewohnt.

J. C. Decourt, La vallée de l'Enipeus en Thessalie, 1990, vgl. Index · F. Stählin, s. v. S., RE 3 A, 613–617 · Ders., Das hellenische Thessalien, 1924, 109–111. HE. KR.

Skribonios (Bosporanischer Herrscher)
s. Scribonius [II 1]

Skupoi (Σκοῦποι, lat. *Scupi*).
I. Lage, römische Zeit II. Byzantinische Zeit

I. Lage, römische Zeit

Stadt der illyrischen Dardanoi [4] am Axios, an der Straße von Stoboi nach Naissus (Ptol. 3,9,6; 8,11,5; *Scunis*, Tab. Peut. 7,4; Hierokles, Synekdemos 655,8), 5 km nordwestl. vom h. Skopje. S. war röm. *colonia* seit flavischer Zeit (69–96 n. Chr.; ILS 2461), verstärkt unter Hadrianus (ILS 3860); nach Ausweis von Veteranen-Inschr. war S. wohl Lager der *legio VII Claudia*; seit dem 4. Jh. Bischofssitz. Mitte des 3. Jh. n. Chr. hatte S. unter Barbareneinfällen zu leiden. Erh. sind Reste der Stadtmauer, eines Theaters, eines Bades, weiterer Gebäude, Nekropole.

B. Dragojević-Josifovska, Introduction historique: Scupi et son territoire, in: F. Papazoglu (Hrsg.), Inscriptions de la Mésie Supérieure, Bd. 4, 1982, 16–37 · I. Mikulcić, Teritorija Skupa, in: Živa antica 21, 1971, 461–484 · TIR K 34 Naissus, 1976, 112 f. · J. Wiseman, s. v. Scupi, PE, 815. I. v. B.

II. Byzantinische Zeit

Das Erdbeben des J. 518 n. Chr., das nach Marcellinus Comes 24 *castella* der Prov. Dardania zerstörte (Hierokles, Synekdemos 655,8), wird meist als Einschnitt in der Gesch. von S. aufgefaßt [1; 2], doch die Quelle sagt ausdrücklich, daß die Bewohner der *Scupus ... metropolis* vor (nicht näher bestimmten) Feinden geflohen seien und die Stadt, anders als die benachbarten Kastelle, keine Menschenverluste erlitten habe. Demnach hatte S. schon damals unter den Einfällen der → Slaven zu leiden. Prok. aed. 4,4 erwähnt Σκούπιον/*Skúpion* unter den von Kaiser Iustinianus erneuerten Festungen und als zu → Serdica gehörig. Außer den Überfällen der → Slaven (womit wohl die Errichtung von Festungen im Umland zusammenhängen dürfte [3. 249], bedeutete die Errichtung der Metropolie *Iustiniana Prima* (nicht mit S. identisch wie früher angenommen, sondern wohl Caričin grad; vgl. Diskussion in [3. 53]) für S. einen weiteren Faktor des Niedergangs, auch wenn Siedlungskontinuität bis ins frühe 7. Jh. nachgewiesen ist. Danach brechen die schriftlichen Quellen ab (das bei Theophylaktos Simokattes 7,2,2 erwähnte Σκόπις/*Skópis* ist, gegen [5], nicht S. [6. 141[17]]). Erst im J. 1002 im Zusammenhang mit der byz. Eroberung des 1. → Bulgarischen Reiches wird S. wieder genannt (Iohannes Skylitzes 346,56ff. Thurn: Σκόπια/*Skópia* ist bereits slavisch). S. wurde 1392 osmanisch; die Albanisierung seiner westl. Gebiete dürfte im Spät-MA stattgefunden haben; die These albanischer Gelehrter, die alban. Namensform *Skup* beweise Kontinuität der Illyrer/Albaner in der Spätant., entbehrt jeder Grundlage ([5. 361]; Popović in [3. 226[120]].

1 A. Kazhdan, s. v. Skopje, ODB 3, 1912 2 G. Prinzing, s. v. Skop(l)je, LMA 7, 1990 3 Villes et peuplement dans l'Illyricum protobyzantin (actes du colloque ..., Rom 1982), 1986 4 L. Waldmüller, Die ersten Begegnungen der Slawen mit dem Christentum und den christl. Völkern vom VI bis VIII Jh., 1976 5 G. Schramm, Eroberer und Alteingesessene, 1981, 359–362 6 W. Pohl, Die Awaren. Ein Steppenvolk in Mitteleuropa 567–822 n. Chr., 1988, 141, Anm. 17. J.N.

Skylax (Σκύλαξ).

[1] S. aus Karyanda. Erkunder von Schiffswegen und Geogr., fuhr 519/512 v. Chr. [5. 78] im Dienst des Dareios [1] von → Kaspapyros den Indos [1] abwärts zur indischen Küste, dann – erstmals die arab. Halbinsel umrundend – in 30 Monaten durch die → Erythra Thalatta [1] zum h. Suez (Hdt. 4,44) [1. Bd. 1, 33, 52f.; 1. Bd. 2, 14f.; 2. 622f.]. S. schrieb über Herakleides von Mylasa (Suda s. v. Σ.), starb also nach 480 v. Chr. [2. 634f.]). Seinem ›Periplus außerhalb der Säulen des Herakles‹ in ion. Dial. werden sieben Fr. über Indien zugeschrieben (FGrH 709); vgl. [2. 627–631].

Der unter dem Namen des S. überl., vor 338 v. Chr. abgeschlossene [6. 487] ›Periplus des bewohnten Europa, Asien und Libyen‹ (GGM 1, 15–96) gilt als Kompilation u. a. aus → Hekataios [3], → Herodotos [1], → Ephoros und → Theopompos [6. 6f.]. Doch wurden alte Nachr. darin nachgewiesen [2. 645f.; 6. 485–504] sieht sogar (anders [4], kritisch [3]) in einem von S. verf. Schifferhandbuch den Kern, dem heterogene Nachr. später ungeschickt angegliedert wurden.
→ Periplus

1 K. von Fritz, Griech. Geschichtsschreibung, 2 Bde., 1967 2 F. Gisinger, s. v. S. (2), RE 5 A, 619–646 3 F. J. González Ponce, Revisión de la opinión de A. Peretti sobre el origen cartográfico del periplo del Ps.-Escílax, in: Habis 22, 1991, 151–155 4 D. Marcotte, Le périple dit de Scylax, in: Bollettino dei Classici 7, 1986, 166–182 5 E. Olshausen, Einf. in die Histor. Geogr. der Alten Welt, 1991 6 A. Peretti, Il periplo di Scilace, 1979 (Analyse, Lit., Textausgabe von Fabricius 1878). H.A.G.

[2] Kaiserzeitlicher Steinschneider eines Amethyst-Intaglio aus Pantikapeion (h. in St. Petersburg, ER) mit dem Porträt des Kaisers Claudius (41–54 n. Chr.).
→ Steinschneidekunst

Zazoff, AG, 321 Anm. 99, 339 Anm. 264, Taf. 95, 3. S.MI.

Skyles (Σκύλης). Skythischer König um die Mitte des 5. Jh. v. Chr., Sohn einer Griechin aus Istros und des → Ariapeithes, dessen Reich er erbte. S. mußte aber wegen seiner griech. Lebensart zu Sitalkes [1] fliehen, der ihn an S.' Halbbruder → Oktamasades auslieferte; dieser ließ S. töten (Hdt. 4,78–80). Der Name des S. ist auf einem Goldring überl.; man schreibt ihm mehrere Br.-Emissionen aus Nikonia zu.

V. A. Anochin, Die Mz. der skyth. Könige, in: Hamburger Beitr. zur Arch. 18, 1991, 141–150 (bes. 142–144) • F. Hartog, The Mirror of Herodotus, 1988, 62–84 • J. G. Vinogradov, Pontische Stud., 1997, 613–633 • BE 1983, 278. U.P.

Skylitzes, Iohannes (Σκυλίτζης). Byz. Historiker (2. H. des 11. Jh. n. Chr.), hoher Hofbeamter in Konstantinopolis, wohl mit einem 1092 dort erwähnten Iohannes Thrakesios identisch [5]. Seine sog. *Synopsis historiarum* (Σύνοψις ἱστοριῶν) entstand nach 1070. Sie reicht von 811 bis 1057 und ist als Fortsetzung der Chronik des → Theophanes konzipiert, den er im Vorwort im Vergleich mit anderen Historikern (z. B. → Psellos) lobend hervorhebt. Zu seinen Quellen zählen u. a. der sog. → Theophanes Continuatus und → Leon [11] Diakonos. Stil und Erzählweise schwanken, abhängig von der Quelle, zw. einer nach J. gegliederten Aufzählung von Ereignissen nach Art einer Chronik und der Darstellung histor. Zusammenhänge ohne klare chronologische Angaben nach Art eines Geschichtswerks. Ob eine unter dem Namen des S. überl. Fortsetzung des Werks bis 1079 von ihm stammt, ist unklar. Die *Synopsis historiarum* wurde um die Wende zum 12. Jh. vollständig und wörtlich in die Chronik des → Kedrenos übernommen.

Unter den zahlreichen Hss. der *Synopsis historiarum* ragt eine h. in Madrid aufbewahrte, durch 574 Miniaturen illustrierte Hs. hervor (Biblioteca Nacional vitr.

26–2; Mitte 12. Jh. wohl im normannischen Süditalien entstanden [6]). Sie ist das einzige erh. Beispiel für eine illustrierte Hs. einer byz. Chronik und stellt trotz ihrer Herkunft aus einem Gebiet außerhalb des Reichs eine bed. Bildquelle für Kleidung, Waffen und Transportmittel der damaligen Zeit dar.

ED.: 1 H. THURN, Ioannes Scylitzes, Synopsis historiarum, 1973 2 Ders., Byzanz, wieder ein Weltreich, 1983 (dt. Übers.) 3 A. TSELIKAS, Joannis Scylitzae Synopsis Historiarum, 2000 (Faksimile der Madrider Hs.).
LIT.: 4 A. GRABAR, M. MANOUSSACAS, L'illustration du manuscrit de Skylitzès de la Bibliothèque Nationale de Madrid, 1979 5 J. SEIBT, Ioannes S. Zur Person des Chronisten, in: Jb. der Öst. Byzantinistik 25, 1976, 81–85 6 I. ŠEVČENKO, The Madrid Manuscript of the Chronicle of S., in: I. HUTTER (Hrsg.), Byzanz und der Westen, 1984, 117–130 7 J. SHEPARD, A Suspected Source of Scylitzes' *Synopsis historiarum*, in: Byzantine and Modern Greek Studies 16, 1990, 171–181. AL. B.

Skylla (Σκύλλα, Σκύλλη, lat. Scylla).
[1] Meeresungeheuer, Tochter der → Krataiis oder der → Hekate und des → Phorkys; urspr. eine junge Frau, die → Kirke, → Amphitrite oder → Poseidon aus Eifersucht auf die Werbung des → Glaukos [1] (Ov. met. 13,900–968; 14,1–74; Hyg. fab. 199) in ein Ungeheuer verwandelt (Hom. Od. 12,73–92; Anaxilas fr. 22,4 PCG 2; Verg. ecl. 6,74–77; Verg. Aen. 3,426–432; Isid. orig. 11,3,32; Them. or. 22,279b-d vergleicht die verschiedenen Darstellungen). S. wohnt in einer Höhle gegenüber der → Charybdis. Dank der Anweisungen der → Kirke entkommt ihr → Odysseus (Hom. Od. 12,201–259). Die → Argonautai entkommen ihr mit Hilfe der → Thetis (Apoll. Rhod. 4,827–832; 4,922–955; Ov. epist. 12,123 f.; Apollod. 1,136), → Aineias [1] meidet sie auf Anraten des → Helenos [1] (Verg. Aen. 3,420–432). → Herakles [1] tötet sie, weil sie einige der von ihm dem → Geryoneus gestohlenen Rinder frißt; doch sie wird von ihrem Vater wieder zum Leben erweckt (Lykophr. 44–49; 651 mit schol.). Nach Ov. met. 14,72–74 wird sie schließlich in einen gefährlichen Felsen verwandelt. Schon in der Ant. gab es Lokalisierungsversuche (Thuk. 4,24,5: Straße von Messina) und klare Ablehnung des Mythos als eines Phantasiegebildes (Plat. rep. 9,588c; Lucr. 4,732–744; 5,890–898; Cic. nat. deor. 1,108; Ov. trist. 4,7,13; Iuv. 15,16–22; allegorische Deutungsversuche reichen bis ins MA [1]).
[2] Tochter des → Nisos [1]. Sie verliebt sich in König → Minos, der Megara belagert, oder wird von ihm bestochen (Aischyl. Choeph. 613–622), so daß sie ihrem schlafenden Vater die lebenserhaltende Haarlocke (Verg. georg. 1,404–409; Paus. 1,19,4) abschneidet und Minos überbringt. Dieser weist S. darauf aber zurück und schleift sie am Heck seines Schiffes durchs Meer (Apollod. 3,210 f.; Verwandlung in einen Vogel: Ps.-Verg. → Ciris; Ov. met. 8,6–151). Der Mythos war bei den Tragikern beliebt (Ov. trist. 2,393–395) und wurde auch als Mimos gestaltet (Lukian. de saltatione 41). Manchmal wird S. [2] mit S. [1] zusammengebracht (Verg. ecl. 6,74–77; Prop. 4,4,39 f.).

1 G. M. A. HANFMANN, The Scylla of Corvey and Her Ancestors, in: Dumbarton Oaks Papers 41, 1987, 249–260.

F. CANCIANI, s. v. S. (2), LIMC 7.1, 793; LIMC 7.2, 569 • M.-O. JENTEL, s. v. S. (1), LIMC 7.1, 11; 37 f. • J. SCHMIDT, s. v. S. (1–2), RE 3 A, 647–658. R. HA.

Skyllaion (Σκύλλαιον). Vorgebirge im äußersten Osten der Argolis zw. Hermione und Troizen (Strab. 8,5,1; Paus. 2,39,7; Plin. nat. 4,17; Ptol. 3,16,11: Σκύλαιον; Mela 2,49,50; Thuk. 5,53), h. Kap Skyli. 3 km westl. davon beim h. Phurkaria liegt eine myk. und hell.-röm. Siedlung.

N. PHARAKLAS, Ancient Greek Cities, Bd. 10, 1972, Anh. 2, 2. KL. T.

Skylletion (Σκυλλήτιον, Σκυλλάκιον, lat. *Scolacium*). Stadt an der bruttischen Ostküste am nach S. benannten Golf (*kólpos Skyllētikós*; [1. 63]; noch h. Golfo di Squillace); Grundriß der röm. Stadt und Gebäudefundamente des 1./2. Jh. n. Chr. beim h. Roccelletta di Borgia. Die ant. Überl. sah bei S. die nördlichste Stelle von *Italía* (Antiochos FGrH 555 F 5; Aristot. pol. 1329b 13 f.; Strab. 6,1,4). S. (gegr. 2. H. des 6. Jh. v. Chr.) war anfangs von Kroton, dann von Lokroi [2] abhängig (Strab. 6,1,10). 123/2 v. Chr. ließ C. Sempronius [I 11] Gracchus nach S. die *colonia Scolacium Minervia* deduzieren (Vell. 1,15,4), die Kaiser Nerva erweiterte (CIL X 103). E. des 6./Anf. des 7. Jh. n. Chr. wurde S. aufgegeben. Aus S. stammte → Cassiodorus.

1 C. TURANO, Le conoscenze geografiche del Bruzio nell'antichità classica, in: Klearchos 17, 1975, 29–95.

R. SPADEA (Hrsg.), Da S. a Scolacium, 1989. A. MU./Ü: H. D.

Skymnos (Σκύμνος).
[1] Wohl Sohn des Apelles aus Chios, der 185/4 v. Chr. delphischer *próxenos* (→ *proxenía*; Syll.[4] 585, 86) wurde [1. 661]. Er verfaßte im Anschluß an Hekataios [3] [1. 671 f.] eine Periegese (→ *periēgētḗs*) von Asia und von Europa mit dem Äußeren Meer in vielen Büchern. Die neun erh. Fr. [1. 664–671] zeigen auch Interesse an Gesch., d. h. an Städtegründungen (fr. 3 und 8) und Heiligtümern (fr. 1), an Myth. (fr. 5) und Vegetation (fr. 9 über Britannia in Anlehnung an → Pytheas [4] [1. 670]).

1 F. GISINGER, s. v. S. (1), RE 5 A, 661–672.

[2] Eine anon. griech. *Periegesis ad Nicomedem regem* (GGM 1, 196–237; wohl Nikomedes [4] gewidmet, vgl. [1. 23–35]) in Iamben, von L. HOLSTEIN 1630 dem S. [1] [2. 20 f.], sonst auch Pausanias von Damaskos (vgl. Konstantinos Porphyrogennetos, De thematibus 1,2) zugewiesen ([3. 276–279], vgl. [1. 24, 34 f.]), allg. als »Pseudo-S.« zitiert. Dieses um 135 v. Chr. [1. 35] verfaßte Lehrgedicht ist geogr. u. a. an → Ephoros und → Theopompos orientiert [1] und bewertet die → *oikuménē* nach ihrer Hellenisierung [4. 80]. Erh. ist die Beschreibung der Küsten von Europa (V. 1–874) und Asia (V. 875–978) bis zum Fluß Sangarios (bei [2] ergänzt aus dem Periplus Ponti Euxini, GGM 1, 402–423).

1 S. Bianchetti, Plota kai poreuta, 1990 (Analyse der geogr. Traditionsstränge, Lit.) 2 A. Diller, The Trad. of the Minor Greek Geographers, 1952 (165–176: Text V. 722–1026) 3 Ders., The Authors Named Pausanias, in: TAPhA 86, 1955, 268–279 4 D. Meyer, Zur Funktion geogr. Darstellungen (Ant. Naturwiss. und ihre Rezeption 8), 1998, 61–81.
H. A. G.

Skyphos (ὁ/τὸ σκύφος). Hoher, standfester Trinkbecher mit zwei meist horizontal ansetzenden Henkeln, urspr. rustikaler Humpen aus Holz (Athen. 11,498–500). Das Syn. κοτύλη/*kotýlē* dient als allg. Bez. für Becher ohne typologische Festlegung. Das Fassungsvermögen des S. lag zw. einer → Kotyle [2] und einem → Chus [1]. Als Weingefäß sieht man ihn häufiger von Komasten als von Symposiasten benutzt.

F. Leonard, s. v. Kotyle (1), RE 11, 1542–1546 • B. A. Sparkes, L. Talcott, Black and Plain Pottery (Agora 12), 1970, 81–87, vgl. 109–124 • I. Scheibler, Att. S. für att. Feste, in: AK 43, 2000, 17–43.
I. S.

Skyros (Σκῦρος). Buchtenreiche, unfruchtbare Insel (Kalkstein, Schiefer, in der röm. Kaiserzeit beliebter Breccien-Marmor) östl. von Euboia [1] (202 km²; Strab. 2,5,21; 9,5,16; Ptol. 3,13,47; Plin. nat. 4,69; 72), im Süden bis auf 792 m ansteigend, von mehreren Eilanden umgeben. Die Insel war seit dem Mesolithikum besiedelt (u. a. Funde an der Achilli-Bucht), im Neolithikum Zwischenstation des Handels mit → Obsidian von Melos in die nördl. Ägäis (→ Aigaion Pelagos). Die ant. Polis S. an der Stelle des h. S. war seit dem FH besiedelt (Mauerreste, 4. Jh. v. Chr.). Der Sage nach war S. Aufenthaltsort des → Achilleus; hier soll → Theseus gestorben sein, dessen Gebeine nach der Eroberung von S. durch Kimon [2] 476/5 v. Chr. nach Athen überführt wurden (Thuk. 1,98,2; Diod. 11,60,2; Plut. Kimon 8; Plut. Theseus 36). Ab 404 v. Chr. war S. frei, von 386 v. Chr. bis E. des 2. Jh. n. Chr. mit Unterbrechungen im Besitz Athens. Inschr.: IG XII 8, 666–679; Suppl. 516–526.

P. Graindor, Histoire de l'île de Scyros, 1906 • Philippson/Kirsten 4, 53–60 • W. Günther, s. v. S., in: Lauffer, Griechenland, 626f. • E. V. Glykos, Η Καρυστία και η Σκύρος μέσα στο χρόνο, 1998.
A. KÜ.

Skytale (σκυτάλη) bezeichnet bes. in vorhell. Zeit allg. einen Stab, der vornehmlich zur Ausrüstung offizieller Boten gehörte [3]. Erst die kaiserzeitlichen Autoren Plutarchos (Plut. Lysandros 19) und Gellius (17,9) erklären die *s.* als Methode der Spartaner, geheime Nachrichten zu übermitteln (→ Kryptographie). Dabei wird der um einen Stab gewickelte und quer zur Wicklung beschriebene Lederriemen nach dem Abwickeln übersandt. Zur Entzifferung muß der Empfänger einen Stab mit denselben Maßen besitzen.

1 T. Kelly, The Spartan S., in: J. W. Eadie, J. Ober (Hrsg.), The Craft of the Ancient Historian, 1985, 141–169 2 W. Süss, Über ant. Geheimschreibemethoden und ihr Nachleben, in: Philologus 32, 1923, 142–175 3 S. West, Archilochus' Message Stick, in: CQ 38, 1988, 42–48.
A. K.

Skytalismos (σκυταλισμός). Die Tötung von 1200 (Diod. 15,57,3–58,4; bei Plut. mor. 814B: 1500) reichen Bürgern in Argos (Herbst 370 v. Chr.) durch Keulenschläge (*skytálē*: »Stock«, »Keule«). Anlaß war der Versuch einer oligarchischen Gruppe, mit Hilfe von Söldnern die Macht zu gewinnen, wohl um nach der Niederlage Spartas bei → Leuktra (370 v. Chr.) eine Radikalisierung der Demokratie in Argos zu verhindern. Der Versuch wurde verraten (Ain. Takt. 11,7–10), 30 angesehene Bürger wurden hingerichtet; dann folgte in aufgewühlter Atmosphäre der *s.*, dem schließlich auch die demokratischen Führer (wegen ihres Reichtums?) zum Opfer fielen. Verm. führte das Ausmaß dieser an sich regulären (sonst *anatympanismós* genannten) Hinrichtungsform zur Bezeichnung *s.*

H.-J. Gehrke, Stasis, 1985, 31–33.
W. ED.

Skythai

[1] s. Skythen

[2] Eine Gruppe von skythischen Bogenschützen, die im Athen des späten 5. und frühen 4. Jh. v. Chr. als öffentliche Sklaven (→ *dēmósioi*) für Ordnung bei den Volks- und Ratsversammlungen sorgen sollten (z. B. Aristoph. Ach. 54; Equ. 665). Sie wurden nach ihrem angeblichen Begründer Speusinos auch *Speusínioi* genannt (Suda, s. v. *toxótai*; Poll. 8,132). In der Mitte des 5. Jh. wurden 300 *s.* angeschafft (And. or. 3,5 = Aischin. leg. 173). Nach Aussage der Lexikographen lebten die *s.* zuerst auf der Agora, später auf dem Areopaghügel und umfaßten 1000 Mann (schol. Aristoph. Ach. 54; Suda l.c.). Im 4. Jh. wurde die Truppe aufgelöst, ihre Funktion bei der Volksversammlung übernahm die geschäftsführende Phyle (*proedreúusa phylḗ*; → *bulḗ*; → *phylḗ* [1] III.), in späthell. Zeit bewaffnete Epheben (→ *ephēbeía*).

Busolt/Swoboda, 979f. • P. J. Rhodes, The Athenian Boule, 1972, 146f.
P. J. R.

Skythen (Σκύθαι/*Skýthai*; lat. *Scythae*).
I. Archäologie und Kultur II. Geschichte

I. Archäologie und Kultur
A. Allgemeines; Kerngebiete
B. Archäologie: Sachkultur
C. Kulturgruppen und Chronologie

A. Allgemeines; Kerngebiete

Im 1. Jt. v. Chr. entwickelten sich von der Mongolei im Osten bis zu den Karpaten im Westen Wirtschaftsformen mit starkem nomadischen Anteil. Dies führte zur Entstehung einer kennzeichnenden Sachkultur mit Leitformen, die über große Entfernungen hin starke Ähnlichkeiten aufweisen. Die Herausbildung von bewaffneten Reiterkriegern kann in Osteuropa nach bisheriger Kenntnis für das 2. Viertel des 2. Jt. v. Chr. angenommen werden, wie seltene Funde aus der Sabatinovka-Kultur nahelegen. Mit dem verstärkten Aufkommen mobiler Viehzüchterpopulationen und Gewicht auf Pferdezucht wird im Nordpontos-Raum an der Wende vom 10. zum 9. Jh. v. Chr. gerechnet; ältere Wurzeln sind aber wahrscheinlich. Für die Brz. ist die Entwicklung des vierrädrigen Planwagens belegt, die eine wesentliche Voraussetzung für den Wohnwagen-Nomadismus der frühen Eisenzeit darstellte. Arch. Belege wie Pfeilspitzen, Pferdegeschirrzubehör und Stükke (z. B. Zierplättchen, Anhänger, Gürtelschließen) im typisch skythischen Tierstil ermöglichen es, Materialgruppen herauszufiltern, die mit Nordsüd-Bewegungen bzw. mit der kulturellen Rückdrift aus dem vorderorientalischen-transkaukasischen Süden in Verbindung gebracht werden können und den Abschluß dieser Entwicklung im arch. Fundgut des Nordschwarzmeergebietes kennzeichnen [17. 18 ff.]. Die mil. erfolgreichen Vorderasienzüge der S. öffneten seit dem 8./7. Jh. über die Landbrücke des Kaukasus hinweg den Weg für kulturelle Ströme aus dem Süden, so daß sich die klassische skyth. Kultur entwickelte, in Berührung mit und als Reflex auf die vorderorientalischen Stadtkulturen (Assyrien, Medien, Urartu, evtl. auch Äg.).

Die Herkunft der S. und die Hauptentwicklungsetappen ihrer Kultur sind Gegenstand umfangreicher Diskussionen [21; 10. 381 ff.; 30]. Seit der Ausgrabung des Aržan-Kurgans in Tuva (Südsibirien) [13] und der Herausarbeitung der Aržan-Černogorovka-Stufe für das 9./7. Jh. kann jedoch von Kontinuität und enger Verbindung frühnomadischer Kulturkomplexe (s.u. II.) bis in das östliche Zentralasien ausgegangen werden. Zur Zeit der Vorderasienzüge waren anscheinend das Kubangebiet und größere Teile Nordkaukasiens die Lebensräume der skyth. Kernstämme und Basis ihrer mil. Aktionen, wovon Bestattungen und Einzelfunde zeugen (s. Karte). In diesem Gebiet ist die menschengestaltige steinerne Großplastik verbreitet, die als Kennzeichen des kulturellen Kerngebietes gilt. Um die Mitte des 6. Jh. wurde das skyth. Herrschaftszentrum in einer großen Westbewegung in die Steppen- und Waldsteppenzonen am unteren Dnepr verlagert [26. 64]. Neben den guten Weidegründen waren wohl die Möglichkeiten des Direktkontakts mit den griech. Pflanzstädten an der Nordschwarzmeerküste (→ Kolonisation IV. mit Karte und Stemmata) und die Kontrolle wichtiger Handelswege Auslöser dieser Entwicklung.

B. Archäologie: Sachkultur

1. Grabanlagen 2. Grabbeigaben
3. Siedlungsformen

1. Grabanlagen

Die Gräberkonzentration in diesem Gebiet der heutigen GUS-Staaten kann bisher nur grob geschätzt werden: Tausende von Grabhügeln (Kurganen) bildeten oft große Nekropolen (bei denen sich mono- und multikulturell strukturierte Hügelkonzentrationen unterscheiden lassen) mit speziellen, für Opferhandlungen vorgesehenen Erd- und Holz-(Reisig-)plattformen [20. 24 ff.]. Die Baumeister der Fürsten- und Königsgrabhügel zogen Kurgane mit außerordentlich steilwandigen Silhouetten hoch, die bei weit über 100 m Basis-Dm die Höhe heutiger fünf- bis sechsstöckiger Häuser erreichten [25. 36 ff.; 27, Bd. 1. 34 ff.; 27, Bd. 3. 21 ff.]. Sie waren Ergebnis organisierter Gemeinschaftsleistungen mit klar konzipierter Erdarchitektur, deren Grundelemente aus ziegelartigen Rasensoden mit Feuchtbodenmaterial bestanden, die durch Klopfen und Schlagen geformt wurden. Steinkreise oder sockelartig aufgetürmte Mauern um die Basis hoben die Grabhügel aus der umgebenden Steppenlandschaft heraus. Auf ihrer Spitze standen menschen-(männer-)gestaltige Steinfiguren, deren erste Zusammenstellung bereits eine Zahl von weit über hundert ergab [23]. Im Umfeld der Hügel lagen teils umfangreiche Außenanlagen mit Steinstellungen und -kreisen für spätere Opferhandlungen. Mehrfach wurden Überreste von Pferden und menschlichen Skeletten unmittelbar an der Basis gefunden [27, Bd. 1. 67 ff.].

Die Innenanlagen der Grabhügel befanden sich nicht selten auf sehr unterschiedlichem Niveau, auf der alten Oberfläche wie auch über, oft aber auch tief unter ihr. Die Grabbautentypen sind in den zwei großen geogr. Zonen (Waldsteppe, Steppe) unterschiedlich: Holzkammergräber sind für die Waldsteppe typisch; sie können kisten- oder kammerartig gestaltet sein, mitunter auch »Totenhäuser« darstellen. Isolierschichten, textile Auskleidungen und möbelartige Einbauten sorgten für einen wohnlichen Charakter der Gräber. Für die Steppe stellen die Katakombengräber, eine durch Ausschachtung im Untergrund erzielte »Negativ-Architektur«, die typische Bauform dar; ihre Herkunft und die mit ihnen verbundenen Jenseitsvorstellungen sind noch unklar. In den Gräbern der sozialen Oberschicht führten die Abstiegsschächte bis in 16 m Tiefe unter die Erdoberfläche hinab, die von ihnen abzweigenden Seitengänge erreichten 10–20 m Länge und die Grabkammern selbst konnten komplizierte Höhlensysteme mit Haupt- und Nebenkammern, »Wirtschaftsnischen« und »Verstekken« (*tajniki*) bilden. Hier wurden die balsamierten Leichname der Verstorbenen deponiert.

2. Grabbeigaben

Herodotos (4,71) schildert die Sitte der Tötung und Mitbestattung von Begleit- und Dienstpersonen im Fürstengrab, die im arch. Befund vielfach dokumentiert werden konnte. Trachtenbestandteile, Waffen und Geräte lassen oft auf ihre einstige soziale Stellung bzw. intendierte Dienstfunktion schließen. Ebenso ist die Mitgabe von Pferden (teils mit Pflegepersonal), Waffen und Reserven, Wagenbestandteilen, Teppichen und anderen Textilien, Wirtschaftsausrüstung, Speisen in großer Menge u. a. in zahlreichen Varianten belegt, obwohl fast sämtliche Hügel von Grabräubern geplündert wurden.

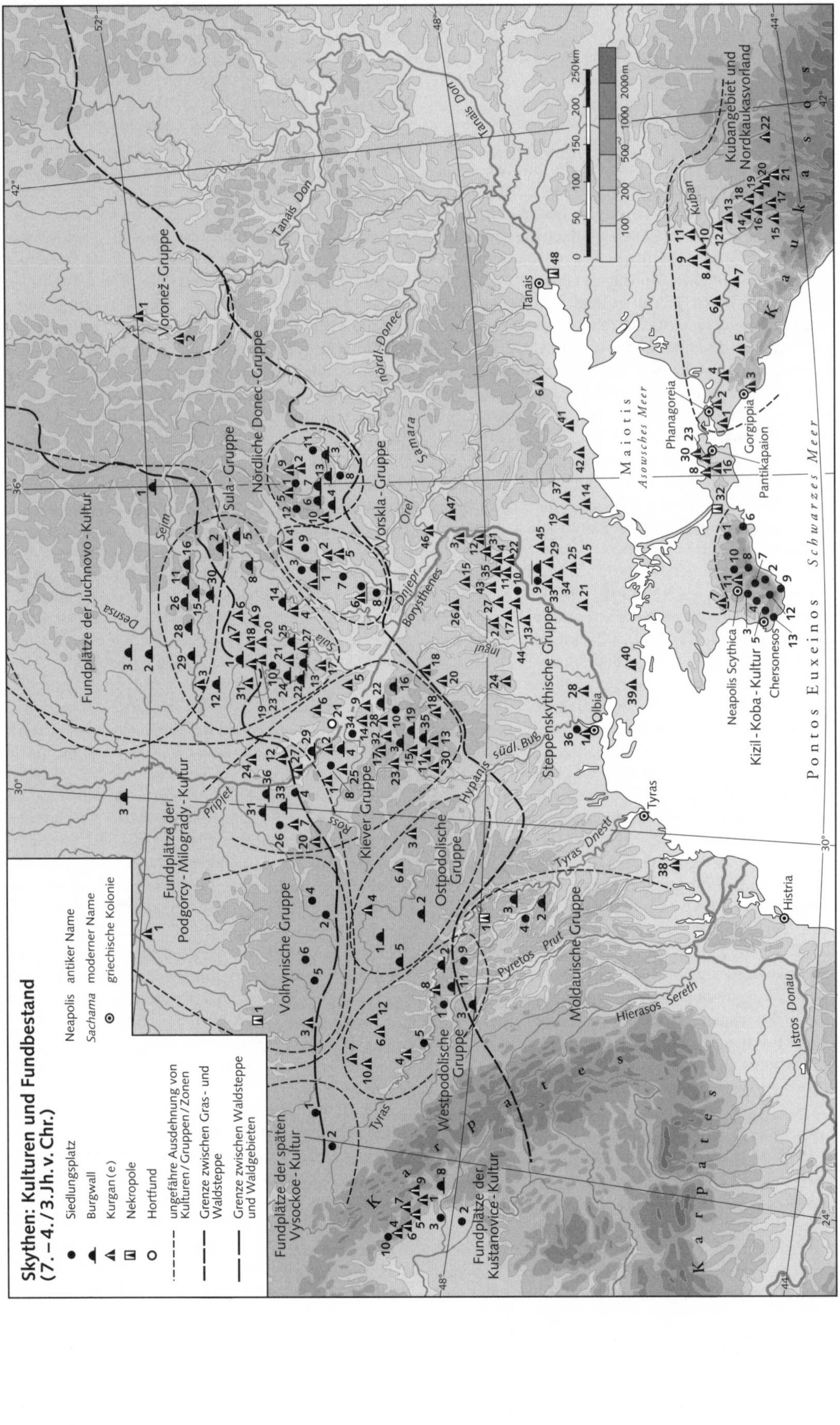
Skythen: Kulturen und Fundbestand (7.–4./3.Jh.v.Chr.)
Siedlungsplatz
Burgwall
Kurgan(e)
Nekropole
Hortfund
ungefähre Ausdehnung von Kulturen/Gruppen/Zonen
Grenze zwischen Gras- und Waldsteppe
Grenze zwischen Waldsteppe und Waldgebieten
Neapolis antiker Name
Sachama moderner Name
griechische Kolonie
Fundplätze der späten Vysockoe-Kultur
Fundplätze der Kuštanovice-Kultur
Westpodolische Gruppe
Volhynische Gruppe
Fundplätze der Podgorcy-Milogrady-Kultur
Ostpodolische Gruppe
Kiever Gruppe
Moldauische Gruppe
Fundplätze der Juchnovo-Kultur
Sula-Gruppe
Vorskla-Gruppe
Nördliche Donec-Gruppe
Voronež-Gruppe
Steppenskythische Gruppe
Kizil-Koba-Kultur
Kubangebiet und Nordkaukasvorland
Karpates
Kaukasos
Pontos Euxeinos
Schwarzes Meer
Maiotis
Asowsches Meer
Tyras
Olbia
Tanais
Histria
Chersonesos
Neapolis Scythica
Phanagoreia
Gorgippia
Pantikapaion
Tanais Don
Borysthenes
Dnjepr
Hypanis
südl. Bug
Tyras Dnestr
Istros Donau
Hierasos Sereth
Pyretos Prut
Pripjet
Desna
Sejm
Sula
Orel
Samara
Ingul
Ross
nördl. Donec
Kuban
0 50 100 150 200 250km
100 200 500 1000 2000m

Gruppen innerhalb Skythiens:

Fundplätze der Kuštanovice-Kultur:
1. *Belki*
2. *Velikaja Padal'*
3. *Vinogradovo*
4. *Kibljary*
5. *Kolodnoe*
6. *Kljačanovo*
7. *Kuštanovica*
8. *Malye Kopani*
9. *Romačevcy*
10. *Užgorod*

Westpodolische Gruppe:
1. *Bratyšev*
2. *Grigorovka*
3. *Darabany*
4. *Dupliska*
5. *Ivane-Puste*
6. *Ivanchovcy*
7. *Kačenovka*
8. *Luka-Vrubleveckaja*
9. *Mereševka*
10. *Novoselka*
11. *Polivanov Jar*
12. *Servatincy*

Ostpodolische Gruppe:
1. *Il'incy*
2. *Nemirov*
3. *Novoselica*
4. *Pereorki*
5. *Severinovka*
6. *Jakušincy*

Moldauische Gruppe:
1. *Alčedar*
2. *Butučeni*
3. *Vychvatincy*
4. *Sacharna*

Volhynische Gruppe:
1. *Mogiljany*
2. *Rajki (Uroč Luka-Rajkoveckaja)*
3. *Sivki*
4. *Trojanov*

Kiever Gruppe:
1. *Berestnjagi*
2. *Bobrica*
3. *Buda-Makeevka*
4. *Bol'šoe Skifskoe gorodišče*
5. *Veremeevka*
6. *Gladkovščina*
7. *Glevacha*
8. *Griščincy*
9. *Guljaj-Gorod*
10. *Žabotin*
11. *Žurovka*
12. *Ivankov*
13. *Kapitanovka*
14. *Konstantinovka*
15. *Makeevka*
16. *Matronin*
17. *Orlovec*
18. *Ositnjažko*
19. *Pastyrskoe*
20. *Perepjaticha*
21. *Pesčanoe*
22. *Pliskačevka*
23. *Ryzanovka*
24. *Sen'kovka*
25. *Sinjavka*
26. *Skripki*
27. *Hühnerfarm Staroe*
28. *Tenetinka*
29. *Trachtemirov*
30. *Turija*
31. *Chodosovka*
32. *Cholodnyj Jar*
33. *Chotovo*
34. *Kreščatik*
35. *Šarpovskoe*
36. *Mlynok*

Steppenskythische Gruppe:
1. *Adžigol*
2. *Apostolovo*
3. *Bašmačka*
4. *Geremesov*
5. *Deev*
6. *Ždanov*
7. *Zolotoj*
8. *Il'ičevo*
9. *Kamenskoe gorodišče*
10. *Kapulovka*
11. *Kirovvo*
12. *Kičkas*
13. *Kozël*
14. *Konstantinovka*
15. *Krasnokutsk*
16. *Kul'-Oba*
17. *Kut*
18. *Mederovo*
19. *Melitopol'*
20. *Mel'gunov (Litoj)*
21. *Mordinov*
22. *Nikopol'*
23. Nympheion
24. *Novaja Rozanovka*
25. *Oguz*
26. *Aleksandropol'*
27. *Ordžonikidze*
28. *Rožnovskij*
29. *Solocha*
30. *Temir-Gora*
31. *Tomakovka (Ostraja Mogila)*
32. *Frontovoe*
33. *Cimbalka*
34. *Čmyrev*
35. *Čertomlyk*
36. *Širokaja Balka*
37. *Šul'govka*
38. *Arcyz*
39. *Širokoe*
40. *Ševčenko*
41. *Berdjansk*
42. *Dvugorbaja Mogila*
43. *Tolstaja Mogila*
44. *Želtokamenka*
45. *Gajmanova Mogila*
46. *Podgornee*
47. *Aleksandrovka*
48. *Elisavetovskoe gorodišče*

Sula-Gruppe:
1. *Basovka*
2. *Bitica*
3. *Borzna*
4. *Brovarki*
5. *Bol'šaja Rybica*
6. *Velikie Budki*
7. *Volkovcy*
8. *Vorožba*
9. *Gerasimovka*
10. *Glinsk*
11. *Gorki*
12. *Dolinskoe*
13. *Klepači*
14. *Knyšovka*
15. *Linovoe*
16. *Leščinovka*
17. *Malyj Vjazovok*
18. *Aksjutincy*
19. *Plavinišče*
20. *Popovka*
21. *Postavmuki*
22. *Sviridovka*
23. *Surmačevka*
24. *Suchonosovka*
25. *Tiški*
26. *Chavzovka*
27. *Chitcy*
28. *Červonyj Ranok*
29. *Šabalinovo*
30. *Širjaevo*
31. *Jarmolincy*

Vorskla-Gruppe:
1. *Bel'skoe gorodišče*
2. *Derevki*
3. *Dovžik*
4. *Kirikovka*
5. *Lichačevka*
6. *Mačuchi*
7. *Olefirščina*
8. *Požarnaja Balka*
9. *Chuchra*

Nördliche Donec-Gruppe:
1. *Bol'šaja Gomol'ša*
2. *Bol'šaja Danilovka*
3. *Vodjanoe*
4. *Gorodišče*
5. *Dergači*
6. *Karavan*
7. *Ljubotin*
8. *Ostroverchovka*
9. *Cirkuny*
10. *Čeremuška*
11. *Chmarovka*
12. *Šelkovaja*
13. *Jakovleka*

Gruppen außerhalb Skythiens:

Fundplätze der späten Vysockoe-Kultur:
1. *Knjažnoe*
2. *Čerepin*

Fundplätze der Podgorcy-Milogrady-Kultur:
1. *Duboj*
2. *Kurilovka*
3. *Milogrady*
4. *Podgorcy*
5. *Rudjaki*
6. *Saltanovka*

Fundplätze der Juchnovo-Kultur:
1. *Kuzina Gora*
2. *Pesočnyj Rov*
3. *Juchnovo*

Voronež-Gruppe:
1. *Častye kurgany*
2. *Mastjugino*

Kizil-Koba-Kultur:
1. *Ajvazovsk*
2. *Aj-Todor*
3. *Al'ma*
4. *Ašlama-Dere*
5. *Inkerman*
6. *Karaul-Oba*
7. *Kostel'*
8. *Kizil-Koba*
9. *Koška*
10. *Nejzackoe*
11. *Simferopol'*
12. *Krestovaja Gora*
13. *Uč-Baš*

Kurgane im Kubangebiet und Nordkaukasusvorland:
1. *Cukur-Liman*
2. *Bol'šaja Bliznica*
3. *Merdžany-Kurgan*
4. *Sieben-Brüder-Kurgane*
5. *Karagodeuašch*
6. *Kurgane bei Elizavetinskaja Stanica*
7. *Kurgan Cetuk*
8. *Voronežskaja Stanica, Kurgan 17*
9. *Razdol'naja Stanica*
10. *Ust'-Labinskaja Stanica*
11. *Ladožskaja Stanica, Kurgan 22*
12. *Nekropolen Ul' und Uljap (Ul'skaja Stanica)*
13. *Nekropole Kelermes*
14. *Goverdovskaja Stanica*
15. *Kurdžips*
16. *Tulskaja Stanica*
17. *Nekropole am Fluß Fars*
18. *Machoševskaja Stanica*
19. *Kostromskaja Stanica*
20. *Gubskaja Stanica*
21. *Besleneevskij-Kurgan 27*
22. *Podgornaja Stanica*

Bes. hervorzuheben sind die großen Weinmengen, teils in versiegelten Amphoren, und die stets kostbarste Edelmetallgegenstände enthaltenden »Verstecke«. Das Inventar entspricht offensichtlich den Jenseitserwartungen, wobei die Fürstengräber in bes. Maß den einstigen Lebensstil und den fast grenzenlosen Arbeits- und Opferwillen des gesamten Volkes im Dienste des Totenkultes widerspiegeln [25; 2. 107 ff.; 37. 7]. Die aus den Gräbern geborgenen Gold- und Silbergegenstände mit oft szenischen Darstellungen zeigen dynamische Tierstilsujets oder sind Erzeugnisse des sog. graeco-skyth. Kunststils [7; 12; 19; 26; 31]. Der skytho-sibirische Tierstil, eine verschlüsselte Symbolsprache, ist in der Forsch. zu den einzelnen Kulturprov. Eurasiens unterschiedlich gut aufgearbeitet. Herkunft und wechselseitige Beeinflussungen wurden in der Vergangenheit sehr kontrovers diskutiert. Neuere Funde [1] zeigen erstaunlichen, bisher unbekannten Facettenreichtum der skyth. Kunsterzeugnisse.

Die Arch. sorgte für das entsprechende Korrektiv zu den ant. Überl. (v.a. Herodotos; s.u. II.). Im Mittelpunkt standen zunächst die Elemente der sog. skyth. »Trias« (von *triada*, einem von B. N. Grakov eingeführten Terminus): mitgebrachte gleichartige Waffenformen, Pferdegeschirr und Tierstil. Von größter Bed. hierfür sind die vielfältigen Studien zur Bewaffnung und Schutzrüstung der Krieger, die belegen, daß die tragende Stütze eines S.-Heeres die schwere Panzerreiterei war (mit ausgefeilten Varianten der Schutzrüstung und mit auffallend reicher Kreativität in der technischen Ausführung) [7; 6].

Über die Stellung der Frau und der Kinder vermitteln arch. Erkenntnisse ein genaueres Bild als die Schriftquellen. Der Wagen als ein Lebensbereich der Frauen wird durch die Grabfunde klar faßbar. Zudem fanden die vielfältigen Amazonenlegenden (→ Amazones) arch. Bestätigung durch die Auffindung einer größeren Gruppe von Kriegerinnen-Gräbern, die sowohl Angriffswaffen als auch mehrfach Schutzrüstungselemente enthielten. Aspekte des sog. Amazonenlebens (schwere Verwundungen, Bestattung zusammen mit Kleinkindern, fehlende Konzentrationen der Gräber zu Gruppen, Einbeziehung in familär wirkende Bestattungskomplexe u.a.) konnten erfaßt werden.

3. Siedlungsformen

Zahlreiche siedlungsarch. Daten haben bes. die Herausarbeitung von stadtartigen Anlagen mit umfangreicher Produktion sowie eine nähere Klärung der sozialen Strukturen ermöglicht. Die Frage der zugehörigen Fürstensitze oder Residenzen ist aber bisher nur selten thematisiert worden. Ant. Autoren beschreiben die Nomaden-S. als ein Volk auf ochsengezogenen Wagen (Hdt. 4,46; 4,69); letztere dienten als bevorzugter Aufenthaltsort von Frauen und Kindern, wahrscheinlich auch Alten und Kranken. Wohnwagen-Nomadismus schließt feste Winterstandquartiere und stadtartige Anlagen keinesfalls aus, vielmehr ist an (teil)mobile Lebensformen zu denken. Neuere umfangreiche Feldforsch. an den Burgwällen (*gorodišče*) der S.-Zeit (s. Karte) in der Ukraine und in Südrußland sprechen dafür, in ihnen proto-urbane Strukturen mit Handwerks- und Handelsplätzen zu sehen, die als Wirtschaftszentren und Residenzen auch der nomadischen Oberschicht fungierten. Elizavetovskoje (im Don-Delta; [3]) und Kamenskoje gorodišče (bei Kamenka am unteren Dnepr; [25. 160 ff.]) sind bekannte Beispiele. Eine solche Deutung wird weiterhin für das große Burgwallsystem von Bel'sk mit seinen 4000 ha Innenfläche erwogen, bei dem es sich möglicherweise um die aus Schriftquellen (Hdt. 4,108) bekannte Stadt → Gelonos [2] handelt, in der eine Mischbevölkerung mit griech.-skyth. Sprache lebte [33]. Hier wird nach den mod. Ausgrabungen auch ein jahreszeitlich bedingtes Herrschaftszentrum der S.-Könige des 7./6. Jh. v. Chr. vermutet [28].

Um 300 v. Chr. oder kurz danach brach die klass. skyth. Kultur ab. Die Ursachen sieht man u. a. in polit.-mil. oder klimatisch-ökologischen Gründen [14]. Ein maßgeblicher Faktor wird in den von Osten her vorrückenden, mil. erfolgreichen Sarmaten (→ Sarmatai) gesehen, die die S. allmählich in die südlichen Küstengebiete und auf die Halbinsel Krim zurückdrängten.

Im 3./2. Jh. v. Chr. kam es auf der Krim zur Gründung eines spätskyth. Reiches mit der neuen Hauptstadt Neapolis Scythica (s.u. II. und Karte), auf dem Petersfelsen bei Simferopol, die ein älteres Zentrum ablöste, das im nördlich gelegenen Kamenskoje gorodišče (am Dnjepr) vermutet wird [38; 34. 125 ff.; 18]. König → Skiluros und seine Familie wurden in einem Mausoleum im Torbereich an der Stadtmauer begraben. Unter den ausgegrabenen 72 reichen Bestattungen hebt sich eine bes. prunkvolle heraus, in der man Skiluros selbst oder seinen Sohn Palakos vermutet. Mil. Niederlagen von König Palakos (110 und 107 v. Chr.) gegen Diophantos [2], einen Feldherrn des Mithradates [6] VI. von Pontos, führten zum Niedergang. Das Nachleben der spätskyth. Kultur auf der Krim endete im 3. Jh. n. Chr. mit der Zerstörung von Neapolis (möglicherweise durch die Ostgoten).

C. Kulturgruppen und Chronologie

Eine ethnische Interpretation der arch. Kulturgruppen (vgl. Karte) ist nur in wenigen Fällen unstrittig. Die Gruppe im Nordkaukasusvorland und die später einsetzende steppenskyth. Gruppe sowie die Kiever, die ostpodolische, die Vorskla-, Sula- und die nördliche Donec-Gruppe dürften die wichtigsten Zentren der Nomaden-, Königs- und Ackerbau-S. in wechselnden Zeitabschnitten gewesen sein. Die anderen Gruppen, bes. die der nördlichen und nw Waldzonen, sind kulturell mehr oder weniger deutlich von den S. entfernt, könnten aber in Herodots (4,17 ff.) Spektrum der Nachbarstämme enthalten sein [11; 32; 34]. Dies trifft bes. für die Voronež-Gruppe zu, wird aber mit starken Argumenten auch für die früheisenzeitlichen Kulturgruppen in der Ungarischen Tiefebene (Vekerzug-Kultur; [4]) und in Siebenbürgen geltend gemacht, wo man mit den Sigynnen bzw. → Agathyrsoi rechnet.

Die chronologische Gliederung erfolgte zumeist auf der Grundlage von Importkeramik bzw. anderen Handelsgütern (wie z.B. Metallgegenständen, Paradewaffen, Trachtbestandteilen) u.a. aus Griechenland, dem Vorderen Orient und Thrakien. Bevorzugt wird für die skyth./früheisenzeitlichen Kulturgruppen die Gliederung in eine archa. (7./6. Jh. v. Chr.), eine mittlere (E. 6./5. Jh.) und eine Spätstufe (ab E. 5. bis 4./Anf. 3. Jh.), mit leichten Schwankungen in den verschiedenen Verbreitungsgebieten; es folgt die anschließende Spätphase auf der Krim (s.o.). Zu strittigen Fragen der relativen und absoluten Chronologie aus neuerer Sicht vgl. [10. 381 ff.].

1 J. Aruz et al., The Golden Deer of Eurasia. Kat. Metropolitan Mus. of Art, 2000 **2** H. G. Niemeyer, R. Rolle (Hrsg.), Beitr. zur Arch. im nördlichen Schwarzmeerraum (Hamburger Beitr. zur Arch. 18, 1991), 1996 **3** I. B. Brašinskij, K. K. Marčenko, Elizavetovskoje, 1984 **4** J. Chochorowski, Die Rolle der Vekerzug-Kultur (VK) im Rahmen der skythischen Einflüsse in Mitteleuropa, in: PrZ 60, 1985, 204–271 **5** Ders. et al., Wielki kurhan Ryżanowski (Der große Ryžanovka-Kurgan; polnisch) (Ausst.-Kat.), 1999 **6** E. V. Černenko, Skifo-persidskaja vojna (Der skyth.-pers. Krieg; russ.), 1984 **7** Ders., Die Schutzwaffen der S. (Prähistor. Brz.-Funde Abt. III, 2) (im Druck) **8** A. Corcella et al. (ed.), Erodoto (Herodotos), Le storie, Libro IV: La Scizia e la Libia, 1993 (mit it. Übers. und Komm., auch zu arch. Befunden) **9** A. I. Dovatur et al., Narody našej strany v »istorii« Gerodota (Völker unseres Landes in der »Gesch.« Herodots; russ.), 1982 **10** S. Feld, Bestattungen mit Pferdegeschirr- und Waffenbeigabe des 8.–6. Jh. v. Chr. zwischen Dnestr und Dnepr, 1999 **11** L. Galanina, Die Kurgane von Kelermes, 1997 **12** Dies. et al., Skythika (ABAW N. F. 98), 1987 **13** M. P. Grjaznov, Der Großkurgan von Aržan in Tuva, Südsibirien, 1984 **14** V. I. Guliaev, V. S. Olkhovskiy (Hrsg.), Skify i sarmaty v VII–III vv. do n.ė. (Skythen und Sarmaten vom 7–3. Jh. v. Chr.; russ. mit engl. Zusammenfassung), 2000 **15** F. Hančar, Die S. als Forschungsproblem, in: G. Behrens (Hrsg.), FS Paul Reinecke, 1950, 67–83 **16** H. Heinen (Hrsg.), M. I. Rostovtzeff, Skythien und der Bosporus, Bd. 2 (Historia ES 93), 1993 **17** V. A. Il'inskaja, A. I. Terenožkin, Skifija VII–IV vv. do n. ė. (Skythien im 7.–4. Jh. v. Chr.; russ.), 1983 **18** S. G. Koltuchov, Ukreplenija Krymskoj Skifii (Fortifications of the Crimean Scythia; russ. mit engl. Resümee), 1999 **19** G. Kossack, Von den Anf. des skytho-iranischen Tierstils, in: s. [11], 24–86 **20** A. Leskov, Grabschätze der Adygeen, 1990 **21** V. J. Murzin, Proischoždenie skifov (Ethnogenese der Skythen; russ.), 1990 **22** A. A. Nejchardt, Skifskij rasskaz Gerodota v otečestvennoj istoriografii (Das Skythenbuch Herodots in der sowjetischen Historiographie; russ.), 1982 **23** V. S. Ol'chovskij, G. L. Evdokimov, Skifskie izvajanija 7.–3. vv. do n. ė. (Skythische Steinidole des 7.–3. Jh. v. Chr.; russ.), 1994 **24** D. S. Raevskij, Model mira skifskoj kultury (Das Modell der Welt in der skythischen Kultur; russ.), 1985 **25** R. Rolle, Totenkult der Skythen, Bd. 1: Das Steppengebiet (Vorgesch. Forsch. 18.1–2), 1979 **26** Dies. et al. (Hrsg.), Gold der Steppe (Kat. des Arch. Landesmus. Schleswig), 1991 **27** Dies. et al., Königskurgan Čertomlyk, Bd. 1 und 2/3 (Hamburger Forsch. zur Arch. 1), 1998 **28** Dies. et al., Das Burgwallsystem von Belsk (Ukraine), in: s. [2], 57–84 **29** B. A. Rybakov, Gerodotova Skifija (Das Skythien Herodots; russ.), 1979 **30** H. Sauter, Stud. zum Kimmerierproblem, 2000 **31** V. Schiltz, Die S. und andere Steppenvölker, 1994 **32** Skifo-sarmatskaja i antičnaja archeologija 2 (Skyth.-sarmat. und antike Arch.; russ.; Archeologija Ukrainskoj SSR 2), 1986 **33** B. A. Šramko, Bel'skoe gorodišče skifskoj ėpochi: gorod Gelon (Das skythenzeitliche Burgwallsystem von Belsk – die Stadt Gelonos; russ.), 1987 **34** Stepi evropejskoj časti SSSR v skifo-sarmatskoe vremja (Die Steppen des europäischen Teils der UdSSR in skytho-sarmat. Zeit; russ.; Archeologija SSSR 10), 1989 **35** Stepnaja polosa Aziatskoj časti SSSR v skifo-sarmatskoe vremja (Die Steppenzone des asiat. Teils der UdSSR in skytho-sarmat. Zeit; russ.; Archeologija SSSR 11), 1992 **36** A. I. Terenožkin, Kimmerijcy (Die Kimmerier; russ.), 1976 **37** Ders., B. N. Mozolevskij, Melitopolskij kurgan (Der Melitopol-Kurgan; russ.), 1988 **38** T. N. Vysockaja, Neapol – stolica gosudarstva pozdnich skifov (Neapolis – Die Hauptstadt des späten Skythenreiches; russ.), 1979.

Karten.-Lit.: s.o. [32], 62 f., mit Ergänzungen nach [11], 18 f.

R.R.

II. Geschichte

Unter dem griech. Begriff *Skýthai* (lat. *Scythae*) faßte man Stämme mit urspr. vorwiegend nomadischer Lebensweise zusammen, die vom 7. Jh. v. Chr. bis in die Spätantike nördl. und nw des → Pontos Euxeinos (Schwarzes Meer) wohnten, wobei die nördl. Grenzen zw. den Flüssen Istros [2] (Donau), Tyras (Dnjestr), Hypanis [1] (Bug), Borysthenes (Dnjepr) und Tanais (Don), der bis zum 4. Jh. v. Chr. als Ostgrenze galt, nicht genau zu bestimmen sind. Seit dem 4. Jh. v. Chr. zogen S. auch südwärts über den Istros. Im Osten waren ihnen → Sarmatai, im SW → Thrakes benachbart. Hier gab es auch verschiedene nichtskyth. Stämme wie die Agathyrsoi, → Neuroi, → Tauroi.

Im 8. Jh. v. Chr. hatten S. Ausfälle nach SO unternommen (seit Sargon [3] II. in assyrischen Quellen erwähnt) und sich nahe des Urmia-Sees niedergelassen – eine ständige Bedrohung für das Reich von → Urartu (vgl. SAA 4, Nr. 66 und 71 [1]). → Asarhaddon gab eine seiner Töchter dem Skythenkönig Bartatua (Προτοθύης/*Protothýēs*, Hdt. 1,103) zur Frau, um eine skyth. Koalition mit Urartu zu verhindern (SAA 4, Nr. 20 [1]). 630/620 v. Chr. schlug dessen Sohn Madyes die Kimmerioi (Strab. 1,3,21) und kämpfte gegen die Medoi (Hdt. 1,103). Dann begannen die S. einen Eroberungszug nach Syrien bis zur äg. Grenze, wo Psammetichos [1] (664–610 v. Chr.) sie zum Rückzug bewog (Hdt. 1,105). Danach herrschten sie 28 J. in Kleinasien, bis sie von den Medoi vertrieben wurden (Hdt. 1,106).

Der Handel zw. den griech. Kolonien (→ Kolonisation) und den S. lief über bestimmte *empória* (»Faktoreien«); beide Partner wickelten auch im weiteren Hinterland ihre Geschäfte ab (Hdt. 4,17–27; 107). Griechen waren Abnehmer von Getreide, Wolle, Spinnfaserpflanzen, Trockenfisch, Edelmetallen aus dem Ural und Sibirien, seit dem 5. Jh. v. Chr. auch von Sklaven (vgl. die skyth. Polizeitruppe in Athen: Aristoph. Equ. 665;

Aristoph. Lys. 433–475); die S. interessierten sich für griech. Luxuswaren (Ail. var. 2,41).

Das Bild, das sich Griechen und Römer von den S. machten, ist ambivalent: Einerseits sah man in ihnen primitive → Barbaren, andererseits naturverbundene, gerechte und fromme Menschen (→ Anacharsis; dazu Thuk. 2,97; Strab. 7,3,7f.) Nach eigener Überl. waren die skolotischen S. (Auchatai, Katiaroi, Taspies) die ältesten skyth. Stämme (Hdt. 4,6). Am Hypanis bildete sich wohl E. des 6./Anf. des 5. Jh. v. Chr. ein skyth. Reich (Σ. βασίλειοι/*S. basíleioi*, »Königs-S.«), das andere skyth. Stämme und die Tauroi unterwarf. Nördl. dieser S. lebten nach Herodotos die Σ. νομάδες/*S. nomádes* (»weidende S.«), weiter nördl. die Σ. γεωργοί/*S. geōrgoí* (»Bauern-S.«). Westl. der Königs-S. sind die Alizones und nördl. von ihnen die Σ. ἀροτῆρες/*S. arotḗres* (»pflügende S.«) zu lokalisieren (Hdt. 4,17,18–23; 52–57).

Im Zusammenhang mit dem S.-Feldzug des Dareios [1] 512 v. Chr. werden S. erstmals in der griech. Lit. erwähnt (Hdt. 4,1). Die Herrscher des → Regnum Bosporanum verbündeten sich mit den S. und nutzten deren Reiterei (schol. Demosth. or. 20,147; Polyain. 6,9,4). Allerdings mußten sie dieses gute Verhältnis mit Tributen erkaufen (Strab. 12,4,6; Lukian. Toxaris 44), was zeitweise zu Konflikten führte (vgl. Demosth. or. 39,8). Ab dem 5. Jh. v. Chr. erfolgte eine → Hellenisierung der skyth. Oberschicht (vgl. skyth. Einwohner in griech. Poleis: Hdt. 4,78f.; griech.-skyth. Mischbevölkerung in einigen Städten). Viele Könige des Regnum Bosporanum trugen skyth. Namen. Die Mitglieder des skyth. Königshauses pflegten enge Beziehungen zu den Königen der → Odrysai (Hdt. 4,80). E. des 5. Jh. bildete sich südl. des Istros [2] ein neues skyth. Königreich unter → Ateas heraus.

Mit dem Einbruch der Sarmatai verlegten die »Königs-S.« im 3. Jh. v. Chr. ihr Zentrum auf die Chersonesos [2]/Krim (Diod. 2,43) mit der Residenzstadt Neapolis (IOSPE I^2, 668; vgl. 352,13; 29). → Skiluros und seine Söhne errichteten mehrere Festungen (Strab. 7,4,3). Ihre Beziehungen zum Regnum Bosporanum, das sich mit den Sarmatai verbündete, verschlechterten sich. 150 v. Chr. mußte Olbia [1] vor Skiluros kapitulieren. Chersonesos [3] schloß einen Vertrag mit Pharnakes [1] (IOSPE I^2, 402). Um 110 v. Chr. kämpfte Diophantos [2], ein General des Mithradates [6] VI., erfolgreich gegen die S. unter Palakos (IOSPE I^2, 352). Dem bosporanischen König Asandros (47–17 v. Chr.) gelang es, Pharnakes [2] II. zu schlagen und anschließend die S. zu unterwerfen. Um die Mitte des 1. Jh. n. Chr. befreiten sie sich von dieser Abhängigkeit. Olbia geriet wieder unter skyth. Herrschaft, wurde aber 61 n. Chr. durch den röm. Legaten Plautius [II 14] eingenommen. Die Auseinandersetzungen dauerten bis ins 2. Jh. (IOSPE 2, 26; 27; 423). Da Chersonesos [3] aber weiterhin von den S. bedroht wurde, erhielt Olbia eine röm. Garnison, Chersonesos wurde ein röm. Stützpunkt gegen die S. (IOSPE I^2, 361). E. des 2. Jh. n. Chr. vernichtete Sauromates [2] II. in einer Schlacht das Königreich der S. (IOSPE 2, 423). S. lebten weiterhin im Regnum Bosporanum und in den griech. Städten, gingen jedoch kulturell in den Sarmatai auf. In byz. Zeit wurden mit dem Begriff *Skýthai* unterschiedslos barbarische Völker aus dem Norden und NO bezeichnet.

1 State Archives of Assyria, 1987ff.

M. Rostovtzeff, Skythien und der Bosporus, Bd. 1, 1931 • Ders., Skythien und der Bosporus, Bd. 2 (Historia ES 93), 1993 (hrsg. von H. Heinen) • E. H. Minns, Scythians and Greeks, 1913 • B. A. Rybakov, Gerodotova Skifija, 1979 • A. I. Meljukova, Skifija i trakijskij mir, 1975 • A. P. Smirnov, Die S., 1979 • J. Harmatta, Stud. in the Language of the Iranian Tribes of South Russia (Acta Orientalia Hungarica 1), 1951 • E. I. Solomonik, Epigraficeskie pamjatniki Neapolja Skifskogo, in: Numizmatika i epigrafika 3, 1962, 32–48. I. v. B.

Skythes (Σκύθης).

[1] Dritter Sohn des → Herakles [1] (bzw. des → Zeus: Diod. 2,43,3) und der → Echidna, Bruder des Agathyrsos und des → Gelonos [1]. Kann als einziger der Söhne die von seinem Vater gestellte Aufgabe, dessen Bogen zu spannen und dessen Gürtel umzulegen, erfüllen und wird so zum König über → Hylaia und Eponym der → Skythen (Hdt. 4,8–10; Steph. Byz. s. v. Σκύθαι; IG 1293 A 95f.; vgl. Sen. Herc. f. 533; Sen. Herc. Oetaeus 157).

1 A. Nercessian, s. v. S. (1), LIMC 7.1, 794. SI. A.

[2] Tyrann von → Kos um 500 v. Chr., übergab 494/3 die »wohlgefestigte« Herrschaft seinem Sohn Kadmos [3] und wurde mit Hilfe des Hippokrates [4] Tyrann in Zankle (h. Messina). Während er gegen die Sikeler (Siculi) zu Felde zog, bemächtigten sich Samier 493/2 Zankles. Daraufhin von Hippokrates abgesetzt und im sikanischen Inykos inhaftiert, floh er zu Dareios [1], an dessen Hof er großes Ansehen genoß und in hohem Alter starb (Hdt. 6,23f.; Ail. var. 8,17).

H. Berve, Die Tyrannis bei den Griechen, 1967, 118f., 139 • G. Maddoli, Il VI e V secolo a.C., in: E. Gabba, G. Vallet (Hrsg.), La Sicilia antica, Bd. 2.1, 1980, 32f. K. MEI.

Skythinos (Σκυθῖνος). Iambendichter von Teos (Steph. Byz. s. v. Τέως), evtl. 5. oder 4. Jh. v. Chr. S. erläuterte in einem Gedicht die Philos. des → Herakleitos [1] (Diog. Laert. 9,16 = fr. 46 Wehrli zitiert), vielleicht mit dem Titel ›Über die Natur‹ (περὶ φύσεως; so im Lemma Stob. 1,8,43, der fr. 2 W. über die Zeit zitiert), entweder in Prosa oder verderbten trochäischen Tetrametern [1]. In letzterem Metrum werden zwei Zeilen des S. über Apollons Lyra von Plut. de Pyth. or. 16,402a angeführt. Athen. 11,461e zitiert eine Beschreibung von Herakles' Eroberungen (offenbar in Prosa: *historía*; FGrH 13 F 1). → Iambographen

1 U. v. Wilamowitz-Moellendorff, KS Bd. 4, 1962, 582.

Ed.: H. Diels, Poetarum philosophorum fragmenta, 1901 • IEG 2, 97f. • D. E. Gerber, Greek Iambic Poetry, 1999 (mit engl. Übers.). E. BO./Ü: RE. M.

Skythopolis s. Beisan

Slaven, Slavisierung. Die S. (Σκλαβηνοί/*Sklabēnoí* seit dem 6. Jh. n. Chr.; lat. *Sclaveni* bei Iordanes [1], aus frühslav. *slověne*; erst im Hoch-MA Σκλάβος/*Sklábos*, woraus »Sklave«, arab. *ṣaqāliba*) sind die jüngste der großen Sprachgruppen Europas; sie treten erst in der Spätant. in den Gesichtskreis der griech.-röm. Kultur. Bis h. ist die Erforsch. dieses Vorganges und der vielfältigen Akkulturationsprozesse, die nach ca. 500 n. Chr. zw. den S. und der ant. Mittelmeerkultur abliefen, durch die Entstehungsbedingungen der Slavistik um 1800 bestimmt: Anf. des 19. Jh. war von den pränationalen slav. Staaten (Bulgarien, Serbien, selbst Polen) in Europa nur Rußland übriggeblieben; v. a. die Süd-S. lebten seit Jh. unter öst. oder osmanischer Herrschaft. Ausschlaggebend war daher die Verquickung zw. »slav.« Nationalbewußtsein und der Erforsch. »slav.« Altertümer (modellhaft bei [2]; zum Einfluß HERDERS vgl. [1]). Doch schon die Definition, wer denn S. sei [3. 13 ff.; 4. 5 ff.], ist gerade für die frühgesch. Vorgänge der Slavisierung Osteuropas schwierig; gerade das schon bei HERDER ausschlaggebende Kriterium der Sprache läßt sich für frühere Perioden kaum verifizieren. Wie auch in vergleichbaren Fällen (→ Germani) ist die methodische Verknüpfung von schriftlichen Quellen (s.u.), arch. Funden und linguistischem Material (v. a. ON) kompliziert: Arch. hat sich herausgestellt [5], daß erst seit dem 6. Jh. einigermaßen sicher die Identifizierung bestimmter Fundgruppen (Prag/Korčak-Typus, Penkovka) mit den frühen S. möglich ist, also zu einem Zeitpunkt, als die »Ethnogenese« (im Sinne von [6]) weitgehend abgeschlossen war und die Expansion aus der »Urheimat« längst begonnen hatte. Doch selbst dieses Material gestattet eine Verknüpfung mit der sprachlichen Einteilung in West-, Ost- und Süd-S. nicht.

Schriftquellen in slav. Sprache liegen erst mit dem Werk der »Slavenapostel« → Kyrillos [8] und → Methodios [4] vor (letztes Drittel des 9. Jh.). Der einseitig kirchliche Charakter dieser aksl. Lit. (zahlreiche Übers.) [7; 8] macht die Erforschung der slav. Frühgesch. stark abhängig von spätröm. Schriften in lat. (→ Iordanes [1], *Getica*) und griech. Sprache (Ps.-Kaisarios; → Prokopios [3]; Ps.-Maurikios, → *Taktikón*). Gerade der S.-Exkurs des Prokopios (BG 3,14,22–30) macht aber durch seine Anlehnung an die *éthnos*-Exkurse seit → Herodotos [1] deutlich, wie schwer die Scheidung zw. lit. Stereotypen antiker Ethnographie und histor. Wirklichkeit ist.

So hat sich auch die Suche nach einer slav. »Urheimat« als schwierig erwiesen (»Maximalausdehnung« bei [2] gegenüber radikal verkleinertem Territorium bei [9]; südl. der Karpaten keine S. in ant. Zeit nachzuweisen). Während die Sprachwiss. in Verbindung mit der Ur- und Frühgesch. immerhin annähernd die Sitze der frühen S. und den Charakter ihrer Sprache umreißt, sind Versuche, eine »slav.« Rel., Ges.-Ordnung oder materielle Kultur zu erschließen ([2]; vgl. zuletzt [10]), als gescheitert zu betrachten [11]; vielmehr waren die regionalen Unterschiede wohl groß, zumal die S. in ihrer Frühzeit meist unter der polit. Herrschaft z. B. der → Avares und → Goti standen, von denen sie auf allen Ebenen nachweislich stark beeinflußt wurden. Im folgenden stehen v.a. die Süd-S. im Mittelpunkt.

Während wohl schon die von Plin. nat. 4,97, Tac. Germ. 46 und Ptol. 3,5,15 bzw. 3,5,20 NOBBE erwähnten *Venedi* (urspr. die nichtslav. → Veneti, vgl. dt. »Wenden«, »Windische« usw.) S. waren, fallen die ersten direkten Berührungen zw. spätröm. Reich und den S. an den Anf. des 6. Jh. Zentral war hier die Donaugrenze [12], die Byzanz bis gegen E. des 6. Jh. halten konnte. Zum ersten Mal überwinterten die S. im Winter 550/1 auf dem Boden des Byz. Reiches, doch setzte eine verstärkte Einwanderung erst seit Anf. der 80er J. ein; 582 fiel → Sirmium, 583 → Singidunum an die S. (Theophylaktos Simokrates 1,4,1–3), → Thessalonike wurde 586 zum ersten Mal planmäßig von ihnen belagert, E. des 6. Jh. gerieten die S. für längere Zeit unter die Herrschaft der Avares, unter deren mil. Führerschaft sie sich einzuordnen hatten. Die → Chronik von Monemvasia berichtet, daß Byzanz 218 J. lang die Herrschaft über Hellas verloren habe, was auf E. 6. Jh. (ca. 587) verweist. Die romanisierte Bevölkerung des Nordbalkans floh teils nach Süden (z. B. nach Thessalonike, vgl. Miracula Sancti Demetrii 2,2,196 f. LEMERLE), teils auf die Hochebenen des Balkans; hier ist der Ursprung der Vlachen zu sehen, die sich bis h. *Armăñi*, »Romanen« (im Gegensatz zu den S.), nennen. Die slav. beherrschten ehemaligen Reichsgebiete, die → Sklaviniai, wurden von Byzanz nach und nach beseitigt; im NW, etwa in Dalmatien, bildeten sie jedoch den Ausgangspunkt der hoch-ma. Staatsbildungen (→ Serben), im NO war die Südexpansion des → Bulgarischen Reiches Voraussetzung für die erste slav.-byz. Synthese, die auch Serbien und Rußland kulturell prägen sollte [13]. Seitdem gehört die slav. Welt zwei Kulturzonen an, der byz. geprägten Orthodoxie und dem mitteleurop. geprägten Katholizismus. Die S. unterstanden in Griechenland seit ca. 800 der Herrschaft von → Konstantinopolis und unterlagen einem fortschreitenden Hellenisierungsprozeß, der jedoch in Rückzugsgebieten noch im 15. Jh. nicht abgeschlossen war [14]. Obwohl die Landnahme unter gewalttätigen Vorzeichen erfolgt war, ergab sich danach doch ein friedliches Zusammenleben mit der griech. Bevölkerung, so daß h. nur noch slav. ON [15] und vereinzelte Lw. im Neugriech. (σβάρνα, »Egge«; σανός, »Heu«) darauf verweisen, daß im Früh-MA weite Teile Griechenlands slavisiert waren [16].
→ Balkanhalbinsel, Sprachen (mit Karte); Byzantion, Byzanz (mit Karte); Kirchenslavisch; Slavische Sprachen

1 H. SUNDHAUSSEN, Der Einfluß der Herderschen Ideen auf die Nationsbildung bei den Völkern der Habsburger Monarchie, 1973 2 L. NIEDERLE, Manuel de l'antiquité slave, 2 Bde., 1923/1926 3 P. DIELS, Die slaw. Völker, 1963 4 R. TRAUTMANN, Die slaw. Völker und Sprachen, 1948 5 K. W. STRUVE, Die Ethnographie der Slawen aus der Sicht der Vor- und Frühgesch., in: W. BERNHARD,

A. KANDLER-PÁLSSON (Hrsg.), Ethnogenese europäischer Völker, 1986, 297–321 **6** W. POHL, Die Awaren. Ein Steppenvolk in Mitteleuropa, 1988 **7** A. P. VLASTO, The Entry of the Slavs to Christendom, 1970 **8** F. DVORNÍK, The Slavs: Their Early History and Civilisation, 1956
9 J. UDOLPH, Zum Stand der Diskussion um die Urheimat der Slawen (Beitr. zur Namenforsch. N. F. 14), 1979, 1–22
10 Z. VÁŇA, Mythologie der slaw. Völker. Die geistigen Impulse Ost-Europas, 1992 **11** L. MOSZYŃKI, Die vorchristl. Rel. der S. im Lichte der slav. Sprachwiss., 1992
12 G. SCHRAMM, Ein Damm bricht. Die röm. Donaugrenze und die Invasionen des 5.–7. Jh. im Lichte von Namen und Wörtern, 1997 **13** L. WALDMÜLLER, Die ersten Begegnungen der Slawen mit den christl. Völkern vom VI. bis VIII. Jh., 1996 **14** M. VASMER, Die Slawen in Griechenland (Abh. der Preuß. Akad. der Wiss., Philol.-histor. Kl. 12), 1941, 1–350 **15** PH. MALINGOUDIS, Stud. zu den slaw. ON Griechenlands, 1981 **16** M. WEITHMANN, Die slaw. Bevölkerung auf der griech. Halbinsel, 1978.

A. M. SCHENKER, The Dawn of Slavic, 1995. J. N.

Slavische Sprachen. Die s.S. sind eine über das Urslav. (ca. 500 v. – 500 n. Chr.) und das Urbaltoslav. (strittig) aus der idg. Grundsprache hervorgegangene Sprachfamilie (zur genetischen Verwandtschaft vgl. aksl. *mati*, griech. μήτηρ, lat. *māter* < uridg. **méh₂tē(r)*, aksl. *trьje*, griech. τρεῖς, lat. *trēs* < uridg. **tréi̯es*), gegliedert in Süd- (Bulgarisch, Makedonisch, Serbokroatisch, Slovenisch), West- (Slovakisch, Tschechisch, Sorbisch, Polnisch) und Ostslav. (Russisch, Weißrussisch, Ukrainisch). Dazu kommen das im 18. Jh. ausgestorbene Elb- (Polabisch), das nurmehr im Kaschubischen fortlebende Ostsee- (Pomoranisch) und das dem Bulgarischen zugehörige Altkirchenslavisch, in das 863 n. Chr. der erste umfangreichere Text (»Aprakos-Evangelium«) übersetzt wurde und dessen Redaktionen bis h. als Kirchensprache der orthodoxen Slaven fungieren. Die Überl. setzt E. des 10. Jh. auf slovenischem (»Freisinger Denkmäler«) und mährischem Boden (»Kiever Blätter«) ein, aufgezeichnet in griech. Schrift auf ost-, in lat. auf weström. Boden, endlich in der für die Übers. des J. 863 vor griech. und semit. Hintergrund erfundenen Glagolica (kyrillo-methodianische Mission und Nachfolge; vgl. → Glagolitisch). Durch Kreuzung der griech. und der glagolitischen Trad. entstand die kyrillische Schrift.

Vom Griech. und Lat. als → Satemsprache geschieden, ist das Slav. den aus gleicher nachgrundsprachlicher Quelle hervorgegangenen → baltischen Sprachen aufs engste verwandt und steht überdies in näherer Beziehung zum Germanischen (*m*-haltige Kasusmorpheme) und Indo-Iranischen (Veränderung von **s* nach **i*, *u*, *r*, *k*). Gleichwohl ist es bedeutsam für die Bestätigung des uridg. Ursprungs systematischer Merkmale (Augment) oder spezifischer Übereinstimmungen der klass. Sprachen (kirchenslav. *-věsъ*, vedisch *ávākṣam*, lat. *vēxī*, kyprisch ἔϜεξε als Kontinuanten des uridg. sigmatischen Aor. **e-u̯ēǵʰ-s-*). Exklusive Gemeinsamkeiten mit dem Griech. in alter Zeit (aksl. *mьgla*, griech. ὀμίχλη < uridg. **h₃migʰléh₂*) sind spärlich und mehrdeutig, für das Ital. scheinen sie zu fehlen. Mit den klass. Sprachen kamen die Slaven erst im Gefolge ihrer West- und Südausdehnung im 5./6. Jh. in Kontakt. Insbes. ihre Christianisierung zeitigte bis zum Einsetzen der Überl. eine Vielzahl teils durch german. Vermittlung eingedrungener Lw. (altslovenisch *krst* »Taufe«, aksl. *krьstъ* »Kreuz« ← ahd. *krist* ← lat. *Christus* ← griech. Χρῑστός) und Lehnübers. (altslovenisch *odpustek* »Erlaß« : lat. *remissio*, aksl. *mъnogocěnьnъ* : griech. πολύτιμος). Der vergleichsweise konservative Charakter der untereinander gering differenzierten s.S. hinderte nicht systematische Neuerungen (determiniertes Adj., Belebtheitskategorie, Aspekt, Gen. negativus usw.) und die grundlegende strukturelle Umgestaltung des Bulgar. und Makedon. im Rahmen des Balkansprachbundes (→ Balkanhalbinsel, Sprachen).
→ Kirchenslavisch; Kyrillos [8]; Methodios [4]; Slaven, Slavisierung; SLAVISCHE SPRACHEN

H. ANDERSEN, Lingue slaviche, in: A. G. und P. RAMAT (Hrsg.), Le lingue indoeuropee, 1993, 441–480 • B. PANZER, Die s.S. in Gegenwart und Gesch., ³1999 • W. PORZIG, Die Gliederung des idg. Sprachgebiets, ²1974, 169–174, 204–209 • P. REHDER (Hrsg.), Einführung in die s.S., ³1998. CH. K.

Smaragd (σμάραγδος/*smáragdos*, lat. *smaragdus* oder *zmaragdus*). Grünlicher Edelstein, Varietät des Berylls, u. a. am berühmten Ring des → Polykrates [1] (bei Hdt. 3,41), einer der 12 Steine des → Aaron (Ex 39,10). Theophr. de lapidibus 25 [1. 66] nennt als Hauptfundorte die Kupferminen von → Kypros und eine Insel bei Chalkedon. Plin. nat. 37,62–75 unterscheidet nach ihrer Herkunft 12 Arten. Man schätzte bes. durchsichtige und spiegelnde Exemplare.

1 D. E. EICHHOLZ (ed.), Theophrastus, De lapidibus, 1965.

A. SCHRAMM, s. v. S., RE Suppl. 7, 1217–1219. C. HÜ.

Smerdis s. Bardiya [2]

Smertrios. Keltischer Gott, mit dem röm. → Mars verbunden. Allein die Bauinschr. eines Tempels im Treverergebiet (CIL XIII 11975) hat den Namen des Gottes vollständig erh.: *Marti Smertrio*. Allg. akzeptiert ist die Lesung *Smert[ri]os* auf einem Relief vom Monument der *nautae Parisiaci* (CIL XIII 3026c; [1]), das den bärtigen Gott mit nacktem Oberkörper, in der erhobenen rechten Hand eine Keule, vor sich eher Bogen als Schlange, zeigt. Die früher dem S. zugeschriebene Inschr. CIL XIII 4119 aus Möhn liest [2] als *Marti Sme[rtuli]t[a]no*. Die Silbe *Smer* ist auch im Namen der Göttin → Rosmerta enthalten. Die aufgrund der ergänzten Inschr. aus Kärnten *[D]iti Smer[trio] Aug(usto)* [3] vorgeschlagene Kopplung von → Dis pater und S. ist ungesichert.

1 P.-M. DUVAL, Travaux sur la Gaule, Bd. 1, 1989, 451 f.
2 W. BINSFELD, Zur Marsinschr. aus dem Heiligtum von Möhn, in: TZ 46, 1983, 153–155 **3** P.-M. DUVAL, Le dieu S. et ses avatars gallo-romains, in: Études celtiques 6, 1953–1954, 219–238.

H. Merten, Der Kult des Mars im Trevererraum, in: TZ 48, 1985, 98f. M.E.

Smila (Σμίλα). Stadt in der → Krusis (Hekat. FGrH 1 F 148; Hdt. 7,123,2; ATL 1, 410f., bis zum J. 421 v. Chr.).

M. Zahrnt, Olynth und die Chalkidier, 1971, 236. M.Z.

Smilis (Σμῖλις). Sohn des Eukleides, Bildhauer aus Aigina, wohl 6. Jh. v. Chr. Pausanias (5,17,1) sah im Hera-Tempel von Olympia die thronenden Horen des S. und berichtet über das von ihm gefertigte Kultbild der Hera in Samos (7,4,4). Eine späte Notiz (Athenagoras, Legatio pro Christianis 17,4 Schoedel) schreibt S. das Kultbild der Hera in Argos zu. Die Überl. reiht ihn unter die mythischen Künstler aus der Zeit des → Daidalos [1] ein; Plin. nat. 36,90 schreibt ihm architektonische Wunderwerke zu. Sein Name ist auf σμίλη (*smílē*, »Meißel«) zurückzuführen. Überlegungen über technische Erfindungen des S. im Bronzeguß sind jedoch hypothetisch, da über das Aussehen seiner Werke nichts bekannt ist. Unnötig ist eine Korrektur seines Namens zu Skelmis oder Kelmis, einem der kretischen → Telchines.

Overbeck, Nr. 283, 331, 340–343 · M. Zuffa, s. v. S., EAA 7, 1966, 363 · E. Walter-Karydi, Die äginetische Bildhauerschule, 1987, 12–13 · Fuchs/Floren, 309, 357. R.N.

Smintheus s. Apollon

Smyrna (*Zmyrna*; Σμύρνα, Σμύρνη, Ζμύρνα, Ζμύρνη). Stadt in der Aiolis, h. İzmir.

I. Frühzeit bis Hellenismus
II. Byzantinische Zeit
III. Archäologischer Befund

I. Frühzeit bis Hellenismus

Auf einem seit dem 3. Jt. besiedelten Hügel bei Bayraklı im Norden des Golfs von İzmir ließen sich spät im 11. Jh. v. Chr. Aioleis nieder (Lehmziegelhäuser). Um 700 v. Chr. (?) übernahmen Iones aus Kolophon S. (Hdt. 1,150; [3. 66f.]). Arch. Grabungen bezeugen entwickelte Baukunst: orthogonales Straßensystem, Tempel (wohl der Athena) [1. 63–98; 6. 98–100]. Um 600 wurde Alt-S. von → Alyattes erobert und zerstört (Hdt. 1,16). Es entstanden einzelne Dorfsiedlungen auf dem ehemaligen Stadtgebiet (Strab. 14,1,37). Eine davon erlangte in der 1. H. des 4. Jh. v. Chr. wieder städtischen Status [4. 435]. Die Neugründung geht auf Antigonos [1] und Lysimachos [2] zurück [11. zu Nr. 577, 647]. S. lag (vgl. das Gründungsorakel aus Klaros: Paus. 7,5,3; inschr. überl. [7. Nr. 05/01/01; 11. Nr. 647]) jenseits des Flusses Meles (in der Kaiserzeit mit dem h. Halka Pınar Çayı identifiziert) beim Akropolisberg Pagos (h. Kadifekale) an der Stelle des Stadtkerns des h. İzmir. S. wurde als 13. Mitglied in den Städtebund der Iones aufgenommen [3. 67f., 105; 11. zu Nr. 577] und blühte auf, wurde die »Zierde von Ionia« (so die Stadt-Titulatur). Kriege, Seuchen (vgl. [11. Nr. 766]) und Erdbeben suchten sie wiederholt heim. Spenden halfen, sie prachtvoll auszugestalten (z. B. [11. Nr. 697]) bzw. wiederaufzubauen (→ Euergetismus).

Inschr., lit. Quellen, Mz. [5; 8] und Grabungsfunde beleuchten: (a) die polit. Gesch. (vgl. den Sympolitievertrag [11. Nr. 573] zw. S. und Magnesia [3] um 245 v. Chr., Verlautbarungen röm. Autoritäten, Ehrungen); (b) Institutionen und Ämter; (c) Vereinigungen, z. B. Gold- und Silberschmiede; (d) das kulturelle Leben, etwa die Verehrung des → Homeros [1] und des → Mimnermos, ein Museion ([11. zu Nr. 191, 17]; vgl. SEG 45, 1598), die → Zweite Sophistik mit Polemon [6], Aristeides [3], die späte Dichtung (Quintus [3] von S.); (e) die Agonistik (u. a. Spiele wie die Nemeseia, Olympia, Hadriana Olympia); (f) das rel. Leben (z. B. Verehrung des Apollon Kisauloddenos, Dionysos → Briseus [2] mit zugehöriger Mysten- und Technitenvereinigung, der Meter Sipylene, der zwei Nemesis-Göttinnen, äg. und syrische Kulte, Herrscherkulte). Zum Judentum vgl. [11. zu Nr. 295 mit Bd. 2,2, 372]. Für das frühe Christentum in S., einer der sieben Gemeinden der Apk, sind die Martyrien des Bischofs → Polykarpos (2. H. 2. Jh. n. Chr.) und des Priesters Pionios (250 n. Chr.) [12] hervorzuheben. G.PE.

II. Byzantinische Zeit

S. wurde 654 n. Chr. von den Arabern angegriffen und war 672/3 zeitweise von ihnen besetzt. In mittelbyz. Zeit gewann die Stadt an Bed. als Handels- und Kriegshafen anstelle von → Ephesos, dessen Hafen durch Versandung unbrauchbar geworden war. S. war von 1081 bis 1097, dann wieder seit 1317 in türkischer Hand und später, 1344–1402, von westeurop. Kreuzfahrern besetzt [13; 14]. AL.B.

III. Archäologischer Befund

S. ist mod. überbaut, arch. Grabungen wurden daher nur in Alt-S. (s.o. und [9]) und an Teilen der Agora der hell.-röm. Stadt durchgeführt (zweistöckige Säulenhallen, z. T. mit darunterliegenden Ladenlokalen; [10. 75–91, 106–114]). Weitere Reste lassen nur eine ungefähre Fixierung der Stadt-Top. zu (vgl. [10. 70–75; 11]).

1 E. Akurgal, Alt-S., Bd. 1, 1983 **2** L. Bürchner, s. v. S., RE 3 A, 730–764 **3** C. J. Cadoux, Ancient S., 1938 **4** J. Keil, Rez. zu [3], in: Gnomon 15, 1939, 432–437 **5** D. O. Klose, Die Münzprägung von S. in der röm. Kaiserzeit, 1987 **6** F. Kolb, Die Stadt im Alt., 1984 **7** R. Merkelbach, J. Stauber, Steinepigramme aus dem griech. Osten, Bd. 1, 1998 **8** J. G. Milne, in: NC (4. ser.) 14, 1914, 273–298; NC (4. ser.) 16, 1916, 246–250; NC (5. ser.) 3, 1923, 1–30; NC (5. ser.) 4, 1924, 316–318; NC (5. ser.) 7, 1927, 1–107; NC (5. ser.) 8, 1928, 131–163, 164–171 (Index) **9** S. Mitchell, Archaeology in Asia Minor 1990–98, in: Archaeological Reports for 1998–99, 1999, 125–191, bes. 147 **10** R. Naumann, S. Kantar, Die Agora von S., in: IstForsch 17, 1950, 69–114 **11** G. Petzl, Die Inschr. von S., Bde. 1–2,2 (IK 23–24,2), 1982–1990 **12** L. Robert, Le martyre de Pionios prêtre de Smyrne (hrsg. von G. W. Bowersock, C. P. Jones), 1994 G.PE.
13 H. Ahrweiler, L'histoire et la géographie de la région de Smyrne entre les deux occupations turques

(1081–1317), in: Travaux et Mémoires 1, 1965, 1–204
14 W. Müller-Wiener, Die Stadtbefestigungen von İzmir, Siğacık und Çandarlı, in: MDAI(Ist) 12, 1962, 60–96.

AL. B.

Soaemias s. Iulia [22]

Soanes (Σοάνες, lat. *Suani*). Zuerst bei Strab. 11,2,14; 11,2,19 erwähnt, der sie im westl. Kaukasus zusammen mit den Phtheirophagen (»Zapfenesser«) oberhalb der Kolcher (→ Kolchis) lokalisiert und zu den Stämmen zählt, die in → Dioskurias Handel treiben; das kriegerische Volk gewann Gold aus Bergflüssen (so auch Plin. nat. 6,14; 6,30). Im 6. Jh. n. Chr. standen die S. unter der Oberhoheit von → Lazika (Prok. BG 4,16,14; Agathias 4,30; Menandros Protektor fr. 3 [1. 177,15–188,10]) und so im Einflußbereich der persisch-byz. Auseinandersetzungen. Heute Prov. Svanet'i in der Republik Georgien, Hauptort Mestia.

1 C. de Boor, Excerpta de legationibus, 1903.

B. Schrade (Hrsg.), Die Kunst Swanetiens, 2001. A. P.-L.

Sobek (*šbk*, gräzisiert Σοῦχος/*Súchos*, vgl. Damaskios, Vita Isidori P 99) war der krokodilköpfige Hauptgott des → Fajum. Die wichtigste Lokalform war S. von Šedet (Krokodilopolis, ab 256 v. Chr. → Arsinoë [III 2], h. Madīnat al-Fayyūm). Sein Kult war weit verbreitet; bes. bekannt ist sein Tempel in Kaum Umbū (zusammen mit Haroëris). S. galt als Herr des Nordens. Als Mutter des S. wird meist die Göttin → Neith genannt, als Vater im Fajum gelegentlich die ephemere Krokodilgottheit Senui (*snwj*, gräzisiert Ψοσναυς/*Psosnaus*: SB 6154,7 = 5827; [5. 84 f.]). Eine Partnerin ist nur selten bezeugt, doch gilt S. als sexuell sehr aktiv. Er wurde bes. mit → Horus identifiziert, als Krokodil soll er die Leiche des → Osiris aus dem Nil gefischt haben. Daneben wird er häufig mit Geb verbunden, weshalb aus griech.-röm. Zeit aus dem Fajum zahlreiche → Kronos-Kulte bekannt sind. Bes. häufig ist auch eine solarisierte Form S.-Re (→ Re).

Eine der wichtigsten Quellen über die mit S. verbundenen Mythen ist das sog. Buch vom Fajum [1]. Der Zufall der Erhaltung hat gerade für S. viele Papyruszeugen mit Hymnen und Ritualen bewahrt: neben PRamesseum VI [4] aus dem MR v. a. römerzeitliches äg.-sprachiges Material (meist aus Tebtynis und → Soknopaiu Nesos). Auch in griech. Papyri aus dem Fajum ist S. reich bezeugt [5. 241 f.]. Eine Blütezeit seines Kultes stellt das MR (2040–1785 v. Chr.) dar, als die Residenz im Fajum lag; im späten MR und in der 2. Zwischenzeit (1783–1551 v. Chr.) trugen einige Könige mit S. gebildete theophore Namen.

1 H. Beinlich, Das Buch vom Fayum, 1991
2 E. Brovarski, s. v. S., LÄ 5, 995–1031 3 C. Dolzani, Il dio S., 1961 4 A. H. Gardiner, Hymns to S., in: Rev. d'Égyptologie 11, 1957, 43–56 5 W. J. R. Rübsam, Götter und Kulte im Faijum während der griech.-röm.-byz. Zeit, 1974. A. v. L.

Soccus. Pantoffelähnlicher, leichter Halbschuh (Catull. 61,10), von den Römern wohl aus dem griech. Bereich übernommen (vielleicht σύκχος/*sýkchos* oder συκχίς/*sykchís*, Anth. Pal. 6,294). Der urspr. Frauenschuh wurde auch von »verweichlichten« Männern getragen (Suet. Cal. 52). Später unterscheidet das Preisedikt des Diocletianus zw. *socci* für Männer und Frauen in verschiedenen Farben. Der *s.* galt dazu als Schuh der Schauspieler in der Komödie (vgl. Hor. epist. 2,1,174; Hor. ars 79 f.), so daß *s.* zu einem Syn. für die Komödie wurde (ähnlich wie der → Kothurn für die → Tragödie). Abbildung des *s.* bei → Schuh. R. H.

Societas. Die auf einem Vertrag beruhende Gesellschaft (κοινοπραξία/*koinopraxía*), die das röm. Recht seit der späten Republik kannte. Sie war in ihrer Entstehung wahrscheinlich von archa. Formen einer auf → Verwandtschaft beruhenden Gemeinschaft beeinflußt, insbes. von dem *consortium ercto non cito* (»Erbengemeinschaft, ohne daß eine Teilung des Erbes vorgenommen wurde«) von Brüdern, die das väterliche Erbe nicht teilen wollten (Gai. inst. 3,154, s. auch → *communio*). Nach dem 2. Jh. v. Chr. spielte dieser Einfluß auf die rechtliche Entwicklung der *s.* aber keine Rolle mehr.

Die *s.* entstand durch Abschluß eines Konsensualvertrages (→ *consensus*) zw. zwei, manchmal auch drei oder mehr Gesellschaftern (*socii*), die zu Geld- oder Sacheinlagen, aber auch zu Dienstleistungen für die *s.* verpflichtet waren. Zweck der *s.* war es, Gewinne zu erwirtschaften, die unter den *socii* geteilt wurden (ebenso wie entstehende Verluste). Die Pflichten der *s.* waren im Ges.-Vertrag genau festgelegt. Dies bedeutet keineswegs, daß alle *socii* dieselben Pflichten hatten, und dementsprechend erhielten die *socii* auch nicht zwingend denselben Anteil an den Gewinnen. Nicht möglich war es, daß ein *socius* am Gewinn beteiligt war, nicht aber die Verluste mittragen mußte (Inst. Iust. 3,25).

Es gab mehrere Formen der *s.*: Die *socii* der *s. omnium bonorum* brachten ihr gesamtes bestehendes und auch künftiges Vermögen in die Ges. ein; Zweck der Ges. war weniger eine Geschäftstätigkeit als vielmehr die Schaffung einer vermögensrechtlichen Gemeinschaft. Die *s. unius negotiationis*, in die die *socii* jeweils nur einen Teil ihres Vermögens einbrachten, hatte einen einzigen, genau definierten Geschäftszweck, so etwa das Geldgeschäft (→ Banken) oder den → Sklavenhandel. Um eine solche *s.* handelte es sich etwa im Fall des von Cicero verteidigten P. Quinctius [I 3], der mit Sex. Naevius [I 3] eine *s.* gründete; ihr Zweck war die Bewirtschaftung von Ländereien in der Prov. Gallia Narbonensis (*s. earum rerum, quae in Gallia comparabantur*; Cic. Quinct. 12).

Wenn einer oder mehrere der *socii* es wünschten, wenn das Geschäft beendet war oder ein *socius* starb, wurde die *s.* aufgelöst (Inst. Iust. 3,25,4–6). Mit dem Ges.-Vertrag entstand keine juristische Person, die *s.* konnte damit weder Eigentümer noch Gläubiger oder

Schuldner sein; Sklaven, die für die *s.* arbeiteten, gehörten einem oder mehreren der *socii*, aber nicht der *s.* als solcher. Diese Rechtslage stellte ein gravierendes Hindernis für die Herausbildung dauerhafter Unternehmungen dar. Im Fall des Bankgeschäfts (→ Banken) war ein *socius* einer *s.* verantwortlich für alle von den anderen *socii* abgeschlossenen Verträge (etwa über → Darlehen). Die *s. publicorum* hatte hingegen als Sonderfall insofern eine andere Ges.-Struktur, als sie eine gemeinsame Kasse und gemeinsames Eigentum haben konnte und bei Tod eines *socius* nicht aufgelöst wurde.

1 E. BADIAN, Publicans and Sinners. Private Enterprise in the Service of the Roman Republic, 1972 2 E. DEL CHIARO, Le contract de société en droit privé romain, 1928 3 A. GUARINO, S. consensu contracta, 1972 4 KASER, RPR 1, 572–576 5 F. SERRAO, Impressa e responsabilità a Roma nell'età commerciale, 1989 6 F. WIEACKER, S., Hausgemeinschaft und Erwerb-Ges., 1936 7 Ders., S. consensu contracta, in: Iura 24, 1973, 243–254. J. A.

Socii. Als *s.* wurden schon in der Ant. die röm. Bundesgenossen in It. und in Ausnahmefällen auch Gemeinden und Individuen außerhalb It. bezeichnet. Die *s.* in It. sind in der *formula togatorum* aufgeführt, einer Liste, die das Ausmaß der mil. Zuzugspflicht festlegte, und zwar als Gemeinden, denen Rom die Stellung von Soldaten zum röm. Heer zu befehlen pflegte (*socii nominis(ve) Latini quibus* <sc. *Romani*> *ex formula milites in terra Italia imperare solent*: *lex agraria* von 111 v. Chr., FIRA 1, Nr. 8, Z. 21 und 50). Kriterium für die Zugehörigkeit zu den röm. Bürgern bzw. den *s.* waren nicht Bürgerrecht oder Sprache, sondern der Militärdienst entweder in den röm. Legionen oder in den Infanterie- und Reiterabteilungen (*cohortes* bzw. *turmae*) der Bundesgenossen. Die *s.* stellten ihre Soldaten entweder in eigenen Einheiten (z. B. als *cohors Perusina*) oder in gemischten Truppen (z. B. *cohors Umbrorum, Samnitium*). Eine Reihe von *s.*, die *s. navales*, stellten je ein Schiff mit Mannschaft.

Ab dem 2. Jh. v. Chr. empfanden viele *s.* aus unterschiedlichen und umstrittenen Gründen ihre unabhängige pol. Existenz zusehends als Nachteil und erstrebten das röm. Bürgerrecht. Im → Bundesgenossenkrieg [3] brach das System zusammen: 90/89 v. Chr. erhielten alle südlich des Po gelegenen *s.*-Gemeinden, 49 v. Chr. auch die nördlich davon wohnenden Gallier und Veneter das röm. Bürgerrecht.

Außerhalb It.s war nur Messana [1], die Stadt der → Mamertini und Roms früheste Verbündete in Sizilien, in die *formula togatorum* eingeschrieben; die *formula sociorum* umfaßte auch Staaten und Individuen im griech. Osten, denen eine Vorzugsbehandlung in Rom zugesichert war.

D. A. BOWMAN, The Formula Sociorum in the Second and First Centuries B. C., in: CJ 85, 1990, 330–336 • H. GALSTERER, Herrschaft und Verwaltung im republikanischen It., 1976, 101–104 • A. N. SHERWIN-WHITE, The Roman Citizenship, ²1973, 119–133. H. GA.

Sodales. Urspr. Angehörige eines → Vereins im weitesten Sinne: Die *suodales* des Poplios Valesios, die in einer Inschr. aus → Satricum auftauchen (um 500 v. Chr.; CIL I² 4,2832a), können Gefolgsleute, polit. oder rel. Gleichgesinnte sein [7; 8]. Die Mehrzahl der Belege betrifft allerdings Rom in Republik und Kaiserzeit. Die Einrichtung der *s.* wird in der röm. Trad. → Romulus [1] (Sempronius Tuditanus fr. 3 BECK-WALTER) oder → Numa (für → *Salii* und → *Fetiales*: Dion. Hal. ant. 2,70–72) zugeschrieben. Als rel. Spezialisten sind folgende *s.* anzusehen: → *Arvales, fratres*, → *Fetiales, Luperci* (→ *Lupercalia*), → *Salii* und die *S. Titii* (Varro ling. 5,85 f.). Ihnen gemeinsam ist die zeitliche Beschränkung ihrer Kulthandlungen (z. B. bei den *Luperci* einmal im Jahr, bei den *Fetiales* im Kriegsfall). Den Kollegien der → *pontifices* und → *augures* sind sie nachgeordnet. *S. Titii* sind namentlich erst in der Kaiserzeit bezeugt [9]; Varro (l.c.) nimmt an, sie seien nach der Beobachtung des Vogelfluges benannt worden.

In der Kaiserzeit lassen sich *s.* als Mitglieder des Ritterstands und Freigelassene nachweisen (CIL VI 1933), doch bleibt senatorische Herkunft das Übliche. Augustus, der selbst einigen Sodalitäten angehörte (R. Gest. div. Aug. 7), restaurierte die *s.* Neue *s.* wurden für den Kult der Kaiserfamilie eingerichtet, zuerst die *S. Augustales Claudiales* (ab 15/54 n. Chr.), die in Analogie zu den *S. Titii* als Priester des Titus → Tatius konstruiert wurden (Tac. ann. 1,54,1; Tac. hist. 2,95,1). Später folgten die *S. Flaviales Titiales*, die *S. Hadrianales*, die *S. Antoniniani* usw. (Belege bei [2. 390–394]). Jeweils rund 25 *s.* verrichteten den Kult der verstorbenen Kaiser (→ Vergöttlichung), bis die *s.* im 3. Jh. endeten (aber andere Formen des → Kaiserkults bestehen blieben [3]).
→ Kaiserkult; Lapis Satricanus

1 M. BEARD, J. NORTH (Hrsg.), Pagan Priests, 1990 2 M. CLAUSS, Kaiser und Gott, 1999 3 G. GOTTLIEB, s. v. Kaiserpriester, RAC 19, 1104 ff. 4 A. MASIER, I S. nell'età di Antonino Pio, in: Patavium 15, 2000, 53–80 5 J. RÜPKE, Die Rel. der Römer, 2001, 208–219 6 J. SCHEID, Romulus et ses frères, 1990, 252–260 7 H. S. VERSNEL, Historical Implications, in: C. M. STIBBE u. a. (Hrsg.), Lapis Satricanus, 1980, 108–127 8 Ders., Die neue Inschr. von Satricum, in: Gymnasium 89, 1982, 193–235 9 S. WEINSTOCK, s. v. Titii s., RE 6 A, 1538–1540 10 G. WISSOWA, Rel. und Kultus der Römer, ²1912, 550–566. M. SE.

Sodalicium s. Nachträge in Band 12/2

Sodamos (Σώδαμος) von Tegea. Einige Quellen, die auf Straton von Lampsakos, 3. Jh. n. Chr. (fr. 146 f. WEHRLI) und Klearchos (PSI IX 1093, vgl. fr. 69d WEHRLI) zurückgehen, berichten, daß die → Gnome Μηδὲν ἄγαν· καιρῷ πάντα πρόσεστι καλά (»Nichts zuviel! Alles Schöne ist mit dem rechten Maß verbunden«) S. anstelle von → Chilon [1] zugeschrieben wurde. Das von schol. Eur. Hipp. 264 in Gestalt eines Einzeldistichons überl. *epigramma* läßt die Annahme zu, daß S. im Athenetempel zu Tegea eine Inschr. mit dem Spruch des Chilon anbringen ließ, als Pendant zu den inschr. Spruchweisheiten im delphischen Apollontempel und im Letoon von Delos (s. [2]).

Ed.: 1 E. Diehl, Anthologia Lyrica Graeca, Bd. 1, ³1949, 127f.
Lit.: 2 Wehrli, Schule, Bd. 5, 84. M.D.MA./Ü: T.H.

Sodom (hebr. *sᵉdom*; griech. Σόδομα, lat. *Sodoma*) erscheint zusammen mit Gomorra (*ʿamorah*), Adma (*ʾadmah*), Zebojim (*ṣᵉbojim*) und Zoar (*ṣoʿar*) in einem mil. Städtebund (Gn 14,8). Gn 19 berichtet von der Zerstörung der Städte mit Ausnahme Zoars durch Feuer und Schwefelregen als göttl. Strafgericht. Die Städte sind arch. nicht nachweisbar; die ant. Trad. lokalisiert sie am Südende des Toten Meeres (→ Asphaltitis Limne). Die Wüstengegend dort gehört für die ant. Autoren mit dem Toten Meer zu den *mirabilia* Iudaeas: Pflanzen zerfallen zu Asche, das Tote Meer wirft dort Asphalt aus (Tac. hist. 5,7; Ios. ant. Iud. 1,174; Weish 10,6f.). Diese Phänomene werden einerseits naturwiss. zu erklären versucht (Strab. 16,2,44; Tac. hist. 5,7), andererseits werden sie zum Musterbeleg göttl. Strafe für menschliche Vergehen. In Trad. des Südreichs → Juda erscheint dabei stereotyp S. gekoppelt mit Gomorra (Am 4,11; Zeph 2,9; Jes 1,9f.), im Nordreich Israel spielen Adma und Zebojim eine größere Rolle (Hos 11,8). Verschiedene Aspekte der Strafe werden hervorgehoben: ihre Plötzlichkeit (Klgl 4,6; Lk 17,28f.), die restlose Vernichtung (Jes 1,9; Jer 49,18; 50,40; Röm 9,29), ihre Funktion als Warnung vor dem Gericht (Zeph 2,9; Mt 10,15; 11,23; 2 Petr 2,6). Ausgehend von Gn 19 bildeten sich verschiedene Trad., welches Vergehen der Bewohner von S. Anlaß für die Strafe war: 1) Bruch des Gastrechtes, Fremdenhaß, Unbarmherzigkeit und Habgier (Ez 16,49; Weish 19,13–15; Ios. ant. Iud. 1,194f.; bSan 109ab; Pirqe de Rabbi Elieser 25); 2) sexuelle Vergehen (Jubiläen 16,5), bes. 3) Homosexualität (Phil. de Abrahamo 135f.; Ios. ant. Iud. 1,199–204) oder 4) Lust nach ›anderem Fleisch‹, d.h. versuchte Vergewaltigung von Engeln (Jud 7), wodurch eine Verbindung mit der Erzählung vom Fall der Wächterengel, die mit menschlichen Frauen Riesen zeugen (Gn 6,1–4; 1 Hen 6–16), geschaffen wird (Jud 5–7; evtl. auch TestNapht 3,4f. und Jubiläen 20,5; Sir 16,6–8). Wie bei anderen Figuren aus der hebr. → Bibel findet in der → Gnosis auch bei den Bewohnern von S. eine Umwertung statt: S. gilt als Heimat der guten Nachfahren des → Seth (Ägypterevangelium NHCod 3,56,11; 3,60,12).
→ De Sodoma

O. Keel, M. Küchler, Orte und Landschaften der Bibel, Bd. 2: Der Süden, 1982, 249–257. ST.KR.

Söldner
I. Griechenland II. Rom

I. Griechenland
S. (μισθοφόρος/*misthophóros* bzw. μισθωτός/*misthōtós*, ξένος/*xénos*) – Soldaten, die für Bezahlung (*misthós*) als Berufssoldaten in fremden Diensten kämpften – gab es in Griechenland seit der archa. Zeit. Im 6. Jh. v. Chr. dienten sie äg. oder östlichen Königen (Äg.: Hdt. 2,154; ML, Nr. 7; Babylon: Alk. 350 Lobel/Page); griech. Tyrannen wie Peisistratos [4] oder Polykrates [1] benötigten S. zu ihrem Schutz (Hdt. 1,61; 3,45). Erst seit dem → Peloponnesischen Krieg setzten die Poleis neben den Bürgersoldaten, die aber ihre mil. Basis blieben, in großem Umfang S. ein, darunter thrakische → *peltastaí* (Thuk. 5,6,4; 7,27,1f.; 7,29) oder kretische Bogenschützen (Thuk. 6,43); als → Sold wurde jedem S. eine Drachme pro Tag gezahlt (Thuk. 7,27,2).

Während des 4. Jh. v. Chr. bot sich griech. S. im persischen Reich und auf Sizilien ein weites Betätigungsfeld: Beim Zug des jüngeren Kyros [3] 401/400 (Xen. an. 1,6–2,3), bei den Satrapenaufständen nach 370 v. Chr., den Kriegen um Äg. und schließlich beim Abwehrkampf gegen Alexandros [4] 334–330 waren griech. → *hoplítai* beteiligt. Dionysios [1] I. von Syrakus und seine Nachfolger stützten sich primär auf S. Die griech. Städte verpflichteten S. weiterhin vornehmlich als Spezialisten einer Waffengattung (→ *peltastaí*, → *toxótai*, → Schleuderer) oder als Ruderer und Wachtruppen. Selbst Athen stützte sich in den Kriegen dieser Zeit auf S.-Truppen (Isokr. or. 7,9; 8,45f.). Die Macht Iasons [2] von Pherai beruhte wesentlich auf einem S.-Heer (Xen. hell. 6,1,2–16); ein Sonderfall war auch die S.-Armee, die die Phoker 356–346 mit dem geraubten delphischen Tempelschatz finanzierten (Diod. 16,25,1; 16,30,1). Auch Philippos [4] II. von Makedonien verfügte über S.-Truppen; den Höhepunkt erreichte der Einsatz von S. im Alexander-Zug und in den → Diadochenkriegen. In Alexandros' [4] Heer stellten die S. zunächst ein Kontingent von 5000 Mann (Diod. 17,17,3). Die hell. Herrscher blieben immer auch auf S. angewiesen. Das Ansehen der S. war gering (Isokr. or. 4,168ff.; 8,44ff.; Plaut. Mil. *passim*), sie galten als Außenseiter; oft zwangen die sozialen Verhältnisse, insbes. Verarmung und Vertreibung, Männer zum Dienst in S.-Truppen. Insgesamt bildeten S. aber nur bei wenigen Gelegenheiten die Hauptmasse der Kämpfenden.

1 M. Bettalli, I mercenari nel mondo greco, Bd. 1, 1995
2 L. A. Burckhardt, Bürger und Soldaten, 1996
3 Y. Garlan, Guerre et économie en Grèce ancienne, 1989, 143–172 4 G. T. Griffith, The Mercenaries of the Hellenistic World, 1935 5 H. W. Parke, Greek Mercenary Soldiers, 1933 6 M. M. Sage, Warfare in Ancient Greece, 1996, 147–157 7 G. Seibt, Griech. S. im Achämenidenreich, 1977 8 D. Whitehead, Who Equipped Mercenary Troops?, in: Historia 40, 1991, 105–112. LE.BU.

II. Rom
Lat. *mercenarius* (»Mann, der für Lohn«, *merces*, arbeitet) bezeichnet im mil. Bereich einen Mann, der gegen Bezahlung für eine fremde Stadt oder einen fremden Herrscher kämpft, also für eine Sache, die ihn nicht unmittelbar betrifft. Das Heer der röm. Republik rekrutierte sich aus der Bürgerschaft; den Römern fehlten

jedoch eine wirklich kampfbereite → Reiterei und zudem leichtbewaffnete Truppen, bes. Bogenschützen und → Schleuderer. Diese Truppen wurden oftmals außerhalb It.s rekrutiert; einige kamen von unabhängigen Verbündeten, andere wurden zwangsweise ausgehoben und wieder andere als S. angeworben. So unterstützte Hieron [2] von Syrakus die Römer zu Beginn des 2. → Punischen Krieges, indem er 500 Bogenschützen aus Kreta nach It. schickte (Pol. 3,75). In der Schlacht von Zama 202 v. Chr. spielte die numidische Reiterei unter dem König → Massinissa eine entscheidende Rolle (Liv. 30,29,4; 30,33,2; 30,35,1–2). In den folgenden beiden Jh. nahm die Zahl von unterschiedlich bewaffneten Einheiten der Verbündeten in den von Rom geführten Kriegen zu; die Reiterei der ital. → *socii* wird zuletzt im Zusammenhang mit dem Krieg gegen → Iugurtha erwähnt (Sall. Iug. 95,1). → Caesar setzte in Gallien spanische und germanische Reiterei ein (Caes. Gall. 5,26,3; 6,37,1; 7,13,1; 7,65,4f.; 7,88). Neben den Reitern aus Spanien waren die Bogenschützen aus Kreta und die Schleuderer von den Balearen geschätzte Truppenteile. Normalerweise wurde jede Truppe von Führern aus dem eigenen Stamm oder von einem röm. Offizier befehligt. Während der Bürgerkriege stützten sich sowohl Pompeius [I 3], Iunius [I 10] Brutus und Cassius [I 10] als auch später Antonius [I 9] auf Streitkräfte und Flotten von Königen und Städten im Osten (vgl. etwa App. civ. 4,88).

Die Reorganisation des röm. Heeres unter → Augustus führte dann zur wirklichen Integration solcher Truppen als → *auxilia* in die regulären Heeresverbände. Allerdings wurden auch weiterhin Truppen an der Peripherie des Imperium Romanum rekrutiert; diese dienten normalerweise unter ihren eigenen Befehlshabern. So nahmen an einzelnen späteren Feldzügen Daker, Palmyrener, Sarmaten und Mauren teil.

In der Spätant. wurde diese Praxis beibehalten; in der Schlacht von Mursa 351 n. Chr. kämpften armenische Bogenschützen auf der Seite von Constantius [2] II. (Zos. 2,51,4). Seit dem 4. Jh. n. Chr. setzte sich immer mehr die Tendenz durch, die Stellung röm. Rekruten durch Geldzahlungen zu ersetzen; damit war das Imperium Romanum stärker darauf angewiesen, fremde S. anzuwerben. Nach der röm. Niederlage bei Hadrianopolis [3] 378 n. Chr. gegen die Goten wurden zunehmend geschlossene Stammesverbände, die durch einen Vertrag an Rom gebunden waren (→ *foederati*), zum Dienst in der röm. Armee verpflichtet. Die Verträge mit den Barbaren schlossen normalerweise Bezahlung in Gold, Nahrungsmittellieferungen und die Ansiedlung im Imperium Romanum ein. Die *foederati*, die weiterhin ihren Stammesführern unterstanden, kämpften an den Grenzen des Imperium Romanum, an Rhein und Donau, aber auch in Africa, meist in der Nähe des Gebietes, aus dem sie stammten; gelegentlich wurden sie aber auch zu entfernteren Kriegsschauplätzen entsandt. Als sich das röm. Heer schließlich im Niedergang befand (5. Jh. n. Chr.), wurden die *foederati* insgesamt als *auxilia* in die reguläre Armee eingereiht. Es bleibt schwierig einzuschätzen, inwieweit die Verwendung barbarischer S. die Kampfkraft oder Loyalität des Heeres schwächte.

1 H. Elton, Warfare in Roman Europe AD 350–425, 1996, 128–154 2 Jones, LRE, 199–202; 611–613 3 P. Southern, The Numeri of the Roman Imperial Army, in: Britannia 20, 1989, 84–104.

J. CA.

Söldnerkrieg. Mod. Bezeichnung (»Libyscher Krieg« etwa bei Pol. 1,13,3; Diod. 26,23) für den Aufstand der von Karthago im 1. → Punischen Krieg beschäftigten Söldner (241/0–238 v. Chr.). Er stürzte → Karthago in eine schwere Krise, da die Revolte der trotz leerer Staatskasse noch zu entlohnenden Söldner verschiedener ethnischer Herkunft auch einen Aufstand der Libyer unter der Führung des → Mathos nach sich zog. Der Stratege → Hanno [6], der bereits um 247 im karthag. Hinterland gegen Aufständische gekämpft hatte, wurde mit der Konfliktlösung beauftragt, doch wirft seine zweimalige Ersetzung, nämlich durch → Geskon [3] und Hannibal [4], sowie die Ernennung des → Hamilkar [3] Barkas zu seinem Mitstrategen ein Licht auf die innenpolit. Spannungen (vgl. [1. 258]). Der »nationale« Befreiungskampf der Libyer (= »Afrikaner«; vgl. [2. 87–113]) griff nicht nur auf die eroberten punischen Städte → Hippo [5] und → Utica/Ithyke über, sondern 239 mit blutigen Pogromen auch auf Sardinien, wo schließlich die revoltierenden Soldtruppen von der sardopunischen Bevölkerung nach It. vertrieben wurden. Als die Karthager 238 die Insel wieder besetzen wollten, verlangte Rom vertragswidrig (1. → Punischer Krieg) die Abtretung Sardiniens [1. 266–268; 3. 231–235] und 1200 Talente.

Die anfänglichen Erfolge der Aufständischen unter Mathos, → Spendios, → Autaritos und → Zarzas zeigen sich in der Belagerung von Utica, Hippo und Karthago selbst; die Siege v. a. des Hamilkar am Bagradas-Fluß (239) und bei Prion (238) waren nicht zuletzt dem Bündnis mit dem – mit den → Barkiden verschwägerten – Numider Naravas zu verdanken [1. 255–265]. Die Entscheidungsschlacht, bei der Mathos in Gefangenschaft geriet, ist nicht lokalisierbar [2. 188].

Der S. ist historiographisch schlecht bezeugt [1. 252]; die ausführliche Darstellung des Polybios (Pol. 1,65–88) ist am Klischee vom illoyalen Söldner orientiert, um die Überlegenheit Roms aus seinem Bürgerheer zu erklären (vgl. [3. 223–225]). Von besonderem Quellenwert ist daher das numismatische Material, das Krisensymptome der karthagischen Münzprägung ebenso aufzeigt wie die vielfältigen Anstrengungen der Aufständischen, eine eigene Münzprägung (meist mit der Legende ΛΙΒΥΩΝ) zu unterhalten (vgl. [4. 176–179]).

1 Huss 2 L. Loreto, La grande insurrezione libica contro Cartagine del 241–237 A. C., 1995 3 B. Scardigli, I trattati romano-cartaginesi, 1991 4 H. R. Baldus, Zwei Deutungsvorschläge zur punischen Goldprägung im mittleren 3. Jh. v. Chr., in: Chiron 18, 1988, 171–179.

L.-M. G.

Sogdiana (Σογδιανή). Landschaft des Achaimenidenreiches zw. Oxos (→ Araxes [2]) und → Iaxartes, zur 16. Satrapie gehörig; die Bewohner hießen *Sogdianoí* oder *Sógdoi*, altpersisch *Sug(u)da*, avestisch *Suγδa*, sogdisch *Sughdh*. Hauptort war → Marakanda (h. Samarkand), Stützpunkt achaimenidischer Herrschaft im Ostiran. Im Baubericht des Dareios [2] II. für seinen Palast in Susa ist die S. als Lieferant für → Lapis Lazuli und Karneol genannt. Die S. spielte eine wichtige Rolle im Handel mit den Steppenvölkern und den Gebieten entlang der → Seidenstraße; Niederlassungen sogd. Händler u. a. in → Turfan und China (seit dem 2. Jh. v. Chr.) gelangten nach erbittertem Widerstand unter griech. Herrschaft, die ihr E. im Kampf gegen → Sakai und Yuezhi (Tocharer) fand; später geriet die S. unter die Herrschaft → Kuschanas. Für die Zeit ab dem 3. Jh. n. Chr., als die S. unter sāsānidischer, seit dem 5. Jh. unter hephtalitischer, im 6. Jh. unter türkischer Herrschaft stand, lassen sich zoroastrische, buddhistische, manichäische, nestorianische und hinduistische Trad. nachweisen. Als die Errichtung eines osttürk. Großreiches im 6. Jh. den sogd. Kaufleuten den besten Schutz für den Zentralasienhandel bot, erlebten die Stadtfürstentümer der S. bis zur Islamisierung S.s im 8. Jh. ihre größte Blüte.

P. Bernard, Maracanda-Afrasiab. Colonie grecque, in: La Persia e l'Asia Centrale da Alessandro al X secolo (Atti dei convegni lincei 127), 1996, 331–365 · B. I. Marshak, N. N. Negmatov, S., in: A. Dani (Hrsg.), History of Civilizations of Central Asia, Bd. 3: The Crossroads of Civilizations, A. D. 250 to 750, 1996 · M. Mode, Sogdien und die Herrscher der Welt. Türken, Sasaniden und Chinesen in Historiengemälden des 7. Jh. n. Chr. aus Alt-Samarkand, 1993 · G. V. Shishkina, Ancient Samarkand. Capital of Soghd, in: Bull. of the Asia Inst. N. S. 8, 1994, 81–99 · J. Wiesehöfer, Das ant. Persien, 1993.
H. J. N.

Sogenes (Σωγένης). Dichter der Neuen Komödie, erreichte im J. 183 v. Chr. an den att. Dionysien mit dem Stück Φιλοδέσποτος (›Der Freund seines Herrn‹) den fünften Rang [1].

1 PCG VII, 1989, 593. T. HI.

Soghitha (auch Sogitha). Einfaches strophisches Versmaß in der syrischen Dichtung, Unterart der isosyllabischen *madrāšā*. Die Strophen der *s.* bestehen normalerweise aus vier V. zu je sieben oder acht Silben. Auch Akrostichon und Dialog kommen vor.
→ Madrascha S. BR./Ü: S. KR.

So(h)aemias s. Iulia [22]

Sohaemus (Σόαιμος, Σόεμος).
[1] Ituraeer, in Vertrauensstellung bei → Herodes [1] d. Gr., der ihn 30 v. Chr. mit der Bewachung und, falls er nicht von seiner Reise zu Octavianus [1] zurückkehren sollte, mit der Tötung der Gemahlin → Mariamme [1] und der Schwiegermutter Alexandra beauftragte. S. verriet ihnen den Befehl und wurde 29 von Herodes hingerichtet (Ios. ant. Iud. 15,185; 204–229).
[2] Tetrarch der Ituraeer (→ Ituraea) 38–49 n. Chr., eingesetzt von → Caligula (Cass. Dio 59,12,2; Tac. ann. 12,23). Ein Sohn war der mehrfach als ituraeischer Dynast bzw. Vizekönig des M. → Iulius [II 5] Agrippa erwähnte Varus (Ios. bell. Iud. 2,247; 481–483; Ios. vita 49 ff.). Ein Vorfahre war wohl der ituraeische Dynast Ptolemaios, Sohn eines S., der 47 v. Chr. Caesar in Alexandreia unterstützte (Ios. ant. Iud. 14, 129.). K. BR.
[3] Der (jüngere) Sohn des → Sampsigeramos [2] (ILS 8958 = IGLS 2760) folgte 54 n. Chr. seinem Bruder Azizus als König von → Emesa (Ios. ant. Iud. 20,8,4) und wurde von Nero im gleichen Jahr zum König von → Sophene ernannt (Tac. ann. 13,7), wo er aber sicher nur vorübergehend herrschte. 66 zog S. mit Cestius [II 3] Gallus gegen Jerusalem (Ios. bell. Iud. 2,18,9), schloß sich 69 Vespasian und Titus an (Tac. hist. 2,81; 5,1; Ios. bell. Iud. 3,4,2) und kämpfte 72 mit Caesennius [3] Paetus in Kommagene (Ios. bell. Iud. 7,7,1). S. ist der letzte bekannte emesenische Herrscher.

R. D. Sullivan, The Dynasty of Emesa, in: ANRW II 8, 1977, 198–219, bes. 216–218.

[4] Königlicher, angeblich achaimenidischer und arsakidischer Abstammung (Iamblich. bei Phot., bibl. 94), doch deutet der Name auf die nicht mehr regierende Dyn. von → Emesa hin. 164 n. Chr. vom Kaiser L. → Verus zum König von Armenien bestimmt (Fronto epist. 5,127 N), wurde er 172 vertrieben und auf Geheiß des Statthalters von → Cappadocia, Martius [4] Verus, erneut eingesetzt (Cass. Dio 71,2,3; vgl. 72,14,2).

M.-L. Chaumont, L'Arménie entre Rome et l'Iran I, in: ANRW II 9.1, 1976, 71–194, bes. 147–152 · Dies., s. v. Armenia and Iran II, EncIr 2, 418–438, bes. 425 · J. G. Vinogradov, The Goddess Ge Meter Olybris. A New Epigraphic Evidence from Armenia, in: East and West 42, 1992, 13–26. M. SCH.

Soklaros (Σώκλαρος).
[1] Ein Sohn des Plutarchos [2] von Chaironeia (nicht unbedingt der älteste, vielleicht nach dessen Freund(en) S. [2] und S. [3] benannt), ein Jugendlicher, als sein Vater die Schrift ›Wie ein junger Mensch Dichtung lesen soll‹ (Plut. mor. 15a) verfaßte. [1] nahm an, daß er jung starb (da er sonst nicht erwähnt wird und Plutarchos die Schrift ›Über die Entstehung der Seele im Timaios‹ nicht S., sondern seinen Brüdern Autobulos und Plutarchos widmete) und daß Plutarchos in der Trostschrift an seine Frau auf diesen Verlust anspielt (609a). Das Ausbleiben weiterer Erwähnungen überrascht jedoch nicht so sehr, wenn es sich bei S. nicht um den ältesten Sohn handelte. Evtl. identisch mit L. Mestrius S. in IG IX 1,61 Z. 41–42 (118 v. Chr.).
[2] Ein Freund des Plutarchos [2] von Chaironeia, der in mehreren der ›Tafelgespräche‹ (Plut. symp. 2,6; 3,6; 5,7; 6,8; 8,6) und in ›Welche Tiere sind vernünftiger‹ (Plut. mor. 959a ff.) als Sprecher und als enger Freund der Familie und kultivierter Gourmet erscheint. [1] setzte ihn mit dem L. Mestrius S. gleich, der in IG IX 1,61 von 118

v. Chr. als Zeuge erwähnt wird, und vermutete, daß er wie Plutarch sein röm. Bürgerrecht dem L. → Mestrius [3] Florus verdankte; wahrscheinlicher ist L. Mestrius S. jedoch Plutarchs Sohn S. [1], S. [2] jedoch mit S. [3] identisch.

[3] T. Flavius Soclarus aus Tithora in Phokis (IG IX 1,200), Sohn des Aristion, Freund des Plutarchos [2] von Chaironeia (Plut. mor. 749b; 755d–e; 764a; 771d) und Vater des L. Flavius Pollianus und T. Flavius Agias, mit dem er eine Statue zu Ehren des Kaisers Nerva weihte (IG IX 1,200); während eines unbestimmten Zeitraums zw. 98 und 102 n. Chr. Archon in Delphi und verm. mit dem Flavius Soclarus identisch, der in Syll.[3] 823a–c als *epimelētḗs* von Delphoi erwähnt wird.

1 K. Ziegler, s. v. Plutarchos, RE 21, 648 f., 684 f.
2 B. Puech, Soclarus de Tithorée, ami de Plutarque et ses descendants, in: REG 94, 1981, 186–192 3 Dies., Prosopographie des amis de Plutarque, in: ANRW II 33.6, 1992, 4831–4892 (dort 4879–4883). C.B.P./Ü: T.H.

Soknopaiu Nesos (Σοκνοπαΐου νῆσος; äg. *paj*, später *tꜣ mꜣj(.t)*, h. *Dīmā*). Stadt im → Fajum; Hauptgott ist → Sobek. Wie Tebtynis ist auch S. v. a. seiner → Papyri (griech. Urkunden, Tempelbibliothek mit hieratischen und zahllosen demotischen rel., lit. und wiss. Papyri, ca. 1.–2. Jh. n. Chr.) wegen bedeutend [2]. Ihre Erschließung steht erst am Anfang.

1 A. E. R. Boak, S. N., 1935 2 E. A. E. Reymond, Demotic Literary Works of Graeco-Roman Date, in: FS zum 100jährigen Bestehen der Pap.-Slg. der österreichischen Nationalbibl. Pap. Erzherzog Rainer, 1983, 42–60
3 C. Wessely, Karanis und S. N., 1902. A.v.L.

Sokos (Σῶκος). Troianer, Sohn des Hippasos [2], fordert → Odysseus zum Kampf heraus, um den Tod seines Bruders → Charops [4] zu rächen (Hom. Il. 11,430–433: eine der seltenen direkten Reden eines »kleinen« Kämpfers). Er verwundet Odysseus so schwer, daß dieser das Schlachtfeld verlassen muß, aber nicht ohne vorher den flüchtenden S. getötet und mit einer höhnenden Triumphrede bedacht zu haben (ebd. 11,434–458).

P. Wathelet, Dictionnaire des Troyens de l'Iliade, Bd. 2, 1988, s. v. S., 1001–1004. RE.N.

Sokrates (Σωκράτης).

[1] Bildhauer aus Theben. Er schuf eine Kultstatue der Meter Dindymene für Pindaros [2] in Theben (Paus. 9,25,3), war demnach im »Strengen Stil« um 470 v. Chr. tätig. Ein Charitenrelief und ein Hermes Propylaios auf der Athener Akropolis werden von Paus. 1,22,8 dem Philosophen S. [2] als angeblichem Bildhauer zugewiesen. Das Charitenrelief wird als Vorbild eines später häufig kopierten Typus identifiziert, ist aber aufgrund der Datier. um 470 dem Thebaner S. zuzuweisen; seine Beliebtheit geht auf die angebliche Urheberschaft des Philosophen S. zurück. Plin. nat. 36,32 berichtet auch von umstrittener Identität mit einem gleichnamigen Maler.

Overbeck, Nr. 478, 909–915 · Lippold, 112 · W. Fuchs, Die Vorbilder der neuattischen Reliefs, 1959, 59–63 · Ders., s. v. S. 1, EAA 7, 1966, 397 f. · E. Schwarzenberg, Die Grazien, 1966, 14–19 · B. Ridgway, The Severe Style in Greek Sculpture, 1970, 114–121 · T. Stephanidou-Tiveriou, Neoattika, 1979, 88–94. R.N.

[2] Athenischer Philosoph, 469–399 v. Chr.
A. Biographie B. Quellenprobleme
C. Philosophie D. Nachwirkung

A. Biographie

S. wurde 469 als Sohn des Steinmetzen → Sophroniskos und der → Phainarete geb. Er gehörte zum athenischen Demos → Alopeke. Über die ersten 40 J. seines Lebens ist außer der Tatsache, daß er als junger Mann zusammen mit dem Anaxagorasschüler → Archelaos [8] eine Reise nach Samos unternahm, so gut wie nichts bekannt. Im → Peloponnesischen Krieg mußte S. dreimal als Schwerbewaffneter Kriegsdienst leisten: Zu Beginn nahm er an der Belagerung der Stadt → Poteidaia teil, die 429 mit deren Einnahme endete, dann 424 am Feldzug gegen die Boiotier, bei dem die Athener beim → Delion [1] eine schwere Niederlage hinnehmen mußten, und 422 gehörte er dem Kontingent an, das den Verlust der Stadt → Amphipolis nicht verhindern konnte. Spätestens um 423 muß S. in Athen eine jedermann bekannte Persönlichkeit gewesen sein, denn in diesem Jahr machten ihn zwei der drei Dichter, deren Komödien bei den → Dionysia aufgeführt wurden, zu einer der zentralen Figuren ihrer Stücke: → Aristophanes [3] in den ›Wolken‹ und → Ameipsias im ›Konnos‹, der nach dem wirklichen oder vermeintlichen Musiklehrer des S. benannt war (Plat. Euthyd. 272c; Plat. Mx. 235e). Das nächste zumindest vage fixierbare Datum im Leben des S. ist die Geburt seines Sohnes Lamprokles. Da dieser 399 ein junger Bursche war (Plat. apol. 34d; Plat. Phaid. 116b), muß er zw. 420 und 410 geb. sein. Seine Mutter war → Xanthippe. S. hatte noch zwei weitere Söhne, Sophroniskos und Menexenos [1], beide 399 noch kleine Kinder, einer vielleicht ein Baby (Plat. Phaid. 60a; 116b). Eine auf Aristoteles' Schrift ›Über edle Herkunft‹ (*Perí eugeneías*) zurückgehende Trad. besagt, ihre Mutter sei → Myrto [2], eine Enkelin oder Urenkelin → Aristeides' [1] des Gerechten gewesen. Man hat diese Trad. zumeist in den Bereich der S.-Legende verwiesen. Es gibt jedoch ernst zu nehmende Anhaltspunkte dafür, daß sie sachlich zutreffen könnte [5. 148].

Da S. im Heer der Athener als Schwerbewaffneter (→ *hoplítai*) diente, in der Liste der Wehrfähigen also als Bürger verzeichnet war, der die Kosten für seine mil. Ausrüstung selbst tragen mußte, kann er damals nicht völlig mittellos gewesen sein. Dennoch pflegte er auch im Winter nicht mehr als den einfachen Wollmantel der Spartaner, den → *tríbōn*, zu tragen und barfuß zu gehen (Plat. symp. 220b; Xen. mem. 1,6,2 u.ö.). Wie sich seine soziale Lage in der Folgezeit entwickelte, ist schwer zu sagen. Da er, soweit erkennbar, keiner Tätigkeit nachging, mit der er Geld verdient hätte, sondern mit seiner Familie von den Zuwendungen lebte, die ihm seine zum Teil sehr wohlhabenden Anhänger zukommen ließen, kann es sehr gut der Wahrheit entsprechen, wenn er in Platons ›Apologie‹ (23b-c) von sich behauptet, daß er wegen des Dienstes, den er für den Gott leiste, in tiefster Armut lebe.

406 gehörte S. dem Rat von Athen an (→ *bulḗ* B.), der alljährlich aus je 50 durch das Los bestimmten Repräsentanten einer jeden der zehn Phylen, in die Attika eingeteilt war, neu gebildet wurde. Die Repräsentanten jeder → Phyle führten jeweils für ein Zehntel des Jahres als → Prytanen die Regierungsgeschäfte. Als die Phyle Antiochis [1] (der S. angehörte) an der Reihe war, fand der Prozeß statt, in dem die Feldherren, die die athen. Flotte in der Schlacht bei den Arginusai befehligt hatten, von der Volksversammlung zum Tod verurteilt wurden (→ Arginusai). Dabei kam es zu zwei gravierenden Verstößen gegen bestehende Gesetze. Dies hätten die → Prytanen eigentlich verhindern müssen. Aus Furcht vor der aufgeputschten Menge gaben sie jedoch nach, mit einer Ausnahme: S. erklärte, er werde nichts tun, was gegen die Gesetze verstoße, und verweigerte demgemäß seine Zustimmung (Xen. hell. 1,7,3–34; Plat. apol. 32a-c u.ö.). Etwa zwei J. später bewies S. erneut seine Zivilcourage, als nach dem Ende des → Peloponnesischen Krieges die sog. Dreißig in Athen ihre Schreckensherrschaft ausübten (404–403; → *triákonta*). Um ihr Regime zu sichern, waren diese bestrebt, möglichst viele Athener in ihre Verbrechen zu verwickeln; dies versuchten sie auch bei S. Zusammen mit vier anderen beauftragten sie ihn, einen Mann namens Leon von der Insel Salamis, der sich nicht das mindeste hatte zuschulden kommen lassen, zu verhaften, um ihn hinzurichten. Die vier anderen wagten es nicht, sich dem Befehl zu widersetzen. S. verweigerte den Gehorsam und ging nach Hause (Plat. apol. 32c-d; Plat. epist. 7,324d–325a u.ö.).

399 wurde S. wegen Religionsfrevels (ἀσέβεια, → *asébeia*) angeklagt. In der Anklageschrift wurden gegen ihn zwei Anschuldigungen vorgebracht: (1) daß er nicht an die Götter glaube, an die die Polis glaube, sondern neue dämonische Wesen (*daimónia*) einführe, und (2) daß er die Jugend verderbe (Diog. Laert. 2,40). Wie die Ankläger dies begründeten, ist unbekannt; ihre Strategie ist jedoch ziemlich klar: Ihr Ziel war, S. aus dem Wege zu schaffen, weil er nach ihrer Auffassung durch seine von ihnen als zersetzend empfundenen Gespräche einen äußerst schädlichen Einfluß auf die Jugend ausübte. Dies war aber kein einklagbarer Tatbestand, auf jeden Fall keiner für eine Anklage, deren Ziel ein Todesurteil war. Einen solchen konstruierten die Ankläger, indem sie auf das ominöse *daimónion* zurückgriffen, jene göttliche oder dämonische Stimme, die S. von Zeit zu Zeit vernahm (Plat. apol. 31c-d; 40a; s.u. C.), dieses gleichsam multiplizierten und die Behauptung aufstellten, S. setze bestimmte neuartige dämonische Wesen an die Stelle der überkommenen Götter. Diese Behauptung war zwar durch nichts gerechtfertigt, bot aber die Möglichkeit, S. wegen Rel.-Frevels anzuklagen, der mit dem Tod bestraft werden konnte.

Daß der Prozeß mit einem Todesurteil endete, lag v.a. an den Rechtsverhältnissen der Zeit, aber auch an der Person des S. Das Gericht setzte sich aus durch das Los bestimmten Laien zusammen; einziger Qualifikationsnachweis war der Besitz des vollen athen. Bürgerrechtes. Im Fall des S.-Prozesses waren es 500 oder 501 Laienrichter (→ *dikastḗs*), darunter sicher nicht wenige, die schon mit einer Abneigung gegen den Angeklagten zu Gericht erschienen waren. Der Angeklagte hatte sich grundsätzlich selbst zu verteidigen; die Institution eines Rechtsanwaltes gab es nicht. Allenfalls konnte man sich von einem berufsmäßigen Redenschreiber (→ *logográphos*) eine Rede anfertigen lassen und diese dann auswendig lernen. S. lehnte dies strikt ab, da es schließlich um die »Sache« (*prágma*) gehe, der er sich verpflichtet fühle, nicht darum, die Richter durch Wortkosmetik günstig zu stimmen. Die Art und Weise, in der sich S. zu seiner »Sache« äußerte, wurde allerdings, wie der Verlauf der Verhandlung zeigt, von vielen als arrogant empfunden, auch solchen, die ihm zunächst wohlgesonnen waren. So kam es zu dem Todesurteil. Der Vollzug der Strafe verzögerte sich aus kultischen Gründen um einige Zeit. Während seines Aufenthaltes im Gefängnis versuchten einige Freunde, S. dazu zu bewegen, mit ihrer Hilfe heimlich zu fliehen. S. weigerte sich jedoch strikt, da er überzeugt war, falls er fliehe, Unrecht zu begehen. Die Hinrichtung erfolgte schließlich durch Trinken des Schierlingsbechers (→ Todesstrafe).

Die zahlreichen aus der Ant. erhaltenen S.-Porträts stimmen darin überein, daß sie S. mit einer silenhaften Physiognomie ausstatten (eingedrückte Nase, wulstige Lippen, Halbglatze, Bart; → Silen) [17]. In ihnen spiegelt sich wider, wie S. in den Schriften der → Sokratiker dargestellt wird (Plat. symp 215b; Plat. Tht. 143e; Xen. symp. 2,19; 4,19; 5,5–7). Da von einem solchen Aussehen des S. in den erh. Zeugnissen der zeitgenössischen Komödie nirgends die Rede ist, ist damit zu rechnen, daß es zumindest zum Teil eine Schöpfung der Sokratiker war, die von den bildenden Künstlern übernommen wurde.

B. Quellenprobleme

Da S. keine Schriften verfaßt hat, sind wir für die Kenntnis seiner Philos. ganz und gar auf die Zeugnisse anderer angewiesen. Diese sind, was ihren Quellenwert betrifft, durchweg problematisch [5. 143–145, 155–156]. Als wichtigste Zeugnisse bzw. Gruppen von Zeugnissen gelten gemeinhin vier: die ›Wolken‹ des → Aristophanes [3], die frühen Schriften des Platon (→ Platon [1] C.3.), die sokratischen Schriften des → Xenophon und die S. betreffenden Notizen in den Werken des → Aristoteles [6] (SSR I B 1–40). Daß die Schriften der S.-Schüler Platon und Xenophon kein authentisches Bild des gemeinsamen Lehrers vermitteln, wird schon dadurch bewiesen, daß ihre S.-Darstellungen völlig verschieden, ja in vielfacher Hinsicht miteinander unvereinbar sind. Neuere, durch GIGONS S.-Buch von 1947 [7] angeregte Forsch. haben gezeigt, daß Platon, Xenophon und die anderen S.-Schüler mit ihren sokratischen Schriften nicht darauf abzielten, ein histor. getreues Bild des S. zu zeichnen, sondern über S. als Medium ihre eigenen, von dem gemeinsamen Lehrer in je verschiedener Weise beeinflußten und geprägten philos. Gedanken vortrugen. Die sokratischen Schriften Platons und Xenophons können also nur mit großer Behutsamkeit als Quellen für den histor. S. benutzt werden. Noch problematischer sind als Quelle die ›Wolken‹ des Aristophanes, in denen S. zum Träger aller jener Eigenschaften gemacht ist, die dem Normalbürger des damaligen Athen an den verschiedenen Typen von Intellektuellen auffielen und über die er sich amüsierte oder ärgerte. Was schließlich die S. betreffenden Notizen bei Aristoteles angeht, so bezieht sich Aristoteles mit ihnen aller Wahrscheinlichkeit nach überwiegend, wenn nicht gar durchgängig, auf jenen S., den er in den Schriften Platons fand; das aber heißt, daß ihnen kein eigener Quellenwert zukommt.

Angesichts dieser Schwierigkeiten stellt sich die Frage, ob es überhaupt eine Möglichkeit gibt, die Philos. des S. wenigstens in ihren Grundzügen wiederzugewinnen. Einen Weg scheint am ehesten folgende Überlegung zu eröffnen: Aus der großen Zahl der Freunde des S. hoben die ant. Philos.-Historiker sieben als die wichtigsten heraus: → Aischines [1], → Antisthenes [1], → Aristippos [3], → Eukleides [2], → Phaidon, → Platon [1] und → Xenophon. Sie alle verfaßten philos. Werke. Erh. sind allein die Schriften Platons und Xenophons. An die Stelle der Werke der fünf anderen muß für die Rekonstruktion der Philos. des S. das treten, was sich über ihre Schriften und philos. Anschauungen ermitteln läßt. Geht man nun davon aus, daß jeder der sieben Sokratiker in je eigener Weise von dem gemeinsamen Lehrer S. geprägt wurde, dann muß man die philos. Anschauungen aller sieben, so sehr sie sich im einzelnen auch unterscheiden, gleichermaßen als individuelle Reflexe der philos. Wirksamkeit des einen gemeinsamen Lehrers S. betrachten. Aus der Summe dieser Reflexe muß man versuchen, auf die gemeinsame Quelle, S., rückzuschließen, mithin jenes Verfahren praktizieren, welches treffend als ›histor. Schluß von der Wirkung auf die Ursache‹ bezeichnet wurde [11. 153]. Wendet man dieses Verfahren systematisch an, ergibt sich in Umrissen ein Bild des histor. S., das in allen wesentlichen Punkten mit dem der platonischen ›Apologie‹ übereinstimmt. Das erlaubt zwar nicht den Rückschluß, daß Platon in der ›Apologie‹ jene Rede gleichsam protokolliert hat, die S. tatsächlich hielt, wohl aber, daß Platon in ihr ein zumindest in den Grundlinien authentisches Bild des histor. S. zeichnen wollte [4]. Die folgende Darstellung der Philos. des S. basiert demgemäß auf dem Bild, welches Platon S. in der ›Apologie‹ von sich selbst und seinem Philosophieren zeichnen läßt.

C. Philosophie

1. Wissen und Tun des Guten 2. Elenktik
3. Politische Philosophie

1. Wissen und Tun des Guten

S. war durch und durch praktischer Philosoph (→ Praktische Philosophie). Es ging ihm darum, in einer Zeit allgemeiner polit. und moral. Destabilisierung zu zeigen, wie man zu einer neuen Stabilität gelangen könne. Da er überzeugt war, daß die Stabilität der → Polis auf der Stabilität der sie bildenden Bürger basiere, war sein erstes und wichtigstes Anliegen, den Menschen klarzumachen, auf welche Weise diese Stabilität gewonnen bzw., da es sie einst ja durchaus gegeben hatte, wiedergewonnen werden könne. S. selbst formuliert sein Ziel in Platons ›Apologie‹ (29de; 36c) so: Er habe jeden einzelnen seiner Mitbürger davon zu überzeugen versucht, daß er, statt sich um Dinge zu kümmern, die nur mit ihm zu tun hätten (τῶν ἑαυτοῦ, *tōn heautú*) – wie Geld, Ansehen, Ehre –, sich um sich selbst (ἑαυτοῦ) kümmern müsse, daß er so gut wie möglich sei, bzw. sich um seine Seele (*psychḗ*) kümmern müsse, daß diese so gut wie möglich sei. Seele und Selbst sind für ihn also ein und dasselbe; anders ausgedrückt: die Seele ist das eigentliche Selbst des Menschen. Dabei ist mit Seele diejenige »Instanz« im Menschen gemeint, in deren Kompetenz sein sittliches Handeln fällt.

Die Beschränkung des Wesentlichen des Menschen auf die in diesem Sinn verstandene Seele bildet die – ihrerseits, wie es scheint, nicht weiter hinterfragte – Grundvoraussetzung aller Überlegungen des S.; von ihr leitet sich alles weitere her. Als erstes dies: Wer sich wirklich um sich selbst kümmert, wird sich vor allem anderen darum bemühen, nie etwas anderes als das sittlich Gute (*agathón*) zu tun, denn indem er so verfährt, pflegt er sein Selbst, tut sich selbst Gutes und bringt sich so dem Lebensglück (εὐδαιμονία, *eudaimonía*; → Glück) näher (Plat. apol. 36de); wer entgegengesetzt handelt, schadet sich und macht sich selbst unglücklich. Wer das Gute tun will, muß sich nun aber zunächst einmal bemühen, ein Wissen davon zu erlangen, was das Gute ist. Hat er es erkannt, wird er sich in seinem ureigensten Interesse darum bemühen, es zu tun; will doch jeder nur sein eigenes Bestes. So gesehen ist das Wissen des Guten nicht nur eine notwendige, sondern zugleich auch die hinreichende Bedingung für ein gutes und glückliches Leben. S. war demgemäß überzeugt, daß, wer das Gute wisse, es mit Notwendigkeit auch tun werde, und umgekehrt alle die, die das Gute nicht täten, es nur deshalb nicht täten, weil sie es nicht wüßten (Plat. apol. 37a-b, 25e–26a).

Wenn dem Wissen davon, was das Gute ist, in der Philos. des S. eine so zentrale Funktion zukommt, stellt sich die Frage, wie sich dies mit der bekannten Tatsache verträgt, daß S. nicht nur für seine eigene Person mit Nachdruck bestritt, dieses Wissen zu besitzen, sondern es für grundsätzlich unmöglich erklärte, daß ein Mensch es erlangen könne (Plat. apol. 20d–23b). Wie kann S. es für eine unabdingbare Notwendigkeit erklären, daß man sich um ein Wissen des Guten bemüht, dieses Wissen zugleich aber als unerreichbar bezeichnen? Der Widerspruch löst sich auf, sobald man sich klarmacht, daß »Wissen« in den beiden Fällen nicht im gleichen Sinn zu verstehen ist, sondern das eine Mal in einem strengen, das andere Mal in einem weniger strengen. Wenn S. es für prinzipiell unmöglich erklärt, daß ein Mensch ein Wissen davon erlange, was das Gute, Fromme, Gerechte usw. sei, dann meint er ein allgemeingültiges und unfehlbares Wissen, das unverrückbare und unanfechtbare Normen für das Handeln bereitstellt. Ein solches Wissen ist dem Menschen grundsätzlich versagt. Was der Mensch allein erreichen kann, ist ein partielles und vorläufiges Wissen, das sich, mag es im Augenblick auch noch so gesichert erscheinen, dennoch immer bewußt bleibt, daß es sich im Nachhinein als revisionsbedürftig erweisen könnte. Demgemäß läßt Platon (apol. 36c; 29e; 30b; 39d) S. als das, worum man sich vor allem anderen kümmern müsse, auch nicht dies nennen, daß man gut und einsichtig sei, sondern daß man so gut und einsichtig *wie möglich* sei.

Vorausgesetzt ist dabei, daß es ein von den Meinungen der Menschen unabhängiges, unveränderliches Gutes gibt. Daß dem so ist, dessen war sich S., soweit erkennbar, gewiß, wobei freilich nicht leicht zu sagen ist, was ihm diese Gewißheit gab. Von Bed. könnte das Phänomen der Sprache gewesen sein. S. scheint in der Tatsache, daß wir uns mittels der Sprache verständigen können, ein Indiz dafür gesehen zu haben, daß hinter den Wörtern, deren wir uns bedienen, etwas steht, was für alle dasselbe und für alle gleichermaßen gültig ist. Überlegungen dieser Art waren für S. aber wohl weniger die eigentliche Ursache für die Überzeugung, daß es ein absolutes Gutes gebe, als vielmehr eine Bestätigung einer schon vorhandenen Gewißheit, deren Wurzeln im rel. Bereich lagen. Wenn Platon S. in der ›Apologie‹ (23a) sagen läßt, daß das wahre Wissen des Guten offenbar dem Gott (*theós*) vorbehalten sei, ist dies ernst zu nehmen. S. reiht sich mit dieser Überzeugung in jene durch Solon, Herodotos und die Tragiker, aber auch durch die Delphischen Sprüche und die Sprüche der → Sieben Weisen repräsentierte Trad. ein, die nicht müde wird, die prinzipielle Begrenztheit alles menschlichen Wissens und Könnens im Vergleich zum göttlichen zu betonen.

Die auf uns gekommenen Zeugnisse lassen im übrigen den sicheren Schluß zu, daß die rel. Dimension im Leben und Philosophieren des S. auch sonst eine nicht gering einzuschätzende Rolle spielte. Am offenkundigsten ist dies im Falle des *daimónion* (s.o. A.), das, wenn wir Platon (apol. 31c-d; 40a) glauben dürfen, immer nur eines tat: S. von etwas, was er gerade zu tun vorhatte, abriet. Spätere haben sich darum bemüht, theologische und psychologische Erklärungen für dieses Phänomen zu finden; S. selbst hat dies, soweit erkennbar, nicht getan. Er sah in dem Vernehmen der Stimme einen nicht weiter erklärbaren oder erklärungsbedürftigen Vorgang, bei dem eine göttliche oder dämonische Macht ihm auf direktem Wege eine Weisung zukommen lasse. Zumindest im Kern authentisch ist es gewiß auch, wenn S. in Platons ›Apologie‹ (23b; 30a u.ö.) sein eigentümliches und für seine Mitbürger so ärgerliches Tun (das darin bestand, tagaus, tagein herumzugehen und andere in Gespräche zu verwickeln) als einen Hilfsdienst bezeichnet, den er dem Gott leiste, indem er gleichsam in seinem Auftrag den Menschen klarmache, wie sehr sie sich bisher über sich selbst getäuscht und deshalb, ohne sich dessen bewußt gewesen zu sein, ihren wahren Interessen zuwider gehandelt hätten.

2. Elenktik

Systematisch betrachtet hatten die Gespräche, die S. führte, zwei Seiten, eine destruktive und eine konstruktive. Zunächst ging es darum, vermeintliches Wissen als Scheinwissen zu entlarven. Um ihnen zu zeigen, wie wenig sie bisher wirklich darüber nachgedacht hätten, was gut und schlecht ist, führte S. seinen jeweiligen Gesprächspartnern vor Augen, daß ihre diesbezüglichen Ansichten, wenn man ihnen einmal auf den Grund gehe, mit Notwendigkeit zu unsinnigen oder so jedenfalls nicht gewollten Konsequenzen führten oder mit anderen von ihnen vertretenen Ansichten unvereinbar seien (die sog. Elenktik, ἐλεγκτικὴ τέχνη, *elenktikḗ téchnē*, des S., seine »Prüf- und Widerlegungskunst«). Wieviel von der Argumentationstechnik, deren sich S. in Platons Frühschriften (→ Platon [1] C.3.) in diesem Zusammenhang bedient, schon für den histor. S. in Anspruch genommen werden darf, muß weitgehend offenbleiben. Sicher ist dies: Um zu beweisen, daß etwas so oder so sein müsse oder so oder so nicht sein könne, berief sich S. gerne auf analoge Fälle, in denen die Dinge für jedermann klar zu Tage lagen, und schloß dann von ihnen auf den fraglichen Fall (→ Analogie).

Die Tatsache, daß es S. regelmäßig gelang, seinen Gesprächspartnern nachzuweisen, daß sie das, was sie zu wissen meinten, in Wirklichkeit gar nicht wußten, d.h. daß er bei den prüfenden Gesprächen, die er führte, am Schluß gleichsam immer Sieger blieb, ließ seine Behauptung, auch er selbst verfüge über keinerlei Wissen (dem sprichwörtlich gewordenen ›ich weiß, daß ich nichts weiß‹ kommen S.' Bemerkungen in Plat. apol. 21b und 22c am nächsten), in den Augen vieler unglaubwürdig und unaufrichtig oder, wie sie sagten, als → Ironie (εἰρωνεία, *eirōneía*) erscheinen, wobei »Ironie« im urspr. Sinn des Wortes so viel wie »Verstellung zum Zwecke der Irreführung« bedeutet (Plat. apol. 38a; Plat. rep. 1,337a). Ob S. mit seinem Nichtwissen schon selbst zu spielen begann und damit den Anstoß dazu gab, daß »Ironie« den neuen Sinn einer bewußten, strategisch eingesetzten Selbstverkleinerung erhielt, läßt sich nicht mit Sicherheit entscheiden. Manches spricht dafür, daß, was wir »Sokratische Ironie« nennen, eine Schöpfung Platons ist. Dem histor. S. war es ernst mit der Überzeugung, daß er nichts wisse; erst der platonische S. und, soweit erkennbar, nur er spielt mit seinem Nichtwissen.

Wesentlich weniger als über den destruktiven Teil der Gespräche des S. erfahren wir aus den erh. Zeugnissen über deren konstruktiven Teil, verm. weil die Gespräche über die Destruktion unzureichend begründeter Überzeugungen üblicherweise nicht hinauskamen und diese Seite daher stärkere Reflexe hinterließ. Das ändert nichts daran, daß das eigentliche Ziel ein konstruktives war: ein möglichst sicheres und verläßliches Wissen davon zu erlangen, was das Gute ist. Der Weg zu diesem Ziel ist gleichfalls der des prüfenden Gespräches: Zu dem erstrebten Wissen gelangt man, indem man seine Ansichten bezüglich des Guten im gemeinsamen Gespräch stets von neuem einer schonungslosen Prüfung unterzieht. Ansichten, die der wiederholten strengen Prüfung standgehalten haben, können vorerst, d. h. solange sich kein Argument findet, das sie bei erneuter Prüfung doch noch als fehlerhaft erweist, als Wissen gelten. VLASTOS [19] hat dieses Wissen treffend als »elenktisches Wissen« (*elenctic knowledge*) bezeichnet. Hat sich eine Erkenntnis in einer Vielzahl von Prüfungen immer wieder als nicht widerlegbar erwiesen, dann kann sie zwar nicht als unumstößliches Wissen gelten – ein solches ist nach der Auffassung des S. allein Gott vorbehalten –, aber ein hohes Maß an Gewißheit für sich beanspruchen.

3. POLITISCHE PHILOSOPHIE

Zu den Erkenntnissen, denen dieses hohe Maß an Gewißheit zuzusprechen ist, gehört, daß man, wenn man sich nicht selbst schaden will, niemals wissentlich und willentlich Unrecht tun darf, auch dann nicht, wenn einem selbst Unrecht widerfahren ist (Plat. Krit. 49a-c), und daß daher nicht, wie man gemeinhin glaubt, das Unrechtleiden (ἀδικεῖσθαι, *adikeísthai*) das Schlimmste für einen Menschen ist, sondern das Unrechttun (ἀδικεῖν, *adikeín*; Plat. Gorg. 508d–509c). Diese Erkenntnis bildet die Basis für die Überlegungen, die S. über die Frage anstellte, wie man sich als Angehöriger einer Polisgemeinschaft deren Institutionen und Organen gegenüber zu verhalten habe. Wichtigste Quelle für diesen Teil der Philos. des S.' ist sein Verhalten als Polisbürger in prekären Situationen wie dem Arginusenprozeß, der Leon-Affäre, vor Gericht und im Gefängnis, da sich in ihm die Grundsätze widerspiegeln, zu denen er aufgrund seiner Überlegungen gelangt war (s.o. A.).

Faßt man das diesen Fällen Gemeinsame zusammen, ergibt sich, daß jeder Bürger im Prinzip verpflichtet ist, allen Geboten der Gesetze und der Institutionen der Polis sowie deren Repräsentanten Folge zu leisten. Dies gilt auch dann, wenn das Geforderte Bedrohungen und Gefahren für die eigene Person mit sich bringt oder wenn man überzeugt ist, daß einem durch eine Forderung Unrecht zugefügt wird. Das erstere war der Fall bei S.' Verhalten im Arginusenprozeß (s.o. A.), das letztere, als ihm die Möglichkeit geboten wurde, aus dem Gefängnis zu fliehen und sich der Todesstrafe zu entziehen. Es muß offenbleiben, wieviel von den Argumenten, mit denen S. seinen Entschluß, im Gefängnis auszuharren, in Platons ›Kriton‹ begründet, für den histor. S. in Anspruch genommen werden kann. Sicher ist, daß S. die Möglichkeit zur Flucht hatte, sie aber nicht ergriff, weil er überzeugt war, daß er, wäre er geflohen, Unrecht mit Unrecht vergolten hätte.

In bezug auf den Grundsatz, daß man den Geboten der Gesetze und der Institutionen der Polis gegenüber zu Gehorsam verpflichtet ist, gibt es jedoch eine Ausnahme: So sehr man es hinnehmen muß, wenn einem selbst von seiten der Polis Unrecht widerfährt, so wenig darf man Geboten der Polis bzw. ihrer Repräsentanten Folge leisten, die fordern, daß man selbst Unrecht tut oder sich an Unrecht beteiligt. Ergeht eine Forderung von der Art, wie sie von seiten des Regimes der Dreißig (→ *triákonta*) an S. erging (s.o. A.), dann darf man ihr nicht Folge leisten: Unrecht, das einer erleidet, fügt dem Wesentlichen an ihm, seiner Seele, keinerlei Schaden zu, wohl aber Unrecht, das er selbst tut, und sei es auch im öffentlichen Auftrag.

Sich immer und überall uneingeschränkt auf die Seite des Gerechten (δίκαιον, *díkaion*) zu stellen, diese Forderung gilt unabhängig von den polit. Verhältnissen, unter denen man lebt (Plat. apol. 32a-e). Sie zu erfüllen, mag verschieden hohe Anforderungen stellen, möglich ist es immer. Dies ist der Kern der polit. Philos. des S., die, wie seine Philos. insgesamt, ganz auf den Einzelnen und sein »Gutsein« (ἀρετή, *aretḗ*) ausgerichtet war. Fragen allg. Art, die den Bereich des Polit. betreffen, scheinen in den Gesprächen des S. keine Rolle gespielt zu haben. Jedenfalls gibt es keinerlei Anhaltspunkte dafür, daß er sich etwa mit der von den Sophisten (→ Sophistik) so heftig diskutierten Frage nach der Legitimation von Gesetzen und polit. Institutionen oder der nach dem Wert der verschiedenen Regierungsformen je eingehender beschäftigt hätte. Es ist daher auch höchst unwahrscheinlich, daß er, wie dies später behauptet wurde (Xen. mem. 1,2,9), bestimmte Einrichtungen der att. Demokratie wie die Besetzung von Ämtern durch das Losverfahren (→ Los) und die Demokratie (→ *dēmokratía*) als Staatsform insgesamt in seinen Gesprächen herabgesetzt haben sollte. Ihm ging es nicht darum, zw. besseren und schlechteren Regierungsformen zu unterscheiden, sondern darum, seinen Mitbürgern klarzumachen, daß sie sich selbst nichts Besseres antun könnten, als sich konsequent auf die Seite dessen zu stellen, was sie aufgrund sorgfältiger Prüfung als gerecht erkannt hatten, ganz gleich, in wessen Händen die polit. Macht liege, und auch dann, wenn dies für sie mit Gefahr für Leib und Leben verbunden sei.

→ Platon [1]; Sokratiker; Sophistik

ED.: **1** SSR I A-G.

LIT.: **2** H. H. BENSON (Hrsg.), Essays on the Philosophy of Socrates, 1992 **3** T. C. BRICKHOUSE, N. D. SMITH, Plato's Socrates, 1993 **4** K. DÖRING, Der S. der Platonischen Apologie und die Frage nach dem histor. S., in: WJA N. F. 13, 1987, 75–94 **5** Ders., S., in: GGPh² 2.1, 1998, 139–178, 324–341 **6** G. GIANNANTONI, Che cosa ha veramente detto Socrate, 1971 **7** O. GIGON, S., 1947, ³1994 **8** GUTHRIE 3,

1969, 321–488 (Separatdruck: Ders., Socrates, 1971)
9 F.-P. HAGER, s. v. S., TRE 21, 2000, 434–445
10 R. KRAUT, Socrates and the State, 1984 **11** H. MAIER, S., 1913 **12** E. MARTENS, Die Sache des S., 1992 **13** L. E. NAVIA, E. L. KATZ, S.: An Annotated Bibliography, 1988
14 A. PATZER, Bibliographia Socratica, 1985 **15** Ders. (Hrsg.), Der histor. S., 1987 **16** W. J. PRIOR (Hrsg.), Socrates: Critical Assessments, 4 Bde., 1996
17 K. SCHEFOLD, Die Bildnisse der ant. Dichter, Redner und Denker, ²1997, 126–129, 174–177 **18** G. VLASTOS (Hrsg.), The Philosophy of Socrates, 1971, ²1980 **19** Ders., Socrates' Disavowal of Knowledge, in: Philosophical Quarterly 35, 1985, 1–31 (überarbeitete Fassung in: [21], 39–66) **20** Ders., Socrates: Ironist and Moral Philosopher, 1991 **21** Ders., Socratic Studies, 1994.

D. NACHWIRKUNG

Die ant. Philos.-Historiker sahen im Wirken des S. einen Wendepunkt in der Gesch. der Philos.: Nachdem bis dahin die Naturphilos. dominiert hatte, begründete S. die → Ethik (Cic. Tusc. 5,10; Diog. Laert. 1,14; 1,18–19; 2,16 u.ö.). Mag diese Schematisierung, die in der mod. Bezeichnung der griech. Naturphilosophen als → Vorsokratiker weiterlebt, die tatsächlichen Verhältnisse auch gar zu stark vereinfachen, richtig ist, daß S. über einige seiner Schüler die weitere Gesch. der Philos. in kaum zu überschätzender Weise beeinflußt hat, v. a. über die beiden Stränge → Platon [1], dessen Schüler → Aristoteles [6] und die von Platon gegründete Akademie (→ *Akadḗmeia*) einerseits und → Antisthenes [1], → Diogenes [14], → Krates [4], → Zenon aus Kition und die von ihm begründete Stoa (→ Stoizismus) andererseits.

Zu Beginn des 3. Jh. v. Chr. berief sich Arkesilaos [5] für die Wendung zum → Skeptizismus, die er in der Akademie herbeiführte, ausdrücklich auf S. In der sich seit dem 3. Jh. v. Chr. entwickelnden popularphilos. Lit. (→ Popularphilosophie) wird S. häufig als Exempel des Weisen herangezogen. Stoiker wie → Seneca [2] und → Epiktetos [2] bewundern in S. den Mann, der sich durch nichts davon abbringen ließ, das zu tun, was er aufgrund sorgsamer Prüfung als das Gute und Rechte erkannt hatte, bei dem daher wie bei keinem anderen Wort und Tat übereinstimmten. Wo in den erh. Schriften der Platoniker der frühen Kaiserzeit von S. die Rede ist, geht es vor allem um sein *daimónion* (s.o. C.) und um seinen → *érōs*, der im Anschluß an Platon verstanden wird als Mittel der Psychagogie, durch das der Blick von der vergänglichen zur unvergänglichen Schönheit, vom Abbild zum Urbild geführt wird (→ Plutarchos [2], → Maximos [1] aus Tyros, → Ap(p)uleius [III] aus Madaura). Die frühchristl. Märtyrer und Apologeten verweisen auf S. als Beispiel dafür, daß auch vor ihnen schon Menschen um der Wahrheit willen verfolgt und getötet worden seien. → Iustinos [6] Martys sieht in S. einen Vorläufer Christi.

Nachdem S. im MA nahezu gänzlich in Vergessenheit geraten war, lebte das Interesse an ihm in der Renaissance wieder auf, zunächst in It., dann auch nördlich der Alpen. 1440 verfaßte der Florentiner Giannozzo MANETTI die erste neuzeitliche S.-Biographie (zusammen mit einer Biographie Senecas). Der Platoniker Marsilio FICINO (1433–1499) kommt im Zusammenhang mit seinen Bemühungen, Christentum und Platonismus miteinander in Einklang zu bringen, häufig auf S. zu sprechen, in dem er wie einst Iustinos einen Vorläufer Christi sieht. ERASMUS (1465–1536) spricht in seinen Schriften immer wieder mit größter Hochachtung von S., ebenso MONTAIGNE (1533–1592). Bes. lebhaft war die S.-Nachwirkung im 18. Jh., weshalb man es auch als das »sokratische« Jh. bezeichnet hat. Der Engländer Anthony COLLINS erklärt S. in seinem *Discourse of Free-Thinking* (1713) zum ersten prominenten »Freidenker«, weil er allein über die Vernunft zu einer adäquaten Gottesvorstellung gelangt und deshalb wie alle Freidenker nach ihm als Atheist verfolgt worden sei. Aus ähnlichen Gründen sahen auch die frz. Aufklärer in S. einen geistigen Vorfahren. In VOLTAIRES 1759 entstandenem satirischen Schauspiel *Socrate* erscheint S. als Opfer der Intoleranz des Priesters Anitus, der seine auf der Pflege des Aberglaubens beruhende Macht bedroht sieht.

In Deutschland ließ der Pietist Nikolaus Ludwig GRAF VON ZINZENDORF 1725 und 1726 in Dresden anonym christl. Wochenblätter erscheinen, die zunächst den Namen *Le Socrate de Dresde*, dann ›Der Dresdnerische S.‹ tragen. Wie einst S. will auch er seine Mitbürger zum Nachdenken bringen, in seinem Fall mit dem Ziel, sie zu wahren Christen zu machen. Johann Georg HAMANN wendet sich in den ›Sokratischen Denkwürdigkeiten‹ von 1759 gegen die Vernunftgläubigkeit der Aufklärer, indem er ihrem S. einen ganz anderen entgegenstellt; für ihn ist das Entscheidende an S. dessen Einsicht in seine Unwissenheit. In ihr erkennt J. G. HAMANN jenen in seinen Augen befreienden Schritt, in dem die den Blick auf die Wahrheit verstellende Vernunftgläubigkeit überwunden und damit der allein zur Erkenntnis der Wirklichkeit führende Weg über die unmittelbare »Empfindung« und den »Glauben« freigemacht wird.

Die S.-Rezeption des 19. Jh. ist vor allem mit den Namen HEGEL, KIERKEGAARD und NIETZSCHE verbunden. HEGEL nimmt im S.-Kapitel seiner ›Vorlesungen über die Gesch. der Philos.‹ (gehalten 1805/6–1829/30, publ. 1833–1836) eine grundsätzliche Einordnung des S. in die Gesch. der Philos. vor: Er sieht im Wirken des S. einen ›Hauptwendepunkt des Geistes in sich selbst‹, weil mit ihm ›das Wissen des Bewußtseins von sich als solchem‹ begonnen habe. S. habe der ›unbefangenen Sittlichkeit‹ des griech. Volksgeistes ein Ende gemacht und an ihre Stelle die ›mit Reflexion verbundene Sittlichkeit‹ gesetzt. Da er auf diese Weise das Prinzip des griech. Lebens zerstört habe, hätten ihn die Athener zu Recht hingerichtet. Das ändere jedoch nichts daran, daß sein Auftreten von einer höheren Warte her gesehen notwendig und er selbst daher gleichfalls im Recht gewesen sei. Sei doch der Zeitpunkt gekommen gewesen, daß sich der ›Weltgeist (...) zu einem höheren Bewußtsein‹ erheben sollte, und S. sei das Mittel gewesen, dessen er sich dabei bedient habe. KIERKEGAARD kommt, beginnend mit seiner Diss. ›Über den Begriff der Ironie mit ständiger Rücksicht auf S.‹ (1841), in der er die Ironie des S. als Daseinshaltung einer ›unendlichen absoluten Negativität‹ deutet, immer wieder auf S. zu sprechen. S. ist für ihn – neben der einem ganz anderen Bereich zugehörigen und deshalb jedem Vergleich entzogenen Gestalt Christi – der zentrale Bezugspunkt seines Philosophierens, weil er in ihm den einzigen ihm geistesverwandten Philosophen der Vergangenheit sieht. NIETZSCHE brandmarkt S. schon in seinem ersten größeren philos. Werk ›Die Geburt der Trag. aus dem Geiste der Musik‹ (1872) als Wendepunkt der Weltgesch., weil er den ›Instinkt‹ verdammt und den absoluten Primat der ›Vernünftigkeit‹ propagiert und so der kreativen Fülle des urspr. griech. Lebens ein Ende gemacht habe; damit habe er einen sich bis in die Gegenwart fortsetzenden Prozeß der Dekadenz eingeleitet. In der Folgezeit verschärfte NIETZSCHE dieses Urteil über S. immer mehr. In *Ecce homo* (1888) und in dem Abschnitt ›Das Problem des S.‹ in der ›Götzen-Dämmerung‹ (1889) bezeichnete er es ausdrücklich als sein Verdienst, das verhängnisvolle Wirken des S. als erster erkannt und beschrieben zu haben.

Die einflußreichste Form der Bezugnahme auf S. im 20. Jh. bildeten die Versuche, S. als Repräsentanten eines demokratischen Liberalismus, der jedem einzelnen Vernunft und Lernfähigkeit zubilligt, gegen Platon als Repräsentanten eines autoritären Dogmatismus auszuspielen, der der Mehrzahl der Menschen Vernunft und Lernfähigkeit grundsätzlich abspricht und deshalb eine rigorose Bevormundung der Menge als notwendig rechtfertigt. K.R. POPPER eröffnete mit seinem Werk ›The Open Society and its Enemies‹ (1945), in dem er diese Auffassung mit Nachdruck vertrat, eine Diskussion, die bis heute andauert.

Außerhalb des Bereiches der Philos. hat die Gestalt des S. in der Neuzeit Künstler aller Bereiche immer wieder fasziniert und angeregt. In der Malerei sei stellvertretend J.-L. DAVIDS Gemälde *La mort de Socrate* von 1787 genannt, in der Musik G. PH. TELEMANNS 1721 in Hamburg uraufgeführtes musikal. Lustspiel ›Der gedultige Socrates‹, dessen Libretto auf der Geschichte von den beiden Frauen des S., → Xanthippe und → Myrto [2], basiert, und E. SATIES 1920 uraufgeführtes »Drame symphonique« *Socrate* nach Texten aus Platons ›Symposion‹, ›Phaidros‹ und ›Phaidon‹.

Vor allem aber haben Schriftsteller die Gestalt des S. immer wieder zum Gegenstand von Gedichten, von Dramen und von erzählenden Texten gemacht: Von HOF(F)MANN VON HOF(F)MANNSWALDAU erschien im J. seines Todes (1679) unter dem Titel ›Der sterbende S.‹ eine Übers. der Schrift *Traicté de l'immortalité de l'âme, ou la mort de Socrate* (1621) des Franzosen Théophile DE VIAU, einer Paraphrase des ›Phaidon‹ teils in Versen, teils in Prosa. DIDEROT entwirft in seinem Traktat *De la poésie dramatique* das Szenarium eines »drame philosophique« *La mort de Socrate* (1758). GOETHE trug sich Anfang der 1770er Jahre mit dem dann nicht weiter verfolgten Gedanken, ein S.-Drama zu verfassen. 1798 schrieb HÖLDERLIN sein berühmtes Gedicht ›S. und Alkibiades‹. STRINDBERG verfaßte 1905 die (erst postum veröffentlichte) Dramentrilogie ›Moses‹ – ›S.‹ – ›Jesus‹. Noch im gleichen J. überführte er den Text des S.-Dramas ohne wesentliche Änderungen in die drei Novellen ›Der Halbkreis von Athen‹, ›Alkibiades‹ und ›S.‹ und ließ sie in der Slg. ›Historische Miniaturen‹ erscheinen. 1920 wurde in München das Schauspiel ›Der gerettete Alkibiades‹ des expressionistischen Dramatikers Georg KAISER uraufgeführt; hier ist die Gesch. von der Rettung des Alkibiades durch S. während des Feldzuges gegen Poteidaia, von der Alkibiades in Platons ›Symposion‹ (220de) berichtet, in eigenwilliger Weise umgeformt. Diese Umformung griff BRECHT in seiner Erzählung ›Der verwundete S.‹ (1938) auf, versah sie aber mit einer ganz anderen Deutung. DÜRRENMATTS skurrile Erzählung ›Der Tod des S.‹ erschien im Todesjahr des Autors (1990) in dem Band ›Turmbau‹. In ihr schmuggelt sich der Komödiendichter Aristophanes ins Gefängnis an die Stelle des S. und stirbt statt seiner, während sich S. nach Syrakus begibt – wo er schließlich doch noch den Schierlingsbecher leeren muß, weil er den Tyrannen Dionysios unter den Tisch trinkt, der geschworen hatte, daß jeder, dem dies gelinge, sterben müsse.

→ PHILOSOPHIE

1 E. ABMA, S. in der dt. Lit., 1949 **2** I. ALON, Socrates Arabus. Life and Teachings, 1995 **3** B. BÖHM, S. im achtzehnten Jh., 1929 (Ndr. 1966) **4** K. DÖRING, Exemplum Socratis. Stud. zur S.nachwirkung in der kynisch-stoischen Popularphilos. der frühen Kaiserzeit und im frühen Christentum, 1979 **5** Ders., S., Nachwirkung, in: GGPh[2] 2.1, 1998, 166–178, 337–341 **6** P. J. FITZPATRICK, The Legacy of Socrates, in: B. S. GOWER, M. C. STOKES (Hrsg.), Socratic Questions, 1992, 153–208 **7** J. W. HULSE, The Reputations of Socrates. The Afterlife of a Gadfly, 1995 **8** H. SPIEGELBERG (Hrsg.), The Socratic Enigma. A Collection of Testimonies through Twenty-four Centuries, 1963. K.D.

[3] In der älteren Forsch. wohl irrtümlich für einen Maler gehalten. Die mißverständlich formulierte Textstelle bei Plin. nat. 35,137 läßt dagegen viel eher an ein Bild des Philosophen S. [2] denken, das dem zuvor erwähnten → Nikophanes zuzuschreiben wäre. Zeitlich zu verbinden wäre es möglicherweise mit der Neukonzeption einer S.-Statue durch den Bildhauer → Lysippos [2] im Rahmen der lykurgischen (→ Lykurgos [9]) Reformprogramme. Doch muß diese Annahme mangels weiterer Hinweise auf das Aussehen des Gemäldes Spekulation bleiben.

G. LIPPOLD, s. v. S. (8), RE 3 A, 891 • P. MORENO, s. v. S.(2), EAA 7, 1966, 398. N.H.

[4] S. der Jüngere (Σ. ὁ νεώτερος). Griech. Mathematiker oder Philosoph, von Aristoteles [6] für einen Vergleich mit dem sinnlich erfaßbaren Lebendigen bei mathematischen Definitionen kritisiert (Aristot. metaph. 1036b 24–32). Bereits von den Aristoteles-Kommentatoren Alexandros [26] von Aphrodisias und Asklepios (CAG I 514; VI 2, 420) mit einem bei Platon begegnenden jüngeren S., einem Zeitgenossen des Theaitetos (Plat. Soph. 218b; Plat. Tht. 147d), identifiziert, der sich im *Politikós* (257c) an der Diskussion beteiligt. Dann wohl auch identisch mit dem in Plat. epist. 11,358d 5 erwähnten S. Nicht verifizierbar ist die Erwägung, ob dieser S. auch als Lehrer des Aristoteles in Frage kommen könnte (vgl. etwa Vita Marciana 5). K.-H.S.

[5] Aulet aus Rhodos, inschr. bekannt für sein Wirken an choregischen Agonen in Athen (Dionysia) [3. 80], Delphi (Soteria) [1. 124–125, 128] und Milet [2. 91; 4. 2434] – und zwar in der 1. H. des 3. Jh. v. Chr., einer Zeit, in der Auleten die führende Rolle bei solchen Wettkämpfen übernahmen [4. 2435].
→ Technitai

1 E. Capps, Stud. in Greek Agonistic Inscriptions, in: TAPhA 31, 1900, 112–137 **2** P. Herrmann, Inschriften von Milet, Teil 2, 1998 **3** Mette **4** E. Reisch, s. v. Χορικοὶ ἀγῶνες, RE 3, 2431–2438 **5** H. Riemann, s. v. S. (12), RE Suppl. 8, 717–719. RO.HA.

[6] S. aus Boiotien, diente als verbündeter Offizier in der maked. Armee, wechselte nach Äg., wo er die Armee mitaufbaute und 217 v. Chr. bei → Rhaphia die → *peltastaí* befehligte (Pol. 5,63,12; 65,2; 82,4). W.A.

[7] S. von Argos. Die Identifikation ist problematisch, da es mehrere homonyme Autoren gab und die griech. Textüberreste spärlich sind. *Argivus Socrates* (Tert. nat. 2,14) und *S. (h)o Argeíos*, »S. der Argiver« (schol. Pind. N. 3,92), sind mit dem S. identifiziert worden, der als Autor von *Perí hosíōn* (»Über das Heilige«, Plut. Is. 35,364f) genannt wird, wohl ein Traktat über argivische rel. Altertümer; ebenso mit dem *S. (h)istorikós*, der eine *Peri(h)ḗgēsis Árgus* (»Fremdenführung von Argos«; vgl. → *periēgḗtēs*) schrieb (Diog. Laert. 2,47, vielleicht die *Argoliká* in schol. Eur. Rhes. 29). Er könnte auch ein polemisches Werk *Prós Eidótheon* (›Gegen Eidótheos‹) geschrieben haben (schol. Apoll. Rhod. 1,1207b; Suda s. v. χιάζειν). Üblicherweise wird S. in hell. Zeit gesetzt.

B. Bischoff, s. v. Perieget (II.14), RE 19, 733 f. · A. Gudeman, s. v. S. (3), RE 3 A, 804–810 · FGrH 310. A.A.D.

[8] S. von Rhodos. Griech. Historiker, wohl 1. Jh. v. Chr.; Verf. einer Gesch. des röm. Bürgerkrieges (*Emphýlios pólemos*), die nach Jacoby ›die Zeit von Caesars Ermordung bis zum Siege des jungen Caesar über Antonius‹ umfaßte. F 1 aus B. 3 bei Athenaios (4,147e–148b) schildert die erste Begegnung Kleopatras [II 12] mit Antonius [I 9] in Kilikien 41/40 v. Chr. Anlehnung von Plutarchos' Antonius-Vita an S. ist unverkennbar, im übrigen bleibt der Einfluß des S. auf Spätere unklar.

FGrH 192 (mit dem Komm. Jacobys). K.MEI.

[9] Griech. Kirchenhistoriker (geb. nach 380, gest. nach 439 n. Chr.). Der in Konstantinopolis beheimatete Schüler der paganen Grammatiker Helladios [2] und Ammonios verfügte über gute Informationen über die kirchliche Sondergruppe der Novatianer (→ Novatianus), deren Mitglied er möglicherweise war ([6. 294]; anders [4. 562]). Die Trad. bezeichnet S. als → *scholastikós*. Die hiervon abgeleitete Tätigkeit als Rechtsanwalt ist jedoch ebenso umstritten wie die Frage, ob S. Kleriker gewesen ist [6. 216 f.]. Die ›Kirchengeschichte‹ (=KG) des S. (Ἐκκλησιαστικὴ ἱστορία: [1]; engl. Übers.: [2]) entstand als Auftragsarbeit. Die in schlichtem, klarem Stil geschriebene Darstellung versteht sich als Fortsetzung des gleichnamigen Werkes des → Eusebios [7] von Kaisareia und behandelt in sieben B. die J. 306 bis 439, wobei jedes B. die Regierungszeit eines Kaisers der östl. Reichshälfte umfaßt. Kennzeichen der spätestens bis 443 [6. 212] abgeschlossenen KG ist ein hohes Maß an Zuverlässigkeit und ein erstaunlich kritischer Umgang mit den Quellen. In der Theologie dienen das → Nicaenum und → Origenes [2] als Richtschnur. Von großer Bed. für die Textgestalt sind Übers. ins Syrische und bes. Armenische (vgl. Širinjan: [1. XXV–XXVIII]). Als wichtige Quelle für das 4. und frühe 5. Jh. wird S. von späteren Autoren nachgeahmt und benutzt (→ Sozomenos, → Theodoretos von Kyrrhos u. a.).

Ed.: **1** G. Ch. Hansen, S.: KG (GCS N. F. 1), 1995 (Corrigenda: Ders., in: Zschr. für ant. Christentum 2, 1998, 295–298) **2** A. C. Zenos (ed.), Socrates Scholasticus: The Ecclesiastical History (Select Library of Nicene and Post-Nicene Fathers, 2. Ser. 2), 1890, 1–178 (Ndr. u. a. 1994).
Lit.: **3** G. F. Chesnut, The First Christian Histories, 1986, 175–198 **4** J. Ulrich, s. v. S., in: S. Döpp, W. Geerlings (Hrsg.), Lex. der ant. christl. Lit., 1998, 562 f. **5** Th. Urbainczyk, Socrates of Constantinople, 1997 **6** M. Wallraff, Der Kirchenhistoriker S., 1997. J.RI.

Sokrates- und Sokratikerbriefe. In neun Hss. aus der Zeit von 1269/70 bis zum Anf. des 17. Jh. sind in unterschiedlicher Anordnung, teils vollzählig, teils in Auswahl, sieben Briefe des Sokrates [2] und 20 der → Sokratiker überliefert (epist. 1–27, Zählung nach Köhler [5]), dazu sechs Briefe (= Br.) von und an → Speusippos (epist. 28; 30–34), ein Br. Platons an den Makedonenkönig Philippos [4] II. (epist. 29) und ein in dor. Dial. verfaßter, mit zahlreichen Korruptelen durchsetzter letzter Br. mit unbekanntem Absender und Adressaten (epist. 35). Seit Bentley (1699) herrscht Einvernehmen darüber, daß die Br. in der Kaiserzeit entstanden sind. Allein der 28. Br. (Speusippos an den Makedonenkönig Philippos) gilt seit der ihm gewidmeten Unt. von [1] nahezu einhellig als echt. Der 35. Br. scheint nachträglich hinzugefügt worden zu sein.

Umfang und Charakter der Br. sind sehr verschieden. Neben langen Schreiben wie dem 1. Br. (in dem Sokrates dem Makedonenkönig Archelaos [1] erläutert, warum er dessen Einladung an seinen Hof nicht annehmen könne), dem 6. Br. (in dem Sokrates seine Bedürfnislosigkeit begründet und darlegt, warum Freunde wichtiger seien als Reichtum) und dem 14. Br. (in dem einer der Sokratiker, verm. Eukleides [2], Xenophon, der fern von Athen in Sparta weilt, über Prozeß, Verurteilung und Tod des Sokrates berichtet) stehen kurze Mitteilungen und Anfragen. Im 21. Br. spricht Aischines [1] Xanthippe Trost zu; der 27. Br. ist als eine Art Testament von dem todkranken Aristippos [3] an seine Tochter Arete [2] gerichtet. Daneben kommen vielerlei Dinge zur Sprache, die aus den Schriften Platons und Xenophons sowie biographischen Notizen bei späteren Autoren wie z. B. Plutarchos [2] oder in Hdb. herausgesponnen sind. [7] war überzeugt, bewiesen zu haben, daß die Br.-Slg. aus den beiden Teil-Slgg. der sieben im 1. Jh. n. Chr. verfaßten Sokratesbriefe einerseits und der restlichen, im 3. Jh. verfaßten Briefe andererseits nachträglich zusammengesetzt worden sei. Dem hat [3. 38–47] widersprochen; eine adäquate Analyse der Erzählstruktur des gesamten Corpus zeige deutlich, daß es sich um einen → Briefroman handelt, der um 200 n. Chr. oder später von einem einzigen Autor verfaßt wurde: In den Briefen 1–7 legt Sokrates die Prinzipien dar, die sein Handeln bestimmten; in den Briefen 8–34 spiegelt sich, wie Schüler und Enkelschüler des Sokrates mit diesen Prinzipien in ihrer Lebenspraxis verfuhren.

1 E. Bickermann, J. Sykutris (ed.), Speusipps Br. an König Philipp (Ber. über die Verhandlungen der Sächs. Akad. der Wiss., Philol.-histor. Kl. 80/3), 1928 (mit dt. Übers.)
2 J.-F. Borkowski (ed.), Socratis quae feruntur epistolae, 1997 (mit dt. Übers. und Komm.) 3 N. Holzberg, Der griech. Briefroman, in: Ders. (Hrsg.), Der griech. Briefroman, 1994, 1–52 4 M. Imhof, Sokrates und Archelaos. Zum 1. Sokratesbrief, in: MH 39, 1982, 71–81; MH 41, 1984, 1–14 5 L. Köhler (ed.), Die Br. des Sokrates und der Sokratiker (Philologus Suppl. 20,2), 1928 (mit dt. Übers. und Komm.) 6 A. J. Malherbe, The Cynic Epistles. A Study Ed., 1977 (Ndr. 1986), 217–307 (mit engl. Übers.)
7 J. Sykutris, Die Briefe des Sokrates und der Sokratiker, 1933 (Ndr. 1968).

K.D.

Sokratiker. Als S. werden in einem weiten Sinn alle jene bezeichnet, die den erh. Zeugnissen zufolge in näherer Beziehung zu → Sokrates [2] (469–399 v. Chr.) standen, im engeren Sinn diejenigen von ihnen, die nachweislich philos. Schriften verfaßten, also → Aischines [1], → Antisthenes [1], → Aristippos [3], → Eukleides [2], → Phaidon, → Platon [1] und → Xenophon. Über die persönlichen Beziehungen dieser S. einerseits zu Sokrates und andererseits untereinander wird in den erh. ant. Quellen mancherlei berichtet. Einiges davon ist offenkundig aus ihren Schriften und ihren unterschiedlichen, z. T. gegensätzlichen philos. Auffassungen herausgesponnen, bei anderem ist dies mit mehr oder minder guten Gründen zu vermuten. Da es in der biographischen Lit. der Ant. gang und gäbe war, sämtliche Angaben, die sich in lit. Werken, auch fiktionalen, zu bestimmten Personen fanden, ohne Bedenken als biographisches Material zu verwenden (→ Biographie), ist allen derartigen Angaben gegenüber große Vorsicht geboten, solange sich ihre Herkunft nicht ermitteln und ihre Authentizität nicht sichern läßt. Dies gilt auch und in bes. Maße für die zahlreichen erh. Anekdoten und Apophthegmata. Zu den wenigen Angaben, die als zuverlässig angesehen werden können, zählt die, daß sich Platon nach dem Tod des Sokrates zusammen mit ›einigen anderen‹ (so Diog. Laert. 3,6) oder ›den übrigen‹ S. (so Diog. Laert. 2,106) zu Eukleides [2] nach Megara zurückgezogen habe.

Umstritten war unter den S., ob man für seine Lehrtätigkeit Honorare fordern dürfe oder nicht. Aristippos und Aischines sollen dies getan haben, Platon (implizit) und Xenophon (explizit, vgl. Xen. Mem. 1,2,60) lehnten es nachdrücklich ab [1]. Zu vermuten ist, daß die jeweilige eigene finanzielle Lage bei der Entscheidung für oder gegen die Annahme von Honoraren nicht ohne Einfluß war.

Die Schriften der S. hatten die Form teils von Traktaten, teils von Dialogen. Über den Charakter der ersteren läßt sich nichts Konkretes ermitteln, da kein einziger Traktat eines S. erh. oder auch nur in Umrissen rekonstruierbar ist. Bei den Dialogen sind zwei verschieden Typen zu unterscheiden. Einerseits übernahmen die S. überkommene Dialogformen. So scheint etwa Antisthenes [1] in seinem ›Herakles‹ die Trad. des myth. Dialogs weitergeführt zu haben, der auch der ›Troïkos‹ des → Hippias [5] aus Elis zuzurechnen ist. Daneben schufen die S. die völlig neue Form des sokratischen Dialogs (Σωκρατικὸς λόγος, *Sōkratikós lógos*, Aristot. poet. 1,1447b 11). In ihm ließen sie Sokrates sich mit einem oder mehreren Gesprächspartnern über die unterschiedlichsten Probleme unterhalten. Szenerie, Situation, Thema und Verlauf sind dabei stets rein fiktiv. Auch wenn auf konkrete histor. Ereignisse Bezug genommen wird oder der Autor gar (wie Xenophon des öfteren) beteuert, bei dem betreffenden Gespräch selbst dabei gewesen zu sein, ist dies Teil der lit. Fiktion und bedeutet daher nicht, daß das Gespräch so oder ähnlich tatsächlich stattgefunden habe.

Erh. sind von den Schriften der S. allein diejenigen Platons und Xenophons, die der anderen (Aischines, Antisthenes, Aristippos, Eukleides, Phaidon) sind verloren gegangen; längere Fr. besitzen wir nur von den Dialogen ›Alkibiades‹, ›Aspasia‹ und ›Miltiades‹ des → Aischines [1]. Sokratische Dialoge sollen auch die aus den Dialogen Platons bekannten S. → Kriton [1], → Glaukon [3], → Simmias [1] und → Kebes sowie der Schuster → Simon [3] verfaßt haben (vgl. Diog. Laert. 2,121–125). Tatsächlich gab es in späterer Zeit unter dem Namen dieser S. überlieferte Dialoge. Über deren Echtheit ist damit freilich nichts ausgesagt (vgl. die uns vorliegenden → Sokrates- und Sokratikerbriefe, deren Unechtheit seit langem feststeht).

Die S. im engeren Sinn lassen sich in zwei Gruppen aufteilen: solche, die sich nicht als Lehrer betätigten (Aischines, Xenophon), und solche, die dies taten. Da einige ihrer Schüler sich ihrerseits wiederum als Lehrer betätigten usw., wurden sie zu Ahnherren sich von ihnen herleitender Trad. (Antisthenes, Aristippos, Eukleides, Phaidon und Platon). In dieser Zweiteilung spiegelt sich die jeweilige Auffassung wider, die die einzelnen S. vom Zweck ihres Tuns hatten. Aischines und Xenophon wollten in ihren philos. Schriften vor allem ein getreues Bild von dem zeichnen, was sie – jeder aus seiner Perspektive – als Vermächtnis des Sokrates ansahen. Die fünf anderen gingen selbständiger vor; die Gedanken, die sie in ihren Schriften entwickelten, unterschieden sich daher erheblich. In Falle Platons ist dies den erh. Schriften zu entnehmen; im Falle der anderen, deren Schriften verloren sind, läßt es sich aus den überl. Zeugnissen wenigstens in groben Zügen erschließen. Als bes. markantes Beispiel für die Verschiedenheit der philos. Positionen wurden in der Ant. gerne die diametral entgegengesetzten Auffassungen zitiert, die Antisthenes [1] und Aristippos [3] in bezug auf die Lust (ἡδονή, *hēdonḗ*) und deren Gegenteil, die Anstrengung und die Mühsal (πόνος, *pónos*), vertraten. Die philos. Anschauungen der einzelnen S. wurden dann von ihren Schülern und deren Schülern teils übernommen, teils weiterentwickelt. Die hell. Philos.-Historiker brachten dies in ein System und leiteten von Antisthenes die kynische, von Aristippos die kyrenaïsche, von Eukleides die megarische, von Phaidon die elische und von Platon die akademische Schule her (Diog. Laert. 1,18–19; → Kynismus, → Kyrenaïker, → Megariker, → Elischeretrische Schule, → *Akadḗmeia*). Eine feste Organisation mit eigener Lehrstätte, mit Schulvorstand und bewußt gepflegter Schul-Trad. hatte von diesen Schulen nur die akademische. Die anderen waren kaum mehr als sich über einige Generationen erstreckende Ketten von Lehrer-Schüler-Verhältnissen. Bestand hatte von diesen Schulen ebenfalls nur die Akademie. Angehörige der anderen spielten zwar beim Entstehen der epikureischen und der stoischen Schule eine wichtige Rolle, insofern → Epikuros seine Lustlehre in der Auseinandersetzung mit den → Kyrenaïkern seiner Zeit entwikkelte und insofern → Zenon dem Megariker → Diodoros [4] und dem Kyniker → Krates [4] viel verdankte; die Entstehung der beiden neuen Schulen bedeutete dann freilich für die Trad. der Megariker und der Kyrenaïker das Ende: Sie gingen gleichsam in den neuen Schulen auf. Allein der Kynismus blieb als eigene Richtung bis ins 5. Jh. n. Chr. bestehen.

1 C. A. Forbes, Teachers' Pay in Ancient Greece, in: Univ. of Nebraska Stud. in Humanities 2, 1942, 23–28.

Ed.: SSR II-VI.

Lit.: L. Brisson, Les Socratiques, in: M. Canto-Sperber (Hrsg.), Philos. grecque, 1997, 145–184 • K. Döring, Die sog. kleinen S. und die von ihnen begründeten Trad., in: F. Ricken (Hrsg.), Philosophen der Ant., Bd. 1, 1996, 194–211 • Ders., Die S., in: GGPh² 2.1, 179–321 • J. Humbert, Socrate et les petits socratiques, 1967 • P. A. Vander Waerdt (Hrsg.), The Socratic Movement, 1994.

K.D.

Sol (der röm. Sonnengott, griech. Helios/Ἥλιος).
I. Griechisch-römisch II. Christlich

I. Griechisch-römisch
A. Allgemeines B. Römische Republik
C. Der griechische Helios
D. Sol Invictus E. Spätantike

A. Allgemeines

Obwohl S. eine der wenigen unbestrittenen indeur. Gottheiten des Pantheons ist (vgl. gall. *sulis*, got. *sauil*, ahd. *sôl*, griech. *σαϝέλιος = ἥλιος/*hḗlios*; [1]), spielte in Rom und der griech. Welt der öffentliche Kult der → Sonne nur eine Nebenrolle, bis polit. Entwicklungen zu einer Affinität zw. S. und der Idee der Monarchie führten (→ Herrscherkult).

B. Römische Republik

Laut Varro wurde der So.-Kult in Rom vom Sabiner T. → Tatius eingeführt (Varro ling. 5,74; Dion. Hal. ant. 2,50,3). Dabei stützte er sich auf den gentilizischen Kult der sabinischen *gens* Aurelia (→ Aurelius), die lange Zeit den Kult des S. kontrollierte (Fest. 22,5 ff.; anders: [2]). Das Fest für *S.* → *Indiges* am 9. Aug. auf dem Quirinalshügel [3. 493] fand verm. am *pulvinar Solis* im Tempelbezirk des → Quirinus statt (Quint. inst. 1,7,12); der Kult ist wohl mit dem des *S. Indiges* in Lavinium eng verbunden (Dion. Hal. 1,55,2). Ein zweites Fest (*agonium*) wurde am 11. Dez. gefeiert (Lyd. mens. 4,155) [3. 535 f.]. Im Circus Maximus (→ Circus C.) befand sich ein gemeinsamer Tempel von S. und → Luna (Mond; vgl. Tac. ann. 15,74,1), dessen Fest am 28. Aug. gefeiert wurde [3. 503]. Es besteht keine offensichtliche Verbindung zw. diesen Festtagen und der astronomischen Laufbahn der Sonne (= So.).

Abgesehen von einer *aes grave*-Serie des späten 3. Jh. v. Chr. (RRC 39.4) wird *S. Indiges* erst ab 132 v. Chr. (RRC 250.1) auf Mz. dargestellt, deren unterschiedliche Bildtypen aus Rhodos stammen [4. 46 f.]. Der Einfluß griech. Vorstellungen ist im Epitheton *Sol alter* (= »die zweite So.«, νέος Ἥλιος/*néos Hḗlios*) bemerkbar, das Scipio Africanus (→ Cornelius [I 70]) verliehen wurde (Cic. nat. deor. 2,14), darüber hinaus auch in der solaren Symbolik, die in der Krise der späten Republik mit M. Antonius [I 9], C. Iulius Caesar und Octavianus/Augustus verbunden ist [5]. Varros Anrufung von Sol und Luna als den Gottheiten, die den bäuerlichen Arbeitskalender ordnen (Varro rust. 1,1,5), zeigt eine weniger spektakuläre, aber für die ländliche Bevölkerung und für viele andere (z. B. ILS 1774; 3939; 3943) wichtigere Bed. des *S. Indiges*. In Venetien und Istrien gab es einen einheimischen Kult der So. [6].

C. Der griechische Helios

Die Tatsache, daß die So. zum natürlichen Kosmos wie auch zu den Gottheiten gehört, kommt in Helios' (= H.) Klassifizierung als → Titan zum Ausdruck, der von Uranos und Gaia und ihrem Sohn → Hyperion abstammt. H. hat keine ausgeprägte myth. Persönlichkeit. Selbst der aitiologische Mythos, der H.' hervorragende

Stellung in → Rhodos begründete, weist auf den Mangel an öffentlichen H.-Kulten in der griech. Welt hin (Pind. O. 7,54–76 mit schol.; Diod. 5,56,3–5). Die Verehrung des H. war v. a. eine private Angelegenheit (Plat. symp. 220d 4f.). Die bekannteste ikonographische Darstellung von H. als Wagenlenker (mit Kopfscheibe, später mit Strahlenkrone) entstand erst E. des 6. Jh. v. Chr. [7. Nr. 2–10, 96–98].

Die beiden für die späteren Entwicklungen signifikantesten Aspekte des H. (als Beobachter der Menschenwelt und Erhalter der kosmischer Ordnung) erscheinen jedoch schon bei Homeros [1]: (1) Weil H. alles beobachtet (Hom. Od. 11,109), wird er, wie auch → Gaia/Gē und → Zeus – verm. seit indeur. Zeiten – als Garant der Schwüre angerufen (Hom. Il. 3,103–107; → Eid). Diese Eigenschaft, die die ganze Ant. hindurch bestehen bleibt (vgl. z. B. IGR 3,137, → Gangra), begründet die Darstellung des H. als eines unbestechlichen Zeugen (Aischyl. Suppl. 213; Soph. El. 824f.). Als solcher wird H., der selbst als Moralagent auftritt (Xen. mem. 4,3,14), oft zum Schutz vor Grabräubern oder als Rächer von Missetaten angerufen (z. B. SEG 6, 803; IDélos 2533; AE 1994, 1658). Die Gerechtigkeit des H. begründet auch das apokalyptische Motiv des »Retters aus der Sonne« (o. Sib. 13, 151).

(2) Die So. verkörperte zwar dank der Regularität ihrer Bahn die kosmische Ordnung (vgl. Hom. Od. 12,383), der genaue Jahresverlauf warf aber immer wieder Rätsel auf (z. B. Hom. Od. 15,403 f.; Mimnermos fr. 3 Diehl). Vorsokratische Spekulationen konnten schon im späten 5. Jh. v. Chr. zu der rel. Auffassung von H. als Lebensspender umgedeutet werden (Soph. fr. 752 Radt). Auch der frühe → Stoizismus hat die rationale Kosmographie des → Eudoxos [1] von Knidos (Mitte 4. Jh. v. Chr.) im rel. Sinne weiterentwickelt und H. zur bestimmenden Macht der kosmischen Ordnung befördert (Cic. rep. 6,17; Sen. epist. 41,5; Plin. nat. 2,12f.). H. war hier der Kernpunkt einer späthell. Naturtheologie, die es der ausgebildeten Elite ermöglichte, sich von den irrationalen Zügen des rezipierten → Polytheismus zu distanzieren, ohne die Staats-Rel. leugnen zu müssen. Diese Theologie war auch imstande, die ideologischen Ansprüche der hell. Monarchien zu legitimieren (z. B. FGrH 76 F 13, Z. 9–12; [4. 47f.]). Die Ehrung mancher röm. Kaiser als *Néos Hḗlios* (»Neuer H.«) steht direkt in dieser Trad. (z. B. ILS 8794, Z. 34; IGR 3,345).

D. Sol Invictus

Es wird allg. angenommen, daß *S. Indiges* im 2. Jh. n. Chr. von *S. Invictus*, dem »unbesiegten S.«, einem oriental. Sonnengott, verdrängt worden sei [8]. Die Belege dafür sind aber äußerst dürftig: Einerseits waren syr. Kulte nicht vorrangig Solarkulte [9]; andererseits deuten die in diesem Zusammenhang entscheidenden ikonographischen Zeugnisse darauf hin, daß *S. Invictus* eher aus dem griech.-röm. Helios/S. hervorgegangen ist [10]. S. bzw. *S. Invictus* kommt hauptsächlich in folgenden Kontexten vor: (1) ab Caracalla (S. wird bis zur Herrschaft des Commodus in der offiziellen kaiserl. Mz.-Prägung kaum dargestellt) wird S. als *comes, augustus, invictus, oriens, propugnator* (Begleiter, Erhabener, Unbesiegter, Aufsteigender, Vorkämpfer) in enge Verbindung mit dem Kaiser gestellt [11]; (2) gepaart mit → Luna konnotiert S. kosmische bzw. zeitliche Ordnung; (3) in der privaten und lokalen Verehrung, z. B. in den Kulten von → Emesa und → Palmyra [12], nimmt S. sehr unterschiedliche Züge an. Bis zur Zeit des Kaisers → Aurelianus also ist der Kult von *S. Invictus* kaum von denen des herkömmlichen S. unterscheidbar.

Der öffentl. Kult des *S. Invictus*, dessen Tempel in der röm. *regio VII* am 25. Dez. 274 eingeweiht wurde, ist daher verm. nicht als oriental. Kult zu begreifen (vgl. SHA Aurelian. 25,3–6), sondern als offizieller Versuch, den Staatskult auf eine kaiserliche Hypostase zu fokussieren, mit Anspielung auf die Siegestheologie (vgl. SHA Gall. 16,4). Einen wichtigen Antrieb dazu leisteten henotheistische Tendenzen, die z. B. in Porph. *Perí theíōn onomátōn* (vgl. Macr. Sat. 1,17–23) oder Iambl. *Perí theṓn* (vgl. Iul. or. 4) erkennbar sind [13].

E. Spätantike

Die Solarkulte der Tetrarchie und des Constantinus [1] sind indirekt aus dem aurelianischen entstanden [14]. Bis in das späte 4. Jh. n. Chr. wurde die enge Beziehung zwischen S. und der kaiserl. Macht aufrecht erhalten, sowohl in Rom (*ludi Solis*, 19.–22. Okt.; Circusspiele *n(atalis) Invicti*, 25. Dez.; [3. 523, 545]) als auch in Konstantinopolis. Weitgehend davon unabhängig führten kleinere Gruppen Intellektueller, z. B. die Mittel- und Neuplatoniker, die Autoren von → Hermetischen Schriften und der → *Oracula Chaldaica*, Gnostiker und griech.-ägypt. »Magier«, die Trad. esoterischer kosmischer Spekulation weiter [15], die ihre Spuren auch in der Christologie hinterlassen hat (s. u. II.). Eine Gesch. dieser solaren Spekulation liegt allerdings noch nicht vor.

→ Elagabal; Gnosis; Malachbelos; Mithras; Neuplatonismus; Phaëton [1] und [3]; Planeten; Sonne; Sonnengott

1 Chantraine, Bd. 2, 410f. 2 C. Santi, A proposito della »vocazione solare« degli Aurelii, in: SMSR N. S. 15, 1991, 5–19 3 InscrIt, Bd. 13,2 4 S. Böhm, Die Mz. der röm. Republik, 1997 5 S. Weinstock, Divus Iulius, 1971, 382f.
6 O. Ianovitz, Il culto solare nella X Regio, 1972
7 N. Yalouris, s. v. Helios, LIMC 5.1, 1005–1034
8 G. Halsberghe, The Cult of S. Invictus, 1972
9 H. Seyrig, Le culte du soleil en Syrie, in: Syria 48, 1971, 337–373 10 S. E. Hijmans, The Sun Which Did Not Rise in the East. The Cult of S. Invictus in the Light of Non-Literary Evidence, in: BABesch 71, 1996, 115–150
11 R. Turcan, Le culte impérial au IIIe siècle, in: ANRW II 16.2, 1978, 996–1084 12 F. Chausson, Vel Iovi vel Soli, in: MEFRA 107, 1995, 661–765 (bes. 662–718)
13 J. Bouffartigue, L'empereur Julien et la culture de son temps, 1992, 331–337 14 J. H. W. G. Liebeschuetz, Continuity and Change in Roman Rel., 1979, 281–287
15 W. Fauth, Helios Megistos, 1995.

C. KOCH, Gestirnverehrung im alten It., 1933 • K. SCHAUENBURG, Helios, 1955 • E. HEITSCH, Drei Helioshymnen, in: Hermes 88, 1960, 139–158 • C. LETTA, s. v. Helios/S., LIMC 4.1, 592–625 • F. CUMONT, La théologie solaire du paganisme romain, in: Mémoires présentés par divers savants à l'Académie des Inscriptions et Belles-Lettres 12.2, 1909, 447–479 • M. GAWŁIKOWSKI, s. v. Helios (in peripheria orientali), LIMC 5, 1034–1038.

R. GOR.

II. CHRISTENTUM

Das in der Spätant. steigende rel. Interesse an der Sonne (= So.) blieb nicht ohne Folgen für das Christentum – in Abgrenzung und Anknüpfung. Dabei entwikkelten sich Frömmigkeitsformen, die das Christentum bis weit über die Ant. hinaus prägten. Das gilt etwa für die Trad., nach Osten gerichtet zu beten; dies konnte auf Christus bezogen werden, dessen Auferstehung und Wiederkunft man sich im Osten vorstellte. Schon ab dem 3. Jh. fand dieser Brauch auch architektonischen Ausdruck im Kirchenbau. Die zufällige Koinzidenz von (jüd.) erstem Tag der Woche – für die Christen Auferstehungstag – und (paganem) *dies solis* (»Tag der So.«) in der Planetenwoche (→ Planeten) leistete gleichfalls einer christologischen Interpretation der So. Vorschub. Diese Interpretation wird bes. in Osterpredigten breit ausgeführt; Rückwirkungen auf den Charakter der Feier sind greifbar (Lichtritus). Ab dem 4. Jh. wurden solare Elemente auch im Kontext imperialer Propaganda im Christentum rezipiert. S., Christus und Kaiser konnten miteinander assoziiert werden. Bes. in der Ikonographie gingen auf diese Weise solare Epitheta auf Christus über (Strahlenkranz, → Nimbus). Gelegentlich konnte Christus regelrecht als S. stilisiert dargestellt werden (Iuliermausoleum, Rom; San Aquilino, Mailand). Die personifizierten Götter S. und Luna (Mond) begleiteten als »kosmische Rahmung« die Kreuzigungsszene und hielten sich an dieser Stelle bis weit ins Mittelalter.

Folgenreich war auch ein gemeinsam entwickeltes Fest: Während der 25. Dez. ab dem frühen 4. Jh. von den Nichtchristen als *dies natalis Solis invicti* (»Geburtstag des *Sol Invictus*«) begangen wurde, entstand parallel und in Konkurrenz dazu das christl. Weihnachtsfest zum selben Termin. In den Texten zu diesem Fest spiegelt sich deutlich die zugrundeliegende Christologie: Christus wird besungen als »wahre So.«, als »So. der Gerechtigkeit« (im Anschluß an Mal 3,20).

1 F. J. DÖLGER, S. salutis. Gebet und Gesang im christl. Alt. (Liturgiegesch. Forsch. 4/5), ^{3}1972 (^{1}1920)
2 M. WALLRAFF, Christus Verus S. Sonnenverehrung und Christentum in der Spätant., 2001.

M. WA.

Sold. Die Quellen bieten nur wenige Informationen über die Einführung und die Entwicklung des S. in Griechenland und in Rom, und sie enthalten nur wenig präzise Zahlen über seine Höhe. Daher beruhen mod. Arbeiten über den S. weitgehend auf Annahmen und daraus resultierenden Schätzungen.

I. GRIECHENLAND II. ROM

I. GRIECHENLAND

In Griechenland erhielten Soldaten des Bürgeraufgebotes der Poleis wahrscheinlich erst im 5. Jh. v. Chr. regelmäßig Geld, das zunächst zur Bezahlung der Verpflegung diente (σιτηρέσιον/→ *sitēresion*); zu Beginn des → Peloponnesischen Krieges wurde den athenischen → *hoplítai*, die Poteidaia belagerten, ein S. (μισθός/ → *misthós*) in Höhe von zwei Drachmen pro Tag gezahlt, wobei eine Drachme für den Diener bestimmt war; denselben S. bekamen auch die Mannschaften der Schiffe (Thuk. 3,17). Ein S. dieser Höhe (1 Drachme) wurde auch → Söldnern zugestanden, etwa den Thrakern im Dekeleischen Krieg (→ Dekeleia; Thuk. 7,27,1 f.). Die Spartaner forderten 407 v. Chr. von den Persern die Zahlung von 1 → Drachme [1] pro Tag für die Seeleute ihrer Flotte, zugestanden wurden schließlich 4 Obolen pro Tag (→ *obolós*; Xen. hell. 1,5,4–7). Kyros [3] gewährte 401 v. Chr. den griech. Söldnern 1 → Dareikos im Monat, was etwa 20 Drachmen entsprach, erhöhte den S. aber nach Protesten der Griechen auf 1 ½ Dareiken (Xen. an. 1,3,21). Die Unterschiede in der Besoldung von Soldaten und Offizieren gehen aus dem Angebot des Spartaners → Thibron hervor, der den einfachen Söldnern 1 → Dareikos, den Lochagen (→ *lóchos*) 2 Dareiken und den Strategen 4 Dareiken als S. im Monat anbot (Xen. an. 7,6,1).

II. ROM

S. soll zuerst während der Belagerung von → Veii im J. 406 v. Chr. gezahlt worden sein (Liv. 4,59,11; 5,4,3–7; Diod. 14,16,5) und aus einer einfachen Entschädigung bestanden haben, von der die Kosten für die Ausrüstung abgezogen worden seien (Liv. 24,11,7–9; 40,41,11; 42,34). Der einfache Soldat (*miles*) soll zur Zeit des Polybios [2] (ca. 2. Jh. v. Chr.) eine jährliche Zahlung (*stipendium*) in Höhe von 120 Denaren erhalten haben, gegenüber 240 Denaren für einen *centurio* und 360 Denaren für einen Reiter (*eques*; Pol. 6,39,12–15). Polybios, der den Begriff Drachme für Denar benutzt, scheint sich jedoch auf die Währung des Achaiischen Bundes zu beziehen; demnach hätte ein einfacher Soldat nur 75 Denare erhalten. → Caesar belohnte den einfachen Legionär mit einem zweiten jährlichen *stipendium* (Suet. Iul. 26), was auf einen Betrag von 150 Denaren pro J. hinausläuft. Ein Soldat im gleichen Rang erhielt 14 n. Chr. drei *stipendia* im J., insgesamt 225 Denare (Tac. ann. 1,17,4). Durch die Ergänzung eines vierten *stipendium* erhöhte Domitianus [1] den S. auf 300 Denare jährlich (Suet. Dom. 7,3; vgl. Tab.: 1.). Die lit. Quellen weisen darauf hin, daß Septimius Severus (SHA Sept. Sev. 12,2), später Caracalla und schließlich Maximinus Thrax den S. erhöhten, aber ohne Angaben über den Umfang. Neue Forsch., die auf der Auswertung einer kürzlich in → Vindonissa gefundenen Inschr. beruhen, haben die Erstellung einer von den bisherigen Zahlen differierenden Liste erlaubt (s. Tab.). Zu diesen regelmäßigen Zahlungen muß man noch die *donativa* rech-

Entwicklung der Besoldung im römischen Heer (in Denaren pro Jahr)

	Augustus 27 v. Chr.–14 n. Chr.	Domitianus 81–96 n. Chr.	Septimius Severus 193–211 n. Chr.	Caracalla 211–217 n. Chr.	Maximinus Thrax 235–238 n. Chr.
1. Legionen					
miles	225	300	600	900	1800
eques	262,5	350	700	1050	2100
centurio	3375	4500	9000	13500	27000
2. Auxilia					
miles cohortis	187,5	250	500	750	1500
eques cohortis	225	300	600	900	1800
eques alae	262,5	350	700	1050	2100
centurio cohortis	937,5	1250	2500	3750	7500
decurio cohortis	1125	1500	3000	4500	9000
decurio alae	1312,5	1750	3500	5250	10500

nen (→ *donativum*), die anläßlich bedeutender Ereignisse – so des Regierungsantritts oder des Geburtstags eines *princeps* und Siegen – ausgezahlt wurden.

Für die Spätant. werden höhere Zahlen genannt, so 1800 Denare jährlich für einen Soldaten einer Legion wie auch für einen Reiter einer → *ala* [2] zur Zeit des Diocletianus und 1200 Denare für den Soldaten einer → *cohors*, wobei man ebenfalls noch die nicht geringen *donativa* hinzurechnen muß. In der Folgezeit wurden die Barzahlungen immer seltener und zunehmend durch Lieferung von Naturalien ersetzt (*annona*).

→ Heerwesen; Söldner

1 R. Alston, Roman Military Pay From Caesar to Diocletian, in: JRS 84, 1994, 113–123 **2** A. Boeckh, Die Staatshaushaltung der Athener, ³1886, 340–358 **3** H. C. Boren, Studies Relating to the stipendium militum, in: Historia 32, 1983, 427–460 **4** D. J. Breeze, Pay, Grades and Ranks below the Centurionate, in: JRS 61, 1971, 130–135 **5** R. P. Duncan-Jones, Pay and Numbers in Diocletian's Army, in: Chiron 8, 1978, 541–560 **6** Jones, LRE, 623–666 **7** E. Lo Cascio, Ancora sullo stipendium legionario dall'età polibiana a Domiziano, in: Annali dell'Istituto Italiano di Numismatica 36, 1989, 101–120 **8** M. A. Speidel, Roman Army Pay Scales, in: JRS 82, 1992, 87–106 **9** Ders., S. und Wirtschaftslage der röm. Soldaten, in: G. Alföldy et al. (Hrsg.), Kaiser, Heer und Ges. in der röm. Kaiserzeit. Gedenkschrift E. Birley, 2000, 65–96 **10** H. Zehnacker, La solde de l'armée romaine, de Polybe à Domitien, in: Annali dell'Istituto Italiano di Numismatica, 30 (1983), 1986, 95–121. Y.L.B./Ü: S.EX.

Soldatengüter. Erblicher Landbesitz byz. Soldaten, der ihnen die Bestreitung des Lebensunterhalts in Friedenszeiten und die Stellung ihrer Ausrüstung und eines Pferdes ermöglichen sollte. Die Einrichtung von S. geht wahrscheinlich auf das 7. Jh. n. Chr. zurück, als der byz. Staat wegen seiner wirtschaftlichen Notlage infolge der Kriege gegen die Araber gezwungen war, die Entlohnung des Militärs mit Geld durch Landzuweisungen zu ersetzen [3. 619–621]. Der Terminus S. (στρατιωτικὰ κτήματα/*stratiōtiká ktēmata*) erscheint erst im 10. Jh. in einer Gesetzesnovelle des Constantinus [9] VII. (944–959), durch die ein gesetzlicher Rahmen für die bis dahin weitgehend auf dem Gewohnheitsrecht beruhenden S. geschaffen werden sollte: Die S. wurden amtlich registriert und für ihren unverkäuflichen Anteil ein Mindestwert von 4 Pfund Gold festgelegt. Der Mindestwert der Güter wurde unter Nikephoros II. Phokas (963–969) auf 12 Pfund Gold erhöht. Der Verfall der S. und ihre allmähliche Ersetzung durch Söldnerheere ließen sich dadurch allerdings nicht aufhalten. Nach dem 10. Jh. werden die S. nicht mehr erwähnt.

1 J. Haldon, Recruitment and Conscription in the Byzantine Army, ca. 550–950 ..., 1979 **2** Ders., Military Service, Military Lands, and the Status of Soldiers, in: Dumbarton Oaks Papers 47, 1993, 1–68 **3** M. F. Hendy, Studies in the Byzantine Monetary Economy c. 300–1450, 1985. AL.B.

Soldatenkaiser. Mit dem Begriff S. bezeichnete zuerst [1. 13] die Kaiser ›vom Ausgang des Commodus bis zum Regierungsantritt Diokletians‹ (192–284 n. Chr.), doch wird h. allg. die Dyn. der Severer (193–235 n. Chr.; → Septimius [II 5]) davon getrennt (so schon [2. 393–468]: Severer = Militärmonarchie, anschließend Militäranarchie) und nur die Zeit von Maximinus [2] Thrax (235–238) bis → Diocletianus (284–305) als Zeit der S. bzw. ›Krise des 3. Jh. n. Chr.‹ benannt. Der Begriff grenzt die Wirren des 3. Jh. (→ Roma I. E. 2.e) von stabilen Phasen des Röm. Reiches ab und enthält v. a. eine pauschale Abwertung der über 60 Kaiser und Usurpatoren, die – anders als frühere, angeblich dem Senat verbundene Kaiser aus senatorischem Stand – sich im Heer hochgedient und ihre Macht nur ›der Laune zügelloser Soldaten‹ [3. 434] verdankt hätten. Abgewogenes Urteil bei [4].

1 F. Altheim, Die S., 1939 **2** Rostovtzeff, Roman Empire **3** F. Taeger, Charisma, Bd. 2, 1960 **4** F. Hartmann, Herrscherwechsel und Reichskrise, 1982. T.F.

Soldatenlehen ist der vielleicht besser als → »Soldatengüter« zu bezeichnende Landbesitz, an den sich mil. Pflichten knüpften: sei es der Waffendienst des Inhabers, seien es die Stellung und Ausrüstung von Soldaten (gleichsam als Stellvertreter des Inhabers). S. in diesem Sinne kamen insbes. im Alten Orient vor. Sie sind relativ gut überl. für das Perserreich der → Achaimenidai [2] (6.–4. Jh. v. Chr.) und für das Hethitische Reich (→ Ḫattusa II.); auch äg. Militärkolonien bestanden wohl aus aktiven Soldaten. Von einem S. (und nicht: bloßer Landpacht) kann höchstens bei vererblichen Rechten und Pflichten gesprochen werden, wie dies jedenfalls für Persien belegt ist und dann wieder im byz. Reich seit dem Araberansturm im 7. Jh. bis ins 11. Jh. Die byz. S. hießen *stratiōtiká ktḗmata* (»Soldatengüter«).

Wenn das Militärwesen auf reinen Bürgerheeren oder Berufsarmeen beruht, gibt es keine S. Dies trifft für das klass. Griechenland und das röm. Reich zu. In Rom bestand seit Anf. des 1. Jh. v. Chr. aber das Problem der Versorgung von Soldaten nach ihrer Dienstzeit (→ Veteranen) mit Land. Die so entstandenen Militärkolonien (vgl. → *coloniae*) hatten mit den für Lehensverhältnisse typischen Dienstleistungen des Inhabers nichts zu tun, da sie gleichsam als »Belohnung« (remuneratorisch) erst nach dem E. der Dienstzeit zugeteilt wurden.

G. Cardascia, Armée et fiscalité dans la Babylonie achéménide, in: Armées et fiscalité dans le monde antique (colloque no. 936 du C.N.R.S.), 1977, 1–11 · W. Helck, s. v. Militärkolonie, LÄ 4, 134f. · M. Gregoriou-Ioannidou, Les biens militaires et le recrutement en Byzance, Byzantiaka 12, 1992, 215–226. G.S.

Solicia. Ort in Gallia Belgica, h. Soulosse-sous-Saint-Elophe, an der Straße vom Rhodanus zum Rhenus zw. Andematunnum und Tullum (h. Toul) im Gebiet der Leuci (Itin. Anton. 358,9; CIL XIII 4679); ON auch *Solimariaca*, von einer Gottheit Solima bzw. Solimara abgeleitet (Itin. Anton. 385,8; CIL XIII 4681; 4683). Inschr. geben Aufschluß über Handel und Gewerbe (CIL XIII 4678–4703; [1. 4845–4890; 2]). Im 4. Jh. n. Chr. wurde auf der Höhe von St. Elophe ein *castrum* errichtet. In karolingischer Zeit war S. Hauptort des *pagus Solocensis*.

1 Espérandieu, Rec. 6 2 L. Kahn, Gallo-Roman Sculpture from Soulosse, 1990.

Ch. Bertaux, Soulosse-sous-Saint-Elophe, in: J.-P. Petit, M. Mangin (Hrsg.), Atlas des agglomérations secondaires de la Gaule Belgique et des Germanies, 1994, 190f. (=Nr. 190) · Dies., Soulosse-sous-Saint-Elophe, in: J. L. Massy (Hrsg.), Les agglomérations secondaires de la Lorraine romaine, 1997, 297–312. F.SCH.

Solidus (lat., »vollkommen«, vom Metall »massiv«, z. B. *aurei solidi*: Apul. met. 10,9), röm. Hauptwährungs-Mz. der Spätant. Von Constantinus [1] I. wegen steigender Goldpreise anstelle des → *aureus* eingeführte leichtere Gold-Mz., ab 309 n. Chr. in Trier, ab 313 in der gesamten Reichshälfte Constantins, ab 324 im ganzen Reichsgebiet; griech. χρύσιον νόμισμα/*chrýsion nómisma* (wörtl. »Goldene Mz.«; nach dem 7. Jh. nur noch *nómisma*; zahlreiche Beinamen, die auf die hohe Qualität oder auf Mz.-Bilder hinweisen [5. 1229]). Der *s.* wog 1/72 röm. Pfund (→ *libra* [1]; Wert LXXII auf Mz. von Antiocheia 336/7) = 1/6 Unze (→ *uncia*) = 4 → *scripula* = 24 → *siliquae* (→ *kerátion*, als Silber-Mz. geprägt) = 4,55 g. Dieser Fuß wurde theoretisch bis zum E. des byz. Reichs beibehalten. Zu den schweren *solidi* von 24 traten später auch leichte zu 22 und/oder 21 *siliquae* ([1. 55–58; 3. 62–64]; *s.* zu 21 *siliquae* um 600 wurden *Gallicanus* genannt; Änderung auf 1 *s.* = 1/7 Unze in Cod. Theod. 12,7,1 in merowingischer Zeit [1. 10; 2. 330]; vgl. Greg. M. epist. 6,10) sowie 20 *siliquae* (Stücke mit der Aufschrift *OB(ryzum) XX*, ca. 527–641). Die sprachliche Unterscheidung des *s.* vom *aureus* ist mod.: *Aurei* von 317/319 aus Antiocheia [1] tragen die Legende *I S(olidus) INT(eger)* [2. 466], in der Inschr. von Feltre von 325 (ILS 9420) heißen die *s.* noch *aurei*.

Gesetze und Verordnungen sind der Verpflichtung zur Annahme guter *s.* (auch mit verschiedenen oder älteren Porträts) und der Abwehr verschlechterter gewidmet: Cod. Theod. 9,22,1 (317, zur Datierung [2. 364]); 12,7,1 (325; dazu [2. 330]); 9,21,5 (343); 12,7,2 (363); Cod. Iust. 11,11,1 (367); 11,11,3 (379); Cod. Theod. Nov. Valentiniani III. XVI (445); Cod. Theod. Nov. Maioriani VII,14 (458). Das Gesetz Cod. Theod. 12,6,12 (vom J. 366, s. auch 12,6,13 von 367) bestimmte die Einschmelzung eingenommener *s.* zu einer Masse (*massa*) reinen Goldes (*obryza*), um Betrug durch Beamte und Steuereinnehmer zu verhindern. Die daraus gegossenen Barren erhielten Stempel der prüfenden Beamten. Mz. mit Kennzeichnung *OB(ryzum)*, reines Gold: ab 367 in Trier, Konstantinopel und Antiocheia, ab 378 auch in anderen Mz.-Stätten. Die Feinheit der *s.* fiel bis 366 auf unter 95 %, stieg nach den Gesetzen von 366/7 wieder auf 99,5 %, lag im 5. Jh. bei 97–99 % [6. p. 4–7] (aus dem 4. und 5. Jh. n. Chr. sind zahlreiche *s.*-Gewichte erh.; → *exagium* [6. 8–11]), Mitte 11. Jh. noch um 90 %, um 1092 nur noch bei 12 % [4. 202–247]. Ab dem späten 9. Jh. wurde der *s.* immer größer und dünner, ab 1034 schüsselförmig (→ Scyphaten).

Vom *s.* wurden (als Sonder- und Geschenk-Mz.) Vielfache bis zu 12 *s.* [6. p. 11–12] und als Teilstücke bis ins 9. Jh. → *semis* und → *triens* geprägt. Der *s.* wurde die Hauptwährungs-Mz. der Spätant. und des byz. Reiches. Er findet sich in großen Mengen im Reichsgebiet und weit außerhalb (NW-Europa, Ostseeraum, Osteuropa, Vorderer Orient, Indien, China; für das 5. Jh. [6. LXXXVIII-CXVI]). Fast alle Germanenreiche der Völkerwanderungszeit prägten den *s.* und den *triens* nach, zunächst im Namen des Kaisers, ab Theudebert I. (534–548) auch im eigenen. Diese Mz. entfernten sich ikonographisch allmählich von ihren Vorbildern und verloren z. T. erheblich an Feingehalt ([2. 395] mit Quellen). 458 bestimmte Maiorianus [1], daß gallische *s.* zu einem niedrigeren Wert anzunehmen seien (Cod. Theod. Nov. Maioriani VII,14), 595 konnten sie in It. nicht mehr umlaufen (Greg. M. epist. 6,10).

Nach verschiedenen Mz.-Bildern im 4. und 5. Jh. (Roma und Konstantinopolis mit Vota-Schild, Kaiser, Konstantinopolis, Victoria mit Schild) wurde in der 2. H. des 5. Jh. die geflügelte Victoria mit Kreuzzepter das übliche Mz.-Bild des *s.*, ab ca. 520 zumeist als »Engel« frontal stehend mit Kreuz und Kreuzglobus; ab 610 das Stufenkreuz, ab ca. 720 in wachsendem Umfang die Mitregenten. Ab 842 traten Christus (Büste oder thronend) auf den Av. und die Kaiser auf den Rv.

1093 wurde das *hypérpyron* als neuer goldener *s.* zu 20 ½ Karat eingeführt. Sein Goldgehalt sank ab 1204 wieder ab. 1354 endete die byz. Goldprägung.

1 H. L. Adelson, Light Weight Solidi and Byzantine Trade during the 6. and 7. Centuries, 1957 **2** M. F. Hendy, Studies in the Byzantine Monetary Economy c. 300–1450, 1985 **3** C. Morrisson, Cat. des monnaies byz. de la Bibl. Nationale I-II, 1970 **4** Dies. et al., L'or monnayé, Bd. 1, 1984 **5** Dies., s. v. Nomisma, LMA 6, 1229 **6** RIC X **7** K. Regling, s. v. S., RE 3 A, 920–926 **8** Schrötter, 642 f.

DI. K.

Solinus. C. Iulius S. Grammatiker und Buntschriftsteller des 3. (Ende) oder 4. Jh. n. Chr., Verf. der *Collectanea rerum memorabilium*, dem (Oclatinius ?; vgl. [1]) Adventus (nicht dem *cos.* von 218) gewidmet. Das im ersten Teil zur Mythistorie, im zweiten zur Paradoxographie tendierende Werk bekundet strukturell ein »nationales« Programm – es beginnt mit der röm. Urgesch. und schließt eine von It. ausgehende Periegese der → Oikumene als Gerüst für die Mitteilung von Kuriositäten an: 1,1–47 röm. Arch. und Chronologie bis zu Caesars und Augustus' Kalenderreformen, meist aus → Suetonius' *Pratum* bzw. *De anno Romanorum*, wie Parallelen bei Censorinus und Macrobius nahelegen; 1,48–127 Anthropologie mit teratologischem Schwerpunkt (nach Plin. nat. 7); 2–56 Mirabilien-Periegese, zuerst der Nordoikumene gegen den Uhrzeigersinn: 2–6 Rom, It., 7–11 *tertius sinus Europae* (Griechenland), 12–19 *quartus sinus* (Thrakien, Skythien), 20–23 Germanien, Gallien, Britannien, *fretum Gaditanum* (Straße von Gibraltar); dann Südoikumene im Uhrzeigersinn: 24–32 Libyen, Äg., 33–51 Arabien, Syrien (35,9–12 über die Essener, vgl. [2]), Kleinasien, Baktrien; 52–56,3 Indien, Taprobane, Parthien; 56,4–19 Aethiopien, Westafrika, *insulae Fortunatae* (Kanarische Inseln). Quelle ist ein reich glossierter Plinius (nat. 3–6; 8–13; 37), wenn man nicht von Plinius unabhängige Quellen zusätzlich annehmen will [3].

Die Quellen-Thesen von einer breiten *Chorographia Pliniana* oder einer *Geographia Varro-Sallustiana* [4] sind h. aufgegeben. Die Linie von Rom zu den »Inseln der Seligen« (→ *Makárōn nésoi*) ergibt eine sinnvolle Struktur für ein Lesepublikum, das Unterhaltung durch Sensationen mit erbaulicher Wissensbereicherung verbindet. Somit tritt S. weit hinter sein gelehrtes Vorbild, die *Poikílē historía* des → Ailianos [2], aber auch hinter die lat. Sammelwerke Suetons (*Pratum*) und → Macrobius' [1] (*Saturnalia*) zurück. Datierungsrelevante Berührungen mit dem → *Pervigilium Veneris* [5] und dem Phoenixgedicht des → Lactantius [1] (vgl. [6]) weisen ins ausgehende 3. Jh., die Entstehungszeit des → *Physiologus*.

Beträchtlich war die Rezeption schon in der Spätant. und im MA bei Historikern (→ Ammianus Marcellinus, vgl. [7], Aldhelm, → Beda Venerabilis, → Paulus [4] Diaconus, Walahfrid Strabo), Geographen (Aethicus Hister, → Priscianus, → Geographus Ravennas, Honorius von Autun, Dicuil, Adam von Bremen) und Enzyklopädisten (→ Martianus Capella, → Isidorus [9] von Sevilla); selbst in die Theologie fand er Eingang als Bezeuger der göttlichen Wunder (Petrus Damiani, Guido de Bazochiis), was die Versifizierungen durch Theoderich von Trond (1199) und den Anonymus *De monstris Indiae* erklärt (Ed. princeps schon vor 1473 bei J. Schurener de Boppardia, Rom o. J.); der Humanist Claudius Salmasius besorgte 1629 die ausführliche Ausarbeitung (Text und Quellen-Komm. [8]). Erst die Aufklärung setzte der Reputation des S. ein Ende.

Die Überl. [9] – Mommsen waren schon 153 Hss. bekannt [10] – beruht auf einem Archetyp des 6. Jh. Nur dessen Klasse III zeigt Spuren der Überarbeitung, sofern ihr – von Mommsen verworfener – weiterer Einleitungsbrief echt ist [11]. Eine eigentliche »Zweitauflage« ist textlich nicht erweisbar [12].

→ Buntschriftstellerei

1 H. Usener, Zur lat. Lit.-Gesch., in: RhM 22, 1867, 446 **2** C. Burchard, Solin et les Esséniens, in: RBi 74, 1967, 392–407 **3** S. Bianchetti, L'Africa di Solino, in: L'Africa romana 9, 1992, 803–811 **4** G. M. Columba, La questione soliniana e la letteratura geografica dei Romani, 1920 **5** G. H. Pagés, Sobre la datación del Pervigilium Veneris, in: Anales de Filologia clásica 11, 1986, 105–117 **6** L. Roberts, Origen and the Phoenix Too Frequent, in: Classical Folia 32, 1978, 79–89 **7** H. Cichocka, Ammien et Solin, in: Meander 30, 1975, 336–352 **8** C. Salmasius, Plinianae exercitationes in Solini Polyhistoria, 1629 (Ndr. 1777) **9** M. E. Milham, A Handlist of the Manuscripts of C. I. S., in: Scriptorium 37, 1983, 126–129 **10** R. H. Rouse, S., in: L. D. Reynolds (Hrsg.), Texts and Transmission, 1983, 391–393 **11** H. Walter, Die »Collectanea rerum memorabilium« des C. I. S., 1969 **12** G. Kirner, Contributo alla critica di Solino (Mommsen), Rassegna di antichità classica 1/1, 1896, 75–96.

Ed.: T. Mommsen, [2]1895, Ndr. 1958 ([1]1864).

KL. SA.

Solium

[1] Hoher röm. Sitz mit Fußbank, Arm- und Rückenlehne, → Thron; das *s.* war Sitz der Könige (Ov. fast. 3,358; 6,353) und verm. schon in Etrurien der repräsentative Sitz des → *pater familias*. Er vererbte sich vom Vater auf den Sohn, sein Verkauf galt als ehrenrührig (→ *salutatio*).

F. Prayon, Frühetr. Grab- und Hausarchitektur, 1975, 111 f. • Th. Schäfer, Imperii Insignia. Sella curulis und Fasces. 29. Ergh. MDAI(R), 1989, 26 f.

[2] Röm. Badewanne für eine (Mart. 2,42; Vitr. 9 praef. 10; Plin. nat. 28,183) oder mehrere Personen (Petron. 73, vgl. 92) aus Holz (Suet. Aug. 82,2) oder sogar aus Silber (Plin. nat. 33,152). Am Ende des 1. Jh. n. Chr. war *s.* gleichbedeutend mit → *alveus* [1].

I. NIELSEN, Thermae et Balnea, 1990, 157.

[3] In der röm. Kaiserzeit bezeichnet *s.* den → Sarkophag aus Stein (Suet. Nero 50) oder Ton (Plin. nat. 35,16); nach Curt. 10,10,9 war das *s.* Alexandros' [4] d.Gr. sogar aus Gold.

J. STROSZECK, Wannen als Sarkophage, in: MDAI(R) 101, 1994, 217f. R.H.

Sollion (Σόλλιον). Urspr. korinthische Siedlung (Thuk. 2,30,1: πόλισμα; Steph. Byz. s.v. Σ.: πολίχνιον) mit Hafen im Bereich der östl. von → Leukas gelegenen Plagia-Halbinsel, nicht lokalisiert (Vorschläge: [1. 21f.]). Erwähnt nur anläßlich der Einnahme durch die Athener 431 v. Chr., nach der S. dauerhaft → Palairos angeschlossen wurde (Thuk. 2,30,1; 5,30,2).

1 M. SCHOCH, Beitr. zur Top. Akarnaniens in klass. und hell. Zeit, 1997.

CHR. WACKER, Palairos, 1999, 47–54. M.FE.

Soloi (Σόλοι).

[1] Stadt an der Nordküste von Kypros (Zypern) beim h. Karavostasi mit einem auch im Winter nutzbaren Hafen (Skyl. 103; Strab. 14,6,3). Laut Plut. Solon 26,2 nach → Solon [1] benannt, der dem König Philokypros von Aipeia riet, seine ungünstig gelegene Stadt in die Ebene zu verlegen. Nach Strab. l.c. wurde S. dagegen von → Phaleros und → Akamas aus Athen gegr. Aufgrund reicher Kupfervorkommen war die Gegend schon in der Brz. besiedelt. Ein selbständiges Königreich ist bereits 673/2 v. Chr. durch eine assyr. Inschr. belegt [1]. Der König Aristokypros fiel im → Ionischen Aufstand 497 v. Chr. bei → Salamis [2]; S. wurde erst nach fünfmonatiger Belagerung durch die Perser eingenommen (Hdt. 5,113; 115). Den letzten König Eunostos beließ Ptolemaios [1] I. im Besitz der Herrschaft und vermählte ihn mit seiner Tochter Eirene (Athen. 13, 576e). Die ant. Hafenanlagen sind z.T. noch sichtbar. Strab. l.c. erwähnt einen Tempel für Aphrodite und Isis. Durch Ausgrabungen sind im Stadtgebiet zahlreiche Gebäude, darunter ein Theater und westl. der Akropolis ein hell.-röm. Tempelkomplex, bekannt. In christl. Zeit war S. Bischofsitz. Mz.: BMC, Gr Cyprus CXIV-CXVII.

1 R. BORGE, Die Inschr. Asarhaddons, Königs von Assyrien (AfO Beih. 9), 1956, 59–61.

E. GJERSTADT, A. WESTHOLM, Soli. The Swedish Cyprus Expedition 3, 1937, 399–582 • MASSON, 217–222 • E. OBERHUMMER, s.v. S. (2), RE 3 A, 938–941 • J. DES GAGNIERS, V. TRAN TAM TINH, S. 1. Dix campagnes de fouilles (1964–1974), 1985 • R. GINOUVÈS, S. Dix campagnes de fouilles (1964–1974). 2. La ville basse, 1989 • A. WESTHOLM, The Temples of Soli, 1936. R.SE.

[2] Hafenstadt der Kilikia Pedias an der Grenze zur Kilikia Tracheia (Strab. 14,5,1 und 8) beim h. Viranşehir. Urspr. phoinikisch, wurde S. im 8. Jh. von Lindos aus kolonisiert [1. 121 mit Abb. 39]. → Tigranes I. zerstörte S. und verpflanzte die Einwohner in seine neu gegr. Residenzstadt Tigranokerta. S. wurde von Pompeius [I 3] mit einem Teil der von ihm besiegten Seeräuber besiedelt und hieß seither Pompeiopolis. 260 n. Chr. griffen die → Sāsāniden die Stadt erfolglos an [2. 109]. S. war Bistum der *Cilicia prima* (→ Kilikia III. C.), im MA Metropolis ohne Suffragane. Erh. sind Reste der Hafenanlagen, eines Theaters und 33 Säulen einer Kolonnadenstraße. Aus S. stammten → Chrysippos [2] und → Aratos [4].
→ Kilikia

1 E. BLUMENTHAL, Die altgriech. Siedlungskolonisation, 1963 2 E. KETTENHOFEN, Die röm.-pers. Kriege, 1982.

W. RUGE, s.v. S. (1), RE 3 A, 935–938 • A. M. SCHNEIDER, s.v. Pompeiopolis (1), RE 21, 2043f. • MAGIE 1, 273f. • HILD/HELLENKEMPER, 381f. F.H.

Solomon

[1] (Σολομών) s. Salomo

[2] (Σολόμων). Byz. Heerführer unter Iustinianus [1] I., Eunuch aufgrund eines Unfalls in der Kindheit. Seit 527 n. Chr. im Dienst des → Belisarios, kämpfte er gegen Perser und Vandalen und übernahm von ihm, 534 zum *magister militum* ernannt, den Oberbefehl im Vandalenkrieg. 534/5 wurde er auch *praef. praet. Africae* mit Sitz in Karthago. 535 siegte er in der Prov. Byzacena zweimal über die Berber. Eine Revolte seines Heeres konnte erst der aus Sizilien herbeigerufene Belisarios niederwerfen. Nach Konstantinopolis zurückbeordert, kehrte S. erst 539, mit dem Titel eines *patricius*, nach Afrika und in die vorherige Stellung zurück. Durch einen weiteren Sieg über die Berber 540 sicherte er die röm. Kontrolle über die Prov. Mauretania Prima (h. Algerien). 543 von seinem Neffen Sergius [II 7] gegen die Leuathen zu Hilfe gerufen, verlor er gegen sie 544 bei Cillium in der Byzacena eine Schlacht und wurde auf der Flucht getötet. Er ist in zahlreichen lokalen Inschr. bezeugt.

W. E. KAEGI, A. KAZHDAN, s.v. S., ODB 3, 1925f. • PLRE 3B, 1167–1177, Nr. 1 • STEIN, Spätröm. R. 2, 320–324, 327f., 547f.

[3] (Σολόμων). Neffe von S. [2], jüngerer Bruder von Sergius [II 7], wurde als junger Mann 544 n. Chr. in der Schlacht bei Cillium (→ Solomon [2]) Gefangener der Leuathen, aber vom Arzt Pegasios freigekauft. Gemäß Prokopios (HA, cap. 5) tötete er diesen wenig später in einem Streit und wurde dafür von Gott mit baldigem Tode bestraft. PLRE 3B, 1177, Nr. 2. F.T.

Solon (Σόλων).

[1] S. von Athen.

I. Leben II. Der Staatsmann
III. Der Dichter

I. Leben

S. (geb. ca. 640 v. Chr.), Athener aus der Familie der → Medontidai, über die Mutter angeblich mit Peisistratos [4] verwandt, neben dem legendären Spartaner → Lykurgos [4] der bedeutendste griech. Gesetzgeber in archa. Zeit und der erste prominente Dichter Athens. S. trat erstmals um 600 v. Chr. hervor, als er im Konflikt mit Megara [2] erfolgreich zur Eroberung von → Salamis [1] aufrief (Sol. fr. 2 G/P = fr. 1–3 West) und dabei in Anlehnung an zeitgenössische paränetische Dichtung (→ Kallinos [1], → Tyrtaios) alle Athener aufforderte, sich mit ihrer Polis zu identifizieren und aktiv für sie einzutreten – ein Leitgedanke, der seine Dichtung (bes. fr. 3 G/P = 4 W) und sein polit. Wirken prägte. Als S. in einer schweren Krise Athens (→ Athenai III. 2.) 594/3 v. Chr. zum Archon (→ *árchontes* I.) und *diallaktḗs* (»Versöhner«) gewählt wurde, erfaßte er in seinen Reformen fast alle Bereiche der polit.-sozialen, wirtschaftl. und rechtl. Organisation. Später soll er die Athener zur Einhaltung der neuen Gesetze verpflichtet und die Polis verlassen haben. Seine weitere Biographie verliert sich in Legenden ([12. 11 ff.; 11]; Aufenthalt beim Lyderkönig → Kroisos, erstmals bei Hdt. 1,29–33; Reaktionen auf den Tyrannisversuch des Peisistratos 561/0). In der Trad. erscheint S. als einer der → Sieben Weisen [18].

II. Der Staatsmann
A. Das Reformwerk B. Nachwirkung

A. Das Reformwerk

S.s Reformen antworten in zahlreichen Einzelmaßnahmen (*thesmoí*, vgl. fr. 30,18 G/P = 36,18 W, → *thesmós*) auf konkrete Probleme, sind also keine »Verfassung«; wegen der disparaten, z. T. widersprüchlichen und vielfach verzerrten Überl. bleiben viele Maßnahmen umstritten. Hauptquellen sind neben den Fr. seiner Gedichte (s.u. III.) die (pseudo-)aristotelische *Athēnaíōn politeía* (2,5–12) und die S.-Vita des Plutarchos [2].

Für seine wichtigste Maßnahme hielt S. die Aufhebung der bes. die Kleinbauern belastenden Verschuldung (→ *seisáchtheia*). Dabei wurde wohl die Abgabepflicht der → *hektḗmoroi* storniert, S. selbst spricht nur von der Beseitigung der → *hóroi* (fr. 30,6 G/P = 36,6 W; abweichende Deutungen bei [9. 15 ff.] und [5]); daneben rühmt sich S., verschuldete Athener aus auswärtiger Sklaverei (δουλίη) befreit (ἐλευθέρους ἔθηκα) zu haben (fr. 30,8–15 G/P = 36,8–15 W). Begleitende Maßnahmen zur *seisáchtheia* waren das Verbot des Zugriffs auf die Person des Schuldners, was langfristig ein freies Bauerntum sicherte, eine Beschränkung des Grunderwerbs (F 66 Ruschenbusch = R) sowie einige familien- und erbrechtliche Bestimmungen, wie etwa die Aufforderung an Eltern, ihre Söhne ein Handwerk erlernen zu lassen (F 56 R), um der Landnot durch Erbteilung entgegenzuwirken. Der Minderung der Landnot diente auch eine beschränkte Zulassung von Zuwanderern zur Bürgerschaft: Nur Verbannte aus anderen Gemeinden und Handwerker, die ihr Gewerbe dauerhaft ausüben wollten und damit nicht in Konkurrenz zu den Bauern traten, erhielten das Bürgerrecht (F 75 R). Die Förderung von Handel und Gewerbe war dabei eher eine beiläufige Folge, doch scheinen im Verbot des Exports landwirtschaftlicher Erzeugnisse (außer Olivenöl) auch wirtschaftl. Ziele der Reformen zu liegen (F 65 R).

Grundlegend für die künftige polit.-soziale Organisation blieb die Einführung einer timokratischen Ordnung mit der Teilung der Bürgerschaft in vier nach dem jährlichen landwirtschaftl. Ertrag bemessenen Zensusklassen (→ *pentakosiomédimnoi*: 500 Scheffel Getreide, → *hippeís*: 300, → *zeugítai*: 200, *thḗtes*/→ Theten) und mit der Bindung der Amtsfähigkeit an das Vermögen, nicht an Herkunft. Zwar basierte diese Gliederung auf einer älteren Heeresordnung, doch mußte die neue Abgrenzung der Gruppe der *pentakosiomédimnoi*, die nun wohl allein die *árchontes* stellten, erhebliche Konsequenzen für das Gefüge der Aristokratie gehabt haben, weil nun Reste der alten Führungsschicht, die *hippeís*, nach Zensussummen den Zeugiten näher standen als den Pentakosiomedimnoi [4. 27]. Die Beschränkung der polit. Führung auf einen kleinen Kreis schwächte vorhandene Hetairien (→ *hetairía*) zumindest temporär und trug so zur inneren Stabilität Athens bei, obgleich sie die stets latente Gefahr einer → Tyrannis nicht beseitigte. S. belegte deshalb Tyrannisaspiranten mit der → *atimía* (F 37 R) und verpflichtete – nach einem in der Forsch. umstrittenen Gesetz – für den Fall innerer Konflikte jeden Athener zur Parteinahme (F 38a R), um Tyrannisversuche zu unkalkulierbaren Risiken zu machen.

Die polit. Mitwirkung des gesamten → *dḗmos* sicherte S., indem er dem Volk gab, ›was ihm zukommt‹ (fr. 7,1 G/P = 5,1 W), doch sind die institutionellen Maßnahmen schwer faßbar: Die von S. eingerichtete → *hēliaía* bildete wohl ein echtes Volksgericht, nicht nur eine Appellationsinstanz gegen magistratische Willkür. Neben den bestehenden Rat auf dem Areopag (→ *áreios págos*) aus ehemaligen *árchontes*, der von S. wohl mit der (wenig formalisierten) Kontrolle der Beamten betraut wurde [2. 38 ff.], soll S. einen Rat der 400 (je 100 aus den 4 → Phylen) gestellt haben, dessen Kompetenzen jedoch nicht faßbar sind. Gestärkt wurde jedenfalls die Position des *dḗmos* gegenüber den Adligen durch die Popularklage (F 40 R), die es jedem Athener erlaubte, auch als Nichtbetroffener Klage für andere zu erheben.

Die von S. aufgezeichneten und auf den → *áxones* publizierten Rechtssätze berührten neben Tötungs-, Diebstahls- und Ehebruchsdelikten u. a. auch das Vereinswesen (F 76 R) und individuelle Lebensführung (F 71–72 R), wobei häufig noch der dörflich-bäuerliche Hintergrund aufscheint [16]. So sollte z. B. das rätselhafte Gesetz gegen Faulheit (*nómos argías*: F 148 R) ausschließen, daß selbstverschuldet in Not Geratene auch die benachbarten Bauern aufgrund des sozialen Gebots der Nachbarschaftshilfe schädigten [16. 578 f.]. Auch Gesetze über den Brunnenbau, den Mindestabstand von Pflanzen und Gräben vom Nachbarn (F 60–63 R) oder zur Unterhaltspflicht der Söhne für die Eltern (F 53–57 R) gehören in diesen Kontext.

Die S. zugeschriebene Münz-, Maß- und Gewichtsreform ist kaum zu deuten, da die Münzprägung Athens erst erheblich später einsetzte ([23. 198 ff.; 8]; → Münzprägung I.C.).

B. Nachwirkung

Fragmente der Gedichte S.s zeigen, daß die Reformen nicht allg. begrüßt wurden (vgl. fr. 7; 29b; 30; 31 G/P = 5; 34; 36; 37 W): Ärmere Bürger waren enttäuscht, da S. eine Neuverteilung des Landes unterließ, einigen Adligen gingen die Reformen dagegen zu weit. Tatsächlich konnte S. keine dauerhafte polit. Stabilität schaffen (→ Damasias, → Peisistratos [4]), doch stärkten die Reformen das institutionelle Gefüge der Polis, v.a. schuf die Beseitigung der Schuldknechtschaft (→ Sklaverei) die demographische Basis für die Entwicklung Athens zur Großpolis.

Im Alt. galt S. spätestens seit dem 4. Jh. v. Chr. als Begründer der Demokratie in Athen (→ *dēmokratía*), die mod. Forsch. schwankt sehr in ihrem Urteil. Während seine prägende Rolle bei der Grundlegung demokratischer Institutionen gering eingeschätzt wird (im Gegensatz zu → Kleisthenes [2] und → Ephialtes [2]), werden seine Leistungen für die Demokratie [21] v.a. im Bereich der Förderung einer kollektiven »Polismentalität« bzw. einer Politisierung aller Athener weitgehend anerkannt [19; 20; 22. 192 ff.; 1. 63]. Ebenso steht dem Bild S.s als Förderer bes. des Kleinbauerntums das eines Vertreters vornehmlich adliger Interessen gegenüber [4].

Ed. und Fr.: s.u. III.

Lit.: **1** J. Bleicken, Die athen. Demokratie, [4]1995, 24 ff., 511 ff. (mit Bibliogr.) **2** M. Braun, Die ›Eumeniden‹ des Aischylos und der Areopag, 1998 **3** Davies, 322–324, 334 f. **4** W. Eder, Polis und Politai, in: I. Wehgartner (Red.), Euphronios und seine Zeit, 1992, 24–38 **5** E. M. Harris, A New Solution to the Riddle of the Seisachtheia, in: L. G. Mitchell, P. J. Rhodes (Hrsg.), The Development of the Polis in Archaic Greece, 1997, 103–112 **6** A. Heuss, Archa. Athen in: Propyläen Weltgesch. 3, 1962, 162 ff. **7** K.-J. Hölkeskamp, Schiedsrichter, Gesetzgeber und Gesetzgebung im archa. Griechenland, 1999 **8** G. Horsmann, Athens Weg zur eigenen Währung, in: Historia 49, 2000, 259–277 **9** S. Link, Landverteilung, 1991 **10** A. Martina, Solone. Testimonianze sulla vita e l'opera, 1968 **11** M. Meier, Peisistratos auf dem Thespis-Karren, in: WJA 23, 1999, 181–188 **12** P. Oliva, S., 1988 **13** Rhodes, 118 ff. **14** E. Ruschenbusch (ed.), Σόλωνος νόμοι, 1966, Ndr. 1983 (=R.) **15** W. Schmitz, Der nomos moicheias, in: ZRG 114, 1997, 45–140 **16** Ders., Nachbarschaft und Dorfgemeinschaft, in: HZ 268, 199; 561–597 **17** Ders., 'Drakonische Strafen', in: Klio 83, 2001, 7–83 **18** B. Snell, Leben und Meinungen der Sieben Weisen, [4]1971 **19** P. Spahn, Oikos und Polis, in: HZ 231, 1980, 529–564 **20** M. Stahl, Solon F 3D, in: Gymnasium 99, 1992, 385–408 **21** R. W. Wallace, Solonian Democracy, in: I. Morris, K. A. Raaflaub (Hrsg.), Democracy 2500?, 1997, 11–29 **22** U. Walter, An der Polis teilhaben, 1993 **23** K.-W. Welwei, Athen, 1992.

M. MEI.

III. Der Dichter

Neben seiner polit. Tätigkeit verfaßte S. elegische und iambische Dichtung (und laut Diog. Laert. 1,61 Epoden). Viele der erh. elegischen Fr. sind gnomisch (→ Gnome, z. B. 27 West über die zehn Menschenalter); 20 W gibt sich als Antwort auf → Mimnermos' berühmtes Gedicht: Menschen sollten darum beten, nicht im Alter von 60, sondern 80 J. zu sterben; weitere Gedichte gnomischen Inhalts sind 14 W, 16–18 W, 24 W. Einige wenige Fr. handeln von den sympotischen Freuden von »Wein, Weib und Gesang« (25–26 W); in 19 W verabschiedet sich S. von seinem zypriotischen Gastgeber Philokypros. Die meisten Fr. beziehen sich aber (wie seine Iamben) auf S.s polit. Tätigkeit in Attika (vielleicht infolge der Interessen der ant. Autoren, die S.s Werke zitieren). Alle Gedichte wurden verm. bei Symposien vorgetragen (vgl. [1]; → Gastmahl), an denen S.s aristokratische Freunde und Verwandte (z. B. Dropides, der Urgroßvater des → Kritias, vgl. 22 W, 22a W) und andere teilnahmen, die er vielleicht zu beeinflussen hoffte (vgl. Phokos, angesprochen in 24 W).

Die polit. Botschaft ist bisweilen allg. Natur, nicht speziell auf die Krise in Attika (s.o. I.) bezogen: In dem 76 Z. umfassenden Gedicht 13 W (anscheinend vollständig, somit unsere längste erh. Elegie aus archa. und klass. Zeit), bittet S. die → Musen um rechtmäßig erworbenen Reichtum, verdammt Ungerechtigkeit, die früher oder später von Zeus bestraft werde, erklärt, daß Optimismus und Anstrengungen der Menschen wegen der Unvorhersehbarkeit des Schicksals (μοῖρα, *moíra*) unangemessen sind; es schließt mit der Verurteilung des Strebens nach Reichtum, da er Verblendung (ἄτη, *átē*) mit sich bringe. Das Fr. 15 W (4 Z.) andererseits, in dem ein »wir« die Tugend (ἀρετή, *aretḗ*) als dem Reichtum vorzuziehen preist, wird von Plut. Solon 3,2 auf die Krise in Attika bezogen. Es stammt vielleicht aus derselben Elegie (4a W), deren Anfang bei [Aristot.] Ath. pol. 5 zitiert wird (dort findet sich die Aussage, daß S. in diesem Gedicht die Seiten von Arm und Reich vertrete, sowie das Fr. 4c W, das die Reichen zur Mäßigung auffordert). Diese Ermahnungen passen am besten in die Zeit vor S.s Reformen, ebenso auch vier Zeilen, die eingeschränkte Freiheit für das Volk (δῆμος, *dḗmos*, 6 W) empfehlen, und das lückenhafte Fr. 4 W (39 Z., zitiert von Demosth. or. 19,254), das die Habgier der »Führer des Volkes« für die Zerstörung der Stadt (5–8) und den Verkauf der Armen in die Sklaverei in der Fremde (23–25) verantwortlich macht; S. schließt mit einem Lob der Wohltaten der »Guten Ordnung« (εὐνομίη, 32–39; → *eunomía*).

Das Fr. 5 W gehört zu einer Elegie, in der S. seine polit. Reformen verteidigt – verm. nach ihrer Einführung – und in Anspruch nimmt, sowohl die Rechte des

Volkes als auch die der Elite geachtet zu haben. Aus der gleichen Zeit stammen wohl die Tetrameter, in denen S. hervorhebt, daß er nicht die Stellung eines Tyrannen usurpiere (32 W; 33 W) und sich bei der Landverteilung nicht dem Druck gieriger Freunde gebeugt habe (34 W, vgl. [2]), sowie die Trimeter mit ähnlicher Rechtfertigung seiner Gesetzgebung (36 W; 37 W). Die Ant. bezog die Vorhersage einer → Tyrannis (9 W) auf → Peisistratos [4], aber weder hier noch anderswo in S.s polit. Dichtung wird ein Individuum genannt.

Eine andere Art der Exhortation (vielleicht vergleichbar den kriegerischen Elegien des → Kallinos [1] und → Tyrtaios) fand sich in der Elegie, die laut Plut. Solon 8,1–3 100 Zeilen und den Titel ›Salamis‹ hatte, der sie recht früh in S.s Laufbahn datiert. In den von Plutarch zitierten zwei Anfangszeilen (1 W) präsentiert sich S. als Herold von → Salamis [1]; zwei der sechs von Diog. Laert. 1,47 zitierten Zeilen (3 W) fordern ausdrücklich zum Kampf auf, um Salamis zurückzuerobern. S. greift oft auf homerische Phrasen zurück; er kennt und adaptiert die Gedichte des → Hesiodos (bes. in 4 W und 13 W, vgl. [4]), → Mimnermos (20 W), und vielleicht → Archilochos (4,17 W; 13,76 W). Die zwei längeren erh. elegischen Passagen (4 W; 13 W) sind thematisch lose strukturiert, aber durch eindrucksvolle Bilder belebt (z.B. wird die Bestrafung durch Zeus mit einem zerstörerischen, aber wolkenklärenden Wind verglichen: 13,18–25 W). Einige überl. Verse hat man S. abgesprochen, bei vielen weiteren wäre dies möglich; sicher ist nur, daß man im Athen des 5./4. Jh. die für S. überl. Zeilen für echt hielt.

S.s elegische Dichtung war verm. Aischylos geläufig, wurde von Kratinos [1] in den ›Gesetzen‹ parodiert (11,5 W) und war Herodotos (19 W; 27,17f. W), Platon [1] (22 W; vielleicht 23 W) und Demosthenes [2] (or. 19,254f.) bekannt. Auch Aristoteles [6] kannte sie (13,71 W; 22 W; 27 W); die *Athēnaíōn politeía* benutzte sie, um S.s polit. Karriere zu rekonstruieren (4a–6 W; 34 W; 36–37 W) und zitiert sie ausführlich. Krates [4] aus Theben parodiert sie, Cicero zitiert sie (21 W), ebenso Diodoros [18] Siculus (9 W; 11 W), sowie vielfach Plutarchos [2] (1 W; 2 W; 4b W; 5–7 W; 9 W; 11–13 W; 15 W; 19 W; 24–6 W; 28 W; 31 W) und Diogenes [17] Laertios (2 W; 6,3–4 W; 9 W; 10 W; 27 W). Apuleius (Appuleius [III]), Athenaios (beide 25 W) sowie Clemens [3] von Alexandreia (11 W; 16–17 W; 27 W) und Komm. zu Platon (22a W; 23 W; 26 W) kennen sie noch. Libanios (20 W) und Basileios [1] d.Gr. (13,71 W) spielen auf sie an, und Chorikios zitiert sie (43 W). 27 W (»Menschenalter«) findet sich bei Philon [12] von Alexandreia und wurde von Clemens von Alexandreia zitiert sowie von Censorinus und Ambrosius ins Lat. übersetzt. Fr. wurden von → Theognis [1] (6,3–4 W; 13,71–76 W; 24 W) und Stobaios (21 W; 24 W) in Anthologien aufgenommen, letzterer führt als einziger ein vollständiges Gedicht S.s an (13 W). Echos in Versepigrammen (z.B. 4,20 W in GVI 771,4: Smyrna, 1. Jh. n. Chr.) deuten auf weite Verbreitung der Elegien.

S.s Iamben waren weit weniger bekannt ([Aristot.] Ath. pol. 34 W; 36–37 W; Plut. 32–37 W), wurden aber von Athenaios (38 W) angeführt. Aristeides [3] (34 W; 36–37 W) sowie (wegen ungewöhnlicher Wörter) Iulius [IV 17] Pollux (39 W) und Phrynichos (40 W) zitieren nur S.s iambische Gedichte.

→ Elegie; Iambographen

1 G. Tedeschi, Solone e lo spazio della communicazione elegiaca, in: Quaderni Urbinati 10, 1982, 33–46
2 V. J. Rosivach, Redistribution of Land in S., Fr. 34 West, in: JHS 112, 1992, 153–157 **3** E. L. Bowie, Early Greek Elegy, Symposium and Public Festival, in: JHS 106, 1986, 18–21 **4** B. Manuwald, Zu S.s Gedankenwelt (frr. 3 u. 1 G.-P.=4 u. 13 W.), in: RhM 132, 1989, 1–25.

Ed.: IEG (West = W) • Gentili/Prato 1, ²1988 • D. E. Gerber, Greek Elegiac Poetry, 1999 (mit engl. Übers.) • E. Preime, 1940 (mit dt. Übers.) • E. Ruschenbusch, Σόλωνος νόμοι, 1966, Ndr. 1983.
Bibliographie 1921–1989: D. E. Gerber, in: Lustrum 33, 1991, 163–185.
Lit.: E. K. Anhalt, S. the Singer, 1993 • D. E. Gerber, S., in: Ders. (Hrsg.), A Companion to the Greek Lyric Poets, 1997, 113–116 • A. Masaracchia, Solone, 1958 • H. Solmsen, Hesiod and Aeschylus, 1949, 107–123 • O. Vox, Solone autoritratto, 1984. E.BO./Ü: RE.M.

[2] s. Perseus [2]

[3] Dem → Dioskurides [8] ebenbürtiger Intagliokünstler der Kaiserzeit, der hervorragende Büsten-Bildnisse, aber auch Darstellungen von Mythen und Statuen schnitt. Stil und Buchstabenform seiner Signatur legen eine Datier. an den Anfang der augusteischen Zeit nahe [2. 308f.; 3. 354f.]. Berühmt ist sein Chalcedon mit der Büste der schlangenhaarigen Medusa (London, BM: »Medusa Strozzi« [1. 11f. Anm. 26, 319 Anm. 83, Taf. 93,4; 7. 20, 25 Anm. 73 (Lit.), Taf. 6,3]). Kupferstiche dieses Steines zierten im 17. und 18. Jh. die einschlägigen Werke der sich zur Wiss. entwickelnden Gemmenkunde, auch war der Chalcedon ebenso wie der durch vier neuzeitliche Repliken überl. »S. des Ursinus« bzw. »Mäzenas des S.« Gegenstand der 1717 durch Baudelot de Dairval (*Lettre sur le prétendu S.*) ausgelösten und anhand der »S.-Gemmen« geführten Diskussion um Steinschneider-Signaturen [7. 19f. und passim]. Ebenfalls von hoher Qualität ist die »Bacchantin Winckelmanns«, eine violette Glaspaste mit der Büste einer Nymphe (Berlin, SM) [1. 319 Anm. 85, Taf. 93,5]. Zu den myth. Motiven des S. zählen der Palladionraub [1. 320 Anm. 86, Taf. 93,6] und ein Stein mit stehendem Herakles (Neapel, MN; [1. 320 Anm. 87, Taf. 93,7]: Herakles = Antonius; [6. 249, Abb. 10, 251 Anm. 40]: Herakles = Marcus Antonius [I 9]). Wie andere Gemmoglyphen war S. wohl auch als Münzstempelschneider tätig. Die Zuweisung der Onyxvase von Saint Maurice an ihn ist nicht haltbar [4. 44]. Als ein Schüler des S. wird u.a. → Kleon [7] diskutiert [1. 320 Anm. 91].

→ Steinschneidekunst

1 Zazoff, AG **2** A. Furtwängler, Stud. über die Gemmen mit Künstlerinschr., in: JDAI 3, 1888, 105–325

3 FURTWÄNGLER, Bd. 3 4 M.-L. VOLLENWEIDER, Die Steinschneidekunst und ihre Künstler in spätrepublikanischer und augusteischer Zeit, 1966 5 G. M. A. RICHTER, The Engraved Gems of the Romans, 1971 6 P. LAUBSCHER, Motive der augusteischen Bildpropaganda, in: JDAI 89, 1974, 242–259 7 ZAZOFF, GuG.
S. MI.

Solus (Σολοῦς, Σολόεις, lat. *Soluntum*). Stadt an der Nordküste von → Sicilia bei Cannita nahe dem h. Santa Flavia ca. 20 km westl. von Palermo (Grabfunde aus dem 6. Jh. v. Chr.). Wie Motye und Panormos war S. einer der Stützpunkte, auf die sich die Phönizier, bedrängt von griech. Kolonisten, um die Wende vom 8. zum 7. Jh. v. Chr. zurückzogen (Thuk. 6,2,6). Dionysios [1] I. nahm 397 v. Chr. die Stadt ein, mußte sie nach einem Rückschlag im J. darauf erneut erobern (Diod. 14,48,4 f.; 78,7). Die Bewohner gaben S. auf und ließen sich in der Nähe am Monte Catalfano nieder (orthogonale Stadtanlage, hell. Peristylhäuser). Karthago veranlaßte S. 307 v. Chr. zur Aufnahme von Söldnern des Agathokles [2], die sich vor Karthago ergeben hatten (Diod. 20,69,3 f.). Im 1. → Punischen Krieg schloß sich S. Rom an (254 v. Chr.; Diod. 23,18,5). S. war *civitas decumana* der Prov. Sicilia (Cic. Verr. 2,3,103). Den letzten Zeugnissen von S. (Mz. unter Commodus) zufolge wurde die Stadt E. des 2. Jh. n. Chr. aufgegeben.

V. TUSA, s. v. Soloeis, PE, 849 f. • Ders., s. v. Solunto, EAA 2. Suppl. 5, 1997, 327 f.
E. O.

Solymoi (Σόλυμοι). Volksstamm in Ost-Lykia bzw. SW-Pisidia. Hom. Il. 6,184 und 204 kennt S. als Gegner des Bellerophontes. Sprachgesch. besteht Verwandtschaft zum Luwischen [1. 4]. In hell.-röm. Zeit wurde der Zeus-Sohn Solymos als Ahnherr der S. verehrt, v. a. in Termessos auf dem Berge Solymos. Dort besaß Zeus Solymeus einen Kult. Der kriegerische Held Solymos wurde auf kaiserzeitlichen Mz. der Stadt abgebildet [2].

1 F. KOLB, B. KUPKE, Lykien, 1989 2 E. KOSMETATOU, The Hero Solymos on the Coinage of Termessos Major, in: SNR 76, 1997, 41–63.
H. B.

Somatophylakes (σωματοφύλακες; von *sṓma* = »Leib, Körper« und *phyláttein* = »bewachen«; Sg. *sōmatophýlax*) waren bei den Griechen (teilweise selbst adelige) Leibwächter hochgestellter Personen (z. B. Diod. 14,43,3; vgl. Hdt. 7,205; 8,124; Xen. hell. 6,4,14). Um Alexandros [4] d. Gr. bildeten sich zwei Kreise von Begleitern und Beschützern, die »Gefährten« (→ *hetaíroi*) und die *s.*, von denen einzelne auch mit Aufgaben fern vom König betraut werden konnten [1. 1,32 ff.]. So konnte *s.* (und ἀρχισωματοφύλαξ, »Erzleibwächter«) zu einem Rang in den Hof-Ges. der hell. Monarchien werden (→ Hoftitel B.).

1 BERVE.
A. ME.

Somnium Neronis. Im 6. Jh. dem sog. Nikodemos-Evangelium (*Acta Pilati*, s. → Neutestamentliche Apokryphen) angefügt, handelt der lat. Text, der in seinen erzählenden Teilen über → Rufinus [6] und → Eusebios [7] auf → Iosephos [4] Flavios zurückgeht, von einer Traumerscheinung des Kaisers → Nero, in der Jesus ihm die Rache an den Juden durch Vespasian ankündigt (Kap. 1), von den Vorzeichen der Zerstörung Jerusalems (Kap. 2), der Zerstörung selbst und der Tötung der Juden (Kap. 3). Der Rest (Kap. 4–12) besteht aus einem → Cento at. Zitate, die auf die Ereignisse hinweisen. Die Bed. des Textes liegt in diesen vorhieronymianischen Bibelzitaten.

ED.: E. v. DOBSCHÜTZ, in: Journ. of Theological Stud. 16, 1914/15, 1–27.
LIT.: G. RÜWENKAMP, s. v. Pilatus-Lit., in: S. DÖPP, W. GEERLINGS (Hrsg.), Lex. der ant. christl. Lit., 1998, 508 f.
J. GR.

Somnus (auch *Sopor*, griech. Ὕπνος/*Hýpnos*=H.). Als göttliche Personifikation des Schlafes begegnet H. bereits in der Ilias, als Hera ihn auf Lemnos aufsucht und bittet, Zeus einzuschläfern (Hom. Il. 14,230–360). Dafür verspricht sie ihm die Charitin Pasithea [2] (vgl. Catull. 63,42 f.). H. hatte sich, als er dies schon einmal getan hatte, damit Hera nach der ersten Zerstörung Troias Herakles Schaden zufügen konnte, vor Zeus' Zorn zu → Nyx (Nacht) flüchten müssen. Deshalb verbirgt er sich nun in Gestalt eines Nachtvogels vor Zeus und schläfert ihn ein, damit Poseidon den Griechen helfen kann. H. und sein Zwillingsbruder → Thanatos (Tod) bringen ferner den toten → Sarpedon [1] in seine Heimat Lykien (Hom. Il. 16,671–673). Als Söhne der → Nyx werden die ›mächtigen Götter‹ H. und Thanatos von Hesiod im → Tartaros lokalisiert (Hes. theog. 211 f.; 756–759). Nach Lukian herrscht H. über die Insel der Träume (verae historiae 2,32 f.). Ovid schildert die Grotte des S. als einen finsteren, totenstillen Ort bei den Kimmeriern, wo er sich mit seinen tausend Söhnen (u. a. → Morpheus) aufhält. Dort findet ihn Iris selbst vom Schlaf übermannt vor (Ov. met. 11,583–649; auch bei Stat. Theb. 10,106–111 ist S. schläfrig). Sonst ist H. in der Lit. eher ein junger Gott, der sich, mit Flügeln ausgestattet, den Menschen aus der Luft nähert und ihnen den Schlaf mit seinem Flügel (Kall. h. 4,234) oder einem benetzten Zweig bringt (Verg. Aen. 5,838–842) oder sie mit Schlaf übergießt (Stat. Theb. 2,144 f.).

Die Dichter kennen zwei Seiten des H.: Zum einen ist er, wie → Eros, eine Götter wie Menschen bezwingende Macht (Hom. Il. 14,233) und als süßer und angenehmer Schlaf (ebd. 242 und 354) der Befreier von Sorgen (Soph. Phil. 827–832; Ov. met. 11,623 f.; Sen. Herc. f. 1066–1081). Zum anderen kann er sich, eng mit dem Bereich des → Todes verbunden, als unheilvoll erweisen (Verg. Aen. 6,278; 5,838–861: Tod des Palinurus). In der Myth. spielt H. eine Rolle in der Gesch. von → Endymion (Darstellungen auf röm. Sarkophagen). Kultisch hat er keine Bed. Lediglich für Troizen bezeugt Paus. 2,31,3 Altar und Opfer für ihn und die Musen (Bildnisse des H.: ebd. 2,10,2; 3,18,1). Auf der → Kypseloslade waren H. und Thanatos als schlafende

Kinder in den Armen der Nyx dargestellt (ebd. 5,18,1); beide erscheinen auch als Träger toter Heroen und Menschen auf zahlreichen attischen Vasen. H. wird in der Kunst meist als geflügelter Knabe mit verschiedenen Attributen (Mohnstengel, Horn mit einschläfernden Säften, Stab) abgebildet, teilweise – wie in der röm. Lit. – auch selbst schlafend. Als Verkörperung des heilsamen Schlafes wird er gelegentlich mit → Asklepios und → Hygieia zusammen dargestellt. Anknüpfend an Anrufe des S. in Hymnos- oder Gebetsform bei ant. Dichtern (Sen. Herc. f. 1066–1081; Stat. silv. 5,4; Orph. h. 85) verfaßten nlat. Autoren Gedichte auf S., häufig in Verbindung mit dem Motiv der Liebe, dem die elegische Form der Texte entspricht.
→ Tod; Traum

J. Bazant, s. v. H., LIMC Suppl., 643–645 • C. Lochin, s. v. H./S., LIMC 5.1, 591–609 • B. Windau, S. Nlat. Dichtung an und über den Schlaf, 1998 • G. Wöhrle, H., der Allbezwinger, 1995. J.STE.

Somtutefnachte (äg. *Zmꜣ-tꜣwj-tꜣj.f-nḫt*). Oberhaupt der äg. Stadt → Herakleopolis magna um 660–630 v. Chr., Flottenkommandeur und Vorsteher von Oberäg., mit dem Königshaus verwandt, wichtiger Verbündeter von → Psammetichos [1] I. bei der Ausdehnung seiner Macht nach Mittel- und Oberäg.

G. Vittmann, Der demotische Papyrus Rylands 9, 1998, 708–713. K. J.-W.

Sondergötter. Der mod. Begriff bezeichnet v. a. für die röm. Rel. Gottheiten, deren Funktion auf nur eine bestimmte Handlung begrenzt war und deren Name diese Funktion benannte (z. B. → Obarator; → Stata Mater). Seinen Ursprung hat der Begriff in [1. 276–301]: »S.« bezeichnet dort Gottheiten der zweiten von drei Phasen eines rel. Evolutionsschemas; ihnen gingen die »Augenblicksgötter« (anon., mit nur einer Handlung verbundene Gottheiten) voraus; aus den »S.« habe sich das → Pantheon personalisierter Gottheiten ausdifferenziert.

Der mod. Begriff der »S.« synthetisiert in der Forsch. die widersprüchliche röm., v. a. lit., Trad. über die eigenen »frühen« Götter, trotz der damit einhergehenden Probleme: So handelt es sich z. B. bei den Di → Indigetes und Di → Novensides um indigene Begriffe, deren urspr. Bed. aber ungewiß ist; Uneinigkeit herrscht zudem darüber, welche Gottheiten die Gruppe der *indigetes* konstituierten [2; 3]. Auch röm. lit. Versuche der Klassifikation (*certi dei*: Varro, antiquitates rerum divinarum fr. 87 test. Cardauns) wurden nicht kanonisch; gleichwohl finden sich alle drei Begriffe als klassifizierende Kategorien in mod. Darstellungen seit [4].

Die Akzeptanz des Begriffes »S.« in Großbritannien [5; 6] hatte ihren Grund in dem Interesse der dortigen anthropologisch ausgerichteten Forsch. an Begriffen wie → *numen* bzw. *mana* und den daran geknüpften Evolutionstheorien einer (prä-)animistischen Phase der Religionsgesch. [7. 246 f.]. In Deutschland verwendete [8. 306[1]] (vgl. [4]) »S.« in modifizierter Form, daneben auch andere, ethnographisch und komparatistisch arbeitende Forscher wie [9. 88–90], während die Mehrzahl der dt. Altertumswissenschaftler (v. a. im Anschluß an Wilamowitz) Methode und Ergebnisse von [1] ablehnten [10. Nr. 35; 11. 314 f.; 12. 97–113].

In der Forsch. reicht die Spannbreite von der vollständigen Akzeptanz der »S.« und des ihnen zugrundeliegenden Evolutionsschemas [13] über die zurückhaltende Anwendung des Begriffs [14. 36–62] bis hin zu seiner Ablehnung [15]. Aber auch wenn sich die evolutionistischen Theorien, die zu seiner Entstehung führten, als haltlos erwiesen haben, ist er eine bisweilen hilfreiche mod. Beschreibungskategorie.
→ Personifikation

1 H. Usener, Götternamen, ³1948 (1896) **2** R. Peter, s. v. Indigitamenta, Roscher 2.1, 187–233 **3** O. Richter, s. v. Indigitamenta, RE 9, 1334–1367 **4** G. Wissowa, Rel. und Kultus der Römer, ²1912 **5** W. W. Fowler, The Religious Experience of the Roman People, 1911, 161–164 **6** H. Rose, Italian »S.«, in: JRS 3, 1913, 233–241 **7** C. R. Phillips, W. Burkert, In Partibus Romanorum, in: Religion 30, 2000, 245–258 **8** G. Wissowa, Gesammelte Abh., 1904 **9** H. Mette, Nekrolog einer Epoche, in: Lustrum 22, 1979/80, 5–106 **10** W. Calder, Usener und Wilamowitz, ²1994 **11** Schlesier **12** R. Kany, Mnemosyne als Programm, 1987 **13** H. Wagenvoort, Roman Dynamism, 1947 **14** Dumézil **15** J. Scheid, s. v. Indigetes, OCD³, 755. C.R.P.

Sonne (ἥλιος/*hḗlios*; lat. *sol*).
I. Allgemein II. Symbolik im philosophischen Denken III. Neuzeit

I. Allgemein

In der Ant. wurde die S. meist zu den → Planeten gerechnet. In der Reihenfolge der Planeten, von der Erde aus gesehen, wurden Venus und Merkur von manchen Autoren oberhalb der S. angesiedelt (so von Platon [1] und Eudoxos [1] von Knidos; s. Abb. 1), von anderen unter ihr. Die letztere Reihenfolge – Erde, Mond, Merkur, Venus (oder auch: Venus, Merkur, z. B. bei Ptolemaios [65]), S., Mars, Jupiter, Saturn – wurde später allg. angenommen und galt bis zur Einführung des heliozentrischen Systems durch Kopernikus in der Neuzeit (s. Abb. 2). Im Hell. wurde die vorherrschende geozentrische Auffassung des Kosmos von → Aristarchos [3] von Samos (um 310–230 v. Chr.) in Frage gestellt, der als erster die heliozentrische Hypothese aufstellte. Er ist auch für seinen Versuch bekannt, die Größen und Entfernungen von S. und Mond zu messen; diesem Versuch widmete er eine eigene (erh.) Abh.: *Perí megethṓn kai apostēmátōn Hēlíu kai Selḗnēs* (›Über die Größen und Entfernungen der S. und des Mondes‹; [2]).

Griech. Forscher entwickelten vielerlei Theorien über die Natur der S., v. a. mit dem Ziel, ihr Licht und ihre Wärmeenergie zu erklären. Aristoteles [6] schreibt das Licht und die Wärme der S. nicht diesem Gestirn selbst zu, das seiner Auffassung nach wie die anderen

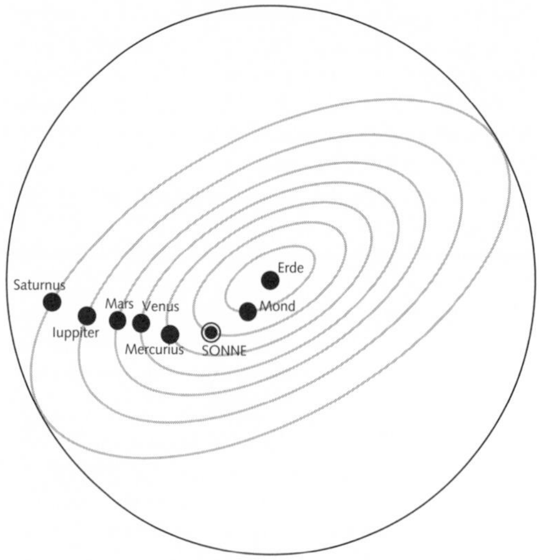

Abb. 1: Die Reihenfolge der Planeten vom Mittelpunkt (= Erde) aus nach Platon

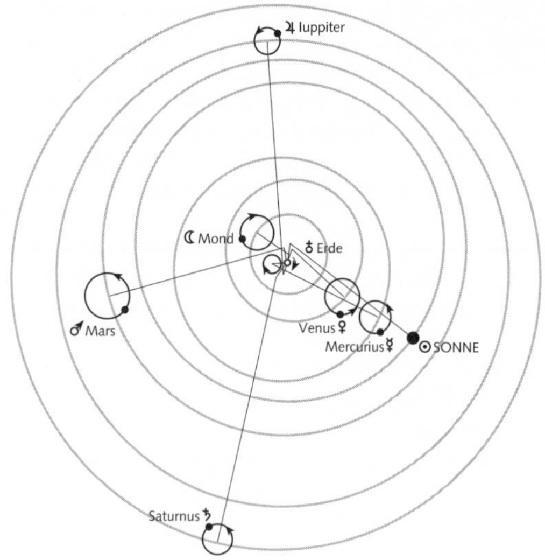

Abb. 2: Das ptolemäische System

Himmelskörper (und die Himmel überhaupt) aus Äther besteht, sondern der Tatsache, daß die Luft der höheren Regionen sich durch die Reibung, die von der Rotationsbewegung der himmlischen Sphären erzeugt wird, erhitzt und entzündet, ›bes. an der Stelle, an der die S. befestigt ist‹ (Aristot. cael. 2,7,289a 19–333; Aristot. meteor. 1,3,340a 22–341a 36). Diese Theorie bringt jedoch Schwierigkeiten mit sich, die innerhalb der aristotelischen → Kosmologie nicht gelöst werden können [10. 305; 4. 94f.].

II. Symbolik im philosophischen Denken

Die mit der S. traditionell verbundene Symbolik von Licht, Kraft, Wärme und Sehen führte dazu, daß mit ihr auch die Begriffe des Wissens, der Unterscheidung von Recht und Unrecht sowie der Herrschaft assoziiert wurden; so auch in der griech. Philos. → Herakleitos [1] behauptet, daß die S. täglich neu entstehe (fr. 6 DK); zweifellos soll dieses Bild seine Auffassung des Universums als eines unendlichen Prozesses von Tod und Wiedergeburt veranschaulichen. Auch → Parmenides greift auf die Metaphorik der S. zurück; im Prooimion zu seinem Lehrgedicht (fr. 1,1–28 DK) berichtet er, wie er von den Heliaden, den Töchtern der S., weit weg von den Behausungen der Nacht (→ Nyx), zum Licht hingeführt wird. An der Pforte, durch welche die Pfade ›der Nacht und des Tages‹ führen und durch welche man zu der Göttin (θεά/*theá*) gelangt, die Parmenides über die zwei ›Wege‹ (den der unwandelbaren Wahrheit und den des irrigen Meinens) unterrichten wird, bewegen wiederum die Heliaden mit ›süßen Worten‹ → Dike, die Gerechtigkeit, Hüterin der Pforte, dazu, den Philosophen eintreten zu lassen. Mit dem Bild der Heliaden greift Parmenides zurück auf die symbolische Vernüpfung der S. mit der Sicht dessen, was wirklich existiert, d. h. des wahren Seienden, und demnach mit der Fähigkeit, Wahres und Unwahres zu unterscheiden.

Diese Metaphorik wird von Platon [1] aufgenommen und erweitert. Im 6. B. des ›Staates‹ ordnet er der S. den höchsten Grad an Würde und Kraft innerhalb der sichtbaren Welt zu und führt sie direkt auf die Zeugungsmacht des Guten zurück (Plat. rep. 6,508bc; die S. ist nämlich »Sprößling des Guten«). Ebenfalls im ›Staat‹, in seinem berühmten Höhlengleichnis (ebd. 7,514a–517c), bekräftigt Platon die Entsprechung zw. den obersten Mächten (dem Guten und der S.) und entfaltet sie auf der dreifachen (gnoseologischen, ontologischen und ethischen) Ebene des Wissens, des Seins und des Guten; diese Entsprechung bildet den Hintergrund des Weges zur Wahrheit, den der Philosoph zurücklegen muß. Diese Elemente wurden im → Neuplatonismus wiederaufgenommen. Zur christl. Sicht der S. vgl. → Sol II.

III. Neuzeit

Am Anf. der Neuzeit maßen viele Denker unter dem Einfluß des platonischen und des neuplatonischen Denkens der S. eine wichtige, geradezu »hegemoniale« Rolle bei, vgl. z. B. Marsilio Ficino (1433–1499), *Liber de Sole*. Diese neue Einstellung verknüpfte sich mit der zunehmenden Unzufriedenheit mit dem astronomischen Modell des Ptolemaios [65] und mit der – wenn auch geringen – Kenntnis der nicht-geozentrischen Systeme, die in der Ant. entwickelt worden waren (bes. des heliozentrischen Modells des Aristarchos, s.o. I.), und begünstigte so die kopernikanische Revolution

In einer beeindruckenden Übertragung auf mod. Problemstellungen werden ant. wiss. und philos., mit der S. verbundene Auffassungen schließlich auch noch im Science-fiction-Roman *Solaris* (1961) des polnischen Philosophen und Schriftstellers Stanislaw Lem (geb. 1921) [6] und in der gleichnamigen Verfilmung (1971) durch den Russen Andrej Tarkowski (1932–

1986) aufgegriffen. Die Handlung des Romans dreht sich um den »lebenden« Planeten Solaris, dessen Name auf die S. (lat. *sol*) zurückgeht. Wie die platonische S. ist Solaris eine Quelle von Leben, Wert und »Erkennbarkeit«, dies allerdings auf eine eigenartige und beunruhigende Weise: Dieser lebensspendende »Ozean« läßt peinigende Phantasiegestalten aus dem Unterbewußtsein der Besucher der Raumstation, die um den Planeten kreist, wirklich werden; so konfrontiert er die Menschen auf dramatische Weise mit den dunklen und quälenden Seiten ihres eigenen Inneren [3].

→ Fixsterne; Kosmologie; Mond; Planeten; Sol; Sternschnuppen; NATURWISSENSCHAFTEN III.: ASTRONOMIE

1 D. R. DICKS, Early Greek Astronomy, 1970 **2** TH. HEATH, Aristarchus of Samos. The Ancient Copernicus, 1913 **3** A. JORI, Lem, Stanislaw: »Solaris«, in: J.-F. MATTÉI (Hrsg.), Encyclopédie philosophique universelle, Teil 3. Les œuvres philosophiques. Dictionnaire, Bd. 2, 1992, 3469 **4** Ders. (ed.), Aristotele: Il cielo, 1999 **5** TH.S. KUHN, The Copernican Revolution, 1957 (dt. Übers. 1980) **6** S. LEM, Solaris, 1961 (dt. Übers. 1972) **7** O. NEUGEBAUER, A History of Ancient Mathematical Astronomy, Bd. 3, 1975 **8** G. V. SCHIAPARELLI, Scritti sulla storia dell'astronomia antica, 3 Bde., 1925–1927 **9** U. BEWER (Red.), Die S., 1999 **10** F. SOLMSEN, Aristotle's System of the Physical World, 1960 **11** E. ZINNER, Entstehung und Ausbreitung der copernicanischen Lehre, ²1988. AL. J.

Sonnenfinsternis s. Finsternisse C.

Sonnengott

I. MESOPOTAMIEN II. ÄGYPTEN
III. HETHITISCHES ANATOLIEN
IV. GRIECHENLAND UND ROM

I. MESOPOTAMIEN

In Mesopotamien galt der sumer. S. Utu (geschrieben mit dem Zeichen für Tag sumer. *ud* und damit vielleicht etym. zu verbinden) als Stadtgott des südbabylonischen Larsa [2. 287–291] und der akkadische Šamaš (gemeinsemitisch auch für »Sonne«) als Stadtgott des nordbabylonischen → Sippar. Der S. stand niemals an der Spitze des gesamtmesopot. → Pantheon [1], das v.a. von → Enlil (3./frühes 2. Jt.), → Marduk (1. Jt.) und → Assur [2] beherrscht wurde. Als Gott des Tageslichtes war Šamaš Herr der Gerechtigkeit und der Divination. Auch in Syrien standen andere göttliche Gestalten wie → Baal oder → El an der Spitze des Pantheons.

→ Religion II.

1 D. O. EDZARD, s. v. S., WbMyth 1, 1965, 126f. **2** TH. RICHTER, Unt. zu den lokalen Panthea Süd- und Mittelbabyloniens in altbabylonischer Zeit, 1999. J. RE.

II. ÄGYPTEN

S. in Äg. waren stets männlich. Infolge der überragenden Bed. der Sonne in Äg. standen sie stets an der Spitze des → Pantheons. Wichtigster S. in Äg. war → Re. Dem jeweiligen Hauptgott wurde meist die solare Natur des Re zugeschrieben, bes. gut ausgeprägt bei → Amun-Re in Theben, → Sobek-Re im Fajum und Chnum-Re (→ Chnubis [1]) in Esna. Verstärkt faßbar wird diese Solarisierung meist dann, wenn ein lokaler Gott z. B. infolge polit. Veränderungen größere Bed. erlangte. Schöpfergötter haben fast immer solare Natur, wobei die Urschöpfung und die tägliche Aufrechterhaltung korreliert werden (→ Weltschöpfung). An S. richten sich weitaus die meisten äg. Hymnen. Noch die graeco-äg. magischen Papyri lassen den Rang äg. S. erkennen (→ Zauberpapyri) [1].

1 H. FAUTH, Helios Megistos, 1995 **2** H. KEES, Der Götterglaube im alten Äg., 1941. A. v. L.

III. HETHITISCHES ANATOLIEN

Die hethitische Rel. unterscheidet mehrere S., die verschiedenen Kult-Trad. entstammten [4; 5]. Dem hattischen Pantheon Zentralanatoliens gehört die Sonnengöttin (=SG) (als Tagessonne Eštan »Licht(quelle), Tag«, hethit. Ištanu) an [4; 5. 420f.; 10. 70; 7]. Obwohl auch in ihrem chthonischen Aspekt als nächtlich unter der Erde versinkend verehrt, ist die Auffassung, die altanatolische SG sei eine chthonische Muttergöttin schlechthin [9], unhaltbar. Lokale Erscheinungsformen der SG werden mit eigenen Epitheta bezeichnet. Die wichtigste ist die SG von Arinna [5. 423ff.; 10. 70f., 90, 112], häufig schon in althethit. Texten belegt [2. 11, 15; 5. 378; 10. 89]. Auf ihre solare Natur beziehen sich die Epitheta »Königin des Himmels« und »des Ḫatti-Landes Fackel«. Ihren chthonischen Aspekt deuten die Epitheta »Mutter Erde« [10. 70; 7] und »Königin der Erde« an. Sie gilt als die höchste Göttin des Staatspantheons (»Königin der Länder«, »Herrin des Ḫatti-Landes«). Sie schützt das Königtum und ist Eides- und Schlachthelferin. Im Staatspantheon der mittelhethit. Zeit (ca. 14. Jh. v. Chr.) bildet sie mit dem → Wettergott, ihrem Gatten, und dem LAMMA-Gott die Haupttriade. Erst seit Suppiluliuma I. (ca. 1355–1320) erscheint sie gelegentlich neben dem S. des Himmels [6].

Die SG der Erde ist die Herrin der Unterwelt [5. 421ff.]. Als Gegenbild zum himmlischen S. steht sie neben ihm bereits in einem althethit. Text [1. Bd. 17, Nr. 7+, Sp. IV(?), Z. 7'ff.]; die zugrunde liegende Vorstellung weist wohl von Zentralanatolien weg nach Süden und SO. Während des MR wird sie weitgehend mit der hurritischen Allani identifiziert und als »Bestimmerin des Schicksals« in zahlreichen Beschwörungen angerufen. Ihren weit verbreiteten Kult in der Großreichszeit (etwa 13. Jh. v. Chr.) belegt u. a. die hethit. Götterliste [1, Bd. 24. 203 III], die ihre zahlreichen Lokalformen aufführt.

Der Name des luw. S. Tiwat, wie auch des palaischen Tiyad/t, ist von der idg. Wurzel **diēu* abzuleiten, der Gott zeigt aber manche Wesenszüge des hurrit. Šimige, der seinerseits Eigenschaften des babylonischen Šamaš übernommen hat [5. 378]. Beide haben die Vorstellungen vom S. des mittelhethitischen Pantheons stark beeinflußt [5. 379f.; 10. 89, 92]. In mittelhethit. Zeit entstand ein hethit., in der babylon. Trad. des Šamaš stehender Sonnenhymnus, der in der Großreichszeit auf die SG von Arinna übertragen wurde [3; 8]. Der S. des Himmels ist »das Licht im Umkreis des Himmels und der Erde«, »König des Himmels«, »Zeuge« und »Vater«. In den Schwurgötterlisten der Großreichszeit steht er oft an erster Stelle [6]. In Beschwörungen kommt er als Gegenbild zur SG der Erde vor.

→ Ḫattusa II. D.

1 Keilschriftentexte aus Boghazköi, 1923 ff. (bisher 42 Bd.), Ndr. 1970 2 A. Archi, Eine Anrufung der Sonnengöttin von Arinna, in: E. Neu (Hrsg.), Documentum Asiae Minoris antiquae. FS H. Otten, 1988, 5–32
3 H. G. Güterbock, Hattian Mythology and Hittite Monarchy, in: Journ. of the American Oriental Soc. 78, 1958, 237–245 4 Ders., s. v. Ištanu, RLA 5, 1976–1980, 209 f.
5 V. Haas, Gesch. der hethitischen Rel., 1994
6 G. Kestemont, Le panthéon des instruments hittites de droit public, in: Orientalia 45, 1976, 147–177 7 J. Klinger, Unt. zur Rekonstruktion der hattischen Kultschicht, 1996, 141–147 8 E. Laroche, Recherches sur les noms des dieux hittites, 1947, 25, 105–107 9 J. G. Macqueen, The Composition of Hittite Prayers to the Sun, in: Anatolian Studies 9, 1959, 175–180 10 M. Popko, Religions of Asia Minor, 1995 11 E. von Schuler, s. v. Kleinasien. S., WbMyth Bd. 1, ²1983, 196–198. P. T.

IV. Griechenland und Rom
s. Sol I.

Sonnenschirm s. Schirm

Sonnenuhr s. Analemma; Uhr

Sonntag s. Woche

Sontius (auch Isontius, Aesontius). Fluß in Venetia (Tab. Peut. 4,5; Cassiod. var. 1,18,1; 1,29; ohne Namensnennung: Strab. 5,1,8; Hdt. 8,4,2), der in den Alpes Carnicae entspringt, linksseits den Frigidus (h. Vipacco) aufnimmt und zw. Aquileia [1] und Tergeste in die Adria mündet, h. Isonzo. Während der Schneeschmelze schwillt er stark an und ist schwer zu überschreiten. Ihn kreuzten die Via Gemina (Aquileia – Emona) bei Pons Sontii (beim h. Mainizza) und die Via Flavia (Aquileia – Pola) bei den Quellen des Timavus. Durch Weihungen ist ein Aesontius-Kult bezeugt [1]. Theoderich d. Gr. siegte am S. 489 n. Chr. über Odoaker (Iord. Get. 57).

1 L. Bertacchi, Il ponte romano sull'Isonzo, in: Journal of Ancient Topography 9, 1999, 67–80 2 V. Vedaldi Iasbez, La Venetia orientale e l'Histria (Studi e ricerche sulla Gallia Cisalpina 5), 1994, 109–113. G. U./Ü: H. D.

Soos (Σόος). Mitglied des spartan. Königshauses der → Eurypontidai. Bei Herodot (7,204; 8,131) noch nicht erwähnt, von den jüngeren Quellen dagegen als Sohn des → Prokles [1] und Vater des Eurypon in die Herrscherlisten eingefügt (Plut. Lykurgos 1,40a–2,40c; Paus. 3,7,1; Phlegon FGrH 257 F 1,2). Die myth. Gestalt könnte auf eine histor. Person zurückgehen, da der Regierungszeit des S. u. a. die Versklavung der → Heloten zugeschrieben wird (Plut. l.c.) und Platon (Krat. 412b) einen angesehenen Spartaner mit Namen *Sus* (kontrahiert für S.) kennt.

→ Lykurgos [4] SI. A.

Sopatros (Σώπατρος).

[1] Griech. Rhet. des 4. Jh. n. Chr., Zeitgenosse und vielleicht Schüler des → Himerios (Walz 8,318,29, wo die Lesart ὁ σοφὸς ὁ ἡμέτερος Ἱμέριος wohl vorzuziehen ist). Wahrscheinlich lehrte S. in Athen (Walz 8,55,6 f.). Diese Angaben entstammen seinem Hauptwerk, der Διαίρεσις Ζητημάτων (etwa: ›Auseinandersetzung von Streitfällen‹), einer an einen sonst unbekannten Karponianos (den S. »Sohn« nennt) gerichteten Slg. von 82 fiktiven → *controversiae*, die in höchst unterschiedlicher Ausführlichkeit behandelt werden. Ordnungsprinzip ist im großen und ganzen die Stasislehre (→ *status*) des → Hermogenes [7], von der sich S. aber einzelne Abweichungen in der Untergliederung, Terminologie und Reihenfolge erlaubt. Die Bed. dieser Schrift besteht darin, daß sie einen einzigartigen Einblick in die alltägliche Praxis des ant. Rhet.-Unterrichts gewährt. Überl. sind unter S.' Namen außerdem ein Hermogenes-Komm. sowie Auszüge aus → *progymnásmata*, Μεταποιήσεις/*Metapoiḗseis* (Paraphrasen von Abschnitten aus Homer und Demosthenes) und Prolegomena zu Ailios Aristeides [3]. Die Identität des Verf. dieser Schriften mit dem der *Diaíresis Zētēmátōn* ist unsicher.

Ed.: *D. Z.*: Walz 8,1–385 (vgl. dazu: D. Innes, M. Winterbottom, S. the Rhetor. Stud. in the Text of the *D. Z.*, 1988). *Hermog.-Komm.*: Walz 5,1–211, vgl. auch 4,39–846. *Proleg. Arist.*: W. Dindorf (ed.), Ael. Aristid., 1829 (Ndr. 1964), Bd. 3, 744. *Paraphr.*: H. Rabe, Aus Rhetoren-Hss., in: RhM 63, 1908, 127–151 • S. Glöckner, Aus S. Μεταποιήσεις, in: RhM 65, 1910, 504–514. *Progym.*: H. Rabe (ed.), Aphtonios, Progymnasmata, 1926, 57–70.
Lit.: G. A. Kennedy, Greek Rhetoric under Christian Emperors, 1983, 104–108 • Ders., A New History of Classical Rhetoric, 1994, 218–220 • F. W. Lenz, The Aristeides Prolegomena, 1959 • D. A. Russel, Greek Declamation, 1983, 123–128. M. W.

[2] S. von Paphos. Hell. Dichter, einzig aus Athenaios [3] bekannt, der S. sechsmal als »Paroden« (παρῳδός) und fünfmal als »Phlyakenschreiber« (φλυακογράφος) bezeichnet [1; 2]. Die Fr. 1, 13 und 24 legen nahe, daß S. in Alexandreia lebte, während die Erwähnung des Thibron in Fr. 19, der 324 v. Chr. den → Harpalos tötete, für eine Datier. in die Zeit Alexandros' [4] d. Gr. oder kurz danach spricht. Athenaios überliefert 12 (evtl. 15) Stücktitel mehrheitlich myth. Charakters sowie 25 Fr., von denen das längste (fr. 6: 12 iambische Trimeter) eine Spitze gegen die Stoa enthält.

1 CGF 192–197 2 A. Olivieri (Hrsg.), Frammenti della commedia greca 2, ²1947, 27–42 3 A. Körte, s. v. S. (9), RE 3 A, 1001 f. T. HI.

Sopeithes (Σωπείθης). Indischer König im Pandschab östlich der → Kathaioi, mit Alexandros [4] verbündet (Arr. an. 6,2,2; Strab. 15,1,30; Diod. 17,91; Curt. 9,1, 24–30). Sein Land wird sehr positiv, teilweise idealisiert beschrieben. Bes. oft erwähnt werden die kühnen Hunde, die er dem Alexandros schenkte. Die alte Gleichsetzung des S. mit altind. Saubhūti ist ganz unsicher, und die mit dem Fürsten Sophytes (nur numismatisch belegt) ist sicher verfehlt [1. 60–72].

1 R. B. Whitehead, The Eastern Satrap Sophytes, in: NC 1943, 60–72 2 K. Karttunen, India and the Hellenistic World, 1997, 53. K.K.

Sophainetos (Σοφαίνετος). Aus Stymphalos; trotz fortgeschrittenen Alters einer der Söldnerführer des Kyros [3] d. J. im Kampf gegen seinen Bruder Artaxerxes [2] II. (Xen. an. 5,3,1; 6,5,13): Er warb unter den Griechen Söldner an (1,1,11; 1,2,1) und führte in Sardeis oder Kelainai (1,2,3 bzw. 1,2,9) dem Kyros 1000 Hopliten zu. Beim Rückzug leitete er den Schiffstransport von Trapezus nach Kerasos (5,3,1), mußte jedoch wegen lässiger Finanzaufsicht eine Buße zahlen (5,8,1).

Nur Stephanos [7] aus Byzanz erwähnt eine *Anábasis Kýru* des S. (F 1–4). Sie wird verschiedentlich für authentisch gehalten [1; 2] und gilt – über die → Hellenika Oxyrhynchia und → Ephoros – letztlich als Quelle des Diodoros [18] für die nicht-xenophontischen Partien in B. 14 (19–31; 37,1–4), andere dagegen halten sie wegen der schlechten Bezeugung – wohl mit mehr Recht – für eine spätere Fälschung [3. 372, Anm. 3; 4. 267–269].

Ed.: FGrH 109 (mit Komm.).

1 E. Bux, s. v. S., RE 3 A, 1008–1013 2 F. Schrömer, Der Ber. des S. über den Zug der Zehntausend, maschr. Diss. München 1954 3 E. Schwartz, in: A. v. Mess, Unt. über Ephoros, in: RhM 61, 1906, 372[3] 4 H. D. Westlake, Stud. in Thucydides and Greek History, 1989. K.MEI.

Sophanene s. Sophene

Sophanes (Σωφάνης). Athener aus Dekeleia, Sohn des Eutychides (Hdt. 6,92,3; 9,73,1); lehnte es 490 v. Chr. nach der Schlacht von Marathon ab, Miltiades [2] mit einem Kranz zu ehren (Plut. Kimon 8,1), da der Sieg als gemeinsamer Erfolg des → *dḗmos* verstanden wurde [1. 193]. Durch bes. Tapferkeit zeichnete sich S. im Krieg der Athener gegen Aigina 488/7 (Hdt. 6,92; 9,75; Paus. 1,29,5) und in der Schlacht bei Plataiai 479 aus (Hdt. 9,73–75; Plut. Cato maior 29,2). Er fiel 465/4 als *stratēgós* und einer der Befehlshaber der Kolonisten, die von Enneahodoi aus ins Gebiet der → Edones vorstießen und bei Drabeskos aufgerieben wurden (Hdt. 9,75; Thuk. 1,100,3; schol. Aischin. 2,31; Paus. 1,29,4–5; IG I[3] 1144).

1 E. Stein-Hölkeskamp, Adelskultur und Polisgesellschaft, 1989 2 PA 13409. K.-W. WEL.

Sophene (Σωφηνή; byz. auch Τζοφηνή). Landschaft östlich des Euphrates, gegenüber der Melitene und nördl. Kommagene, urartäisch Ṣūpā, assyrisch Ṣuppu; syrische und armenische Belege. Die S. wurde verwaltungstechnisch oft mit der östlichen Sophanene vereint. Geogr. wurde die S. zumeist zu → Armenia gerechnet. Vom 2. Jh. v. Chr. bis 54 n. Chr. (Tac. ann. 13,7) sind Könige der S. belegt.

L. Dillemann, Haute Mésopotamie Orientale et pays adjacents, 1962, 116–124 • F. H. Weissbach, s. v. S., RE 3 A, 1015–1019. K.KE.

Sophia s. Weisheit

Sophilos (Σώφιλος).

[1] Attisch-früh-sf. Vasenmaler, ca. 600–570 v. Chr., der erste, dessen Namen wir kennen (3 Malersignaturen gesichert). S. gehört zu den Vertretern des Tierfriesstils wie der → Gorgo-Maler, dem er nahesteht. Seine Bed. gründet sich jedoch auf die myth. Friese, mit denen S. neue Möglichkeiten in die att. Vasenmalerei einführt. Hier verwendet er auch bes. Maltechniken, die die erzählenden Friese sehr lebendig von den Tierfriesen abheben: weiße Flächen direkt auf dem Tongrund, Rot für Konturlinien und Binnenzeichnung (z. B. reich verzierte Frauengewänder) sowie tongrundige Gewänder mit roten Umrissen. Fast alle Figuren sind benannt (rote Beischriften). Am besten erh. ist der Dinos auf hohem Ständer in London (BM 1971.11–1.1) mit dem Festzug der Götter zur Hochzeit von Peleus und Thetis, den S. unbefangen und phantasievoll gestaltet hat. Eine Replik dieses Dinos stand auf der Akropolis, wo → Klitias, bei dem der Festzug in sehr ähnlicher Komposition wiederkehrt, ihn gesehen haben muß. Weitere z. T. neue Themen des S.: Leichenspiele für Patroklos [1], Hochzeit von Menelaos [1] und Helene [1], Ringkampf zw. Herakles [1] und Nereus, Herakles' Kampf gegen die Kentauren und dionysische Szenen mit Satyrn. Für seine figurenreichen Friese wählt S. Dinoi, Kratere und ein Luterion; der Lebes Gamikos und der Volutenkrater kommen bei ihm zum ersten Mal in der att. Keramik vor.

→ Gefäße; Schwarzfigurige Vasenmalerei

G. Bakir, S., 1981 • D. Williams, S. in the British Museum, in: Greek Vases in the J. Paul Getty Museum 1, 1983, 9–34. H.M.

[2] Dichter der Mittleren Komödie (4. Jh. v. Chr.), aus Sikyon oder Theben stammend [1. test. 1]. 11 Fr. (mit insgesamt 19 Versen) und 9 Stücktitel sind überliefert: Ἀνδροκλῆς (›Androkles‹), Γάμος (*Gámos*, ›Die Hochzeit‹), Δηλία (*Dēlía*, ›Das Mädchen von Delos‹), Ἐγχειρίδιον (*Encheirídion*, ›Der Dolch‹), Κιθαρῳδός (›Der Kitharöde‹), Παρακαταθήκη (*Parakatathḗkē*, ›Das Pfand‹), Συντρέχοντες (*Syntréchontes*, ›Die Zusammenlaufenden‹), Τυνδάρεως ἢ Λήδα (›Tyndareos oder Leda‹), Φύλαρχος oder Φίλαρχος (›Phylarchos‹ bzw. ›Philarchos‹). Fr. 3 enthält Spott auf den Philosophen → Stilpon.

1 PCG VII, 1989, 594–599. T.HI.

Sophistik (ἡ σοφιστική, *sc.* τέχνη/*hē sophistikḗ, sc. téchnē*, »die sophistische« sc. »Kunst«, z. B. Plat. soph. 231b 8).

I. Begriff II. Sophisten als Erzieher und Philosophen III. Sophisten und die Politik

I. Begriff

Die in die mod. Sprachen übernommene substantivische Verwendung des Wortes datiert offenbar nicht vor Philostratos [5] (soph. 481, 237/8 n. Chr.); dessen Unterscheidung zw. einer »Alten« (*archaía*) und einer → »Zweiten Sophistik« (*deutéra*) wurde von H. Diels im J. 1903 aufgegriffen, der dem letzten Abschnitt seiner ›Fr. der Vorsokratiker‹ die Überschrift ›Ältere S.‹ gab. Die meisten der darunter versammelten Autoren werden auch von Philostratos als Vertreter der »alten Sophistik« genannt: → Protagoras [1], → Gorgias [2], → Prodikos, → Thrasymachos, → Hippias [5], → Antiphon [4], → Kritias.

Gorgias ist für Philostratos der »Vater« der älteren Sophistik, so daß auch seine Schüler → Polos [1] und → Isokrates zu ihr gezählt werden (Alkidamas wird jedoch nicht genannt); Diels hingegen beschränkt sich auf die → »Vorsokratiker« und erwähnt Zeitgenossen Platons [1] konsequenterweise nicht.

Die gegenwärtige Darstellung der S. ist noch stark von Diels' Umgruppierung der Sophisten beeinflußt; sie bedarf jedoch in zweierlei Hinsicht einer Umarbeitung: (1) Im Gegensatz zum Begriff *sophistḗs* (»Sophist«, s.u.) wird das Adjektiv *sophistikḗ* (»S.«) nicht vor Platon erwähnt; man kann darin also (wie auch bei *rhētorikḗ* angenommen [16]) einen in kritischer Absicht geprägten platonischen Neologismus sehen, was dem Begriff der S. viel von seiner vermeintlichen histor. Objektivität nimmt. (2) Wenn man gemäß der auf Diels zurückgehenden Chronologie zw. Sophisten und Sokratikern unterscheidet, ist zu beachten, daß Platon der erste war, der eben diese Unterscheidung ignorierte: Er übt (unter den Namen von Euthydemos [4] und Dionysodoros oder von Protagoras) Kritik an dem Sokrates-Schüler Antisthenes (Plat. Euthyd. 283e–284e; 285d–286c; vgl. Aristot. metaph. 1024b 32–34) und definiert sogar die sokratische Methode als »sophistisch« (Plat. soph. 226a–231b).

Der Begriff »S.« ist somit (v. a. bei Platon, der ihn verm. geprägt hat) Ausdruck eines negativen Werturteils und stellt keine objektive Beziehung zw. den beurteilten Personen her. Auch die mod. Bezeichnung »sophistische Bewegung« ist ein Produkt der Illusion, die auf den von Platon konstruierten Gegensatz zw. Philos. und S. zurückgeht. Die Loslösung von der platonischen Sicht der S. erfordert also – über die Rehabilitation der Sophisten durch Hegel [4] und G. Grote [5] hinaus – das Zugeständnis, daß es ebenso viele Sophistiken wie Sophisten gab. Zudem hatte das schon einige Zeit vor Platon bezeugte Wort »Sophist« (Pind. I. 5(4),28; Aischyl. Prom. 62) urspr. nichts Pejoratives und beschrieb verm. denselben Menschentypus, z. B. die → Sieben Weisen (Hdt. 1,29) oder → Pythagoras (Hdt. 4,95), wie das später vom sokratisch-platonischen Umfeld etablierte Wort *philósophos*. Laut Platon war Protagoras der erste, der sich als »Sophist« bezeichnete bzw. bezeichnen ließ (Plat. Prot. 317b 4); er wäre somit also (entgegen Philostratos) der Archeget der S. Bei Plat. Prot. 317b 4–5 heißt Sophist sein »die Menschen erziehen«.

II. Sophisten als Erzieher und Philosophen

Dies allein ist vielleicht allen Sophisten des ausgehenden 5. Jh. v. Chr. gemein: Sie betrieben das in den griech. Städten bis dahin unbekannte Gewerbe des Wanderlehrers, der gegen Entgelt unterrichtet und damit von persönlichen Auftraggebern unabhängig ist. Das Wort *sophistḗs*, urspr. nur ein Synonym von *sophós* (»der Weise«), hatte also in der Zeit unmittelbar vor Sokrates die Bed. »Lehrer« angenommen. Die Sophisten lehren einerseits neue Kenntnisse: → Mathematik (einschließlich → Astronomie und → Musiktheorie) und Naturwiss.; andererseits rühmt sich Protagoras bei Platon, nichts von diesen zu unterrichten, sondern nur »die Kunst der Wohlberatenheit« (*eubulía*), die sonst polit. Kunst heißt (*politikḗ téchnē*; Plat. Prot. 318e 5–319a 7). Möglicherweise bot auch → Sokrates [2] solchen Unterricht an (vgl. Xen. mem. 1,6,15) und stellte sich so in den Augen seiner Zeitgenossen (Aristophanes [3]) als »Sophist« dar. Mit Ausnahme von Antiphon [4] und Sokrates waren alle heute namentlich bekannten Sophisten umherziehende Fremde ohne Bürgerrecht, hatten also nicht einmal den Status von → *métoikoi*: Diese Lehrer der Politik waren nicht an der Politik ihrer Wirkungsstätte beteiligt (auch hierin ist ihnen Sokrates, obwohl Athener, vergleichbar; einzige Ausnahme: Antiphon). Wohl wegen der Neuigkeit dieser Verhältnisse zogen die Sophisten Mißtrauen und Feindseligkeit der konservativen Kreise (nicht notwendig mit der Aristokratie gleichzusetzen) auf sich.

Dieser Unterricht fern der polit. Praxis konnte sich nur auf die Mittel der Politik erstrecken, bes. auf ihr wichtigstes Werkzeug in demokratisch verfaßten Staatswesen (→ *pólis*): die Technik der Rede (der → Rhetorik) und der Argumentation (→ Dialektik). Daher besteht die S. nach ihrer üblichen Definition schon bei Platon (Plat. soph. 234c–235a) allein in einer wirklichkeitsfernen Redekunst. Die Dominanz der Wortkünste im sophist. Unterricht erklärt auch, weshalb mehrere Sophisten (Prodikos, Protagoras, Hippias) theoretisches Interesse an der Sprache (Probleme der Linguistik, Stilistik und Grammatik) entwickelten. Einige von ihnen (Gorgias, ›Über das Nichtsein oder Über die Natur‹; Protagoras, ›Die Wahrheit‹) entwickelten sogar eine eigenständige Philos., in der sie den Menschen zum Sprachwesen und die Sprache zur einzigen erkennbaren Wirklichkeit bzw. zum Maß alles Wirklichen erklärten. Nicht umsonst läßt Platon den Protagoras (im Dialog ›Theaitetos‹) als Repräsentanten des gesamten griech. Denkens (mit Ausnahme des Parmenides) auftreten, und noch Aristoteles (Aristot. metaph. 4,4,1005b 45–

4,8,1012b 31) macht es sich zur Aufgabe, seinen Relativismus zu widerlegen.

III. Sophisten und die Politik

Wenn sie auch in der aufblühenden griech. Demokratie (→ *dēmokratía*) die Bedingungen für die Ausübung ihres Metiers antrafen, so waren dennoch keineswegs alle Sophisten Demokraten; unter ihnen ist das ganze Spektrum aller polit. Positionen vertreten, bis hin zur Weigerung, sich überhaupt zu irgendeiner polit. Ordnung zu bekennen. Protagoras ist der älteste bekannte Theoretiker der Demokratie und des Gesellschaftsvertrags, Antiphon im Gegensatz dazu ein kompromißloser Parteigänger der Vierhundert (→ *Tetrakósioi*); Hippias soll gegen die je bes. Konventionen der einzelnen Staaten den Gehorsam gegenüber dem Naturrecht gepredigt haben. Aristippos [3], der ›als Sophist lehrte‹ und ›der erste Sokratiker war, der Bezahlung forderte‹ (Diog. Laert. 2,65), zog es vor, anstatt ›sich in einem Staat einzuschließen‹, ›überall Fremder zu sein‹ (Xen. mem. 2,1,13). Die Sophisten verteidigten also – entgegen dem seit Platon (z. B. Euthyd. 272b 1) weithin erhobenen Vorwurf – keinesfalls jede beliebige (nicht nur polit.) Ansicht.

Der Verlust ihrer Bed. in der Gesch. der polit. Philos. ist allein Folge des Verlusts ihrer Schriften. Als Vertreter einer neuen Berufsgruppe, die gegen Entgelt unterrichtete und daher im Bewußtsein der Öffentlichkeit mit der Entwicklung des Geldumlaufs und des Seehandels assoziiert wurde, wirkten die Sophisten – trotz des Respekts, den sie den Trad. der von ihnen besuchten Städte bezeugten (vgl. Plat. Hipp. mai. 285d–286b) – an der Auflösung der traditionellen Werte der Ges. mit. Indem sie jungen Leuten Wissen zur Verfügung stellten, durch das ihre Väter bloßgestellt wurden, brachten sie die traditionellen Formen der Wissensvermittlung wie auch der Machtübertragung in Familie und Staat zugleich ins Wanken. Als Fremde gegenüber den lokalen Traditionen und Kulten, als kosmopolitische Augenzeugen (vgl. → Kosmopolitismus) der Relativität von Glaubensüberzeugungen, als Verbreiter und Schöpfer neuer Theorien über Mensch und Kosmos, als Werkzeuge oder gar Urheber der Rationalisierung des polit., gesellschaftlichen und familiären Lebens verbreiteten sie – ob freiwillig oder nicht – einen rel. Skeptizismus. Die Asebie-Prozesse (→ *asébeia*) gegen Protagoras und Sokrates belegen weniger deren Irreligiosität als die Beunruhigung, die die neuen Denkweisen auslösten.

→ Atheismus; Politische Philosophie; Platon [1]; Rhetorik; Skeptizismus; Sokrates; Zweite Sophistik; Philosophie

Ed.: **1** Diels/Kranz, Nr. 79–90 **2** M. Untersteiner, Sofisti. Testimonianze e frammenti, Bd. 1–2, ^{2}1961; Bd. 3, 1954, Bd. 4, 1962 **3** R. K. Sprague (Hrsg.), The Older Sophists, 1972.

Lit.: **4** G. W. F. Hegel, Vorlesungen über die Gesch. der Philos. II, in: Ders., Werke, Bd. 14, 1833, 5–42 **5** G. Grote, History of Greece, Bd. 8, 1850, 479–544 (dt. 1850–1856) **6** H. Gomperz, S. und Rhet., 1912 (Ndr. 1965) **7** W. Nestle, Vom Mythos zum Logos, ^{2}1942 (Ndr. 1975) **8** E. Dupréel, Les Sophistes, 1948 **9** M. Untersteiner, I Sofisti, ^{2}1967 (Ndr. 1996; engl. 1954, frz. 1993) **10** Guthrie, Bd. 3 **11** C. J. Classen (Hrsg.), S., 1976 **12** G. B. Kerferd, The Sophistic Movement, 1981 (frz. 2000) **13** Ders. (Hrsg.), The Sophists and Their Legacy, 1981 **14** Η Αρχαία Σοφιστική. The Sophistic Movement (Symposion 1982), 1984 **15** B. Cassin (Hrsg.), Positions de la sophistique, 1986 **16** E. Schiappa, Did Plato Coin »Rhetorike«?, in: AJPh 111, 1990, 457–470 **17** F. Wolff, Le chasseur chassé: les définitions du sophiste, in: P. Aubenque (Hrsg.), Étude sur le Sophiste de Platon, 1991, 17–52 **18** A. Hourcade, Les sophistes et l'école d'Abdère, 2002 (im Druck).

Bibliogr.: **19** C. J. Classen, in: Elenchos 6, 1985, 75–140 **20** G. B. Kerferd, H. Flashar, in: GGPh^{2} 2.1, 1998, 108–137.

MI. NA./Ü: TH. ZI.

Sophokleios (Σοφόκλειος; nicht Sophokles [3. 90^{1}]). Griech. Grammatiker aus dem späten 2. Jh. n. Chr., bekannt durch seinen Komm. zu den *Argonautiká* des → Apollonios [2] Rhodios, den er in Anschluß an → Theon und → Lukillos, verm. mit polemischer Tendenz gegen → Eirenaios [1], verfaßte. S.' Komm. hatte in erster Linie mythographisch-geogr. Charakter. Obwohl S. im erh. Schol.-Corpus nur zweimal namentlich zitiert wird, lassen sich Etymologien von Ortsnamen, die bei → Stephanos [7] von Byzanz unter S.' Namen überl. sind, sicher auf ihn zurückführen. Weitere Reminiszenzen seiner Erklärungen finden sich in den → Etymologica wieder.

1 A. Gudeman, s. v. Sophokles (6), RE 3 A, 1096–1098 **2** H. Maehler, Die Schol. der Papyri in ihrem Verhältnis zu den Scholiencorpora der Hss., in: F. Montanari (Hrsg.), La philologie grecque à l'époque hellénistique et romaine (Entretiens 40), 1994, 107–109 **3** C. Wendel, Die Überl. der Scholien zu Apollonios von Rhodos (AAWG 3. Folge, 1), 1932, 87–99; 105–107; 110–116 (Ndr. 1972).

ST. MA.

Sophokles (Σοφοκλῆς).

[1] Der attische Tragiker des 5. Jh. v. Chr.

A. Leben B. Werküberblick C. Dramaturgie, Theologie, Menschenbild D. Nachleben

A. Leben

Wichtigste Zeugnisse sind die in mehreren Hss. überl. Vita und die Suda (σ 815); sämtliche Testimonien sind zusammengestellt in TrGF, Bd. 4. Geb. wurde S., Sohn des Sophilos aus dem attischen Demos → Kolonos [3], im J. 497/6 v. Chr. 480 soll er bei der Feier anläßlich des Sieges von → Salamis [1] den → Paian angestimmt haben. Seine zwei Söhne → Iophon (aus der Ehe mit Nikostrate) und → Ariston (aus einer Verbindung mit Theoris aus Sikyon) waren ebenfalls Tragiker. S. war mehrfach in wichtigen polit. Ämtern in Athen tätig: 443/2 als → *hellēnotamías*, als → *stratēgós* 441/0 im Samischen Krieg zusammen mit Perikles sowie 428 und vielleicht 423/2, 413–411 als → *próbulos* [1]. Als Priester des Heros Halon nahm er den aus → Epidauros nach Athen gebrachten → Asklepios bis zur Errichtung eines

→ *témenos* in seinem Haus auf und wurde dafür nach seinem Tod als Heros Dexion verehrt (T 69). Gest. ist S. 406, wohl nicht lange nach den Großen → Dionysia, an denen er den ersten Platz belegte (DID C 20) [43. 196ff.]. Sein Debüt als Tragiker gab S. 470 (DID C 3(a)), seinen ersten Sieg errang er 468 (DID A 3a 15). Daß ihm Aischylos [1] unterlegen sei und aus Groll darüber die Stadt verlassen habe (T 36/7), ist anekdotische Ausschmückung [41. 70–73].

Die Zahl der S. zugeschriebenen Siege schwankt zw. 18 (DID A 3a, 15; an den Großen Dionysia) und 24 (Suda). Die Divergenz könnte dadurch erklärt werden, daß S. wie Aischylos nach seinem Tod das Recht der Wiederaufführungen zugesprochen wurde, die sein gleichnamiger Enkel S. [3] betreute [43. 249–52]. Den dritten Rang im Agon belegte er nie. Die Zahl der Stükke ist nicht einheitlich überl.: 113 (bei Aristophanes [4] von Byzanz, wohl korrekt: 28 → Tetralogien und der postum aufgeführte Oid. K.), 123 (Suda) und 130 (Vita, T 1, 76f.) [41. 60f.].

Die sieben erh. Tragödien (s.u. B.) sind außer ›Philoktetes‹ (=Phil.; 409 v. Chr.) und ›Oidipus auf Kolonos‹ (=Oid. K.; postum 401) nicht datiert. Die ›Antigone‹ (=Ant.) dürfte aufgrund der Nachricht der → *hypóthesis*, S. sei wegen des Stücks zum Strategen gewählt worden, auf 440 (nicht 442) anzusetzen sein [41. 48f.]. Für ›König Oidipus‹ (=Oid. T.) kommen die J. 436–433 in Frage [41. 59]. ›Aias‹ (=Ai.) und ›Trachinierinnen‹ (=Trach.) gelten aufgrund der Bauform (»Diptychonform« [55. 145ff.; 47. 250; 56. 341f.]) als frühe Stücke, bisweilen werden jedoch Trach. nach Eur. Alc. (438) datiert. Das Verhältnis der ›Elektra‹ (=El.) des S. zu der des Euripides [1] ist umstritten, die Priorität des euripideischen Stückes scheint allerdings plausibel [44].

Nach den ant. Testimonien (T 1, 95–97; T 2, 3–5) soll S. die → Bühnenmalerei und den dritten Schauspieler (→ *tritagōnistḗs*) eingeführt sowie die Zahl der Choreuten von 12 auf 15 erhöht haben. Aristoteles (poet. 1456a 25 = T 132) lobt die Art, wie S. den → Chor einsetzt (›wie einen der Schauspieler‹). S. verfaßte auch Elegien (IEG II 165f.) und Paiane (737 PMG [33. 366]). Ob die S. zugeschriebene Prosaschrift über den Chor authentisch ist, ist umstritten [37. 172]. Nach einer bei Plut., De profectibus in virtutibus 7,79b belegten Selbstcharakterisierung (T 100) soll S. drei Phasen seiner dichterischen Entwicklung unterschieden haben: Zunächst habe er sich aus der Abhängigkeit des Aischylos befreit, dann das Herbe und Gekünstelte abgelegt, bis er es zur Vollendung im Ausdruck der Wesensart gebracht habe.

B. Werküberblick

1. Aias

(Αἴας). Der der ›Kleinen Ilias‹ und ›Aithiopis‹ entstammende Stoff (→ Epischer Zyklus), die Zuweisung der Waffen des → Achilleus [1] an Odysseus und der Zorn und Selbstmord des → Aias [1], wurde schon von Aischylos in der Ὅπλων κρίσις (*Hóplōn krísis*, ›Entscheidung über die Waffen‹) behandelt (TrGF, Bd. 3, p. 288–291). S. führt in seiner Trag. Modelle menschlichen Verhaltens vor: Im Mittelpunkt steht der die normalen Grenzen überschreitende Held, dessen Verhalten bereits im Prolog (131–133) von Athena als → *hýbris* bezeichnet wird. Der Ehrverlust, den ihm seine im Wahnsinn begangene Tat – im Glauben, er schlachte seine Feinde ab, metzelte er Schafe nieder – eingebracht hat, kann nur durch Selbstmord getilgt werden. Nur in der Verstellung (»Trugrede«, 646ff. [28. 75ff.]) läßt S. Aias in trag. Ironie den richtigen Einblick in den Lauf der Welt nehmen. Ihm ist → Odysseus entgegengestellt, der sich vom rechten Maß (→ *sōphrosýnē*) leiten läßt und nach dem Selbstmord des Aias gegen die von Haß getriebenen Heerführer Menelaos und Agamemnon seine Bestattung durchsetzt, daneben auch → Tekmessa, die dem Adelsdenken des Aias ein »modernes« Ideal der Verantwortung der Menschen entgegenhält (485ff.). Die nach homerischem Vorbild konzipierte Abschiedsrede an den Sohn Eurysakes (545ff.) zeigt vor der Folie von Hektors Abschied von Astyanax und Andromache (Hom. Il. 6,466ff.) die Fragwürdigkeit von Aias' Heldentum.

2. Trachinierinnen

(Τραχίνιαι). In diesem Stück liegt eine spiegelbildliche Umkehrung der im Ai. verwendeten Diptychonform vor. Während Aias noch nach seinem Tod den Ablauf des Geschehens beeinflußt, prägt → Herakles [1] durch die bloße Nachricht von seinem Kommen Handeln und Denken seiner Mitmenschen. Trach. ist eine Doppeltragödie, in deren erstem Teil → Deïaneira, Herakles' Gattin, im Zentrum steht, die (ähnlich wie Oidipus) durch den Versuch, dem Schicksal zu entgehen (die Liebe ihres Mannes wegen der Kriegsgefangenen → Iole zu verlieren), sich in ihm verstrickt und erst, als es zu spät ist, zur Erkenntnis kommt. Wie Aias kommt auch Deïaneira nur in der Verstellung (436ff.) [28. 80ff.], als sie die Einsichtige mimt, zur richtigen Einsicht in den Lauf der Welt.

3. Antigone

(Ἀντιγόνη). Mit Ant. ist die Phase erreicht, in der S. die strenge Diptychonform aufgibt. Zwar stellt die Abführung der → Antigone [3] zum Tod (943) einen Einschnitt dar; da aber → Kreon [1] das ganze Stück hindurch anwesend ist, kann nicht mehr von einer Zweiteilung gesprochen werden. Die Handlung wird bestimmt von den Antagonisten Antigone und Kreon. Antigone bleibt konsequent bei ihrer Entscheidung, dem Bruder → Polyneikes entgegen Kreons Befehl die letzte Ehre des Begräbnisses zuteil werden zu lassen. Schroff weist sie die Hilfe der Schwester Ismene zurück (536ff.), nachdem diese sie zuerst in ihrem Vorhaben nicht unterstützt hat. Treffend ist ihre Charakterisierung durch den Chor, der sie als αὐτόνομος (*autónomos*, ›nach eigenen Gesetzen lebend‹, 821) bezeichnet. Kreon dagegen wandelt sich und kommt, wenn auch zu spät (1270), zur Einsicht. Wie ein aischyleischer Held sieht er sich einem unbarmherzigen Schicksal ausgeliefert, das seinen Verstand mit Verblendung geschlagen hat (1271ff.). Bis er von dem Seher → Teiresias [53. 117ff.]

auf die Wahrheit gestoßen wird, ist sein Denken von der ständigen Angst vor Umsturz geprägt. Überall wittert er Verschwörungen aus Macht- und Geldgier; das Wort »Profit« (κέρδος, *kérdos*) durchzieht als Leitmotiv all seine Reden.

Zw. die Pole Antigone und Kreon sind die übrigen Personen gestellt, deren Verhalten durch verschiedene Bindungen an die beiden Antagonisten bestimmt wird: Ismene repräsentiert als Kontrastfigur zu Antigone den Durchschnittsmenschen und wird zw. der Furcht vor Kreon und der Liebe zu Antigone hin- und hergerissen. → Haimon [5], Kreons Sohn und Antigones Verlobter, trägt zunächst die Spannung zw. der Liebe zur Braut und der zum Vater in sich aus. Erst als er sieht, daß Kreon mit vernünftigen Argumenten nicht beizukommen ist (726 ff.), ergreift er offen Antigones Partei. Der Wächter und der Chor der thebanischen Alten, Kreons Thronrat, führen vor, wie der Normalbürger unter Zwang reagiert. Er sieht zwar das Rechte, bekennt sich aber nicht offen dazu, sondern läßt nur versteckt ab und zu erkennen, auf wessen Seite seine Sympathie steht (vgl. 278 f.; 370).

Die philol. Interpretation der Ant. war lange beeinflußt durch HEGELS in der ›Ästhetik‹ gegebene Deutung, wonach im Stück zwei gleichberechtigte Positionen aufeinanderprallen: Kreons Anspruch, den Staat zu schützen, und Antigones Eintreten für die ungeschriebenen Gesetze, einen Konflikt von Staats- und Familieninteresse [57. 72 ff.; 58. 129 f.]. Eine derartige Interpretation übersieht jedoch den Verständnishorizont der zeitgenössischen Zuschauer, für die eine positive Bewertung Kreons aus polit. und rel. Gründen schwer möglich war: Die vornehmen Thebaner (Chor) betrachtet Kreon als Kronrat, der sich heimlich trifft und nicht die Legitimation einer Wahl durch die Bürger aufweisen kann. Kreons ständiges Mißtrauen gegen jedermann verstößt gegen die demokratischen Grundprinzipien, wie sie → Thukydides im *Epitáphios* (2,37) dem Perikles in den Mund legt.

4. KÖNIG OIDIPUS

(Οἰδίπους τύραννος). Zentrales Thema ist die menschliche Erkenntnisfähigkeit [36; 51; 58. 83 ff.]. In zwei Handlungssträngen, der Suche nach dem Mörder des → Laios [1] und der nach der eigenen Abstammung, die schließlich in einer einzigen schrecklichen Erkenntnis zusammenlaufen, führt S. des → Oidipus langsames Herantasten an die Wahrheit vor. Von Anf. an ist die Suche nach dem Täter unter das für die menschliche Erkenntnis verhängnisvolle Stichwort »Hoffnung« (ἐλπίς, *elpís*) gestellt (121), die der Chor in der → *párodos* in den Rang einer Gottheit (158) erhebt. Aufgrund seines in Hoffnungen verfangenen Denkens verstrickt sich Oidipus immer mehr in den Schein, je näher er der Wahrheit kommt. Die Offenbarung des Sehers → Teiresias [53. 148 ff.], der ihn als den gesuchten Mörder anspricht (353) und sogar seine inzestuöse Verbindung mit → Iokaste andeutet (366 f.), bestärkt Oidipus nur in seiner Verblendung. Der delphische Spruch, den → Kreon [1] überbringt, und die Prophetie des Teiresias sind für ihn nichts als Intrigen, um ihn zu stürzen. Erst das Stichwort »Dreiweg« (716), an dem Laios ermordet wurde, führt schlagartig zur ersten Erkenntnis (754). Doch trotz aller klaren Fakten, aufgrund derer er sich für den Mörder halten muß, klammert Oidipus sich an die falsche Nachricht, Laios sei von mehreren Räubern erschlagen worden. Erst das Eintreffen des korinthischen Boten (924 ff.) und das Verhör des überlebenden Augenzeugen (1110 ff.) führen zu einer richtigen Kombination der an Laios, Oidipus und Kreon ergangenen Orakel und des Sehersprachs des Teiresias und erzwingen so die Erkenntnis der Wahrheit – des Vatermordes und der Ehe mit seiner Mutter –; die Konsequenz ist die Selbstblendung des Oidipus.

5. ELEKTRA

(Ἠλέκτρα). Indem S. die Wiedererkennung (→ *anagnṓrisis*) von Orestes und Elektra weit hinausschiebt (1226) und damit → Elektra (im Gegensatz zu ihrer Darstellung bei Aischylos und Euripides) selbst Opfer der → Intrige werden läßt, rückt er diese ins Zentrum des Stücks. Als das lebende schlechte Gewissen erinnert Elektra ihre Mutter → Klytaimestra und deren Liebhaber → Aigisthos ständig an deren Verbrechen, den Mord an ihrem Vater → Agamemnon. Ihre Hoffnungen richten sich allein auf ihres Bruders → Orestes' [1] Rückkehr. Die falsche Todesnachricht (680 ff.) läßt sie für einen Moment zusammenbrechen; doch der Haß hätte sie die Rachetat selbst vollbringen lassen (1019 f.). Wie Ismene der Antigone, so ist die Schwester Chrysothemis Elektra als untragische Kontrastfigur gegenübergestellt, die den Wert der äußeren Freiheit (339 f.) höher stellt als Elektras Betonung der inneren Unabhängigkeit (354). Orestes geht von Anfang des Stückes an unbeirrt seinen Weg als Rächer; voller Sendungsbewußtsein versteht er sich aufgrund von Apollons Orakel als gottgesandten »Reiniger« des Hauses (69 f.). V. 1425, den Auftrag Apollons betreffend, könnte andeuten, daß S. die Trag. mit einem »offenen« Ende konzipierte, mit der Frage (und dem impliziten Hinweis auf Aischylos' ›Eumeniden‹), wie die Geschwister nach dem Muttermord weiterleben können.

6. PHILOKTETES

(Φιλοκτήτης). Wie in El. steht auch in Phil. das Leid eines ausgestoßenen Menschen im Mittelpunkt: → Philoktetes' Leben auf der menschenleeren Insel Lemnos (eine Änderung gegenüber Aischylos und Euripides, bei denen die Insel bevölkert und Philoktetes somit nicht völlig isoliert war; vgl. Dion [I 3], or. 62 [19. 87ff; 42. 211 ff.]), dessen Denken von ungeheuerem Haß auf die Griechen, bes. auf → Odysseus, geprägt ist. Der Vertrauensbruch, den ihm Achilleus' Sohn → Neoptolemos [1] zufügt, weil er ihn entgegen seinem Versprechen nicht nach Hause, sondern nach Troia bringen will, bewegt ihn dazu, beinahe jegliche Kommunikation mit seiner Umwelt abzubrechen. Der Odysseus des Phil. ist ein Machtpolitiker, der nur den momentanen Vorteil (*kairós*) im Auge hat und für den Orakel eine willkommene Rechtfertigung seines Handelns und bloße Argumentationsstütze darstellen. Zw. diese Pole (die Extrempositionen, die Philoktetes und Odysseus vertreten) ist Neoptolemos gestellt, der sich wandelt und zu seiner wahren Natur findet. Die Handlung ist durch zwei Motive bestimmt: das Orakel des → Helenos [1], das besagt, daß Philoktetes freiwillig mit nach Troia fahren soll, damit die Stadt, wie es vorherbestimmt ist, in demselben Sommer falle, und das dauernd drohende Scheitern des göttlichen Willens aufgrund menschlicher Intrigen und menschlichen Eigensinns. Nur die Epiphanie des → Herakles [1] (→ *deus ex machina*) führt die Handlung auf das vom Mythos vorgegebene Ende zurück.

7. Oidipus auf Kolonos

(Οἰδίπους ἐπὶ Κολωνῷ). Der aus Theben verstoßene blinde → Oidipus erhält von Apollon das Orakel, daß er im attischen Demos → Kolonos [3] im Heiligtum der Eumeniden (→ Erinys) sein Leben beschließen werde (84–110). Wie in Oid. T. ist also von Anf. an die Gottheit präsent, jedoch als Retter. Die vom Gott prophezeite Erlösung wird durch zwei Handlungsstränge retardiert: Zunächst muß Oidipus von den Bürgern von Kolonos (117ff.) und ihrem König → Theseus (551ff.) als Asylsuchender anerkannt werden, sodann muß die drohende Gefahr, die von Theben ausgeht, abgewehrt werden (887ff.). Im Oid. K. bietet S. eine Lösung der Problematik, die das frühere Oidipus-Drama aufwarf: Endete Oid. T. mit Oidipus' Selbstblendung und der Erkenntnis, daß die Götter für den Menschen undurchschaubar bleiben, führt Oid. K. die Aufhebung des Gegensatzes Gott – Mensch vor: Es gibt eine gütige Gottheit, die sich des Menschen nach vielem Leiden erbarmt und ihm den Tod nicht als hartes Schicksal, sondern als Gnade zuteil werden läßt (bes. 1627f.) [20; 58. 91ff.].

8. Fragmente

Etwa ein Drittel der Stücke des S. entstammen dem troianischen Sagenkreis (→ Troia), bes. dem → Epischen Zyklus, was S. in der Ant. die Bezeichnungen ὁμηρικός (*homērikós*, »homerisch«), φιλόμηρος (*philhómēros*, »Homerfreund«) und »trag. Homer« einbrachte [46]. Durch einen umfangreichen Pap.-Fund (1912/1927) ist die Handlung des → Satyrspiels Ἰχνευταί (›Ichneutai‹, ›Die Satyrn als Spürhunde‹) gut rekonstruierbar, dessen Stoff dem homerischen Hermes-Hymnos (Raub der Rinder des Apollon und Erfindung der Kithara durch Hermes) entstammt (Ed. der Fr. in TrGF 4).

C. Dramaturgie, Theologie, Menschenbild

S. stellt Menschen in Extremsituationen in den Mittelpunkt seiner Tragödien [32]. Bedingt durch das Exzeptionelle ihrer Stellung entfaltet sich – ausgelöst durch äußeren Druck – der außergewöhnliche Charakter dieser Personen, wobei ihr Verhalten an → *hýbris* grenzt bzw. *hýbris* ist (bes. Aias; umstritten ist Oidipus' Bewertung: Ist er ein schuldlos Schuldiger oder hat er Schuld, wenn auch eine intellektuelle, auf sich geladen [36; 49]; dagegen [40]). Ihnen sind häufig Kontrastfiguren (bes. Chrysothemis, Ismene, aber auch Tekmessa, Iokaste) entgegengestellt, die den Durchschnittsmenschen repräsentieren. Der göttliche Wille offenbart sich in den Orakeln und Sehersprüchen. In der Natur des Menschen liegt es, daß er sich den göttlichen Willen zurechtbiegen will, nach seinen eigenen Vorgaben interpretiert und das unabwendbare Schicksal (wie bes. Oidipus) durch sein Handeln abzuwenden versucht. Der Mensch sieht in seinem Denken Alternativen, die es nicht gibt und die durch den Wortlaut der Orakel sogar explizit ausgeschlossen sind. Er flüchtet sich in die Hoffnung, um überhaupt noch leben zu können. Bes. Ai., Ant. und Oid. T. beleuchten den Konflikt, der aus dem Gegensatz zwischen göttlicher Bestimmung und menschl. Hoffnungsdenken entspringt, während in El. und Phil. der Blick darauf gelenkt wird, wie das gottgesetzte Schicksal durch Interpretation und Manipulation der Orakel zu scheitern droht und gerade noch im letzten Augenblick in die richtige Bahn gelenkt wird.

D. Nachleben

1. Überlieferungsgeschichte

Aus der kommentierten Gesamtausgabe des Aristophanes [4] von Byzanz bildete sich bis in die Spätant. der Kanon der bis heute erh. sieben Stücke heraus, die im 4. Jh. n. Chr. von → Salustios [1] herausgegeben wurden. Auf dieser Ed. basiert die byz. Ausgabe von Manuel Moschopulos (ca. 1290) von Ai., El., Oid. T. (sog. »byz. Trias«), der Thomas Magister (ca. 1270–1325) Ant. und den scholienlosen Text der anderen drei Stücke hinzufügte [24. 275f.]. Von den ca. 150 Hss. sind bes. folgende Gruppen von Bed.: die l-Klasse (bes. Cod. Laurentianus 32. 9 [L], Leidener Palimpsest BPG 60A [Λ], beide ca. 950 n. Chr., Laurentianus 31.10 [K bzw. Lb], ca. 1150) und die sog. *classis Romana* mit 4 wichtigen Hss. (1282 – 16. Jh.; vgl. [1. VII-XIII]).

2. Rezeption

Bereits in den ›Fröschen‹ des → Aristophanes [3] (405 v. Chr.) wird S. im Gegensatz zu den die beiden Extrempositionen in der trag. Dichtung einnehmenden »Kollegen« → Aischylos [1] und Euripides [1] als »ausgeglichen« (εὔκολος, *eúkolos*, 82) bezeichnet. Diese gleichsam unangreifbare Mittelstellung des S. findet ihren Ausdruck auch darin, daß S. von der zeitgleichen Komödie fast nicht parodiert wird. Für → Aristoteles [6] ist in der ›Poetik‹ Oid. T. das Musterbeispiel einer Trag., bes. unter dem Gesichtspunkt der → Peripetie – eine Wertschätzung, die diesem Stück eine herausragende Stellung in der Lit.-Theorie sicherte und der griech. Trag. in der Renaissance die Rückkehr auf Europas Bühnen ebnete (Aufführung des Oid. T. 1585 in Vicenza; → Griechische Tragödie; [26]).

Die das Normalmaß überschreitende Größe der sophokleischen Protagonisten, die daraus entspringenden Probleme für ihre Mitmenschen und bes. die psychologische Vielschichtigkeit der weiblichen Charaktere regten v. a. im 20. Jh. zur produktiven Auseinandersetzung mit S. an. H. von Hofmannsthal (›Elektra‹, 1903,

Oper mit der Musik von Richard STRAUSS, 1909) schöpft, geprägt von S. FREUD, die psychologischen Dimensionen der Elektra-Gestalt aus. Er bringt eine Elektra auf die Bühne, deren einziger Lebenssinn in dem abgrundtiefen Haß auf die Mutter besteht. Nach der Rachetat bricht sie zusammen, da sie ihren einzigen Lebensinhalt verloren hat [45. 137ff.]. In seiner ›Electre‹ (1937) deutet J. GIRAUDOUX Elektras Haß als Versündigung gegen die Gemeinschaft. Das starre Beharren auf dem Recht zerstört Staat, Familie und Individuum. Ebenso zeichnet J. P. SARTRE in ›Les Mouches‹ (›Die Fliegen‹, 1943) ein negatives Elektra-Bild. Während Orestes in der Tat die Freiheit als Mensch findet, ist Elektra nur die, die ihn (wie in der El. des Euripides) zum Mord antreibt.

Wurden in der Rezeption der Elektra die negativen Züge ausgedeutet, bleibt Antigone in den mod. Bearbeitungen durchweg eine positive Figur. W. HASENCLEVER macht in seiner ›Antigone‹ (1917) aus dem sophokleischen Stück einen Aufruf zum Frieden, Antigone wird – wie später in B. BRECHTS Bearbeitung (1948) – zur pazifistischen Märtyrerin. J. ANOUILH stellt in seiner ›Antigone‹ (1942, Uraufführung 1944) ihre konsequente Lebensverneinung Kreons Lebensliebe entgegen. Wie bei S. kann sich ANOUILHS Antigone nicht mit den Alltagskompromissen abfinden und sieht als einzigen Ausweg aus dieser absurden Welt den Tod.

Kein anderes Stück des S. wurde mehr – sowohl von der Lit.-Theorie, philos. Diskussion und anderen Disziplinen wie der Psychologie (S. FREUDS »Ödipus-Komplex«, in ›Die Traumdeutung‹, 1900) als auch von den Dramatikern und Literaten – zur Kenntnis genommen als der ›König Oidipus‹ [30]. Der dt. Klassik (SCHELLING, SCHILLER) dient der ›König Oidipus‹ als Modellfall einer »trag. Analyse«, die durch dialektische Spannung, durch die Einheit von Gegensätzen und v. a. durch den ›Umschlag des Einen in sein Gegenteil‹ [52. 151ff.] gekennzeichnet ist. In der produktiven Auseinandersetzung mit der Trag. des S. spielt das Problem der menschlichen Erkenntnisfähigkeit im *Oedipus* des → Seneca [2] keine Rolle [35]. Indem Seneca bereits im Prolog (32ff.) Oedipus mit Bestimmtheit aussprechen läßt, daß er selbst Schuld an der Seuche trage, ist das Thema seiner Trag. nicht menschliches Hoffnungsdenken und Scheinwissen; vielmehr führt Seneca vor, wie ein Tyrann sich angesichts eines ungeheueren, von ihm selbst begangenen Verbrechens verhält, unter dem die ganze Gemeinschaft zu leiden hat. Das Motiv des Richters, der über sich selbst zu Gericht sitzt, sowie die Schein-Sein-Problematik stehen in Heinrich VON KLEISTS ›Der zerbrochene Krug‹ (Uraufführung 1808), gleichsam einer Umkehrung des sophokleischen Stücks, im Mittelpunkt. Die Unausweichlichkeit des Schicksals und die Undurchschaubarkeit der Götter betont J. COCTEAU in ›La machine infernale‹ (›Die Höllenmaschine‹, 1932, Uraufführung 1934).

Während die ›Elektra‹ des S. auf der Bühne der Gegenwart, verdrängt von HOFMANNSTHALS Stück oder STRAUSS' Oper, nicht allzu oft zu sehen ist, gehören ›Antigone‹ und ›König Oidipus‹ zum Repertoire der mod. Theater (vgl. auch C. ORFF, ›Antigonae‹, ›Oedipus der Tyrann‹, 1949). ›König Oidipus‹ hat v. a. in P. P. PASOLINIS Film ›Edipo Re‹ (1967) eine Neuinterpretation erlebt; er zeigt durch die Transposition des ant. Stoffes in eine nicht lokalisierbare Gegenwart die Aktualität des griech. Mythos und betont gleichzeitig seine archa. Gebundenheit [29].

→ Tragödie; TRAGÖDIE

ED.: **1** H. LLOYD-JONES, N. G. WILSON, 1990 (vgl. dazu [38; 39; 31]) **2** R. D. DAWE, ³1996 (vgl. dazu [22]).
FR.: **3** S. RADT, TrGF Bd. 4, ²1999.
KOMM. IN AUSWAHL:
GESAMTWERK: **4** R. JEBB, 1883–1896 (mit engl. Übers.) **5** F. W. SCHNEIDEWIN, A. NAUCK, E. BRUHN, L. RADERMACHER, 1909–1914 **6** J. C. KAMERBEEK, 1953–1984.
EINZELAUSGABEN: *Ai.*: **7** W. B. STANFORD, 1963 **8** A. F. GARVIE, 1998 (mit engl. Übers.).
Ant.: **9** G. MÜLLER, 1967 **10** A. BROWN, 1987 (mit engl. Übers.).
El.: **11** G. KAIBEL, 1896 **12** J. H. KELLS, 1974.
Phil.: **13** T. B. L. WEBSTER, 1970 **14** R. G. USSHER, 1990 (mit engl. Übers.).
Oid. T.: **15** R. D. DAWE, 1982 **16** J. BOLLACK, 4 Bde., 1990.
Trach.: **17** P. E. EASTERLING, 1982 **18** M. DAVIES, 1991.
LIT.: **19** G. AVEZZÙ, Il ferimento e il rito. La storia di Filottete sulla scena attica, 1988 **20** W. BERNARD, Das Ende des Ödipus bei S., 2001 **21** U. CURI, M. TREU (Hrsg.), L'enigma di Edipo, 1997 **22** R. D. DAWE, Studies in the Text of S., 3 Bde., 1973–1978 **23** H. DILLER (Hrsg.), S., 1967 **24** H. ERBSE, Überlieferungsgesch. der griech. klass. und hell. Lit., in: H. HUNGER, O. STEGMÜLLER (Hrsg.), Die Textüberlieferung der ant. Lit. und der Bibel, 1975, 207–284 **25** B. GENTILI, R. PRETAGOSTINI (Hrsg.), Edipo. Il teatro greco e la cultura europea, 1986 **26** H. FLASHAR, Inszenierung der Ant., 1991 **27** Ders., S., 2000 **28** E. FUCHS, Pseudologia, 1993 **29** M. FUSILLO, La Grecia secondo Pasolini, 1996 **30** TH. HALTER, König Ödipus. Von S. zu Cocteau, **31** H.-C. GÜNTHER, Exercitationes Sophocleae, 1996 **32** B. M. W. KNOX, The Heroic Temper, 1964 **33** L. KÄPPEL, Paian, 1992 **34** J. LATACZ, Einführung in die griech. Trag., 1993 **35** E. LEFÈVRE, Die polit. Bed. der röm. Trag. und Senecas ›Oedipus‹, in: ANRW II 32.2, 1985, 1242–1262 **36** Ders., Die Unfähigkeit, sich zu erkennen, in: WJA 13, 1987, 37–57 **37** A. LESKY, Die trag. Dichtung der Hellenen, ³1972 **38** H. LLOYD-JONES, N. G. WILSON, Sophoclea, 1990 **39** Dies., Sophocles: Second Thoughts, 1997 **40** B. MANUWALD, Oidipus und Adrastos, in: RhM 135, 1992, 1–43 **41** C. W. MÜLLER, Zur Datier. des sophokleischen Ödipus, 1984 **42** Ders., Philoktet, 1997 **43** Ders., KS zur ant. Lit. und Geistesgesch., 1999 **44** Ders., Überlegungen zum zeitlichen Verhältnis der beiden Elektren, in: E. STÄRK, G. VOGT-SPIRA (Hrsg.), Dramatische Wäldchen, 2000, 37–45 **45** H.-J. NEWIGER, Drama und Theater, 1996 **46** ST. RADT, S. in seinen Fr., in: J. DE ROMILLY (Hrsg.), Sophocle, 1983, 185–222 **47** K. REINHARDT, S., ⁴1976 **48** A. RODIGHIERO, La parola, la morte, l'eroe. Aspetti di poetica sofoclea, 2000 **49** A. SCHMITT, Menschliches Fehlen und tragisches Scheitern, in: RhM 131, 1988, 8–30 **50** CH. SEGAL, Sophocles' Tragic World, 1998 **51** Ders., Oedipus Tyrannus. Tragic Heroism and the Limits of Knowledge,

²2001 **52** P. Szondi, Schriften, Bd. 1, 1978, 151–260 **53** G. Ugolini, Unt. zur Figur des Sehers Teiresias, 1995 **54** Ders., Sofocle e Atene, 2000 **55** T. B. L. Webster, An Introduction to S., ²1969 **56** R. P. Winnington-Ingram, S. An Interpretation, 1980 **57** B. Zimmermann, Die griech. Trag., ²1992 **58** Ders., Europa und die griech. Trag., 2000 **59** Ch. Zimmermann, Der Antigone-Mythos in der ant. Lit. und Kunst, 1992. B. Z.

[2] Att. → *stratēgós*, im Frühjahr 425 v. Chr. während des → Peloponnesischen Kriegs mit Eurymedon [4] und Demosthenes [1] entsandt, um die pro-athen. Faktion in Korkyra und Athens Verbündete auf Sizilien zu unterstützen. Unterwegs setzte sich Demosthenes bei Pylos in Messenien fest (Thuk. 3,115,5; 4,2–5), was zum Fall Sphakterias führte (Thuk. 4,8–14). Danach fuhren S. und Eurymedon nach Korkyra, nahmen den Stützpunkt der im Bürgerkrieg (Thuk. 3,69–81) Verbannten ein und duldeten das Massaker an den Gefangenen durch das Volk von Korkyra (Thuk. 4,46–48). Das nun verspätete Eintreffen in Sizilien erlaubte keine für Athens Verbündete günstige Wende mehr. Es kam zum Status-quo-Frieden von Gela (Thuk. 4,65,1). Die Flotte kehrte 424 nach Athen zurück, S. wurde wegen Bestechlichkeit angeklagt und mit Verbannung bestraft (Thuk. 4,65,3; Diod. 12,54,6–7; Philochoros FGrH 328 F 127). Vielleicht identisch mit S., einem der 30 Tyrannen (→ *triákonta*) von 404 (Xen. hell. 2,3,2).

PA 12827 • K.-W. Welwei, Das klass. Athen, 1999, 176–179, 185 f. W. S.

[3] Sohn des Ariston. Tragiker (TrGF I 62) der 1. H. des 4. Jh. v. Chr., Enkel von S. [1], dessen ›Oidipus auf Kolonos‹ er postum aufführte. Nach Suda (σ 816) führte er 40 Stücke auf und errang sieben, laut Diodoros 12 Siege. Die Divergenz läßt sich eventuell dadurch erklären, daß er fünfmal mit Wiederaufführungen von S. [1] erfolgreich war

C. W. Müller, KS zur ant. Lit. und Geistesgesch., 1999, 249 ff.

[4] S. aus Athen. Tragiker (TrGF I 147) und Lyriker, 1. Jh. v. Chr., Nachkomme von S. [1], Verf. von 15 Stücken, ca. 100 v. Chr. in → Orchomenos an den Charitesien erfolgreich. B. Z.

Sophoniba (Σοφονίβα, punisch **Spnbʿl* = »Baal hat gerichtet«, griech. Namensform: Diod. 27,7; Zon. 9,12 f.). Tochter des Hasdrubal [5], um 205 v. Chr. verheiratet mit → Syphax, von dem sie vehement eine prokarthagische Politik forderte (vgl. Pol. 14,1,4; 14,7,4–7; Liv. 29,23). S. soll schon früher mit → Massinissa verlobt gewesen sein (Diod. 27,7, [1. 200, Anm. 1195; 2]), der sie 203 nach seinem Sieg über Syphax im eroberten Cirta ehelichte und zwang, Gift zu nehmen, als er wegen ihres Patriotismus bei P. → Cornelius [I 71] Scipio der polit. Unzuverlässigkeit verdächtigt wurde (Liv. 30,7,8 f.; 12–13; App. Lib. 27,111–28,119; Cass. Dio 17,57; Zon. 9,11–13; [2]). S.s »heroischer« Tod, mit dem sie ihrer Auslieferung an die röm. Erzfeinde zuvorgekommen sein soll, hat den Ruhm der S. (»Sophonisbe«) seit der Renaissance in Lit., Musik und Malerei begründet [3].

1 Geus **2** L.-M. Günther, S. – eine karthagische Patriotin?, in: K. Geus, K. Zimmermann (Hrsg.), Europa und Afrika in der Ant., 2001 (im Druck) **3** J. Axelradt, Le thème de Sophonisbe dans les principales tragédies de la litterature occidentale, 1956. L.-M. G.

Sophron (Σώφρων).
[1] aus Syrakus. Laut Suda σ 893 ungefähr zeitgleich mit (Arta)Xerxes in Persien und Euripides in Athen, d. h. in der 2. H. des 5. Jh. v. Chr. Dazu paßt die Überl., sein Sohn Xenarchos habe einen → Mimos komponiert, der auf ein histor. Ereignis vom J. 394 oder 389 v. Chr. anspielt (fr. 1; 4 Olivieri; [1. 59]). Berühmtheit erlangte S. durch seine Mimoi (=M.), quasi-dramatische Dialoge oder Monologe in einer Art rhythmischer Prosa, die Charaktere aus dem Alltag durch mimische Darstellung und Sprache zu humoristischem Zweck darstellten. Die M. des S. sollen sich in »männliche« und »weibliche« Stücke gegliedert haben (Athen. 3,89a; 7,309cd; 7,281ef; vgl. POxy II 301, p. 303); zu den weiblichen M. lassen sich u. a. die überlieferten Titel ›Heilerinnen‹, ›Zauberinnen‹ (Ταὶ γυναῖκες αἳ τὰν θεόν φαντι ἐξελᾶν), ›Zuschauerinnen bei den Isthmischen Spielen‹, ›Pflegerin der Braut‹, ›Schwiegermutter‹ zuordnen, zu den von Männern besetzten ›Bote‹, ›Fischer zum Bauern‹, ›Thunfischfänger‹, ›Prometheus‹. Bei den meisten erh. Fr. handelt es sich um einzelne Wörter oder Phrasen; von den zwei erstgenannten weibl. M. sind zusammenhängende Pap.-Fr. gefunden worden [2; 3].

Der Ausschnitt aus den ›Zauberinnen‹ stellt anhand einer Reihe von Anweisungen an (männl.) Diener (fünf ποτιβάντες, »Handlanger«) die Vorbereitungen einer Ritualhandlung dar: ein Opfertisch wird eingerichtet; apotropäische Stoffe (Salz, Lorbeer) ergriffen, ein Welpe zusammen mit Messer und Feuer für ein Opfer herbeigeholt, alle Haustüren geöffnet; um Ruhe vor der Sakralhandlung gebeten; schließlich ruft die Sprecherin die Göttin (*pótnia* = Hekate?) zum Mahl (*xénia*) herbei. Das im Titel enthaltene ἐξελᾶν (*exelā́n*) wird unterschiedlich gedeutet: entweder transitiv »austreiben« (im Sinne eines Exorzismus) oder intransitiv »ausziehen« = »unterwegs sein« (sc. zur Opferhandlung/zum Fest) [4]. Einmal deuten Interpunktion im Pap. und Wortbedeutung (8 »da!«) auf einen → Sprecherwechsel. Insgesamt erinnern sowohl die mimetische Art des Stückes wie auch dessen Thema einer magischen Handlung (*práxis*) im privaten Bereich an die *Pharmakeútria* des Theokritos (vgl. Schol. zu letzterem, Theokrit habe einen M. des S. »umgearbeitet«).

In der Ant. diskutierte man darüber, ob S.s Werke als »Dichtung« anzusehen seien; ein Scholion zu Gregor von Nazianz spricht von S.s Gebrauch von »bestimmten Rhythmen und Kola«, wobei er auf metr. Strenge verzichtet habe [5; 1. 61–62]; ein Zitat aus Aristoteles' *De poetis* (Athen. 11,505c) scheint S.s M. metr. Charakter

abstreiten zu wollen; ähnlich widersetzte sich der Epikureer Philodemos der von Herakleodoros vertretenen Meinung, man könne die M. des S. als Dichtung einstufen [6]. Laut [7] lassen sich die Rhythmen der ›Zauberinnen‹ als daktylo-epitritisch bezeichnen. Platon [1] soll S. sehr geschätzt, dessen M. ständig zur Hand gehabt haben (Diog. Laert. 3,18; Duris von Samos bei Athen. 11,504b = FGrH 76 F 72). Aristoteles (Aristot. poet. 1447b 10) vergleicht die mimetische Art der »sokratischen Dialoge« des Platon mit den M. des S.; ein *Anonymus Oxyrhynchi* ficht die angeblich von Aristoteles vertretene These (*Perí poiētōn* B. 1) an, Platon habe von einem früheren Verf. von sokratischen Dialogen, Alexamenos von Teos, seine Kunst gelernt; vielmehr habe er beim Verfassen von dramatischen Dialogen S. nachgeahmt [8].
→ Mimos

1 A. Olivieri, Frammenti della commedia greca e del mimo nella Sicilia e nella Magna Grecia, 1947, 59–143 (Ed.) 2 M. Norsa, G. Vitelli, Da un mimo di S., in: SIFC 10, 1932, 119–124 3 G. Perotta, Sofrone poeta in versi, in: SIFC N. S. 22, 1947, 93–100 4 R. Arena, Ταὶ γυναῖκες αἳ τὰν θεόν φαντι ἐξελᾶν, in: PdP 30, 1975, fasc. 162, 217–219 5 CGF 6 C. Romeo, Sofrone nei papiri ercolanesi (P. Herc. 1081 e 1014), in: Proc. of the 16th international Congr. of Papyrology, 1981, 183–190 7 A. Sajia, Per un tentativo di interpretazione metrica di PSI 1214 di Sofrone, in: Aegyptus 67, 1987, 27–32 8 M. W. Haslam, Plato, S., and the Dramatic Dialogue, in: BICS 19, 1972, 17–38.

CGF 152–181 · PCG I, 2001, 187–253 · H. Reich, Der Mimus, Bd. 1, 1903 · K. Latte, Zu dem neuen S.fr., in: Ders., KS, 1968, 492–498 · A. Olivieri (s. [1]) · G. Mastromarco, Il mimo greco letterario, in: Dioniso 61, 1991, 169–192. W.D.F.

[2] Aus einer Inschr. (ILabraunda 3) ist ein S. bekannt, der vor Ptolemaios [4] als ptolem. oder seleukidischer Beamter *epí Karías* fungierte. Eine Identifikation mit dem seleukid. Beamten, der 246 v. Chr. als Statthalter von Ephesos zu Ptolemaios [6] III. überlief (Phylarchos FGrH 81 F 24), ist daher unwahrscheinlich (anders [1]). S. selbst oder ein homonymer Sohn ist wohl mit dem ptolem. Nauarchen Oprona (Pomp. Trog. prologi 27) identisch, der die Seeschlacht von Andros verlor.

1 J. Kobes, Mylasa und Kildara in ptolem. Hand? Überlegungen zu zwei hell. Inschr. aus Karien, in: EA 24, 1995, 1–6.

Ch. Habicht, Rezension zu: J. Crampa, Labraunda. Swedish Excavations and Researches. Vol. III Part 1, 1969, in: Gnomon 44, 1972, 166–169. W.A.

Sophronios (Σωφρόνιος). Patriarch von Jerusalem (634–638), griech.-byz. Heiliger, Dichter und Schriftsteller. S. stammte wahrscheinlich aus Damaskos und lehrte Rhet. Er wurde Mönch in Palaestina und unternahm mit seinem Freund → Iohannes [29] Moschos Reisen zu den dortigen Mönchssiedlungen. Als standhafter Gegner des → Monotheletismus versuchte er im J. 633 erfolglos, Kyros von Phasis, den Patriarchen von Alexandreia [1], davon abzubringen. S. konnte sich mit dem Patriarchen von Konstantinopolis (Sergios, einem weiteren Vertreter der monotheletischen Lehre) auf den Kompromiß in der Formel von dem einen wirkenden Christus einigen. Mit Antritt seines Patriarchats wandte sich S. in seiner Enzyklika gegen diese Lehre. Er gilt als Verf. eines Florilegiums gegen den Monenergetismus. Von S. stammen auch die Vita des → Iohannes [32] Eleemon (nur ein Fr. erh.), 12 Predigten, die *Miracula Sancti Cyri et Ioannis* und 25 anakreontische Oden (griech.).

Ed.: J. D. Mansi, Sacrorum conciliorum nova et amplissima collectio, Bd. 11, 1901 u.ö., 461–510 (Synodika) · PG 87,3, 3379–3676 (Miracula) · PG 87,3, 3201–3364 (Predigten) · A. Gallico, Sofronio di Gerusalemme, Le omelie, 1991 (it. Übers. und Komm.) · M. Gigante, Anakreonteen, 1957 · H. Donner, Die anakreontischen Gedichte Nr. 19 und Nr. 20 des Patriarchen Sophronius von Jerusalem, 1981. K.SA.

Sophroniskos (Σωφρονίσκος). Ehemann der → Phainarete, mit der er den Philosophen → Sokrates [2] zeugte, von Beruf Steinmetz. In Platons ›Laches‹ (180e) rühmt → Lysimachos [1] S. als inzwischen verstorbenen treuen Freund, mit dem er sich nie gestritten habe. Mehr ist über S. nicht bekannt. Wie üblich, benannte Sokrates einen seiner drei Söhne nach seinem Vater. K.D.

Sophrosyne (Σωφροσύνη). Personifikation der »Besonnenheit«, zuerst bei Theognis (1135–1140), in dessen polit. Denken der Begriff eine zentrale Rolle spielt: In Anspielung auf Hesiodos' Erzählung von → Pandora (Hes. erg. 57–105) verlassen hier die → Charites und → Pistis zusammen mit S. die Erde. Eine attische Grab-Inschr. des 4. Jh. v. Chr. nennt S. als Tochter der → *Aidṓs* (»Schamhaftigkeit«). In Kleinasien wurde S. kultisch verehrt [1].

1 G. Türk, s. v. S., RE 3 A, 1107 (Inschr.-Belege). SV.RA.

Sopianis (*Sopianae*). Röm. Siedlung in → Pannonia Inferior (Itin. Anton. 231; 264; Amm. 28,1,5; ILS 3795), h. Pécs/Ungarn, am Ausgangspunkt bed. Straßen in die pannonische Limeszone gelegen, und zwar nördl. nach → Carnuntum, → Arrabona, → Brigetio und → Aquincum, südöstl. nach → Mursa, → Sirmium und → Singidunum. Intensive Handelsbeziehungen bestanden mit It. (importierte Metallwaren, Keramik). Der wirtschaftliche Aufschwung zog Ansiedler aus It. an. Den Wohlstand von S. bezeugen kaiserliche Domänen, zahlreiche arch. Funde (Gebäude- und Straßenreste) sowie die Existenz einer blühenden landwirtschaftl. Produktion in der Umgebung (Villenareale). Für die Zeit des Prinzipats sind in S. Auxiliarveteranen bezeugt (CIL III 14039, 1. H. 1. Jh. n. Chr.; CIL III 3350, zw. 193 und 235 n. Chr.). Kultisch verehrt wurden in S. → Iuppiter, → Iuno und → Silvanus. Arch. Zeugen des Christentums sind ein Gräberfeld und Grabkammern mit Fresken, die biblische Motive zeigen. Im 4. Jh. war S. Bischofssitz, hier amtierte der → *praeses* der Prov. Valeria. S. war Geburtsort des Maximinus [3].

TIR L 34 Budapest, 1968, 105 (Quellen und ältere Lit.) • F. FÜLEP, Sopianae, 1985. J.BU.

Sora. Stadt der → Volsci am Ufer des Liris (Liv. 10,1,2; Sil. 8,396; Strab. 5,3,10: Σῶρα), auch h. noch S. 345 v. Chr. wurde S. von den Römern erstmals erobert (Liv. 7,28,6; 9,23,2; Diod. 19,72,3) und war im 2. Samnitenkrieg (→ Samnites) hart umkämpft (Liv. 9,43,1; 44,16; Diod. 20,80,1). 303 v. Chr. wurde eine mit dem *ius Latii* (→ *ius* D.2.) versehene *colonia* von den Römern nach S. deduziert (Liv. 10,1,1 f.; Vell. 1,14,5). 89 v. Chr. *municipium, tribus Romilia*; 44 v. Chr. *colonia Iulia Praetoria*, dann augusteische *colonia* (Plin. nat. 3,63). Arch.: Reste von Befestigungsanlagen (6./5. Jh. v. Chr.) und eines Podium-Tempels (303 v. Chr.).

M. LOLLI GHETTI, N. PAGLIARDI, S., in: S. QUILICI GIGLI (Hrsg.), Archeologia Laziale, Bd. 3 (Quaderni di Archeologia Etrusco-Italica 4), 1980, 177–179 • E. M. BERANGER, s. v. S., EAA 2. Suppl. 5, 1997, 330f. • H. SOLIN, Iscrizioni di S. e di Atina, in: Epigraphica 43, 1981, 45–61. M. M. MO./Ü: H. D.

Soracte. Kalksteinrücken (691 m), h. Soratte nordwestl. von Sant'Oreste, losgelöst vom Appenninus in Süd-Etruria im Gebiet der Falisci rechts des Tiberis zw. der Via Flaminia im Westen und der Via Tiberina im Osten; er beherrscht die Campagna Romana und ist von Rom aus sichtbar (Hor. carm. 1,9). Apollo (Verg. Aen. 11,785; Sil. 5,175; 7,662; 8,492; *sanctus Soranus Apollo*: ILS 3034), die Manes und Dis Pater Soranus wurden kultisch verehrt. Zu seinen Füßen liegt Feronia mit dem Heiligtum der gleichnamigen sabinischen Göttin (→ Lucus Feroniae [1]; Strab. 5,2,9). Mit den Wölfen (sabinisch *hirpi*) am S. soll der Ritus der *hirpi Sorani* zusammenhängen: diese, bestimmten ortsansässigen Familien angehörend, konnten barfuß über glühende Kohlen gehen, ohne sich zu verbrennen (Strab. 5,2,9; Plin. nat. 7,19). Von wilden Ziegen am S. spricht Cato (HRR 70; Varro rust. 2,3,3).

NISSEN 2, 367f. • G. TOMASSETTI, La Campagna Romana, Bd. 3, 1976, 330–341 • M. ANDREUSSI, s. v. S., EV 4, 946f. G. U./Ü: H. D.

Soranos (Σωρανός) aus Ephesos. Arzt in Rom um 100 n. Chr., wichtigster Repräsentant der medizinischen Schule der → Methodiker, im 20. Jh. als einer der bedeutendsten Ärzte der griech.-röm. Ant. wiedererkannt.

I. PERSON II. WERK

I. PERSON

Die → Suda nennt zwei Personen gleichen Namens, deren meist angenommene Identität nicht bewiesen ist (Σ 851 f. ADLER). Keines der ca. 30 Werke ist frei von Fragmentierung oder Kontamination erh., viele nur durch Exzerpte oder Titel bekannt; S. weist sich kommentierend, doxographisch und medizinhistor. durch umfassende medizin. und philos. Bildung aus. Pseudo-epigraphische Abh. liegen vor. Die Schriften des S. sind klar angelegt, schlicht und eindringlich, von stilistischer Reife, ohne überflüssige Rhetorik.

S., ›Sohn des Menandros und der Phoibe‹ (Suda), studierte wohl in Alexandreia [1], knüpfte jedenfalls an die Bildungsgüter der alexandrin. Medizin an und baute die methodische Schule aus. Die Schriften lassen röm. Elitefamilien als Klientel vermuten, die griech. Ärzte und hell.-aufgeklärte Medizin bevorzugten. S.' Einfluß auf spätere Autoren ist groß, bes. auf → Caelius [II 11] Aurelianus (=C. A.), → Oreibasios (in enzyklopädischer Hinsicht) und → Tertullianus (in philos. Hinsicht, eklektisch); letzterer nennt ihn *methodicae medicinae instructissimus auctor* (den »am besten unterrichteten Schriftsteller der methodischen Ärzteschule«, Tert. de anima 6,6); → Galenos benutzt S. in Arzneifragen sowie zur Doxographie.

II. WERK

A. MEDIZINISCHE SCHRIFTEN

Περὶ γυναικείων παθῶν (*Perí gynaikeíōn pathṓn*, ›Über Frauenkrankheiten‹): Das in griech. Sprache erh., ursprünglich offenbar illustrierte und von J. ILBERG restituierte Hauptwerk (4 B.), lat. bearbeitet und redigiert bei C. A. und bei Muscio, dürfte in einer ausführlichen Fassung für Ärzte vorgelegen haben. Eine katechismusartige Kurzfassung für → Hebammen (*Cateperotiana*), die dem Muscio vorlag, trägt pseudo-soranische Merkmale und ist wohl jünger. S. zeigt eine hochstehende, rational begründete geburtshilflich-gynäkologische Arbeitstechnik mit Anwendung von Geburtsstuhl und Vaginalspeculum (→ *speculum muliebre*; vgl. → medizinische Instrumente mit Abb.) sowie eine ausführliche Säuglingspflegelehre.

Χειρουργούμενα (*Cheirurgúmena*, ›Über Chirurgie‹; mehrere B.) sind bei C. A. erwähnt; alterierte Teile finden sich in *Perí sēmeíōn katagmátōn* (›Über Kennzeichen der Knochenbrüche‹), ein im Niketaskodex (Codex Laurentianus 74,7) enthaltenes Fr. zur Traumatologie; ebendort findet sich auch die eigenständige, in 60 Kap. mit jeweils zugeordneter Abb. reich illustrierte Schrift Περὶ ἐπιδέσμων/*Perí epidésmōn*, ›Über Verbände‹.

Περὶ ὀξέων παθῶν – Περὶ χρονίων παθῶν (›Über akute Krankheiten – Über chronische Krankheiten‹, 8 B.) sind lediglich in der lat. Bearbeitung des C. A. erh. Vollkommen verloren und nur dem Titel nach bekannt sind Abh. zu Krankheitslehre, Fortpflanzung, Fieber, Gesundheitslehre, Krankenpflege, Naturheilkunde, Augenheilkunde.

B. ANDERE WERKE

Die Rolle des S. als Kommentator hippokratischer Schriften (→ Hippokrates [6]) beruht auf Angaben späterer Autoren. → Orion [3], evtl. auch Meletios kannten offenbar seine Ἐτυμολογίαι τοῦ σώματος τοῦ ἀνθρώπου (*Etymologíai tu sṓmatos tu anthrṓpu*) oder Μονόβιβλον περὶ ὀνομασῶν (*Monóbiblon perí onomasṓn*), ein verlorenes ›Handbuch über die Benennung der Körperteile und Glieder des Menschen‹, aus dem mehrfach Zit. bewahrt sind. S. sammelte Nachr. über die großen Ärzte in Βίοι ἰατρῶν καὶ αἱρέσεις καὶ συντάγματα (›Leben der großen Ärzte, ihre Schulrichtungen und Lehren‹, 10 B.); daraus erh. ist lediglich ein Fr. über Hippokrates.

Περὶ ψυχῆς (›Über die Seele‹, 4 B.): Dieses verlorengegangene Werk hatte → Tertullianus bei Abfassung von *De anima* zur Hand.

→ Caelius [II 11] Aurelianus; Gynäkologie; Medizin; Methodiker

Ed. und Übers.: P. Burguière et al., S. d'Éphèse, Maladies des femmes, 4 Bde., 1988–1994 (mit frz. Übers., Komm. und Index) • J. Ilberg, Sorani Gynaeciorum Libri IV; De signis fracturarum; De fasciis; Vita Hippocratis secundum Soranum (=CMG Bd. 4), 1927 • O. Temkin et al., Soranus' Gynecology (engl. Übers. mit Einleitung), 1956 (Ndr. 1991).
Lit.: K.-D. Fischer, The Isagoge of Pseudo-Soranus, in: Medizinhistor. Journ. 35, 2000, 3–30 • A. E. Hanson, M. H. Green, Soranus of Ephesus: Methodicorum princeps, in: ANRW II 37.2, 1994, 967–1075. W.RE.

Sornatius, C. 72–68 v. Chr. als Legat des Licinius [I 26] Lucullus im 3. Mithradatischen Krieg (→ Mithradates [6] VI.; Plut. Lucullus 17,1; 24,1; 30,3; 35,1; IPerg 431; MAMA 6,260) bezeugt. J.BA.

Sorothaptisch. Sprache auf Votivtafeln aus SW-Frankreich (2. Jh. n. Chr.), die neben lat. Elementen Züge einer älteren Schicht trägt, die nicht keltisch sein kann. J. Coromines hat dieser den Namen S., »zur Urnenfelderkultur gehörend«, gegeben aufgrund der auch von anderen vertretenen Auffassung, daß vor der Verbreitung der keltischen Kultur in Westeuropa frühere Vertreter einer idg. Sprache vom Balkan auf die Iberische Halbinsel gelangt seien. Der Begriff ist demnach auch auf andere Relikte idg. Ursprungs, bes. ON in Spanien und Entlehnungen im → Baskischen anzuwenden.
→ Hispania, Sprachen

J. Coromines, Les plombs sorothaptiques d'Arles, in: Zschr. für roman. Philol. 91, 1975, 1–53. HA.SCH.

Sosia (*Sossia*).

[1] Pompeia S. Falconilla. Tochter von Pompeius Sosius [II 2] Priscus (*cos. ord.* 149 n. Chr.); verheiratet mit M. Pontius [II 3] Laelianus (*cos. ord.* 163). Kennzeichnend für ihre soziale Position war die außergewöhnliche Ahnenreihe auf väterlicher Seite, die deshalb – wie bei ihrer Großmutter S. [2] Polla – stets in ihren Inschr. erscheint (CIL VIII 7066; AE 1935, 26).

[2] S. Polla. Tochter von Sosius [II 4] Senecio, der eine Tochter von Sex. Iulius → Frontinus geheiratet hatte. S. war verheiratet mit Q. Pompeius [II 8] Falco (*cos. suff.* 108), den sie 123/4 n. Chr. während seines Prokonsulats in die Prov. Asia begleitete. Ihre Enkelin ist S. [1].

W. Eck, Senatorische Familien der Kaiserzeit in der Prov. Sizilien, in: ZPE 113, 1996, 109–128, bes. 117ff. • Raepsaet-Charlier Nr. 632 (S. [1]); Nr. 723 (S. [2]). W.E.

Sosibios (Σωσίβιος).

[1] Sohn des Dioskurides, Vater des Ptolemaios [32], des Sosibios [2] und der Arsinoë [II 5]; aus Alexandreia; noch unter Ptolemaios [6] III. errang er Siege im Diaulos bei den → Ptolemaia, im Ringkampf der *agéneioi* (»Bartlosen«) bei den → Panathenaia und in Wagenrennen bei den → Isthmia und → Nemea (Kallimachos fr. 384 Pfeiffer; [1. 144–149; 2. 79–81]). Damals ist schon von Stiftungen für Zeus Kasios in Pelusion und das Heraion (von Argos?) die Rede. S., der um 240 v. Chr. auf Delos geehrt wurde (IG XI 4, 649), war wohl seit ca. 245 als Nachfolger des Apollonios [1] *dioikḗtḗs* [3. 239] und wurde 235/4 eponymer Alexanderpriester. S. trug wesentlich dazu bei, die Nachfolge Ptolemaios' [7] IV. zu sichern, weshalb er mit und vielleicht vor Agathokles [6] lange Zeit die äg. Politik lenkte (Pol. 5,35–38; 63–67; 87), vielleicht als *dioikḗtḗs*. Er kommandierte die Ägypter bei Rhaphia und ging danach als Gesandter zu Antiochos [5] III. 214/3 versuchte er, Achaios [5] zu retten (Pol. 8,17–23); bei der Thronbesteigung Ptolemaios' [8] V., als dessen *pseudepítropos* ihn Polybios (15,25) bezeichnete, ließ er die als Regentin vorgesehene Arsinoë [II 4] ermorden. Seine Bed. wird auch durch zahlreiche Ehrenbeschlüsse bezeugt (OGIS 79: Knidos; 80: Tanagra; IG VII 3166: Orchomenos). Ein vom König verliehenes Landgut (*dōreá*) auf seinen Namen wird 138 genannt (PTebtunis III 860, 17f.). PP I/VIII 48; VI 17239.

1 Th. Fuhrer, Die Auseinandersetzung mit den Chorlyrikern in den Epinikien des Kallimachos, 1992
2 Dies., Callimachus' Epinician Poems, in: M. A. Harder u. a. (Hrsg.), Callimachus, 1993, 79–97 3 C. Orrieux, Les archives d'Eucles et la fin de la dôrea du dioicète Apollonios, in: Chronique d'Égypte 55, 1980, Nr. 109–110, 213–239.

W. Huss, Äg. in hell. Zeit, 2001, 458f. • P. Maas, S. als ψευδεπίτροπος des Ptolemaios Epiphanes, in: Ders., KS, 1973, 100 • L. Mooren, The Aulic Titulature, 1975, 63–66, Nr. 018.

[2] Sohn des S. [1], z.Z. des Agathokles [6] → *sōmatophýlax* des Ptolemaios [8] V.; nach der Beteiligung am Sturz des Agathokles (Pol. 15,32,6f.) stieg er bis 201 v. Chr. in eine hohe, nicht genau faßbare Stellung auf (*hypomnēmatográphos?*), wurde aber rasch durch → Tlepolemos entmachtet (Pol. 16,22). W.A.

[3] Grammatiker, Chronograph und Kultschriftsteller spartanischer Herkunft, oft als »der Lakonier« (ὁ Λάκων) zitiert, zw. 250 und 150 v. Chr. [2. 635f.]. Zu S.' Werken (nur spärliche Fr. erh.) gehörten ein aus mindestens 3 B. bestehender Komm. zu → Alkman (Περὶ Ἀλκμᾶνος), eine nach dem Vorbild des → Timaios und des → Eratosthenes [2] verfaßte, nach Olympiaden geordnete Chronographie (Χρόνων ἀναγραφή, ›Zeitverzeichnis‹) sowie mehrere Schriften über die Kulte Spartas (Περὶ τῶν ἐν Λακεδαίμονι θυσιῶν, ›Über die Opfer in Lakedaimon‹; Περὶ ἐθῶν, ›Über die Sitten‹).

Ed.: 1 FGrH 595.
Lit.: 2 FGrH Komm. zu 595 3 R. Laqueur, Zur griech. Sagenchronographie, in: Hermes 42, 1907, 513–532

4 Ders., s. v. S. (2), RE 3 A, 1146–1149 5 C. WACHSMUTH, De Eratosthene Apollodoro Sosibio chronographis, 1891/2 6 L. WEBER, Quaestionum Laconicarum capita duo, Diss. Göttingen 1887, 55–64. ST. MA.

[4] (*Sosibius*). Erzieher des → Britannicus, einer der Ankläger gegen → Valerius Asiaticus im J. 47 n. Chr. [1. 61–64]. Als Belohnung erhielt er 1 Mill. Sesterzen. Da er eng mit Britannicus und Claudius [III 1] verbunden war, setzte → Agrippina [3] durch, daß er aus dem Palast entfernt wurde. Bald darauf wurde er, angeblich weil er Nero aus dem Weg zu räumen suchte, im J. 51 verurteilt und hingerichtet (Tac. ann. 11,1,1 f.; 11,4,3; Cass. Dio 60,32,5).

1 B. LEVICK, Claudius, 1990. W. E.

Sosigenes (Σωσιγένης).
[1] S. aus Kaunos. 288/7 v. Chr. als *oikonómos* Ptolemaios' [1] I. in Lykien (SEG 27,929, Limyra). W. A.
[2] Komödiendichter, der nur inschr. als Teilnehmer am attischen Dionysienagon von 157 v. Chr. belegt ist, wo er mit dem Stück Λυτρούμενος (*Lytrúmenos*, ›Der Losgekaufte‹) den sechsten Platz belegte.

1 PCG VII, 1989, 603. H.-G. NE.

[3] Astromom, von Caesar mit der Berechnung des Iulianischen → Kalenders beauftragt: Plinius (nat. 18,212) erwähnt drei verschiedene Fassungen (*commentationes*) seines Werkes. Ebenfalls laut Plinius (nat. 2,39) hat er sich mit der maximalen Elongation des Planeten Merkur befaßt.

A. REHM, s. v. S. (6), RE 3 A, 1153–1157. W. H.

[4] Peripatetiker des 2. Jh. n. Chr., Lehrer des → Alexandros [26] von Aphrodisias. Sein Hauptwerk, Περὶ τῶν ἀνελιττουσῶν σφαιρῶν (›Über die rückrollenden Sphären‹), war eine vergleichende Darstellung der beiden einflußreichsten ant. Modelle der Himmelsbewegungen, des homozentrischen des → Eudoxos [1] und Aristoteles [6], und des späteren »ptolemäischen« (→ Ptolemaios [65]) mit seinen exzentrischen Sphären und Epizykeln. Dabei gab er die Vorteile des letzteren zu, bemerkte aber, daß es die grundsätzlichen Forderungen des aristotelischen Systems nicht erfülle (Simpl. in Aristot. cael. 493–510; Ps.-Alex. Aphr. in Aristot. metaph. 703–706). Von einem Werk Περὶ ὄψεως (›Über das Sehen‹) kennen wir seine Erklärungen der phosphoreszierenden Körper und des Mondhofs (Them. in Aristot. an. 61,21 ff.; Alex. Aphr. in Aristot. meteor. 143,7 ff.), sonst nur ein paar Bemerkungen zu Fragen der Logik. S. vereinte eine objektive Darstellungsweise mit einer orthodox aristotelischen Grundhaltung.

MORAUX, Bd. 2, 1984, 335–360 · H. B. GOTTSCHALK, Aristotelian Philosophy..., in: ANRW II 36.2, 1079–1174 (hier: 1159 f.). H. G.

Sosikrates (Σωσικράτης). Ausschließlich lit. bezeugter griech. Komödiendichter, allem Anschein nach der Neuen → Komödie angehörig. Pollux überliefert drei Verse aus dem Stück Παρακαταθήκη (*Parakatathékē*, ›Das Pfand‹), Athenaios ebenfalls drei aus den Φιλάδελφοι (*Philádelphoi*, ›Die Geschwisterliebenden‹), Stobaios zwei Verse und die Suda die Glosse ἀμφίας jeweils aus einer unbekannten Komödie [1].

1 PCG VII, 1989, 600–602. T. HI.

Sosipatros (Σωσίπατρος). Dichter der Neuen → Komödie, einzig bekannt durch ein bei Athenaios bewahrtes 57 Verse langes Zitat aus dem Stück Καταψευδόμενος (*Katapseudómenos*, ›Der Verleumder‹) [1]. Darin preist ein Koch im Dialog mit seinem Gesprächspartner Demylos – verm. sein Auftraggeber – sich selbst als einen der drei größten lebenden Vertreter seines Fachs und dieses wiederum als eine auf Astrologie, Architektur und Strategie gegründete höchst anspruchsvolle Wissenschaft.

1 PCG VII, 1989, 604–607. T. HI.

Sosiphanes (Σωσιφάνης).
[1] S. aus Syrakus, Tragiker (TrGF I 92), gest. 336/333 bzw. 324/321 v. Chr. Die Suda (σ 863) schreibt ihm 73 Stücke und 7 Siege zu. Bezeugt ist als Titel *Meléagros*. Die Zuweisung zur trag. → Pleias (TrGF T 1) bezieht sich auf S. [2].
[2] Tragiker (TrGF I 103), geb. 306/5 v. Chr., wird zur trag. → Pleias gezählt. B. Z.

Sosipolis (Σωσίπολις).
[1] Schutzgöttin im sizil. → Gela.
[2] Männl. → Daimon oder Gott, der seit 1. H. des 3. Jh. v. Chr. in → Olympia nachweisbar ist. Als kleines Kind in eine Schlange verwandelt, schlägt er die Arkader zurück und erhält gemeinsam mit → Eileithyia in Olympia ein Heiligtum (Paus. 6,20,2–6). In Elis wird S. in einem Heiligtum gemeinsam mit → Tyche verehrt.
[3] Beiname des → Zeus in Magnesia [1] (vgl. Strab. 14,1,41).

IMagn., 82, Nr. 98 · Syll.³, Bd. 2, Nr. 589. FR. D.

Sosippos (Σώσιππος). Komödiendichter unbestimmter Zeit, nur bei Athenaios erwähnt. Dieser führt ein Zitat von 8 V. mit der Bemerkung ein: ›Diphilos oder S. sagt in der Ἀπολείπουσα (›Die Davongelaufene‹) ...‹ [1]. Das Fr. selbst wird eher dem bekannteren Diphilos zugeschrieben, zumal dessen gleichnamiges Stück noch mehrfach bezeugt ist [2].

1 PCG VII, 1989, 608 2 PCG V, 1986, 58–61. T. HI.

Sosistratos (Σωσίστρατος).
[1] Zusammen mit Herakleides seit ca. 330 v. Chr. Führer der Oligarchie der → Sechshundert in → Syrakusai. Seine Erfolge im Kampf Krotons gegen die Bruttii festigten, wiewohl er von Agathokles [2] des Tyrannisstrebens verdächtigt wurde, seine Stellung in Syrakus

(Diod. 19,3,3–5). Nach einem mil. Mißerfolg gegen Rhegion wurde er ca. 322 aus Syrakus verbannt (Diod. 19,4,3), konnte zwar unter → Akestoridas mit seinen Anhängern zurückkehren, wurde aber bei der Machtergreifung des Agathokles 316/5 vertrieben (Diod. 19,8,2). 314 ließ der Spartaner Akrotatos [1], der kurzzeitig die Verbannten im Kampf befehligte, S. aus Eifersucht bei einem Gastmahl in Akragas umbringen (Diod. 19,71,4). Die Gesamtwürdigung des S. bei Diodor (19,3,3 bzw. 71,4) ist widersprüchlich.

S. N. Consolo Langher, Siracusa e la Sicilia greca, 1996, 273–279 · K. Meister, in: CAH 7.1, ²1984, 384–391.

[2] Syrakusier, wohl Enkel von S. [1], 279 v. Chr. Tyrann von → Akragas und 30 weiteren Orten, der bald Syrakus ohne Ortygia, wo sich Thoinon hielt, hinzueroberte. Als die Karthager wegen der Vereinigung der beiden Städte Syrakus belagerten, riefen S. und Thoinon gemeinsam 278 → Pyrrhos [3] und übergaben ihm Syrakus; dann unterstellte S. ihm auch Akragas, die übrigen Orte und seine Streitkräfte. Als Pyrrhos willkürlich Thoinon hinrichten ließ, floh S. aus Syrakus. Quellen: Diod. 22,7,3; 8,4f.; 10,1; Plut. Pyrrhos 23; Dion. Hal. ant. 20,8,1.

H. Berve, Die Tyrannis bei den Griechen, Bd. 1, 1967, 458–462 · G. de Sensi Sestito, in: E. Gabba, G. Vallet (Hrsg.), La Sicilia antica, Bd. 2.1, 1980, 347f. K. MEI.

[3] Tragiker (TrGF I 142), Mitte 2. Jh. v. Chr., an den Heraia auf Samos mit einer neuen Tragödie erfolgreich (DID A 11 (b)). B. Z.

Sositheos (Σωσίθεος) aus Alexandreia [2] in der Troas, Satyrspieldichter und Tragiker der → Pleias, 1. H. 3. Jh. v. Chr. (TrGF I 99). Laut Suda (σ 860) soll er auch Gedichte und Prosa geschrieben haben (T 1). Dioskurides [3] (Anth. Pal. 7,707 = T 2) preist ihn in einem fingierten Grabepigramm als Erneuerer des → Satyrspiels, der sich an → Pratinas orientiere. Erh. sind 24 Verse aus ›Daphnis oder Lityerses‹, verm. einem Satyrspiel, in dem die Liebe von → Daphnis und der Nymphe Thaleia, ihre Gefangennahme durch Lityerses und vermutlich ihre Befreiung durch Herakles behandelt wurde.

R. Krumeich u. a. (Hrsg.), Das griech. Satyrspiel, 1999, 602–613. B. Z.

Sosius. Ital. Familienname [1], der erst E. 1. Jh. v. Chr. in senatorischen Kreisen erscheint.

1 Schulze, 425.

I. Republikanische Zeit

[I 1] Zwei Brüder, die z. Z. des Horaz recht bekannte Verlagsbuchhändler waren (Hor. epist. 1,20,2; 2,3,345).

[I 2] S., C. Erstmals durch die 39 v. Chr. von ihm geprägten Mz. als Quaestor des Antonius [I 9] belegt (BMCRR 2,504). Seit 38 war er für diesen Statthalter in Syria sowie Cilicia und bekämpfte zusammen mit Herodes [1] erfolgreich den von den Parthern in Iudaea eingesetzten Antigonos [5] (Cass. Dio 49,22,3; BMCRR 2,508). Antonius ermöglichte ihm 34 den Triumph (CIL I² p. 50) und 32 den Konsulat, den S. versuchte, gegen Octavianus zu führen, um dann aber zu Antonius zu fliehen (Cass. Dio 50,2). In der Schlacht bei Actium (→ Aktion) befehligte S. einen Teil von Antonius' Flotte (Vell. 2,85,2), wurde aber dank der Fürsprache des Arruntius [II 2] begnadigt (Vell. 2,86,2). Im J. 17 ist er noch als *XVvir sacris faciundis* erwähnt (CIL VI 32323). S. erneuerte in Rom den dann nach ihm benannten Apollo-Sosianus-Tempel, die darin ausgestellten Kunstwerke hatte er verm. aus dem kilikischen Seleukeia [5] geraubt (Plin. nat. 13,53; 36,28). S.' Verhältnis zu dem Cic. Att. 8,6,1 erwähnten *C. Sosius praetor* ist unklar.

1 Syme, RR 2 Syme, AA. J. BA.

II. Kaiserzeit

[II 1] Q. Pompeius S. Falco. Patrizier, Sohn von S. [II 3]. Als er 192 n. Chr. zum Consul designiert wurde, soll → Commodus erwogen haben, ihn und seinen Kollegen zu töten (Cass. Dio 72,22,2). *Cos. ord.* am 1. Januar 193; damit wurde er in leitender Funktion mit der Ermordung des Commodus und der Ausrufung des → Pertinax zum Kaiser konfrontiert. Er nahm gegen Pertinax Stellung (HA Pert. 5,2). Nach Cassius Dio (73,8) sollte er, auf Betreiben des Aemilius [II 6] Laetus, durch die Praetorianer zum Kaiser ausgerufen werden; Pertinax verhinderte dies durch schnelles Eingreifen, ließ aber S. nicht hinrichten.

[II 2] Q. Pompeius S. Priscus. Er trug wie sein Sohn S. [II 3] zahlreiche Namen (vgl. v. a. AE 1966, 115). Geb. wohl 117 oder 118 n. Chr. als Sohn des Q. Pompeius [II 8] Falco und der Sosia [2] Polla. Patrizische Laufbahn, die ihn 149 zum ordentlichen Consulat führte. Proconsul von Asia; *comes* von Marcus [2] Aurelius und Lucius Verus. Mitglied mehrerer Priesterschaften. Er und sein Sohn sind typische Beispiele für Senatoren vornehmster Herkunft, die über großen Einfluß auch beim Kaiser verfügten, aber in der Verwaltung des Reiches außerhalb Roms kaum mehr eine Rolle spielten. PIR² P 656 und CIL VI 41129.

[II 3] Q. Pompeius Senecio S. Priscus. Sohn von S. [II 2]. Sein voller Name mit 38 Elementen ist in ILS 1104 gegeben; vgl. CIL VI 37071 und AE 1966, 115. Patrizier. Nach den seinem Rang entsprechenden niederen Ämtern gelangte er 169 zum ordentlichen Konsulat. Er erloste den Prokonsulat von Asia, wohl ohne ihn anzutreten. Zu seiner Verwandtschaft s. PIR² P 651.

[II 4] Q. S. Senecio. Vater von Sosia [2] Polla, die Q. Pompeius [II 8] Falco heiratete; somit Großvater mütterlicherseits von S. [II 2]. Obwohl *homo novus*, wurde er 99 n. Chr. *cos. ord.*, im zweiten J. der Herrschaft des → Traianus. Verm. hat er somit bei dessen Herrschaftsantritt eine wesentliche Rolle gespielt. Auch deshalb ist die Zuweisung der Inschr. CIL VI 1444 = ILS 1022 = CIL VI, pars VIII fasc. 3 p. 4698f. durch [1] höchst wahrscheinlich [2. 403f.]. Im J. 97, als Traian in Germanien amtierte und durch Nerva [2] adoptiert wurde, war er Statthalter der Prov. Gallia Belgica und hat offensichtlich Traian in seinen polit. Absichten umfassend unterstützt (vgl. [3]). Während des 1. Dakerkrieges (→ Dakoi B.) vielleicht Legat von Moesia superior oder auch Legat in Dakien; als Armeekommandeur am 2. Dakerkrieg beteiligt. Ausgezeichnet mit doppelten → *dona militaria*. 107 *cos. ord. II* zusammen mit Licinius [II 25] Sura. Traian verlieh ihm die Triumphalinsignien (Cass. Dio 68,16,2). Verbindung mit zahlreichen Personen, auch mit Plinius [2] d. J. und Plutarchos. Zur Lit. s. CIL VI, pars VIII fasc. 3, p. 4698 f.

1 C. P. Jones, Sura and Senecio, in: JRS 60, 1970, 98–104 2 Syme, RP VI 3 W. Eck, An Emperor is Made: Senatorial Politics and Trajan's Adoption by Nerva in 97, in: G. Clark, T. Rajak (Hrsg.), Philosophy and Power in the Graeco-Roman World, 2002 (im Druck). W.E.

Sosos (Σῶσος). Der einzige griech. Mosaizist, der sowohl aus schriftl. Quellen (Plin. nat. 36,184) bekannt als auch in kaiserzeitlichen röm. Kopien überl. ist. S. war im 2. Jh. v. Chr. in → Pergamon tätig. Dort schuf er u. a. ein lit. und in Kopien überl. → *pavimentum* in *opus tessellatum* (→ Mosaik) mit der Darstellung von Tauben, umgeben vom sog. *asárōtos oíkos* (ungefegter Boden, übersät mit Resten des Mahls). Mit diesem Werk soll S. gemäß Plinius der Natur bes. nahe gekommen sein. Die ältere Forsch. [4] hatte Taubenmosaik und *asárōtos oíkos* als symbolische Darstellungen (Seelenvögel und Speise für die Toten) interpretiert. Die intensive Auseinandersetzung der neueren Forsch. mit der hell. Kunst (vgl. [2; 5]) hat geklärt, daß die Darstellung der Thematik des → *xénion* (Gastgeschenks) entstammt [4] und dem unterhaltenden Bereich der *Trompe l'œil*-Effekte angehört.
→ Mosaik

1 M. Donderer, Das kapitolinische Taubenmosaik, in: MDAI(R) 98, 1991, 189–197 2 H. Meyer, Zu neueren Deutungen von Asarotos Oikos und Kapitolinischem Taubenmosaik, in: AA 1977, 104–110 3 E. M. Moormann, Ein neues Frg. des Taubenmosaiks aus der Hadriansvilla in Tivoli, in: AA 1987, 153–158 4 K. Parlasca, Das pergamenische Taubenmosaik, in: JDAI 78, 1963, 259–293 5 G. Vetters, Trompe l'œil in der griech. Malerei und Mosaikkunst, Dipl. Wien 1997 (Auszug in: Forum Archaeologiae – Zschr. für klass. Arch., http://farch.net 6, III, 1998, 1–4). AL.PA.

Sossia s. Sosia

Sossinati (Σοσσινάτοι). Gebirgsvolk auf → Sardinia, lebte wie die benachbarten Paratoi, Balaroi (vgl. Liv. 41,6,6; 12,5; Plin. nat. 3,85; Paus. 10,17,5) und Akonites z.Z. Strabons (5,2,7) auf niedriger Kulturstufe, d. h. in Felshöhlen, nur z. T. vom Ackerbau, hauptsächlich aber von Raubzügen in die Nachbargebiete.

P. Meloni, Sardegna romana, 1990, 312 f. P.M./Ü: R.P.L.

Sosthenes (Σωσθένης). Maked. Adliger. Nach dem Tod des Ptolemaios [2] Keraunos wurde dessen Bruder Meleagros [5] Anf. 279 v. Chr. König von Makedonien, aber schon nach zwei Monaten abgesetzt. Sein Nachfolger Antipatros, Neffe des → Kassandros, zeigte sich den Kelten nicht gewachsen und wurde nach 45 Tagen von S. vertrieben, dem es gelang, der Keltengefahr Herr zu werden. Den ihm daraufhin angebotenen Königstitel lehnte S. ab und regierte als → *stratēgós*. Beim Einfall des Brennus [2] wurde Makedonien nochmals geplündert; doch als die Kelten nach Griechenland weiterzogen, gewann S. das Vertrauen des Heeres wieder, hielt mehreren Prätendenten stand und behauptete sich auch ein Jahr lang in Thessalien. Nach einem Sieg über die Kelten in Thrake wurde Antigonos [2] als König anerkannt (277), woraufhin S. aus der Gesch. verschwindet (Hier. chron. 1,241; 245 Schöne; Iust. 24,5,6,2).

HM 3, 254–257; 580–581. E.B.

Sosthenis (Σωσθενίς). Stadt im Tal des → Spercheios, ihre Lokalisierung beim h. Vardates ist nicht unumstritten. S. gehörte urspr. den → Oitaioi, ging wohl mit dem E. der aitolischen Herrschaft über dieses Gebiet (Syll.³ 421 Z. 22; 636 Z. 13) nach 168 v. Chr. unter.

Y. Béquignon, La vallée du Spercheios, 1937, 306 f. • A. Kontogiannis, Σ., in: La Thessalie (Actes du colloque international Lyon 1990), 1994, Bd. 2, 239–244 • F. Stählin, s. v. S., RE 3 A, 1198 f. HE.KR.

Sostratos (Σώστρατος).
[1] Sohn des Dexiphanes aus Knidos; Architekt frühhell. Zeit (1. H. 3. Jh. v. Chr.), verschiedentlich erwähnt in der ant. Lit. (Plin. nat. 36,83; Lukian. amores 11; Lukian. Hippias 2). Als einer der *phíloi* des Ptolemaios [3] II. war er auch diplomatisch tätig (Strab. 17,1,6). Neben verschiedenen Kanalbauten im Kontext der Eroberung der ägypt. Stadt → Memphis sowie Bauwerken in → Knidos und → Delphoi (FdD III/1 Nr. 198 und 299) wird ihm v. a. auch der Bau des Pharos von Alexandreia (→ Leuchtturm) zugeschrieben, eines der → Weltwunder (Plin. nat. 36,83; Suda s. v. *pháros*).

W. Müller, Architekten in der Welt der Ant., 1989, 204 f. C.HÖ.

[2] S. aus Chalkis, nur auf argivischer Inschr. bezeugter Tragiker, 1. Jh. v. Chr. (TrGF I 161). B.Z.
[3] S. aus Nysa, 1. Jh. v. Chr., aus einer berühmten Grammatikerfamilie; sein Vater hieß → Menekrates [13], sein Vetter Aristodemos war Hauslehrer bei Pompeius [I 3] Magnus (Strab. 14,1,48). S. war Lehrer des → Strabon und Verf. von geogr. Werken mit reichem myth. Material (spärliche Zitate bei Stobaios und Plutarchos): ›Über Flüsse‹, 2 B.; *Tyrrhēniká*, *Thrakiká*; *Mythikḗs historías synagōgḗ* (myth. Berichte). S. verfaßte auch *Kynēgetiká* (›Über die Jagd‹, Stob. 4,20b = FGrH 23 F 4 = SH 735). Verm. nicht identisch mit dem von Eustathios zitierten gleichnamigen Elegiker S. [5].

FGrH 23 (I.A addenda p. *11–*12) • SH 731–735. S.FO./Ü: TH.ZI.

[4] Steinscheider des 1. Jh. v. Chr., signierte einen verschollenen Kameo mit Eros, der ein Pantherinnen-Gespann lenkt [1. Taf. 24,1–3]. Unbestimmt ist, ob S. auch Intagli schnitt.
→ Steinschneidekunst

1 M.-L. Vollenweider, Die Steinschneidekunst und ihre Künstler in spätrepublikanischer und augusteischer Zeit, 1966 2 O. M. Dalton, Cat. of the Engraved Gems of the Post-Classical Periods in the British Museum, 1915, Nr. 770 3 Zazoff, AG, 289f. Anm. 140f. S. MI.

[5] Hell. Dichter; laut Eustath. 1665,48 ff. (=SH 733) Verf. einer Elegie mit dem Titel Τειρεσίας (→ *Teiresías*) über die sieben Metamorphosen des mythischen Sehers. Auf S. führt Eustathios (1696,49f. = SH 734) die Erzählung von der Schülerschaft des → Paris bei Apollon zurück, der diesem, seinem Geliebten, den Bogen gegeben habe, mit dem er Achilleus töten sollte. In beiden Fällen scheint → Ptolemaios [64] Chennos Quelle des Eustathios gewesen zu sein.

Da Athen. 13,590a-b (=SH 732) auf ein Gedicht mit dem Titel Ἠοῖοι (*Ēhoíoi*, verm. ein Kat. von *erṓmenoi* von Göttern) als Werk eines Sosikrates von Phanagoria verweist und da Steph. Byz. 459, 13–16 Meineke (=SH 731) einen S. von Phanagoria erwähnt, dachte schon Schweighäuser, daß bei Athenaios »S.« anstelle von »Sosikrates« zu lesen sei; in diesem Fall ließe sich die Elegie über Teiresias auf die *Ēhoíoi* zurückführen (so [1]). Laut [2. 382] gab es einen Dichter Sosikrates, vielleicht Zeitgenosse des Phanokles; die Elegie und ihr Verf. S. seien ›bloße Erfindung des Ptolemaios Chennos‹ (vgl. auch S. [3]).

1 SH, p. 354 2 F. Susemihl, Gesch. der griech. Litt. in der Alexandrinerzeit, Bd. 1, 1891 3 Gh. Ugolini, Unt. zur Figur des Sehers Teiresias (Classica Monacensia 12), 1995, 100–110. M. D. MA./Ü: T. H.

Sosylos (Σωσύλος). Griech. Historiker, aus Lakonien, wie Silenos [1] im Gefolge Hannibals, ›solange das Schicksal es zuließ‹; war auch Hannibals Griechischlehrer (Nep. Hann. 13,3 = FGrH 176 T 1). Verf. einer »offiziellen« Hannibal-Gesch. in 7 B. (Diod. 26,4 = FGrH 176 T 2): S. wird von Polybios (3,20,5 = FGrH 176 T 3) wegen sachlicher Fehler scharf kritisiert, doch ergibt seine auf einem Würzburger Pap. (PGraec. 1) erh. Beschreibung eines komplizierten nautischen Manövers aus einer Seeschlacht ein weit günstigeres Bild von seiner Gesch.-Schreibung.

FGrH 176 (mit Komm.) · K. Meister, Histor. Kritik bei Polybios, 1975, 167–172 · J. Seibert, Unt. zu Hannibal, 1993, 12f., 261f. K. MEI.

Sotadeus s. Sotades [2]

Sotades (Σωτάδης).
[1] Att. Dichter der Mittleren → Komödie (4. Jh. v. Chr.), von Athenaios und der Suda ausdrücklich als solcher bezeichnet [1. test. 1.2]. Aus dem Stück Ἐγκλειόμεναι (oder -οι; ›Die Eingesperrten‹), zitiert Athenaios 35 Verse, in denen ein Koch ausführlich über seine Kunst der Fischzubereitung spricht (fr. 1). Ferner sind bei Athenaios zwei Verse aus dem Παραλυτρούμενος (*Paralytrúmenos*, ›Der Freigekaufte‹; fr. 3) sowie in einem Hiob-Komm. fünf Verse aus einem unbekannten Stück überl. (fr. 4). Letztere enthalten ein elaboriertes Wortspiel mit den Verben παθεῖν und μαθεῖν.

1 PCG VII, 1989, 609–613. T. HI.

[2] S. von Maroneia. Hell. Dichter des 3. Jh. v. Chr. Die nach S. benannte stichische Versform, der Sotadeus, besteht aus drei vorwiegend ionischen Maßen, *ionici a maiore* (– – ⏑ ⏑), und einem Spondeus. Die *ionici* lassen große Freiheit zu (etwa – ⏑ – × oder – ⏑ ⏑ – oder mit »irrationalem« Longum – – ⏑ –), so daß West zu Recht von einer »Proteus-Form« spricht [8]. Einige Verse des S. selbst sind bei Athenaios und Hephaistion überliefert [1], deren Bissigkeit, teilweise Obszönität und ionische Sprache an die Spottverse des → Hipponax erinnern. Von seinem Verbalangriff auf Ptolemaios [3] II. Philadelphos wegen dessen Ehe mit seiner Schwester (274 v. Chr.) weiß die ant. Biographie (Suda s. v. Σ.): Er zog eine schwere Bestrafung des »Protestdichters« nach sich [7]. S. galt als Erfinder der Kinädologie (»obszönen Dichtung«; Strab. 14,41); der Sotadeus hieß auch *kinaidológos* (Athen. 14,620e). Quintilianus verwarf Sotadeen als Schullektüre (Quint. inst. 1,8,6); gerne werden in der lat. Dichtung Sotadeen in den Mund sozial niedriggestellter Menschen gelegt (*cinaedi*: Petron. 23,3; die betrunkene Sosia: Plaut. Amph. 168f.).

In ganz anderem Stil schrieb S. die ›Ilias‹ in Sotadeen um (fr. 4a-c CollAlex), ein Paradebeispiel alexandrinischen Erfindungsreichtums. Mehrere längere Zitate, die Stobaios sicherlich irrtümlich S. zuschreibt (fr. 6–14 [1]), sind in freierem Metrum verfaßt; sie enthalten populärphilos. Weisheiten, etwa ›Menschliches Glück ist nie ungetrübt‹ (fr. 6), ›Gesetz ist Gott‹ (fr. 7) oder ›Selbst als König lebe bescheiden!‹ (fr. 9). Als erzieherische, für die Jugend des alexandrinischen Äg. gemünzte Verse interpretiert sie [10]. Gundlegende Unterschiede zw. diesen späteren Sotadeen und den echten Versen des S. [3]: Sprachliche und metrische Genauigkeit, Biß und Polemik charakterisieren die echten; lockere, bis in Unkenntlichkeit mündende Versform und seichtes Moralisieren erstere. Sotadeen bei Ennius (*Sota*), Accius (*Didascalica*) und Plautus illustrieren diese grundsätzliche Spaltung in der sotadeischen Trad. [3] (Sotadeen auch in einem griech. Preisgedicht auf Alexandreia: [2]; POxy. 3010: *versus metroaci*?; [9]). Doch finden sich in fr. 15 CollAlex (Stob. 4,34,8) Elemente beider Richtungen: Der ›allzeugende Aion‹, heißt es einerseits in unverkennbar später rel. Terminologie, hat nicht alles auf Erden gerecht geregelt. Eine Schildkröte fiel auf den Kopf des dichtenden Aischylos und tötete ihn; Euripides zerrissen thrakische Hunde: Darin zeigt sich andererseits die urspr., für S. charakteristische ikonoklastisch-ketzerische Tendenz. Ob S. letztendlich ein bereits existierendes, urspr. vielleicht kultisches Versmaß (*ionici*) für seine der Trad. der ionischen Iambographie nahestehenden Spottgedichte zweckentfremdete oder ein alexandrinisches Novum schuf, das dann in der Folgezeit für andere Zwecke (moralisierende Verse) aufgegriffen wurde, bleibt fraglich [2. 77–78].

ED.: 1 CollAlex 238–240 (Fr. 1–4) 2 I. H. M. HENDRIKS et al., Papyri from the Groningen Collection I: Encomium Alexandreae, in: ZPE 41, 1981, 71–83 (bes. 76–78).
LIT.: 3 M. BETTINI, A proposito dei versi sotadei, greci e romani, in: Materiali e Discussioni 9, 1982, 59–105 4 I. M. NACHOV, La poésie de la protestation et de la colère (Sotades, Phénix, Kerkidas), in: Voprosy klassičeskoj Filologii (Moskau) V, 1973, 5–67 5 F. PODHORSKY, De versu Sotadeo, Diss. Wien 1895 6 R. PRETAGOSTINI, Ricerche sulla poesia alessandrina. Teocrito, Callimacho, Sotade, 1984 7 G. WEBER, The Hellenistic Rulers and Their Poets. Silencing Dangerous Poets?, in: Ancient Society 29, 1998–1999, 147–174 8 M. L. WEST, Greek Metre, 1982, 144 f. 9 M. L. WEST, The Metre of Arius' Thalia, in: Journ. of Theological Studies 1982, 98–105 10 U. VON WILAMOWITZ-MOELLENDORFF, Lesefrüchte, in: Hermes 33, 1898, 514.
W.D.F.

Sotades-Maler. Att. rf. Vasenmaler, um 460–450 v. Chr. tätig. Spricht man vom S.-M., meint man zuerst Sotades, der als Töpfer signierte. Mit seinen Kreationen überragte er den Figurenmaler, sei er nun identisch mit ihm oder nicht; er war der eigenwilligste Töpfer Athens. Sein in geringer Zahl erh. Repertoire reicht von niederen Schalen, innen oft stempelverziert (→ Stempelkeramik), oder Schalen, die – z. T. korallenrot – weißgrundig hauchzart bemalt sind, über Rhyta in Tier- und Menschenkopfform bis hin zu figürlichen Formen wie Reiter, Kamelführer, einem Pygmäen, der einen toten Kranich schleppt, oder einem Schwarzen, der von einem Krokodil gepackt wird. Alle plastischen Vasen sind mit einem auf der Drehscheibe gedrehten Teil kombiniert, der Bilder des S.-M. und einiger anderer Maler trägt. Ihre Themen, seien sie aus dem → Thiasos, dem beschwerlichen Leben von Pygmäen oder Amazonen oder aus dem athenischen Mythos (z. B. Kelch einer sitzenden Sphinx, London, BM E 788) gegriffen, ergänzen die Aussage der Plastik. Ein Höhepunkt ist sicherlich der übergroße → Astragal (London, BM E 804), der als realer Knöchel dem Spiel und der Wahrsagung diente und dessen aufgemalte Gestalten (ein Bärtiger, der dreizehn z. T. schwebende Mädchen anleitet) eine Vielzahl von Interpretationen hervorriefen. Selbst Phialen und Becher des S.-M., anstelle von Bildern mit plastischen Tieren oder Rippen versehen, finden unter den Vasen nichts Vergleichbares.

BEAZLEY, ARV², 763–765 • BEAZLEY, Paralipomena, 415 f. • BEAZLEY, Addenda², 286 f. • M. ROBERTSON, The Art of Vase-Painting in Classical Athens, 1992, 185–190 • H. HOFFMANN, Sotades. Symbols of Immortality on Greek Vases, 1997.
A.L.-H.

Soteira s. Soter

Soter (Σωτήρ), seltener *Saṓtēs* (Σαώτης) [1], fem. *Sṓteira* (Σώτειρα): »Retter(in)«. Seit den Homerischen Hymnen (Hom. h. 22,5; 33,6) Beiname verschiedenster griech. Gottheiten in ihrer Eigenschaft als Nothelfer (bes. Zeus, Artemis, Asklepios, Dioskuren, auch anon.: *theoí Sōtḗres/theós S.*) [2], zugleich Epitheton für Menschen aufgrund entscheidender (Hilfe-)Leistungen (z. B. Aischyl. Suppl. 980–982; Aischyl. Choeph. 264; Hdt. 7,139; Thuk. 5,11,1; Demosth. or. 18,43; Diod. 11,26,6). Die Anwendbarkeit auf Götter und Sterbliche prädestinierte den Begriff für den hell. Herrscherkult, wobei aus spontanen Dankbarkeitsäußerungen der Bevölkerung rasch königliche Selbstdarstellung (Titulatur, Staatskult) wurde. Als *Sōtḗres* erhielten 307 in Athen Antigonos [1] Monophthalmos und Demetrios [7] I. göttliche Ehren (Diod. 20,46,2; Plut. Demetrios 9,1; 10,4; 13,2; [3. 44–48]), Gleiches wiederfuhr Antigonos [3] Doson postum seitens aller Griechen (Pol. 5,9,10; [4. 92 Nr. 77]), und auch für Philippos [7] V. ist der Kulttitel *S.* belegt (SEG 37,612). Wohl schon zu Beginn seiner Herrschaft wurde dem ersten Ptolemaier der Beiname *S.* entgegengebracht ([5. 238 f.]; skeptisch: [6. 56 Anm. 35]), woraus sich bald ein Kult des *theós S.* Ptolemaios [1] I. [5. 241] bzw. der *theoí S.* Ptolemaios I. und Berenike [1] [7. 156 Nr. 1] entwickeln sollte, der erneut durch Ptolemaios [15] IX., Kleopatra [II 5] II., Kleopatra [II 6] III. und Kleopatra [II 8] V. Selene sowie Ptolemaios [16] X. und Kleopatra [II 9] VI. Berenike III. beansprucht wurde. Aufgrund ihrer Erfolge gegen die Galater nahmen Antiochos [2] I., Attalos [4] I. und dessen Nachfolger Eumenes [3] II. den Beinamen *S.* an; der Seleukide Demetrios [7] I. und mehrere indogriech. Könige des 1. Jh. v. Chr. (Diomedes [3] S., Dionysios [3] S., Hermaios [1] S., Hippostratos [3] S.) setzten die Trad. fort.

Daneben blieb jedoch der Begriff – unabhängig von kultischer Verehrung – als individuelle Würdigung bes. Leistungen in Gebrauch, wobei je nach Kontext bald die beschließende Stadt, bald der ganze Kosmos als Objekt der »Rettung« erscheint. Hell. Könige (z. B. OGIS 253; IDélos 1551), aber auch verdiente Bürger ihrer Stadt wurden in zahlreichen Inschr. als *S.* geehrt [8], ebenso seit dem Ausgreifen Roms nach Osten röm. Amtsträger (Plut. Flamininus 10,7; Syll.³ 751 f.; IG XII 5,557 [9. 189–194]) und später röm. Kaiser (z. B. SEG 42,390 oder IG IV 1406). Zum offiziellen Bestandteil der Kaisertitulatur erstarrte der *S.*-Begriff indes nie [10. 1010 f.] – wohl nicht zuletzt infolge des Fehlens einer genauen lat. Entsprechung (Cic. Verr. 2,2,154). Die Assoziation eines irdischen Wohltäters dürfte der Grund sein, warum sich im Christentum *S.* als Beiname für Jesus erst verhältnismäßig spät (bes. in gnostischen Kreisen) einbürgerte [11] (vgl. die gegen Ende des 2. Jh. entstandene Akrostichis ΙΧΘΥΣ = *Iēsús Chrēistós Theú Hyiós S.* [12]; → Ichthys [1]).
→ Epiklese; Herrscherkult; Kaiserkult

1 A. ADLER, s. v. Saotes, RE 1 A, 2308 2 O. HÖFER, s. v. Soteira. S., ROSCHER 4, 1236–1272 3 CH. HABICHT, Gottmenschentum und griech. Städte, ²1970

4 M. B. Hatzopoulos, Macedonian Institutions under the Kings, 1996, Bd. 2 5 W. Huss, Äg. in hell. Zeit 332–30 v. Chr., 2001 6 R. A. Hazzard, Did Ptolemy I Get His Surname from the Rhodians in 304?, in: ZPE 93, 1992, 52–56 7 O. Rubensohn, Neue Inschr. aus Äg., in: APF 5, 1913, 156–169 8 T. R. Stevenson, Social and Psychological Interpretations of Graeco-Roman Rel., in: Antichthon 30, 1996, 1–18 9 Ph.-S. G. Freber, Der hell. Osten und das Illyricum unter Caesar, 1993 10 W. Foerster, s. v. S. A, ThWB 7, 1005–1012 11 J. Engemann, s. v. Fisch, RAC 7, 1024–1047 12 W. Foerster, s. v. S. D-G, ThWB 7, 1015–1022. KL. ZI.

Soteria. Als fem. Sg. (Σωτηρία) → Personifikation des (physischen) Heils, deren Kult auf der Peloponnes belegt ist (IG IV 1319; Paus. 7,21,7; 7,24,3) [1]. Häufiger ntr. Pl. (Σωτήρια): Dankopfer (Xen. an. 3,2,9), seit frühhell. Zeit Feste aus Anlaß eines als »Errettung« gefeierten Ereignisses, zunächst einmalig (OGIS 4: Nesioten für Thersippos; Syll.³ 391: Delier für Philokles), später als histor. Gedenktag [2. 151] in der Regel jährlich wiederkehrend (so zuerst IPriene 11: für Befreiung von der Tyrannenherrschaft). Die anläßlich des Sieges über die Galater 279/8 v. Chr. eingerichteten amphiktyonischen S. von Delphi (→ Amphiktyonia) erlangten durch die Neuorganisation durch die Aitoler 246/5 panhellenische Bed. [3; 4]. Neben Göttern wurden auch lokale Heroen im Rahmen von S. verehrt (Plut. Aratos 53; Syll.³ 624).
→ Personifikation; Soter

1 J. Ch. Balty, s. v. S., LIMC 7.1, 800 2 A. Chaniotis, Sich selbst feiern?, in: M. Wörrle, P. Zanker (Hrsg.), Stadtbild und Bürgerbild im Hell., 1995, 147–172
3 G. Nachtergael, Les Galates en Grèce et les S. de Delphes, 1977 4 C. Champion, The S. at Delphi, in: AJPh 116, 1995, 213–220. KL. ZI.

Soterichos (Σωτήριχος). Epiker des 3./4. Jh. n. Chr. aus Hyasis (Libyen), lebte unter Diocletianus (284–305 n. Chr.), auf den er laut Suda s. v. Σ. ein Enkomion schrieb. Weitere Werke: *Bassariká* oder *Dionysiaká* (4 B.), ›Über Pantheia von Babylon‹, ›Über Ariadne‹, ›Leben des Apollonios von Tyana‹, ›Python oder Alexandriakos‹ (über die Erstürmung Thebens durch Alexandros [4] d.Gr.) sowie ein Epos über die eigene Heimat; schol. Lykophr. 486 [2. 641[11]] erwähnt auch *Kaledōniaká* (über den Mythos vom Kaledonischen Eber) [2].

1 FGrH 641 2 M. Ch. G. Müller, Tzetzes, Scholia eis Lycophrona, Bd. 2, 1811, 641–642, Anm. 11 (für die ältere Lit.). S. FO./Ü: TH. ZI.

Sothis (σωθίς nach Hephaistion [5] 1,1). Sternbild (äg. *śpd.t*, »die Spitze«), entspricht im wesentlichen dem Sirius (Hauptstern). Mit → Isis identifiziert, erscheint sie schon in den Pyramidentexten (→ Totenliteratur) in prominenter Rolle [1], die sie bis zum Ende der äg. Rel. behielt. S. gehört zu den 36 Dekansternen (→ Astronomie B.2.). Ihr heliakischer Frühaufgang leitet idealiter das neue Jahr ein und kündigt die → Nil-Überschwemmung an. Ihre 70tägige Unsichtbarkeitsphase wird mit der gleichlangen Balsamierungsdauer assoziiert. S. gilt als Sonnenauge [2], auf ihrem astronomischen Verhalten beruht der Mythos von der »Fernen Göttin« (→ Tefnutlegende), in dem sie mit Tefnut gleichgesetzt wird.

1 R. Krauss, Astronomische Konzepte und Jenseitsvorstellungen, 1997, 173–180 2 A. von Lieven, Scheiben am Himmel – Zur Bed. von *itn* und *itn.t*, in: Stud. zur Altäg. Kultur 29, 2001 (in Druck) 3 G. Roeder, S. und Satis, in: ZÄS 45, 1908, 22–30. A. v. L.

Sotion (Σωτίων).
[1] Auf wie viele Einzelpersonen und in welchen Kombinationen die folgenden Nachrichten zu beziehen sind, ist nicht gesichert. (1) – (5) sind durch das Interesse an Wundern und Anekdoten miteinander verknüpft [1. 128; 2. 167f.]; (5), (9), (10) deuten auf einen Peripatetiker hin, der von (11) verschieden sein könnte; (4) und (10) lassen auf ein Datum in der 1. H. des 1. Jh. n. Chr. schließen, und die anderen Berichte sind damit vereinbar.

(1) Verf. eines »kleinen Buches« ›Verschiedene Berichte über wundersame Flüsse, Quellen und Seen‹ (Phot. bibl. cod. 189,145b 28–36). Die Identifikation des überl. *Paradoxographus Florentinus* [1. 135–136; 2. 315–329] als Teil dieses Werkes ist zweifelhaft. (2) Verf. einer Schrift über Wirkungen der Wasser des Krathis (Tzetzes, schol. in Lycophrontem 1021: [2. 147]). (3) Aornos sei eher eine Höhle als ein See (ebd. 704: [2. 168]). (4) S. hörte von → Potamon von Lesbos (FGrH 147 F 1), daß Alexandros [4] d.Gr. eine Stadt in Indien nach seinem Lieblingshund benannte (Plut. Alexander 61). (5) Der peripatetische Autor eines ›Horns der → Amaltheia [1]‹ (vgl. Plin. nat. praef. 24) voller diverser Gesch., darunter eine über → Demosthenes [2] und die Hetäre Laïs (Gell. 1,8,1). (6) Ein S. wird als Quelle von → Geoponica 1 praef. p. 3,14 Beckh genannt. (7) S. verwendet den Ausdruck »mondlos« für den Tag des Neumonds (Anecdota Parisina 1,391,3 Cramer). (8) Autor von Widerlegungen des → Diokles [9] von Magnesia – also später als S. [2] –, die einen Angriff auf Epikuros enthalten (Diog. Laert. 10,4). (9) Die aristotelische Definition des Schlafs (als Mangel von Wachsein) steht im Konflikt mit S.' Aussage, Mangel sei die Abwesenheit von etwas, was natürlicherweise anwesend ist (Alex. Aphr. in Aristot. top., CAG II.2 434,2). ›Die Genossen des Achaïkos und S.‹ kritisierten ›die alten Interpreten der Kategorien, Boethos [4], Ariston [2], Andronikos [4], Eudoros [2] und Athenodoros [3]‹, weil sie von den relativen Dingen (τὰ πρός τι/*ta prós ti*) im Singular statt im Plural sprächen (Simpl. in Aristot. cat., CAG VIII 159,24). Ein Fr. in PFayum 3 = PLitLond 180 [4. Nr. 165] könnte Teil eines Komm. von diesem S. zu den aristotelischen ›Topika‹ sein [3. 215–216]. (10) Bruder des Peripatetikers Apollonios (Plut. de fraterno amore 16,487d). (11) Ein Schüler des röm. Eklektikers Q. → Sextius [I 1], Lehrer

des Philosophen → Seneca [2], der zum → Vegetarismus aufruft wegen der → Seelenwanderung und der gesundheitlichen Wirkungen (Sen. epist. 108,17–21, vgl. 49,2; [5]). (12) Exzerpte eines Werkes ›Über den Zorn‹ eines S. (Stob. 3,14,10; 3,20,53–55; 4,44,59; 4,48b,30; [6]). (13) Exzerpte über die Bruderliebe; vgl. (10) (Stob. 4,27,6–8 und 17–18).
→ Paradoxographie

1 A. Giannini, Studi sulla paradossografia greca II, in: Acme 17, 1964, 99–140 2 Ders. (ed.), Paradoxographorum Graecorum Reliquiae, 1966 3 Moraux, Bd. 2, 1984, 211–216 4 Pack², 125 5 R. Sorabji, Animal Minds and Human Morals, 1993, 125, Nr. 23 6 P. Rabbow, Ant. Schriften über Seelenheilung und Seelenleitung, 1914, 82–84, 97–100.

H. B. Gottschalk, Aristotelian Philosophy in the Roman World, in: ANRW II 36.2, 1987, 1079–1174 · GGPh¹, 1926, 565 f.; App. 179*.
R.S./Ü: E.D.

[2] Autor eines einflußreichen, von → Diogenes [17] Laertios oft zitierten philos.-gesch. Werkes, den Διαδοχαὶ τῶν φιλοσόφων (*Diadochaí tōn philosóphōn*, ›Abfolgen der Philosophen‹). Das Werk wurde zw. 200 (es enthält Chrysippos, gest. 208/4) und 170 v. Chr. verfaßt (Epitome durch → Herakleides [19] Lembos). Laut Athenaios war S. Alexandriner. Er war wohl mit der peripatetischen Schule (→ Peripatos) verbunden und verfolgte mit seinen Philosophenbiographien deren Interessen [4]. Sein Werk (mindestens 13 B.) beschrieb die Gesch. der griech. Philos. in Sukzessionen (→ Doxographie), bei denen die Trad. vom Lehrer an den Schüler weitergegeben wurde. Die Anfänge dieser Methode gehen auf Aristoteles [6] und Theophrastos zurück, doch scheint S. ihr erster systematischer Vertreter gewesen zu sein [6]; er beeinflußte den Aufbau der *Bíoi* des Diogenes Laertios (Überblick [3. 70]). Dieser zitiert ihn zwar 23 Mal in acht seiner zehn B. (acht Zitate beziehen sich auf Herakleides' *Epitomḗ*), dennoch ist die direkte Benutzung von S. durch Diogenes sehr unwahrscheinlich [5]. Weitere Zitate aus S. finden sich bei Athenaios [3], Sextos Empeirikos und Eunapios. S. bietet keine Interpretation von Lehrmeinungen, sondern konzentriert sich auf Biographisches (samt anekdotischem Material), Schriften, Datier. und Beziehungen zu anderen Philosophen. Im 23. B. diskutiert er die Beziehung zw. griech. Philos. und nichtgriech. Denken (vgl. Diog. Laert. 1,1,6). Athen. 8,336d berichtet von einem Komm. des S. zu den *Sílloi* des (in den *Diadochaí* genannten) Timon von Phleius.

Ed., Komm.: 1 Wehrli, Schule, Suppl. 2, 1978.
Lit.: 2 W. von Kienle, Die Ber. über die Sukzessionen der Philosophen in der hell. und spätant. Lit., 1961, 79–91 3 J. Mejer, Diogenes Laertius and His Hellenistic Background, 1978, 62–74 4 F. Wehrli, in: GGPh², Bd. 3, 1983, 584 5 F. Aronadio, Due fonti laerziane: Sozione e Demetrio di Magnesia, in: Elenchos 11, 1990, 203–233 6 J. Mansfeld, The Sources, in: K. Algra et al. (Hrsg.), The Cambridge History of Hellenistic Philosophy, 1999, 23–25.
D.T.R./Ü: J.DE.

South Cadbury. Eisenzeitliche Hügelfestung in Somerset, kurzzeitig Mitte des 1. Jh. n. Chr. von der röm. Armee benutzt. Im späten 5. Jh. wiederbesiedelt und befestigt. Keramik wurde aus dem Mittelmeerraum importiert, andere Güter aus Gallia.

L. Alcock, Cadbury Castle, 1995. M.TO./Ü: I.S.

Sovana s. Suana/Sovana

Soziale Konflikte

I. Definition II. Griechenland III. Rom IV. Allgemeine Merkmale

I. Definition

Unter s.K. werden im folgenden solche K. verstanden, die zw. verschiedenen sozialen Gruppen ausgetragen werden und in deren Verlauf es zu diversen Formen von Gewaltanwendung oder -androhung kommt. Versuche, die s.K. der Ant. unter Stichworten wie → »Ständekampf« oder – vornehmlich in der marxistisch orientierten Forsch. – »Klassenkampf« zusammenzufassen und zu generalisieren [13], sind nach wie vor umstritten [4; 8].

II. Griechenland

S. K. sind für die myk. Zeit nicht explizit bezeugt; sie werden lediglich hypothetisch im Rahmen der Versuche angeführt, die Katastrophe der myk. Palastkultur zu erklären. Die danach eintretenden, weitgehend ungefestigten und herrschaftsfreien Zustände der *Dark Ages* (→ Dunkle Jahrhunderte, 12.–9. Jh. v. Chr.) und der homerischen Zeit (8. Jh. v. Chr.) ließen insbes. den Inhabern größerer *oíkoi* (Häuser, Höfe) – Herren, die ganz eigenständig wirtschaften konnten – große Spielräume zur Entfaltung von → Reichtum, Macht und Ansehen. Unter ihnen herrschte eine extrem kompetitive (»agonale«) Mentalität, während in den vornehmlich dörflich strukturierten Gemeinschaften das Prinzip wechselseitiger Solidarität gepflegt wurde [5. 453–455; 12]. Innerhalb der sich zu einer Aristokratie formierenden Gruppe der Reichen mit ihren jeweiligen Freundesgruppen (→ *hetairía* [2]) gab es zunehmend Machtkämpfe, die durch die strengen Regeln von Vergeltung in positivem wie negativem Sinne (→ Rache) intensiviert wurden. Zunehmend wuchs im 7. und 6. Jh. v. Chr. auch der Druck auf die kleinen Bauern, weil die reichen Adligen ihren Besitz – v. a. Ländereien – vermehrten und zur Bestellung ihrer Felder auf eine wachsende Zahl von Arbeitskräften angewiesen waren. Gerade die Kleinbauern gerieten auf diesem Wege über die Schuldknechtschaft in einen Zustand der Unfreiheit bis hin zur Versklavung (→ Sklaverei). So ergab sich in vielen griech. Poleis in archa. Zeit eine krisenhafte Situation, die zu gewaltsam ausgetragenen s.K. führen konnte. Für Athen sieht Aristoteles [6] in der Verbindung von Schuldrecht und ungleicher Landverteilung die entscheidende Ursache für die K. der Zeit vor → Solon [1] (Aristot. Ath. pol. 2; 5 f.); aber auch außerhalb Attikas waren Forderungen nach einer Verteilung des Landes (γῆς ἀναδασμός/*gēs anadasmós*) und Schuldentilgung (χρεῶν ἀποκοπή/*chreōn apokopḗ*; → Schulden) weit verbreitet. Zugleich wurde, in Anlehnung an die kooperativen Werte der Dorfgemeinschaft und im Zusammenhang mit der Beteiligung nicht weniger → Bauern als → *hoplítai* an der Kriegführung, auch der Ruf nach polit. Partizipation laut. Diese revolutionäre Situation war ein Nährboden für die → Tyrannis, indem sich machtbewußte und einflußreiche Adlige, gestützt auf das Unruhepotential, zu Herrschern ihrer Gemeinschaft aufzuschwingen suchten. So wurden die sozioökon. und polit. Gegensätze zu der Konfliktkonstellation zw. Tyrannis und Gemeinschaft, die s.K. zum Kampf für oder gegen den Tyrannen.

In diesem Milieu setzten sich in den griech. Poleis gegen E. des 6. Jh. v. Chr. weithin solche Ordnungen durch, in denen die Tyrannis perhorresziert war und die Beteiligten ihre Angelegenheiten, häufig durch schriftlich fixierte Gesetze und Beschlüsse, selbst regelten. Damit hatte sich der Wunsch nach Partizipation durchgesetzt, und zugleich war weithin die Gefahr gebannt, durch Verschuldung in persönliche Abhängigkeit zu geraten. Die s.K. nahmen deshalb in der klass. Zeit einen anderen Charakter an: Es ging weniger um sozioökon. als um polit. Gegensätze, bes. um die Frage nach der Ausdehnung der polit. Mitbestimmung. Die Verfechter der Demokratie wollten diese auf alle freien männlichen Bürger ausdehnen, die Vertreter der Oligarchie lediglich auf einen mehr oder weniger eingeschränkten Kreis. Auch wenn es innerhalb der Demokratie und zw. → *dēmokratía* und → *oligarchía* Abstufungen und Übergänge gab, entwickelten sich aus diesen Interessensdifferenzen bes. im 5. und 4. Jh. v. Chr. oft erbitterte s.K., die häufig zu Bürgerkriegen (στάσις/*stásis*) führten [4; 8], welche gerade ein Charakteristikum der griech. Gesch. bilden. In der Regel standen einander kleinere, stark integrierte Gruppen polit. Aktivisten gegenüber, die in der Bevölkerung ihrer jeweiligen Poleis mit dem Angebot polit. Beteiligung oder der Wahrung von Privilegien Anhänger gewannen. In diesem Rahmen konnten auch wirtschaftl. Interessen eine Rolle spielen. Bes. brisant war, daß die s.K. normalerweise eine außenpolit. Komponente hatten, insofern Großmächte die stark kompetitive Mentalität und die daraus resultierenden Konfliktstrukturen für ihre Interessen nutzten [4. 268–308]. Im Laufe des 5. Jh. v. Chr. ergab sich daher mit dem Dualismus zw. Athen und Sparta eine Orientierung der Demokraten an Athen und der Oligarchen an Sparta. Solche Kämpfe auf Kerkyra während des → Peloponnesischen Krieges hat in exemplarischer Weise Thukydides beschrieben und analysiert (Thuk. 3,70–84).

Die Hegemonialkriege des 4. Jh. v. Chr. verstärkten diese Dynamik noch, und auch die Expansion und Suprematie der Makedonen unter Philippos [4] II. und Alexandros [4] d. Gr. wurde dadurch gefördert. Nicht anders verfuhren auch die hell. Herrscher. Ein stabilisierendes Element stellte das Großmachtinteresse selbst dar, denn in ihrem jeweiligen Einflußgebiet suchten die hell. Könige einen polit. und sozialen Umschwung zu verhindern. Sie förderten deshalb Elemente polisübergreifender Streitschlichtung. Dennoch gab es s.K. nach Art der *stásis* auch im Hell., und gelegentlich verbanden sich diese auch mit sozioökon. Spannungen und Veränderungen, so im Sparta des 3. Jh. v. Chr. unter den »Reformkönigen« Agis [4] IV. und Kleomenes [6] III. Unter der röm. Herrschaft wuchsen die Spannungen aufgrund steigender wirtschaftl. Ausbeutung und der zunehmenden Massensklaverei, so daß es nicht nur zu größeren → Sklavenaufständen, ja -kriegen auf Sizilien kam, sondern auch zu Erhebungen gegen die röm. Herrschaft (Aufstand des Aristonikos [4], 133–129 v. Chr.), die durchaus sozialrevolutionäre Züge hatten.

III. Rom

Die ersten rund 200 J. der röm. Republik waren von den → Ständekämpfen überschattet, in deren Verlauf sich die *res publica* definitiv herausbildete [11]. Wegen der schlechten Quellenlage sind diese s.K. kaum noch zu rekonstruieren. Es handelte sich um immer wieder aufflammende Auseinandersetzungen zw. Patriziern und Plebeiern (→ *patricii*; → *plebs*); gegen die Patrizier, den traditionellen → Adel, der durch die Vertreibung der Könige die herrschende Schicht in Rom geworden war, erhoben sich die Nichtadeligen (Plebeier), die nicht alle als Klienten (→ *cliens*) mit den Adligen verbunden waren und die nach polit. Mitsprache strebten, nicht zuletzt, weil sie als Soldaten das Gros des Heeres stellten. Im Verlauf der Kämpfe, die auch gewaltsam ausgetragen wurden, dehnten die Patrizier die mil. Kommandogewalt (→ *imperium*) auf den polit. Raum aus, während sich die Plebeier eine eigene Organisation schufen und sich mit ihren durch ihre Solidarität geschützten Volkstribunen wehrten (→ *tribunus plebis*). Wohl in der Mitte des 5. Jh. v. Chr. kam es zu einem ersten Ausgleich, der in wesentlichen polit. Fragen die nach Vermögen abgestufte Mitbestimmung in den Centuriatcomitien (→ *comitia centuriata*) vorsah.

In der zweiten Phase gelangten die führenden Plebeier in den Senat (→ *senatus*) und in die höheren Ämter, so daß sich an Stelle der Patrizier eine neue Führungsschicht formierte, die Nobilität (→ *nobiles*; [6]). Damit erfolgte der Ausgleich der Stände, der mit der Integration der plebeischen Sonderorganisation in die *res publica* (*lex* [D.2.] *Hortensia*, 287 v. Chr.) definitiv abgeschlossen war. Zum Ausgleich gehörte auch die Aufhebung der Schuldknechtschaft (*lex Poetelia*, 326 v. Chr.; → *nexum*). Ansonsten waren soziale und wirtschaftl. Disparitäten in Rom weniger bedeutsam als in Griechenland, da sich aufgrund der röm. Expansion immer wieder Möglichkeiten zur Versorgung ärmerer Bürger mit erobertem oder annektiertem Land ergaben.

Die durch diesen Ausgleich erzielte Stabilität geriet gerade durch die aus ihr resultierenden Erfolge der Römer in Gefahr. Die Expansion hatte zu erheblichen Veränderungen in den ökon. Ressourcen und in der Mentalität der Oberschicht geführt. Nach dem 2. → Punischen Krieg kam man von der Verteilung des neu erworbenen Landes ab, man überließ das als → Kriegsbeute eingezogene öffentl. Land als *ager occupatorius* dem Zugriff von Privatleuten, wovon v.a. die Senatsaristokratie profitierte, die wiederum einen wachsenden Bedarf an Arbeitskräften hatte: So kam es zu einer Vermassung und Brutalisierung der → Sklaverei, bes. auf den Großgütern (*latifundia*; → Großgrundbesitz), was die erwähnten Sklavenkriege mitverursachte. Die ärmeren Bauern konnten mit dieser Entwicklung nicht Schritt halten. Viele suchten Zuflucht in Rom (→ Landflucht), sie wurden zu → *proletarii*, und damit reduzierte sich die Rekrutierungsbasis des röm. Heeres. Mit dem Versuch des Volkstribuns Ti. → Sempronius [I 16] Gracchus, diese Zustände zu verändern, begann 133 v. Chr. eine Epoche von s.K., die als Zeit der »Krise« oder sogar »Revolutionszeit« bezeichnet wird und mit Errichtung der Monarchie durch den jüngeren Caesar (→ Augustus) endete (31/27 v. Chr.; [2; 9]). Die Krise bestand zum einen und v.a. darin, daß der Konsens im Senatsadel zerbrach; primär standen sich die Vertreter der alten Ordnung und der Dominanz des → *senatus* (Optimaten, → *optimates*) und die Popularen gegenüber, die sich eher auf das Volk und seine Gremien stützten, wobei in der Forsch. umstritten ist, ob die *plebs* selbst eigene Positionen zur Geltung brachte oder in erster Linie instrumentalisiert wurde [2; 10]. Hinzu kamen weitere Streitpunkte, v.a. der Konflikt um die Integration der Italiker.

Das Agrarproblem blieb ungelöst; es verschob sich durch die Aufnahme von *proletarii* in das Heer unter C. → Marius [I 1]. Die Versorgung der → Veteranen mit Land förderte die Militarisierung der s.K., die mit dem → Bundesgenossenkrieg [3] (91–89 v. Chr.) einsetzte. Zw. den Soldaten – die eine Versorgung erwarteten – und ihren Oberbefehlshabern entwickelten sich Nahbeziehungen, die die Loyalität zur *res publica* überlagern konnten. Die s.K. wurden nun vornehmlich zw. den großen Potentaten – Marius [I 1] und Cornelius [I 90] Sulla; Pompeius [I 3] und Caesar; M. Antonius [I 9] und dem jüngeren Caesar (→ Augustus); nebst ihren Anhängern und Truppen ausgetragen und führten zu verlustreichen Bürgerkriegen, bis der letzte Sieger und erste Kaiser Augustus, gestützt auf sein *imperium* durch die gigantischen Demobilisationen seiner Soldaten und die damit verbundenen Umverteilungen von Land, die Grundlage für eine auch sozioökonomische Befriedung schuf (→ *pax*).

Die Ordnung der Kaiserzeit blieb, jedenfalls bis weit in das 2. Jh. hinein, sozial stabil. Einzelne K. aufgrund bes. Notlagen (→ Nahrungsmittelversorgung) blieben räumlich und zeitlich begrenzt. Eine Änderung zeichnete sich seit dem letzten Drittel des 2. Jh. aufgrund zunehmenden wirtschaftl. und außenpolit. Drucks ab, deren Tragweite umstritten ist: Die traditionelle Position, die eine zunehmende Diskrepanz zwischen älteren und neueren (Funktions-)Eliten (mil.-administrativer Komplex) und zugleich eine zunehmende Nivellierung verarmter Unterschichten seit der »Krise« des 3. Jh. annimmt und von einer zunehmenden Tendenz zu s.K. in der Spätant. ausgeht [1], trifft zunehmend auf Widerspruch [14. 22; 7. 429–432] oder wird modifiziert. V.a. wenn man die Zustände der hohen mit denen der späteren Kaiserzeit vergleicht, bleibt allerdings offen, wieweit Aufstände wie die der → Bagaudae und → Circumcelliones nur »Ausnahmefälle« [7. 431] waren. Sicher ist jedoch, daß die Transformation der ant. Welt von s.K. begleitet war, ohne daß man sie damit monokausal erklären kann.

IV. Allgemeine Merkmale

Die s.K. lassen sich nicht einheitlich unter Konzepte wie Stände- oder Klassenkampf subsumieren. Die jeweiligen → Sozialstrukturen und bes. histor. Voraussetzungen differieren zu sehr. Zwei Konstellationen begegnen häufig, zum einen die Diskrepanz zw. Arm und Reich, wenn sie sich zu der prinzipiellen Diskrepanz zw. Gläubigern und Schuldnern steigert, also Elemente eines Klassengegensatzes annimmt, zum anderen der Kampf um die polit. Macht, in der s.K. dann bes. Dynamik entfalten, wenn sie sich mit außenpolit. Interessen verbinden.

→ Armut; Gewalt; Reichtum; Sozialstrukturen; Ständekämpfe

1 G. Alföldy, Soziale Konflikte im röm. Kaiserreich, in: H. Schneider (Hrsg.), Sozial- und Wirtschaftsgesch. der röm. Kaiserzeit, 1981, 372–395 **2** P. A. Brunt, Der röm. Mob, in: H. Schneider (Hrsg.), Zur Sozial- und Wirtschaftsgesch. der späten röm. Republik, 1976, 271–310 **3** K. Christ, Krise und Untergang der röm. Republik, [3]1993 **4** H.-J. Gehrke, Stasis. Unt. zu den inneren Kriegen in den griech. Staaten des 5. und 4. Jh. v. Chr., 1985 **5** Ders., La stasis, in: S. Settis (Hrsg.), I Greci, Bd. 2.2, 1997, 453–480 **6** Hölkeskamp **7** J.-U. Krause, Die Spätant. (284–565 n. Chr.), in: H.-J. Gehrke, H. Schneider (Hrsg.), Gesch. der Ant., 2000, 377–447 **8** A. Lintott, Violence, Civil Strife and Revolution in the Classical City, 1982 **9** Ch. Meier, Res publica amissa, [2]1980 **10** F. Millar, The Crowd in Rome in the Late Republic, 1998 **11** K. A. Raaflaub (Hrsg.), Social Struggles in Archaic Rome, 1986 **12** W. Schmitz, Nachbarschaft und Dorfgemeinschaft im archa. und klass. Griechenland, in: HZ 268, 1999, 561–597 **13** G. E. M. de Ste. Croix, The Class Struggle in the Ancient Greek World, 1981 **14** Ch. Witschel, Krise – Rezession – Stagnation? Der Westen des röm. Reiches im 3. Jh. n. Chr., 1999. H.-J. G.

Sozialpolitik. Mod. S. hat in den Industrie-Ges. die Aufgabe, durch Schaffung von Sicherungssystemen die Entstehung von Notlagen zu verhindern und die einzelnen Bürger oder auch soziale Gruppen vor bestimmten Risiken zu schützen. Wesentliches Instrument der S. stellt die Sozialversicherung dar, wie sie im Deutschen Reich zw. 1883 und 1889 geschaffen wurde (Krankenversicherung, Unfallversicherung, Altersversicherung); die Arbeitslosenversicherung folgte während der Weimarer Republik. Seitdem ist einerseits die Ausgestaltung des Sozialversicherungssystems, andererseits dessen Anpassung an neue soziale oder wirtschaftliche Gegebenheiten das eigentliche Feld der S. Daneben weisen allerdings weitere Felder der Politik sozialpolit. Elemente auf (Familienpolitik, Vermögenspolitik). Voraussetzung der mod. S. ist eine Beschäftigungsstruktur, in der die meisten Erwerbstätigen in einem festen Arbeitsverhältnis stehen und Gehalts- oder Lohnempfänger sind; damit werden Arbeitslosigkeit, Krankheit oder Unfall als grundlegende soziale Probleme wahrgenommen.

Eine S. im mod. Sinn hat es in der Ant. aufgrund der völlig andersartigen → Sozialstruktur nicht gegeben. Versteht man aber unter S. allg. solche polit. Maßnahmen, deren Ziel es ist, soziale Notlagen zu beseitigen, so kann durchaus von sozialpolit. Aktivitäten in der Ant. gesprochen werden; es wurden Institutionen geschaffen, deren Aufgabe es war, soziale Leistungen für die Bevölkerung zu erbringen. Der Bereich der ant. S. war ein anderer als in den mod. Industrie-Ges., denn es bestanden andere Notlagen als in der Gegenwart; als die wichtigsten sozialen Probleme der Ant. sind → Armut, Hunger (→ Mangelernährung) und Verschuldung (→ Schulden) anzusehen.

Frühe Ansätze einer S. galten primär der Schuldenproblematik; in Athen setzte Solon [1] (1. H. 6. Jh. v. Chr.) das Verbot der Schuldknechtschaft und einen → Schuldenerlaß durch (Aristot. Ath. pol. 6,1 f.; → *seisáchtheia*). Auch in Rom wurde bereits in der frühen Republik die Schuldknechtschaft beseitigt (*lex Poetelia* 326 v. Chr.; Liv. 8,28; vgl. → *nexum*); seit dem 4. Jh. v. Chr. wurde in Griechenland wiederholt Schuldenerlaß gefordert (χρεῶν ἀποκοπή/*chreō̃n apokopḗ*); auch das Programm → Catilinas enthielt diese Forderung (*tabulae novae*; Sall. Iug. 21,2; Cic. off. 2,84).

Landverteilungsmaßnahmen sollten verarmten Bürgern wiederum zu Besitz verhelfen und so ihre soziale Existenz sichern; bereits zur Zeit Solons soll es Bestrebungen gegeben haben, die Ländereien des Adels an arme Bürger zu verteilen (Aristot. Ath. pol. 12,3); seit dem 4. Jh. v. Chr. wurde das Problem der ungleichen Verteilung des Landes – oft im Zusammenhang mit dem Schuldenproblem – thematisiert und eine Zuteilung von Land an die Armen verlangt (γῆς ἀναδασμός/→ *gē̃s anadasmós*). Die Getreideversorgung der Bevölkerung suchte man in Athen v. a. durch Gesetze über den → Getreidehandel und eine Beschränkung der Preise zu sichern (Lys. 22,5–8).

Die ersten bedeutenden sozialpolit. Initiativen der späten röm. Republik gehen auf Ti. und C. Sempronius [I 16; I 11] Gracchus zurück. Die Politik der Gracchen stellt eine Reaktion dar auf die Verdrängung röm. Kleinbauern durch Großgrundbesitzer (→ Großgrundbesitz) und auf den zunehmenden Einsatz der Sklavenarbeit auf den großen Gütern sowie auf die wachsenden Versorgungsschwierigkeiten in Rom (→ Roma II. C.) und den damit verbundenen Preisanstieg für Getreide. Durch das Agrargesetz des Ti. Gracchus sollten Ländereien von Großgrundbesitzern auf dem → *ager publicus* eingezogen und an besitzlose Bürger verteilt werden, das → Frumentargesetz des C. Gracchus diente der Sicherung der Getreideversorgung der stadtröm. Bevölkerung; es sah einen festen, von der Republik subventionierten → Preis vor. In der Trad. der gracchischen Politik versuchten populare Politiker in den folgenden Jahrzehnten, Agrar- und Frumentargesetze durchzusetzen. Durch eine *lex frumentaria* des P. Clodius [I 4] wurde 58 v. Chr. die kostenlose Verteilung von Getreide an in Rom wohnende röm. Bürger eingeführt. Die S. war in der späten Republik umstritten; der Senat lehnte die popularen Gesetze aus Finanzgründen entschieden ab, und gerade Cicero sah in den sozialpolit. Maßnahmen eine Verteilungspolitik, die die Eigentumsrechte röm. Bürger mißachtete (Cic. off. 2,72–85; vgl. auch Cic. Sest. 103).

Augustus bewahrte wesentliche Impulse der popularen Politik und behielt gerade die Verteilung kostenlosen Getreides an die *plebs frumentaria* bei (Suet. Aug. 40,2). Nach den → Proskriptionen und den Landzuweisungen an die → Veteranen wurden zwar in It. keine Ländereien mehr an Soldaten oder besitzlose Bürger verteilt, aber die Ansiedlungspolitik wurde durch Koloniegründungen in den Prov. fortgesetzt (→ *coloniae*); schließlich erhielten die Veteranen bei ihrer Entlassung eine hohe Abfindung, die sie sozial absicherte. Unter Augustus wurden schließlich neue Institutionen geschaffen, die für die Durchführung der Getreideverteilung in Rom (→ *cura annonae*) und die Finanzierung der Zahlungen an die Veteranen (*aerarium militare*) zuständig waren. Die von Nerva und Traianus eingeführten → *alimenta*, die Eltern bei der Versorgung ihrer Kinder finanziell unterstützen sollten und die von Landbesitzern getragen wurden, gehören ebenfalls in diesen Zusammenhang.

Neben den Maßnahmen der Städte zur S. sind auch Aktivitäten reicher Bürger und hell. Herrscher zu nennen, die in bes. Notsituationen etwa durch Getreidespenden Hilfe leisteten. Diese Form des → Euergetismus hatte auch das Ziel, bei der Bevölkerung der eigenen Stadt oder auch anderer wichtiger Städte Sozialprestige zu erwerben.

→ Agrargesetze; Alimenta; Cura annonae; Frumentargesetze; Ges anadasmos; Sozialpolitk; Schulden; Seisachtheia

1 P. A. Brunt, Social Conflicts in the Roman Republic, 1971 2 Garnsey 3 H. Kloft (Hrsg.), Sozialmaßnahmen und Fürsorge. Zur Eigenart ant. S. (Grazer Beiträge Suppl. 3), 1988. H. SCHN.

Sozialstruktur

I. Alter Orient II. Ägypten
III. Griechenland IV. Rom
V. Frühes Mittelalter VI. Byzanz

I. Alter Orient

Die S. im Alten Orient war bestimmt durch die Verfügungsgewalt über das wesentliche Produktionsmittel einer Agrar-Ges., den Ackerboden. Die übliche Herrschaftsform dieser Ges. war die patrimoniale Monarchie. → Palast und → Tempel waren v.a. in Mesopot. und Äg. die dominanten, Struktur und Entwicklungsprozesse von Wirtschaft und Ges. bestimmenden Institutionen, in die alle Teile der Ges. direkt oder indirekt inkorporiert waren. Repräsentative Körperschaften (Versammlungen) als Reflex vor-monarchischer oder Stammesordnungen lassen sich – zeitlich und regional unterschiedlich ausgeprägt, u.a. in Assyrien und Babylonien, Palaestina (AT) – v.a. als Organe zur Schlichtung von Konflikten und der Rechtsprechung auf der Ebene von Stadtquartieren und dörflichen Siedlungen nachweisen.

Als Stammes-Ges. waren nichtseßhafte Bevölkerungen organisiert, die die Steppengebiete außerhalb Äg.s, des mesopot. und syr.-palaestinischen Kulturlandes bewohnten. V.a. im Vorderen Orient drangen permanent Gruppen von – oft nomadischen (→ Amurru) – Ethnien aus der Steppe und den östl. Bergländern (→ Hurriter, → Kossaioi, → Mittani) in das Kulturland ein, wobei sie in der Regel die Herrschaft über die Institutionen des Kulturlandes übernahmen. Dabei kam es zu Verschmelzungsprozessen mit der seßhaften Bevölkerung. Äg. blieb weitgehend von solchen Einbrüchen verschont; Ausnahme ist die Herrschaft der → Hyksos (Mitte 2. Jt. v. Chr.), libyscher Stammesführer und nubischer Könige im 1. Jt. v. Chr.

Die Quellen lassen seit E. des 4. Jt. zuerst in Babylonien, später in Äg., deutlich eine zahlenmäßig kleine Oberschicht (die Herrschenden), die in Babylonien v.a. in den Städten konzentriert war, und eine den Großteil der Bevölkerung umfassende Unterschicht (die Beherrschten) erkennen. Äußere Zeichen für den Status einer Person sind im arch. Befund sichtbar (→ Bestattung); spezielle Verhaltens- und Redeweisen von Ober- bzw. Unterschicht lassen sich z.T. in Texten fassen. Das Verhältnis beider gegenüber dem → Herrscher wurde zumeist mit dem Terminus »Sklave« ausgedrückt. Sklaven im Sinne des röm. Rechts, d.h. absolut rechtlose Individuen im Eigentum von Personen oder institutionellen Haushalten, gab es nur in begrenzter Zahl (→ Sklaverei). Sie stellten daher auch zu keiner Zeit einen wirtschaftl. relevanten Produktionsfaktor dar. Die Ges. war beruflich und funktional gegliedert. Die Eigensicht auf ihre – hierarchisch und nach administrativen und priesterlichen Ämtern, handwerklichen Berufen sowie Menschenklassen gegliederte – Ges. legten mesopot. → Schreiber in gelehrten → Listen (3.–1. Jt.) nieder. Berufe und Ämter in den institutionellen Haushalten (Palast und Tempel) verblieben innerhalb der Familie. Soziale Mobilität existierte kaum; Fälle von herrscherlichem Favoritismus sind bekannt.

Die meist monogame, patriarchale und patrilineale → Familie bildete den Kern der Ges.; → Frauen besaßen eine – regional, zeitlich und statusbedingt unterschiedlich gestaltete – Rechts- und Vertragsfähigkeit. Charakteristisches Merkmal altoriental. Ges. ist die allg. Dienstpflicht gegenüber dem Herrscher, die für Angehörige der Oberschicht ebenso wie für die Unterschicht galt. Sie bestand für den Großteil der Untertanen in Gebieten mit Bewässerungslandwirtschaft v.a. in der Arbeit auf institutionellen Domänen, auf Versorgungsfeldern (verbunden mit der Pflicht zu Arbeitsdienst für Palast oder Tempel) oder auf Pachtfeldern (Verpflichtung zu Naturalabgaben). Die Angehörigen der Oberschicht, die in den institutionellen Haushalten administrative Aufgaben erfüllten, wurden ebenso wie die einfachen Arbeiter durch Naturallieferungen (→ Rationen) remuneriert. Privateigentum an der Feldflur und damit einhergehend ein bestimmtes Maß an Unabhängigkeit gegenüber dem Herrscher bestanden in diesen Gebieten nur rudimentär. Ansätze dazu sind v.a. babylon. Urkunden aus dem 6./5. Jh. zu entnehmen. Die Situation in der griech.-hell. Zeit in Babylonien bleibt mangels relevanter Quellen im dunkeln.

In den Gebieten mit Regenfeldbau (Syrien, Palaestina, Anatolien) läßt sich eine für Agrar-Ges. mit Subsistenzproduktion auf kleinen Flächen typische Tendenz beobachten, in deren Verlauf (z.B. in Assyrien seit Mitte des 2. Jt.) die Dorfgemeinschaften (mit Verfügungsgewalt über den Boden, aber kollektiv dem Herrscher gegenüber zu Abgaben und Dienstleistungen verpflichtet) wegen fortschreitender individueller und kollektiver Verschuldung allmählich Großgrundbesitzern – meist stadtsässigen Angehörigen der Oberschicht – weichen mußten. Die Mitglieder der Dorfgemeinschaften fielen in Schuldknechtschaft oder wurden zu Hörigen (*glebae adscripti*, »an die Scholle Gebundene«). Ähnliche Konflikte sind auch in Juda (→ Juda und Israel) im 8. Jh. v. Chr. erkennbar; sie bildeten den Hintergrund der prophetischen Botschaft von Amos und Micha im AT.

Störungen des sozialen Gleichgewichts hatten im Alten Orient niemals eine grundlegende Veränderung der ges. Verhältnisse zur Folge. Versuche der Herrscher im südl. Babylonien (19.–17. Jh. v. Chr.), Verschuldungskrisen zu lösen, hatten auf Dauer keinen Erfolg. Für das Individuum war die Flucht der oft gewählte Ausweg aus dem Dilemma.

→ Arbeit; Herrscher; Iran; Juda und Israel; Landwirtschaft; Mesopotamien; Oikos-Wirtschaft; Staat; Tempel

B. J. Kemp, Ancient Egypt – Anatomy of a Civilization, 1989 • N. J. Postgate, Early Mesopotamia – Society and Economy at the Dawn of History, 1992 • J. Renger, Flucht als soziales Problem in der altbabylon. G., in: ABAW (N. F.) 75, 1972, 167–182 • Ders., Institutional, Communal, and Individual Ownership or Possession of Arable Land in Ancient Mesopotamia, in: Chicago-Kent Law Review 71, 1995, 269–319.

J. RE.

II. Ägypten

Den Nukleus der äg. Ges. bildete die Kernfamilie mit durchschnittlich wenig mehr als zwei lebenden Kindern (aufgrund einer beträchlichen Sterberate von Kleinkindern). Das Heiratsmuster war patrilokal; Polygynie trat vereinzelt auf, zumal bei Vermögenden. Verwitwete ältere Frauen lebten häufig bei ihren Kindern [3]. Ein

Haushalt umfaßte zudem wenige Diener oder Sklaven (→ Sklaverei), wobei die Haushalte auf dem Dorf in der Regel größer waren als die städtischen [1. 66–69]. Höhere Beamte umgaben sich mit einer Klientel. Das schlägt sich auch in der Lage ihrer Gräber in den Nekropolen nieder.

Diverse Bevölkerungsschichten sind seit der Vorgesch. arch. nachweisbar. Sie lassen sich anhand der Bestattung innerhalb einer bestimmten Nekropole, der Grablage, Grabgröße und den Grabbeigaben unterscheiden [4; 6]. Funerärer Aufwand und weltlicher Reichtum sind in der Regel miteinander gekoppelt. Eine Zugehörigkeit zu den Oberschichten resultiert jedoch nicht primär aus Reichtum, sondern aus einer Berufszugehörigkeit. Berufe, die Schreib- und Lesefähigkeit voraussetzten, genossen eine höhere Reputation als solche, die mit körperlicher Arbeit verbunden waren. Berufsbezogene Korporationen sind erst in der Spätzeit (ca. 750–333 v. Chr.) und insbes. im Kult bezeugt. Idealerweise übernahm der Sohn die Position und den Beruf des Vaters, jedoch war vertikale soziale Mobilität gegeben und wurde in den lit. Texten (MR) der Oberschicht als Indiz für ges. Umwälzungen negativ gedeutet [7]. Statuserniedrigung wurde als Sanktion eingesetzt. Hochrangige Abstammung wurde bes. in der Spätzeit in langen Stammbäumen dokumentiert und diente so der Legitimierung ges. Ansprüche.

→ Frauen gehörten nicht der polit. Führung an, waren aber rechtlich den Männern nahezu gleichgestellt. Weibliche Angehörige der Oberschichten konnten jedoch indirekt Macht ausüben, v. a. wenn sie über eigenes Vermögen verfügten [5. 127–141]. Ausländer nahmen je nach Funktion von Kriegsgefangenen bzw. Sklaven über den Facharbeiter bis zu Mitgliedern des Königshofes höchst unterschiedliche Positionen ein [2]. Ihre Zahl nahm in Äg. im Lauf der Gesch. zu.

Die ägyptische Terminologie für einzelne Schichten – wie *pᶜ.t*/»Oberschicht«, *rḫy.t*/»Unterschicht«, *nmḥ.w*/»Freie« und *nḏs.w*/»Geringe«, dann »Bürger« – die zudem einem zeitlichen Wandel unterworfen war, erlaubt nur sehr bedingt Rückschlüsse auf die soziale Zugehörigkeit der so Bezeichneten.

→ Ägypten; Familie; Frau; Sklaverei; Staat

1 R. S. Bagnall, B. W. Frier, The Demography of Roman Egypt, 1994 2 E. Bresciani, Der Fremde, in: S. Donadoni (Hrsg.), Der Mensch des Alten Äg., 1992, 260–295
3 A. McDowell, Legal Aspects of Care of the Elderly in Egypt to the End of the New Kingdom, in: M. Stol, S. P. Vleeming (Hrsg.), The Care of the Elderly in the Ancient Near East, 1998, 199–221 4 J. E. Richards, Mortuary Variability and Social Differentiation in Middle Kingdom Egypt, 1992 5 G. Robins, Women in Ancient Egypt, 1993 6 S. J. Seidlmayer, Funerärer Aufwand und soziale Ungleichheit, in: Göttinger Miszellen 104, 1988, 25–51 7 P. Vernus, Quelques exemples du type du »parvenu« dans l'Égypte ancienne, in: Bulletin de la Société Française d'Égyptologie 59, 1970, 31–47
8 T. A. H. Wilkinson, Social Stratification, in: The Oxford Encyclopedia of Ancient Egypt 3, 2001, 301–305.

R. M.-W.

III. Griechenland
A. Mykenische Zeit B. Die Bauern
C. Der Oikos und die sozialen Beziehungen
D. Die sozialen Schichten

A. Mykenische Zeit

Die S. der myk. Epoche bietet kein kohärentes Bild (→ Mykenische Kultur). Auf der einen Seite finden sich Hierarchien, die stark von der Zentralverwaltung her geprägt sind; hier sind der Herrscher (→ *wanax*, *wa-na-ka*, ἄναξ/*ánax*) und die hohen Würdenträger in seiner Umgebung sowie andere Funktionäre innerhalb der Palastadministration zu nennen; zum Personal des Herrschers gehörten zudem Soldaten sowie Handwerker (bes. Schmiede) und Arbeiterinnen (bes. in der Textilverarbeitung) mit teilweise unfreiem Status. Der soziale Rang solcher Positionen war wesentlich durch ihre administrative Funktion bestimmt. Auf der anderen Seite gab es damit nur mittelbar verbundene Gruppen und Ränge, etwa auf der Ebene der Dorfgemeinschaft und wohl innerhalb einer im mil. Bereich relevanten Gefolgschaft. Die Relationen zw. diesen unterschiedlichen sozialen Ordnungskategorien können auf Grund der dürftigen Quellenlage nicht näher bestimmt werden.

B. Die Bauern

In den weitgehend herrschaftsfreien Zeiten nach dem Zusammenbruch der myk. Palastkultur bildete sich eine Schicht von freien Bauern heraus, die ein wesentliches Element der griech. Ges. blieben. Die Bauern orientierten sich deutlich auf Haus und Hof (οἶκος/→ *oíkos*), wirtschafteten eigenständig und in der Regel auch selbst mitarbeitend (αὐτουργοί/*aturgoí*) und waren persönlich frei. Auch bei wachsender ökonomischer Differenzierung, etwa durch Herausbildung handwerklicher Tätigkeit, blieb die Ausrichtung auf den eigenständigen Betrieb und die individuelle Freiheit bestimmend, blieb der *oíkos* die Keimzelle der sozialen Ordnung.

C. Der Oikos und die sozialen Beziehungen

Die S. läßt sich von zwei Ordnungskategorien her beschreiben, horizontal und vertikal. Die horizontalen Strukturen lagerten gleichsam wie konzentrische Ringe um den → *oíkos* herum. Zu diesem gehörte die Kernfamilie aus Eltern und Kindern; ältere Menschen befanden sich in der Regel im »Altenteil«. Ferner gehörte hierzu auch das Gesinde, Gehilfinnen und Gehilfen, die als Sklaven in der völligen Verfügbarkeit der Herren standen. Die Familie wurde vom Hausherrn (κύριος/→ *kýrios*) dominiert, der – als Vater, Bruder, Onkel oder Ehemann – zugleich Rechtsvertreter der dem Hause angehörenden → Frauen war. Da der *oíkos* aber mehr war als eine Rechtsgemeinschaft, waren die Frauen in ökonomischer, rel.-kultischer Hinsicht und v. a. wegen ihrer Bed. für die Erzeugung legitimer Nachkommen durchaus nicht ohne Einfluß, wenngleich ihr Spielraum in der Öffentlichkeit und im polit. Leben begrenzt war.

Um die Familie herum existierten Grade von Nahverwandtschaft, ohne daß sich damit deutliche Sippen-

und Clanstrukturen herausbildeten. Bezeichnenderweise waren Nachbarschafts- und Freundschaftsbeziehungen des *oíkos*-Herrn ebenso wichtig wie die Verwandtschaft und von klaren Regeln der wechselseitigen Solidarität geleitet. Über dem *oíkos* bildete die Dorfgemeinschaft, ebenfalls geprägt durch diese Regeln, die wichtigste Form der Vergemeinschaftung, die sich im Laufe des 6. Jh. in vielen Regionen Griechenlands zur → *pólis*, also einer sich selbst organisierenden Form staatlich-polit. Ordnung entwickelte. In größeren Poleis existierten neben dem Zentralort weiterhin Dörfer. Da das soziale Leben durch zahlreiche ges. Kontakte geprägt war und sich auch die entsprechenden Gelegenheiten und Räume schuf (*sympósion*: → Gastmahl, → *agorá*, → *gymnásion*), waren die griech. Gemeinschaften *face-to-face-societies* in klass. Ausprägung. Die Polis blieb neben dem *oíkos* der wesentliche Bezugspunkt über alle Epochen hinweg. Allerdings gab es bes. Nahverbindungen (→ Gastfreundschaft) auch über diesen Rahmen hinaus.

D. Die sozialen Schichten

Die vertikalen Strukturen der griech. Ges. bildeten sich im wesentlichen in der homerischen und in der archa. Zeit heraus. Es formierte sich eine Elite, die sich von den selbst-wirtschaftenden Bauern v.a. dadurch unterschied, daß sie nicht auf körperliche → Arbeit angewiesen, also abkömmlich war und dies auch als Statuszeichen betonte (→ Muße). Es entwickelte sich eine adlige Schicht, die sich durch bestimmte Habituselemente und elitäre Praktiken und Vorstellungen zunehmend nach unten abzuschließen trachtete und zugleich in erbitterte interne Machtkämpfe verwickelt war (→ Soziale Konflikte). Gegen ihr Bestreben, aus den Reihen der freien Bauern zunehmend abhängige Arbeitskräfte zu gewinnen, regte sich Widerstand, der schließlich verhinderte, daß sich eine allein aus starkem Adel und weitgehend höriger Bevölkerung bestehende S. herausbildete. Charakteristisch für die klass. griech. S. war die schroffe Trennung von Freien und Sklaven, die jedoch durch → Freilassung den Status des Metoiken erhalten konnten (→ Sklaverei; → *métoikos*). Innerhalb der Freien waren die sozialen Differenzen hingegen lediglich graduell, der → Adel nicht strikt als Stand geschlossen, im Falle von wachsendem → Reichtum oder Verarmung waren sozialer Auf- und Abstieg möglich, obgleich sich alter Adel gern vom neuen Reichtum abgrenzte, was oft nur die Frage einer Generation war.

Neben der kategorialen Scheidung von Freien und Sklaven und der graduellen Abstufung von Eliten sowie mittleren und unteren Schichten waren die verschiedenen beruflichen Tätigkeiten für die S. relevant, insbes. die Trennung zw. → Bauern, Handwerkern und Händlern (→ Handwerk; → Handel). Häufig galt gewerbliche und merkantile Arbeit gegenüber der agrarischen als minderwertig; deshalb wurde den Bauern ein höherer sozialer Rang zugeschrieben. Das liegt aber mindestens teilweise an der Perspektive unserer Quellen und wird sich nicht zuletzt auch von Polis zu Polis – je nach deren wirtschaftlicher Situation – unterschieden haben.

In hell. Zeit verstärkte sich das Gewicht der Eliten, die durch wachsenden Reichtum und den Einsatz erheblicher materieller Mittel für öffentliche Aufgaben (→ Euergetismus) in den Poleis an Einfluß gewannen und ihren Lebensstil zunehmend repräsentativer ausgestalteten. Die von der Gemeinschaft vergebenen Ehren zeigten jedoch immerhin, daß die Eliten sich zu bewähren hatten. Zunehmend bauten diese allerdings ihre Stellung aus und entwickelten sich – nicht zuletzt auch dank des röm. Einflusses – in Richtung auf einen erblichen Adelsstand.

→ Familie; Frau II.; Freundschaft; Nachbarn; Oikos; Polis; Sklaverei; Soziale Konflikte; Verwandtschaft

1 M. Austin, P. Vidal-Naquet, Economic and Social History of Ancient Greece, 1977 2 Gehrke, 18–31 3 F. Gschnitzer, Griech. Sozialgesch., 1981 4 F. Quass, Die Honoratiorenschicht in den Städten des griech. Ostens, 1993 5 Rostovtzeff, Hellenistic World 6 E. Stein-Hölkeskamp, Adelskultur und Polis-Ges., 1989 7 K. W. Welwei, Die griech. Polis. Verfassung und Ges. in archa. und klass. Zeit, [2]1998.

H.-J. G.

IV. Rom

A. Vorbemerkung
B. Historische Entwicklung
C. Die römische Agrargesellschaft
D. Gesellschaft und politisches System

A. Vorbemerkung

Im Verlauf der Gesch. von der Frühzeit der Stadt Rom (→ Roma I.) bis zur Spätant. hat die röm. Ges., bedingt durch polit., wirtschaftliche und kulturelle Entwicklungen, sich grundlegend gewandelt und gleichzeitig nicht allein die etr. und griech. Ges., sondern auch keltische und germanische Stämme im Westen, die phönizisch geprägte Ges. nordafrikanischer Städte sowie die kleinasiatischen und orientalischen Ges. im Osten in das Imperium Romanum integriert. Obgleich damit die sozialen Verhältnisse während der Prinzipatszeit sich von denen der Frühzeit Roms oder der Spätant. stark unterschieden und die Ges. des Imperium Romanum aufgrund der vielfältigen sozialen (=soz.), kulturellen und rel. Trad. in den verschiedenen Reichsteilen keine homogene Einheit darstellte, blieben polit.-rechtliche und soziale Strukturen übergreifend eng verbunden.

B. Historische Entwicklung

Die Ges. der frühen Republik weist archa. Strukturen auf; der Adel (die → *patricii*) verfügte über größere Ländereien, gebot über zahlreiche Abhängige (→ *clientes*) und konnte durch Bekleidung von Ämtern und Mitgliedschaft im Senat (→ *senatus*) allein die polit. Macht ausüben; die → *plebs*, eine Schicht freier Menschen, war insgesamt von der Teilhabe an der Macht ausgeschlossen. Im Heer stellte die *plebs* die Fußsoldaten, während die Adligen als Reiter (→ *equites*) kämpften. Die → Sklaverei dieser Zeit kann als patriarchalisch bezeichnet werden, die Sklaven waren in den Haushalt sozial integriert. Einzelne Plebeier hatten durchaus die Chance, → Reichtum zu erwerben, und waren so in der Lage, für eine Partizipation an der Macht zu kämpfen.

Durch die Entstehung einer neuen Führungsschicht (→ *nobiles*), die aus *patricii* und reichen Plebeiern bestand, verloren die *patricii* fast alle polit. Vorrechte. Die Nobilität stellte regelmäßig die höheren Beamten und die führenden Mitglieder des Senats; einzelne Nobilitätsfamilien konnten über Generationen hinweg erheblichen Einfluß auf die röm. Politik ausüben. Der Zugang zu den Ämtern und zum Senat war an ein bestimmtes Vermögen gebunden und damit den meisten Bürgern verwehrt (→ *census*). Die röm. Ges. besaß eine erhebliche, bes. von der aristokratischen Führungsschicht getragene Dynamik und war keineswegs statisch. Bedingt durch die Urbanisation Italiens, die Entwicklung von → Handel, → Handwerk und → Geldwirtschaft sowie durch die Umstrukturierung der → Landwirtschaft, die zunehmend für die städtischen Märkte produzierte, kam es zu einer umfassenden sozialen Differenzierung: Während die führenden Senatoren sich aus der Schicht der Großgrundbesitzer rekrutierten (→ Großgrundbesitz), übernahmen *equites* (Bürger mit einem größeren Vermögen, die aber nicht dem Senat angehörten) vielfach Funktionen in der Verwaltung des stark angewachsenen öffentlichen Besitzes oder in der Steuereinziehung, wobei diese Aufgaben in der Regel von der Republik verpachtet wurden (→ *publicani*). Gleichzeitig engagierten sich zahlreiche Italiker und Römer im mediterranen Fernhandel und waren als Kaufleute in Gallien, Nordafrika, Griechenland und Kleinasien präsent. Im Handwerk spiegelte sich die soz. Differenzierung in einer wachsenden Zahl an Berufen und in einer stärker werdenden Spezialisierung.

Da die röm. Ges. erheblichen Bedarf an Arbeitskräften für die Landwirtschaft und das Handwerk hatte, kam es seit dem 3. Jh. v. Chr. zu einem Anstieg der Sklavenwirtschaft: Aus der Peripherie des Imperium Romanum (aus Gallien, Germanien, den Gebieten an der Donau und aus dem Osten, v. a. aus Kleinasien) wurden Sklaven nach It. gebracht, wo sie auf den großen Gütern mit marktorientierter Produktion und als Hirten in der Viehwirtschaft, außerdem im städtischen Handwerk eingesetzt wurden. Gerade im Handwerk konnten qualifizierte Sklaven mit der → Freilassung rechnen; die → Freigelassenen (*liberti*) blieben meist in ihrem Gewerbe tätig und stellten ein aktives, an wirtschaftlichem Erfolg und soz. Reputation interessiertes Element innerhalb der städtischen Wirtschaft dar. Daneben waren Sklaven und Freigelassene auch als Ärzte, Bibliothekare, Sekretäre, Schauspieler etc. tätig.

Im Prinzipat wurde die Zugehörigkeit zu den Ständen (*ordo senatorius*; *ordo equester*) rechtlich genau geregelt; die Zugehörigkeit zum Senatorenstand wurde – solange die Vorschriften über das Mindestvermögen eines Senators (1 Mio HS) erfüllt waren – faktisch erblich. Für die ges. Entwicklung dieser Zeit ist gerade auch der soz. Aufstieg des *ordo decurionum* (→ *decurio* [1]) von Bed., denn die lokale Oberschicht trieb die kulturelle Entwicklung und die → Romanisation in den Prov. voran.

In der Spätant. verlor der Senat mit der von Constantinus [1] angeordneten Verlegung der Hauptstadt nach Konstantinopolis endgültig seinen polit. Einfluß. Die röm. Senatoren blieben zwar reiche Großgrundbesitzer, übten aber keine Funktion in der Verwaltung des Imperium Romanum mehr aus. Die Mitglieder des neu geschaffenen Senates von Konstantinopolis hatten aber nicht mehr die soz. Position, um dem Kaiser als eigenständige und selbstbewußte Macht gegenüberzutreten. Innerhalb der Führungsschicht kam es zu starker Hierarchisierung der Rangklassen, die jeweils eine eigene Titulatur erhielten (→ *vir clarissimus*; → *illustris vir*). Die grundsätzliche Dichotomie der Ges. wurde in dem Begriffspaar → *honestiores-humiliores* erfaßt.

In vielen Regionen setzte sich in der Landwirtschaft die Verpachtung von Ländereien an Kleinpächter durch; die Sklaverei hatte ihre zentrale Stellung in der Agrarproduktion eingebüßt. Darüber hinaus bildeten der Niedergang der Städte in vielen Regionen des Imperium Romanum, die schwindende Bed. der Silberwährung und damit der Geldwirtschaft, die Besetzung großer Gebiete im Westen durch die Barbaren und die Christianisierung den Rahmen für einen tiefgreifenden soz. Wandel ebenso wie für einen Wandel der Mentalitäten; zugleich entstanden mit dem → *patrocinium* neue Formen sozialer und polit. Abhängigkeit.

C. Die römische Agrargesellschaft

Die röm. Ges. blieb trotz des Wachstums der Städte und der Bed. von Handel und Handwerk stets eine praemoderne, vorindustrielle Agrargesellschaft. Weit mehr als zwei Drittel der Bevölkerung lebte und arbeitete auf dem Land, um für sich und für die städtische Bevölkerung Lebensmittel zu produzieren. Die bäuerliche Familie stellte die Basis der röm. Ges. dar; die Expansion des Großgrundbesitzes und die Verdrängung der Kleinbauern in vielen Regionen It.s änderte an dieser Tatsache wenig, denn die Bauern kehrten als *coloni* – nicht mehr als Besitzer, sondern als Pächter – auf das Land zurück (→ *colonatus*). Der Reichtum der Oberschichten lag primär im Landbesitz, einer Vielzahl von Gütern in It. und seit der Prinzipatszeit auch in den Prov.; der städtische Hausbesitz und die Beteiligung an Handelsgeschäften oder an der handwerklichen Produktion spielten demgegenüber eine eher geringe Rolle. Durch Handel oder Handwerk konnten lokale Oberschichten durchaus einen gewissen Wohlstand erwerben, der aber mit dem Reichtum der Senatoren nicht vergleichbar war. In ihren Wertvorstellungen blieb die röm. Ges. immer mit dem Land verbunden; Landbesitz blieb ein soz. und wirtschaftliches Ideal, das noch dadurch gefestigt wurde, daß innerhalb der Oberschicht der Aufenthalt auf dem Lande als angenehm empfunden wurde (→ Freizeitgestaltung; → Muße).

D. Gesellschaft und politisches System

Ein grundlegendes Charakteristikum der röm. S. war die enge Verbindung von soz. Schichtung, polit. System und gesetzlichen Bestimmungen über die Zugehörigkeit zu einzelnen soz. Schichten. Für die Mitgliedschaft im Senat gab es ebenso wie für die Zugehörigkeit zu den *equites* klar definierte gesetzliche Vorschriften, die ein Mindestvermögen für beide Gruppen festlegten. Indem im frühen Prinzipat Senatoren und *equites* als *ordines* (Stände) konstituiert wurden, wurden die polit. Funktionseliten zu soz. Führungsschichten. Auf der Ebene der Städte gab es eine ähnliche Entwicklung: die *curia* stand nur denen offen, die ein bestimmtes Vermögen (je Größe der Stadt) nachweisen konnten. Die *plebs* wiederum war als soz. Schicht negativ definiert: Alle Bürger, die nicht dem *ordo senatorius*, dem *ordo equester* oder den → *curiales* angehörten, wurden der → *plebs* zugerechnet.

Im Imperium Romanum brachte zudem der Rechtsstatus (→ *status*) eines röm. Bürgers erhebliche polit., rechtliche und soziale Vorteile mit sich; die rechtliche Unterscheidung zw. röm. Bürgern und der Prov.-Bevölkerung, die das → Bürgerrecht (→ *civitas*) nicht besaß, tritt so an die Seite der soz. Schichtung. Die Vergabe des röm. Bürgerrechts wurde zu einem wichtigen Instrument der Integration von Provinzialen in die röm. Ges. Dies gilt einerseits für die lokalen Oberschichten, die durch die Übernahme von Ämtern in ihrer Stadt das Bürgerrecht erlangen konnten, andererseits für das röm. Heer, in dem auch Provinziale dienten, die nach Ablauf der Militärdienstzeit röm. Bürger wurden. Erst mit der → *Constitutio Antoniniana* vom J. 212 n. Chr., durch die fast die gesamte freie Bevölkerung des Imperium Romanum das Bürgerrecht erhielt, wurde der Gegensatz zw. röm. Bürgern und Provinzialen überwunden.

Unfreiheit war ebenfalls ein Rechtsstatus; damit war der grundlegende, die röm. Ges. in vielen Bereichen bestimmende Gegensatz zwischen Freien und Unfreien durch Gesetz festgelegt.

→ Roma (I. und II.); Soziale Konflikte; Sozialpolitik

1 G. Alföldy (Hrsg.), Bibliogr. zur röm. Sozial-Gesch., 1992 ff. 2 Alföldy, RG 3 Alföldy, RS
4 Garnsey/Saller 5 R. MacMullen, Roman Social Relations 50 B. C. to A. D. 284, 1974 6 Rostovtzeff, Roman Empire 7 F. Vittinghoff, Soziale Struktur und polit. System der hohen röm. Kaiserzeit, in: HZ 230, 1980, 31–55 8 Vittinghoff. H.SCHN.

V. Frühes Mittelalter

Aufgrund der verschiedenartigen, kaum verknüpften Schauplätze und der uneinheitlichen Überl. können die sozialen (=soz.) Entwicklungen der kaiserlosen Zeit im Westen des ehemaligen röm. Reiches (476–800 n. Chr.) nur in groben Umrissen skizziert werden: Neben den enormen materiellen Zerstörungen und den bis gegen 750 andauernden Pestepidemien ist die polit. Fragmentierung der dominante Vorgang. Das Imperium Romanum wurde im Westen von einer Vielzahl barbarischer *regna* (Reiche) abgelöst, die sich aber oft als wenig dauerhaft erwiesen. Parallel dazu gewann der christl. Glauben in seinen verschiedenen dogmatischen Richtungen (Katholizismus, → Arianismus, Manichäismus, → Mani) zunehmend kirchliche Gestalt, wobei neben den diözesan integrierten Gemeinden zahllose Asketengruppen entstanden. Aus der Auflösung der auf Kaiserhof, Ämterelite und Heer zentrierten Verteilungswirtschaft entstanden neue Muster regionaler Versorgung. Die klass. Stadt-Land-Symbiose begann sich zu wandeln, denn senatorische Aristokratie und kriegerische Führungsgruppen bevorzugten ebenso wie die neuen kirchlichen Eliten den Landbesitz. Die Landgüter selbst entwickelten sich zu Grundherrschaften; ihre Besitzer wurden zu adligen Herren *sui iuris*, die Abhängigen zu geburtsständisch gegliederten und zins- sowie fronpflichtigen Hörigen-*familiae*. Ob die Rechtsstellung der Sklaven (*mancipia*) sich dabei besserte, ist umstritten; die sog. Stammesrechte bezeugen eher eine Verschlechterung.

Viele Städte schrumpften zu burgartigen Konglomeraten, die Kirchen, Klöster und Residenzen, Gewerbe, Handel und Landwirtschaft beherbergten. Handwerker und Kaufleute standen oft in Dienst oder Schutz lokaler Herren. Bischofsstädte (in Gallien, It.), Klöster (Irland) und Adelssitze (Pfalzen) wurden zu neuen Zentren regionaler Herrschaft. Gleichzeitig entwickelten sich Schutz- und Abhängigkeitsverhältnisse (→ *patrocinium*, → *beneficium*, → *colonatus*), und gentiles Verhalten (Clandenken, Fehde, Gefolgschaft, patriarchale → Sklaverei) bestimmte die soz. Entwicklung bes. dort, wo die Eroberung in Siedlung und Dauerherrschaft mündete (Gallien, Britannien).

Die soz. Vorstellungen des frühen MA waren entscheidend vom Christentum geprägt. Die Patristik formulierte ausgehend von den Sozialmetaphern im AT und NT sowie im Anschluß an Platon und Aristoteles Konzepte vom soz. Ganzen; Augustinus führte das Begriffspaar *orbis* und *ecclesia* ein. Damit wurden *ecclesia*, *domus dei* und *christianitas* wichtige patriarchalisch-ekklesiologische Deutungsfiguren. Gängige Zweierschemata (Freie-Unfreie; *potentes-pauperes*; *clerici-laici*, Kleriker-Laien) entwickelten sich zur Tripartion (Klerus, Mönche, Laien). Dies mündete dann im 9. Jh. in das funktionale Drei-Stände-Schema der *oratores*, *bellatores* und *laboratores* (Betende, Kämpfende und Arbeitende), dem ›Weltbild des Feudalismus‹ (nach [3]). Der soz. Übergang zum frühen MA sollte insgesamt weder auf einen revolutionären soz.-ökonomischen Formationswechsel noch auf kontinuierlichen Wandel verkürzt, sondern als ein komplexes Bündel sozialer Vorgänge hin zu einer ›feudalen Ges.‹ (nach [2]) verstanden werden.

1 A. Angenendt, Das Früh-MA, 1990 2 M. Bloch, La société féodale, 1966 (dt. 1982) 3 G. Duby, Les trois ordres ou l'imaginaire du féodalisme, 1978 (dt. 1981)
4 M. Heinzelmann, Gregor v. Tours. Historiographie und Ges.-Konzept im 6. Jh., 1994 5 R. Kaiser, Das röm. Erbe und das Merowingerreich, 1997 6 L. Kuchenbuch,

Seigneurialisation, in: H. ATSMA (Hrsg.), Marc Bloch aujourd'hui. Histoire comparée et sciences sociales, 1990, 349–361 **7** J. MARTIN, Spätant. und Völkerwanderung, [3]1995 **8** O. G. OEXLE, Haus und Ökonomie im früheren MA, in: G. ALTHOFF (Hrsg.), Person und Gemeinschaft im MA. FS K. Schmid, 1988, 101–122 **9** G. VON OLBERG, Die Bezeichnungen für soz. Stände, Schichten und Gruppen in den Leges Barbarorum, 1991 **10** H. STEUER, Frühgesch. Sozialstrukturen in Mitteleuropa, 1982 **11** R. WENSKUS, Stammesbildung und Verfassung, [2]1977 **12** H. WOLFRAM, Das Reich und die Germanen, 1990. LU.KU.

VI. BYZANZ
s. Byzantion, Byzanz

Sozomenos, Salamanes Hermeias (Σωζομενός, Σαλαμάνης Ἑρμείας), wahrscheinlich in Bethelea bei Gaza (evtl. das h. Bait Lāhiyā) in einer begüterten christl. Familie geb. (vgl. Phot. cod. 30; Soz. 5,15,14). Geburts- und Todesdatum lassen sich nicht ermitteln. Der palaestinische, z. T. auch monastische Kontext seiner Jugend (→ Mönchtum) prägt noch seine zw. 439 und 450 n. Chr. verfaßte Ἐκκλησιαστικὴ ἱστορία/›Kirchengeschichte‹ (=›K.‹; Soz. 1,1,19). Nach 425 arbeitete S. als Rechtsanwalt (Soz. 2,3,10) bzw. → *scholastikós* (so Phot. l.c. und die Titelei Soz. 7) in Konstantinopolis.

In seiner neunbändigen ›K.‹ äußert sich typische Laienfrömmigkeit mit Distanz zu Bischöfen, Kirchenpolitik und komplizierten theologischen Streitfragen. Das Werk, das wie die gleichbetitelten Schriften des → Sokrates [9] und → Theodoretos die ›K.‹ des → Eusebios [7] von Kaisareia bis auf das J. 439 fortsetzen und so ergänzen sollte, enthält palaestin. Lokalkolorit und wertvolle Informationen zur Religionsgesch. der Region (z.B. Soz. 6,32,7). Es ist offenkundig nicht vollendet worden (vgl. Soz. 9,16,4: die angekündigte Auffindung der Reliquien des Stephanos [4] wird nicht mehr berichtet) und verm. postum erschienen (so [2]). Die direkte hsl. Überl. ist im Vergleich zu den anderen genannten Werken eher bescheiden; die geringere Verbreitung zeigt auch die lat. *Historia tripartita* des Epiphanios [3]. Als Quelle für Aufbau wie Inhalt verwendete S. v.a. Sokrates (ohne ihn zu nennen), dazu Rufinus [6], Gelasios [1] von Kaisareia und Mönchs-Lit. Schließlich entnahm er christl. Schriftstellern des 4. Jh. selbständig einige Urkunden. Es finden sich auch Bezüge auf klass. griech. Geschichtsschreibung, z.B. auf → Xenophon. Ungeachtet des anekdotischen Stils ist die ›K.‹ bes. wegen ihrer Urkunden für jede histor. Rekonstruktion der Periode von eminenter Bed.

ED.: **1** CPG 3, 6030 **2** J. BIDEZ, G. CH. HANSEN, GCS N.F. 4, [2]1995 **3** A. C. ZENOS, CH. D. HARTRANFT, Church Histories: Socrates – Sozomenus (Nicene and Postnicene Fathers 2.2), 1890, 236–427 (=1983; engl. Übers.).
LIT.: **4** G. F. CHESNUT, The First Christian Histories, [2]1986, 199–207 **5** W. ELTESTER, s. v. S., RE 3 A, 1240–1248 **6** F. GEPPERT, Die Quellen des Kirchenhistorikers Socrates Scholasticus, 1898, 59–65. C.M.

Sozopetra (Σωζόπετρα, auch Ζιζόατρα, Ζάπετρα; in arab. Quellen *Zibaṭra* bzw. *Zubaṭra*). Stadt in → Kappadokia in der an Syria grenzenden Strategie Lauiansene (Ptol. 5,7,10), h. Doğanşehir (ehemals Viranşehir), 56 km sw von → Melitene.

HILD/RESTLE, 286f. • E. HONIGMANN, s. v. S., RE 3 A, 1256. K.ST.

Spado. Der lat. Ausdruck für den → Eunuchen, aber auch für den unabhängig von einer Kastration (→ *castratio*) nicht Zeugungsfähigen (Ulp. Dig. 50,16,128). Für den *s.* galten im röm. Recht familien- und erbrechtliche Besonderheiten: Während aus dem 2. Jh. n. Chr. die Regelung überliefert ist, daß der *s.* generell zur Adoption fähig ist (Gai. inst. 1,103), wird unter Iustinianus (6. Jh n. Chr.) differenziert: Die ältere Regel gilt nur noch für den *s.* aus natürlichen Gründen, nicht für Kastrierte (Inst. Iust. 1,11,9). Dies entspricht einer generellen Tendenz gegen die Kastration in der Spätant.: Ehefähigkeit des *s.*, aber nicht des Kastraten; gesetzliche Freilassung eines Eunuchen-Sklaven (Nov. 142,2). Testamente konnten allerdings wohl alle Zeugungsunfähigen errichten (Paul. sent. 3,4a,2 für den *s.* ab 18 J.; Cod. Iust. 6,22,5 für Kastrierte).

D. DALLA, L'incapacità sessuale in diritto romano, 1978. G.S.

Spätantike
I. HISTORISCHE EPOCHE
II. ARCHÄOLOGIE UND KUNST

I. HISTORISCHE EPOCHE

Als S. bezeichnet die mod. histor. Forsch. den auf die Krise des röm Reiches im 3. Jh. n. Chr. folgenden Zeitraum von der Regierungszeit des Diocletianus (284–305) und des Constantinus [1] (307–337) bis zum Ende des Kaisertums im Westen (Absetzung des → Romulus [2] Augustulus 476) bzw. bis zur Auflösung des westlichen Reichsteils in einzelne germanische Teilreiche im 5. Jh. oder bis zu dem letztlich gescheiterten Versuch des Iustinianus [1] (527–565), von Konstantinopolis aus die Einheit des röm. Reichs durch mil. Unternehmungen und Vereinheitlichung des Rechts erneut zu gewinnen (zur Gesch. der S. siehe → Roma I. E. 3.c).

Über den Beginn der S., v.a. aber über Zeitpunkt und Ursachen ihres Endes besteht keine Einigkeit (→ Periodisierung B. 4.; zu den einzelnen in der Forsch. vorgeschlagenen Endjahren s. → EPOCHENBEGRIFFE I. A.; vgl. [1]). Erschwert wurde eine adäquate Erfassung der Eigenart der S. durch ihre seit der Renaissance gängige Beurteilung als Zeit der Dekadenz, die sich in den Worten »spät« (»S.«, *Late Antiquity*) oder »niedrig« (*Bas Empire, Basso Impero*) zeigt. Erst seit dem Beginn des 20. Jh. bahnte sich – ausgehend von der Kunstgesch., die ein neues Kunstwollen an die Stelle des »Nicht-mehr-Könnens« setzte – auch in der histor. Forsch. und zuletzt in der Beurteilung der spätant. Lit. eine Wende an, die eine unvoreingenommene Interpretation der

Überl. ermöglicht (→ EPOCHENBEGRIFFE II. B. 5.; III. B. 5.). Einer einheitlichen Betrachtung steht entgegen, daß der Zeitraum vom 4. bis 8. Jh. das Forschungsfeld von drei Disziplinen bildet (Alte Gesch., Gesch. des MA, Byz. Gesch.), deren Sicht diese Phase zur letzten (Späte Ant.) bzw. ersten (Frühes MA, Frühbyz. Zeit) macht und dabei den zeitlichen Rahmen auch unterschiedlich absteckt (s. [2; 3]; vgl. u. II.), und zwar je nach dem Gewicht, das den die S. prägenden Phänomenen zugestanden wird: Sieg des → Christentums (Papsttum, Kirchenspaltungen), Autokratisierung des Kaisertums, Zentralisierung und Bürokratisierung (→ Bürokratie, → *notitia dignitatum*), Eindringen der Germanen in das röm. Reich (→ *foederati*; → Völkerwanderung; → Vulgarrecht) und in hohe Positionen der Reichsverwaltung (→ *magister militum*) sowie Vordringen des Islam (Zerfall der Einheit des Mittelmeerraumes).

Zur Lit. der S. vgl. → Literatur V. H. und VI.

1 K. CHRIST, Der Untergang des röm. Reiches in ant. und mod. Sicht, in: Ders. (Hrsg.), Der Untergang des röm. Reiches, 1970, 1–31 **2** P. E. HÜBINGER (Hrsg.), Kulturbruch oder Kulturkontinuität im Übergang von der Ant. zum MA, 1968 **3** Ders. (Hrsg.), Zur Frage der Periodengrenze zw. Alt. und MA, 1969.

A. DEMANDT, Der Fall Roms, 1984 · F. G. MAIER, Die Verwandlung der Mittelmeerwelt, 1968 · J. MARTIN, Spätant. und Völkerwanderung, 1987 · A. H. M. JONES, The Later Roman Empire 284–602, 3 Bde., 1964 · G. OSTROGORSKY, Gesch. des byz. Staates (HdbA 12.1.2), [3]1963.

W. ED.

II. ARCHÄOLOGIE UND KUNST

A. DEFINITION, GEGENSTAND UND METHODIK
B. STIL UND IKONOGRAPHIE C. ARCHITEKTUR
D. MALEREI UND MOSAIK E. SKULPTUR
F. KUNSTHANDWERK

A. DEFINITION, GEGENSTAND UND METHODIK

Die Spätantike Archäologie (=S. A.) firmiert in Deutschland unter der traditionellen Bezeichnung »Christl. Arch.« (»Byz. Arch.«). An den Univ. ist das Fach noch immer überwiegend in theologischen Fakultäten verankert, obgleich die meisten Vertreter Archäologen sind. Es hat nicht an Versuchen gefehlt, die bes. Spezifika der »Christlichen« Arch. herauszustellen, sie gegen die »Klass.«, »Früh-ma.« und »Byz. Arch.« abzugrenzen, um ihre Eigenständigkeit als wiss. Disziplin zu erweisen. Die bis h. überwiegende Beschränkung auf christl. Denkmäler in dem relativ kurzen Zeitraum von ca. 200 bis um 600 n. Chr. hat ihre Berechtigung verloren. Hingegen erforscht die S. A. als Teil der Byz. Arch. und Kunstgesch. (→ Byzantion III.) die gesamte künstlerische Überl. und materielle Kultur der Epoche der S. – ihren traditionell paganen Zweig und ihre vom Christentum und anderen Rel. (z. B. Judentum) sowie von philos.-rel. Strömungen (→ Neuplatonismus) geprägten Ausformungen, dazu auch ihre unmittelbaren Auswirkungen auf Nachbarkulturen wie die frühen → Omajjaden. Die Gewinnung und Sicherung monumentaler Quellen durch Feldforsch. einerseits und die kontextuale Denkmälerinterpretation (Stil, Ikonographie, Ikonologie) andererseits bilden daher eine untrennbare Einheit, wobei der schriftlichen Überl. besondere Bed. zukommt.

Ein grundsätzliches Problem stellt jedoch die zeitliche Eingrenzung des histor. Epochenbegriffs »S.« dar, wofür die Geschichtswiss. nur Konsensvorschläge anzubieten vermag ([1. 470–492], vgl. oben I.). Die griffige Formel, wonach die S. die Übergangsepoche von der Ant. zum MA sei, verwischt den komplizierten Transformationsprozeß in allen Bereichen der Kultur. Ihr Beginn wird anders als in der allg. und politischen Gesch. wahlweise bereits mit dem Ende der Severer (217 n. Chr.), der Herrschaft der Soldatenkaiser (235) und dem Ausbruch der allg. Krise des röm. Reichs, aber auch mit dem Herrschaftsantritt des Diocletianus (284) oder der Alleinherrschaft Constantinus [1] d. Gr. (324) angesetzt. Die Herausbildung der spätant. (=sp.) Kunst ist mit keinem dieser Daten in kausale Übereinstimmung zu bringen. Betrachtet man allein den christl. Zweig, so ist h. nicht mehr daran zu zweifeln, daß dieser gegen 200 einsetzte. Zu dieser Zeit lassen sich längst auch in der nichtchristl. röm. Kunst (→ Marcus Aurelius; → Säulenmonumente, nach 180) Merkmale finden, die als typisch »sp.« angesehen werden, wie die Abstraktion der menschlichen Gestalt. Daß der christl. Zweig als integraler Bestandteil der spätröm. Kunst ohne diese gar nicht denkbar wäre, ist ebenfalls unumstritten. Für die Byz. Arch. und Kunstgesch. ist die sp. Phase der Kunst wegen der zeitlichen wie örtlichen Überlappungen der spätröm.-paganen, jüdischen, christl. und frühislamischen Denkmäler bei allen Brüchen und regionalen Differenzierungen weitgehend mit der »frühbyz.« Epoche identisch. Was die obere Zeitgrenze anbelangt, so ist seitens der »Christl. Arch.« entweder das Zeitalter Iustinianus [1] I. (527–565), der Anbruch der sog. Dunklen Jh. (ca. 580) oder der Tod Gregorius' [3] d. Gr. († 604) als Endpunkt der S. und damit ihrer Zuständigkeit genannt worden. Alle diese Ereignisse fallen in die frühbyz. Epoche, deren Ende durch den Ausbruch des Bilderstreits in Byzanz (726) markiert wird (→ Syrische Dynastie).

Wichtig für die Beurteilung der sp. Kunst und Kultur ist die Beobachtung des Differenzierungsprozesses, der sich bereits in der späteren röm. Kaiserzeit ankündigte und auf eine allmähliche Trennung des Imperium Romanum in eine lat. geprägte Westhälfte und eine griech. dominierte Osthälfte, schließlich auch auf die Spaltung der Christenheit in eine westl. katholische und eine östl. orthodoxe hinauslief. Diese allmähliche Trennung kündigte sich mit der Reichsreform des Diocletianus an (293), doch hatte die röm. Kunst einschließlich ihrer christl. Komponente zu diesem Zeitpunkt längst ihre sp. Ausprägung erfahren. Mit der Gründung der neuen Hauptstadt → Konstantinopolis (324–330) entstand zwar ein neues polit. und kulturelles Zentrum im Osten des Imperiums, doch schon seit der Aufhebung der Christenverfolgungen im Westen 313 (»Mailänder Toleranzedikt«) hatte sich der christl. Kunstzweig ungehemmt und durchaus innovativ entfalten können. Auch die dominante Rolle, die das Christentum seither für die weitere Entwicklung der Kunst spielte, änderte nichts an deren sp. Charakter, zumal sich in fast allen Kunstzweigen das traditionelle pagane Substrat erhalten konnte. Mit der sog. theodosianischen Reichsteilung (395) wurde die weitere Differenzierung zwischen Ost und West zwar gefördert, aber auch hier erfolgte kein Umbruch in den künstlerischen Prozessen. Lediglich die Absetzung des letzten weström. Kaisers (Romulus [2] Augustulus, 476) stellte für den westl. Reichsteil eine Zäsur dar, da danach (von der kurzen Unterbrechung 540–568 durch den Reichseinigungsversuch Iustinians abgesehen) germanische Völker die Vorherrschaft über weite Teile des Imperiums gewannen. Erst das Ausscheiden wichtiger Ost-Prov. (636 Syrien; 649 Ägypten) in den Auseinandersetzungen mit den Arabern reduzierte den Umfang des byz. Reiches auf Kleinasien, Griechenland und Gebiete Unteritaliens und Siziliens, obgleich bestimmte Teile It.s (Rom, Ravenna) noch lange unter direktem byz. Einfluß, wenn auch nicht unter einer stabilen byz. Herrschaft verblieben. Immerhin hatte sich in der Kunst der iustinianischen Zeit, v. a. im Ostteil, als Ergebnis eines langen Transformationsprozesses das herausgebildet, was als »typisch byz.« gilt, doch ist es nicht gerechtfertigt, hier eine Epochengrenze – etwa den Beginn des byz. MA – anzusetzen.

B. Stil und Ikonographie

Alle Versuche, für die Kunst der S. Stilphasen oder nach bestimmten immanenten Regeln verlaufende Stil-»Entwicklungen« zu postulieren, gelten als gescheitert. Kennzeichnend ist vielmehr das Nebeneinander von durch bewußte Auswahl oder von temporären Trends bestimmten Stilmodi, wobei Rückgriffe auf klass. geprägte Gestaltungsweisen nicht selten sind. Bei genauer Analyse erweist sich auch in den Klassizismen deren typisch sp. Charakter: formale Eigenheiten der klass. Vorlagen werden zwar adaptiert, aber dennoch wird eine unverkennbar eigenständige Ausdrucksweise gefunden (»theodosianischer Klassizismus«); dabei können jedoch entscheidende Details der Vorlagen auch gründlich mißverstanden werden. Die von der nichtchristl. Senatsaristokratie inaugurierten Elfenbeinarbeiten (Diptychon der Symmachi und Nicomachi, um 388–401), die wegen ihrer meisterhaften Beherrschung des klass. Formenkanons einen hervorragenden Platz unter den sp. Werken einnehmen, verdanken ihre Prägung einer dezidiert konservativen Grundhaltung, wodurch sich die Wahl der Stilmittel als ideologisch determiniert erweist.

Kennzeichnend für die Vielfalt stilistischer Möglichkeiten der sp. Kunst ist das allg. Bestreben, die natürlichen Formen zugunsten einer das Transzendentale und Symbolische betonenden Bed. zu vernachlässigen. In der Wiedergabe der menschlichen Gestalt dominiert oft das frontale, mit eindringlichen Formeln geistiger Beseeltheit ausgestattete Antlitz, während der Körper, mit traditionellen oder rangspezifischen Gewändern bekleidet, eher vernachlässigt wird und niemals – im Sinne der klass. Statue – eigentlicher Anlaß künstlerischen Strebens ist. Die oft mit dem Christentum begründete Körperfeindlichkeit erweist sich als Grundzug sp. Gestaltens, kam aber christl. Auffassungen entgegen und fand schließlich in der Ausprägung des christl. Verehrungsbildes adäquaten Ausdruck. Die Darstellung der menschlichen Gestalt geht einher mit einer mehr oder weniger ausgeprägten Abstraktion der übrigen Bildbestandteile (landschaftlicher Hintergrund; Goldgrund).

In fast allen Zweigen der angewandten Kunst und Alltagskultur lebten auch in der S. die traditionellen myth., bukolischen und kultisch-rel. Bildthemen mit den ihnen beigelegten ethischen, allegorischen, didaktischen oder paränetischen Bed. fort. Nur in seltenen Fällen sind sie Ausdruck bewußter »heidnischer« Reaktion. Eine entscheidende Bereicherung erfuhr die sp. Kunst seit ca. 200 durch die Herausbildung der auf at. und nt. sowie apokryphen Quellen beruhenden christl. Ikonographie, etwa der Katakombenmalerei (→ Katakomben B.) und der Sarkophagreliefs (→ Sarkophag IV.), womit der christl. Zweig der röm. Kunst in Erscheinung trat. Daneben gab es eine eigenständige jüd. Bildkunst, die in illustrierten Hss. (→ Pentateuch; außerkanonische jüd. Lit.) vermutet wird, in der Synagoge von → Dura-Europos (zerstört 256) jedoch arch. faßbar ist und die Ausbildung der christl. Ikonographie beeinflußt haben dürfte. Die christl. Ikonographie konnte sich wegen der anhaltenden Verfolgungen zunächst nur im privaten und sepulkralen Milieu entwickeln, hat jedoch im kirchlichen Bereich (Hauskirchen, z. B. in Dura-Europos) nicht gefehlt.

Mit der aus polit. Gründen vollzogenen Hinwendung des Constantinus [1] zum Christentum (ab 312) wurde die spätröm. Staatsideologie allmählich christianisiert, d. h. die göttliche Legitimation des irdischen Kaisertums wurde nunmehr von Christus abgeleitet. Das hatte zur Folge, daß Züge des Kaiserbildes und des höfischen Zeremoniells auf Darstellungen Christi und seines »himmlischen Hofstaats« übertragen wurden. Durch ihre Einbindung in die monumentalen Bildausstattungen des seither ungehemmt aufblühenden Kirchenbaus erhielten christl. Bildthemen normative Wirkung auf andere Kunstgattungen einschließlich der kunsthandwerklichen Arbeiten. In der Sepulkralkunst (→ Sarkophage) wurden christl. Bildprogramme privaten Heilsvorstellungen dienstbar gemacht. Bis hin zum Zahnstocher (Schatz von Kaiseraugst, → Silberfunde) wurden Alltagsgegenstände mit christl. Zeichen geschmückt, was einen eher gedankenlosen Umgang belegt und davor warnen sollte, den geistlichen Ernst gelebten Christentums in allen Fällen überzubewerten.

C. Architektur

Von dem Sonderfall der kaiserlichen Neugründung → Konstantinopolis und anderen sp. Residenzbauten abgesehen, vermögen histor.-top. und arch. Forschungen den tiefgreifenden strukturellen Wandel aufzuzeigen, den die → Stadt in der S. erlebte. Die paganen Heiligtümer wurden geschlossen, die Tempel zu Kirchen umgewidmet (z. B. der → Parthenon) oder abgerissen, an ihren Plätzen entstanden Kirchen samt Bischofspalästen und parochialen Einrichtungen, die fortan das Stadtbild prägten. Die urspr. Stadtareale wurden infolge des allmählichen wirtschaftlichen Niedergangs und des Bevölkerungsrückgangs seit dem 6. Jh. z. T. erheblich verkleinert und mit aus Spolienmaterial (→ Spolien) abgerissener röm. Bauten eilig errichteten Mauern neu befestigt.

Ihre größten innovativen Leistungen vollbrachte die S. gleichwohl auf dem Gebiet der Architektur, wobei traditionelle röm. Raum- und Bauformen neuen Zweckbestimmungen kaiserlicher oder kirchlicher Repräsentation angeglichen wurden: z. B. der Diocletianspalast in Split (→ Spalatum), die Diocletiansthermen in Rom oder die von Maxentius begonnene und von Constantinus [1] um 313 mit erheblichen strukturellen Veränderungen vollendete Constantinsbasilika (→ Basilica Constantiniana) auf dem Forum Romanum. Die → Basilika als profaner bzw. kaiserlicher Raumtypus erfuhr durch Anpassung an den christl. Kult die wohl einschneidendste Verwandlung. Mit der Errichtung der konstantinischen Lateransbasilika in Rom (313–317) war der entscheidende Schritt zum basilikalen Längsbau vollzogen. In der 317 gehaltenen Kirchweihrede des Eusebios [7] von Kaisareia (Eus. HE 10,4) wird dieser Kirchentypus ausführlich beschrieben und in seinen einzelnen Teilen zugleich allegorisch interpretiert. Fortan bildete die längsgerichtete, fünf- oder dreischiffige Basilika mit breitem und erhöhtem Mittelschiff, durchfensterten Obergaden, mit leichter Dachkonstruktion, → Atrium (Peristyl) an der einen und Apsis mit Synthronon, den Bänken für den Klerus und Sanctuarium (→ Altar) an der anderen, in der Regel östlichen Stirnseite, prächtiger Innenausstattung (Mosaiken, Wandmalereien, Inkrustationen) und schmucklosem Ziegelmauerwerk am Außenbau die Grundform der danach im gesamten Imperium errichteten Bischofs- oder Gemeindekirchen. Daneben entstanden von bes. kultischen Voraussetzungen bestimmte Sonder- und Mischformen aus Basilika und Rotunde bzw. Oktogon (Jerusalem, Grabeskirche; Bethlehem, Geburtskirche), kreuzförmige Anlagen (Konstantinopel, Apostelkirche), Zentralbauten (Mailand, San Lorenzo; Ravenna, San Vitale) sowie neue christl. Zweckformen wie das oktogonale, runde oder quadratische, freistehende oder integrierte → Baptisterium. Den niemals wieder erreichten Höhepunkt der sp.-frühbyz. Architektur stellt jedoch die 532–537 unter Iustinianus [1] I. errichtete → Hagia Sophia in Konstantinopolis dar: Der mehrschiffige basilikale Längsbau ist hier mit dem Kuppelzentralbau verschmolzen, wobei ein kompliziertes System miteinander kommunizierender Raumformen und Bauteile konstruktive Zwänge wie die Lastabtragung der großen → Kuppel geschickt verbirgt und dadurch die grandiose, auf Entmaterialisierung und Schwerelosigkeit abzielende Raumwirkung ermöglicht.

D. Malerei und Mosaik

Auch in der S. sind die Untergattungen der Malerei und Mosaikkunst in verschiedenen Milieus anzutreffen, wobei signifikante Schwerpunktverlagerungen zu beobachten sind: höfische oder offizielle Wandmalerei (Ausstattung von Palästen oder Kaiserkulträumen, Thermen); private Malerei (Ausstattung von Privathäusern und -villen mit Wandmalereien und Bodenmosaiken); private Grabmalerei (pagane Mausoleen; christl. und jüd. → Katakomben von ca. 220 bis 388/90); Miniatur- und → Buchmalerei, wobei die Texte alle Gattungen der paganen und große Teile der christl. Lit. umfassen. Mit der Errichtung christl. Basiliken wurde bevorzugt die Mosaiktechnik (→ Mosaik) zur Ausschmückung der Apsiden, Triumphbögen und Wandflächen mit theologisch konzipierten Bildprogrammen und der Fußböden mit bildlichen und ornamentalen Kompositionen verwendet. Die private oder im Totenkult (→ Mumienporträts) verbreitete Tafelmalerei bietet die Grundlage für die sich seit dem 6. Jh. entfaltende Ikonenmalerei.

E. Skulptur

Kennzeichnend für die sp. Kunst ist der Rückgang der freiplastischen Skulptur (öffentliche Ehrendenkmäler, Porträtstatuen; → Statue). Schriftquellen und erh. Inschriftenbasen belegen einen hohen, wenn auch allmählich abnehmenden Bestand an sp. Kaiserstatuen [2]. Für Konstantinopel sind immerhin Reiterstandbilder (Theodosios I., Arkadios, Iustinianus [1]) bezeugt. Für gelegentliche Weihungen (Phokassäule auf dem Forum Romanum, 607) wurden anscheinend auch ältere Statuen wiederverwendet. Privatporträts sind in ebenfalls abnehmender Dichte bis ins 6. Jh. belegt, waren aber im Osten offenbar noch häufiger in Gebrauch [3]. An die Stelle der Freiplastik tritt die Reliefkunst. Die blühende → Sarkophag-Produktion des 3./4. Jh., die in Rom im 4. Jh. in eine ebenso reiche christl. überging, erfuhr in den folgenden Jh. unterschiedliche regionale Differenzierungen. Die neue Hauptstadt Konstantinopolis wurde zunächst mit geraubten älteren Bildwerken ausgestattet. Erst seit theodosianischer Zeit (379–395) mehrten sich auch hier Werke der imperialen (→ Säulenmonumente; Basen des Theodosios-Obelisken) und privaten bzw. offiziösen Reliefskulptur (→ Sarkophage, Ehrenbasen). Die Produktionstätigkeit scheint sich immer mehr in den Ostteil des Reiches verlagert zu haben. Hauptzweige der Skulpturenherstellung waren – neben Architekturgliedern (Kapitelle; → Säule mit. Abb.) – mit figürlichen und ornamentalen Reliefs verzierte kirchliche Ausstattungen, wie Ambo, Schranken, Templonanlagen (den Vorformen der Ikonostasis), Ziborien (den ortsfesten Baldachinen über Altären und Taufbrunnen) u.a. Eine exportorientierte Produktion von Konstantinopler Bauplastik des 4. bis 6. Jh. befand sich auf der Insel → Prokonnesos. In iustinianischer Zeit kam es zur Ausbildung völlig neuartiger, den klass. Kanon verlassender Kapitelltypen und Schmucksysteme.

F. KUNSTHANDWERK

Insgesamt bilden Erzeugnisse des höfischen, kirchlichen und privaten Kunsthandwerks die reichste Hinterlassenschaft von Denkmälern der S. Mit paganen oder christl. Bildthemen, Zeichen (Christogramm) oder Ornamenten verziert, spiegeln sie zugleich am dichtesten die materielle Alltagskultur der sp. Gesellschaft. Zu den künstlerisch anspruchsvollsten Materialgruppen zählen:

(1.) Silbertoreutische Arbeiten wie kaiserliche Geschenkschalen (z.B. Theodosios-Missorium, 388); Tafelgarnituren (Schau- und Servierplatten, Schalen, Schüsseln, Teller, Löffel, Siebe, Schöpfer) und Toilettenservice (Kästen, Waschgarnituren, Parfumbehälter) mit paganen, christl. oder christl.-allegorischen Reliefszenen; liturgische Geräte (Tische, Kreuze, Fächer, Buchdeckel) und Gefäße (Diskoi, Kelche, Räuchergefäße, Reliquienbehälter) sowie kirchliches Beleuchtungsgerät (Kandelaber, Polykandela, Lichtkronen). Unter den Silberwerken befinden sich etwa 160 mit Konstantinopler Kontrollstempeln der Zeit von ca. 491 bis ca. 668 gekennzeichnete Objekte, die dadurch relativ genau zu datieren sind. (2.) Bronzewerke wie Statuetten und figürlich ausgebildetes Gerät (Zügelhalter, Gewichte); Gebrauchsgefäße (Waschgarnituren, Eimer, Siebe); liturgische Geräte (Prozessionskreuze) und Gefäße (Räuchergeräte); Beleuchtungsgeräte (Öllampen, Kandelaber, Polykandela); Waagen und Gewichte; Stempel; getriebene oder gemodelte Kasten- und Möbelbeschläge. (3.) Gold- und Silberschmuck (Fibeln, Halsschmuck, Ohr-, Arm- und Fingerringe, Amulettkapseln, Pektoralkreuze, Anhänger, Gürtelgarnituren). (4.) Elfenbeinschnitzereien wie Throne (Maximianuskathedra, um 548), fünfteilige Diptychen, Consulardiptychen und private Diptychen mit profanen, myth., christl. und allegorischen Szenen; Pyxiden mit christl. und profanen Darstellungen; Kämme und Möbeleinlagen. (5.) Steinschnittarbeiten (Gemmen und Kameen, Gefäße aus Bergkristall und Halbedelstein). (6.) Goldgläser und Gefäße in Glasschlifftechnik. (7.) Holzschnitzereien (Skulpturen, Türen, Möbel, Kämme, Webgeräte). (8.) Textilien (Behänge, Kleidung, Kissen, Decken). (9.) Tonwaren (Figürchen, Gefäße und Geschirr, Lampen, Ampullen, Brot- und Warenstempel, Amulette und Plaketten).

Unter den kunsthandwerklichen Arbeiten haben manche einen bes. Zweck, wie die Pilgerandenken (→ Pilgerflasche), die zumeist mit Darstellungen bestimmter heiliger Stätten (Palaestina) oder Personen (z.B. Menas [4]) verziert sind.

→ Byzantion, Byzanz; Christentum; Katakombe; Roma I. E. 3.; Sarkophag

1 A. DEMANDT, Die S.: Röm. Gesch. von Diocletian bis Justinian 284–565 n.Chr., 1989 2 R.H.W. STICHEL, Die röm. Kaiserstatue am Ausgang der Ant., 1982 3 J. INAN, E. ALFÖLDI-ROSENBAUM, Röm. und frühbyz. Porträtplastik aus der Türkei, 1979.

ByzZ (jährlich mit Bibliogr. zur Arch. und Kunstgesch.) • B. BRENK (Hrsg.), S. und frühes Christentum (PropKg, Suppl. Bd. 1), 1977 • F.W. DEICHMANN, Einführung in die christl. Arch., 1983 • A. EFFENBERGER, Frühchristl. Kunst und Kultur. Von den Anf. bis zum 7. Jh., 1986 • W.E. KLEINBAUER, Early Christian and Byzantine Architecture: an Annotated Bibliography and Historiography, 1992 • G. KOCH, Frühchristl. Sarkophage, 2000 • R. KRAUTHEIMER, Early and Christian Architecture, [4]1986 • W.F. VOLBACH, J. LAFONTAINE-DOSOGNE, Byzanz und der christl. Osten, 1968. A.E.

Späthethitische Kunst s. Kleinasien III. C.2.

Spalatum (Ἀσπάλαθος). Ort in Dalmatia an der SW-Spitze einer Halbinsel, ca. 5 km südwestl. von → Salona (Tab. Peut. 6,3; Geogr. Rav. 4,16), h. Split; bis ins 4. Jh. n.Chr. unbed. illyr.-griech. Hafenort (Schwefelheilquellen). Hier ließ 295–305 n.Chr. → Diocletianus seinen Altersruhesitz bauen, wo er bis zu seinem Tod (wohl 313) lebte. In dem an röm. Kastell- und Villen-Trad. orientierten Palast (ca. 180 × 215 m, 4 Tore, Mauer mit 16 Wehrtürmen) lagen an der Kreuzung von → *cardo* und → *decumanus* um ein Peristyl das Mausoleum (h. Kathedrale), ein Iuppiter-Tempel, zwei Rundtempel und das Vestibulum (Verbindung zu den südl. Gemächern). Die Südseite – eine Kryptoportikus mit Loggia darüber (Privatgemächer) – lag am Meer. Erh. sind Mauerreste in der Nordhälfte, drei Ecktürme und die Tore.

B. KIRIGIN, E. MARIN, The Archaeological Guide to Central Dalmatia, 1989, 25–51. UL.FE.

Sparadokos (Σπαράδοκος). Bruder des Thrakerkönigs Sitalkes [1] und Vater von dessen Nachfolger Seuthes [1] (Thuk. 2,101,5; 4,101,5). Seine Position in der odrysischen Dyn. ist umstritten; vielleicht folgte er Teres als Herrscher im sw Thrakien. S. prägte als erster Odryse verschiedene Silbernominale.

U. PETER, Die Mz. der thrak. Dynasten (5.–3. Jh. v.Chr.), 1997, 62–75. U.P.

Sparbüchse (ἀργυροθήκη/*argyrothḗkē*; lat. *arcula, crumena*). Spezielle S. für Geld waren im archa. und klass. Griechenland offenbar unbekannt; Geld wurde in Truhen und Kästen zusammen mit Schmuck und anderen Wertgegenständen aufbewahrt (z.B. Theophr. char. 10). Die wohl älteste erh. S. stammt aus Priene (2./1. Jh. v.Chr.) und hat die Form eines Tempelchens mit einem Schlitz im Giebel zum Einwerfen des Geldes, das man durch eine verschließbare Öffnung auf der Rückseite wieder entnehmen konnte [1. 190f. Nr. 25]. Die Römer benutzten zum Aufbewahren des Geldes kleine Töpfe (*olla* oder *aula*, Cic. fam. 9,18,4, vgl. auch die

Antike Sparbüchsen

Berlin, Antikensammlung; aus Priene (2.-1. Jh. v. Chr.)

Neapel, Nationalmuseum; aus Pompeii (1. Jh. n. Chr.)

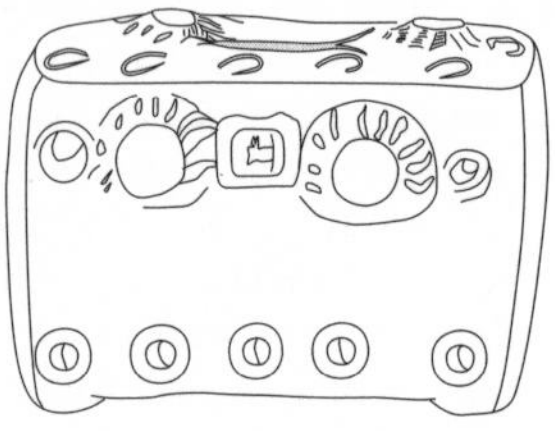

Aus Pompeii (1. Jh. n. Chr.)

Paris, Bibliothèque Nationale, Cabinet des Médailles (1.-2. Jh. n. Chr.)

Komödie *Aulularia* des → Plautus). Erst aus der röm. Kaiserzeit sind bes. aus den rheinischen Prov. und Britannien S. unterschiedlicher Form bekannt: kleine Truhen, kugelförmige S. mit und ohne Standfläche, bienenkorbförmige, ferner flache kreisförmige S., die in ihrem Aussehen dem Medaillon röm. Lampen ähneln. S. wurden offenbar auch als Geschenke am → Neujahrsfest verteilt, denn vereinzelt tragen sie Glückwünsche zum Neuen Jahr.

1 W.-D. Heilmeyer, Antikensammlung Berlin. Die ausgestellten Werke, 1988.

S. M. Cheilik, A Roman Terracotta Savings Bank, in: AJA 67, 1963, 70f. • A. Hensen, Eine röm. S. aus Wiesloch, in: Arch. Nachrichten aus Baden 59, 1998, 3–6.

R.H.

Spargel s. Asparagos

Sparta (Σπάρτη, dorisch Σπάρτα).

I. Politische Geschichte
A. Archaische Zeit
B. Entwicklung staatlicher Strukturen
C. Perserkriege D. Sparta und Athen
E. Ende der Hegemonialstellung
F. Sparta unter römischer Herrschaft

A. Archaische Zeit

Stadt in der → Lakonike am mittleren Eurotas; ursprünglich vier Dörfer (Kynosura [3], Limnai, → Pitana/Pitane, → Mesoa), entstanden aus Niederlassungen dorischer Zuwanderer im 10. Jh. v. Chr. nördl. des heutigen S. Der ON S. ist jünger als der ON Λακεδαίμων/ *Lakedaímōn*, der auch als offizielle Bezeichnung für den Gesamtstaat der Lakedaimonioi (→ *Spartiátai*, → *Períoikoi* II.) diente (Thuk. 5,18,10). Die vier Dörfer waren durch den Kult der → Artemis Orthia verbunden (Paus. 3,16,9), deren Heiligtum inschr. lokalisiert ist (IG V 1, 863; zur Rekonstruktion S.s – im wesentlichen nach Paus. B. 3 – vgl. Lageplan). Weiter südl. lag wohl ein um 1200 v. Chr. (Ende SH III B) zerstörtes myk. Herrschaftszentrum im Raum von → Amyklai [1]. In der Folge (SH III C) vollzog sich in Lakonia ein Bevölkerungsrückgang, doch schlossen sich in SH III C v. a. in den Randgebieten des → Eurotas-Beckens die Siedlungen an Orte der Palast-Epoche an. Ende SH III C (ca. 1100 v. Chr.) reduzierte sich die Siedlungstätigkeit weiter, ohne daß die Landschaft entvölkert wurde. Reste myk. Sprachguts (→ Mykenisch) und ON wie Lakedaimon und Amyklai indizieren eine gewisse Kontinuität, während der Dialektwechsel die Zuwanderung dorischer Elemente bezeugt, die aber trotz der Existenz der drei histor. dorischen Phylen in S. (Hylleis, → Dymanes, Pamphyloi) als Neuankömmlinge kleinere Gruppen bildeten und sich nicht als Teile eines großen prähistor. Stammes ansiedelten (zum Problem vgl. → Dorische Wanderung, mit Karte). Der Befund aus den Anf. des lakonischen protogeom. Vasenstils läßt nicht auf eine massive Landnahme durch Neusiedler um 950 v. Chr. schließen.

Zunächst haben wohl friedliche Kontakte die Beziehungen zw. Ansässigen und Neuankömmlingen bestimmt. Die frühen Träger des dorischen Dialekts (→ Dorisch-Nordwest-Griechisch) befanden sich vor ihrer Landnahme auf der → Peloponnesos bereits in Gebieten des griech. Mutterlandes und waren schwerlich ausnahmslos Hirtenkrieger. Ihr Zielgebiet am Eurotas war eine vortreffliche Basis für Ackerbau. Die Lebenswelt der Siedler in S. entsprach zunächst den gemeingriech. Verhältnissen, im 10./9. Jh. v. Chr. schon durch eine stärkere soziale Differenzierung gekennzeichnet, so daß Repräsentanten einzelner Familien ranghohe Positionen im Rahmen von Kleingesellschaften einnahmen. Eine weitreichende Folge dieser Entwicklung in S. war der Aufstieg zweier »Adelshäuser«, die in histor. Zeit das spartan. Doppelkönigtum der

Menelaion: Kult der Helena, der Dioskuren und des
Menelaos, um 700 – ca. 200 v. Chr.

Amyklaion: Verehrung des vormyk. / vordor. Hyakinthos/
sog. Thron des Apollon;
ab ca. 1500 (?) / 2. H. 6. Jh. v. Chr.

Eleusinion: nichtdor. Demeterheiligtum, kein offizieller
spartan. Kult; myk. / 6. Jh. v. – ca. 300 n. Chr.

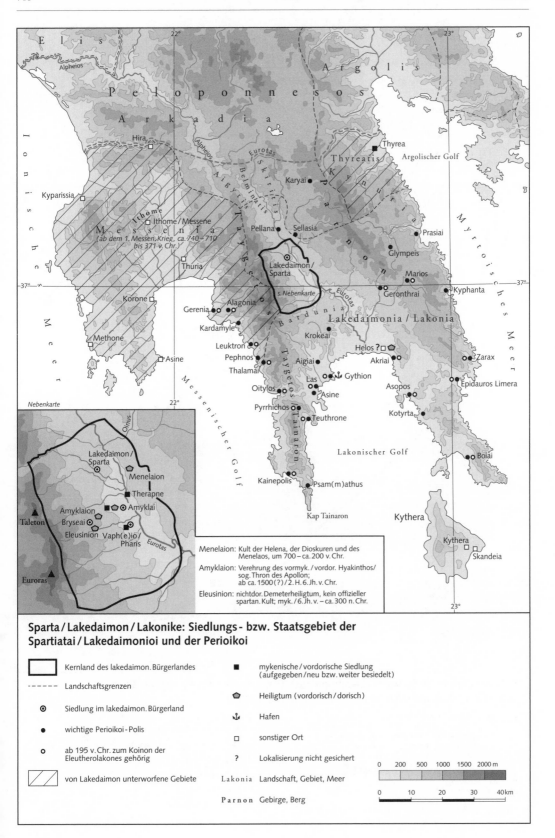

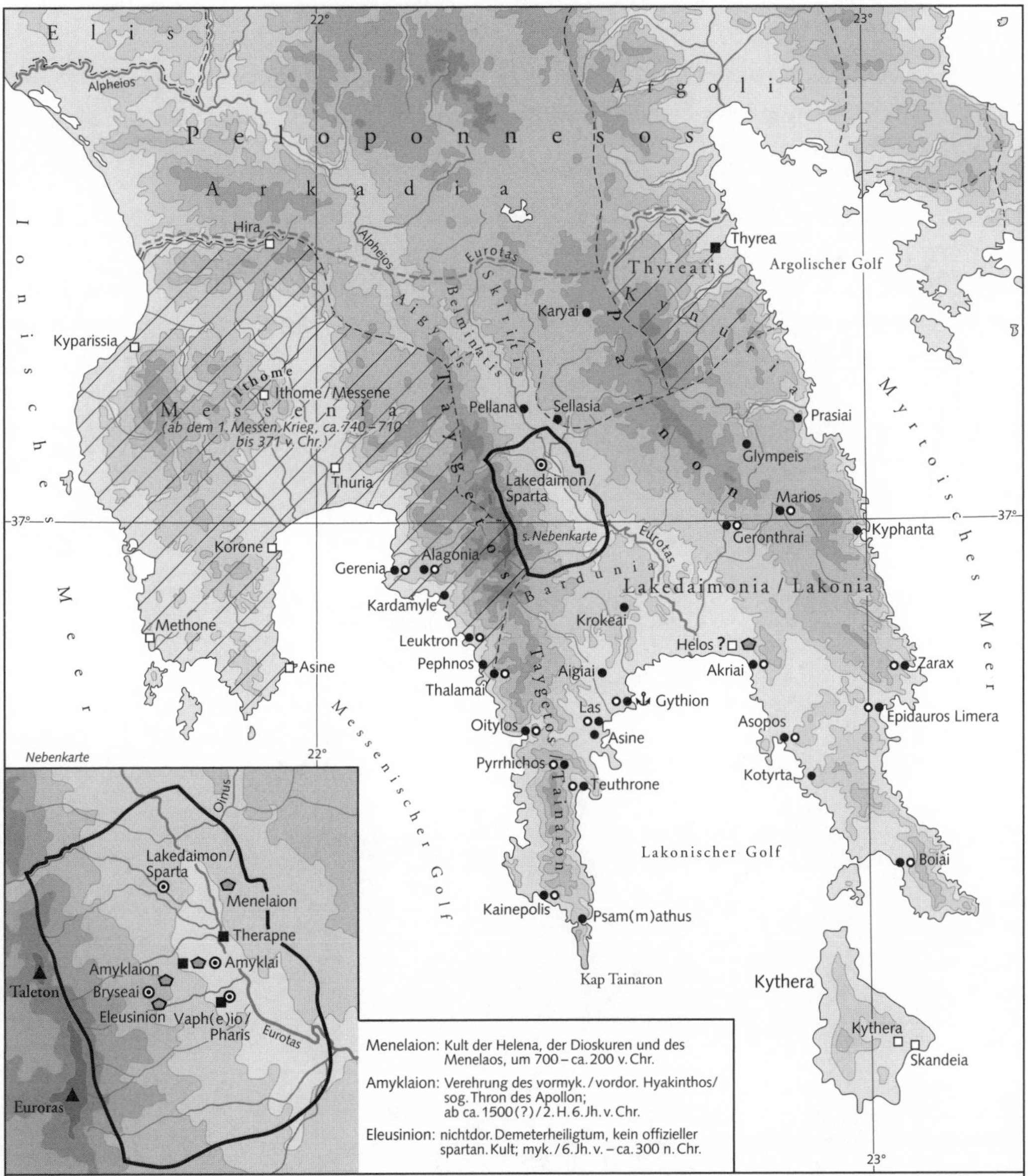

Sparta / Lakedaimon / Lakonike: Siedlungs- bzw. Staatsgebiet der Spartiatai / Lakedaimonioi und der Perioikoi

☐ Kernland des lakedaimon. Bürgerlandes	■ mykenische / vordorische Siedlung (aufgegeben / neu bzw. weiter besiedelt)
– – – – Landschaftsgrenzen	⬠ Heiligtum (vordorisch / dorisch)
⊙ Siedlung im lakedaimon. Bürgerland	⚓ Hafen
● wichtige Perioikoi-Polis	☐ sonstiger Ort
○ ab 195 v. Chr. zum Koinon der Eleutherolakones gehörig	? Lokalisierung nicht gesichert
▨ von Lakedaimon unterworfene Gebiete	Lakonia Landschaft, Gebiet, Meer
	Parnon Gebirge, Berg

0 200 500 1000 1500 2000 m

0 10 20 30 40 km

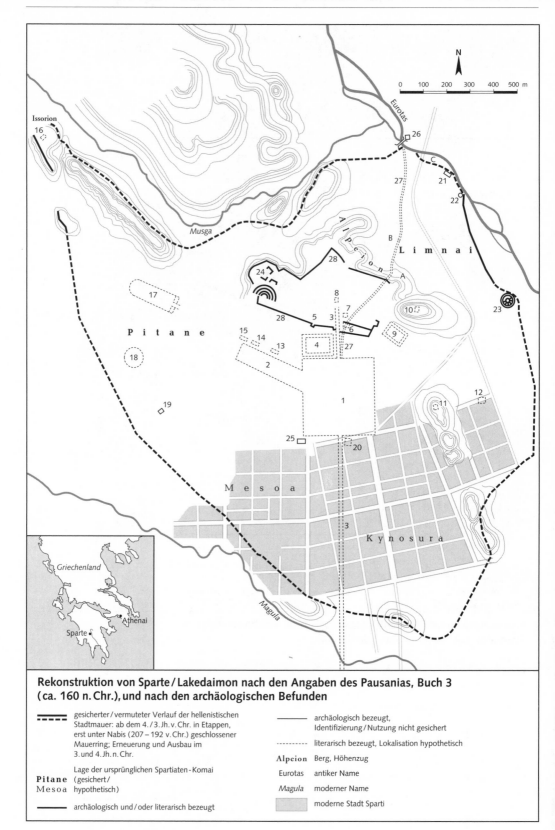

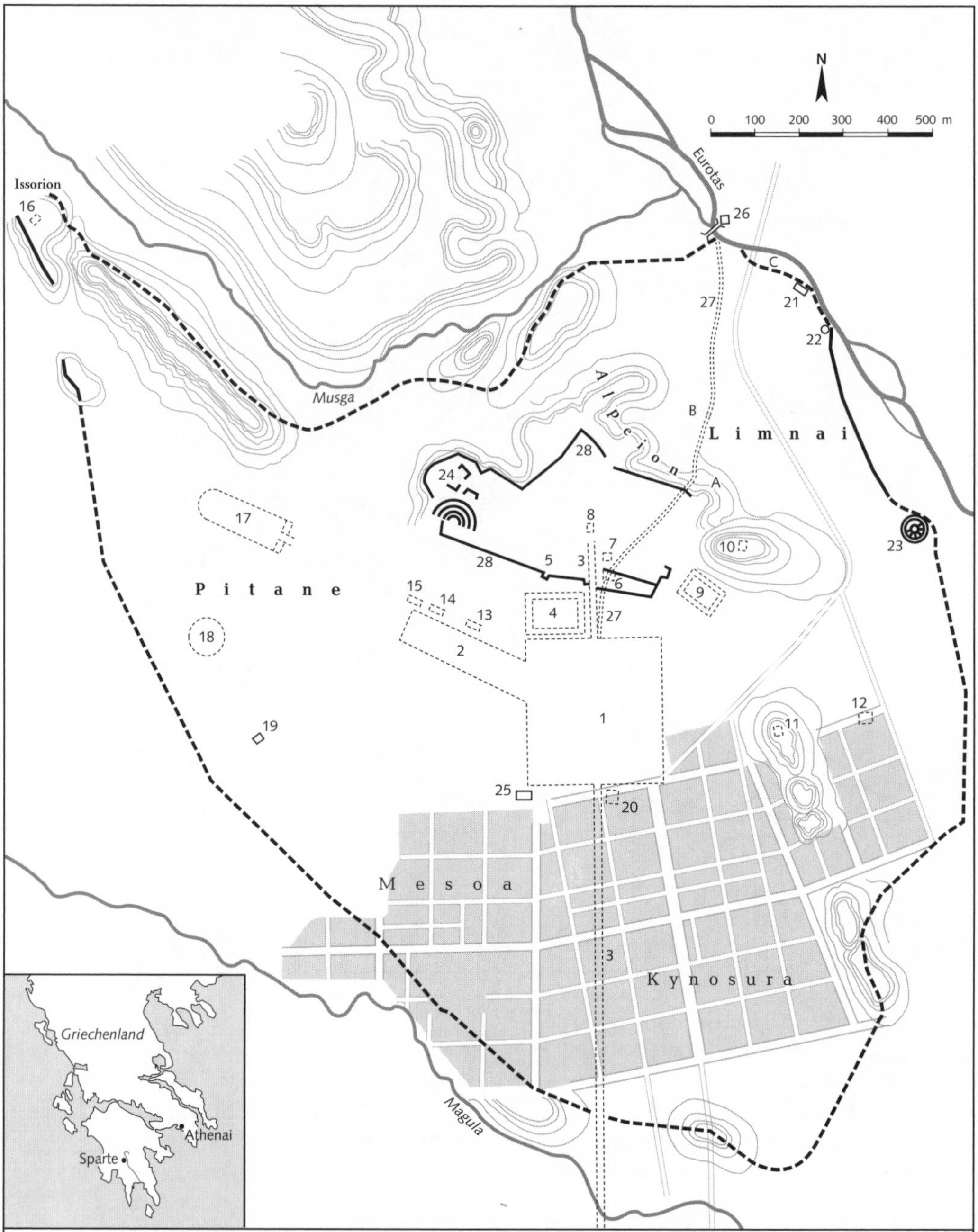

Rekonstruktion von Sparte / Lakedaimon nach den Angaben des Pausanias, Buch 3 (ca. 160 n. Chr.), und nach den archäologischen Befunden

gesicherter / vermuteter Verlauf der hellenistischen Stadtmauer: ab dem 4. / 3. Jh. v. Chr. in Etappen, erst unter Nabis (207 – 192 v. Chr.) geschlossener Mauerring; Erneuerung und Ausbau im 3. und 4. Jh. n. Chr.

Pitane / Mesoa — Lage der ursprünglichen Spartiaten-Komai (gesichert / hypothetisch)

archäologisch und / oder literarisch bezeugt

archäologisch bezeugt, Identifizierung / Nutzung nicht gesichert

literarisch bezeugt, Lokalisation hypothetisch

Alpeion — Berg, Höhenzug

Eurotas — antiker Name

Magula — moderner Name

moderne Stadt Sparti

I. Akropolis, Zentrum und Aphetaïs-Straße

1. Agora: u.a. mit Regierungsgebäuden; sog. Persischer Stoa; den Tempeln des Caesar und des Augustus; insgesamt 24 Monumenten bei Pausanias (3,11,2–11).
2. Choros (Raum für die jährliche Feier der Gymnopaidia zu Ehren Apollons).
25. Tempel?, sog. Grab des Leonidas/»Leonidaion« (3. Jh. v. Chr.).
3. Aphetaïs-Straße, nördlich und südlich der Agora: u. a. drei Heiligtümer der Athena Keleutheia; im Süden nahe der Stadtmauer (mit Tor?) Heiligtum der Diktynna sowie Gräber der Eurypontidai; die Straße führte weiter über eine Brücke nach Amyklai.
4. Skias (Tagungsort der Volksversammlung; 2. Hälfte 6. Jh. v. Chr.).
5. Tholos des Zeus Olympios und der Aphrodite Olympia (archaisch, um 600 v. Chr.?; = Pausanias 3,12,9?). In der Nähe der Tholos: Gräber des Kynortas und des Kastor (nachträglich durch einen Tempel überbaut). Ferner u.a.:
6. Tempel der Kore Soteira.
7. Haus des Karneios (Heiligtum des Apollon Karneios).
8. Standbild des Aphetaios (bei Pausanias 3,13,6).
20. Booneta: »Haus« des Königs Polydoros (um 700 v. Chr.); »daneben« Tempel des Asklepios bzw. in der Nähe: Heroon des Teleklos, Tempel und Holzbild einer bewaffneten Aphrodite, Tempel der Hilaeira und Phoibe.
24. Akropolis mit Tempel der Athena Poliuchos oder Chalkioikos (vor Mitte 6. Jh. v. Chr.; Verkleidung des Tempels mit Bronzereliefs). Ferner: westlich und südlich je eine Stoa (Weihgeschenkdepot); südwestlich des Tempels Schrein der Athena Ergane? Vorbezirk (Protemisma) erstreckte sich bis zum Fuß des Abhanges: für ca. 470 v. Chr. gesichert. Theater (ca. 30–20 v. Chr./augusteisch) am Fuß der Akropolis (Pausanias 3,14,1).
28. Verlauf der Akropolisbefestigung (3. und 4. Jh. n. Chr. und byzantinisch).
10. Östlicher Ausläufer des Akropolis-Höhenzuges (Tympanon) mit Tempel des Dionysos Kolonatas (wohl 1835 noch sichtbare Reste) und evtl. einem Heroon.
9. Markt (von Säulenhallen umstanden, Altäre des Zeus Ambulios, der Athena Ambulia und der Dioskuroi Ambulioi) = sog. »Alter Markt«?
27. Nördliche Hauptstraße: beginnend an der Agora, über die Akropolishöhen Richtung Nordtor und Eurotas sowie zu den Limnai. Nahe der byzantinischen Akropolismauer wohl zunächst das Gebäude »Chiton«, dann Richtung Norden das Heroon des Cheilon (Pausanias 3,16,2–4).

II. Pitane (Pitana)

Nach Pausanias 3,14–15: 20 Tempel (u.a. des Poseidon Genethlios), 11 Heroa (u.a. die des Kleodaios und des Oibalos), 5 Gräber (u.a. die der Ageiadai), 5 Standbilder, 2 Säulenhallen, 6 weitere Anlagen; außer »Haus des Menelaos« keine Erwähnung von Privathäusern.

13. Kenotaph des Brasidas.
14. Grab des Pausanias (gegenüber dem Eingang des Protemisma, vgl. Nr: 24).
15. Grab des Leonidas und Stele mit Namen der bei den Thermopylai Gefallenen (um 440 v. Chr.).
17. Dromos (mit 2 Gymnasien).
18. Platanistas: mit Platanen umstandener Kampfplatz der Epheben, von Wassergraben (wohl durch Verbindung zum Magulabach gespeist) umgeben, über zwei Brücken (Statuen des Herakles und des Lykurgos) zugänglich.
19. Dorkeia? (Quelle). In der Nähe u. a. das Grab des Alkman.
16. Tempel der Artemis Issoria (mit Resten der Stadtmauer, eines Turmes und einer kleinen Festung).

III. Limnai (»Feuchte Niederungen«)

26. Römisch-mittelalterliche Brücke? Westlich davon das Nordtor. Auf der östlichen? Eurotas-Seite: Heiligtum der Athena Alea?
21. Tempel des Lykurgos? (Tempel und Altar; Grab des Eukosmos; Gräber der mythischen Lathria und Anaxandra; Gräber des Königs Theopompos und des Eurybiades; in der Nähe westlich davon Votivdepot und Heroon?).
22. Heroon des Astrabakos? (Kult ab 10. Jh. v. Chr. bis in römische Zeit; in der Nähe muß laut Herodot 6,69,3 das Haus des Königs Ariston gelegen haben).
23. Heiligtum der Artemis Orthia (sog. Limnaion. Altar und Tempel I um 700 v. Chr., Tempel II zwischen 570 und 560 v. Chr., Wiederaufbau im 2. Jh. v. Chr.; römisches Theater). In der Nähe: Heiligtum der Eileithyia.

A. Nahe der nördlichen Hauptstraße an den östlichen Ausläufern des Akropolis-Hügelrückens: archaisches Grabheiligtum (6. Jh. v. Chr.); in frührömischer Zeit überbaut.

B. Archaisches Heiligtum? (Ende 6./Anfang 5. Jh. v. Chr.), davor Grab (hellenistisch-römische Funde), Erneuerung in römischer Zeit: Heroon? Lesche? Stoa?

C. Nordöstlich der modernen Brücke über den Eurotas, anschließend an die Stadtmauer: Torreste sowie Siedlungsfragment (6 Schichten: spätgeometrisch bis spätrömisch: Haus, Gräber, Abfallgruben, Brunnen).

IV. Kynosura

Südlich des Dionysos-Tempels: Heiligtum des Zeus Euanemos und rechts davon ein Heroon des Pleuron; nicht weit davon:

11. Tempel der Hera Argeia.
12. Tempel der Hera Hypercheiria.

→ Agiadai und → Eurypontidai repräsentierten. Verm. haben die beiden Häuser in Rivalität mit anderen einflußreichen Familien allmählich eine dominierende Position gewonnen. Ihr Sozialprestige war Ergebnis einer längeren Entwicklung.

B. Entwicklung staatlicher Strukturen

Ein für S. bedeutendes Ereignis im frühen 8. Jh. war die Integration von Amyklai [1] in den urspr. Siedlungsverband. Nach Paus. 3,26 kapitulierte Amyklai nach längeren schweren Kämpfen, während es nach Ephor. FGrH 70 F 117 durch Verrat fiel. Die Sonderstellung von Amyklai im Siedlungsverband von S. läßt aber auf erhebliche Konzessionen an die Amyklaioi schließen. Nachdem S. wohl schon vorher seinen Einfluß nw bis Aigys ausgedehnt hatte, wurde durch Eingliederung von Amyklai die Okkupation von Südlakonia ermöglicht, wo in der Folgezeit die Helotie (→ Heloten) und das spartan. Klaros-System entstanden, indem dort *klároi* (Grundstücke; → *klḗros*) an Spartaner verteilt und die unterworfenen Landbewohner als Arbeitskräfte für die neuen Besitzer an die Scholle gebunden wurden. Durch die hierdurch eingeleitete Entwicklung nahm S. aber keineswegs schon eine Sonderstellung unter den sich formierenden griech. Gemeinwesen ein. Ranghohe Spartaner suchten wie größere Oikos-Herren in anderen Gemeinschaften ihren sozialen Status durch ihren

Lebensstil zu demonstrieren und ihren Reichtum durch Beutefahrten zu mehren. Aus hierdurch mitbedingten Konflikten mit messenischen »Aristokraten« resultierten im späten 8. oder frühen 7. Jh. v. Chr. der 1. → Messenische Krieg sowie Spannungen zw. Oberschicht und *dámos* (→ *dḗmos* [1]) in S., die zur Ausgliederung einer Aristokratengruppe und ihrer Gefolgschaften durch Entsendung nach → Taras führten (→ Kolonisation IV. mit Übersicht: Dorische Kolonisation), aber auch eine Phase der Konstituierung von Polisstrukturen einleiteten.

In der Großen → *Rhḗtra* [2] werden erstmals Funktionen der Könige, der → *gérontes* und der → *apélla* greifbar (Plut. Lykurgos 6,1 f.). Diese bedeutende Stufe in der Entwicklung von S. ist in den gemeingriech. Prozeß der Genese »staatlicher« Strukturen auf Polis-Ebene einzuordnen (→ Staat IV.; → *pólis*). Hiermit verbunden war eine Konstituierung bzw. Neugliederung der Phylen (→ *phylḗ* [1]) und *ōbaí* als Unterabteilungen der Polisgemeinschaft, doch konnte der soziale Konflikt hierdurch nicht überwunden werden. Er kam zum Ausdruck in der Forderung des *dámos* nach Neuaufteilung des Bodens in der Krise des 2. → Messenischen Krieges, der E. des 7. Jh. mit der Helotisierung der meisten Messenioi (→ Messana [2]) und der Einrichtung neuer Spartiaten-Klaroi endete. Hierdurch wurden in S. die Gegensätze zw. Adel und *dámos* überdeckt. Im frühen 6. Jh. scheiterte der Versuch, Tegea zu unterwerfen, doch war S. um 550 Tegea und Argos [II 1] überlegen. Durch den damals mit Tegea geschlossenen Vertrag (StV 2, 112) wurde eine neue Phase der Außenpolitik eingeleitet. Bis E. des 6. Jh. verband sich S. als dominierende Macht durch Einzelverträge mit einer Reihe von peloponnesischen Gemeinwesen, die sich zur Heeresfolge verpflichten und damit die mil. Führung von S. anerkennen mußten, dessen Territorium ja auch die Gebiete der → *períoikoi* umfaßte. Das 6. Jh. war in S. zudem gekennzeichnet durch Intensivierung der → *agōgḗ* und verstärkte Bemühungen um Ausrichtung des Lebens der → *Spartiátai* auf die ihnen abverlangten Pflichten als Vollbürger zur Sicherung ihrer Herrschaft über die → Heloten. Dennoch war dieses System im 6. Jh. noch nicht durch die Disziplin bestimmt, der die Spartaner später unterworfen waren, als ihre Zahl zurückging und eine Destabilisierung der Polisordnung befürchtet wurde.

C. Perserkriege

Dominierende Person in S. um 500 v. Chr. war Kleomenes [3] I., der 510 in Athen die Herrschaft der → Peisistratidai beseitigte, aber 508/7 die Reformen des Kleisthenes [2] nicht verhindern konnte (Hdt. 5,70–72). Nach diesem Mißerfolg wurde erstmals eine Synode von Repräsentanten der peloponnes. *sýmmachoi* (Bundesgenossen, s. → *symmachía*) nach S. einberufen, die aber nicht etwa fortan regelmäßig tagten. S. lehnte 499 ein Hilfegesuch der gegen Dareios [1] I. rebellierenden ionischen Griechen auf Betreiben des Kleomenes ab (Hdt. 5,49). Spätestens nach einem entscheidenden Sieg über die Argeioi um 494 (Hdt. 6,78–81) galt S. als Vormacht von Hellas. S. fühlte sich wohl 490 in der Pflicht, ein Hilfskorps nach → Marathon zu schicken, konnte dieser aber aus rel. Rücksichten nicht rechtzeitig nachkommen. Als sich 481 die griech. Gemeinwesen gegen Xerxes zusammenschlossen (StV II^2 130; → Perserkriege [1]), erhielt S. den Oberbefehl zu Land und zu Wasser. Nach dem Untergang des Leonidas [1] und der von ihm befehligten 300 Spartiaten bei den → Thermopylai und dem griech. Seesieg bei Salamis [1] 480 fiel die endgültige Entscheidung im Kampf gegen die pers. Streitmacht durch den Sieg des griech. Heeres unter dem spartan. Regenten Pausanias [1] 479 bei → Plataiai (Hdt. 9,19–88), während etwa gleichzeitig der spartan. König Leotychidas [2] bei Mykale die noch kampffähigen pers. Seestreitkräfte ausschaltete. Er stimmte dann der Aufnahme von Samos, Chios, Lesbos und anderer Inselgriechen in den Hellenenbund von 481 zu und unternahm einen Vorstoß bis in den Hellespontos, überließ aber den Athenern die Führung weiterer Operationen 479/8 (Hdt. 9,106).

D. Sparta und Athen

Eine Wende auch für die Gesch. von S. bedeutete die Gründung des → Attisch-Delischen Seebundes (StV 2, 132). Hiermit entstanden machtpolit. Gegensätze zw. Athen und S., der jetzt nicht mehr unbestrittenen hellenischen Vormacht; S. konnte aber in den Schlachten bei Dipaia und Tegea den Zusammenhalt des → Peloponnesischen Bundes wahren. Mit der Erhebung der Messenioi begann wenig später eine neue Krise, die sich durch die Erdbebenkatastrophe 464 in S. erheblich verschärfte (→ Messana [2]; → Messenische Kriege). Ein schwerer polit. Fehler der spartan. Führung war die Brüskierung Kimons [2], der 462 mit 4000 athen. → *hoplítai* S. im Kampf gegen die Messenioi unterstützen wollte, aber zurückgeschickt wurde (Thuk. 1,102; Plut. Kimon 16,8–17,2). In dieser spannungsgeladenen Atmosphäre kam es zu einem folgenreichen Wechsel von Allianzen: Die Athener gewannen Megara [2] als Bundesgenossen und hierdurch ein strategisches Vorfeld gegen die Spartaner, die 458/7 in Boiotia intervenierten, ihr Hoplitenheer aber trotz des Siegs bei Tanagra zurückzogen (Thuk. 1,107 f.). S. konnte weder die Unterwerfung von Aigina durch Athen noch Operationen gegen Gytheion und andere Küstenplätze in seinem Einflußbereich verhindern. Als nach Ablauf des fünfjährigen Waffenstillstandes von 451 ein spartan. Vorstoß nach Attika unter → Pleistoanax erfolglos blieb (Thuk. 1,114), schlossen Athen und S. 446 einen dreißigjährigen Frieden, in dem sie sich verpflichteten, ihre Bündnissysteme gegenseitig anzuerkennen und neutralen Gemeinwesen freie Bündniswahl zu lassen (StV 2, 156).

Eine dauerhafte Entspannung wurde hierdurch nicht erreicht. Zwar verhinderten die Korinther während des Samischen Aufstandes 441–439 eine Intervention von S. zugunsten von Samos (Thuk. 1,40,5; 41,2), doch übten sie seit 433 Druck auf S. aus, als sie infolge ihrer Kämpfe gegen Kerkyra und der Unterstützung ihrer vom Seebund abgefallenen Kolonie → Poteidaia in Konflikt mit Athen gerieten. In S. fand sich 432 eine Mehrheit für einen gegen Athen gerichteten Beschluß, der den Bundesgenossen von S. Kriegsbereitschaft signalisieren sollte (Thuk. 1,86f.). Ziel war es, sowohl eine Erosion des eigenen Bündnissystems als auch weiteren Machtanstieg Athens zu verhindern. Nach dem Scheitern der Verhandlungen mit Athen (Winter 432/1) begannen die Kämpfe im → Peloponnesischen Krieg, der S. schließlich auf den Höhepunkt der Macht führte. Doch war S. nicht in der Lage, das durch die Niederlage Athens entstandene Machtvakuum dauerhaft zu füllen. Die von S. in den Städten konstituierten → *dekadarchíai* [1] (»Zehnerausschüsse« zur Führung der Regierungsgeschäfte) erwiesen sich als unzureichendes Instrument der Politik.

E. Ende der Hegemonialstellung

Eine schwere Bürde wurde für S. v.a. die Auslieferung der kleinasiatischen Poleis an den pers. Großkönig in der Endphase des Peloponnesischen Kriegs. Als S. versuchte, diese aus griech. Sicht unhaltbare Situation zu ändern und 400 v. Chr. in einen Krieg mit dem Großkönig verwickelt wurde, nutzten verschiedene Staaten die Gelegenheit, das spartan. Joch abzuschütteln: Es entstand in Hellas eine große antispartan. Koalition, die zum → Korinthischen Krieg führte. Nach wechselvollen Kämpfen mußte S. 387/6 das Friedensdiktat Artaxerxes' [2] II. hinnehmen (Xen. hell. 5,1,31), auf Einflußnahme in Kleinasien und der Ägäis (→ *Aigaíon Pélagos*) verzichten und die Autonomie der Gemeinwesen in Hellas anerkennen (StV 2, 242), konnte hier aber als »Garant des Friedens« auftreten (Xen. hell. 5,1,36) und seine Hegemonialpolitik weiterverfolgen. S. unterwarf 385 Mantineia, besetzte 382 die Kadmeia in Thebai und reorganisierte sein Bündnissystem durch Einteilung in 10 Kreise (μερίδες/*merídes*, Sing. μερίς/*merís*, »Teil«; Diod. 15,31,1). Thebai konnte sich 379 befreien und siegte 371 bei Leuktra, wo etwa 400 Spartiaten fielen (Xen. hell. 6,4,15; vgl. → Epameinondas). Messenia wurde unabhängig, S. konnte nach einer weiteren Niederlage bei Mantineia 362 (Xen. hell. 7,5) hegemoniale Ansprüche nicht mehr durchsetzen.

S. schloß sich 338/7 dem → Korinthischen Bund nicht an (StV 3, 403). Nach Alexandros' [4] d.Gr. Aufbruch nach Asien organisierte König Agis [3] III. eine antimaked. Allianz, wurde aber 331 von Antipatros [1] geschlagen. Nach längerer Schwächeperiode gelang es Areus [1], S. 273/2 gegen Pyrrhos [3] zu verteidigen (Plut. Pyrrhos 27,2; 29,11; 30,4; 32,4). Den Plan dieses Königs, die Position von S. im hell. Staatensystem zu stärken, wurde von Agis [4] IV. wieder aufgenommen, der eine Bodenreform und Neukonstituierung der stark reduzierten Bürgerschaft intendierte. Dies wurde von den → *éphoroi* durchkreuzt, die ihn hinrichten ließen (Plut. Agis 16–21). Kleomenes [6] III. suchte nach Ausschaltung der Opposition und Beseitigung des Amts der *éphoroi* das Reformprogramm zu realisieren und vergab 4000 *klároi* an *períoikoi* (Plut. Kleomenes 8–11), erreichte aber sein Ziel, die Hegemonie von S. auf der Peloponnesos wiederherzustellen, nicht. Er unterlag Antigonos [3] Doson 222 bei Sellasia (Pol. 2,65–69).

F. Sparta unter römischer Herrschaft

Neue Reformpläne verfolgte → Nabis, der sich auf Söldner stützte und zahlreiche Helotai emanzipierte (Pol. 16,13,1; Liv. 34,27,2). Er scheiterte, weil er sich nach der Freiheitserklärung des Quinctius [I 14] Flamininus 196 v. Chr. in Korinth weigerte, Argos zu räumen. S. mußte die Gebiete der *períoikoi* abtreten (Liv. 34,35,3–11). Flamininus' Intervention markiert das Ende der Selbständigkeit von S. Die Stadt blieb aber bis weit in die röm. Kaiserzeit als *civitas libera* (mit innenpolit. Autonomie) bestehen. Antiquierte Institutionen wie *éphoroi*, *gerusía*, *apélla*, *syssítion* (→ Gastmahl II. B.), *agōgḗ* und *diamastígōsis* (rituelle Geißelung der Knaben am Altar der → Artemis: Xen. Lak. pol. 2,9; Paus. 8,23,1; Plut. mor. 239d) existierten weiter als Reminiszenzen an den alten Ruhm oder wurden restauriert. S. wurde 267/8 n. Chr. von → Heruli geplündert (Synk. p. 467,15–28) und 395 von Alaricus [2] I. zerstört (Zos. 5,6,5).

Die Entwicklung S.s war urspr. weithin durch die histor. Rahmenbedingungen der Polisbildung bestimmt, doch erforderte die Einführung der Helotie langfristig eine besondere Herrschaftssicherung im Inneren. Hierdurch wurden die notwendigen Innovationen im polit. System und Ges.-Gefüge blockiert, während durch Heroisierung der eigenen Gesch. ein S.-Bild entstand, das der Realität nicht entsprach und die Ausprägung eines spezifischen S.-Mythos in Ant. und Neuzeit bestimmt hat.

II. Gesellschaft, Kultur und Archäologie

s. Nachträge in Band 12/2

→ Attisch-Delischer Seebund; Korinthischer Bund; Korinthischer Krieg; Messenische Kriege; Perserkriege; Peloponnesischer Bund; Peloponnesischer Krieg; Sparta

E. Baltrusch, S. Gesch., Ges., Kultur, 1998 · P. Cartledge, S. and Lakonia, 1979 · A. Spawforth, Hellenistic and Roman S., 1989 · W. G. Cavanagh, S. E. C. Walker (Hrsg.), S. in Lakonia (Proc. of the 19th British Museum Classical Colloquium), 1998 · K. Christ (Hrsg.), S., 1986 · M. Clauss, S. Eine Einführung in seine Gesch. und Zivilisation, 1983 · J. Ducat, Les hélotes, 1990 · S. Hodkinson, A. Powell (Hrsg.), S. New Perspectives, 1999 · S. Hodkinson, Property and Wealth in Classical S., 2000 · F. Kiechle, Lakonien und S., 1963 · S. Link, Der Kosmos S., 1994 · Ders., Das frühe S., 2000 · D. Lotze, *Metaxý Eleuthérōn kai dúlōn*. Stud. zur Rechtsstellung unfreier Landbevölkerungen in Griechenland, 1959 · M. Meier, Aristokraten und Damoden, 1998 · M. Nafissi, La nascità del *kosmos* ..., 1991 · P. Oliva, S. and Her Social Problems, 1971 · A. Powell (Hrsg.), Classical S., 1989 · Ders., S. Hodkinson (Hrsg.), The Shadow of S., 1994 · C. M. Stibbe, Das andere S., 1996 · L. Thommsen, Lakedaimonion Politeia, 1996 · E. N. Tigerstedt, The Legend of S. in Classical Antiquity, 2 Bde., 1965/78 ·

L. Wierschowski, Die demographisch-polit. Auswirkungen des Erdbebens von 464 v. Chr. für S., in: E. Olshausen, H. Sonnabend (Hrsg.), Naturkatastrophen in der ant. Welt, 1998, 291–306. K.-W. WEL.

Spartacus. Als Anführer aufständischer Sklaven verwickelte der Thraker S. 73–71 v. Chr. Rom in den gefährlichsten Sklavenkrieg seiner Gesch. (App. civ. 1,116–120; Plut. Crassus 8–11: Σπάρτακος; Flor. epit. 2,8). Zusammen mit etwa 70 Gefährten war S. 73 v. Chr. die Flucht aus einer Gladiatorenschule in Capua geglückt. Durch den Zuzug von Hirten und anderen in der → Landwirtschaft arbeitenden Sklaven wuchs die Gruppe um S. schnell. Obwohl S. mit Hilfe einer Kriegslist am Vesuv 3000 röm. Soldaten in die Flucht schlagen konnte, unterschätzten die Römer weiter die Gefährlichkeit des Aufstandes, so daß ihre Versuche, die Raubzüge des S. in Süd-It. zu unterbinden, kläglich scheiterten. Aufgrund dieser Erfolge schlossen sich immer mehr entflohene Sklaven, aber auch arme Freie den Aufständischen an.

Das von S. hervorragend organisierte Heer wird für 72 v. Chr. auf ca. 40000 bis 120000 Mann geschätzt. Nach Plutarchos [2] wollte S. den röm. Machtbereich verlassen, um seinen Anhängern die Rückkehr in ihre Heimat zu ermöglichen (Plut. Crassus 9). Tatsächlich marschierten sie unter seiner Führung zwar zunächst in die Gallia Cisalpina, aber von dort wieder in den Süden It.s. Die gegen S. ausgesandten röm. Truppen konnten sein Heer nicht aufhalten und mußten bittere Niederlagen einstecken. In dieser Situation übertrug der Senat E. 72 v. Chr. das Kommando im Krieg gegen die Sklaven M. → Licinius [I 11] Crassus, der die Aufständischen nach Bruttium zurückdrängte und mit einer Befestigungslinie von Küste zu Küste an der Rückkehr ins Innere Italiens hinderte. Nachdem S. vergeblich versucht hatte, mit seinem Heer nach Sizilien überzusetzen (Cic. Verr. 2,5,5), durchbrach er 71 v. Chr. die Befestigungen, wurde aber in Lucania vom Heer des Crassus gestellt und im Kampf getötet. Der Sieger ließ 6000 gefangene Sklaven an der → Via Appia auf dem Weg nach Capua kreuzigen.

Während Cicero und Florus [1] S. verachten, erwähnt Sallustius [II 3] sein Einschreiten gegen Exzesse seiner Männer, und Plutarchos [2] rühmt Körperkraft, Verstand und Herzensgüte S.' (Cic. Phil. 4,15; Sall. hist. 3,98; Plut. Crassus 8); Plinius [1] betont, daß S. in seinem Lager den Besitz von Gold und Silber verbot (Plin. nat. 33,49; vgl. App. civ. 1,117). Angesichts dieser stark divergierenden Aussagen ist S. heute kaum noch von Legenden oder Topoi zu trennen; doch ist seine histor. Bed. deswegen keinesfalls zu unterschätzen.

In der Neuzeit zollte man den Leistungen des S. immer wieder größten Respekt, bes. Lessing, Voltaire, Grillparzer, Hebbel und Karl Marx haben ihn hoch geschätzt. Seit dem 18. Jh. gilt S. als Symbol für den gerechten Kampf gegen Unterdrückung: Die Trag. ›S.‹ von Bernard Saurin erlebte ihre Uraufführung 1760 in Paris. Denis Foyatier präsentierte seine Statue des S. (Paris, LV) im Revolutionsjahr 1830, und 1916 formierte sich die äußerste Linke Deutschlands in der S.-Gruppe (ab 1918 S.-Bund). Am 1.1.1919 übernahm der S.-Bund die führende Rolle bei der Gründung der KPD, die an dem vier Tage später ausgebrochenen Aufstand Berliner Arbeiter (S.-Aufstand) maßgeblich beteiligt war. Der amerikan. Regisseur Stanley Kubrick schuf 1959–60 mit seinem Film ›S.‹ einen Meilenstein der Kinogeschichte.

→ Gladiator; Munus III.; Sklavenaufstände; Sklaverei; Film

1 K. Bradley, Slavery and Rebellion in the Roman World, 140 B. C.–70 B. C., 1989 2 A. Guarino, Spartakus, 1980 3 W. Schuller, S. heute, in: Ders. (Hrsg.), Ant. und Mod., 1985, 289–305 4 H. T. Wallinga, Bellum Spartacium: Florus' Text and Spartacus Objective, in: Athenaeum 80, 1992, 25–43. BJ. O.

Spartiatai (Σπαρτιᾶται). Die Vollbürger → Spartas, die diesen Status mit 20 J. erhielten und sich in Abgrenzung von → *períoikoi* und den in ihren Bürgerrechten eingeschränkten *hypomeíones* seit dem 5. Jh. v. Chr. als → *hómoioi* (»Gleiche«) verstanden. Voraussetzungen für ihren Status waren u. a. Vollbürtigkeit, Absolvierung der → *agōgḗ* und Teilnahme an den Syssitien (→ Gastmahl II. B.), zu denen sie Beiträge zu leisten hatten. Ihre wirtschaftl. Basis waren *klároi* (→ *klḗros*), die von → Heloten bearbeitet wurden. Daß ursprünglich ganz Lakonien von Lykurgos [4] in 9000 gleiche Landlose für *s.* und 30000 weitere für *períoikoi* aufgeteilt wurde (Pol. 6,45,3; Plut. Lykurgos 8; Plut. Agis 5), ist späte Legende. Das System geht zurück auf die Einrichtung von *klároi* im eroberten Eurotas-Tal im frühen 8. Jh., doch waren die Grundstücke schwerlich gleich groß. Bereits im späten 7. Jh. v. Chr. gab es starke Besitzunterschiede, die durch Vergabe von Land an *s.* im unterworfenen Messenien (→ Messenische Kriege) nicht dauerhaft beseitigt werden konnten, zumal sich die wirtschaftl. Ungleichheit v. a. durch Erbvorgänge vergrößerte. Der seit den → Perserkriegen 480/479 zu beobachtende Rückgang der Zahl der *s.* scheint zwar zeitweise extreme Besitzunterschiede überdeckt zu haben, da noch um 370 v. Chr. viele *s.* als wohlhabend galten (Xen. hell. 6,5,28; Diod. 15,65,5). Dies änderte sich jedoch nach dem Verlust Messeniens (370 v. Chr.; → Epameinondas), so daß um 250 v. Chr. krasse Gegensätze bestanden, wenn auch die von Plutarch (Agis 5) genannte Zahl von 100 reichen Klarosinhabern und 600 verarmten *s.* übertrieben ist. Bürgerrechtsverleihungen durch Kleomenes [6] III. und → Nabis konnten das System nicht mehr stabilisieren, zumal die damit jeweils verbundene Expansionspolitik zu verlustreichen Katastrophen führte.

→ Sparta

S. Link, Das frühe Sparta, 2000 • M. Meier, Aristokraten und Damoden, 1998, 58 ff. • H. W. Singor, Admission to the Syssitia in Fifth-Century Sparta, in: S. Hodkinson, A. Powell (Hrsg.), Sparta. New Perspectives, 1999, 67–89. K.-W. WEL.

Spartoi (griech. Σπαρτοί, »die Gesäten«). In der Myth. die Krieger, die den von → Kadmos [1] ausgesäten Drachenzähnen entwachsen und die einander töten, bis nur fünf von ihnen übrigbleiben: → Echion [1], Pelor, Chthonios, Hyperenor und Udaios. Kadmos ernennt sie zu den ersten Bürgern seiner neugegründeten Stadt Theben (Kadmeia; → Thebai). S. ZIM.

Spartokiden. Herrscher-Dyn. im → Regnum Bosporanum, benannt nach ihrem Begründer Spartokos [1] I., der 438/7 v. Chr. den Archaianaktiden von → Pantikapaion die Herrschaft abnahm. Die Dyn., die sich in klass. und früher hell. Zeit durch regen Getreidehandel in den Ägäisraum (v. a. nach Athen) auszeichnete, endete 109 v. Chr. mit der Übergabe der Herrschaft an Mithradates [6] VI. von Pontos durch den letzten Herrscher, Pairisades [6] V. W. ED.

Spartokos (Σπάρτοκος). Königsname in der bosporanischen Dyn. der → Spartokiden (→ Regnum Bosporanum), entgegen älterer Auffassung nicht thrakischer, sondern eher iranischer Herkunft.

[1] S. I. (438/7–433/2 v. Chr.; bei Diod. 12,31: Namensform Spartakos). Begründer der Dyn. der Spartokiden. Löste wohl durch einen Staatsstreich die Herrschaft der Archaianaktidai ab, ohne den Staatsaufbau einer erblichen → Tyrannis zu verändern. Die Kultur blieb rein griech., was gegen die Annahme spricht, S. sei der Führer eines thrak. Söldnerheeres gewesen. Das Verhältnis zu Athen gestaltete sich wohl schon unter ihm sehr gut.

[2] S. II. (349/8–344/43 v. Chr.). Sohn des Leukon [3], regierte als Archon den Bosporos, sein Bruder Pairisades [1] I. die Stadt → Theodosia und die → Maiotai. Ein Ehrendekret der Athener (IG II² 212) erwähnt Getreidehandel und athen. Hilfe beim Aufbau der bosporanischen Flotte.

[3] S. III. (304/3–284/3 v. Chr.). Sohn des Eumelos [4]. S. wird in einem athen. Dekret als großzügiger Spender von Getreide geehrt (IG II² 653).

[4] S. IV. (ca. 245–240 v. Chr.). Sohn und Nachfolger des Pairisades [3] II. Er wurde nach Ov. Ib. 309f. (mit schol.) von seinem Bruder Leukon [4] getötet.

[5] S. V. (etwa 200–180 v. Chr.). Erwähnt in IOSPE 2,308 und auf Ziegelstempeln aus → Pantikapaion und → Gorgippia; seine verwandtschaftlichen Beziehungen in der Dyn. sind ungeklärt. Seine Tochter → Kamasarye Philoteknos heiratete seinen Nachfolger Pairisades [4] III.

→ Spartokiden (mit Stemma)

R. Werner, Die Dyn. der Spartokiden, in: Historia 4, 1955, 412–444 • J. B. Brašinskij, O nekotoryh dinastičeskih osobennostjah pravlenija Bosporskih Spartokidov, in: VDI 1, 1965, 118–127 • V. F. Gajdukevič, Das Bosporanische Reich, 1971, 65–110 • S. R. Tokhtas'ev, Iz onomastiki Severnogo Pričernomor'ja, in: A. K. Gavrilov (ed.), Etjudy po antičnoj istorii i kul'ture Severnogo Pričernomor'ja, 1992, 178–200. I. v. B.

Dynastie der Spartokiden

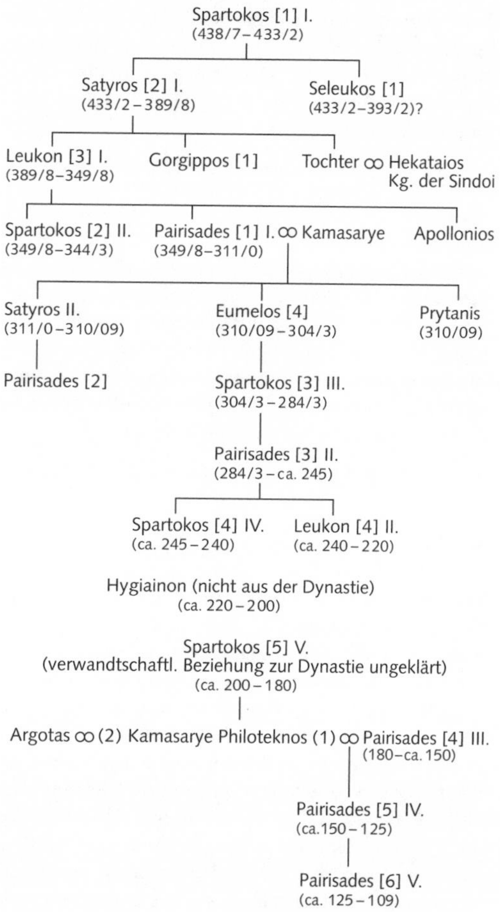

Spartolos (Σπάρτωλος). Die bedeutendste, nicht genau lokalisierbare Stadt im Gebiet der Bottiaioi, erstmals in den Athener Tributquotenlisten (ATL 1, 412f.) mit anfangs zwei, ab 434/3 v. Chr. drei Talenten genannt. S. fiel 432 von Athen ab (Thuk. 1,58,1) und nahm auf seiten der Gegner am → Peloponnesischen Krieg teil. Im Sommer 429 erlitten die Athener vor S. eine Niederlage, im folgenden Winter wurde das Gebiet von den Truppen des Thrakerkönigs → Sitalkes [1] verwüstet (Thuk. 2,79; 101,1). Im Nikias-Frieden wurde S. 421 für autonom, aber Athen gegenüber tributpflichtig erklärt (Thuk. 5,18,5). Im 4. Jh. gehörte S. zeitweilig zum Chalkidischen Bund; während des spartanisch-olynthischen Kriegs (382–379) diente S. den lakedaimonischen Truppen als Stützpunkt (Xen. Hell. 5,3,6). 349 wurde S. maked. und gehörte ab 315 zum Stadtgebiet der Neugründung Kassandreia (→ Poteidaia).

M. Zahrnt, Olynth und die Chalkidier, 1971, 236f. M. Z.

Sparton (Σπάρτων). Thebanischer Feldherr der boiotischen Kontingente, die im J. 447 v. Chr. den Athenern bei → Koroneia eine schwere Niederlage zufügten. Der Sieg ebnete den Weg für die Gründung des Boiotischen Bundes (→ Boiotia B.). S.s Name spielt auf die → Spartoi an (Plut. Agesilaos 19,2; vgl. Thuk. 1,113,2; Diod. 12,6,2; Xen. mem. 3,5,4).

D. R. Shipley, A Commentary on Plutarch's Life of Agesilaos, 1997, 239. HA.BE.

Spatha s. Schwert

Spatharios (Σπαθάριος, »Schwertträger«). Vom 5. bis zum 12. Jh. n. Chr. Angehöriger einer Abteilung von Kämmerern (Eunuchen) am röm.-byz. Kaiserhof, welche seit etwa dem 8. Jh. einem *prōtospathários* im Senatorenrang unterstanden. Seit dem 10. Jh. sind auch Nichteunuchen als *prōtospathárioi* bezeugt.

A. Kazhdan, s. v. Proto-S., ODB 3, 1748; s. v. S., 1935 f. F.T.

Spatium s. Lesezeichen

Specht (griech. δρυ(ο)κολάπτης/*dry(o)koláptēs*, »Holzklopfer« seit Aristoph. Av. 480 und 979, πιπώ/*pipṓ* bei Aristot. hist. an. 7(8),3,593a 4, πελεκᾶς/*pelekás* bei Aristoph. Av. 884 und 1155, lat. *picus* seit Plaut. Asin. 260, vgl. Ov. met. 14,314). Aristoteles (hist. an. 7(8),3,593a 3–12) kennt zwei unterschiedlich große Bunt-S. (wohl Dendrocopos maior und minor) sowie den bes. auf der Peloponnes verbreiteten, etwa turteltaubengroßen Grün-S. (κελεός/*keleós*, Picus viridis). Aristot. 8(9),9, 614 b 7–17 scheint außerdem den Schwarz-S. (Dryocopus martius) zu beschreiben, der neben Ameisen und Maden auch in Holzspalten gesteckte Mandeln und Nüsse aufhackt und frißt. Mit Hilfe des Springkrautes (Päonie; Plin. nat. 25,14 und 29; 27,85) entfernt er seine Höhle verstopfende Holzstücke (Plin. nat. 10,40) bzw. Steine (Ail. nat. 1,45). Bei den Römern war er Auguralvogel (Hor. carm. 3,27,15; Plin. nat. 10,41 mit einer Anekdote über den Stadtpraetor → Aelius [I 12] Tubero). An der Gründung von Picenum (→ Picentes; Plin. nat. 3,70 und 110) und der Rettung von → Romulus [1] und Remus war neben der Wölfin der S. beteiligt (Plut. Romulus 4,20). Der S. war dem Mars heilig (Non. 834 L.): Der von → Kirke in einen S. verwandelte (Verg. Aen. 7,189–192; Ov. met. 14,320–396) → Picus war ein altital. mythischer König; nach Dion. Hal. ant. 1,14,5 besaß er bei den Aequern (→ Aequi) in Tiora Matiene ein altes Orakel. Der Grün-S. wurde im MA häufig mit dem → Bienenfresser verwechselt.

Keller 2, 50–52 · D'Arcy W. Thompson, A Glossary of Greek Birds, 1936 (Ndr. 1966), 92 f. · A. Steier, s. v. S., RE 3 A, 1546–1551. C.HÜ.

Spectabilis (bzw. *vir spectabilis*, griech. *períbleptos*, auch *spektabílios*). Spätant. senatorischer Rangtitel für Beamte der zweiten Rangklasse nach den *illustres* (→ *illustris vir*), urspr. im Sinne von *admirabilis* (»bewunderungswürdig«) gebraucht, seit Mitte des 2. Jh. auch zur Bezeichnung vornehmer Personen. Der Titel ist zuerst 365 n. Chr. belegt (Cod. Theod. 7,6,1); der Wortgebrauch schwankte zunächst sehr stark zw. *illustres*, *spectabiles* und *clarissimi* (→ *vir clarissimus*) und scheint erst um 400 eindeutig festgelegt zu sein. Die ersten, die den Titel erhielten, waren die → *proconsules* und → *vicarii*, der *praefectus Augustalis* und der → *comes Orientis*, später kam eine Vielzahl weiterer Ämter dazu. Auch innerhalb der *s.* gab es Rangstufen: So standen *proconsules* höher als *vicarii*, diese wiederum höher als *duces* (→ *dux* [1]). Die *s.* genossen mehr Privilegien als die *clarissimi*, aber weniger als die *illustres*; bis 436 waren sie von der Decurionatspflicht befreit. K.G.-A.

Speculum muliebre. Gynäkologische Vaginalspecula (διόπτρα/*dióptra*, *speculum*) sind exzellente röm. → medizinische Instrumente (mit Abb. 6) ohne erkennbare hell. Vorformen. Funde aus Italien (Pompeii: vor 79 n. Chr.), Spanien, dem Balkan, Kleinasien und der Schweiz. Die Schraubgewinde wurden von Hand eingeschnitten.

L. J. Bliquez, Roman Surgical Instruments and Other Minor Objects in the National Archaeological Mus. of Naples, 1994 · E. Künzl, Forsch.-Ber. zu den ant. medizinischen Instrumenten, in: ANRW II 37.3, 1996, 2433–2639 · J. S. Milne, Surgical Instruments in Greek and Roman Times, 1907 (Ndr. 1970). E.KÜ.

Speerwurf. Die sportliche Nutzung des Speeres (ἀκόντιον/*akóntion*, δόρυ/*dóry*, lat. *iaculum*) ist außerhalb der griech.-röm. Welt nur für Etrurien belegt [1. 306–314]. Bei Homer (Hom. Il. 23,618–623; 629–637; 884–897: Sieg kampflos an Agamemnon; Hom. Od. 4,625–627; 8,229) ist S. noch Einzeldisziplin. Später wird er fast nur mehr als dritte Disziplin im Rahmen des → Pentathlon ausgetragen. Der am Speer befestigte Schleuderriemen (ἀγκύλη/*ankýlē*, lat. *amentum*) steigerte die Weite des Wurfes, nach der der Sieg bestimmt wurde. Gelegentlich wird tödlicher S. erwähnt (Plut. Perikles 36,5; Antiph. 2,1,1). S. ist Thema der griech. Kunst [2. Nr. 158–161; 3. Taf. 93–100]. Zielwerfen vom Pferd aus, wie es bei den → Panathenaia wettkampfmäßig durchgeführt wurde (IG II 444, 446, 965), diente der Verbesserung der Treffsicherheit für Krieg und → Jagd.
→ Sport

1 J.-P. Thuillier, Les jeux athléthiques dans la civilisation étrusque, 1985 2 O. Tzachou-Alexandri (Hrsg.), Mind and Body, 1989 3 J. Jüthner, F. Brein, Die athletischen Leibesübungen der Griechen, Bd. 2.1, 1968, 307–350.

I. Weiler (Hrsg.), S., 1993. W.D.

Speicheranlagen s. Vorratswirtschaft

Speiraion (Σπείραιον). Kap (Plin. nat. 4,18; Ptol. 3,16,12) bzw. Bucht (Thuk. 8,10,3, Emendation) der nordöstl. Argolis an der Grenze zu Korinthos, meist mit dem h. Akrotiri Spiri bzw. der Bucht von Frangolimano identifiziert; doch sprechen top. Erwägungen eher für Akrotiri Trachili bzw. die Bucht von Korfos. Auch deuten Reste eines spätklass. Wachturms oberhalb dieser Bucht auf den Grenzverlauf. Hier wurde 412 v. Chr. eine peloponnesische Flotte von den Athenern eingeschlossen (Thuk. l.c.; → Peloponnesischer Krieg). Die Bucht spielte in einem Grenzstreit zw. Epidauros und Korinthos im 3. Jh. v. Chr. eine Rolle (IG IV² 71).

J. Wiseman, The Land of the Ancient Corinthians, 1978, 136–140 • K. Harter-Uibopuu, Das zwischenstaatliche Schiedsverfahren im Achäischen Koinon, 1998, 16–23.

KL. T.

Speisen (griech. ἐδέσματα/*edésmata*; lat. *cibi*, *esca*). Eine Klassifikation der S. im Alt. ist weitgehend unbekannt und läßt sich allenfalls aus ant. → Kochbüchern erschließen. Diese ordnen die S. in aller Regel nach den eingesetzten Rohstoffen, also nach Nahrungsmittelgruppen wie Fisch, Fleisch (Vierfüßler), Geflügel, Gemüse, Getreide und Hülsenfrüchte [1]. Die ant. Quellen belegen eine Vielzahl von S.; bes. informationsreich sind dabei neben den Kochbüchern die Komödien (Aristophanes; Plautus) sowie agrarwiss. (Cato agr.; Columella) und medizinische Abhandlungen (Hippokr. de alimento; Cels. de medicina; Pedanios Dioskurides; Gal. de alimentorum facultatibus; vgl. auch Plin. nat.; Gellius; Macr. Sat.). Sie alle übertrifft das ›Gelehrtenmahl‹ des Athenaios [3] (E. 2. Jh. n. Chr.), das eine große Zahl zumeist griech. S. mit Namen angibt und dabei gelegentlich auch die wichtigsten Zutaten nennt. Auch vermerkt Athenaios oft die Stellung der erwähnten S. innerhalb einer Mahlzeit (Vor-, Haupt-, Nachspeise; 128c–130d) und innerhalb der Mahlzeitenordnung: Alltagsessen, (156c-d); Festmahl (267e–269e); Kultmahl (364d-e). Sein Werk gewährt somit Aufschluß über die soziale, rel. und kulturelle Dimension von S. in der Ant.

Hauptquelle für Zusammensetzung und Zubereitung von S. sind die Kochbücher. Hier ist v. a. das dem → Caelius [II 10] Apicius zugeschriebene Werk *De re coquinaria* aus dem 4. Jh. n. Chr. zu nennen, das als einziges Kochbuch der Ant. vollständig überl. ist. Das Buch enthält 478 Rezepte. Diese nennen zwar jeweils die Nahrungsmittel und Zutaten, die verwendet werden sollen, aber meist keine Mengen; auch geben sie nur selten Aufschluß über die Art und Dauer der Zubereitung von S., die Kochtechnik und die Temperatur. Da derartige Informationen aus anderen Quellen nicht zu entnehmen sind, ist es unmöglich, Konsistenz, Aussehen und Form, v. a. aber Würze und Geschmack der im Werk des Apicius enthaltenen S. exakt zu bestimmen. Klar werden immerhin die Kompositions- und Zubereitungsregeln für die einzelnen S. Demnach bestehen diese regelmäßig aus mehr als zehn Zutaten, und ihre Zubereitung verlangt hohe technische Fertigkeiten und spezielle Küchengeräte. Die S. werden durchweg kleingeschnitten oder so zubereitet, daß sie von weicher Beschaffenheit sind. Alle S. sollen mit reichlich Sauce, dem eigentlichen Geschmacksträger, aufgetragen werden. Die Saucen werden auf Basis des Koch- oder Bratensaftes und unter Zusatz von Fertigsaucen (*garum*), süßen Weinpräparationen oder → Honig sowie vieler → Gewürze hergestellt. Die S. duften stark, schmecken kräftig und vereinen häufig gegenläufige Geschmacksrichtungen. Dahinter steht das Streben nach einer Harmonie von süß, sauer, bitter, salzig [2. 191].

Die Kompositions- und Zubereitungsregeln des Kochbuchs des Apicius dürfen für die Ant. nicht verallgemeinert werden. Neben den Unterschieden in Raum und Zeit ist v. a. in Rechnung zu stellen, daß S. und S.-Gewohnheiten auch von der sozialen Zugehörigkeit der Esser abhängig waren. Wenn also das Kochbuch des Apicius, das sich an wohlhabende Feinschmecker der röm. Kaiserzeit richtete, viele Rezepte für Fleisch- und → Fischspeisen enthält, so spiegelt dies in keiner Weise die S.-Gewohnheiten der breiten Bevölkerung. Diese verzehrte in der Kaiserzeit wie in der Ant. überhaupt vorwiegend S. aus Hülsenfrüchten (→ Erven), → Getreide und → Gemüse. Auch die Verwendung von Gewürzen und Saucen variierte nach der sozialen Stellung. Bevorzugte die Oberschicht etwa Saucen, die aus erlesenen Rohstoffen bestanden und nur mit hohem Aufwand hergestellt werden konnten (vgl. καρύκη/*karýkē*, eine in Lydien erfundene Sauce aus Blut und Gewürzen; Athen. 516c), mußten sich die einfachen Leute v. a. mit Fertigsaucen wie den verschiedenen Spielarten des *garum* begnügen. Schließlich unterlagen S.-Gewohnheiten auch dem Zeitgeist. So verwendete die klass. griech. Küche für eine S. kaum mehr als vier Gewürze, während in der gehobenen röm. Küche der Kaiserzeit zehn und mehr davon eingesetzt wurden (vgl. bes. Apicius 10). Hatten die Feinschmecker seit der klass. griech. Zeit Fisch-S. bevorzugt [3. 25–57], führt Apicius in dem Kap., das sich dem Titel (*polyteles*, »kostspielig«) nach an den Gourmet par excellence richtet, nur → Fleischspeisen auf.

Insgesamt ist für die Ant. mit einer hohen Zahl von S. zu rechnen, von denen die Quellen aber nur einen kleinen Teil überliefern. Bedauerlich ist unser weitgehendes Unwissen über die Alltags-S. sowie die S. und S.-Gewohnheiten der einfachen Bevölkerungsschichten. Gleiches gilt für die Art und Rolle der S. im kult. Kontext (→ Speiseopfer).

→ Ernährung; Eßkultur; Fischspeisen; Fleischspeisen; Gemüse; Getränke; Gewürze; Koch; Mahlzeiten; Nahrungsmittel

1 F. Bilabel, s. v. Kochbücher, RE 11, 932–943 2 J. André, Essen und Trinken im alten Rom, 1998 (frz. ²1981)
3 J. N. Davidson, Kurtisanen und Meeresfrüchte. Die verzehrenden Leidenschaften im klass. Athen, 1999 (engl. 1997).

A. DALBY, Essen und Trinken im alten Griechenland. Von Homer bis zur byz. Zeit, 1998 (engl. 1996) • F. ORTH, s. v. Kochkunst, RE 11, 944–982. A. G.

Speiseöle
I. ALTER ORIENT UND ÄGYPTEN
II. KLASSISCHE ANTIKE

I. ALTER ORIENT UND ÄGYPTEN

Im Alten Orient und Äg. war Öl nicht nur Teil der menschlichen Ernährung (u. a. der täglichen → Rationen an die von zentralen Institutionen abhängige Bevölkerung), sondern diente auch zur Körpersalbung, Parfümherstellung, Balsamierung (in Äg.), zu medizinischen Zwecken, in der handwerklichen Produktion, als Lampenöl und im kultisch-rituellen Bereich (u. a. Herrschersalbung in Israel: 1 Sam 10,1; 16,3; nicht in Mesopot.).

Abhängig von den regional unterschiedlichen agronomischen und klimatischen Gegebenheiten wurde Öl aus einer Vielzahl von Pflanzen gewonnen: Während aus Äg. zahlreiche Ölpflanzen bekannt sind [3. 780–787], war in Mesopot. die hauptsächliche Ölpflanze *šamaššammū* (verm. ein generischer Terminus). Dessen lange für wahrscheinlich erachtete Identifikation mit → Sesam wird kontrovers diskutiert (→ Lein, Flachs II.; [1]). Eine weitverbreitete Methode der Ölgewinnung bestand im Erhitzen/Kochen ölhaltiger Samen, wobei das ausgetretene Öl abgeschöpft wurde.

In der Levante ist seit dem 3. Jt. (in Ebla) die Olive die Hauptquelle für die Ölgewinnung, was zumindest im 1. Jt. v. Chr. durch Zermahlen und Pressen geschah. Gut bezeugt ist die Einfuhr von Oliven- und anderen Ölen aus der Levante und dem Mittelmeerraum nach Äg., da die einheimische Produktion den Bedarf nicht decken konnte. Dies führte unter Ptolemaios [3] II. (285–246 v. Chr.) zu einem strikten Staatsmonopol, das alle Aspekte der Ölwirtschaft betraf [3. 778], wobei verm. Vorbilder aus pharaonischer Zeit Pate standen.

Neben pflanzlichen Ölen wurden auch tierische Fette verwendet, die in Mesopot. terminologisch nicht unterschieden wurden (Qualifikation durch Hinweis auf die Herkunft: Fisch, Schaf, Vogel etc. [2. 329 f.]). In Äg. existierte ein eigenes Wort für tierische Fette, das aber eher die Konsistenz »fest« (versus »flüssig«) betont. Für Milchfett (Butter) existierte in Mesopot. ein eigenes Wort; für Äg. ist es terminologisch bisher nicht nachzuweisen.

→ Ernährung; Körperpflege und Hygiene; Kochbücher I.; Kosmetik

1 Chicago Assyrian Dictionary Š/1, 1989, s. v. *šamaššammū*, 301–307 **2** Ibid., s. v. *šamnu*, 321–330 **3** W. J. DARBY (Hrsg.), Food: The Gift of Osiris, 1977, 776–89 **4** R. GERMER, s. v. Öl, LÄ 4, 552–555 **5** H. A. HOFFNER, Alimenta Hethaeorum, 1974, 116–118 **6** B. KOURA, Die »Sieben Heiligen Öle« und andere Öl- und Fettnamen, 1999. J. RE.

II. KLASSISCHE ANTIKE

s. Nachträge in Band 12/2

Speiseopfer. Im allg. eine Opfergabe in Form von Nahrung, roh (Erstlinge der Ernte, ein Becher Wein) oder gekocht (z. B. ein Topf Brei oder die πανσπερμία/*panspermía*, eine Mischung aus Erstlingsfrüchten oder -samen) an Götter oder Verstorbene. Der Begriff umfaßt das Opfer (=O.) von geweihtem Fleisch, Zerealien und anderen fleischlosen Nahrungsmitteln (Gemüse, Früchten, Kuchen, Käse) sowie verschiedener Flüssigkeiten (Wein, Milch, Honiggetränken usw.); ferner das O. ganzer Mahlzeiten (→ *theoxénia*) oder das Tier-O. (→ Opfer). O. von pflanzlichen Nahrungsmitteln finden sich in vielen Riten: in Verbindung mit blutigen O. (z. B. das Ausstreuen von Getreide vor oder auf dem O.-Tier) oder davon unabhängig. Die Kultgesetze bestimmten die Art der S. je nach Gottheit: Eßbare Gaben wurde auf den Altar gelegt und so der Gottheit zur Verfügung gestellt, oder sie wurden verbrannt und als Rauch den Göttern zugänglich.

Eine spezielle O.-Form bestand aus einem mit verschiedenen Speisen gedeckten Tisch: Diese → *theoxénia* sind für verschiedene Orte der griech. Welt bezeugt. Der röm. Kult kannte das griech. beeinflußte → *lectisternium*, bei dem Speisesofas (oder – für Göttinnen – Stühle: → *sellisternium*) für sechs oder zwölf Gottheiten an einem hl. Ort bereitgestellt wurden. Dieses rituelle Mahl hatte als Zeichen der → Gastfreundschaft eine integrierende Funktion. Ein anderes Ritual bestand darin, auf einem »hl. Tisch« (ἱερὰ τράπεζα/*hierá trápeza*) neben dem Altar O.-Gaben abzulegen, die nicht verbrannt wurden, sondern unverändert für die Götter bestimmt waren. Diese Gaben fielen ganz oder teilweise den → Priestern zu.

S. konnten wirtschaftliche Bed. haben; so trugen z. B. Ernte-O. der Bundesgenossen der Athener an die Göttinnen von → Eleusis [1] zur Finanzierung der Kulte bei.

1 J. SVENBRO, Bibliogr. du sacrifice grec, in: M. DETIENNE, J.-P. VERNANT (Hrsg.), La cuisine du sacrifice en pays grec, 1979, 309–323 (mit der wichtigsten Lit. bis 1979) **2** L. BRUIT ZAIDMAN, Les dieux aux festins des mortels. Théoxénies et xeniai, in: A. F. LAURENS (Hrsg.), Entre hommes et dieux. Le convive ..., 1989, 13–25 **3** Dies., The Meal at the Hyakinthia: Ritual Consumption and Offering, in: O. MURRAY (Hrsg.), Sympotica ..., 1990, 162–174 **4** D. GILL, Greek Cult Tables, 1991 **5** M. H. JAMESON, Theoxenia, in: R. HÄGG (Hrsg.), Ancient Greek Cult Practice from the Epigraphical Evidence, 1994, 35–57 **6** M. NOUILHAN, Les lectisternes républicains, in: s. [2], 27–41 **7** J. SCHEID, La rel. des Romains, 1998. P. S.-P.

Spelaion s. Grotte

Spelunca. Lat. Bezeichnung einer → Villa bzw. eines → *praetoriums* des → Tiberius (Tac. ann. 4,59,1; Suet. Tib. 39; Plin. nat. 3,59), östl. von Terracina im südl. Latium gelegen. Ob damit der Villenkomplex von

→ Sperlonga mit seiner höhlenartigen, repräsentativ ausgestalteten Grotte gemeint war, ist umstritten.

B. ANDREAE, Praetorium Speluncae, 1994 • G. HAFNER, Das Praetorium Spelunca bei Terracina und die Höhle bei Sperlonga, in: Rivista di Archeologia 20, 1996, 75–78.

C. HÖ.

Spendios (Σπένδιος). Kampanischer Sklave, im 1. → Punischen Krieg zu den Karthagern übergelaufen, 241 v. Chr. in Afrika neben → Mathos Führer des aufständischen Heeres im sog. → Söldnerkrieg; er zeichnete sich durch Kraft und Mut aus (Pol. 1,69,4–7), kaum durch revolutionäres Gedankengut (vgl. [1. 95, 107f.]). Nach ersten mil. Erfolgen unterlag S. mehrfach, verfolgte mit seinem Heer Hamilkar [3], kapitulierte bei Prion und wurde 238 vor Tynes/Tunis hingerichtet (Pol. 1,86,4; [2. 259f., 263–265]).

1 L. LORETO, La grande insurrezione libica contro Cartagine del 241–237 A. C., 1995 **2** HUSS.

L.-M. G.

Sperber (bzw. andere Greifvögel). In der Ant. erfaßte man viele Arten aus der Greifvogelfamilie der Falconidae unter dem Namen ἱέρακες/*hiérakes*, lat. *accipitres*. Bei Aristot. hist. an. 8(9),36,620a 17–29 sind es 10 Arten, bei Plin. nat. 10,21f. sogar 16, doch sind die Angaben oft zu vage für eine nähere Bestimmung. Die wichtigsten davon sind:

1) Der überall häufige Mäusebussard (Buteo buteo), griech. τριόρχης/*triórchēs* (angeblich mit drei Keimdrüsen), lat. *buteo*. Dieser plumpe und angeblich starke (Aristot. ebd. 17) *hiérax* war in Rom ein wichtiger Auguralvogel (Plin. nat. 10,21; Fest. 214) und genoß in Äg. rel. Verehrung.

2) Der Turmfalke (Falco tinnunculus), s. → Falken.

3) Der → Habicht (Accipiter gentilis).

4) Der Sperber (Accipiter nisus), s. → Habicht.

5) Die Weihe (ἰκτῖνος/*iktínos*, lat. *milvus*), die Aristot. hist. an. 7(8),3,592b 1 im Gegensatz zu Plin. nat. 10,28 nicht zu den *hiérakes* rechnet. Sie galt als der gierigste (Plin. l.c.) in der Gruppe der Greifvögel mit dem weitesten Jagdgebiet. Dies spricht nicht für eine Identifizierung mit dem eher harmlosen Fischjäger Schwarzer Milan (Milvus migrans), zumal dieser in Griechenland überwintert und deshalb kein eigentlicher Frühlingsbote (Aristoph. Av. 499ff. und 713; Plin. nat. 18,237) wie die Weihe ist.

Aristoteles rechnet die S. zu den »krummklauigen« (γαμψώνυχες/*gampsṓnyches*) Vögeln, welche v. a. kleinere Vögel, Schlangen (Ail. nat. 10,14) und Vierfüßer auf unterschiedliche Weise greifen und verzehren. Eine irrtümliche Beobachtung war es, daß sie deren Herz nicht fressen sollten (Aristot. hist. an. 7(8),11,615a 4–6; Plin. nat. 10,24; Ail. nat. 2,42). Als Räuber verlassen die *hiérakes* sich v. a. auf ihre Schnelligkeit (z. B. Hom. Il. 13,62–65 und 15,237f.; Hes. erg. 203–212). Im Norden des Mittelmeergebietes ziehen sie im Winter fort, in Äg. sind sie Standvögel (Hdt. 2,22). Meist nisten sie auf unzugänglichen Felsen (z. B. Hom. Il. 13,63; Aristot. hist. an. 6,7,564a 5f.). Sie haben vier bis sechs Eier – v. a. der Turmfalke (Aristot. hist. an. 6,1,558b 28–30; Plin. nat. 10,143), die Weihe aber meistens nur zwei –, die sie 20 Tage lang bebrüten (Aristot. ebd. 6,6,563a 29–31). Die flüggen Jungen werfen sie wie alle Krummklauigen aus dem Nest (ebd. 563b 7–9). Angeblich gibt es Bastarde zw. verschiedenen Arten. Feindschaften sollten zw. Habicht (αἰσάλων/*aisálōn*) und Fuchs (Aristot. ebd. 8(9), 1,609b 30–32) sowie Taube bestehen (ebd. 8(9),36,620a 23–29), zw. Weihe und Rabe (609a 20–23) und Bussard und Kröte sowie Schlange (609a 24f.). Das Fleisch der S.-Arten, v. a. der fetten Jungen, war (außer bei den Juden) nicht verboten und wurde gerne verzehrt (Aristot. hist. an. 6,7,564a 4f.). Plin. nat. 29,125 empfiehlt es ebenso wie ihr Blut und ihren Kot organotherapeutisch gegen Augenkrankheiten (wegen ihrer Scharfsichtigkeit?) und gegen weibliche Sterilität (Plin. nat. 30,130).

Im Kult in Äg. war der Horos-S. (mit einem S.-Kopf; → Horus) wichtig. Man opferte ihm diese Vögel (Hdt. 2,65 und 2,67; Ail. nat. 10,14), die von besonderen Priestern (ἱερακοβοσκοί/*hierakoboskoí*) nach bestimmten Vorschriften gefüttert wurden (Plut. Is. 51; Ail. nat. 7,9 und 12,4). Im Feuerkult spielte der S. eine Rolle (Ail. nat. 10,24). Der *accipiter* verwandelte sich in Horus/Apollon (Antoninus Liberalis 28; Ov. met. 6,123). Die *accipitres* waren in Rom sehr wichtige Auguralvögel (z. B. Cic. nat. deor. 3,47; Obseq. 58; Sil. 4,104). Sie kündigten Regen an. Ihr Verhalten galt als geheimnisvoll. Die Ägypter gaben als Lebenszeit übertreibend 500 Jahre an (Ail. nat. 10,14). Seine Augen heile der *accipiter* mit wildem Lattich (ebd. 2,43); er beerdige Leichen (ebd. 2,42) statt sie zu fressen. Bildliche Darstellungen aus Äg. sind nicht selten [1]. Gelegentlich findet sich der S. auch auf röm. Mz. [2. Taf. 5,15] und äg. Gemmen [2. Taf. 20,59–60].

→ Falken; Habicht

1 KELLER 2,13; 16; 19 und 23 **2** F. IMHOOF-BLUMER, O. KELLER, Tier- und Pflanzenbilder auf Mz. und Gemmen des klass. Alt., 1889 (Ndr. 1972).

V. HEHN, Kulturpflanzen und Haustiere (ed. O. SCHRADER), 8 1911 (Ndr. 1963), 374–382 • KELLER 2,13–26 • A. STEIER, s. v. S., RE 3 A, 1628–1632 • D'ARCY W. THOMPSON, A Glossary of Greek Birds, 1936 (Ndr. 1966), 30 (αἰσάλων); 114–118 (ἱέραξ); 119–121 (ἰκτῖνος); 134–136 (κεγχρηΐς); 144–146 (κίρκος); 286f. (τριόρχης); 302 (φασσοφόνος).

C. HÜ.

Spercheios (Σπερχειός). Fluß, der im Süden von Thessalia das Einbruchstal zw. Othrys und Oite gebildet hat, im Tymphrestos entspringt und h. nach ca. 75 km südöstl. von Lamia in den Golf von Malis mündet. Im Ober- und Mittellauf ein typischer Gebirgsfluß, hat er den mäandrierenden Unterlauf (Br bis 50 m) seit der Ant. oft verändert, die Mündung ca. 14 km nach Osten verschoben (Hdt. 7,198,2; Strab. 1,3,20). Nebenflüsse, in der Ant. z. T. noch mit eigener Mündung ins Meer, sind Inachos, Dyras, Melas [6], Asopos [1] (von Süden), Acheloos (von Norden). Spätant. hieß er Agriomelas.

Die nach dem S. benannte Stadt Spercheai wird am Südufer beim h. Kastrorrachi vermutet (vgl. SGDI 2038, Z. 4).

Y. Béquignon, La vallée du S., 1937 · P. Pantos, La vallée du S., in: La Thessalie (Actes du colloque international Lyon 1990), 1994, 221–228 · F. Stähelin, s. v. S., RE 3 A, 1626–1628. HE. KR.

Sperling (griech. στρουθός/*struthós* oder στρουθίς/*struthís*, Diminutiv στρουθίον/*struthíon*, auch als Hetärenname, ele. δειρητής/*deirētḗs*: Nik. fr. 123; lat. *passer*, Diminutiv *passerculus*: Plaut. Asin. 666 und 694; Cic. div. 2,65; Arnob. 7,8). *Struthós* bezeichnet den Haus-S. (Passer domesticus) und jede andere kleine Singvogelart, die man in der Ant. nicht unterschied. Hom. Il. 2,311–317 (*struthós*) wird teils als »Vögelchen« [1. 269; 2. 73 f.], teils als S. [3. 27ff.] gedeutet. Das Lieblingstier der Lesbia (Catull. 2,1: *passer*) deutet man zoologisch u. a. als Blaumerle (Monticola solitarius; z. B. [4. 2,80]) oder als S. Die Angaben des Aristoteles über die inneren Organe (wie die Lage der Leber: Aristot. hist. an. 2,15,506b 20–22, die Länge des Magens: ebd. 2,17,509a 8f., das Vorhandensein von kleinen Blinddärmen: ἀποφυάδες/*apophyádes*, ebd. 2,17,509a 22f.), die Ernährung mit Maden (ebd. 7(8),3,592b 16f.), die Paarungsfreudigkeit (ebd. 5,2,539b 32f.) und Fortpflanzung, die gelegentlichen Albinos (ebd. 3,12,519a 5f.) und die anfängliche Blindheit der Nestlinge (Aristot. gen. an. 4,6,774b 26–29) treffen auf fast alle Singvögel zu. Das Nisten auf Zweigspitzen der Bäume erwähnt Ail. nat. 4,38. Die Beziehung zu → Aphrodite/Venus (schol. Hom. Il. 2,308; Sappho fr. 1,9f.; Aristoph. Lys. 724) führte zur Verwendung von *passer* (Plaut. Cas. 138) und *passercula/-us* (Plaut. Asin. 666; Fronto ad Marcum Caesarem 4,6) als Kosenamen (vgl. die wohl übertragene Bed. auch in Catull. 2 und 3).

Schwärme dieses körnerfressenden Finkenvogels konnten Getreidefelder schädigen (z. B. bei den Medern nach Diod. 3,30). In Äg. jagte man ihn deshalb mit Habichten (Ail. nat. 2,43; Phaedr. 1,9). Dem Menschen diente er fast bis in die Gegenwart als Delikatesse bzw. wegen seiner Paarungslust (Plin. nat. 10,107) als Aphrodisiakum (Athen. 2,65e; Plin. nat. 30,141: Fleisch und Eier). In der Medizin sollte die Asche des S. in Wassermet gegen Epilepsie (*morbus regius*) helfen (Plin. nat. 30,94). In der ant. Kunst ist der S. selten, z. B. auf Gemmen [5. Taf. 21,16 und 25,16].

1 D'Arcy W. Thompson, A Glossary of Greek Birds, 1936 (Ndr. 1966) 2 O. Körner, Homerische Tierwelt, 1930
3 A. Pischinger, Das Vogelnest bei den griech. Dichtern des klass. Alt., Teil 2, Programm Ingolstadt 1907 4 Keller
5 F. Imhoof-Blumer, O. Keller, Tier- und Pflanzenbilder auf Mz. und Gemmen des klass. Alt., 1889 (Ndr. 1972).

Keller 2,88–90 · A. Steier, s. v. S., RE 3 A, 1628–1632.
C. HÜ.

Sperlonga. Nahe dem mod. Ort S. liegt an der Küste auf halbem Weg zwischen Neapel und Rom die in der Ant. als → *praetorium* (Suet. Tib. 39) oder → *villa* (Tac. ann. 4,59) bezeichnete Anlage mit Felsgrotte, in der → Tiberius beinahe von herabstürzenden Gesteinsmassen erschlagen worden wäre. Die Anlage besteht im wesentlichen aus drei Komplexen: direkt am Meer hinter einer hallengesäumten Terrasse eine große Hofanlage; der zentrale Bau der Villa; gegenüber die architektonisch ausgestaltete Grotte (Plan: A) mit Skulpturengruppen. Von der Tricliniumsinsel inmitten des runden Wasserbassins blickte man in die Grotte hinein auf die grandios inszenierte Landschaft von Marmorskulpturen: im Zentrum des Prospektes die »Skyllagruppe« (Plan: Nr. 1), hinter ihr am Eingang zur rechten, nördl. Nebenhöhle die vielfigurige Gruppe mit der Blendung des Polyphemos [2] durch Odysseus und seine Gefährten (Plan: Nr. 2). Gerahmt wurde die Ansicht durch zwei weitere Ensembles, links eine leicht veränderte Kopie der »Pasquinogruppe« (Odysseus und Achilleus; Plan: Nr. 3) sowie der Raub des → Palladion durch Diomedes und Odysseus (Plan: Nr. 4). Über dem Scheitelpunkt der Grotte befand sich die Gruppe mit dem vom Adler entführten → Ganymedes.

Wahrscheinlich wurde das gesamte Statuenensemble anläßlich einer völligen Umstrukturierung der Villa um etwa 30/20 v. Chr. aufgestellt. Als ausführende Künstler sind am Schiffsheck der »Skyllagruppe« die rhodischen Bildhauer → Athanodoros, Sohn des Agesandros, → Agesandros, Sohn des Paionios, und Polydoros, Sohn des Polydoros, erwähnt. Die Zuweisung aller Skulpturen an diese Künstler scheint eher unwahrscheinlich, vielmehr weisen stilistische Unterschiede auf mindestens eine weitere Werkstatt. Stilistische Ähnlichkeiten der »Skyllagruppe« mit dem »Laokoon« in Rom, VM, unterstützen andererseits die ant. Quellen (Plin. nat. 36,37), die letzteren auch als Werk von rhodischen Künstlern nennen. Ob es sich um röm. Originale oder Kopien hell. Vorbilder handelt, ist kontrovers.
→ Sperlonga

B. Andreae, Odysseus, Mythos und Erinnerung. Ausstellungs-Kat. München 1999, bes. 17–21 u.ö.; 177–223 · Ders., Praetorium Speluncae. Tiberius und Ovid in S., 1994 · N. Himmelmann, S. Die homerischen Gruppen und ihre Bildquellen, 1996 · C. Kunze, Zur Datier. des Laokoon und der Skyllagruppe aus S., in: JDAI 111, 1996, 139–223 · R. Neudecker, Die Skulpturenausstattung röm. Villen in Italien, 1988, 41–43, 220–223, Nr. 62 (mit älterer Lit.). MI. LE.

Sperthias (Hdt. 7,134,2: Σπερθίης; Plut. mor. 235f: Σπέρτις; 815e: Σπέρχις). Ranghoher → Spartiat, soll sich mit dem Spartaner Bulis in Susa als Sühne für die angeblich in Sparta 491 v. Chr. ermordeten Gesandten des Dareios [1] I. angeboten, den Fußfall vor Xerxes aber verweigert haben und dennoch von diesem freigelassen worden sein (Hdt. 7,134,2–136). Ob persische Gesandte 491 v. Chr. in Sparta erschienen sind, bleibt indes frag-

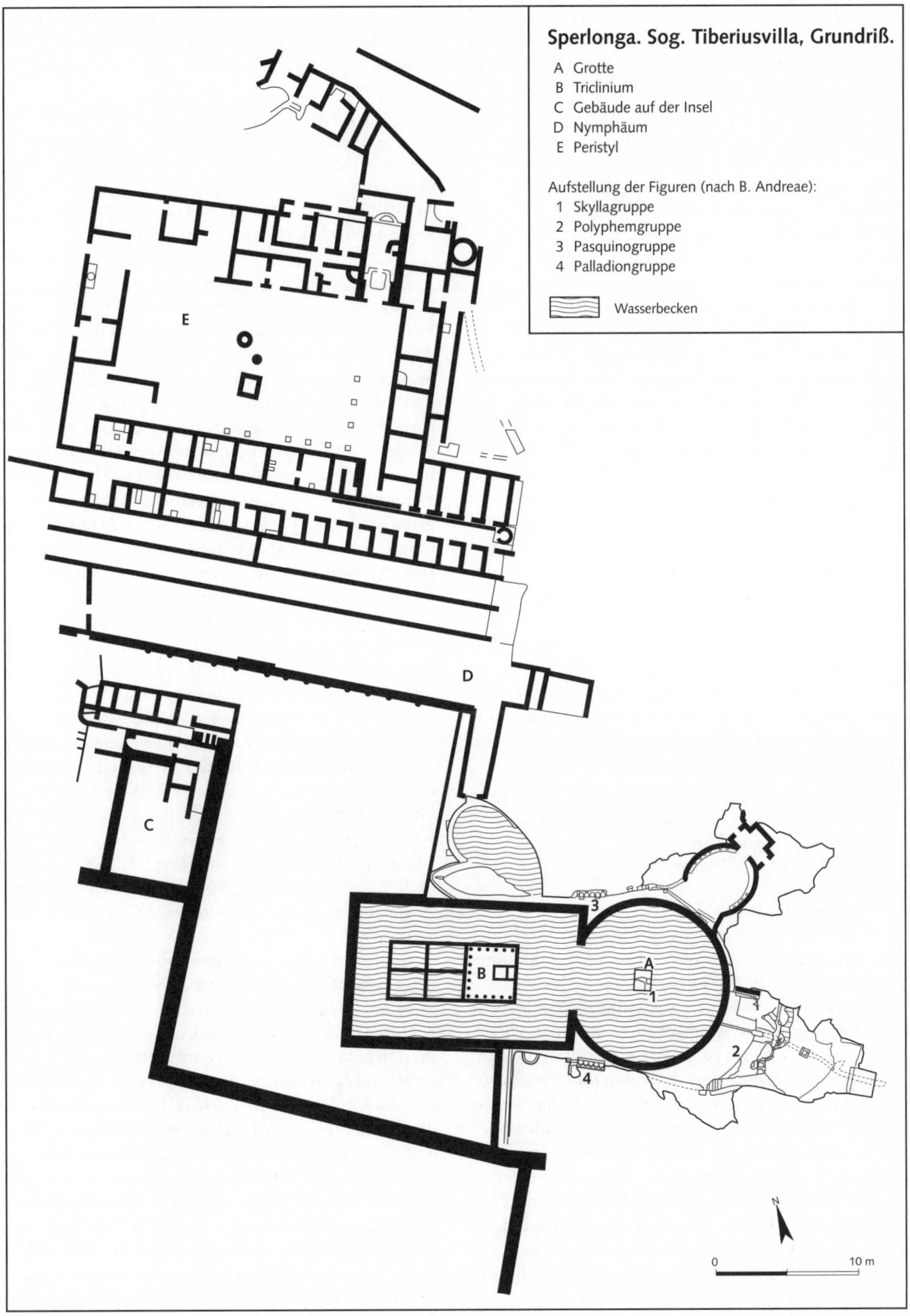
Sperlonga. Sog. Tiberiusvilla, Grundriß.
A Grotte
B Triclinium
C Gebäude auf der Insel
D Nymphäum
E Peristyl
Aufstellung der Figuren (nach B. Andreae):
1 Skyllagruppe
2 Polyphemgruppe
3 Pasquinogruppe
4 Palladiongruppe
Wasserbecken
E
D
C
B
A
1
2
3
4
N
0
10 m

lich [1. 276–279]. Die Söhne von S. (Aneristas [2]) und Bulis (Nikolaos) wurden 430 v. Chr. auf dem Weg zum Großkönig von den Athenern abgefangen und getötet (Hdt. 7,137; Thuk. 2,67).

1 M. ZAHRNT, Der Mardonioszug des J. 492 n. Chr. und seine histor. Einordnung, in: Chiron 22, 1992, 237–279.

K.-W. WEL.

Spes (röm. Personifikation der »Hoffnung«).
I. RÖMISCH II. CHRISTLICH

I. RÖMISCH

Ungleich der griech. → Elpis hatte S. Kult und Tempel. Im 1. → Punischen Krieg weihte A. Atilius [I 14] Calatinus auf dem Forum Holitorium in Rom einen S.-Tempel (Cic. leg. 2,28; Tac. ann. 2,49), der mehrmals niederbrannte (Liv. 25,7,6; Cass. Dio 50,10,3); eine Neuweihung geschah unter Germanicus 17 n. Chr. Überreste des Tempels in der Kirche von S. Nicola in Carcere. Ein älteres S.-Heiligtum (*S. vetus*) ist nach Liv. 2,51,2 und Dion. Hal. ant. 9,24,4 auf dem Esquilin 477 v. Chr. von Horatius [5] Pulvillus nach dem Sieg über die Etrusker gestiftet worden. Der S.-Kult begegnet auch außerhalb Roms; so ist für Capua 110 v. Chr. ein Tempel für S., → Fides und → Fortuna bezeugt (CIL X 3775).

In der Kaiserzeit ist S. auf Mz. seit Claudius [III 1] (41–54 n. Chr.) ein häufiges Motiv, das die dynastische Hoffnung zum Ausdruck bringt. S. hält jeweils eine Blüte in der einen Hand, mit der anderen rafft sie, symbolisch für ihr Herannahen, das Gewand.
→ Personifikation

F. COARELLI, s. v. S., aedes und S. vetus, aedes, LTUR 4, 336–338 • J. R. FEARS, The Cult of Virtues and Roman Imperial Ideology, in: ANRW II 17.2, 1981, 861–863 • F.-W. HAMDORF, s. v. S., LIMC 7.1, 804–806.

R.B.

II. CHRISTLICH

Während sich der ant. Mensch in seiner Hoffnung von der gegenwärtigen Wirklichkeit auf zukünftige Möglichkeiten richtete, wandte sich die biblische Hoffnung von der verheißenen zukünftigen Wirklichkeit auf gegenwärtige Möglichkeiten. Inhalt der christl. Hoffnung ist das Reich Gottes, das die Rettung aus dem Gericht, die Auferweckung der Toten und die endgültige Offenbarung Gottes, Christi und der neuen Menschheit einschließt. Diese Hoffnung führt aber nicht zur Weltflucht, sondern zur Annahme der gegenwärtigen Wirklichkeit und deren schrittweisen Veränderung hin zur vollzogenen Rechtfertigung und Freiheit (Röm 5; 8). Der lat. Westen verstand *s.* zunehmend als Unterwerfung unter Gott und als Ausrichtung auf die Auferstehung, wobei das lat. *fides*, »Schutz aufgrund von Vertrauen«, entscheidend mitwirkte (Tert. apol. 39,1). Bei → Augustinus ist *s.* eine christl. Kardinaltugend neben Glaube (*fides*) und Liebe (*caritas*; Enchiridion 2,8; 30,114). Damit wird *s.* zur Sache des Individuums, das für sich jenseitiges Glück erhofft. Hier ist Augustinus zukunftsweisend geworden, nicht zuletzt durch die nun starke Ausrichtung der Hoffnung auf das Jenseits.
→ Elpis

1 A. DIHLE, B. STUDER, F. RICKERT, s. v. Hoffnung, RAC 15, 1159–1250 (Lit.) 2 H.-G. LINK, s. v. Hoffnung, HWdPh 3, 1157–1166.

J.BÜ.

Speusippos (Σπεύσιππος), ca. 410–339/8 v. Chr.
A. LEBEN B. WERK C. PHILOSOPHIE

A. LEBEN

Akademischer Philosoph, Sohn von Platons Schwester Potone und dessen Nachfolger im Scholarchat der Akademie (ab 348/7, dem Todesjahr → Platons [1]; → Akademeia), ohne daß er durch eine offizielle Wahl dazu bestimmt worden wäre; ausschlaggebend dürfte das verwandtschaftliche Verhältnis gewesen sein. Mit S.' Namen ist eine wesentliche organisatorische Neuerung in der Akademie verbunden: die Einführung eines Schulgeldes, während der Unterricht bei Platon unentgeltlich war (vgl. Diog. Laert. 4,2 = T 1 TARÁN). In der biographischen Trad. werden S.' negative Charakterzüge, Jähzorn und Genußsucht, betont (etwa Philod. Academicorum index 7,14–18 = T 2 T.). S. war polit. stark engagiert: In Sizilien trat er im Gegensatz zu Platon ganz entschieden für Dions [I 1] Umsturzpläne ein (vgl. Plut. Dion 17,964e–f = T 29 T.; 22,967a–d = T 30 T.), mit dem er seit dessen Athener Exil in Freundschaft verbunden war; daher rührt auch die Feindschaft mit → Dionysios [2] II. von Syrakus (die Briefe an diesen, → Sokratikerbriefe Nr. 36 und 37 ORELLI, sind wohl unecht). Kenntlich ist auch S.' makedonenfreundliche Grundhaltung – ob der 343/2 verfaßte Brief an König Philippos [4] II. von Makedonien (F 156 ISNARDI PARENTE, nicht aufgenommen von [1], vgl. [1. XXIIf.]) echt ist, wird umstritten bleiben. Kritische Aufarbeitung des gesamten biographischen Materials: [3].

B. WERK

Keine Abh. des S. ist im Zusammenhang überl.; falls der o.g. Brief an König Philippos echt sein sollte, wäre er seine längste erh. Schrift. Ein Verzeichnis seiner Schriften findet sich bei Diog. Laert. 4,4–5 = T 1 T. Die Fr. sind h. in zwei etwa gleichzeitig erschienenen, doch recht unterschiedlichen Ausgaben zugänglich ([1; 2]; vgl. die Konkordanz [1. 479ff.]). Die Rekonstruktion des Denkens des S. bleibt schwierig, gegenüber [1; 2; 4] betonen andere stärker die Abhängigkeit von Platon ([5; 6] und etwa auch [7]). Als philos. Hauptwerk kann die 10 B. umfassende Schrift Ὅμοια (*Hómoia*, ›Ähnlichkeiten‹) angesehen werden, der etwa ein Drittel der uns bekannten Fr. zuzuweisen sind. Neben den namentlich für S. bezeugten Fr. sind auch einige für die Rekonstruktion seiner philos. Position bedeutsame Texte für ihn in Anspruch genommen worden, ohne daß sie explizit für ihn bezeugt wären (zusammengestellt bei [6. 22]). Was etwa das für die Rekonstruktion der metaphysischen Stufenfolge wichtige Referat bei Iambl. de communi mathematica scientia 4 (= F 72 und 88 I. P.; zuerst von [8] direkt mit S. in Verbindung gebracht) betrifft, hat die Diskussion gezeigt, daß vieles für eine Verbindung mit S. spricht (so [9. 140–143] gegen [2. 297–306, 325–328; 1. 86–107]). Aus S.' Feder stammt das Ἐγκώμιον Πλάτωνος (*Enkṓmion Plátōnos*, ›Loblied auf Platon‹), das vermutlich zur Feier des ersten Geburtstages nach dem Tode Platons gehalten wurde (Diog. Laert. 3,2 = F 1 T.; zum Problem des *Perídeipnon Plátōnos* [1. 230–233]); darin berichtet S. von der wunderbaren Zeugung Platons durch Apollon und begründet damit die Ansicht von dessen Gottessohnschaft ([1. 229] spricht S. diese Absicht ab).

C. Philosophie

S. geht in seinem Denken von Platon aus, setzt jedoch auch stark eigene Akzente: Es geht ihm um eine systematische Ordnung und Klassifizierung der Wirklichkeit nach Art- und Gattungsverhältnissen. Mittels einer konsequenten Anwendung der von der platon. → Dialektik bereitgestellten synoptisch-dihairetischen Methode auf die gesamte Realität sucht S. zu einer Einteilung aller Wirklichkeitsbereiche mit Blick auf das jeweils Gemeinsame (vgl. συνῳκείωσε, ›er setzte in enge Beziehung‹ Diog. Laert. 4,2 = F 70 T.) und Unterscheidende zu gelangen. Dabei wird der zw. den platon. Grundbegriffen ταὐτόν (*tautón*, »Gleiches«) und ἕτερον (*héteron*, »Verschiedenes«) vermittelnde Begriff des ὅμοιον (*hómoion*, »Ähnliches«) zum Grundbegriff der Dialektik des S. Daher wird neuerdings auch davon gesprochen, daß für S. die ›Weltformel‹ auf mathematischem Wege erschließbar sei [10. 150]. Allerdings muß demgegenüber betont werden, daß S. für jeden Seinsbereich eigene Prinzipien ansetzt, die zueinander in einem Analogieverhältnis stehen. Gegenüber Platon ergeben sich damit bezeichnende Verschiebungen: Die entscheidende Neuerung liegt in der Betonung der Eigenart eines jeden Seinsbereichs, das einzelne löst das in seine Elemente zerlegbare Allgemeine als Seinsträger ab. Im Zuge der Entmächtigung des Universalienbereichs treten damit die mathematischen Zahlen an die Stelle der Ideen (näher zur Zahlkonzeption [10. 150–153]); das letztlich transzendente Eine (ἕν, *hen*) und die Vielheit (πλῆθος, *plḗthos*) sind die obersten Prinzipien (grundlegend [11. 161–174], zu weiteren sich aus einem neuen S.-Zeugnis ergebenden Bestimmungen des Einen [7]).

Im einzelnen setzt S. die folgenden Seins- und Wissensbereiche an, bei denen auf jeder Stufe ein Mehr an Bestimmtheit zutage tritt: Auf die mathemat. Zahlen (wenn das Seiende zu den Prinzipien hinzutritt) folgen die mathemat. Größen (Hinzutreten der Ausdehnung), darauf wohl die (Welt-) Seele (Hinzukommen der Bewegung) und schließlich der Bereich der wahrnehmbaren Körper (Hinzukommen der Materialität). Einerseits reduziert S. die Genera der intelligiblen Seinsarten auf die Mathematika (F 33 T.), andererseits setzt er mehr Seinsarten an, da er jeder Seinssphäre eine spezifische Seinsstufe zuweist (F 29a T.; vgl. die Tabelle bei [10. 156]). Daher rührt der Vorwurf des Aristoteles [6], dem S. andererseits vorgearbeitet hat ([6. 25, 38]), er habe durch diese Ausweitung den Seinsaufbau episodenhaft (F 30 T.) eingeteilt – wie eine schlechte Tragödie (F 37 T.; zum Vorwurf [8. 118f.; 10. 156f.]). Für das Intelligible nahm S. ähnlich wie Aristoteles auch die Möglichkeit eines unmittelbaren Erfassens in einem noetischen Akt an (er spricht von einer ἐπαφή/*epaphḗ*, »Berührung«; F 73 T.). In der Konsequenz der Aufwertung des einzelnen liegt auch die Anerkennung einer ἐπιστημονικὴ αἴσθησις (*epistēmonikḗ aísthēsis*), einer Art »wiss. Wahrnehmung«, an der der → *lógos* beteiligt ist (F 75 T.).

Auch im Bereich der Semantik bemüht sich S. um Eindeutigkeit mit dem Versuch der systematischen Klassifikation des Verhältnisses von Name und Definition (F 68a–c T.). Er unterscheidet zunächst mit Tautonymen und Heteronymen zw. Identität und Differenz der Namen, dann bei ersteren zwischen Synonymen (Identität der Definition) und Homonymen (Differenz der Definition) und nennt bei den Heteronymen neben den Heteronymen im eigentlichen Sinn (bei denen eine Differenz in beiden Fällen vorliegt) die Polyonyme (Identität der Definition, also die Synonyme im aristotelischen und mod. Wortsinn) sowie als fünfte Gruppe die Paronyme (Abwandlungen desselben Lexems); damit arbeitet er Aristoteles vor (vgl. Aristot. top. 1,15 ff.; cat. 1,1 f.).

Auch in der Ethik weicht S. von Platon ab, da er das Gute (ἀγαθόν, *agathón*) nicht mit dem Einen identifiziert, weil das Wertprinzip vor allem Werthaften anzusetzen ist ([5. 359]; näher zur Seinsordnung unter dem Aspekt des Werthaften [6. 34]). Damit kommt das Gute erst auf einer späteren, abgeleiteten Stufe ins Spiel, und zwar zunächst als Schönes (καλόν, *kalón*) und dann als Gutes (F 42a T.; F. 44 T.; F 72 I. P.). Die zwei von S. überl. Definitionen der Eudaimonie (F 77 T.; → Glück) als einer ›vollendeten Verfassung im Naturgemäßen‹ und als eines ›Habens der Güter‹ mit dem erläuternden Hinweis auf die Beschwerdelosigkeit (ἀοχλησία, *aochlēsía*) setzen die drei Güterklassen der Akademie voraus (ausführlich dazu [12. 204–216]). Vielleicht finden sich in den späteren Dialogen Platons Spuren einer Auseinandersetzung mit S.' Beschränkung des Guten auf die *aretḗ* (etwa Plat. Phil. 64e sowie in der Frage nach dem menschlichen Guten, → Tugend), wie man überhaupt im ›Philebos‹ Positionen des S. aufzufinden versucht hat (so neben anderen [13], dazu [12. 192–193] und kritisch [1. 79–81]).

→ Akademeia; Platon [1]; Aristoteles [6]; Ideenlehre

Ed. mit Komm.: **1** L. Tarán, S. of Athens, 1981 **2** M. Isnardi-Parente, S.: Frammenti, 1980.

Lit.: **3** Ph. Merlan, Zur Biographie des S., in: Ders., Kleine philos. Schriften, 1976, 127–143 **4** H. Cherniss, Die ältere Akademie, 1966, 42–73 **5** H. J. Krämer, Der Ursprung der Geistmetaphysik, 1967, 193–223 **6** Ders., S., in: GGPh², Bd. 3, 22–43 **7** J. Halfwassen, S. und die Unendlichkeit des Einen, in: AGPh 74, 1992, 43–73 **8** Ph. Merlan, From Platonism to Neoplatonism, ³1968,

96–140 **9** H. SCHMITZ, Die Ideenlehre des Aristoteles, Bd. 1.2, 140–143 **10** A. METRY, S.' Philos. als Universalwiss., in: M. Erler, A. Graeser (Hrsg.), Philosophen des Alt., 2000, Bd. 1, 149–162 **11** H. J. KRÄMER, Aristoteles und die akademische Eidoslehre, in: AGPh 55, 1973, 119–190 **12** Ders., Platonismus und hell. Philos., 1972 **13** M. SCHOFIELD, Who Were οἱ δυσχερεῖς in Plato, Philebus 44 a ff.? in: MH 28, 1971, 2–20.

K.-H. S.

Sphärenharmonie. Der → Pythagoreischen Schule zufolge ist der ganze Kosmos Harmonie und Zahl. Hiervon inspiriert (Plat. rep. 7,530d) deutet → Platon [1] die S. (ebd. 10,616f.) als System von acht konzentrischen, Fixsterne und Planeten tragenden Himmelssphären, die sich je erdnäher, desto schneller drehen. Auf jeder Sphäre singt eine Sirene denselben Ton, doch ergibt sich, infolge der verschiedenen Geschwindigkeiten, eine vieltönige *harmonía* (Intervalle sind nicht genannt). Die Weltseele (Plat. Tim. 34b–36c) läßt Platon auf einem System von Vielfachen der Zahlen 2 und 3 (2 3 4 6 9 8 27) beruhen, deren Abstände von Teilen ausgefüllt sind, die durchs harmonische und arithmetische Mittel gewonnen wurden, somit Oktav-, Quint-, Quart- und diatonischen Intervallen entsprechen. Trotz Aristoteles' Ablehnung (Aristot. cael. 290b) lebte diese Theorie im Platonismus und Pythagoreismus weiter.

In Ciceros Vision des Himmelskonzertes (Cic. rep. 6,5: *Somnium Scipionis*) drehen sich acht Sphären um die Erde: Die des Mondes erzeugt den tiefsten Ton, die der anderen eine aufsteigende Leiter. Die Komm. von Macrobius (in somn. 2,3,14) und Favonius (25–27) deuten die Abstände zahlenspekulativ. Boëthius zufolge (de institutione musica 1,27) ist die alte Planetentonleiter (vgl. Nikom. enchiridion 3) absteigend siebentönig (d' c' b a g f e, ohne Fixsterne), die Ciceros aufsteigend achttönig (A H c d e f g a, »Hypodorisch«, Grundschema von Boëthius' Transpositionsskalen). Bei Alexandros [22] aus Ephesos (Theon Smyrnaeus 139–141 HILLER) haben die neun Sphären Erde-Fixsterne feste Intervalle (d e f ges a h c' des' d'). Aufsteigende Skalen gibt es bei Varro, Plinius (nat. 2,21f.), Censorinus (13), Martianus Capella (2,169–199). Selten sind den Planeten die Rahmentöne der 5 Tetrachorde des Tonsystems zugeordnet (s. Klaudios → Ptolemaios [65] II. A. 5.). Neuplatonisch beeinflußte Verf. kannten Analogien von harmonischen Kräften, Seelenkräften, Gestirnbewegungen (Ptol. harmonica 3,3–16), von Elementen, platonischen Körpern, Jahreszeiten (Arist. Quint. 3,9–27), von »Weltmusik« (*musica mundana*), »im Menschen angelegter Musik« (*m. humana*) und »in Instrumenten vorhandener Musik« (*m. instrumentalis*; Boeth. de institutione musica 1,2). Die S. faszinierte auch MA und Neuzeit.

→ SPHÄRENHARMONIE

1 I. DÜRING, Ptolemaios und Porpyhrios über die Musik, 1934, 280f. **2** W. und H. GUNDEL, s. v. Planeten, RE 20, 2017–2185, bes. 2053–2056 • G. SCHAWERNOCH, Die Harmonie der Sphären, 1981 • J. PÉPIN, s. v. Harmonie der Sphären, RAC 13, 1986, 594–618 • L. RICHTER, Die Lehre von der S., in: GMth 2, 2001 (im Druck).

L. R.

Sphairos (Σφαῖρος) von Borysthenes. Stoischer Philosoph des 3. Jh. v. Chr., Schüler des → Zenon von Kition, danach des → Kleanthes. Er wirkte am Hof Ptolemaios' [3] II. in Alexandreia (Diog. Laert. 7,185); Anekdoten (Diog. Laert. 7,177; Athen. 354e) bezeugen sein Interesse für → Erkenntnistheorie: er unterschied ergreifende (kataleptische) und wahrscheinliche (*eúlogon*) Vorstellungen. Plut. Kleomenes 2,11 beschreibt ihn als Lehrer des → Kleomenes [6] und Anleiter der wiederbelebten spartanischen Lebensweise (→ *agōgḗ*). Diogenes Laertios führt ca. 30 Buchtitel (über Physik, Ethik, Politik, Erkenntnistheorie und Dialektik), Briefe und Dialoge auf (vgl. 7,177–178).

SVF 1, 620–630.

B. I./Ü: J. DE.

Sphakteria (Σφακτηρία). Schmale Felsinsel vor der Bucht von Pylos [2] an der messenischen Westküste (Strab. 8,3,21; Plin. nat. 4,55; Ptol. 3,16,23: Σφαγία), seit dem 7. Jh. v. Chr. in spartanischem Besitz, h. Sfaktiria. 425 v. Chr. wurden 292 Spartiatai auf S. von den Athenern eingeschlossen und zur Kapitulation gezwungen (Thuk. 4,8; 16; 26–38; Strab. 8,4,2; → Peloponnesischer Krieg). In der Bucht von Pylos (h. Bucht von Navarino) wurde 1827 die türkische Flotte im griech. Unabhängigkeitskrieg von den Alliierten vernichtet (vgl. Denkmäler auf S. und in der Bucht).

J. WILSON, Pylos 425 B. C., 1979 • S. HORNBLOWER, A Commentary on Thucydides, Bd. 2, 1996, 159f., 184–197 • R. SCHEER, s. v. S., LAUFFER, Griechenland, 636.

KL. T.

Sphettos (Σφηττός). Attischer Mesogeia-Demos der Phyle Akamantis, mit fünf (sieben) *buleutaí*, zur att. Dodekapolis gezählt (Strab. 9,1,20), durch Ehreninschr. der Sphettioi für Demetrios [4] (SEG 25, 206) im NW von Koropi lokalisiert; dort liegt die brz. Burg Kastro tu Christu [1]. Die *Sphēttía hodós* (»S.-Straße«) verband S. mit Athenai [2]. Die Sphettioi galten als witzig (Aristoph. Plut. 720).

1 R. HOPE SIMPSON, Mycenaean Greece, 1981, 50 B 33
2 CH. KORRES, Σφηττία Οδός, in: Ders. (Hrsg.), Δρόμοι της Κλασσικής Ελλάδος (im Druck).

TRAILL, Attica, 19, 48, 59, 67, 112 Nr. 129, Tab. 5 • WHITEHEAD, Index s. v. S.

H. LO.

Sphinx (Σφίγξ, auch ἀνδροσφίγξ: Hdt. 2,175; boiot.: φίξ; Pl. Σφίγγες/*Sphínges*).

I. ÄGYPTEN II. GRIECHISCH-RÖMISCHE ANTIKE

I. ÄGYPTEN

Griech. Bezeichnung der Darstellungen urspr. nur des äg. Königs mit Löwenleib und Menschenkopf; eine äg. Bezeichnung des Bildtypus ist nicht bekannt.

Rundplastische Darstellungen liegender Sphingen sind seit der 4. Dyn. (Djedefreʿ, 2570–2450 v. Chr.) bezeugt. Die große S. von → Giza, ab der 18. Dyn. als Bild des Gottes → Harmachis [1] verehrt, stellt König

→ Chefren dar. Stehende und schreitende S., meist die Feinde Äg.s zertretend, kommen ebenfalls seit dem AR v.a. in Flachbildern vor. Ikonographische Varianten sind Mähnen-S. (seit der 12. Dyn.; Integration beider Wesenselemente durch Einfügung des Gesichts des Königs in die Löwenmähne) sowie S., die mit menschlichen Armen Opfergaben darreichen (seit dem NR). S. mit Falkenflügeln und -kopf (seit dem AR) verbinden die Falkengestalt des äg. Königs als → Horus mit dem Löwenleib.

Seit dem MR konnten auch Königinnen im S.-Typus dargestellt werden; seit dem NR wurde der Gott → Amun in Gestalt widderköpfiger S. abgebildet; solche und ähnliche Statuen säumten ab dem NR in langen Alleen den Dromos großer Tempel. Selten dienten S. in myth. Kontexten zur Darstellung verschiedener Götter; der in griech.-röm. Zeit populäre äg. Gott Tithoes ist s.-gestaltig. Im NR traten sitzende geflügelte weibliche S., oft mit floralem Kopfputz, als offenbar syrisch inspiriertes, dekoratives Motiv mit nicht eng definierbarer myth. Konnotation auf.

Seit der Mitte des 2. Jt. traten S.-Darstellungen häufig in Syrien und Anatolien auf (S.-Tore von Alacahüyük und → Ḫattusa; 13. Jh.), allerdings in weiblicher Gestalt – diese Form wirkte auf Äg. zurück. Die Ausgestaltung mit (äg.) Hathorlocken ist verm. eine hethitische Erfindung. S. sind auch häufig in der späthethit. Bauplastik (Karatepe, Samʾal, ʿAin Dāra; → Kleinasien III. C.2.) und auf Siegeln und Elfenbeinschnitzereien belegt. Ihre Bed. ist unbekannt.

Ch. M. Zivie, s. v. S., LÄ 5, 1139–1147 • P. Neve, Zur Datier. des S.-Tores in Alaca Höyük, in: M. Dietrich, O. Loretz (Hrsg.), Beschreiben und Deuten, 1994, 213–226 • W. Orthmann, Unt. zur späthethit. Kunst, 1971. S.S.

II. Griechisch-römische Antike
A. Mythologie B. Ikonographie

A. Mythologie

In griech. myth.-lit. Vorstellung war die S. stets ein weibl. Ungeheuer, Tochter der → Echidna und des Typhon (→ Typhoeus; Apollod. 3,52; Hyg. fab. praef. 39); alternativ werden als Mutter → Chimaira (schol. Hes. theog. 326), als Vater u. a. → Orthos (Hes. theog. 327) genannt. Ihrer Gestalt nach wird die S. als geflügeltes Mischwesen mit dem Kopf einer Jungfrau und dem Körper einer Löwin beschrieben (Apollod. 3,52; schol. Eur. Phoen. 45).

In der bekanntesten Form, dem theban. Mythos, sucht die S. die Stadt Theben (→ Thebai) heim und tötet alle Menschen, die ein von ihr gestelltes → Rätsel nicht lösen können. Der Grund für diese Plage ist nicht eindeutig, als eine mögliche Veranlasserin gilt → Hera (Apollod. 3,52; schol. Eur. Phoen. 1760 = Peisandros FGrH 16 F 10). Das Rätsel, das die S. als Lied von den → Musen gelernt haben soll, ist in Prosa (z. B. Apollod. 3,53), aber auch in Hexametern überl. (z. B. Athen. 10,456b = Asklepiades FGrH 12 F 7a; [4. 332–334]): ›Was besitzt eine Stimme, vier, zwei und drei Füße und ist umso schwächer, auf je mehr Füßen es geht?‹ Nachdem → Oidipus das Rätsel gelöst hat (Antwort: der Mensch), stürzt sich die S. selbst zu Tode (Diod. 4,64,4; Apollod. 3,55; Hyg. fab. 67,5).

Außerhalb des Oidipus-Mythos kennt der Volksglaube Sphingen als Todesdämonen (vgl. → *kēr*). Bis in die Neuzeit hat die S. immer wieder Eingang in Kunst [1; 8] und Lit. gefunden (z. B. H. Heine, Buch der Lieder, vgl. Vorrede zur dritten Auflage, 1839; H. v. Hofmannsthal, Ödipus und die S., 1905). NI.JO.

B. Ikonographie

→ Mischwesen, meist mit Katzenkörper, Flügeln und Frauenkopf (oft mit Kopfschmuck) waren in der minoisch-myk. Kunst als Dekorationsmotiv sehr beliebt, danach verschwinden sie und tauchen in der 2. H. des 8. Jh. in der griech. Kunst wieder häufig auf [2. 1163; 10; 11; 12]; die Deutung dieser frühen »Löwenfrauen« bleibt aber unklar, ebenso, wann genau deren Identifikation mit der thebanischen S. erfolgte [9]. In der Frühzeit ist die S. gelegentlich männlich, mit Bart und Helm, vom 5. Jh. an weiblich. Vasen zeigen meist Szenen aus dem Mythos von → Oidipus und der S. [5], der auffallend häufig karikiert wurde, wohl unter Einfluß des Satyrspiels ›S.‹ des → Aischylos [1] [7; 9].

In archa. Zeit ist die S. beliebt als Votiv auf ion. Säulen (Naxier-S. in → Delphoi) und als Bekrönung von att. Grabstelen, wo sie wohl Symbol des Todes, aber auch Grabwächterin ist [2. 1165; 12; 13. 84–87]. Auf den Mz. von Chios ist die S. wohl Schützerin der Insel [3]. Höhepunkt der Darstellung der jünglingsreißenden theban. S. ist die Gruppe unter den Armlehnen am Thron des → Zeus in → Olympia (um 430 v. Chr.). Oft ist die S. einfach Dekorationselement an Architektur, Möbeln oder auch Helmschmuck. Die zwei S. des → Pheidias wurden in der röm. Kunst häufig kopiert – auf Möbeln, Gefäßen, Kandelabern, Mosaiken, Wandgemälden, auf Siegeln und Mz. des → Augustus, sowie erneut in sepulkralem Zusammenhang (Grabaltären, Urnen, Sarkophagen).

Im christl. Bildprogramm taucht die S. im 11. Jh. auf, zuweilen in grotesker Form, seit der Renaissance wieder in ant. Gestalt. Im Barock sitzt sie, oft mit Porträtkopf und raffiniertem Décolleté, in Schlössern und Gärten; noch im 19. Jh. ist sie Symbol der *femme fatale* [1. 125–205].

1 H. Demisch, Die S., 1977 **2** N. Kourou et al., s. v. S., LIMC 7.1, 1149–1174 **3** L. Lacroix, A propos du s. des monnaies de Chios, in: RA 1982, 75–80 **4** H. Lloyd-Jones, Greek Epic, Lyric, and Tragedy, 1990 **5** J.-M. Moret, Oedipe, la S. et les Thébains, 1984 **6** P. Müller, Löwen und Mischwesen in der archa. griech. Kunst, 1978
7 K. Schauenburg, Zur thebanischen S., in: B. von Freytag-Löringhoff (Hrsg.), Praestant interna, FS U. Hausmann, 1982, 230–235 **8** W. Rösch-von der Heyde, Das S.-Bild im Wandel der Zeiten, 1999 **9** E. Simon, Das Satyrspiel S. des Aischylos, 1981 **10** N. Verdelis, L'apparition du S. dans l'art grec aux VIIIe et VIIe siècles av. J.-C., in: BCH 75, 1951, 1–37 **11** R. Vollkommer, Zur

Deutung der Löwenfrau in der frühgriech. Kunst, in: MDAI(A) 106, 1991, 47–64 **12** H. Walter, Sphingen, in: A&A 9, 1960, 60–72 **13** D. Woysch-Méautis, La représentation des animaux et des êtres fabuleux sur les monuments funéraires grecs, 1982.

L. Edmunds, The S. in the Oedipus Legend, 1981 • A. Lesky, R. Herbig, s. v. S., RE 3 A, 1703–1749. B. BÄ.

Sphodrias (Σφοδρίας). Kynischer Philosoph, Verf. einer von Athen. 4,162b–c erwähnten *Téchnē erōtikḗ* (›Liebeskunst‹). Der im übrigen unbekannte Autor wird l.c. zusammen mit Archestratos [2] von Gela erwähnt, dem Verf. einer *Gastrología* (›Abh. über die Pflege des Bauches‹), sowie mit Protagorides, dem man *Akroáseis erōtikaí* (›Vorträge über die Liebe‹) zuschreibt, und mit Zenons Schüler Persaios, der *Sympotikoí diálogoi* (›Unterhaltungen beim Gastmahl‹) verfaßte. M. G.-C./Ü: B. v. R.

Sphragis (σφραγίς, wörtl. → »Siegel«).

[1] Siegel(stein): Edel- oder Schmuckstein mit Intaglio-Schnitt, Siegelring, Siegel(abdruck). Auf den aus dem röm. Äg. stammenden magischen Amulett-Gemmen des 2.–4. Jh. n. Chr. wird inschr. häufig das dämonenbannende Siegel des → Salomo sowie in Verbindung mit Salomo-Motiven das Siegel Gottes erwähnt (*sphragís theú*).

→ Steinschneidekunst

S. Michel, Die magischen Gemmen im Britischen Museum, 2001, 268 ff., Taf. 64–66; 430–450. S. MI.

[2] s. Siegel; Subscriptio

[3] Nach Poll. 4,66 der vorletzte Teil des kitharodischen → Nomos [3], in dem der Dichter seinen Namen nennt, das Gedicht somit durch sein »Siegel« als sein Eigentum kenntlich macht [2. 51–53] (ein dem homer. Epos fremdes Verhältnis des Dichters zu seinem Werk [1. 1758]), so wohl schon → Terpandros und ihm folgend → Timotheos in der *s.* seiner ›Perser‹ (V. 215–248), wo er seine elftönige Lyra erwähnt und sein dichterisches Programm gegen konservative Kritik in Sparta vertritt [4. 127–146].

→ Theognis (V. 19–23) sieht in der *s.* einen Kunstgriff, die Verse durch Einfügung von Name und Herkunft vor Diebstahl zu schützen [1. 1757]. Von dieser Theognis-Stelle aus nennt man jede Stelle in Gedichten, aus welcher der Dichter persönlich und programmatisch hervortritt, *s.*: Im Homerischen Apollon-Hymnos (165–176) stellt sich der ›blinde Dichter aus Chios‹ vor; aus Hesiods Dichterweihe kann man die Verse theog. 22–25 zu den *s.*, ebenfalls z. B. Alkm. fr. 92 Diehl (=39 Page); Pind. Ol. 1, 115b–117, Pyth. 1,81–85, Nem. 7,35–39; Bakchyl. 3,95 f.; Kall. h. 2,105–113.

Hell. Dichter dürften ihre Bücher mit einem Schlußgedicht als ihr Eigentum kenntlich gemacht haben, so → Kallimachos [3] am E. seiner *Aítia*. Nach dessen Vorbild beendet in der röm. Dichtung z. B. → Vergilius die *Georgica* (4,559–566) mit einer *s.* und Horatius das 3. B. der Oden (3,30) und das 1. B. der Episteln (1,20,20–28) mit einer ähnlichen lit. Form [3. 425 f.]. Heutzutage spricht man von *s.* meist bei einem Selbstverweis des Autors am Ende seines Textes.

1 W. Aly, s. v. S., RE 3 A, 1757 f. **2** J. Diehl, S., eine semasiologische Nachlese, Diss. Gießen, 1938 **3** E. Fraenkel, Horaz, 1963 **4** T. H. Janssen, Timotheus Persae. A Commentary, 1984 **5** W. Kranz, S., in: Ders., Stud. zur ant. Lit. und ihrem Fortwirken, 1967, 27–78. H. A. G.

[4] Seit dem 2. Jh. ist die Bezeichnung der Taufe als *s.* (»Siegel«) belegt (Herm. sim. 9,16,4, vorbereitet schon im NT: Eph 1,13 f.; 4,30). Sie wird auch als Versiegelung gegen das Böse angesehen (Greg. Naz. or. 40,15). Im 4. Jh. wird *s.* mit »Kreuzeszeichen« gleichgesetzt (Athan. Vita Antonii 13; 80). Christl. Siegel finden sich an Grabverschlüssen, auf Amuletten (»Salomo-Siegel«) und auf Siegelringen (Clem. Al. Paedagogus 3,59,2).

→ Siegel; Taufe

F. J. Dölger, S., 1911 • G. H. W. Lampe, Patristic Greek Lexicon, s. v. σφραγίς, 12 1995. K. FI.

Sphyrelaton. Arch. t.t. für eine Metalltechnik (»mit dem Hammer getrieben«), ant. nicht belegt. Wie bei Paus. 3,17,6 beschrieben, werden aus Br. oder Edelmetall gehämmerte Platten über einem Holzkern mit Nägeln zusammengefügt. Die Technik ist ein Versuch, im 7. Jh. v. Chr. – vor der Erfindung des Hohlgusses Anf. 6. Jh. v. Chr. – rundplastische Großbronzen herzustellen. Nachr. über S. betonen das hohe Alter solcher Kultbilder, etwa bei dem vom Himmel gefallenen und mit Metall verkleideten Holzstück, das als Dionysos Kadmeios verehrt wurde (Paus. 9,12,4), und beim ältesten S., dem Zeus Hypatos in Sparta (Paus. 3,17,6; 8,14,7). Ein kolossaler Zeus der → Kypseliden in Olympia war aus Goldplatten gebildet und galt daher als Ausdruck des Tyrannenwahns (Strab. 8,378). Wenige Stükke sind erh., so vom E. des 8. Jh. v. Chr. die Leto und ihre Kinder aus Dreros, jüngere Frg. von Kuroi (→ Statue) ebenfalls aus Kreta, aus Samos eine weibliche Büste, aus Olympia Frg. einer weiblichen Trias (7.–6. Jh.) und ein Stier aus Delphoi (6. Jh.).

→ Kultbild; Bronze

R. Hampe, s. v. S., EAA 7, 1966, 444–446 • G. Nenci, I donativi di Creso a Delfi, in: ASNP 23, 1993, 319–331 • E. Kunze, Sphyrelata, in: Bericht über die Ausgrabungen in Olympia, Bd. 9, 1994, 101–139 • J. Papadopoulos, s. v. S., EAA 2. Suppl. 5, 1997, 367–369 • B. Borell, D. Rittig, Orientalische und griech. Bronzereliefs aus Olympia, 1998, 187–195. R. N.

Sphyros (Σφῦρος). Wahrscheinlich alter peloponnes. Heros, der wohl erst nachträglich zum Sohn des → Machaon gemacht wurde, wodurch eine Verbindung zu → Asklepios entstand. S. gilt als Erbauer des ältesten Asklepieions in → Argos II. (Paus. 2,23,4). Der Name ist möglicherweise von *sphýra* bzw. *sphyríon*, »Hammer« (im Sinne eines medizin. Instruments), entlehnt. FR. D.

Spiculum s. Pilum

Spiegel (κάτοπτρον/*kátoptron*; lat. *speculum*).
I. Griechisch II. Etruskisch III. Römisch IV. Keltisch-Germanisch

I. Griechisch

Bereits die myk. Zeit kannte den kreisrunden Hand-S. aus → Bronze mit verziertem elfenbeinernem Griff. Danach sind S. wieder seit der 2. Hälfte des 8. Jh. v. Chr. belegt. Griech. S. teilen sich in Griff- oder Hand-S., Stand- und Klapp-S. Silberne S. haben sich aus myk. Zeit nicht und später nur ausnahmsweise erh. Runde Hand-S. entstanden in unmittelbarer Anlehnung an äg. Vorbilder. Der Stiel konnte aus Bein, Holz, Knochen oder Br. bestehen; an der Scheibe befand sich vielfach eine Halterung für einen Ring zum Aufhängen. Unter äg. Einfluß kamen – wohl zuerst in Sparta – um die Mitte des 6. Jh. v. Chr. Stand-S. auf, bei denen der Griff meist durch eine Stützfigur ersetzt wurde. Hauptmotiv dieser Figuren war die bekleidete Kore (in Sparta auch unbekleidet), in Unterit. der nackte Kuros (→ Plastik; → Statue). Nichtfigürliche Stützen sind recht selten. Die Stand-S. wurden in der 2. H. des 5. Jh. v. Chr. durch die neu erfundenen Klapp-S. ersetzt, die aus der eigentlichen S.-Scheibe und einem schützenden Deckel bestehen. Ein kleiner Riegel schützte den Klapp-S. vor unbeabsichtigtem Öffnen. Nach der 2. H. des 4. Jh. v. Chr. kamen auch rechteckige Hand-S. auf [1. Taf. 369,5], ebenso einfache rechteckige S.-Scheiben, die man in einer Dose aufbewahren und zum Gebrauch herausnehmen konnte.

1 Trendall/Cambitoglou. R. H.

II. Etruskisch

Im vorröm. Etrurien und Latium sind S. vom späten 6. bis zum frühen 2. Jh. v. Chr. vielfach, bes. als Grabbeigaben, erh. Typologisch sind sie den griech. S. eng verwandt und wie diese meist aus Br., mit Rundscheibe (10–25 cm Dm) und Dorn für den Griff aus zunächst Holz oder Bein, später als Br.-Vollguß. Die Vs. war glatt poliert, die Rs. reich durch Gravur oder vereinzelt Relief verziert mit ornamentalen und figürlichen Motiven, die meist dem weiblich konnotierten Bereich entstammen: Liebes- und Toilettenthemen, Gottheiten (bes. Aphrodite/→ Turan, Athena/Menerva, Hermes/→ Turms), sowie Szenen griech., vereinzelt lokaler ital. bzw. etr. Mythen. Dabei sind die Figuren meist durch Beischriften in etr. Sprache benannt und bilden damit eine der wichtigsten Quellen der etr. Onomastik und Mythologie.

Die Frage der Produktionszentren und Werkstätten ist umstritten, zumal auch mit wandernden Werkstätten gerechnet wird. Die Erfindung der sog. Kranzspiegelgruppe (E. 4. Jh. v. Chr.) – benannt nach der spezifischen ornamentalen Umrandung des Bildfeldes – wird → Volsinii/Orvieto zugeschrieben, die weitere Entwicklung im 3. Jh. in anderen Zentren lokalisiert. Als wichtige Zentren neben Volsinii gelten → Volci/Vulci, → Tarquinii, → Caere, → Clusium und → Volaterrae, in Latium Praeneste, wo die Gravurtechnik der S. auch für die Gattung der Br.-Cisten (→ Praenestinische Cisten) verwendet wurde.

CSE, seit 1981 • U. Fischer-Graf, S.werkstätten in Vulci, 1980 • I. Mayer-Prokop, Die gravierten etr. Griff-S. archa. Stils, 1967 • G. Pfister-Roesgen, Die etr. S. des 5. Jh. v. Chr., 1975 • G. Sassatelli, s. v. Specchio, EAA 2. Suppl., Bd. 5, 1997, 346–352. F. PR.

III. Römisch

Die Formen der röm. S. entsprechen denjenigen der griech. und etr. Kultur. Weiterhin gab es runde brn. Hand-S., bei denen mitunter der runde Rand des S. durch einen umlaufenden Loch- oder Zackenrand verziert wurde, ferner Klapp-S. und runde oder viereckige Taschen-S. mit einem Dm von nur wenigen cm, und – in neronischer Zeit – kleine, runde aufklappbare Dosen-S. mit Deckeln, in die Mz. Neros eingearbeitet waren. Aus der frühen Kaiserzeit stammt der runde Hand-S. mit Griff auf der Rückseite. Von Silber- und Glas-S. (Plin. nat. 36,66) haben sich Frg. einiger Exemplare erh.

Die Ant. scheint überwiegend mit Hand-S. ausgekommen zu sein; nur selten werden große S., wie der Zerr-S. im Tempel von Smyrna, erwähnt (*monstrifica*, Plin. nat. 32,129, vgl. Sen. nat. 1,5,4 und Paus. 8,37,11); auch Wand-S. (Vitr. 11,8,2) und der durch Aneinanderreihen von vielen S. errichtete »S.-Saal« bei Sen. nat. 1,16,3–4 (vgl. SHA Heliog. 14) sind Ausnahmen. Singulär ist bislang die Einarbeitung eines Hand-S. in einen Schminktisch ([1. Kat. Nr. 25], 1. Jh. v. Chr.).

1 W. Hornbostel u. a., Kunst der Antike. Schätze aus norddeutschem Privatbesitz, 1977, 34–37.

Lit. zu griech. und röm. S.: P. Oberländer, Griech. Hand-S., Diss. Hamburg, 1967 • G. Zahlhaas, Röm. Relief-S. (Kat. der Prähistor. Staatsslg. München 17), 1975 • G. Lloyd-Morgan, The Mirrors (Description of the Coll. in the Rijksmuseum G. M. Kam Nijmegen 9), 1981 • G. Zimmer, Frühgriech. S. (132. BWPr), 1991 • K. Dahmen, Ein Loblied auf den schönen Kaiser. Zur möglichen Deutung der mit Nero-Mz. verzierten röm. Dosen-S., in: AA 1998, 319–345 • A. Schwarzmaier, Griech. Klapp-S. (18 Beih. MDAI(A)), 1998. R. H.

IV. Keltisch-germanisch

Nördl. der Alpen kamen bei Kelten und Germanen S., die meist aus einer runden Br.-Scheibe mit Griff und polierter bzw. mit Zinn oder Silber belegter Vorderseite bestanden, häufiger vor: griech. Importstücke oder entsprechende Nachahmungen. Bei den Kelten finden sich S. als Beigaben in bes. reichen Frauengräbern (auch als Statussymbole vom 5. Jh. v. Chr. bis um Christi Geburt) u. a. am Mittelrhein und in Burgund, im 2./1. Jh. v. Chr. auch auf den Britischen Inseln. Diese S. haben z. T. Ringgriffe und eine typisch »inselkelt.« Ornamentierung auf der Rückseite.

Zu Beginn der röm. Kaiserzeit im 1./2. Jh. n. Chr. wurden S. aus der kelt. Welt auch in german. → »Fürstengräbern« östl. der Elbe beigegeben, dort z. T. auch in Männerbestattungen.

→ Arras-Kultur; Germanische Archäologie; Keltische Archäologie

R. Echt, Das Fürstinnengrab von Reinheim, 1999, 111–115 • D. van Endert, Die Br.-Funde aus dem Oppidum von Manching (Ausgrabungen in Manching, Bd. 13), 1991, 62–64 • K. Parfitt, A Late Iron Age Burial from Chilham Castle near Canterbury, Kent, in: Proc. of the Prehistoric Soc. 64, 1998, 343–351 • K. Wurm, Eine stilkritische Unt. über den frühkelt. Br.-S. von Hochheim am Main, in: Fundber. aus Hessen 12, 1972, 1974, 230–251.
V. P.

Spiel

I. Ägypten und Alter Orient
II. Klassische Antike

I. Ägypten und Alter Orient

Die Grenzen zw. S. und → Sport sind fließend; hier werden nur Ruhe-S. (→ Brettspiele) behandelt, die z. B. für Äg. als Originale aus Grabzusammenhängen und bildlichen Darstellungen reichlich bekannt sind. Beliebt war z. B. das Senet-Brett-S. (*znt*). Die Quellenlage für den Alten Orient ist aus klimatischen Gründen (Holz kaum erh.) sehr begrenzt. Zu S.-Regeln gibt es jeweils nur Vermutungen. Zusätzlich zu den S.-Brettern finden sich S.-Steine, → Astragale [2], Würfel und Wurfstäbchen, die auf eine erheblich größere Vielfalt an S. deuten als einstweilen bekannt. Umstritten ist, ob man die zahlreichen Modelle von Figuren und Alltagsgegenständen aus Äg. und die vielen Tierfiguren und Wagenmodelle aus Ton aus dem Alten Orient als Spielzeug für Kinder auffassen soll.

→ Brettspiele

E. Brunner-Traut, s. v. Spielzeug, LÄ 5, 1152–1156 • N. Cholidis, Tiere und tierförmige Gefäße auf Rädern. Gedanken zum Spielzeug im Alten Orient, in: MDOG 121, 1989, 197–220 • W. Decker, s. v. S., LÄ 5, 1150–1152 • U. Hübner, S. und Spielzeug im ant. Palästina, 1992 • E. Klengel-Brandt, Spielbretter und Würfel aus Assur, in: Altorientalische Forsch. 7, 1980, 119–126 • M. Stol, Private Life in Ancient Mesopotamia, in: J. M. Sasson (Hrsg.), Civilizations of the Ancient Near East, Bd. 1, 1995, 498–499.
H. J. N. u. J. RE.

II. Klassische Antike

A. Allgemein B. Kinderspiele C. Erotische Spiele D. Spiele mit Tieren E. Darstellungen

A. Allgemein

Griech. und lat. Lit. zu S. oder zu S.-Regeln ist nur spärlich überl.: Als wichtigste Quelle gelten die – wenn auch nur lexikographischen – Angaben bei Poll. 9,94–129 zu einzelnen S. Verloren sind die Schrift des Suetonius [2] ›Über Kinderspiele bei den Griechen‹, die bei Suet. Claud. 33,2 angeführte Abh. des Kaisers → Claudius [III 1] über → Würfelspiele, das Theaterstück *Paidiaí* (›Kinderspiele‹) des Krates [1] (Athen. 11,478f) und die Lehrgedichte über → Ballspiele, → Brettspiele und → Würfelspiele, von denen Ovid (Ov. trist. 2,471–485) zu berichten weiß.

Bei allen ges. Schichten und Altersgruppen waren S. beliebt. Da es in der Ant. S.-Plätze im h. Sinne nicht gab, versuchten Kinder, Jugendliche und Erwachsene, ihrer S.-Freude und -Leidenschaft an unterschiedlichsten Orten nachzugehen: Man spielte im Haus (Verg. Aen. 7,379; Plut. Cato minor 2,5 f.), auf Straßen und Plätzen (Mart. 14,169; Plut. Alkibiades 2,2), in Palaistren, Thermen, Wirtshäusern usw. Bes. in röm. Zeit suchte man, um mit Reifen, Ball oder Diskus zu spielen, freie Plätze auf oder richtete solche dafür ein (Sen. epist. 80,2; Hor. sat. 1,6,126; 2,6,48 f.; Hor. epist. 1,7,59; Hor. ars 379–381), um auch Zuschauern genügend Platz anzubieten. Des weiteren gab es für das Ball-S. *sphaeristeria* genannte Räumlichkeiten oder offene Plätze (Plin. epist. 2,17,12; 5,6,27; Suet. Vesp. 20) in den → Thermen. Daneben boten sich Kneipen oder Privatwohnungen für mancherlei S. und kurzweilige Zerstreuungen an.

Für die ant. S.-Freude ist die Gesch. bei Hdt. 1,94 bezeichnend, nach der S. den Lydern über eine Hungersnot hinweghalfen. Der Hang zum S. steigerte sich bei Würfel-, Brett- und anderen Glücks-S. zur Leidenschaft, wobei mitunter auch hohe Geldbeträge eingesetzt wurden, deren Verlust die Spieler in den Ruin treiben konnte (Hor. epist. 1,18,21). Das S. zu zweit (z. B. beim Brett-S.) war ebenso beliebt wie Gruppen-S. (z. B. Ball-S., Sen. epist. 80,1; Hor. ars 379–381). Man spielte zur Erholung nach anstrengender Arbeit (Ail. var. 12,15; Hor. sat. 2,1,73; Suet. Aug. 83), was schon Aristoteles [6] (Aristot. pol. 8,3,1337b) empfiehlt, ferner zur geistigen Entspannung und Ablenkung (Phaedr. 3,14; Cic. de orat. 2,22; 3,58) und natürlich auch zur Unterhaltung (Hor. sat. 2,1,71–77), bes. bei Symposien (→ Gastmahl); ein hierbei von den Griechen gern gepflegtes S. war → *kóttabos*, bei den Römern das Würfel-S. (Suet. Aug. 71,1–4). Daneben vertrieben sich Griechen und Römer bei Trinkgelagen (→ *comissatio*) die Zeit mit → Ratespielen. Ball-S. und andere Bewegungs-S. spielte man nach beendigter Tagesarbeit (Hor. epist. 1,7,59; Petron. 27,1–3; in den Thermen, bevor man ins Bad ging: Hor. sat. 1,6,123–126). Brett- und Würfel-S. konnte man zu Hause, in den Tavernen, auf Straßen und Plätzen oder im Theater usw. spielen; das dazu notwendige S.-Brett ritzte man in die Straßenpflaster, in Tempel- und Theaterstufen ein, oder man führte tragbare S.-Bretter (*tabulae lusoriae*) mit sich (aus Holz, kleine Steinplatten, einfache Ziegelplatten).

B. Kinderspiele

Kinder spielten zu allen Tageszeiten und konnten dafür auch einmal die Schule schwänzen (Pers. 3,45–51); üblich war auch das S. Erwachsener mit Kindern (Ail. var. 12,15; Suet. Aug. 83). An Festtagen (→ *feriae*) bot sich für Kinder bes. viel Gelegenheit zum S. (Hor.

epist. 2,2,197). Ihnen stand eine beträchtliche Auswahl an Spielzeug zur Verfügung, angefangen von Rasseln und Klappern für das Kleinkind bis hin zu Nüssen, → Astragalen [2], Reifen, Wägelchen, → Puppen, Steckenpferd, → Kreisel u. a. für die älteren Kinder (→ Kinderspiele). Das S. mit Tieren (Plin. epist. 4,2,3; Plaut. Capt. 1002–1004) konnte mitunter in Tierquälerei ausarten (Aristoph. Nub. 763 f.; Aristoph. Vesp. 1341 f.). Auch Erwachsene hielten sich Tiere zum S. und Vergnügen: Affen, Papageien (Mart. 14,73) und andere Vögel, Hunde und Katzen bis hin zu Schlangen (Suet. Tib. 72). Ball-S. wurden von allen Schichten und Altersgruppen gerne und häufig gepflegt. Während → Lauf- und Fangspiele sowie → Geschicklichkeitsspiele v. a. als Kindervergnügen galten, wurden Brett- und Würfel-S. von Erwachsenen bevorzugt.

C. Erotische Spiele

Ebenfalls zu den S. zu rechnen sind erotische S. und Schönheitswettbewerbe, bei denen die Attraktivität eines Körperteils im Vordergrund stand (Alki. 4,14; Lukian. dialogi meretricii 3; Athen. 13,609e–610b; Anth. Pal. 5,35; 5,36; Plin. nat. 10,172). Zu den erotischen S. gehörten die Kuß-S. κυνητίνδα/*kynētínda* (Krates 23) und χύτρα/*chýtra*, bei dem man den Partner beim Kuß an den Ohren festhielt (Eunikos 1), und natürlich auch das Kottabos-S. (→ Kuß II. C.2.).

D. Spiele mit Tieren

Tierkämpfe sind in Lit. und Kunst häufig erwähnt und dargestellt; sie waren bei Griechen, Etruskern und Römern beliebt. Die Tiere wurden in → Palaistren, → Gymnasien oder in den κυβεῖα/*kybeía* genannten »Spielkasinos« (Aischin. Tim. 53) aufeinander gehetzt. Nach Ail. var. 2,28 fanden diese Agone nach den → Perserkriegen sogar im Dionysos-Theater von Athen statt (vgl. Lukian. Anacharsis 37). Beim → Hahnenkampf wurden Wetten abgeschlossen und Preise ausgesetzt. Ferner gab es Wachtelkämpfe (Plut. mor. 319f; Poll. 9,107–109), bei denen die Vögel auf einem Tisch mit erhöhtem Rand (Aischin. Tim. 53) miteinander kämpften. Mit Ausrupfen von Federn oder Schlägen auf den Kopf (Aristoph. Av. 1297–1299) reizte man die Tiere zum Kampf. Überl. sind auch Kranichkämpfe (Aristot. hist. an. 9,12; Cass. Dio 66,25,1). Man hetzte Hunde und Katzen aufeinander, wie eine Grabstele aus dem Kerameikos zeigt [1].

E. Darstellungen

Darstellungen des spielenden Menschen sind bereits aus der myk.-minoischen Kultur erh. (min. Tonmodell einer Schaukel mit Kind aus Hagia Triada [2. 113 Abb. 42a]). Aus dem 8. Jh. v. Chr. sind Spielzeugpferde auf Rädern, sog. boiotische Glockenpuppen, Kreisel, Rasseln u. a. bekannt (→ Kinderspiele). Aus der archa. griech. Zeit sind neben erh. Spielzeug v. a. Szenen auf Vasen zu nennen, die das Motiv der »brettspielenden Helden« aufnehmen, in denen man Aias [1] und Achilleus erkennt. Aus klass. Zeit stammen zahlreiche Darstellungen des spielenden Menschen, von denen bes. die att. → Choenkannen mit dem S. von Kleinkindern zu nennen sind [3]. Von den S. der Erwachsenen ist bes. das Kottabos-S. anzuführen, das auf athenischen und unterital. Vasen vielfach abgebildet wurde. Daneben werden Kinder und Erwachsene beim Ball-S., beim Schaukeln oder auf der Wippe, mit dem Reifen, beim S. mit Astragalen und Würfeln gezeigt. Seltener findet sich das S. als Motiv in der Plastik, wofür att. Grabreliefs zu nennen sind; bes. verstorbene Kinder werden mit ihrem Spielzeug dargestellt. Ferner sind freiplastische Werke (›Würfelspieler‹ des → Polykleitos [1]) anzuführen, von denen die ›Knöchelspielerinnen‹ ein Genremotiv des Hell. und der röm. Kunst wurden.

Aus der etr. Kunst sind nur wenige S.-Szenen, aus der röm. Kunst, v. a. aus der Kaiserzeit, ist hingegen reiches Bildmaterial bekannt. Hierunter sind bes. die Wandfresken aus Pompeii und Herculaneum mit spielenden Kindern, mit Männern beim Würfel-S., Erwachsenen beim Ball-S. u. a. zu nennen. Eine weitere Bildquelle sind röm. Sarkophage des 1. und 2. Jh. n. Chr., die Kinder beim S. mit Nüssen, Astragalen, bei Scheiben-S. oder Hahnenkampf zeigen. Auch Eroten spielen: Wandfresken und Sarkophage zeigen sie beim Wagenfahren, Wettlauf, Verstecken usw. Bereichert wird unsere Kenntnis auch durch Mosaikdarstellungen, von denen die ballspielenden Mädchen aus der Villa von → Piazza Armerina bes. bekannt sind [4. Taf. 11 f.]. Aus der Spätant. treten noch Buchillustrationen (→ Buchmalerei) als Bildträger hinzu, die vielfach das Brett- und Würfel-S. zum Thema haben. In unüberschaubarer Fülle ist (bes. seit hell. Zeit) Spielzeug von Kindern und Erwachsenen erh., darunter Ton- oder Zinnsoldaten, Gladiatoren, Tiere, Miniaturmöbel, Würfel, Puppen, Murmeln.

→ Abacus; Askoliasmos; Duodecim scripta; Ephedrismos; Epostrakismos; Freizeitgestaltung; Fritillus; Harpaston; Latrunculorum ludus; Ostrakinda; Puppentheater; Tabula; Trigon; Tropa; Spiele

1 R. Lullies, Griech. Plastik, [4]1979, Abb. 57 2 S. Laser, Sport und S. (ArchHom III T), 1987 3 G. Horn, Choes and Anthesteria, 1951 4 M. Dolch, Wettkampf, Wasserrevue oder diätetische Übung? Das Mosaik mit den zehn Mädchen in der röm. Villa bei Piazza Armerina auf Sizilien, in: Nikephoros 5, 1992, 333 f.

R. Amedick, Die Sarkophage mit Darstellungen aus dem Menschenleben (ASR 4,1 Vita Privata), 1991, 97–104 • M. Fittà, S.e und Spielzeug in der Ant. Unterhaltung und Vergnügen im Alt., 1998 • N. Hanel, Sonderkeramik in der Militärziegelei? Zu einer tabula lusoria mit Mühles. und Legionsstempel, in: Kölner Jb. für Vor- und Frühgesch. 30, 1997, 317–321 • O. Höckmann, Bretts.e im Didymeion, in: MDAI(IST) 46, 1996, 251–262 • A. Rieche, So spielten die Alten Römer. Röm. S.e im Arch. Park Xanten, [3]1991 • J. Väterlein, Roma ludens. Kinder und Erwachsene beim S. im ant. Rom (Heuremata 5), 1976.

R. H.

Spielzeug s. Kinderspiele

Spina

[1] Bezeichnung für die langgestreckte, massive Barriere, die den röm. → Circus in zwei gegenläufige Bahnen unterteilt. Die S. war meist gemauert und mit unterschiedlichem Dekor (z. B. Statue) versehen; an ihren Enden erhoben sich die Metae (→ Meta [2]), die die Wendepunkte der Rennbahn markierten.

J. HUMPHREY, Roman Circuses, 1986, Index s. v. S. C. HÖ.

[2] Etr. Stadt an der Mündung des Spines, gegr. im letzten Viertel des 6. Jh. v. Chr. Seebeherrschend, stiftete S. ein Schatzhaus in Delphoi (Dion. Hal. ant. 1,18,4; Strab. 5,1,7). 1922 wurde die Nekropole, 1965 nach Trockenlegung der Lagunen von Comacchio die Stadt selbst entdeckt: regelmäßige Stadtanlage auf kleiner Flußinsel, Holzbauten, Fossa-Gräber in Küstendünen. Nachweisbar sind die Anwesenheit von → Veneti und griech. Kaufleuten, intensiver Handel mit attischer rf. Keramik und hoher Alphabetisierungsgrad (Graffiti auf Keramiken bis ins letzte Viertel des 3. Jh. v. Chr.). In röm. Zeit hatte S. nur noch Dorfcharakter. Arch. Funde befinden sich im Museum von Ferrara.

S. AURIGEMMA, Scavi di S., 1960–1965 · N. ALFIERI, S., 1958 · S. PATITUCCI, G. UGGERI, Topografia e urbanistica di S., in: SE 42, 1974, 69–97. G. U./Ü: H. D.

Spinnen, Spinnerei s. Textilherstellung

Spinnentiere. Vom Stamm der Gliederfüßer (Arthropoda) waren in der Ant. nur die beiden Ordnungen der Webe-Sp. (Araneae; Spinne(n) = Sp.) und der Skorpione besser bekannt. Die dritte Ordnung der sehr giftigen Walzen-Sp. (Solifugae/Solpugida), eine Geißel für Arabien und das tropische Afrika (Agatharchides mare Erythraeum 59 = GGM 151), gab es wohl nur in Griechenland (φαλάγγια/*phalángia*) und in Spanien (*salpugae*, Plin. nat. 29,92). Zwei Arten unterscheidet klar Plin. nat. 29,87 [1. 36f.]. Von der vierten Ordnung, den Milben (Acari), spielte nur der Holzbock (*ricinus* = Zecke, Ixodes ricinus L.) als lästiger Parasit der Haustiere eine Rolle. So rät Colum. 7,13,1, Hunde durch eine Mischung von flüssigem Pech und Schweinefett von ihm zu befreien. Dem bei Plin. nat. 11,116 gut beschriebenen namenlosen Tier (vgl. Cato agr. 96,2) entspricht vielleicht der κρότων/*krótōn* bei Aristot. hist. an. 5,31,557a 15f. Plin. nat. 28,256 u.ö. bietet volksmedizinische Rezepte.

1. Echte Sp. (ὁ ἀράχνης/*aráchnēs*: u. a. Hes. erg. 777, ἡ ἀράχνη/*aráchnē*: üblich seit Aischyl. Ag. 1492; lat. *aranea*: seit Plautus) wurden als achtbeinige Gliederfüßer (deren Beinzahl zuerst von Plin. nat. 11,258 erwähnt wird) kaum von den (sechsbeinigen) → Insekten unterschieden. Nur ihre geschickte Fangmethode mit dem selbstgesponnenen Netz (u. a. Aristot. hist. an. 8(9), 39,623a 13–30) wurde viel beachtet. Fortpflanzung und Brutpflege waren ziemlich unbekannt und geheimnisumwittert (vgl. Aristot. hist. an. 5,27,555a 27–b 17).

Unterschiedene Arten: a) Eine der vielen Kreuz-Sp. (Gattung Araneus) ist trotz des Fehlens eines Eigennamens an ihrem geom. Netz, das nach Demokrit (bei Aristot. hist. an. 8(9),39,623a 31f. = Plin. nat. 11,80, [1. 34]) aus einem Körpersekret hergestellt wird, identifizierbar (Aristot. hist. an. 8(9),39, 623a 7–13; Plin. nat. 11,80–84 u. a.). b) Die große Malmignatte (Lathrodectes conglobatus) [1. 46] mit ihren Kennzeichen (schwarze Kugelgestalt mit weißen oder roten Punkten) läßt sich anhand der lit. Beschreibung der Vergiftungszeichen bei Nik. Ther. 725ff. bestimmen [2. 11ff.]. c) Die nur als Schädling in Bienenstöcken gefürchtete Haus-Sp. hieß ἀραχνία γλαφυρά/*arachnía glaphyrá* (bauchige Sp.; vgl. Aristot. hist. an. 5,27,555b 11; Plin. nat. 29,131: *araneus muscarius*; [1. 34]). d) Die Labyrinth-Sp. mit ihrem über Mauern und Böden ausgebreiteten Netz erwähnen Cic. nat. deor. 2,123 (*araneola*) und Plin. nat. 11,80 (*luporum maiores*). e) Der Weberknecht (Opilio) begegnet als *phalangium* u. a. bei Plin. nat. 11,79.

Der Volksglaube behauptete die Entstehung der Sp. aus Titanenblut (schol. Nik. Ther. 11). Die griech. Myth. lehrte die Verwandlung der geschickten Weberin → Arachne durch die eifersüchtige Athene in eine Sp. (Ov. met. 6,5–145). Ihr Biß sollte Erbrochenes und Urin in Spinngewebe verwandeln. Ihr Erscheinen sagte schlechtes Wetter und Hochwasser voraus [3. 34]. Im Traum wiesen Sp. auf schlechte Menschen hin (Artem. 2,13). In der christl. Symbolik stand das Tier für Kurzlebigkeit (vgl. h. die Eintagsfliege) oder einen verkommenen Charakter, das Spinngewebe für negative Eigenschaften wie die Leere. Den schädlichen Biß der φαλάγγια/*phalángia* und σκορπίοι/*skorpíoi* versuchte man mit Zaubersprüchen (ἐπῳδοί/*epōidoí*: Plat. Euthyd. 290a), Sympathiemitteln und Pflanzen wie einer → Tithymallos-Art (Theophr. h. plant. 9,11,1) zu bekämpfen. Andererseits sollte die Sp. viele Krankheiten heilen.

2. Skorpione (=Sk.). In Abgrenzung zu dem Fisch *skorpíos* hieß die Sk.-Gattung σκορπίος χερσαῖος/*skorpíos chersaíos* bzw. lat. *scorpius terrestris*. Das Hauptmerkmal des Sk., der Schwanzstachel, war als giftverspritzendes Tötungsorgan allg. bekannt. Das in manchen Gegenden Griechenlands häufige Tier erregte überall Furcht und wurde wegen seiner Heimtücke und Reizbarkeit zur Metapher für böse Menschen. Über seine Fortpflanzung wußte man fast nichts; nur Ail. nat. 6,20 erwähnt zutreffend seine Viviparie. Nik. Ther. 69ff. unterscheidet mehrere Arten, von denen die wichtigste der häufig auf Mz. [4. Taf. 7,42–46] und Gemmen [4. Taf. 15,18; 22,37; 24,10–11 und 13–16; 25,48] abgebildete, ziemlich harmlose (Plin. nat. 11,89) Haus-Sk. (Euscorpius italicus) ist (über andere Arten s. KELLER 2,472 mit Abb.). Die geflügelten Sk. (KELLER 2,478f.), die Megasthenes selbst beobachtet haben will (Strab. 15,1,37), sind natürlich Fiktion.

Als noch unheimlicher als die echten Sp. sah man in der Ant. den Sk. an, der aus Basilienkraut, toten Krebsen und Krokodilen entstehen sollte. Plinius erwähnt viele seltsame Wirkungen seines Stichs, magische Abwehrmittel sowie apotropäische Pflanzen wie z. B. *Thelyphonon herba* (Plin. nat. 25,122). Andererseits sollten gewisse Pflanzen wie die Weiße Nieswurz (Helleborus candidus) den Sk. wiederbeleben (Plin. l.c.). Viele Rezepte gegen seinen Stich sind bei den ant. Ärzten zu finden, aber auch der Sk. selbst sollte gegen bestimmte Krankheiten helfen. Die magische Wirkung seines Abbildes erklärt auch seine häufige Verwendung in der Kleinkunst, so als Wappentier afrikanischer und vorderasiatischer Länder v.a. auf Mz. (KELLER 2,475). Der Sk. war das Feldzeichen der 3. röm. Legion aus Kyrene/Libyen. Weil → Gaia einen Sk. zur Tötung des → Orion ausgeschickt haben sollte, wurden beide unter die Sterne (→ Sternbilder) versetzt (Hes. fr. 148; Arat. 636–644; Nik. Ther. 13 ff.; Ov. fast. 5,537).

1 LEITNER 2 R. KOBERT, Beitr. zur Kenntnis der Gift-Sp., 1901 3 A. OTTO, Die Sprichwörter und sprichwörtlichen Redensarten der Römer, 1890 (Ndr. 1988)
4 F. IMHOOF-BLUMER, O. KELLER, Tier- und Pflanzenbilder auf Mz. und Gemmen des klass. Alt., 1889 (Ndr. 1972).

KELLER 2,461–479 • A. HUG, s.v. Sk., RE 3 A, 1784–1786 • A. STEIER s.v. S., RE 3 A, 1786–1812. C.HÜ.

Spintharos (Σπίνθαρος). Tragiker (TrGF I 40), nach Suda σ 945 Verf. eines ›Verbrannten Herakles‹ und einer ›Semele, vom Blitz getroffen‹. Da → Herakleides [16] Pontikos (fr. 13 WEHRLI) ihn als alten Mann bezeichnet, kann er nicht mit dem von Aristoph. Av. 762 erwähnten Phryger S. identisch sein, sondern muß im 4. Jh. v. Chr. gelebt haben. B.Z.

Spinther. Röm. Cogn., → Cornelius [I 54–55].

Spintria (lat. »Strichjunge«, Tac. ann. 6,1; Suet. Tib. 43). Mod. t.t. für wohl in die Zeit des Kaisers Tiberius (14–37 n. Chr.) datierende [2. 55–57] münzähnliche → *tesserae* aus Br. oder Messing mit 15 verschiedenen Kopulations- oder Fellatiodarstellungen auf der einen und meistens den Zahlen I-XVI auf der anderen Seite, wobei den Zahlen II, IIII und VIII manchmal ein A vorangestellt ist [1. 389f.; 3. 20–25; 4]. Die Zahlen sind möglicherweise Wertbezeichnungen in → *as*, was auch das A erklären könnte. Die Zahl XVI entspräche dann einem → *denarius* [1. 391; 2. 53]. Die bislang mit je einem Expl. belegten *s.* mit den Zahlen XVII [1. 389 Nr. H,17] bzw. XXV [5. 12] oder der Legende AVG statt Zahl [1. 390 Nr. H,31] sind möglicherweise Fehlprägungen.

Die *s.* werden in der Forsch. als Rechenjetons, Bordellmarken, Theatermarken, Spielmarken oder auch als Verleumdung des Kaisers → Tiberius interpretiert [2. 55–57]. Schon wegen der Darstellungen sind sie wohl als Zahlungsmittel in oder zumindest im Zusammenhang mit → Bordellen anzusehen [2. 391; 5. 35].
→ Eintritts- und Erkennungsmarken

1 J. D. BATESON, Roman Spintriae in the Hunter Coin Cabinet, in: R. MARTINI, N. VISMARA (Hrsg.), Ermanno A. Arslan Studia Dicata, Bd. 2, 1991, 385–394
2 T. V. BUTTREY, The Spintriae as a Historical Source, in: NC 1973, 52–63 3 R. MARTINI, Tessere numerali bronzee romane nelle Civiche Raccolte Numismatiche del Comune di Milano, 1997 (Annotazioni Numismatiche, Suppl. IX)
4 SCHRÖTTER, s.v. s., 640f. 5 B. SIMONETTA, R. RIVA, Le tessere erotiche romane (spintriae), 1981. GE.S.

Spionage. Die Beschaffung von Informationen über die polit. und mil. Lage des Gegners spielte für die griech. und röm. Kriegführung eine wichtige Rolle (vgl. etwa Thuk. 6,32,3 f.). Neben den Aussagen von Überläufern, → Kriegsgefangenen, aber auch von Kaufleuten (vgl. Caes. Gall. 4,20,3 f.) und Reisenden bedienten Heerführer und Politiker sich auch der von Spionen (=Sp.) gewonnenen Kenntnisse. In griech. Texten werden Sp. als κατάσκοποι/*katáskopoi* bezeichnet, wobei die Abgrenzung zur mil. Erkundung unscharf ist (Hdt. 7,145 f.; Thuk. 6,63,3). Bei Caesar werden Sp. (*speculatores*) von den → *exploratores* unterschieden (Caes. Gall. 2,11,2; vgl. aber 5,49,8). Der Begriff *speculator* wird auch für ausländische Sp. verwendet (Liv. 22,33,1). Allerdings ist zu berücksichtigen, daß die *speculatores*, die in der späten Republik und im Prinzipat zu den → *principales* jeder Legion gehörten, auch weitere Aufgaben wahrzunehmen hatten (Grabstein eines *speculator*: AE 1945,88).

S. wird zuerst bei Homer erwähnt: Der Troianer Dolon versucht, heimlich auf das Schiff des Agamemnon zu gelangen, um die Griechen zu belauschen (Hom. Il. 10,314–459; Odysseus in Troia: Hom. Od. 4,242–258). Obwohl die Aktivitäten von Sp. nur selten faßbar sind, zeigen doch Maßnahmen gegen die S., wie ernst diese Gefahr genommen wurde. So wurde in Rhodos das Betreten der Flottenstation mit dem Tod bestraft (Strab. 14,2,5). Der Feldherr Chares [1] ergriff Sp. in seinem Lager, indem er jeden Soldaten zwang zu erklären, zu welcher Einheit er gehöre (Polyain. 3,13,1). Gesandtschaften wurden oft dazu genutzt, um S. zu betreiben und das Land des Gegners auszukundschaften (Alexandros [4]: Arr. an. 4,1,2).

Laut Prokopios [3] wurden in Rom seit jeher Sp. eingesetzt (Prok. BP 1,21,11): P. Cornelius [I 71] Scipio nutzte die Verhandlungen vor einer Schlacht in Afrika (203 v. Chr.), um das feindliche Lager auszuspionieren (Liv. 30,4,1–3; vgl. auch 30,29,2 ff.). Auch im Bürgerkrieg wurden Sp. eingesetzt (Bell. Hisp. 13; 20). Gefaßten Sp. drohten harte Strafen; so wurden einem karthagischen Sp. in Rom die Hände abgehauen (Liv. 22,33,1), und im Bürgerkrieg wurden als *speculatores* entdeckte Sklaven gekreuzigt, Soldaten geköpft (Bell. Hisp. 13; 20; vgl. Suet. Aug. 27,3). In der griech.-röm. mil. Fach-Lit. wurde die S. nur kurz behandelt (Frontin. strat. 1,2; Onasandros 10,9; Veg. mil. 3,22,13). Zur Beschaffung polit. relevanter Informationen innerhalb des Imperium Romanum setzte man im 2. und 3. Jh. n. Chr. die → *frumentarii* und in der Spätant. die → *agentes in rebus* ein.
→ Curiosi; Geheimpolizei; Nachrichtenwesen

1 N. J. E. AUSTIN, N. B. RANKOV, Exploratio, 1995, 54–60.
BJ.O. u. K.UM.

Spira. Der z.T. aufwendig profilierte, bisweilen mit doppeltem Trochilus, Wülsten und Kehlen dekorierte Zylinder, der die »Mittelschicht« der konventionellen altionischen Säulenbasis bildet (Samos, Heraion; → Säule). Auf der S. lagert der ebenfalls profilierte und konvex ausgewölbte → Torus auf. Die S. erhebt sich üblicherweise auf einer Plinthe. Eine Sonderform der ion. Basis bildete sich in der attischen Baukunst des späten 6. und 5. Jh. v. Chr. aus, die aus einem Torus als Standfläche, einem darauf aufliegenden konkav gewölbten Trochilus und einem weiteren Torus darüber besteht und auf die S. als eigenständiges Form-Element verzichtet. Diese Gestaltung der ionischen, später auch korinthischen Säulenbasis fand auf dem griech. Festland weite Verbreitung und wurde für die spätklass.-hell. wie auch die röm. Architektur zur Norm.
→ Säule (mit Abb.); Trochilos

W. Müller-Wiener, Griech. Bauwesen in der Ant., 1988, 122–124 • B. Wesenberg, Kapitelle und Basen. Beobachtungen zur Entstehung der griech. Säulenformen (BJ, 32. Beih.), 1971. C.HÖ.

Spiritus
[1] (»Hauch«, »Geist«).
I. Griechisch-römisch II. Christlich

I. Griechisch-römisch
Das lat. Wort *s.* (Denominativ von *spirare* »blasen, hauchen«) bezeichnet jede strömende Luft, auch das Aus- und Einatmen der lebenspendenden Luft, und daher sogar das Leben selbst. So ist bei Cicero (S. Rosc. 72) der *s.* das allen lebenden Wesen Gemeinsame. Im Unterschied zum griech. → *pneúma* ist *s.* stärker anthropologisch/moralisch akzentuiert und bezeichnet auch das Selbstgefühl, positiv als hoher Mut, Selbstbewußtsein, Stolz, Begeisterung, negativ als Hochmut, Anmaßung, Aufgeblasenheit. Ganz allg. meint es jeglichen Geist in seiner tätig-wirkenden Gestalt. Cicero verband erstmals – im Anschluß an den → Stoizismus – den menschlichen Geist mit dem von Gott durchwalteten Kosmos (Cic. Tusc. 5,38); Seneca betonte im selben Gedanken mehr das anthropologische Moment: ›Im Körper des Menschen ist ein Teil des göttlichen *s.* versunken‹ (Sen. epist. 6,11). Dieser *s. sacer* ist ›ein Wächter und Beobachter über unsere Fehler und Vorzüge‹ (Sen. epist. 41,2). Im Sinn der Stoa ist aber auch dieser *s. sacer* noch stofflich aufzufassen.

II. Christlich
Aufgrund der materialistischen Grund-Bed. übernahm das Christentum *s.* nur zögernd als Bezeichnung für den (göttlichen) Geist: ›Wenn du den Geist als Substanz Gottes annimmst, machst du Gott zu einem Geschöpf; denn jeder Geist ist ein Geschöpf‹ (Novatianus, De trinitate 7,39). Doch kennt bereits → Tertullianus (de pudicitia 9; de praescriptione 21) die Wortverbindung *s. sanctus* (»heiliger Geist«; wegen der stoischen Nebenbedeutungen war *sacer* oder *divinus* für die Christen nicht annehmbar). So sehr er aber gegen den stoischen Pantheismus die Transzendenz Gottes behauptet, ist auch für ihn die materialistische Geistauffassung unerläßliche Voraussetzung für die Realität des *s.* Gottes. Erst → Augustinus bringt die Wende: Vor seiner Bekehrung ist auch ihm der Geist im Sinne der Stoa etwas Stoffliches (Aug. conf. 7,1), danach bezieht er ihn ganz entschieden nur auf Gott (Aug. de Genesi ad litteram 12,7,18; Aug. trin. 14,16). Einfachheit, Unveränderlichkeit, Unkörperlichkeit und Ewigkeit sind nun Kennzeichen des göttlichen *s.* Der Geist entspricht dabei der Liebe (*caritas*), die Vater und Sohn verbindet; von diesen beiden geht er aus als alleiniger Vermittler aller Gnadenwirkungen. So entwickelt sich unter dem Einfluß der anthropologischen Nebenbedeutung in der lat. Westkirche der Lehrsatz, daß der Geist ›aus dem Vater und dem Sohn hervorgeht‹ (*procedit ex patre filioque*; erstmals im Konzil von Toledo des J. 589). Dieses *filioque*, das später im Westen ins → Nicaeno-Constantinopolitanum aufgenommen wurde, war neben anderem Grund für die ost-westliche Kirchenspaltung im 11. Jh.

1 H. Crouzel, s. v. Geist, RAC 9, 490–545 (Lit.)
2 B. Schrott, s. v. Geist III., HWdPh 3, 162–169 (Lit.)
3 H. K. Kohlenberger, s. v. Geist IV., V., HWdPh 3, 169–180 4 G. Verbeke, L'évolution de la doctrine du pneuma du stoïcisme à S. Augustin, 1945. J.BÜ.

[2] (*asper/lenis*) s. Lesezeichen

Spitamenes (Σπιταμένης). Fürst in der → Sogdiana, Vater von → Apama [1] (Arr. an. 7,4,6), blieb nach Dareios' [3] Tod dem → Bessos treu, bis er an ihm verzweifelte und ihn im Einvernehmen mit → Dataphernes 329 v. Chr. an Alexandros [4] auslieferte (so Aristobulos [7]; Ptolemaios [1] schrieb sich selbst in den Vordergrund: Arr. an. 3,30). Nach Alexandros' Abmarsch löste S. einen Partisanenkrieg aus, unterstützt von baktrischen Fürsten und Stämmen der → Sakai, bei denen er auch Zuflucht fand. Nach zeitweiliger Besetzung von Marakanda (h. Samarkand) rieb er ein maked. Kontingent auf (s. → Pharnuches), wich aber vor dem zurückeilenden Alexandros zurück. 328 lockte er die Garnison von Baktra (→ Balch) in eine Falle, doch konnte Krateros [1] einige Sakai auf dem Rückzug töten (Arr. an. 4,16,4–17,2; Curt. 8,1,3–6). Im Frühjahr 327 wurde S. von → Koinos [1] vernichtend geschlagen und floh zu den Sakai, die ihn jetzt töteten und seinen Kopf an Alexandros schickten (Arr. an. 4,17,3–7; romanhaft Curt. 8,3). Nach Verwüstung des Landes und Hinrichtung von Tausenden war Alexandros' Herrschaft jetzt gesichert.

Berve 2, 717 • A. B. Bosworth, A Historical Comm. on Arrian's History of Alexander, Bd. 2, 1995, 114–121. E.B.

Spithame (σπιθαμή, »Handspanne«). Ein den Proportionen des menschlichen Körpers entnommenes griech. Längenmaß von der Spitze des Daumens bis zur Spitze des kleinen Fingers; die *s.* entsprach ½ → *pḗchys* bzw. 3 *palaistaí* (→ *palaistḗ* [1]) oder 12 → *dáktyloi* [1]. Je nach dem zugrundeliegenden Fußmaß (→ *pus*) ergibt sich eine Länge von ca. 20–26 cm. Nach einem metrologischen Relief von der Insel Salamis [1] betrug die attische *s.* 24,3 cm. Im röm. Maßsystem fehlt eine der *s.* entsprechende Einheit.

1 K. W. Beinhauer (Hrsg.), Die Sache mit Hand und Fuß – 8000 Jahre Messen und Wiegen, 1994 2 F. Hultsch, Griech. und röm. Metrologie, ²1882. H.-J. S.

Spithridates (Σπιθριδάτης, »vom Himmel gegeben«). **[1]** Persischer Befehlshaber aus bes. vornehmem Hause (Xen. hell. 4,1,6f.), kämpfte um 420 v. Chr. gegen den aufständischen → Pissuthnes, unter → Pharnabazos [2] gegen die Zehntausend, schloß sich 396 → Agesilaos [2] an und ging 395/4 zu den Persern zurück (Ktes. FGrH 688 F 15,53; Xen. an. 6,5,7; Xen. hell. 3,4,10; 4,1,20ff.; Xen. Ag. 3,3).

Briant, Index s. v. S. J. W.

[2] Satrap von Lydien und Ionien, fiel am → Granikos im Zweikampf mit Alexandros [4] d. Gr. 334 v. Chr. (Plut. Alexandros 16,4; Arr. an. 1,12,8; 1,16,3).

P. Briant, Histoire de l'empire perse, 1996, 721, 816, 838 • F. Justi, Iranisches Namenbuch, 1895, 310. PE. HÖ.

Spitzel s. Geheimpolizei; Spionage

Spitzmaus (griech. μυγαλῆ/*mygalē*, lat. *sorex* bzw. altlat. *saurex* und *mus araneus*, »Spinnenmaus«). Wegen ihrer versteckten Lebensweise kannte man diese Säugetierfamilie aus der Ordnung der Insektenfresser mit mehreren Arten in der Ant. kaum. Sie wurde oft mit der gewöhnlichen → Maus verwechselt. Plinius nennt die Ohren des *sorex* behaart (nat. 11,136) und den Schwanz am unteren Ende dem von Rind und Löwe ähnlich (ebd. 11,265). Ihr Winterschlaf wird bei Plin. nat. 8,223 richtig erwähnt (gilt nur für die Garten-S. [1. 175]).

Viel Abergläubisches und Magisches wird berichtet: Reiher (*ardeola*) und S. sollen gegenseitig ihren Jungen nachstellen (Plin. nat. 10,204), die Anzahl der Leberfasern (*fibrae*) der Tageszahl des Mondes entsprechen (ebd. 2,109). Diese Verbindung mit Magischem erklärt, daß u. a. ihr Zwitschern (t.t. *desticare*) als ungünstiges Vorzeichen bei den röm. Auspizien gewertet wurde (Plin. nat. 8,223) – z. B. verhinderte es im 2. Punischen Krieg die Ernennung des C. → Flaminius [1] zum *magister equitum*. Der Biß v. a. eines trächtigen Weibchens galt – vielleicht wegen der Infektionsgefahr oder des Moschusgeruchs – als sehr giftig, hauptsächlich für Tiere (Aristot. hist. an. 7(8),24,604b 19–21; Colum. 6,17,1; Plin. nat. 8,223 und 227; Timotheos 39,3 [2. 41]). Gegen ihren Biß empfahl Plinius den → Maulwurf (Plin. nat. 30,20) und das ›in Wein getrunkene Lab vom Lamm, Asche von Widderklauen mit Honig und mit einem jungen Wiesel‹ (ebd. 29,88) sowie das Auflegen einer auseinandergerissenen S., möglichst der Beißerin selbst (ebd. 29,89). Eine in den Weinmost gefallene S. soll, zu Asche gebrannt und in diesen eingerührt, den Wein nicht verderben (Colum. 12,31). Nach ihrer Freilassung vertreibt eine kastrierte S. angeblich alle Artgenossen (Plin. nat. 30,148).

In der Medizin ist ihre Verwendung vielfältig: Tränenden Augen sollten die mit Spießglanz (*stibi*) zerriebene Asche und das Fett der S. abhelfen (Plin. nat. 29,118). Zur Vorbeugung gegen Lähmung (*paralysis*) sei (ebd. 30,86) das verm. äußerlich aufgetragene Fett abgekochter → Siebenschläfer und S. nützlich. Der Verzehr einer S. durch eine Schwangere werde eine dunkle Augenfarbe beim Kind bewirken (ebd. 30,134).

Eine Wasser-S. über einer Muschel zeigt eine Mz. aus Kyme [3. Taf. 2,9]. Im Gegensatz zur Verfolgung bei den Römern verehrten die Ägypter das als Insektenvertilger nützliche Tier, mumifizierten und bestatteten es häufig (Keller 1, Fig. 6).

1 Leitner 2 F. S. Bodenheimer, A. Rabinowitz (ed.), Timotheus of Gaza On Animals, 1950 (mit engl. Übers. und Komm.) 3 F. Imhoof-Blumer, O. Keller, Tier- und Pflanzenbilder auf Mz. und Gemmen des klass. Alt., 1889 (Ndr. 1972).

Keller, 1,14–17 • A. Steier, s. v. S., RE 3 A, 1819. C. HÜ.

Spitzname s. Personennamen II. E.; Supernomen

Splonum (Σπλαῦνον). Die Lokalisierung der von Germanicus [2] 9 n. Chr. eroberten Festung (Cass. Dio 56,11–17) ist umstritten: nahe Šipovo (ausgedehnte Siedlung aus röm. Zeit: [1]) oder weiter östl. bei Plevlje/Bosnien: [2].

1 G. Alföldy, Σπλαῦνον-S., in: Acta Archaeologica Academiae Scientiarum Hungaricae 10, 1967, 3–18 2 J. J. Wilkes, Dalmatia, 1969, 74, 282. PI. CA./Ü: E. N.

Spoletium (Spoletum, Σπολήτιον). Stadt in Umbria (Strab. 5,2,10; Ptol. 3,1,54) im Tal des Clitumnus an der Via Flaminia (Itin. Anton. 125,4), h. Spoleto. 241 v. Chr. lat. *colonia* (Cic. Balb. 48; Liv. per. 20; Vell. 1,14,8) mit *praetores*, *tresviri*, *iudices*, *tribunus*. 90 v. Chr. *municipium*, *tribus Horatia*; *regio VI*. Byz. Stützpunkt in den Gotenkriegen (Prok. BG 1,16,3). 570 war S. Sitz des langobardischen Herzogtums (Paulus Diaconus, Historia Langobardorum 2,16). Arch.: Planmäßig angelegte *colonia*, 2,3 km langer Mauerring mit polygonalem Mauerwerk, *forum* mit *capitolium* und Bogen (23 v. Chr.), Tempel bei Sant'Ansano, Theater, Amphitheater außerhalb der Mauern (von Totila in eine Festung umgewandelt), zwei Aquaedukte. Archa. *leges Spoletinae* für den *lucus Iovis* und den *lucus Bonae Deae* (CIL XI 4766f.).

C. Pietrangeli, S., 1939 • L. Di Marco, S., 1975. G. U./Ü: H. D.

Spolia s. Kriegsbeute; Spolien

Spolien (von lat. *spolium*, »(Waffen)-Beute«). Arch.-kunsthistor. t.t., mit dem aus früheren Bauten oder Denkmälern konstruktiv oder dekorativ wiederverwendete Teile bezeichnet werden. In der Verwendung von S. in Architektur und Baudekoration sah die Forsch. lange Zeit ein Merkmal des Verfalls der Baukunst und der Auflösung der klass. Säulenordnungen (→ Säule), auch einen Mangel an Phantasie und technischem Vermögen in Hinblick auf die → Bauplastik. Erst in jüngster Zeit ist demgegenüber betont worden, daß die Verwendung von S. nur höchst selten Ausdruck von Mangel und Unvermögen, meist jedoch – ganz im Gegenteil – Indiz für ein bewußtes, zielgerichtetes und reflektiertes Neukonstruieren von mit Bedacht ausgewählten älteren Bauteilen oder Bildelementen ist, ja daß bisweilen aus S. zusammengestellte Bilderzyklen (Rom, Apollon-Sosianus-Tempel und Konstantinsbogen) in ihrer Zusammensetzung regelrecht »komponiert« sind.

S.-Verwendung war insbes. in der Architektur und Baudekoration des MA und der Renaissance weithin verbreitet, in der Ant. hingegen zunächst eher selten. In der griech. Architektur wurden S. weitgehend aus technischen Gründen verwendet, etwa bei der Nutzung vorhandenen älteren Baumaterials für einen Neubau, so daß sich hier der S.-Begriff eigentlich verbietet (archa. S. aus → Tiryns, ferner am → Parthenon; ob und inwieweit hier verschiedene Komplexe der Bauplastik, etwa die Süd-Metopen, als frühe Beispiele einer S.-Verwendung aufzufassen sind, ist – wie auch beim Cella-Fries des Apollontempels von → Phigaleia – umstritten). In der röm. Bild- und Baukunst gewannen die S. seit etwa 250 n. Chr. zumindest an offiziellen Bauwerken zunehmend den Charakter eines prestigeträchtigen, nobilitierenden Attributs und wurden im 4. und 5. Jh. auch im christl. Sakralbau zu einem weit verbreiteten Phänomen. Verwendung als S. fanden außer verschiedener älterer Bauplastik (bekanntestes Beispiel: Rom, Konstantinsbogen) bes. ornamentreiche Teile des Säulenbaus wie Basis und Kapitell, oft kombiniert mit »mod.« Säulenschäften aus repräsentativem Material (Granit und Porphyr, z. B. Rom, Santo Stefano Rotondo, 5. Jh.); vereinzelt machen ganze Bauwerke den Eindruck, aus S. zu bestehen (Iuno-Clitunno-Tempel bei Spoleto).

→ Spolien

J. Alchermes, Spolia in Roman Cities of the Late Empire, in: Dumbarton Oaks Papers 48, 1994, 167–178 • B. Brenk, Spolia from Constantine to Charlemagne. Aesthetics versus Ideology, in: Dumbarton Oaks Papers 41, 1987, 103–109 • A. Esch, S. Zur Wiederverwendung ant. Baustücke und Skulpturen im ma. It., in: Archiv für Kunstgesch. 51, 1969, 1–64 • F. W. Deichmann, Die S. in der spätant. Architektur (Bayerische Akad. der Wiss., Philos.-histor. Klasse. Sitzungsberichte, Nr. 6), 1975 • C. Jäggi, S. oder Neuanfertigung? Überlegungen zur Bauskulptur des Tempietto sul Clitunno, in: U. Peschlow, S. Möllers (Hrsg.), Spätant. und byz. Bauskulptur (Kongr. Mainz 1994), 1998, 105–111 • D. Kinney, Spolia from the Baths of Caracalla in S. Maria in Trastevere, in: Art Bulletin 68, 1986, 379–397 • L. de Lachenal, Spolia. Uso e reimpiego dell'antico dal III al XIV secolo, 1995 • J. Poeschke (Hrsg.), Ant. S. in der Architektur des MA und der Renaissance, 1996 (mit ausführlicher Bibliogr.) • E. L. Schwandner, Archa. S. aus Tiryns, in: AA 1988, 269–284 • B. Wesenberg, Parthenongebälk und Südmetopenproblem, in: JDAI 98, 1983, 57–86.

C. HÖ.

Sponsalia. Das Verlöbnis im röm. Recht. Es hat seine Bezeichnung offenbar daher, daß in früherer Zeit die Ehe wechselseitig durch förmliche → *stipulatio* (oder sinngleich → *sponsio*) der Väter beider Brautleute versprochen wurde. In der späten Republik und im Prinzipat waren die *s.* frei widerruflich, und es konnte nicht auf Eingehung der Ehe geklagt werden. Auch indirekte Bindungen (z. B. Vertragsstrafen, Dig. 45,1,134 pr.) waren nichtig.

Honsell/Mayer-Maly/Selb, 392f. • Treggiari, 145–160.

G. S.

Sponsio

I. Staatsrecht II. Privatrecht

I. Staatsrecht

Als röm. Völkerrechtsinstitut ist *s.* eine durch → *stipulatio* (Gai. inst. 3,94) gekennzeichnete Vertragsschlußform, die sogar für den mündlichen Friedensvertrag (→ *pax*) des Kaisers gebräuchlich war [1. 97; 2. 46]. Seit der hohen Republik meint sie zugleich den ›vom röm. Feldherrn ohne Ermächtigung des Senats geschlossenen eidlichen Vertrag‹ ([3. 48]: »Feldherrnvertrag«; vgl. [2. 47]). Wie die Verwerfung der Kapitulation (→ *pactio*) im Krieg gegen Numantia (137 v. Chr.; → Hostilius [8]) und die annalistische Aufbereitung der *pax Caudina* (321 v. Chr.) zeigen, wurde innenpolit. auslegbar, ob die Verpflichtung das ganze Volk band oder – wie Livius (9,9,15) behauptet – nur den *sponsor* selbst, so daß → *fetiales* diesen zur Sühne ausliefern konnten (Liv. 9,10,9f.; *noxae deditio*, s. → *noxa*) [1. 93f.; 2. 47; 3. 48f.]. Vorsichtige Magistrate schlossen Präliminarverträge daher unter Vorbehalt (Pol. 1,62,8; Liv. 21,19,3) der Zustimmung des *populus Romanus*.

1 K.-H. Ziegler, Das Völkerrecht der röm. Republik, in: ANRW I 2, 1972, 68–114 2 Ders., Friedensverträge im röm. Alt., in: Archiv des Völkerrechts 27, 1989, 45–62 3 Ders., Völkerrechtsgesch., 1994.

P. KE.

II. Privatrecht

Im röm. Privatrecht haftungsbegründendes, in der mündlichen Form der → *stipulatio* abgeschlossenes Leistungsversprechen. *S.* war der t.t. für die älteste Form der → Bürgschaft; sie war nur röm. Bürgern (Gai. inst. 3,93) zugänglich und mußte der Sicherung einer durch Stipulation eingegangenen Verpflichtung (Gai. inst. 3, 119) dienen. Im *Corpus iuris civilis* wird der Ausdruck erweitert und für die *stipulatio* als solche verwendet (Dig. 50,16,7: *»s.« appellatur non solum quae per sponsus interrogationem fit, sed omnis stipulatio promissioque*, ›*s.* heißt nicht nur, was auf (förmliche) Frage nach einer Bürgschaft geschieht, sondern jede Stipulation und jedes Versprechen‹).

Lit.: s. → *stipulatio*.

N. F.

Sporaden (Σποράδες, »die Zerstreuten«, lat. *Sporades*). Zusammenfassende, im Detail variierende Bezeichnung der nicht den → Kykladen zuzurechnenden ägäischen Inseln (schol. Dion. Per. 132; 530; Eust. in Dion. Per. 530; Mela 2,111; Plin. nat. 4,68–71; Aristot. mund. 3,393). Der Name scheint erst von hell. Geographen geprägt worden zu sein; er läßt sich noch im 4. Jh. v. Chr. (z. B. bei Ps.-Skyl. 48; 58; 96–99) nicht nachweisen. Nach seiner Einführung wurde er uneinheitlich angewandt, die Abgrenzung zu den Kykladen war schwankend: Strabon rechnet etwa h. teilweise zu den Kykladen gezählte Inseln des südl. → Aigaion Pelagos (Ägäis) den S. zu (Thera, Anaphe, Sikinos, Lagusa, Pholegandros, Kimolos, Siphnos, Melos, Amorgos, Lebinthos, Leros, Patmos, Korassiai, Ikaria/Ikaros [2], Astypalaia, Telos, Chalkia, Nisyros, Karpathos, Kasos, Kalymna: Strab. 10,5,1; 12–19, vgl. 1,10,6; 2,5,21; 10,4,1; 14,2,12), während Artemidoros [3] Melos, Siphnos und Kimolos den Kykladen zuteilt (vgl. Strab. 10,5,3). Verschiedene Zuordnungen finden sich bei Dionysios [26] (Dion. Per. 130ff.; 144ff.) und Mela (2,111). Es wurden unter den S. auch Euboia, Lemnos, Thasos, Samothrake oder Imbros, ja sogar Prokonnesos (Eust. in Dion. Per. 530) verstanden (vgl. das umfangreichste Verzeichnis bei Plin. nat. 4,68–71, wo nicht alle Namen zu identifizieren sind, darunter auch poetische Beinamen und Fehler der Textüberl.). Gehalten hat sich h. noch die Bezeichnung Νῆσοι Σποράδες/*Nḗsoi Sporádes* für die magnesischen Inseln vor der thessalischen Küste. Die h. übliche enge Verwendung des Begriffs S. für die Inseln des Dodekanesos zw. Samos und Rhodos vor der kleinasiat. Küste hat in ihrer Ausschließlichkeit keine ant. Trad.

L. Bürchner, s. v. S., RE 3 A, 1857–1874 (Kartenskizze 1861 f.) • P. Soustal, A. Koder, Aigaion Pelagos (TIB 10), 1998, 54–56. A. KÜ.

Sporos (Σπόρος) oder Poros (Πόρος). Es ist unklar, ob beide Personen, die um 200 n. Chr. lebten, identisch sind (s. [5]). S. bzw. P. verfaßte eine (verlorene) Kompilation Κηρία (*Kēría*) mit Auszügen über die Kreisquadratur und Würfelverdopplung [4. 226]. Er kritisierte → Archimedes' [1] Approximation der Zahl Pi (so [1. 258,22]), gab einen eigenen Lösungsversuch des Problems der → Würfelverdopplung [1. 76–78; 4. 266–268] und lehnte die Quadratrix des → Hippias [5] von Elis ab [2. 252–254; 4. 229–230]. In den Aratscholien [3] erscheint er als Hrsg. und kritischer Erklärer der *Phainómena* des → Aratos [4].

1 J. L. Heiberg (ed.), Archimedis opera omnia cum commentariis Eutocii, Bd. 3, 1915 2 F. Hultsch (ed.), Pappi Alexandrini Collectionis quae supersunt, Bd. 1, 1886 3 J. Martin (ed.), Scholia in Aratum vetera, 1974 4 T. L. Heath, A History of Greek Mathematics, Bd. 1, 1921 5 F. Kliem, A. Gudeman, s. v. S., RE 3 A, 1879–1883. M. F.

Sport

I. Einleitung II. Ursprungsfrage III. Ägypten IV. Alter Orient V. Hethiter VI. Griechenland VII. Etrusker VIII. Rom

I. Einleitung

Der h. Oberbegriff »S.« für Leibesübungen im weitesten Sinne, der das facettenreiche Kulturphänomen allgemeinverständlich faßt, wurde im England des 18. Jh. geprägt; er geht auf spätlat. *deportare* mit der Nebenbedeutung »sich vergnügen« zurück. Innerhalb der Alt.-Wiss. und der im Rahmen der S.-Wiss. institutionalisierten S.-Gesch. läßt sich in den letzten Jahrzehnten eine konzentrierte Beschäftigung weit über den traditionellen Bereich der griech.-röm. Ant. hinaus feststellen [1]; auch die frühen Hochkulturen, bes. Äg. und der Alte Orient, sind in den Blickpunkt der Forsch. getreten. Es setzt sich immer mehr die Erkenntnis durch, daß S. eine anthropologische Konstante ist, die innerhalb der jeweiligen Kultur eine eigene Ausprägung erfahren hat, welche von den wechselnden natürlichen, polit., ges. und histor. Bedingungen bestimmt ist.

II. Ursprungsfrage

Man verspricht sich vornehmlich vom Alt. Aufschluß über die Entstehung des S. in der berechtigten Annahme, daß die ältesten Quellen zu dieser Frage die besten Antworten liefern können. Solange diese Quellen jedoch diffus sind, d. h. ihre ikonographische Sprache nicht völlig verstanden wird, wie es für die Höhlen- und Felsmalereien derzeit noch der Fall ist [2], steht man erst in der schriftlich überl. Gesch. auf sicherem Boden. In der bisherigen Forsch. werden als Ursprungsanlässe kultische, mil., biologische oder mit dem Arbeitsprozeß in Beziehung stehende Gründe diskutiert [3]. Bes. Beachtung verdienen ethologische Überlegungen (motorischer Antriebsüberschuß, Agressionstrieb, Spieltrieb) [4], die die lange Epoche der paläolithischen Jäger [5] innerhalb der Menschheitsgesch. gebührend berücksichtigen. Die Seßhaftwerdung vor ca. 10 000 J. läßt sich als Einschnitt fassen, in dessen Gefolge Bewegung ritualisiert und institutionalisiert wurde (vgl. → Kult, → Fest) [6].

III. Ägypten

Aus den bislang bekannten schriftlichen [7] und bildlichen Quellen [8] der pharaonischen Zeit ergibt sich das klare Bild einer äg. S.-Kultur. Zw. dem S. des Königs und dem der einfachen Ägypter liegen, bedingt durch das Königsdogma, Welten: Da der ideale König in allem der Überlegene und als Garant der Weltordnung nur als Sieger über die Feinde denkbar ist, verbietet sich der sportliche Wettkampf mit Teilnahme des → Pharaos völlig. Das schließt jedoch nicht aus, daß der König seine überragenden athletischen Fähigkeiten offiziell und in aller Öffentlichkeit demonstrierte. So besteht z. B. das Jubiläumsfest, das nach 30 J. Herrschaftsdauer erstmals begangen wurde, in seinem Kern aus einem Lauf, mit dem der alternde König seine für das Amt erforderliche physische Kraft unter Beweis stellte und diese gleichzeitig auf magische Weise erneuerte. Der uralte Ritus, der verm. die wichtige Funktion des Laufens für den vorgesch. Häuptling als erfolgreichen Hetzjäger widerspiegelte, wurde in allen Zeiten der äg. Gesch. bildlich dargestellt [8. A 1–314].

Nach der Vertreibung der → Hyksos, die sich Äg. mit Hilfe des zweirädrigen, von zwei Pferden gezogenen Speichenwagens und des neuartigen Kompositbogens bemächtigten, wandelte sich im NR das Bild der sportl. Könige. In der 18. Dyn. wurde die traumatische Erfahrung der Fremdherrschaft u.a. dadurch verarbeitet, daß die neu eingeführten Geräte jetzt zu königlichen S.-Geräten wurden. Es bildete sich eine sportl. Trad. heraus, die über drei Generationen vom Vater auf den Sohn überging (→ Thutmosis III., → Amenophis [2] II., → Thutmosis IV.): Das Bogenschießen auf kupferne Zielscheiben vom fahrenden Wagen herab, königliche Paradedisziplin [9. 42–54], ist bes. für Amenophis II. (1428–1397 v.Chr.) belegt; seine Sphinx-Stele stellt darüber hinaus noch das Laufen, das Steuern eines Schiffes mit 200 Ruderern sowie das Pferdetraining als sportl. Betätigungfelder des Königs heraus [7. Dokument 17]. Zum Grabinventar von → Tutanchamun (1333–1323 v.Chr.) gehörten neben anderen sporthistor. interessierenden Funden auch sechs originale Wagen [10] und zahlreiche Kompositbögen [11]. Die Leistungen der Könige im Bogenschießen wurden sehr genau verzeichnet (z.B. wie dick die Scheibe war, wie tief die Pfeile angeblich eindrangen), so daß sich der Begriff des Rekordes fassen läßt [9. 63–67].

Quantifizierende Angaben sind auch zum S. der Privatleute überl. Auf der Lauf-Stele des Taharka (690–664 v.Chr., 5. Jahr) legen die ausgewählten Soldaten des Königs nach täglichem Lauftraining (ungenannter Dauer) eine Strecke von ca. 100 km in ca. 9 h zurück, was durchaus glaubwürdig ist. Die Besten wurden mit Preisen belohnt und erhielten ein Ehrenmahl im Kreise der königl. Leibgarde [9. 68–74]. Auch im äg. Mythos wird beim Streit zw. → Horus und → Seth um die Weltherrschaft zweimal ein sportl. Wettkampf angesetzt, dessen Sieger das Amt des Götterkönigs übernehmen soll [7. Dokument 36]. Vom Beginn des 3. Jt. v. Chr. ist Kampf-S. bezeugt, wobei das → Ringen in den Gräbern der Gaufürsten des MR von Banī Ḥasan mit Hunderten von (in unterschiedlichen Kampfphasen gezeigten) Paaren bes. eindrucksvoll zur Geltung kommt [8. L 14f., 17–21]. Zusammen mit Stockfechten erscheint es bei einem von (auch ausländischen) Zuschauern gesäumten Turnier am Erscheinungsfenster des Palastes im Totentempel → Ramses' [3] III. in Madīnat Hābū, wo äg. Athleten ihren fremden Gegnern überlegen dargestellt sind [8. L 34, M 9]. Gelegentlich trifft man auf Darstellungen des Faustkampfes [8. N 1–2].

Der Wassersport ist für Äg. weniger gut dokumentiert, als man für eine Flußoase annehmen sollte. In Gegenwart von Tutanchamun wurde einmal eine Ruderregatta (→ Rudern) ausgetragen [12]. Die Kenntnis des → Schwimmens war verbreitet [9. 96–103], ohne daß ihm aber Wettkampfcharakter zukam, wie es hingegen für das Fischerstechen zutrifft, bei dem es darauf ankam, sich mit mitgeführten Treibstangen gegenseitig von Papyrusflößen herab ins Wasser zu stoßen [13]. Auch andere Feste waren von einem sportl. Programm begleitet [14], so z.B. die Entgegennahme des Tributes des Südens unter Amenophis [4] IV. (18. Dyn.) oder das Richtfest der Pyramide des Sahure (5. Dyn.) in Abū Ṣīr [15]. Schwimmen und → Bogenschießen waren Lehrgegenstände, die auch zum Erziehungsprogramm der königlichen Prinzen gehörten. Aussagen zum S. im alten Äg. können abgerundet werden durch zahlreiche Befunde zu Spiel [8. P-Q], Tanz [8. S] und Jagd [8. J-K].

1 W. Decker, u.a., Jahresbibliogr. zum S. im Alt., in: Nikephoros 1 ff., 1988 ff. **2** H. Kolmer, Vorformen sportl. Aktivitäten in prähistor. Felsbildern, 1989
3 H. Ueberhorst, Ursprungstheorien, in: Ders. (Hrsg.), Gesch. der Leibesübungen, Bd. 1, 1972, 11–38
4 K. Wiemann, Die Phylogenese des menschlischen Verhaltens im Hinblick auf die Entwicklung sportl. Betätigung, in: s. [3], 48–61 **5** D. Sansone, Greek Athletics and the Genesis of S., 1988 **6** I. Weiler, Langzeitperspektiven zur Genese des S., in: Nikephoros 2, 1989, 7–26 **7** W. Decker, Quellentexte zu S. und Körperkultur im Alten Äg., 1975 **8** Ders., M. Herb, Bildatlas zum S. im Alten Äg., Bde. 1–2, 1994 **9** W. Decker, S. und Spiel im Alten Äg., 1987 **10** M. A. Littauer, J. H. Crouwel, Chariots and Related Equipment from the Tomb of Tutʿankhamun, 1985 **11** W. McLeod, Composite Bows from the Tomb of Tutʿankhamun, 1970 **12** W. Decker, D. Kurth, Eine Ruderregatta z.Z. des Tutanchamun, in: Nikephoros 12, 1999, 19–31 **13** M. Herb, Der Wettkampf in den Marschen, 2001 **14** W. Decker, S. und Fest im Alten Äg., in: Ch. Ulf (Hrsg.), Ideologie – S. – Außenseiter, 2000, 111–145 **15** Z. Hawass, M. Verner, Newly Discovered Blocks from the Causeway of Sahure, in: MDAI(K) 52, 1996, 177–186. W.D.

IV. Alter Orient

Eine Bronzefigur (28./27. Jh. v. Chr., Iraq) zeigt zwei nackte, einander an den Gürteln haltende Ringkämpfer (PropKg 14 Abb. 35), die auf ihren Köpfen je ein Gefäß balancieren; Verlierer ist wohl derjenige, dessen Gefäß zuerst herunterfällt. Verschiedene S.-Arten sind spätestens seit der 3. Dyn. von Ur (21. Jh.) als höfische Disziplinen bezeugt. Šulgi, der zweite König der Dyn. (2094–2047 v. Chr.), stellte sich als vollkommenen Mann und König dar, nicht nur der Schreibkunst mächtig, sondern auch als einen hervorragenden Läufer, Ringer, Bogenschützen und Jäger [1. 11–18].

Auf einem altbabylonischen Rollsiegel (18./17. Jh.) sind zwei Ringkämpfer dargestellt [2. Abb. 4]. Zwei altbabylon. Tonreliefs zeigen zwei Faustkämpfer (1. Jh. 2. Jt.) [2. Abb. 1, 2].

Bogenschießen war im 1. Jt. an altorientalischen Höfen eine vornehme Disziplin. Ein Orthostat aus dem Palast Sargons [3] II. zeigt eine auf einem Pfahl befestigte Scheibe, auf die ein Bogenschütze zielt [4. 39 mit Abb. 2]. Von einem Wettkampf im Bogenschießen am assyrischen Hof in Anwesenheit eines elamischen Prinzen berichet eine Inschr. → Assurbanipals [4. 39f.].

Bogenschießen als Zeitvertreib am urartäischen Hofe belegt eine in Van gefundene Stele, die zum Gedenken an einen 476 m-Schuß aufgestellt worden war, den der König Argišti (ca. 713 v. Chr.) erzielt hatte. Die enorme Weite setzt den Gebrauch eines Kompositbogens voraus, wie er aus Äg. bekannt und auch in dem ugaritischen Aqhat-Epos beschrieben ist [4. 36f.]. Für Urartu, bekannt für Pferdezucht und -training, bezeugt eine Inschr. des Königs Menua (8. Jh. v. Chr.) den Sprung eines Pferdes über eine Distanz von 11 m [5].

V. Hethiter

Im hethitischen Kleinasien waren athletische Kampfspiele zumeist kultisch-rituelle Handlungen. Bei einem Fest stellten sich Ringer vor der Gottheit zum Kampf auf. Ein anderes Festritual spricht vom Wettkampf des »Steineschießens«. Während des Frühlingsfestes ›kommen zehn Läufer; und dem, der gewinnt, und dem, der auf dem zweiten Platz ist, gibt man zwei Soldatenkleider ... Der Läufer, der gewinnt, dem bringt man eine Mine Silber und einen Imbiß.‹ Am gleichen Festtag ›stellt der oberste der Pagen die Pferde des Laufens bereit.‹ Eine Belohnung bekommt der, ›der mit dem Pferde siegt.‹ Scheinkämpfe waren Teil eines weiteren Festrituals [6; 7. 688f.].

Daß der Wettlauf und die Kunst des Bogenschießens wie in der 3. Dyn. von Ur auch am hethitischen Hof aristokratische Tugenden waren, zeigt ein Ritual mit dem Heilswunsch: ›Gebt [ihm die Schnelligkeit] des Windes, und gebt i[hm] Mut, und gebt ihm die Bogensehne [und die Treffsicherheit im] Schießen‹ [3. 93f.]. Ein episches Werk berichtet vom (hurritischen) König Gurparanzah, der während eines Festmahles ›60 Könige und 70 Helden‹ im Bogenschießen besiegte und als Preis die schöne Frau Tatizuli erhielt [4. 38f.]. Der sog. althethitischen Palastchronik zufolge mußte der Verlierer beim Bogenschießen gewissermaßen als Schandstrafe in nacktem Zustand Wasser (aus dem Brunnen) bringen [6. 52f.; 9].

Das Stierspringen ist auf einem Relieffries der hethitischen Hüseyindede-Kultvase und wahrscheinlich in einem Festritual (KUB 35.37 Rs. III 1–5) bezeugt [8]. Ob das Motiv bereits auf einer Wandmalerei aus der neolithischen Siedlung Çatalhüyük (in der Konya-Ebene) belegt ist (7. Jt.), bleibt unsicher. Im 2. Jt. findet sich das (wohl aus dem minoischen Kreta übernommene) Motiv verschiedentlich auf Rollsiegeln syrischer Provenienz [8. Abb. 3–10].

1 P. S. Vermaak, Šulgi as Sportsman in the Sumerian Self-Laudatory Royal Hymns, in: Nikephoros 6, 1993, 7–21 2 L. Jakob-Rost, S. im Alten Orient?, in: Das Altertum 11, 1965, 3–8 3 N. Oettinger, Indogerm. *$s(h_2)$neur/n – »Sehne« und *(s)men – »gering sein« im Hethitischen, in: Münchener Studien zur Sprachwiss. 35, 1976, 93–103 4 V. Haas, Kompositbogen und Bogenschießen als Wettkampf im Alten Orient, in: Nikephoros 2, 1989, 27–41 5 F. W. König, Hdb. der chaldischen Inschr., 1955–1957, Nr. 75 6 V. Haas, Der Wettkampf als Teil des hethitischen Festrituals, in: L. Burgener et al. (Hrsg.), S. und Kultur, 1986, 15–17 7 Ders., Geschichte der hethitischen Rel., 1994 8 T. Sipahi, New Evidence from Anatolia Regarding Bull-Leaping Scenes in the Art of the Aegean and the Near East, in: Anatolica 27, 2001, 107–125 9 P. Dardano, L'aneddoto e il racconto in età antico-hittita: La cosiddetta »cronaca di palazzo«, 1997.

V. H.

VI. Griechenland

Bereits auf dem minoischen Kreta ist S. eine bekannte Größe. Sportl. Leitmotiv ist das Stierspiel, ein vielleicht als Initiationsritus zu deutender akrobatischer Sprung über den laufenden Stier. Als → Wandmalerei schmückt es den Palast von → Knosos und findet sich als kretischer Exportartikel in einem äg. Palast des frühen NR (Mitte des 2. Jt.) in Awāris. Daneben verdient der → Faustkampf Erwähnung (Trichterrhyton von Hagia Triada; ›boxende Prinzen‹ als Wandmalerei in Akrotiri, Thera [1. 15–21]). Aus dem myk. Kulturkreis stammt die erste sichere Darstellung eines Wagenrennens (Kragenhalsamphora aus Tiryns, 13. Jh. [2]) sowie die Sitte des Toten-Agons, der erstmals auf einer Larnax des 13. Jh. v. Chr. aus Tanagra bezeugt ist [3]. In der Welt Homers (→ Homeros [1]) ist S. bereits stark ausgeprägt [4]. Nicht weniger als 5 % der ›Ilias‹ und der ›Odyssee‹ beschreiben sportl. Motive: Leichenspiele für Patroklos [1] (Hom. Il. 23,262–897); Wettkämpfe bei den Phaiakes zu Ehren des Gastes Odysseus (Hom. Od. 8,97–130); ein Faustkampf zw. dem Bettler Iros und dem inkognito nach Ithaka heimgekehrten Odysseus (ebd. 18,1–123); der Bogenwettkampf der Freier um die Hand der Penelope (ebd. 19,571–581; 21,68–79; 393–423).

Wie stark die griech. Kultur von S. geprägt war, zeigen am besten die unzähligen Agone (→ Sportfeste), die seit archa. Zeit das Land überzogen. Neben den großen panhellenischen Festen (→ *períodos*) in → Olympia, → Delphoi, am Isthmos von Korinth (→ Isthmia) und in → Nemea feierte jede Polis ihr lokales Kultfest in Verbindung mit einem sportl. Programm, dessen Sieger in hohem Ansehen standen [5]. Gewöhnlich wurden bei gymnischen Wettbewerben verschiedene Laufstrecken (→ *stádion*, → *díaulos*, → *dólichos*, Waffenlauf), die drei Kampfsportarten (→ Ringen, → Faustkampf, → *pankrátion*) und das → *péntathlon* absolviert. Häufig kam noch ein hippisches und musisches Wettkampfprogramm hinzu.

Die Bemühungen um den Sieg im sportl. Wettbewerb ließen schon bald ein systematisches Training (Gymnastik) entstehen, das bereits in der Dichtung des → Pindaros [2] in Gestalt von fünf namentlich genannten Trainern greifbar wird, alle Spezialisten für die Kampfsportarten [6. 64–107]. Der Athener Menandros, der auch bei Bakchylides (13,192 Maehler) als Trainer erwähnt ist, wird sinnigerweise mit einem Wetzstein (Pind. I. 6,73) verglichen. Vom ehemals umfangreichen Schrifttum ant. Gymnasten (Sportlehrer, z. B. Ikkos von Tarentum/Taras, Herodikos von Selymbria und Theon von Alexandreia) und → *paidotríbai* (»Trainer«) ist als einziges Werk die trainingswiss. Abh. des Philostratos [5] Περὶ γυμναστικῆς/*Perí gymnastikē̃s*) aus dem 3. Jh. n. Chr. vollständig erh. [7]: Zur Kunst des Gymnasten gehörten außer Psychologie und Rhet. die Kenntnis der Physiognomik. Kritik äußert Philostratos am Tetradensystem, einer zyklisch wiederholten Phase von vier aufeinanderfolgenden Tagen mit unterschiedlich dosierter Trainingsintensität (Kap. 47 und 54). Für Kampfsportler, deren Domänen nicht in Gewichtsklassen eingeteilt waren, wird Zwangsdiät (*anankophagía*) empfohlen.

Ein bes. Kennzeichen griech. S.-Praxis war seit Mitte des 6. Jh. v. Chr. die → Nacktheit der Athleten, die z. B. bei Homer (Il. 23,683; 710) noch im Schurz auftraten. Nach Erklärungsversuchen wie kultischer oder heroischer Nacktheit bzw. künstlerischer Konvention wird h. darauf hingewiesen [8; 9], daß das Aufkeimen der Demokratie mit ihrem Prinzip der → *isonomía* für diese griech. Sitte verantwortlich sei [10].

Die Griechen waren die ersten, die feste Formen in der S.-Architektur schufen: → Stadion und → Hippodromos als Wettkampfstätten und das → Gymnasion als Trainingsstätte. Trotz einer rasanten Entwicklung im Stadionbau [11], der zu so aufwendigen Steinkonstruktionen führte, wie sie h. noch die Anlagen in Delphoi (vgl. [12]) und Aphrodisias [1] (Karien) erkennen lassen, verzichteten die Eleer darauf, die Zuschauertribünen im Stadion von → Olympia in dauerhaftem Stein auszuführen, um mit Beibehaltung der archa. Form das ehrwürdige Alter ihrer Spiele zu dokumentieren. Umgekehrt waren sie die einzigen, die dem überall sonst bei Gelegenheit der Agone ephemer errichteten (und deshalb h. nirgends mehr arch. nachweisbaren) Hippodrom wenigstens im Bereich der Startanlage (*áphesis*) dauerhafte Form verliehen (Paus. 6,20 [13]). Allerdings war das Stadion von Olympia mit einem Eingangstunnel zur Erhöhung des Schaueffektes beim Einzug der Athleten versehen, wie es nur noch die Anlagen in Epidauros und Nemea aufwiesen. Als bes. technische Einrichtung verfügten die 600 Fuß langen Stadien über bes. Ablaufvorrichtungen, die einen gerechten Start ermöglichen sollten; dabei vollzog sich eine Entwicklung von einfachen Startschwellen (*balbís*) zu Startanlagen (*hýsplēx*), die bes. gut im Stadion der Isthmia sowie auf Rhodos und Kos erh. sind [14]. Über den Ursprung des → Gymnasions, der lange in der Notwendigkeit der Ausbildung der → *hoplítai* gesehen wurde [15. 9–30], existiert seit kurzem die Theorie, es sei als Refugium aristokratischer Lebensform zu verstehen, die dem Aufkommen demokratischer Kräfte habe weichen müssen [16]. Eine griech. Polis ohne Gymnasion ist undenkbar (Paus. 10,4,1); im Laufe der Zeit entwickelte es sich auch zu einem Kulturzentrum ersten Ranges [17. 131–137] und wurde zur Institution griech. Identität in der Diaspora.

Von der Vielfalt und Spezialisierung griech. S.-Kultur zeugen auch → Sportgeräte [18] wie z.B. Speer (→ Speerwurf), Diskus (→ Diskuswurf) oder *haltē̃res* (Sprunggewichte; [19]), mit denen die Pentathleten (→ *péntathlon*) die für diesen Mehrkampf typischen Disziplinen ausführten, und die nicht selten vom Sieger der Gottheit geweiht wurden, ferner auch die Faustwehr des Boxers.

Ein weiteres Zeichen der »Vorliebe für S.« (φιλογυμνασία/*philogymnasía*, Plat. symp. 182c; 205d) ist die künstlerische Verwendung des Motivs S. Am eindrucksvollsten geschieht dies zweifellos in der Plastik (auch Kleinplastik [20]), wenngleich nur wenige Werke der Gattung → Siegerstatue die Zeiten überdauert haben. Die wenigen Originale werden jedoch von röm. Marmorkopien ergänzt. Zahlreich und eindrucksvoll sind auch Vasendarstellungen athletischer Thematik [21], unter denen die ca. 850 → Panathenäischen Preisamphoren eine bes. Gruppe darstellen, da sie das Öl für die Sieger enthielten und somit Teil des Siegespreises waren [22]. Nicht selten wurden auch Mz. aus Anlaß sportl. Erfolge mit athletischen Bildern geprägt (sizilische Tyrannen; Philipp [4] II. von Makedonien). Auch die griech. Lit. griff das Thema sehr häufig auf; es gab sogar bei den Griechen eine eigene dichterische Form, die sich am sportl. Erfolg entzündete: die Siegerode (→ Pindaros [2], → Bakchylides, → Simonides [2]); eine damit vergleichbare Kleinform liegt im Siegerepigramm vor [23].

Neben den üblichen Disziplinen griech. Agone (→ Sportfeste) tritt der Wasser-S. nicht stark in Erscheinung. Während gelegentlich Ruderregatten (→ Rudern) genannt werden, wird → Schwimmen so gut wie nie als Wettkampf ausgeübt. Dafür sind verschiedene Formen des → Ballspiels bekannt [24. 209–214], darunter mit *epískyros* sowie dem → *harpastón* und *phaenínda*-Spiel Mannschaftspiele mit hohem körperlichen Einsatz, wie sie bes. von den »Ballspieler« (*sphaireís*) genannten spartanischen Epheben (→ *ephebeía*) ausgetragen wurden (IG V 1, 674–687) [25. 59–63]. Auch eine Form des Hockeyspiels (κερητίζειν/*kerētízein*) ist auf dem Relief einer Statuenbasis (Athen, NM 3477) dargestellt. Trotz des hohen Ansehens, den der S. in Griechenland genoß, hat sich seit archa. Zeit auch eine nie versiegende Trad. von S.-Kritik gebildet [26. 41–206].

VII. Etrusker

Durch die Bemühungen von J.-P. Thuillier kann der S. der Etrusker als gut erforscht gelten [27]. Im vorröm. Italien zeigt er durchaus eigene Züge (am stärksten im *Phersu*-Spiel), wenngleich durch die Berührung mit der griech. Kultur auch griech. Einflüsse zu verzeichnen sind. Das häufige Vorkommen sportl. Motive in Grabmalereien [28. Nr. 15, 17, 22, 23, 25, 42, 47, 73, 74, 82, 83, 92] legt die Erklärung nahe, daß den vornehmen Verstorbenen Leichenspiele ausgerichtet wurden. Noch den Römern war geläufig, daß Wagenrennen (mit Dreigespannen) und Faustkämpfe zentrale Elemente der sportl. Veranstaltungen der Etrusker waren. Laut Livius (1,35,7–10) hat der etr. König → Tarquinius Priscus glänzende Spiele in Rom mit diesem Programm gegeben (*equi pugilesque*), wofür auch Tribünen errichtet wurden, wie sie etwa in der Tomba della biga dargestellt sind [27. 622 Fig.

66]. Zahlreiche *cippi* (→ *cippus*) sind mit Athletenreliefs geschmückt [29]. Uneinheitlichkeit besteht in der Nacktheit der Athleten. Neben zeitweisem Tragen eines Schurzes wurde der S. auch in Etrurien nackt betrieben [8]. Für den etr. Markt bestimmte attische Vasen (sog. Perizoma-Gruppe) der Zeit um 510 v. Chr. zeigen nackte Athleten, denen wohl aus Gründen der Anpassung an den etr. Geschmack nachträglich Schurze aufgemalt wurden [30]. Regelmäßige pan-etr. S.-Feste (*ludi sacri*) wurden in Fanum Voltumnae (wohl bei Orvieto gelegen) ausgetragen [27. 429–431, 457–460].

VIII. Rom

Anfangs starken etr. und später auch griech. Einflüssen ausgesetzt, zeigt S. in der röm. Kultur ein eigenes Profil. Wenngleich konservative röm. Kreise gern den Eindruck erweckten, S. sei dem Römer nur im Kontext des Militärischen von Wert und das Marsfeld sein Zentrum (Hor. carm. 1,8 [31. 47–55]), sprechen die Fakten eine andere Sprache. In den riesigen öffentlichen → Thermen-Anlagen und zahlreichen privaten → Bädern der Kaiserzeit [32; 33; 34] wurde ernsthaft betriebener Freizeit- und Breitensport ausgeübt, der dem studierwilligen Seneca [2] die Ruhe raubte (Sen. epist. 56,1f.) Neben dem Genuß des Badeluxus wurden verschiedene → Ballspiele (*trigon*, *harpastum*) gepflegt, für die die Römer eine Vorliebe hatten [35]. Wie die Thermen als Charakteristikum röm. Kultur über das ganze röm. Reich verbreitet waren, finden sich zwei andere monumentale S.-Bauten der Römer ebenfalls auf ihr gesamtes Herrschaftsgebiet ausgedehnt und geben in vielen Fällen noch h. sichtbare Zeichen röm. S.-Kultur: die riesigen Circusanlagen (→ *circus*), von denen 74 erh. im ganzen Reich gezählt werden, mit Schwerpunkten in Spanien und Nordafrika [36], sowie 176 [37. 20] Amphitheater (→ *amphitheatrum*) [38], die Mehrzahl von ihnen in It., Nordafrika und Gallien. Die Tatsache, daß im griech. Osten nur vereinzelt Amphitheater errichtet wurden, besagt nicht, daß es hier keine Gladiatorenkämpfe (→ *munera*) gegeben hat; diese fanden allerdings in den dort bereits reichlich vorhandenen Theatern oder Stadien statt [39].

Urbild aller Circusanlagen und glanzvollste Stätte für die Wagenrennen war der Circus Maximus in Rom, in dem 150000 Zuschauer den Stars der Rennbahn zujubelten und für eine der vier Renngesellschaften [40] (→ *factiones* II.) Partei ergriffen. Unter den 229 namentlich bekannten Wagenlenkern der Kaiserzeit (fast ausschließlich Sklaven der Abstammung nach) sind einige, deren Gewinnsummen sich mit denen h. S.-Größen vergleichen lassen [41]. Für die → *munera* (*gladiatoria*) stand das *amphitheatrum Flavium* (→ Kolosseum) der Hauptstadt Modell, wo die aufwendigsten Gladiatorenkämpfe stattfanden. Neben den erh. Amphitheatern selbst bezeugen zahlreiche Inschr. deren starke Verbreitung [42]. Die röm. S.-Kritik, die bei den blutigen Zweikämpfen fast völlig ausblieb (Ausnahme: Sen. epist. 7,3–5; 90,45; 95,33), richtet sich teilweise heftig gegen die *certamina Graeca*, die »griech. Wettkämpfe« [26. 214–223], und wird zunehmend auch zu einem Topos christl. Autoren (z.B. Tert. de spectaculis) [43].

→ Freizeitgestaltung; Fest, Festkultur; Ludi; Sportgeräte; Sport

1 W. Decker, S. in der griech. Ant., 1995 **2** K. Kilian, Zur Darstellung eines Wagenrennens aus spätmyk. Zeit, in: MDAI(A) 95, 1980, 21–31 **3** W. Decker, Die myk. Herkunft des griech. Totenagons, in: E. Thomas (Hrsg.), Forsch. zur Aegaeischen Vorgesch., 1987, 201–230
4 S. Laser, S. und Spiel (ArchHom T), 1988
5 H. Buhmann, Der Sieg in Olympia und in den anderen panhellenischen Spielen, 1972 **6** K. Kramer, Stud. zur griech. Agonistik nach den Epinikien Pindars, Diss. Köln 1970 **7** J. Jüthner, Philostratos über Gymnastik, 1909
8 J.-P. Thuillier, La nudité athlétique (Grèce, Etrurie, Rome), in: Nikephoros 1, 1988, 29–48 **9** M. McDonnel, The Introduction of Athletic Nudity: Thucydides, Plato and the Vases, in: JHS 111, 1991, 182–193 **10** St. Miller, Naked Democracy, in: P. Flensedd-Jensen, T. H. Nielsen u. a. (Hrsg.), Polis and Politics. FS M. H. Hansen, 2000, 277–296 **11** W. Zschietzschmann, Wettkampf- und Übungsstätten in Griechenland, Bd. 1: Das Stadion, 1960
12 P. Aupert, Le stade (FdD II), 1979 **13** J. Heiden, Die Tondächer von Olympia, 1995 **14** P. Valavanis, Hysplex, 1999 **15** J. Delorme, Gymnasion, 1960 **16** Ch. Mann, Krieg, S. und Adelskultur. Zur Entstehung des griech. Gymnasions, in: Klio 80, 1998, 7–21 **17** Ch. Wacker, Das Gymnasion in Olympia, 1996 **18** J. Jüthner, Über ant. Turngeräthe, 1896 **19** D. Knoepfler, Haltère de bronze dédié à Apollon Hékabolos dans la collection G. Ortiz (Genève), in: CRAI 1994, 337–379 **20** R. Thomas, Athletenstatuetten der Spätarchaik und des Strengen Stils, 1981 **21** E. Goossens, S. Thielemans, The Popularity of Painting Sport Scenes on Attic Black and Red Figure Vases, in: BABesch 71, 1996, 59–74 **22** M. Bentz, Panathenäische Preisamphoren, 1998 **23** J. Ebert, Epigramme auf Sieger an gymnischen und hippischen Agonen, 1972 **24** I. Weiler, Der S. bei den Völkern der Alten Welt, ²1988
25 N. M. Kennell, The Gymnasium of Virtue, 1995
26 S. Müller, Das Volk der Athleten, 1995 **27** J.-P. Thuillier, Les jeux athléthiques dans la civilisation étrusque, 1985 **28** S. Steingräber, Etr. Wandmalerei, 1985
29 J.-P. Thuillier, Un relief archaique inédit de Chiusi, in: RA 1997, 243–260 **30** I. Weiler, Langzeitperspektiven zur Genese des S., in: Nikephoros 2, 1989, 7–26 **31** M. Reis, S. bei Horaz, 1994 **32** I. Nielsen, Thermae et balnea, 1990
33 W. Heinz, Röm. Thermen, 1983 **34** F. Yegül, Baths and Bathing in Classical Antiquitiy, 1992 **35** E. Wegner, Das Ballspiel der Römer, 1938 **36** J. H. Humphrey, Roman Circuses, 1986 **37** K. W. Weber, Panem et circenses, 1994
38 J.-C. Golvin, L'amphithéâtre romain, 2 Bde., 1988
39 L. Robert, Les gladiateurs dans l'Orient grec, 1940 (Ndr. 1971) **40** A. Cameron, Circus Factions, 1976
41 G. Horsmann, Die Wagenlenker der röm. Kaiserzeit, 1998 **42** M. Fora, I munera gladiatoria in Italia, 1996
43 W. Weismann, Kirche und Schauspiele, 1972.

W. Decker, S. in der griech. Ant., 1995 • R. W. Fortuin, Der S. im augusteischen Rom, 1996 • M. Golden, S. and Soc. in Ancient Greece, 1998 • H. A. Harris, S. in Greece and Rome, 1972 • J. Jüthner, Die athletischen Leibesübungen der Griechen, Bd. 1–2,1, 1965–1968 • S. Miller, Arete, 1991 • I. Weiler (Hrsg.), Quellendokumentation zur Gymnastik und Agonistik im Altertum, 6 Bde., 1991–1998.

W.D.

Sportfeste

I. Vorbemerkung II. Ägypten
III. Alter Orient
IV. Griechenland: Agone
V. Etrusker VI. Rom

I. Vorbemerkung

Der allg. Begriff S. ist weiter gefaßt als das griech. Kulturphänomen des ἀγών/*agṓn* (=A.). S. waren keine Erfindung der Griechen, wenngleich diese sie mit dem *agṓn* zu einer hohen Blüte geführt haben.

II. Ägypten

In der pharaonischen Kultur des Niltals, in der laut Hdt. 2,58–59,1 das → Fest (*panḗgyris*) erfunden wurde, finden sich deutliche Ansätze, Sport und Fest zu einem S. zu verbinden [1]. Das Jubiläumsfest, das zentrale Königsfest, ist durch ein Laufritual mit starkem sportlichen Akzent versehen (→ Sport III.). In der Totenanlage des Königs → Djoser (2690–2670 v. Chr.) in Saqqara ist die Laufbahn erh., die dem Pharao in alle Ewigkeit zur Feier des Festes bereitstand [2. 32–41]. Nur wenig jüngeren Datums ist ein Richtfest, das bei der Vollendung der Pyramide des Sahure (2496–2483 v. Chr.) in Verbindung mit einem sportl. Programm (Bogenschießen, Stockfechten, Ringen, Rudern?) gefeiert wurde [3. 184f.]. Im Rahmenprogramm des Jubiläumsfestes konnten auch sportl. Zweikämpfe (Stockfechten, Faustkampf) ausgetragen werden [4. M2, N1]. Kampfsportl. Darbietungen, Tanz und Musik verliehen auch der Tributabgabe der Nubier unter Amenophis [4] IV. (1351–1334 v. Chr.) einen festl. Glanz [4. L28, M3, N2]. Wiederum im Kampfsport (Ringen, Stockfechten) maßen sich Ägypter und Ausländer (Nubier, Syrer, Libyer) unter Ramses [3] III. (1183/2–1152/1 v. Chr.) [4. L34, M9]. Auch eine Ruderregatta der Soldaten des → Tutanchamun (1333–1323 v. Chr. [5]) und ein Wettlauf einer Elitetruppe des Taharka (690–664 v. Chr. [6]) lassen sich zu S. zählen. Aus den in vielen Gräbern dargestellten Szenen der Marschenwirtschaft läßt sich ein Fest am E. der Arbeitssaison in den Sümpfen herauskristallisieren, das mit einem organisierten Fischerstechen verbunden war [7].

III. Alter Orient

Auch die Festkultur (→ Fest I.) des Alten Orients benutzte den Sport als konstitutives Element [8]. Der aus sumerischer Zeit (4./3. Jt. v. Chr.) stammende Mythos von der »Heirat des Gottes Martu« berichtet von einem Fest im Tempel für den Gott Numušda, bei dem neben musikalischen Darbietungen auch Ringkämpfe stattfanden, an denen der barbarische Gott Martu selbst teilnahm [8. 18–22]. Wirtschaftsurkunden aus der Ur-III-Zeit (um 2000 v. Chr.) belegen für zwei der drei Hauptfeste in Ur ein sportl. Programm, an dem Ringer und andere Athleten beteiligt waren [8. 28–33]. Auch als Bestandteil von Totenfeiern wurden Ringkämpfe und Wettläufe abgehalten, wie u. a. dem Kurzepos ›Tod des Gilgameš‹ zu entnehmen ist [8. 36–40]. Aus altbabylon. Zeit (ca. 2040–1700 v. Chr.) stammt ein Terrakottarelief aus Larsa mit der Darstellung von zwei Faustkämpfern, die von Musikanten begleitet werden, wie sie auch bei festlichen Kulthandlungen auftreten [9. 107–109]. Noch am Ende der mesopot. Kultur verweist ein Text aus seleukidischer Zeit (4.–2. Jh. v. Chr.) auf die enge Verbindung von Sport und Fest: ›[Monat Abu, Fes]t, Zusammentreffen, Ringkampf und Wettl[auf]‹ [8. 39 Nr. 171].

Mehrere Feste der Hethiter (→ Ḫattusa) waren von sportl. Elementen durchsetzt [10]. Bei dem AN.TAḪ.ŠUM-Fest im Frühling erhielt der Sieger eines Wettlaufes der königlichen Leibgardisten das Amt des königl. Marschalls (KUB X 18; [11. 267–269]). Bei einer anderen festlichen Zusammenkunft des Heeres fand ein Faustkampf statt, dessen Sieger Preise bekam (Keilschrifttexte aus Boghazköi 23, 55 I, 2–27) [10. 29f.]. Sport war auch Bestandteil des KI.LAM-Festes, wo zehn Läufer gegeneinander antraten. In einer älteren Version erhielt der Sieger aus der Hand des Königs zwei Brote und eine Mine Silber, nach einer anderen Fassung gab man den beiden ersten Kleider als Preise [12. 103–104].

IV. Griechenland: Agone

A. Minoisch-mykenische Zeit
B. Homerische Zeit
C. Klassische und hellenistische Zeit

A. Minoisch-mykenische Zeit

Im min. Kreta war ein festliches Ritual geläufig, dessen ikonographische Überl. das Motiv des akrobatischen Überspringens eines Stieres in den Mittelpunkt stellt [13]. Motivgesch. läßt sich dies sich bis in das steinzeitliche Çatalhüyük zurückverfolgen, wo es als Wandmalerei erscheint [14. 195f.]; seine prächtigste kretische Ausprägung hat es als Wandfresko im Palast von → Knosos erfahren [15]. Wahrscheinlich war das Stierspiel ein Initiationsritus, der mit dem Opfer des Tieres geendet haben könnte [16]. Als kretischer Exportartikel taucht das Motiv im Palastschmuck des frühen NR in Äg. (Tall aḍ-Ḍabʿa) auf [17; 18]. Das festliche Geschehen ist auch für die myk. Epoche belegt ([19]; Darstellung auf einer Larnax aus Tanagra im Rahmen einer Totenfeier, spätmyk. [20. Nr. 13]).

B. Homerische Zeit

Die Sitte des Toten-A. [21] steht eindrucksvoll am Anf. der griech. Lit.-Gesch. im 23. B. der ›Ilias‹ [22. 21–25]: → Achilleus [1] macht Leichenspiele zum Höhepunkt der Totenfeier seines Freundes → Patroklos [1]. Er setzt wertvolle Preise für acht Disziplinen aus, deren bedeutendste das Wagenrennen ist, dessen Beschreibung gleichermaßen von der sportl. Qualität einer solchen Veranstaltung des 8. Jh. v. Chr. und der Sachkunde des → Homeros [1] zeugt. Auch in der ›Odyssee‹ ist das improvisierte S. wesentlicher Bestandteil der Handlung. Odysseus schöpft als Sieger bei dem von den → Phaiakes zu seinen Ehren veranstaltetem S. (Hom. Od. 8, 100–233) neue Kraft. Im improvisierten Herausforderungs-A. mit dem Bettler Iros, den er inkognito im

Faustkampf besiegt (Hom. Il. 18,1–123), erlangt Odysseus neues Selbstbewußtsein für den bevorstehenden Kampf um seine angestammten Rechte, das er als Sieger des von Penelope angesetzten Braut-A. (Hom. Od. 21,75–443) in die Rache an den Freiern umsetzt.

C. Klassische und hellenistische Zeit
1. Anlässe und Verbreitung
2. Organisation, Verlauf, Teilnehmer, Preise
3. Hippische Agone
4. Gymnasialagone

1. Anlässe und Verbreitung

Die Dichtung spiegelt eine Welt, in der S. aus verschiedenen Anlässen bereits in geom. Zeit an der Tagesordnung waren. Sowohl Toten-A. [23] als auch Braut-A. sind bei den Griechen histor. vielfach belegt. Erstere Sitte wurde z.B. noch beim Tode des Alexandros [4] d.Gr. (Arr. an. 7,14,10) gepflegt, und für die zweite sei auf das Beispiel des Kleisthenes [1] von Sikyon verwiesen, der seine Tochter Agariste dem besten Griechen vermählte, wobei dessen athletische Fähigkeiten eine maßgebliche Rolle spielten (Hdt. 6,126–130). Andere A. schloßen sich an Heroenkulte an wie z.B. die Aianteia (Spiele zu Ehren des Aias), die auf Salamis und später in Athen von den Epheben (→ *ephebeía*) mit Fakkelwettlauf, Langlauf und Ruderregatta begangen wurden [24].

Die verbreitetste Form des S. war der A. im Zusammenhang mit einem Kultfest auf lokaler, regionaler oder panhellenischer Ebene. Ἀγών/*agōn* (in seiner bei Homer noch doppelten Bed. als »Versammlung« und »Wettkampf« [22. 11–13; 25]) ist das Schlüsselwort für das Verständnis des griech. S. Wenn man sich aus irgendeinem Grunde »versammelte«, erwartete das Publikum als Attraktion einen sportl. Wettkampf. Mit dem Beginn des 6. Jh. v. Chr. nahmen die großen panhellenischen, periodisch wiederkehrenden A. in → Olympia (zuerst angeblich 776 v. Chr., vgl. aber [25]), → Delphoi (586 v. Chr., beide vierjährig), am Isthmos von Korinthos (um 580 v. Chr., → Isthmia) und in → Nemea (ab 573 v. Chr., beide zweijährig) als mehrtägige Kultfeste zu Ehren der dort jeweils verehrten Hauptgottheit ihren Anfang. Verm. in das 7. Jh. v. Chr. reicht das Kultfest zu Ehren des Apollon zurück, das die Iones auf → Delos versammelte, wo Faustkampf noch einziger sportl. Programmpunkt war (Hom. h. Apollinis 149f. [22. 25f.]); 566/5 v. Chr. reformierte Peisistratos [4] das athenische Fest der → Panathenaia im Hinblick auf ein vielfältigeres sportl. Programm [26. 32–39].

Über das ganze Land zog sich ein dichtes Netz von S., die in regelmäßigen Abständen bis in die kleinsten Polisgemeinschaften durchgeführt wurden (bibliogr. Überblicke [39; 40; 41]). Als Ausdruck griech. Lebensart hatten die A. mehr als 1000 J. Bestand; selbst wenn man den Begriff eng faßt, reicht ihre Blüte von spätgeom. Zeit bis zum E. der Ant. (von ca. 700 v. Chr. bis ca. 400 n. Chr.). Ihre Gesamtzahl ist bis h. unklar, ältere Schätzungen sprechen von 150 [42], jüngere von 266 A. [43. 226 (Karte 4)]; neuere hingegen rechnen allein für die röm. Kaiserzeit bereits mit mehr als 500 A. nur im griech. Osten des Röm. Reiches [44. 31].

Trotz seiner Komplexität war der A. in seinem Kern einfach [45]: Das regelmäßige festliche Zusammentreffen wurde mit einem Markt verbunden, auf dem der Handel blühte. Diesen Aspekt betont das Wort πανήγυρις (*panḗgyris*, »(Volks-)Fest«), das aus derselben Wurzel wie αγορά (*agorá*, »Markt«), abgeleitet ist [46]. Es ist mit dem Wort *agṓn* in vielem deckungsgleich. Die Zusammenkunft förderte den Geist des Wettkampfes und den Sinn für Unterhaltung, so daß ein athletisches, hippisches und musisches Programm (→ Wettbewerbe, künstlerische) angefügt wurde. Manchmal stand ein A. auch in Verbindung mit einem Dankopfer (Xen. an. 4,8,25–28; [47. 1f.]).

2. Organisation, Verlauf, Teilnehmer, Preise

Das unter den schwierigen ant. Verkehrsverhältnissen seltene Erlebnis der Zusammenkunft bei einem A. war stets Ort einer regen Nachrichtenbörse [48]; auch polit. Absprachen wurden getroffen, sogar Verträge wurden geschlossen oder den Besuchern des S. zur Kenntnis aufgestellt [49. 89–93]. Ein gemeinsames Festmahl aller Teilnehmer bildete den gemeinschaftsfördernden Höhepunkt der Festversammlung, zu deren Aufnahme ein großer Festplatz in unmittelbarer Nähe von Heiligtum und → Stadion (bzw. von → Theater oder → Hippodromos) nötig war.

Dem Ereignis selbst ging die Einladung durch die Festboten (*theōroí*, → *theōría*) voraus, die bei panhellenischen A. in mehreren Gruppen in die → *oikuménē* ausschwärmten [50. 79–83], um das Festdatum und den Festfrieden (→ *ekecheiría*) [51] zu verkünden. Dabei ist von einem übergeordneten Festkalender auszugehen, durch den zeitliche Kollisionen von wichtigen A. vermieden wurden. Für die → *Pýthia* [2] sind Listen von *theōrodókoi* (Gastgeber der Festboten) erh., in denen sich die langen Wege der *theōroí* spiegeln [52. 288ff.]. Vor Ort wurden Wege und Brücken instandgesetzt (CID 1.115–118), die Gebäude und bes. die Sportstätten in Festglanz hergerichtet und notfalls repariert (CID 2.139 [53]). Ein A. bedurfte zu seiner Durchführung einer Fülle gesetzlicher Regelungen, die bis hin zu den Wettkampfgesetzen [54] reichten, über deren Einhaltung die → *hellanodíkai* wachten. Der Glanz der Kultbauten und Sportstätten machte die Architektur zu einem wesentlichen Teil des griech. A. Auch die Kunst hatte in Form von → Siegerstatuen [55], Siegeroden und Epigrammen [35] daran Anteil. Ein A. war demnach ein Gesamtkunstwerk der griech. Kultur, das im wesentlichen aus den Elementen Kult, Sport, Wirtschaft, Politik, Architektur und Kunst bestand.

Am angesehensten waren die A., deren Preise nur aus Kränzen bestanden (ἀγῶνες ἱεροὶ καὶ στεφανῖται/ *agṓnes hieroí kai stephanítai*); daneben standen diejenigen (meist

A. lokaler Natur), deren Sieger Geldpreise erhielten (ἀγῶνες θεματικοί/ *agṓnes thematikoí*). Die Übergänge konnten fließend sein. Manche Siege berechtigten zu feierlichem Einzug in die Heimatstadt (εἰσελαστικός/ *eiselastikós*) und waren mit anderen Privilegien verbunden, z. B. mit lebenslanger Speisung (σίτησις/*sítēsis*), Befreiung vom Militärdienst (ἀστρατία/*astratía*) und von öffentlichen Liturgien (→ Liturgie I.), oder mit Steuerfreiheit (ἀτέλεια/*atéleia*) [56. 7–12]. Städte konnten mehrere A. haben. Athen z. B. richtete in der Kaiserzeit *Panathḗnaia*, → *Olýmpia* [4], *Panhellḗneia* und *Hadriáneia* aus [57. Nr. 79, 25 f.].

Während in früherer Zeit die Teilnahme an den A. nur männlichen Griechen freier Geburt und ohne Blutschuld offenstand [58. 45–47], erweiterte sich die strenge Selektion in hell. Zeit und röm. Kaiserzeit auf alle Männer, die sich mit der griech. Kultur identifizierten [57. Nr. 64]. Die kultische Bindung der A. an eine Gottheit konnte seit E. des 5. Jh. v. Chr. gelockert bzw. variiert werden, so daß sie auch für lebende Personen begangen wurden. Dies geschah erstmals für den Spartaner → Lysandros [1], dem die Samier ihre *Hēraía* widmeten (FGrH 76 F 71), setzte sich über die hell. Herrscher fort und gewann gut belegte Normalität im Osten des Imperium Romanum, wo A. seit Augustus [59] fest mit dem → Kaiserkult verbunden und auch als Loyalitätsbekundungen mit der röm. Macht zu verstehen sind. Wie bei den lokalen Festen der einleitende Festzug (πομπή/*pompḗ*) die jeweilige polit. und soziale Ordnung der Ges. spiegelte, so bestimmte die Reihenfolge der Festgesandtschaften innerhalb der Prozession bei den überregionalen A. den Rang einer Stadt [60]. Abgesehen von den panhellenischen Spielen liegen zu folgenden A. größere spezielle Untersuchungen aus jüngerer Zeit (für ältere vgl. [39; 40; 41]) vor (Auswahl): *Sōtḗria* in Delphoi [61], → *Kapitoleia* in Rom [62], *Olýmpia* in Dion [63], *Basíleia* in Lebadeia [64], *Nikēphória* in Pergamon [65], griech. A. (*certamina Graeca*) im Westen [66], *Panathḗnaia* in Athen [26. 36–38; 32]. Das Werk von L. Robert enthält Bahnbrechendes zur Erforschung der griech. A. [67; 68].

3. Hippische Agone

Diese, neben den gymnischen A. (→ Sport) zweite Säule griech. S., sollen erst 680 v. Chr. erstmals im Programm der Olympischen Spiele aufgetaucht sein, obgleich im Zentrum des für Olympia bed. Pelops-Mythos ein Wagenrennen zw. → Oinomaos [1] und → Pelops steht [27. 129–131] und das Wagenrennen in der Ilias (Hom. Il. 23,262–650) der weitaus wichtigste Wettkampf bei den Leichenspielen zu Ehren des Patroklos ist [22. 26–32]. Wenngleich der leichte zweirädrige Pferdewagen in vielen frühen Kulturen außerhalb Griechenlands im 2. Jt. v. Chr. in Gebrauch war [28] und z. B. in Äg. (u. a. durch original erh. Wagen [4. H-I]) und bei den Hethitern (aufgrund von Pferdetrainingstexten [29], → Reitkunst) überl. ist, stammen sichere Belege für Wagenrennen erst aus spätmyk. Zeit (12./11. Jh. v. Chr.; [30]). Trotz des Rückgangs der Bed. des Wagens in geom. Zeit erlebten die Wagenrennen jetzt (ab dem 7. Jh.) nicht nur bei den »panhellenischen Spielen« einen großen Aufschwung. Im Programm der *Olýmpia* (=Ol.) beispielsweise wuchsen die Disziplinen im Laufe der Zeit wie folgt an (die Renndistanz – ohne die 320 m des Startvorganges – nach den neuen Berechnungen von J. Ebert [31], St. = Stadien):

25. Ol. (680 v. Chr.) Viergespann (*hárma*)	72 St.
33. Ol. (648 v. Chr.) Reitpferd (*kélēs*)	12 St.
70. Ol. (500 v. Chr.) Zweigespann Maultiere (*apḗnē*)	
71. Ol. (496 v. Chr.) Stutenrennen (*kálpē*)	
93. Ol. (408 v. Chr.) Zweigespann (*synōrís*)	48 St.
99. Ol. (384 v. Chr.) Viergespann Fohlen (*hárma pṓlōn*)	48 St.
128. Ol. (268 v. Chr.) Zweigespann Fohlen (*synōrís pṓlōn*)	18 St.
131. Ol. (256 v. Chr.) Fohlenreiten (*kélēs pṓlōn*)	6 St.

Ein ungewöhnlich dichtes hippisches Programm hatten die → *Panathḗnaia* [32. 89–94], wo man in einer Anzahl von anderswo selten ausgetragenen Disziplinen konkurrierte [33. 138–142], darunter im → *apobátēs* [32. 188 f.].

Das seit frühester Zeit den hippischen A. anhaftende aristokratische Flair begleitete diese durch die Jh. Die Siegerliste der *Olýmpia* (→ Olympioniken) belegt dies eindrucksvoll, wenn darauf die Namen der Eupatriden, Tyrannen und großen Familien bis hin zu den röm. Kaisern Tiberius und Nero erscheinen [34. 110–114]. Alkibiades [3] ließ sieben Viergespanne starten, um einen Olympiasieg zu erringen, von dem er den polit. Anspruch auf das Amt als → *stratēgós* ableitete [32. 163–168, 195 f.]. Aufgrund der Regel, daß die Besitzer der Pferde zu Siegern ausgerufen wurden, gelang es auch Frauen, die sonst vom olympischen Wettkampf ausgeschlossen waren, Olympiasiegerinnen zu werden (u. a. der spartanischen Königstochter Kyniska, Paus. 3,8,1; 15,1; 5,12,5; 6,16; [35. Nr. 33]); zur Korrektur der früher auf über 40 Viergespanne berechneten Teilnehmerzahl an Rennen auf ca. zehn Gespannen vgl. [36]. In einem Weihgeschenk anläßlich eines hippischen Sieges ist mit dem ›Wagenlenker von Delphi‹ [37; 38; 35. Nr. 13 (Inschr.)] eines der berühmtesten der Ant. entstammenden Kunstwerke erh.

4. Gymnasialagone

In Gymnasial-A. (→ Gymnasion II.), die zu Ehren von → Hermes und → Herakles ausgerichtet wurden, wurden noch in hell. Zeit Wettkämpfe in mil. Konkurrenzen (wie Laufen, Speerwerfen, Bogenschießen) sowie in Disziplin (εὐταξία/*eutaxía*), Fleiß (φιλοπονία/ *philoponía*) und Gehorsam (εὐεξία/*euhexía*) durchgeführt. Meist wurden sie aus privaten Mitteln des Gymnasiarchen (→ Gymnasiarchie) bestritten [69]. Auch hier war das sportl. Programm eng an Kult und gemeinsames Festmahl gebunden. Gymnasial-A. waren in Gymnasiarchengesetzen geregelt [70].

V. Etrusker

Allem Anschein nach führten die Etrusker in ihrem noch unidentifizierten Kultzentrum Fanum Voltumnae (in der Nähe von Orvieto) ebenfalls S. durch [71. 429–431], wie sie auch auf privater Ebene Leichenspiele bei Begräbnissen hochgestellter Persönlichkeiten als Sitte pflegten.

VI. Rom

Für die Römer waren die → *ludi* und in gewissen Sinne auch die *munera* (→ *munus*) S. Die Wagenrennen im → *circus* und die Gladiatorenkämpfe standen daher im Mittelpunkt ihrer S., ohne daß sie aber auf ein athletisches Programm verzichtet hätten. Auch in Rom wurden gelegentlich gymnische Agone griech. Prägung (seit 186 v. Chr.: Liv. 39,22,1 f.), z. B. von Sulla, Caesar und Augustus (R. Gest. div. Aug. 22), durchgeführt [72. 268–256]. Nero installierte 60 n. Chr. penteterische, d. h. fünfjährliche, nach ihm benannte *Neronia*, die wegen dieser Bezeichnung nach seinem Tode der → *damnatio memoriae* zum Opfer fielen. Sie beinhalteten ein gymnisches, hippisches und musisches Programm (Suet. Nero 12,3) und wurden von Tacitus kritisiert (Tac. ann. 14,20). Die von Domitianus 86 n. Chr. eingerichteten → *Kapitoleia* überlebten hingegen wegen der unverfänglichen Namengebung ihren ungeliebten Stifter bis ins 4. Jh. n. Chr. und wurden unter die → *periodos* gerechnet [62; 73]. Die h. Piazza Navona in Rom zeigt in der Linie ihrer Bebauung die Konturen des für die Durchführung des gymnischen Programms notwendigen ant. Stadions.

→ Circus; Fest, Festkultur; Ludi; Munus; Sport; Sport

1 W. Decker, Sport und Fest im Alten Äg., in: Ch. Ulf (Hrsg.), Ideologie – Sport – Außenseiter, 2000, 111–145 **2** Ders., Sport und Spiel im Alten Äg., 1987 **3** Z. Hawass W. Verner, Newly Discovered Blocks from the Causeway of Sahure, in: MDAI(K) 52, 1996, 177–186 **4** W. Decker, M. Herb, Bildatlas zum Sport im Alten Äg., 1994
5 W. Decker, D. Kurth, Eine Ruderregatta z.Z. des Tutanchamun, in: Nikephoros 12, 1999, 19–31
6 W. Decker, Die Lauf-Stele des Königs Taharka, in: Kölner Beitr. zur Sportwiss. 13, 1984, 7–37 **7** M. Herb, Der Wettkampf in den Marschen, 2001 **8** R. Rollinger, Aspekte des Sports im Alten Sumer, in: Nikephoros 7, 1994, 7–64 **9** Ch. Eder, Kampfsport in der Siegelkunst der Altlevante, in: Nikephoros 7, 1994, 83–120 **10** J. Puhvel, Hittite Athletics as Prefigurations of Ancient Greek Games, in: W. Raschke (Hrsg.), The Archaeology of the Olympics, 1988, 26–31 **11** E. Ehelolf, Wettlauf und szenisches Spiel im hethit. Ritual, in: SPrAW, 1925, 267–272 **12** I. Singer, The Hittite KI.LAM Festival, Bd. 1, 1983 **13** J. G. Younger, Bronze Age Respresentations of Aegean Bull-Leaping, in: AJA 80, 1976, 125–137 **14** L. D. Morenz, Stierspringen und die Sitte des Stierspieles im altmediterranen Raum, in: Ägypten und Levante 10, 2000, 195–203 **15** M. C. Shaw, Bull Leaping Frescoes at Knossos, in: Ägypten und Levante 5, 1995, 91–120 **16** J. G. Younger, Bronze Age Representations of Aegean Bull Games 3, in: Aegaeum 12, 1995, 507–545 **17** M. Bietak, Die Wandmalereien aus Tel el-Dabʿa/Ezbet Helmi, in: Ägypten und Levante 4, 1994, 44–80 **18** M. Bietak, N. Marinatos, The Minoan Wall Paintings from Avaris, in: Ägypten und Levante 5, 1995, 49–62 **19** M. C. Shaw, The Bull-Leaping Fresco from Below the Ramp-House at Mycenae, in: ABSA 91, 1996, 167–190 **20** O. Tzachou-Alexandri (Hrsg.), Mind and Body, 1988 **21** W. Decker, Die myk. Herkunft des griech. Totenagons, in: E. Thomas (Hrsg.), Forsch. zur Aegaeischen Vorgesch., 1987, 201–239 **22** S. Laser, Sport und Spiel (ArchHom T), 1987 **23** L. E. Roller, Funeral Games for Historical Persons, in: Stadion 7, 1981, 1–18
24 J. Toepffer, s. v. Aianteia, RE 1, 925–929
25 A. Mallwitz, Cult and Competition Locations at Olympia, in: s. [10], 79–109 **26** D. G. Kyle, Athletics in Ancient Athens, ²1993 **27** W. Decker, Zum Wagenrennen in Olympia, in: W. Coulson, H. Kyrieleis (Hrsg.), Proc. of an International Symposion on the Olympic Games (Sept. 1988), 1992, 129–139 **28** M. A. Littauer, J. H. Crouwel, Wheeled Vehicles and Ridden Animals in the Ancient Near East, 1979 **29** A. Kammenhuber, Hippologia hethitica, 1960 **30** K. Kilian, Zur Darstellung des Wagenrennens aus spätmyk. Zeit, in: MDAI(A) 95, 1980, 21–31 **31** J. Ebert, Neues zum Hippodrom und zu den hippischen Konkurrenzen in Olympia, in: Nikephoros 2, 1989, 89–107
32 D. G. Kyle, The Panathenaic Games: Sacred and Civic Athletics, in: J. Neils u. a., Goddess and Polis, 1992, 77–101, 203–208 **33** St. V. Tracy, The Panathenaic Festival and Games: An Epigraphic Inquiry, in: Nikephoros 4, 1991, 133–153 **34** W. Decker, Sport in der griech. Ant., 1995
35 J. Ebert, Epigramme auf Sieger an gymnischen und hippischen Agonen, 1972 **36** Ders., Eine Textverderbnis bei Pindar, Pyth. 5,49, in: Quaderni Urbinati N. S. 38, 1991, 25–30 **37** R. Hampe, Der Wagenlenker von Delphi, 1941
38 F. Chamoux, L'Aurige (FdD IV 5), 1955 (Ndr. 1990)
39 Th. F. Scanlon, Greek and Roman Athletics. A Bibliography, 1984, 55–73 **40** N. B. Crowther, Studies in Greek Athletics 1, in: CW 78, 1984, 506–558 **41** W. Decker u. a., Jahresbibliogr. zum Sport im Alt. (III 3: Agon, Athleten), in: Nikephoros 2 ff., 1989 ff.
42 I. C. Ringwood, Agonistic Features of Greek Festivals Chiefly from Inscriptional Evidence, Bd. 1, Diss. Columbia 1927 **43** H. A. Harris, Greek Athletes and Athletics, 1964
44 W. Leschhorn, Die Verbreitung von Agonen in den östl. Prov. des Röm. Reiches, in: Stadion 24, 1998, 31–57
45 C. Thöne, Ikonographische Stud. zu Nike im 5. Jh. v. Chr., 1999, 77–79 **46** Ch. Chandezon, Foires et panégyries dans le monde grec et hellénistique, in: REG 113, 2000, 70–100 **47** M. Golden, Sport and Society in Ancient Greece, 1998 **48** I. Weiler, Olympia – jenseits der Agonistik: Kultur und Spektakel, in: Nikephoros 10, 1997, 191–213 **49** J. Ebert u. a., Olympia, 1980 **50** W. Decker, Zur Vorbereitung und Organisation griech. Agone, in: Nikephoros 10, 1997, 77–102 **51** G. Rougemont, La hiéroménie des Pythia et les »trêves sacrées« d'Eleusis, de Delphes et d'Olympie, in: BCH 97, 1973, 75–106
52 P. Amandry, La fête des Pythia, in: Πρακτικά της Ακαδημίας Αθηνών 65, 1990, 279–317 **53** J. Pouilloux, Travaux à Delphes à l'occasion des Pythia, in: Études Delphiques (BCH Suppl. 4), 1997, 103–123 **54** J. Ebert, P. Siewert, Eine archa. Br.urkunde aus Olympia, in: XI. Olympia-Bericht, 1999, 391–412 **55** F. Rausa, L'immagine del vincitore, 1994 **56** P. Frisch, Zehn agonistische Papyri, 1986 **57** L. Moretti, Iscrizioni agonistiche greche, 1953
58 L. Drees, Olympia, 1967 **59** H. Langenfeld, Die Politik

des Augustus und die griech. Agonistik, in: E. LEFÈVRE (Hrsg.), Monumentum Chiloniense. FS E. Bruck, 1975, 228–259 **60** P. HERZ, Herrscherverehrung und lokale Festkultur im Osten des röm. Reiches (Kaiser/Agone), in: H. CANCIK, J. RÜPKE (Hrsg.), Röm. Reichsrel. und Provinzialrel., 1997, 239–264 **61** G. NACHTERGAEL, Les Galates en Grèce et les Sôtéria de Delphes, 1977 **62** M. L. CALDELLI, L'Agon Capitolinus, 1993 **63** M. MARI, Olimpie macedoni di Dion tra Archelao e l'età romana, in: RFIC 126, 1998, 137–169 **64** L. A. TURNER, The Basileia at Lebadeia, in: J. M. FOSSEY (Hrsg.), Boeotia Antiqua, Bd. 6, 1996, 105–126 **65** D. MUSTI, Nikephoria e il ruolo panellenico di Pergamo, in: RFIC 126, 1998, 5–40 **66** M. L. CALDELLI, Gli agoni alla greca nelle regioni occidentali dell'impero. La Gallia Narbonnensis, in: Memorie della Classe di Scienze morali, storiche e filologiche dell'Accademia dei Lincei 9, 1997, 391–481 **67** L. ROBERT, Hellenica, Bd. 1, 1940 **68** ROBERT, OMS 6, 709–719 **69** IK 19, Nr. 1 **70** PH. GAUTHIER, M. B. HATZOPOULOS, La loi gymnasiarchique de Béroia, 1993 **71** J.-P. THUILLIER, Les jeux athlétiques dans la civilisation étrusque, 1985 **72** I. WEILER, Der Sport bei den Völkern der Alten Welt, ²1988 **73** B. RIEGER, Die Kapitolia des Kaisers Domitian, in: Nikephoros 12, 1999, 171–203.

H. W. PLEKET, Zur Soziologie des ant. Sport, in: Medelingen van het Nederlandsch historisch Instituut te Rome 36, 1974, 57–87 • I. WEILER, Der Agon im Mythos, 1974 • R. ZIEGLER, Städtisches Prestige und kaiserliche Politik, 1985 • M. WÖRRLE, Stadt und Fest in Kleinasien, 1988 • ROBERT, OMS 6, 709–719. W.D.

Sportgeräte. Gerätschaften, die man in der Ant. zum Training und Ausüben einer Sportart benötigte.

1) Der Waffenlauf (Verb ὁπλιτοδρομεῖν/*hoplitodromeín*) wurde 520 v. Chr. (65. Ol.) als letzter → Laufwettbewerb in das Programm der Olympischen Spiele (→ *Olýmpia* IV.) aufgenommen. Anfänglich führte man ihn in voller Rüstung (Helm, Beinschiene, Rundschild) durch, jedoch wurde die Bewaffnung immer mehr reduziert, bis nur noch der Schild (ἀσπίς/*aspís*) übrigblieb (vgl. Paus. 6,10,4). Bes. auf Vasenbildern ist diese Disziplin, zu der nur erwachsene Männer antraten, dargestellt.

2) Der Fackellauf (λαμπαδηδρομία/*lampadēdromía*) fand bei vielen Agonen, z. B. den → *Panathēnaia* (nicht aber in Olympia), statt, ein Mannschaftswettbewerb (Aischyl. Ag. 312–314; Paus. 1,30,2). Wesentlich war bei diesem Lauf, daß die Fackel (λαμπάς/*lampás*; δαΐς/*daís*) nicht verlöschen und bei der Übergabe an den nächsten Läufer nicht fallengelassen werden durfte. Darstellungen auf Vasen zeigen, daß die Fackel im Moment der Übergabe bzw. beim Erreichen des Zieles mit ausgestrecktem Arm weit vor den eigenen Körper gehalten wurde, und ferner, daß ein breiter Schutzteller oberhalb der Hand diese vor herabfallendem oder -tropfendem Brennmaterial schützen sollte.

3) Im Boxsport (→ Faustkampf) war das benötigte S. umfangreicher; im Training übten die Sportler sich im Schattenboxen (σκιαμαχεῖν/*skiamacheín*) und am Sandsack (κώρυκος/*kōrykos*); ferner trugen sie, um der Verletzungsgefahr zu entgehen, auch gepolsterte Fausthandschuhe (σφαῖραι/*sphaírai*) und einen Kopfschutz (ἀμφώτιδες/*amphōtides*). Lederriemen (ἱμάντες/*himántes*), die in einem komplizierten System um Faust und Unterarm gewickelt wurden, kamen erst im Wettkampf zur Anwendung; urspr. wurde dabei nur die Boxfaust umwickelt. Der Kampf mit beiden Fäusten kam im 6. Jh. v. Chr. auf. Der Lederriemen wurde um 400 v. Chr. durch einen breiten Schlagring (ἱμὰς ὀξύς/*himás oxýs*) aus mehreren Schichten breiten Leders verstärkt, der scharfe Kanten aufwies und über die unteren Fingergelenke (mit Ausnahme des Daumens) gewickelt wurde. Schon bald wurde dieses System durch einen Handschuh (χειρίς/*cheirís*) ersetzt, der die Fingerspitzen frei ließ und weit auf den Unterarm hinaufreichte. Eine fest geschnürte Bandage aus Lederriemen umgab den Handschuh, der dadurch einen stabilen Sitz erhielt. Hinter dem Schlagring befand sich eine wulstartige Erhöhung, die diesen in seiner Position festhalten sollte. Diese Form des Boxhandschuhs wurde auch im röm. Sport übernommen, allerdings wurde im 1. Jh. v. Chr. der lederne Schlagring durch einen brn. Aufsatz (*caestus*) ersetzt, wodurch sich die Schlagkraft beträchtlich erhöhte; eine weitere Verschärfung ergab sich durch die gelegentliche Anbringung spitzer Erhebungen oder die Verlängerung des *caestus* mit scharfkantigen Ecken.

4) Für den → Weitsprung waren Sprunggewichte (ἁλτῆρες/*haltēres*; lat. *halteres*) aus Stein oder Blei unerläßlich, von denen diverse Expl. (6. Jh. v. Chr. bis röm. Zeit) erh. sind. In Gewicht (zw. 1 und 2 kg) und Ausmaßen (16 bis 26 cm) weisen sie nur geringe Unterschiede auf. Nur selten sind größere Gewichte (über 4 kg) überl. Ihre Form war recht einfach (vgl. Paus. 5,26,3; Philostr. perí gymnastikēs 55): ein Kreisausschnitt mit verdickten Enden, den der Springer in der Mitte umfaßte; bei einer zweiten Art waren die beiden Enden miteinander verbunden, so daß eine Höhlung entstand, in die der Springer eingriff. Andere Gewichte sind sehr rar, wie scheibenförmige oder solche in der Form einer »liegenden Acht«; in der röm. Kaiserzeit gab es auch zylindrische Sprunggewichte.

5) Für den → Diskuswurf verwandte man sorgfältig bearbeitete Scheiben aus Br., Blei, Eisen, seltener auch aus Stein, die mitunter auch verziert und mit Inschr. versehen sein konnten. Ihr Durchmesser betrug zw. 17 und 32 cm, während ihr Gewicht um die 5 kg lag. Die Diskoi wurden am Austragungsort aufbewahrt und für den Wettkampf zur Verfügung gestellt; so waren z. B. die Diskoi in Olympia im Schatzhaus von Sikyon deponiert (Paus. 6,19,4). Nach Gebrauch wurden die Diskoi in Taschen verwahrt und an der Wand aufgehängt.

6) Den aus Holz gefertigten Speer (ἀκόντιον/*akóntion*, δόρυ/*dóry*, lat. *iaculum*) schleuderte man mittels einer am Schaft angebrachten Wurfschlinge (ἀγκύλη/*ankýlē*; lat. *amentum*) fort (→ Speerwurf); in diese Wurfschlinge steckte man beim Abwurf Zeige- oder Mittelfinger bzw. beide. Der Speer wurde so beim Abwurf in Rotation versetzt (vgl. Pind. Ol. 13,93 f.; Ov. met. 12,

323), wodurch man eine stabilere Flugbahn und damit eine größere Weite erreichte.

→ Circus II.; Diskuswurf; Faustkampf; Sport; Sportfeste

W. RUDOLPH, Ant. Sportgeräte, in: Klio 48, 1967, 81–92 • U. HAUSMANN (Hrsg.), Der Tübinger Waffenläufer, 1977 • J. JÜTHNER, F. BREIN, Die athletischen Leibesübungen der Griechen, 1968 • S. LASER, Sport und Spiel (ArchHom T), 1987 • D. VANHOVE, Le sport dans la Grèce antique. Du jeu à la compétition (Ausstellung Brüssel 1992), 1992 • J. NEILS, Goddess and Polis. The Panathenaic Festival in Ancient Athens, 1992, 178 f. (zum Fackellauf) • W. DECKER, Sport in der griech. Ant. Vom minoischen Wettkampf bis zu den Olympischen Spielen, 1995 • U. SINN, Sport in der Ant. Wettkampf, Spiel und Erziehung im Alt., 1996 • E. KÖHNE, C. EWIGLEBEN (Hrsg.), Caesaren und Gladiatoren (Ausstell. Hamburg), 2000. R. H.

Sportula (*sporta, sportella*). Röm. Körbchen (Isid. orig. 20,9,10; Petron. 40), mit dem man einkaufte (Apul. met. 1,24 und 25), dann das Körbchen, das für die Klienten Geld oder Speisen (Petron. 40; Iuv. 1,95 f.; → *salutatio*) enthielt. Daher bedeutete *s.* eine öffentliche Speisung (vgl. Suet. Claudius 21,4) bzw. die den Beamten für ihre Amtshandlungen zustehenden Gebühren. *S.* hießen auch die im 4. und 5. Jh. n. Chr. an Gerichten von Beamten für Dienstleistungen erhobenen Gebühren (Cod. Iust. 3,2).

→ Donativum

H. A. CAHN et al., Der spätröm. Silberschatz von Kaiseraugst, 1984, 406–408 • D. CLOUD, The Client-Patron Relationship, in: A. WALLACE-HADRILL (Hrsg.), Patronage in Ancient Society, 1989, 209–215. R. H.

Sporus. Freigelassener Neros; er ähnelte der eben (65 n. Chr.) verstorbenen Poppaea [2] Sabina so sehr, daß Nero ihn kastrieren ließ und als sexuellen Ersatz für Poppaea gebrauchte. Während der Griechenlandreise 66–68 verband er sich sogar mit ihm in einer Ehezeremonie und gab ihm den Namen Sabina (Cass. Dio 62,28,2 f.; 63,12 f.; Suet. Nero 28; 29). S. begleitete Nero bei seiner Flucht im Juni 68. Nach Neros Tod soll Nymphidius [2] Sabinus ihn sexuell benutzt haben, ebenso → Otho (Plut. Galba 9,3; Cass. Dio 64,8,3). Als Vitellius ihm befahl, auf der Bühne aufzutreten, tötete S. sich selbst (Cass. Dio 65,10,1). W. E.

Spottgedichte s. Iambographen; Invektive; Parodie

SPQR steht für *s(enatus) p(opulus)q(ue) R(omanus)* und ist die übliche Bezeichnung des röm. Staats, verkörpert durch seine beiden Entscheidungsorgane »Senat und Volk von Rom« (also nicht wie im Griech. nur durch das Volk, z. B. *hoi Athēnaíoi*), seit dem 1. Jh. v. Chr. Davor stand der *populus* an erster Stelle (erster Beleg in dem Dekret des Aemilius [I 32] Paullus für Lascuta, frühes 2. Jh. v. Chr.: ILS 15; vgl. Pol. 21,10,8). Seit der Zeit des Augustus erscheint SPQR auf Inschr. als Urheber von Weihungen (etwa von Bauten und Monumenten), dann auch als Empfänger von Dedikationen.

→ Populus; Senatus H. GA.

Sprache. Der Begriff bezeichnet zum einen das primäre Mittel menschlicher Kommunikation und die Fähigkeit dazu, zum anderen die Ausprägungen, die dieses Kommunikationsmittel bei einzelnen Sprechergemeinschaften angenommen hat (im Sinne von Einzel-S.). Im ersteren Sinne war S. schon in der Ant. Gegenstand wiss. Betrachtung (→ Sprachtheorie); herausragendes Produkt ist Platons Dialog ›Kratylos‹, in dem u. a. die Frage diskutiert wird, ob »Namen« θέσει/*thései* (d. h. »durch Festsetzung« oder »Übereinkunft« der Sprecher) oder φύσει/*phýsei* (d. h. »aus der Natur« der zu bezeichnenden »Sache« selbst) entstanden seien (→ Grammatiker). Diese Fragestellung tritt in der Unterscheidung von »Bezeichnendem« (*signifiant*) und »Bezeichnetem« (*signifié*) und deren gegenseitigem Verhältnis auch in der gegen E. des 19. Jh. neu entstehenden Allg. Sprachwiss. wieder in den Vordergrund [7]. Auf ihr aufbauend wird S. noch h. als ein Vorrat von Zeichen aufgefaßt, die in enger Verknüpfung miteinander ein semiotisches System bilden; Einzel-S. sind dann unterschiedliche Ausprägungen eines derartigen Systems, die ihrerseits in verschiedene → Sprachschichten zerfallen.

Am Verhältnis zw. *signifié* und *signifiant* lassen sich die beiden prinzipiell divergierenden Betrachtungsweisen illustrieren, die die Sprachwiss. zur Verfügung hat, nämlich die »onomasiologische«, die nach der sprachlichen Benennung eines gegebenen außersprachlichen Objekts – einer Sache, eines Sachverhalts, eines Vorgangs o.ä. – fragt (also u. a. nach der formalen Ausprägung funktionaler Kategorien in einer Einzel-S.), und die »semasiologische«, die umgekehrt nach der »Bedeutung« eines gegebenen sprachlichen Elements – eines Wortes, einer Wortform, einer Kasuskategorie, einer Tempuskategorie usw. – fragt (also u. a. nach dem funktionalen Gehalt einer formalen Kategorie). Die Scheidung beider Betrachtungsweisen ist bes. auf der Ebene des → Lexikons, d. h. des Wortschatzes und seiner Strukturierung, von Bedeutung.

Auch im zweiten Sinne, als Einzel-S., ist S. schon in der Ant. thematisiert worden. Die Beschäftigung mit ihrer eigenen S., dem Griech., führte Grammatiker wie Dionysios [17] Thrax bereits zur klaren Trennung verschiedener Beschreibungsebenen der sprachlichen Struktur und zur Benennung wesentlicher, zumeist übereinzelsprachlich anwendbarer Strukturelemente. Die damals geschaffenen t.t., vermittelt durch lat. Epigonen wie → Donatus [3] oder → Priscianus, werden z. T. noch h. auf allen Ebenen der traditionellen Sprachbeschreibung verwendet. Dies betrifft zum einen die Ebene des Lautsystems (→ Lautlehre), dessen grundlegende Einteilung in Vok., Kons., Verschlußlaute (Mutae), Dauerlaute (Liquidae) usw. noch h. Bestand hat, auch wenn sich im Gefolge der v. a. durch die »Prager Schule« (bes. [10]) vorangetriebenen dichotomischen Scheidung der konkreten, äußerungs- oder realisationsbezogenen »phonetischen« und der abstrakten, system- oder strukturbezogenen »phonologischen« Ebene eine wesentliche Verschärfung der Sichtweise durchgesetzt hat. So ist die Frage nach der konkreten Aussprache eines lat. *c* in Wörtern wie *Caesar*, *Cicero* oder *capella* aus phonologischer Sicht zunächst irrelevant, solange sich nachweisen läßt, daß sich hinter der gleichen Schreibung ein gemeinsames »Phonem«, d. h. strukturell derselbe Laut verbirgt; diejenigen Tendenzen, die zu einer Aufspaltung in »Allophone« je nach dem folgenden Laut führten (»palatales« [ts] oder [tʃ] gegenüber »velarem« [k]), sind als »Realisationserscheinungen« zunächst der phonetischen Ebene zuzuordnen. Erst in dem Moment, wo die Verteilung von palatalen und velaren »Allophonen« nicht mehr automatisch durch den folgenden Laut geregelt war, nahm die Aufspaltung phonologische (phonematische) Geltung an. Scharf zu trennen bleibt im übrigen die Ebene der Laute von derjenigen der → Schrift als eines Systems von Buchstaben, das seinerseits lediglich ein über das Lautsystem gestülptes sekundäres Zeichensystem darstellt, durch welches dieses mehr oder weniger exakt (im Sinne einer Relation zw. Phonemen und Buchstabeneinheiten, d. h. »Graphemen«) abgebildet wird.

Wesentlich verfeinert gegenüber der ant. Gramm. und der auf ihr aufbauenden traditionellen Sprachbeschreibung (»Schulgramm.«) sind zum anderen, v. a. durch den linguistischen Strukturalismus, h. auch die Verfahren der Morphologie, sowohl im Hinblick auf → Wortbildung (d. h. Bau von Wörtern durch Affigierung oder Komposition) als auch Formenbildung (d. h. Ausgestaltung von Wortformen durch die Mittel der → Flexion). Als hilfreich erwiesen hat sich hierbei, nicht nur für die S. des klass. Alt., eine grundlegende Einteilung in »wurzelhafte« Elemente, die – gewissermaßen als »größter gemeinsamer Teiler« – den Kern ganzer Wortsippen darstellen, Wortbildungsaffixe, die in Verbindung mit Wz. zur Bildung von »Stämmen« führen, und Dekl.- und Konjugationsendungen, die die im konkreten Satz auftretenden Wortformen charakterisieren (→ Flexion). So reflektiert lat. *augustus* den durch die Endung *-s* gekennzeichneten Nom. Sing. einer mit dem Suffix *-to-* gebildeten Adj.-Ableitung zu dem im Lat. selbst nicht mehr bezeugten ntr. *-e/os*-Stamm **augos* »Größe« (altind. *ójaḥ*, avest. *aogō*), der seinerseits von der auch in *augēre* vorliegenden Wz. *aug-* < uridg. **$h_2$eug-* »vergrößern, vermehren« abgeleitet ist; als urspr. Adj. »mit Größe versehen, erhaben« war es wegen seiner Bed. (Semantik; → Lexikon I.) bestens geeignet, zum kaiserlichen Beinamen zu werden (→ Onomastik).

Entscheidend ist bei der Bestimmung der für eine S. relevanten morphologischen Elemente deren Verknüpfung mit funktionalen Eigenschaften; wo dies gewährleistet ist, liegen »Morpheme« vor, wobei zw. gramm. (Kasusendungen, Personalendungen, Modussuffixen usw.) und die Wort-Bed. tragenden »lexematischen« Morphemen zu trennen ist. Ähnlich wie bei den »Allophonen« auf lautlicher Ebene spricht man von »Allomorphen«, wo formal unterschiedliche Elemente in ihrem funktionalen Gehalt übereinstimmen (z. B. bei den lat. Endungen *-ō* und *-ū*, die beide den Abl. Sing. mask. oder ntr. Nomina bezeichnen). Der auf Wortformen bezogenen Ebene der Morphologie nachgeordnet ist die der → Syntax als der Lehre vom Satz, seinem Aufbau und seinen Bestandteilen; unter allen Teildisziplinen der Linguistik hat sie die bedeutendsten Erweiterungen seit der Ant. erfahren.

Nur gering ausgeprägt war im klass. Alt. das Interesse für die Vielfalt, die sich in den verschiedenen Ausprägungsformen einer S. (→ Sprachschichten; → Dialekt) und im Nebeneinander verschiedener S. manifestiert; doch finden sich bereits erste Ansätze zu einer histor.-genealogischen Betrachtungsweise im Sinne von → Sprachverwandtschaft, die den → Sprachwandel als die histor. Dimension der S. (»Diachronie«) voraussetzt (z. B. bei Philoxenos [8]).

→ Sprachtheorie; SEMIOTIK; SPRACHPHILOSOPHIE; SPRACHWISSENSCHAFT

1 E. BENVENISTE, Probleme der allg. Sprachwiss., 1977 **2** D. CHERUBIM, Gramm. Kategorien, 1975 **3** H. GLÜCK (Hrsg.), Metzler Lex. S., ²2000 **4** H. HAPP, Grundfragen einer Dependenz-Gramm. des Lat., 1976 **5** G. MEISER, Histor. Laut- und Formenlehre der lat. S., 1998, § 10–18 **6** RIX, HGG, 11–24, 101–116 **7** F. DE SAUSSURE, Grundfragen der allg. Sprachwiss., 1931 **8** SCHWYZER, Gramm., 4–26 **9** O. SZEMERÉNYI, Richtungen der mod. Sprachwiss., Bde. 1–2, 1971–1982 **10** N. S. TRUBETZKOY, Grundzüge der Phonologie, 1939 (⁵1971). J. G.

Sprachfamilien s. Indogermanische Sprachen; Semitische Sprachen; Sprachverwandtschaft

Sprachgeschichte s. Sprachwandel

Sprachkontakt. Das Aufeinandertreffen zweier oder mehrerer → Sprachen (= Spr.), meist in geogr. Nachbarschaft und unter Vermischung der jeweiligen Sprechergemeinschaften, wodurch Kommunikation über die Sprachgrenzen hinweg bedingt oder ermöglicht wird. Typische Erscheinungsform eines intensiveren S. ist der Bilingualismus, bei dem einzelne Sprecher über ausreichende Kompetenz in zwei (oder mehreren) Spr. verfügen und diese (im Sinne von Zwei- oder → Mehrsprachigkeit) wechselnd einsetzen (in der Sprachwiss. meist abgegrenzt von → Diglossie, die den Wechsel zw. verschiedenen → Sprachschichten einer Spr. bezeichnet). Äußerliches Kennzeichen eines längerwährenden S. sind sog. Interferenzen, d. h. wechselseitige Einflüsse, denen die miteinander im S. stehenden Spr. ausgesetzt sind. Derartige Einflüsse können sich auf unterschiedlichen Sprachebenen in unterschiedlichem Maße manifestieren. Während → Lexikon (inklusive Wortbildungsmittel) und → Syntax am leichtesten beeinflußbar erscheinen, ist das Formensystem (Morphologie) weitgehend resistent; die Übernahme flexivischer Elemente (→ Flexion) wie Kasusendungen (im Lat. z. B. im Akk. griech. EN wie *Socratēn* oder *Circēn*) geschieht nur selten, üblich ist die Adaptation an einheimische Flexionsmuster (*Socratem*, *Circam*).

An der Art der Beeinflussung läßt sich vielfach nachweisen, daß die an einer gegebenen Kontaktsituation beteiligten Spr. nicht gleichrangig sind. So zeugen die vielfachen lexikalischen Einflüsse des Griech. auf das Lat. (→ Lehnwort; → Hellenisierung II.) von einer (kulturell) höheren Stellung des Griech. (sog. »Superstrat«); die Veränderungen, die das Lat. bei der Entwicklung der romanischen Spr. durchgemacht hat und die sich u. a. in starken Veränderungen des Lautsystems manifestieren, dürften am ehesten auf die Einwirkung von Spr. mit geringerem Prestige (»Substrat-Spr.«) zurückzuführen sein, deren Sprecher das Lat. zunächst als Verwaltungs-Spr. übernahmen, dann ihre eigene Spr. (z. B. Gallisch, Keltiberisch; → Keltische Sprachen) zugunsten des Lat. aufgaben. Ein → Sprachwechsel dieser Art ist als Endergebnis eines langwährenden S. bes. dann zu erwarten, wenn zw. den betreffenden Spr. ein starkes soziales Gefälle herrscht, wobei sich normalerweise die über das größere Prestige verfügende Spr. auf Kosten der weniger prestigebehafteten durchsetzt. Nur bei Gleichrangigkeit kann sich ein sog. Sprachbund entwickeln, bei dem sich unterschiedliche Spr. in ihren Strukturen mehr und mehr einander angleichen (so z. B. im Falle des sog. Balkansprachbundes, der das Neugriech., das Bulgarische, das Maked., das Rumänische und das Albanische umfaßt), ohne jedoch ihre histor. (durch → Sprachverwandtschaft ererbten) Unterschiede völlig aufzugeben. Hierbei entstehen »Misch-Spr.« unterschiedlichen Grades, deren einzelne Bestandteile (ererbt gegenüber entlehnt) nicht immer leicht zu trennen sind, bes. wenn die betreffenden Spr. ohnehin miteinander verwandt sind (wie im Falle des Lat. und seiner ital. Schwester-Spr., → Oskisch-Umbrisch). Oft kann man auf einen prähistor. S. überhaupt nur aus Interferenzen der genannten Arten zurückschließen. Dies gilt z. B. für die sog. ägäischen Substrat-Spr., die dem Griech. Wortmaterial geliefert haben (→ Lehnwort); im ant. Italien dürfte das → Etruskische eine ähnliche Wirkung ausgeübt haben.

J. Bechert, W. Wildgen, Einführung in die S.forsch., 1991 • U. Weinreich, Sprachen in Kontakt, 1977 • H. Paul, Prinzipien der Sprachgesch., [9]1975, Kap. XXII f. • G. Meiser, Histor. Laut- und Formenlehre der lat. Spr., 1998, § 9 • G. Neumann, J. Untermann (Hrsg.), Die Spr. im röm. Reich der Kaiserzeit, 1981 • V. Binder, S. und Diglossie. Lat. Wörter im Griech. als Quellen für die lat. Sprachgesch. und das Vulgärlat., 2000. J. G.

Sprachschichten

I. Allgemein II. Probleme

I. Allgemein

Im Sinne einer synchronen Betrachtungsweise bildet »S.« den Überbegriff über die verschiedenen Ausprägungen, die eine gegebene → Sprache (= Spr.) in ihrer Verwendung bei einzelnen Sprechern (Idiolekt), bei durch ihre soziale Stellung definierten Sprechergruppen (Soziolekt) oder bei geogr. bestimmbaren Sprechergemeinschaften (→ Dialekt) annimmt; im Sinne einer diachronen Betrachtungsweise ist S. Bezeichnung der unterschiedlichen histor. Strata, die sich in Form von lexikalischen (Erb- und Lehnwortschatz), gramm. (synt. oder morphologischen) und lautlichen Elementen in einer gegebenen Spr. nachweisen lassen.

Die Existenz von S. im ersteren Sinne gehört zu den universalen Eigenschaften menschlicher Spr. überhaupt (→ Diglossie); tatsächlich sind Einzel-Spr. als Analyse- und Beschreibungsobjekte immer in erheblichem Maße Produkt einer idealisierenden, von den verschiedenen Schichten abstrahierenden Sichtweise. So ist eine Beschreibung des Lat., die die Besonderheiten der »vlat.« Volks-Spr. ignoriert, strenggenommen unvollständig, da sie ausschließlich die klass. Schrift-Spr. berücksichtigt; ebenso bleibt eine Beschreibung des Altgriech. ohne Würdigung der dialektalen Besonderheiten z. B. des dorischen Dial. unvollständig. Greifbar sind als spezifische Soziolekte der klass. Spr. z. B. noch die Sakral-Spr., die Soldaten-Spr. (*sermo castrensis*), ferner → Fachsprachen wie diejenige des Rechts, der Philos. oder der Medizin, die sich v. a. durch lexikalische Besonderheiten auszeichnen. Ohne klare Abgrenzung werden schichtenbezogene Charakteristika vielfach der Ebene des → Stils zugeordnet.

Auch S. im zweiten Sinne dürften in jeder Spr. enthalten sein, da sie sich als Folge der allg. Tendenz zum → Sprachwandel sowie der Auswirkungen von → Sprachkontakt, denen jede Spr. in ihrer Gesch. immer wieder ausgesetzt sein kann, zwingend ergeben, auch wenn es meist nicht gelingen wird, sämtliche in einer gegebenen Spr. enthaltenen histor. S. voneinander zu isolieren und auf ihre Quelle zurückzuführen. So sind z. B. im Falle des Lat. neben der Schicht a) der aus dem Uridg. stammenden Erbwörter (z. B. *māter*, »Mutter«), b) der auf dieser Grundlage mit ererbten Mitteln der Wortbildung zu verschiedenen vorgesch. Zeiten (urital., urlatino-faliskisch, urlat., altlat.) neugebildeten Wörter (z. B. *māternus*, »mütterlich«), c) der aus verschiedenen Varietäten des Griech. übernommenen Lw. (z. B. *māchina*, »Maschine«, → Lehnwort) und d) der aus anderen ital. Sprachen stammenden Lw. (z. B. *lupus*, »Wolf«) noch weitere, bisher nicht identifizierte Schichten anzunehmen, denen etym. nicht deutbare Wörter entstammen müssen. Ähnlich enthält das Griech. verschiedene Strata, von denen nicht alle histor. bestimmbar sind.

G. Meiser, Histor. Laut- und Formenlehre der lat. Spr., 1998, § 7. J. G.

II. Probleme

In der konkreten Anwendung des mit der Unterscheidung mehrerer S. – etwa (nach [1; 3; 4]) diachroner, diatopischer, diastratischer und diaphasischer Sprachvarietäten – gegebenen Instrumentariums ergeben sich schnell Komplikationen. So kann es zu Kreuzklassifikationen kommen: Dorisch ist einerseits ein griech. Dialekt (diatopische Varietät), andererseits aber auch Gattungssprache (diaphasische Varietät). Bislang nicht vollständig geklärt ist die wichtige Frage, wie sich die Schriftsprache in dieses Schema einordnen läßt; eine Klassifikation als diaphasische Varietät ist nicht mehr haltbar, da man h. geschriebene Sprache weniger als Sekundärprodukt der gesprochenen sieht denn als Ausprägung menschlicher Sprache eigenen Rechts: »Schriftsprache« ist nicht nur ein medialer Befund (mediale Schriftlichkeit), sondern sie folgt eigenen Regeln von Form und Inhalt (»konzeptionelle« Schriftlichkeit bei [2]).

Virulent wurde die Frage nach S. (da »Sprachebene« eine hierarchische Vorstellung evoziert, wird h. eher von Varietäten gesprochen) v.a. für die Frage nach der Entstehung der romanischen Sprachen. Hier wurde der Ursprung in unterschiedlichen Sprachvarietäten gesehen: diachron (Protoromanisch als Spät-Lat.), diastratisch (als Unterschichts-Lat., *sermo vulgaris*) oder diaphasisch (als Kolloquial-Lat., *sermo cottidianus*), zumal sich ein Bewußtsein für unterschiedliche S. für die Ant. feststellen läßt; einschlägig sind z.B. Cic. ac. 1,2; Cic. fam. 9,21,1; Quint. inst. 12,10,40.

→ Dialekt; Schriftlichkeit-Mündlichkeit; Vulgärlatein

1 L. Flydal, Remarques sur certains rapports entre le style et l'état de langue, in: Norsk Tidsskrift for Sprogvidenskap 16, 1952, 241–258 2 P. Koch, W. Oesterreicher, Sprache der Nähe – Sprache der Distanz, in: Romanistisches Jb. 35, 1985, 15–43 3 E. Coseriu, Die Begriffe »Dialekt«, »Niveau« und »Sprachstil« und der eigentliche Sinn der Dialektologie, in: J. Albrecht et al. (Hrsg.), Energeia und Ergon. FS E. Coseriu, 1988, Bd. 1, 15–43 4 Ders., Synchronie, Diachronie und Typologie, in: s. [3], 173–182
5 G. Reichenkron, Historische latein-altromanische Gramm., 1. Teil, 1965.

V.Bl.

Sprachtheorie s. Nachträge in Band 12/2

Sprachverwandtschaft. Die Erkenntnis, daß verschiedene menschliche → Sprachen (= Spr.) im Sinne eines genealogischen Verhältnisses miteinander verwandt sein können, geht bereits auf die Ant. zurück. Aus Zeugnissen griech. → Grammatiker ist zu entnehmen, daß ihnen das Lat. nicht nur als eine von ihrer eigenen Spr. unterschiedene Varietät bekannt war, sondern daß sie auch über das gegenseitige Verhältnis beider reflektierten. Tatsächlich ist die Feststellung des Philoxenos [8], daß das Lat. ›vom aiolischen (Dial.) des Griech. abstammt, weil es wie dieser keinen Dual besitzt‹ (Philoxenos bei Herodian., GG 3,2, p. 791, Z. 28–30), so etwas wie das erste histor. greifbare Resultat einer wiss. Betrachtungsweise von S. (vgl. noch Tyrannion bei Suda τ 1185).

Erst gegen Anf. des 19. Jh. entwickelte sich eine eigenständige Disziplin der Sprachwiss., als es aufgrund der Beschäftigung mit dem Altind. gelang, die zw. diesem, den Spr. der europ. Ant. und anderen Spr. bestehenden Übereinstimmungen als systematisch zu erweisen und histor. durch die Annahme eines gemeinsamen »Ursprungs« zu begründen. Die seinerzeit etablierte Familie → indogermanischer Sprachen, der neben den klass. Spr. → Griechisch und → Latein u.a. auch die → keltischen, die → germanischen, die → iranischen sowie verschiedene → anatolische Sprachen (z.B. → Hethitisch, → Lydisch) angehören, ist die am besten erforschte Gruppe von miteinander verwandten, aus einer gemeinsamen, nicht selbst bezeugten »Vorstufe« (sog. »Uridg.«) hervorgegangenen Spr. (lediglich die → semitischen Sprachen gewähren vergleichbare Einblicke in ihre gemeinsame Vorgesch.). Tatsächlich gestattet es der Vergleich der bezeugten idg. Spr., die gemeinsame Grund-Spr. bis in die Einzelheiten des verbalen Formensystems zu rekonstruieren. So lassen sich lat. *est* und *sunt* zusammen mit griech. ἐστί(ν) und εἰσί(ν) (< urgriech. *ehenti*) letztlich auf uridg. *$h_1$ésti und *$h_1$sénti zurückführen, die auch altind. *ásti* und *sánti*, altavest. *astī* und *həṇtī*, hethit. *ešzi* und *ašanzi* sowie dt. *ist* und *sind* zugrundeliegen; dabei hat das h. Dt. den urspr. → Ablaut der 3. Person Pl. (mit *-i-* < *-e-*) besser bewahrt als das Lat. oder das Hethit., deren Formen einen durch → Analogie [2] begründbaren Ersatz von *-e-* durch *-o-* voraussetzen; von dem anlautenden → Laryngal h_1 zeigen nur die Formen des Griech. und Hethit. einen unmittelbaren (vok.) Reflex.

Die »Aufspaltung« der »uridg. Grundsprache« in die bezeugten Einzel-Spr. läßt sich am besten im Sinne eines »Stammbaums« darstellen. Die Einzel-Spr. sind dabei als »Zweige« aufgefaßt, die sich aufgrund der universalen Tendenz menschlicher Spr., sich im Laufe der Gesch. stetig auf allen ihren Ebenen zu verändern (→ Sprachwandel), aus einem gemeinsamen »Stamm« entwickelt haben; als Vorstufe bei der Entwicklung selbständiger Spr. ist die Ausbildung dialektaler Varietäten (→ Sprachschichten) anzusehen, wobei Ausgliederung meist durch geogr. Trennung gefördert wird. Zw. den bezeugten Einzelspr. und der gemeinsamen Grundspr. sind vielfach sog. Zwischengrundspr. anzunehmen (so z.B. Urgriech. als Vorläufer aller griech. Dial. oder, nicht unumstritten, Urital. als gemeinsamer Vorfahre des Lat. und seiner ital. Verwandten). Durch gegenseitige Beeinflussungen verschiedener Spr. oder Varietäten im → Sprachkontakt entsteht nicht genealogische, sondern typologische S.

G. Meiser, Histor. Laut- und Formenlehre der lat. Spr., 1998, § 23–26 • M. Meier-Brügger, Idg. Sprachwiss., [7]2000, 39–59 • E. Tichy, Indogermanistisches Grundwissen, 2000, 19–21.

J.G.

Sprachwandel

I. Allgemeines II. Differenzierung nach Sprachebenen III. Lautgesetze

I. Allgemeines

Eine universale Tendenz der menschlichen → Sprache (= Spr.) besteht darin, sich auf allen Ebenen stetig zu verändern, wobei teils äußere Faktoren (z.B. → Sprachkontakt), teils innere Faktoren (z.B. → Anomalien) verantwortlich gemacht werden können. Von einer gegebenen Spr. ausgehend, kann S. über längere Zeiträume hinweg zunächst zu einer dialektalen Diversifikation (→ Sprachschichten), dann, bes. bei geogr. Absonderung, zur Aufspaltung in verwandte, aber selbständige Spr. führen; so dürften nicht nur Sprachformen wie das Ionisch-Attische und das Dorische als dialektale Abwandlungen auf eine und dieselbe »urgriech.« Spr. zurückgehen, sondern alle → griechischen Dialekte zusammen mit dem → Lateinischen und den anderen → indogermanischen Sprachen auf eine gemeinsame »uridg.« Grund-Spr. (→ Sprachverwandtschaft).

II. Differenzierung nach Sprachebenen

Die histor.-vergleichende Sprachwiss. geht davon aus, daß sich der S. nicht auf allen Ebenen in gleicher Geschwindigkeit vollzieht. Die schnellsten Veränderungen dürfte der Wortschatz erleben, der zugleich für die Aufnahme »fremden« Gutes in bes. Maße prädestiniert erscheint (→ Lehnwort; → Lexikon). An zweiter Stelle steht die Ebene der → Syntax, wobei S. sowohl das Verhältnis zw. formalen Kategorien und ihrem funktionalen Gehalt (→ Syntax) als auch die Wortstellung und andere Regularitäten des Satzbaus betreffen kann. Veränderungen in der Morphologie (Formenlehre) und der Phonologie (Lautlehre) beanspruchen längere Zeiträume, wobei sich beide oft gegenseitig bedingen. So dürfte im Lat. der Verlust des uridg. Kasus Instr. u. a. dadurch begründet gewesen sein, daß sein Kennzeichen, die Endung *-*ē*, in bestimmten Konstellationen (»Iambenkürzungsgesetz«, → Lautlehre) zu -*e* gekürzt wurde, womit sie mit dem auf urspr. -*i* zurückgehenden -*e* als Kennzeichen des Lok. zusammenfiel; beide Kasus gingen dann infolge eines weiterschreitenden → Synkretismus, bei dem → Analogien zw. den verschiedenen Dekl.-Klassen eine Rolle spielten, im lat. Abl. auf. Ein unmittelbares Relikt des Instr. dürfte die lat. Adverbbildung auf -*ē*/*e* (z. B. *longē*, *bene*) darstellen.

III. Lautgesetze

Einen für die histor.-vergleichende Sprachwiss. entscheidenden methodischen Fortschritt bedeutete die in der 2. H. des 19. Jh. durch die Schule der Junggrammatiker herausgearbeitete Erkenntnis, daß S. im Lautsystem prinzipiell gesetzmäßig abläuft, indem sich ein und derselbe Laut (oder Lauttyp) einer gegebenen Spr. (genauer: Sprachstufe) in demselben (oder ähnlichem) lautlichen Kontext immer gleich entwickelt. Die Aufstellung der jeweils gültigen »Lautgesetze« und der durch sie konstituierten regelmäßigen Entsprechungen ist seitdem als Vorbedingung für die Bestimmung von zw. verschiedenen Spr. oder Varietäten bestehenden verwandtschaftlichen Beziehungen und für die Rekonstruktion gemeinsamer Vorstufen anerkannt. So steht z. B. im Griech. dem lat. *qu* in Wortformen wie *quis* »wer« oder *quō* (Abl.) »auf welche (Weise)« teils ein dentales τ wie in τίς/*tis* »wer«, teils ein labiales π wie in πῶς/*pōs* »wie« gegenüber; dem *qu* in *quattuor* entspricht ein τ in τέσσαρες/*téssares*, während dem *qu* in (*re*-)*linquō* oder *sequor* ein π in λείπω/*leípō* oder ἕπομαι/*hépomai* entspricht. Das dahinterstehende Lautgesetz besagt, daß im Griech. ein urspr. → Labiovelar (k^{u}) vor vorderen Vok. (*e*, *i*) zum Dental, vor hinteren Vok. (*a*, *o*) jedoch zum Labial geworden ist; im Lat. blieb der Labiovelar demgegenüber als solcher erh. (wie auch noch im → Mykenischen als griech. Varietät des 2. Jt. v. Chr.). Wenn es im Griech. nun auch λείπει/*leípei* (statt †λείτει/*leítei*) und ἕπεται/*hépetai* (statt †ἕτεται/*hétetai*) heißt, dann hat hier eine Analogie gewirkt, die den innerparadigmatischen Wechsel im stammauslautenden Kons. als Anomalie beseitigte.

Ob und wo derartige Mechanismen eingreifen, ist – im Gegensatz zu den Lautgesetzen selbst – nicht vorhersehbar; so hat das Lat. das ebenso anomal erscheinende Nebeneinander von Nom. *nix* und Gen. *nivis* (»Schnee«) sowie der dazugehörenden Verbalform *ninguit* »es schneit« offensichtlich ertragen, das durch die Wirkung unterschiedlicher umgebungsbedingter, ihrerseits lautgesetzlicher Veränderungen des urspr. labiovelaren Verschlußlauts g^{wh} zustande gekommen war (*k* in *x* = *ks* in *nix* < *(*s*)*nig*^{wh}-*s* in der Verbindung mit *s* im Auslaut, -*u̯*- in *nivis* < *(*s*)*nig*^{wh}-*es* in der Stellung zw. Vok., -*gu̯*- in *ninguit* < *(*s*)*ning*^{wh}*eti* in der Stellung nach *n*). Vielfach läßt sich die histor. Aufeinanderfolge unterschiedlicher Lautwandelerscheinungen im Sinne einer relativen Chronologie abbilden; eine absolute Chronologisierung setzt schriftliche Bezeugung voraus.

Th. Bynon, Histor. Sprachwiss., 1981 • E. Coseriu, Synchronie, Diachronie und Gesch., 1974 • G. Meiser, Histor. Laut- und Formenlehre der lat. Spr., 1998, § 19–22 • H. Paul, Prinzipien der Sprachgesch., [9]1975 • Rix, HGG, 15–23 • E. Tichy, Indogermanistisches Grundwissen, 2000, 22–24.

J. G.

Sprachwechsel. Von S. spricht man auf sozialer und auf individueller Ebene. Im ersten Fall gibt eine demographische oder funktionale Minderheit nach einer Periode der Zweisprachigkeit ihre Sprache (= Spr.) auf und übernimmt die Mehrheits-Spr. Nicht Ausrottung von Sprechern, sondern S. ist die häufigste Ursache von Spr.-Tod (→ Sprachwandel und dialektaler Ausgleich werden nicht unter S. gefaßt). Typische Begleitphänomene sind Interferenzen mit der Dominanz-Spr., nicht angepaßte Lw., Aufgabe einheimischer Namen (sichtbar für das Etr. z. B. an der Doppelbenennung derselben Person *Aule Harpni* bzw. *Cn. Laberius*), Verlust der Produktivität von Wortbildungsregeln, Abbau gramm. Kategorien, Reduktion stilistischer Vielfalt, Domänenverlust. Als letztes Residuum bleiben Substratwörter und ON übrig wie z. B. keltische auf -*dunum* (vgl. den hybriden ON *Augustodunum*/Autun). Begünstigende Faktoren sind Urbanisierung, räumliche und soziale Mobilität, geringes Prestige der Minderheiten-Spr., räumliche Zersplitterung oder auf S. abzielende Spr.-Politik. Im röm. Reich hat sich S. in großem Maßstab ereignet – von den sog. Substrat-Spr. haben sich nur das Baskische und das Albanische (→ Balkanhalbinsel, Sprachen) erh. Oft kann nur aus Äußerungen ant. Schriftsteller ein *terminus post quem* für den S. gewonnen werden; solche Quellen belegen ein Weiterleben von Spr. noch lange nach dem Versiegen der schriftlichen Originaldokumente (Amm. 23,5,10f. zu *haruspices*, die im 4. Jh. n. Chr. noch etr. Ritualbücher lesen konnten).

Der zweite Fall von S. betrifft das Umschwenken innerhalb einer konkreten Äußerung, das sog. *code-switching* in Situationen sozialer Zweisprachigkeit (→ Mehrsprachigkeit). Als Gründe kommen in Frage: Sprechsituation, Interaktionspartner, gesellschaftl. Rahmen (vgl. → Diglossie) oder spezifische Intentionen, z. B. Veränderung der Sprecherrolle (Betonung der Sachkompetenz durch fremdsprachlichen Fachwortschatz). Syntaktische Restriktionen des *code-switching* sind v. a. für die Frage nach Spr.-Universalien interessant. *Code-switching* ins Griech. findet sich in lat. Dokumenten nicht selten, vgl. etwa den Brief des Augustus an Maecenas (Macr. Sat. 2,4,12): *vale mi ebenum Medulliae ... carbunculum Hadriae,* ἵνα συντέμνω πάντα, μάλαγμα *moecharum* (oder auch manche Briefe Ciceros).

P. Achard, The Development of Language Empires, in: U. Ammon, N. Dittmar u. a. (Hrsg.), Sociolinguistics/Soziolinguistik, Bd. 2, 1988, 1541–1551 • J. Bechert, W. Wildgen, Einführung in die Sprachkontaktforsch., 1991 • M. Dubuisson, Grecs et Romains: Le conflit linguistique, in: L'Histoire 50, 1982, 21–29 • W. Dressler, Spracherhaltung – Sprachverfall – Sprachtod, in: Ebd., 1551–1563 • G. Neumann, J. Untermann (Hrsg.), Die Spr. im Röm. Reich der Kaiserzeit, 1980 • O. Wenskus, Triggering und Einschaltung griech. Formen in lat. Prosa, in: IF 100, 1995, 172–192 • Dies., Markieren der Basissprache in lat. Texten mit griech. Einschaltungen und Entlehnungen, in: IF 101, 1996, 233–257. V.BI.

Sprecherwechsel. In den ältesten Überl.-Stufen griech. dramatischer Texte finden sich diakritische Zeichen, die einen S. kennzeichnen, wie das *díkolon* und die *parágraphos* (→ Lesezeichen I.C.4–5). Die *parágraphos* hat im allg. eine Trennungsfunktion: In Prosa- oder Verstexten markiert sie phraseologische und/oder inhaltliche Einheiten, in dramatischen oder dialogischen Texten hingegen bezeichnet sie einen S. Die frühesten Zeugnisse dafür finden sich in Pap. des 3. Jh. v. Chr. (z. B. PLit. Lond. 80; PSorb. 2272). Manchmal ist die *parágraphos* mit einem Doppelpunkt im Innern der Linie verbunden (bes. bei Komödien oder den Dialogen Platons), manchmal mit einem Leerraum. In der Trag. kann ein S. mitten im Vers durch Verteilung desselben auf zwei Zeilen gekennzeichnet werden. Das *díkolon* (Doppelpunkt) wird dagegen innerhalb einer Zeile verwendet, zuweilen in Verbindung mit einem Bindestrich.

Ein anderes System zur Identifizierung des S., das spätestens seit dem 1. Jh. n. Chr. nachweisbar ist, besteht in griech. alphabetischen Siglen (Numeralia): In einigen Fällen ist ein Querstrich über die Buchstaben gesetzt oder es finden sich Buchstaben wie ς und ϙ (PSI 1176; POxy. 2458). Dieses System, das auch in einigen Pap. des griech. → Mimos begegnet (größtenteils 2. Jh. n. Chr.; s. PBerolinensis 13876), scheint dem einiger Hss. von lat. Komikern zu entsprechen (vgl. z. B. den Cod. Bembinus des Terenz, Cod. Vaticanus lat. 3226, 5./6. Jh. n. Chr.). Man vermutet, daß diese Notierung urspr. in den Schauspielertexten vorgenommen wurde, wo sie die ant. Rollenverteilung darstellte (z. B. POxy. 413).

Die Verwendung von Abkürzungen der Sprechernamen links neben einem Vers war im 1. Jh. v. Chr. noch selten, wurde jedoch in der Kaiserzeit, bes. nach dem 3. Jh., immer häufiger. Infolge der schwachen Bezeugung läßt sich jedoch erst in den byz. und ma. Ed. ein vollständiges und regelmäßiges System der S.-Angaben finden; die o.g. graphischen Zeichen, ein Überbleibsel der archa. Theaterausgaben, sind dabei noch häufig zu finden. In der Textüberl. von philos. Dialogen ist die archa. Notierung durch *díkola* oder *parágraphoi* bis in die ma. Ausgaben beibehalten worden.

→ Lesezeichen; Regieanweisung

R. Barbis Lupi, La paragraphos: analisi di un segno di lettura, in: Proc. of the 20th International Congr. of Papyrologists, 1994, 414–417 • W. A. Johnson, The Function of the Paragraphus in Greek Literary Prose Texts, in: ZPE 100, 1994, 65–68 • E. J. Jory, »Algebraic« Notation in Dramatic Texts, in: BICS 10, 1963, 65–78 • J. B. C. Lowe, The Manuscript Evidence for Changes of Speaker in Aristophanes, in: BICS 9, 1962, 27–42 • G. Mastromarco, The Public of Herondas, 1984, 99–113 • E. G. Turner, Greek Manuscripts of the Ancient World, ²1987, 8–9, 13 • K.-U. Wahl, Sprecherbezeichnungen mit griech. Buchstaben in den Hss. des Plautus und Terenz, 1974. V.I.C.

Sprichwort

I. Mesopotamien II. Ägypten
III. Klassische Antike

I. Mesopotamien

A. Begriff

Nach lexikalischen Texten (1. H. 2. Jt. v. Chr.) lautet die sumerische Bezeichnung für S. *i-bi-lu*. Das akkadische *tēltu(m)* ist vornehmlich aus der Brief-Lit. Assyriens und der Stadt Mari bekannt (1. H. 2. Jt. v. Chr.) [7]. Beide Termini beziehen sich nicht nur auf S. im heutigen Sinne, sondern auch auf → Fabeln, Anekdoten, → Rätsel und geistreiche Aussprüche.

B. Quellen

Erste sumerische Quellen für S. sind S.-Slgg. und sog. S.-Gedichte. Die S. dieser Gedichte mit Rahmenhandlung, die zur didaktischen Lit. gezählt werden, sind direkt moralisierend und metapherlos – der Übergang von Ausspruch zu Ermahnung ist fließend (vgl. ›Unterweisung des Šuruppag‹ [1] und ›Unterweisung des Ur-Ninurta‹ [4]). Älteste Textzeugen für S.-Slgg. stammen aus der Mitte des 3. Jt. v. Chr. aus Abū Ṣalābīḫ. Das Gros der Texte wird in die 1. H. des 2. Jt. v. Chr datiert: 28 in Slgg. zusammengefaßte sowie kleinere Slgg. von S. vornehmlich aus den Städten Nippur und Ur sind überl.: Neben Themen wie → Landwirtschaft und Tierhaltung, die die Basis der sumer. Kultur bildeten, stehen Berufe wie Hirte, Gärtner, Aufseher, Fischer, Sklave,

Händler, Töpfer, Weber, Priester und Schreiber im Mittelpunkt der Bildersymbolik. S. waren Teil des Schulcurriculums – Slg. 2 und 3 (vgl. [1]) mit jeweils rund 75 Duplikaten sind die bestbezeugten Texte der sumer. Schul-Trad. überhaupt [2]. Einige der sumer. S. fanden Eingang in Mythen und Epen sowie in die Lit. der Streitgespräche [5].

An akkad. Quellen (1. Jt. v. Chr.) gibt es die sog. »Assyrische Slg.«, ein bilingues Fr. ohne Parallelen zu den bekannten sumer. S., einen bilinguen Text, der eine Übersetzung der sumer. S.-Slg. 7 darstellt, und vereinzelte bilingue Fragmente. Die sumer. Version diente offenbar dazu, dem akkad. S. mehr Authentizität zu verleihen; diese Slgg. sind artifiziell. Dazu kommt die Slg. »Volkstümlicher Aussprüche« mit vornehmlich Tier-S. und kurzen Anekdoten – der Übergang zur Fabel ist fließend [6]. Ferner sind eine Anzahl von akkad. S. in Briefen und königlicher Korrespondenz zu nennen [7].
→ Fabel; Schreiber; Weisheitsliteratur

1 B. Alster, The Instructions of Šuruppak, 1974 2 Ders., Proverbs from Ancient Mesopotamia, in: Proverbium 10, 1993, 1–20 3 Ders., Proverbs of Ancient Sumer, 2 Bde., 1997 4 M. Civil, The Instructions of King Ur-Ninurta, in: Aula Orientalis 15, 1997, 43–53 5 W. W. Hallo, Proverbs Quoted in Epic, in: T. Abusch et al. (Hrsg.), Lingering over Words, 1990, 203–217 6 W. G. Lambert, Babylonian Wisdom Literature, 1960 7 A. Marzal, Gleanings from the Wisdom of Mari, 1976.

BA. BÖ.

II. Ägypten

A. Begriff

Die Abgrenzung des S. von sprichwörtlicher Redensart, Sentenz, Zitat, geflügeltem Wort und gattungsspezifischer Phrase ist häufig unmöglich. Die äg. Begriffe weisen auf eine reiche Differenzierung sowie eine von der mod. abweichende Begrifflichkeit hin. S. wird hier daher im weitesten Sinne verstanden als Lehrsatz von geschlossener Form mit bildnisartigem, gleichnishaftem Ausdruck, der eine Lebenserfahrung fixiert [4. 1220].

B. Quellen

S. dürften hauptsächlich der volkstümlichen Spruchweisheit sowie den Lebenslehren und Idealbiographien entsprungen sein. S. sind seit ca. 2000 v. Chr. v. a. in lit. Texten, gelegentlich auch in Briefen eingestreut überl. und können (wie Zitate) ausnahmsweise durch »(wie) man sagt« eingeleitet werden [4. 1220]. Bes. die späteren Lebenslehren [2] gleichen regelrechten S.- (oder eher Spruch-)Slgg., z. T. nach Lebensbereichen geordnet.

C. Form und Inhalt

Gemäß der oben zugrundegelegten Definition ist die Form wesentliches Merkmal von S. So findet sich z. B. Bildhaftigkeit in ›Zu einem Auftrag sendet man keinen Löwen aus‹, Anapher in ›Geht ein Mann, geht sein Besitz‹, Wortkontrast in ›Ein halbes Leben ist besser als ein ganzer Tod‹. Andere Formelemente können u. a. Rhythmisierung, Alliteration, Personifikation, Verhüllung, Wortspiel sein. Gelegentlich werden nach einer Grundformel neue Sprüche geschaffen, z. B. ›Das Denkmal ist der Charakter‹, ›Das Denkmal eines Mannes ist seine Vollkommenheit‹, ›Das Denkmal eines Mannes ist die Freundlichkeit‹. Die gesamte Lebenswelt der Ägypter, v. a. aber die Tierwelt, der Mensch und seine Berufe, sind in den äg. S. die bildgebenden Bereiche [3]. S. formulieren Lebensweisheiten und betreffen das Zusammenleben der Menschen. Im 1. Jt. v. Chr. bekommen die äg. Sprüche entsprechend der gesamten geistesgesch. Entwicklung eine stärkere rel. Komponente: Der Mensch sieht sich in der Hand Gottes.

1 H. Brunner, Äg. Sprichwörter, in: Kindler 18, 31 2 Ders., Alltägliche Weisheit, 1988 3 H. Grapow, Die bildlichen Ausdrücke des Aegyptischen, 1924 4 W. Guglielmi, s. v. S., LÄ 5, 1984, 1219–1222 5 B. Gunn, Some Middle-Egyptian Proverbs, in: JEA 12, 1926, 282–284.

FR. H.

III. Klassische Antike

Griech. παροιμία (→ *paroimía*); altlat. *adagio* (»Zu-Satz«: vgl. Valerius Soranus bei Varro ling. 7,31; seit A. Gellius nur noch in der Form *adagium*) und lat. *proverbium* (seit Cicero) sind verm. Versuche, den Begriff S. (im engeren Sinne) formal und semantisch adäquat zu übersetzen [5. 1708–1709]. Das S. ist ein volkstümlicher und altüberl. ganzer Satz, der – strikt anon., rhythmisiert (v. a. Paroimiakos; Lekythion) und mit bestimmten stilistischen Merkmalen (Kürze, Assonanz, Parallelismus) versehen – mittels eines konkreten Einzelfalles bild- oder gleichnishaft auf eine allg., in der Regel praktische menschliche Erkenntnis verweist. Die Bilderwelt des griech.-röm. S. stammt aus dem alltäglichen Leben oder ist allg. bekannt (u. a. histor. Ereignisse und Personen, Flora und Fauna, Myth.).

Das S. im weiteren Sinne (griech. → *gnṓmē* und lat. *sententia*, »Meinung, Sinnspruch«), macht ebenfalls eine Aussage über einen allg. Sachverhalt, verbirgt – im Gegensatz zur *paroimía* – das Gemeinte aber nicht in einem Gleichnis. Die *gnṓmē* kann einem bestimmten Autor und oft einem begrenzten Adressatenkreis zugeschrieben werden; sie war urspr. auf direkte ethische Handlungsanweisungen beschränkt. Die Differenz zw. *paroimía* und *gnṓmē* verschwindet freilich ab der hell. Zeit immer mehr. Griech. S. wurden zu philos. und lit. Zwecken [2. 71, 84–85] in spätant. und byz. Slgg. vereinigt (→ *paroimiográphoi*; → Stobaios).

Röm. S. wurden in der Ant. nicht im gleichen Umfang systematisch gesammelt wie die griech. Deshalb ist der Bestand der nicht aus dem Griech. übersetzten, rein lat. S. recht klein. Weil die meisten der lat. S. nur in der Dichtung (v. a. Komödie, Satire; → Plautus) erh. sind, wo sie sicherlich ihrem Kontext rhythmisch angepaßt wurden, ist es häufig unsicher, ob sie urspr. eine metr. Form besaßen. Als Versmaß überwiegt der iambische Trimeter, seltener findet man trochäische und daktylische Rhythmen (→ Metrik). Thematisch stehen bei den Römern Familie, Landleben und Krieg im Vordergrund [3. XXVI; 7]. Lat. Sentenzen [7] umfaßt u. a. die Slg. der → *Dicta Catonis*.

Zu den S. im weitesten Sinne gehören auch die im frühen Christentum gesammelten Jesusworte und Weisheitssprüche (→ Phokylides; → Sextos; → Weisheitsliteratur) [1; 4].
→ GEFLÜGELTE WORTE

1 K. BERGER, Gnome, Hypotheke, Sententia, in: Ders., Hell. Gattungen im NT, in: ANRW II 25.2, 1984, 1049–1074 (1049–1051, 1379–1432: Bibliogr.) 2 J. F. KINDSTRAND, The Greek Concept of Proverbs, in: Eranos 76, 1978, 71–85
3 A. OTTO, Die Sprichwörter und sprichwörtlichen Redensarten der Römer, 1890 (Ndr. 1962 u.ö.)
4 B. REICKE, s. v. Spruchsammlungen, LAW, 2874
5 K. RUPPRECHT, s. v. Paroimia, RE 18, 1707–1735
6 M. SWOBODA, De proverbiis a Cicerone adhibitis, 1963, 381–403 7 R. TOSI, Dizionario delle sentenze latine e greche, [8]1993.

W. MIEDER (Hrsg.), International Proverb Scholarship: An Annotated Bibliography, 2 Suppl.-Bde., 1990 und 1993 (Suppl. I zur Lit. von 1800–1981, Suppl. II von 1982–1991). Vgl. auch Bibliogr. zu → Dicta Catonis; → Gnome; → Paroimia; → Paroimiographoi GR. DA.

Spudogeloion (σπουδογέλοιον, inschriftlich auch σπουδαιογέλοιον/*spudaiogéloion*). Mischung aus »Ernstem« (*spudaíon*, = *sp.*) und »Lachhaftem« (*geloíon*, = *g.*). Diese beiden widersprüchlichen Deutungs- und Darstellungsweisen werden in der ant. Lit. vielfach kombiniert, so Aristoph. Ran. 391 f., Phaedr. 4,2,1–4; nach Plat. symp. 222 verlangt Sokrates, derselbe Mann müsse Tragödien und Komödien verfassen können. Über das Verhältnis von *sp.* und *g.* wird kritisch reflektiert: Plat. leg. 816d-e und Aristot. eth. Nic. 1176b 27–1177a 6; Aristot. poet. 1449a 32–38 (vgl. Cic. de orat. 236) setzen das *g.* niedriger an; nach Aristot. rhet. 1419b 3–8 entkräften im Redestreit Ernsthaftes und Lachhaftes einander gegenseitig [2. bes. 33–37].

Die bewußt enge Verbindung von *sp.* und *g.* ist v. a. kennzeichnend für den *kynikós trópos*, den kynischen Stil (→ Kynismus F.); er wurde bes. von → Krates [4] von Theben, der den Rigorismus des Diogenes [14] von Sinope milderte, entwickelt; bei ihm ›nimmt Lachhaftes den Rang und die Bed. einer Maxime (χρεία) an‹ (Demetrios [41], De elocutione 170; [4. 548, Nr. 66; 5. 572–579]). Doch erst ein Schüler des Krates, → Menippos [4] von Gadara, wird als *spudogéloios* bezeichnet (Strab. 16,2,29; Steph. Byz. 193,5), ebenso ein Herakleitos (Diog. Laert. 9,17; vgl. [1]) und ein Dichter Blaisos von Capri (Steph. Byz. 357,3; [3]). Das *s.* erscheint in lit. Formen wie: → Ainos, → Chrie, → Fabel, → Mimos, → Parodie und → Satire [2. 19–31].

In der lat. Lit. sind vom S. bes. die Satiren des → Horatius [7] bestimmt (vgl. Hor. sat. 1,1,24: *ridentem dicere verum*, »lachend die Wahrheit sagen«; vgl. sat. 1,10,14 f.), der sich durch Mäßigung im Spott von seinem Vorgänger → Lucilius [I 6] und seinem Nachfolger → Iuvenalis abhebt [2. 105–121].

1 H. BERVE, s. v. Herakleitos (6b), RE Suppl. 4, 730
2 L. GIANGRANDE, The Use of Spoudaiogeloion in Greek and Roman Literature, 1972 3 G. KAIBEL, s. v. Blaisos, RE 3, 556 4 SSR 2 5 SSR 4. H. A. G.

Spurinna. Mitte des 1. Jh. v. Chr. in Rom berühmter etr. Eingeweideschauer (→ *haruspices*). Er prophezeite → Caesar 44 die drohende Gefahr (Cic. div. 1,119; Suet. Iul. 81; Val. Max. 8,11,2) und ist verm. der *summus haruspex*, der ihn 46 vor dem frühen Übersetzen nach Africa warnte (Cic. div. 2,52). Offenbar nahm man aber solche Prophezeiungen nicht sehr ernst (vgl. Cic. fam. 9,24,2). J. BA.

Spurius

[1] Lat. → Praenomen, Sigle erst *S.*, dann, als es seltener wurde, ab ca. 100 v. Chr., *SP.* Das seltene Gent. *Spurīlius* ist vom nicht belegten Deminutiv abgeleitet. Einige wenige Belege finden sich auch in ital. Sprachen, z.B. osk. *Spuriís* (mit dem PN gleichlautendes Gent.). Der Vok. bildet die Grundlage des seit dem 7. Jh. v. Chr. bezeugten etr. PN *Spurie*. Das etr. Gent. *Spurie/ana-* wird in jüngerer Lautung als *Spurinna* ins Lat. übernommen. Die Etym. des (nicht etr.!) Namens ist umstritten; ein direkter Bezug zu spät bezeugtem lat. *spurius* »illegitim(es Kind)« ist abzulehnen (dies vielleicht eher aus der Abk. *s(ine) p(atre)* als Blankettname von Juristen erfunden).

SALOMIES, 50–55, 157, 160 f. • D. H. STEINBAUER, Neues Hdb. des Etr., 1999, 468. D. ST.

[2] Der Ausdruck für ein nichteheliches Kind im röm. Recht, ähnlich dem → *nóthos* des griech. Rechts (andere Bezeichnung: *vulgo quaesitus*, etwa: »unter dem Volke aufgelesen«; fem. *spuria*), zugleich ein verbreiteter Vorname (vgl. S. [1]). Nach Mod. Dig. 1,5,23 soll *s.* vom griech. *sporá* (»Aussaat«) abgeleitet sein. Der *s.* war rechtlich nur mit seiner Mutter (kognatisch, also »blutmäßig«, → *cognatio*) verwandt; nur ihr gegenüber bestanden – kaiserrechtlich durchsetzbare (s. dazu → *cognitio*) – Unterhaltsansprüche (Dig. 25,3,5,4 ff.) und ein »gesetzliches« Erbrecht. Als Kind einer Bürgerin wurde der *s.* röm. Bürger (→ *civitas*). Der *s.* war keiner väterlichen Gewalt (→ *patria potestas*) unterworfen, also von Geburt an *sui iuris* (»voll rechtsfähig«). Vom *s.* zu unterscheiden sind die »natürlichen Kinder« (→ *naturales liberi*) aus einer nichtehelichen Gemeinschaft (→ *concubinatus*). Diese wurden in der Spätant. nach einer gegenläufigen Tendenz unter Constantinus [1] I. (Anfang des 4. Jh. n. Chr.) auf vielfältige Weise privilegiert und konnten v. a. noch nach der Heirat der Eltern legitimiert werden.

KASER, RPR, Bd. 1, 351 f.; Bd. 2, 219–221. G. S.

Ssu-ma Ch'ien (*Sima Qian*). Ca. 145 – ca. 85 v. Chr., Verf. der ersten chinesischen Dyn.-Gesch., des *Shiji*, das, v. a. in Kap. 123, wichtige Informationen zu Zentralasien und Iran (z. B. zum Untergang des graeco-baktrischen Reiches sowie Charakteristika des Partherreiches) enthält. S. wurde in Longmen (h. Prov. Shanxi, nahe der damaligen Hauptstadt Chang'an) geboren. Nach frühen Reisen durch das ganze Reich bekleidete er später am Hof des Han-Kaisers Wu (140–87 v. Chr.) die Stellung des Großastrologen und hatte so Zugang zu

Archiven und der kaiserlichen Bibl. 104 v. Chr. zeichnete er mit anderen verantwortlich für eine bis Anfang des 20. Jh. n. Chr. gültige Kalenderreform. Vorübergehend in Ungnade gefallen, bekleidete S. ab 96 v. Chr. den Posten des »Vorstehers der Palastschreiber«. In seinem Werk, einer zu großen Teilen annalistischen Gesamtdarstellung chines. Gesch. von der myth. Vorzeit bis zur Regierungszeit des Kaisers Wu, finden sich auch Tabellen von Lehen und Ämtern, Abh. zu Musik, Riten, Kalenderwesen, Opfer, Fluß- und Kanalregulierung und Wirtschaft sowie Genealogien der wichtigsten Fürstenfamilien und Biographien herausragender Persönlichkeiten (auch nichtchines. Ethnien).
→ Graeco-Baktrien

1 W. Posch, Baktrien zw. Griechen und Kuschan, 1995, 53–100.
J. W.

Staat
I. Allgemein II. Alter Orient
III. Ägypten IV. Klassische Antike

I. Allgemein

Weder die S. des Alten Orients noch die S. des klass. Alt. verfügten über ein Wort, das dem mod. impersonalen S.-Begriff entspricht; es fehlte eine vom → Herrscher oder von der Ges. abgehobene, abstrakte S.-Idee, v. a. trat der »S.« nicht als Träger von Handlungen auf. Die Verwendung des Begriffs »S.« für diese vormodernen Ges. ist dennoch berechtigt, da diese einerseits die formalen Mindestkriterien erfüllen: permanentes S.-Volk, definiertes → Territorium, organisierte Verwaltung und Regierung sowie Fähigkeit zur Aufnahme von Außenbeziehungen auch durch → Staatsverträge; andererseits ist das S.-Ziel die Schaffung des inneren Friedens durch Rechtssicherheit. Die Entstehung von Staatlichkeit ist jeweils eine Antwort auf veränderte Lebensbedingungen (z. B. steigende Bevölkerungszahlen, Umweltfaktoren) und die damit wachsende Komplexität der Ges., so daß die S.-Entstehung in unterschiedlichen Regionen zu unterschiedlichen Zeiten erfolgen kann. Gemeinsames Kriterium ist jedoch die Ablösung »vorstaatlicher« personaler Autorität durch Versachlichung der Herrschaft in Institutionen und Ämtern.
→ Herrscher; Herrschaft; Sozialstruktur W. ED.

II. Alter Orient

Der S. im alten Vorderasien, gekennzeichnet durch sozialökonomische Differenzierung und Hierarchisierung sowie durch die Ausbildung polit. Organisationsstrukturen der Ges., bildete sich um die Wende vom 4. zum 3. Jt. v. Chr. im südlichen Mesopotamien und angrenzenden SW-Iran (→ Iran) heraus [1]. Charakteristisch für die sog. frühdyn. Zeit in Süd-Mesopot. (bis 24. Jh. v. Chr.) war die Existenz von miteinander um die Vorherrschaft kämpfenden Stadtstaaten mit städtischen Zentren (→ Stadt II.), die z. T. Sitz einer sich verselbständigenden polit. Gewalt und zentrale Kultplätze waren. Mit der Entstehung eines erblichen Königtums und den entsprechenden Institutionen (Verwaltungs- und Beamtenapparat) hatte sich die für Vorderasien entscheidende und typische Herrschaftsform herausgebildet (→ Herrscher I.), nicht zuletzt in Auseinandersetzung mit der einflußreichen Tempelaristokratie in den Hauptkultorten der Stadtstaaten. Ökonomische Grundlage der königlichen und der priesterlichen Macht waren die institutionellen Haushalte von → Palast und von → Tempel, die eigenständige Wirtschaftseinheiten bildeten. Im Prozeß der Eigentumsdifferenzierung entstanden darüber hinaus Formen individuellen Eigentums. Das Nebeneinander verschiedener Eigentumsformen blieb bis ins 1. Jt. v. Chr. ein Charakteristikum altmesopot. Ges.- und Wirtschaftsgesch. [2]. Parallele Staatsentwicklungen lassen sich auch in Syrien (→ Ebla) und im Iran (→ Elam) nachweisen.

Mit der Herausbildung größerer Territorialstaaten in Mesopot. (Akkade, Ur III) in der 2. H. des 3. Jt. v. Chr. verbanden sich Aufwertung des Königtums (Vergöttlichung des Herrschers) sowie Vervollkommnung des Verwaltungsapparates und des Rechts [3; 4]. In der Folgezeit war in Mesopot. – trotz mehrfach erneut auftretender, in Richtung Stadt- bzw. Regional-S. tendierender Partikularbestrebungen – der Territorial-S. die dominierende Form der S.-Bildung.

Die 1. H. des 2. Jt. v. Chr. ist in Mesopot. durch die Entwicklung amoritischer Staaten gekennzeichnet, von denen jener der Könige von → Babylon der bedeutendste war. Grundlage der wirtschaftlichen Macht bildeten nunmehr ein dezentralisiertes und auf Abgaben (→ Steuern) und Dienstleistungen ausgerichtetes System der Bodennutzung und andere tributäre Wirtschaftsformen (Palastgeschäft), die in Babylonien im Prinzip bis in spätbabylon. Zeit dominierten [5]. In Nordmesopot. etablierte sich der zunächst vornehmlich handelspolit. ausgerichtete Stadt-S. von → Assur [1] mit spezifischen Leitungs- und Organisationsstrukturen [6], bevor dieser im 18. Jh. v. Chr. zu einem Territorial-S. expandierte. Im Rahmen der Machtausübung und der örtlichen Verwaltung spielte in Nordmesopot. wie auch in Syrien die Institution der Ältesten eine bes. Rolle [7]. Gegen Mitte des 2. Jt. v. Chr. kam das Alte Reich der Hethiter (→ Ḫattusa) in Kleinasien zur Blüte, bevor es durch innerdyn. Machtkämpfe wieder an Bed. verlor.

Die Staatenwelt Vorderasiens in der 2. H. des 2. Jt. v. Chr. ist durch das polit.-diplomatische und mil. Agieren verschiedener Großmächte (Äg., Mittani, Hethiter, Babylonien, Assyria) geprägt [8]. Die kleineren S. Syriens/Palaestinas, die z. T. große handelspolit. Bed. besaßen, befanden sich in Abhängigkeit bzw. unter Einfluß der rivalisierenden S. von Äg. sowie der Hethiter der sog. Großreichszeit. Im Iran gelang es zeitweise den Elamern, ihren S. zu reorganisieren und territorial auszudehnen.

Durch die Expansions- und Großmachtpolitik der S. von Assyrien und Babylonien, die jeweils weite Teile Vorderasiens unter ihrer Herrschaft vereinigen konnten, ist die 1. H. des 1. Jt. v. Chr. charakterisiert. Mit der Erobererung Babyloniens durch die → Achaimenidai [2] im 6. Jh. v. Chr. verlagerte sich das Zentrum der staatl. Organisation und polit. Dominanz von Mesopot. in den iranischen Raum (→ Iran) [9].

→ Elam; Herrscher I.; Kleinasien III.; Mesopotamien; Sozialstruktur I.; Stadt II.

1 H. Klengel, Einige Aspekte der Staatsentstehung im frühen Vorderasien, in: J. Herrmann, J. Köhn (Hrsg.), Familie, S. und Gesellschaftsformation, 1988, 319–327 2 J. Renger, Institutional, Communal, and Individual Ownership or Possession of Arable Land in Ancient Mesopotamia, in: Chicago-Kent Law Review 71, 1995, 269–319 3 J. Bauer et al., Mesopot.: Späturuk-Zeit und Frühdynastische Zeit, 1998 4 W. Sallaberger, A. Westenholz, Mesopot.: Akkade-Zeit und Ur III-Zeit, 1999 5 J. Renger, Das Palastgeschäft in der altbabylon. Zeit, in: A. C. V. M. Bongenaar (Hrsg.), Interdependency of Institutions and Private Entrepreneurs, 2000, 153–183 6 M. T. Larsen, The Old Assyrian City-State and Its Colonies, 1976 7 H. Klengel, »Älteste« in den Texten aus Ebla und Mari, in: M. Lebeau (Hrsg.), Reflets des deux fleuves. FS A. Finet, 1989, 61–65 8 R. Cohen, R. Westbrook (Hrsg.), Amarna Diplomacy. The Beginnings of International Relations, 2000 9 Briant.

F. M. Fales, L'impero assiro (IX-VII secolo a.C.), 2001 • H. Klengel, Gesch. des Hethitischen Reiches, 1999 • Ders., Syria 3000 to 300 B. C., 1992 • S. Lafont, Fief et féodalité dans le Proche-Orient ancient, in: E. Bournazel, J.-P. Poly (Hrsg.), Les féodalités, 1998, 517–630 • H. Neumann, Überlegungen zu Ursprung, Wesen und Entwicklung des frühen S. im alten Mesopot., in: OLZ 85, 1990, 645–655 • D. T. Potts, The Archaeology of Elam, 1999. H. N.

III. Ägypten

Der pharaonische S. existierte von ca. 3050 v. Chr. bis zur Eroberung Äg.s durch Alexandros [4] d. Gr. 332 v. Chr. Sein S.-Gebiet erstreckte sich vom Mittelmeer im Norden bis zum 1. Nilkatarakt im Süden, im Osten bis zum Roten Meer und im Westen bis zu den Oasen der Libyschen Wüste. Schätzungen zur Bevölkerungsgröße reichen von 1,5 Mio. im AR bis 3 Mio. im NR. Nach äg. Auffassung diente der S. der Realisierung von → Ma'at, d. h. von Gerechtigkeit und Ordnung in der Welt; ihr Garant war der König (→ Herrscher II.) [1].

Die Entstehung des S. erfolgte allmählich in der 2. H. des 4. Jt., von verschiedenen Orten in Ober-Äg. aus. Unter den Gründen waren v. a. ökonomische (Zugang zu Handelswegen, bes. für den Fernhandel) ausschlaggebend. Durch Ausdehnung von ober-äg. Kultur und polit. System auf Unter-Äg. wurde die S.-Entstehung mit der »Reichseinigung« (von Ober- und Unter-Äg.) zu Beginn der 1. Dyn. formal abgeschlossen, setzte sich aber bis in die 4. Dyn. fort (28.–26. Jh. v. Chr.) [6].

Fokus des äg. S. war zu allen Zeiten der Pharao [5], der sich durch Abstammung, Erbe oder Erwählung von einem göttlichen oder königlichen Vater sowie durch seine Leistungen legitimierte. Theoretisch war er gleichzeitig oberster Priester, Richter, Militär und Chef der Verwaltung. All diese Bereiche waren auf unterer Ebene formal und personell nicht streng voneinander getrennt. Der König galt auch als Eigentümer des Bodens, wobei privater Landbesitz de facto existierte.

Faktisch unterstand die Verwaltung dem Wesirat, das zeitweilig in ein ober- und ein unter-äg. geteilt war; der Wesir war nach dem König oberster Richter innerhalb einer Instanzenjustiz [2]. Seine wichtigsten Aufgaben umfaßten die Eintreibung von → Steuern, die Organisation und Durchführung öffentlicher Bauarbeiten sowie Expeditionen in Rohstoffgebiete. Die Landesverwaltung, im AR noch patrimonial organisiert [4], erstreckte sich auf kanonisch 42 Gaue, realiter war das Land in eine wechselnde Zahl verschieden großer Territorien mit einem Zentralort und Umland gegliedert, die jeweils von einem sog. Gaufürsten bzw. Bürgermeister verwaltet wurden. Als Verwaltungsstellen fungierten auch → Tempel, insbes. bei der Steuereinziehung. Die Administration der Außenbesitzungen im NR wurde unterschiedlich gehandhabt: → Nubien wurde unter der Leitung des »Königssohns von Kusch« weitgehend dem äg. Kernland angegliedert, während im syr.-palaestinensischen Raum Festungskommandanten bzw. Vasallen eingesetzt wurden.

Das Heer wurde urspr. im Kriegsfall einberufen, entwickelte sich dann zu einem stehenden Heer und wurde in der Spätzeit durch ausländische Söldner ergänzt. Im NR, auf dem Höhepunkt mil. Macht, unterstand das Heer in der Regel einem Königssohn.

Strukturelle Schwächen unterbrachen die staatl. Einheit Äg.s in drei sog. Zwischenzeiten, als diverse Herrscher gleichzeitig die Hoheit über Teile Äg.s beanspruchten. Die Dritte Zwischenzeit (ca. 1070–664 v. Chr.) zeigte am deutlichsten feudale Strukturen [3]. Mehrere Fremdherrschaften (z. B. libysche, persische) während der Spätzeit änderten die S.-Struktur nicht wesentlich.

→ Ägypten; Ägyptisches Recht; Herrscher II.; Sozialstruktur I.; Stadt II.

1 J. Assmann, Ma'at, 1990 2 G. P. F. van den Boorn, The Duties of the Vizier. Civil Administration in the Early New Kingdom, 1988 3 K. Jansen-Winkeln, Gab es in der altäg. Gesch. eine feudalistische Epoche?, in: WO 30, 1999, 7–20 4 R. Müller-Wollermann, Das äg. AR als Beispiel einer Weberschen Patrimonialbürokratie, in: Bull. of the Egyptological Seminar 9, 1987/8, 25–40 5 D. O'Connor, D. P. Silverman (Hrsg.), Ancient Egyptian Kingship, 1995 6 T. A. H. Wilkinson, State Formation in Egypt: Chronology and Society, 1996. R. M.-W.

IV. Klassische Antike

Die Entstehung von Staaten im griech.-röm. Kulturraum ist nicht vor dem 8. Jh. v. Chr. anzusetzen. Sie vollzog sich in Griechenland nach dem Zusammenbruch der myk. Staaten im 12. Jh. und den → Dunklen Jahrhunderten mit der Einhegung der Macht der »Könige« (→ *basileús*) durch Adelsräte (→ *áreios págos*; → *gerusía*), durch zeitlich terminierte Ämter (→ *árchontes*) und durch die Einbeziehung einer Volksversammlung

(→ *apélla*; → *ekklēsía*) in das polit. Leben. Mit den polit. und gesellschaftlichen Reformen des → Lykurgos [4] (→ *rhḗtra* [2]) im 7. Jh. in → Sparta und des → Solon [1] 594 v. Chr. in Athen kann die Entwicklung des spezifisch griech. Staatstyps, der → *pólis*, als abgeschlossen gelten. In Rom vollzog sich etwa gleichzeitig die Kompetenzabgrenzung des Königtums (→ *rex* [1]), die Gliederung in *gentes* (→ *gens*) und die polit. und mil. Organisation des Volkes in → *curiae* (→ *comitia* [*curiata*]). Auch in Rom endete die Entwicklung zur Staatlichkeit am E. des 7. Jh., erhielt jedoch im 6. Jh. unter den etr. Königen (→ Tarquinius; Servius → Tullius) nochmals starke Impulse.

Die ant. Sicht des S. ist die eines Personalverbandes, gebildet aus dem wehrfähigen Teil der Bevölkerung (→ Bürgerrecht). Dies zeigt sich in S.-Begriffen wie lat. → *populus*, → *res publica* und → *civitas* (→ *cives*); griech. *koinōnía tōn politṓn* (*polítēs*) und → *politeía* sowie der Bezeichnung des S. nach dem S.-Volk (»die Athener«, »die Thebaner«), die auch für nichtgriech., nicht als Poleis organisierte S. verwendet wurde (»die Perser«, »die Makedonen«). Das Territorium spielt weder bei der faktischen Bezeichnung eines S. noch in der → Verfassungstheorie eine Rolle.

→ Staats- und Herrschaftsmetaphorik

Busolt/Swoboda • Eder, Staat • Ders., s. v. S., in: H. Sonnabend (Hrsg.), Mensch und Landschaft in der Ant., 1999, 495–498 • V. Ehrenberg, Der S. der Griechen, [2]1965 • W. Gawandtka, Die sogenannte Polis, 1985 • H. Beck, Polis und Koinon, 1997 • R. Klein (Hrsg.), Das S.-Denken der Römer, 1966 • E. Meyer, Röm. S. und S.-Gedanke, [4]1975 • H. Quaritsch, Der S.-Begriff und die ant. Politiktheorien, in: W. Schuller (Hrsg.), Polit. Theorie und Praxis im Alt., 1998, 278–290 • W. Suerbaum, Vom ant. zum frühma. S.-Begriff, [3]1977.

W. ED.

Staatenbünde. In Griechenland waren S. regionale Einheiten auf föderativer Grundlage, aus einzelnen Poleis (→ Polis) gebildet und so organisiert, daß die Außenpolitik Sache der Bundesorgane war (vgl. → *synhédrion*), aber jede Stadt ihr Bürgerrecht behielt und mehr Autonomie genoß als etwa der einzelne attische → *dḗmos* [2]. »Stammstaaten« in den von der Polis-Entwicklung wenig berührten Regionen Griechenlands zeigten eine ähnliche föderative Struktur mit kleineren, bis zu einem gewissen Grad autonomen Siedlungen und tendierten zur Ausbildung von S., sobald dort Poleis entstanden (z. B. bei den → Thessaloi). Die griech. Sprache kennt kein spezielles Wort für »S.«; das dafür meistgebrauchte Wort, → *koinón*, kann jede Form von »Gemeinschaft« bezeichnen; daneben auch *éthnos* (Grund-Bed. »Stamm«).

Der früheste Hinweis auf einen S. findet sich (verm.) im J. 519 v. Chr., als sich → Plataiai der Eingliederung in den von Theben beherrschten Boiotischen Bund widersetzte und dabei von Athen unterstützt wurde (Hdt. 6,108). Im späten 5. und frühen 4. Jh. gründete sich dieser Bund auf Wahlbezirke (11 nach der Zerstörung von Plataiai 427 v. Chr., verm. 9 davor; s. Karte → Boiotia), wobei jeder Bezirk einen Boiotarchen und 60 Mitglieder des Bundesrats bestellte; die Verfassungen der einzelnen Städte waren ähnlich gestaltet (Thuk. 5,38,2; Hell. Oxyrh. 19,2–4 Chambers). Der Bund wurde 386 v. Chr. nach dem → Königsfrieden aufgelöst und hatte nach seiner Wiedergründung in den 370er J. keinen Rat (und wohl auch keine Wahlbezirke), aber eine Gesamtversammlung.

Thessalia war urspr. in vier sog. Tetraden (mit je einem Tetrarchen an der Spitze) gegliedert, die sich zuweilen zur Wahl eines einzigen Führers (→ *tagós*) zusammentaten. Seit der Ausbildung von Poleis verloren die Tetraden an Bed. (z. B. Thuk. 2,22,3). Im 4. Jh. erlangte die Dyn. der Tyrannen von → Pherai den Titel des *tagós*, ihre Gegner, geführt von den → Aleuadai von Larisa, gründeten ein *koinón* mit einem Archon und vier Polemarchen. Hilfsgesuche an Makedonien und Theben gipfelten in der Ernennung Philippos' [4] II. zum Archon, der die Tyrannen beseitigte (352 v. Chr.) und die alten Tetrarchien in den 340er J. wieder aufleben ließ (Demosth. or. 9,26).

Im frühen Arkadia gab es Stammstaaten und Poleis nebeneinander [2. 132–141; 3. 39–104; 4. 107–112; 5], doch kamen Bestrebungen zur Vereinigung aller Arkades nicht weit. Das in den 360er J. gegründete arkad. *koinón* mit der neuen Hauptstadt → Megale Polis (→ Arkades mit Karte) zerbrach nach wenigen J. in zwei rivalisierende Einheiten.

Achaia bestand im 5. Jh. v. Chr. aus 12 »Teilen« (*mérē*) und war noch nicht durchgehend urbanisiert; spätestens zu Beginn des 4. Jh. v. Chr. gab es ein Bundesbürgerrecht, das auch auf Kalydon in Aitolia ausgedehnt wurde (Xen. hell. 4,6,1). Am E. des 4. Jh. zerfiel die Organisation, lebte im 3. Jh. wieder auf und umfaßte seit 251/0 auch Poleis außerhalb Achaias, die den Bund schließlich dominierten (→ Achaioi mit Karte).

In NW-Griechenland existierte ein aitolisches *koinón*, bei dem Athen 367/6 v. Chr. gegen das Fehlverhalten einer Mitgliedsstadt Protest einlegte (Tod 137); in hell. Zeit konnten an diese Vereinigung von Poleis auch solche außerhalb Aitoliens angeschlossen werden, und zwar durch → *isopoliteía* mit einer Mitgliedsstadt oder mit dem *koinón* insgesamt (→ Aitoloi mit Karte).

→ Isopoliteia; Koinon; Polis; Staatsverträge; Sympoliteia; Synhedrion; Bund

1 J. A. Larsen, Greek Federal States, 1968 2 T. H. Nielsen, Arkadia. City-Ethnics and Tribalism, in: M. H. Hansen (Hrsg.), Introduction to an Inventory of Poleis, 1996, 117–163 3 T. H. Nielsen, J. Roy, Was There an Arkadian Confederacy in the Fifth Century?, in: M. H. Hansen, K. Raaflaub (Hrsg.), More Studies in the Ancient Greek Polis, 1996, 39–61 4 J. Roy, Polis and Tribe in Classical Arkadia, in: s.o. [3], 107–112 5 T. H. Nielsen, J. Roy (Hrsg.), Defining Ancient Arcadia, 1999.

P. J. R.

Staatsformen(lehre) s. Aristokratia; Basileus; Demokratia; Mischverfassung; Monarchia; Oligarchia; Tyrannis; Verfassungstheorie

Staatsphilosophie s. Politische Philosophie

Staatstheorie s. Politische Philosophie; Verfassungstheorie

Staatsvertrag

I. Allgemein II. Alter Orient III. Hethiter IV. Griechenland V. Rom

I. Allgemein

S. sind offizielle, (völker)rechtlich verbindliche Vereinbarungen zw. zwei oder mehr Völkerrechtssubjekten, die den jeweiligen Personalverband als Ganzes binden. Sie werden in mündlicher oder schriftlicher Form stipuliert, sind uni-, bi- oder multilateral stilisiert und implizieren stets die völkerrechtliche Anerkennung des Partners. S. resultieren oft aus Präliminarverhandlungen, bedürfen der Ratifizierung durch den »Souverän« bzw. das zuständige Verfassungsorgan (Volksversammlung, Rat/Senat, Monarch/Kaiser), werden durch Eide ratifiziert, ggf. durch Opfer bekräftigt und meist zentral publiziert und archiviert. S. gelten für einen bestimmten Zeitraum oder für »ewige« Zeit – die mit Monarchen geschlossenen in der Regel nur für deren Regierungszeit. Inhaltlich legen S. zw.-staatliche Verhältnisse bzw. Zustände fest, fordern ein- oder wechselseitige Leistungen, ein bestimmtes Verhalten oder dessen Unterlassung – auch gegenüber Dritten – und verhängen ggf. Sanktionen für Zuwiderhandlungen. P.KE.

II. Alter Orient

Obwohl die Anwendung des Völkerrechtsbegriffs auf die Beziehungen und Auseinandersetzungen zw. den Staaten des alten Vorderasien umstritten bleibt, können einige Keilschrifttexte aus Mesopot. und Syrien als S. bzw. als Entwürfe dafür angesehen werden. Neben den eigentlichen vertragl. Vereinbarungen dürften dazu aus sachlichen und juristischen Gründen auch die sog. Loyalitätseide gehören [1. 123–126] (vgl. [2]). Formal kennzeichnend für S. sind Siegelung, Einleitungsklausel, objektiv bzw. subjektiv oder in Eidesform stilisierte Vertragsbestimmungen sowie Fluchformeln [3. 234]. Mit Blick auf die jeweiligen (königlichen) Vertragspartner kann zw. paritätischen S. und Vasallenverträgen unterschieden werden.

Früheste Beispiele sind ein aus dem 24./23. Jh. v. Chr. stammender Vertrag zw. dem Herrscher des in NW-Syrien gelegenen Ebla und dem König eines Stadtstaates (Abar-QA) [4] sowie der in elamischer Sprache vorliegende Vertrag zw. → Narām-Sîn von Akkad (2260–2223 v. Chr.) und einem elamischen Herrscher [5]. Weitere paritätische S. sowie Vasallenverträge stammen aus altbabylon./altassyr. Zeit (19./18. Jh.) [6–9] sowie aus der 2. H. des 2. Jt. v. Chr. (Alalaḫ und Ugarit) [3. 239–241]. Die S. regeln u. a. die Auslieferung von Flüchtlingen, die Behandlung von Einheimischen oder Kaufleuten einer Vertragspartei auf dem Gebiet der anderen, sowie die Ahndung von Verbrechen gegen den genannten Personenkreis. Die überl. neuassyrischen S. aus dem 9.–7. Jh. v. Chr. [10] sowie die Erwähnung derartiger Verträge in anderen Quellen [11. 184–185] belegen, daß zw.-staatliche vertragl. Vereinbarungen und die vertragl. Absicherung von Loyalitätsbekundungen einen wichtigen Teil assyr. Herrschaftspolitik darstellten. Sie dienten der territorialen Sicherung des Reiches und handelspolit. Erfordernissen, regelten Bündnis- und Beistandsverpflichtungen und sicherten Abhängigkeit sowie Loyalität gegenüber dem assyr. König. Letzteres betraf auch die Absicherung der von → Asarhaddon im J. 672 v. Chr. initiierten Thronfolgeregelung [10. 28–58]. Überl. sind auch S. in aram. Sprache (8. Jh. v. Chr.: TUAT 1, 1983, 178–189).

Aus Äg. sind außer dem Vertrag von Ramses [2] II. mit dem hethit. König Ḫattusili II. von 1259 (zum Inhalt → Qadesch), angebracht auf einer Tempelwand, keine S. bekannt. Dies hat seinen Grund darin, daß aus Äg. bisher keine Staatsarchive gefunden worden sind.

1 B. Kienast, Mündlichkeit und Schriftlichkeit im keilschriftlichen Rechtswesen, in: Zschr. für Altoriental. und Biblische Rechtsgesch. 2, 1996, 114–130 **2** F. Starke, Zur urkundlichen Charakterisierung neuassyrischer Treueide, in: s. [1], 1, 1995, 70–82 **3** B. Kienast, Der Vertrag Ebla-Assur in rechtshistor. Sicht, in: Heidelberger Studien zum Alten Orient 2, 1988, 231–243 **4** D. O. Edzard, Der Vertrag von Ebla mit A-bar-QA, in: P. Fronzaroli (Hrsg.), Literature and Literary Language at Ebla, 1992, 187–217 **5** W. Hinz, Elams Vertrag mit Narām-Sîn von Akkade, in: ZA 58, 1967, 66–96 **6** Wu Yuhong, The Treaty between Shadlash (Sumu-Numhim) and Neribtum (Hammi-Dushur), in: Journ. of Ancient Civilizations 9, 1994, 124–136 **7** D. Charpin, Un traité entre Zimri-Lim de Mari et Ibâl-pî-El II d'Ešnunna, in: D. Charpin (Hrsg.), Marchands, diplomates et empereurs. FS P. Garelli, 1991, 139–166 **8** F. Joannès, Le traité de vassalité d'Atamrum d'Andarig envers Zimri-Lim de Mari, in: s. [7], 167–177 **9** J. Eidem, An Old Assyrian Treaty from Tell Leilan, in: s. [7], 185–207 **10** S. Parpola, K. Watanabe, Neo-Assyrian Treaties and Loyalty Oaths, 1988 **11** S. Parpola, Neo-Assyrian Treaties from the Royal Archives of Nineveh, in: JCS 39, 1987, 161–189. H.N.

III. Hethiter

Die über 40, zumeist in mehreren Archivkopien überl. hethitischen S. (15.–13. Jh. v. Chr.) stellen nicht nur das mit Abstand umfangreichste S.-Corpus des Alten Orients dar, sondern nehmen hier auch mit ihrer ausgefeilten, präzisen, bes. auch psychologisch-polit. Momenten Rechnung tragenden Diktion (die dem ausgeprägten polit. und staatsrechtlichen Denken der Hethiter verpflichtet war) eine herausragende Stellung ein. Alle S. sind zweiseitige Verträge völkerrechtlichen Charakters, wobei es sich zum geringeren Teil um zwischenstaatliche, paritätisch formulierte Abkommen (z. B. S. mit → Kizzuwatna, 15. Jh.; hethit.-äg. Friedensvertrag von 1259, → Qadesch), meist jedoch um Verträge handelt, die der föderalen Organisation des hethit. Großreiches (14.–13. Jh.) entsprechend den Beitritt eines Staates zum Großreich regelten und im Falle der jeweils zu einem engeren polit. Verband zusammengeschlossenen nordsyrischen und arzawischen Gliedstaaten (→ Karkemiš; → Mirā) inhaltlich aufeinander abgestimmt waren. Ihre übliche mod. Bezeichnung als »Vasallenverträge« ist insofern irreführend, als der Beitritt lediglich den Verlust bestimmter Hoheitsrechte (v. a. der außenpolit. Kompetenz) bedeutete, im übrigen aber die Könige der Gliedstaaten durch ihre Aufnahme in die hethit. königliche Sippe an grundlegenden polit. Entscheidungen des Reiches beteiligt wurden.

Formal gliedern sich die S. einheitlich in die Abschnitte (a) Präambel, (b) Vertragsbestimmungen, (c) Schwurgötterliste, (d) Fluch- und Segenformel. Bei allen Gliedstaatenverträgen ist die Präambel zu einer umfangreichen, etwa ein Viertel des Vertragstextes einnehmenden Vorgeschichte ausgestaltet, die die histor.-polit. Voraussetzungen des Vertragsschlusses darlegt. Die Sprache der S. war innerhalb Kleinasiens → Hethitisch, bei Vertragsschlüssen mit Staaten außerhalb Kleinasiens wurde der S.-Text ins → Akkadische übersetzt. Auch wenn die S. im Namen des hethit. Großkönigs ausgestellt sind, gehen sie vom Land → Ḫattusa, d. h. vom Reich aus. Entsprechend begründeten die Gliedstaatenverträge ein Treueverhältnis nicht nur gegenenüber dem Großkönig, sondern v. a. auch gegenüber dem Reich.

→ Ḫattusa II.

G. Beckman, Hittite Diplomatic Texts, 1996 • V. Korošec, Hethitische S., 1938.

F. S.

IV. Griechenland

Die juristische Grundlage der griech. S. ist eng mit rel. und soziokulturellen Praktiken sowie den → *ágraphoi nómoi* verwoben. Genese und Entwicklung des zw.-staatlichen Rechts spiegeln den Regelungsbedarf der Beziehungen zw. den in archa. Zeit entstehenden Bürgerstaaten [1. 126–128]. Bei der Ausbildung überregional gebräuchlicher Rechts- und Urkundenformulare kam den panhellenischen Heiligtümern (»Amphiktyonen-Eid«: StV II 104; → *amphiktyonía*) und der intensiven *peer polity-interaction* zentrale Bed. zu, freilich ohne Ausprägung eines systematischen Völkerrechtes ([2; 3]; zu statisch: [4]).

Sondierungsgespräche wurden in der Regel von autorisierten Gesandten (→ *kḗryx* [2]; → *presbeía, présbeis*) geführt. Nach Annahme durch das zuständige Verfassungsorgan [5. 1252 f.] erfolgte in einer feierlichen Opfer- und Schwurzeremonie der Vertragsschluß (Eidesleistung durch Beamte, Schwurmänner oder die Bürgerschaft insgesamt, [6. 342 f.]). Die Aufstellung der Urkunden auf der → *agorá* und in überregionalen Heiligtümern unterstreicht den Grundsatz der Öffentlichkeit und das Bestreben, dem S. auch sakrale Autorität zu verleihen. In hell. Zeit wurde das Vertragsmonopol der Bürgerstaaten von den (Groß-)Monarchien überlagert, u. U. den Poleis auch ganz entzogen.

Die Gegenstände von S. entsprachen dem breiten Spektrum zw.-staatlicher Beziehungen: Freundschafts-, Rechtshilfe- und Asylieverträge [7] sowie Schiedsgerichtsabkommen zur Streitschlichtung (im Hell. zur → *synthḗkē* formalisiert [8. 3–33]); ferner bilaterale Verträge zw. Kriegführenden (*spondaí*, im 5. Jh. standardisiert: [3. 123–154]). V. a. im Hell. begegnen kollektive, meist gegenseitige Bürgerrechtsverleihungen (→ *isopoliteía*; [9]) und auch Verträge zum staatl. Zusammenschluß (→ *sympoliteía*; [10]), mit denen kleinere Vertragspartner ggf. die Aufgabe ihrer staatl. Existenz (*incorporating sympolity*, [11. 37]) stipulierten.

Prominentester Typus des griech. S. ist die → *symmachía*: Ursprünglich ein bilateraler Vertrag zur Kriegführung (wenn ausschließlich defensiv: → *epimachía*) mit Freund-Feind-Klausel [12. 298–307], wurde die *symmachía* zunehmend durch Spezialklauseln ergänzt (Umfang der Leistung, Nennung des Feindes, Territorialklauseln; vgl. [13]). Das Prinzip der Bilateralität blieb auch in den »hegemonialen Symmachien« erhalten, da die Bündner vertraglich meist nur mit der Vormacht, nicht untereinander verbunden waren [14]. Schon früh bezeugte zeitliche Begrenzungen von Friedensverträgen (5, 10, 30, 50 Jahre) bedeuten nicht, daß nach Ablauf automatisch wieder der Kriegszustand eintrat [15]. Entsprechende Befristungsklauseln setzen ein entwickeltes Rechtsverständnis im Sinne eines zeitlich begrenzten Bindungswillens voraus [16. 276–281]. Generell wurden auch Bündnisverträge auf 100 J. geschlossen (3 Generationen, d. h. auf »ewig«; bereits im 6. Jh. auch explizit so: StV II 120). Der Eid bei Gründung des → Attischen Seebundes impliziert ebenfalls ein unbefristetes Bündnis (Aristot. Ath. pol. 23,5). Einen Sonderfall stellt das multilaterale Vertragswerk des »Allgemeinen Friedens« dar, der Rechtsverbindlichkeit für alle griech. Staaten beanspruchte (→ *koinḗ eirḗnē*).

→ Agraphoi nomoi; Attischer Seebund; Isopoliteia; Keryx [2]; Koine Eirene; Symmachia

1 V. Ehrenberg, Der Staat der Griechen, [2]1965
2 E. Bickerman, Bemerkungen über das Völkerrecht im klass. Griechenland (1950), in: F. Gschnitzer (Hrsg.), Zur griech. Staatskunde, 1969, 474–502 **3** E. Baltrusch, Symmachie und Spondai, 1994 **4** P. Klose, Die völkerrechtliche Ordnung der hell. Staatenwelt in der Zeit von 280 bis 168 v. Chr., 1972 **5** Busolt/Swoboda 2
6 A. Heuss, Abschluß und Beurkundung des griech. und röm. Staatsvertrages (1934), in: Ders., Gesammelte Schriften, Bd. 1, 1995, 340–419 **7** W. Ziegler, Symbolai und Asylia, 1975 **8** S. L. Ager, Interstate Arbitrations in the Greek World, 337–90 BC, 1996 **9** W. Gawantka, Isopolitie, 1975 **10** A. Giovannini, Unt. über die Natur und die Anf. der bundesstaatlichen Sympolitie in Griechenland, 1971 **11** H. H. Schmitt, Überlegungen zur Sympolitie, in: Symposium 1993, 35–44 **12** G. E. M. de Ste. Croix, The Origins of the Peloponnesian War, 1972
13 F. Gschnitzer, Ein neuer spartanischer S., 1978
14 V. Martin, La vie internationale dans la Grèce des cités, 1940 **15** A. Graeber, Friedensvorstellung und Friedensbegriff bei den Griechen, in: ZRG 109, 1992, 116–161 **16** F. J. F. Nieto, Die Abänderungsklausel in den griech. S. der klass. Zeit, in: Symposium 1979, 273–286.

HA. BE.

V. ROM

Der röm. Staat kannte drei – jeweils auf der sakral als unverbrüchlich erachteten → *fides* (→ Vertragstreue; [8]) basierende – Abschlußformen von S.: 1. Das aus ital. Wurzeln [12] stammende, von → *fetiales* unter Selbstverfluchung beim Ferkelopfer geschlossene *fetiale* → *foedus* [1. 171–180; 13. 70–74; 9. 111–117]. 2. Das solenne, magistratische *foedus*, das mit Beginn der überseeischen röm. Expansion den Fetialvertrag ablöste und einen im Prinzip ewig gültigen Internationalvertrag darstellte, geprägt durch wechselseitige Erklärungen, Opfer, Eide, schriftliche Fixierung und Publikation auf dem Kapitol [11. 44–132; 3; 4. 175–215]. 3. Die → *sponsio*, der aus Frage und Antwort resultierende Verbalkontrakt, in der Regel der Präliminarvertrag röm. Feldherrn, der – bis zur Übernahme der Internationalgeschäfte durch den unbeschränkt vertragsbevollmächtigten Kaiser – unter dem Ratifizierungsvorbehalt des Senats stand [13. 93 f.; 4. 176–183; 14. 48 f.].

S. implizieren zwar die den Gesandtschaftsverkehr ([5]; → *legatio*) regulierende staatliche → Gastfreundschaft (*hospitium publicum*), deren Gewähr blieb aber ein Staatsrechtsakt [13. 86]. Formaljuristisch waren »Kriegsverträge« wie → *pactio* und → *indutiae* ebensowenig S. wie die → *deditio* [1. 20–25; 4. 141–153], deren Rechtsfolge – die Negierung des Völkerrechtssubjekts – Rom einseitig aufheben konnte (s. → *restitutio*; [1. 69–82; 4. 154–174]). Dabei entsprach die Gestaltung der Beziehung des wiederhergestellten Staats zu Rom ggf. den Folgen unilateral verpflichtender S. Die Annahme der Verschmelzung von *deditio* und S. für die Kaiserzeit überzeugte nicht [4. 138 f.], zumal beide Institute noch in der Spätant. existierten [10].

S. schloß Rom zu gleichen Bedingungen (*foedus aequum*) oder zu ungleichen (*foedus iniquum*), wobei eine Klausel die Anerkennung der röm. → *maiestas* oder außenpolit. Subordination forderte [1. 119; 11. 63 f.; 13. 92 f.]. Die heterogenen Erfordernisse röm. Außenpolitik verbieten die mod. Annahme stets gleicher Formulare; doch haben S. integrierende Konstitutiva: Nennung der Vertragspartner, -gegenstände und -dauer [11. 47; 3]. Das jeweils eingangs festgelegte Verhältnis (→ *amicitia*, → *pax*, → *societas*) und dessen inhaltliche Gestaltung erlauben Kategorisierungen z. B. in Friedens- und/oder Bündnisverträge, Abkommen über Interessensphären [6], Handelsrechte usw. Da Rom multilaterale S. mied, war selbst das → Bundesgenossensystem in It. nur eine Summe bilateraler S. Reine Freundschaftsverträge benötigte Rom nicht, da jeder friedliche Offizialkontakt *amicitia* bewirkte [2. 12–18; 1. 136–158; 15. 12]; sog. Klientelverträge sind eine Fiktion der Forsch. ([13. 93; 4]; vgl. [7]). Einzelbestimmungen regelten u. a. Sicherungsmaßnahmen (→ *obses*, Entwaffnung, → *transfuga*, »Überläufer«), Bereinigung der → Kriegsfolgen (Gefangenenrückgabe, Reparationen, Gebietsräumungen), Grenzverläufe, künftige Konfliktvermeidung (Neutralitäts-, Abrüstungs-, Entmilitarisierungs-, Kriegsverbotsklauseln), Tribute u. a.m. [11. 66–98; 4. 216–265] sowie Vertragsmodifikationen.

1 W. DAHLHEIM, Struktur und Entwicklung des röm. Völkerrechts im 3. und 2. Jh. v. Chr., 1968 **2** A. HEUSS, Die völkerrechtlichen Grundlagen der röm. Außenpolitik in republikanischer Zeit, 1933 **3** Ders., Abschluß und Beurkundung des griech. und röm. Staatsvertrages (1934), in: Ders., Gesammelte Schriften, Bd. 1, 1995, 340–419 **4** P. KEHNE, Formen röm. Außenpolitik in der Kaiserzeit, Diss. Hannover 1989 **5** Ders., s. v. Gesandtschaften, RGA 11, 1998, 457–461 **6** Ders., s. v. Interessensphären, in: H. SONNABEND (Hrsg.), Mensch und Landschaft in der Ant., 1999, 234–236 **7** Ders., s. v. Klientelrandstaaten, RGA 17, 2001, 11–13 **8** D. NÖRR, Die fides im röm. Völkerrecht, 1991 **9** J. RÜPKE, Domi militiae, 1990 **10** R. SCHULZ, Die Entwicklung des röm. Völkerrechts im 4. und 5. Jh., 1993 **11** E. TÄUBLER, Imperium Romanum Bd. 1, 1913 (Ndr. 1964) **12** A. WATSON, International Law in Archaic Rome, 1993 **13** K.-H. ZIEGLER, Das Völkerrecht der röm. Republik, in: ANRW I 2, 1972, 68–114 **14** Ders., Völkerrechtsgesch., 1994 **15** E. BADIAN, Foreign Clientelae, 1958.

SLGG. GRIECH. UND RÖM. S.: StV, Bd. 2 und 3 • R. K. SHERK (Hrsg.), Roman Documents from the Greek East, 1969 • W. G. GREWE (Hrsg.), Fontes Historiae Iuris Gentium, Bd. 1, 1995 • A. CHANIOTIS, Die Verträge zw. kretischen Poleis in der hell. Zeit, 1996, 179–451 • K. BRODERSEN u. a. (Hrsg.), Histor. griech. Inschr. in Übers., Bd. 3, 1999.

P.KE.

Stab, Stock, Knüppel. Der S. (βάκτρον/*báktron*, κηρύκειον/*kērýkeion*, ῥάβδος/*rhábdos*, σκῆπτρον/*skēptron*; lat. *baculum*, *bathron*, *caduceus*, → *lituus* [1], → *rudis*, *stimulus*) konnte gerade, mit einer Rundung am oberen Ende ausgestattet, knotig, gewinkelt oder glatt sein und in Dicke und Länge variieren; er wurde aus hartem Holz (z. B. Oliven- oder Myrtenholz) geschnitzt und konnte roh belassen, allerdings auch mit goldenem Zierrat versehen (Athen. 12,543 f.) und mit Eisen (Theokr. 17,31) verstärkt werden. Er wurde von alten Menschen (Greisen, Pädagogen) und Kranken, die ihn bei erfolgter Heilung weihten (Anth. Pal. 6,203; 9,298), oder bei Ermüdung als Stütze gebraucht (vgl. Paus. 10,30,3); so war der S. ein Attribut der Blinden (→ Teiresias), Bettler (→ Odysseus), Wanderer (z. B. Plin. nat. 15,37) und Hirten. Ein kleiner S. diente Kindern als Spielzeug zum Jonglieren und Lehrern zum Bestrafen der Schüler (Anth. Pal. 6,294). Auch Erwachsene bedrohten sich gegenseitig mit dem S. (Diog. Laert. 6,21), und mitunter diente er als Tötungsinstrument (Pind. O. 7,50; Diod. 15,57,8 ff.). Man nutzte den S. ferner als Berg-S. zum festeren Gang auf unsicherem Gelände (Strab. 11,14,4: βακτηρία/*baktēría*; Athen. 2,43e). Ebenso führten ihn → Asklepios (z. B. Apul. met. 1,4) und Ärzte (Anth. Pal. 11,124), bei denen er die Wandertätigkeit symbolisiert. Deswegen erscheint er auch in der Hand von Kynikern und anderen Philosophen (Lukian. dialogi mortuorum 11,3). Daneben war der S. ein Insigne von Würdenträgern, Priestern, Richtern, Königen (→ *skēptron*) oder Herolden (Thuk. 1,53, vgl. Hdt. 9,100; → *kēryx*). Der von einer offenen Acht bekrönte S. (κηρύκειον/*kērýkeion*; lat. *caduceus*) ist das Attribut der Götterboten

→ Hermes (lat. → Mercurius) und → Iris [1]. Mit einem S. mit metallener Spitze (κέντρον/*kéntron*; lat. *stimulus*) trieb man das Vieh und die Zugtiere eines Renn- oder Reisewagens an. Mit einem solchen S. bedrohte Lykurgos [1] den Gott Dionysos (Hom. Il. 6,130f.). Als weiterer S. ist der Narthex-S. anzuführen, der Dionysos und den Mitgliedern seines Kreises als Abzeichen und Waffe dient (→ *nárthēx* [1]). Verschiedentlich haben sich metallene *kērýkeia* und auch Krümmungen wohl von Hirten-S. erhalten [1].
→ Kampyle; Pedum [1]; Skytale

1 V. Karageorghis, Ancient Art from Cyprus. The Cesnola Collection in the Metropolitan Museum of Art, 2000, 95 Nr. 84.

W. Hornbostel, (Karyx) Damasios Daigyleinos. Zu einem neu bekanntgewordenen Herold-S., in: Jb. der Hamburger Kunstslg. 11/12, 1992/3, 7–16 • M. Halm-Tisserant, G. Siebert, s. v. Kerykeion, LIMC Bd. 8, 1997, 728–730 (mit Lit.) • H. Schulze, Ammen und Pädagogen. Sklavinnen und Sklaven als Erzieher in der ant. Kunst und Gesellschaft, 1998, 24f., 70f., 75f. R. H.

Stabiae. Hafenort am Golf von Neapel, nicht genau lokalisiert (bei Fontana Grande?). Der *ager Stabianus* wurde im Norden vom Sarnus, im Osten von den Monti Lattari, im Westen vom Meer und im Süden vom Monte Faito begrenzt. Über die nachweislich seit dem 7. Jh. v. Chr. bestehende oskische Siedlung (→ Osci) ist wenig bekannt. Sie war aber in ihrer Entwicklung stark durch griech. und etr. Präsenz geprägt, was Keramik aus einer Nekropole bei der Kapelle S. Madonna delle Grazie östl. von Castellammare di Stabia bezeugt [1]. Im 2. → Punischen Krieg stand S. an der Seite Roms (Sil. 14,408f.). Im Bundesgenossenkrieg [3] wurde S. 90 v. Chr. zuerst von dem Samniten Papius [I 4] (App. civ. 1,42), am 30. April 89 von Cornelius [I 90] Sulla erobert und zerstört (Plin. nat. 3,70), das Gebiet Nuceria [1] zugeschlagen. S. war seither bis in die Zeit der → Antonine hauptsächlich Sommerfrische für reiche Römer (Plin. nat. 3,70; Cic. fam. 7,1,1; Plin. epist. 6,16,11f.). Bekannt war S. für seine Mineralquellen (Plin. nat. 31,9; Colum. 10,133). Durch ein Erdbeben 62 n. Chr. (Sen. nat. 6,1,1–3) wurde S. teilweise, 79 durch den Ausbruch des → Vesuvius völlig zerstört (Plin. epist. 6,16,1ff.). S. wurde jedoch ein Jahrzehnt danach »wiedergeboren« (Stat. silv. 3,5,104f.), und zwar an der Stelle des h. Castellammare di Stabia. In der Spätant. war S. Bischofssitz.

Die arch. Grabungen im Gebiet von S. seit der Mitte des 18. Jh. [2. 13–16] förderten zahlreiche Villenkomplexe (→ *villa*) zutage, meist *villae rusticae*. Die Villa Arianna [2. 17–40] und Villa San Marco [3] oberhalb des h. Castellammare di Stabia sind dagegen vom Typ der *villa maritima*. Sie stellen mit ihrer architektonischen Gestaltung (Blickachsen) und ihrer Ausstattung (→ Wandmalereien des 2. bis 4. Pompeianischen Stils [4], Mosaiken [5]) gute Beispiele für die röm. Luxusvilleggiatur am Golf von Neapel dar [6].
→ Stabiae

1 P. Miniero, S. dalle origini al 79 d.C., in: La Provincia di Napoli 7, 1985, 49–64 2 D. Camardo, A. Ferrara, S.: Le ville, 1989 3 A. Barbet, P. Miniero (Hrsg.), La Villa San Marco a Stabia, 3 Bde., 1999 4 P. Miniero Forte, S.: Pitture e stucchi delle ville romane, 1989 5 M. S. Pisapia, Mosaici Antichi in Italia. Regione prima: S., 1989
6 J. H. D'Arms, Romans on the Bay of Naples, 1970. CH. W.

Stachelhäuter (griech. ὀστρακόδερμα/*ostrakóderma*) oder Schaltiere. Sie entsprechen z. T. dem heutigen Stamm der Echinodermata, d. h. der marinen Haar-, See- und Schlangensterne, der → Seeigel und Seewalzen. Aristoteles, der ihnen den Namen gegeben und in hist. an. 1,6,490b10 den Stamm als den der → Muscheln (*óstrea*) anführt, rechnet aber auch die → Schwämme (h. Stamm Porifera), Seeanemonen (h. Klasse Anthozoa vom Stamm der Nesseltiere, Cnidaria), Seescheiden (Ascidia, h. Klasse der Manteltiere, Tunicata), Meeres- und Landschnecken (h. Stamm Weichtiere, Mollusca) dazu. Trotz dieser Fehleinteilung hatte er von den S. die besten Kenntnisse der Ant. Man vergleiche Aristot. hist. an. 4,4–7,527b35–531b17; 4,11,537b24f. und 537b31–538a1; 5,12,544a15–24 und 5,15–16,546b15–549a13 sowie 7(8),2,590a18–b3; 7(8),13,599a10–20 und 7(8),20, 603a12–28.

Keller 2, 571–574 (nur S. im h. Sinne). C. HÜ.

Stadiasmos (σταδιασμός) ist die »Entfernungsbestimmung nach *stádia*« (Strab. 1,3,2; 4,6; 2,1,17; 4,7; → Stadion [1]) wie analog der *miliasmós* eine Entfernungsbestimmung nach *milia*/»Meilen« ist (Strab. 6,2,1; vgl. Eust. ad Hom. Od. 2,133,2: *miliasmú ... ḗ stadiasmú*). Infolgedessen war die *stadiasmṓn epidromḗ* (Markianos, Epit. peripli Menippi 3 = GGM 1,566,23), ein Auszug, den Timosthenes von Rhodos aus seiner eigenen 10bändigen Hafenbeschreibung machte (Mitte 3. Jh. v. Chr.), eine »Zusammenstellung der Entfernungsangaben in *stádia*« von Hafen zu Hafen. Erst seit dem 2. Jh. n. Chr. galt *s.* auch als lit. Gattungsbezeichnung, bedeutungsgleich mit → *períplus*. So wird jetzt auch dieser Auszug aus Timosthenes' Hafenbeschreibung (Herodian. de prosodia catholica 3,1 p. 313,1f.), so der *períplus* des Menippos [6] bei Konstantinos Porphyrogennetos (de thematibus, Asia 2,7) als *s.* bezeichnet, so trägt diesen Titel auch der *s. tēs thalássēs*, ein Teil des *Chronikón* des Hippolytos [2] aus dem J. 234 n. Chr., ebenso der anonyme *s. ḗtoi períplus tēs megálēs thalássēs* (GGM 1,427–514), eine byz. Bearbeitung eines *s.* aus dem 3. Jh. n. Chr. E. O.

Stadion (στάδιον).
[1] (dorisch σπάδιον). Griech. Längenmaß zu 6 *pléthra* (→ *pléthron*; vgl. Hdt. 2,149,3) bzw. 600 → *pus* (Fuß). Je nach dem zugrundeliegenden Fußmaß (*pus*) ergibt sich eine L von ca. 162–210 m; das attische *s.* beträgt 186 m. Entsprechend besaß das S. für den Wettlauf in Olympia eine L von 192,3 m, in Delphi von 177,3 m, in Epidau-

ros von 181,3 m und in Athen von 184,3 m. 8 *s.* entsprechen etwa der röm. Meile (*mille passus*) zu 1500 m.

In der griech. Lit. werden größere Entfernungen allg. in *stádia* angegeben; werden andere Längenmaße wie etwa der → *schoínos* für Äg. oder → *parasángēs* für das Perserreich genannt, erfolgt gewöhnlich eine Umrechnung in *s.*, wobei ein *parasángēs* 30 *s.*, ein *schoínos* 60 *s.* beträgt (Hdt. 2,6; vgl. ferner zur Königsstraße Hdt. 5,53). Als Marschleistung von Soldaten werden 150 *s.* pro Tag angeführt (Hdt. 5,53). Obwohl Xenophon für den Marsch der griech. → Söldner 401 v. Chr. die zurückgelegten Entfernungen in *parasángai* angibt (Xen. an. 1,4,1; 1,4,4 etc.), verwendet er sonst das griech. Längenmaß, um Distanzen zu bezeichnen (Xen. an. 1,10,4). In der astronomischen und geogr. Lit. erscheint *s.* ebenfalls als Längenmaß: So nennt Aristoteles [6] als Erdumfang 400000 *s.* (Aristot. cael. 298b; vgl. Strab. 3,1,3 etwa zur iberischen Halbinsel); bei Plinius werden Entfernungen hingegen in *milia passuum* (*m.p.*) ausgedrückt (vgl. etwa Plin. nat. 3,16), was der üblichen Messung von Entfernungen im Straßenbau entspricht.

1 F. Hultsch, Griech. und röm. Metrologie, ²1882 2 C.-F. Lehmann-Haupt, s. v. S., RE 3 A, 1930–1963. H.-J. S.

[2] Lauf über die Strecke von 600 Fuß (in → Olympia: 192,25 m), die Länge der gleichnamigen Sportstätte; kürzester Laufwettbewerb, in Olympia angeblich seit 776 v. Chr. erster und bis zu den 13. Olympien einziger Wettbewerb; seit 632 v. Chr. auch für Jugendliche ausgeschrieben. Der Wettbewerb kam auch als vierte Disziplin im Rahmen des → Pentathlon vor. Beim Start fanden die Läufer nach Losen des Startplatzes [1. 87], der mit Buchstaben bezeichnet sein konnte [2. 46 und Abb. 29f.], in den Rillen der βαλβίδες/*balbídes*, (»Startschwellen«) Halt. Später sorgte ein ausgeklügelter Startmechanismus (ὕσπληξ/*hýsplēx*) [3] für Chancengleichheit. Tiefstart war unbekannt. Frühstart wurde mit Rutenhieben bestraft ([1. 90]; Hdt. 8,59). Beim *s.* entwickelten die Läufer die höchste Geschwindigkeit; diese wird auf Vasendarstellungen durch ausgreifenden Schritt und rudernde Armbewegungen ausgedrückt [1. Taf. V, IXf.]. Am Ziel beobachteten Kampfrichter den Einlauf. Raum zum Auslaufen stand zur Verfügung. Trotz der 20 Startplätze in Olympia fanden die Vorläufe des *s.* in Vierergruppen statt (Paus. 6,13,4). Berühmt waren in archa. Zeit die S.-Läufer von → Kroton (12 Siege), die einmal die ersten sieben Plätze in Olympia belegt haben sollen (Strab. 6,1,12), sowie später die von Alexandreia [1] (26 Siege) [4. 104]. Hervorragende Leistungen im *s.* zeigten Chionis von Sparta [5. Nr. 42, 44, 46], Astylos von Kroton (später Syrakus) [5. Nr. 178, 186, 196] und bes. Leonidas von Rhodos, der viermal in Folge in Olympia siegte [5. Nr. 618, 622, 626, 633]. Der Name des Siegers im *s.* konnte zur Datier. verwendet werden.

→ Sport

1 J. Jüthner, F. Brein, Die athletischen Leibesübungen der Griechen, Bd. 2.1, 1968 2 D. G. Romano, Athletics and Mathematics in Archaic Corinth: The Origins of the Greek S., 1993 3 P. Valavanis, Hysplex. The Starting Mechanism in Ancient Stadia, 1999 4 W. Decker, Olympiasieger aus Äg., in: U. Verhoeven (Hrsg.), Rel. und Philos. im alten Äg. FS Ph. Derchain, 1991, 93–105 5 L. Moretti, Olympionikai, 1957.

I. Weiler (Hrsg.), Lauf (im Druck). W. D.

[3] Die Entstehung des *s.* als Bautyp ist eng verbunden mit der Entwicklung und Ausdifferenzierung der – zunächst auf einen nicht spezialisierten Wettkampfort beschränkten – griech. Agone (→ Sportfeste). Der Begriff *s.* für ein Bauwerk findet sich in der griech. Lit. erst bei Pindar (1. H. 5. Jh. v. Chr.); als Synonyme für »Kampfplatz« und »Laufbahn« sind auch *agṓn* bzw. *drómos* gängig. Der Begriff *s.* geht auf das gleichnamige Längenmaß von 600 Fuß zurück (s.o. [1]) und bezeichnet seit dem späten 6. Jh. v. Chr. eine Anlage genau dieser Länge, die der Austragung von → Laufwettbewerben diente (s. [2]).

Das *s.* als Bauwerk ist zunächst eine unscheinbare, arch. schwer nachweisbare Natur-»Architektur«. Genutzt wurden flache Täler mit einer Böschung, die als Zuschauer-»Tribüne« diente; Ziel war es, eine für den Lauf geeignete Örtlichkeit mit möglichst geringer Erdbewegung und maximaler Ausnutzung top. Gegebenheiten zu erzeugen (→ Olympia, 1. Bauphase, ca. 540 v. Chr.). Eine Zweiteilung der Anlage in Laufbahn und Zuschauerbereich wurde nun zum gängigen Muster; die Laufbahn war mit einer Startvorrichtung (*áphesis*) und einer Ziel- bzw. Wendemarke (*térma*) sowie einer Tribüne für die Kampfrichter ausgestattet.

Im 5. Jh. v. Chr. wurden die großen, überregional bedeutsamen griech. Heiligtümer (so u. a. → Olympia, → Delphoi, → Epidauros, → Isthmia, → Nemea [3]) mit dauerhafteren, gleichwohl weiterhin in ihrer Konstruktion naturnahen *stádia* ausgestattet, die im 4. Jh. v. Chr. weiter ausgebaut und jetzt auch zu dauerhaften Steinarchitekturen umgestaltet wurden. Neue *s.* entstanden verschiedentlich außerhalb von Heiligtümern in den Städten, meist in der Nähe des → Gymnasions oder → Theaters (Megalopolis, Tegea, Rhodos, Mantineia, Messene), bisweilen auch kombiniert mit der → Agora (Athen, Korinth). Im Hell. wurde das *s.* zu einem verbreiteten Bautyp, der neben seiner Funktion als Wettkampfstätte auch als Ort für Repräsentation und festliche Aufzüge diente (Milet, Priene u. a.).

Die zahlreichen griech. *s.* wurden in röm. Zeit sorgfältig instandgehalten; sie wurden zu einem baulichen Symbol für die kulturelle Größe des »alten Griechenland«. In Griechenland weiterhin in Benutzung, spielte das *s.* im röm. Sport- und Unterhaltungsbetrieb, im Gegensatz zum → Circus oder → Amphitheatrum, keine Rolle. An den griech. Typus angelehnte röm. Neubauten wie das *s.* des Domitian in Rom (h. Piazza Navona) waren seltene Ausnahmen.

Als Prototyp des griech. *s.* wurde das im 4. Jh. v. Chr. in Athen entstandene Panathenäische Stadion anläßlich

Antike Stadionanlagen (schematische Entwicklung)

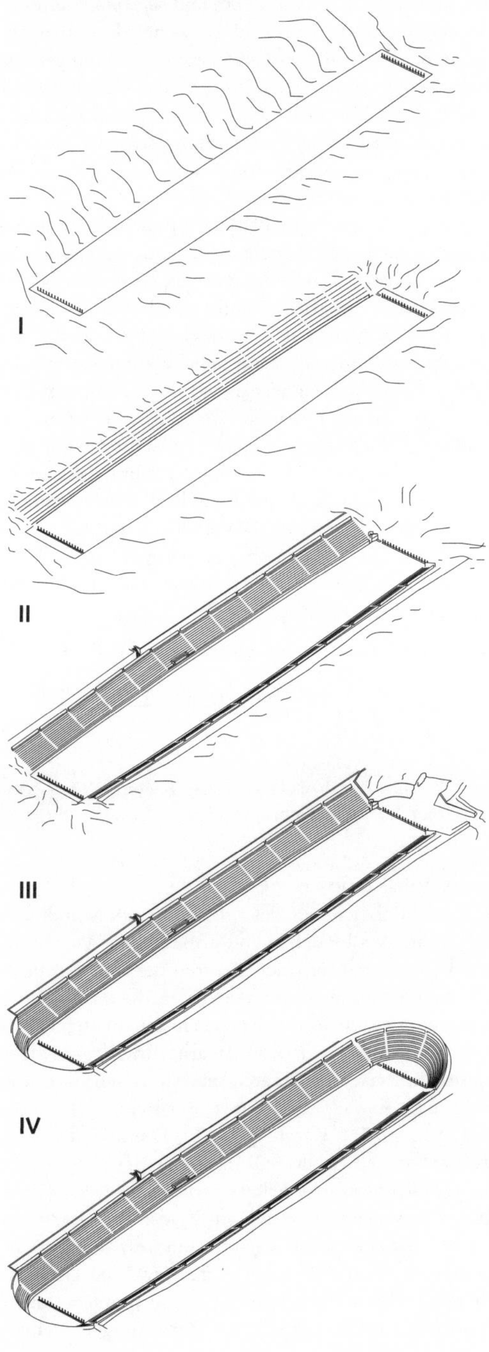

der Ausrichtung der ersten Olympischen Spiele der Neuzeit (in Athen 1896) durch die Ausgräber in Form und Material nach damaliger Kenntnis originalgetreu rekonstruiert.

→ STADION

F. KRINZINGER, Unt. zur Entwicklungsgesch. des griech. S., 1968 • R. PATRUCCO, Lo stadio di Epidauro, 1976 • D. G. ROMANO, Athletics and Mathematics in Archaic Corinth. The Origins of the Greek S., 1993 • J. SCHILBACH, Olympia. Die Entwicklungsphasen des S.s, in: W. COULSON, H. KYRIELEIS (Hrsg.), Proceedings of an International Symposium on the Olympic Games (Athens 1988), 1992, 33–37 • K. WALCH, The S. at Aphrodisias, in: AJA 102, 1998, 547–569 • W. ZSCHIETZSCHMANN, Wettkampf- und Übungsstätten in Griechenland, Bd. 1.: Das S., 1960. C. HÖ.

Stadt

I. DEFINITION II. ALTER ORIENT UND ÄGYPTEN
III. PHÖNIZIEN IV. ETRURIEN
V. GRIECHENLAND UND ROM

I. DEFINITION

»S.« ist in mod. Zeit zu einer allg. Bezeichnung für Siedlungen von einer bestimmten Größe, baulichen Ausstattung, Verwaltungs- und Rechtsform geworden. Eine spezifische umfassende Definition liegt wegen der vielfältigen Erscheinungsformen dagegen nicht vor, da sich Kriterien wie geschlossene Bebauung, hochentwikkelte Arbeitsteilung und zentrale administrative und ökonomische Funktionen für die Peripherie als nur teilweise hilfreich erwiesen haben. Für das Alt., das für die Gesch. der S. in der westlichen Hemisphäre als formative Phase von besonderer Bed. ist, zeigen sich die Probleme einer allg. Definition in noch höherem Maße: Zum einen muß die S. in ihrer Entstehungsphase (v. a. im Alten Orient) auch als Antwort auf die teils völlig unterschiedlichen Anforderungen des Lebensraumes gesehen werden, zum anderen ist angesichts der extrem weiten territorialen und zeitlichen Dimensionen des Alt. eine schlüssige Definition ohnehin nur für beschränkte Zeit- und Kulturräume möglich; schließlich bietet die Überl. selbst für die Ant. keine spezielle Definition der S., sondern stellt sogar das relativ gut faßbare polit.-rechtliche Kriterium der selbstverwalteten Bürgergemeinde in Frage, wenn weitere Kriterien fehlen (etwa urbanistische: Paus. 10,4,1 zu Panopeus; infrastrukturelle: Herakleides Kritikos 1,1 zu Athen im 3. Jh. v. Chr.; zivilisatorische: Strab. 3,4,13 zu Siedlungen in Spanien).

In der Folge der Arbeiten von [1] (s. dazu [2; 3]), die sich allerdings auf die ma. S. konzentrieren, wird h. zumindest die ant. S. primär unter siedlungstypologisch-funktionalen Aspekten gesehen, so daß nach einer weithin anerkannten (Arbeits-)Definition eine ant. S. im siedlungs-geogr. Sinne folgende Merkmale aufzuweisen hat: top. und administrative Geschlossenheit, Mannigfaltigkeit der Bausubstanz, ausgeprägte Spezialisierung und Arbeitsteilung, eine entsprechend zahlreiche, sozial differenzierte Bevölkerung sowie Zentralortfunktionen – neben polit. bes. ökonomische – für ein Umland. Letzteres setzt die Funktion der Siedlung als → Markt und als Ort gewerblicher Aktivitäten voraus [4. 15]. Diese Kriterien rechtfertigen auch die Anwendung des S.-Begriffs auf zentrale Siedlungen der → Kelten (s. → *oppidum* II.).

1 M. Weber, Ges. und Wirtschaft, [5]1980, 727–814
2 J. Deininger, Die ant. S. als Typus bei Max Weber, in: W. Dahlheim (Hrsg.), FS R. Werner, 1989, 269–289
3 W. Nippel, Max Webers ›The City‹ Revisited, in: A. Molho et al. (Hrsg.), City States in Classical Antiquity and Medieval Italy, 1991, 19–30 4 F. Kolb, Die S. im Alt., 1984 5 H. Sonnabend, s. v. S., in: Ders., Mensch und Landschaft in der Ant., 1999, 502–506. W. ED. u. H. SO.

II. Alter Orient und Ägypten

Der alte Orient gilt als Wiege der S. als Organisations- und Lebensform, da man das Hauptmerkmal – ihre Rolle als wirtschaftliches, polit. und rel. Zentrum ihrer Umgebung – bis in das 5. Jt. v. Chr. zurückverfolgen kann (erste Anzeichen für Zentralortsbildung in der Halaf-Zeit; die Benennung des neolithischen → Jericho als S. ist irreführend: [1. 24]). Bestimmend ist dabei, daß die S. nicht nur für die eigene Bevölkerung, sondern auch für die der Umgebung Funktionen ausübte, die dadurch eine größere Komplexität erhielten. Spätestens mit der Uruk-Zeit (2. H. des 4. Jt.) sind in Süd-Mesopot. Siedlungen (=Sg.) zu finden, die aufgrund von Größe und Bevölkerungszahl sowie einer komplexen sozio-ökonomischen, polit. und rel. Struktur (so z. B. → Uruk: 250 ha und ca. 40 000 Einwohner; hohe Arbeitsteiligkeit; ausdifferenzierte Verwaltung; ein abgegrenzter Kult- und Verwaltungsbereich im Zentrum) als S. zu bezeichnen sind. Der dabei entstandene Druck in Richtung einer umfassenden Informationstechnologie führte zur Entstehung der ältesten Schrift, der sog. Proto-Keilschrift (→ Schrift II.).

Vom Ende des 4. Jt. an verbreitete sich die Organisationsform S. mit gleichen oder ähnlichen Merkmalen über weite Bereiche des Vorderen Orients. Hauptmerkmal war in allen Fällen der Zentralortscharakter, der die S. meist auch zu einem polit. Machtzentrum machte, das über ein größeres oder kleineres Hinterland verfügte, je nach Umfang als Stadtstaat, Territorialstaat oder Reich bezeichnet. Neben dem → Tempel der Hauptgottheit war mindestens vom E. des 3. Jt. der → Palast des Herrschers das eigentliche Machtzentrum, meist an oder auf der obligatorischen Stadtmauer gelegen. Die Gebiete der h. Bereiche Syrien, Iraq und SW-Iran sind vom 4. Jt. an als städtische (=s.) Kulturen zu bezeichnen: Auch in Zeiten der Einbindung in größere polit. Zusammenhänge blieben die S. Sitz der Entwicklungen auf allen Gebieten; dazu gehörte ein andauerndes Streben nach möglichst großer polit. Selbständigkeit gegenüber einer Zentralregierung. In den anderen Gebieten des VO wie Palaestina, Anatolien und Iran wechselten sich s. Phasen mit solchen ab, in denen dörfliche oder tribale Strukturen vorherrschten. Zwar werden Ausdrücke wie uru (sumerisch), *ālu* (akkadisch) und *ḫappira* (hethitisch) als »S.« übersetzt, doch sind Versuche, diese Begriffe eindeutig von (kaum vorhandenen) Bezeichnungen für kleinere Sg. abzugrenzen, vergeblich. Offensichtlich wurde dieser Unterscheidung ein geringerer Wert beigemessen als der Abgrenzung zum offenen Land: ein häufig genannter Gegensatz ist *ālu u ṣēru* (akkad.), »S. und offenes Land/Steppe«.

Äg. galt lange als das Beispiel für einen Zentralstaat ohne S., doch stellt sich diese Annahme immer deutlicher als Folge der Quellenlage heraus: Baumaterial (luftgetrockneter Lehmziegel) und Lage der Sg. im Überschwemmungsgebiet des → Nil sind der Forsch. hinderlich; das bisherige vordringliche Interesse an aus Stein errichteten Zentralanlagen führte erst in neuerer Zeit zu ausgedehnten S.-Grabungen (→ Amarna, → Buto, → Elephantine, Qantir). Auch für Äg. gilt, daß die S. (äg. *njwt*) Herrschafts- und Verwaltungssitz sowie rel. Zentrum war und eine komplexe soziale Struktur der Bevölkerung aufwies. Der erheblich stärkeren Zentralisierung Äg.s scheint aber zu entsprechen, daß die übrigen S. gegenüber der jeweiligen Hauptstadt eine untergeordnete Rolle spielten.

1 H. J. Nissen, Gesch. Altvorderasiens, 1999.

W. von Soden, Tempelstadt und Metropole im Alten Orient, in: H. Stoob (Hrsg.), Die S., 1979, 37–82 • G. Wilhelm (Hrsg.), Die orientalische S., 1996 • M. Bietak, s. v. Stadt(anlage), LÄ 5, 1984, 1233–1249 • D. Franke, Zur Bed. der S. in altäg. Texten, in: M. Jansen (Hrsg.), Städtische Formen und Macht, 1994. H. J. N.

III. Phönizien

Die phönizischen S. des 1. Jt. v. Chr. am Mittelmeer haben ihre typologischen und strukturellen Wurzeln in den bedeutenden urbanen Zentren der syrisch-kanaanäischen Stadtkönigtümer der späten Brz., von denen die an der Levanteküste gelegenen in den meisten Fällen sowohl lit. bezeugt (u. a. → Amarna-Briefe, assyr. Königsinschriften) als auch arch. nachgewiesen sind (u. a. → Ugarit, Arwad/→ Arados [1], → Byblos [1], → Sidon, Simyra/Tell Kazel, → Tyros). Die in ihnen sehr früh entwickelte polit. und materielle Stadtkultur und das jeweils spezifische Selbstverständnis wurden durch die → Seevölkerwanderung am E. der Brz. (ca. 1200 v. Chr.) nicht ernsthaft beeinträchtigt, da der Küstenstreifen vor dem Libanon-Gebirge, zw. den Großreichen von Ḫattusa/Hatti und Äg. gelegen, mit wenigen Ausnahmen (z. B. Ugarit) von Zerstörungen weitgehend verschont blieb.

Die Siedlungskontinuität der phöniz. S.-Staaten, in denen auch mehrere urbane Siedlungen (=Sg.) unter einem »Vorort« vereint sein konnten, gab ihnen die Kraft zur (durch wirtschaftliche Gründe, bes. Rohstoffmangel hervorgerufenen) transmediterranen Expansion (→ Kolonisation) des frühen 1. Jt. v. Chr. und verlieh ihnen zugleich eine »Brücken«- und Vermittlerfunktion zwischen Brz. und Eisenzeit. Ausgerüstet mit weit in das 2. Jt. zurückreichenden Erfahrungen bezüglich des urbanen Zusammenlebens, der städtischen Politik und der Organisation der materiellen Stadtgestalt als Rahmen für das tägliche Leben waren sie in der Frühzeit des 1. Jt. v. Chr. allen anderen mediterranen Anrainerkulturen (mit Ausnahme Äg.s) weit überlegen.

Wesentliche Elemente der phöniz. Stadtlage und -gestalt (an der Levante wie bei Niederlassungen in »Übersee«) sind: a) die Auswahl optimaler Hafenplätze an den großen Seewegen; b) zweckmäßiger Ausbau des Hafens bzw. mehrerer Häfen (z. B. Sidon, Tyros) [1]; c) starke Befestigungen mit turmbewehrten Mauern und Erdwerken; d) verdichtete urbane Sg.-Form (auch in den kleineren »Faktoreien«) mit quasi-orthogonalem Kataster und Mehrgeschossigkeit (vgl. Strab. 16,2,13; App. Lib. 128); e) verhältnismäßig geringe, erst später (unter griech. Einfluß?) entfaltete Monumentalität der Heiligtümer (→ Phönizier IV. A.).

1 H. Frost, Harbours and Proto-Harbours. Early Levantine Engineering, in: V. Karageorghis, D. Michaelidis (Hrsg.), Cyprus and the Sea (Proc. of the International Symposion, Nicosia 1993) 1995, 1–22.

H. G. Niemeyer, E. Lipiński, s. v. Urbanisme, DCPP, 486–488 · H. G. Niemeyer, El yacimiento fenicio de Toscanos: urbanística y función, in: Aula Orientalis (Barcelona) 3, 1985, 109–126 · Ders., The Early Phoenician City-States on the Mediterranean: Archaeological Elements for Their Description, in: M. H. Hansen (Hrsg.), A Comparative Study of Thirty City-State Cultures, 2000, 89–115. H. G. N.

IV. Etrurien

Wie in Griechenland ist in Etrurien während des 9./8. Jh. v. Chr. ein starker Bevölkerungszuwachs zu beobachten; dies führte im frühen 7. Jh. zur Herausbildung großer Siedlungszentren und deren territorialer Expansion auf Kosten ehemals selbständiger Siedlungen (= Sg.) wie z. B. → Visentium und → Marsiliana d'Albegna im Territorium von → Volci/Vulci oder zur Aufgabe peripherer Klein-Sg. zugunsten des Zentrums im Fall von → Tarquinii/Tarquinia, so daß hier von einer Art → *synoikismós* gesprochen werden kann. Aufgrund der bes. geologischen Situation verfügten die Sg. in Südetrurien über vorgegebene Sg.-Areale in der Form von Tuffplateaus, die sich mittels cañonartiger Schluchten vom Umland abhoben und fortifikatorische Vorteile boten, so daß Befestigungen meist erst im Kampf gegen Rom (4. Jh. v. Chr.) notwendig wurden, während sie in Nordetrurien schon für das 7. und 6. Jh. v. Chr. bezeugt sind (→ Rusellae). Die Größe der Tuffplateaus (→ Veii: ca. 190 ha, → Caere/Cerveteri: 150, Tarquinia: 120, Vulci: 90) bietet, da sicher nicht dicht besiedelt, für die Frage nach der Bevölkerungsgröße nur grobe Anhaltspunkte, ebenso die → Nekropolen und Gräber, die aber immerhin einen Entwicklungsvorsprung von Tarquinia und Veii im Sinne einer gewissen Urbanisierung und stärkeren sozialen Gliederung der Ges. schon für das späte 8. Jh. v. Chr. erschließen lassen. Dagegen gilt dies für Caere erst im frühen 7. Jh. v. Chr., das dann allerdings umso mehr aufblühte und sich im Verlauf des 7. Jh. zur führenden See- und Handelsmacht entwickelte. In Nordetrurien ragen → Populonia und → Vetulonia (ca. 150 bzw. 100 ha) als wichtigste Produktionszentren in der → Metallurgie heraus. Die für die jeweilige Blütezeit geschätzten Einwohnerzahlen (bis zu 32000 für Veii bzw. 25000 für Caere und Populonia) sind eher von relativer Bed., doch dürften diese S. zu den wichtigsten und größten It.s gehört haben.

Um 500 v. Chr. lassen sich in Inneretrurien Zerstörungen und die definitive Aufgabe von Sg. beobachten, deren Ursachen unklar sind. In der Folge, bedingt auch durch die zunehmende Einschränkung der etr. Thalassokratie im Tyrrhenischen Meer, gewannen S. im Landesinneren an Bed., wie → Volsinii/Orvieto, → Clusium/Chiusi, → Cortona [1], später auch → Arretium/Arezzo, → Perusia/Perugia und die Hafenstadt Spina [2] an der adriatischen Küste. Mangels großflächiger Ausgrabungen ist die innere Struktur auch dieser Sg. noch weitgehend unbekannt (vgl. → Städtebau II. D.).
→ Etrusci, Etruria (mit Karten); Zwölfstädtebund

G. Colonna, Urbanistica e architettura, in: G. Pugliese Carratelli (Hrsg.), Rasenna, 1987, 369–530 · M. Miller, Befestigungsanlagen in It. vom 8. bis 3. Jh. v. Chr., 1995, 72–105 · M. Rendeli, Sulla nascità delle comunità urbane in Etruria meridionale, in: Annali del Seminario di studi del mondo classico, sezione di archeologia e storia antica 13, 1991, 9–45 · S. Steingräber, L'urbanistica etrusca, in: M. Torelli (Hrsg.), Gli Etruschi, Ausst.-Kat. Venedig 2000, 291–311. F. PR.

V. Griechenland und Rom

A. Begrifflichkeit
B. Griechenland C. Rom

A. Begrifflichkeit

Die ant. S. als siedlungs-geogr. Phänomen ist nicht identisch mit den polit.-sozial definierten Organisationsformen → *pólis* und → *civitas*, welche sich selbst verwaltende Bürgerverbände auf einem fest umgrenzten Territorium waren. Die Übers. von *pólis* und *civitas* mit »S.« oder »S.-Staat« ist insofern irreführend, als die Territorien dieser Bürgerverbände nicht notwendig eine S. aufwiesen, andererseits aber auch mehrere städtische (=s.) Siedlungen (=Sg.) beherbergen konnten, wie etwa Attika mit → Athenai, dem → Peiraieus und → Thorikos. Zwar konnten *pólis* und *civitas* auch das Sg.-Zentrum bezeichnen, aber die spezifischen Begriffe für letzteres waren → *ásty*, → *oppidum* und *urbs*, die freilich allesamt nicht die gleiche Bed. haben wie unser S.-Begriff. Pausanias (10,4,1) nennt für das 2. Jh. n. Chr. eine griech. *pólis*, deren *ásty* keinerlei urbanen Charakter aufwies.

B. Griechenland
1. Archaische und klassische Zeit
2. Hellenismus

1. Archaische und klassische Zeit

Noch in der 1. H. des 4. Jh. v. Chr. entsprachen längst nicht alle griech. Poliszentren den oben (I.) genannten. Anforderungen. Der Historiker Xenophon (Xen. Kyr. 8,2,5; vgl. Plat. rep. 369B-E) spricht kleinen *póleis* eine nennenswerte handwerkliche Spezialisierung, erst recht eine Arbeitsteilung ab; diese gibt es nur in großen *póleis*. Da letztere nach Xenophon etwa 5000 männliche Bürger, mithin 20000–40000 Einwohner (=Ew.), aufweisen (vgl. Plat. leg. 705 ff.; Aristot. pol. 1327 ff.), kann in archa. und klass. Zeit nur eine Minderheit der auf etwa 1000 geschätzten *póleis* der griech. Welt über die demographischen und wirtschaftlichen Voraussetzungen für die Entwicklung eines s. Zentrums verfügt haben.

Dem entspricht der arch. Befund im griech. Mutterland. Während die Gesch. der *pólis* im 8. Jh. v. Chr. beginnt, läßt sich nur in größeren *póleis* des südlichen Griechenland – wie Athen, Korinth und Argos – eine in der zweiten H. des 6. und in der ersten H. des 5. Jh. v. Chr. einsetzende Ausstattung der zentralen Sg., bes. der → *agorá*, mit nennenswerten öffentlichen Bauten (Säulenhallen, Amtsgebäuden, Brunnenhäusern usw.) beobachten (→ Städtebau IV.). Das um 400 v. Chr. von Thukydides (1,10,2) als rückständig empfundene Sg.-Bild des aus mehreren räumlich getrennten *kṓmai* (→ *kṓmē*, »Dörfern«) bestehenden → Sparta war im griech. Mutterland des 6./5. Jh. keine Ausnahme. Auch Athen und Korinth waren im 6. Jh. noch keine geschlossenen s. Sg., und die weit überwiegende Mehrzahl griech. *póleis* verfügte über einen eher dörflich wirkenden Ort als Sg.-Zentrum. Ausnahmen bildeten Neugründungen »auf grüner Wiese«, wie → Eretria [1] auf Euboia, vielleicht auch → Halieis in der Argolis, die wohl eher als mutterländische Ausläufer der griech. Kolonisationsbewegung zu bewerten sind.

Im griech. Kolonisationsgebiet (→ Kolonisation IV.) setzte nämlich schon gegen E. des 7. Jh. v. Chr. aufgrund anderer Umweltbedingungen und der Planungsfreiheit auf der »grünen Wiese« die Anlage orthogonal organisierter, ummauerter Sg. ein, deren polit. Zentrum schon im 6. Jh. mit öffentlichen Bauten ausgestattet wurde, so etwa in Megara [3] Hyblaia, → Metapontion und Selinus [4]. Die Apoikien (→ *apoikía*) wurden zu Vorbildern für die urbane Ausstattung von Poliszentren des Mutterlandes.

Sieht man von Ausnahmeerscheinungen wie Athen und Korinth ab, so erhalten Sg.-Zentren des Mutterlandes meist erst seit dem 4. Jh. v. Chr. und bes. in hell. Zeit jene urbane Ausstattung, die man gemeinhin mit griech. S. verbindet: gepflasterte Straßen, geräumige Wohnhäuser, komplett aus Stein gebaute → Theater, → Stadion und → Gymnasion, von prachtvollen Säulenhallen gesäumte und mit Amtsgebäuden sowie zahlreichen Ehrenmonumenten geschmückte *agoraí*, architektonisch anspruchsvolle Brunnenhäuser usw. Jetzt erst entstanden auch Ämter (→ *astynómos*, → *agoranómos* und → Architekten), welche für Markt, Straßen, Drainage, Wasserversorgung und die Unterhaltung öffentlicher Gebäude, mithin nicht für die gesamte *pólis*, sondern speziell für die S. zuständig waren. Jetzt erst sahen sich ein Hippodamos, Platon [1] und Aristoteles [6] veranlaßt, sich Gedanken über Stadtplanung zu machen (→ Städtebau IV.).

Voraussetzung für die urbanistische Entwicklung war ein deutlicher Entwicklungsschub in gewerblicher Produktion (→ Handwerk) und → Handel, der sich im materiellen Befund – z. B. in der steigenden Quantität der Keramik und des Münzgeldumlaufs – niederschlägt. Erst seit etwa 500 v. Chr. wurde Silbermünzgeld in der griech. Welt in nennenswertem Umfang geprägt, und erst in der zweiten H. des 5. Jh. traten umfangreiche Bronzeemissionen für den Detailhandel daneben, so daß man von einer → Geldwirtschaft sprechen kann (→ Münzprägung I. C.). Mit ihr verbunden war die Tätigkeit eines Großteils der Bevölkerung im sekundären Sektor, welche eine s. Bevölkerungsballung ermöglichte. Feldforsch. haben in jüngster Zeit gezeigt, daß das → Territorium der *póleis* in klass. und hell. Zeit zahlreiche Gehöfte aufwies, von denen aus es bewirtschaftet wurde. Die im Sg.-Zentrum lebende Bevölkerung kann daher nur zu einem kleinen Teil in der → Landwirtschaft tätig gewesen sein.

Freilich bleiben die Bevölkerungszahlen der griech. Polis-Zentren recht niedrig. Athen mag im 5. Jh. v. Chr. etwa 50000 Ew. aufgewiesen haben, aber in den meisten *póleis* des Mutterlandes, soweit sie überhaupt über ein s. Zentrum verfügten, dürfte dessen Ew.-Zahl kaum 1000–2000 überschritten haben. Anders war dies in den Kolonisationsgebieten sowie in den durch → *synoikismós* (d. h. auf Kosten der Existenz kleinerer Gemeinwesen) geschaffenen Groß-*póleis* des ausgehenden 5. und der 1. H. des 4. Jh., wie → Olynthos, → Rhodos und → Megale Polis, die durch gezielte Bevölkerungsballung und großzügig geplante S.-Anlagen rasch urbanen Charakter erlangten. Die unterschiedlichen Entstehungsbedingungen städtischer Sg. führten zu recht verschiedenen S.-Typen, die vom staubigen Landstädtchen bis zur dynamischen Hafen-S. reichten und auch in ihrer äußeren Gestalt wenig miteinander gemein hatten, so daß es kaum ratsam erscheint, von »der griech. S.« zu reden.

2. Hellenismus

Dies gilt erst recht für die hell. Epoche, als sich infolge der polit. und wirtschaftl. Erschließung des Orients bis dahin unerhörte Quellen des Reichtums auftaten, zahlreiche S. zwecks mil., polit. und wirtschaftl. Kontrolle der eroberten Gebiete gegr. wurden und Herrscherresidenzen als wirkliche Groß-S. mit annähernd oder gar mehr als 100000 Ew. entstanden, wie → Alexandreia [1] in Äg., → Antiocheia [1] am Orontes, → Seleukeia [1] am Tigris, → Pergamon usw. Diese entwickelten ganz neue Dimensionen urbanistischer Planung und Ausstattung. Eine ethnisch und sozial bunt gemischte Bevölkerung von Handwerkern, Händlern, Manufakturbesitzern, Amtsträgern, Offizieren, Priestern, Wissenschaftlern, Literaten, Künstlern usw. lebte hier von den Kapitalzuflüssen aus polit. Herrschaft, lukrativem Fernhandel mit exotischen Waren wie Gewürzen und Edelsteinen sowie Massenproduktion von Gebrauchsgegenständen, aber auch teureren Waren, wie Leinen, Glas, Parfüm und Papyrusrollen.

C. Rom

Eine üppige Groß-S. wie Alexandreia erweckte erstmals Sehnsucht der Städter nach einem schlichten Landleben, die sich auch in Lit. und Kunst ausdrückt. Dies setzte sich im Rom der Kaiserzeit fort, welches seine Entwicklung zur Groß- und gar Millionen-S. ausschließlich seiner polit. Funktion als Kapitale eines Weltreiches verdankte (→ Roma III. F. und G.). Die urbanistische Gestaltung Roms und der von ihm gegründeten bzw. entwickelten s. Sg. in eroberten Gebieten verdankte vieles etr. und griech. Vorbildern, aber auch neuen technischen und architektonischen Entwicklungen (s. o. IV.; → Städtebau).

Die systematische, wenn auch nicht überall gleich intensive Munizipalisierung und Urbanisierung der westl. Provinzen, aber auch mancher von s. Zivilisation noch wenig durchdrungener Regionen des Ostens (etwa des inneren Kleinasien) waren nur möglich aufgrund der von der *pax Romana* (→ *pax* [1] C.) garantierten Prosperität. Diese beruhte auf einer durch gezielte Melioration und das röm. Steuersystem bewirkten Steigerung der agrarischen Erträge sowie auf der Schaffung eines einheitlichen Verkehrs- und Wirtschaftsraumes und einer damit verbundenen, bis in die Frühe Neuzeit nicht mehr erreichten Intensivierung des Handels und der Warenproduktion (→ Infrastruktur).

Die Römer knüpften bei ihren *civitas*-Gründungen im Westen teils an bestehende Sg. an, teils bevorzugten sie Neugründungen (→ Veteranen- und Bürgerkolonien, → *coloniae*), meist jedoch bildeten dabei Umsiedlungen Einheimischer den Bevölkerungsgrundstock. Die Auflösung der befestigten Höhensiedlungen iberischer, keltischer, germanischer und illyrischer Stämme und die Verlagerung der Sg.-Zentren in die Ebene, meist an wichtige Verkehrsknotenpunkte, diente einerseits der besseren polit.-mil. Kontrolle (vgl. Tac. Agr. 21), bewirkte aber auch die Entwicklung dieser neuen Sg. zu polit., kulturellen und wirtschaftl. Zentralorten für ein größeres Umland. Röm. *civitas*-Zentren (*oppidum, urbs*), gleichgültig welchen Rechtsstatus (*colonia*, → *municipium, civitas peregrina*) sie besaßen, entwickelten sich in aller Regel zu veritablen S. (Ausnahmen gab es z. B. in rückständigen Regionen auf dem Balkan). Aber auch an Straßenknotenpunkten und Flußübergängen oder nahe großen Militärlagern gelegene Orte rechtlich niederer Kategorie (*vicus, canabae*; vgl. → Heeresversorgung III.) konnten sich aufgrund ihrer wirtschaftlichen Dynamik – oft ausgestattet mit Marktrecht – nicht selten eine urbane Ausstattung zulegen, so daß das Städtenetz des Imperium Romanum dichter war, als es die etwa 2000 geschätzten *civitates* und *póleis* vermuten lassen.

Die Entwicklung einer urbanen Mindestausstattung mit Forum, Rathaus, Amtsgebäuden, Tempeln, Säulengängen/→ Porticus, Thermen und Wohnhäusern aus Stein war bis in die Spätant. hinein mehr oder weniger verbindlich. Ihre Finanzierung erfolgte bisweilen mit technischer und finanzieller Hilfe Roms, in der Regel aber aus den wirtschaftlichen Ressourcen des Gemeinwesens selbst sowie aus jenen ihrer polit.-sozialen Elite, der im Rat der Stadt versammelten → *decuriones* [1].

Die S. des Imperium Romanum waren trotz einer relativ einheitlichen urbanen Grundausstattung keineswegs monotone Gebilde, sondern aufgrund ihrer recht unterschiedlichen Entstehung, Planung und histor. Entwicklung in urbanistischer wie in wirtschaftl. und sozialer Hinsicht von großer Vielfalt. Ein Netz von 2000–3000 Ew. umfassenden Landstädtchen, die als Dienstleistungs- und Gewerbezentren dienten, überzog z. B. die Prov. Africa Proconsularis, in der aber auch die Hafen- und Groß-S. → Karthago mit mehreren Hunderttausend Ew. lag. Blühende Hafen-, Handels- und Manufaktur-S. – wie → Tyros, → Tarsos, → Ephesos, → Colonia Agrippinensis (h. Köln), → Londinium (h. London), → Narbo (h. Narbonne), → Caesarea [1] in Mauretanien, → Ostia usw. – zählten wohl 20 000–50 000 Ew. Großgrundbesitzer waren hier zugleich Großhändler und Manufakturbesitzer; spezielle Textil- und Delikatessenmärkte bedienten auch eine anspruchsvolle Kundschaft, während die Peripherie der S. von feuergefährlichen und geruchsbelästigenden Werkstätten besetzt war. Entsprechend der Wirtschaftskraft und Ew.-Zahl der S. schwankten Mitgliederzahl und Vermögen der jeweiligen lokalen Eliten. In einem kleinen Landstädtchen mochte man als einigermaßen wohlhabender Bauer in den Dekurionenrat aufgenommen werden, in einer S. wie Mediolan(i)um (h. Mailand) oder Lug(u)dunum (h. Lyon) mußte man ein reicher Großgrundbesitzer oder Großhändler sein.

Es gab mithin »die röm. S.« ebensowenig wie »die griech. S.«. Das röm. Städtewesen war zudem kein statisches Gebilde, sondern erlebte im Verlauf der Jh. erhebliche Veränderungen in Selbstverwaltung, Architektur, Ges. und Wirtschaft. Es waren jedoch nicht immanente wirtschaftl. und gesellschaftl. Entwicklungen, welche das Ende des ant. Städtewesens herbeiführten. Die spätant. S. war keineswegs dekadent, sondern überall dort, wo der polit.-mil. Rahmen intakt blieb, höchst vital. Das Christentum brachte zwar Veränderungen, aber keinen entscheidenden Einschnitt in der s. Entwicklung. Das ant. Städtewesen verschwand vielmehr als Folge polit.-mil. Katastrophen: Die germanischen Invasionen im Westen des Reiches im 5. und 6. Jh. und das Vordringen der Araber im Osten und in Nordafrika im 7. Jh. zerstörten nicht nur weitgehend die wirtschaftliche Infrastruktur; sie brachten Eroberer in diese

Regionen, welche weder über Verständnis für die polit.-soziale Organisation der *pólis* und *civitas* verfügten noch über die technischen Kenntnisse, die zur Aufrechterhaltung der ant. urbanen Zivilisation erforderlich waren.

→ Markt; Polis; Siedlungskontinuität; Städtebau; STADT

ALLG.: F. VITTINGHOFF, »S.« und Urbanisierung in der griech.-röm. Ant., in: HZ 226, 1978, 547–563 • F. KOLB, Die Stadt im Alt., 1984 • J. RICH, A. WALLACE-HADRILL, City and Country in the Ancient World, 1991.
GRIECH.: M. H. HANSEN (Hrsg.), The Polis as an Urban Centre and as a Political Community, 1997 • O. MURRAY, S. PRICE (Hrsg.), The Greek City from Homer to Alexander, 1990 • A. H. M. JONES, The Greek City from Alexander to Justinian, 1940 • E. KIRSTEN, Die griech. Polis als histor.-geogr. Problem des Mittelmeerraums, 1956 • Ders., Die Entstehung der griech. S., in: AA 1964, 892–910 • F. LANG, Archa. Siedlungen in Griechenland, 1996 • A. H. M. JONES, The Cities of the Eastern Roman Provinces, ²1971.
RÖM.: H. VON PETRIKOVITS, Kleinstädte und nicht-städtische Siedlungen im Nordwesten des Röm. Reiches, in: H. JANKUHN u. a. (Hrsg.), Das Dorf der Eisenzeit und des frühen MA, 1977, 86–135 • W. ECK, H. GALSTERER (Hrsg.), Die S. in Oberitalien und den nw Prov. des Röm. Reiches, 1991 • F. KOLB, Die urbane Ausstattung von S. im Westen und im Osten des Röm. Reiches, in: Klio 75, 1993, 321–341 • J. RICH (Hrsg.), The City in Late Antiquity, 1992 • C. LEPELLEY, Les cités de l'Afrique romaine au Bas-Empire, 2 Bde., 1979–1981.

F. K.

Stadtgesetze s. Stadtrechte

Stadtgottheit

I. ALTER ORIENT II. KLASSISCHE ANTIKE

I. ALTER ORIENT

Die Rel. Mesopotamiens ist von einem System von Tutelargottheiten für die zahlreichen städtischen Siedlungen geprägt, das seinen Ursprung in der sumerischen Rel. des 4. Jt. v. Chr. hat. Die Existenz und Verehrung von S. ist vom 3. bis ins 1. Jt. bezeugt. Einzelne S. erlangten im Verlauf der Gesch. überregionale Bed. (z. B. → Assur [2]; → Enlil; → Ištar, → Marduk; → Nabû).

→ Kleinasien IV.; Pantheon; Religion II. und III. J. RE.

II. KLASSISCHE ANTIKE

Für die griech.-röm. Ant. bezeichnet der Begriff »S.« eine Gottheit, die im Kult (→ Ritual), in der theologischen Reflexion (→ Mythos) und den öffentlichen Repräsentationsformen einer Stadt eine herausragende Position einnimmt. Diese Position schlägt sich in der Regel auch im lokalen Festkalender, der kultischen Infrastruktur oder den ikonographischen Medien der Stadt nieder [1]. So kommt z. B. → Athena, der verm. nach dem Ortsnamen At(h)ana/Athenai benannten S. Athens, oder → Iuppiter Optimus Maximus in Rom sowohl in den polit. Ritualen als auch in den öffentlichen ökonomischen und kulturellen Aktivitäten der Stadt eine wichtige, oft identitätsstiftende, Rolle zu.

Diese Fälle sind allerdings die Ausnahme. Kultpragmatisch untersucht die lokale Religionsgesch. komplexe lokale Götterpanthea; denn das Wohlergehen einer Stadt und ihres Territoriums sowie das rel. Selbstverständnis ihrer Einwohner waren von dem Wirken vieler Götter abhängig. Die Kategorie der »S.« ist für den ant. → Polytheismus methodisch daher problematisch und die Identifizierung einer Gottheit als »S.« im einzelnen überdies häufig schwierig [2. 293–305; 3. 207–210]. Griech. Titel und Epitheta, die v. a. seit hell. Zeit die bes. Schutzfunktion und Verantwortung einer Gottheit für eine → *pólis* bezeichnen, sind u. a. die urspr. Lokalepitheta πολιάς (*poliás*) oder πολιεύς (*polieús*), daneben die eine »Führung« benennenden Epitheta πολιοῦχος (*poliúchos*), das der Nomenklatur polit. Ämter angeglichene → *archēgétēs* und *prokathēgemṓn tēs póleōs* oder einfach *ho tēs póleōs theós*, »der Gott der Stadt«. Mit diesen Bezeichnungen können aber auch Göttergruppen oder das gesamte lokale Pantheon apostrophiert werden [1. 211–223; 2. 301–305]. Die »S.« ist also lediglich eine – polit., kulthistor., kulturell motivierte – Option zur internen Strukturierung eines nach soziomorphen Mustern ausdifferenzierten Götterpantheons. Diese Option am konkreten Fall darauf hin zu untersuchen, wie lokale gruppenspezifische Macht- und Prestigeansprüche durch die Berufung auf eine S. auf der Ebene göttlicher Hierarchien legitimiert werden sollen, gehört zu den Aufgaben der Forsch.

→ Pantheon [1] III.; Patrii di; Polytheismus; Theoi patrioi

1 U. BRACKERTZ, Zum Problem der Schutzgottheiten griech. Städte, Diss. Berlin 1976 2 S. G. COLE, Civic Cult and Civic Identity, in: M. H. HANSEN (Hrsg.), Sources for the Ancient Greek City-State (Historisk-filosofiske Meddelelser 72), 1995, 292–325 3 W. BURKERT, Greek *Poleis* and Civic Cults, in: M. H. HANSEN, K. RAAFLAUB (Hrsg.), Stud. in the Ancient Greek *Polis*, 1995, 201–210.

A. BEN.

Stadtgründer s. Ktistes

Stadtmauer s. Befestigungswesen

Stadtplanung s. Städtebau; Hippodamos

Stadtrechte

I. ALTER ORIENT II. KLASSISCHE ANTIKE

I. ALTER ORIENT

Die polit. Struktur der mesopot. Staatenwelt, die bald kleine Territorialstaaten, bald große, sich über das ganze südliche Mesopotamien erstreckende Staaten umfaßte, führte im Bereich der → Keilschriftrechte zu regionalen Besonderheiten, die sich v. a. im Urkundenformular, aber auch im materiellen Recht zeigen. Die wesentlichen Parameter der Rechtsordnung wurden durch die Struktur von Gesellschaft (→ Sozialstruktur), Wirtschaft und → Familie gesetzt. Von S. im engeren Sinne kann man insofern nicht sprechen.

Von den Rechtsordnungen des südl. Mesopot. zu unterscheidende Formen des Keilschriftrechts finden sich in den Randgebieten Mesopot.s (→ Alalaḫ; → Assyria; → Elam; Emar; hethitisches Anatolien; → Nuzi; → Ugarit); diese waren u. a. durch spezielle ethnische, polit., ökologische und ökonomische Voraussetzungen bedingt.

→ Hethitisches Recht; Sozialstruktur J.RE.

II. Klassische Antike

S. bzw. Stadtgesetze in der klass. Ant. sind inschr. publ., lokale Gesetzes-Slgg., die als Grundlage der Verwaltung mehr oder weniger autonomer Städte dienten. Wie die Inschr. von → Gortyn (III.) zeigt, gab es auch in Griechenland Slgg. dieser Art [1]. Alle weiteren bekannten S. galten aber in Städten, die Rom untertan waren, wobei sich die Inhalte der S. immer mehr am »öffentlichen« und »privaten« Recht Roms orientieren. Diese Entwicklung findet, soweit ersichtlich, ihren Abschluß in der → *Lex Irnitana* (E. 1. Jh. n. Chr.), deren § 93 festlegt, daß beim Fehlen anderslautender Regelungen in diesem Gesetz (und solche Regelungen sind extrem selten!) für die Bürger von Irni jenes Recht gelten solle, ›das die Römer bei sich jetzt und in Zukunft nutzen‹ (*quo cives Romani inter se iure civili agunt agent*). S. sind deshalb wichtige Parameter für die → Romanisierung.

S. aus dem lat. Westen des röm. Reiches sind uns v. a. aus den beiden Jh. vor und nach Chr. überl. Da z.Z. der Abfassung der spätant. Rechtscorpora diese *leges coloniae* bzw. *municipales* (auch *civitatis*) bereits obsolet waren, fehlen Hinweise in den → Digesta fast ganz. Es bleibt also nur die inschr. Überl., die extrem spärlich und immer fr. ist, da S. wohl immer auf Br. publ. und daher häufig wieder eingeschmolzen wurden. Die Reihe der erh. Stücke beginnt um 90 v. Chr. mit der → Tabula Bantina, einem in oskischer Sprache abgefaßten, aber inhaltlich stark romanisierten Stadtgesetz aus → Bantia (bei Venusia). Es folgt eine (als neunte bezeichnete) Tafel des S. von Tarent aus dem 2. Viertel des 1. Jh. v. Chr. [2. Nr. 15]. Höchst umstritten sind Datier. und Interpretation eines Textes, der nur z. T. munizipales Recht berührt, der → Tabula Heracleensis. Auf der Rückseite einer griech. Inschr. des 4. Jh. v. Chr. niedergeschrieben, beinhaltet sie – neben Regelungen für die Stadt Rom – Vorschriften über die Bekleidung städtischer Ämter und die Durchführung des städt. → *census*. Die frühere Ansicht, hier läge ein allg. Stadtverwaltungsgesetz Caesars vor (so etwa [3. 113–120]), eine *Lex Iulia municipalis*, wird h. mehrheitlich abgelehnt; näher liegt die Vermutung, der Text sei ein Vorentwurf, eine Gedankensammlung für ein geplantes lokales Stadtgesetz [4]. Um 44 v. Chr. entstand das Gesetz der z.Z. Caesars gegr. *colonia Iulia Genetiva* in Urso/Südspanien (→ *Lex Ursonensis*), von dessen über 140 §§ knapp ein Drittel erh. ist. Aus der Zeit des → Domitianus [1] stammt eine Serie von S. für *municipia Flavia*, die aufgrund der Verleihung des *ius Latii* (→ *ius* D. 2.; → Latinisches Recht) an ganz Spanien durch Flavius → Vespasianus entstanden waren (Plin. nat. 3,30). Die geringfügigen Unterschiede der Texte erlauben es, aus den einzelnen Fr. (→ *Lex Irnitana*, → *Lex Malacitana*, → *Lex Salpensana*) etwa 70% des gemeinsamen Textes zu gewinnen. Schließlich bietet zumindest eines der in → Lauriacum gefundenen, bereits für das Wiedereinschmelzen vorbereiteten Br.-Frg. unterschiedlicher Dicke und Schrift einen munizipalen Kontext ähnlich dem § 25 der *Lex Irnitana*; aus diesem in die Zeit Caracallas datierten Frg. auf ein *municipium* in Lauriacum zu schließen, ist höchst unsicher. Weitere mögliche Frg. von S. bei [2. Nr. 17, 34 u.ö.].

Verfaßt wurden die Gesetze zuerst von Senatoren, denen eine entsprechende Befugnis durch Gesetz erteilt war (*lege plebeivescito permissus est fuit utei leges ... daret*: Tabula Heracleensis 160). Hinweise auf diese Praxis gibt es schon früh: 317 v. Chr. schrieben der relativ jungen Bürgerkolonie Antium ihre Patrone die *iura* (Liv. 8,14,8), und um die Mitte des 2. Jh. verfaßte T. Annius [I 12], Patron der latinischen Kolonie Aquileia, Gesetze für die Stadt (*leges ... composivit deditque*: [5]). In beiden Fällen erhielten offenbar einzelne Städte ihre S., ebenso wie bei den Vorschriften über die Herkunft der Decurionen, die der Praetor Claudius [I 28] Pulcher 95 v. Chr. für Halaesa (→ Alaisa) in Sizilien erließ (Cic. Verr. 2,2,122; vgl. 2,2,123–125). Anders verlief die Gestaltung von S. in Bithynia. Dort hatte Pompeius [I 3] entsprechende Anweisungen im Gründungsgesetz der Prov. (*lex provinciae*) gegeben, und von dort wurden sie wohl in die Gesetze der einzelnen Städte übernommen (Plin. epist. 10,79,1; dazu [6]); so wurden auch die Anweisungen zum Beamtenapparat für Gallia Cisalpina in der *Lex Rubria* (49 v. Chr.; FIRA 19) und im *Fragmentum Atestinum* (49 v. Chr.; FIRA 20; [7]) zu Teilen norditalischer S. Es liegt deshalb nahe, die Vorlage für die einander so ähnlichen flavischen S. aus Südspanien (s.o.) in einem Gesetz für die span. Provinzen zu sehen.

S. beruhten demnach auf Einzelverleihung – mit der Möglichkeit, den Inhalt speziell auf die jeweilige Stadt zuzuschneiden – oder auf Gruppenverleihung (z. B. bei Gründung mehrerer Veteranenkolonien in einer Prov.), was zwangsläufig zu größerer Abstraktion führte. Daraus erklärt sich wohl auch der Unterschied zw. dem Gesetz für Urso und dem für Irni, abgesehen von dem zeitlichen Abstand von über 100 J. Man wird ohnehin kaum eine ausgeprägt individuelle Gestaltung von S. erwarten dürfen, da diese Gesetze stets einem tiefen Einschnitt in die Organisation staatlicher Existenz der jeweiligen Städte folgten (Gründung als → *colonia* bzw. Verleihung der → *civitas* oder des → Latinischen Rechts). Doch kann man annehmen, daß die polit. und sozialen Trad. der Gemeinden dabei nicht völlig unberücksichtigt blieben. Leider fehlt ein S. einer wichtigen traditionsreichen Stadt, um dies überprüfen zu können.

Inhalt der röm. S. waren, soweit man aus der *Lex Irnitana* zurückschließen darf, fast ausschließlich der Aufbau der Institutionen Magistratur, Rat und Volk sowie die Verteilung der Kompetenzen zw. ihnen. Materielles Recht, also Strafrecht, Besitzrecht usw., wurde implizit oder – wie in Irni – explizit vorausgesetzt; es kann dann im Grunde nur röm. Recht gewesen sein. Teilweise wörtliche Entsprechungen in den S. ergaben sich aus der verbreiteten Praxis, Passagen aus einem Gesetz in ein anderes zu übernehmen.

1 R. F. Willets (ed.), The Law Code of Gortyn, 1967 (mit engl. Übers. und Komm.) 2 M. H. Crawford (ed.), Roman Statutes, 1966 3 H. Rudolph, Stadt und Staat im röm. It., 1935 4 M. W. Frederiksen, The Republican Municipal Laws: Errors and Drafts, in: JRS 55, 1965, 183–198 5 AE 1996, 685 6 A. N. Sherwin-White, The Letters of Pliny. A Historical and Social Commentary, 1985 (zur Stelle) 7 H. Galsterer, Il frammento Atestino e la romanizzazione di Este, in: G. Tosi (Hrsg.), Este antica, 1992, 241–256.

A. Caballos Rufino, Nuevos testimonios andaluces de la legislación municipal Flavia, in: J. Mangas (Hrsg.), La ley municipal flavia, 2001 • H. Galsterer, La loi municipale des Romains: chimère ou réalité?, in: Revue historique de droit français et étranger 65, 1987, 181–203 • F. Lamberti, Tabulae Irnitanae: municipalità e ius romanorum, 1993, 201–261. H. GA.

Stadtstaat s. Civitas; Polis; Staat; Stadt

Stadttor s. Befestigungswesen; Toranlagen

Städtebau

I. Allgemein II. Vorderasien III. Ägypten IV. Klassische Antike

I. Allgemein

S. ist die organisatorische Gestaltung städtischer Gemeinwesen (→ Stadt), wobei die Zentralorts- und Spezialfunktionen der Stadt (=St.), z. B. als Hafen oder polit. Zentrum, Auswirkungen auf ihre äußere und innere Gestalt hatten. Die meisten St. des vorderasiatisch-äg. Gebietes sind als Siedlungen bereits in ältester Zeit (in Vorderasien ab dem 5. Jt.) an wirtschaftlich oder strategisch bedeutenden Punkten (Handelswegen, Flußüberquerungen, Ankerplätzen) entstanden. Nur an wenigen Stellen wurden von der Mitte des 2. Jt. an Städte durch einzelne Herrscher neu gegründet. Insofern man überhaupt von Planung sprechen kann, war diese auch in den Neugründungen auf die zentralen Bereiche wie → Palast- und/oder → Tempel-Anlagen beschränkt. Soweit feststellbar, waren alle diese St. von Befestigungsmauern mit turmbewehrten Toren umgeben. Ein weitverbreitetes Merkmal von mesopot. St. vom 2. Jt. an ist die Lage der Paläste an oder auf der Stadtmauer.

II. Vorderasien

In den oft langlebigen altoriental. St. ergab sich eine gewisse Gliederung bereits daraus, daß sich das zentrale Gebiet durch den größeren Schuttanfall bei der Auflassung älterer Bauten schneller erhöhte (→ Ur; → Uruk; Ninive: → Ninos [2]), oder durch eine natürliche Erhebung (→ Assur [1]; → Ḫattusa I.) ausgenutzt wurde. Der zentrale Tempel- und/oder Palastbereich wurde in der Regel durch eine eigene Mauer vom übrigen Stadtgebiet abgegrenzt (→ Tempel; → Palast II.-III.). Bei den gewachsenen St. folgte die Stadtmauer der Ausdehnung der Wohnviertel; über Wohngebiete außerhalb der Stadtmauer ist wenig bekannt (bisweilen dichte Fundstreuungen).

Der Kassitenherrscher Kurigalzu I. (Anf. 14. Jh.) erbaute sich beim h. ʿAqar Qūf (westl. von Baghdad) seine neue Residenzstadt Dūr-Kurigalzu mit weitläufigen Palast- und Tempelanlagen (die noch hoch anstehende Ziqqurratruine galt frühen Reisenden als »Turm von Babel«), jedoch ohne erkennbare Gesamtplanung (Stadtgebiet nicht erforscht). Verm. ebenfalls auf freiem Feld errichtete sich der Elamierherrscher Untaš-Napiriša um 1250 v. Chr. die Kult- und Residenzstadt Dūr-Untaš im h. Ḫūzestān (Iran), und kurz vor 1200 eröffnete Tukultī-Ninurta I. (1244–1207) mit der Gründung von Kār-Tukultī-Ninurta (KTN) gegenüber Assur auf der östl. Tigrisseite die Reihe der assyr. Herrscher, die sich neue Residenzen schufen. Ein 800 × 800 m großer Bereich wurde von einer annähernd rechteckigen Mauer umgeben; er war offenbar aber nur zum geringsten Teil vor der baldigen Aufgabe der St. mit Häusern bestanden. Mit Nimrud (→ Kalḫu) und Ninive bauten sich nachfolgende Herrscher existierende Siedlungen zu neuen Residenzen aus, und erst der Usurpator Sargon II. (722–705) gründete wieder eine neue St., Dūr-Šarrukīn, h. Ḫorsābād. Im Norden eines 1500 × 1650 m großen ummauerten Stadtgebietes lag auf hoher Terrasse eine weitläufige Anlage aus Königspalast, Tempeln und verschiedenen Residenzen hoher Beamter. Auch hier war das Stadtgebiet wohl nie voll mit Häusern bestanden.

Runde Stadtanlagen fanden sich im syrisch-südostanatolischen Bereich seit dem 2. Jt. (»Kranzhügelstädte« wie z. B. Tall Ḫuwaira: Oberstadt mit darumgelegter runder Wohnstadt), wie auch im 1. Jt. v. Chr. (Zincirli, 9.–8. Jh.). Es läßt sich allerdings nicht nachweisen, daß sie das Ergebnis gezielter Planung waren. Als geplante Rundstädte sind v. a. Ardašīrḫurra (heute → Fīrūzābād, Fars, Iran: 3. Jh. n. Chr.) und die »Runde Stadt« des Kalifen Al-Manṣūr (754–775 n. Chr.) im Bereich des h. Baghdad bekannt.

III. Ägypten

Um königliche Residenzen, Festungen, Pyramidenstiftungen und Tempelkomplexe bildeten sich befestigte Orte mit rundem oder ovalem Plan und sich kreuzförmig schneidenden Hauptstraßen (z. B. → Elephantine; al-Kāb: frühes 3. Jt.). Die wenigen Stadtgrabungen lassen vermuten, daß Wohnviertel mit rechtwinkligen Straßensystemen die Regel waren (Bsp.: die Wohnstadt der von → Amenophis [4] IV. Echnaton 1345 neugegr. Residenz Achet-Aton, h. → Amarna). Gerasterte Anlagen finden sich insbes. bei den planvoll angelegten Arbeitersiedlungen in der Nähe von Steinbrüchen (AR bis NR).

→ Palast; Stadt; Tempel

D. Arnold, Lexikon der äg. Baukunst, 2000 · M. Bietak, s. v. Stadt(anlage), LÄ 5, 1984, 1233–1249 · M. Novák, Herrschaftsform und Stadtbaukunst. Programmatik im mesopot. Residenzstadtbau von Agade bis Surra man ra'a, 1999. H. J. N.

IV. Klassische Antike

A. Definition und Abgrenzung
B. Griechenland C. Rom D. Etrurien

A. Definition und Abgrenzung

Die mod. Begriffe S. bzw. Urbanistik, für die es in der ant. Terminologie keine unmittelbaren Entsprechungen gibt, setzen in ihrem von der mod. Forsch. regelhaft verwendeten Grundverständnis die Existenz der → Stadt (= St.) zumindest im Sinne des siedlungsgeogr. Phänomens voraus; impliziert ist ein gestalterisch-planerischer, reflektierter Umgang mit dem Repertoire der architektonischen Elemente der St., etwa in der Art des → Hippodamos von Miletos. S. als arch. Phänomen setzt jedoch bereits vorher, mit der Entstehung der → Polis als polit. Organisationsform ein; hierunter sind auch alle diejenigen Baumaßnahmen zu subsumieren, die dem → *synoikismós* verschiedener ländlicher Siedlungen hin zu einer Polis mit Zentral- und Marktfunktionen unmittelbar folgen. Nicht eingehend erörtert werden hier städtebauliche Phänomene aus den vorklass. Mittelmeer-Hochkulturen des 2. Jt. v. Chr., wobei insbes. auf die minoischen Siedlungen Kretas (z. B. Gournia) und die aktuelle Kontroverse um den St.-Charakter von → Troia hinzuweisen ist (vgl. ferner → *oppidum*; zur Tradierung ant. St.-Strukturen in ma. und neuzeitlichen St. vgl. → Städtebau).

B. Griechenland

1. Archaische und klassische Zeit
2. Hellenismus

1. Archaische und klassische Zeit

Der Zusammenschluß dörflicher Siedlungen zu größeren Einheiten führte im 8. Jh. v. Chr. im griech. Mutterland erstmals zur Entstehung gemeinsam genutzter baulich-organisatorischer Rahmungen, wobei es jedoch als gesichert gilt, daß geschlossene St.-Bilder solcher »gewachsenen« Poleis bis ins 5. Jh. v. Chr. hinein eher Ausnahmen (wie z. B. → Athenai oder → Korinthos) denn die Regel waren. Im Kontext eines *synoikismós* wurden Verbindungsstraßen zwischen den einzelnen *kṓmai* (→ *kṓme*) erbaut, Versammlungsplätze (→ Agora) sowie gemeinsam genutzte → Nekropolen fixiert (vgl. z. B. in Argos), zudem ein zentrales, dabei nicht selten exponiert gelegenes → Heiligtum bestimmt und mit einem → Tempel, der ersten großen gemeinschaftlichen Bauaufgabe, ausgebaut. Notwendig waren darüber hinaus Einrichtungen für Be- und Entwässerung (→ Brunnen; → Zisterne; → Wasserversorgung) sowie zum Schutz gegen Übergriffe gegebenenfalls Fluchtburgen (ummauerte Akropolen); massive, das gesamte Siedlungsgebiet umfassende St.-Mauern (die neben ihrer fortifikatorischen Funktion schnell zum Symbol städtischer Autonomie wurden und in ihrer Anlage mit einer Entfestigung der Akropolen einhergingen, z. B. Athen) werden erst im späten 6. Jh. v. Chr. allmählich zur Regel (s. → Befestigungswesen). Neben diesen sich zu St. auswachsenden Strukturen ist für die früharcha. Zeit – meist auf den Ägäisinseln – das Weiterbestehen alter Agglomerat-Siedlungen bezeugt, die in minoischer Trad. standen (u. a. Vrokstro, Zagora, Tsikalaria, Karphi).

Von solchen »gewachsenen« St. unterschieden sich die meist in einem zeremoniellen Gründungsakt neuangelegten St., wie sie seit dem späten 8. Jh. v. Chr. im Kontext der griech. → Kolonisation zahlreich entstanden, in grundsätzlicher Weise. Die Lage dieser Stadtanlagen ist von → Handel und → Landwirtschaft, aber – da meist auf zuvor fremdbesiedeltem, in einem mil. Akt eroberten Terrain gelegen – auch von erhöhtem Sicherheitsbedürfnis geprägt. Die Orte lagen dicht an der Küste und doch weit genug landeinwärts, um vor → Seeraub sicher zu sein; sie waren inmitten eines fruchtbaren Gebietes und zugleich in einer gut zu verteidigenden top. Situation positioniert. Der Bau einer Schutzmauer war meist die erste und vordringlichste gemeinschaftliche Bauaufgabe; eine möglichst weitgehende, den Bauaufwand limitierende Einbeziehung natürlicher Schutzmöglichkeiten, etwa von Geländekanten, war dabei üblich (Akragas). Von großer Bed. für die Ortswahl war darüber hinaus die → Wasserversorgung, nicht unwichtig war zudem auch eine nahegelegene geeignete Stelle zur Gewinnung von Baumaterial (→ Steinbruch). Siedlungs- und Ackerland wurde unter den Kolonisten per Landlos (→ *klḗros*) aufgeteilt; die regelmäßige Anlage früher Koloniestädte mit von einem rechtwinkligen Straßenraster durchzogenen Insulae sowie davon separierten Heiligtümern und Verwaltungs- und Versammlungsbereichen hat hierin ihren Grund. Bes. im westgriech. Bereich sind frühe Beispiele derart geplanter Koloniestädte geläufig (z. B. Megara [3] Hyblaia, Metapontion); inwieweit sich solche beinahe schon »hippodamischen« Strukturen auf die archa. Koloniestädte Ioniens und des Schwarzmeergebietes übertragen lassen, wird diskutiert. Die Zuordnung der Flächen innerhalb der Siedlung erfolgte offenbar unkanonisch; Heiligtümer konnten dabei sowohl blockartig im St.-Zentrum (Metapontion, Selinus, Poseidonia) als auch in peripherer Lage (Syrakusai, Akragas) angesiedelt werden.

Städtische Neugründungen des 5./4. Jh. v. Chr. weisen durchweg ein hohes Maß an rationaler, funktionalräumlicher Gestaltung und baulicher Gliederung auf – Eigenschaften, die mit dem Namen des Milesiers → Hippodamos verbunden sind. Charakteristisch ist hier ein kohärentes Konzept der Flächennutzung, bei der die → Insula als Basis-Modul innerhalb eines orthogonalen Rasters aus breiteren Haupt- und schmaleren Nebenstraßen (*plateíai* mit ca. 9 m Br bzw. *stenōpoí* mit ca. 4,5 m Br) die gesamte St.-Fläche gliedert und die Bereiche für Hausbebauung, öffentliche Areale (für Verwaltung und Ökonomie) sowie sakrale Flächen in eine geordnete Beziehung zueinander gesetzt werden. Vermeintlich erstmalig beim Neubau der in den Perserkriegen zerstörten St. Miletos angewendet, wurde ein derartiges Raster-Konzept zum Standard (und zugleich zum staatspolit. Theorem) des klass. S. und begegnet in diversen Variationen sowohl bei Neugründungen von Koloniestädten, Kleruchien (→ *klērúchoi*) oder späten *synoikismoí* (z.B. Thurioi 445/4 v.Chr.; Rhodos 407 v.Chr.; Megalopolis 371 v.Chr.; Mantineia 370 v.Chr.; Kassope um 350 v.Chr.), dann beim Neubau zerstörter oder aus anderen Gründen aufgelassener älterer St.-Anlagen (neben Miletos v.a. Priene 353/2 v.Chr.) und schließlich beim Bau von St.-Erweiterungen (→ Peiraieus nach 479 v.Chr.; Neu-St. von Olynthos 432 v.Chr.).

Das baulich ausgestaltete »System St.« trat dabei zunehmend auch als eine Art Gesamtkunstwerk in Erscheinung; das Bemühen um Vermittlung der urbanen Strukturen an Bewohner und ein auswärtiges Publikum konnte zu regelrecht »gegen« die Natur gestalteten St.-Anlagen führen und sich dabei über lebenspraktische, funktionale Aspekte bisweilen rigoros hinwegsetzen (Priene). In den polit. und mil. unsicheren Jahrzehnten des späteren 4. und frühen 3. Jh. v. Chr. entstanden bes. in Nord- und Mittelgriechenland zahlreiche Neustädte in strategisch günstigen Gipfellagen (Pleuron u. a.), die z. T. wegen ihrer überdimensionierten Form auch als »Fluchtburgen« für die umliegenden Ortschaften dienten. Hier dominierten Infrastrukturbauten für die aufgrund der Höhenlage meist prekäre Wasserversorgung sowie massive, weit ausgreifende Befestigungsanlagen im Sinne von »Landschaftsfestungen«, die dem jeweils neuesten Stand der → Poliorketik folgten.

Die vieldiskutierte mod. These gleichgroßer und grundrißidentischer »Typenhäuser« im Rahmen eines Gesamtentwurfs im klass. griech. S. und seiner damit vermeintlich verbundenen »demokratischen« Ausprägung geht wohl schon deshalb in die Irre, weil polit. Gleichheit (→ *isonomía*) nicht identisch mit einer Gleichheit des materiellen Besitzes war; ferner ist der generelle Stellenwert der Demokratie (→ *dēmokratía*) in den (meist erst im 4. Jh. v. Chr. entstandenen) St.-Anlagen umstritten; schließlich hat sich das postulierte Typenhaus (→ Haus) in den baulichen Befunden, die in aller Regel den gegenüber den Verhältnissen der St.-Gründung im Laufe der Zeit mannigfach veränderten Endzustand (und niemals ihren Ursprung) konservieren, eher selten schlüssig nachweisen lassen.

2. Hellenismus

Der S. des Hell. folgt den im späten 5. und 4. Jh. v. Chr. entwickelten »hippodamischen« Mustern und bringt sie in zahlreichen herrscherlichen Neugründungen von Klein- und Mittelstädten im 3. und 2. Jh. v. Chr. zu ausdifferenzierter Anwendung (z.B. → Dura-Europos). Bemerkenswert ist dabei der zunehmend große Stellenwert von »polit.« Baukomplexen innerhalb der St.-Bilder (→ Agora; → Versammlungsbauten), der mit dem realen Verlust von Autonomie und dem Schwinden der Bed. städtischer Selbstverwaltung in den hell. Monarchien bemerkenswert kontrastiert und wohl als musealer Rückverweis auf altehrwürdige, überkommene Polis-Ideale aufzufassen ist. In analoger symbolischer Weise läßt sich auch das in grenz- und konfliktfernen St. vieldokumentierte akribische Erweitern und Ausbessern tatsächlich obsoleter St.-Mauern deuten, die bisweilen regelrechten Monument-Charakter annahmen. Eine Novität des hell. S. ist das zunehmende Herausragen einzelner Orte als Residenz-St. Zunächst von lokalen Herrschern (Maussolos in → Halikarnassos) gefördert, prägten sich seit der Zeit Alexanders d.Gr. unter königlicher Regie regelrechte Metropolen mit bis dahin ungekannten Einwohnerzahlen aus. Die von äußerstem Luxus und baulichem Aufwand geprägten Erscheinungsformen von Alexandreia [1], Demetrias [1], Seleukeia [1] oder Antiocheia [1] lassen sich aufgrund des weitgehenden Fehlens arch. Evidenz nur (unvollkommen) lit. nachvollziehen, aber wohl nicht aus dem einzig besser erh., hierin jedoch atypischen Beispiel → Pergamon ableiten.

Charakteristisch für hell. St.-Anlagen ist eine Aufwertung und Einbeziehung des »Glacis«, also der unmittelbaren städtischen Umgebung, etwa durch Gräberstraßen vor den Toren (Knidos), kleinere Kultbezirke, Bäder oder Stallungen und Rasthöfe, nicht selten auch große → Garten- und Parkanlagen; dieses Phänomen findet sich in der Folge auch bei röm. St.-Anlagen regelmäßig wieder. Im Umkreis der hell. Metropolen konnten hieraus regelrechte »Vorstädte« erwachsen (Daphne [4] bei Antiocheia [1]; vgl. ferner auch die Vorstädte entlang des Kanals von Alexandreia). Residenzstädte bezogen meist die exponiert gelegenen *basíleia* (→ Palast) in das St.-Bild mit ein, wobei dieser Baukomplex Mittel- und Kulminationspunkt aller öffentlichen Bauten der St. war (Pergamon). Das orthogonale Prinzip des Straßenrasters führte zur Aufwertung des Straßenraums im Sinne einer Betonung der zunehmend prunkvoll ausgestalteten Hauptstraßen (z. B. die in der antiken Lit. vielfach gerühmten »Boulevards« von Alexandreia), auch dies ein Phänomen, das in röm. Zeit in den innerstädtischen Säulenstraßen (etwa der nordafrikan. »Wüstenstädte«) seine Fortsetzung fand. Durchkomponierte, perspektivisch filigran angelegte Bau- und Blickachsen wurden die Regel, bei geeigneter Top. (Terrassierungen oder »Rahmungen« von Hügeln) auch auf malerische Ansicht abzielende vertikale Architekturstaffelungen (u. a. Pergamon). Hell. Ursprungs ist schließlich die Ausgestaltung von Straßenzügen mit Memorialarchitektur (z. B. Athen, Tripodenstraße; Ephesos, Marmor- und Kuretenstraße).

C. Rom

Die städtebauliche Genese der »gewachsenen« Metropole Rom als umfassender *synoikismós* (→ Roma III.)

bildet im S. der röm. Ant. eine Ausnahme. Üblich war in der röm. Welt, unmittelbar korrelierend mit der Expansion des röm. Staats- und Kulturgebietes, die voraussetzungslose Neugründung, erst in zweiter Linie die Ortsverlagerung (Avellino) oder, diesem Impetus beinahe gleichkommend, die Überprägung alter, gewachsener St.-Bilder durch radikale Baumaßnahmen mit beinahe eradierendem Charakter, z. B. in → Capua oder → Poseidonia/Paestum. Die röm. Städtegründungen folgten, analog dem → Straßenbau, der Expansion ganz unmittelbar und zwangsläufig als mil.-polit., ökonom. wie auch als ideologische Absicherungsmaßnahmen. Als Siedlungen für → Veteranen bildeten St. wie Ostia, Minturnae, Terracina, Pyrgi, Rimini, Alife oder Aosta weiterhin potente mil. Zentren, wurden aufgrund der intensiv betriebenen → Landwirtschaft bald zu dominierenden ökonom. Knotenpunkten in der jeweiligen Region und fungierten zugleich auch als kulturelle Konstanten und verwaltungstechnische Außenposten Roms in erobertem Terrain (→ Romanisierung). Dabei waren die Städtegründungen in das umfassend aneignende Prinzip der röm. Landvermessung eingebunden (*centuriatio*, *limitatio*; → Limitation). Mit diesem Prinzip einher ging auch das Erscheinungsbild der allermeisten röm. St.-Gründungen, die nur in der Frühzeit (und auch hier nur ausnahmsweise) griech.-hippodamischen Vorbildern folgten (v. a. Norba und Alba Fucens sowie, bereits mit Einschränkungen, Cosa). Üblich wurde seit dem frühen 3. Jh. v. Chr. vielmehr eine eben an diesem Prinzip der Landnahme, damit zugleich auch an röm. → *castra* (A.) orientierte Gestaltungsweise: eine ursprünglich quadratische, später bisweilen ins Rechteck vergrößerte, ummauerte Fläche, die von zwei sich exakt im Mittelpunkt der Siedlung rechtwinklig kreuzenden Straßenachsen (→ *cardo* und → *decumanus*) durchzogen war. Vier Tore führten in die St., in deren Zentrum Kulte und Verwaltung angesiedelt waren (→ Forum); diese Struktur hat sich z. T. bis in die Gegenwart tradiert (Alife).

Voraussetzung für eine röm. St.-Gründung war die Einbindung in die → Infrastruktur bzw. die polit.-mil. oder ökonom. Rahmenbedingungen der Region (Grenzlage; Straßenkreuzung; natürlicher Fluß- oder Seehafen), weniger die früheren top. Grundprinzipien. Quellen waren bisweilen entbehrlich, da Wasser über Leitungen aus bis zu 50 km Entfernung herbeigeschafft werden konnte (→ Wasserversorgung); eine speziell der individuellen Verteidigung des Ortes zuträgliche, strategisch ausgeklügelte Höhenlage war jedenfalls bei Gründungen in gesicherter Lage im Reichsinneren ebenfalls selten notwendig. Im Kontext des expandierenden röm. Reiches entfiel hier auch der Zwang, eine robuste Ummauerung zu bauen (auch wenn repräsentative Neugründungen wie etwa das nach 27 v. Chr. gegründete Nikopolis [3] nahe Aktion wohl kaum zufällig »symbolische«, weil dünne und niedrige, funktional mithin »unbrauchbare« Mauerringe erhalten haben). Röm. St. waren in ihrer Entstehung immer mil. geprägt: sei es als neugegründete *civitas* (unabhängig ihrer individuellen Rechtsstellung) oder als einem bestehenden Ort »aufoktroyierte« Neuansiedelung – sei es, wie in den nw Prov. üblich, als Versteinerung eines zunächst ephemeren Militärlagers oder als Ausbau eines usurpierten → *oppidum*.

Auch im griech.-kleinasiatischen Raum machte die röm. Vorliebe, bestehende Siedlungen nach eigenem Gusto umzuformen, selbst vor traditionsreichen Städten wie Athen (hadrianische Neu-St.) oder Ephesos nicht halt; in den Südprov. entstanden neben den Altstadtkernen gehäuft ausgedehnte Neustädte (Leptis Magna), bisweilen auch auf den Ruinen alter Siedlungen komplett neu angelegte urbane Zentren (→ Karthago). Analog dem hippodamischen System war eine Flächenstrukturierung nach Funktionsbereichen die Regel, wobei auf eine Durchmischung der Wohnviertel mit Unterhaltungsarchitektur (z. B. → Theater, → Thermen, → Palaistren) Wert gelegt wurde; nicht selten findet sich das → Amphitheatrum dabei aber als ein potentieller Unruhe-Herd an den äußersten St.-Rand verbannt (z. B. Pompeii, Trier). Die von → Vitruvius zum röm. S. notierten Ansichten (Vitr. 1,4–7) sind überwiegend theoretischer Natur und finden sich in der ant. Baurealität nicht oder nur in geringen Ansätzen wieder.

→ Haus; Infrastruktur; Oppidum; Polis; Stadt; Straßen- und Brückenbau; STADT C. HÖ.

D. ETRURIEN

Die Kenntnis über den etr. S. ist, mangels großflächiger Ausgrabungen, noch sehr lückenhaft. Am besten erforscht ist → Marzabotto (mit Plan), eine um 500 v. Chr. angelegte Koloniestadt mit orthogonalem, nach den Himmelsrichtungen orientiertem Straßennetz und deutlicher Trennung zw. dem Wohnbereich mit integrierten Werkstätten, der Akropolis mit mehreren Kultbauten sowie den peripher angeordneten Nekropolen. Griech. Einflüsse im Sinne des »hippodamischen« Systems (→ Hippodamos) mit breiten und sich rechtwinklig kreuzenden Hauptstraßen und schmalen Nebenstraßen sind unverkennbar, die Haustypen mit zum Teil atriumähnlicher Innengliederung sowie die auf beachtlichen Wohnluxus hinweisende Größe der Häuser mit zum Teil über 600 m² Grundfläche sind jedoch einheimisch ital./etr. (vgl. auch die neuen Hausbefunde an der Via Sacra in Rom).

Etr. Nekropolen (→ Caere, → Volsinii/Orvieto) sowie Befunde in → Veii, Piazza d'Armi und → Acquarossa legen den Schluß nahe, daß sich das orthogonale Straßennetz in Verbindung mit Hofhäusern erst gegen die Mitte des 6. Jh. v. Chr. durchsetzte, während zuvor Einzelhäuser (→ San Giovenale: zweiräumige *oíkoi*; Acquarossa: Breithäuser mit Portiken), z. T. locker um Höfe gruppiert, vorherrschten. Allerdings ist die Urbanistik früh-etr. Großsiedlungen wie Caere, Veii oder → Tarquinii/Tarquinia noch weitgehend unerforscht. Städtegründungen der etr. Spätzeit (3. Jh. v. Chr.) wie → Volsinii/Bolsena und → Falerii [2] Novi sind der röm. Urbanistik zuzuordnen.

Auch die Frage nach öffentlichen Plätzen mit Bauten sakraler oder administrativer Funktion muß weitgehend offen bleiben: Tempel waren nach Aussage der Baubefunde und Dachterrakotten seit dem 6. Jh. v. Chr. in größerer Zahl sowohl im Zentrum, an der Peripherie als auch außerhalb der Wohnsiedlungen üblich. In einzelnen Fällen lassen sich die Anfänge der Hauptkulte bis in das 8. bzw. 7. Jh. v. Chr. zurückverfolgen, so der für Mater Matuta im Zentrum des latin. → Satricum oder in Tarquinia der Tempel der Stadtgöttin Uni/Iuno an der Stelle des späteren Forums. In Acquarossa scheinen Heiligtum und Verwaltung (mit Bankettraum) in einem gemeinsamen Flügelbau integriert gewesen zu sein, wofür sich in der Forsch. die Bezeichnung »Regia« eingebürgert hat. F. PR.

C. AMPOLO, Il sistema della polis. Elementi costitutivi e origini della città greca, in: S. SETTIS (Hrsg.), I Greci, Bd. 2.1, 1996, 297–342 • F. CASTAGNOLI, Orthogonal Town Planning in Antiquity, 1971 • G. COLONNA (Hrsg.), Santuari d'Etruria, Ausstellungs-Kat. Arezzo 1985 • Ders., Urbanistica e Architettura, in: G. PUGLIESE CARRATELLI (Hrsg.), Rasenna. Storia e civiltà degli Etruschi, 1986, 369–530 • M. COPPA, Storia dell'urbanistica dalle origini all'Ellenismo, 1968 • Ders., Storia dell'urbanistica. Le età ellenistiche, 1981 • M. CRISTOFANI (Hrsg.), La grande Roma dei Tarquini, Ausstellungs-Kat. Rom 1990, 97–99 • B. FEHR, Kosmos und Chreia. Der Sieg der reinen über die praktische Vernunft in der griech. Stadtarchitektur des 4. Jh. v. Chr., in: Hephaistos 2, 1980, 155–186 • T. FISCHER-HANSEN, The Earliest Town-Planning of the Western Greek Colonies, in: M. H. HANSEN (Hrsg.), Introduction to an Inventory of Poleis (Kongr. Kopenhagen 1995), 1996, 317–373 • A. VON GERKAN, Griech. Städteanlagen, 1924 • A. GIULIANO, Urbanistica delle città greche, in: Xenia 7, 1984, 3–52 • E. GRECO, M. TORELLI, Storia dell'urbanistica: Il mondo greco, 1983 • P. GROS, M. TORELLI, Storia dell'urbanistica: Il mondo romano, 1988 • T. HÖLSCHER, Öffentliche Räume in frühen griech. Städten, 1998 • W. HOEPFNER, E. L. SCHWANDNER, Haus und Stadt im klass. Griechenland, ²1994 • F. LANG, Archa. Siedlungen in Griechenland. Struktur und Entwicklung, 1996 • H. LAUTER, Die Architektur des Hell., 1986, 64–92 • C. LEPELLY (Hrsg.), La fin de la cité antique et le début de la cité médiévale (Kongr. Paris 1993), 1996 • TH. LORENZ, Röm. Städte, 1987 • R. MARTIN, L'urbanisme dans la Grèce antique, ²1974 • C. MARCONI, La città visibile e i suoi monumenti, in: S. SETTIS (Hrsg.), I Greci, Bd. 2.1, 1996, 755–784 • D. MERTENS, E. GRECO, Urban Planning in Magna Grecia, in: G. PUGLIESE CARRATELLI (Hrsg.), The Western Greeks. Ausstellungs-Kat. Venedig 1996, 243–263 • G. MÉTRAUX, Western Greek Land Use and City Planning in the Archaic Period, 1978 • W. MÜLLER-WIENER, Von der Polis zum Kastron. Wandlungen der Stadt im ägäischen Raum von der Ant. zum MA, in: Gymnasium 93, 1986, 435–475 • Ders., Griech. Bauwesen in der Antike, 1988, 184–191 • E. J. OWENS, Roman Town Planning, in: I. M. BARTON (Hrsg.), Roman Public Buildings, 1989, 7–30 • Ders., The City in the Greek and Roman World, 1991 • H. M. PARKINS (Hrsg.), Roman Urbanism. Beyond the Consumer City, 1997 • J. RICH (Hrsg.), City and Country in the Ancient World, 1991 • CH. SCHUBERT, Land und Raum in der röm. Republik, 1996 • P. SOMELLA, Italia antica. L'urbanistica romana, 1988 • J. E. STAMBAUGH, The Ancient Roman City, 1988 • R. TOMLINSON, From Mycenae to Constantinopolis. The Evolution of the Ancient City, 1992 • M. TORELLI, Introduzione, in: S. STOPPONI (Hrsg.), Case e palazzi d'Etruria. Ausstellungs-Kat. Siena 1985, 21–32 • A. DI VITA, Urban Planning in Ancient Sicily, in: G. PUGLIESE CARRATELLI (Hrsg.), The Western Greeks. Ausstellungs-Kat. Venedig 1996, 263–309 • J. B. WARD-PERKINS, Cities of Ancient Greece and Italy: Planning in Classical Times, 1974 • R. E. WYCHERLEY, How the Greeks Built Cities, 1962 • A. ZACCARIA RUGGIU, Spazio privato e spazio pubblico nella città romana, 1995. C. HÖ. u. F. PR.

Städtebund s. Amphiktyonia; Koinon; Staatenbünde; Staatsvertrag; Symmachia; Zwölfstädtebund; BUND

Stämme Israels s. Juda und Israel

Ständekampf. Mod. Bezeichnung für die Auseinandersetzung zw. Patriziern (→ *patricii*) und Plebeiern (→ *plebs*) in Rom, die 494 v. Chr. mit der Begründung des Volkstribunats begann und 287 v. Chr. mit der Anerkennung der Beschlüsse der *plebs* (→ *plebiscitum*) als allg. bindende Gesetze (→ *lex, leges*) endete (anders [1], der das E. erst 217/6 ansetzt); dabei ist nur das relativ homogene Patriziat als »Stand« zu verstehen, während die *plebs* sozial und ökonomisch stark gegliedert war und zudem die plebeiischen (=pleb.) → *clientes* der Patrizier nicht mit den klientelfreien Plebeiern kooperieren konnten. Die bevorzugte Nutzung der mil. Verweigerung durch die *plebs* als Druckmittel in diesem nie als Bürgerkrieg geführten »Kampf« machte den Nachweis mil. Leistungskraft für beide Seiten zum entscheidenden Element im innenpolit. Streit. Am E. des röm. S. stand deshalb nicht nur der Ausgleich der »Stände«, sondern auch die Herrschaft über It. und eine neue primär mil. definierte Leistungsethik der neuen aus Patriziern und Plebeiern gebildeten Oberschicht (→ *nobiles*), die zu einer Voraussetzung für die röm. Expansion im Mittelmeerraum wurde.

Die unterschiedlichen Ziele der *plebs* traten wohl auch nicht gleichzeitig auf: Die Armen erwarteten Schuldenminderung bzw. Abschaffung der Schuldknechtschaft (→ *nexum*; → Schulden), die mäßig Begüterten und Heeresdienstpflichtigen polit. Mitbestimmung, die Reichen die Zulassung zur Staatsführung. Insgesamt erstrebte die *plebs* eine in der Königszeit schon erlebte (Servius → Tullius) und nun von den Patriziern verweigerte Anerkennung als Bürger mit polit. Rechten und verfolgte damit ein gesamtstaatliches Konzept. Dem stand ein »föderatives« Konzept der Patrizier gegenüber; sie schlossen sich von der *plebs* ab (Heiratsverbot) und wollten zudem die Eigenständigkeit der einzelnen *gentes* bewahren [2. 25–27; 3. 143–169].

In der ersten Phase (494–450) formierten sich beide Seiten: Die *plebs* nutzte die Bedrohung durch die Latiner und erzwang 494 durch den Auszug ihres wehrfähigen Teils auf den Aventin (→ Latini D.; → Mons Aventinus) bzw. den »Hl. Berg« (→ *secessio*; Liv. 2,32,2–4) die Duldung eigener Organe: der beiden Volkstribune (→ *tribunus plebis*), die durch eidliche Verpflichtung geschützt (→ *sacrosanctus*) und handlungsfähig wurden (→ *intercessio*). Dann verstärkte die *plebs* ihre Organisation (10 Volkstribune; sakraler Mittelpunkt im Tempel der → Ceres; Tempelpflege und Marktaufsicht durch zwei pleb. → *aediles*) auch nach dem Frieden mit den Latinern 493 (→ Cassius [I 19]), der den Druck von den Patriziern nahm. Wohl erst nach dem gescheiterten Versuch, auf das mil. Potential der *plebs* zu verzichten (→ Fabius [I 37]: Cremera), formierten sich die Patrizier verm. mit einem Senat als Konsens- und Kontrollorgan (vgl. [3. 171 f.]), vielleicht auch mit dem Doppelkonsulat als Spitze [2. 28 f.], und versuchten 450 in den Zwölftafelgesetzen (→ *tabulae duodecim*) die *plebs* an das bestehende Recht zu binden, um das angemaßte Hilferecht der Volkstribunen zu beenden [4. 119].

Die zweite Phase des S. (449–ca. 390) begann 449 erneut mit einem mil. »Streik« (2. *secessio*; Liv. 3,55; Dion. Hal. ant. 11,15), der wiederum zur Anerkennung des Volkstribunats führte; es folgten die Abschaffung des Eheverbots (445; → Canuleius [1]) und die Zulassung der Plebeier zu einem neuen mil. Führungsamt (444, → *tribunus militum consulari potestate*; erstmals 400 von der *plebs* genutzt: Liv. 5,12,9). Die Patrizier kontrollierten mit dem 443 geschaffenen Amt des → Censors den Zugang zur Volksversammlung, in der sich spätestens seit 450 (Lex XII tab. 9,1–2: *comitiatus maximus*) auch Plebeier befanden. Da der mil. Druck der aggressiven Bergstämme (→ Aequi, → Volsci) primär auf Ost- und Südlatium lastete, erlahmte der S. (angeblich Wahl eines pleb. Quaestors 409; Liv. 4,54,6). Rom konnte sich der Expansion nach West und Nord widmen (429: Fidenae, 406–396: Krieg gegen Veii), verdoppelte fast sein Gebiet und minderte durch die Ansiedlung auch der *plebs* (z. B. in Veii) die sozialen Spannungen.

Die dritte Phase (ca. 390–287) begann mit der Eroberung Roms durch die Gallier (→ Brennus [1]) und damit mit der Schwächung Roms in Latium. Die großen wirtschaftlichen und mil. Anstrengungen beider Seiten bei der Sicherung der Stadt (Mauerbau) und bei der Wiedergewinnung der Vormachtstellung in Latium führten zu verstärkten Forderungen der *plebs* und schließlich 366 zur Zulassung eines Plebeiers zum Doppelkonsulat (*Leges Liciniae Sextiae*; → Licinius [I 43]; Liv. 6,35,4 f.). Die zugleich und nur für Patrizier (als Ausgleich?) geschaffenen Ämter des → *praetor* und der zwei curulischen → *aediles* konnten das Vordringen von pleb. Familien in polit. und sakrale Positionen nicht verhindern (→ *magister equitum* bereits 368; → *dictator* 356; → *censor* 351; *praetor* 336; → *augures* und → *pontifices* 300; → Ogulnius [1]). Die von der ant. Trad. so betonten Forderungen nach ökonomischem und persönlichem Schutz wurden als letzte erfüllt: 326 oder 313 E. der Schuldknechtschaft (→ Poetelius [3]); 300 Recht der → *provocatio* (M. → Valerius Maximus Corvus). Die abschließende Gleichstellung der → *plebiscita* mit den *leges* (→ *lex*) in der *Lex Hortensia* (287, → Hortensius [4]) barg für die neue aus Patriziern und Plebeiern gebildete Oberschicht der *nobiles* kaum Risiken, da sich die Kohärenz des neuen Adels als stärker erwies als die der *plebs*, die sich in eine reiche, amtsfähige Schicht und einen minderbegüterten Rest spaltete. *Plebs* wurde zur Bezeichnung des armen Teils des röm. Volkes, dessen Wünsche und Erwartungen nun aber von patrizischen und pleb. *nobiles* im innenpolit. Kampf um Positionen genutzt werden konnten (→ Flaminius [1]).

→ Roma I. D.; Soziale Konflikte; Tribunus

1 J. v. Ungern-Sternberg, The End of the Conflict of the Orders, in: K. Raaflaub, M. Toher (Hrsg.), Social Struggles in Archaic Rome, 1986, 353–377 **2** W. Eder, Der Bürger und sein Staat, in: Eder, Staat, 12–32 **3** B. Linke, Von der Verwandtschaft zum Staat, 1995 **4** W. Eder, Zw. Monarchie und Republik: Das Volkstribunat in der frühen röm. Republik, in: F. Gabrieli (Hrsg.), Bilancio critico su Roma arcaica fra Monarchia e Repubblica, 1993, 97–127.

J. Bleicken, Gesch. der röm. Republik, [5]1999, 16–31, 121–134 • T. J. Cornell, The Beginnings of Rome, 1995, 242–344 • K. J. Hölkeskamp, Die Entstehung der Nobilität, 1987. W. ED.

Stagira (*Stageira*; Στάγιρα, Στάγιρος, Στάγειρα, Στάγειρος). Kolonie von → Andros, im 7. Jh. an der Ostküste der Chalkidischen Halbinsel gegr., östl. vom h. Olympias nachgewiesen. S. prägte im 6. Jh. prächtige Silbermz., zahlte als Mitglied des → Attisch-Delischen Seebundes aber nur 1000 Drachmen (ATL 1, 412 f.). 424 v. Chr. fiel S. zu Brasidas ab (Thuk. 4,88,2), wurde 422 von Kleon [1] vergeblich bestürmt (Thuk. 5,6,1; → Peloponnesischer Krieg), im Nikias-Frieden 421 für unabhängig erklärt, aber zur Tributzahlung an Athen verpflichtet (Thuk. 5,18,5). Im 4. Jh. gehörte S. zeitweilig zum Chalkidischen Bund, wurde 349 wegen seiner strategischen Lage von Philippos [4] II. zerstört, aber auf Bitten des (aus S. stammenden) → Aristoteles [6] von Philippos oder Alexandros [4] d. Gr. wiederaufgebaut. Strab. 7a 1,35 bezeichnet S. als verlassen. Heimatstadt des Aristoteles [6] und des Hipparchos [4]. Am äußersten Ende des vorspringenden Kaps entstand in byz. Zeit eine Festung.

F. Papazoglou, Les villes de Macédoine à l'époque romaine, 1988, 435 f. • M. Zahrnt, Olynth und die Chalkidier, 1971, 238–243. M. Z.

Stahl. Mod. Begriff für Legierungen von → Eisen, die einen Kohlenstoffgehalt von bis zu zwei Prozent aufweisen. Im Hochofenprozeß wird allerdings Eisen gewonnen, das einen weitaus höheren Kohlenstoffgehalt besitzt, der durch einen technischen Vorgang (Frischen) reduziert werden muß. In der Ant. bestand ein ganz anderes technisches Problem: Das Roheisen, Produkt des Verhüttungsprozesses, wies nur einen extrem geringen Kohlenstoffgehalt auf und war daher relativ weich.

Deshalb erfolgte die Härtung des Eisens durch weiteres Schmieden im Holzkohlenfeuer, das zu einer Anreicherung mit Kohlenstoff führte, und durch folgendes Abschrecken. Dieses Verfahren beruhte auf Erfahrungswissen der Schmiede und konnte keineswegs angemessen analysiert werden. Aufgrund der spezifischen Zusammensetzung der Eisenerze erwies sich lokal vorkommendes Eisen als bes. geeignet zum Härten (*ferrum Noricum*). Eine bes. Bezeichnung für Eisen mit einem Kohlenstoffgehalt von über einem Prozent fehlte.
→ Bergbau; Eisen; Metallurgie H.SCHN.

Staienus, C. Usurpierte den Namen Aelius Paetus (Cic. Brut. 241; Cic. Cluent. 72). S. war 77 v.Chr. Quaestor des Consuls Aemilius [I 14] Lepidus und provozierte eine Meuterei in dessen Heer (Cic. Cluent. 99). 76 soll er in einem Prozeß in Atella 600 000 Sesterzen zur Richterbestechung unterschlagen haben (Cic. Cluent. 68; 99). 74 war er in dem Prozeß gegen → Abbius Oppianicus Geschworener und versuchte, sich zu bereichern: Von Abbius mit Geld zur Bestechung von 16 Richtern versorgt, unterschlug er es und stimmte selbst für dessen Verurteilung (Cic. Cluent. 65–67; 78). Später wurde er wegen seines Verhaltens als Quaestor verurteilt (Cic. Cluent. 99). Dank Cicero wurde S. zum Inbegriff des korrupten Richters (schol. Pers. zu Pers. 2,19f.). J.BA.

Staius. Oskischer Gentilname, seit dem späten 3. Jh. v.Chr. auf Delos belegt [1. 186f.].

[1] S. Murcus, L. Vielleicht ein Marser (aber nicht der ILS 885 genannte S.), Legat → Caesars im Bürgerkrieg 48 v.Chr. in Orikon (Caes. civ. 3,15,6; 3,16,2), 46 in Africa (Cic. Att. 12,2,1). Eine Praetur 45 ist Spekulation (MRR 2,307). 44 schlug S. sich auf die Seite der Caesarmörder, wurde Proconsul Syriens (MRR 2,330) und schloß seinen Gegner Q. Caecilius [I 5] Bassus dank Q. Marcius [I 10] Crispus in Apameia ein. Dort übergab S. 43 seine Armee an C. Cassius [I 10], der ihn später zum Admiral seiner Flotte machte. S., nun Imperator (RRC 510), besiegte C. Cornelius [I 29] Dolabella entscheidend und blockierte M. Antonius [I 9] in Brundisium (App. civ. 4,363; 4,365–368); er mußte fliehen, siegte aber im Herbst 42 mit Cn. Domitius [I 6] Ahenobarbus über die Flotte von Cn. Domitius [I 10] Calvinus (App. civ. 4,480–487). Durch die Kämpfe bei Philippi blieb der Seesieg ohne Erfolg; S. floh 41 mit zwei Legionen und 80 Schiffen zu Sex. Pompeius [I 5] nach Sizilien (App. civ. 5,100). Seine Position dort wurde von Pompeius' Admiralen Menekrates [11] und Menodoros [1] untergraben, bis S. zur Jahreswende 40/39 in Syrakus ermordet wurde (App. civ. 5,293–297; 5,302).

1 Schulze. JÖ.F.

Stallviehhaltung. Die Bed. der S. in der griech.-röm. Ant. wird gegenwärtig in der Forsch. eher gering veranschlagt, und es wird angenommen, daß sie v.a. auf die Arbeitstiere beschränkt war. Wie die Epen Homers zeigen, wurde Vieh im frühen Griechenland zumeist auf der Weide gehalten. In klass. Zeit existierten Ställe für die Reitpferde der athenischen Oberschicht (Xen. equ. 4,1; → Reitkunst). Wichtige Informationen zur S. bieten die röm. → Agrarschriftsteller: Cato empfiehlt bei Errichtung einer *villa* den Bau von Rinderställen (*bubilia*), eines Pferdestalles (*equile*) und von Schweinekoben (*harae*: Cato agr. 4,1; 14,1–2). Nach Varro sollten Rinderställe an einer im Winter warmen Stelle angelegt werden (Varro rust. 1,13,1). Columella vertritt die Auffassung, die Ställe für das Vieh sollten so angelegt sein, daß es weder unter Hitze noch Kälte leide; für das Zugvieh sollten Winter- und Sommerstallungen vorhanden sein, für das übrige Vieh gab es überdachte und offene Hürden (Colum. 1,6, 4–6). In der Spätant. erwähnt Palladius Rinder- und Pferdeställe und spricht von einer ganzjährigen Haltung bestimmter Schafarten im Stall (Pall. agric. 1,21; 12,13,15). Der Architekt Vitruvius beschreibt im Abschnitt über den Bau ländlicher Gebäude ebenfalls die Anlage von Ställen für Rinder, Pferde, Schafe und Ziegen (Vitr. 6,6,1–4). Außerdem liefern die Pap. aus dem hell. Äg. Hinweise auf Stallgebäude und damit auf S.

Obgleich es also an einzelnen Hinweisen auf die S. nicht mangelt, war ihre Bed. für die bäuerliche Wirtschaft wahrscheinlich nicht allzu groß; allg. wurde die Weidehaltung vorgezogen, da es schwierig war, genügend Futter für die S. zu produzieren. Die großen Viehherden wiederum wurden im Sommer in den Bergregionen, im Winter auf offenen Flächen der Küstenregionen geweidet (→ Transhumanz). Die Folge dieser Trennung von Viehzucht und Ackerbau war ein geradezu dramatischer Mangel an Mist für die Düngung der Felder (→ Düngemittel). Gleichwohl wird man aus der Erwähnung von Ställen bei den Agrarschriftstellern darauf schließen dürfen, daß die S. für die Gutswirtschaft bedeutender war, als man allg. annimmt. Dabei ist auch regional zu differenzieren. Die Äußerungen der röm. Agrarschriftsteller beziehen sich vornehmlich auf den Mittelmeerraum, gelten aber wohl nicht für die nw Provinzen.
→ Rind; Schaf; Schwein

1 G. Husson, Oikia. Le vocabulaire de la maison privée en Égypte d'après les papyrus grecs, 1983, 60f.; 128f.; 175; 236f.; 285f. 2 Isager/Skydsgaard 3 M. Schnebel, Die Landwirtschaft im hell. Äg., 1925, 349–352 4 White, Farming, 199–223. K.RU.

Stammesnamen s. Völker- und Stammesnamen

Stamnos (στάμνος). Vorratskrug für Wein, Öl u.a.; merkantile Inschr. weisen auf die Pelike (→ Gefäße Abb. A 8); h. aber arch. t.t. für ein bauchiges Deckelgefäß mit abgesetztem Hals und Schulterhenkeln (→ Gefäße Abb. C 6). In archa. Zeit in Lakonien und Etrurien aufkommend, in Athen um 530 v.Chr. übernommen, von hier im 5. Jh. fast ausschließlich nach Etrurien exportiert. Darstellungen auf rf. *stámnoi* zeigen es als zentrales Weingefäß eines dionysischen Frauenfestes, doch bleibt die Bezeichnung »Lenäenvasen« (→ Lenaia) wie auch eine Verwendung des *s.* im attischen Kult wegen seiner außeratt. Herkunft und des hohen Exportanteils fraglich.

B. Philippaki, The Attic S., 1967 • C. Isler-Kerényi, S. An Exhibition at the J. Paul Getty Museum, 1980 • C. M. Stibbe, Lo S. Laconico, in: BA 27, 1984, 1–12 • C. Isler-Kerényi, Rez. zu: F. Frontisi-Ducroux, Le dieu-masque, 1991, in: Gnomon 66, 1994, 44–51. I.S.

Stand s. Ordo; Status [2]

Standesabzeichen s. Ornamenta

Standring s. Transportamphoren

Staphylos (Στάφυλος zu σταφυλή/*staphylḗ*, »Weintraube«; Σταφυλίτης/*Staphylítēs* und Εὐστάφυλος/*Eustáphylos* sind Beinamen des → Dionysos).

[1] Sohn des Dionysos und der → Ariadne (Apollod. 1,9) Bruder von → Oinopion, Thoas und Peparethos, Gatte der → Chrysothemis [1], Vater der → Rhoio, der → Molpadia [1] und der Parthenos (Diod. 5,62,1), galt als Erfinder der Weinkultur (Etym. m. 742,48).

[2] Sohn des → Silen; Erfinder des Brauches, Wein mit Wasser zu mischen (Sall. fr. inc. 87 Dietsch; Plin nat. 7,199).

[3] Nonn. Dion. 18,5–20,139 schildert in der spätesten und feinsten Version des Triumphzuges des → Dionysos nach Indien den Besuch des Gottes bei dem assyrischen König S. und seiner Familie (Gattin *Méthē*, »Trunkenheit«; Sohn *Bótrys*, »Traube«), den Tod des Königs und die Wettkämpfe zu dessen Ehren.

[4] Ziegenhirt des Königs → Oineus, der durch Beobachtung der Ziegen die Weintraube entdeckt, die Oineus zur Erfindung des Weines inspiriert (Prob. Verg. georg. 1,9). CA.BI.

Stasanor (Στασάνωρ). Grieche aus → Soloi, Hetairos (→ *hetaíroi*) von → Alexandros [4] (Arr. an. 3,29,5; Strab. 14,6,3); wurde 329 v. Chr. mit der Verhaftung und Nachfolge des Satrapen von Areia betraut, den er dem König zuführte (Arr. an. 3,29,5; 4,7,1). Im Winter 328/7 übertrug ihm Alexandros auch Drangiana (Arr. an. 4,18,3; Curt. 8,3,17). Nach Alexandros' Verlusten in Gedrosia brachte S. ihm Kamele und Lasttiere und kehrte dann in seine Satrapie zurück (Arr. an. 6,27,6; 29,1). Beim Gelage des Medios [2] wird er als Gast genannt. Nach Alexandros' Tod beließ ihm Perdikkas [4] seine Satrapie (Diod. 18,3,3). Antipatros [1] versetzte ihn nach Baktria-Sogdiana (Diod. 18,39,6; Arr. FGrH 156 F 9,36), wo er so beliebt war, daß Antigonos [1] nicht versuchte, ihn abzuberufen (Diod. 19,48,1).

E. Honigmann, s. v. S., RE 3 A, 2152f. E.B.

Staseas von Neapel (Name nur lat. überl.), der erste Peripatetiker, von dem wir wissen, daß er in Rom tätig war (um 91 v. Chr.). Er verband Philos. und Rhet. und vertrat die Lehre seiner Schule, daß neben der Tugend auch äußere Güter für die Eudaimonie (→ Glück) nötig sind.

Moraux, Bd. 1, 1974, 218–221. H.G.

Stasikrates (Στασικράτης). Ein allein bei Plutarch (Plut. Alexander 72; Plut. mor. 335c ff.) überl. hell. Architekt; wohl von Plutarch verwechselt bzw. verschrieben und identisch mit → Deinokrates [3] (dort auch Lit.). C.HÖ.

Stasimon (τὸ στάσιμον; abgeleitet von dem Adj. *stásimos*, »stehend«). In der Aufzählung der Bauformen (μέρη/*mérē*) der → Tragödie (I.) unterscheidet Aristoteles (poet. 1452b 22–24) unter den Chorpartien die → *párodos* von den *stásima*, die er als Chorlieder ohne Anapäst und Trochäus definiert, also ohne rezitierte Verse, die bes. in der Parodos Verwendung finden [1]. Der Begriff *s.* ist keineswegs so zu verstehen, daß der Chor die Lieder »stehend« sang, sondern daß er sie, von Tanz begleitet, vortrug, nachdem er seinen »Standplatz« in der Orchestra eingenommen hatte (vgl. schol. Aristoph. Ran. 1314). Die einzelnen *s.*, deren Zahl von → Aischylos [1] (in der Regel 3) zu → Sophokles [1] und → Euripides [1] (4–5) zunimmt, untergliedern eine Trag. in einzelne → *epeisódia.* Zwar verwendet Aristoteles den Begriff *s.* nur für die Trag., es empfiehlt sich jedoch, ihn auch für das → Satyrspiel und die Chorlieder des zweiten Teils der → Komödie (I.) anzuwenden [7. 74 ff.].

In der Regel sind *s.* antistrophisch gebaut; astrophische *s.*, die eine erregte Handlung begleiten, finden sich hauptsächlich im Satyrspiel, aber auch in der Trag. (Aischyl. Choeph. 152–163; Eur. Herc. 874–885, 1016–1038, Hipp. 811–816, Cycl. 608–623). Während in den Trag. des Aischylos der Handlungsbezug der *s.* evident ist, verblaßt er beim späten Euripides (»Programmlied«, z. B. Eur. El. 432–486 [5. 111]). → Agathon [1] soll nach Aristot. poet. 1456a 30 nur noch Lieder ohne Handlungsbezug (ἐμβόλιμα/*embólima*, »Einschübe«) gedichtet haben. Umstritten ist bes. die Funktion der *s.* in den Trag. des Sophokles: Singt der Chor aus seiner dramatischen Rolle heraus oder steht er über der Handlung und wird als Sprachrohr des Dichters eingesetzt (vgl. bes. die Diskussion zum ersten *s.* der ›Antigone‹, 332–375 [5; 6])?

In der Komödie des 5. Jh. v. Chr. kann man die auf die → Parabase folgenden Chorlieder, die nicht als → Amoibaion gebaut sind, als *s.* bezeichnen (meist Spottlieder oder *makarismoí*, »Lobpreisungen«, des komischen Helden [7. 44 ff.]). In der Neuen Komödie des Hell. (→ Komödie I. H.) finden sich nur noch *embólima* ohne Handlungsbezug, die nicht überl. sind (Vermerke XOPOY/»Choreinlage« in den Pap.).

In den Trag. → Senecas [2] haben die *s.* v. a. gliedernde Funktion. Der Handlungsbezug besteht oft nur noch darin, daß der Chor, angeregt von der Bühnenhand-

lung, zu allg., oft philos. Reflexionen ausholt. Diese Praxis kann als Umsetzung der von → Horatius [7] (ars 193–201) aufgestellten Vorschriften zur Funktion des Chors angesehen werden [8. 144 ff.].
→ Chor; Tragödie

1 A. M. DALE, S. und Hyporcheme, in: Dies., Collected Papers, 1969, 34 ff. **2** M. HOSE, Stud. zum Chor bei Euripides, 2 Bde., 1990/91 **3** W. KRANZ, S., 1933 **4** P. RIEMER, B. ZIMMERMANN (Hrsg.), Der Chor im ant. und mod. Drama, 1998 **5** J. RODE, Das Chorlied, in: W. JENS (Hrsg.), Die Bauformen der griech. Trag., 1971, 85–115 **6** W. RÖSLER, Der Chor als Mitspieler, in: A&A 29, 1983, 107–124 **7** B. ZIMMERMANN, Unt. zur Form und dramatischen Technik der Aristophanischen Komödien, Bd. 2, 1985 **8** Ders., Europa und die griech. Trag., 2000, 144–160.
B. Z.

Stasinos (Στασῖνος). Epischer Dichter unbestimmter Zeit aus Zypern; nach einer verbreiteten, bis zu Proklos und Tzetzes reichenden Tradition verfaßte er die → ›Kypria‹, die nach seiner Heimat benannt seien. Einer Anekdote zufolge, die vielleicht schon Pindar bekannt war (Pind. fr. 265 SNELL-MAEHLER; vgl. aber [3. 33]), gab Homeros [1] das Epos seiner Tochter als Mitgift in die Ehe mit S. (die Legende zeigt die bereits in der Ant. vorhandenen Zuschreibungsprobleme).
→ Epischer Zyklus

1 PEG I, 36–64 **2** EpGF 28–29 **3** M. DAVIES, The Epic Cycle, 1989, 33–52 **4** H. LLOYD-JONES, Stasinus and the ›Cypria‹, in: Stasinos 4, 1968–1972, 115–122.
S. FO./Ü: TH. ZI.

Stasippos (Στάσιππος). Führer der prospartanischen »Oligarchen« in Tegea (Xen. hell. 6,4,18), die sich im Sommer 370 v. Chr. dem von antispartan. Kräften in Tegea betriebenen Anschluß an einen arkadischen Gesamtstaat widersetzten, der von »Demokraten« in → Mantineia geplant war. In den hierdurch ausgelösten Unruhen zunächst erfolgreich [1. 505–507; 2. 105; 3. 74 f.], ließ S. seine unterlegenen Gegner jedoch nicht verfolgen und wurde mit seinen Anhängern nach Intervention der Mantineier überwunden, trotz Flucht in ein Tempelasyl gefangengenommen und in Tegea hingerichtet (Xen. hell. 6,5,6–9; 6,5,36; Diod. 15,59,2–3; Val. Max. 4,1 ext. 5).

1 J. ROY, Postscript on the Arcadian League, in: Historia 23, 1974, 505–507 **2** H.-J. GEHRKE, Stasis, 1985 **3** H. BECK, Polis und Koinon, 1997.
K.-W. WEL.

Stasis s. Soziale Konflikte; Status [1]

Stasislehre s. Status [1]

Stata Mater. Röm. Göttin. Die früheste lit. Bezeugung (Fest. 416 f. L. mit [1. 2167]) erwähnt eine Statue der S. M., die bis in das frühe 1. Jh. v. Chr. auf dem Forum Romanum gestanden haben soll; dann habe die stadtröm. Bevölkerung den Kult der Göttin in die *vici* (»Stadtviertel«; → *vicus*) übernommen (Fest. 416 f. L.; vgl. [2]). Kaiserzeitliche Inschr. bezeugen Weihungen der *vicomagistri* für S. M. allein (ILS 3307), gemeinsam mit den *Lares Augusti* (ILS 9250; → Laren) oder mit → Volcanus (ILS 3306). S. M. wurde zur Abwehr von Feuersbrünsten angerufen (Fest. 416 L.). Ihr Name, von lat. *sistere*, »zum Stillstand bringen«, ist vielleicht dem → Iuppiter Stator nachgebildet [3]; die ältere Forsch. [4. 223 f.] zählt S. M. zu den → *indigitamenta*.

1 G. WISSOWA, s. v. S. M., RE 3 A.2, 2167 f. **2** C. BUZZETTI, s. v. Vicus Statae Matris, LTUR 5, 191 **3** G. CAPDEVILLE, Volcanus, 1995, 418 f. **4** R. PETER, s. v. Indigitamenta, ROSCHER 2, 129–233.
C. R. P.

Stateira (Στάτειρα; lat. *Statira*).
[1] Tochter des Hydarnes, Schwester des Terituchmes und beim Volk beliebte (Plut. Artaxerxes 5,6) Gattin Artaxerxes' [2] II. (Ktesias FGrH 688 F 15), von der Königinmutter → Parysatis [1] vergiftet (Deinon FGrH 690 F 15b). Im Roman des → Chariton kämpft S. um die Liebe des Großkönigs gegen Kallirhoë, erkennt ihre Schönheit an und wird durch Kallirhoë aus äg. Gefangenschaft gerettet.
[2] Gemahlin und Schwester Dareios' [3] III. (Plut. Alexandros 30; Gell. 7,8,2), galt als schönste Frau Asiens (Arr. an. 4,19,5 f.; vgl. Plut. Alexandros 30; Curt. 4,10,24). Sie starb kurz nach ihrer Gefangennahme bei Issos an einer Fehlgeburt (Plut. Alexandros 30; Iust. 11,12,6) und wurde von Alexandros [4] d.Gr. prächtig bestattet (Diod. 17,54; Curt. 4,10,23; Plut. Alexandros 30; Plut. de Alexandri magni fortuna aut virtute 2,6).
[3] Tochter Dareios' [3] III. und der Stateira [2]. Bei Issos 333 v. Chr. wie letztere gefangengenommen, wurde sie von ihrem Vater dem Makedonenkönig als Gemahlin angeboten, wenn er den Zug nicht fortsetze (Curt. 4,5,1; vgl. Arr. an. 2,25,1; Diod. 17,54,2; Plut. Alexandros 29; Iust. 11,12,3; s. Curt. 4,11,15); Alexandros lehnte ab, heiratete S. aber 324 in Susa. Nach seinem Tod wurde S. nach Babylon gelockt und auf Anstiften der → Rhoxane [4] ermordet (Plut. Alexandros 77).

1 M. BROSIUS, Women in Ancient Persia, 1996 (zu [1–3]) **2** BERVE, Nr. 721 und 722 (zu [2–3]).
J. W.

Stater (στατήρ).
I. GEWICHT II. MÜNZE

I. GEWICHT

Im Gegensatz zu anderen griech. Gewichtseinheiten war der *s.* nicht exakt definiert, sondern die jeweils gängigsten Gewichtsstücke wurden *s.* genannt. In Athen war der *s.* das mit einem reliefierten → Astragal versehene Zweiminenstück, wie Inschr. auf einigen Expl. zeigen. Der attische *s.* konnte sowohl verdoppelt als auch in Fraktionen unterteilt werden; nachweisbar sind Drittel, Sechstel und Zwölftel sowie Viertel, Achtel und Sechzehntel. Auffällig ist, daß man die Mine (→ Mina [1]) nicht als Halb-*s.* verstand, sondern eigenständig behandelte. Ein im Heiligtum der Hera auf Samos ge-

fundenes Br.-Gewicht des 4. Jh. v. Chr. scheint – das lassen schwache Inschr.-Reste vermuten – als *s.* bezeichnet worden zu sein. Wahrscheinlich handelt es sich ebenfalls um ein Zweiminenstück.
→ Gewichte III.

1 K. Hitzl, Die Gewichte griech. Zeit aus Olympia (OlF 25), 1996 2 M. Lang, M. Crosby, Weights, Measures and Tokens (Agora 10), 1964, 2–33. K. H.

II. Münze

Als Mz. war der *s.* das jeweilige »Normal«- oder »Einheits«-Stück, zumeist das → Didrachmon des jeweiligen → Münzfußes. In Elektron: → Kyzikener, → Lampsakener, *s.* verschiedener Städte in Ionien; in Gold: → Kroiseios, → Dareikos, → Philippeios, Alexandreios; in Silber: → Didrachmon, *s.* von Aigina (→ Schildkröte [2]), Korinth (Pferdchen), Korykos, Kreta, *s.* in Makedonien, Kleinasien und *s.* des Kroisos. In Athen war ab 530 v. Chr. das → Tetradrachmon das Normalstück und damit der *s.*, ebenso in den dem att. Münzfuß folgenden Prägungen. Vielfache und Unterstufen des *s.* wurden in → Drachmen [1] und → Obolen angegeben, wobei für Kyrene auch ein Tetrastateron (für ein nicht erh. → Oktadrachmon), ein Hemistateron (Poll. 9,62), sowie ein Pentastateron (Poll. 9,57) genannt werden. Auch wo der *s.* nicht wie üblich in zwei, sondern drei Teile zerfiel, hießen diese Drachme, so in Korinth.

K. Regling, s. v. S., RE 2.3, 2172–2176 · Schrötter, 656 f. DI. K.

Statielli. Ligurisches Volk (Plin. nat. 3,47); ihr urspr. Hauptort Carystum ist nicht lokalisiert; 173 v. Chr. von den Römern versklavt, 172 teilweise vom Senat freigelassen und jenseits des Padus angesiedelt (Liv. 42,7,3–9,6; 10,9–12; 10,15; 21,1–5; 21,8–22,8). In röm. Zeit war ihr Hauptort Aquae Statiellae (h. Acqui Terme).

S. Giorcelli Bersani, Aquae Statiellae, in: Bollettino storico-bibliografico subalpino 95, 1997, 377–421 · G. Luraschi, A proposito dei »Ligures Statellates transducti trans Padum« nel 172 a.C., in: Annali Benacensi 7, 1981, 73–80. E. S. G./Ü: H. D.

Statilia s. Messalina [1]

Statilios Kriton (Στατίλιος Κρίτων, Titos S. K.; T. Statilius Crito). Arzt am Hof Kaiser Traians, 1.–2. Jh. n. Chr., Wohltäter der Stadt Ephesos und seiner Geburtsstadt Herakleia [6] Salbake. Von Martial erwähnt (11,60,6), hat er 96 n. Chr. vielleicht die röm. Armee auf ihrer Expedition gegen die Daker (→ Dakoi) begleitet und ist möglicherweise der Verf. einer h. verlorenen Gesch. der Geten (FGrH I B 200; → Getai), die wie sein Werk zur Medizin und zur Kosmetik auf Griech. abgefaßt war und durch spätere Erwähnungen bekannt ist.

Zur Therapeutik nennt Galenos zwei Titel des S. (Φαρμακῖτις βίβλος/›Pharmakologie‹ und Περὶ τῶν ἁπλῶν φαρμάκων/›Über die einfachen Heilmittel‹, 13,833 bzw. 862), evtl. dasselbe Werk (doch handelt es nicht von »einfachen Medikamenten«). Das unter dem ersten Titel beschriebene Werk umfaßte 5 B. und stellte den Stoff κατὰ τόπους (*katá tópus*, »nach Krankheitsart«) und κατὰ γένη (*katá génē*, »nach Drogenart«) dar.

Das Werk zur Kosmetik (in 4 B.) behandelte die Pflege des gesamten Körpers. Es war in zwei Teile geteilt (der gesunde Körper: B. 1–2; der kranke Körper: B. 3–4) und behandelte in jedem Teil zunächst den Kopf (B. 1 und 3) und dann den Rest des Körpers (B. 2 und 4).

1 F. E. Kind, s. v. Kriton (7), RE 11, 1935–1938
2 J. Scarborough, Criton, Physician to Trajan: Historian and Pharmacist, in: J. W. Eadie (Hrsg.), The Craft of the Ancient Historian. FS Ch.G. Starr, 1985, 387–405
3 C. Fabricius, Galens Exzerpte aus Älteren Pharmakologen, 1972, 190–192. A. TO./Ü: T. H.

Statilius. Ital. Gentilname.

I. Republikanische Zeit

[I 1] Junger Freund des M. → Porcius [I 7] Cato, wollte ihm 46 v. Chr. in den Tod folgen, ließ sich aber mit philos. Argumenten umstimmen (Plut. Cato minor 65,10 f.; 66,6–8; 73,7) und schloß sich nun M. Iunius [I 10] Brutus an – der ihn wegen S.' Haltung zum Tyrannenmord nicht in den Plan gegen Caesar einzuweihen wagte. 42 wurde S. bei Philippoi als Kundschafter getötet (Plut. Brutus 51,6).

[I 2] S., L. Röm. Ritter und führender Catilinarier (Cic. Catil. 3,6; 3,9; App. civ. 2,13; → Catilina), blieb 63 v. Chr. in Rom zurück, um Brände zu legen, und verhandelte mit den allobrogischen Gesandten (Sall. Catil. 17,4; 43,2; 44,1 f.). Am 3.12. wurde er verhaftet, am 5.12. mit der Gruppe um P. Cornelius [I 56] Lentulus hingerichtet (Sall. Catil. 47,4; 55,6). JÖ. F.

[I 3] S., Marius. 216 v. Chr. als Anführer eines lukanischen Aufklärungstrupps Held einer erst in der Spätannalistik in die historiographische Trad. über die Vorgesch. der Schlacht von → Cannae aufgenommenen Episode (Liv. 22,42–43; [1]). Sein Name wird überdies mit einer zunächst anon. Anekdote verbunden, wonach ein berühmter röm. *nobilis* (hier Q. → Fabius [I 30] Maximus) einen in seiner Treue schwankenden Bundesgenossen durch Großzügigkeit gewann (Vir. ill. 43,5; Frontin. strat. 4,7,36).
→ Annalistik

1 T. Schmitt, Hannibals Siegeszug, 1981, 218. TA. S.

II. Kaiserzeit

[II 1] S. Attalus. Arzt der röm. Kaiser → Antoninus [1] Pius und → Marcus [2] Aurelius (MAMA 6,117), um 160 n. Chr. S. war mit → Statilios Kriton verwandt und Wohltäter seiner Heimatstadt → Herakleia [6] Salbake in Karien [1]. Er war Schüler des → Soranos und zählte zu den → Methodikern. Seinen Mißerfolg bei der Heilung des Kynikers Theagenes in Rom führt Galenos (10,909–916 K.) als Hauptbeispiel für die Nutzlosigkeit der Therapieverfahren der Methodiker an.

1 L. und J. Robert, La Carie, Bd. 2, 1954, 177–179; 220. V. N.

[II 2] T. S. Barbarus. Senator, der nach den niederen senator. Ämtern im J. 195 n. Chr. als Legionslegat am Partherkrieg des Septimius [II 7] Severus in Mesopotamien teilnahm; anschließend praetorischer Legat von Thracia ca. 196–198; *cos. suff.* 198/9; Statthalter von Germania superior 203; später vielleicht Proconsul von Asia oder Africa. Er wurde in Rom bestattet (CIL VI 1522 = ILS 1144 = CIL VI 41197).

Eck (Statthalter), 79.

[II 3] Taurus S. Corvinus. Sohn von S. [II 12] und Valeria Messalina, einer Tochter des Redners → Valerius Messalla; Bruder von S. [II 13]. *Frater Arvalis* seit etwa 32 n. Chr. und Mitglied bei den *quindecimviri sacris faciundis*. 45 n. Chr. *cos. ord.*; schon 46 beteiligt an der Verschwörung des Asinius [II 4] Gallus gegen Kaiser Claudius (Cass. Dio 60,27,5; Suet. Claud. 13,2). Die Folgen der Teilnahme sind nicht bekannt.

Scheid, Recrutement (Frères), 151–158. W. E.

[II 4] S. Crito s. Statilios Kriton
[II 5] S. Flaccus (Epigrammdichter) s. Flaccus [1]
[II 6] S. Maximus. Lat. Grammatiker des späten 2. Jh. n. Chr. im Umfeld des sog. → Archaismus. In einer Hs. von Ciceros *Cato Maior* merkte er Besonderheiten des Sprachgebrauchs an; er emendierte Ciceros erste consularische Rede (*De lege agraria*) [3] und stellte nach Anmerkungen in seinen Cicero-Hss. eine Slg. von *singularia* bzw. *semel posita* (selteneren Wörtern und Formen) zusammen. Er wollte zeigen, daß solche Ausnahmen bei »Klassikern« ebenso wie bei archa. Autoren figurieren. Spuren seiner Tätigkeit sind über → Iulius [IV 19] Romanus bis zu → Charisius [3] nachzuweisen.

1 J. E. G. Zetzel, S. M., in: BICS 21, 1974, 107–123
2 M. Merello, S. M., 1977, 113–136 3 O. Pecere, La 'subscriptio' di S. M., in: IMU 25, 1982, 73–123
4 P. L. Schmidt, in: HLL, Bd. 4, § 445.3. P. L. S.

[II 7] T. S. Maximus. *Cos. ord.* 144 n. Chr., *curator operum publicorum* 146 (CIL VI 1008), *procos. Asiae* um 157/8 (IGR IV 1399 = IK 24,1 (Smyrna), Nr. 600, Z. 12). Sohn von S. [II 8].
[II 8] T. S. Maximus Severus Hadrianus. *Cos. suff.* 115 n. Chr., vielleicht aus Berytos in Syrien [1. 341]. CIL III 10336 bezieht sich nicht auf ihn, sondern auf Claudius [II 47] Maximus.

1 Syme, RP IV.

[II 9] C. Cassius S. Severus Hadrianus. Verwandt mit S. [II 8]; *cos. suff.* etwa Mitte 2. Jh. n. Chr. (CIL VI 37067 und Add. VI, VIII fasc. 3 p. 4814).
[II 10] Sisenna S. Taurus. *Cos. ord.* 16 n. Chr.; Bruder von S. [II 12]. Mitglied bei den *pontifices*. Er erwarb auf dem Palatin die ehemalige *domus* Ciceros (Vell. 2,14,3).

W. Eck, s. v., LTUR, Bd. 2, 182.

[II 11] T. S. Taurus. Wohl aus Lucania in Süditalien stammend; *homo novus* (Vell. 2,127). Frühzeitig auf der Seite des Octavianus [1], dessen wichtigster Helfer er neben Agrippa [1] wurde (l.c.). Im Krieg gegen Sex. Pompeius [I 5] einer der Befehlshaber Octavians. Nach der Niederlage des Aemilius [I 12] Lepidus auf Sizilien übernahm T. offensichtlich den Prokonsulat von Africa; am 30.6.34 v. Chr. feierte er einen Triumph über diese Prov. (*Fasti Capitolini* zum J. 34); im selben J. Befehlshaber in Illyricum. Bei Actium (→ Aktion) Kommandeur des Landheeres (Vell. 2,85,2). Als er im J. 30 ein Amphitheater auf dem Marsfeld errichtete, wurde ihm erlaubt, jährlich einen Praetor zu benennen (Cass. Dio 51,23,1). *Procos.* in der Hispania citerior; Sieg über die Cantabrer und Asturer (Cass. Dio 51,20,5). Insgesamt dreimal als *imperator* akklamiert (CIL X 409; II 3556). 26 v. Chr. *cos. iterum* zusammen mit Augustus; mehrere Priesterämter (Vell. 2,127). 16 v. Chr. ernannte ihn Augustus, als er Rom verließ, zum → *praefectus urbi* (Cass. Dio 54,19,6; Tac. ann. 6,11,3). Verm. war er seit 29 v. Chr. Patrizier [1. 155f.]. S. [II 10] und S. [II 12] dürften seine Enkel sein. Nach [2. 43 ff.] sind diese seine Söhne, was aber angesichts von deren verm. Alter während des Konsulats in den J. 11 und 16 n. Chr. (beide waren Patrizier) kaum möglich ist. Zum Columbarium der Statilii siehe [2. 59–68].

1 Vogel-Weidemann 2 M. L. Caldelli, C. Ricci, Monumentum familiae Statiliorum, 1999.

[II 12] T. S. Taurus. Enkel von S. [II 11]. *Cos. ord.* 11 n. Chr. während des gesamten Jahres. Vater von S. [II 3] und S. [II 13]. Verheiratet mit Valeria Messalina, einer Tochter des Redners Valerius Messalla Corvinus.

Vogel-Weidemann 156.

[II 13] T. S. Taurus. Sohn von S. [II 12]; Bruder von S. [II 3], Vater der Messalina [1]. *Cos. ord.* 44 n. Chr.; 51/2 oder 52/3 *procos.* von Africa [1. 37]. Im J. 53 von seinem Legaten Tarquitius Priscus des Repetundenvergehens (→ *repetundarum crimen*) und des »Glaubens an die Magie« (*magicae superstitiones*) angeklagt; der wahre Grund soll der Wunsch der Agrippina [3] gewesen sein, S.' Gärten auf dem Esquilin zu besitzen [2. 85]. S. entzog sich der Anklage durch Selbsttötung (Tac. ann. 12,59). Seine Gärten gingen in Fiskalbesitz über.

1 Thomasson, Fasti Africani, 37 2 E. Papi, s. v., LTUR, Bd. 3, 85.

Vogel-Weidemann, 154–160. W. E.

Statio. Im mil. Kontext ein Polizeiposten in einem röm. Lager (Tac. ann. 13,24,1; Tac. hist. 1,28,1) oder die Soldaten, die die Tore bewachten (Caes. Gall. 6,37,3; Liv. 3,5,4; 8,8,1). Der Palast der *principes* in Rom wurde ebenfalls von einer *s.* geschützt (Suet. Tib. 24,1). *S.* hieß auch eine kleine Garnison, die eine Wegkreuzung überwachte. Diese mil. Stützpunkte vervielfachten sich in der Prinzipatszeit und garantierten die Sicherheit; sie unterstanden einem → *beneficiarius* oder einem → *centurio*. Die *stationarii* der Spätant. sind gerade in den Grenzregionen auf dem Lande (Amm. 14,3,2; 31,8,5) und häufiger noch in den Städten anzutreffen (Amm. 18, 5,3). Epigraphisch sind *s.* und *stationarii* mehrfach bezeugt (ILS 2052; 9072; 9073; 9087).

1 H. Lieb, Expleta statione, in: Britain and Rome, FS E. Birley, 1965, 139–144 2 J. Ott, Die Beneficiarier, 1995.

Y.L.B./Ü: S.EX.

Statius. Praen. oskischer Herkunft, bes. in Oberitalien verbreitet (vgl. S. Gellius [3], S. → Abbius Oppianicus), später auch als Gentilname mit vielen Varianten vorkommend [1. 37, 237, 469].

1 Schulze 2 O. Salomies, Die röm. Vornamen, 1987, 90f.

I. Republikanische Zeit

[I 1] Samnite, 90 v. Chr. ein Anführer der Italiker im → Bundesgenossenkrieg [3], später (81?) auf röm. Seite. 43 wurde er als Achtzigjähriger proskribiert, verteilte sein Vermögen und verbrannte sich in seinem leeren Haus (App. civ. 4,102).

[I 2] Sklave und Vertrauter von Ciceros Bruder Quintus, wurde 61–59 v. Chr. dessen Procurator, 59 freigelassen (daher voller Name Q. Tullius S.) und 46 dank seinem Patron zum *lupercus* gemacht (Cic. Att. 2,18,4; 12,5,1). Cicero quittierte das Vertrauen des Quintus zu S. (Cic. ad Q. fr. 1,2,1–3; Cic. fam. 16,16,2) mit Eifersucht und dem Vorwurf, der Undankbare verleumde die Familie seines Herrn (Cic. ad Q. fr. 2,8,1; Cic. Att. 5,1,3).

[I 3] S. Sebosus s. S. [II 5] JÖ.F.

II. Kaiserzeit

[II 1] L. S. Aquila. Wohl aus Athen stammend [1. 141]; Vater von [II 4].

1 Halfmann.

W.E.

[II 2] P. Papinius S. Lat. Epiker des späten 1. Jh. n. Chr.

I. Leben II. Werk III. Nachwirkung

I. Leben

Iuvenalis ist der einzige Zeitgenosse, der S. namentlich erwähnt: In einer ironisch gefärbten Passage wird S. als ein Beispiel dafür angeführt, daß öffentliches Ansehen und materieller Erfolg nicht notwendigerweise Hand in Hand gehen (7,82ff.). Alle anderen biographischen Daten müssen aus S.' *Silvae* gewonnen werden [1]. Wahrscheinliche Lebensdaten: geb. 45 n. Chr., gest. 96. S. kam aus Neapolis [2] und war griech. Abstammung. Nach Silv. 5,3 – zu Ehren des Vaters verfaßt – war Papinius d. Ä. selbst Dichter, Preisträger in griech. Wettbewerben und in Neapel erfolgreich als → *grammaticus* tätig. S. war, anders als → Lucanus [1], → Valerius Flaccus und → Silius [II 5] Italicus, kein dilettierender Aristokrat. Er machte als Dichter Karriere und stellte sein Talent – als Enkomiast und Auftragsdichter – in den Dienst Wohlhabender. Silv. 3,5 spricht von einem (h. als ungesichert geltenden) Rückzug des S. nach Neapel als Reaktion auf seine enttäuschende Niederlage in den alle fünf Jahre gefeierten kapitolinischen Festspielen (→ Kapitoleia).

II. Werk

A. Übersicht B. Silvae
C. Thebais D. Achilleis

A. Übersicht

Erh. sind 5 B. mit Gelegenheitsdichtung, die *Silvae*, die über die sozialen Verhältnisse unter Domitianus Auskunft geben; die *Thebais*, ein Epos in 12 B., und dessen geplantes, aber unvollständig gebliebenes Nachfolgewerk, die *Achilleis*. S. war kein bloßer Imitator seiner Vorläufer (v. a. des → Vergilius), sondern kann als innovativ und selbständig in Anspruch und Leistung gelten.

B. Silvae

Die ersten 4 B. der *Silvae* (›Wälder‹) wurden von S. selbst zusammengestellt und veröffentlicht. Das 5. B. wurde postum und willkürlich angeordnet, sein in Prosa verfaßtes Vorwort bezieht sich nur auf das erste Gedicht. Die Vorworte zu den anderen B. (auch sie in Prosa, meist in Briefform, verfaßt) sind beschreibend, erläuternd und apologetisch. Die Anlässe, zu denen die Gedichte verfaßt wurden, variieren. Die meisten sind im Hexameter verfaßt. Der Autor stellt sie generell als extemporiert dar, aber der durch den Titel suggerierte Charakter einer Slg. von »rohen Entwürfen« ist eher als *captatio benevolentiae* denn als zutreffende Beschreibung zu verstehen, auch wenn S. die Fähigkeit besaß, schnell zu schreiben.

Den größten Teil der *Silvae* wird man unter dem Begriff → epideiktische Dichtung fassen und entsprechenden Gattungen zuordnen können, die zwar zu erkennen, aber nicht unbedingt schematisch eingehalten sind: Feier und Trauer, Beschreibung (→ Ekphrasis) von Gebäuden wie Kunstgegenständen. Alle diese Gedichte haben in der Regel einen enkomiastischen Kern. B. 1, das dem consularischen Dichter L. → Arruntius [II 12] Stella gewidmet ist, beginnt und endet (1; 6) mit Gedichten, die zu Ehren des Kaisers Domitianus [1] verfaßt wurden. An Stellas Hochzeit mit der Neapolitanerin Violentilla wird in 2 erinnert. Beschreibungen von Manilius [II 4] Vopiscus' Villa in Tibur (3) und von Claudius [II 29] Etruscus' Badehaus (5) bilden den Rahmen für eine Danksagung (4) aus Anlaß der Genesung des *praef. urbanus* → Rutilius [II 3] Gallicus. B. 2, das dem wohlhabenden Atedius Melior gewidmet ist (3 und 4), enthält sieben Gedichte und endet (7) mit einem Geburtstagsgedicht zu Ehren des verstorbenen Epikers → Lucanus [1]. Von den fünf Gedichten im 3. B., das → Pollius Felix, einem Millionär aus Neapolis, gewidmet ist, ist eines etwas persönlicherer Natur, nämlich der Brief an S.' Frau Claudia (5). Gedicht 4 huldigt Domitians Geliebtem → Flavius [II 24] Earinus. Das 4. B., Vitorius Marcellus gewidmet, beginnt mit drei den Kaiser lobenden Gedichten, die Licht auf den → Kaiserkult werfen; 4 gibt sich als Brief an den Widmungsträger. Die von S. bevorzugte Ekphrasis ist mit einem Gedicht (6) auf eine Statuette des Hercules vertreten. Das sogenannte 5. B. enthält drei Epikedien (1; 3; 5); 2 bietet ein → Enkomium, 4 sodann 19 V. auf den Schlaf. Wie und durch wen diese Auswahl zusammengestellt wurde, ist nicht bekannt.

C. Thebais

In den Augen des Dichters selbst und auch für seine Leser steht und fällt S.' Ansehen mit seiner *Thebais* (nach 12 J. Arbeit um 90 fertiggestellt). Das Thema, der Krieg der → Sieben gegen Theben, war kaum originell. Aber S.' Sprache, metr. Können und Behandlung des Stoffes rechtfertigen seinen Anspruch auf Eigenständigkeit in der Auseinandersetzung mit → Vergilius, → Ovidius und → Lucanus [1] sowie → Senecas [2] Tragödien; Homer und die griech. epische Trad. standen im Hintergrund. Der Aufbau des Werkes kann annähernd – wie der von Vergils *Aeneis* – als zweiteilig angesehen werden, mit einer »odysseischen« Hälfte (1–6), in der das argivische Heer nach Boiotien gelangt, und einer »iliadischen« (7–12), in der der Krieg und sein Nachspiel (B. 12) dargestellt werden. B. 1 erzählt, nach Einl. und Widmung an Domitian, von Oedipus' Fluch über seine Söhne Eteocles und Polynices und der Heraufbeschwörung der Furie Tisiphone aus der Unterwelt. Polynices gelangt, exiliert, zum Palast des Adrastus in Argos, in dem er Tydeus begegnet. In B. 3 kehrt Tydeus zu Eteocles (dem B. 2 gilt) nach Theben zurück; die Seher Amphiaraus und Melampus deuten Vorzeichen. B. 4: Nach drei J. ist das argiv. Heer versammelt und bricht nach Theben auf. Es erreicht Nemea, wo Bacchus eine Dürre verursacht, und trifft dann Hypsipyle, die exilierte Königin von Lemnos, die es zur Quelle Langia führt und über den Besuch der Argonauten auf Lemnos berichtet; der in ihrer Obhut befindliche Opheltes (Archemorus), der Sohn des König Lykurgus, wird von einer Schlange getötet. B. 6 erzählt von den Leichenspielen für den Prinzen. In B. 7 erreichen die Argiver Theben, der Krieg beginnt. Amphiaraus wird von der Unterwelt verschlungen. In B. 8–10 geht der Krieg mit vielen Zwischenfällen und der allmählichen Eliminierung der Sieben weiter. Die Brüder Eteocles und Polynices führen in B. 11 einen Kampf auf Leben und Tod. Creon wird König von Theben. In B. 12 verweigert Creon den argiv. Anführern die Bestattung. Deren Witwen reisen nach Athen und überreden Theseus dazu, einzugreifen. Er besiegt und tötet Creon, die Toten werden bestattet (→ Thebanischer Sagenkreis).

Die Handlungsführung ist komplex und reich an Nebenhandlungen. Die Welt der Götter und die der Menschen, Olymp und Unterwelt, die schlimmste menschliche Brutalität und gelegentliche Eindrücke von großer Tugend (z. B. beim Selbstopfer des Menoecus, des Sohnes des Creon, in B. 10) bilden ständig Polaritäten auf der Handlungsebene und der symbolischen Ebene. *Furor* (»Raserei«), Schrecken und Zerstörung überwiegen, das dunkle Gesamtbild wird nur von vereinzelten Lichtstrahlen erhellt. Ob B. 12 mit dem Eingreifen des Theseus ein Ende herbeiführt oder lediglich einen Aufschub bietet, bleibt offen.

D. Achilleis

Die *Achilleis* sollte das ganze Leben des → Achilleus behandeln (1,4–7), bricht aber mit 2,167 in dessen Jugend ab; was weiter geplant war, ist unklar. Der Stil ist weniger manieriert als derjenige der *Thebais*, vielleicht ist das Erh. nur ein Entwurf. Im MA erfreute sich die *Achilleis* großer Beliebtheit [2].

III. Nachwirkung

Der Text der *Silvae* wurde bis zur Renaissance in einer einzigen Hs. (M = Cod. Matritensis um 1430) überl. Für die *Thebais* hingegen stehen deutlich mehr als 100 Mss. zur Verfügung; die Überl., die in der Regel als zweisträngig angesehen wird, ist stark kontaminiert; genaue Abhängigkeiten, also ein Stemma, können nicht festgelegt werden. Die *Achilleis* wird oft als App. zur *Thebais* ediert, obwohl es unabhängig überl. Versionen gibt, nämlich die *codices scholasticorum*, die kurze Werke für den Schulgebrauch enthalten. Von den frühen Edd. sind lediglich J. F. Gronovius' (1653) und C. Barths (1664) ebenso materialreiche wie ungenaue Ed. zu erwähnen. Für die *Silvae* ist F. Vollmers Ed. mit Komm. (1898) immer noch von Wert.

→ Epos

1 A. Hardie, S. and the Silvae, 1983 **2** P. M. Clogan, The Medieval Achilleid of S., 1968.

Ed.: *Gesamt-Ed.:* A. Traglia, G. Aricò, 1980 (mit Komm. und Übers.) • J. H. Mozley, 1928 (mit engl. Übers.). *Silv.:* A. Klotz, ²1911 • J. S. Phillimore, ²1917 • J. H. Frère, H. J. Izaac, ²1961 (mit Übers.) • A. Marastoni, ²1970 • E. Courtney, 1990. *Theb.:* A. Klotz, T. C. Klinnert, 1973 • R. Lesueur, 3 Bde., 1990–1994 • D. E. Hill, ²1996. *Ach.:* O. A. W. Dilke, 1954 • J. Méheust, 1971. *B. 1:* H. Heuvel, 1932 • H. M. Mulder, 1954. *B. 3:* H. Snijder, 1968. *B. 9:* M. Dewar, 1991. *B. 10:* R. D. Williams, 1970. *B. 11:* P. Venini, 1970.

Lit.: S. M. Braund, Ending Epic, in: PCPhS 42, 1996, 1–23 • H. Cancik, Unt. zur lyrischen Kunst des P. Papinius S., 1965 • F. Sauter, Der röm. Kaiserkult bei Martial und S., 1934 • W. Schetter, Unt. zur epischen Kunst des S., 1960 • D. Vessey, S. and the Thebaid, 1973 • ANRW II 32.5.

D. T. V./Ü: D. E.

[II 3] M. S. Priscus Licinius Italicus. Ritterlicher Herkunft, Heimatstadt unbekannt. Laufbahn: CIL VI 1523 = ILS 1092. Als Kohortenpraefekt ging er ca. 133 n. Chr. mit Sex. Iulius [II 133] Severus von Britannien zur Niederschlagung des → Bar Kochba-Aufstandes nach Iudaea. Nach weiteren ritterlichen mil. Kommandos und einer Prokuratur wurde er ca. 145 in den Senat aufgenommen. Nach Quaestur, Volkstribunat und Praetur befehligte er zwei Legionen und wurde ca. 156–

158 praetorischer Legat von Dacia superior, wo er in Kämpfe mit auswärtigen Feinden, wohl freien Dakern und Jazygen, verwickelt war. 159 erhielt er, für einen ehemaligen Ritter ganz außergewöhnlich, einen ordentlichen Konsulat. Nach der *cura alvei Tiberis* (→ *cura* [2]) in Rom ging er noch E. 160 nach Moesia superior als Statthalter, von wo er kurze Zeit später wegen mil. Unruhen an der Nordgrenze nach Britannien versetzt wurde. Doch schon 162 wurde er in den Osten gesandt, um von Cappadocia aus den Krieg gegen die Parther zu organisieren, und eroberte Artaxata in Armenien. Diese Form der Versetzung ist ungewöhnlich und verweist auf seine hohen mil. Fähigkeiten. Da er danach nicht weiter erwähnt wird, dürfte er während des Krieges gestorben sein.

BIRLEY 123 ff. • PISO, FPD, Bd. 1, 66 ff.

[II 4] L. S. Quadratus. Senator, Sohn von S. [II 1], *cos. ord.* 142 n. Chr.; Proconsul von Asia wohl 156/7, also in dem Jahr, in dem Bischof → Polykarpos von Smyrna den Märtyrertod starb (vgl. [1. 214]). Seine Identität mit dem Rhetor → Quadration ist nicht gesichert.

1 ALFÖLDY, Konsulat. W. E.

[II 5] S. Sebosus. Ein nur vage faßbarer Paradoxograph oder Geograph zw. dem Anf. des 1. Jh. v. Chr. (Entdeckung der Kanarischen Inseln) und Plinius [1] d. Ä. Dieser nennt ihn in den Indices nat. 2–3; 5–7; 9; 12–13 und zitiert ihn für Distanzangaben in Afrika (6,183; 201; 202 *insulae Fortunatae*) sowie (9,46) für ein indisches Paradoxon (riesige Wasserwürmer im Ganges). Die wenigen Daten erlauben weder einen Rückschluß auf einen → Periplus oder ein Segel-Hdb. noch auf eine Mirabilienperiegese im Stil des → Ktesias. Die nur sporadische Nennung des S. bei Plinius (falls er nicht latent ausgiebiger für die Geogr. Afrikas benutzt ist) läßt vermuten, daß S. von Plinius bereits exzerpiert vorgefunden wurde, eher bei Varro (*De geometria*?) als in den Werken Iubas [2] II. Die Identität mit dem Cic. Att. 2,14,2 (59 v. Chr.) genannten Sebosus ist ganz unwahrscheinlich.

→ Makaron nesoi

A. KLOTZ, s. v. Sebosus (3), RE 2 A, 966–968 (Nachtrag W. KROLL, S. (28) Sebosus, RE 3 A, 2223) • K. SALLMANN, Die Geogr. des Älteren Plinius in ihrem Verhältnis zu Varro, 1973, 42. KL. SA.

Statores (von *stare*, »zur Seite stehen«; im mil. Bereich = Ordonnanz). Soldaten, die in der Kaiserzeit zum Stab von Militärkommandeuren und Statthaltern mit Truppen gehörten, bei den stadtröm. Truppen und in den Prov. Ihre Aufgaben sind kaum zu bestimmen; möglicherweise fungierten sie als Briefboten und Gefängniswärter. Doch dürfte dies nur ein (gelegentlicher) Teil ihrer Tätigkeit gewesen sein.

R. HAENSCH, *A commentariis* und *commentariensis*, in: Y. LE BOHEC (Hrsg.), La hiérarchie (Rangordnung) de l'armée romaine sous le Haut-Empire 1995, 275, Anm. 54. W. E.

Statoria. S. Marcella. Frau des C. Minicius [4] Fundanus, Schwester des Statorius Secundus, Mutter von zwei Töchtern, darunter der Minicia Marcella, deren Tod bei Plinius (epist. 5,16) erwähnt wird. Die *ara* ihres Grabes wurde zusammen mit der *ara* ihrer Tochter auf dem Monte Mario in Rom gefunden (CIL VI 16632).

W. ECK, Tra epigrafia, prosopografia e archeologia, 1996, 239. W. E.

Statorius. L.(?) S. Secundus. Senator; *cos. suff.* unter Hadrian; danach, wohl um 124/5 n. Chr., consularer Statthalter von Cappadocia (AE 1968, 504); vgl. [1. 160–163]. Schwager des Minicius [4] Fundanus.

1 W. ECK, Jahres- und Provinzialfasten der senatorischen Statthalter, in: Chiron 13, 1983, 147–237. W. E.

Statthalter. Im mod. Begriff S. fließt eine Vielzahl von unterschiedlichen Bezeichnungen für reguläre Amts- und Funktionsträger im Alten Orient und in der griech.-röm. Ant. zusammen, deren gemeinsames Kennzeichen die Erfüllung mil. und administrativer Aufgaben fern von der Herrschaftszentrale in geogr. fest umrissenen Bezirken war (→ *eparchía*; → *provincia*; Satrapie, s. → Satrap), im Auftrag und »an Statt« des jeweiligen polit. Herrschaftsträgers. Nicht als S. gelten daher die in der Zentrale (Hof, Hauptstadt) tätigen Stellvertreter des Herrschers (»Wesire«; → *praefectus urbi*) und die Leiter zentraler Büros (→ *dioikētḗs*; → *magister officiorum*; → *praefectus praetorio*). Zu den Aufgaben der S. gehörten primär das Kommando über Truppen, die z. T. auch in den Herrschaftsbezirken ausgehoben wurden, häufig auch die zivile Verwaltung und Rechtssprechung sowie die Einziehung von → Steuern. Waren diese Bereiche institutionell getrennt, so gilt der mil. Befehlshaber in der Regel als S.

Die Aufgabenbereiche eines S. entstanden in den großen Territorialreichen des Alten Orients (→ Mesopotamien, v. a. III.; → Ägypten) und entwickelten sich im Großreich der → Achaimenidai [2] (→ Dareios [1]; → Satrap) zu Gebietsherrschaften mit eigenem Münzrecht (außer Goldprägung), in denen der S. quasi als Vize-König regierte. Dieses System lebte im Reich des Alexandros [4] d. Gr. und in der → Hellenistischen Staatenwelt (→ *stratēgós*, → Hellenismus) weiter. Rom verwaltete seit dem 3. Jh. v. Chr. sein rapide wachsendes Reich durch Magistrate (→ *magistratus*) und Promagistrate (→ *proconsul*; → *propraetor*), die in den Prov. als S. mit mil. und administrativen Kompetenzen agierten. Seit Augustus wirkten *legati Augusti pro praetore* (mit consularischem oder praetorischem Rang; → *legatus* 4.) in den kaiserlichen Prov., Proconsuln mit praetorischem Rang in den Senats-Prov. als S.; eine Sonderrolle spielte der S. des direkt dem Kaiser unterstellten Äg. (→ *praefectus Aegypti*). Seit Claudius [III 1] erscheinen auch ritterliche Amtsträger (→ *procurator* [1]) als eigenständige S. von Prov. In der Spätant. treten Prov.-S. mit den Titeln → *consularis*, → *corrector* und (v. a. in den zahlreichen, durch die Verwaltungsreform des Diocletianus [1] geschaffenen Prov.) → *praeses* auf.

In der geomorphologisch und polit. kleinteiligen griech. Poliswelt fehlen S., doch entstanden auch dort, falls eine Polis die Kontrolle über andere ausübte, im Ansatz vergleichbare Funktionen: so die Herrschaft der Brüder oder Söhne von Tyrannen in benachbarten Städten (→ Gelon [1]; → Hieron [1]; vgl. → Tyrannis) oder in Stützpunkten und in Kolonien von Tyrannen (→ Kypseliden); die (eher »Staatskommissaren« vergleichbare) Aufgabe der athenischen Aufseher (→ *epískopos* [1]) in Städten der Bundesgenossen im → Attisch-Delischen Seebund; die spartanischen → *harmostaí* [1] in der Rolle von Besatzungskommandanten.

Der räumliche Abstand von der Zentrale, der selbständiges Handeln erforderlich machte, und die Verfügung über z. T. große Truppenverbände schufen ein latentes Spannungsverhältnis zw. S. und Zentrale, das sich in Krisenzeiten oder bei Herrschaftswechseln in Aufständen, Separationsversuchen und Nachfolgekämpfen der S. entladen konnte (→ Satrapenaufstand; → Vierkaiserjahr). Eine wirksame Kontrolle über die S. lag daher im Interesse der Zentrale. Sie konnte über die Beschränkung des Handlungsspielraums durch gezielte Überwachung (→ *agentes in rebus*; → *frumentarii*; → Geheimpolizei) und beigeordnete Berater (→ *legatus* 2. und 4.) erfolgen, aber auch über zeitliche Befristung des Amtes, Aufteilung großer Bezirke in mehrere kleine und durch die Ausgliederung bes. wichtiger mil. Stützpunkte, deren Kommandeure direkt der Zentrale verantwortlich waren (→ *phrúrarchos*), aus dem Kompetenzbereich der S. W. ED.

Statue

I. Begriff und Allgemeines II. Entwicklung einzelner Statuengattungen

I. Begriff und Allgemeines

Von lat. *statuere* (»aufstellen«) abgeleitet, bezeichnet S. in der Bildhauerei die vollplastisch gestaltete Figur. Diese Form der autonomen Darstellung von Mensch, Tier und Übermensch steht im Zentrum des griech. Kunstschaffens. Im arch. Sprachgebrauch sind auch in eine Architektur eingebundene S. in den Begriff einbezogen (Giebel, → Akroter), nicht aber → Reliefs. Einzelne S. können inhaltlich und in der Ausführung zu einer S.-Gruppe verbunden sein. Das Format der S. reicht von Unterlebensgröße bis zur mehrfachen Lebensgröße (→ Kolossos).

Stein, bes. → Marmor, überwiegt bei weitem im erh. Bestand von S., während in der Ant. auch → Bronze und in geringerem Maß Edelmetalle eine wichtige Rolle spielten. Auch → Holz und zusammengesetzte Materialien wie bei der Akrolith- (→ Akrolithon) und der → Goldelfenbeintechnik waren häufiger, als der Denkmälerbestand erkennen läßt.

In der ant. Lit. sind die formbezogenen Begriffe lat. *statua, ars statuaria*; griech. ἀνδριάς (*andriás*, »Mannsbild«) seltener als Bezeichnungen wie ἄγαλμα (*ágalma*, »Kleinod«), ξόανον (*xóanon*, »Schnitzbild«), εἰκών (*eikṓn*, »Ebenbild«) oder lat. *signum* (»Zeichen«) und *imago* (»Abbild«), die auf Funktion oder Bed. hinweisen; häufig wird die S. nur mit dem Darstellungsinhalt benannt, z. B. »Apollon«.

Die ant. S. repräsentierte als dauerhafter Vertreter das dargestellte Wesen. Sie wurde in archa. Zeit immer als magisch oder rel. empfunden, in späteren Perioden zumindest bei sepulkraler und kultischer Verwendung. So wurden beispielsweise Kult-S. durch Fesseln am »Weglaufen« gehindert (vgl. Plat. Men. 97 d), oder ihnen wurde ein himmlischer Ursprung zugeschrieben (→ Kultbild). Die S. ist (wie das ant. Kunstschaffen generell) stets figürlich; die Veränderungen im Stil betreffen Form und Ausdruck der Verlebendigung, sei es als Bewegungspotential in der Archaik, als gleichsam lebendig empfundene *veritas* (→ Kunsttheorie) im Hell. oder als repräsentative Formenstrenge in der Spätantike. Zur Verlebendigung trug die weitgehende farbliche Fassung (→ Polychromie) der S. bei; im Hell. wurde sie sogar mittels mechanisch-beweglicher Teile angestrebt (z. B. die S. der Nysa im Festzug Ptolemaios' [3] II., Athen. 5,198 f.). Die Aufstellung der S. erfolgte immer auf einer Basis, die sie über den Boden erhob, nur im Hell. wurde durch unmittelbare Einbettung in den Felsboden auch ein scheinbar lebensechtes Ambiente inszeniert (z. B. bei rhodischen Skulpturengärten). Zur Hervorhebung diente die Aufstellung auf Säulen, Bögen, Bänken oder in → Exedren. Im Freien aufgestellte S. erhielten auf dem Kopf einen *mēnískos* (Scheibe mit »Stachel«) zum Schutz vor Vögeln. In der Kaiserzeit wurden in der Architektur Nischen für S. vorgesehen. Bei Brunnen-S. wurde der Wasserausfluß an passenden Körperteilen angebracht.

Je nach Funktion, Inhalt und Aufstellungszusammenhang bildeten sich bei der ant. S. verhältnismäßig eindeutige formale Standards aus, die in der arch. Forsch. zur Festlegung von Gattungen führten. Sie sind sowohl unter histor. wie unter kunstästhetischem Blickwinkel zu berücksichtigen.

II. Entwicklung einzelner Statuengattungen

Vom Beginn der griech. Großplastik an war das → Kultbild im Tempel eine zentrale Bildhaueraufgabe. Aus den frühesten Formen des → Xoanon und des → Sphyrelaton, die aus praktischen Gründen stets klein waren, entwickelten sich in der Klassik (5./4. Jh. v. Chr.) die kostbaren Akrolithe und Goldelfenbeinstatuen. Gleichzeitig kam im 7. Jh. v. Chr. die großformatige Götter-S. aus Marmor auf, woran der Einfluß der äg. Kunst beteiligt war. Sie wuchsen rasch zu kolossalen Formaten bis 10 m an. Es handelte sich dabei um aufrecht stehende oder thronende, streng frontal ausgerichtete Erscheinungsbilder, an denen die künstlerischen Probleme der → Proportion und der Beweglichkeit mit geringen Verschiebungen und Asymmetrien bereits die Leitlinien für die weitere stilistische Entwicklung legten. Ab dem 6. Jh. v. Chr. gab es S. auch von Menschen, sei es als Grab- oder als Votiv-S. Sie orientierten sich an Götter-S. in Form der Kuroi (nackte Jünglinge) und der Korai (bekleidete Mädchen) sowie der thronenden Sitz-S. (→ Branchidai). Als Korai im Heiligtum (z. B. → Athenai, Akropolis) und als Kuroi am Grab nahm die Häufigkeit von S. im griech. Raum zu. Die → Nacktheit vieler männlicher S., die sowohl kulturhistor. als auch kunstästhetisch gedeutet wird, zieht sich als auffälligstes und wirkungsvollstes Kennzeichen griech. Plastik überhaupt durch die gesamte spätere S.-Produktion der Ant.

Im späten 6. Jh. und v. a. in der Klassik (5./4. Jh.) nahm die Darstellung von Beweglichkeit in der Plastik zu, sei es thematisch in den Typen der Reiter-S., der Kämpfenden oder der miteinander agierenden Gruppen (z. B. Athena-Marsyas-Gruppe), sei es in der Lockerung der aufrecht stehenden Figur durch Ponderation (Verlagerung des Körpergewichts auf ein Bein) bis hin zu momentanen Bewegungsabläufen, wie an den → Siegerstatuen zu verfolgen ist, welche ab dem 6. Jh. die Heiligtümer der Wettkampfstätten bevölkerten. Die Wiedergabe von realen Menschen in Ehren-S. auf öffentlichen Plätzen begann mit S. der »Tyrannenmörder« (→ Harmodios [1] und → Aristogeiton [1], zuerst ca. 510 v. Chr., erneut 477/6 v. Chr.) und führte über die Strategen-S. (z. B. Perikles [1]) zu S. der attischen Tragikern (z. B. Sophokles [1], Rom, VM) sowie sitzender und stehender Dichter, Redner und Philosophen (z. B. Aischines [2]; Sokrates [2]) des 4. Jh. v. Chr.

Die bürgerliche Ehren-S. setzte gleichzeitig mit den hell. Herrscher-S. ein und bildete relativ feste ikonographische Körperschemata aus, die bis hin zu den röm. Kaiser-S. und in die Spätant. konstant blieben. Die griech. Bürger-S., ab dem Hell. eine Porträt-S. (→ Porträt), hatte durch die Art der standesgemäßen Bekleidung die Form der sog. Mantel-S., die röm. dementsprechend die der Toga-S., während bei weiblichen Porträt-S. die Gewand- und Körperschemata variabler waren. Ab dem Spät-Hell., v. a. in der röm. Kaiserzeit, wurden für Porträt-S. häufig auch Körperschemata und Vorbilder von Götterdarstellungen entlehnt. So entwikkelte sich die nackte späthell. Bürger-S. mit geringen Bekleidungsresten, z. B. der Hüftmantel-Typus oder Schulterbausch-Typus. Bei der röm. Porträt-S. wurde durch die entlehnten S.-Vorbilder der organische Zusammenhang von Körper und Kopf aufgegeben, d. h. idealer Körper und individuelles Porträt wurden kombiniert. Die Aufstellungsorte dieser quantitativ umfangreichsten Gruppe ant. S. waren zunächst nur öffentliche Plätze, ab hell. Zeit zunehmend auch Gräber und Wohnhäuser.

Darstellungen myth. Inhalts sowie Ideal-S. aus verschiedenen Lebensbereichen wie Athleten-S., Kampfgruppen, Genre-Figuren und Tiere wurden schon in der späten Archaik als Votive für Heiligtümer konzipiert. Im Hell. bildeten sie einen wichtigen Teil der künstlerisch hochwertigsten S.-Produktion. Die rel. Sinngebung konnte dabei zugunsten des Kunstgenusses verlorengehen. Ideal-S. wurden Teil der repräsentativen Ausstattung und der röm. Kunst-Slg. mit rückwärtsgewandten Stilen und Kopien früherer Original-S. (→ Kunstinteresse; → Kopienwesen). V. a. in der Kaiserzeit machten neben den Porträt-S. die S.-Kopien die Hauptmasse der Produktion aus, um den röm. Wunsch nach Inszenierung eines bestimmten Ambientes im Bereich von → Haus (→ *villa*) und → Garten zu befriedigen. Im frühen 3. Jh. n. Chr. endete die Anfertigung von S.-Kopien, nur die Ehren-S. von Bürgern und Herrschern blieb bis ans E. der Ant. bestehen.

Die frühe christl. Kunst kennt die S. nur als funktional stark eingebundene Gruppendarstellung, etwa bei Tischstützen. In den christl. Angriffen auf die griech.-röm. S. – von Polemik bis hin zur Zerstörung – äußerte sich noch am E. der Ant. die latente Bewußtheit der Vitalität einer S. (zum Ikonoklasmus s. → Syrische Dynastie).

→ Plastik; Relief

Overbeck (schriftliche Quellen zu Künstlern und ihren S.) • Lippold • G. M. A. Richter, The Sculpture and Sculptors of the Greeks, 1950 • Richter, Kouroi • E. Paribeni, s. v. statua, EAA 7, 1966, 476–481 • Richter, Korai • P. Zanker, Klassizistische S., 1974 • J. Boardman, Greek Sculpture. The Archaic Period, 1978 • Ders., Greek Sculpture. The Classical Period, 1985 • Fuchs/Floren • A. A. Donohue, Xoana and the Origins of Greek Sculpture, 1988 • W. Martini, Die archa. Plastik der Griechen, 1990 • Stewart • S. Morris, Daidalos and the Origins of Greek Art, 1992 • B. S. Ridgway, The Study of Classical Sculpture at the End of the 20th Century, in: AJA 98, 1994, 759–772 • P. Moreno, Scultura ellenistica, 1994 • F. Rausa, L'immagine del vincitore. L'atleta nella statuaria greca dall'età arcaica all'ellenismo, 1994 • J. Boardman, Greek Sculpture. The Late Classical Period and Sculpture in Colonies and Overseas, 1995 • S. De Angeli, s. v. statua di culto, EAA 2. Suppl., 1997, 382–392. R. N.

Status (wörtl. »Stand«, »Zustand«, »Stellung«).
[1] (Rhetorik). Dem lat. rhet. Begriff *status* (Quint. inst. 3,6,1; Cic. top. 25,93) bzw. *constitutio* (Quint. inst. 3,6,2: »Feststellung« sc. des vorliegenden Tatbestandes) entspricht griech. στάσις/*stásis* (Quint. inst. 3,6,3; Cic. top. 25,93; Isid. orig. 2,5,1).
A. Definition
B. Bedeutung und Geschichte

A. Definition

Im rhet. System (→ Rhetorik) ist der *s.* (»Stand der Streitsache«) die durch eine Reihe von Fragen erzielte Bestimmung (*summa quaestio*, »Kernfrage«: Quint. inst. 3,11,2; 27) sowohl der Streitpunkte (*controversia*), um die eine Gerichtsverhandlung geführt wird, als auch der Frage, in wessen Zuständigkeit die Streitsache (*causa*) fällt. Dahinter steckt die Vorstellung eines Gerichtsverfahrens als eines Kampfes (vgl. Quint. inst. 7,1,8; *s.* bezeichnet metaphorisch die Aufstellung der Faustkämpfer: Quint. inst. 3,6). Hierbei richtet sich die Klärung des *s.* an alle drei an einem Gerichtsfall beteiligten Parteien: Der Richter muß bei der ersten Konfrontation (Quint.

inst. 3,6,5: *ex prima conflictione*) mit den in der Regel widersprüchlichen Aussagen der Streitparteien bestimmen, worum oder ob überhaupt ein Prozeß geführt wird. Von der Warte des Verteidigers und des Anklägers aus ist die Bestimmung des *s.* von entscheidender Wichtigkeit, weil sie maßgeblich über Vorteil oder Nachteil der vertretenen Partei entscheidet (Angelegenheiten ohne Konfliktpotential haben z.B. keinen *s.*). Sie ist in der ersten Phase als ein Frage-Antwortspiel zw. Richter und Parteien vorgestellt, das einer Reihenfolge von vier *s.*-Bereichen folgt. Bevor der Fall einem der vier *status* zugeordnet werden kann, ist in einer Art Vorprüfung zu bestimmen, ob (1) der Sachverhalt einer argumentativen Klärung zugänglich ist und insofern dem *genus rationale* (*genus iudiciale*) zuzuteilen ist; oder ob (2) es einer Vertrags- oder Gesetzesauslegung bedarf, bei der das Verfahren in das *genus legale* fällt. In beiden Fällen lassen sich die Probleme auf je vierfache Weise klären und präzisieren, doch kann ein Fall es erfordern, eine Differenzierung in weitere Unter-*s.* vorzunehmen.

Der Fall (1) stellt als eine logische Reihenfolge der »Rückzugskampfstellungen der Verteidigung« den Musterfall der Dialektik dar: a) der *s. coniecturalis* fragt, ob die Tat überhaupt begangen worden sei (Vermutungsfrage: ja?/nein?); b) der *s. definitivus* schätzt die Tat ein oder benennt sie genau (Definitionsfrage: was?); c) der *s. qualitatis* fragt nach der Bewertung der Tat und nach den Rechtfertigungsgründen bzw. der Strafwürdigung (Rechtsfrage: zu Recht?); d) der *s. translationis* prüft die Kompetenz des Anklägers, die Zuständigkeit des Gerichts oder bestimmt die Übertragung an ein anderes Gericht (Verfahrensfrage: ob überhaupt?).

(2) Im zweiten Fall, der einer Vertrags- oder Gesetzesauslegung bedarf, unterscheidet man zw. folgenden *s.*-Bereichen: a) *scriptum – voluntas*, der *s.*, der Widersprüche zw. Wortlaut und dem (intendierten) Sinn aufspürt; b) *leges contrariae*, der *s.*, der Widersprüchlichkeiten zweier oder mehrerer Gesetze aufweist; c) *ambiguitas*, der Doppeldeutigkeiten des Gesetzestexte markiert; und schließlich d) *ratiocinatio*, dem *s.*, bei dem Gesetzeslücken durch Analogieschluß aus anderen Gesetzen gefüllt werden können.

Da der *s.* sich im Laufe eines Prozesses durch Modifikation der Sachlage (z.B. Zugeständnisse einer Partei) ändern kann, kommen die vier *s.* nicht nur zu Beginn des Prozesses zur Bestimmung der Ausgangslage, sondern auch im Prozeßverlauf zur Feststellung des je aktuellen Sachstandes (z.B. Quint. inst. 7, 1, 6–7) zum Tragen.

B. Bedeutung und Geschichte

Die Entwicklung der *s.*-Lehre aus der Topik heraus wird zumeist auf → Hermagoras [1] von Temnos (2. Jh. v. Chr.) zurückgeführt und ist in der röm. Rhet. Kernstück der → *argumentatio*. In individueller Akzentsetzung wird sie von den verschiedenen Theoretikern (z.B. Rhet. Her.; Cic. inv.; Cic. de orat. 2, 132; Quint. inst. 3,11,21; Aug. de rhetorica) im rhet. System zumeist im Kontext der Gerichtsrede abgehandelt, dient aber ursprünglich dem Redner als universal einsetzbares Argumentationsmuster beim Auffinden der zur Rede passenden *loci* (→ Topik) und Argumente.

Im Falle der *s.*-Lehre ist eine bes. enge Verbindung zur forensischen Rhet. und zur juristischen Fachschriftstellerei gegeben, doch ist sie im Prinzip auf alle lit. Gattungen übertragbar. Als Interpretationsraster eignet sie sich bes. zur Analyse des Konfliktpotentials (Normanwendungskonflikte, Normstärkekonflikte, Norminterpretationskonflikte) von lit. Werken [4. 21] in Diskursen.

1 A. Braet, The Classical Doctrine of S. and the Rhetorical Theory of Argumentation, in: Philosophy and Rhetoric 20, 1987, 79–93 **2** L. Calboli Montefusco, La dottrina degli »s.« nella retorica greca e romana, 1986 **3** J. Dingel, Scholastica materia, 1988, 66–162 **4** K.H. Göttert, Einführung in die Rhet., [2]1994 **5** E.B. Holtsmark, Quintilian on S. A Progymnasma, in: Hermes 96, 1968, 356–368 **6** F. Horak, Die rhet. S.-Lehre und der Aufbau des Verbrechensbegriffs, in: F. Horak, W. Waldstein (Hrsg.), FS A. Herdlitczka, 1972, 121–142 **7** Lausberg, §§ 79–254.

C.W.

[2] (Recht). Im röm. Recht ist *s.* seit dem 3. Jh. n. Chr. auch der t.t. für den rechtlichen »Stand«. Bei Iustinianus (6. Jh. n. Chr.) handelt ein ganzer Digestentitel (Dig. 1,5) vom *s.* der Menschen. Der Sache nach wurden die dort behandelten Fragen vor dem 3. Jh. n. Chr. eher unter dem Begriff → *condicio* (im Sinne der rechtlichen Bedingtheit) erfaßt. Zu unterscheiden sind die Fragen des (1) Bürgerrechts (*s. civitatis*, → *civitas* B.), (2) der persönlichen → Freiheit oder Unfreiheit (→ Sklaverei) einschließlich der Sonderstellung der → Freigelassenen (II.) (auch → Freilassung C.) und (3) der Stellung im Familienverband: als Familienvater (→ *pater familias*), als Ehefrau unter ehelicher Gewalt (→ *manus*), Unterworfenheit unter väterlicher Gewalt (→ *patria potestas*) oder Gewaltfreiheit (mit dem *s.* eigenen Rechts, *sui iuris*), aber auch eheliche oder nichteheliche Abstammung (→ *spurius*). Bes. Regeln galten in allen drei Bereichen für den Verlust eines *s.* (→ *deminutio capitis*, »Minderung der Rechtsstellung«).

Zur Sicherung des *s.* waren einige prozessuale Vorkehrungen getroffen worden. Am wichtigsten war der Freiheitsprozeß (*s. quaestio*, auch: *liberalis causa*). Das Problem dabei war bis zur Zeit des Iustinianus, daß derjenige, der seine Freiheit behauptete, möglicherweise Sklave und daher gar nicht rechts- und prozeßfähig war. Deshalb mußte ein Freier als Treuhänder (→ *adsertor*) für ihn auftreten und nach dem Muster der → *rei vindicatio* (»Eigentumsherausgabeklage«) gegen den (angemaßten) Sklavenhalter klagen. Umgekehrt gab es auch die *vindicatio in servitutem* (Klage für Rückführung in die Sklaverei).

Gerade (noch) nicht den Freiheits-*s.* hatte der *statu liber*, der testamentarisch unter einer Bedingung (regelmäßig wohl der Zahlung einer Geldsumme aus dem Eigengut des Sklaven, → *peculium*) Freigelassene. In diesem Ausdruck zeigt sich aber, daß man dem bedingt

Berechtigten bereits einen sehr ähnlichen *s.* einräumte wie nach Eintritt der Bedingung. Diese rechtliche Vorstellung, die verm. bis auf die Zwölf Tafeln (5. Jh. v. Chr.) zurückgeht, wirkt bis ins »Anwartschaftsrecht« des gegenwärtigen dt. Zivilrechts nach.
→ Personenrecht IV.; Statussymbole

Honsell/Mayer-Maly/Selb, 75 f. • Kaser, RPR, Bd. 1, 270–273, 288 f. G. S.

[3] (Politik). In polit. Zusammenhang bezeichnet *s.* nicht den röm. »Staat«, sondern Zustand, Form, Gefüge des Gemeinwesens (*s. rei publicae*; *s. civitatis*), auch im Sinne der Verfassungsform (vgl. Cic. rep. 1,26,42; 1,44,68; 2,35,60; Tac. hist. 4,85,2: *s. imperii*) bzw. den Bestand einer Verfassung, die bewahrt, erschüttert oder verbessert werden kann (Cic. rep. 1,20,33; 2,33,57; [1. 225 f.; 2. 62–66]). Diese Grund-Bed. bleibt bis ans E. der Ant. bestehen (auch wenn sich *s.* selten der Bed. »Staat« nähert, vgl. Tert. de resurrectione 24,18: *s. Romanus*; 30,4: *s. Iudaicus*; [2. 122–125]); sie besteht auch im MA fort [2. 300] und ist im it. Lehnwort *stato* noch bei Machiavelli faßbar [3]. Erst seit dem 17. Jh. erhalten die Lehnwörter »Staat«, *état*, *stato*, *state* die mod. Bed., wobei nur im Dt. der ant. Inhalt völlig verloren ging.

1 E. Köstermann, S. als polit. Terminus in der Ant., in: RhM 86, 1937, 225–240 **2** W. Suerbaum, Vom ant. zum früh-ma. Staatsbegriff, [3]1977 **3** H. Mansfield, On the Impersonality of the Modern State: A Comment on Machiavelli's Use of Stato, in: American Political Science Rev. 77, 1983, 849–857. W. ED.

[4] s. Ordo; Statussymbole

Statussymbole

I. Status: Begriff und Probleme
II. Definition und Funktion
III. Einzelne Statussymbole

I. Status: Begriff und Probleme

Status (= St.) bezeichnet die soziale Position einer Person; im engeren Sinn sind damit eindeutige rechtliche Qualitäten gemeint, die etwa mit der Zugehörigkeit zu der Bürgerschaft einer Stadt, zu einem Stand (→ *ordo* II., vgl. *status* [2]) oder zu den Gruppen der Freien, Freigelassenen oder Sklaven verbunden waren. Ferner bestimmen auch objektivierbare Distinktionskriterien wie Amtsrang oder Lebensalter den St. Weiter gefaßt und auf die Ges. bezogen meint St. den erreichten Grad sozialer Prominenz.

Wichtige St.-Merkmale in ant. Ges. waren Herkunft, → Reichtum, → Bildung, Rang in hierarchischen Ordnungen, Zugehörigkeit zu exklusiven Gruppen und individuell erworbener Ruhm. Ihre Gültigkeit verneinten nur wenige (→ Kynismus), doch war auch eine grundlegende Neubewertung von St.-Kriterien und -differenzen möglich (→ Mönchtum). Extreme Unterschiede auf den verschiedenen Skalen führten zu St.-Inkonsistenzen mit erheblichem Konfliktpotential. Markantes Beispiel dafür ist der Haß auf → Freigelassene des Princeps, die nicht nur zu Reichtum, sondern – bes. unter Claudius [III 1] – auch zu großer Macht gelangten und offizielle St.-Erhöhungen erfuhren (Plin. epist. 7,29; 8,6; Tac. ann. 12,53).

II. Definition und Funktion

S. sind sichtbare Abbreviaturen der soziopolit. Rangordnung und durch ihre Allgegenwart zugleich Mittel zu deren Internalisierung. Herrschern bieten sie ein Mittel der Privilegierung oder Zurücksetzung, andererseits dienen sie dazu, einen erworbenen St. zu demonstrieren oder bei St.-Inkonsistenz den Anspruch auf einen möglichst hohen Gesamt-St. zu unterstreichen. S. erlauben auch bemerkenswert differenzierte Selbstaussagen, was etwa für den reichgewordenen Freigelassenen Trimalchio gilt (Petron. 32,3; [13]).

»Informelle« S. als Ausdruck persönlicher Distinktion waren von den Amts- bzw. Standestrachten und den – in Rom hochdifferenzierten – Amtsinsignien (*fasces*; → *lictor*; → *sella curulis*) abzugrenzen. Den Zusammenhang zw. Repräsentation durch S. und Autorität zeigt Val. Max. 2,2,7.

Während in Griechenland die S. der Aristokratie zum ostentativen Konsum gehörten, keine Rangunterscheidungen begründeten und allenfalls diffuse Distanz zum polit. System anzeigen konnten, drückten sie in Rom sehr stark die Beziehung zum Gemeinwesen aus [9]. S. wurden daher in Rom durch Gesetz normiert und ihre Vergabe monopolisiert, um Gruppen klarer zu profilieren, sie polit. zu mobilisieren, Loyalität zu sichern oder allg. die gesellschaftliche Hierarchie zu verdeutlichen; durch S. wurde sozialer Aufstieg sichtbar belohnt. Das galt bes. für den *ordo equester* (→ *equites Romani*), dem die vorderen Sitzreihen im Theater vorbehalten waren (*lex Roscia theatralis*: Cass. Dio 36,42,1–2; Cic. Mur. 40; Plut. Cicero 13,2–3; *lex Iulia theatralis*: Mart. 5,8; 5,35; 5,38; Iuv. 3,153–158); die Senatoren hatten schon seit 194 v. Chr. gesonderte Sitze (Liv. 34,54,3–8; Val. Max. 2,4,3). Auch die Rangabzeichen an der Kleidung – breiter Purpurstreifen (*latus clavus*) an der → Tunica und rote Schuhe für Senatoren, schmaler Purpurstreifen (*angustus clavus*) und goldener Ring für *equites* – waren solche formalisierten S. (vgl. Plin. nat. 33,29). Generell nahm im Prinzipat die Normierung der S. zu; allerdings ermöglichte die »Veräußerlichung« der Rangzugehörigkeit durch S. auch unberechtigte Inanspruchnahmen.

Gesetze zur Begrenzung des privaten Aufwandes für Lebensführung und Begräbnis (→ *luxus*) dienten in Griechenland und Rom der Wahrung aristokratischen Komments bzw. der Zügelung eines ruinösen St.-Wettbewerbs. Mißtrauen und Konformitätsdruck schränkten im demokratischen Athen den allzu demonstrativen Gebrauch von S. ein [3]. In Sparta galt das Zurschaustellen von Reichtum dann als ehrenwert, wenn es etwa den Syssitiengenossen zugute kam (→ Gastmahl II. B.); dennoch gab es auch dort viele Möglichkeiten, Wohlstand zu zeigen.

III. Einzelne Statussymbole

Herkunft und funktionalen Kontext von S. (mil. Ausrüstung: Pferd, Patrizierschuh usw.; magisch-sakrale Sphäre: Ring, Amulett) zu klären ist wegen des Mangels an Quellen für die Frühzeit meist schwierig. Gesichert erscheint die Übernahme des Purpurgewands aus der orientalischen Königstracht; Gebrauch und Reglementierung von → Purpur als S. sind für die Ant. durchgehend belegt.

In der gesamten Antike gängige S. waren – neben → Kleidung und → Schuhen – in erster Linie der → Schmuck, durch den auch Frauen in die St.-Demonstration einbezogen werden konnten (Liv. 34,1–8: Aufhebung der *lex Oppia*; Plin. nat. 9,114), und die Haltung von → Pferden (Aristoph. Nub. 12–74), die schon in myk. Zeit auch als S. dienten. Im archa. und klass. Griechenland hatten Pferde keine wichtige mil. Funktion, waren aber eng mit dem aristokratischen Lebensstil verbunden. Ein S. bildete in der ästhetisierten Kultur des griech. Adels auch der sorgfältig gepflegte und durch Sport ertüchtigte, »schöne« Körper (→ *kalokagathía*), ganz anders als im republikanischen Rom.

Bes. beliebt waren S., die mit Geld erworben werden konnten und daher für soziale Aufsteiger erreichbar waren, allerdings deswegen auch der Kritik ausgesetzt waren. Dazu gehörten neben Schmuck, Kleidung und Kosmetik (Mart. 2,29) v. a. prachtvolle Häuser (Cic. leg. 3,30; Cic. off. 1,138–140; Vitr. 6,5; Plin. nat. 17,2–6; 36,48 f.; 36,109–112; Plin. epist. 2,17), ausgedehnte Parkanlagen (→ Park), der Besitz von Kunstwerken (→ Kunstinteresse) sowie erlesener Tafelluxus (Plut. Lucullus 41,7). Generell stellten alle Formen von *conspicuous consumption* und demonstrativem Genuß von → Muße, zumal mit einer großen Zahl von Gästen (Mart. 10,27) und Klienten, S. dar – wobei es an Versuchen einer funktionalen Legitimation nicht fehlte (Tac. ann. 2,33; zur kritischen Einstellung des Tiberius vgl. Tac. ann. 3,53 f.).

→ Ornamenta; Status [2]

1 E. Baltrusch, Regimen morum, 1988 **2** H. Blum, Purpur als S. in der griech. Welt, 1998 **3** J. Davidson, Kurtisanen und Meeresfrüchte, 1999 **4** W. Eck, Cum dignitate otium: Senatorial *domus* in Imperial Rome, in: Scripta Classica Israelica 16, 1997, 162–190 **5** J. Engels, Funerum sepulcrorumque magnificentia. Begräbnis- und Grabluxusgesetze in der griech.-röm. Welt, 1998 **6** E. Flaig, Politisierte Lebensführung und ästhetische Kultur, in: Histor. Anthropologie 1, 1993, 193–217 **7** W. Hoepfner (Hrsg.), Gesch. des Wohnens, Bd. 1, 1999 **8** F. Kolb, Zur Statussymbolik im ant. Rom, in: Chiron 7, 1977, 239–259 **9** E. Rawson, Discrimina ordinum. The lex Iulia theatralis, in: PBSR 55, 1987, 83–114 **10** M. Reinhold, Usurpation of Status and Status Symbols in the Roman World, in: Historia 20, 1971, 275–302 **11** A. G. Sherratt, Drinking and Driving: Bronze Age Status Symbols, 1987 **12** E. Stein-Hölkeskamp, Adelskultur und Polisgesellschaft, 1989 **13** P. Veyne, Das Leben des Trimalchio, in: Ders., Die röm. Ges., 1995, 9–50 (frz. La société romaine, 1991) **14** U. Walter (ed.), M. Valerius Martialis, Epigramme, 1996 (Komm.). U. WAL.

Staurakios

[1] Byz. Kaiser (811 n. Chr.), Sohn → Nikephoros' [2] I., in der Schlacht gegen den Bulgarenkhan Krum, in der sein Vater fiel, schwer verwundet; wurde nach kurzer Anerkennung als Thronfolger von → Michael [3] I. abgelöst.

P. A. Hollingsworth, s. v. S., ODB 3, 1945 f.

[2] Eunuch im Rang eines πατρίκιος (→ *patríkios*), seit 781 n. Chr. λογοθέτης τοῦ δρόμου (→ *logothétēs tu drómu*), siegreich über die Slaven in Griechenland 783, bis 797 sehr einflußreicher Ratgeber der Kaiserin → Irene und Gegner ihres Sohnes Constantinus [8] VI., gest. 800.

P. A. Hollingsworth, s. v. S., ODB 3, 1945. F. T.

Steigbügelkanne. Mod. t.t. für ein typisches, meist bemaltes Gefäß des spätminoischen und myk. Keramikrepertoires. Entwickelte sich auf Kreta in der Periode m-minoisch III (nach 1700 v. Chr.) aus einem amphoroiden Gefäß unter Hinzufügung von drei Henkeln, Ausguß und falschem zentralen Knauf anstelle des oberen Ausgusses. In der Periode SH IIA (nach 1500 v. Chr.) wird die Form in der myk. Palastkeramik übernommen und in der Periode SH IIIA1 (nach 1400 v. Chr.) mit zwei steigbügelähnlichen Henkeln erneuert. S. dienten wahrscheinlich zur Aufbewahrung und zum Transport von Duft- oder Speiseölen und waren bis nach Äg. verbreitet.

P. A. Mountjoy, Mycenaean Pottery. An Introduction, 1993, SH. R. D.

Stein von Rosette. 1799 nahe dem Ort Rosette an der äg. Mittelmeerküste von franz. Soldaten ausgegrabenes Granitbruchstück (h. im British Museum in London), das mit einem dreisprachigen Text beschrieben ist. Es handelt sich um ein Dekret über den Kult des regierenden Königs in den äg. Tempeln, das eine Priestersynode in → Memphis am 27.3.196 v. Chr. anläßlich der Krönung von → Ptolemaios [8] V. Epiphanes erließ und das in allen Tempeln des Landes aufgestellt werden sollte: in Hieroglyphen als der »Sprache der Götter« und in → Demotisch und Griechisch als Sprachen der beiden wichtigsten Gruppen der Bevölkerung. Diese → Trilingue ermöglichte die Entzifferung der Hieroglyphen durch J. F. Champollion.

→ Entzifferung

R. S. Simpson, Demotic Grammar in the Ptolemaic Sacerdotal Decrees, 1996, 4–5, 7–13. K. J.-W.

Steinbock. Der zur Gattung der Ziegen gehörende S. (Capra ibex L.) lebt in den Hochgebirgen Europas (Alpen, Pyrenäen) und in Palästina. Die Griechen kannten ihn nicht, die Römer erwähnen ihn als *ibex* erst seit Plinius (nat. 8,214). Woher Isidorus (orig. 12,1,17) die unsinnige Behauptung hat, die S. würden sich bei Annäherung von Feinden von den Gipfeln herabstürzen und sich mit ihren Hörnern unversehrt auffangen, ist unbekannt. Massenfang und Verwendung in Arenakämpfen ist für die Kaiser Gordianus (SHA Gord. 3,7) und Probus (SHA Probus 19) bezeugt. Eine Mz. [1. Taf. 3,13] und viele Gemmen (z. B. [1. Taf. 18,22–23]) zeigen den durch seine bis 1 m langen Hörner eindrucksvollen S.

1 F. IMHOOF-BLUMER, O. KELLER, Tier- und Pflanzenbilder auf Mz. und Gemmen des klass. Alt., 1889 (Ndr. 1972).

KELLER 1,299–301 • A. STEIER, s. v. S., RE 3 A, 2238–2241.

C. HÜ.

Steinbruch. Gezielt bearb. und gewonnener Haustein in größeren Mengen wurde in den ant. Kulturen It.s und Griechenlands zunächst in myk. Zeit (2. H. 2. Jt. v. Chr.), dann erst wieder ab ca. 600 v. Chr. mit dem Einsetzen großer Tempelbauprojekte und Infrastrukturbauten benötigt. Beiden zeitlich auseinanderliegenden Phasen ist gemeinsam, daß der S. bzw. der Ort der Haustein-Gewinnung idealerweise in unmittelbarer Nähe (Korinth), selten weiter als 10 km entfernt von der Baustelle lag. Häufig wurde – wie etwa bei der myk. Polygonalmauer der Akropolis von → Athenai [1] (II. 1.) oder der Burg von → Mykenai – das Baumaterial direkt aus dem zu ummauernden Felsen herausgearbeitet, wodurch zugleich die Felsenfläche künstlich planiert und als Baugrund vorbereitet werden konnte. Der Transport von im S. gewonnenem Baumaterial über weite Distanzen war arbeits- und kostenaufwendig und wurde nach Möglichkeit gemieden; einem sich über viele km hinziehenden → Landtransport (z. B. in Athen im 5. Jh. v. Chr. beim → Marmor aus dem Hymettos oder dem Pentelikon) wurde, wenn irgend möglich, der Seetransport vorgezogen (Tempel von → Epidauros). Für viele ant.-griech. Siedlungen und umfangreicher bebaute Heiligtümer sind nahegelegene S. nachgewiesen (u. a. Aigina, Delphoi, Ephesos, Milet, Naxos, Selinus, Syrakusai, Thasos), und es ist anzunehmen, daß gerade bei Neugründungen von Stadtanlagen die Wahl des Platzes auch von einer unproblematischen Gewinnung von Baumaterial abhing (→ Städtebau). In allen Fällen waren S. durch ein gut ausgebautes System von Straßen und Wegen erschlossen und mit der Baustelle verbunden (→ Straßen- und Brückenbau). Aufgelassene ant. S. sind durch Arbeitsspuren (Abschlaghalden, Ausschuß-Stükke, Wegenetz) in der Regel ebenso gut erkennbar wie durch ihre spätere Nutzung als → Nekropolen (Syrakusai, Akrai); bei Brüchen, die bis ins MA oder die Neuzeit betrieben wurden (z. B. Carrara), lassen sich hingegen kaum noch spezifische Erkenntnisse über die ant. Nutzung gewinnen.

Als Baumaterial genutzt wurde überwiegend leicht zu bearbeitender Muschelkalk (Poros) oder – in It. – Tuff. Bisweilen wurde das Material im Untertagebau gewonnen (Syrakusai, Ephesos, Eifel-Brüche), wobei der Nachteil des erhöhten Abbau-Aufwands durch den Vorteil des feucht-frischen, deshalb präziser zu formenden Rohstoffes aufgewogen wurde. Die Regel war jedoch der Übertage-Abbau, wobei, um an möglichst frisches Material zu gelangen, die obersten Schichten (ca. 60–100 cm) entfernt wurden. Der Abbau von Marmor war unverhältnismäßig langwierig, wegen seiner Sprödheit kompliziert (und deshalb – nach groben Schätzungen – im Vergleich zum Poros-Abbau mit drei- bis vierfachem Aufwand und entsprechend erhöhten Kosten verbunden). Stein wurde im Bruch in der Regel nach Anforderung und nicht auf Vorrat erzeugt, unspezifische Massenproduktion für den Export (z. B. in Herakleia [5] am Latmos) war selten.

Dem kontrollierten Aussprengen des Materials durch Aufhauen zweier Kanten, Schrotung (etwa von Säulentrommeln durch einen ca. 40 cm breiten Ring) bzw. Sägung (mittels ungezahnter, über Schleifmittel laufender Langsägen) und dem Abtrennen durch in Bohrungen eingefügte, danach gewässerte Holzkeile (bei kleineren Werkstücken durch eingetriebene Metallkeile) folgte ein schon recht präzises Zurechthauen gemäß den Maßvorgaben (wobei die einzelnen Bauteile bereits weitgehend maßgenau vorgefertigt, zueinandergehörige Stücke nicht selten sogar paßgenau eingeschliffen wurden; das Baumaterial blieb aber in → Bosse). Säulentrommeln wurden z. T. bereits mit → Entasis gefertigt (Selinus, Cave di Cusa), in röm. Zeit üblicherweise auf der Drehbank hergestellt. Zu den Arbeiten im S. zählte ferner das Ausbessern leicht defekter Werkstücke, ihre genaue Beschriftung als Hinweis für den späteren Versatz sowie der Abtransport über das eigens hierfür instandgehaltene Wegenetz.

Die Bewirtschaftung der S., die in öffentlichem Besitz waren, erfolgte in der griech. Ant. durch Privatunternehmer, die kleinere Teile der Fläche gepachtet hatten. Dementsprechend wurde ein größeres Bruchgebiet nicht systematisch, sondern eher aleatorisch in vielen Parzellen gleichzeitig ausgebeutet (Korinth). Im S. arbeiteten ausschließlich Sklaven. Auch röm. S. waren in Besitz der öffentlichen Hand und wurden in definierten Parzellen verpachtet. Ein bürokratisches Abrechnungswesen zw. Kommune und Pächter war hier die Regel; ein Verwalter fungierte als Mittler zw. Kommune, Pächter und Auftraggeber.

→ Marmor

M. WAELKENS (Hrsg.), Ancient Stones. Quarrying, Trade and Provenance (Kongr. Leuven 1990), 1992 • A. VON BERG, H. H. WEGNER, Ant. S. in der Vordereifel, 1995 • E. DOLCI, Carrara. Cave antiche, 1980 • A. DWORAKOWSKA, Quarries in Ancient Greece, 1975 • Dies., Quarries in Roman Provinces, 1983 • J. C. FANT (Hrsg.), Ancient Marble Quarrying and Trade (Kongr. San Antonio 1986), 1988 • Ders., Cavum Antrum Phrygiae. The Organization and Operations on the Roman Imperial Marble Quarries in Phrygia, 1989 • R. J. FORBES, Bergbau, S.-Tätigkeit und Hüttenwesen (ArchHom 2 K), 1967 • H. R. GOETTE, Die S. von Sounion im Agrileza-Tal, in: MDAI(A) 106, 1991, 210–222 • M. J. KLEIN, Unt. zu den klass. S. an Mons Porphyrites und Mons Claudianus in der östl. Wüste Äg.s, 1988 • M. KORRES, Vom Penteli zum Parthenon. Werdegang eines Kapitells zw. S. und Tempel, Ausst.-Kat. 1992 • R. MARTIN, Manuel d'architecture grecque, Bd. 1: Matériaux et techniques, 1965, 146–155 •

W. MÜLLER-WIENER, Griech. Bauwesen in der Ant., 1988, 40–45 (mit Anm. 3) • U. MÜLLER, P. RENTZEL, Ein weiterer röm. S. in Kaiseraugst, in: Jahresberichte aus Augst und Kaiseraugst 15, 1994, 177–186 • A. ORLANDOS, Les Matériaux de construction et la technique architecturale des anciens Grecs Bd. 2, 1968, 15–31 • A. PESCHLOW-BINDOKAT, Die S. von Milet und Herakleia am Latmos, in: JDAI 96, 1981, 157–214 • Dies., Die S. von Selinunt, 1990 • Dies., S. und Tempel, in: Ant. Welt 25, 1994, 122–139 • P. ROCKWELL, The Marble Quarries. A Preliminary Survey (Aphrodisias Papers 3 = Journ. of Roman Archaeology Suppl. 20), 1996, 81–103 • D. VANHOVE, Roman Marble Quarries in Southern Euboea and the Associated Road System, 1996 • M. WAELKENS et al., The Quarrying Techniques of the Greek World, in: Marble. Art Historical and Scientific Perspectives on Ancient Sculpture (Kongr. Malibu 1988), 1990, 47–72 • J. B. WARD-PERKINS, Quarrying in Antiquity, 1972 • Ders. et al. (Hrsg.), Marble in Antiquity, 1992. C. HÖ.

Steinbücher s. Lithika

Steinhuhn (ὁ/ἡ πέρδιξ/*pérdix*, das Junge περδίκιον/*perdíkion*, auch περδικεύς/*perdikeús* und κακκαβίς/*kakkabís* nach dem Balzruf: κακκαβίζειν/*kakkabízein* bzw. τρίζειν/*trízein* bei Aristot. hist. an. 4,9,536b 13 f.; lat. *perdix*). Der wiss. Name Alectoris graeca Meisner deutet an, daß der Vogel auch h. noch v. a. in Griechenland (aber auch in It.) verbreitet ist [1. 195 f.], während er in anderen Ländern durch den kleineren und brauneren Kulturfolger → Rebhuhn ersetzt wird. Aristoteles beschreibt das Brutverhalten, »Verleiten«, d. h. Fortlocken des Menschen in Nestnähe durch Sich-Flügellahm-Stellen und Hinken, sowie den Netzfang mit einem zahmen Lockvogel (hist. an. 8(9),8,613b 6–614a 32 = Plin. nat. 10,100–103) und die angebliche Befruchtung durch die Stimme des Männchens und den von ihm zum Weibchen wehenden Wind (Aristot. ebd. 5,5,541a 26–29 = Ail. nat. 17,15; Plin. nat. 10,102). Medizinisch sollte die Galle des S. die Klarheit der Augen wiederherstellen (Plin. nat. 29,125), ihre Brühe den Magen stärken (ebd. 30,46) und ebenso wie ihr Magen gegen Durchfall helfen (ebd. 30,60). Die Eier des sexuell bes. aktiven S. (ebd. 10,102) sollten die Brüste der Frauen straffen und die Fruchtbarkeit und reichliche Milchbildung fördern (ebd. 30,131). *Perdix* wurde des hinkenden Ganges beim Verleiten wegen zum Spitznamen für einen derartig behinderten Menschen (Aristoph. Av. 1292). Eine ant. Gemme [2. Taf. 21,24] zeigt wahrscheinlich ein S. mit mehreren Jungen.

1 LEITNER 2 F. IMHOOF-BLUMER, O. KELLER, Tier- und Pflanzenbilder auf Mz. und Gemmen des klass. Alt., 1889 (Ndr. 1972).

KELLER 2, 156–158. C. HÜ.

Steinigung. Als Form der Lynchjustiz war die S. in der Ant. wohl sehr verbreitet. Sie kam nicht nur als Entladung des Volkszorns (tumultuarische S.), sondern auch als Strafe nach einem geordneten Verfahren vor. So war die S. v. a. bei den Juden die Todesstrafe schlechthin (→ Stephanos [4]). Aber auch die Griechen scheinen – anders als die Römer – die S. bes. bei Delikten gegen die Gemeinschaft und gegen die Rel. gekannt zu haben. Unbestritten hat sich die rechtlich geordnete S. mit dem urspr. Zweck der Ausstoßung aus der Gemeinschaft (nicht: Tötung) aus der tumultuarischen S. entwickelt. Die S. kann daher als symbolische Abwehr und rituelle Sühne durch die Gemeinschaft verstanden werden (so zusammenfassend [3]). In neuerer Zeit wird die S. dagegen, gestützt auf Ergebnisse der Verhaltens-Forsch., stärker aus instinktiven Verhaltensweisen erklärt [1]. Bes. für Griechenland wurde auch der polit. Aspekt der S. betont [2]: Als Antwort des Volkes auf die Einrichtung der Tyrannis habe sie ein wichtiges Instrument des einsetzenden Demokratisierungsprozesses dargestellt.
→ Gewalt; Todesstrafe

1 D. FEHLING, Ethologische Überlegungen auf dem Gebiet der Altertumskunde. Phallische Demonstration – Fernsicht – Steinigung (Zetemata 61), 1974 2 M. GRAS, Cité grecque et lapidation, in: Du châtiment dans la cité (Collection de l'école française de Rome 79), 1984, 75–89 3 K. LATTE, s. v. S., RE 3 A, 1929, 2294 f.

R. HIRZEL, Die Strafe der S. (Abh. der Sächs. Ges. der Wiss. 27), 1909 (Ndr. 1967) • E. CANTARELLA, I supplizi capitali in Grecia e a Roma, 1991, 73–87, 326–329. A. VÖ.

Steinkult s. Kultbild

Steinschneidekunst
I. ALTER ORIENT II. PHÖNIZISCH
III. KLASSISCHE ANTIKE

I. ALTER ORIENT
s. Siegel

II. PHÖNIZISCH

Die phöniz. und pun. S. (= Glyptik) ist nahezu allein durch Stempelsiegel in Form von Skarabäen (→ Skarabäus) bzw. Skarabäoiden bekannt, die in der ant. Welt weiteste Verbreitung gefunden haben; der Körper des Käfers ist im phöniz. Osten graphisch-linear, im pun. Westen – unter ionisch-etr. Einfluß – stärker plastisch gegliedert. Hier fanden auch griech. Motive (Herakles und Löwe, Krieger, Satyrn, Köpfe von Gottheiten u. a.) Eingang in die Ikonographie der Siegelplatte, die sonst hauptsächlich der äg. (Flügelgöttin, Horus, Gott auf Papyrusbarke u. a.), in geringerem Umfang der oriental. (Sphinx, Kuh mit Kalb) Bilderwelt vorbehalten blieb. Als Material wurde neben üblichen Schmucksteinen (Steatit, Karneol, grüner Jaspis) vielfach Glaspaste und Fayence verwendet. Ausweislich der Funde und ihrer stilistischen Differenzierung bestand ein bedeutendes Zentrum der pun. S. in → Tharros auf Sardinien.

Wie in den anderen ant. Kulturen entwickelte sich in der phön. und pun. Welt die S. zum primären Zweck des Siegelns von → Urkunden (auf Tonbullen, wie sie

z. B. aus einem 1989–1993 teilweise ausgegrabenen Tempelarchiv in → Karthago mit über 4000 Expl. erh. sind). In gleichem Maße diente sie der Verbildlichung der talismanisch-magischen Qualität des die Identität des Einzelnen sichernden → Siegels. Aus dieser Eigenschaft erklärt sich auch die häufige Verwendung der geschnittenen Steine als persönlicher Schmuck und Grabbeigabe.

→ Phönizier, Punier

D. Berges, Die Tonsiegel aus dem karthagischen Tempelarchiv, in: F. Rakob (Hrsg.), Karthago 2. Die deutschen Ausgrabungen in Karthago, 1997, 1–214, bes. 14–19, 41–57 • D. Ciafaloni, Glyptique, in: V. Krings (Hrsg.), La civilisation phénicienne et punique, 1995 (= HbdOr I, Bd. 20), 501–508 • E. Gubel, s. v. Glyptique, DCPP, 191–194 • Zazoff, AG, 85–98. H. G. N.

III. Klassische Antike
A. Material, Technik, Steinschneider
B. Historische Entwicklung

A. Material, Technik, Steinschneider

In der S. (Glyptik, von griech. γλύφειν/*glýphein*, »schneiden«) – d. h. der Bearbeitung von Edel- und Schmucksteinen sowie Glasflüssen (Formgebung, Glättung, Dekor) – bezeichnet man geschnittene Steine mit Bild und/oder Inschr. in vertiefter (bei Siegelsteinen negativer) Reliefarbeit als Gemme (= G.), in erhabener Reliefarbeit ausgeführte (Hochschnitt) als Kameo (= K.). Auch in K.-Technik geschnittene Stein- oder Glasgefäße (→ Tazza Farnese, → Portlandvase) zählen zu den Erzeugnissen der S. Ursprungsland der S. ist Mesopotamien (5. Jt. v. Chr.) mit der Herstellung von Stempelsiegeln und Rollsiegel (→ Siegel). Für G. und K. waren meist Steine aus der Klasse der Oxide und Hydroxide verwendet, v. a. die zur Quarzgruppe gehörigen Varietäten wie Chalcedon, Jaspis oder Karneol, äußerst selten dagegen solche der Korundgruppe (Diamant, Rubin). Material- und die Formgebung unterlagen innerhalb der einzelnen Epochen unterschiedlicher Beliebtheit. Facettierung ist erst seit dem MA belegt.

In der älteren minoischen Phase und dann wieder in geom. Zeit ritzte man weiche Steine mit dem Handstichel (Steatit, Serpentin), später schnitt man mit Einsatz des Bogendrills auch »harte« Steine wie Karneol, Chalcedon, Achat, Jaspis und Bergkristall. Das G.-Bild eines etr. Karneol-Skarabäus (London, BM) [1. 233 Anm. 95 Taf. 59,1] illustriert das Bohren mit dem Bogendrill, vgl. auch das Grabstein-Frg. des Steinschneiders Doros von Sardeis [2. 399; 5. 381 Abb. 316]: Um einen horizontal verlaufenden Stab mit Gravierinstrument (»Zeiger«) an der Spitze ist die Lederriemen-Sehne eines Bogens geschlungen, so daß der Stab mittels des Bogens in Rotation versetzt wurde. Der Bogen konnte von einem Gehilfen oder vom G.-Schneider selbst mit der einen Hand bewegt werden, während die andere den auf ein Holzstück gekitteten Stein gegen den rotierenden Bohrer führte. Als Schleifmittel diente ein Öl-Korund-Gemisch (Plin. nat. 37,10). In hell. und röm. Zeit setzte man kleine, in Eisen gefaßte Diamantsplitter ein (Plin. nat. 37,15), die scharfe, feine Linien erzeugte [2]. Abschließend wurde die G. poliert, wobei Methoden und Vorlieben zu den verschiedenen Zeiten differierten. Das Prinzip der Vergrößerung durch Bündelung von Strahlen war bekannt (z. B. Plin. nat. 36,67; 37,10), der Einsatz von Lupen ist jedoch unwahrscheinlich. Nach Plin. nat. 37,16 erholte das Sehen durch konkave, grüne Smaragde die Augen der Steinschneider. Werkstätten der minoisch-myk. Zeit kamen bei Grabungen in Mallia zutage, weitere – mit Steinen der frühkaiserzeitl. und republikan. Epoche – in Pompeii [1. 31[43], 33[59], 266[35]].

Steinschneider sind durch schriftliche Überl. oder Signaturen bekannt, wobei das Signieren nicht in allen Perioden und Gattungen der Glyptik üblich war. Die Themen der S. sind v. a. myth., rel. und polit. (Porträts), ebenso sind oft Werke der zeitgenössischen Plastik aufgegriffen. Repliken von Meister-G. zeigen, daß diese schon in der Ant. bewundert wurden. Stilistische Eigenheiten lassen mitunter die Herkunft der G.-Schneider erkennen.

B. Historische Entwicklung
1. Minoisch-mykenisch
2. Griechisch-geometrisch
3. »Inselsteine«; archaisch
4. Griechisch-klassisch
5. Hellenistisch
6. Italisch und römisch-republikanisch
7. Kaiserzeitlich
8. Magische Gemmen

1. Minoisch-mykenisch (ca. 2600–ca. 1050 v. Chr.)

Typisch für die frühminoische Zeit sind Siegel aus mit dem Handstichel zu ritzendem, weichem Steatit mit asymmetrischen Linien, später Kreuz-, Gitter- sowie Spiral-Muster [1. 25 ff.; 3]. Durch die fortgeschrittene Technik mit dem rotierenden Bohrer kommen in min. Zeit auch harte Steine vor (z. B. Jaspis, Chalcedon). Beliebte Formen sind vierseitige Prismen, Petschafte (Siegelplatten bzw. Siegelsteine am kurzen Stiel) sowie theriomorphe Siegelformen, aufgrund piktographischer Schriftzeichen verm. eher Amulette als reine Siegelsteine [1. 44 f.; 3]. Diese wurden während der letzten min. Phase durch »talismanische« G. abgelöst, die in spätmin. Zeit zur weithin gefragten Massenware der Amulette avancierten: durchbohrte Amygdaloide (mandelförmig) und Lentoide (linsenförmig) aus Jaspis oder Bergkristall mit Symbolen (Fischen, Fischereigerät, Opfer-Requisiten). An Kombinationen von Architekturdetails erinnern die Muster der »Architektur-G.«. In der spätmin.-myk. S. fällt eine naturalistische Tendenz auf. Die Bilder von Jagd, Tieren, Fabelwesen, Göttern und Menschen sind durch feine Modellierung und fließende Formen gekennzeichnet.

2. GRIECHISCH-GEOMETRISCH (9.–7. JH. V. CHR.)

Zunächst wurde wieder auf weiche Steine und Ritzstichel zurückgegriffen. Die vom Ritzstil bestimmte S. durchläuft eine Entwicklung vom Strichmännchen zu geom. Figuren. Die Siegelformen ähneln denen der minoisch-myk. Phase: theriomorphe Formen, Fußamulette, Gesichtssiegel, Platten mit Griff, Pyramiden, Prismen sowie Scheibenform (Diskos), die sich schon der Skarabäoid-Form nähert. Es folgen Skarabäus, Zylinder, Amygdaloide und Steatit-Quader [1. 51–56]. Abdrücken auf Ton zufolge wurden die meist durchbohrten G. als Siegelsteine benutzt, dürften jedoch auch als Amulett getragen worden sein, bes. die ca. 300 einander ähnelnden Serpentin-Skarabäoide der »Leierspielergruppe« mit Musiker- und Fischermotiven [1. 61 f.; 5. 109 f., 398]. Die Fundorte der geom. G. lassen als Verbreitungsraum das griech. Festland, die ägäischen Inseln, Zypern, Kleinasien, Phönizien, Syrien, Etrurien und Ischia erkennen; Produktionszentren sind unklar [1. 59 f.].

3. »INSELSTEINE« (7./6. JH. V. CHR.); ARCHAISCH (6./FRÜHES 5. JH. V. CHR.)

Formen und Themen der in orientalisierendem griech. Stil geschnittenen »Inselsteine« (»Melischen G.«) des 7./6. Jh. v. Chr. ähneln den minoisch-myk.: Lentoide, Amygdaloide, Diskoi bzw. Hemisphären, Petschaft, Zylinder, Tiersiegelsteine – nun etwas flacher geformt und eher schon Ps.-Skarabäen sowie anthropomorphe Formen – meist aus weißlich grünem bis bräunlichem Steatit, weiterhin Karneol, Bergkristall, Jaspis und Chalcedon. Dargestellt sind Tiere und Fabelwesen, später auch Menschen und Helden [1. 80–82; 4]. Als älteste Meistersignatur gilt die des → Syries, in der Folge Onesimos. Die Insel Melos war wohl Herstellungszentrum, die weite Verbreitung über ganz Griechenland spricht für die Beliebtheit der Steine [1. 77].

Zu Beginn des 6. Jh. zog der Aufschwung des Handels die Siegelpraxis im attischen Alltag nach sich. Skarabäen oder Skarabäoide an einem Goldbügel wurden zum (Ver-)Siegeln z. B. von Behältnissen benutzt, aber auch als Schmuck am Finger getragen (Ring des Polykrates: Hdt. 3,40; 3,41, Diog. Laert. 8,1,17). Neben grünem Jaspis wurden v. a. Karneol, Chalcedon, dann auch Sardonyx, Achat und Bergkristall bevorzugt. Die Hauptform ist der sehr kleine Skarabäus, der sich in der Ausarbeitung von äg. und phöniz. Vorbildern abhebt, ferner die Varianten mit plastischem Tier oder Maske als Rücken. Das stets von Strichbändern gerahmte Bildfeld zeigt Heroen, Tierkampfgruppen (Löwen), Satyrn und Mänaden, Götter, geflügelte Dämonen und Fabelwesen, aber auch profane Themen wie Jüngling mit Hund, Handwerker, Krieger oder Athleten [1. 105–112; 4]. Meistersignaturen der archa. Zeit sind die im Nominativ geschriebenen Namen der Ionier Epimenes und Anakles (480–460 v. Chr.) und des Zyprioten Aristoteiches [1. 103 f. Anm. 19–21 Taf. 23,2; 5; 8].

4. GRIECHISCH-KLASSISCH (5./4. JH. V. CHR.)

In der griech.-klass. Periode tritt der Skarabäus zugunsten der Skarabäoide zurück, bevorzugt wird bläulicher Chalcedon, dann Bergkristall und Karneol, ferner Achat, bunt gesprenkelter Jaspis und – als Surrogat für Bergkristall oder Chalcedon – weißes Glas. Beliebt sind das Tierbild (s. → Dexamenos [2]), die Leierspielerin, Frauen bei der Toilette oder Odysseus, ebenso werden Werke der zeitgenössischen Plastik zitiert [1. 146–150 Taf. 34; 35]. Zu den Meisterstücken gehören die signierten Arbeiten von → Onatas [2], Dexamenos und → Pergamos, wobei nun Steinschneider auch als Mz.-Stempelschneider belegt sind, z. B.: »Olympios« (380–360 v. Chr.), Phrygillos (für sizilische Städte ca. 430–399 v. Chr.), Sosias (Mz. von Syrakus 430–400 v. Chr.) [1. 137–141 Taf. 32, 6; 10; 11].

5. HELLENISTISCH (3./2. JH. V. CHR.)

Durch die Feldzüge Alexandros' [4] d. Gr. und neue Handelsbeziehungen werden neue Materialien zugänglich: Granat, Almandin, Amethyst, Smaragd, Aquamarin, Topas. Bevorzugt ist der Ringstein, konvex, schmal hochoval, häufig aus Sard (brauner Karneol) oder braunem Glas mit Bild auf der konvexen Seite. Farbige Glasausgüsse belegen die Popularität der in große Gold-, Silber- oder Br.-Ringe gefaßten Siegelsteine (→ Siegel II.). Beliebt sind nun Porträts, Motive um Sarapis, Isis oder Zeus-Ammon, häufig Alexander d. Gr. selbst, Flußgottheiten und Nereiden – meist im Büstenausschnitt und in Rückenansicht – sowie Musen oder Mänaden mit schmalem Oberkörper, hell. Faltenwurf, zierlichem Profil und Knotenfrisur [1. 199–205 Taf. 46–52; 2; 5; 6; 7]. Auch stehen die G.-Bilder unter Einfluß der Plastik: z. B. Alexander d. Gr. als Zeus im Typus von Lysippos-Statuen [1. 200 f.[49] Taf. 48, 3]. Die Technik des K.-Schneidens kam neu auf und erreichte einen ersten Höhepunkt mit Athenion [3], Boëthos [13] und Protarchos [5]. Als Hof-Steinschneider überliefert Plin. nat. 7,125 → Pyrgoteles, durch Signatur bekannt sind Apollonios [22], → Onesas, Daidalos, Gelon, Lykomedes, Nikandros, Nikias, Pheidias und Sosis [1. Gesamtreg. s. v. Steinschneidernamen, ant.].

6. ITALISCH UND RÖMISCH-REPUBLIKANISCH (1. JH. V. CHR.–1. JH. N. CHR.)

Die Entwicklung der ital. Glyptik wurde zunächst entscheidend durch die etr. S. geprägt [1. 214–259]. Hauptgegenstand der ital. und röm.-republikan. S. ist der Ringstein. Bes. beliebt sind Lagenachate, ferner meist kreisförmige Karneole und Sard (brauner Karneol), daneben auch Chalcedon und Nicolo. Die Glaspastenherstellung geschah in Massenfabrikation. Die Ringe aus Gold oder Br. sind glatt, mitunter auch massiv mit hervorgehobener Darstellung in der Ringplatte [1. 268–274]. Neben der Anwendung als Siegelsteine treten Schmuckzweck und Verwendung als Amulett oder Auszeichnung in den Vordergrund [10. 57 Anm. 3, 59]. Beliebt sind dionysische Themen, Hercules mingens, der Raub des Palladions, ländliche Opferszenen, Philosophen-, Schauspieler- und Musikerbilder als Ausdruck der Verherrlichung von Weisheit und Kunst, Skelette und Insektenmännchen als Allegorien der Vergänglichkeit, Ähren, Mohn, Füllhorn oder Steuerruder als Segenssymbole [1. 290–302 Taf. 82–89; 9; 11]. Durch Signatur bekannte Steinschneider der röm.-republikan. Zeit sind Agathangelos [1], → Alexas, Aulos [2] und Quintus, Felix [1], Anteros, → Gnaios, → Skopas [4], Menophilos, Pamphilos, Sosokles und Teukros [1. Gesamtreg. s. v. Steinschneidernamen, antike]. Als Kameoglyphen tätig waren Diodotos, Tryphon, Rufus und → Sostratos [4] [8. 131ff.; 9. 139–141].

7. Kaiserzeitlich
(2.–4. Jh. n. Chr.)

In der Kaiserzeit galten nach Plin. nat. 37,196 die planen Steine wertvoller als die konvexen, die Wertschätzung der Formen rangierte in der Reihenfolge länglich, linsenförmig, rund und eckig. Auch läßt sich eine Beziehung von Formgebung und Material feststellen (Plin. nat. 37,76). Oft ist die Wahl des Materials an bestimmte Motive gebunden [1. 344f.]. Häufig sind Chalcedon, Jaspis und Nicolo, am häufigsten verwendet wurde Karneol, doch gewannen auch Praser, Granat, Hyazinth und Amethyst stark an Beliebtheit. Als Massenmedium der polit. → Propaganda sind seit augusteischer Zeit Glaspasten weit verbreitet. Die kaiserzeitl. G. sind – anfangs eher klein bis winzig – beinahe durchweg in Ringe aus Eisen, Br., Silber und Gold oder als Medaillons gefaßt [1. 344–348 Abb. 69–71]. Mit den Staats-K. erreicht die K.-Technik ihren zweiten Höhepunkt (Gemma Augustea, Grand Camée de France) [12]. Auserwählte Steinschneider – vor allem ansässige oder zugewanderte Griechen – erhielten in Rom kaiserl. Staatsaufträge (→ Dioskurides [8]). Ant. Quellen berichten über Motive der Privatsiegel Caesars, Galbas, Traians oder des Augustus, keines ist jedoch in Original oder Nachbildung erhalten [1. 315f.]. Thematisch standen Porträts an erster Stelle [1. 323–328 Taf. 97–100,3; 10], ferner Darstellungen von Mythen, die sich auf die röm. Gesch. beziehen, sowie propagandistische Symbole [1. 328–337]. Bekannte Meister der frühen Kaiserzeit sind: Solon [3], Kleon [7], Dioskurides, Eutyches [1], Herophilos [2], Hyllos [3], Agathopus, Saturninus, Epitynchanos, Polykleitos, Gaios, Lucius (Leukios), Agathameros, Dalion und wohl Mykon [1. Gesamtreg. s. v. Steinschneidernamen, ant.]. Ebenso zählt hierzu die umstrittene Signatur des → Thamyras. In die Zeit des Claudius [III 1] gehört Skylax [2], Euodos in flavische Zeit [1. 321 Anm. 100 Taf. 95,4]. Bekannte Steinschneider der hadrianischen Epoche sind Antonianus, Platon und wohl Koinos [1. Gesamtreg. s.v. Steinschneidernamen, antike]. Umstritten ist die zeitliche Einordnung des Aspasios [4]. In antoninische Zeit fällt die Tätigkeit des → Hyperechios sowie eines weiteren Aspasios. Für das erste Drittel des 5. Jh. n. Chr. ist Romulus durch den signierten Sardonyx mit Investitur des Valentinianus III. durch Honorius im Jahr 423 bekannt [1. 323[108], Taf. 96,7].

8. Magische Gemmen
(2.–4. Jh. n. Chr.)

Nicht Siegelsteine, sondern Amulette und Talismane waren die v. a. unter Septimius Severus im gesamten Reich verbreiteten magischen G. (sog. »gnostische, basilidianische G.«, »Abraxen«; → Magie; → *phylaktērion*) [1. 350–362; 13; 14; 15]. Bilder und Inschr. sind positiv geschnitten auf dem Stein lesbar, der verm. als Ringstein oder Medaillon gefaßt war, als Streichelstein in der Hand gerieben oder unter der Kleidung getragen wurde [14. 23f.]. Die Wirksamkeit der Amulette beruhte auf der Synthese von Motiv, Inschr. und Material/Farbe (z. B. Jaspis in allen Farben, Chalcedon, Karneol, Hämatit, Magnetit, Lapislazuli) [15]. Die mit magischen Texten (→ Zauberpapyri; PGM) und dem Zauberwesen korrespondierenden Steine beziehen sich v. a. auf die Bereiche von Jenseitsglauben, medizinisch-magischen Heilmitteln und Liebeszauber [13; 15]. Aufgrund zahlreicher synkretistischer Einflüsse in Bild und Inschr. wird Alexandreia [1] als Herstellungsort dieser G. mit meist unbekanntem Fundort angenommen [13. 22ff.; 14. 8–10[18]]. Durch das MA und im Zuge der Alchimie tradiert, erreichten die magischen G. in der Neuzeit eine zweite Blütezeit [15. 345ff. Taf. 89–95, 603–649].

→ Edelsteine; Magie; Phylakterion; Schmuck; Sphragis; Siegel; Steinschneidekunst/Gemmen

1 Zazoff, AG **2** Furtwängler **3** CMS **4** J. Boardman, Archaic Greek Gems. Schools and Artists in the Sixth and Early Fifth Centuries BC, 1968 **5** Ders., Greek Gems and Finger Rings, 1970 **6** Richter, Portraits **7** G. M. A. Richter, The Engraved Gems of the Greeks and Etruscans, 1968 **8** Dies., The Engraved Gems of the Romans, 1971 **9** M.-L. Vollenweider, Die S. und ihre Künstler in spätrepublikanischer und augusteischer Zeit, 1966 **10** Dies., Die Porträtgemmen der röm. Republik, 1972–1974 **11** R. Fellmann-Brogli, Gemmen und Kameen mit ländlichen Kultszenen. Unt. zur Glyptik der ausgehenden röm. Republik und der Kaiserzeit, 1996 **12** W. R. Megow, Kameen von Augustus bis Alexander Severus, 1987 **13** C. Bonner, Studies in Magical Amulets, Chiefly Graeco-Egyptian, 1950 **14** H. Philipp, Mira et Magica. Gemmen im Äg. Mus. der Staatl. Museen Preußischer Kulturbesitz, 1986 **15** S. Michel, Die magischen Gemmen im Britischen Mus. (Hrsg. H. und P. Zazoff), 2001.

AGD • A. D'Agostini, Gemme del Museo Civico di Ferrara, 1984 • R. Casal García, Colección de glíptica del museo arqueológico nacional (Madrid). Serie de entalles romanos, 1990 • S. Finogenova (Hrsg.), Die Slg. ant. Gemmen im Staatl. Mus. für bildende Kunst A. S. Puschkin, 1993 (russ.) • M. Henig, Classical Gems. Ancient and Modern Intaglios and Cameos in the Fitzwilliam Mus., Cambridge, 1994 • A. R. Mandrioli Bizzarri, La collezione di gemme del Museo Civico Archeologico di Bologna, 1987 • U. Pannuti, Catalogo della collezione glittica, Museo Archeologico Nazionale di Napoli, Bd. 2, 1994 • G. Platz-Horster, Die ant. Gemmen aus Xanten, 1987 • E. Zwierlein-Diehl, Die ant. Gemmen des Kunsthistor. Mus. in Wien, Bd. 3, 1991.

S. MI.

Steiria (Στειριά, Στειρία, Στιρία, Στηριά). Attischer Paralia-Demos, Phyle Pandionis, drei (vier) *buleutaí*, an der Ostküste von Attika zw. Prasiai und Brauron an der Bucht von Porto Raphti (Strab. 9,1,22; h. Limen Mesogeias) nördl. der Halbinsel Punta [1. 68–70]. Die *Steiriakḗ hodós* (»S.-Straße«) verband S. mit Athenai (Plat. Hipparch. 229a). Steirieis waren an der Kolonisation von → Euboia [1] beteiligt (Strab. 10,1,6). Die Phegaieis in IG II² 2362 bildeten wohl eine → *kṓmē* (»Landgemeinde«) von S. [2. 55, 57–60]. Gegen 286 v. Chr. wurden S. und Prasiai auf die Halbinsel Koroneia verlegt und befestigt; sie entvölkerten sich aber nach der maked. Eroberung 262 v. Chr. [1].
→ Phegaia

1 H. Lauter-Bufe, Die Festung auf Koroni und die Bucht von Porto Raphti, in: MarbWPr 1988, 67–102
2 J. S. Traill, Demos and Trittys, 1986.

Traill, Attica, 43, 62, 68, 112 Nr. 130, Tab. 3. H. LO.

Stele

I. Vorderasien und Ägypten II. Phönizien III. Klassische Antike

I. Vorderasien und Ägypten

S. sind aufrechtstehende Steinplatten mit Reliefs oder Inschr. auf einer oder mehreren Seiten; in Äg. sind auch S. aus Holz erh. Im frühen Mesopot. kann ihre Form naturbelassen sein, sonst sind sie oben meist abgerundet, seltener rechteckig. In Äg. dienten seit dem Ende des 4. Jt. v. Chr. Toten-S. am oder im Grab (oder Kenotaph) als Kultstelle. Im 1. Jt. wurden die Toten-S. (meist aus Holz) auch mit in die Sargkammer gegeben: Sie tragen Bilder (der Tote vor dem Opfertisch oder betend) und Inschr. (Opferformeln, Gebete, biographische Angaben u. a.). Daneben finden sich im Tempel errichtete Votiv-S. und Königs-S., die meist ein bes. Ereignis (Feldzug, Jagd, Heirat, Bauwerk) festhalten und der staatlichen »Propaganda« dienten. Auf S. wurden auch Dekrete veröffentlicht (das äg. Wort für S., *wḏ*, bedeutet »Befehl«). Man konnte S. auch als Grenzmarkierung verwenden. Magische S., mit Figuren und Texten bedeckt, dienten der Heilung und Prophylaxe. In Mesopot. dienten sie fast immer der Darstellung des Herrschers und seiner Taten (Löwenjagd-S. aus Uruk, E. 4. Jt.; Geier-S. des Eannatum aus Girsu, ca. 2500; Narām-Sîn-S., ca. 2250; S. des Gudea von Lagaš und des Urnammu von Ur, ca. 2100). Der Dekretierung der Rechtsauffassung diente das auf einer S. unterhalb des Herrscherreliefs aufgezeichnete sog. »Rechtsbuch« des → Ḫammurapi. Zu den S. rechnen auch die Kudurru mit ihrer Kombination von figürlichen Reliefs, Göttersymbolen und langen Texten, in denen Landbesitz geregelt wird (E. 2.–Anf. 1 Jt. v. Chr.). S. spielen in den übrigen Gebieten des Vorderen Orients keine Rolle. Nur zu Beginn des 1. Jt. erfreute sich die Grab-S. in Syrien großer Beliebtheit, verm. unter äg. Einfluß.

K. Martin, s. v. S., LÄ 6, 1986, 1–6 • J. Börker-Klähn, Altvorderasiatische Bild-S. und vergleichbare Felsreliefs, 1982 • D. Bonatz, Das syro-hethitische Grabdenkmal, 2000. K. J.-W. u. H. J. N.

II. Phönizien

S., als Votiv- und Grab-S., gehören zu den häufigsten Denkmälerklassen der phöniz.-punischen Welt. Im Levanteraum sind sie in der Bilder- und Formensprache wesentlich von mesopot.-syrischen und äg. Vorbildern geprägt. Die S. des mediterranen Westens (→ Karthago, → Tharros, → Motya u. a.) zeigen entsprechend ihrer Sinngebung als steinernes »Mal« bzw. »Stellvertreter« des Toten oder Weihenden fließende Übergänge zu → *baitýlia*, Cippen (→ *cippus*), Grabaltären usw.; bes. beliebt bleibt die sog. Naïskos-S., mit und ohne im Detail ausgestaltete architektonische Rahmung. Die Darstellungen auf den S. können ikonisch oder anikonisch sein, seltener sind Astral- und Göttersymbole (z. B. Sonnenscheibe und Mondsichel, Tanit-Symbol).
→ Phönizier, Punier

G. Tore, Stèles, in: V. Krings (Hrsg.), La civilisation phénicienne et punique, 1995 (=HbdOr 1. 20), 475–493 • M. L. Uberti, s. v. Stèles, DCPP, 422–427. H. G. N.

III. Klassische Antike

In der griech.-röm. Ant. war S. (στήλη; lat. *stela*) die Bezeichnung für einen auf dem Boden aufgestellten Träger von schriftlicher oder bildlicher Information. Der arch. Sprachgebrauch bezeichnet mit S. frei aufgestellte → Reliefs, meist einseitig, gelegentlich auch beidseitig ausgeführt, und vorzugsweise im griech. Bereich. Die Aufstellung erfolgte auf niedrigen Basen; Votiv-S. wurden aber auch in den Felsboden oder den → Stylobat eines → Tempels eingelassen. Der Funktion nach handelt es sich bei S. um Grab-, Votiv- und Urkundenreliefs. Die formale Gestaltung der S. umfaßte meist einen mit architektonischen Gliedern (Architrav, Giebel, → Epistylion) gebildeten oberen Abschluß. Bei Grab-S. ist eine Veränderung der Proportionen von der Archaik an zu beobachten, die von pfeilerartigen S. zu hochrechteckigen und zunehmend aufwendig gerahmten S. bis hin zur Gestaltung eines echten → Naïskos im 4. Jh. v. Chr. führte. Urkunden-S. (5.–3. Jh. v. Chr.) sind kleiner im Format und tragen nur im oberen Teil ein Relief, ansonsten die → Inschrift (z. B. Urkundeninschr.). Votiv-S. (→ Weihung, Weihgeschenk) dienten primär als Träger eines Reliefbildes, das in einem architektonisch gefaßten Rahmen am oberen Ende angebracht war.

Kleine Votiv- und Grabreliefs sind im gesamten griech. Raum und an der Peripherie zu allen Zeiten zu finden. Entsprechend der top., kulturell und sozial weiten Verbreitung waren seit der hell. Zeit sowohl die Formen der S. – mit oben abgerundetem Abschluß, mit einem oder mehreren eingetieften Bildfeldern – wie auch die Reliefdarstellungen selbst mehr oder weniger standardisiert. Unter den Votivreliefs sind Darstellungen chtonischer Gottheiten bes. häufig; Grabstelen zeigen meist Familienszenen im häuslichen Ambiente. Diese in die Tausende gehende Denkmälergattung S. ist als Leitobjekt zur Unt. regionaler ant. Kulturen von bes. Bedeutung.

E. Pfuhl, H. Möbius, Die ostgriech. Grabreliefs, 1977–1979 • M. Meyer, Die griech. Urkundenreliefs, 1989 • C. W. Clairmont, Classical Attic Tombstones, 1993 • J. Fabricius, Die hell. Totenmahlreliefs, 1999.

R. N.

Stellatura s. Commeatus

Stellionatus. Im röm. Recht das Delikt der arglistigen Täuschung. Als Straftat frühestens seit Antoninus Pius (2. Jh. n. Chr.) verfolgt, war es ein außerordentliches Delikt (→ *crimen extraordinarium*, Ulp. Dig. 47,20,2), über das im Kognitionsprozeß (→ *cognitio*) vor kaiserlichen Beamten (→ *praefectus urbi*, Provinzialstatthalter) verhandelt wurde. Nach Ulp. Dig. 47,20,3,1 war das *crimen s.* wie die private Klage wegen Arglist (*actio de dolo*, → *dolus*) subsidiär, d. h. es wurde nur verfolgt, wenn keine andere Strafe oder Klage zur Verfügung stand (*si de his rebus alia actio non erit*). Dennoch war der Anwendungsbereich des *s.* in klass. Zeit (1.–3. Jh. n. Chr.) mannigfaltig. Allen Fällen gemeinsam ist die arglistige Schadenszufügung. Beispiele sind: Verpfändung einer fremden Sache, Arglist im Handelsverkehr (Dig. 47,20,3,1), Verkauf eines *statuliber* (testamentarischen Freigelassenen) unter arglistiger Verschweigung dieses → *status*. Sogar der → Meineid zum Zwecke der Bereicherung und das *fumum vendere* (wörtl. »Rauch verkaufen«; Verkauf eines nichtvorhandenen Einflusses auf fremde Personen) konnten als *s.* verfolgt werden. Die Anklage wegen *s.* konnte neben private Klagen wegen Arglist oder aus Vertrag treten; auch eine Konkurrenz mit → *falsum* (»Fälschungsverbrechen«) war möglich. Die genaue Strafe war nicht festgelegt, ging jedoch nicht über Verbannung (von → *honestiores*) bzw. Zwangsarbeit (von *humiliores*) hinaus. Die Verurteilung führte wohl zu Infamie (→ *infamia*).

L. Garofalo, La persecuzione dello stellionato in diritto romano, 1992.

A. VÖ.

Stemma, Stemmatik s. Philologische Methoden

Stempelkeramik. In fast allen Kulturen gibt es Keramik, die durch Stempelung (= St.) verziert wurde, z. B. griech. → Pithos, etr. → Impasto und → Bucchero. In engerem Sinne meint die Arch. mit S. aber die gestempelten Gefäßgattungen hell. und röm. Zeit, bes. die → Schwarzfirnis-Keramik (h. meist schwarze Glanzton-Keramik) und die spätant. Sigillata-Keramik Nordafrikas (→ Terra Sigillata).

Um die Mitte des 5. Jh. v. Chr. wurde in Athen die Praxis der Gefäß-St. für Schwarzfirnis-Keramik eingeführt [1]. Es finden sich bes. St. von Palmetten, Efeu- und Olivenblättern, Mäandern, eingeschriebenen Dreiecken und Diamanten. Ab dem späten 4. Jh. v. Chr. beschränkte sich das Stempelrepertoire auf Palmetten in Verbindung mit Radstempelverzierungen. Die S. verlor in Athen um 225 v. Chr. ihre Vorrangstellung an die matrizengefertigten Gefäße (→ Reliefkeramik), wurde aber noch bis um die Mitte des 2. Jh. produziert [2]. Die Stempel selbst wurden in einer Form hergestellt und hatten eine gerundete Oberfläche, was die St. sowohl auf flachen als auch gewölbten Gefäßteilen in einer rotierenden Handbewegung und noch vor Auftragung des schwarzen Glanztons ermöglichte [3].

Eine der wichtigsten Gattungen der S. im Westen wurde in Rom oder seinem direkten Umfeld sowie in Etrurien (u. a. → Populonia) hergestellt: die sog. *Groupe* (ehemals *Atelier*) *des Petites Estampilles* [4. 1, 59–117; 5. 243–246]. Ihr charakteristischstes Produkt sind einfache Schalen (*pocula*), die im Zentrum vier kleine St. auf parallelen Achsen tragen; auch ein, drei oder fünf St. kommen vor. Dabei handelt es sich oft um Abdrücke von Siegelsteinen (u. a. Palmetten, Rosetten). Auch gleichzeitige Mz.-Bilder der röm. → Aes grave-Emissionen finden sich unter den Stempelmotiven (behelmte Athena, geöffnete rechte und linke Hand, Delphine, Pegasos und Muschel). Die Werkstätten waren zw. etwa 300 und 260 v. Chr. tätig und offensichtlich stark auf den Export konzentriert. Die Hauptproduktion liegt in der engen Zeitspanne zw. 285 und 265 v. Chr.; die Gattung bildet somit eine Art chronologisches »Leitfossil« für die Zeit unmittelbar vor dem ersten → Punischen Krieg. Bei der Verbreitung in Süd-Frankreich und an der Levanteküste Spaniens waren wahrscheinlich massaliotische Händler (→ Massalia) tätig [6], für eine Verbreitung nach Karthago und Nordafrika sind andere Vermittler anzunehmen [7; 4. 101–103, Abb. 27]. Rom oder seine Umgebung produzierten um 200 v. Chr. eine weitere Gattung der S.: die nach ihren typischen Siegelstein-Motiven benannten Heraklesschalen [8; 9].

Eine dritte Gattung der S. im Westen bildet die sog. Campana A-Schwarzfirnis-Keramik aus dem Umfeld von Neapel; sie stammt aus der 2. H. des 3. bis 1. Jh. v. Chr. und war bes. im 2. Jh. weit über den Mittelmeerraum verbreitet [10; 9; 5. 246–249]. Neben und manchmal in Kombination mit Radstempelverzierungen, Ritzverzierung und Bemalung sind bes. im 2. Jh. St. von Rosetten und Palmetten häufig. Auch die ab dem 2. Viertel des 2. Jh. bis um die Mitte des 1. Jh. v. Chr. in Etrurien hergestellte Campana B-Schwarzfirnis-Keramik wurde manchmal mit St. und feinen Radstempelverzierungen versehen. Die Stempeldekoration dieser Gattung geht jener der röm. Arretiner Terra Sigillata voraus [10. bes. 143–151].

Eine eigenständige Gattung der S. wird von der spätant. Terra Sigillata Nordafrikas (*African Red Slip*) gebildet. Die St. sind vom 4. bis ins 7. Jh. n. Chr. charakteristisches Verzierungselement in den inneren Bodenflächen der offenen Gefäße – meist Teller, Schalen und Platten. Drei Hauptphasen dieser St. sind zu unterscheiden: In der ersten überwiegen florale und geom.

Motive, in der zweiten Tiere und christl. Symbole im Zentrum von großen Tellern und Schalen, die von einer Zone mit gestempelten floralen, geom. und Tiermotiven umrahmt werden; die dritte Phase ist durch geschmückte Kreuze, menschliche Figuren, Tiere oder andere Motive gekennzeichnet [11; 12]. J. W. HAYES unterscheidet fünf Stile der spätant. nordafrikanischen Sigillata. Jüngere Unt. haben zum besseren Verständnis des Arbeitsverfahrens in den Werkstätten dieser S. beigetragen [13; 14]. Am Beispiel des Töpferzentrums El Mahrine in Nord-Tunesien konnte M. MACKENSEN nicht weniger als 557 unterschiedliche Stempel dokumentieren. Auch aus dem zentraltunesischen Sidi Marzouk Tounsi wurden tönerne Stempel publiziert. Eine Tonplatte mit 23 St. von 18 unterschiedlichen Stempeltypen bildete wahrscheinlich eine Art Musterbuch. Die feine nordafrikan. S. wurde weit über den Mittelmeerraum verbreitet und führte zu manchen regionalen Produktionen der spätröm. S.

→ Keramikherstellung; Ornament; Schwarzfirnis-Keramik; Siegel; Terra Sigillata

1 B. A. SPARKES, L. TALCOTT, Black and Plain Pottery of the 6th, 5th and 4th Centuries B. C. (Agora 12), 1970, 22–31 2 S. I. ROTROFF, Hellenistic Pottery. Athenian and Imported Wheelmade Tableware and Related Material (Agora 29), 1997, 37–38 3 P. E. CORBETT, Palmette Stamps from an Attic Black-Glaze Workshop, in: Hesperia 24, 1955, 172–186, Abb. 1 Taf. 66–71 4 J. P. MOREL, Études de céramique campanienne, Bd. 1: L'Atelier des petites estampilles, in: MEFRA 81, 1969, 59–117 5 Ders., Les importations de céramique du IIIe siècle et de la première moitié du IIe siècle. Quelques remarques à propos de l'Ibérie, in: J. RAMON et al. (Hrsg.), Les fàcies ceràmiques d'importació a la Costa Ibèrica, Les Balears i Les Pitiüses durant el segle III aC i la primera meitat del segle II aC, 1998, 243–246 6 E. SANMARTÍ-GREGO, El taller de las pequeñas estampillas en la Península Ibérica in: Ampurias 35, 1973, 164–171, Abb. 12 7 F. CHELBI, Céramique à vernis noir de Carthage, 1992, 41–42, Taf. 132–138 8 R. PAGENSTECHER, Die calenische Reliefkeramik (JDAI Ergh. 8), 1909, 15–16 9 J. P. MOREL, Céramique Campanienne: Les Formes, 1981, 47 10 N. LAMBOGLIA, Per una classificazione preliminare della ceramica campana, in: Atti del I° Congr. Internazionale di Studi Liguri, 1952, 139–206 11 J. W. HAYES, Late Roman Pottery, 1972, 217–287, 295–296 12 Ders., A Supplement to Late Roman Pottery, 1980 13 M. MACKENSEN, Die spätant. Sigillata- und Lampentöpfereien von El Mahrine (Nordtunesien): Stud. zur nordafrikan. Feinkeramik des 4. bis 7. Jh, 1993 14 Ders., New Evidence for Central Tunisian Red Slip Ware with Stamped Decoration (ARS Style D), in: Journ. of Roman Archaeology 11, 1998, 355–370. R. D.

Stempelkoppelung s. Münzherstellung

Stenographie s. Tachygraphie

Stentor (Στέντωρ, sprechender Name: »Brüller« [1]). Griech. Troiakämpfer, dessen gewaltige Stimme der von 50 Männern gleichkommt. In seiner Gestalt hält → Hera den Griechen eine Standpauke (Hom. Il. 5,784–792). Selbst tritt S. nirgends auf. Diese »Lücke« wurde von der ant. Exegese durch gelehrte Spekulationen ergänzt (schol. AbT Hom. Il. 5,785): Er mußte sein Leben lassen, weil er → Hermes zum Wettstreit im Schreien herausgefordert hatte (zum Motiv vgl. → Thamyris), und ist der Erfinder der Kriegstrompete. Die Homerstelle begründet die bis heute sprichwörtliche »S.-Stimme« (Aristot. pol. 1326b 6–7; Aristeid. 2,28).

1 KAMPTZ, 253 f. RE. N.

Stenyklaros (Στενύκλαρος, auch Στενύκληρος). Stadt (Ephor. FGrH 70 F 116; Paus. 4,3,7) und Ebene im Norden von Messana [2]. Während *pedíon Stenyklḗrion* bzw. *Stenyklērikón* (Paus. 4,16,6 bzw. 33,4) die nordmessenische Ebene bezeichnet, ist die Lage der Stadt unbekannt (nach [1. 74] identisch mit der Stadt auf der Ithome [1], nach [2. 84] Hügel des Kastro von Tsukaleika).

1 F. KIECHLE, Messenische Stud., 1959 2 N. VALMIN, Ét. topographiques sur la Messénie ancienne, 1930.

F. BÖLTE, s. v. S., RE 3 A, 2339–2342 · MÜLLER, 852.
C. L. u. E. O.

Stephanephorie (στεφανηφορία) hieß das »Tragen des Kranzes« als Symbol sakraler oder magistratischer Würde, in griech. Poleis Kleinasiens weit verbreitet und mehrfach mit der Eponymität (→ Eponyme Datierung) verbunden. Bekannt ist v. a. die eponyme S. in Milet (Syll.^{3} 57; LSAM 50), die von den Aisymneten (→ *aisymnḗtēs*) der → Molpoi ausgeübt wurde [1. 68, 77[29]]. In ihren Namenlisten, die mit geringen Lücken von 525/4 v. Chr. bis 31/2 n. Chr. reichen [2. Nr. 122–128], erscheinen auch → Alexandros [4] und → Augustus (vgl. [3. 167]). In Priene wurde die S. verschiedentlich nominell von einem lokalen Heros (Telon: IPriene 108, Z. 31; 39; 41; nach 129 v. Chr.) oder von einer Gottheit (Apollon: IPriene 44, Z. 31 f.; 2. Jh. v. Chr.; Zeus: IPriene 141, Z. 1–3; 1. Jh. n. Chr.) wahrgenommen. Verm. fand sich in diesen Fällen kein Bürger zur Übernahme der aufwendigen S. bereit [4. 318 f.].

→ Kranz

1 D. ROUSSEL, Tribu et cité, 1976 2 G. KAWERAU, A. REHM, Das Delphinion in Milet (Milet I 3), 1914 3 P. HERRMANN, Inschr. von Milet 1 (Milet VI 1), 1997 4 N. F. JONES, Public Organization in Ancient Greece, 1987. K.-W. WEL.

Stephanos (Στέφανος).

[1] Athener, Sohn des Antidorides aus dem Demos Eroiadai (Syll.^{3} 205 = IG II/III^2 213 = TOD 168: Antrag auf Erneuerung von Freundschaft und Bündnis mit Mytilene im Frühjahr 346 v. Chr.), als Ankläger und Politiker auf der Linie des → Kallistratos [2]. Viel Aufsehen erregte sein von Apollodoros [1] inkriminierter angeblicher Versuch, die Kinder (mit?) seiner Lebensgefährtin → Neaira [6], einer Ex-Hetäre aus Korinth, als seine eigenen aus legitimer Ehe mit einer Athenerin auszugeben; die Tochter → Phano wurde sogar zweimal mit vornehmen Athenern verheiratet. Der Ausgang des

Prozesses ist unbekannt. Hauptquellen: Ps.-Demosthenes (or. 59; vor 340; feindselig); Athenaios (13,593 f.).

C. CAREY (ed.), Apollodoros, Against Neaira ([Demosth.] 59), 1992 (mit engl. Übers.) • K. A. KAPPARIS (ed.), Apollodoros, Against Neaira, 1999 (mit engl. Übers. und Komm.) • PA 12887. U. WAL.

[2] Dichter der Neuen → Komödie (4./3. Jh. v. Chr.), Sohn des Komikers Antiphanes [1] [1. test. 2]. Daß S. in der ant. Kritik einmal zu den ›bedeutendsten Dichtern der Mittleren Komödie‹ gezählt wird [1. test. 3], beruht verm. auf einer Textverderbnis [2]. Erh. sind lediglich fünf bei Athenaios bewahrte Verse eines Dialoges aus dem Stück Φιλολάκων (*Philolákōn*, ›Der Spartanerfreund‹).

1 PCG VII, 1989, 614–615 2 H.-G. NESSELRATH, Die att. Mittlere Komödie, 1990, 50 Anm. 52. T. HI.

[3] Bildhauer. Durch erh. Signaturen ist S. als Schüler des → Pasiteles und Lehrer des Menelaos [10] bekannt und somit einer in Rom tätigen Bildhauerschule zuzuordnen. Seine Schaffenszeit liegt in der 2. Hälfte des 1. Jh. v. Chr. Einziges erh. Werk ist eine signierte Athletenstatue, der sog. Stephanosknabe, die stilistisch auf die frühe Klassik zurückgreift. In der Slg. des Asinius [I 4] Pollio in Rom befanden sich von S. gearbeitete Appiades (Plin. nat. 36,33), verm. Nymphen-Statuen.

OVERBECK, Nr. 2265–2266 • LOEWY, Nr. 374 • LIPPOLD, 386 • P. MORENO, s. v. S., EAA 7, 1966, 494–495 • P. ZANKER, Klassizistische Statuen, 1974, 49–54 • A. LINFERT, in: Forsch. zur Villa Albani. Kat. der ant. Bildwerke, Bd. 1, 1989, 89–93 • M. FUCHS, In hoc etiam genere Graeciae nihil cedamus, 1999, 81–82. R. N.

[4] S. Protomartys (Στέφανος πρωτομάρτυς, wörtl. »der erste Märtyrer«; ca. 40/50 n. Chr.). Nach dem Ber. von Apg 6,1–8,1 war S. ein Griech. sprechender Jude aus der → Diaspora, der nach seiner Konversion zum Christentum in Jerusalem als Missionar und Vertreter des hellenisierten, gesetzesliberalen Flügels (Ἑλληνισταί/*Hellēnistaí*) der christl. Urgemeinde Einfluß gewann im Gegensatz zum gesetzes-, d. h. der Tora treuen (→ Bibel) Teil der Gemeinde. Der theologische Konflikt zw. den beiden Flügeln entzündete sich an der Versorgung der Witwen der *Hellēnistaí*. Während der Vertreibung des hellenisierten Teils der Urgemeinde aus Jerusalem wurde er von der aufgebrachten jüd. Menge öffentlich durch Steinigung hingerichtet. Die → Apostelgeschichte charakterisiert S. als Armenpfleger, sein Martyrium wird – nach dem Vorbild von Prozeß und Kreuzigung Jesu – als ein Prozeß vor dem → Synhedrion gestaltet (Apg 6,12–7,1): S. hält eine Verteidigungsrede (Apg 7,2–53; mit Abhängigkeit von der → Septuaginta, da Schriftzitate, und scharfer Tempelkritik); Paulus [2] ist Zeuge der Steinigung (Apg 7,58; 8,1), die den Auftakt zu einer Verfolgung der hell. Christen bildete. Nach Apg 8,1 konnten die Apostel in Jerusalem bleiben. S. gilt als erster christl. → Märtyrer (Gedenktag: 26. Dez.; Schutzherr der Pferde).

W. STEGEMANN, Zw. Synagoge und Obrigkeit. Zur histor. Situation der lukanischen Christen, 1991, 71–77 • R. LIEBERS, »Wie geschrieben steht«. Stud. zu einer bes. Art frühchristl. Schriftbezuges, 1993, 215–223. K. SA.

[5] (Flavius) Stephanus. Freigelassener und Procurator der Flavia [3] Domitilla, der Frau des Flavius [II 16] Clemens, *cos.* 95 n. Chr. S. nahm an der Ermordung Domitians im Sept. 96 teil, verletzte ihn als erster, wurde aber dann von anderen, die nicht in die Verschwörung eingeweiht waren, getötet (Cass. Dio 67,17,2; PIR S 653). W. E.

[6] Röm. Bischof (12.5.254–2.8.257) zw. den Christenverfolgungen der Kaiser → Decius [II 1] und → Valerianus, beigesetzt in der röm. Calixtus-Katakombe. Im Ketzertaufstreit bezog S. entsprechend der röm. Praxis scharf gegen die Wiedertaufe Stellung und betonte gegenüber dem karthagischen Bischof → Cyprianus [2] so herrisch den Vorrang Roms (Cypr. epist. 67–75; Eus. HE 7,2–9), daß es zu schweren Zerwürfnissen kam, die erst unter seinem Nachfolger Xystus II. beigelegt werden konnten.

M. BORGOLTE, Petrusnachfolge und Kaiserimitation, 1989, 23, 345 • E. CASPAR, Gesch. des Papsttums, Bd. 1, 1930, 627 (Register) • E. PULSFORT, s. v. Stephan I., Biographisch-bibliogr. Kirchenlex. 10, 1995, 1350 f. • G. SCHWAIGER, s. v. Stephan I., LThK³ 9, 967 (Lit. bis 2000). E. W.

[7] S. von Byzanz. Griech. Grammatiker aus → Byzantion, Verf. eines hauptsächlich epitomiert, aber auch in Zitaten erh. alphabetischen geogr. Lex. Die Textausgabe [1] ist noch nicht durch die von R. KEYDELL neubearbeitete ersetzt. Die erh. Hss. stammen vom E. des 15. Jh., die *ed. princeps* (ALDUS, Venedig) von 1502 (zu Fragen der Überl.-Gesch. grundlegend [2; 3]). Angaben über Leben und Werk lassen sich fast nur aus dem Lex. erschließen [6. 2369–2374]: S. war als Grammatiker an der kaiserlichen Hochschule in → Konstantinopolis tätig; das Iustinianus [1] I. gewidmete Lex. [6. 2374 f.] ist wohl um 530 n. Chr. entstanden. S. war Christ (vgl. seine Angaben s. v. Βήθλεμα).

Die Epit. des Lex. wird in der Suda s. v. Ἑρμόλαος einem Hermolaos (Datier. unsicher) mit dem Titel *Ethniká* (»Völkerschaften«, vgl. [5; 9]) zugeschrieben, ders. Titel erscheint auch bei → Choiroboskos Georgios (GG 4,1, 305, Z. 4 HILGARD), öfters bei Eustathios [4] (z. B. zu Hom. Il. 2,735) und in Hss. der Epit. Die urspr. von S. stammende Einteilung des Lex. (B. 36 begann mit Omikron; vgl. Tabelle bei [6. 2377, 2379]) dürfte über 50 B. aufgewiesen haben. Ein einziges Fr. des Originalwerks [2. 334] ist in den Edd. abgedruckt [1. 240,12–259,3]. Die erh. Auszüge des Lex. sind unterschiedlich exzerpiert [6. 2375 f.] (zu einer mitüberl. 2. Epit. [1. 676,9; 7]): 1) knappste Inhaltsangaben: *Nomen proprium* und Bestimmung als »Volk« oder »Stadt« (z. B. Ἔαρες, ἔθνος, Codex S am Anf. des 14. B. [1. 258 f.]); 2) die häufigste Form: *Nomen proprium*, geogr. Bestimmung, Ethnikon (z. B. Φάρβηλος, πόλις Ἐρετριέων, τὸ ἐθνικὸν Φαρβήλιος); 3) etwas erweitert, relativ häufig mit dem Namen mindestens eines Gewährsmannes, evtl. noch dem Titel einer Schrift mit Buchangabe (so z. B. bei Χάλαιον); 4) die ausführlicheren (nach [2. 334] Original-)Artikel, von Δυμᾶνες bis Δώτιον, bieten mehrere Gewährsmänner, Stellenangaben und Zitate; dazu sind Kurzexzerpte überl. [1. 258 f.].

Inhalt des Lex. waren ›Städte, Inseln und Völker, Gaue und Orte, ihre Namensentsprechungen (ὁμωνυμίαι/*homōnymíai*) und Namensänderungen (μετωνυμίαι/*metōnymíai*) sowie die davon abgeleiteten Namen von Völkern, Orten und Besitzungen (ἐθνικά, τοπικά, κτητικὰ ὀνόματα)‹ [1. 258 f.]. Das Hauptinteresse des S. war somit kaum histor. bzw. geogr. [10. 65 f.], sondern gramm.-philol.: Es ging ihm um die Feststellung der Ethnika, die er oft in formaler Analogie zu anderen Bildungen erschloß [11. 104 f.]. Geogr. umfaßte das Lex. des S. die → Oikumene mit bes. Augenmerk auf dem → Aigaion Pelagos (der Ägäis) [8. 81]. Die Lokalisierung der von ihm angeführten Stätten basiert, soweit nachprüfbar, zu ca. 60 % zuverlässig auf Quellen, zu ca. 33 % auf Vermutungen; 7 % seiner Angaben sind inkorrekt. Allerdings sind unter seinen Quellen neben Homeros [1] und Herodotos [1] oft Dichter, deren histor. Unzuverlässigkeit größer sein kann [11. 109 f., 117]. Zu Lasten von S. selbst gehen nicht wenige geogr. Irrtümer [6. 2389 f.], so die mehrmalige Behandlung desselben Orts bei leicht verändertem ON (z. B. Σολκοί, Σύλκοι [4. 85]). Wertvoll ist das Lex. durch Zitate aus vielen verlorenen bzw. weniger bekannten Autoren, die ihrerseits wieder älteres Gut tradieren; dabei sind Autorenzitate als Testimonien wichtig für die Textgeschichte. Von den zitierten Autoren (Liste bei [6. 2379–2389] mit quellenkritischer Diskussion) waren für S. bes. wichtig: Herodianos [1], Oros [1] (für das gramm. Schema) und → Herennios Philon (viel geogr. Material) [6. 2383]. Sehr häufig zitiert S. → Strabon [1. 735], daneben auch den im Alt. wenig wahrgenommenen Periegeten → Pausanias [8] [1. 733], dessen Werk sein Überleben S. verdanken dürfte [4. 85].

→ Geographische Namen; Grammatiker; Lexikographie

Ed.: **1** A. Meineke (ed.), Stephani Byzantii Ethnicorum quae supersunt, 1849 (Ndr. 1958).
Lit.: **2** A. Diller, The Trad. of Stephanus Byzantius, in: TAPhA 69, 1938, 333–348 **3** Ders., Excerpts from Strabo and Stephanus in Byzantine Chronicles, in: TAPhA 81, 1950, 241–253 **4** Ders., Pausanias in the Middle Ages, in: TAPhA 87, 1956, 84–97 **5** W. Dittenberger, Ethnika und Verwandtes, in: Hermes 41, 1906, 78–102; 42, 1907, 1–34 **6** E. Honigmann, s. v. S. (12), RE 3 A, 2369–2399 **7** R. Keydell, Zu S. von Byzanz, in: Studi in onore di A. Ardizzoni, 1978, 479–481 **8** E. Olshausen, Einführung in die Histor. Geogr. der Alten Welt, 1991 **9** E. Risch, Zur Gesch. der griech. Ethnika, in: MH 14, 1957, 63–74 **10** L. Robert, Sur quelques ethniques, in: Ders., Hellenica 2, 1946, 65–93 **11** D. Whitehead, Site-Classification and Reliability in S. of Byzantium, in: Ders., (Hrsg.), From Political Architecture to Stephanus Byzantius (Historia ES 87), 1994, 99–124. H. A. G.

[8] Rechtsprofessor in Konstantinopolis zur Zeit des Iustinianus (6. Jh. n. Chr.). Der an der Kompilation des → *Corpus iuris* unbeteiligte S. schrieb eine griech. Paraphrase (*index*) der → *Digesta* mit Erläuterungen (*paragraphaí*), die in den Basilikenscholien (Anmerkungen zum byz. Kaisergesetz um 900 auf der Grundlage von Iustinianus' *Digesta*) aufgegangen ist.

PLRE 3, 1187 (Stephanus 18) • P. Pescani, s. v. Stefano, in: Novissimo Digesto Italiano 18, 1971, 425 f. • P. E. Pieler, in: Hunger, Literatur, Bd. 2, 421 f. • A. Schminck, s. v. Stephen, ODB 3, 1953. T. G.

[9] Arzt und Kommentator medizinischer Werke in Alexandreia [1] um 600 n. Chr. Er studierte bei einem Asklepios (vielleicht Asklepios von Tralleis, dem Verf. der Vorlesungen zu Aristoteles' ›Metaphysik‹ und selbst Schüler des Ammonios [12], vgl. [1]). Von S. sind drei Komm. überl.: zu den hippokratischen ›Aphorismen‹, zum hippokratischen *Prognōstikón* und zu Galens *Methodus Medendi* (*Ad Glauconem*). Sie alle zeigen Kenntnis des Ausbildungswesens im spätant. Alexandreia (vgl. [2]). Auffällige Par. zw. S.' ›Aphorismen‹-Komm. und dem des → Theophilos Protospatharios (9./10. Jh.) lassen sich jedoch eher durch die Annahme einer gemeinsamen Vorlage erklären als durch unmittelbare Abhängigkeit des Theophilos von S. [3]. Auch später bringen arabische Autoren S. mit Alexandreia in Verbindung [1]. Seine Auslegungsmethoden medizinischer Texte lassen Vertrautheit mit Methodik und Aufbau zeitgenössischer Philos.-Vorlesungen erkennen. In den Überschriften zu seinen Werken wird S. in der Hss.-Trad. durchgängig als »Philosoph« bezeichnet [1; 4]. Ob er mit einem oder mehreren S. identisch ist, die man aus seiner Zeit kennt, ist nicht zu klären. Plausibel scheint seine Identifizierung mit einem S., der um 580–585 Philos. in Alexandreia unterrichtete und Komm. zu Aristoteles' logischen Schriften verfaßte, sowie mit dem anon. Athener, der um 606 in Konstantinopolis Philos. unterrichtete. Problematischer, wenngleich nicht ausgeschlossen, ist seine Identifizierung mit dem Astronomen, Astrologen und Alchemisten S., den wir nur aus wesentlich späteren byz. Quellen kennen [1].

1 W. Wolska-Conus, S. d'Athènes et S. d'Alexandria. Essai d'identification et de biographie, in: REByz 1989, 5–89
2 Dies., Les commentaires de S. d'Athènes au Prognostikon et aux Aphorismes d'Hippocrate, in: REByz 1992, 5–86
3 Dies., Sources des commentaires de S. d'Athènes et de Théophile le Protospathaire aux Aphorismes d'Hippocrate, in: REByz 1996, 5–66 **4** M. Roueché, The Definitions of Philosophy and a New Fr. of Stephanus the Philosopher, in: Jb. der österreichischen Byzantinistik 40, 1990, 108–128.

L. G. Westerink (ed.), In Hippocratis Aphorismos commentaria 5–6 (CMG XI 1,3), 1984–1995 (mit engl. Übers.) • J. M. Duffy (ed.), In Hippocratis Prognosticum commentaria 3 (CMG XI 1,2), 1983 (mit engl. Übers.) • K. Dickson (ed.), Stephanus the Philosopher and Physician: Commentary on Galen's Therapeutics to Glaucon, 1998 (mit engl. Übers.). V. N./Ü: L. v. R.-B.

[10] Byz. Grammatiker des frühen 7. Jh. n. Chr. [1. 139], von dessen Komm. zur ›Gramm.‹ des → Dionysios [17] Thrax einige Exzerpte erh. sind. In ihnen erweist sich S. als guter Kenner der stoischen Philos. und Sprachtheorie [2. 35; 3]; viele Stellen sind jedoch aufgrund der Übereinstimmung seiner Erklärungen mit den Dionysios-Scholien des → Heliodoros [9] und des → Melampus [2] nicht eindeutig zuzuordnen [4; 5. 2399 f.].

Ed.: GG 1, 3.

Lit.: **1** Sandys, Bd. 1 **2** J. Lallot, La grammaire de Denys le Thrace, 1998 **3** F. Caujoulle-Zaslawski, La scholie de Stephanus, in: Histoire, épistémologie, langage 7, 1985, 19–46 **4** W. Hoerschelmann, De Dionysii Thracis interpretibus veteribus, 1874 **5** A. Gudemann, s. v. S. (13), RE 3 A, 2399–2401. M. B.

[11] S. Melodos (Σ. Μελῳδός). Byz. Melode (Hymnendichter), geb. in Damaskos um 725 als Neffe des Iohannes [33] von Damaskos, lebte seit seinem 10. Lebensjahr im Sabas-Kloster in Palaestina, wo er 802 starb. S. verfaßte zahlreiche (griech.) Hymnen und beschrieb das Martyrium der zwanzig 797 im Sabas-Kloster von Arabern ermordeten Mönche. Auch die nur in georgischer Übers. erh. Vita Romanos' des Jüngeren († 780) ist sein Werk. Das Leben des S. ist aus der von seinem Schüler Leontios verfaßten Biographie bekannt. Die von der älteren Forsch. vermutete Trennung zw. dem Hymnendichter und dem Helden dieser Vita ist unbegründet. → Hymnos IV.

S. Eustratiades, Στέφανος ὁ ποιητὴς ὁ Σαβαΐτης, in: Nea Sion 28, 1933, 651–673, 722–737; 29, 1934, 3–19, 113–130, 185–187.

[12] S. Diakonos (Σ. Διάκονος). Verf. der Vita des Hl. S. des Jüngeren, der nach diesem Text um 713 n. Chr. geb. wurde, als Mönch auf dem Auxentios-Berg bei Konstantinopolis lebte und wegen seines Eintretens für den Bilderkult (→ Syrische Dynastie) 764 hingerichtet wurde. Die Entstehung der Vita wird im Text selbst auf das J. 807 datiert. Da sie stark für die Bilderverehrung eintritt, wurde dieses Datum für die h. Gestalt der Vita neuerdings bezweifelt; möglicherweise ist ein urspr. kürzerer und weniger polemischer Text, der tatsächlich um 807 von dem sonst unbekannten S. verfaßt war, nach dem E. des Bilderstreits um die Mitte des 9. Jh. erweitert worden [5. 228 f.].

Ed.: **1** M. F. Auzépy, La Vie d'Étienne le Jeune par Étienne le Diacre, 1997 (mit frz. Übers.).

Lit.: **2** Dies., L'hagiographe et l'iconoclasme byzantin, 1999 **3** G. Huxley, On the Vita of St. Stephen the Younger, in: GRBS 18, 1977, 97–108 **4** F. Rouan, Une lecture »iconoclaste« de la vie d'Étienne le Jeune, in: Travaux et Mémoires 8, 1981, 415–436 **5** P. Speck, Ich bin's nicht, Kaiser Konstantin ist es gewesen, 1990. AL. B.

[13] Verm. in Konstantinopolis lehrender [1. 38] Grammatiker des 12. Jh. [2. 2365; 3. 308]. Von seinem wichtigsten Werk, einem Komm. zu Aristoteles' [6] ›Rhet.‹, haben sich Bemerkungen zu den B. 1,2–3,9 erh. Darin wird seine Nähe zu → Aphthonios und → Hermogenes [7] deutlich, deren Rhet.-Lehren er im praktischen Unterricht umzusetzen versuchte [2. 2365 f.].

Ed.: CAG Bd. 21, 2,263–322.

Lit.: **1** C. A. Brandis, Ueber Aristoteles' rhet. und die griech. ausleger derselben, in: Philologus 4, 1849, 1–47 **2** O. Schissel, s. v. S. (11), RE 3 A2, 2364–2369 **3** G. A. Kennedy, Aristotle. On Rhetoric, 1991 (engl. Übers. und Komm.). M. B.

[14] s. Kranz; Meleagros [8]; Sternbilder

Steppe. Als S. werden semi-aride Vegetations- und Klimabereiche bezeichnet, die im Verhältnis zur Temperatur unzureichende Niederschläge für einen Baumbewuchs aufweisen. Diese Vegetations- und Klimaform findet sich in SO-Europa, Nordafrika, in verschiedenen Gebieten des Vorderen Orients, Südrußlands und Zentralasiens. Je nach jährlichen klimatischen Bedingungen können die Grenzen sowohl zum Agrarland als auch zu → Wüsten fließend sein; in letzterem Fall wird auch von Wüsten-S. gesprochen. In den meisten S. reicht die Vegetation für Weidenutzung, weshalb sie bevorzugter Lebensbereich von nichtseßhaften Tierzüchtern sind und waren (→ Viehwirtschaft). Die eben genannten Bedingungen ließen Kulturen mit eigenständigen Wirtschafts- und Sozialstrukturen sowie einer eigenen Kunst entstehen. Die S. Vorder- und Zentralasiens waren spätestens seit Anf. 3. Jt. v. Chr. immer wieder ein Reservoir, aus dem in kürzeren oder längeren Abständen nichtseßhafte Völkerschaften die Agrargebiete bedrängten und/oder sich dort dauerhaft festsetzten (→ Sakai; → Skythen; → Hunni; Mongolen). Insbes. in den an die Agrargebiete angrenzenden S.-Gebieten, die in günstigen J. ausreichende Niederschläge erhalten konnten, bildeten sich Mischformen heraus, die mit wechselnder Betonung von Ackerbau und Tierzucht flexibel auf die jeweilige Situation reagierten. Im Bündnis mit den Seßhaften konnten diese Gesellschaften durch Kultivierung der Randbereiche das Anbaupotential einer Region erhöhen, während im Bündnis mit den Nichtseßhaften die Unkalkulierbarkeit vergrößert wurde. Mehr als einmal seit dem 3. Jt. v. Chr. bereiteten solche Gruppen die Übernahme der Macht in agrarischen Gebieten durch Nichtseßhafte vor (Akkader/→ Akkadisch; → Amurru; → Aramäer).
→ Klima; Mobilität; Nomaden; Transhumanz

R. Bernbeck, S. als Kulturlandschaft, 1993 • B. Brentjes, R. S. Vasilievsky, Schamanenkrone und Weltenbaum, 1989 • H. J. Nissen, The Mobility between Settled and Non-Settled in Babylonia, in: M.-Th. Barrelet (Hrsg.), L'archéologie de l'Iraq du début de l'époque Néolithique à 333 avant notre ère, 1980, 285–290 • E. Wirth, Syrien, 1971. H. J. N.

Sterblichkeit
I. ALLGEMEINES II. TODESURSACHEN
III. URSACHEN DER HOHEN STERBLICHKEIT
IV. EINZELNE SOZIALE GRUPPEN

I. ALLGEMEINES
Gesellschaften vor der sog. »demographischen Transition« mit ihrem Übergang zu niedrigen Geburten- und Sterberaten weisen im allg. hohe Natalität und Mortalität, v. a. hohe Säuglings-S., und damit verbunden eine niedrige durchschnittliche → Lebenserwartung für Neugeborene auf; dies ist auch für die Ant. anzunehmen, wobei die Überl. für Griechenland deutlich lückenhafter ist als für das Imperium Romanum. Die mod. Forsch. geht in der Regel von einer Lebenserwartung ant. Menschen von ca. 20–25 J. aus. Unter den Bedingungen der – für Rom zum Vergleich zumeist herangezogenen – mod. Sterbetafel ›West, level 3‹ verzeichnet eine »stabile Population« jährliche Todesraten von ca. 40/1000 für Frauen und 44/1000 für Männer; mehr als die H. der Todesfälle betrifft demnach Kinder unter 10 J. Neuere Unt. bemühen sich um regional, zeitlich, sozial, alters- und geschlechtsspezifisch differenzierte Schätzungen bzw. Berechnungen der durchschnittlichen Lebenserwartung ant. Menschen. Wichtig ist in diesem Zusammenhang die Unterscheidung von (zumeist regionalen) »Mortalitätskrisen« (Kriegszeiten, Seuchen) und dem demograph. »Normalzustand«. Der demograph. Faktor S. bestimmt nicht nur die Zahl der überlebenden Kinder sowie der Witwen und Witwer, er ist auch maßgeblich für die Altersstruktur dieser Gruppen und die Wiederverheiratungschancen nach dem Verlust des Partners. Die hohe S. war neben dem Faktor → Scheidung von enormer Bed. sowohl für die ant. Familienstrukturen als auch für den politischen Umgang mit → Witwen und → Waisen.

II. TODESURSACHEN
Für die röm. Welt hat man regional durchaus unterschiedliche saisonale Muster von S. belegen können (so für das röm. Äg. eine Verdopplung der S.-Rate im Sommer). → Krankheiten hatten in der Ant. oft tödlichen Ausgang, so die zahlreichen Fieberkrankheiten wie etwa Typhus, Paratyphus, Maltafieber und → Malaria, die Lungenkrankheiten wie Lungenentzündung und Tuberkulose, ferner Ruhr und Diarrhöe (v. a. bei Kindern) und schließlich Cholera und Skorbut. Pocken können vor 165 n. Chr. nicht sicher nachgewiesen werden. Obgleich die Bed. von Kriminalität, Unfällen und Militärdienst für die S. kaum wirklich zu bestimmen ist, sollte man sie – wegen der zahlreichen Erwähnungen solcher Fälle in Lit. und Inschr. – doch nicht zu gering veranschlagen. Der Militärdienst war in Friedenszeiten als Todesursache hingegen statistisch eher unbedeutend.

III. URSACHEN DER HOHEN STERBLICHKEIT
Als Ursachen der S. sind → Mangelernährung sozial benachteiligter Menschen, schlechte sanitäre und hygienische Verhältnisse v. a. in den Städten, die rasche Ausbreitung von Infektions- bzw. → epidemischen Krankheiten sowie die unzureichende medizinische Versorgung zu nennen. Mißernten oder das Auftreten von → Heuschrecken führten zu Hungerkatastrophen und zum Tod vieler Menschen. Die meisten Hungerkrisen und Seuchen hatten allerdings nur regionale Auswirkungen; seit 165 n. Chr., als vom Heer des Avidius [1] Cassius Pocken aus Mesopotamien eingeschleppt wurden, kam es dann mehrmals zu reichsweit virulenten Seuchen, die auch in Rom zahlreiche Todesopfer forderten: 189 n. Chr. sollen täglich 2000 Personen gestorben sein (Cass. Dio 73,14,3 f.).

IV. EINZELNE SOZIALE GRUPPEN
Neben den bereits erwähnten Ursachen für die hohe Kinder-S. (Krankheiten; schlechte hygienische Verhältnisse; Mangelernährung, Unersetzlichkeit der Muttermilch) wird in der Forsch. bis heute die Bed. der → Kindesaussetzung für das Ausmaß der Kinder-S. diskutiert. Die Auswirkungen geschlechtsspezifischer Faktoren wie Mütter-S. oder der Tod im Krieg auf die ant. S.-Rate sind kaum zu bestimmen; der Faktor Mütter-S. wurde früher wohl überschätzt, die Benachteiligung von weiblichen Familienmitgliedern bei der Ernährung und in der medizinischen Versorgung ist hingegen nachweisbar. Insgesamt ist eine höhere Lebenserwartung von Männern gegenüber Frauen anzunehmen. Die Erstellung schichtenspezifischer Mortalitätsmuster muß an der schwierigen Quellenlage scheitern: Bei der Einschätzung der S. von Sklaven ist zu bedenken, daß diese für ihre Besitzer wertvolle Arbeitskräfte darstellten und deshalb oft besser mit Lebensmitteln versorgt wurden als arme Freie (→ Sklaverei). Immerhin war die S. von Sklaven in hohem Maße von den Arbeitsbedingungen abhängig; in Bergwerken muß sie oft extrem hoch gewesen sein (Diod. 3,13; Strab. 12,3,40).
→ Bevölkerung, Bevölkerungsgeschichte; BEVÖLKERUNGSWISSENSCHAFT

1 R. S. BAGNALL, B. W. FRIER, The Demography of Roman Egypt, 1994 **2** B. W. FRIER, Demography, in: CAH 2 XI, 2000, 787–816 **3** TH. W. GALLANT, Risk and Survival in Ancient Greece, 1991 **4** P. GARNSEY, Food and Society in Classical Antiquity, 1999 **5** J.-U. KRAUSE, Witwen und Waisen im röm. Reich, Bd. 1, 1994 **6** T. G. PARKIN, Demography and Roman Society, 1992 **7** R. SALLARES, The Ecology of the Ancient Greek World, 1991 **8** B. D. SHAW, Seasons of Death. Aspects of Mortality in Imperial Rome, in: JRS 86, 1996, 100–138 **9** W. SCHEIDEL, Measuring Sex, Age and Death in the Roman Empire, 1996.
J. W.

Stercut(i)us. Röm. Gott des Düngens, bekannt unter mehreren Namen (z. B. *Sterces*: Aug. civ. 18,15; *Stercutus*: Plin. nat. 17,50; u. a.). S. wird bisweilen mit → Pilumnus oder → Saturnus identifiziert (Isid. orig. 17,1,3) und gilt als Sohn des Faunus (Plin. nat. 17,50). Im Anschluß an Serv. georg. 1,21 rechnet die Forsch. S. zu den → Sondergöttern bzw. hält ihn für antiquarische Spekulation. Die Bed. des Düngens für die ital. Landwirtschaft (→ Düngemittel) und die mögliche Existenz eines stadtröm. Altars für Stercutus [1] verweisen aber ebenso wie die ant. Informationen (Varro antiquitates fr. 216 CARDAUNS; Fest. 310; 311; 466 L.) oder der Kalendereintrag zum 15. Juni, an dem Dung aus dem Bereich des röm. → Vesta-Tempels durch die Porta Stercoraria entfernt wurde (Varro ling. 6,32; InscrIt 13,2,471; [2]) auf den möglichen kultischen Kontext für S.

→ Landwirtschaft V.

1 J. ARONEN, s. v. Stercutus, ara, LTUR 4, 377
2 F. COARELLI, s. v. Porta Stercoraria, LTUR 4, 115 f.

C. R. P.

Sternbilder

I. ALTER ORIENT II. KLASSISCHE ANTIKE

I. ALTER ORIENT

Die Sterne wurden in Mesopotamien zu S. zusammengefaßt; manche dieser Vorstellungen von S. wurden schon im 2. Jt. v. Chr. an andere Kulturen weitergegeben und sind über griech.-röm. Vermittlung auch h. noch üblich. So gehen die → Tierkreis-S. Stier, Zwillinge, Krebs, Löwe, Waage, Skorpion, Schütze, Fische auf babylonische Vorbilder zurück, aber z. B. auch der große Wagen (*Ursa Maior*), der Rabe und der Adler.

Babylon. → Listen von S. gibt es seit dem Anf. des 2. Jt. [4]. Systematisch angeordnet sind die S. in der Serie ^{mul}Apin (→ Fixsterne). Die meisten dieser S. können identifiziert werden; welche Einzelsterne zu einem S. gehören, ist oft unsicher [2]. Die S. spielen in den Himmels-Omina eine wichtige Rolle; die Phänomene der Planeten (Farbnuancen etc.) haben je nach dem S., in dem sie stattfinden, verschiedene Bed. [5]. Eine Beschreibung von S. (ca. 8. Jh. v. Chr.) ist erh. [8]. Zwei Tontafeln aus hell. Zeit zeigen Ritzzeichnungen von S. [10].

→ Astrologie; Astronomie; Fixsterne; Tierkreis

1 H. HUNGER, Astrological Reports to Assyrian Kings, 1992
2 Ders., D. PINGREE, Astral Sciences in Mesopotamia, 1999, 271–277 (Überblick) 3 S. PARPOLA, Letters from Assyrian and Babylonian Scholars, 1993 4 E. REINER, M. CIVIL, Materials for the Sumerian Lexicon 11, 1974, 30 f.; 40 f.; 107 f. 5 E. REINER, D. PINGREE, Babylonian Planetary Omens, Bd. 1–3, 1975–1998 6 W. H. VAN SOLDT, Solar Omens of Enuma Anu Enlil, 1995 7 E. VON WEIHER, Spätbabylon. Texte aus Uruk, 1988, Nr. 114 und 116
8 E. WEIDNER, Eine Beschreibung des Sternenhimmels aus Assur (AfO 4), 1927, 73–85 9 Ders., s. v. S., RLA 3, 1959, 72–82 10 Ders., Gestirn-Darstellungen auf babylonischen Tontafeln, 1967.

H. HU.

II. KLASSISCHE ANTIKE

A. URSPRUNG B. IKONOGRAPHIE
C. KATALOGE D. ALTERNATIVEN
E. EINZELSTERNE F. DARSTELLUNG
G. FUNKTION H. NACHWIRKUNG

A. URSPRUNG

In der Ant. wurde – trotz einiger gegenteiliger Ansichten (z. B. Geminos 1,23) – angenommen, daß alle griech.-röm. Fixsterne als göttliche und daher beseelte Wesen jenseits der sieben → Planeten auf einer achten Sphäre, der Außenschale des Kosmos, »angeheftet« seien (→ Fixsterne). Die Nachr. über griech. »Erfinder« von S. (Thales, Kleostratos, Euktemon) sind unglaubwürdig, denn viele S.-Namen sind schon für die Babylonier gesichert [6] (s.o. I.), wenn sie sich auch nicht immer auf dieselben S. beziehen. Homer kennt → Pleiaden, → Hyaden, Orion, die Bärin (den Wagen) und → Bootes. Aus dem Orient stammen insbesondere Doppelzeichen wie Zwillinge und Fische oder Mischgestalten wie der geflügelte Schützenkentaur, der Ziegenfisch (Steinbock) oder der Schwalbenfisch. Der Anteil äg. Einflüsse ist eher gering zu veranschlagen.

B. IKONOGRAPHIE

Die ant. theoretische Reflexion über die Entstehung und Benennung der S. ist dürftig (schol. Arat. 27 p. 75,7–16 MARTIN): 1. Benennung nach der Ähnlichkeit (Skorpion), 2. nach dem Affekt (πάθος/*páthos*: der wütende Hund), 3. Entstehung nach dem Mythos (Kallisto), 4. wegen der Ehre (Dioskuren) oder 5. Grund der Benennung rein mnemotechnisch (διδασκαλία/*didaskalía*). Mehr als h. sah man in den Sternen bewegte Wesen: Barken, Schafe, Fische, Flüsse (→ Milchstraße), dann aber auch Blumen, Lampen oder verstirnte Seelen; daher das häufige Motiv von Flucht und Verfolgung am Himmel: Die Bärinnen am Nordpol bewegen sich nur langsam im Kreis herum, andere S. um so schneller, je mehr sie sich nach Süden dem Himmelsäquator nähern. Die Argo bewegt sich rückwärts, ebenso die drei Tierkreiszeichen Stier, Zwillinge und Krebs – nach der Erklärung des → Manilius [III 1] (2,197–202), weil sich dort die Sonne am langsamsten zu bewegen scheint (Apogäum). Perseus, Hercules und Lyra sind in umgekehrter Position am Himmel abgebildet, Stier, Pegasus und Argo nur halb verstirnt. Manche S. erscheinen doppelt: so schon die Zwillinge bei den Babyloniern, dann die Große und die Kleine Bärin, der Große und der Kleine Hund, die Nördliche und die Südliche Krone, das Pferd (Pegasus) und das Füllen. Diese Tendenz zur Verdoppelung setzt sich in der Neuzeit fort.

Im Laufe der Zeit wurden einzelne S. zu größeren Gruppen zusammengefaßt: die beiden Bärinnen mit dem sie durchwindenden Polardrachen zu einer zirkumpolaren Trias; Hydra, Becher und Rabe durch den apollinischen Mythos (Eratosth. *Katasterismoí* 41). Menschengestaltige Figuren halten bisweilen zwei Attribute in den Händen (Orion mit Schwert und Kerykion (Heroldsstab) oder auch mit Keule und Löwenfell; Hercules, der seine Arme nach der Leier – mit dem hellen Stern Wega – und der Krone – mit dem hellen Stern Gemma – ausstreckt). Oft spielen mehrere Figuren am Himmel ein »Drama«, z. T. bis zu fünf wie im Fall der Erigone- [17] oder der Andromeda-Gruppe [10. 197–201]. Im ganzen hat man im horizont- und daher ozeannahen Süden eine ausgedehnte Wasserregion [21. 5] und im Norden allerlei in der Luft fliegende Wesen erkannt [10. 221 f.].

C. KATALOGE

Während die Babylonier, ausgehend von den → Pleiaden (^{mul}Apin), Merksterne für die Mondbahn benutzten, achteten die Griechen bes. auf die Sonnenbahn (→ Tierkreis). Diese teilte die S. in drei Gruppen: 1. S. des Tierkreises, 2. nördlich und 3. südlich davon gelegene (vgl. Tab. 1–3). Die ältesten erh. S.-Kataloge sind dichterisch: das auf → Eudoxos' [1] *Phainómena* fußende gleichnamige Werk des → Aratos [4] mit seiner überaus reichen Deszendenz, die *Katasterismoí* des → Eratosthenes [2] mit ihren einflußreichen Verstirnungen. Prosa-Kataloge haben u. a. verfaßt Hipparchos [6] (vgl. [2]), Geminos [1] (3,7–15) und Martianus Capella (8,838 verm. nach Varro). Klass. geworden ist der Fixsternkatalog des Ptolemaios (Syntaxis 7,5 und 8,1; → Ptolemaios [65] II. A. 1.), der 21 nördliche, 12 zodiakale und 15 südliche, also insgesamt 48 S. mit 1025 Einzelsternen aufzählt, jeweils unter Angabe der ekliptikalen Länge, der Breite und der Helligkeit. Im einzelnen schwankt die Zählung zw. den Katalogen, weil einige Figuren (wie etwa Schlange und Schlangenhalter) teilweise zusammengenommen wurden. Auch die Abgrenzung der einzelnen Bilder schwankte (Ptol. Syntaxis 7,4 p. 37,11 HEIBERG), und einige Gruppierungen von Sternen zwischen den bekannten Bildern blieben unbenannt (ἀμόρφωτοι/*amórphōtoi*, ἀνώνυμοι/*anṓnymoi*, σποράδες/*sporádes*). Bei der Ausdeutung der ekliptikalen Längen versuchte man, die Eigenschaften der Tierkreiszeichen spekulativ mit denen ihrer Begleitsternbilder (→ *paranatéllonta*) zu kombinieren oder zu modifizieren [12].

D. ALTERNATIVEN

Die in den Tab. 1–3 genannten Namen sind die mehr oder weniger gebräuchlichen. Nicht nur Dichter, sondern auch Fachschriftsteller verwendeten teilweise auch andere Namen – wenn sie nicht gar ganz andere Figuren benannten. Schon Homer betont, daß die Bärin auch »Wagen« genannt wurde. Grundsätzlich anders verfährt die *Sphaera barbarica* des → Teukros, die von Manilius [III 1], Firmicus Maternus, Rhetorios und über diesen noch von Johannes Kamateros im 12. Jh. benutzt wurde [3].

dt.		griech.	lat.
1.	Widder	*Kriós*	*Aries*
2.	Stier	*Taúros*	*Taurus*
3.	Zwillinge	*Dídymoi*	*Gemini*
4.	Krebs	*Karkínos*	*Cancer*
5.	Löwe	*Léōn*	*Leo*
6.	Jungfrau	*Parthénos*	*Virgo*
7.	Waage	*Zygós*	*Libra*
8.	Skorpion	*Skorpíos*	*Scorpius (-io)*
9.	Schütze	*Toxótēs*	*Sagittarius*
10.	Steinbock	*Aigókerōs*	*Capricornus*
11.	Wassermann	*Hydrochóos*	*Aquarius*
12.	Fische	*Ichthýes*	*Pisces*

Tab. 1: Der Tierkreis

dt.		griech.	lat.
1.	Kleine Bärin	*Árktos mikrá*	*Ursa minor*
2.	Große Bärin	*Árktos megálē*	*Ursa maior*
3.	Polardrache	*Drákōn*	*Draco*
4.	Kepheus	*Kēpheús*	*Cepheus*
5.	Bootes	*Boṓtēs*	*Arcturus*
6.	Krone	*Stéphanos (bóreios)*	*Corona (borealis)*
7.	Hercules	*ho Engónasin*	*(In)nixus*
8.	Lyra	*Lýra*	*Lyra*
9.	Schwan	*Órnis*	*Olor*
10.	Kassiopeia	*Kassiépeia*	*Cassiepia*
11.	Perseus	*Perseús*	*Perseus*
12.	Fuhrmann	*Hēníochos*	*Auriga*
13.	Schlangenträger	*Ophiúchos*	*Ophiuchus*
14.	Schlange	*(ho echómenos) Óphis*	*Serpens*
15.	Pfeil	*Oïstós*	*Sagitta*
16.	Adler	*Aetós*	*Aquila*
17.	Delphin	*Delphís*	*Delphinus*
18.	Füllen	*Híppu protomḗ*	*Equi cisio*
19.	Pegasus	*Híppos*	*Pegasus*
20.	Andromeda	*Androméda*	*Andromeda*
21.	Triangel	*Deltōtón*	*Triangulum*

Tab. 2: Nördlich des Tierkreises gelegene Sternbilder

dt.		griech.	lat.
1.	Walfisch	*Kḗtos*	*Cetus*
2.	Orion	*Ōríōn*	*Orion*
3.	Eridanus	*Potamós*	*Eridanus*
4.	Hase	*Lagōós*	*Lepus*
5.	Großer Hund	*Kýōn*	*Canis (maior)*
6.	Kleiner Hund	*Prokýōn*	*Procyon*
7.	Argo	*Argṓ*	*Argo*
8.	Wasserschlange	*Hýdros*	*Hydra*
9.	Becher	*Kratḗr*	*Crater*
10.	Rabe	*Kórax*	*Corvus*
11.	Kentaur	*Kéntauros*	*Centaurus*
12.	Wolf	*Thēríon*	*Bestia*
13.	Altar	*Thymiatḗrion*	*Turibulum*
14.	Südliche Krone	*Stéphanos nótios*	*Corona australis*
15.	Südlicher Fisch	*Ichthýs nótios (mégas)*	*Piscis austrinus*

Tab. 3: Südlich des Tierkreises gelegene Sternbilder

Sie ist zum Teil aus einer anon. Kompilation des 10. Jh., enthalten im *Liber Hermetis*, zu rekonstruieren, wenn auch die Bilder im einzelnen schwer zu identifizieren sind [12]. Enthalten ist in ihr auch der äg. »Zwölfstundenkreis« der *dōdekáōros*, die entweder die zwölf Zeichen des Tierkreises ersetzt oder aber einen Ring nördlich oder südlich von ihm bildet [11]. Neue S. erfand man in panegyrischer Absicht: → Konon [3] die Locke der Berenike, andere den *Thronos Caesaris* (Plin. nat. 2,178), den Antinoos [2] (den im Nil ertrunkenen Liebling Hadrians, und zwar in dem ohnehin schon ganymedisch gedeuteten Wassermann) sowie den Ptolemaios anstelle des Canopus (h. Carinae) (Mart. Cap. 8,838). Diese Praxis setzt sich im 17.–19. Jh. fort.

E. Einzelsterne

Einige S. bergen in sich kleinere Gruppierungen: Der Stier birgt die Pleiaden und Hyaden, der Krebs zwei Esel mit Krippe, der Wassermann seinen Guß und die Fische ihr Band. Die Ziege und die Böcklein, die der Fuhrmann auf seinem Arm trägt, sind wohl der Rest einer älteren Nomenklatur.

Seltener als später die Araber bezeichneten die Griechen Einzelsterne mit Namen: im Tierkreis den Hauptstern des Stiers Λαμπαύρας/*Lampaúras* (in etwa »der Leuchtende«) (?) und den diametral genau gegenüberliegenden (und ebenfalls rötlichen) Hauptstern des Skorpions Ἀντάρης, »Antares«, die Köpfe der beiden Zwillinge Herakles und Apollon, den Hauptstern des Löwen Βασιλίσκος/*Basilískos* (»kleiner König«; *Regulus* ist mod. Übers.), in der Jungfrau Στάχυς/*Stáchys* (*Spica*) sowie Προτρυγητήρ/*Protrygētḗr* (*Vindemiatrix*), am Gewand des Wassermanns Ganymedes.

Bisweilen herrscht Unsicherheit, ob ein Name das ganze S. oder dessen Hauptstern bezeichnet (Arktur/Bootes, Canicula, Procyon). Einen Katalog mit den jährlichen Auf- und Untergängen der 30 bzw. 34 hellsten Einzelsterne bieten → Ptolemaios [65] in seinen *Pháseis* (mit Wetterangaben), der Anonymus des Jahres 379 (CCAG V 1, 1904, 194–211) und Ps.-Ptolemaios [4. 71–82], einen Katalog von 68 hellen Einzelsternen benutzt der *Liber Hermetis* (Kap. 3 und 25: [8. 123–159]). Helligkeits- oder Farbklassen erwähnt zuerst Manilius [III 1] (5,710–745), Ptolemaios benutzt in der *Sýntaxis* deren sechs, wozu noch »nebelartige« Sterne kommen, in den *Apotelesmatiká* (1,9) klassifiziert er die S. bzw. deren Teile oder Einzelsterne nach Planetenqualitäten [4].

F. Darstellung

Abgesehen von den Zeichen des → Tierkreises sind nur wenige ant. Darstellungen von S. auf einer *sphaera solida* (»massive Kugel«) erh. geblieben. Zu dem unvollständigen Atlas Farnese (aus augusteischer Zeit, S. → Kartographie II.) ist jüngst der erste vollständige Himmelsglobus (2. Jh. n. Chr.) gekommen [14]. Die Äypter bildeten den Himmel als Göttin Nut ab, die sich über die Erde beugt, entsprechend erscheinen die S. auf Innenwänden von Räumen oder auf der Innenseite von Sargdeckeln. Platon (Phaedr. 247bc) bezeichnet die Außenseite des Himmels als »Rücken«, daher wurde die Frage diskutiert, ob die S. von vorn (unten) oder von hinten (oben) zu sehen seien. Himmelsgloben verkehrten in der Regel die irdische Innensicht in eine – den Menschen unmögliche – Außenansicht (schol. Arat. 248 p. 198,11 σφαιρογραφία/*sphairographía* – οὐρανοθεσία/*uranothesía*), daher die zahlreichen Verwechslungen von links und rechts. Ant. Planisphären sind nicht erh. Die Ikonographie der einzelnen S. haben die illuminierten Germanicus-Hss. der Karolingerzeit (→ Germanicus [2]) bewahrt.

G. Funktion

Die Beobachtung der S. diente seit alters der Orientierung in der Seefahrt, in Ermangelung allgemeingültiger Kalender der Organisation der Landwirtschaft oder der Wettervorhersage (Merksterne waren bes. Pleiaden und Hyaden, Arktur, Sirius). Die praktische → Astrologie beschränkte sich bis auf wenige Ausnahmen auf die S. des → Tierkreises, obwohl die Lehrgedichte und Handbücher auch die Paranatellonten behandelten [3; 12]. Ständig im Blick blieb der ästhetische Reiz der S.; die gebildeten Römer lernten den Himmel in der Schule an den *Phainómena* des Aratos [4] (dazu: [22]), was deren gewaltige Wirkung in Übers., Nachdichtungen und Komm. beweist.

H. Nachwirkung

Die Gnostiker interpretierten den arateischen Sternhimmel christl. (Hippolytos, Refutatio omnium haeresium 4,46–49). Die lat.-griech. S.-Namen wurden von den Indern seit dem Alexanderfeldzug (327 v. Chr.) übernommen, während die Chinesen gegen E. des 3. Jh. n. Chr. mit ihren 283 S. mit 1464 Sternen einen Sonderweg gingen. Über Mittelpersien gelangten die kanonischen S. sowie die Dekanfiguren (Figuren der Tierkreisdrittel à 10°) der Griechen, Inder und Perser zu den Arabern. Das Kap. 6,1 der einflußreichen ›Großen Einleitung‹ des Abū Maʿšar (9. Jh.) vermittelte diese dem Westen und befruchtete das naturwiss.-enzyklopädische Interesse des 12. Jh. ebenso wie die künstlerische Phantasie. Die Renaissance entdeckte auch ihren ästhetischen Reiz wieder und stellte die S. auf Wand- oder Deckengemälden dar, wobei die Künstler teilweise mit Astronomen zusammenarbeiteten, um die Konstellation eines bestimmten Zeitpunktes festzuhalten.

→ Astronomie; Fixsterne; Kartographie (II.); Hyaden; Milchstraße; Pleiaden; Sternsagen; Tierkreis; Naturwissenschaften V.

1 R. H. Allen, Star Names. Their Lore and Meaning, 1963 (¹1899) 2 F. Boll, Die Sternkataloge des Hipparch und des Ptolemaios, in: Bibliotheca Mathematica 3.2, 1901, 185–195 3 Ders., Sphaera, 1903 4 Ders., Ant. Beobachtungen farbiger Sterne, 1916 5 Ders., W. Gundel, s. v. S., Sternglaube und Sternsymbolik, Roscher 6, 867–1071 6 F. Gössmann, Planetarium Babylonicum, 1950 7 W. Gundel, Sterne und S., 1922 8 Ders., Neue astrologische Texte des Hermes Trismegistos, 1936 9 W. Hübner, Zodiacus Christianus, 1983 10 Ders., Manilius als Astrologe und Dichter, in: ANRW II 32.1, 1984, 126–320 11 Ders., Zur neuplatonischen Deutung und astrologischen Verwendung der Dodekaoros, in: D. Harlfinger (Hrsg.), Philophronema, FS M. Sicherl, 1990, 73–103 12 W. Hübner, Grade und Gradbezirke der Tierkreiszeichen, 1995 13 Ders., Die *Lyra cosmica* des Eratosthenes, in: MH 55, 1998, 84–111 14 E. Künzl, Der Globus im röm.-germanischen Zentralmus. in Mainz, in: Der Globusfreund 45/6, 1997/8, 7–80 15 A. Le B uffle , Les noms latins d'astres et de constellations, 1977

16 F. LASSERE (ed.), Die Fr. des Eudoxos von Knidos, 1966 (mit dt. Übers.) 17 R. MERKELBACH, Die Erigone des Eratosthenes, in: Miscellanea di Studi Alessandrini in memoria di A. Rostagni, 1963, 469–526
18 O. NEUGEBAUER, R. A. PARKER, Egyptian Astronomical Texts, 1960–1969 19 A. SCHERER, Gestirnnamen bei den idg. Völkern, 1953 20 A. STÜCKELBERGER, Sterngloben und Sternkarten, in: MH 47, 1990, 70–81 21 G. THIELE, Ant. Himmelsbilder, 1898 22 H. WEINHOLD, Die Astronomie in der ant. Schule, 1912. W. H.

Sternsagen s. Verstirnung

Sternschnuppen. Von alters her bezeichnete man die S. als vom Himmel fallende oder als am Himmel ihren Ort wechselnde, verbrennende Sterne (= St.), woraus sich die Bezeichungen ᾄττοντες ἀστέρες/*áittontes astéres* (Plat. rep. 10,621b), διαθέοντες καὶ ἐκπυρούμενοι ἀστέρες/*diathéontes kai ekpyrúmenoi astéres* (Aristot. meteor. 1,4,342a 27; b 19) oder μεταβαίνοντες ἀστέρες/*metabaínontes astéres* (Hippolytus, refutatio omnium haeresium 1,8,10) herleiten. Besondere, h. jedoch nicht mehr genau identifizierbare Arten von S. waren: die »Ziegen« (αἶγες/*aíges*), »Speerwürfe« (ἀκοντισμοί/*akontismoí*), »Fackeln« (λαμπάδες/*lampádes*) und »Würfe« (βολίδες/*bolídes*). Bei den Römern findet man entsprechende Bezeichnungen – *stellae transcurrentes*, *transeuntes*, *transversae* und *transvolantes* (Sen. nat. 7,23,2; Verg. Aen. 5,528) – oder auch Benennungen wie *ardores*, *bolides*, *clipei*, *faces*, *fulgura*, *globi*, *haedi*, *lampades* und *trabes*.

Die ant.-volkstümliche Erklärung sah in den S. St., die sich vom Firmament lösen und sich entweder oben einen neuen Platz suchen oder zur Erde herabfallen, dort verbrennen bzw. mit einem Rückstand erlöschen. Der Überl. nach sagte Anaxagoras [2] den Fall des berühmten Meteorsteins von Aigos potamoi (467/6 v. Chr.) voraus (vgl. Diog. Laert. 2,10 sowie 59 A 11 f. DK); man darf vermuten, daß er S. und ihre periodische Wiederkehr beobachtete und eine bes. markante Zeit der jährlichen Schwärme und der damit verbundenen Meteorfälle erkannte. Als steinerne St., die mit leuchtender Spur zur Erde fliegen, definiert Diogenes [12] von Apollonia die S. (64 A 12 DK). Der wiss. Fortschritt wurde jedoch durch Aristoteles [6] unterdrückt, der sie lediglich als entzündete Dämpfe (ἀναθυμιάσεις/*anathymiáseis*) auffaßte; ihre verschiedenartige Form, Größe, Schnelligkeit und Bahn erklärte er ausführlich aus der Dichte, Breite, Länge und Höhe der Luft [4. 407–439]; sie befänden sich nur in der sublunarischen Region, weil der Himmel vollendet regelmäßig und göttlich sei [3]. Aristoteles' Interpretation dominierte bis in die Neuzeit. Im Alt. war außerdem der Volksglaube verbreitet, daß der Fall von S. Glück oder Tod eines Menschen bedeute; die Auslegung ergibt sich je nach dem Glanz. Mit dem Erscheinen bes. großer S. wird z. B. von Sen. nat. 1,1,3 der Tod des Augustus, des Seianus und des Germanicus in enge Beziehung gesetzt.

1 F. CORNFORD, Plato's Cosmology, 1937 2 I. DÜRING, Aristoteles, 1966, 385–399 3 A. JORI, Der Kosmos als Lebewesen, in: J. ALTHOFF, et al. (Hrsg.), Ant. Naturwiss. und ihre Rezeption, Bd. 12, 2002 (im Druck)
4 F. SOLMSEN, Aristotle's System of the Physical World, 1960
5 W. WIELAND, Die aristotelische Physik, 1962. AL. J.

Sterope (Στερόπη, Ἀστερόπη; Ἀερόπη).
[1] Eine der → Pleiaden, der sieben Töchter von → Atlas [2] und → Pleione (Hes. fr. 169 M.-W.; Apollod. 3,110; Paus. 5,10,6), von → Ares Mutter des → Oinomaos [1] (Hellanikos FGrH 4 F 19a; Eratosth. Katasterismoí 23; vgl. Tzetz. zu Lykophr. 149). S. ist auf dem ins zweite Viertel des 5. Jh. v. Chr. datierten Fries des Ostgiebels in Olympia abgebildet (Paus. 5,10,6; [2. 809 Nr. 5]). Sie heißt auch Asterope oder Aerope (Hes. fr. 169; Hyg. fab. 84).
[2] Tochter des → Kepheus [1], des Königs von Tegea. Sie erhält von → Herakles [1] eine Vase mit einer Locke der → Gorgo [1] Medusa, um die Stadt vor feindlichen Angriffen zu schützen (Apollod. 2,144). Vgl. Phot. 435,2; Suda s. v. Πλόκιον Γοργάδος, wo sie Asterope heißt. Bei Paus. 8,44,7 heißt sie Aerope. Nach Paus. 8,47,5 gibt → Athena dem Kepheus die Locke.

1 V. PENNAS, s. v. S. (2), LIMC 7.1, 810–811 2 I. TRIANTIS, s. v. S. (1), LIMC 7.1, 808–810 3 G. TÜRK, s. v. S., RE 3 A, 2446–2448. K. WA.

Stertinius. Aus der Zeit der hohen Republik sind drei Träger des ital. Gentilnamens S. bekannt.
[1] S., L. Ihm wurde durch Volkswahl für 199 v. Chr. ein prokonsulares Imperium für *Hispania ulterior* übertragen (Liv. 31,50,10–11 mit [1]), von wo er 196 mit so reicher Beute zurückkehrte, daß er in Rom drei Bögen errichten lassen konnte (Liv. 33,27,3–4); 196 gehörte er der Kommission zur Neuordnung Griechenlands an (Pol. 18,48,2 mit [2]).
[2] S., C. Praetor für Sardinien 188 v. Chr. (Liv. 38,35).
[3] S., L. Kümmerte sich 168 v. Chr. als Quaestor in Brundisium um den erkrankten → Misagenes (Liv. 45,14,9; Val. Max. 5,1,1d).

1 MOMMSEN, Staatsrecht 2, 652–653 2 F. W. WALBANK, A Hist. Commentary on Polybius 2, 1967, 619. TA. S.

[4] C. S. Xenophon. Arzt und Höfling, wirkte zw. 30 und 60 n. Chr. Als Sproß einer wohlhabenden, auf Kos ansässigen Familie, die ihre Ursprünge auf Asklepios und Herakles zurückführte, wurde er Leibarzt der röm. Kaiser von Caligula bis Nero. 53 n. Chr. heilte er Claudius [III 1] von einer schweren Erkrankung. Dieser bedankte sich, indem er S.' Heimatinsel wieder in den Genuß der → *immunitas* versetzte (Tac. ann. 12,61). S. soll auch in den Mord an Claudius verwickelt gewesen sein (ebd. 12,67).

R. HERZOG, Nikias und Xenophon von Kos, in: HZ 125, 1922, 189–247. V. N./Ü: L. v. R.-B.

Stesichoros (Στησίχορος).

[1] Griech. lyrischer Dichter, einer der neun aus dem alexandrinischen Kanon.

A. Leben B. Werke
C. Sprache, Metrik, Stil
D. Vortrag

A. Leben

S. stammte aus Himera (Sizilien), daher »der himerische« (Ἱμεραῖος) genannt, nach anderen aus Mataurus in Süditalien; er starb in Catania (→ Katane). Die Daten der Suda (σ 1095) sind zweifelhaft: Geburt in der 37. Ol. (632–629 v. Chr.) und Tod in der 56. Ol. (556–553 v. Chr.) scheinen auf chronologischer Einordnung zw. anderen Dichtern zu beruhen; das erste Datum geht von der konventionellen Spanne von 40 J. nach → Alkman aus, das zweite setzt S.' Tod in das Geburtsjahr des → Simonides [2]. Doch verorten diese Angaben S.' Lebenswerk innerhalb des 6. Jh. v. Chr.; dies wird allg. akzeptiert.

B. Werke

Laut Suda war S.' Werk in 26 B. gesammelt. Überl. Titel: ›Leichenspiele für Pelias‹, *Gēryonēís*, *Kérberos*, *Kýknos*, *Ōrésteia*, ›Die Einnahme Troias‹, *Nóstoi*, ›Helena‹ (dazu die ›Palinodie‹, s. u.), ›Die Eberjäger‹, *Eriphýlē*, *Eurṓpeia*. Die Nachr. bei Athen. 13,601a, daß S. ein erotischer Dichter war, mag sich auf die unechte *Rhadínē* (278 PMGF) beziehen; die Nachr. bei Ail. var. 10,18, die ihn zum Erfinder der bukolischen Dichtung macht, führt den ebenfalls unechten *Dáphnis* an. Die ältere Forsch. schrieb S. starken Einfluß auf die Entwicklung des griech. Mythos zu (vgl. 299, 233); die Zeugnisse legen jedoch nahe, daß er eher traditionelle Themen übernahm und entwickelte, als daß er sie erfand [1. 28–29].

Den besten Einblick in ein Gedicht des S. bieten die Fr. der *Gēryonēís* (PMGF S 7–87; vgl. → Geryoneus); es ist h. möglich, das metr. Muster einer ganzen Triade zu rekonstruieren und Personen und Entwicklung der Erzählung auszumachen [2]. Ein Fr. (S 27) nennt die Versziffer 1300 (vielleicht noch weit vor Gedichtende). *Kérberos* und *Kýknos* handelten wie die *Gēryonēís* ebenfalls von Herakles. Seit der Veröffentlichung des »Pap. von Lille« [3] besitzen wir den längsten ununterbrochenen Text des S., 33 nahezu intakte Verse (222b). Hierin schlägt die Sprecherin, die Gattin des → Oidipus, in Gegenwart des Teiresias (der gerade ein Orakel des Apollon offenbart hat) einen Ausweg aus dem Streit zw. → Eteokles und → Polyneikes vor: Ersterer soll in Theben bleiben, letzterer mit dem Vieh und dem Gold abziehen. Es ist unklar, ob diese Königin → Iokaste oder Eurygane(ia), eine zweite (nicht inzestuöse) Ehefrau des Oidipus ist. Bei dem Konflikt geht es um das Überleben entweder der Stadt oder der Familie, was Aischyl. Sept. 745–749 vorwegnimmt; wenn die Königin Iokaste ist, antizipiert sie Euripides' ›Phoinikierinnen‹ (wo sie die Enthüllung des Inzests ebenfalls überlebt), und ihr Versuch, dem Orakel zu entkommen, scheint Sophokles' ›König Oidipus‹ vorzugreifen. Allerdings ist kein Gedichttitel des S. aus dem → thebanischen Sagenkreis bekannt.

Mehrere Titel beziehen sich hingegen auf den Sagenkreis von → Troia. Ein Pap. (PMGF S 133b) erwähnt ein – bis dahin nicht belegtes – hölzernes Pferd; es könnte aber zur Eroberung Troias gehören (vgl. PMGF S 105). Ein röm. Monument aus augusteischer Zeit mit Szenen aus der ›Einnahme Troias nach S.‹ zeigt u. a. die Abfahrt des → Aineias mit Anchises [4. 107]. Die in Athen beliebte ›Orestie‹ des S. (PMGF S 210–219) bestand aus zwei B. und enthielt zahlreiche Motive, die sich später bei den Tragikern finden: die Aufforderung an → Iphigeneia, nach Aulis zu kommen, den Traum der → Klytaimestra, die Wiedererkennung von → Elektra und → Orestes am Grab des Agamemnon, Orestes' Amme und seine Selbstverteidigung mit einem von Apollon gestellten Bogen. S.' ›Orestie‹ war in Lakonien angesiedelt (nicht in Mykene oder Argos).

Das in der Ant. berühmteste aller Gedichte des S. war jedoch die → *Palinōdía* (zitiert von Plat. Phaidr. 243a). Tatsächlich scheinen zwei Palinodien existiert zu haben; die eine kritisierte Homer, die andere Hesiod (193).

C. Sprache, Metrik, Stil

Laut Suda schrieb S. in dorischem Dialekt; die Pap. zeigen eine Mischung aus homerischen Formen, → Dorisch und lit. → Aiolisch, also die Koine der Chordichtung. Laut Suda (s. v. τρία Στησιχόρου) war seine gesamte Dichtung epodisch, d. h. triadisch im Aufbau (Strophe – Antistrophe – Epode). S. könnte sogar als erster Daktyloepitriten verwendet haben [5. 51–53] (→ Metrik V.D.4.). Er scheint gern Reden eingesetzt zu haben. S. war als Ὁμηρικώτατος (*Homērikṓtatos*, »höchst homerisch«, Ps.-Longinos 13,3) und für seine *graves Camenae* (»ernste Musen«, Hor. carm. 4,9,8) bekannt. Quintilianus beschreibt ihn als *epici carminis onera lyra sustinentem* (›die Last des Epos mit der Lyra tragend‹, Quint. inst. 10,1,62).

D. Vortrag

Laut Suda σ 1095 war S.' wirklicher Name Tisias, der S. genannt wurde, weil er ›der erste war, der einen Sängerchor (*chóros*) zur Lyra einrichtete‹. Bisher meist als Dichter der Chorlyrik eingestuft, wird S. h. oft als Verf. von Einzel- oder kitharödischer Dichtung gesehen [6. 164–165]; triadischer Aufbau ist sicherlich kein Beweis für Chordichtung [7. 307–313] (traditionelle Einschätzung: [8]). S.' Gedichte unterscheiden sich von anderer Chorlyrik klar durch das Fehlen lokaler Merkmale oder eines direkten Bezuges zum Anlaß. Sie hätten von Sängern oder reisenden Chören [9] überall in der griech. Welt aufgeführt werden können. Falls einzelne Teile von Mitgliedern des Chors übernommen wurden, liegt darin eine weitere Antizipation der griech. → Tragödie.

1 P. Brize, Die Geryoneis des S. und die frühe griech. Kunst, 1980 **2** D. L. Page, S.: The Geryoneis, in: JHS 93, 1973, 138–154 **3** J. M. Bremer, S.: The Lille Papyrus, in: Ders. u. a., Some Recently Found Greek Poems (Mnemosyne Suppl. 99), 1987, 128–174 **4** D. A. Campbell

(ed.), Greek Lyric, Bd. 3, 1991 (mit engl. Übers.)
5 M. Haslam, Stesichorean Metre, in: Quaderni urbinati 17, 1974, 7–57 6 B. Gentili, Poesia e pubblico nella Grecia antica, 1985 7 M. L. West, S., in: CQ N. S. 21, 1971, 302–314
8 E. Cingano, Indizi di esecuzione corale in Stesicoro, in: R. Pretagostini (Hrsg.), Tradizione e innovazione nella cultura greca da Omero all'età ellenistica, Bd. 1, 1993, 347–361 9 W. Burkert, The Making of Homer in the Sixth Century B. C.: Rhapsodes versus S., in: A. P. Belloli (Hrsg.), Papers on the Amasis Painter and His World, 1987, 43–62.

Ed.: PMGF · M. L. West, Greek Lyric Poetry, 1993, 87–99 · D. Campbell (s. [4]) · J. Vürtheim, S. Fragmente und Biographie, 1919.
Bibliogr.: D. E. Gerber, Greek Lyric Poetry Since 1920, in: Lustrum 36, 1994, 50–89.

[2] Das → Marmor Parium (73) erwähnt einen zweiten (ὁ δεύτερος) S. aus Himera (Ἱμεραῖος), der in Athen 370/69 oder 369/8 v. Chr. einen Sieg errang [1. 19]. Didymos [1] nennt ihn als einen von drei Dichtern eines → Dithyrambos mit dem Titel *Kýklōps* (840, 841 PMG). Himera wurde 409 v. Chr. durch Karthago zerstört. Vielleicht wurde S. dort geboren und erhielt den Namen seines berühmten Vorfahren, S. [1].

1 F. Jacoby, Das Marmor Parium, 1904.

D. A. Campbell (ed.), Greek Lyric, Bd. 5, 1993, 210 (mit engl. Übers.) · D. F. Sutton, Dithyrambographi Graeci, 1989, 41 T 1. E.R./Ü: TH.G.

Stesimbrotos (Στησίμβροτος) aus Thasos. → Rhapsode und Homerexeget des 5. Jh. v. Chr.; Fr. aus drei seiner Schriften sind erh. (FGrH 107). S. gilt als einer der ersten Allegoriker und Mitbegründer der Gattung → Biographie. Seine Schüler waren → Nikeratos [1] (Xen. symp. 3,6) und → Antimachos [3] (Suda s. v. Ἀντίμαχος). Bed. erlangte S. durch seine allegor. Ausdeutungen des → Homeros: In Plat. Ion 530c-d wird er neben dem Allegoriker Metrodoros von Lampsakos als Autorität auf dem Gebiet der Homerinterpretation aufgerufen; auch die stoische Homererklärung hat ihn gekannt und zitiert (schol. A Hom. O 193). Das Fehlen von allegor. Deutungen in den wenigen erh. Fr. (FGrH F 21–25) seiner Schrift über Homer (Titel unbekannt), die nur Lösungen von → Zetemata enthalten [1. 92], dürfte überl.-bedingt sein [2. 678]. Eine vorgeschlagene, jedoch unsichere [3. 75] Zuschreibung des Derveni-Pap. (mit allegor. Komm. einer Theogonie des Orpheus [4. 1]) an S. könnte ihn als Allegoriker bestätigen. Dieser Pap. könnte Teile von S.' Schrift ›Über heilige Handlungen‹ (Περὶ τελετῶν) enthalten [4. 5]. Die übrigen Fr. dieser Schrift (F 12–20; [5. 162–167]), aus der noch Philodemos zitiert, sind orphischen Inhalts (→ Orphik) und beschäftigten sich mit Kultlegenden und Aitiologien verm. im Zusammenhang mit den Kabirenmysterien von → Samothrake II. [2. 678].

Aus der wohl im ersten Jahrzehnt des → Peloponnesischen Krieges entstandenen [6. 146–149] Schrift ›Über Themistokles, Thukydides und Perikles‹ schöpft Plutarchos [2] Material für seine Biographien des Perikles [7. lxii] und des Themistokles [6. 152–159; 8. 16]. Inhalt und Absicht des Werks sind umstritten [9. 3–5]: Die erh. 11 Fr. (F 1–11) enthalten »Klatsch« [10. 49] über Lebensweise, Ausbildung und sexuelle Beziehungen der Politiker; unklar ist, ob es sich um ein polit. Pamphlet gegen namhafte Exponenten der athenischen Demokratie im Interesse der aristokratischen Opposition [11. 364; 12. 11] oder um eine allg. unpolit. [9] Beschreibung der herrschenden Zustände in Athen mit ihren moralischen Verfallserscheinungen handelte. Für eine polit. Streitschrift spricht das Lob des spartafreundlichen, antidemokratischen Kimon [2] (vgl. [13. 278–281]), der den kritisierten Athenern gegenübergestellt wird [14. 49f.]. Das mit der Charakterzeichnung von Zeitgenossen erkennbare histor.-biographische Interesse [13. 291] könnte das Werk an den Beginn der Gattung Biographie stellen [15. 43]. Die Charakterbilder sind jedoch weniger kunstvoll als die ›Reiseerinnerungen‹ seines Zeitgenossen → Ion [2] von Chios [14. 50].
→ Allegorese

Ed.: FGrH 107.
Lit.: 1 F. Wehrli, Zur Gesch. der allegorischen Deutung Homers im Alt., Diss. Basel 1928 2 Schmid/Stählin, Bd. I/2, 676–678 3 C. Calame, Figures of Sexuality and Initiatory Transition in the Derveni Theogony and Its Commentary, in: A. Laks, G. W. Most (Hrsg.), Studies on the Derveni Pap., 1997, 65–80 4 W. Burkert, Der Autor von Derveni: S. ΠΕΡΙ ΤΕΛΕΤΩΝ?, in: ZPE 62, 1986, 1–5
5 A. Tresp, Die Fr. der griech. Kultschriftsteller (RGVV 15.1), 1914 (Ndr. 1975) 6 E. M. Carawan, Thucydides and Stesimbrotus on the Exile of Themistocles, in: Historia 38, 1989, 144–161 7 P. A. Stadter, A Commentary on Plutarch's Pericles, 1989 8 F. J. Frost, Plutarch's Themistocles, 1980 9 F. Schachermeyr, S. und seine Schrift über die Staatsmänner (SB der Öst. Akad. der Wiss., philol.-histor. Klasse, 247.5), 1965 10 I. Bruns, Das lit. Portrait der Griechen im 5. und 4. Jh. v. Chr., 1896, 48–50
11 U. von Wilamowitz-Moellendorff, Die Thukydideslegende, in: Hermes 12, 1877, 326–367
12 H. Strasburger, Aus den Anf. der griech. Memoirenkunst. Ion von Chios und S. von Thasos, in: W. Schlink, M. Sperlich (Hrsg.), Forma et subtilitas, 1986, 1–11 13 K. Meister, S.' Schrift über die athenischen Staatsmänner und ihre histor. Bed. (FGrH 107, F 1–11), in: Historia 27, 1978, 274–294 14 A. Dihle, Studien zur griech. Biographie, 1956 15 K. Meister, Die griech. Geschichtsschreibung, 1990. M.B.

Steuern

I. Mesopotamien II. Ägypten
III. Griechenland IV. Rom V. Byzanz

I. Mesopotamien

Nötige Einnahmen zum Bestreiten herrscherlicher und gesamt-ges. Aufgaben (Verwaltung, Militär, → Bewässerung, Prestigebauten, Hofhaltung, → Kult usw.) stammten nicht aus einem umfassenden, auf Personen, Transaktionen oder Sachen beruhenden Abgabensystem, sondern vielmehr auf einer allg. Dienst- und Arbeitspflicht der Untertanen. Im System der → *oikos*-Wirtschaft (3. Jt. v. Chr.) kamen die Einnahmen des Palastes überwiegend aus der Eigenbewirtschaftung der institutionellen Haushalte von → Tempel und → Palast. Im System der tributären Wirtschaft seit Beginn des 2. Jt. v. Chr., die durch eine weitgehende Individualisierung der landwirtschaftl. Produktion auf meist kleinen Parzellen gekennzeichnet ist, erzielte der Palast seine Einnahmen durch Naturalabgaben der Produzenten. Soweit die Abgaben auf Pachtverhältnissen beruhten (→ Pacht), waren sie gewöhnlich an den Ertrag gekoppelt. Seit der Mitte des 2. Jt. beruhten Abgaben zunehmend auch auf dem Eigentum oder Besitz landwirtschaftl. nutzbarer Flächen. Allerdings gab es zu allen Zeiten in Mesopot. über die allg. Dienstpflicht der Untertanen hinausgehende, auf Regionen, Gruppen oder Individuen bzw. auf Inanspruchnahme »staatlicher« Leistungen (z. B. Nutzung des Bewässerungssystems) bezogene Abgabeverpflichtungen. Die Einnahmen des Palastes wurden vielfach in nicht unerheblichem Maß durch → Kriegsbeute und Tribute unterworfener Gebiete ergänzt. Eine umfassende und systematische Unt. zum System der Abgaben/S. in Mesopot. fehlt bisher.

Chicago Assyrian Dictionary, s. v. eširtu; igisû; ilku; irbu; quppu • R. de Jong-Ellis, Agriculture and the State in Ancient Mesopotamia, 1976 • F. R. Kraus, Ein mittelbabylonischer Rechtsterminus, in: J. A. Ankum (Hrsg.), Symbolae M. David, Bd. 2, 1968, 9–40 • N. Postgate, Taxation and Conscription in the Assyrian Empire, 1974 • P. Steinkeller, Renting of Fields in Early Mesopotamia, in: Journ. of the Social and Economic History of the Orient 24, 1981, 113–145 • Ders., Administrative and Economic Organization of the Ur III State, in: McG. Gibson (Hrsg.), The Organization of Power: Aspects of Bureaucracy in the Ancient Near East, 1987, 19–41 • M. W. Stolper, Entrepreneurs and Empire, 1985, 149.
J. RE.

II. Ägypten

Im Abgabensystem des pharaonischen Äg. gibt es zahlreiche Begriffe, die mit »S.« oder »Abgabe« übers. werden. Die meisten davon stehen aber nicht für einen fiskalischen Abzug von einem individuellen Einkommen, sondern bezeichnen das Einkommen von königlichen Institutionen und Tempeln, für das deren Angestellte einzustehen hatten und von dem sie selbst lebten. Der scharfe Gegensatz von öffentlichem und privatem Einkommen, auf dem das h. S.-System basiert, ist nicht zu erkennen. Im NR (ca. 1550–1070 v. Chr.) beziehen sich einige Abgabenbegriffe sowohl auf Produkte aus dem Inland als auch auf Güter (z. B. Vieh, Pferde und Gold) aus dem eroberten oder in Abhängigkeit befindlichen Ausland. Eine Unterscheidung zwischen »S.-Bürgern« und unterworfenen Völkern gab es nicht.

Die Inschr. auf dem »Palermostein« [1], die von der Frühzeit bis in die 5. Dyn. (ca. 3000–2500 v. Chr.) Jahr für Jahr wichtige Ereignisse aufzählt, spricht bereits für die Frühzeit von einer alle zwei J. stattfindenden Erfassung (»Zählung«) der Einkommensquellen. Bes. für die Großbauwerke des AR (ca. 2700–2190 v. Chr.) ist ein effektives System des Gütereinzugs aus der Landwirtschaft vorauszusetzen. Zwar sind aus dieser Zeit keine Dokumente über Abgaben-Einzug erh., da aber sogar Bäume und Brunnen veranschlagt wurden, wurde das S.-System verm. schon im AR so penibel gehandhabt wie in den administrativen Dokumenten späterer Zeit.

Genaueren Einblick erlauben die Quellen des NR, v. a. im Bereich der Getreidewirtschaft. Der wichtigste Ausdruck für den Einzug des → Getreides ist identisch mit dem Wort für Ernte (*šmw*). Dies spricht dafür, daß verm. der gesamte Ertrag eingezogen wurde (vielleicht abzüglich dessen, was die Landarbeiter zum Leben und als Saatgut brauchten). Die Höhe der Abgaben richtete sich nicht nach dem Pro-Kopf-Einkommen der Bauern, sondern nach dem rechtlichen Status des jeweiligen Landstückes und seiner Beschaffenheit. Der Pap. Wilbour aus dem späten NR nennt als Ertrag einer → Arura (2756 m²) je nach Bodenqualität 5 bis 10 Sack Getreide (à ca. 76,8 Liter), und manchmal wurde dieser Betrag offenbar auch erhoben. Dem erwachsenen Landarbeiter konnte die Produktion von 200 Sack Getreide auferlegt werden, was je nach Bodenqualität der Bearbeitung von 20 bis 40 Aruren Land entspricht – von einer Person war dieses Pensum außer mit Fronarbeitern (wofür es Hinweise gibt) kaum zu bewältigen. Manche Bauern versuchten, sich durch Flucht diesen hohen Auflagen zu entziehen. Eine Gruppe von kleineren Landstücken dagegen diente verm. in erster Linie der Eigenversorgung von Leuten niedrigeren Ranges, darunter zahlreichen Angehörigen des Heeres. Hier betrug das geforderte Abgabenprodukt nur 1,5 Sack pro Arura.

Diese Abgaben der Bearbeiter und ihrer Vorgesetzten flossen aber nicht an einen »Staat« mit S.-Hoheit, sondern an die jeweilige Institution, der das Land gehörte, z. B. einen Tempel. Daher war die Übergabe auch nicht ein juristischer Akt im Sinne einer Verwandlung von Privateigentum in öffentliches Eigentum, sondern ein technischer Vorgang, auch wenn er mit dem Einsatz von Gewalt gegen die Landarbeiter verbunden sein konnte. Auch der Weg des Produktes in die Scheune oder das Schatzhaus bis hin zu den empfangsberechtigten Endverbrauchern schloß offenbar keine Verwandlung des rechtlichen Status der Produkte ein.

Es war möglich, anstelle der geforderten Naturalien deren Gegenwert in Silber oder anderen Edelmetallen zu erbringen; umgekehrt gab es sogar die Forderung an Beamte, einen Teil der Abgaben, für die sie gegenüber anderen Institutionen verantwortlich waren, in Edelmetallen zu liefern. Daß das Vieh gezählt wurde, ist bekannt, aber nicht, wie aufgrund dieser Zählung die Abgaben erhoben wurden, die nach biographischen Quellen des MR (um 2050–1800 v. Chr.) von den Bezirksvorstehern an das Königshaus überstellt wurden. Neben solchen Herden, von deren Einkünften das Königshaus profitierte, sind im NR auch Herden der Tempel belegt. Aus der 22. Dyn. (945–730 v. Chr.) ist der Brauch bekannt, daß für einen Tempel hochgestellte Personen und die Ortschaften der Umgebung täglich ein Opfer-Rind bereitstellten.

Neben umfassenden Abgabentiteln wie der »Ernte« gab es zahlreiche andere Auflagen, deren Verhältnis zueinander teilweise noch ungeklärt ist, darunter einen Titel auf Produkte aus dem landwirtschaftlichen und dem handwerklichen Bereich, dessen Höhe dem Verbrauch an Produktionsmitteln (Arbeitstieren, Transportschiffen und auch menschlichen Arbeitskräften) entsprach; eine Abgabe (*b3kw*), die der Benutzer dieser Produktionsmittel und Arbeitskräfte an die Institution zu leisten hatte, der sie gehörten.

Bei der Fülle von königl. und nichtkönigl. Institutionen, die im Besitz von Ländereien und Werkstätten waren, aus denen sie Einkommen erwirtschafteten, bestand die Funktion des Königs in erster Linie darin, diesen Institutionen, v. a. den Göttern als überirdischen Landeigentümern, ihren Teil zuzuweisen und die Nutzung des Landes zu garantieren. Auch die sog. Naukratis-Stele aus der 30. Dyn. (um 380–342 v. Chr.), die als Beleg für eine zehnprozentige Besteuerung des griech. Handelsplatzes verstanden wurde, handelt verm. nur von einer Stiftung von 10 Prozent der königl. Einnahmen aus diesem Hafen zugunsten der Göttin → Neith von Saïs. Insofern landbesitzende Institutionen ihrerseits zu Leistungen gegenüber königl. Beamten verpflichtet waren, konnte der König ausnahmsweise die Befreiung davon aussprechen.

→ Tempel; Wirtschaft

1 W. Helck, s. v. Abgaben und S., in: LÄ 1, 1975, 3–12 **2** J. J. Janssen, Prolegomena to the Study of Egypt's Economic History during the New Kingdom, in: Studien zur Altägypt. Kultur 3, 1975, 173–177 **3** S. L. D. Katary, s. v. Taxation, in: The Oxford Encyclopedia of Ancient Egypt, Bd. 3, 2001, 351–356 **4** M. Römer, Gottes- und Priesterherrschaft in Äg. am Ende des NR, 1994, 373–411 **5** D. A. Warburton, State and Economy in Ancient Egypt. Fiscal Vocabulary of the New Kingdom, 1996. M. RÖ.

III. Griechenland

A. Archaische Zeit
B. Klassische Zeit C. Hellenismus

A. Archaische Zeit

S. (τέλη/*télē*, φόροι/*phóroi*, συντάξεις/*syntáxeis*) im Sinne von Abgaben, die ein Gemeinwesen Personen oder Verbänden zwangsweise und ohne Anspruch auf spezielle Gegenleistung auferlegt, lassen sich für die archa. Zeit nur punktuell belegen. Alkinoos [1] forderte die vornehmen Phäaken (→ Phaiakes) auf, Odysseus kostbare Gastgeschenke auszuhändigen und sie sich vom Volk erstatten zu lassen (Hom. Od. 13,14 f.). Nach der Eroberung Messeniens mußten die messenischen → Heloten ihren spartanischen Herren jedes Jahr die H. ihrer landwirtschaftlichen Erträge abliefern (Paus. 4,14,5). In Athen soll der Tyrann Peisistratos [4] eine jährlich zu entrichtende Bodenertrags-S. in Höhe von fünf oder zehn Prozent erhoben haben (Aristot. Ath. pol. 16,4).

B. Klassische Zeit

In klass. Zeit gab es in den Poleis keine regelmäßige direkte Besteuerung landwirtschaftlicher Erträge oder gewerblicher Einkünfte. Die solonischen Schatzungsklassen waren keine S.-Klassen (→ Solon [1]). Allerdings gab es in Athen in Notsituationen außerordentliche, direkt erhobene Sonder-S. (εἰσφορά/→ *eisphorá*), die zunächst nach Schatzungsklassen gestaffelt, später allein von den Reichsten erhoben wurden. 378/7 v. Chr. wurden die 1200 reichsten Athener in 20 Steuerverbände (συμμορίαι/→ *symmoríai*) zu je 60 Personen eingeteilt und mußten gemäß ihrem Anteil an dem zur *eisphorá* herangezogenen Vermögen zur S. beitragen. Die 300 reichsten Bürger waren zur Vorauszahlung (προεισφορά/→ *proeisphorá*) verpflichtet (Isaios 6,60). Außerdem mußten sie mit erheblichem finanziellen Aufwand verbundene Leistungen, die *leiturgíai* (→ Liturgie I.), übernehmen (→ Trierarchie, → Choregie). Eine regelmäßige direkte S. wurde den *métoikoi* (→ *métoikos*) auferlegt (μετοίκιον/*metoíkion*). Durch Gewährung von ἰσοτέλεια/→ *isotéleia* konnten *métoikoi* den Bürgern steuerlich gleichgestellt werden.

Von den indirekten S. dürfte in Athen der im Peiraieus erhobene → Zoll in Höhe von erst einem, später zwei Prozent auf alle ein- und ausgeführten Waren am wichtigsten gewesen sein (πεντηκοστή/→ *pentēkostḗ*); diese S. brachte Athen nach 404 v. Chr. immerhin 30 bzw. 36 Talente ein (And. 1,133 f.). 413 v. Chr. wurden die von den verbündeten Städten erhobenen Tribute (φόροι/*phóroi*; → *phóros*) durch einen fünfprozentigen Zoll auf alle in den Bundesstädten ein- und ausgeführten Waren ersetzt (Thuk. 7,28,4). Seit 410 v. Chr. erhob Athen außerdem in Chrysopolis eine zehnprozentige Abgabe auf alle Güter, die den Bosporos passierten (Xen. hell. 1,1,22). Des weiteren gab es in Athen Verkaufs-S. für die auf dem Markt umgeschlagenen Waren.

Die Verwaltung der öffentlichen Finanzen wird für Athen von Aristoteles beschrieben (Aristot. Ath. pol. 47,2–48,2). Die S. wurden von den → *pōlētaí* an einzelne Bürger verpachtet (vgl. And. 1,133 f.), die Einkünfte direkt an das Kollegium der zehn → *apodéktai* übergeben, die sie an die jeweiligen von Schatzmeistern (→ *tamías*, → *kōlakrétai*) verwalteten Kassen überwiesen. Über die Verwendung der Gelder bestimmte die Volksversammlung (→ *ekklēsía*). An Amtsinhaber, Ratsmitglieder, Geschworene und Teilnehmer der Volksversammlungen wurde ein → Sold gezahlt, seit der Mitte des 4. Jh. v. Chr. auch an die Besucher von Festveranstaltungen. Große Summen wurden auch für Baumaßnahmen und für das Militärwesen (Bau und Unterhalt von Kriegsschiffen; Sold) ausgegeben. Zu bestreiten waren des weiteren Kosten für → Opfer, Ehrengaben, die inschriftliche Publikation von Beschlüssen und Verträgen und Zuwendungen an Bedürftige (διωβελία/→ *diōbelía*). Seit Anf. des 4. Jh. v. Chr. gaben die *apodék-*

tai die Einnahmen nach einem Finanzplan direkt an die Institutionen und Amtskollegien. Über die Zuweisung (*merismós*) – zum erstenmal 386 v. Chr. belegt – entschied der Rat. Ferner wurden im 4. Jh. v. Chr. zentrale Kassen für die Kriegführung (στρατιωτικά/→ *stratiōtiká*) und die Auszahlung der Festspielgelder (θεωρικόν/→ *theōrikón*) eingerichtet; am E. des 4. Jh. trat an die Stelle der *theōrikón*-Kasse eine neue Zentralkasse.

In anderen griech. Poleis waren nicht die direkten Einkommens- oder Gewerbesteuern, sondern Renditen aus städtischem Besitz, Einnahmen aus Handels- und Verkaufs-S. und die reichen Mitbürgern auferlegten *leiturgíai* die wichtigsten Einnahmequellen. Daneben sind Zölle auf ein- und ausgeführte Waren (in Höhe von 2%), Durchgangszölle und Verkehrs-S. belegt, die meist verpachtet wurden (→ *místhōsis*).

C. Hellenismus

In hell. Zeit hatten Städte, Tempel und Stämme Abgaben an die königliche Kasse zu entrichten. Von den Erträgen des Bodens, aus Gewerben, → Vermietungen und Verpachtungen wurde der Zehnte erhoben. Die wichtigste direkte, pro Kopf von Männern und Frauen, Einheimischen, Griechen und Persern erhobene S. war die Salz-S. Daneben gab es eine Kopfsteuer, eine Kranzabgabe (στεφανιτικὸς φόρος/*stephanitikós phóros*) und ferner indirekte S.: Ein- und Ausfuhrzölle, die je nach Warenart unterschiedlich hoch sein konnten, Durchgangszölle und allg. Verkaufs-S.

Die S.-Erhebung beruhte auf S.-Listen, die im ptolem. Äg. von den Dörfern (→ *kṓmē* B.) erstellt und auf höherer administrativer Ebene kompiliert wurden. Beamte der Zentralverwaltung führten die S.-Erhebung durch und leiteten die Einkünfte den königl. Banken und Lagerhäusern zu. Den S.-Zahlern wurden Quittungen ausgestellt, von denen viele erh. sind. Die Einnahmen aus den Zöllen und S. dienten zur Finanzierung der Kriegsflotten und Kriegszüge, der königl. Verwaltung, öffentlicher Bauten, der Anlage von Kolonien sowie für den Kultus.

→ Zoll

1 A. Andreades, Gesch. der griech. Staatswirtschaft, 1931 2 J. Bleicken, Die athenische Demokratie, [4]1995, 291–311; 610–617 3 A. Boeckh, Die Staatshaushaltung der Athener, Bd. 1 und 2, 1817, [3]1886; Bd. 3, 1840 4 P. Brun, Eisphora-Syntaxis-Stratiotika, 1983 5 Busolt/Swoboda 1, 598–617; 624–630a 6 W. Clarysse, D. J. Thompson, The Salt-Tax Rate Once Again, in: Chronique d'Égypte 70, 1995, 223–229 7 H. Francotte, Les finances des cités grecques, 1909, Ndr. 1964 8 H. Leppin, Zur Entwicklung der Verwaltung öffentlicher Gelder im Athen des 4. Jh. v. Chr., in: Eder, Demokratie, 557–571 9 C. Préaux, L'économie royale des Lagides, 1939 10 D. Rathbone, Egypt, Augustus and Roman Taxation, in: Cahiers du Centre G. Glotz 4, 1993, 81–112 11 Rostovtzeff, Hellenistic World, 309; 328–330; 464–472; 528–530 12 P. J. Sijpesteijn, Customs Duties in Graeco-Roman Egypt, 1987.

W.S.

IV. Rom

A. Republik B. Prinzipat C. Spätantike D. Ausgaben E. Zusammenfassung

A. Republik

Wie in allen ant. Städten galt auch in Rom die Maxime, daß Bürger eigentlich nicht für die Normalausgaben ihres Staates besteuert werden sollten (Cic. off. 2,74). Nur in Ausnahmesituationen wie großen Kriegen sah man davon ab. So soll in Rom eine S. zuerst anläßlich des langen Krieges gegen → Veii eingeführt worden sein (Liv. 4,59,11–60,8). Mit den nahezu ununterbrochenen Kriegen der folgenden Jh. wurde auch die Besteuerung immer regelmäßiger und bisweilen auch drückender (Pol. 1,58,9), doch gab es gelegentlich auch Rückzahlungen von S. (Liv. 39,7,4f.), und seit 167 v. Chr. wurde die direkte Besteuerung für röm. Bürger in It. weitgehend ausgesetzt (Plin. nat. 33,56: *a quo tempore populus Romanus tributum pendere desiit*). Indirekte S. und das *vectigal* auf Weiderecht gab es auch noch danach.

Die Prov.-Bevölkerung zahlte S. (*tributum* oder *vectigal*), die vor den Eroberungen des Pompeius [I 3] im Osten sich auf insgesamt 200 Mio HS belaufen haben sollen (Plut. Pompeius 45); für Gallien legte Caesar die S. auf 40 Mio HS fest (Suet. Iul. 25,1). Das wichtigste Dokument für die Erhebung von S. in den röm. Prov. ist Ciceros dritte Rede gegen → Verres (Cic. Verr. 2,3). Cicero legitimiert die S. allg. als *victoriae praemium ac poena belli* (»Siegespreis und Kriegsstrafe«). In Sizilien wurde der Zehnte der Getreideernte als S. von S.-Pächtern (*decumani*) eingezogen und an Rom abgeführt; einige Städte waren als *civitates sine foedere immunes ac liberae* von der S. befreit. Bei der Einrichtung der Prov. wurden die aufgrund einer *lex Hieronica* bestehenden S. von den Römern beibehalten, die S. also keineswegs erhöht (Cic. Verr. 2,3,12–15).

Da Rom nur über einen kleinen Stab von Verwaltungsbeamten verfügte, vergab man öffentliche Aufgaben wie die → Heeresversorgung, größere Bauprojekte und schließlich die Eintreibung der S. in Asia und anderen Prov. an einzelne Bürger. Diese → *publicani* garantierten der Republik die in einer censorischen Versteigerung festgesetzte S.-Summe, durften aber zur Deckung ihrer eigenen Kosten auch Aufschläge auf die S. eintreiben. Da bei den großen Geldbeträgen die Pachtverträge nicht mehr von einzelnen Bürgern übernommen werden konnten, wurden für diese Aufgaben *societates* geschaffen (→ *societas*).

B. Prinzipat

1. Direkte Steuern 2. Indirekte Steuern
3. Ausserordentliche Einnahmen
4. Aussermonetäre Leistungen
5. Verwaltung der Steuern

1. Direkte Steuern

Die direkte S. (*tributum* bzw. *vectigal*) in Höhe von 10% und mehr des Bodenertrages, in manchen Prov.

auch eine Kopf-S., wurde bis Diocletianus (284–305 n. Chr.) nur in den Prov. erhoben; ausgenommen waren Städte mit *ius Italicum* (→ *ius*), mit → *immunitas* und Personen mit persönlich verliehenen Privilegien (Dig. 50,15). Legitimiert wurde die S.-Erhebung mit der Theorie vom *dominium populi Romani in solo provinciali*. Die Besteuerung beruhte auf der Familien- und Vermögensdeklaration des Bürgers beim → *census*, der zuletzt unter Vespasianus (69–79 n. Chr.) abgehalten wurde. Danach wurden diese Funktionen auf kaiserliche Büros sowie *census* in den einzelnen Prov. und Städten aufgeteilt. Eingetrieben wurde das → *tributum* in der Kaiserzeit von den Gemeinden, die sich hierbei auf ihre Katasterkarten (Arausio/Orange) stützen konnten. Eine befristete S.-Befreiung wurde als Beihilfe bei Katastrophen oder als Dank für Verdienste gewährt (Tac. ann. 2,47). Wenn die S.-Erträge zur Deckung der öffentlichen Ausgaben voraussichtlich nicht ausreichten, konnten *indictiones*, Zuschläge, gefordert werden, was ab dem 2. Jh. wohl relativ häufig geschah (→ *indictio*).

2. Indirekte Steuern

Die wichtigsten indirekten S. waren die S. auf die → Freilassung (*vicesima libertatis*, also 5%), auf den Verkauf von Sklaven (4%), auf Erbschaften (*vicesima hereditatum*, 5%) und auf den Erlös bei Versteigerungen (*centesima rerum venalium*, 1%; vgl. Tac. ann. 2,42,4). Außerdem gab es Hunderte von kleineren S., teils lokal, teils auf Prov.-Ebene, aber alle für den Staat: auf Esel und auf Bewässerungsgräben, auf Bienenwachs und Archivgebrauch, auf die Dienstleistungen von Bankiers und Prostituierten. Kaum eine ist je in den lit. Quellen erwähnt, und die meisten sind nur für Äg. belegt (vgl. Suet. Cal. 40). Von der berühmten Urin-S. des Vespasianus wissen wir nur durch die Anekdote bei Suetonius (Suet. Vesp. 23,3). Neben den S. wurden außerdem Binnenzölle moderater Höhe an den Grenzen der fünf großen Zollbezirke erhoben (→ Zoll).

3. Ausserordentliche Einnahmen

Zu den außerordentlichen Einnahmen zählten die Erbschaften und Geschenke an den → Princeps (*aurum coronarium*, Goldkronen der Prov. und Städte mit einem Gewicht von bis zu 7000 bzw. 9000 Pfund Gold; Plin. nat. 33,54), Strafsummen und Konfiskationen (→ Proskriptionen und Verfolgung von Senatoren in der Prinzipatszeit waren oft durch Geldmangel verursacht), → Münzverschlechterung, → Kriegsbeute, ferner Einnahmen aus dem Grundbesitz des Staates (Silber- und Goldbergwerke) und aus dem Privatvermögen des Princeps (→ *patrimonium, res privata*). Einnahmen des Staates und solche des Princeps wurden für alle praktischen Belange nicht mehr unterschieden.

4. Aussermonetäre Leistungen

Zahlreiche Leistungen wurden nicht mit S.-Geldern finanziert, sondern durch → *munera*/→ Liturgien etwa im → *cursus publicus* oder bei Bau und Instandhaltung von Straßen und Kanälen erbracht.

5. Verwaltung der Steuern

Im Prinzip sollte das *tributum* aus den Senats-Prov. in das → *aerarium Saturni*, aus den kaiserlichen Prov. in den → *fiscus* fließen. Die Einnahmen aus der *vicesima hereditatum* und der *centesima rerum venalium* (s.o. 2.) waren für das → *aerarium militare* bestimmt; sie sollten also nach Berechnung des Augustus soviel abwerfen, daß die für die Abfindung der → Veteranen benötigten 50 Mio HS erreicht wurden. Caracalla soll die Absicht gehabt haben, den Ertrag dieser S. zu erhöhen, als er 212 das Bürgerrecht auf alle freien Reichsbewohner ausdehnte.

In der Prinzipatszeit ging die Bed. der *societates publicorum* zurück: Einerseits übernahmen die Städte einen immer größeren Anteil an der S.-Eintreibung, wobei der Rat jeweils für die Zahlung der geschuldeten Summen verantwortlich war. Andererseits wurde im Laufe des 1. Jh. der kaiserliche Verwaltungsapparat unter dem *a* → *rationibus* (vgl. Stat. silv. 3,3) mit → *procuratores* und freigelassenem bzw. unfreiem Unterpersonal immer weiter vergrößert. Über die zu erwartenden Einnahmen und Ausgaben gab es spätestens seit Augustus Aufstellungen, die gelegentlich im Senat verlesen wurden. S. und Zölle (→ Zoll) wurden nie als wirtschaftspolit. Mittel benutzt, etwa um Ausfuhr zu steigern oder um Importe aus Indien zu behindern, sondern dienten allein der Finanzierung der öffentlichen Ausgaben. S. wurden meist in Geld bezahlt, aber zur Versorgung der Hauptstadt und des Heeres mit Lebensmitteln gab es auch Sachlieferungen.

In ein Gesamtbild des röm. S.-Wesens wären auch die städtischen S. einzubeziehen, die ebenso vielfältig wie die des Staates waren, doch sind wir von einem genaueren Verständnis des röm. S.-Wesens weit entfernt. Die häufig wiederholte These von Jones, wonach 95% der S.-Einnahmen (und des Bruttosozialproduktes) aus der Landwirtschaft und nur 5% aus städtischen Quellen kamen, kann als widerlegt gelten.

C. Spätantike

Nachdem zunächst die *annona* genannte Haupt-S. auf Grundbesitz erhoben wurde, setzte sich mit der Erholung der Währung die Ablösung durch Geldzahlung (→ *adaeratio*) durch, wie in den meisten Abgabearten der Spätantike. Land- und Kopf-S. waren jetzt in einem System kombiniert, das als → *capitatio-iugatio* bezeichnet wird. *Capita* und *iuga* waren nun S.-Einheiten, die in den einzelnen Prov. verschiedenen Inhalt hatten; das Funktionieren dieses Systems ist noch umstritten. Die S.-Belastung war in der Spätant. verm. nicht wesentlich höher als in der frühen Kaiserzeit. Die vielen überl. Klagen hängen wohl einerseits mit der hochbürokratisierten Art der Eintreibung zusammen, andererseits mit der veränderten Quellenlage für diese Zeit, die nun auch die Sicht von unten spiegelt.

D. Ausgaben
1. Militärwesen 2. Ziviler Bereich
3. Die Verwaltung 4. Die Bauten

1. Militärwesen

Die S.-Einnahmen sind stets auch in Relation zu den Ausgaben des Imperium Romanum zu sehen. Der wohl wichtigste Ausgabenposten war das Militärwesen (→ Heerwesen), dessen Kosten einigermaßen zu beziffern sind: Eine Legion (→ *legio*) kostete seit Caesar etwa 6 Mio HS an → Sold (900 HS für den einzelnen Soldaten), unter Domitianus 8 Mio HS, unter Severus 16 Mio HS und schließlich unter Caracalla 24 Mio HS. Bei einer Heeresgröße von etwa 250000 bis 300000 Mann handelte es sich also um einen Anstieg von 150 Mio HS unter Augustus auf ca. 800 Mio HS unter Caracalla. Nimmt man an, daß die Soldaten der → *auxilia* ⅚ des Legionssoldes erhielten, die → Praetorianer aber das Dreifache, dürften die Kosten allein für den Sold des aktiven Heeres von ca. 300 Mio HS unter Augustus auf ca. 1,2 Milliarden HS unter Caracalla angestiegen sein, nicht eingerechnet die *donativa* (→ *donativum*) bei Antritt der Herrschaft, Jubiläen oder Siegen eines Princeps; unter Marcus Aurelius entsprachen diese *donativa* etwa den Soldzahlungen von 4–5 Jahren. Hinzu kamen die Kosten für die Ausrüstung; es ist unklar, wieviel dem Soldaten für Kleidung, Nahrung und Waffen abgezogen wurde. Immerhin mußten aber alle anderen Ausrüstungsgegenstände aus öffentlichen Mitteln finanziert werden.

Nach 20–25 Dienst-J. erhielten die Soldaten der Legionen eine Abfindung von ca. 13 J.-Gehältern, insgesamt 12000 HS, die höheren Dienstgrade entsprechend mehr. Geht man von 50% Überlebenden aus, waren jährlich knapp 4000 Legionssoldaten zu versorgen (ungefähr 50 Mio HS). Diese Summe stieg entsprechend den genannten Solderhöhungen über 67 und 130 auf 260 Mio HS unter Caracalla. Die gesamten Kosten für das Heer stiegen wohl von 400–500 Mio HS unter Augustus bis auf 1,5 Mrd HS unter den Severern an, was dann mindestens der H. oder zwei Dritteln der Einkünfte des Imperium Romanum entsprach. Um den Frieden zu bewahren, wurden außerdem v.a. im Osten Subsidien an auswärtige Völker entrichtet.

2. Ziviler Bereich

Die *annona* (→ *cura annonae*) der Stadt Rom, die zunächst nur → Getreide, dann Öl, → Wein und schließlich auch Schweinefleisch umfaßte, wurde ebenfalls aus S.-Geldern finanziert. Die für die Versorgung der *plebs frumentaria* benötigten 12 Mio *modii* Getreide hatten einen Marktwert von ca. 60 Mio HS. Die *congiaria* (→ *congiarium*) für die röm. Bevölkerung hatten zw. Nerva und Commodus einen Gesamtwert von etwa 2,26 Mrd HS, im Durchschnitt wurden also für solche Zuwendungen jährlich fast 25 Mio HS aufgebracht. Außerdem wurden auch Stiftungen des Princeps außerhalb Roms finanziert. Für die Bevölkerung der Stadt Rom wurde zudem eine Vielzahl von → Spielen gegeben.

3. Die Verwaltung

Die Kosten für die Verwaltung stiegen durch die Bezahlung von Senatoren im Dienst des Princeps und durch die Zunahme der Procuratorenstellen erheblich an (150–200 Mio HS nach [10. 823]). Der Aufwand für den Princeps und seine Umgebung ist in seiner Höhe nicht genau zu erfassen.

4. Die Bauten

Für die Bauten in Rom, It. und z.T. auch in den Prov. wurden erhebliche Geldbeträge aufgewendet, so etwa für den Straßenbau, der je Meile 100000 HS gekostet haben soll (CIL IX 6075=ILS 5875), oder für die Wasserleitungen, deren Gesamtkosten sich bis auf 350 Mio HS beliefen (*aqua Claudia*; Plin. nat. 36,122). Zum Bereich der → Infrastruktur gehörte außerdem der Ausbau der Häfen.

E. Zusammenfassung

Bei jährlichen Einnahmen und Ausgaben von zunächst etwa 1,5 Mrd HS bewegte das Imperium Romanum sich finanziell immer auf einem extrem niedrigen Niveau. Vor allem Kriege, bes. innere Konflikte (→ Soziale Konflikte), führten zu einer hohen Verschuldung. Bezeichnenderweise konnte ein Princeps, der keine Kriege führte, seinem Nachfolger einen Schatz von knapp 3 Mrd HS hinterlassen, so Tiberius (Suet. Cal. 37,3). Vespasianus schätzte nach der Regierungszeit Neros und nach dem Bürgerkrieg das Defizit auf ca. 40 Mrd HS, die etwa dem S.-Aufkommen von 15 bis 20 J. entsprachen (Suet. Vesp. 16,3).

1 R. Alston, Roman Military Pay from Caesar to Diocletian, in: JRS 84, 1994, 113–123 **2** Armées et fiscalité dans le monde antique, 1997 **3** F.M. Ausbüttel, Die Verwaltung des röm. Kaiserreiches von der Herrschaft des Augustus bis zum Niedergang des weström. Reiches, 1998, 69–94 **4** J. Bleicken, In provinciali solo dominium populi Romani est vel Caesaris, in: Chiron 4, 1974, 359–414
5 J. France, Quadragesima Galliarum, 2001 **6** P. Garnsey, Cities, Peasants and Food in Classical Antiquity, 1998
7 K.W. Harl, Coinage in the Roman Economy, 1996
8 L. Neesen, Unt. zu den direkten Staatsabgaben der röm. Kaiserzeit, 1980 **9** P. Schrömbges, Zum röm. Staatshaushalt in tiberischer Zeit, in: Gymnasium 94, 1987, 1–49
10 B. Shaw, Roman Taxation, in: M. Grant, R. Kitzinger, Civilization of the Ancient Mediterranean. Greece and Rome, 1988, 809–827 **11** M.A. Speidel, Roman Army Pay Scales, in: JRS 82, 1992, 87–106
12 R. Wolters, Nummi signati. Unt. zur röm. Münzprägung und Geldwirtschaft, 1999.

H.GA.

V. Byzanz

Der Übergang vom spätant. zum byz. S.-System erfolgte im wesentlichen in der Zeit vom 7. bis 9. Jh. n. Chr.; doch informieren darüber die Quellen – u.a. verstreute Nachr. in der Gesch.-Schreibung, einige Steuertraktate [7] und Kataster [3], darunter der Kataster von Theben – nur unzureichend, zumal Urkunden und die sog. πρακτικά/*praktiká* (Inventarlisten für die S.-Erhebung) in größerer Zahl erst ab dem 13./14. Jh. vorliegen.

Ein erster Einschnitt im Übergang zur byz. Epoche war die Abschaffung der Handels-S. (χρυσάργυρον/*chrysárgyron*, lat. *collatio lustralis*) 498. Es folgte die Ablösung der in ihrem Charakter umstrittenen → *capitatio-iugatio* – nach Meinung mancher eine Kombination von Kopf- und Grund-S. – durch neue S.-Formen ab dem 7. Jh., nämlich die Herd- bzw. Haushalts-S. (καπνικόν/*kapnikón*, »Rauch-S.«), die Grund-S. (συνωνή/*synōnḗ*) und das κομμέρκιον/*kommérkion*, eine S. bzw. ein Zoll auf Handels- und Einfuhrwaren. Hinzu kamen zahlreiche Sonder-S. [5].

Die Erhebung der S. erfolgte in gemünztem Geld, aber auch in Naturalien oder in Form von Dienstleistungen [6]. Die Eintreibung der S. erfolgte in byz. Zeit durch Staatsbeamte oder durch S.-Pächter [8]. In zahlreichen Dorfgemeinden bestand das System der gemeinsamen S.-Haftung [9]. S.-Nachlaß wurde in bestimmten Fällen als Privileg der permanenten S.-Befreiung (Immunität, ἐξκούσσεια/*exkússeia*) [11. 153–224] oder nur für eine kürzere oder längere Frist gewährt [19]. Der spätant. Leiter der obersten S.-Behörde, der → *comes sacrarum largitionum*, hatte bereits um 500 erheblich an Einfluß verloren; das Amt ist nach 610 nicht mehr bezeugt. Etwa ab 700 ist der Übergang seiner Funktionen an den → *logothétēs tu genikú* nachweisbar, dessen Behörde, das γενικόν/*genikón* [4], bis zum 12. Jh. überdauerte.

1 P. Schreiner, s. v. Finanzwesen, -verwaltung, LMA 4, 455–457 **2** J. Goldstein, s. v. Steuern, -wesen, LMA 8, 158–160 **3** A. N. Oikonomides, s. v. Cadaster, ODB 1, 363 **4** A. Kazdhan, s. v. Genikon, ODB 2, 829f. **5** A. N. Oikonomides, s. v. Secondary Taxes, ODB 3, 1863f. **6** A. Kazdhan, s. v. Taxation, ODB 3, 2015–2017 **7** Ders., A. N. Oikonomides, s. v. Taxation, Treatises on, ODB 3, 2017 **8** A. N. Oikonomides, s. v. Tax Collectors, ODB 3, 2017f. **9** M. C. Bastusis, s. v. Village Community, ODB 3, 2168f. **10** F. Dölger, Beitr. zur Gesch. der byz. Finanzverwaltung, 1927 (Ndr. 1960) **11** N. A. Oikonomides, Fiscalité et exemption fiscale à Byzance, 1996 **12** W. Treadgold, The Byzantine State Finances in the Eigth and Ninth Centuries, 1982 (ablehnende Rezension von R.-J. Lilie, in: Byzantinoslavica 48, 1987, 49–55). F. T.

Steuerpacht s. Publicani; Steuern

Stheneboia (Σθενέβοια). Bei Hom. Il. 6,160 Anteia genannt, Tochter des lykischen Königs → Iobates (Apollod. 2,25; Hyg. fab. 57) oder Amphianax (Apollod. 2,25; schol. Hom. Il. 6,200 Rekker) oder des arkadischen Königs → Apheidas [3] (Apollod. 3,102), Frau des → Proitos und Mutter der → Proitides und des → Megapenthes [1] (Apollod. 2,26; 2,29; Aristoph. Ran. 1043 mit schol. u. a.). Nachdem es ihr nicht gelingt, den → Bellerophontes zu verführen, beschuldigt sie diesen bei Proitos, sie vergewaltigt zu haben (Potiphar-Motiv, → Josef; vgl. → Phaidra). Bellerophontes wird von Proitos in der Absicht, ihn zu töten, weggeschickt, kehrt jedoch zurück. S. flieht auf dem → Pegasos [1], Bellerophontes stößt sie über Melos ins Meer hinab (Hom. Il. 6,160f.; Apollod. 2,30; vgl. Eur. Stheneboia TGF fr. 661–672).

C. Lochin, s. v. S., LIMC 7.1, 810–811 • G. Türk, s. v. S., RE 3 A, 2468f. K. WA.

Sthenelaidas (Σθενελαΐδας). Spartiat, forderte als einer der → *éphoroi* und Leiter der → Apella 432 v. Chr. unter Hinweis auf Beschwerden spartan. *sýmmachoi* (→ Peloponnesischer Bund) und trotz Warnungen des Königs → Archidamos [1] II. eine aktive Eindämmung der Macht Athens. Anders als üblich ließ er nicht durch Zuruf abstimmen, sondern auseinandertreten und konnte so den Beschluß durchsetzen, Athen habe den Frieden von 446 v. Chr. gebrochen (Thuk. 1,85,3–87,6). Dies verschärfte erheblich die Krise, die zum → Peloponnesischen Krieg führte.

E. Flaig, »Die spartanische Abstimmung nach der Lautstärke«. Überlegungen zu Thuk. 1,87, in: Historia 42, 1993, 139–160. K.-W. WEL.

Sthenelos (Σθένελος).

[1] Sohn des Aktor, nimmt mit Herakles [1] am Zug gegen die → Amazones teil, auf dem er an der paphlygonischen Küste fällt. Dort erscheint S. in voller Rüstung den vorbeiziehenden → Argonautai, die ihm, veranlaßt durch → Mopsos, opfern (Apoll. Rhod. 2,911–927 mit schol.; Promathidas FGrH 430 F 4–5; Val. Fl. 5,87–100).

[2] Sohn des → Androgeos, Enkel des → Minos. S. wird zusammen mit seinem Bruder Alkaios von Herakles [1] auf Paros als Geisel genommen, weil sie den Tod zweier seiner Gefährten verschuldeten, und später als Siedler auf Thasos zurückgelassen (Apollod. 2,98–100; 2,105).

[3] Sohn des → Perseus [1] und der → Andromeda, Bruder von → Elektryon, Helos, Alkaios [1], Mestor [1], Perses [3] und der Gorgophone [3] (Hom. Il. 19,116; 19,123 mit schol.; Apollod. 2,49), Gatte der Pelops-Tochter Nikippe (Hes. cat. 190; 191; Apollod. 2,53) oder der Amphibia, Antibia oder Menippe (schol. Hom. Il. 19,116), Vater von → Eurystheus, Alkyone und Medusa (schol. Hom. Il. 19,116; Apollod. 2,53; Diod. 4,12,7). S. vertreibt → Amphitryon aus Argos (Apollod. 2,56). Er wird vom Heraklessohn → Hyllos [1] getötet (Hyg. fab. 244).

[4] Sohn des → Kapaneus und der → Euadne [2] (Hom. Il. 2,564; Apollod. 3,79), Vater des Kylarabos (Paus. 2,22,8f.). Teilnehmer am Zug der Epigonen gegen Theben (vgl. → Epigonoi [2]; Hom. Il. 4,406 mit schol.; Apollod. 3,82). Nach Paus. 2,18,5 überläßt Iphis seinem Neffen S. seinen Herrschaftsbereich in Argos. Apollod. 3,129 reiht S. unter die Freier der → Helene [1] ein. S. wird als Gefährte und Wagenlenker des → Diomedes [1] häufig erwähnt (z. B. Hom. Il. 2,564; 5,241; 5,835; 8,114 mit schol.), als Insasse des hölzernen Pferdes bei Verg. Aen. 2,261. Nach der Eroberung Troias begleitet S. Diomedes nach Aitolien (Hyg. fab. 175). Sein Grab befindet sich in Argos oder Kolophon (Paus. 2,22,8f.; schol. Lykophr. 433).

A. Kauffmann-Samaras, s. v. S., LIMC 7.1, 812f. SU. EI.

[5] Tragiker (TrGF I 32), ausgehendes 5. Jh. v. Chr.; von Aristophanes in ›Gerytades‹ fr. 158 PCG wegen seines witzlosen Stils (vgl. Aristot. poet. 22,1458a 20f.), in Vesp. 1313 wegen seiner Armut verspottet. B.Z.

Sthenidas (Σθενίδας). Verf. einer ps.-pythagoreischen Schrift ›Über das Königtum‹ (Περὶ βασιλείας, ein Fr. bei Stob. 4,270 erh.). In Form und Inhalt eng damit verwandt sind Texte gleichen Titels unter den Namen Diotogenes und → Ekphantos [2].
→ Pythagoreische Pseudepigraphen

ED.: H. THESLEFF (ed.), The Pythagorean Texts of the Hellenistic Period, 1965 (bes. 187f.).
LIT.: L. DELATTE, Les traités de la Royauté d'Écphante, Diotogène et S., 1942 • H. THESLEFF, An Introduction to the Pythagorean Writings of the Hellenistic Period, 1961. H.D.

St(h)enius. Urspr. oskisches Praen. (*Stenis*), später auch als Gent. gebraucht [1. 89, 425]. Bekannt v.a. durch S. aus Thermai Himerai auf Sizilien (Nachfahre der → Mamertini oder griech. Herkunft?). Der gebildete Aristokrat erwirkte 82 v. Chr. die Verschonung von Thermai durch Cn. Pompeius [I 3] (Plut. Pompeius 10,6), suchte 72 Hilfe beim Senat gegen die Geldgier des C. → Verres und wurde in Abwesenheit erst zu einer Geldstrafe, dann zum Tode verurteilt. Das Skandalurteil trug entscheidend zum Prozeß gegen Verres bei, in dem S. als Zeuge auftrat (Cic. Verr. 2,2,83–118).

1 SCHULZE 2 SALOMIES, 91. JÖ.F.

Sthennis (Σθέννις). Bronzebildner aus Olynth, wirkte ab 348 v. Chr. in Athen. Laut erh. Inschriftenbasen schuf er im späten 4. Jh. v. Chr. mit → Leochares auf der Akropolis in Athen eine Familiengruppe und in → Oropos im frühen 3. Jh. eine Statue für → Lysimachos [2]. Lit. sind für S. mehrere Götterstatuen und eine Philosophenstatue bezeugt, die später nach Rom gelangten, sowie *flentes matronas et adorantes sacrificantesque* (»weinende, anbetende und opfernde Frauen«, Plin. nat. 34,19,90) und Siegerstatuen in → Olympia. Obwohl keines der Werke erh. ist, zählte S. zu den berühmten Bildhauern der Ant.

OVERBECK, Nr. 1343–1349 • LOEWY, Nr. 83, 103 a, 481, 541, 112 a • LIPPOLD, 303 • P. MINGAZZINI, s. v. S., EAA 7, 1966, 499 • C. HABICHT, S., in: Horos 10–12, 1992–1998, 21–26. R.N.

Sthen(n)o (Σθεν(ν)ώ, »die Starke«). Eine der drei Gorgonen (→ Gorgo [1]), unsterbliche Tochter des → Phorkys [1] und der → Keto (Hes. theog. 276; Apollod. 2,39; Nonn. Dion. 40,229), auch Σθείνω/*Stheínō* (schol. Hes. theog. 276). NI.JO.

Sticheron s. Syntomon

Stichios
[1] (Στιχίος). Athen. Heerführer vor Troia; Gefährte von → Menestheus [1]; von Hektor getötet (Hom. Il. 15,329). Erscheint evtl. schon im Myk. als *ti-ki-jo* [1].
[2] (Στίχιος). Aitoler, Geliebter des → Herakles [1], von diesem im Wahn getötet (Ptol. Chennos bei Phot. bibl. 152b Z. 36–40).

1 R. JANKO, The Iliad: A Commentary, Bd. 4: Books 13–16, 1992, 71. SV.RA.

Stichometrie. Mod. Begriff für die ant. Technik, durch Zählung der Zeilen (στίχοι, *stíchoi*) eines lit. Textes seinen Umfang zu bestimmen. Während in der Dichtung jeder Vers stichometrisch als Zeile gewertet wird, orientiert sich die Prosazeile an der Länge eines durchschnittlichen epischen Hexameters (vgl. Galenos 5,655 KÜHN; daher terminologisch für »Zeile« neben *stíchos* auch ἔπος/*épos*), d. h. ca. 35 Buchstaben oder 16 Silben. Zwei Arten der S. sind direkt überl.: 1. Randzählung, wobei jede 100. Zeile am Rand der Papyrusrolle mit einem griech. Buchstaben (A = 100 bis Ω = 2400), manchmal aber auch nur mit einem Strich gekennzeichnet wird; 2. Summenzählung, wobei die Gesamtsumme der Zeilen am Ende der Rolle angegeben wird. S. ist seit dem 4. Jh. v. Chr. in lit. Werken belegt (Theop. FGrH 115 F 25; Isokr. or. 12, 136; später z. B. bei Diog. Laert. 7,187; Suda); sie findet sich auch in Papyri (v. a. POxy. und PHercul.; vgl. [5; 6]) sowie in griech. und (seltener) lat. Hss. Die ant. stichometr. Angaben hatten vermutlich vier Funktionen: 1. Sie garantierten dem Bibliothekar (→ Kallimachos' [3] *Pínakes*), Buchhändlern und Lesern die Vollständigkeit eines abgeschriebenen Textes [4. 42] (auch als Mittel gegen Fälschungen); 2. sie dienten als Grundlage für die Berechnung des Schreiberlohnes und des Buchpreises; 3. sie halfen dem Abschreiber, den Umfang im voraus zu bestimmen und eine entsprechende Papyrusrolle zu wählen [2, 72–73]; 4. sehr selten ermöglichten sie auch die Bezugnahme auf Stellen anderer Werke (z. B. → Asconius' Cicero-Komm.).
→ Rolle

1 T. BIRT, Das ant. Buchwesen in seinem Verhältniss zur Litt., 1882, 157–222 (Ndr. 1959, 1974) 2 W. SCHUBART, Das Buch bei den Griechen und Römern, 1921, 72–78
3 K. OHLY, Stichometrische Unt., 1928 (Ndr. 1968)
4 C. WENDEL, Die griech.-röm. Buchbeschreibung, 1949, 34–44 5 E. G. TURNER, Greek Papyri, 1968, 94–95
6 T. DORANDI, Stichometrica, in: ZPE 70, 1987, 35–38
7 O. MAZAL, Griech.-röm. Ant., 1999, 111–113. GR.DA.

Stichomythie (στιχομυθία). Form des Dialogs im ant. Drama, in der zwei – oder seltener drei – Personen in regelmäßigem Wechsel sprechen. Der Begriff ist als t.t. zuerst bei Poll. 4,113 belegt, eine Umschreibung der dramatischen Technik der »Gesprächsverdichtung« [6] jedoch bereits bei → Aischylos [1] (Eum. 585f.). Der Ursprung der S. liegt im dunkeln (Initiationsriten: [8. 201], volkstümliche Bräuche: [2. 95–106]). Zur

Technik der S. im eigentlichen Sinn werden in der Forsch. bisweilen auch Formen des Dialogs hinzugenommen, in denen sich Personen in Halbversen (*antilabaí*, t.t. bei Hesych. s. v. ἀντιλαβή) oder Doppelversen (Distichomythie, t.t. nicht ant.) unterhalten. In der dramat. Praxis finden sich oft Mischformen.

S. finden sich seit der frühesten erh. griech. Trag. (Aischyl. Pers.); sie nehmen im Umfang und an Häufigkeit im Verlauf des 5. Jh. v. Chr. kontinuierlich zu. Unter inhaltlichen Gesichtspunkten lassen sich folgende Grundformen bestimmen [7]: Informations-S. (z. B. Aischyl. Pers. 232–245, Eum. 418–435), Streit-S. (Aischyl. Suppl. 916–929), Überredungs-S. (Aischyl. Sept. 245–263, 712–719), Gebets-S. (Aischyl. Suppl. 204–227, Choeph. 479–509), → Anagnorisis-S. (Aischyl. Choeph. 212–225, häufig bei → Euripides [1]; Men. Pk. 779 ff.), Beratungs-S. (Aischyl. Ag. 1347–1371), Aktions-S., die kommentierend eine Handlung begleitet (Aischyl. Prom. 52–81; Eur. Heraclid. 726–739). Diese inhaltlichen Typen, die sich bei Aischylos in ihrer Reinform finden, werden von Sophokles und Euripides unter Berücksichtigung der dramat. Handlung flexibel gehandhabt. Während Aischylos die S. meist als erklärenden Zusatz zu einer → Rhesis einsetzt, verwenden sie die beiden jüngeren Tragiker als dynamische, handlungsbegleitende oder -stimulierende Form, die der Entfaltung der Charaktere dient.

In den Komödien des → Aristophanes finden sich S. v. a. in Streit- und Überredungsszenen, häufig als Mischform (Aristoph. Ach. 303 ff., Equ. 335 ff., Lys. 352 ff.). In der röm. Komödie wird die S. mit höchster Freiheit in von großer Erregung getragenen Szenen eingesetzt; die reine S. findet sich selten (Plaut. Amph. 812 ff., Cist. 240 ff.). Großes Gewicht erhält die S. in den Tragödien → Senecas [2], bes. in Streit- und Überredungsszenen. In den Streitszenen wird als Höhepunkt ein Problem, das zuvor schon geklärt wurde, in pointierter, antithetischer Form nochmals durchdiskutiert (z. B. Sen. Tro. 327 ff., Herc. f. 422 ff., Med. 490 ff.: Mischform). Die Überredungs-S. findet sich vorwiegend in den *domina-nutrix*-Szenen (im Dialog zw. Herrin und Amme: Sen. Med. 155 ff., Ag. 144 ff., Phaedr. 239 ff.: mit *antilabaí*).

→ Komödie; Tragödie

1 A. Ercolani, Il passaggio di parola sulla scena tragica, 2000, 20 f. 2 A. Gross, Die S. in der griech. Trag. und Kom., 1905 3 G. F. K. Listmann, Die Technik des Dreigesprächs in der griech. Trag., 1910 4 W. Jens, Die S. in der frühen griech. Trag., 1955 5 E.-R. Schwinge, Die Verwendung der S. in den Dramen des Euripides, 1968
6 B. Seidensticker, Die Gesprächsverdichtung in den Trag. Senecas, 1969 7 Ders., Die S., in: W. Jens (Hrsg.), Die Bauformen des griech. Trag., 1971, 183–220
8 G. Thomson, Aischylos und Athen, 1957.

B. Z.

Stiela (Στίελ(λ)α). Befestigte Stadt in Sicilia, Lage unbekannt (Sophron fr. [1. 67]; Philistos FGrH 556 F 20), nach Steph. Byz. s. v. Στύελλα (Στιελα nach Mz. korrigiert) bei Megara [3]. Wegen der Legenden STA/STI/STIA sind S. zwei Mz.-Serien (5./4. Jh. v. Chr.) zuzuschreiben ([2]; nur eine Mz. aus Grabungszusammenhang: Francavilla di Sicilia westl. von Taormina [3]). Die Verwandtschaft mit Mz. von Katane und Leontinoi lassen S. dort vermuten ([4; 5]: bei Portiere Stella in der Ebene von Catania).

1 A. Oliveri, Frammenti della Commedia Greca ..., Bd. 2, ²1947 2 C. Arnold-Biucchi, s. v. Alabon, LIMC 1, 1981, 477 f. 3 U. Spigo, Vita dei Medaglieri, in: Annali dell'Ist. Italiano di Numismatica 42, 1995, 197–208 (Lit.)
4 S. Mirone, S., in: Zschr. für Numismatik 38, 1928, 29–55
5 K. Ziegler, s. v. S., RE Suppl. 7, 1232–1236.

GI. F./Ü: J. W. MA.

Stierkulte

I. Mesopotamien II. Ägypten

I. Mesopotamien

S. haben in histor. Zeit in der anthropomorph geprägten Rel. Mesopotamiens keine Rolle gespielt. Metaphorisch wird → Enlil als Stier bezeichnet oder das Toben des Wettergottes → Hadad mit dem Brüllen eines Stieres verglichen. Die Tatsache, daß Stiere (und andere Tiere) Göttern als Podest dienten (Syrien-Palästina, hethitisches Anatolien) spricht nicht für einen S. Die »Goldenen Kälber« in Ex 32 und 1 Kg 12,28–32 stellen ebenfalls Podeste für den unsichtbaren → Jahwe dar. J. RE.

II. Ägypten

Unter den äg. Tierkulten findet sich bes. häufig die Verehrung hl. Stiere [3; 5]. Hl. Stiere galten als »Seele« (*b3*) oder »Herold« (*whm*) bestimmter Götter. Die wichtigsten waren → Apis [1] in → Memphis (→ Phthas), Mnevis in Heliopolis [1] (→ Re) und Buchis in Armant (Month). Jeder dieser Stiere zeichnete sich durch bestimmte körperliche Merkmale (z. B. Fellfarbe) aus. Daher mußte beim Schlachten darauf geachtet werden, daß es sich nicht um ein hl. Rind handelte. Die Überwachung dieser Angelegenheiten übernahm der Moschosphragist (»Kälbersiegler«; BGU I 250), der auch die Gesundheit von Schlachttieren prüfte.

Ein als hl. erachteter Stier wurde inthronisiert und im Tempelbezirk gehalten. Ihn zu töten galt als Sakrileg – so wird der Mord an einem Apis gern als Beweis angeblicher Gottlosigkeit des → Kambyses [2] II. angeführt. Verstorbene Stiere wurden in eigenen Grabanlagen bestattet [1; 6; 7]. Nicht nur die Stiere selbst waren hl., sondern auch ihre Mütter. Außerdem verfügte ein hl. Stier über eine eigene Rinderherde als »Harem«. Deren Kälber unterlagen ebenfalls Restriktionen, z. B. beim Verkauf [2. 74, Z. 1–7]. Da hl. Tiere lebendige Gottheiten waren, waren sie bes. geeignet, → Orakel zu geben.

→ Religion; Rind

1 J. Boessneck et al., Die Münchner Ochsenmumie, 1987
2 A. H. Gardiner, Ramesside Administrative Documents, 1948 3 D. Kessler, Die hl. Tiere und der König, 1989
4 R. Mond, O. Myers, The Bucheum, 1934 5 E. Otto,

Beitr. zur Gesch. der S. in Äg., 1938 6 J. Quack, Beitr. zum Verständnis des Apisrituals, in: Enchoria 24, 1997/8, 43–53 7 R. L. Vos, The Apis Embalming Ritual, 1993. A. v. L.

Stiftungen

I. Definition und historische Entwicklung
II. Stifter und ihre Motive

I. Definition und historische Entwicklung

Die S. der Ant. waren private Zuwendungen für festgeschriebene, meist in bestimmten Intervallen wiederholte, auf Dauer angelegte Zwecke: → Opfer, Festmahlzeiten, Spiele (→ *ludi*), Geldzahlungen an bestimmte Personengruppen oder → Totenkult. Zugrunde lagen einmalige Vermögensübertragungen, aus deren Erträgen der S.-Zweck finanziert wurde (Plinius [2]: CIL V 5262 = ILS 2927), so etwa die Übereignung eines Grundstücks, dessen Pachtertrag genutzt werden sollte (Plin. epist. 7,18), oder Sachspenden, deren Verkauf die Vermögensbasis der S. bildete (→ Getreide; Pol. 31,31(25)). Entscheidend war, daß das S.-Kapital oder -objekt nicht angetastet wurde, damit die gedachten Zuwendungen auf Dauer den Empfängern zugutekommen konnten.

S. gehörten in den Bereich des → Euergetismus und sind von den meist einmaligen Schenkungen und → Weihungen zu unterscheiden. In der griech. Welt wird das S.-Wesen erst im späten 5. Jh. v. Chr. faßbar. Über rein private Interessen hinaus entwickelte sich die S. zu einer wichtigen Institution für öffentliche, soziale und sakrale Belange. Gerade die frühen Belege gehören oft in die Sphäre des → Heiligtums (Xen. an. 5,3,4–13) oder der Familienkulte (IG XII 3,330). Einen ersten Höhepunkt erreichte das S.-Wesen im 3. und 2. Jh. v. Chr., nicht zuletzt unter dem Einfluß dynastischer Munifizenz, die vielfach überregional neben das Engagement städtischer Eliten trat und häufig den Heiligtümern (Delphoi, Delos) zugutekam. Insbes. das westl. Kleinasien nahm seit hell. Zeit eine Sonderstellung ein, die bis in das 2. und 3. Jh. n. Chr. (die Blütephase des S.-Wesens überhaupt) andauerte.

Im lat. Westen sind S. für die frühe Prinzipatszeit bes. in It. (Rom und Umgebung) bezeugt. Von den westlichen Prov. spielten nur Africa und eingeschränkt Gallien eine gewisse Rolle. Aus der Spätant. sind kaum noch inschr. Zeugnisse vorhanden, was sicherlich mit einem Rückgang der S.-Tätigkeit, vielleicht aber auch mit dem Verzicht auf schriftliche Bekundung zusammenhängt. Im Christentum waren S. weit verbreitet, sind allerdings nicht epigraphisch individuell bezeugt.

II. Stifter und ihre Motive

Als Stifter fungierten Einzelpersonen, darunter auch Frauen, von unterschiedlichem sozialen Rang, vom → Freigelassenen (CIL III 6998 = ILS 7196) bis zum hell. König (OGIS 383) und röm. → Princeps, aber auch Familien, → Vereine, Kollegien (→ *collegia*) und andere Personenverbände. Unterschiedlich waren auch die Motive, die zur Einrichtung einer S. führten. Neben Zuwendungen aus der Kriegsbeute wird häufig Bekleidung von Ämtern genannt (CIL VIII 26591b). Ebenso war wohl die polit. Absicht von Bed., durch S. Sympathien der Mitbürger, Untertanen oder fremder Mächte zu erwerben (Pol. 31,31(25)). Auch das Moment der Selbstdarstellung und der Konkurrenz innerhalb der polit. Führungsschicht spielte dabei eine Rolle. In diesen Kontext gehören auch viele S. zugunsten des Herrscher- oder → Kaiserkults. Daneben sind aber auch Beweggründe wie Frömmigkeit und der Wunsch nach Andenken (μνῆμα/*mnēma*; lat. *memoria*) zu berücksichtigen. Das Gedenken an Angehörige wird als Motiv oft ausdrücklich genannt, aber auch das Andenken an die eigene Person sollte durch S. aufrechterhalten werden (CIL XIV 353 = ILS 6148; CIL XIV 367 = ILS 6164). Nicht selten ist dies als eigentliches Motiv des Stifters anzusehen, zumal S. oft mit Ehrungen wie der Errichtung einer Statue honoriert wurden.

Zweck und Inhalt der S. wird bei [7] in drei Bereiche – sakral, agonal und sozial – geteilt, deren Grenzen freilich fließend verlaufen. Unter der Kategorie der sakralen Zuwendungen werden neben der Errichtung und Pflege von Heiligtümern v. a. → Opfer für Götter und → Heroen, oft in Verbindung mit einer feierlichen → Prozession (πομπή/*pompḗ*; lat. *pompa*) und einem Festmahl, subsumiert. Auch der Bereich des Herrscherkults (CIL XIV 2795 = ILS 272) gehört dazu. Bes. Bed. hatten Familien- und Totenkulte (CIL V 7906 = ILS 8374). Die agonalen S. bezogen sich auf die Begründung von musischen oder gymnasialen Agonen (→ Sportfeste), die dann auch den Namen des Initiators tragen konnten, oder auf die Ausstattung bestehender → Wettbewerbe.

Die sozialen S. begünstigten sowohl bestimmte Personengruppen (Priester, Amtsträger, Kollegien) als auch die Allgemeinheit; die Öl-S. der Phainia in Gytheion bezog ausdrücklich auch die Fremden und die Sklaven ein (IG V 1,1208). Zu den Ämter-S., bei denen durch Zuwendungen auf Dauer ein meist kostspieliges Amt finanziert werden sollte, zählen etwa die → Gymnasiarchie oder in Kleinasien die → Stephanephorie. Die Attaliden finanzierten etwa verschiedene Schul-S. (Rhodos, Eumenes [3] II. Soter: Pol. 31,31(25); Delphi, Attalos [5] II.: Syll.[3] 672). Die Verteilung von → *sportulae* an einen Teil der Bevölkerung an bestimmten Feier- oder Gedenktagen ist hier ebenfalls zu nennen; ebenso Bau-S., wobei neben der Errichtung von Gebäuden auch für deren Unterhalt gesorgt wurde (Plinius [2] für eine Bibliothek: CIL V 5262 = ILS 2927).

Neben den vom Princeps initiierten Alimentar-S. (→ *alimenta*) waren auch private S. von Bed., so etwa eine S. des jüngeren Plinius [2] (CIL V 5262 = ILS 2927; Plin. epist. 7,18): Er übereignete ein Grundstück der Stadt Comum, um es selbst wieder zu pachten. Damit stand die Pachtsumme in Höhe von 30000 HS zur Unterstützung freigeborener Knaben und Mädchen in Comum zur Verfügung.

Insgesamt trugen die S. nicht unwesentlich zur Lebensqualität in ant. Städten bei, obwohl sie im öffentl. Leben niemals eine entscheidende Rolle spielten. Die Stifter und ihre Nachkommen genossen soziales Prestige, das sich zum Teil in öffentl. Ehrungen bekundete. Entscheidend für den Rückgang des S.-Wesens war schließlich die stetige → Geldentwertung, die zur Folge hatte, daß die Erträge der S.-Vermögen für den jeweiligen Zweck der S. auf Dauer nicht mehr ausreichten.
→ Alimenta; Bauwesen; Euergetes; Euergetismus; Liberalitas, largitio

1 K. Bringmann, H. von Steuben (Hrsg.), Schenkungen hell. Herrscher an griech. Städte und Heiligtümer, Bd. 1, 1995 **2** W. Eck, Der Euergetismus im Funktionszusammenhang der kaiserzeitl. Städte, in: Actes Xe Congr. International d'Épigraphie grecque et latine, 1997, 306–331 **3** Ph. Gauthier, Les cités grecques et leurs bienfaiteurs (IVe-I[e] s. av. J. C.), 1985 **4** C. Habicht, Gottmenschentum und griech. Städte, ²1970 **5** D. Johnson, Munificence and Municipia, JRS 75, 1985, 105–125 **6** J. U. Krause, Das spätant. Städtepatronat, in: Chiron 17, 1987, 1–80 **7** B. Laum, S. in der griech. und röm. Ant., 1914, Ndr. 1964 **8** A. Mannzmann, Griech. S.-Urkunden, 1962 **9** F. Quass, Die Honoratiorenschicht in den Städten des griech. Ostens, 1993 **10** P. Veyne, Le pain et le cirque, 1976 (dt. 1990) **11** G. Wesch-Klein, Liberalitas in rem publicam, 1990 **12** M. Wörrle, Stadt und Fest im kaiserzeitl. Kleinasien, 1988.

GA. W.

Stil, Stilfiguren

I. Allgemeine Definition
II. Personenbezogenes Phänomen
III. Rhetorisches Element (Stilfiguren)

I. Allgemeine Definition

Unter S. (von lat. *stilus*, »Pfahl« > »Schreibgriffel« > »Schreibart«; griech. λέξις/*léxis*) versteht man die individuelle mündliche oder schriftliche Ausdrucksweise einer Person. Er erfährt bei der Realisierung gedanklicher Vorstellungen auf sprachlicher Ebene seine spezifische Eigenheit durch den (mehr oder weniger beabsichtigten) Einsatz gestaltender Elemente, zu denen u. a. auch die Stilfiguren zählen; mit ihnen soll bewußt oder unbewußt eine bestimmte, oft situationsabhängige Wirkung erzielt werden. Gemäß der Lehre der ant. → Rhetorik hat sich der S. nach der Art der zu haltenden Rede (Gerichtsrede, polit. Rede, Gelegenheits- oder Festrede; → *genera causarum*) zu richten. Bei der schriftl. Formulierung spielen der Inhalt des jeweiligen Textes und das Zielpublikum eine Rolle.

II. Personenbezogenes Phänomen

Der spezifische Sprachgebrauch eines Redners oder Schriftstellers ist jeweils durch eine ganz bestimmte Anzahl von Erscheinungen gekennzeichnet, die auf unterschiedlichen Ebenen anzusiedeln sind. Kennzeichnend ist entweder das gehäufte Auftreten oder das teilweise, bisweilen auch gänzliche Fehlen bestimmter Elemente. So hebt sich beispielsweise → Sallustius [II 3] in stilistischer Sicht mit seinem knappen, inkonzinnen und abrupten Satzbau bewußt deutlich von den wohlgefeilten Perioden → Ciceros ab. Typisch für die individuelle Formulierungsweise können u. a. folgende Merkmale sein: Gestaltung des Satzumfangs (parataktische Kurzsätze oder Perioden mit ausführlicher Hypotaxe) oder von Sinneinheiten (etwa durch Ringkomposition), Bevorzugung bestimmter Satztypen (z. B. Relativsätze), Vorliebe für Nominalausdrücke (etwa Verbalabstrakta anstelle von Verben), Häufung oder Vermeidung von Attributen, Tendenz zum Archaisieren (bei der Wortwahl oder im Formenbau), Freude an Neologismen, poetischer Ausdrucksweise (bes. außerhalb der Dichtung) oder an rhythmischer und klangvoller Ausdrucksweise (→ Prosarhythmus), Art des verwendeten Vokabulars (→ Fachsprache mit ihren speziellen Termini oder eher allg. Wortschatz) und der Darstellung (geradliniger, fortlaufender Aufbau oder Auflockerung durch Einschübe wie → Reden oder Exkurse).

III. Rhetorisches Element (Stilfiguren)

Aus rhet. Sicht bezeichnet S. den dosierten Einsatz bestimmter Mittel, die eine Abkehr vom herkömmlichen Sprachgebrauch beinhalten. Bei den hierbei verwendeten Phänomenen handelt es sich zumeist um Elemente, die man seit der Ant. in → Tropen und → Figuren unterteilt und mit entsprechenden griech. oder lat. Fachausdrücken benennt. Der Anteil und die Zusammensetzung der einzelnen verwendeten sprachl. Mittel stellt ein wichtiges Kriterium für den persönlichen S. eines Redners bzw. Autors dar.

Als Tropen (lat. *tropus* < griech. τρόπος/*trópos*, »Wendung, Richtung«) bezeichnet man Wörter oder Wendungen der uneigentlichen Bezeichnung, d. h. sie sind nicht im eigentlichen Sinn, sondern in übertragener, bisweilen bildlicher Weise gebraucht (vgl. Quint. inst. 8,6,1: τρόπος *est verbi vel sermonis a propria significatione in aliam cum virtute mutatio*). Man unterscheidet zw. 1) Grenzverschiebungstropen, bei denen der Ersatz inhaltlich mit der ersetzten Einheit verwandt ist, wobei die Verschiebung a) innerhalb oder b) außerhalb der Ebene des Begriffsinhaltes verlaufen kann, sowie 2) Sprungtropen, bei denen der Ersatz und die ersetzte Einheit inhaltlich nicht unmittelbar benachbart sind, so daß bei der gedanklichen Verbindung der beiden Elemente ein gewisser Abstand zu überbrücken ist [5. 8–21].

Als Figuren (lat. *figura*, griech. σχῆμα/*schéma*) faßt man diejenigen bewußt geschaffenen, oftmals artifiziellen Ausdrucksformen zusammen, die sich vom ansonsten vorherrschenden Sprachgebrauch bewußt abheben (vgl. Quint. inst. 9,1,14: *ergo figura sit arte aliqua novata forma dicendi*). Die ant. Rhetorik unterschied zw. Figuren des Ausdrucks oder Wortfiguren (lat. *figurae verborum* oder *figurae elocutionis*, Quint. inst. 9,3,1–102) einerseits und Gedanken- und Sinnfiguren (lat. *figurae sententiarum*, Quint. inst. 9,2,1–107) andererseits. Während sich die erste Gruppe in der Abkehr von der normalen Ausdrucksweise manifestiert, betrifft die zweite die Gestaltung des Aufbaus und die Gedankenführung.
→ Figuren; Rhetorik; Tropen

1 F. Cupaiuolo, Bibliografia della lingua latina (1949–1991), 1993, 356–442 2 Hofmann/Szantyr, XLIX-XCVII 3 W. G. Müller, Topik des S.begriffs. Zur Gesch. des S.-Verständnisses von der Ant. bis zur Gegenwart, 1981 4 Norden, Kunstprosa
5 J. Richter-Reichhelm, Compendium scholare troporum et figurarum. Schmuckformen lit. Rhet., 1988
6 Schanz/Hosius (jeweils unter den einzelnen lat. Autoren) 7 Schmid/Stählin I/II (jeweils unter den einzelnen griech. Autoren). R. P.

Stilicho. Flavius S., *magister utriusque militiae* im Westen des röm. Reichs 395–408 n. Chr.; Sohn eines Offiziers vandalischer Herkunft (vgl. Oros. 7,38,1), der unter Valens diente. S. nahm 383 als *tribunus* an einer Gesandtschaft nach Persien teil (Claud. carm. 21,51–68); er heiratete 384 → Serena (ebd. 69–88), die Nichte des Theodosius I., wurde *comes stabuli*, nach 385 *comes domesticorum* (Claud. carm. minora 30,193 f.) und 392 *magister utriusque militiae*, wohl in Thrakien (Cod. Theod. 7,4,18; 7,9,3). Er leitete 394 an zweiter Stelle neben → Timasius den Feldzug gegen → Eugenius [1] in It. (Zos. 4,57,2) und stieg nach der Schlacht am Frigidus zum *magister utriusque militiae* im Westen auf (Zos. 4,59,1; ILS 795). Anf. 395 bestellte ihn der sterbende Theodosius zum Vormund seiner Söhne → Honorius [3] (11 J.) und → Arcadius (17 J.), wobei Einzelheiten unklar bleiben [9, Bd. 2,2. 468–470; 5. 910f.].

S. konnte seine Machtstellung im Westreich behaupten [7. 257–270] und durch enge Beziehungen zu Honorius (Titel → *parens*, [10]), durch die Heirat seiner Tochter Maria [I 3] mit dem Kaiser 395 (Zos. 5,4,1) und eine Reform der Kommandostruktur [7. 20f.] festigen. Wegen der Vormundschaft über Arcadius in Konstantinopel, wo → Rufinus [3] die beherrschende Stellung einnahm, und der strittigen Zugehörigkeit Illyriens zum Ost- bzw. Westreich entstanden bald Spannungen, die der Gotenkönig Alarich (→ Alaricus [2]) nutzte [3. 193–213; 6. 48–85]. Der Zug des S. 395 gegen diesen, wohl auch in der Absicht, im Osten Einfluß zu nehmen, wurde abgebrochen, da Rufinus die Truppen des Ostreichs zurückforderte (Claud. carm. 5, 100–256). Kurz darauf trat an die Stelle des ermordeten Rufinus (Zos. 5,7,5 f.) → Eutropius [4], der bei einem erneuten Zug des S. gegen Alarich 397 dem Goten weitgehende Zusagen machte und S. zum *hostis publicus* (»Staatsfeind«) erklären ließ (Zos. 5,11,1; [6. 93–103]). Der gleichzeitige Aufstand des zw. Ost und West lavierenden → Gildo in Africa wurde niedergeschlagen (Claud. carm. 15; Zos. 5,11,2–5; [7. 272f.]). Alarich zog nach Eutropius' Tod (399) 401 in den Westen, wurde aber 402 von S. bei Pollentia und Verona besiegt (Oros. 7,37,2; Claud. carm. 26; [2. 191–195]) und zum Rückzug nach Epeiros gezwungen. 405/6 gelang S. die Abwehr des → Radagaisus in It., doch konnte er 406/7 (andere Datier.: [4]) das Einströmen germanischer Stämme nach Gallien nicht verhindern. Als zudem der für 407 geplante Ostfeldzug mit Alarich als Verbündetem (Zos. 5,26,2) wegen der Usurpation des → Constantinus [3] III. in Gallien (Zos. 5,27,2f.; Olympiodorus Historicus fr. 1,2 Blockley; vgl. aber [4. 330]) scheiterte und S. eine große Kompensationssumme an Alarich zahlte, schwand sein innenpolit. Einfluß (Zos. 5,29,5f.; [7. 278f.]). Er konnte zwar nach dem Tod des Arcadius 408 Honorius überreden, mit Alarich gegen Constantinus III. zu ziehen, um selbst nach Osten aufzubrechen (Zos. 5,31; → Eucherius [2]), doch führte die Meuterei der von → Olympios [5] aufgewiegelten Gallien-Armee in Ticinum zum Tod vieler S. nahestehender Amtsträger (Zos. 5,32) und schließlich – mit Billigung des Honorius – zur Ermordung des S. am 22.8.408 (MGH AA 9,300; Zos. 5,34f.; [7. 280–283]).

1 PLRE 1, 853–858 2 Th.S. Burns, Barbarians within the Gates of Rome, 1994 3 P. Heather, Goths and Romans, 1991 4 M. Kulikowski, Barbarians in Gaul, Usurpers in Britain, in: Britannia 31, 2000, 325–345 5 A. Lippold, s. v. Theodosius I., RE Suppl. 13, 837–968 6 J. H. W. G. Liebeschuetz, Barbarians and Bishops, 1990
7 J. Matthews, Western Aristocracies and Imperial Court AD 364–425, ²1990 8 J. M. O'Flynn, Generalissimos of the Western Roman Empire, 1983 9 F. Paschoud (ed.), Zosime, Bd. 2,2, 1979 (mit Komm.) 10 J. Straub, Parens principum (1952), in: Ders., Regeneratio imperii, 1972, 220–239. WE. LÜ.

Stilleben. Möglichst naturgetreue Darstellung ausgewählter belebter und unbelebter Gegenstände in einem kompositorisch abgeschlossenen, eher kleinformatigen Bildarrangement. Die Motive antiker S. entstammten einerseits allen Bereichen der ant. Flora und Fauna, andererseits dem häuslichen Alltagsleben. Nutz- und Zierpflanzen wie → Gemüse, Feldfrüchte, → Obst oder Blumen, kleinere Säugetiere sowie Vögel, Mollusken, Krustentiere und → Fische wurden naturgetreu im Rohzustand oder aber als Speise zubereitet in mehr oder weniger absichtsvoller Zusammenstellung präsentiert. Dazu kamen Behälter aller Art wie Gläser, → Gefäße aus Metall und Ton, Körbe sowie → Möbel, → Schmuck, Mz. und → Geldbeutel, außerdem Schreib- und Leseutensilien. Einen dritten Bereich bildeten Kultgeräte oder Gegenstände aus der Welt des → Theaters.

Die Ant. kannte den Begriff S. nicht; er geht auf das seit Mitte des 17. Jh. in den Niederlanden nachweisbare Wort *stilleven* zurück. Im 18. Jh. wurde die Gattung, die sich nach Vorstufen im 15. und 16. Jh. bereits um 1600 formal und inhaltlich als eigenständiger Zweig neuzeitlicher Malerei etabliert hatte, auch in den romanischen Sprachen durch die Bezeichnungen *nature morte* oder *natura morta* als solche definiert. Jedoch überliefern die röm.-campanische → Wandmalerei sowie hell. und röm. → Mosaiken zahlreiche Darstellungen, die seit W. Helbig (1873) unter dem Begriff S. subsumiert wurden. Eine Vorstufe und mögliche Widerspiegelung von Tendenzen der großen Malerei bildeten gefällig komponierte Einzeldarstellungen von Putten, Girlanden, Vögeln, Geräten, → Masken und → Musikinstrumenten auf → Gnathiavasen des späten 4. Jh. v. Chr. Ähnlich wirken die vegetabilen Bilder der → Ḥâdra-Vasen des

3./2. Jh. Die seit dem frühen 4. Jh. auftretenden apulischen → Fischteller mit der zoologisch exakten Wiedergabe diverser Meeresbewohner kamen zugleich dem erwachenden wiss. Interesse für die → Natur entgegen.

Mit der Gattung S. lassen sich bestimmte Termini in den ant. Schriftquellen verbinden, die auch darauf hindeuten, daß ihre Ursprünge im frühen Hell. liegen. So bringt Vitr. 6,7,4 *xénia*, eßbare Gaben für die Hausgäste der Griechen (→ *xénion*), mit gleichnamigen bildlichen Nachahmungen solcher Sujets in der Malerei in Verbindung (vgl. Philostr. imag. 1,31; 2,26). Plin. nat. 35,112 verwendet den Begriff *obsonia* (»Speisen, Zukost«) für eines der Bildthemen des griech. Malers Peiraikos, der ansonsten durch gewöhnliche Alltags- und Handwerkerszenen und »unedle« Motive Beachtung fand und daher »Schmutzmaler« genannt wurde. Letztere fallen jedoch eher in den Bereich der Genremalerei. Das negative Urteil über solch unspektakuläre Themen der *pictura minor* hat sich in der kunsttheoretischen Bewertung des S. als Gattung bis in die Neuzeit hinein gehalten, einzig die raffinierte Ausführung im Sinne einer Augentäuschung mittels koloristischer oder luministischer Maltechniken wurde anerkannt. Beispiele geben hierfür die Anekdoten über die von Vögeln angepickten Trauben im Bild des → Zeuxis oder den stofflich so realistisch gemalten Vorhang auf dem Gemälde des → Parrhasios (Plin. nat. 35,65). Bei den klass. Meistern bleibt die S.-artige Manier noch auf Beiwerk beschränkt. Plin. nat. 36,60 beschreibt die Weiterentwicklung durch ein Bild des pergamenischen Mosaizisten → Sosos, das den ungefegten Fußboden eines Speisezimmers mit weggeworfenen Essensresten nun als Hauptthema hat (in mehreren röm. Kopien erh.). Die Überbewertung technischer Brillanz vor den Inhalten und die Art der Bildthemen entspringen einer seit dem späten 4. Jh. v. Chr. einsetzenden »Trivialisierung« und »Verweltlichung« auf allen Gebieten der griech. Kunst, die nun auch vermehrt für den Privatbereich bestimmt ist.

S. in Häusern und Villen Roms und der campanischen Landstädte – dort seit dem frühen 1. Jh. v. Chr. bis zur hohen Kaiserzeit vertreten – sind qualitativ sehr unterschiedlich. Sie reichen von eher graffitiartigen drastischen Wandskizzen (Schweineköpfe) hin zu sehr eleganten Kopien hell. Klapptafelbilder mit den beschriebenen Effekten der Licht-/→ Schattenmalerei. Oft sind sie Teil einer übergeordneten Wanddekoration. Die Bildgegenstände werden auf zwei Stufen oder Podesten in einer Art Guckkasten präsentiert, auch freischwebend oder als Medaillon. Haus- und Raumkontexte sowie der Zusammenhang zu den weiteren dortigen Wandgemälden im Rahmen eines vom Auftraggeber intendierten Bildprogramms sind bisher nur ansatzweise erforscht. S. befanden sich jedoch nicht nur in zu Speise- oder Gelagezwecken genutzten Repräsentationsräumen. Auch über Sinn und Zweck der Darstellungen ist man sich nicht einig, doch ist ihnen ein starker Diesseitsbezug, die unverhohlene Zurschaustellung von Reichtum und → Luxus sowie eine Freude am üppigen Tafeln und den dazu notwendigen Grundstoffen und Utensilien nicht abzusprechen – eine Tendenz, die Prunk und Lebensgenuß hell. Fürstenhöfe nachahmt.

→ Fischspeisen; Gastmahl; Malerei; Mosaik; Wandmalerei

S. De Caro, Zwei Gattungen der pompejan. Malerei: S. und Gartenmalerei, in: G. Cerulli Irelli u.a. (Hrsg.), Pompejanische Wandmalerei, 1990, 263–273 • J. M. Croisille, Les natures mortes campaniennes, 1965 • Ders., Deux artistes mineurs chez Pline l'ancien, Piraeicus et Possis, in: RPh 42, 1968, 101–106 • F. Eckstein, Unt. über die S. aus Pompeji und Herculaneum, 1957 • C. Grimm, S., 1995 • W. Helbig, Unt. über die campan. Wandmalerei, 1873, Register s. v. S. • K. Junker, Ant. S., in: E. König, C. Schön (Hrsg.), S., 1996, bes. 93–105 • N. J. Koch, Techne und Erfindung in der klass. Malerei, 2000, 97f. • H. Lavagne, La peinture dans la maison romaine, in: T. Nogales Bassarate (Hrsg.), La pintura romana antigua, 1996, 15–21 • S. Muth, Erleben von Raum – Leben im Raum, 1998, 67–71 • A. Rouveret, Remarques sur les peintures de nature morte antiques, in: Bull. de la Soc. des Amis du Musée des Beaux Arts de Rennes 5, 1987, 11–25 • Dies., Histoire et imaginaire de la peinture ancienne, 1989 • I. Scheibler, Griech. Malerei der Ant., 1994, 173–176 • Dies., Klapptürbilder röm. Wanddekorationen, in: MDAI(R) 105, 1998, 1–21. N. H.

Stilpon (Στίλπων) aus Megara (→ Megariker); 2. H. des 4. und 1. Drittel des 3. Jh. v. Chr. Da die Angaben über seine Lehrer verworren sind, bleibt unklar, in welcher Weise S. in die Abfolge der Megariker einzuordnen ist. Sein Charakter wird in den erh. Zeugnissen mehrfach gerühmt. Hervorgehoben werden sein schlichtes und ungekünsteltes Wesen und seine offene und souveräne Art im Umgang mit anderen; zahlreiche Anekdoten dokumentieren seine Schlagfertigkeit und seinen überlegenen Witz. Seine Disputierkunst soll die Menschen so sehr fasziniert haben, daß ›fast ganz Griechenland die Augen auf ihn richtete und megarisierte‹ (Diog. Laert. 2,113). S. verfaßte sieben Dialoge, von denen es heißt, sie seien »frostig«, d. h. in Stil und Gedankenführung geschraubt und schwülstig gewesen (Diog. Laert. 2,120). Die erh. Quellen berichten, S. habe die Ansicht vertreten, es sei nicht möglich, einem Subjekt ein von ihm verschiedenes Prädikat beizulegen; ferner, er habe das Vorhandensein von Allgemeinbegriffen bestritten. Beide Thesen basieren auf der gleichen, von Platon und Aristoteles längst unwiderleglich als unhaltbar erwiesenen Voraussetzung, daß das Wort »ist« immer Identität bezeichne. Da es schwer vorstellbar ist, daß ein Mann wie S. dies nicht begriffen haben sollte und an einer längst überholten Ansicht festhielt, meint Plutarchos (adv. Colotem 22,1119d) wohl zu recht, S. habe diese Ansicht nicht in vollem Ernst vorgebracht, sondern anderen mit ihr gleichsam ›eine dialektische Übungsaufgabe‹ vorgelegt.

Was von S.s philos. Anschauungen sonst noch kenntlich ist, betrifft den Bereich der Ethik und kreist in der Hauptsache um ein Thema: daß es darauf ankomme, autark zu sein und sich nicht von den Affekten beherrschen zu lassen. In diesem Sinne behauptete er, daß kein Grund bestehe, die Verbannung für ein Übel zu halten, da kein Gut erkennbar sei, dessen sie einen beraube, und daß es unsinnig sei, sich zu grämen, wenn ein Verwandter oder ein Freund gestorben sei (Teles bei Stob. 3,40,8; 4,44,83); ferner, daß der Weise, da autark, nicht auf Freunde angewiesen sei (Sen. epist. 9,1–3). S. selbst galt in der Ant. als Musterbeispiel der → *autárkeia*. Dafür wurde immer wieder die folgende Anekdote zitiert: Nachdem Demetrios [2] Poliorketes → Megara 307/6 eingenommen und ausgeraubt hatte, wollte er S., da er ihn schätzte, etwaige Schäden ersetzen. Er ließ ihn also holen und fragte ihn, ob er etwas eingebüßt habe. Doch S. antwortete, daß dies nicht der Fall sei, da er all seinen Besitz bei sich trage (Sen. epist. 9,18; Diog. Laert. 2,115 u.ö.).

1 SSR II O (ergänzt durch POxy. 3655 = SSR IV p. 99)
2 K. Döring, S., GGPh² 2/1, 1998, 230–234. K.D.

Stilus s. Griffel; Stil

Stipendium s. Sold

Stips, lat. »Geldbeitrag«, »Spende«, aber auch »geprägte Münze« (Fest. 379; 412). Im Kult des lat. Westens ist die *s.* ein Geldopfer, das für die Gottheit – wie Speise- und Trankopfer (→ Opfer) oder Weihgeschenke – entweder auf dem Altar niedergelegt oder in einen bes. »Opferstock« (→ *thesaurus*; Varro ling. 5,182) geworfen wurde. Die *s.* wurde 1) zugunsten der Tempelkasse gespendet; 2) in Gewässern versenkt (z.B. Suet. Aug. 57); 3) vergraben (z.B. Tac. ann. 4,53). Zahlreiche Inschr. bezeugen diese Praxis; Reparaturen in oder von Heiligtümern wurden *ex stipe* (»aus Spenden«) finanziert (z.B. ILLRP 39; 186; 191; CIL VI 456f.; 30974; Suet. Aug. 57,1; 91,2).

J.-L. Desnier, S., in: RHR 204, 1987, 219–230. A.V.S.

Stipulatio. Ein Zentralbegriff des röm. Rechts mit ungeklärter Etym. *S.* ist ein mündliches, an Frage- und korrespondierende Antwortform gebundenes, förmliches Leistungsversprechen, ein Verbalvertrag, der eine einseitige Verpflichtung zum Inhalt hat (Paul. sent. 2,3). Der zukünftige Gläubiger formuliert die Frage an den zukünftigen Schuldner, der diese beantworten muß, indem er das Frageverbum wiederholt (*dari spondes? spondeo*, ›gelobst Du, daß gegeben wird?‹ ›Ich gelobe es, etc.‹, Gai. inst. 3,92). Als verwendete Verba kommen vor allem *spondere, promittere, fidepromittere, fideiubere* vor, davon das erste noch bis ins 2. Jh. n. Chr. allein von röm. Bürgern, andere auch von Peregrinen (→ *peregrinus*). Auch der Gebrauch des Griech. war zulässig (Ulp. Dig. 45,1,1,6; Gai. inst. 3,93). Die Formerfordernisse des urspr. feierlichen Formelaustausches, der die gleichzeitige Anwesenheit der Parteien und die unmittelbare Abfolge von Frage und Antwort verlangte, wurden zunehmend gelockert, so daß ab dem 3. Jh. n. Chr. auf den Gleichlaut der Frage- und Antwortformen, schließlich auch auf das Erfordernis der Mündlichkeit verzichtet wurde.

Mit Hilfe der *s.* war es möglich, Leistungsvereinbarungen jedweden möglichen und erlaubten Inhalts (Inst. Iust. 3,19) zu treffen, so daß auf diesem Wege der strenge Typenzwang des röm. Vertragsrechts, der für formlose Vereinbarungen nur in bestimmten Fällen Klagen zuließ, vermieden werden konnte. Aus diesem Grund war das Anwendungsgebiet der *s.* äußerst weit: von Garantieübernahmen beim Kauf über Ergänzungen zum Darlehen (z.B. Zinsversprechen) bis zum Schenkungsvertrag. Die *s.* ist damit ›eine der wichtigsten und originellsten Schöpfungen des röm. Rechts‹ [1. 538].
→ Sponsio II.

1 Kaser, RPR, Bd. 1, 538–543.

R. Düll, Zur röm. S., in: ZRG 68, 1951, 191–216 • J. G. Wolf, Causa stipulationis, 1970 • M. Dobbertin, Zur Auslegung der Stipulation im klass. Röm. Recht, 1987 (vgl. dazu P. Apathy, Rez., in: ZRG 106, 1989, 663–665) • I. Reichard, Stipulation und Custodiahaftung, in: ZRG 107, 1990, 46–79 • D. Schanbacher, Zur Bed. der Leistungszweckbestimmung bei der Übereignung durch traditio und beim Leistungsversprechen durch s., in: Tijdschrift voor Rechtsgeschiedenis 60, 1992, 1–27 • W. Flume, Zu den röm. Bürgschaftsstipulationen, in: ZRG 113, 1996, 88–131 • R. Zimmermann, The Law of Obligations: Roman Foundations of the Civilian Trad., 1996, 68–94 • H. Ankum, La forma dell'acceptilatio nella realtà giuridica di Roma nel periodo classico, in: RIDA 1998, 267–285. N.F.

Stiris (Στῖρις, Στιρίς). Ostphokische Stadt am Weg von Chaironeia über den Helikon [2] nach Delphoi (Paus. 10,35,8), Reste beim h. Paleochori (Kloster Hagios Nikolaos). Im 3. Jh. v. Chr. Grenzstreitigkeiten mit Panopeus (SEG 42, 479), Mitte 2. Jh. v. Chr. → *sympoliteía* mit Medeon [1] (Syll.³ 647). Inschr.: IG IX 1,32–57.

F. Schober, Phokis, 1924, 40f. • Philippson/Kirsten 1, 438 • N. D. Papachatzis, Pausaniu Hellados Periegesis, Bd. 5, 1981, 441f. • J. Fossey, The Ancient Topography of Eastern Phokis, 1986, 32–34 • Ph. Ntasios, Symbole sten Topographia tes Archaias Phokidos, in: Phokika Chronika 4, 1992, 71–76. G.D.R./Ü: H.D.

Stoa (στοά).

[1] Ant. Bezeichnung für einen gedeckten und an der Rückseite baulich abgeschlossenen, auf Säulen ruhenden, langgestreckten Gang, eine Galerie oder Säulenhalle. Früheste Beispiele begegnen in der griech. Architektur um 700 v. Chr.; die Herleitung der Bauform ist unklar, wobei Rückbezüge auf die frühgriech. Architektur der geom. Zeit ebensowenig zu erhärten sind wie Beziehungen zum orientalischen Zeltbau. Die Existenz der S. war in der Archaik weitgehend auf Heiligtümer beschränkt; sie diente hier wie später generell als bauliche Rahmung und Abgrenzung von Platzanlagen und nahm verm. Weihgeschenke auf. Regionale Schwerpunkte waren im späten 7. und 6. Jh. v. Chr. Kleinasien (Didyma, Smyrna, Larisa [6] am Hermos,

Griechische Stoai von der Archaik bis zum Hellenismus (schematische Grundrisse)

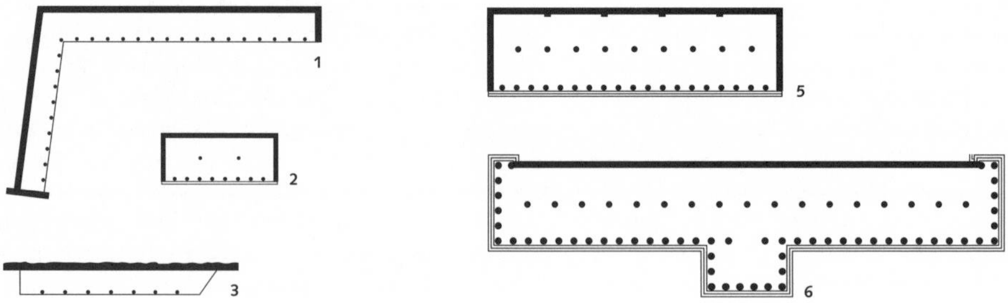

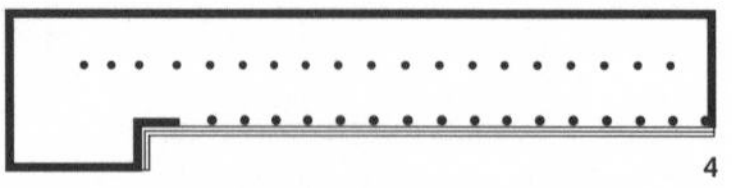

1 Delos, Naxierstoa
2 Athenai, Stoa Basileios
3 Delphoi, Athenerhalle
4 Argos, Heraion, Nordstoa
5 Argos, Heraion, Südstoa
6 Olympia, Südstoa

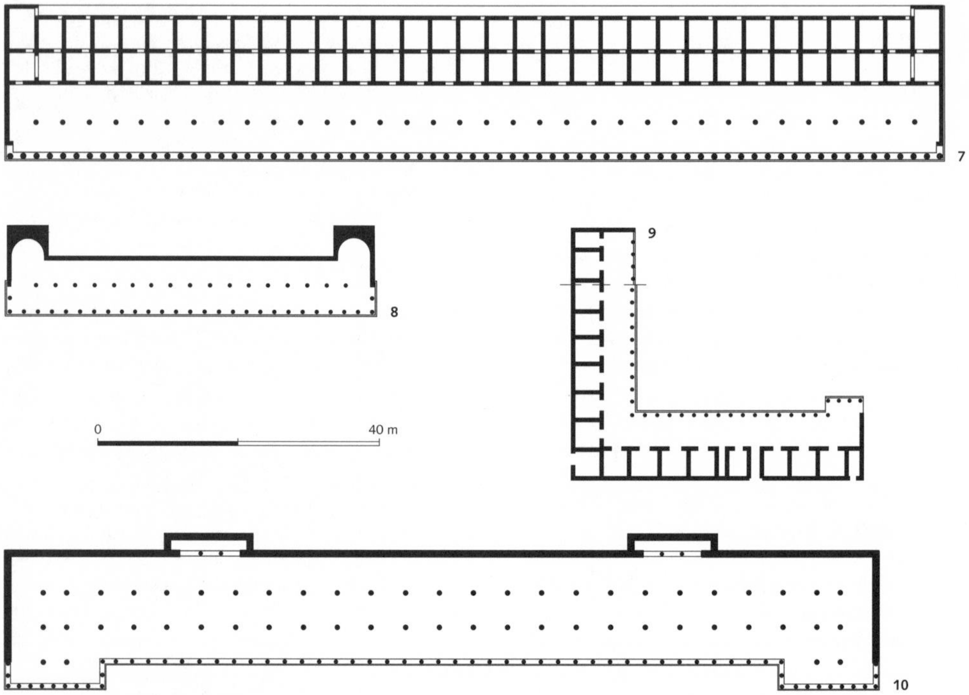

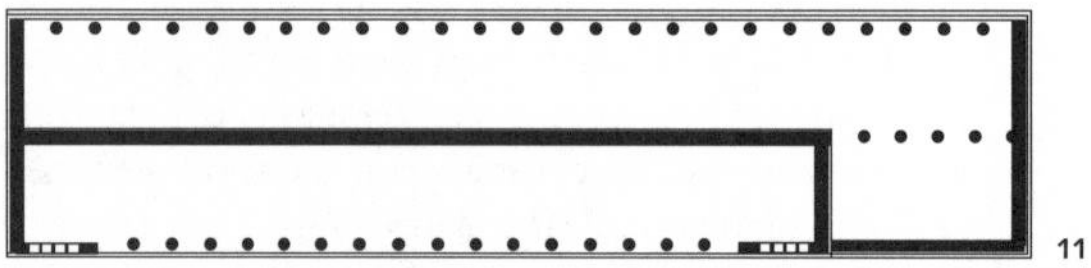

7 Korinthos, Südstoa
8 Kalydon, Stoa J
9 Delos, Agora
10 Megale Polis, Stoa Philippos' [4] II.
11 Delos, Stoa Philippos' [7] V.
12 Athenai, Attalos-Stoa

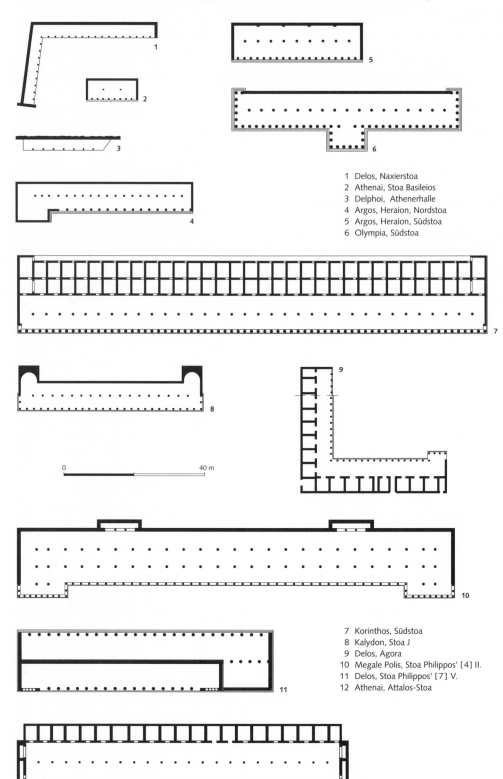

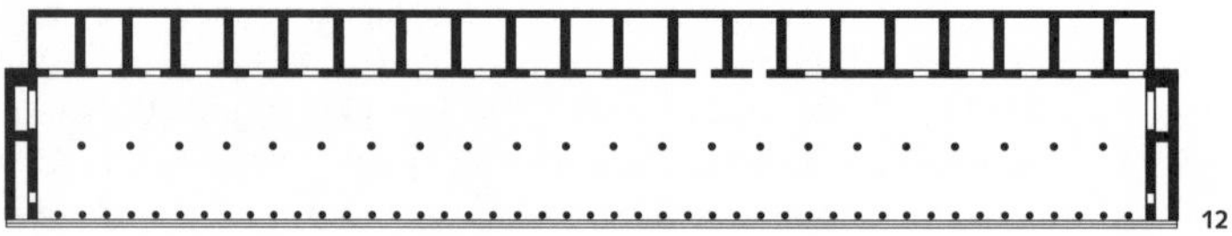

Samos), Griechenland (Argos, Akropolis von Athen), Westgriechenland (Megara [3] Hyblaia) und die ionischen Inseln (Naxos [1], Delos).

Im 5. und 4. Jh. v. Chr. wandelte sich die S. zu einem Typus der Memorial- und Denkmalarchitektur bzw. zum merkantilen und administrativen Funktionsbau der Polis; bevorzugter Standort solcher »profaner« Stoai wurde die → Agora. Eine Pionierrolle übernahm dabei Athen (S. Basileios, S. Poikile). Weitere bedeutende S. klass. und spätklass. Zeit finden sich – auch weiterhin in Heiligtümern – in Delphi (Athener-Halle), Sparta (Persike-S.), Argos (Süd-S.), Oropos (Amphiareion), Korinth (Süd-S.) und Olympia (Echo-Halle und Süd-S.). Im Hell. wurde die S. zum Großbautypus schlechthin und prägte – oft als repräsentative monarchische Stiftung – das Erscheinungsbild städtischer Gesamtanlagen (z.B. Priene, Milet, Kassope, Pella, Megale Polis; → Städtebau) wie auch zahlreicher Heiligtümer (z.B. Kalydon [3], Thermos, Delos, Kos, Rhodos). Der Aufwand monarchischer S.-Stiftungen war bisweilen exorbitant und ging bis hin zu Vorfertigung und Transport ganzer Marmor-Bauwerke über weite Entfernungen bis zum gewünschten Standort (Athen, Eumenes-S.). In der hell. Architektur tritt neben die S. in ihrer konventionellen Gestalt als monumentales Einzelbauwerk die S. als Element umfassender Architekturkonglomerate; die Säulenhalle wird hier zu einem variablen, verschiedene Bautypen verbindenden Motiv im Kontext einer raumgreifenden Platzbebauung (Kos, Asklepieion; Lindos, Athena-Heiligtum). Frühestes und wohl konstitutives Beispiel waren die um 430 v. Chr. errichteten mnesikleischen Propyläen auf der Athener Akropolis (→ Toranlagen).

Die Längen griech. S. variieren erheblich (von knappen 16 m in Didyma im 7. Jh. v. Chr. bis über 160 m an der Süd-S. von Korinth und den hell. S. von Thermos). Die Bauten waren meist eingeschossig, selten (erst nach 300 v. Chr.) zweistöckig konzipiert (Athen, Attalos-S.); sie folgten entweder der dorischen oder der ionischen Bauordnung (→ Säule). Zweigeschossige Anlagen zeigen dabei nicht selten einen Wechsel zw. dorischer Ordnung im Basis- und ionischer Ordnung im Aufbaugeschoß. Das Baumaterial veränderte sich mit dem Wandel der S. zum repräsentativen Stiftungsbau: Neben Leichtbauten aus Ziegel und Holz finden sich massive, gestuckte Poros-Bauten, seit dem 5. Jh. v. Chr. auch gehäuft Marmorbauten. Im Grundriß begegnet neben der langgestreckten linearen Form die L-Form sowie die Pi-Form (Risalit-S.); beide sind bes. geeignet als Rahmungen und Abgrenzungen von Platzanlagen. Die Grundrißstruktur ist variabel: Norm war zunächst eine zweiteilige Halle, bestehend aus einer geschlossenen Raumzeile mit Wandelgang davor (Kameiros). Dieses Konzept wurde umfassend variiert, indem zweizeilige Innenbauten bisweilen mit mehrschiffigen Wandelgängen kombiniert wurden (Megale Polis, Korinth, Athen). Die Räume der S. wurden entweder merkantil bzw. administrativ genutzt (S. auf Agorai griech. Poleis) oder dienten zur Verwahrung bzw. Zurschaustellung von Weihgeschenken oder von → Kriegsbeute (z.B. Delphi, Athener-Halle) bzw. der denkmalhaften Würdigung des Baustifters.

Aus der griech. S. entwickelte sich – unter Beschränkung auf die merkantile Funktion – die röm. → Porticus. Röm. Gegenstück in Hinblick auf die repräsentativ-administrativen Funktionen sowie bezüglich des eine Platzanlage rahmenden Charakters ist die → Basilika.

→ Säule

J. F. Bommelaer, Les portiques de Delphes, in: RA 1993, 33–51 • J. J. Coulton, The Architectural Development of the Greek S., 1976 • W. Koenigs, Die Echohalle, 1984 • Ders., Zum Entwurf dorischer Hallen, in: MDAI(Ist) 29, 1979, 209–237 • M. Korres, Vorfertigung und Ferntransport eines athenischen Großbaus, in: DiskAB 4, 1984, 201–207 • G. Kuhn, Unt. zur Funktion der Säulenhalle in archa. und klass. Zeit, in: JDAI 100, 1985, 169–317 • H. Lauter, Die Architektur des Hell., 1986, 113–132 • Ders., Ein archa. Hallenbau in Poseidonia/ Paestum, in: MDAI(R) 91, 1984, 23–45 • W. Müller-Wiener, Griech. Bauwesen in der Ant., 1988, 152–154 • H. Schaaf, Unt. zu Gebäudestiftungen hell. Zeit, 1992.

C.HÖ.

[2] s. Stoizismus

Stobaios. Iohannes aus → Stoboi in Makedonien (Ἰωάννης Στοβαῖος), Verf. einer ins 5. Jh. n. Chr. datierbaren ›Anthologie‹. Christl. Herkunft ist aufgrund des Namens Iohannes wahrscheinlich [11. 197].

I. Werk: Inhalt und Aufbau II. Philosophie

I. Werk: Inhalt und Aufbau

Die Exzerptensammlung ›Anthologie‹ (Ἀνθολόγιον, *Anthológion*; Suda s. v. Ἰωάννης Στοβεύς) enthielt laut Photios ›Auszüge, Aussprüche und Lehren in vier B.‹ (Phot. cod. 167) – B. 1: Physik (und Metaphysik), B. 2,1–6: Logik (und Erkenntnistheorie), B. 2,7 ff. und B. 3: eigentliche Ethik, B. 4: Politik und Wirtschaft. Unsere Informationen über das Werk stammen aus Photios (u. a. eine Liste der von S. exzerpierten Autoren und eine Zusammenfassung nach Kapiteln). Im nahezu ganz verlorenen Proömium widmete S. die Slg. seinem Sohn Septimius zur Verbesserung von dessen Lektüregedächtnis (zum Kontext der ›Bücher an den Sohn‹ und der didaktisch-pädagogischen Lit. vgl. [15]).

Die Anlage der ›Anthologie‹ ist einzigartig. Ein Rahmen wie etwa das symposiale Ambiente (wie bei → Symposion-Literatur; → Buntschriftstellerei) fehlt. Ein Mosaik von Texten ist nach thematischen Kapiteln angeordnet (z. B. ›Über den Krieg‹, 4,9; ›Über die Schönheit‹, 4,21a) und durch Lemmata verbunden, welche normalerweise Werktitel und Verf.-Namen angeben (nicht durchgängig: [14]). Die Textsorten der Passagen, die S. sammelte, sind heterogen: → Chrie, → *apóphthegma*, → *gnṓmē*, Monostichon, → *paroimía*.

Die Auszüge in Versen oder Prosa sind von unterschiedlicher Länge (unvollständige Monosticha, z. B. Soph. TrGF IV F 924 in Stob. 3,4,5, bis hin zu verm. vollständigen Texten wie Ps.-Aristot. *Perí aretḗs* in Stob. 3,1,194); sie decken die gesamte griech. Lit. von Homeros [1] bis Themistios (E. 4. Jh. n. Chr., *terminus post quem*) ab, für die S. oft die einzige Quelle darstellt. In den Einzelkapiteln wird im allg. die Abfolge Dichtung – Prosa beachtet; diese findet sich schon in der vorangehenden anthologischen Trad. (PBarns, 2. Jh. v. Chr. [1]) und wird in Slgg. wie derjenigen des → Orion [3] beibehalten. Mehr als 500 griech. Autoren werden angeführt (bei Lemmata wie »des Sokrates«, »des Diogenes« jeweils der Autor, dem die Chrie oder das Apophthegma zugeschrieben wurde).

Unter den Dichtern ragen Euripides [1] (für den S. die wichtigste indirekte Quelle darstellt) mit mehr als 850 Zitaten [13] und Menandros [4] heraus (von dem auch Monosticha enthalten sind). Häufig zitiert werden Sophokles [1], Philemon [2], Theognis und Hesiodos [1], während Homeros [1] hauptsächlich in Prosapassagen zu finden ist. Lyrische Metren sind äußerst selten. Diese Beschränkung findet sich schon in den aus Papyri bekannten Anthologien, deren direkter Erbe S. ist [12]. Unter den Prosaautoren werden am häufigsten Platon [1], Herodotos, Thukydides (bes. die Reden, verm. aus einer thematischen Slg.), Xenophon und Isokrates angeführt (bes. aus den Mahnreden wie Isokr. or. 1 und 2). Platon ragt nicht aufgrund der Zahl der Zitate (s.u. II.), sondern durch den Textumfang hervor; man hat Kenntnis aus erster Hand angenommen [3].

Häufig finden sich bei Dichtern und Prosaautoren Eingriffe aus epideiktischen Gründen oder vielleicht mit Blick auf neue ges.-polit. Kontexte. Aufgrund des schichtenhaften Charakters des Werks ist es nicht leicht, die Hand des S. von seinen Quellen zu unterscheiden. Annahmen einer florilegientypischen Kontextualisierung [2; 10] oder von mechanischen Ursachen [9] sind vereinfachend. Die Quellenfrage ist problematisch: Eine aus verschiedenen Autoren zusammengestellte Anthologie ist gemeinsame Quelle für S. und Theophilos von Antiocheia, *Ad Autolycum* (2. Jh. n. Chr.) [4]; andere Hypothesen bleiben unbeweisbar. Kaum wahrscheinlich sind, bes. nach Vergleich mit den Papyri, Theorien der direkten Ableitung (bes. für Euripides [1] und Menandros [4]) aus alphabetischen Ursammlungen (κατὰ στοιχεῖον), die nach dem Anfangsbuchstaben des Werktitels angeordnet waren ([2; 8. 111–118]; dagegen: [13. 197–206]).

Offenkundig ist die Dreiteilung des Werkes nach philos. Systematik (s.o.). Vor den eigentlichen vier B. (206 Kapitel) findet sich ein Proömium (2 Kapitel); das erste ist ein Lob der Philos., das zweite behandelt philos. Schulen (auch *dóxai*/»Lehrmeinungen« über Geometrie, Musik und Arithmetik). Einige Abschnitte ›Über Arithmetik‹ (Περὶ ἀριθμητικῆς) sind erh. Jedes Kap. hat ein eigenes Thema, häufig in Gegenüberstellung *épainos – psógos – sýnkrisis* (Lob – Tadel – Vergleichende Wertung; Einfluß der rhet. Trad.); der allg. Aufbau des Werkes beruht auf begrifflichen Unterscheidungen binären Typs (z. B. *aretaí*/»Tugenden« – *kakíai*/»Laster«) und Fragen und Unterfragen, vom Allg. zum Bes. fortschreitend. Der Aufbau ist didaktisch-exegetisch: Erörterung eines Themas (z. B. über Tugend: daß es gut ist, Söhne zu haben), Darstellung der Meinungen maßgeblicher Personen und Einordnung in ein Raster nach pyramidalem Schema (von den höchsten Hierarchien der Welt bis zum menschlichen Wesen und Alltagsleben) [15]. Aufbau und Stoffauswahl (bes. für die Philosophen) lassen einen kompetenten Sammler erkennen, der einerseits in der Werksystematik und der Autorenwahl doktrinale Ansprüche erkennen läßt (Einfluß des → Neuplatonismus; s.u. II.), andererseits durch die lit. Trad. geprägt ist.

Die vier Bücher des sog. *Anthológion* sind in zwei unabhängigen Teilen überl., den *Eclogae physicae et ethicae* (B. 1–2) und dem *Florilegium* bzw. den *Sermones* (B. 3–4). Der erste Teil (*Eclogae*) wurde während der Überl. stark reduziert, wie die Kapiteleinteilung des Photios zeigt, dem sie noch ungeteilt vorlag. Der ethische Charakter des *Florilegiums* (d. h.: B. 3–4) förderte seine Verbreitung. Auch die hsl. Überl., welche die Teilung widerspiegelt, erweist sich als problematisch (nur partielle Unt.: [6; 13. 188–216]). Der »karteikartenhafte« Aufbau begünstigte sodann Infiltration und Ausfall von Material (vgl. Stob. 3,1, wo die Anordnung Dichtung-Prosa geändert ist). Die Heranziehung vermischter Florilegien für die Textkonstitution in der Ausgabe von Wachsmuth-Hense macht die urspr. Gestalt der Slg. noch ungewisser [5].

→ Enzyklopädie, Gnome

1 J. Barns, A New Gnomologium I, in: CQ 44, 1950, 126–137; II, in: CQ 45, 1951, 1–19 **2** O. Bernhardt, Quaestiones Stobenses, 1861 **3** E. Bickel, De Ioannis Stobaei excerptis Platonicis de Phaedone, 1902 **4** H. Diels, Eine Quelle des Stobäus, in: RhM 30, 1875, 172–181 **5** A. L. Di Lello-Finuoli, Il Florilegio Laurenziano, in: Quaderni Urbinati 4, 1967, 139–173 **6** Dies., A proposito di alcuni codici Trincavelliani, in: Rivista di studi bizantini e slavi 14–16, 1977–1979, 349–376 **7** Dies., Ateneo e Stobeo alla Biblioteca Vaticana, in: S. Lucà, L. Perria (Hrsg.), Ὀπώρα. FS P. Canart, Bd. 3, 1999, 13–55 **8** W. Görler, Μενάνδρου γνῶμαι, Diss. Berlin 1963 **9** F. Hernández Muñoz, Tipología de la faltas en las citas euripideas de los manuscritos de Estobeo, in: Cuadernos de Filologia Clasica 23, 1989, 131–155 **10** S. Lurià, Entstellungen des Klassikertextes bei S., in: RhM 78, 1929, 81–104; 225–248 **11** J. Mansfeld, D. T. Runia, Aëtiana: The Method and Intellectual Context of a Doxographer, Bd. 1, 1997, 196–271 **12** R. M. Piccione, Sulle fonti e le metodologie compilative di Stobeo, in: Eikasmos 5, 1994, 281–317 **13** Dies., Sulle citazioni euripidee in Stobeo e sulla struttura dell'›Anthologion‹, in: RFIC 122, 1994, 175–218 **14** Dies., Caratterizzazione di lemmi nell'›Anthologion‹ di Giovanni Stobeo, in: RFIC 127, 1999, 139–175 **15** Dies., Enciclopedismo ed ἐγκύκλιος παιδεία?, in: M. Narcy, A. Laks (Hrsg.), Philos. antique 2, 2002 (in Vorbereitung) **16** C. Wachsmuth, Studien zu den griech. Florilegien, 1882.

Ed. princeps: *Eclogae*: G. Canter, Antwerpen 1575 (mit lat. Übers.) · *Florilegium*: V. Trincavelli, Venedig 1535.
Ed.: C. Wachsmuth, 2 Bde. 1884 (*Anth.* B. 1–2) · O. Hense, 3 Bde. 1894–1912 (Ndr. 1974).
Index: Dies., 1923 (Ndr. 1958).
Lit.: H. Chadwick, s. v. Florilegium, RAC 7, 1131–1160 · A. Elter, De Gnomologiorum Graecorum historia atque origine, Bd. 1–3, 1893, 4–6, 1894 · Ders., De Gnomologiorum Graecorum historia atque origine commentationis ramenta, 1897 · R. Goulet, s. v. Jean Stobée, Goulet 3, 2000, 1012–1016 · O. Hense, s. v. Ioannes S., RE 9, 2549–2586 · A. Peretti, Teognide nella tradizione gnomologica, in: Studi classici ed orientali 4, 1953 · A. N. Zoumpos, Τρεῖς τῆς φιλοσοφίας ἱστοριογράφοι, in: Platon 16, 1964, 205–208.
R. M. P./Ü: T. H.

II. Philosophie

Die umfangreiche ›Anthologie‹ des S. enthält zwar reichlich lit. sowie einiges histor., rhet. und medizinisches Material, die allergrößte Zahl der zitierten Autoren entstammt jedoch der philos. Trad. Deren Auswahl umfaßt die ganze Ant. von den → Sieben Weisen bis → Themistios (4. Jh. n. Chr.). Die Grundtendenz seiner Slg. ist neuplatonisch (durch die Kürzungen in byz. Zeit noch verstärkt); die paränetische Absicht legt den Schwerpunkt des Werkes auf die Ethik.

In B. 1 der *Eklogai* (zur Physik) nutzt S. weitgehend die doxographische Slg. des → Aëtios (dessen Rekonstruktion ohne S. unmöglich wäre [6]). Dieses besteht zumeist aus sehr kurzen Lemmata; die Philosophen werden dort unter ihren Namen ohne Belegstelle zitiert. Aëtios' Kompendium lieferte auch die Vorgabe für die Anordung von S.' Büchern. Zw. diesen *placita* aus Aëtios finden sich Auszüge aus → Areios Didymos [5]. Lange Zitate aus diesem sind ohne Namensnennung auch in B. 2 der *Eklogaí* enthalten [3].

S. stellte eine große Zahl von Aussprüchen und Maximen zusammen, die berühmten Namen der philos. Trad. zugeschrieben wurden (vgl. den Werktitel; oft zitiert: die Philosophen → Sokrates [2], Demokritos [1] und → Diogenes [13] von Sinope). Die Herkunft der Zitate wird niemals genannt, doch entstammen sie zweifellos früheren gnomologischen Sammlungen (→ Gnome) [4] und wurden nach thematischen Kriterien im ganzen Werk verteilt.

Das philos. Material der ›Anthologie‹ besteht jedoch mehrheitlich aus Exzerpten von philos. Schriften. Deren Umfang variiert von einigen Zeilen bis zu über 10 Seiten; neben dem Autornamen wird oft auch der Werktitel genannt; dies macht die Material-Slg. zu einer unschätzbaren Quelle für die heutige Kenntnis der ant. Philos. Trotz der Tendenz zum Neuplatonismus ist die Bandbreite der zitierten Autoren beeindruckend: Die wichtigsten sind: (a) Pythagoreische Autoren, oft nach der späteren → Pythagoreischen Pseudepigraphie [1; 2]; (b) Platon mit über 500 Zitaten, ein unschätzbarer Beitrag zur Textüberlieferung; (c) Xenophon, alle Werke ausführlich zitiert; (d) Autoren von Diatriben (→ Diatribe) und populärethischen Schriften (→ Popularphilosophie): z. B. Teles, Musonius [1], Epiktetos, Arrianos [2], Favorinus; (e) Plutarchos' [2] Moralschriften, ausführlich zitiert, samt Fr. aus verlorenen Werken [7]; (f) neuplatonische Autoren, bes. Porphyrios und Iamblichos [2]; (g) die → Hermetischen Schriften; (h) zahlreiche weitere Auszüge aus kaum bekannten Autoren (Überblick [8. 1015–1016]).

Man darf jedoch nicht vermuten, daß S. direkten Zugang zu all diesen Werken hatte. Er übernahm Exzerpte wohl häufig aus früheren Sammlungen. Kaum Zitate findet man aus den originalen Schriften der Vorsokratiker und der hell. Philosophen, auffällig selten auch aus dem aristotelischen Corpus.

Der umfangreiche Schatz der Exzerpte in S. wurde für die Fr.-Slgg. der zitierten Autoren weidlich genutzt; die Zahl der Studien mit Blick auf den Kontext des S. selbst ist ungenügend. Eigenständige Editionen, Übers. oder kritische Unt. gibt es kaum.
→ Doxographie

1 H. Thesleff, The Pythagorean Texts of the Hellenistic Period, 1965 2 B. Centrone, Pseudopythagorica ethica, 1990 3 D. E. Hahm, The Ethical Doxography of Arius Didymus, in: ANRW II 36.4, 1990, 2935–3055
4 R. M. Piccione, Sulle fonti e le metodologie compilative di Stobeo, in: Eikasmos 5, 1994, 281–317 5 D. T. Runia, Additional Fragments of Arius Didymus in Physics, in: K. A. Algra u. a. (Hrsg.), Polyhistor. FS J. Mansfeld, 1996, 363–381 6 J. Mansfeld, D. T. Runia, Aëtiana: The Method and Intellectual Context of a Doxographer, 1997, 196–271 7 R. M. Piccione, Plutarco nell'*Anthologion* di Giovanni Stobeo, in: I. Gallo (Hrsg.), L'eredità culturale di Plutarco dall'antichità al rinascimento, 1998, 161–201
8 R. Goulet, s. v. Jean Stobée, in: Goulet 3, 2000, 1012–1016.
D. T. R./Ü: J. DE.

Stoboi (Στόβοι). Stadt in Paionia (→ Paiones) mit illyr.-thrak.-maked. Bevölkerung an der Route durch das Tal des Axios von Thessalonike zum Istros [2] an der Mündung des Erigon (Strab. 8,8,5). Maked. wohl seit Antigonos [3], der S. als Antigoneia neu gründete (Plin. nat. 4,34), gehörte S. nach dem röm. Frieden 168 v. Chr. zur 2. *merís* (»Teil«) von Macedonia und war Umschlagplatz für den Salzhandel der 3. *merís* mit den Dardani (Liv. 45,29,8; 13). Bis Augustus war S. *oppidum civium Romanorum* (Plin. nat. 4,34), vor Vespasianus *municipium, tribus Aemilia* [1. 111 f.]. S. war Bischofssitz, Metropolis der Macedonia II. 479 wurde die Stadt von → Theoderich geplündert (Malchos fr. 20; Iord. Get. 286). Ausgrabungen bezeugen bes. Wohlstand im 4./5. Jh.

1 H. Gaebler, Die ant. Mz. Nordgriechenlands, Bd. 2, 1935.

F. Papazoglou, Les villes de Macédoine, 1988, 313 f. · J. Wiseman, S.: A Guide to the Excavations, 1973.
MA. ER.

Störe. Die alte Familie der Chondrostei war in der Ant. – wie h. noch – durch den Gemeinen S. (Acipenser sturio L.) und den kleineren Sterlet (Acipenser ruthenus

L.) vertreten. Letzterer wird von → Apion und → Archestratos [2] (bei Athen. 7,294e–f) als ἀκκιπήσιος/*akkipḗsios* (lat. *acupenser*/→ *accipenser*) bezeichnet und mit dem ἔλ(λ)οψ/*él(l)ops* (Etym. bis h. ungeklärt: [1. 1,500], vgl. schol. Theokr. Syrinx 18; Plut. mor. 728e; Athen. 7,308c) sowie dem γαλεός/*galeós* (vgl. Varro rust. 2,6,2; Bed. sonst immer: → »Hai«) identifiziert. Dorion (bei Athen. 7,282) und Plut. mor. 981d versuchten andere Erklärungen. Der Fang des kostbaren und wohlschmekkenden Fisches (Plin. nat. 9,60: *piscium nobilissimus*, vgl. Lucil. 1240 M.) wurde bei den Römern von den Fischern, den Tafelsklaven und den zum festlichen Mahl geladenen Gästen mit Musik und Festkränzen gefeiert (Archestratos bei Athen. 7,294e–f; Macr. Sat. 3,16,7; ähnlich bei den Pamphyliern: Plut. l.c. und Ail. nat. 8,28). Der Preis war sehr hoch (nach Archestratos bei Athen. 7,294f mindestens 1000 att. Drachmen, vgl. u.a. Epicharmos CGF 71 und Varro Men. 549 BUECHELER). Plin. nat. 9,60 behauptet dagegen für seine Zeit, der S. sei trotz seiner Seltenheit außer Mode gekommen. Dünsten in Essig und Öl hält Timokles (bei Athen. 7,295b) für die beste Zubereitung. Die Meeresgebiete um Sizilien und Kleinasien (z.B. Rhodos, Varro rust. 2,6,2) waren die besten Fanggründe für diesen zum Laichen in die Flüsse aufsteigenden Meeresfisch.

Zoologisch war der S. wenig bekannt. Aristoteles (hist. an. 2,13,505a 14f. bzw. 2,15,506b 15f.) beschreibt nur die je vier einfachen Kiemen und die Lage der Gallenblase neben dem Darm. Die eigenartigen Knochenschilder in fünf Reihen nennt Nigidius Figulus bei Macr. Sat. 3,16,7 irrtümlich *squamae adversae* (»entgegengesetzte Schuppen«). Nur ein Münztyp, der den Gemeinen S. zeigt, ist vom Schwarzen Meer bekannt [2. Taf. 6,43].

1 FRISK 2 F. IMHOOF-BLUMER, O. KELLER, Tier- und Pflanzenbilder auf Mz. und Gemmen des klass. Alt., 1889 (Ndr. 1972).

KELLER 2,374f. • D'ARCY W. THOMPSON, A Glossary of Greek Fishes, 1947, 42 und 62f. • O. KELLER, s.v. Γαλεός, RE 7, 594–597. C.HÜ.

Stoichades (Στοιχάδες νῆσοι), »Reiheninseln« (von στοῖχος/*stoíchos*, »Reihe«). Inselgruppe in unmittelbarer Küstennähe ca. 70 km östl. von → Massalia/Marseille (Strab. 4,1,10; Mela 2,124), h. Îles d'Hyères. Dazu gehören die Inseln Prote (»die erste«), Mese (»die mittlere«), auch Pomponiana, Hypaea (»die darunter liegende«), Sturium, Phoenice, Phila, Lero und Lerina (Plin. nat. 3,79). Die Zuweisung mod. Entsprechungen zu den einzelnen Inselnamen wird diskutiert (h. Le Levant, Port-Cros, Porquerolles, Ribaudas, Bagaud, Giens). Die S. waren bekannt für Korallenfischerei (Plin. nat. 32,21).

J.-P. BRUN, Le village massaliote de La Galère à Porquerolles (Var) et la géographie de Stoechades au 1er siècle av. J.-C., in: M. BATS u.a. (Hrsg.), Marseille grecque et la Gaule, 1992, 279–288, bes. 284–287 • A.L.F. RIVET, Gallia Narbonensis, 1988, 223. E.O.

Stoichedon s. Inschriften; Schrift; Schriftrichtung

Stoicheion (στοιχεῖον, lat. *elementum*). Der v.a. philos. Begriff *s.* (urspr. »Buchstabe«) bezeichnet die unzerlegbaren Grundbestandteile oder die Grundlagen des Seins. Wohl im Vergleich mit dem Buchstaben stellt der Begriff den Versuch dar, die verwirrend große Vielfalt der natürlichen Welt als Kombinationen einer begrenzten Anzahl von Elementen zu verstehen. Der Terminus *s.* bleibt in der Ant. mit der klass., von → Empedokles [1] voll formulierten Lehre der vier Elemente (Erde, Wasser, Luft und Feuer) grundsätzlich verknüpft (wenn auch Empedokles als t.t. noch »Wurzeln«, *rizṓmata*, verwendet; Emp. fr. 6 B 15 DK). Die Pythagoreer (→ Pythagoreische Schule) nehmen die Lehre der Grundelemente auf, sehen aber das Charakteristische in deren geometrischer Gestalt (Lehre der fünf regelmäßigen Polyeder). → Leukippos und → Demokritos reduzieren die empedokleischen Elemente weiter auf gleichartige Atome (*átoma*). Bei Platon [1] und Aristoteles [6] wird wiederum zw. den Körpern und deren Eigenschaften unterschieden. Der Vergleich mit den Buchstaben wird bei Platon wieder aufgenommen (Plat. Phil. 18b–d), die geometrischen Figuren als Grundelemente weiterentwickelt (Plat. Tim. 48b–c; 53c–57d). Aristoteles fügt den vier Elementen den Äther hinzu, wobei das Spezifikum nicht mehr in der Gestalt, sondern in der natürlichen Bewegung der Elemente liegt (Aristot. cael. 3,307b); das Prinzip (*archḗ*) allein bleibt völlig autark (Aristot. metaph. 1070b 23). Eine Anknüpfung an die vier Urstoffe ist auch im *Corpus Hippocraticum* zu finden. Bei → Galenos werden die vier Körpersäfte (Blut, Schleim, gelbe und schwarze Galle) als eigene Art von *s.* angesehen (→ Säftelehre). Der lat. Terminus *elementum* bezieht sich meist auch auf die vier Urstoffe (Sen. nat. 3,12; Cic. ac. 1,26; Lucr. 1,907–914; 2,688–691). In röm. und byz. Zeit nimmt das Wort *s.* überdies die Bed. von Himmelskörpern, → Sternbildern, magischen Zeichen, Geistern und Dämonen an.
→ Elementenlehre; Metaphysik; Kosmologie; Ontologie

N. BLÖSSNER, s.v. S., HWdPh 10, 197–200 • C. BLUM, The Meaning of S. and Its Derivatives in the Byzantine Age, in: Eranos 44, 1946, 315–326 • W. BURKERT, στοιχεῖον, in: Philologus 103, 1959, 167–197 • C. GAUDIN, Platon et l'alphabet, 1990 • H. KOLLER, S., in: Glotta 34, 1955, 161–174 • A. LUMPE, s.v. Elementum, RAC 4, 1959, 1073–1100 • W. SCHWABE, »Mischung« und »Elemente« im Griech. bis Platon, 1980 • G.A. SEECK, Über die Elemente in der Kosmologie des Aristoteles, 1964 • A. STÜCKELBERGER, Einführung in die ant. Naturwiss., 1988. F.R.

Stoizismus

I. Geschichte
II. Grundzüge der stoischen Philosophie
III. Logik IV. Physik V. Ethik

I. Geschichte

Die intellektuelle Bewegung des S. ging aus einer athenischen Philosophenschule hervor, die im späten 4. Jh. v. Chr. von → Zenon von Kition gegr. und nach Zenons Unterrichtsort, der *Stoá Poikílē* (»bemalte Säulenhalle«, → Stoa [1]), benannt wurde. Ihre entscheidende Prägung erhielt sie von den auf Zenon folgenden Schulleitern, → Kleanthes [2] von Assos und → Chrysippos [2] von Soloi. Bis zur Plünderung der Stadt durch röm. Truppen 86 v. Chr. blieb die Schule in Athen die Heimat des S.; ein bedeutendes Zentrum war daneben im 2. Jh. v. Chr. auch Rhodos. In augusteischer Zeit erlangte er eine breitere Wirkung und wurde zu einem Hauptbestandteil des griech.-röm. Geisteslebens überhaupt. Bed. Stoiker der Kaiserzeit waren → Musonius Rufus (ca. 30–100 n. Chr.), → Seneca [2] d. J. (ca. 4 v. Chr. – 65 n. Chr.) und Kaiser Marcus [2] Aurelius (121–180 n. Chr.). Musonius und sein Schüler → Epiktetos hinterließen Vorlesungsschriften (Reden und Diatriben, publiziert durch andere); Senecas philos. Werk bestand aus den ›Briefen an Lucilius‹, mehreren Abh. sowie einer Reihe rhet. Spezialwerke (die *Dialogi*), während Marcus Aurelius einzig ›Selbstbetrachtungen‹ verfaßte. Durch die Einrichtung eines Lehrstuhls für stoische Philos. durch Kaiser Hadrian (117–138 n. Chr.) gewann Athen wieder an Bed. für die Tätigkeit der Schule. Mit dem Aufstieg des → Neuplatonismus im 3. Jh. n. Chr. verebbte das institutionelle Leben des S., doch bestand sein Einfluß auf Philos. und Rel., wenn auch z. T. indirekt, bis zum Ende der Ant. Auf das ma. Denken wirkte der S. nur sporadisch; dann wurde er im Humanismus wiederentdeckt und gelangte zu weitreichender Bed. für die frühneuzeitliche Philos. Zwar übt er seither keinen kontinuierlichen Einfluß auf Rel., Philos. und Lit. der europ. Kulturen aus, aber die Ethik verdankt ihm bis in die Gegenwart wichtige Anregungen [4].

II. Grundzüge der stoischen Philosophie

Die tief in der sokratischen Trad. (→ Sokrates [2]; → Sokratiker) verwurzelte Schule nahm wesentliche Anregungen vom → Kynismus, Platonismus und (zumindest in späterer Zeit) → Peripatos auf. Sokratischer und kynischer Einfluß gab dem S. eine strenge Ausrichtung an der »Natur« (φύσις, *phýsis*; lat. *natura*) als Gegensatz zur »Konvention« (νόμος, *nómos*) der griech. Poliskultur; dennoch war die Schule kulturell konservativ, indem sie einerseits durch allegorische Auslegung dessen, was sie als Weisheit der alten Dichter betrachtete (bes. auf den Gebieten von Physik und Kosmologie; → Allegorese), deren Autorität bewahrte und sich andererseits bereitwillig den unterschiedlichen Normen und Institutionen zahlreicher Kulturen, insbes. der des kaiserzeitlichen Rom, anpaßte. Die beiden Grundbegriffe des S. sind → Natur (*phýsis*; lat. *natura*) und Vernunft (→ *lógos*; lat. *ratio*), seine wichtigste Überzeugung ist, daß beide konvergieren, und dies zumindest in zweierlei Hinsicht: Erstens ist die Natur wesentlich vernünftig, erklärbar und zweckgerichtet. Zweitens setzt die natürliche Welt Normen für die sie bewohnenden vernünftigen Wesen, so daß der Schlüssel zum Glück für die Menschen das ›Leben gemäß der Natur‹ ist (τὸ ἀκολούθως τῇ φύσει ζῆν, Diog. Laert. 7,87).

Die philos. Tätigkeit teilten die Stoiker ein in → Logik, → Physik und → Ethik (mit weiteren Untergliederungen). Die meisten Stoiker stimmten darin überein, daß diese drei Disziplinen eng miteinander zusammenhängen (wenn auch → Ariston [7] von Chios sich ausschließlich mit Ethik beschäftigte), doch herrschte über die Natur dieser Beziehungen ein fruchtbarer Dissens. Einige verglichen die Philos. mit einem Tier, dessen Knochen und Sehnen die Logik, sein Fleisch die Ethik, seine Seele die Physik bildet; andere mit einem Ei (die Logik ist die Schale, die Ethik das Eiweiß, die Physik der Dotter); wieder andere meinten, die Logik sei wie die Mauer um einen Obstgarten, die Physik der Boden und die Bäume, die Ethik die Frucht. Als höchste philos. Disziplin galt entweder die Ethik oder die Physik, welche auch die Theologie enthielt (SVF II 35–44).

III. Logik

Die stoische Logik umfaßte → Rhetorik und → Dialektik. Die Rhet. wurde von den Stoikern gegenüber der Dialektik als das schwächere und weniger klare Überzeugungsmittel angesehen, ihr Ziel aber war dasselbe: Einprägung der → Wahrheit durch Rede. Die Stärke der Dialektik liegt in ihrem Vermögen, Erkenntnis durch wohlbegründete Beweisführung hervorzubringen, und in ihrer Fähigkeit, Sophismen und Trugschlüsse aufzulösen, die Irrtum verbreiten und das Vertrauen in die Vernunft untergraben. Sie wurde definiert als Erkenntnis des Wahren, des Falschen und dessen, was weder wahr noch falsch ist (Diog. Laert. 7,41). Zwei wesentliche Charakteristika der stoischen Dialektik sind ihre intensive Beschäftigung mit Problemen, die wir h. der Semantik, Linguistik und Erkenntnistheorie zurechnen würden, sowie die Entwicklung eines umfassenden Systems der Aussagenlogik durch → Chrysippos [2]. Indem er mit Aussagen und nicht (wie die aristotelische Logik) mit Prädikaten operierte, stellte Chrysippos fünf axiomatische Schlußfiguren sowie einige logische Ableitungsregeln auf, aus denen er ein System entwickelte, dessen Strenge und Umfang erst wieder im 19. Jh. erreicht werden sollten. Kennzeichnend für die stoische Logik ist auch die gründliche Analyse der Modalbegriffe sowie der Implikation und der Quantifizierung.

In der stoischen Erkenntnistheorie war der zentrale Begriff der des »Eindrucks« (φαντασία, *phantasía*, SVF II 52–70). Sinneseindrücke liegen allen Begriffen und Urteilen zugrunde, und die Frage nach der Zuverlässigkeit von Sinneseindrücken (speziell des »kataleptischen«, sein Objekt »ergreifenden« Eindrucks, φαντασία καταληπτική/*phantasía katalēptikḗ*, der für selbstevident gehalten wurde) war Gegenstand einer langen Auseinandersetzung zw. Stoikern und den Häuptern der akademischen Skepsis, → Arkesilaos [5] und → Karneades [1]. Es wurde streng unterschieden zw. dem Eindruck als einer physischen Affektion der Seele und dem begrifflichen Inhalt dieser Empfindung (τὸ λεκτόν, *to lektón*, »das Sagbare«), der nur vernunftbegabten Wesen zugänglich ist.

IV. Physik

Das Weltbild der stoischen → Physik weist eine enge Bindung an traditionelle griech. rel. Vorstellungen auf, indem → Zeus darin als Symbol der ordnenden Mitte erscheint. Unter dem prägenden Einfluß des platonischen Dialogs ›Timaios‹ dachten die Stoiker den Kosmos als ein von einem wohltätigen, vernünftigen Gott geschaffenes und gelenktes lebendiges Wesen. Für die Stoiker war der göttliche Lenker jedoch vollkommen weltimmanent; → *dēmiurgós* und Weltseele fallen in der stoischen Kosmologie sozusagen zusammen. Erschaffung und Zerstörung des Kosmos wiederholen sich in unaufhörlichen Zyklen (→ Empedokles [1]). Anfangs- und Endzustand der Welt ist das reine → Feuer. Die Gestaltung der Welt, wie wir sie kennen, beginnt mit der vollständigen Umwandlung dieses Feuers in Wasser, welches rationale »Keime« (σπέρματα/*spérmata*, λόγοι σπερματικοί/*lógoi spermatikoí*) enthält. Diese steuern die weitere Entwicklung der rohen → Materie zu den traditionellen vier Elementen (Erde, Luft, Feuer, Wasser: Diog. Laert. 7,135; → Elementenlehre). Der Kosmos bildet mit allen seinen Teilen ein einziges, vollkommen geschlossenes Ganzes. Es ist umgeben von einem Vakuum unbegrenzter Ausdehnung, das dazu dient, der Expansion Raum zu geben, die den kosmischen Brand beim Weltende begleitet; innerhalb des Kosmos gibt es kein Vakuum. Zusammengehalten wird er durch das allgegenwärtige »schöpferische« Feuer (πῦρ τεχνικόν, *pyr technikón*, SVF II 1027), an dessen Stelle Chrysippos [2] das → *pneúma*, eine Art feuriger Luft, setzte.

Die schöpferische und lenkende Kraft der stoischen Kosmologie ist sowohl immanent als auch materiell; sofern für ihn alles, was exisitiert, körperlich ist, ist der S. also ein materialistischer Monismus. Jedoch sind es zwei Prinzipien, aus denen jedes existierende Ding besteht, das Aktive (τὸ ποιοῦν, *to poiún*) und das Passive (τὸ πάσχον, *to páschon*). Das aktive Prinzip wird mit Zeus identifiziert, das passive mit der »qualitätslosen« (ἄποιος, *ápoios*) Materie (Diog. Laert. 7,134). Alle Zustände und Bestimmungen der Materie, einschließlich der Eigenschaften und Dispositionen, werden selbst als etwas Materielles behandelt – eine Ansicht, in der sich die Stoiker deutlich von den Platonikern und Aristotelikern unterscheiden. Neben der körperlichen Wirklichkeit kannten die Stoiker jedoch auch vier Arten von Unkörperlichem (S. Emp. adv. math. 10, 218): Zeit, Ort, leerer Raum und »Sagbares« (die λεκτά, *lektá*, welche, grob gesprochen, den begrifflichen Inhalt des rationalen Denkens und Redens bilden).

Alle Dinge im Kosmos erhalten ihren Aufbau durch das im *pneúma* verkörperte aktive Prinzip, dessen Spannung (τόνος, *tónos*) graduell verschieden sein kann. Feste unbelebte Körper werden durch ihre bloße Disposition (ἕξις, *héxis*) zusammengehalten, belebte Dinge durch die Natur (φύσις, *phýsis*), Tiere durch die Seele (ψυχή, *psychḗ*) und rationale Lebewesen durch die Vernunft (λόγος, *lógos*). So ist jede Seinsstufe durch ihre jeweils höchste Existenzebene bestimmt – ein Gedanke, der scheinbar neuplatonische Ideen vorwegnimmt, jedoch durch und durch materialistisch ist (→ Materialismus). Die Seele, bestehend aus einer sehr verfeinerten Form des *pneúma*, ist sowohl vollkommen rational als auch vollkommen körperlich. Sie durchdringt den gesamten Körper und ist doch von ihm unterscheidbar. Somit bleibt innerhalb des stoischen Materialismus ein Leib-Seele-Dualismus erhalten – vielleicht ein Versuch, den aristotelischen Hylomorphismus mit dem platonischen Dualismus zu versöhnen.

Alle Dinge und Geschehnisse im Kosmos sind durch eine durchgängige rationale → Kausalität miteinander verknüpft. Mit seinem sich daraus und aus der göttlichen Vorsehung ergebenden fatalistischen Determinismus (→ Prädestinationslehre) setzt sich der S. dem Vorwurf aus, übliche Auffassungen von moralischer Verantwortlichkeit zu untergraben. Chrysippos' [2] Versuch, die Verantwortlichkeit im Plan der göttlichen Vorsehung zu retten, war wichtig für spätere Formen des Kompatibilismus; desgleichen waren die stoischen Bemühungen, die kosmische Vorsehung mit der unleugbaren Existenz des Übels und der Unvollkommenheit in der Welt zu versöhnen, wegweisend für die christl. → Theodizee in späteren Jh.

V. Ethik

Die stoische Ethik steht ganz in der eudaimonistischen Trad. der sokratischen Schulen. Die → Ethik löst den Anspruch der Philos. ein, eine Lebenskunst (*téchnē tu bíu*, lat. *ars vivendi*) zu sein. Nach stoischer Auffassung gründet sich diese auf das Wissen von der Natur des Kosmos, von der Stellung des Menschen in ihm und vom Wert der verschiedenen Faktoren, die auf das menschliche Leben einwirken. Eine weitere Voraussetzung bildet die Disposition, d. h. der Charakter des ethischen Subjekts, der im Idealfall die Tugend ist. Ihr Streben richtet sich auf ein Ziel für das Leben als ganzes, auf die *eudaimonía*, den Glückszustand, in dem der Mensch seine natürliche Bestimmung erfüllt (→ Glück). Da seine Natur wesentlich vernünftig ist, ergibt sich hier erneut die für den S. charakteristische Konvergenz von Natur und Vernunft. Ziel des Lebens (τέλος, *télos*) ist für den Stoiker, im Einklang mit der Natur zu leben, sowohl der menschlichen als auch der kosmischen (s.o. II.; Diog. Laert. 7,89). Wesentliche Bestimmung des Menschen ist die Selbsterhaltung und eine Entwicklung, die von einem Überlebens- und Wohlergehenstrieb im Kindes- zum Streben nach einem vernunftgemäßen Leben im vernunftfähigen Erwachsenenalter führt. Der ideale Zustand der Vernunftentwicklung heißt Tugend (ἀρετή/*aretḗ*, lat. *virtus*), so daß sich das Leben gemäß der Natur in seiner höchsten Form als Leben gemäß der Vernunft, d. h. der → Tugend, erweist. Ebenso tief ist in der menschlichen Natur die Bindung an soziale Gruppen verwurzelt, die für die Stoiker die Grundlage der für viele Tugenden konstitutiven altruistischen Haltung bildet. Dieser soziale Instinkt ist in der ursprünglichen Bindung an Familie und Nachkommenschaft verankert.

Sokratischem Denken entspringt auch die stoische Analyse des ethischen Wertes (ἀξία/*axía*, lat. *aestimatio*). Scharf unterschieden wurde zw. an sich guten (die Tugend und das mit ihr Verbundene) und bloß vorteilhaften Dingen (z. B. Gesundheit, Wohlstand, gesellschaftlicher Rang), eine analoge Unterscheidung zw. schlechten Dingen (wie dem Laster) und bloßen Nachteilen. Vor- und Nachteile sind »gleichgültig« (ἀδιάφορα/*adiáphora*, lat. *indifferentia, media*) für das menschliche Glück und werden als »bevorzugte« bzw. »zurückgesetzte« Dinge bezeichnet. Wie Sokrates hielten die Stoiker allein die Tugend für ein wahres Gut, da die vorteilhaften Dinge von denjenigen, die noch nicht dem Ideal des stoischen Weisen entsprechen, falsch gebraucht werden können. Wie den Kynikern diente den Stoikern diese Unterscheidung zur Kritik an herkömmlichen Werten und zur Hervorhebung der absoluten Autonomie und Freiheit des philos. aufgeklärten Handelnden. Im Unterschied zu Ariston von Chios und den Kynikern vertraten viele Stoiker die Ansicht, daß eine gründliche Kenntnis der Physik und Kosmologie hilfreich sei zur Einsicht in das Wesen der Tugend und in die Belanglosigkeit der bloß vorteilhaften Dinge. Das Verständnis der Stellung des Menschen im göttlichen, vernünftigen Plan der Natur sollte die irdischen Belange in das richtige Verhältnis setzen.

Da dieses Verständnis eine unerschütterliche Überzeugung sein mußte, galt die Tugend den Stoikern als ein Wissen, und die verschiedenen Einzeltugenden wurden als Aspekte des Wissens vom Guten, Schlechten und Indifferenten vereinigt (über die genaue Beschaffenheit dieser Einheit aller Tugenden gab es freilich verschiedene Ansichten innerhalb der Schule). Das vernünftige Handeln, welches die Grundlage des menschlichen Glücks bildet, wurde als »angemessenes« Handeln (τὸ καθῆκον/*kathḗkon*, lat. *officium*) bezeichnet, d. h. als Handeln, das sich nachträglich mit Vernunftgründen rechtfertigen läßt (Diog. Laert. 7,107). Angesichts der Vielfalt der Umstände können solche Handlungen nicht streng festgelegt werden, doch ist es freilich immer angemessen, tugendhaft zu handeln. Der beste Wegweiser zum Angemessenen ist die Einsicht in die Natur des Menschen und des Kosmos und ein sicheres Werturteil bezüglich der guten und der schlechten, der bevorzugten und der zurückgesetzten Dinge. In diesem Rahmen wird die Wahl der angemessenen Handlung getroffen. Die stoische Morallehre besteht zu einem Großteil darin, dem Handelnden grobe Richtlinien für die Erkenntnis des Angemessenen zu bieten. Entspringen die angemessenen Handlungen einer tugendhaften Haltung, heißen sie »rechte Handlungen« (κατορθώματα/*katorthṓmata*, lat. *recte facta*).

Zwei Grundsätze der stoischen Ethik waren die Hauptstreitpunkte der Auseinandersetzung mit anderen Schulen, zumal sie dem gesunden Menschenverstand offenbar widersprechen. Energisch angefochten – bes. von den Peripatetikern, die im Anschluß an Aristoteles [6] die Notwendigkeit bestimmter materieller Lebensbedingungen anerkannten – wurde zum einen das Dogma, daß die Tugend allein für das Glück ausreichend ist und daß es für den, der Weisheit und Tugend erlangt hat, keine Grade des Glücks geben kann. Noch heftiger umstritten war die stoische Forderung, daß die → Affekte nicht, wie die meisten anderen Schulen lehrten, nur beherrscht, sondern gänzlich beseitigt werden müssen. Den Schlüssel zu dieser Auffassung bietet die stoische Definition des Affektes (πάθος/*páthos*, lat. *affectus*): Jeder Affekt ist ein »überbordender Trieb«, eine psychophysische Reaktion, die über das gesunde und vernünftige Maß hinausgeht (SVF I 205–215, III 377–391), und somit eine Verletzung des Angemessenen. Zwar sind auch vernünftige Affektreaktionen möglich, jedoch nur für den im Vollbesitz der Tugend und der Vernunft befindlichen Weisen (σοφός/*sophós*, lat. *sapiens*). Nur er ist »guter Affektreaktionen« (εὐπάθειαι/*eupátheiai*) fähig (Diog. Laert. 7,115). Die nach Beseitigung der terminologischen Mißverständnisse verbleibende Kontroverse dreht sich somit um die Rolle der Affekte im Leben der gewöhnlichen Menschen, die moralische Fortschritte machen, aber noch nicht weise sind. Sie sollten sich nach Auffassung der Stoiker bemühen, die Affekte zu beseitigen, da diese ihre moralische Standfestigkeit ernsthaft gefährden und ihre Aussichten auf Erlangung der Weisheit aufs Spiel setzen.

→ Praktische Philosophie; Stoizismus

Ed.: 1 SVF 2 Hülser 3 A. A. Long, D. N. Sedley, The Hellenistic Philosophers, 1987 (dt.: Die Hell. Philosophen, 2000).

Lit.: 4 L. Becker, A New Stoicism, 1998 5 S. Bobzien, Die stoische Modallogik, 1986 6 E. Brehier, Chrysippe et l'ancien stoicisme, 1951 7 M. Forschner, Die stoische Ethik, ¹1981, 1995 8 M. Frede, Die stoische Logik, 1974 9 V. Goldschmidt, Le système stoicien et l'idée du temps, 1977 10 D. E. Hahm, The Origins of Stoic Cosmology, 1977 11 M. Hossefelder, Stoa, Epikureismus uns Skepsis, ²1995 12 B. Inwood, Ethics and Human Action in Early Stoicism, 1985 13 A. A. Long, Hellenistic Philosophy, 1974 14 Ders., Stoic Studies, 1996 15 M. Pohlenz, Die Stoa, 1948 16 J. M. Rist (Hrsg.), The Stoics, 1978 17 F. H. Sandbach, The Stoics, 1975.

B. I./Ü: TH. ZI.

Stola. Die *s.* war das Gewand der röm. Matronen (→ *matrona* [1]), d. h. der freigeborenen Frauen (Plin. nat. 33,40), das sie in der Öffentlichkeit über der engeren → *tunica* bzw. weiteren *calasis* und unter der *palla* trugen, so daß der Körper vollständig umhüllt war (vgl. Hor. sat. 1,2,99). Das Gewand reichte bis auf die Knöchel und war weit, faltenreich und im Brust- oder Taillenbereich gegürtet (Mart. 3,93,4). Die *s.* bestand aus einer Stoffröhre, in die die Trägerin hineinschlüpfte; durch in sich gedrehte Bänder oder Schnüre wurde sie auf den Schultern gehalten. Sie wies einen Besatz (*instita*) auf der unteren Webkante auf, verm. ein aufgenähtes Purpurband. Die *s.* war wohl bereits im 3. Jh. v. Chr. gebräuchlich, mit Sicherheit läßt sie sich erst im 1. Jh. v. Chr. nachweisen; sie wurde bis ins 2. Jh. n. Chr. getragen und immer mehr durch die *palla* ersetzt. In der Forsch. wird unter *instita* auch die Befestigung der *s.* auf der Schulter verstanden [1. 26], dagegen aber Ov. ars 1,32 und Hor. sat. 1,2,29.

→ Kleidung; Pallium

1 B. J. SCHOLZ, Unt. zur Tracht der röm. Matrona, 1992.

R. H.

Stolo. Röm. Cogn. (»Wurzelschoß«), nach Varro (rust. 1,2,9) und Plinius (nat. 17,7) »jemand, der wilde Triebe beschneidet«; nur für die Familie der Licinii bezeugt (→ Licinius [I 43–44; II 24]).

KAJANTO, Cognomina, 337 · WALDE/HOFMANN 2, 599.

K.-L. E.

Stolos

[1] (Στόλος). Sohn des Theon, wohl aus Kyrene, später mit dem athenischen Bürgerrecht ausgezeichnet; 108 v. Chr. *archedéatros* in Kyrene, dann zw. 107 und 104 als Admiral Ptolemaios' [15] IX. auf Zypern.

R. S. BAGNALL, S. the Admiral, in: Phoenix 26, 1972, 358–368 · H. HAUBEN, Was S. a Cyrenaean?, in: ZPE 25, 1977, 221–226 · J. POUILLOUX, Salaminiens de Chypre à Delos, in: BCH Suppl. 1, 1973, 406–411.

W. A.

[2] (Στῶλος). Stadt östl. von → Olynthos im Landesinneren (Strab. 9,2,23: Σκῶλος/*Skṓlos*; Plin. nat. 4,37: *Telos*), in den Athener Tributquotenlisten mit einem zw. 4000 und 6000 Drachmen schwankenden Tribut vertreten (ATL 1,414 f.) und damit die bei weitem reichste Stadt im Inneren der Chalkidischen Halbinsel. 432 v. Chr. fiel S. von Athen ab (→ Peloponnesischer Krieg), im Nikias-Frieden 421 wurde S. für autonom erklärt, aber zu einer Tributzahlung an Athen verpflichtet (Thuk. 5,18,5). Zu Anf. und wieder vor der Mitte des 4. Jh. gehörte S. zum Chalkidischen Bund. Arch. ist S. noch nicht nachgewiesen.

M. B. HATZOPOULOS, Actes de vente de la Chalcidique centrale, 1988, 70–72 · Ders., Grecs et barbares dans les cités de l'arrière-pays de la Chalcidique, in: Klio 71, 1989, 60–65 · M. ZAHRNT, Olynth und die Chalkidier, 1971, 244–247.

M. Z.

Storax s. Styrax

Storch (ὁ πελαργός/*pelargós*, nach Etym. m. 659,8 abgeleitet von πελιός/*peliós* = »schwarz« und ἀργός/*argós* = »weiß«, Diminutiv πελαργιδεύς/*pelargideús* bei Aristoph. Av. 1356 u.ö., lat. *ciconia*, *conea* bei Plaut. Truc. 691), der Haus- oder Weiß-S. (Ciconia alba L.; s. Verg. georg. 2,319: *candida avis*, vgl. Ov. met. 6,96). Der nur auf dem Zug das Mittelmeergebiet berührende Schwarz- oder Wald-S. (Ciconia nigra L.) war in der Ant. offenbar unbekannt. Hinsichtlich seiner Größe wurde der S. mit dem Kormoran (Aristot. hist. an. 7(8),3,593b 21), dem Ibis und dem Pelikan verglichen; der lange Hals trug ihm den Beinamen δολιχός/*dolichós* (»der lange«) oder μακρός/*makrós* (»der große«) ein; den ebenfalls langen roten Schnabel beschreibt Phaedr. 1,26 und sein gravitätisches Schreiten Plin. nat. 10,111. Der t.t. für das typische Klappern bes. auf dem Nest lautete nach Suet. fr. p. 251 und 311 REIFF. *crotolare*, *glottorare* oder *crepitare* (Ov. met. 6,97). Angeblich hat er keine Zunge (Plin. nat. 10,62). Zur Nahrungssuche nach Fröschen, Schlangen und Eidechsen (Verg. georg. 2,319; Sen. epist. 108,29) hält er sich an Flüssen und Seen auf (Aristot. hist. an. 7(8),3,593b 5); er nistet auf Hausdächern.

Als Zugvogel (Varro Men. 272; Ail. nat. 3,23) – nach Aristoteles (hist. an. 7(8),16,600a 10) hält er dagegen Winterschlaf – war er auf warme Luftströmungen angewiesen, auf denen er segeln konnte, und überquerte das Meer an den engsten Stellen wie dem Bosporus. Deshalb wartete er in Massen an der kleinasiatischen Küste auf günstiges Flugwetter (Plin. nat. 10,61–62). Den Endpunkt des Herbstzuges kannte man nicht. Der Bauernkalender beachtete als Saat- bzw. Erntezeit die Zeiten des Abflugs und der Rückkehr (Verg. georg. 2,319–322). Die sorgsame Aufzucht der Jungen durch die Elternvögel wurde richtig beobachtet, die Kompensation durch die pietätvolle Pflege der Alten (Aristoph. Av. 1353 ff.; Aristot. hist. an. 8(9),13,615b 28; Plin. nat. 10,63 u.a.) ist jedoch ebenso eine willkürliche Erfindung wie die Versetzung der alten S. in Menschengestalt zu ewiger Seligkeit auf Inseln im Ozean (Ail. nat. 3,23). Nach Sch. Aristoph. Av. 1355 waren S. auf Zeptern Symbol der Gerechtigkeit wie auch in der aisopischen Fabel von den Kranichen und dem S. ([3. 13]; Aphthonios 14 p. 139 HAUSRATH). Andere Fabeln [4. 570, 576] stellen ihn als einfältig dar.

Den Verzehr von S. kennt man nur aus der späten röm. Republik (Hor. sat. 2,2,49 f.; vgl. Iuv. 14,74 f.; vgl. → Sempronius [I 19]). Der Genuß des Fleisches eines jungen S. sollte ein Jahr lang Triefaugen verhindern (Plin. ebd. 29,128) und sein Magen gegen alle Gifte helfen (Plin. ebd. 29,105) sowie Furunkel beseitigen (Plin. ebd. 30,108). Als Schlangenvertilger wurde er in Thessalien geschützt (Plin. nat. 10,62). Die Behauptung der Selbstheilung der S. von Kampfeswunden durch Auflegung von Origanum (Aristot. hist. an. 8(9),6,612a 32; Plin. nat. 8,98; Ail. nat. 5,46) hielt sich bis ins MA.

Eine späte Komödie des Aristophanes mit unbekanntem Inhalt hieß *Pelargoí* (›Die S.‹). Bei Ov. met. 6,93–97 wird die troianische Antigone [4] in einen S. verwandelt. Die *ciconia* genannte Imitation eines sich auf- und niederbewegenden S.-Halses hinter dem Rücken eines Menschen sollte diesen verspotten (Pers. 1,58). Auf ant. Gemmen ist der Vogel ein häufiges Motiv ([1. Taf. 18,47 und 22,3–5, 7–8 und 13], vgl. [2. 233]).

1 F. Imhoof-Blumer, O. Keller, Tier- und Pflanzenbilder auf Mz. und Gemmen des klass. Alt., 1889 (Ndr. 1972)
2 Toynbee, Tierwelt 3 B. E. Perry (ed.), Aesopica, 1952
4 Ders. (ed.), Babrius, Fabulae, 1965.

Keller 2, 193–197 · D'Arcy W. Thompson, A Glossary of Greek Birds, 1936 (Ndr. 1966), 221–225 · A. Steier, s. v. S., RE 4 A, 67–73.
C. HÜ.

Stotzas (Στότζας). Angehöriger der Garde des → Martinus [2], den er 533 n. Chr. auf dem Feldzug des → Belisarios gegen die → Vandali begleitete. Rebellische Truppen in Afrika wählten ihn 536 zu ihrem Anführer. Nach einem vergeblichen Versuch, Karthago zu erobern, wurde er 537 von → Germanos [1] besiegt und floh nach Mauretanien, rebellierte aber 541 erneut, nahm den Kaisertitel an und versuchte, in Nordafrika seine Macht auszudehnen, bis er 545 in einer Schlacht den Tod fand.

A. Kazhdan, s. v. S., ODB 3, 1959f. · PLRE 3B, 1199f.
F. T.

Strabo. Röm. Cogn. (»Schieler«, vgl. Plin. nat. 11,150); als Individualbeiname bezeugt bei C. Fannius [I 6] S., C. Iulius [I 11] Caesar S., Cn. Pompeius [I 8] S. u. a.

Degrassi, FCIR, 269 · Kajanto, Cognomina, 239.
K.-L. E.

Strabon (Στράβων). Griech. Geograph und Historiker augusteischer Zeit.
I. Leben II. Geschichtswerk III. Geographie
IV. Nachleben, Textgeschichte
V. Bedeutung

I. Leben

Einzige Quelle ist S.s eigenes Werk. Geburts- und Todesjahr stehen nicht fest, aber mit ›meine Zeit‹ bezeichnet S. die Periode, die mit Pompeius' [I 3] Neuordnung Kleinasiens (62 v. Chr.) beginnt [1]; das späteste von S. erwähnte Ereignis ist der Tod Iubas [2] II. (wahrscheinlich 23/4 n. Chr.; 17,3,7 = C 828,32ff.; 17,3,9 = C 829,28f.; 17,3,25 = C 840,15f.; Zitate parallel nach [16] und nach der in [15] eingeführten Zeilenzählung der Casaubonus-Seiten, Ndr. von 1620), und da er die Stadt → Kyzikos, die 25 n. Chr. ihre Freiheit verlor, eine ›freie Stadt‹ nennt (12,8,11 = C 576,7f.), darf man annehmen, daß er zw. diesen beiden Ereignissen gestorben ist. Geboren wurde er in → Amaseia in Pontos. Seine Familie mütterlicherseits hatte Mithradates [6] VI. nahegestanden und unter ihm hohe Ämter bekleidet, doch hatte der Großvater schließlich die Partei der Römer ergriffen (10,4,10 = C 477,16ff.; 12,3,33 = C 557,21ff.). Noch ganz jung hörte S. in Nysa [3] den Rhetor und Grammatiker Aristodemos (14,1,48 = C 650,27f.); als weitere Lehrer hatte er den Philosophen Xenarchos von Seleukeia (14,5,4 = C 670,25) und den Grammatiker Tyrannion (12,3,16 = C 548,14), vielleicht auch den Peripatetiker Boëthos [4] (vgl. 16,2,24 = C 757,28f.). S. bekennt sich wiederholt zum Stoizismus (vgl. 1,2,2 = C 15,29f.; 1,2,34 = C 41,24; 2,3,8 = C 104,4), und bei Steph. Byz. s. v. Ἀμάσεια heißt er sogar ›der stoische Philosoph‹. Mehrere Stellen seines Werkes (4,5,2 = C 200,4ff.; 6,2,6 = C 273,10ff.; 7,1,3 = C 290,26; 8,6,23 = C 381,14ff.; 13,1,54 = C 609,17; 13,1,54 = C 609,20) zeigen, daß er längere Zeit in Rom gelebt und dort mindestens einen Teil seines geogr. Werkes geschrieben hat. 25/4 v. Chr. reiste er im Gefolge des mit ihm befreundeten neuen → *praefectus Aegypti* Aelius [II 11] Gallus nach Ägypten (2,5,12 = C 118,10f.) und lebte ›lange Zeit‹, vielleicht bis 20 v. Chr. [2], in Alexandreia [1] (2,3,5 = C 101,22).

II. Geschichtswerk

S.s Geschichtswerk (Ἱστορικὰ ὑπομνήματα/*historiká hypomnḗmata*) in, wie es scheint, 47 B. ist verloren; die wenigen Fr. gibt FGrH 91. Es war eine Fortsetzung des Werks des → Polybios [2], fing also mit dem J. 145/4 v. Chr. an und reichte auf jeden Fall bis zum E. der röm. Bürgerkriege (vgl. FGrH 91 F 18); die ersten vier B. gaben einen Überblick über die (gesamte?) vorangegangene griech. Gesch. [3; 4].

III. Geographie

S.s geogr. Werk (Γεωγραφικά/*Geōgraphiká*), abgefaßt nach dem Geschichtswerk (vgl. 1,1,23 = C 13,22), ist dagegen, abgesehen vom Schluß des 7. B., vollständig erh. Es umfaßt 17 B.: allg. Einleitung, Kritik an Vorgängern (B. 1–2); die Iberische Halbinsel (B. 3); Gallia, Britannia, Hibernia, Thule (B. 4); Italien und Sicilia (B. 5–6); Germania und der weitere NO von Europa bis zum Tanais (h. Don), der als Grenze von Asia galt (B. 7); Hellas, Kreta, Kykladen, Sporaden (B. 8–10); die am Kaukasos, am Kaspischen Meer und weiter östl. gelegenen Länder (B. 11); Kleinasien mit den vorgelagerten Inseln (B. 12–14); India und Persis (B. 15); Mesopotamia, Syria, Phönizien, Iudaea, Arabia (B. 16); Ägypten, Aithiopia und Nordafrika (B. 17).

Diese Beschreibung der ganzen damals bekannten Welt beruht zum Teil auf Autopsie: So kennt S. natürlich sein Heimatland Pontos (12,3,1–40 = C 540,30–562,19) aus eigener Anschauung und ebenso viele andere Örtlichkeiten Kleinasiens; ausdrücklich gibt er das an für Komana [1] (12,2,3 = C 535,25f.), Ephesos (14,1,23 = C 641,12ff.), Hierapolis [1] (13,4,14 = C 630,2ff.) und Nysa [3] (s.o.); Autopsie verraten aber z. B. auch seine Beschreibungen des Flusses Pyramos [1] (12,2,4 = C 536,4ff.), des Charonion in Acharaka (14,1,44 = C 649,27ff.) und der Inschr. auf einer Statuenbasis im Theater von Magnesia [2] (14,1,41 = C 648,19ff.); ferner kennt er viele Orte in Ägypten, wo er im Gefolge des Aelius eine Nil-Fahrt gemacht hatte (11,11,5 = C 518,21f.; 17,1,24 = C 804,3f.; 17,1,29 = C 806,15ff.; 17,1,46 = C 816,10ff.); seinem langjährigen Aufenthalt in Alexandreia [1] ist die beste Beschreibung der ant. Stadt (17,1,6–10 = C 791,14–795,24) zu verdanken; außerdem kennt er Rom, wo er lange gelebt hat und dessen großartige Anlage er begeistert beschreibt (5,3,8 = C 235,20–236,28); von Rom aus besuchte er → Populonia (5,2,6 = C 223,29ff.), und auf einer Fahrt nach Rom stieg er auf die Burg von → Korinthos (8,6,19 = C 377,33 f.; 8,6,21 = C 379,10; 19; 30 ff.). Weitaus das meiste aber hat er, wie er auch selber ausdrücklich erklärt (2,5,11 = C 117,20 ff.), aus zweiter Hand. Er schöpft v. a. aus seinem unmittelbaren Vorgänger Artemidoros [3], aus Apollodoros' [7] Komm. zum Homerischen Schiffskatalog, aus Demetrios' [34] Komm. zu Homers Troianerkatalog, aus → Polybios [2] und → Ephoros (die beide bes. Abschnitte ihrer Gesch.-Werke der Geogr. gewidmet hatten), aus den → Alexanderhistorikern und → Megasthenes, aus dem Ber. des → Theophanes von Mytilene über die Feldzüge des Pompeius [I 3] im Osten und nicht zuletzt aus Poseidonios [3], und zwar nicht nur aus dessen Schrift ›Über den Okeanos‹, sondern auch aus den *Historíai* [5]. Oft nennt er seine Quellen, oft aber auch nicht, was dazu geführt hat, daß die S.-Forsch. sich zeitweise fast ganz im möglichst vollständigen Aufgliedern seines Werkes nach mutmaßlichen Quellen erschöpfte.

S. hat das Werk für den gebildeten Laien, bes. für Personen in führender Stellung (vgl. 1,1,1 = C 2,6 f.; 1,1,16 = C 9,15 ff.; 1,1,18 = C 10,30 f.), bestimmt. Aus dem umfangreichen Material wählt er das Berühmte oder Interessante aus und belebt die Darstellung durch histor. und ethnographische Details, Exkurse und Anekdoten. Sein Werk liest sich daher angenehm (im Gegensatz etwa zu den geogr. Abschnitten des Plinius [1] und dem geogr. Werk des Ptolemaios [65]), wozu auch sein unprätentiöser, von attizistischen Manierismen freier Stil beiträgt. Etwas störend ist nur, daß er sich bei der Auseinandersetzung mit anderen manchmal in tüftelige Krittelei verliert. Dagegen kann man ihm keinen Vorwurf daraus machen, daß vom h. Wissensstand aus gesehen manche seiner Angaben falsch sind – nicht nur im Geographischen (vgl. z. B. die schwere Unterschätzung des Vorsprungs der Bretagne 4,4,1 = C 195,14 ff., die Nord-Süd-Richtung der Pyrene [2]/Pyrenäen 2,5,28 = C 128,6 f., die Verdammung des Pytheas [4] als eines Phantasten 1,4,3 = C 63,11 f.), sondern auch im Historischen (vgl. [6]) – oder daß er nicht alles mitteilt, was wir uns gewünscht hätten. Für den mod. Leser überraschend ist die große Rolle, die → Homeros [1] bei S. spielt: in B. 1 kommt das durch seine Auseinandersetzung mit Eratosthenes [2] über Homers geogr. Kenntnisse, in der Beschreibung von Hellas und Kleinasien dadurch, daß S. dort ausgiebig die Komm. des Apollodoros und Demetrios zu Homers Schiffs- bzw. Troianer-Katalog benutzt (vgl. jedoch auch die prinzipielle Bemerkung 8,3,3 = C 337,20–25, die zeigt, wie maßgebend Homer für S. und sein Publikum war). Bei der Beschreibung fremder Völker zeigt S. die Offenheit, die die Griechen von jeher dem Fremden entgegenbrachten; doch sieht er die griech.-röm. Kultur ausdrücklich als Ziel der kulturellen Entwicklung und die Römer als Zivilisatoren [7].

Über die Abfassungszeit des Werkes hat man viel spekuliert (vgl. [9. 3–6; 6. 356–367; 8]), doch deutet alles darauf, daß S. sein Manuskript bis an sein Lebensende bei sich behalten und Nachträge darin angebracht hat und daß es erst nach seinem Tode herausgegeben wurde (vgl. bes. seine Beschreibung des → Campus Martius 5,3,8 = C 236,25 ff., wo der Herausgeber einen offensichtlich nach Augustus' Bestattung geschriebenen Nachtrag an einer falschen Stelle eingefügt hat [10]).

IV. Nachleben, Textgeschichte

In den ersten Jh. nach S.s Tod sind Zeugnisse für eine Kenntnis seiner Geogr. sehr spärlich. Der Allesleser Plinius nennt ihn nicht: verm. war das Werk zu seiner Zeit noch gar nicht veröffentlicht. Der erste uns bekannte Benutzer des Werkes war offenbar Dionysios [27] zu Anf. des 2. Jh. n. Chr. [9. 7 f.]. Aber auch in den nächsten Jh. finden wir nur ganz vereinzelte Zitate. S.s große Zeit kommt erst spät: → Stephanos [7] von Byzanz zitiert ihn ständig, und für Eustathios [4] ist er der Geograph. schlechthin. Der Westen wurde im 15. Jh. durch Plethon bzw. seinen Besucher Ciriaco auf S. aufmerksam, und Papst Nikolaus V. beauftragte Guarino Veronese und Gregorio Tifernate mit einer lat. Übers., die 1469 von Sweynheym und Pannartz in Rom gedruckt und in den darauffolgenden 90 J. mindestens zwölfmal nachgedruckt wurde [11. 35–37]; durch sie konnte Columbus die beiden Bemerkungen S.s (1,4,6 = C 64,31–33; 2,3,6 = C 102,24 f.) kennen, die ihn in seinem Plan einer Indienfahrt in westl. Richtung bestärkt haben [12; 13]. Der griech. Text wurde zuerst 1516 in Venedig bei Aldus gedruckt. Maßgebend wurde dann bis zum Anf. des 19. Jh. die kommentierte Ausgabe des Casaubonus (1587). Napoleon I. gab eine frz. Übers. in Auftrag, die 1805–1819 in prächtiger Aufmachung erschien. Zu den Übersetzern gehörte Adamantios Korais, der dann selbst einen vielfach verbesserten griech. Text herausgab (1815–1819). Erst Gustav Kramer hat eine auf systematischer Kollationierung der Hss. beruhende Ausgabe gemacht (1844–1852). Zur Textgeschichte vgl. [9].

V. Bedeutung

S.s *Geographiká* sind das einzige aus dem Alt. erh. Werk dieser Art und daher eine unschätzbare Quelle für die Kenntnis nicht nur der damaligen geogr. Verhältnisse, sondern auch der von S. benutzten und h. nicht mehr erh. Autoren (der größte Teil der geogr. Fr. des Eratosthenes [2] und Hipparchos [6] stammt aus S.; Karl Reinhardt, der eine neue S.-Ausg. plante, blieb an Poseidonios [3] hängen [14. 306 f.]). Daneben sind dem Werk eine große Menge histor. Angaben zu verdanken (bes. bemerkenswert z. B. der große Kureten-Exkurs 10,3,6–23 = C 466,9–474,15; die abenteuerliche Gesch. von den Schicksalen der Mss. des Aristoteles [6] 13,1,54 = C 608,30–609,21; der Ber. über die mißglückte arabische Expedition des Aelius Gallus 16,4,22–24 = C 780,1–782,26). In der Einleitung erörtert S. auch Fragen wie »Dichtung und Wahrheit« bzw. die Funktion des Mythos (1,2,7 = C 18,31 ff.) und den Urspr. der Prosa (1,2,6 = C 18,5 ff.). Durch die große Rolle Homers in seinem Werk ist S. auch ein wichtiger Zeuge für die ant. Homer-Erklärung.

1 S. Pothecary, The Expression »Our Times« in Strabo's Geography, in: CPh 92, 1997, 235–246 2 P. M. Fraser, Ptolemaic Alexandria, Bd. 2, 1972, 12f. Anm. 29 3 F. Jacoby zu FGrH 91 (291 f.) 4 E. Honigmann, s. v. S. (3), RE 4 A, 85, Z. 8ff. 5 J. Malitz, Die Historien des Poseidonios (Zetemata 79), 1983, 42–46 6 R. Syme, Anatolica. Studies in Strabo, 1995 7 E. Ch. L. van der Vliet, L'ethnographie de S., in: F. Prontera (Hrsg.), Strabone. Contributi allo studio della personalità e dell'opera, Bd. 1, 1984, 27–86 8 H. Lindsay, Syme's Anatolica and the Date of Strabo's Geography, in: Klio 79, 1997, 484–507 9 A. Diller, The Textual Trad. of Strabo's Geography, 1975 10 P. Meyer, Straboniana (Abh. zum Jahresber. der Fürsten- und Landesschule zu Grimma 1889–90), 1890, 20f. 11 M. Biraschi u. a., Strabone. Saggio di bibliografia 1469–1978, 1981 12 M. V. Anastos, Pletho, Strabo and Columbus, in: Annuaire de l'Inst. de Philol. et d'Histoire Orientales et Slaves de l'Université Libre de Bruxelles 12, 1952, 1–18 13 N. G. Wilson, From Byzantium to Italy, 1992, 55f. 14 S. L. Radt, Eine neue S.ausgabe, in: Mnemosyne 44, 1991, 305–326.

Ed.: 15 S. Radt, 10 Bde., 2002ff. (mit dt. Übers. und Komm.) 16 G. Kramer, 3 Bde., 1844–1852
17 A. Meineke, 3 Bde., 1852f. 18 H. L. Jones, 8 Bde., 1917–1932 (mit engl. Übers.)
B. 1–12: 19 F. Lasserre, G. Aujac, R. Baladié, 10 Bde., 1969–1996 (mit frz. Übers.).
B. 1–6: 20 W. Aly, 2 Bde., 1968 und 1972 (Antiquitas Reihe 1, 9 und 19).
B. 1–6: 21 F. Sbordone, 2 Bde., 1963 und 1970. S.RA.

Strafe, Strafrecht

I. Alter Orient II. Ägypten
III. Griechenland und Rom

I. Alter Orient

Bereits die sumerisch-akkadische Begrifflichkeit für S. impliziert, daß diese in Mesopotamien als Folge von Unrecht verstanden wurde [1. 77 mit Anm. 35], das sich sowohl gegen die göttliche Ordnung [2] als auch gegen das (staatlich sanktionierte) polit.-soziale Gefüge richtete [3]. Ähnliches gilt für Äg. [4. 68]. Eine Trennung zwischen Zivil- und Strafrecht im mod. Sinne gab es nicht. Das Verhältnis zwischen Privatrecht und sog. öffentlichem Recht (und seinen Sanktionen) ist durch fließende Übergänge gekennzeichnet [1]. Mindestens bei den Kapitaldelikten (z.B. Mord/Tötung, Raub) wird man in Mesopot. jedoch von einem staatl. Verfolgungsanspruch auszugehen haben, da es sich bei diesen um sog. Primärdelikte handelte, die nicht selten der königlichen Gerichtsbarkeit zugeordnet waren. Strafandrohung und -vollzug erfolgten z.T. nach dem Talionsprinzip [4. 68; 5]. Die S. für Hehlerei orientierte sich in der Regel am Strafmaß für den eigentlichen Täter [8]. In der keilschriftlichen Überl. vom 3. bis 1. Jt. v. Chr. sowie in Äg. sind → Todesstrafe, (entehrende) Verstümmelungs- und Körper-S., Ehren-S., Versklavung sowie (abgestufte) Vermögens-S. bezeugt [4. 69; 6. 129–138; 7. 345–349; 8. 189–195]. Die Vermögens-S. war durch das Delikt begründete Buß- und/oder Kompensationsleistung. Überl. sind keilschriftl. Anweisungen zur Verfolgung und Verhaftung von Straftätern [9]. Während der Untersuchung (nicht als S.) [4. 69; 10. 168–170] sowie im Zusammenhang mit (strittigen) Schuldverpflichtungen, letzteres auch im Zuge der Selbsthilfe, wurden die beschuldigten Personen in Gewahrsam genommen [11. 33–36]. Im Falle staatl. Haftanordnungen dienten bestimmte Gebäude(teile) als Örtlichkeiten für die Haft [1. 76f.; 12; 13. 115–118]. Prügel-S. und Arrest waren zudem Mittel der Schülerdisziplinierung in Mesopot. und Äg. [4. 70; 14. 196–201].

1 J. Renger, Wrongdoing and Its Sanctions, in: Journ. of the Economic and Social History of the Orient 20, 1977, 65–77 2 K. van der Toorn, Sin and Sanction in Israel and Mesopotamia, 1985 3 J. Hengstl, Zur rechtlichen Bed. von *arnum* in der altbabylon. Epoche, in: WO 11, 1980, 23–34 4 W. Boochs, s. v. S., in: LÄ 6, 1986, 68–72 5 H. P. H. Petschow, Altoriental. Parallelen zur spätröm. calumnia, in: ZRG 90, 1973, 14–35 6 A. Falkenstein, Die neusumer. Gerichtsurkunden, Bd. 1, 1956 7 E. Dombradi, Die Darstellung des Rechtsaustrags in den altbabylon. Prozeßurkunden I, 1996 8 K. Radner, Die neuassyr. Privatrechtsurkunden, 1997 9 G. Wilhelm, »Verhafte ihn!«, in: Orientalia 59, 1990, 306–311 10 G. Komoróczy, Lobpreis auf das Gefängnis in Sumer, in: Acta Antiqua Academiae Scientiarum Hungaricae 23, 1975, 153–174
11 H. P. H. Petschow, Mittelbabylon. Rechts- und Wirtschaftsurkunden der Hilprecht-Sammlung Jena, 1974
12 P. Steinkeller, The Reforms of UruKAgina and an Early Sumerian Term for »Prison«, in: Aula Orientalis 9, 1991, 227–233 13 K. K. Riemschneider, Prison and Punishment in Early Anatolia, in: s. [1], 114–126
14 K. Volk, Methoden altmesopot. Erziehung nach Quellen der altbabylon. Zeit, in: Saeculum 47, 1996, 178–216. H.N.

II. Ägypten

Als Sühnung von Verbrechen gab es im pharaonischen Äg. vielfältige körperliche Strafen, vom Verprügeln über Verstümmelungen bis hin zur Tötung. Die → Todesstrafe, v. a. das Pfählen, ist belegt bei Verbrechen gegen die höchsten Güter des Gemeinwesens: bei versuchtem Königsmord ebenso wie bei der Ausplünderung von Königsgräbern. Hochgestellten Personen wurde die Gnade eingeräumt, durch die eigene Hand zu sterben. Bei harten körperlichen S. bedurfte es offenbar generell einer Bestätigung durch den König oder mindestens durch den Wesir [1. 147f.; 2; 6. 32].

Freiheits-S. im Sinne einer Gefängnishaft sind nur für die Dauer der Gerichtsverhandlung belegt: Wenn abgeurteilte Straftäter eingesperrt wurden, dann deshalb, weil einige Zeit verging, bis der König von der Residenz aus die Todesurteile bestätigt hatte [1. 184; 2]. Doch konnten polit. Gegner offenbar mit Verbannung in abgelegene Gegenden wie Oasen bestraft werden. Bei Vergehen gegen Tempelvermögen wurden in einem Königsdekret neben einer materiellen Buße in vielfacher Höhe des Originalwertes die Versklavung der Familie und die Einziehung des Vermögens angedroht, dazu Leibes-S. wie Auspeitschung, Abschneiden von

Ohren und Nasen und Tod durch Pfählen. Häufig hatte aber offenbar bei Eigentumsdelikten die Erstattung des Diebesgutes den Vorrang vor körperlicher S. Vom Täter konnte als Buße ein mehrfacher Ersatz des Gestohlenen verlangt werden [1. 181; 2]. Körperliche Züchtigung des Diebes ist dann belegt, wenn dieser seine Tat nicht gestand oder Meineide schwor. Auch bei Nichteinhaltung eines → Vertrages, etwa bei Mietverträgen über Nutztiere, konnte verspätete Rückgabe mit einer Buße, z. B. der Erbringung des doppelten Wertes, belegt werden.

Bei Ehebruch – auch im Wiederholungsfall – findet sich im NR (1550–1070 v. Chr.) für die männliche Seite die Auferlegung des Eides, nicht mehr mit der Frau Kontakt zu haben; in lit. Kontext (Pap. Westcar) aus dem MR (12. Dyn. ca. 2000–1800 v. Chr.) endete ein Seitensprung für beide Seiten tödlich, für die Frau mit dem Tod durch Verbrennen, einer Hinrichtungsart, die auch in histor. Texten aus der dritten Zwischenzeit (Annalen des Osorkon, um 800 v. Chr.) belegt ist (vgl. → Ehe).

Viele S. wurden nur in Eiden (→ Eid) beschworen [5] für den Fall, daß man von einem Urteilsspruch abwich. So wird das Herausschneiden der Zunge als S. genannt, falls man gegen das ergangene Urteil Einspruch erhob. Wie weit diese S. (z. B. Verbannung nach Nubien, Verstümmelung oder einem Krokodil zum Fraß vorgeworfen zu werden) wörtlich zu nehmen sind, ist nicht bekannt: in einem Fall aus dem Handwerkerdorf Deir el-Medineh (Pap. Deir el-Medineh 27) wird ein mit hohen S. belegter Eid gebrochen, offenbar ohne ernste Konsequenzen für den Meineidigen. Demgegenüber gibt es auch Beispiele für die Forderung der Höchst-S. nach einem Meineid (Ostrakon Nash 1) [1. 343–345].

Der Macht der Götter, die ebenfalls in Eiden beschworen wurde, kam bei der Absicherung langfristiger Regelungen gegen zukünftige Machthaber eine bes. Bed. zu, wie z. B. bei Testamenten oder Stiftungen. Hier vertraute man mehr auf göttliche S. (z. B. Beeinträchtigung des Jenseitslebens) als auf die körperlichen S. irdischer Gerichtsbarkeit.

Außerhalb der Justiz ist in Schultexten des NR (13. Jh. v. Chr.) die Rede von pädagogischen Strafmaßnahmen gegen faule Schüler: ›Das Ohr eines Schülers ist auf seinem Rücken, er hört, wenn man ihn schlägt‹ (Pap. Anastasi III 3,13, um 1210 v. Chr.) [3. 56–58]. S./Züchtigung und Lehre/Erziehung wurden mit demselben Wort *sbꜣj.t* bezeichnet (→ Schreiber).

1 E. D. Bedell, Criminal Law in the Egyptian Ramesside Period, 1973 2 W. Boochs, s. v. S., in: LÄ 6, 1986, 68–72 3 H. Brunner, Altägypt. Erziehung, 1957 (Ndr. 1991) 4 A. G. McDowell, Jurisdiction in the Workmen's Community of Deir el-Medîna, 1990 5 S. Morschauser, Threat-Formulae in Ancient Egypt, 1991 6 E. Seidl, Einführung in die äg. Rechtsgesch., [2]1951. M. RÖ.

III. Griechenland und Rom

Die Gesch. des Strafrechts (=Sr.) in Griechenland und Rom wird von einer Zweispurigkeit der privaten und der staatlichen S. geprägt. Dabei ist der Anteil der beiden Sanktionssysteme nicht nur zeitlich, sondern auch geographisch verschieden. In der athenischen Polis des 5. und 4. Jh. v. Chr. war das öffentliche Sr. sehr viel weiter entwickelt als noch Jh. später in der röm. Republik. Freilich waren auch in Athen die Privat-S. viel weiter verbreitet als in mod. Rechtsordnungen. Andererseits ist der t.t. für die wichtigste Privat-S. des röm. Rechts in der späten Republik und der Kaiserzeit, die → *poena*, ein Lehnwort aus dem Griech. (→ *poinḗ*). Mit ihm wurde die Buße bezeichnet, durch die der Täter die Rache des Opfers oder seiner Angehörigen abwenden konnte. Gerade mit dem weiterführenden Gedanken der Umwandlung urspr. privater Sühne in ein Strafgeld seit den Zwölf Tafeln (→ *tabulae duodecim*) hat die Institution der Privat-S. die ganze Entwicklung des röm. Privatrechts bis zum → *Corpus iuris* im 6. Jh. n. Chr. prägen können.

Charakteristischer Gegenstand und wohl auch histor. Ausgangspunkt der staatlichen S. sind die kriminellen Verhaltensweisen gegenüber dem Staat selbst und gegenüber der Gemeinschaft einschließlich ihrer Religion. Früh durch Volksgericht und Volksversammlung bestraft wurde daher der Hoch- oder Verfassungsverrat (→ *katálysis*, → *perduellio*). Mit öffentlicher Bestrafung verfolgt wurde ferner z. B. in Athen der Religionsfrevel (→ *asébeia*) und der Tempelraub (→ *hierosylía*). Für die nach heutiger Anschauung schwersten Verbrechen Mord und vorsätzliche Tötung (→ *phónos*, → *parricidium*, → *homicidium*) lag die Initiative zur Strafverfolgung hingegen in Athen bei den Angehörigen, die eine Privatklage (→ *díkē*) erheben konnten, und in Rom war das öffentliche Strafverfahren vor einem Geschworenengericht (→ *quaestio*) wohl erst seit Sulla (ca. 80 v. Chr.) institutionalisiert. In früheren Jh. wurde in Rom gerichtlich auf Antrag der Kläger nur die Täterschaft des Mörders festgestellt; zur Vollstreckung aber wurde er den Angehörigen des Opfers überlassen, die ihn ihrerseits töten oder auch als Sklaven verkaufen konnten.

Noch »privatrechtlicher« war das System der Bestrafung innerhalb des Hausverbandes (→ Familie IV.): Die Verhängung sogar der Todesstrafe durch das Familienoberhaupt (→ *pater familias*) war in Rom bis in die Kaiserzeit zulässig; nur durch die Mitwirkung eines Familiengerichts unter seinem Vorsitz war der »Hausherrscher« bei der Ahndung bes. schwerer Taten gebunden. Ganz der privaten Rechtsverfolgung mit Strafcharakter überlassen blieben in Griechenland und Rom Eigentumsdelikte (→ *klopḗ*, → *furtum*) und in der Zeit der röm. Republik Körperverletzungen (→ *iniuria*), während nach att. Recht die körperliche Unversehrtheit wohl schon als öffentliches Gut verstanden und Eingriffe in dieses Gut deshalb wie die Staats- und Gemeinschaftsdelikte einer »öffentlichen Klage« (→ *graphḗ*) unterworfen wurden.

Wie S. (bis hin zur Tötung) konnten sich in der röm. Republik auch amtliche Maßnahmen der Magistrate auswirken (→ *coercitio*). Röm. Bürger hatten aber u.U. die Möglichkeit, sich gegen solche Maßnahmen mit der Anrufung der Volksversammlung (→ *provocatio*) zu wehren. Dies konnte sogar die Verfolgung des Magistrats wegen eines Amtsdelikts nach sich ziehen. In der Kaiserzeit wurde das öffentl. Sr. ausgedehnt und seine Anwendung vereinheitlicht. Das typische Verfahren war nun der Prozeß vor einem kaiserlichen Beamten (→ *cognitio*).

→ Attisches Recht; Crimen; Delictum; Iudicium; Rache; Recht IV. B.; Todesstrafe

D. Cohen, Law, Violence and Community in Classical Athens, 1995 • Ders., Theft in Athenian Law, 1983 • Dulckeit/Schwarz/Waldstein, 66–72 • A. R. W. Harrison, The Law of Athens, 2 Bde., 1968–1971 • W. Kunkel, Unt. zur Entwicklung des Kriminalverfahrens in vorsullanischer Zeit (ABAW 59), 1962 • D. M. MacDowell The Law in Classical Athens, 1978 • Mommsen, Strafrecht • E. Ruschenbusch, Unt. zur Gesch. des athenischen Strafrechts, 1968 • B. Santalucia, Diritto e processo penale nell'antica Roma, [2]1998. G.S.

Strafgelder s. Poine; Poena

Strafprozeß. Von einem S. im technischen Sinne kann in histor. Perspektive nur gesprochen werden, wenn sich ein Bereich der Strafverfolgung im öffentlichen (staatlichen) Interesse (→ Strafe, Strafrecht) von der Rechtsverfolgung im privaten Interesse (einschließlich etwaiger Privatstrafen, lat. → *poena*) unterscheiden läßt. Die Tatsache, daß z.B. die private → Rache durch den Zwang zur Durchführung eines gerichtlichen Verfahrens kanalisiert wird, begründet noch keinen S.: Zur Wahrung des öffentlichen Friedens und der staatlichen Autorität wird nur die Ausführung privater Bestrafung von einem vorangegangenen förmlichen Prozeß abhängig gemacht (→ Prozeßrecht). Die Unterscheidung zw. dem S. und zivilgerichtlichen Verfahren wird zusätzlich dadurch erschwert, daß in der Ant. die Institution des Staatsanwalts zur Erhebung der Anklage im S. unbekannt war. Regelmäßig war auch im S. vielmehr eine Privatperson Kläger.

In Griechenland, bes. in Athen, konnten Privatpersonen die förmliche (Straf-)Klageschrift, die → *graphḗ* [1], einreichen (s. auch → *eisangelía*), über die dann in einem sehr großen Volks-(Geschworenen-)Gericht entschieden wurde (→ *dikastḗrion*). Bei Festnahme auf frischer Tat war auch das Schnellverfahren der → *apagōgḗ* möglich, sonst die Anzeige beim Gerichtsvorstand (→ *éndeixis*). Die Anklage Privater im S. war in Athen freilich regelmäßig mit dem Risiko einer Prozeßstrafe verbunden, wenn der Ankläger nicht wenigstens ⅕ der Geschworenenstimmen für seinen Antrag gewann.

Der wichtigste S. der röm. Rechtsentwicklung war die → *quaestio*, wie sie insbes. durch Cornelius [I 90] Sulla (um 80 v. Chr.) eingeführt wurde: ein Geschworenengericht, das auf private Anklage hin tätig wurde (→ *delatio nominis*; → *delator*). Allerdings war eine Überprüfung der Anzeige durch den → Praetor (ähnlich dem Verfahren *in iure* bei Zivilprozessen) vor der gerichtlichen Verhandlung vorgesehen. In der Kaiserzeit ging dieses Verfahren zunehmend in den Amtsprozeß (→ *cognitio*) vor dem kaiserlichen Beamten über.

→ Strafrecht

A. R. W. Harrison, The Law of Athens, Bd. 2, 1971 • B. Santalucia, Diritto e processo penale nell'antica Roma, [2]1998. G.S.

Stragulum s. Decke

Straßen s. Infrastruktur; Landtransport; Straßen- und Brückenbau; Verkehr; Viae publicae; Strassen/Strassenbau

Straßen- und Brückenbau

I. Begriffsabgrenzung, Forschungssituation
II. Griechenland III. Rom
IV. Brücken, Brückenbau

I. Begriffsabgrenzung, Forschungssituation

Als Straße (=St.) wird im folgenden ein zumindest in Teilen künstlich angelegter, also im weitesten Sinne auch architektonisch gestalteter Weg bezeichnet, nicht hingegen die mehr oder weniger festgelegten, traditionellen Handelswege, Karawanen-St. und Interkontinentalverbindungen wie z.B. die → Seidenstraße. Gegenstand sind Fern-St. sowie kleinere Wege und Saumpfade, die Orte und Regionen verbinden, nicht jedoch innerörtliche St.; hierzu s. → Städtebau. Die Brücke (=Br.) ist vom Grundsatz her ein speziell geführtes und architektonisch bes. konstruiertes Stück St. oder Weg; zu Überbrückungsbauten im Rahmen von Aquaedukten vgl. → Wasserversorgung. Ein generelles Problem der Erforschung klass.-ant. St. liegt in ihrer Dauerhaftigkeit. Eine einstmals gewählte Trassenführung blieb über Jh., nicht selten bis in die Gegenwart in Gebrauch und war deshalb im Laufe der Zeit erheblichen baulichen Änderungen unterworfen; es ist oft nicht oder nur mit sehr großen Einschränkungen möglich, einzelne Bauphasen zeitlich genauer einzugrenzen oder gar Befunde aus der Zeit der Ersterrichtung einer St. arch. zu sichern. Für die röm. Ant. existiert jenseits arch. Befunde ein dichtes Netz lit. und epigraphischer Nachrichten zum St.-Bau, für die griech. Ant. ist die Quellenlage hingegen ungleich ungünstiger. Der ant. St.- und Br.-Bau ist zusammen mit dem ant. System der Land- und Flureinteilung (→ Limitation) ein Sujet mit umfassender nachant. Tradierungs-, Überlieferungs- und Bedeutungs-Gesch.; vgl. hierzu → Strassen.

II. GRIECHENLAND
A. VERKEHRSSTRASSEN
B. REPRÄSENTATIONSSTRASSEN

A. VERKEHRSSTRASSEN

Neuere top.-regionale Forsch. in Attika, der Peloponnes, in NW-Griechenland und auf Sizilien haben gezeigt, daß – im Gegensatz zur älteren Forsch.-Meinung – im ant. Griechenland ein recht dichtes und auch gut nutzbares, keineswegs nur behelfsmäßiges St.-Netz existierte. Relativierend in Rechnung zu stellen ist dabei allerdings, daß bes. im dicht durch Wege und St. erschlossenen Attika eine Zuwegung für die Ausbeutung der → Steinbrüche und Metallbergwerke unverzichtbar war und daß gleichwohl ein Großteil des zwischenstädtischen Wirtschaftstransports auf dem Seeweg abgewickelt wurde (→ Schiffahrt). Weite Teile des griech. Wegenetzes gehen bis in myk. bzw. vorgesch. Zeit zurück. Es lassen sich seit ca. 600 v. Chr. zwei Kategorien von St. unterscheiden: architektonisch ausgebaute, mindestens teilweise mit Belag, Stützmauern und Karren-Geleisen ausgestattete, 3–4 m breite »Haupt-St.« und ein demgegenüber weitaus dichteres Netz präparierter, aber architektonisch wenig manifester Saumpfade von bis zu 1 m Breite. Beiden Kategorien gemeinsam ist die möglichst unaufwendige, natürliche Streckenführung entlang einer top. idealen Linie unter Vermeidung großer Steigungen und Gefälle und unter Einbeziehung von Furten als Flußquerungen – eine Trassenführung, die insbes. auch auf Geländedurchbrüche, Planierungen und den Br.-Bau verzichtete und damit dem grundsätzlich »naturnahen« Charakter der ant.-griech. Architektur entsprach. Wegkreuzungen waren nicht selten durch → Hermen oder andere Markierungssteine gekennzeichnet, vereinzelt haben sich Spuren von Stationsbauten erhalten. Über die Organisationsformen des überörtlichen griech. St.-Baus und -Unterhalts herrscht weitgehend Unkenntnis. St.-Bau als mil. Maßnahme ist erstmals im 5. Jh. v. Chr. für den Makedonenkönig Archelaos [1] bezeugt (Thuk. 2,100) und wird erst im Hell. zu einem bedeutsameren Faktor.

B. REPRÄSENTATIONSSTRASSEN

Aufwendig ausgebaut, gepflastert und durchgehend für Wagenverkehr wie auch für große → Prozessionen vorbereitet waren die Zufahrts-St. zu den größeren griech. Heiligtümern; Träger solcher St. war die dem jeweiligen Heiligtum zugehörige Polis bzw. dessen Priesterschaft. Diese bis zu 20 km langen »Heiligen St.« waren bisweilen in hochrepräsentativer Form von Statuen (→ Branchidai), Denkmälern und Bauten gesäumt; weitere Einrichtungen wie Drainagen und Wegstationen sind bezeugt. Prominente Repräsentations-St. dieser Art verbanden u. a. Athen mit Eleusis und Milet mit dem Apollonheiligtum von Didyma.

III. ROM
A. DIE ENTWICKLUNG DES RÖMISCHEN FERNSTRASSENNETZES
B. VERWALTUNG, KONSTRUKTION, AUSSTATTUNG

A. DIE ENTWICKLUNG DES RÖMISCHEN FERNSTRASSENNETZES

Der Bau röm. Fern-St. unterschied sich grundsätzlich von der Situation in Griechenland: Röm. St. waren in hohem Maße durchdacht konstruierte Bauwerke, die sich darüber hinaus in möglichst gerader Linienführung über top. Widrigkeiten rigoros hinwegsetzten und zudem in allen Details ihres Baus und Unterhalts in den rechtlichen Rahmen der röm. Ges. eingebunden waren. Der Beginn des röm. Fernstraßenbaus liegt im 4. Jh. v. Chr.; das Phänomen korreliert aufs engste mit der mil. und wirtschaftlichen Expansion Roms. St.-Bau begleitete, ähnlich dem → Städtebau, röm. Eroberungen konstitutiv, bildete eine wichtige Voraussetzung hierfür und wurde seit spätrepublikanischer Zeit zu einer Metapher für die kulturell-technische Dominanz Roms über die Mittelmeerwelt. Die Entwicklung des röm. Fernstraßennetzes, das im 2. Jh. n. Chr. ca. 80 000 km umfaßte, folgte in ihrer Chronologie der röm. Expansion: zunächst Süd-It., Griechenland und Kleinasien, dann Nord-It., schließlich ein Ausgreifen in die nw Provinzen.

Den Mittelpunkt dieses St.-Netzes bildete die Stadt Rom; sternförmig erschlossen von hier aus 13 große, z. T. nach ihren Bauherren, z. T. nach ihren Zielorten oder charakteristischen Handelsgütern benannte Fern-St. die Apenninhalbinsel (→ Via Ostiensis, Aurelia, Claudia, Flaminia, Tiberina, Salaria, Nomentana, Tiburtina, Praenestina, Labicana, Tusculana, Latina und Appia). Vorhandene Trassen außerhalb It.s wurden bisweilen zu überregionalen Fern-St. verknüpft (z. B. die → Via Egnatia durch Dalmatien und NW-Griechenland) und an das ital. St.-Netz angeschlossen (z. B. die Verlängerung der → Via Aurelia durch Südgallien bis Cadiz als Via Augusta). Mit der Verlangsamung bzw. dem Stillstand der röm. Expansion und dem Beginn von Grenzsicherungsmaßnahmen (→ Limes) im 1. Jh. n. Chr. entstand zudem im Hinterland der Reichsgrenzen ein parallel zur Grenze verlaufendes St.-System, das schnelle Verschiebungen von Truppen ermöglichte (→ *legio*). Insgesamt ist für den röm. St.-Bau die mil.-administrative Funktion erstrangig; es waren, wie z. B. die Reliefs der Traians-Säule (→ Säulenmonumente) zeigen, nicht selten Legionen, die mit dem St.-Bau befaßt waren. Zielorte der St. waren Häfen und mil. Positionen bzw. Einrichtungen. Das durch das St.-System ermöglichte schnelle → Nachrichtenwesen hat ebenfalls einen mil.-administrativen Hintergrund. Die Bed. der röm. St. für das zivile Leben, für Handel und Gewerbe war zwar überaus groß, aber in Hinblick auf die urspr. Intentionen des St.-Baus ein nachgeordneter Aspekt.

B. Verwaltung, Konstruktion, Ausstattung

Die röm. Fern-St. gehörten in den Bereich der *via publica* (→ *viae publicae*) bzw. der *via militaris*, der sich insofern von der *via privata* unterschied, als der Besitz von Grund und Boden, über den die St. führten, öffentliches Eigentum und in der Folge zumindest der Bauaufwand für den Unterhalt öffentliche Aufgabe war; nicht selten wurde aber die finanzielle Komponente der Baulasten – wie im innerstädtischen Bereich üblich – auch bei Bau und Reparatur von Fern-St. auf die unmittelbaren Anlieger abgewälzt. Prokuratoren (*curatores viarum*, → *cura* [2]) waren für den Unterhalt der St. verantwortlich. Viele große, It. erschließende St.-Züge wurden – ähnlich den stadtröm. Aquaedukten – von Consuln oder Censoren initiiert und nach ihnen benannt (Via Aemilia, Appia, Domitia, Flaminia, Postumia). Die rechtliche Situation des röm. St.-Baus war seit republikanischer Zeit detailliert geregelt und später Bestandteil der → Digesta (43,8). St.-Bau war auch in der Ant. teuer: Der Neubau einer St.-Meile wird um die 500 000 Sesterzen gekostet haben; für die Reparatur einer Meile der Via Appia sind im 2. Jh. n. Chr. immerhin noch Kosten in Höhe von ca. 100 000 Sesterzen bezeugt.

Bereits das Zwölftafelgesetz (→ *tabulae duodecim*) gab Mindeststandards für den St.-Bau vor. Röm. Fern-St. waren in der Regel 6–14 m breit und durchweg für Wagenverkehr geeignet (→ Landtransport). Die ausgefräste Trasse wurde zunächst mit einer Folge von groben und feinen, maximal verdichteten Erd- und Kiesschichten stabilisiert, dann mit Feinkies überzogen und schließlich, üblicherweise aber nur in Stadtnähe, gepflastert. Inwieweit die Geleise in der Pflasterung auf Abnutzung zurückzuführen sind oder aber künstlich erzeugt wurden, wird diskutiert; künstliche Erzeugung ist jedoch wahrscheinlich. Die Verwendung von Pozzulansand konnte durch Nässe zu einer fast betonartigen Aushärtung des St.-Körpers führen. Das St.-Profil war zwecks Entwässerung gewölbt; seitlich der Trasse verliefen Abflußkanäle. Röm. St. »bezwangen« das Gelände, indem sie sich über natürliche Barrieren rigoros hinwegsetzten; sie querten dabei auch ungünstiges Gelände mit Hilfe spezieller Bautechniken (z. B. die über Holzbohlen geführten »Prügelwege«, die über versumpftes Terrain führten).

Die röm. Fern-St. waren in Abständen von ca. 15 km von Pferdewechselstationen (*mutationes*) gesäumt. In Abständen von ca. 40 km fanden sich Rasthäuser (*mansiones*; → *mansio*), die zudem über Werkstätten verfügten und Übernachtungsmöglichkeiten anboten. Zielpunkt dieser ausgeklügelten → Infrastruktur war nicht der meist auf regional-kleinräumige Bereiche beschränkte Handelsverkehr, sondern das über große Entfernungen hinweg agierende → Post- und → Nachrichtenwesen. → Meilensteine und Wegweiser waren geläufig, ebenso St.-Karten in der Art der → Tabula Peutingeriana.

Römischer Straßenbau

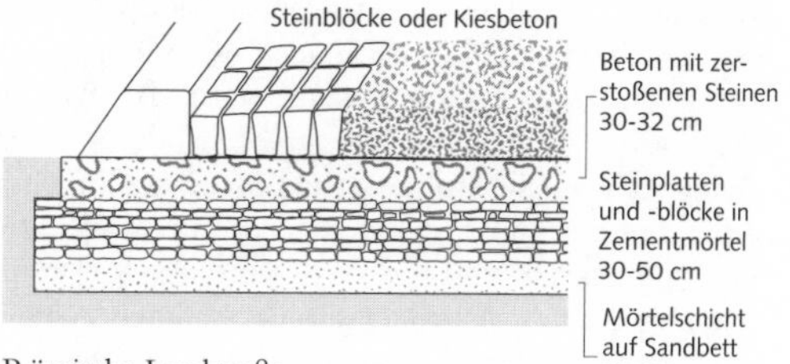

Römische Landstraße

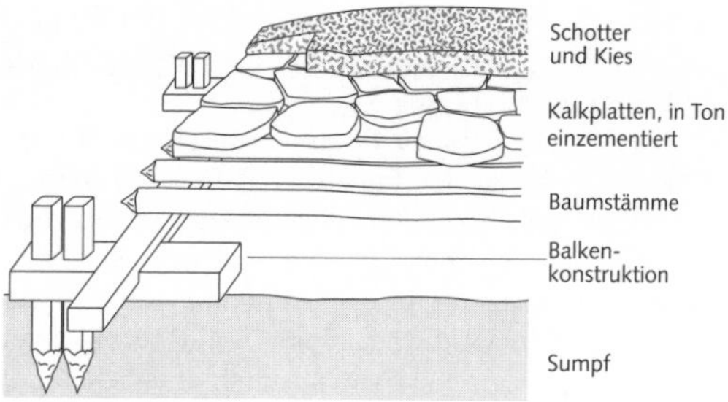

Straßenbau in sumpfigem Gelände

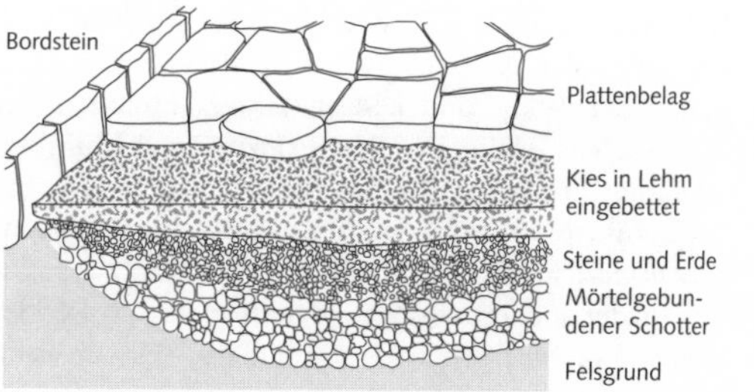

Straßenbau auf trockenem Untergrund

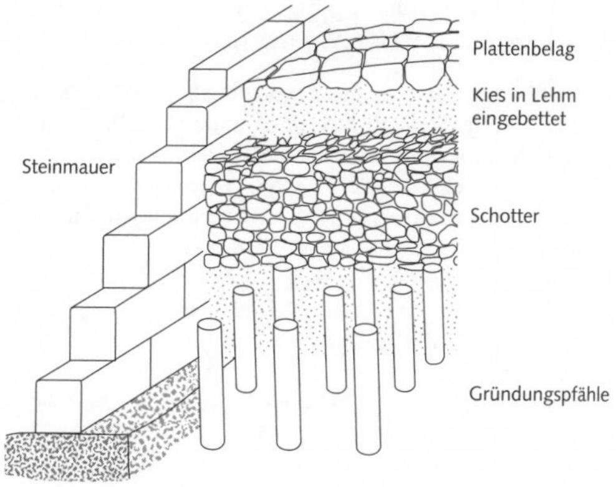

Querschnitt durch die Fundamentierung einer römischen Straße

IV. Brücken, Brückenbau

Kurze Stein-Br. als Flußquerungen aus »falschem« Gewölbe (→ Gewölbe- und Bogenbau) sind schon aus myk. Zeit bekannt (Mykene, Epidauros), waren jedoch eher selten. Im ant. Griechenland wurde Br.-Bau im Kontext von Verkehrswegen gemieden oder – wenn unumgänglich – in Holzkonstruktion ausgeführt; nur wenige Stein-Br. mit Spannweiten von durchweg unter 10 m sind bekannt und vergleichsweise späten Datums (Brauron, Knidos, Athen). Holz-Br. konnten demgegenüber recht aufwendig sein, wie etwa die allein lit. belegte, im späten 5. Jh. v. Chr. errichtete Br. über den Golf von Euboia. Bes. im mil. Kontext war Br.-Bau bedeutsam; aus dem Perserreich sind über 1000 m lange Ponton-Br. bezeugt, die dem Versetzen von Truppen dienten (über den Bosporus und den Hellespont, vgl. → Perserkriege [1] D.).

Die steinerne Bogen-Br. (mit zunächst hölzernem Oberbau), wie sie im Imperium Romanum Verbreitung fand, geht wohl auf die Etrusker zurück; frühe Beispiele sind die zentralen Tiber-Br. in Rom (→ Tiberis). Voraussetzung für die Gründung von Steinpfeilern ist die Beherrschung der Spundwand-Technik; steinerne Br. wurden nicht selten mittels eisenbeschuhter Holzstämme zusätzlich fundamentiert (wobei dieses meist gut erh. Br.-Holz über Dendrochronologie gut datierbar sein kann, z. B. in Trier). Die zerstörungsanfälligen Holz-Br. wurden nach und nach durch Stein-Br. ersetzt; bes. im mil. Bereich herrschte aber lange Zeit noch der Bau technisch durchdachter, der Strömung angepaßter und leistungsfähiger Holz-Br. vor (z. B. Caesars Rhein-Br.). Das Prinzip der »Naturüberwindung«, das in der Trassenführung röm. St. sichtbar wird, führte zu extrem aufwendigen Viadukt-Konstruktionen wie z. B. der Tal-Br. von Narni (Spannweiten der Joche: ca. 32 m, Bauhöhe: ca. 30 m), der Donau-Br. von Drobeta-Turnu und der Tejo-Br. nahe Alcántara (beide mit Gesamtlängen von über 1100 m), ebenso wie zu kurzen, aber schwierig zu errichtenden Schlucht-Br. bei Paß-St. im Gebirge.

→ Cursus Publicus; Handel; Infrastruktur; Kartographie; Landtransport; Post; Reisen; Verkehr; Viae Publicae; Strasse, Strassenbau

H. Bender, Röm. St. und St.-Stationen, 1975 • J. Brigleb, Die vorröm. Stein-Br. des Alt.s, 1971 • G. O. Brunner, Sind Karrengeleise ausgefahren oder handgemacht?, in: Helvetia Archaeologica 30, 1999, 31–41 • R. Chevallier, Les voies romaines, 1997 • A. Coralini, I ponti romani dell'Emilia Romagna. Aspetti strutturali e tecniche costruttive, in: Ocnus 5, 1997, 61–83 • H. Cüppers, Die Trierer Römer-Br., 1969 • H. E. H. Davies, Designing Roman Roads, in: Britannia 29, 1998, 1–16 • C. P. Ehrensperger, Röm. St. Charakterisierung anhand der Linienführung, in: Helvetia Archaeologica 20, 1989, 42–77 • Ders., Die Römer-St. über den Julierpaß, in: Helvetia Archaeologica 21, 1990, 34–78 • V. Galiazzo, I ponti romani, 1995 • P. Gazzola, Ponti romani, 1963 • N. G. L. Hammond, L. J. Roseman, The Construction of Xerxes' Bridge over the Hellespont, in: JHS 116, 1996, 88–107 • W. Heinz, St. und Br. im röm. Reich (Ant. Welt, Sondernummer 1), 1988 • M. Humm, Appius Claudius Caecus et la construction de la Via Appia, in: MEFRA 198, 1996, 693–746 • E. W. Kase, Mycenean Roads in Phocis, in: AJA 77, 1973, 74–77 • R. Kroes, Woodwork in the Foundations of Stone-Built Roman Bridges, in: BABesch 65, 1990, 97–105 • H. Lohmann, Atene, Bd. 1, 1993, 235–239 • I. Marino Ceccherelli, Le antiche strade. Dai Sumeri fino alle strade romane, 1995 • C. O'Connor, Roman Bridges, 1993 • Th. Pekáry, Unt. zu den röm. Reichs-St., 1968 • G. Radke, Die Erschließung It.s durch die röm. St., in: Gymnasium 71, 1964, 204–233 • G. D. R. Sanders, I. K. Whitebread, Central Places and Major Roads in the Peloponnese, in: Papers of the British School at Athens 85, 1990, 333–361 • H.-Chr. Schneider, Altstraßenforsch., 1982 • D. Vanhove, Roman Marble Quarries in Southern Euboea and the Associated Road System, 1996 • P. M. Warren, The Minoan Roads of Knossos, in: D. Evely, D. Hughes-Bruck (Hrsg.), Knossos, 1994, 189–210 • T. P. Wiseman, Roman Republican Road Building, in: PBSR 38, 1976, 122–152 • G. S. Xidakis u. a., Via Egnatia. A Modern Engineering Approach to an Ancient Highway, in: P. Marinos (Hrsg.), The Engineering Geology of Ancient Works, Monuments and Historical Sites (Kongr. Athen 1988), 1990, 1705–1713.

C. HÖ.

Straßensystem s. Städtebau

Stratagos (Στράταγος). Griech. Komödiendichter des 3. Jh. v. Chr., bekannt lediglich aus einer im ägypt. Ptolemais gefundenen Ehreninschrift der Dionysos-Techniten (ca. 273–246 v. Chr.).

PCG VII, 1989, 616.

B. BÄ.

Strategemata (στρατηγήματα, »Kriegslisten«) wurden seit dem Hell. systematisch studiert und angewandt. Man unterscheidet drei Arten von *s.*: Zunächst dienten *s.* dazu, schon vor der direkten mil. Konfrontation strategische Vorteile zu erringen, indem man den Gegner über die tatsächliche Stärke der eigenen Truppe täuschte, einen günstigen Zeitpunkt für die Schlacht wählte oder bes. klimatische bzw. geogr. Gegebenheiten für sich nutzte (vgl. etwa Frontin. strat. 3,4,5 f.; Zeitpunkt: 2,1,15; Ort: 2,2,7). In der Schlacht war eine wichtige → Taktik die Vortäuschung der Flucht, wodurch der Gegner in einen Hinterhalt gelockt oder zu sorgloser Verfolgung veranlaßt werden sollte (Schlacht am Trasimenischen See 217 v. Chr.: Liv. 22,3–6; vgl. ferner: Frontin. strat. 4,5). Bei Belagerungen von Städten war der Zeitpunkt der Eroberung von Bed. (Syrakus: Pol. 8,37; Jerusalem: Frontin. strat. 2,1,17); die Täuschung der Belagerten – bis hin zur Verkleidung der Soldaten als Frauen (Frontin. strat. 3,2,7) – spielte eine entscheidende Rolle (Frontin. strat. 3,2; 3,10 f.).

Die Römer hatten ein ambivalentes Verhältnis zu den *s.*: Sie verurteilten sie, wenn sie dem Feind zum Sieg verhalfen, und sahen sie als Beweis der Fähigkeit des Feldherrn, wenn ein Römer sie nutzte. In röm. Zeit wurden Slgg. von *s.* erstellt. → Valerius Maximus nahm einige Beispiele in seine Slg. von *exempla* auf (Val. Max.

7,4); erst → Frontinus schuf für röm. Feldherren eine umfassende und systematische Zusammenstellung von *s.* (E. 1. Jh. n. Chr.); das Werk des Polyainos [4] (2. Jh. n. Chr.) war hingegen eher an ein allg. interessiertes Publikum gerichtet.
→ Militärschriftsteller; Taktik

1 V. Giuffrè, La letteratura de re militari, 1974
2 E. L. Wheeler, Stratagem and the Vocabulary of Military Trickery, 1988. Y. L. B./Ü: S. EX.

Strategikon (στρατηγικόν). Hdb. über Militärwesen, auch als *Taktikón* bezeichnet, mit Nachr. zu mil. Taktik, Ausbildung und Führung und zur Waffen- und Belagerungstechnik. Aus frühbyz. Zeit sind die *Stratēgiká* des Urbikios (um 500 n. Chr.), die *Naumachíai* des Syrianos Magistros (6. Jh., über den Seekrieg), ein anon. Traktat und v. a. das sog. *S.* des Maurikios überl. Die Zuschreibung dieses Textes an den Kaiser → Mauricius (582–602) ist unsicher, doch muß er vor den 630er J. entstanden sein, da die Kriege gegen die islamischen Araber nicht erwähnt werden. Im Gegensatz zu älteren *s.* spielt die Kavallerie im *S.* des Maurikios eine zentrale Rolle. Eine Beschreibung der benachbarten fremden Völker und möglichen Kriegsgegner bietet reiches ethnographisches und histor. Material.

Die Abfassung von *s.* erlebte im 10. Jh. eine Renaissance mit den Werken des Kaisers Leo [9] VI. (886–912), des Nikephoros Uranos und mehreren anon. Schriften, von denen ein Teil dem Umkreis der Kaiser Nikephoros [3] II. Phokas und Basileios [6] II. zuzuordnen ist.
→ Militärschriftsteller; Taktika

Ed.: 1 G. T. Dennis, E. Gamillscheg, Das S. des Maurikios, 1981 (mit dt. Übers.) 2 G. T. Dennis, Three Byzantine Military Treatises, 1985 (mit engl. Übers.)
3 G. Dagron, H. Mihăescu, Le traité sur la guérilla (De velitatione) de l'empereur Nicéphore Phocas, 1986 (mit frz. Übers.).
Lit.: 4 F. Aussaresses, L'armée byzantine à la fin du VIe siècle, 1909 5 A. Dain, Les stratégistes byzantins, in: Travaux et Mémoires 2, 1967, 317–392 6 Hunger, Literatur 2, 321–338 7 A. Kollautz, Das militärwiss. Werk des sog. Maurikios, in: Byzantiaka 5, 1985, 87–136 8 E. McGeer, The Byzantine Army in the 10th Century, 1990. AL. B.

Strategius
[1] s. Musonianus
[2] (Strategios). Oström. Beamter, *praef. Augustalis* in Alexandreia ca. 518–523 n. Chr., erhielt den Titel *patricius* (→ *patríkios*) spätestens 530 und war Chef des Finanzressorts (*comes sacrarum largitionum*) 535 bis ca. 538 n. Chr.

PLRE 2, 1034–1036, Nr. 9 • Stein, Spätröm. R. 2, 433, 476 f. F. T.

Strategos (στρατηγός, »Stratege«; Pl. *stratēgoí*). Im allg. Sinn »Heerführer«, in vielen griech. Staaten formelle Amtsbezeichnung für mil. Kommandeure.

I. Klassisches Griechenland
II. Hellenistische Staaten
III. Byzantinische Zeit

I. Klassisches Griechenland

In Athen wird der Begriff *s.* gelegentlich schon vor → Kleisthenes [2] gebraucht (z. B. → Peisistratos [4] als *s.*: Hdt. 1,59,4; [Aristot.] Ath. pol. 17,2), doch wurde erst nach dessen Phylenreform – verm. zuerst 501/500 v. Chr. – ein ordentliches Kollegium von *s.* gebildet: Aus jeder der 10 Phylen wählte die Volksversammlung jährlich je einen *s.* (wobei in den Phylen vielleicht eine Vorauswahl getroffen wurde; s. [2]), der auch wiedergewählt werden konnte ([Aristot.] Ath. pol. 22,2; vgl. 62,3). Sie traten als Oberbefehlshaber an die Stelle des → *polémarchos* [4]; die großen mil. Erfolge Athens machten die *s.* Mitte des 5. Jh. auch zu polit. Führern, obwohl sie außerhalb ihrer mil. Kompetenzen kaum formale Macht zur polit. Gestaltung besaßen. Seit dem späten 5. Jh., als die polit. Führung Athens auf die Redner (*rhḗtores*) überging, die normalerweise kein reguläres Amt bekleideten, wurden die *s.* wieder primär zu mil. Kommandeuren, wobei zuweilen ein *s.* mit einem Redner zusammenwirkte (etwa → Chabrias mit Kallistratos [2]). In Athen befehligten die *s.* das Heer und auch die Flotte, andere Staaten bestellten zuweilen spezifische Flottenführer (*naúarchoi*).

Spätestens seit 441/440 v. Chr. löste sich die strenge Bindung der Strategenwahl an die Phylen auf (Androtion FGrH 324 F 38); jedenfalls konnte nun (vielleicht neben anderen Ausnahmen von der Phylenregel) eine Phyle zwei *s.* stellen, eine andere keinen. Jeder der 10 *s.* behielt weiterhin den gleichen Kompetenzumfang [1], und es liegt nahe, die Änderung des Wahlmodus auf das Fehlen fähiger Kandidaten in einzelnen Phylen zurückzuführen (so [3]). Das modifizierte System war wohl noch 357/6 im Gebrauch (Tod 153,20–24); zur Zeit der Abfassung der aristotelischen *Athēnaíōn politeía* (→ Aristoteles [6] F.) (ca. 330 v. Chr.) wurden die *s.* aber ohne Rücksicht auf Phylenzugehörigkeit bestellt (Ath. pol. 61,1); doch blieb man auch in hell. Zeit, als die Zahl der Phylen wuchs, bei der Zahl von 10 *s.*

Urspr. wurden die *s.* mit spezifischen Unternehmungen *ad hoc* betraut (häufig drei *s.* für einen Feldzug), ab der Mitte des 4. Jh. v. Chr. findet sich jedoch eine reguläre Kompetenzverteilung auf einzelne *s.* Am frühesten ist der für die Verteidigung von Attika zuständige *s. epí tēn chṓran* bezeugt (352/1 v. Chr.: IG II^{2} 204,19–20); die *Athēnaíōn politeía* (61,1) erwähnt auch *s. epí tus hoplítas* (für Feldzüge außerhalb Attikas), zwei *s. epí ton Peiraiéa* (für die Arsenale im → Peiraieus) und einen *epí tas symmorías*, dem die Organisation der → Trierarchien unterstand. In hell. Zeit waren allen 10 *s.* spezifische Aufgaben zugewiesen, in röm. Zeit wurde der *s. epí ta hópla* einer der höchsten Beamten Athens.

Die Erwähnung von *s.* in anderen Staaten in lit. Texten gibt nicht immer die offizielle Terminologie wieder, doch darf man reguläre *s.* jedenfalls für Syrakus im späten 5. Jh. (z.B. Thuk. 6,72,3; Diod. 13,91–95) und für den Arkadischen Bund (→ Arkades) in den 360er J. (z.B. Diod. 15,62,2; Xen. hell. 7,3,1) annehmen. Inschr. bezeugt sind im 4. Jh. auch *s.* als Antragsteller von Beschlüssen in Erythrai (etwa in SEG 31, 969). Manchmal (z.B. in Syrakus) werden *s.* als *s. autokrátores* (»mit Vollgewalt«) näher bestimmt; dies weist auf erweiterte Kompetenzen hin, wobei aber Art und Umfang der Erweiterung häufig unklar bleiben.

1 K. J. Dover, Δέκατος αὐτός, in: JHS 80, 1960, 61–77 2 L. G. Mitchell, A New Look at the Election of Generals at Athens, in: Klio 82, 2000 (im Druck) 3 M. Piérart, A propos de l'élection des stratèges athéniens, in: BCH 98, 1974, 125–146. P. J. R.

II. Hellenistische Staaten

In den ausgedehnten Territorialstaaten des Hell. konnte der König nicht mehr überall präsent sein oder jeden Feldzug selbst führen. Seit Philippos [4] II. wurden *stratēgoí* vom König mit Feldzügen betraut und führten als dessen Vertreter in Gebieten den Befehl, deren mil. Kontrolle wichtiger war als eine administrative Durchdringung (zuerst: Thrakien). Antipatros [1], Antigonos [1] (und später auch Eumenes [1]) behielten deshalb als wichtigste Vertreter der Zentrale den Titel *s.* bei (z.B. als *s. tēs Eurṓpēs* bzw. *s. autokrátōr tēs Asías*). In den griech. Poleis lebte die *stratēgía* der klass. Zeit (s.o.) weiter, blieb aber ohne Einfluß auf die hell. Entwicklung.

Die Außenbesitzungen der hell. Großstaaten wurden – aus dem genannten Grund – von *s.* kontrolliert, die zivile wie mil. Aufgaben hatten und denen oft ein *oikonómos* für wirtschaftliche Belange unterstand. Auch innerhalb der hell. Königreiche gab es *s.*, doch liegen nur für den ptolem. *s.* ausführliche Nachr. vor; wesentliche Unterschiede bei den Antigoniden (s. [1. 257f., 549]) oder Seleukiden (s. [2. 15ff.]) bzw. in deren Nachfolgestaaten sind nicht zu vermuten.

In Äg. blieb die Gauverwaltung anfangs bei meist einheimischen Zivilbeamten, doch waren *s.* für die vielerorts angesiedelten → *klērúchoi* zuständig. Allmählich stand neben den *nomárchai* (→ *nomárchēs*) in jedem → *nomós* [2] auch ein griech. *s.*, der nicht nur das mil. Kommando über die Kleruchen besaß, sondern auch einen Teil ihrer zivilen Angelegenheiten regelte. Schon unter Ptolemaios [3] II. wurden die *s.* über die Nomarchen gestellt und zu den alleinigen Leitern der Zivilverwaltung ihres Gaues (Columbia Papyri, Greek Series IV 120). Der Abbau ihrer mil. Kompetenzen war Folge der Entmilitarisierung der Kleruchen. Unter Ptolemaios [8] V. wurde über die *s.* der Gaue ein *epistratēgós* gesetzt, der mil., zivile und jurisdiktionelle Kompetenzen besaß; häufig ist die Kombination der Epi-Strategie mit der Strategie der Thebais. Der *epi-s.* hatte das mil. Kommando, der *s.* war nur noch Zivilbeamter, der Aufgaben des *nomárchēs* und *oikonómos* übernahm. Bei besonderen Anlässen konnten zu ihrer Unterstützung in den Gauen *hypostratēgoí* eingesetzt werden, und manche *toparchíai* konnten einem *s.* unterstellt werden.

In der röm. Kaiserzeit wurde die Epi-Strategie in drei bzw. vier kleinere Epi-Strategien aufgeteilt, und die *s.* unterstanden den *procuratores ad epistrategiam*. Die zivile Verwaltung der Gaue lag weiter bei ihnen, und sie wurden auf Vorschlag der griech. Bewohner der *mētropóleis* vom → *praefectus Aegypti* ernannt, dessen Weisungen sie zu folgen hatten. Veränderungen in den Aufgaben der *s.* während der Kaiserzeit hingen mit der veränderten Struktur Äg. zusammen; im 4. Jh. behielt der *s.* noch Kompetenzen in der Steuer- und Landverwaltung und wurde mit dem → *exactor* gleichgestellt, und so ist wohl auch der 369 n. Chr. noch einmal allein genannte *s.* zu verstehen (PStrasburgensis 272).

1 M. Hatzopoulos, Macedonian Institutions under the Kings, Bd. 1, 1996 2 C. Carsana, Le dirigenze cittadine nello stato seleucido, 1996.

Bengtson 1–3 • H. A. Rupprecht, Kleine Einführung in die Pap.-Kunde, 1994, 51, 59, 70f. (mit Lit.). W. A.

III. Byzantinische Zeit

Griech. »General«, wurde in byz. Zeit seit dem späteren 7. und 8. Jh. n. Chr. t.t. für den Verwaltungschef einer Militärprovinz (→ *théma*), der v.a. zur Zeit der ersten vier großen Themen in Kleinasien (Opsikion, Anatolikon, Armeniakon, Kibyrrhaiotai) über große Macht verfügte. Mit der Aufteilung der großen in kleinere Militärprovinzen stieg die Zahl der *s.* an (um 850: 18; um 900: 26; um 970: 90) und nahm ihre Macht ab, bis an die Stelle der Bezeichnung *s.* andere wie δούξ (→ *dux* [2]) oder κριτής (*kritḗs*) traten. Doch wird in byz. Quellen *s.* keineswegs nur im genannten Sinne, sondern auch weiter zur Bezeichnung eines kommandierenden Offiziers verwendet und ersetzt dann verschiedene hohe Rangbezeichnungen wie z.B. κόμης (→ *comes*) oder δομέστικος (→ *domesticus*).

A. Kazhdan, s.v. S., ODB 3, 1964 • Ders., s.v. Theme, ODB 3, 2034f. F. T.

Stratiotengüter s. Soldatengüter

Stratiotika, Stratiotikon (στρατιωτικά, Plur. = *sa.*, στρατιωτικόν, Sing. = *sn.*). Die *sa.* waren Finanzmittel für mil. Zwecke der Stadt Athen aus einem Fonds (dem *sn.*), der histor. eng mit der Entwicklung der Festkasse (→ *theōrikón*) verbunden war. Das *sn.* diente verm. dazu, in Kriegszeiten die Ausgaben flexibel handhaben zu können, in Abweichung vom starren System der üblichen Aufteilung des Steueraufkommens (*merismós*). Zugleich dürfte das *sn.* als Gegengewicht zum *theōrikón* gedient haben.

Ein Finanzposten mit dieser Bezeichnung ist zuerst in den 370er (Ps.-Demosth. or. 49,12 und 16) und 360er J. v. Chr. (Ps.-Demosth. or. 50,10) belegt, wobei unklar ist, ob es sich hier um eine untechnische Bezeichnung handelt oder um den direkten Vorgänger des späteren Fonds. Sicher bezeugt ist eine Kasse für *sa.* im J. 349/8 (IG II² 207 B 11; vgl. 212,44; 1443,12f.).

Gespeist wurde das *sn.* wohl aus dem gewöhnlichen *merismós*, daneben gewiß auch aus den Überschüssen anderer Kassen. Dabei stand es in Konkurrenz zum *theōrikón*. Demosthenes [2] und sein Umkreis versuchten mehrfach und gegen erhebliche Widerstände, mehr Gelder in das *sn.* zu ziehen; erst 339/8 setzte er durch, daß in Kriegszeiten alle Gelder an diese Kasse gingen (FGrH 328 F 56a).

An der Spitze der Kasse stand ein Schatzmeister (→ *tamías*), der auf ein oder vier J. gewählt wurde ([Aristot.] Ath. pol. 43,1 ist in der Deutung strittig; vgl. [1. 513 f.]). Er war bei der Verpachtung von Staatseinkünften anwesend und scheint auch für nicht spezifisch mil. Zwecke (etwa Preise und Ehren-Inschr.) Mittel bereitgestellt zu haben. In der Zeit des Lykurgos [9] (4. Jh. v. Chr.) ist das Amt offenbar verschwunden, taucht jedoch später wieder auf. Die genaue Gesch. in hell. Zeit ist schwer zu rekonstruieren (zur Entwicklung bis 229 v. Chr. vgl. [2]). Der Schatzmeister des *sn.* dürfte in Konkurrenz zum *tamías epí tēi dioikḗsei* gestanden haben. Das wohl letzte datierte Zeugnis für den Schatzmeister scheint aus dem J. 49/8 v. Chr. (IG II² 1047,5) zu stammen.
→ Steuern

1 Rhodes 2 A. S. Henry, Athenian Financial Officials after 303 B. C., in: Chiron 14, 1984, 49–92.

H. Leppin, Zur Entwicklung der Verwaltung öffentlicher Gelder im Athen des 4. Jh. v. Chr., in: Eder, Demokratie, 557–571. H. L.

Stratokles (Στρατοκλῆς).
[1] Athener, Sohn des Charidemos aus dem Demos Oion, Verwandter und Teilerbe des wohlhabenden Hagnias. Nach S.' Tod (um 360 v. Chr.) kam es zw. seinem Bruder Theopompos und dem Vormund seines Sohnes zum Prozeß um die Hälfte des Hagnias-Erbes (Isaios 11).

Blass 2, 565–570 · A. Schäfer, Demosthenes und seine Zeit (Beilagen), 1858, 229–236 · PA 12942 · W. E. Thompson, De Hagniae Hereditate, 1976. U. WAL.

[2] Athener, Sohn des Euthydemos aus dem Demos Diomeia, ca. 360/350 bis nach 292 v. Chr.; trat zunächst als einer der öffentl. Ankläger im → Harpalos-Prozeß (324/3; Deinarch. 1,1; 1,20; [1. 125–127]) hervor. Der Antrag auf postume Ehrung des → Lykurgos [9] (307/6: Syll.³ 326; [2. 51–56]) bezeugt ein starkes Engagement für die Demokratie; in die gleiche Richtung weist die aktive Parteinahme für → Demetrios [2] Poliorketes (mehr als 20 Anträge auf Ehrungen sind bezeugt), wegen der S. jedoch zunehmend angefeindet wurde (Athen. 13,596f; Plut. Demetrios 11; 12,1; 24; 26; Diod. 20,46,2). Nach der Schlacht von Ipsos (301) verlor S. wohl vorübergehend an Einfluß, taucht aber 294/3 erneut als Antragsteller (IG II/III² 649) auf.

1 I. Worthington, A Historical Commentary on Dinarchus, 1992 2 A. N. Oikonomides, The Epigraph. Tradition of the Decree of S., Honoring »post mortem« the Orator Lykourgos, in: Ancient World 14, 1986, 51–56.

Davies, 494–495 · Blass 3.2, 333–335 · Habicht, 76–90 · PA 12938 · S. V. Tracy, Athenian Politicians and Inscriptions, in: Hesperia 69, 2000, 227–233. U. WAL.

[3] Nur aus einer Erwähnung in der Rede des Demosthenes [2] ›Gegen Pantainetos‹ (or. 37,48; gehalten um 345) bekannter Athener des 4. Jh. v. Chr.; er wird als der ›überredungsfähigste und niederträchtigste aller Menschen‹ bezeichnet und zusammen mit anderen genannt, von denen zu erwarten sei, daß sie im Interesse des Prozeßgegners Pantainetos falsches Zeugnis ablegen werden. M. W.

[4] S. von Rhodos. Schüler des Stoikers → Panaitios [4] (E. 2.–Anf. 1. Jh. v. Chr.). S. schrieb Bibliographien führender Stoiker, die von → Philodemos benutzt wurden (Philod. col. 17, auch col. 79, vgl. [1]). Strabon (14,2,13) erwähnt ihn in einer Liste von Rhodiern, die sich im städtischen Leben, durch Prosawerke (*lógoi*) und Philos. hervortaten.

1 T. Dorandi (Hrsg.), Filodemo, Storia dei filosofi: La stoà da Zenone a Panezio, 1994. B. I./Ü: J. DE.

Straton (Στράτων).
[1] Att. Komödiendichter des 4. Jh. v. Chr., laut Suda zur Mittleren [1. test. 1], aufgrund von fr. 1,43 (Erwähnung des Philitas [1] von Kos) aber sicher zur Neuen Komödie gehörend [2. 62 f.]. S. errang an den Dionysien von 302 den vierten Platz [1. test. 2]. Von der Komödie *Phoinikídes* (fr. 1 PCG) ist eine → Rhesis auf Pap. (fr. 1,4–8; 11; 13–15; 17–21; 23–25; 34–50; vgl. [3]) wie auch in einer abweichenden Fassung bei Athenaios erh. (fr. 1,1–47; vgl. [1. 621 f.]); der Sprecher schildert seinen Ärger mit einem Koch, der sich nur in unverständlichen homerischen Glossen ausdrückt.

1 PCG VII, 1989, 617–622 2 H.-G. Nesselrath, Die att. Mittlere Komödie, 1990 3 R. Kassel, KS, 1991, 310–316. B. BÄ.

[2] S. von Lampsakos, von ca. 287/6 bis zu seinem Tode ca. 269/8 v. Chr. als Nachfolger des Theophrastos drittes Oberhaupt der Schule des Aristoteles [6] (→ Peripatos). Eine Zeitlang diente er in Alexandreia [1] als Tutor des jungen Ptolemaios [3] II. Philadelphos (308–246 v. Chr.). Im Verzeichnis seiner Schriften führt Diog. Laert. 5,59–60 48 Titel auf; S.s Arbeiten umspannten die Hauptfragen der hell. Philos.: Logik und Topik, Physik und Metaphysik, Kosmologie und Biologie, Erkenntnistheorie und Psychologie, Ethik und Politik. Bis auf wenige Fr. (in [1]) ist sein Werk verloren.

Obwohl S. auf der Grundlage aristotelischen Denkens philosophierte, legen die mit Vorsicht zu interpretierenden Nachr. über ihn nahe, daß er in vielen Einzelfragen konstruktiv-kritisch von dem Begründer der Schule abwich. In der Physik wandte S. sich gegen die Annahme einer kosmisch-theistischen Teleologie und glaubte, die Naturphänomene materialistisch-mechanistisch erklären zu können. Er verwarf Aristoteles' Annahme eines fünften Elements (des Aithers; → Elementenlehre) für den Himmelskörper und kehrt zur voraristotelischen Vorstellung von der feurigen Natur des Himmels zurück (fr. 84). Die vier sublunaren Elemente (Feuer, Luft, Wasser und Erde) sind nicht paarweise durch Gewicht und Leichtigkeit differenziert wie bei Aristoteles, sondern besitzen allesamt Gewicht, jedoch in unterschiedlichem Maße; damit entfernt sich S. von der aristotelischen Lehre von den natürlichen → Bewegungen der Elementarkörper (fr. 88). S.s Lehre vom → Vakuum ist in der Forsch. umstritten; um bestimmte physikalische Phänomene (wie die Tatsache, daß Wärme und Licht in feste Körper eindringen können) erklären zu können, scheint S. gegen Aristoteles angenommen zu haben, daß jeder Körper sehr kleine, leere Hohlräume beschließt (fr. 54–67). Der Gedanke ist wohl von der Porentheorie des Theophrastos beeinflußt, weniger von den → Atomisten. S. lehnt dagegen die epikureische Vorstellung eines innerweltlichen leeren → Raumes zw. den Körpern jedenfalls ebenso ab wie die Annahme eines unendlichen leeren Raumes außerhalb des Universums. Bes. Originalität weist S.s Psychologie auf (→ Seelenlehre). Die Seele ist eine pneumatische Einheit (fr. 108); kein Teil von ihr ist abtrennbar und, wie Aristoteles erwog, unsterblich; S. wendet sich ausdrücklich gegen die Argumente für die Unsterblichkeit der Seele in Platons *Phaídōn* (fr. 123). Da die Seele einheitlich ist, stehen sämtliche psychischen Vorgänge im zentralen Seelenteil untrennbar miteinander in Verbindung: ohne Sinneswahrnehmung gibt es kein Denken und Empfinden.

ED.: 1 WEHRLI, Schule, Bd. 5.
LIT.: K. ALGRA, Concepts of Space in Greek Thought, 1995, 58–69 · J. E. ANNAS, Hellenistic Philosophy of Mind, 1992, 28–30 · H. DIELS, Über das physikalische System des S., in: Ders., KS, 1969, 239–265 · D. FURLEY, Strato's Theory of the Void, in: Ders., Cosmic Problems, 1989, 149–160 · M. GATZEMEIER, Die Naturphilos. des S. von Lampsakos, 1970 · H. B. GOTTSCHALK, Strato of Lampsacus. Some Texts, in: Proc. of the Leeds Philosophical and Literary Soc., Literary and Historical Section 11.6, 1963, 95–182 · J. E. ANNAS, Hellenistic Philosophy of Mind, L. REPICI, La natura e l'anima, 1988 · R. SHARPLES, The Peripatetic School, in: D. J. FURLEY (Hrsg.), From Aristotle to Augustine. Routledge History of Philosophy, Bd. 2, 1999, 147–187 · F. WEHRLI, Der Peripatos bis zum Beginn der röm. Kaiserzeit, § 28, in: GGPh² 3, 569–574. CH. WI.

[3] Sohn des Straton, Samier im Dienst Ptolemaios' [3] II.; dieser schickte den verm. 257 v. Chr. als *gazophýlax* (»Kassenwart«) in Halikarnassos amtierenden S. nach Samos, um dort im Zusammenhang mit Handel oder Justiz angefallene Gelder einzuziehen (IG XII 6,1,10 mit Lit.). PP VI 15157 (=I 139; VI 15738; 16472?). W. A.

[4] Arzt, Schüler des → Erasistratos und Lehrer des Apollonios von Memphis (Gal. 11,196; 8,759 K.), wirkte um 270 v. Chr. Er lehnte den → Aderlaß ab, nicht zuletzt wegen der Schwierigkeit, eine Vene von einer Arterie zu unterscheiden, und weil Patienten aus Furcht vor den Folgen sterben könnten (Gal. 11,151 K.). Er gilt als der erste, der sich der Hautkrankheit → Lepra annahm (Oreib. collectiones 4,63). Seine Erläuterungen zu Lemmata aus dem *Corpus Hippocraticum* (→ Hippokrates [6]) stammen eher aus orthopädischen (vgl. Erotianos 23,8) oder therapeutischen (Soran. Gynaecia 4,4,14; 4,15,36) Werken als aus speziellen Kommentaren. Vielleicht identisch mit jenem S., dessen Rezepte gegen giftige Bisse von Aëtios [3] (13,7), Philumenos (9; 27; 28; 30; 36; 40) und anderen pharmakologischen Autoren zitiert werden. V. N./Ü: L. v. R.-B.

[5] S. Soter Dikaios Epiphanes (Σωτὴρ Δίκαιος Ἐπιφανής). Indogriech. König in Pandschab und Gandhāra etwa um 100 v. Chr., Sohn des Menandros [6] I. und der Agathokleia [4].

BOPEARACHCHI 88–93, 251–265.

[6] S. Soter (Σωτήρ), indogriech. König in Pandschab, vielleicht Enkel von S. [5], etwa um die Zeitenwende. Möglicherweise gab es noch einen dritten S. Philopator, einen Sohn und Mitregenten des S.
→ Indogriechen

BOPEARACHCHI 139–141, 369–372. K. K.

[7] Griech. Historiker, nur von Diogenes Laertios (5,61) erwähnt. Er verfaßte ein Werk über die Makedonenkönige Philippos [7] V. und Perseus [2].

FGrH 168 mit Komm. K. MEI.

[8] S. von Sardeis. Epigrammatiker (Diog. Laert. 5,61; Herkunft: Anth. Pal. [1]). Lebenszeit zw. dem 1. Jh. v. und dem 2. Jh. n. Chr. [2]. Verf. einer paiderotischen Gedicht-Slg. (satirisch nur Anth. Pal. 11,117, für das seine Autorschaft bestritten wurde, vgl. aber [5]). Erh. sind ca. 100 Gedichte, fast alle davon in Anth. Pal. 12 (1–4 verm. der Anfang der Slg., 258 das Schlußstück). Die topischen Motive werden mit oft recht skurrilen Zügen ausgestaltet.

ED.: 1 R. AUBRETON et al., Anthologie Grecque 11, 1994, 2 2 M. GONZÁLEZ RINCÓN, Estratón de Sardes: Epigramas, 1996, 23 (mit span. Übers. und Komm.).
LIT.: 3 P. G. MAXWELL-STUART, Strato and the Musa Puerilis, in: Hermes 100, 1972, 215–240 4 W. M. CLARKE, The Manuscript of S.'s Musa Puerilis, in: GRBS 17, 1976, 371–384 5 A. CAMERON, The Greek Anthology from Meleager to Planudes, 1993, 65–69 u.ö.
6 W. STEINBICHLER, Die Epigramme des Dichters S. von Sardes, 1998 7 K. J. GUTZWILLER, Poetic Garlands. Hellenistic Epigrams in Context, 1998, 12, 158, 282, 285.
M. G. A./Ü: TH. ZI.

Stratonike (Στρατονίκη).
[1] Die Tochter des Makedonenkönigs Alexandros [2] I. wurde im Winter 429/8 v. Chr. von ihrem Bruder Perdikkas [2] II. mit Seuthes [1], dem Neffen des Odrysenkönigs Sitalkes [1], verheiratet, als Gegenleistung für

den durch Seuthes bewirkten Abzug der thrakischen Truppen aus Makedonien (Thuk. 2,101,5f.). M.Z.

[2] Tochter eines Korrhagos, mit Antigonos [1] vermählt, Mutter des Demetrios [2] und eines früh verstorbenen Philippos. 317 v.Chr. half sie → Dokimos, der mit Attalos [2] in einer Festung interniert war, zu entfliehen (Diod. 19,16,4), wahrscheinlich, um seinen Anschluß an Antigonos zu ermöglichen. Nach Antigonos' Tod floh sie mit Demetrios und dessen Kindern nach Kypros (Diod. 21,1,4b). Während Demetrios Makedonien gewann, wurden sie in Salamis [2] von Ptolemaios [1] gefangen genommen und ehrenvoll entlassen (Plut. Demetrios 35,5; 38,1). S. wird nicht weiter erwähnt.

[3] Tochter von Demetrios [2] und Phila [2], 299/8 v.Chr. mit Seleukos [2] vermählt, um sein Bündnis mit Demetrios zu bekräftigen (Plut. Demetrios 31,5). Sie gebar ihm Phila [3]. 294/3 wurde sie von ihm an seinen Sohn Antiochos [2] abgetreten, was sich zu romanhafter Ausschmückung eignete (Plut. Demetrios 38 u.ö.). Ihm gebar sie Seleukos [3], Antiochos [3], Apama [3] und Stratonike [4]. In mehreren griech. Städten wurde sie, anscheinend nach ihrem Tod, vergottet und oft mit Aphrodite identifiziert [1. 100f.].

1 CH. HABICHT, Gottmenschentum und griech. Städte, [2]1970. E.B.

[4] Tochter des Antiochos [2] I. und der S. [3], Gattin des Demetrios [3] II. von Makedonien, begab sich wegen dessen weiterer Eheschließung mit der epeirotischen Prinzessin Phthia [2] zu ihrem Bruder Antiochos [3] II., um ihn gegen Demetrios aufzuwiegeln. Als ihr Neffe Seleukos [4] II. die Ehe mit ihr ausschlug, versuchte sie – vielleicht im Zusammenhang mit den Selbständigkeitsbestrebungen von S.s Bruder Antiochos Hierax – einen Aufstand in Antiocheia [1] und floh nach dessen Scheitern nach Seleukeia [2]. Dort wurde sie getötet (Agatharchides FGrH 86 F 20; Iust. 28,1,1–4).

G.H. MACURDY, Hellenistic Queens, 1932, 70f. • J. SEIBERT, Histor. Beitr. zu den dynastischen Verbindungen in hell. Zeit, 1967, 34–36 • WILL 1, 299f.

[5] Wurde von ihrem Vater Antiochos [3] II. innerhalb einer regelrechten Heiratspolitik wohl v.a. wegen der Verfügbarkeit der Verkehrswege zw. Westkleinasien und Nordsyrien mit Ariarathes III. verheiratet, der seit ca. 255 v.Chr., möglicherweise sogar als Folge dieser Eheschließung, erster anerkannter König von Kappadokien war. Beider Sohn war Ariarathes IV. (→ Kappadokia; Diod. 31,19,6).

G.H. MACURDY, Hellenistic Queens, 1932, 83 • J. SEIBERT, Histor. Beitr. zu den dynastischen Verbindungen in hell. Zeit, 1967, 56f. • WILL 1, 292. A.ME.

[6] Tochter des Ariarathes IV. von Kappadokien, seit 188 v.Chr. mit → Eumenes [3] II. von → Pergamon verheiratet (Liv. 38,39; 42,29). Als Eumenes 172 bei Kirrha in Griechenland überfallen und zunächst für tot gehalten wurde, heiratete sie seinen Bruder → Attalos [5] II. (Liv. 42,16; Diod. 29,34); er gab sie aber an den heimgekehrten Bruder zurück. Somit kam es erst nach Eumenes' Tod (159/8) zu einer endgültigen Eheschließung zw. S. und Attalos II. S. starb unter Attalos [6] III., der sie als seine Mutter betrachtete (Pomp. Trog. prol. 36; Iust. 36,4,1; 36,4,5; Stemma s. → Attalos).

J. HOPP, Unt. zur Gesch. der letzten Attaliden, 1977, 27–29. M.SCH.

[7] Tochter eines Kithara-Spielers, selbst in dessen Kunst bewandert, eine der Frauen Mithradates' [6] VI., beim König in besonderer Gunst. Sie übergab, als dieser sie auf der Flucht vor Pompeius [I 3] verlassen hatte, im Frühj. 64 v.Chr. die ihr vom König anvertraute Burg (Symphorion? Sinoria?) den Römern; ihr Sohn Xiphares wurde von Mithradates aus Rache für den Verrat der Mutter hingerichtet (App. Mithr. 503–506; Plut. Pompeius 36,3–6; Cass. Dio 37,7,5).

C. HABICHT, s.v. Xiphares, RE 9 A, 2131f. • L. BALLESTEROS PASTOR, Mitridates Eupator, 1996, 276. E.O.

[8] Stadt an der Ostküste der Chalkidischen Halbinsel, h. Stratoni, eine der hell. Neugründungen des 3. Jh. v.Chr. S. verdankte ihren Namen entweder der Tochter des Demetrios [2] Poliorketes oder der Schwester des Antigonos [2] Gonatas. S. diente wahrscheinlich als Ausfuhrhafen für die nahe gelegenen Bergwerke, deren Ausbeutung z.Z. des Philippos [4] II. begonnen hatte.

F. PAPAZOGLOU, Les villes de Macédoine à l'époque romaine, 1988, 432f. • M. ZAHRNT, Olynth und die Chalkidier, 1971, 244. M.Z.

Stratonikeia

[1] (Στρατονίκεια, Στρατονίκη, lat. *Stratonice*). Stadt am oberen Kaïkos beim h. Siledik. Evtl. seleukid. Polisgründung (benannt nach Stratonike [3]), seit Anf. 2. Jh. v.Chr. unter Pergamon. Wohl hier – nicht in S. [2] – wurde Aristonikos [4] 130 von Perperna [3] gefangengenommen (Eutr. 4,20,2; Oros. 5,10,5). In der 1. H. des 2. Jh. n.Chr. besaß S. Sympolitie mit den Ind(e)ipediatai (in der Ebene von Kırkağaç). Nach Hadrianus' Besuch 123 n.Chr. (»Neugründer«, Inschr. s. [1]) *Hadrianópolis* zubenannt (IGR 4, 1156–1159). Bistum (vgl. Not. episc. 1,184). In mittelbyz. zugunsten von Kalandos (h. Gelenbe) aufgegeben.

1 L. ROBERT, Documents d'Asie Mineure IX, in: BCH 102, 1978, 437–452.

MAGIE 2, 978 • W. RUGE, s.v. S.-Hadrianopolis, RE Suppl. 7, 1244–1250 • T.R.S. BROUGHTON, S. and Aristonicus, in: CPh 29, 1934, 252–254 • J. HOPP, Unt. zur Gesch. der letzten Attaliden, 1977, 122f. • ROBERT, Villes, 43–82, 261–271 • E.S.G. ROBINSON, Cistophori in the Name of King Eumenes, in: NC 14, 1954, 1–8 • V. VAVŘÍNEK, La révolte d'Aristonicos, 1957, 47f.

[2] (Στρατονίκεια). Stadt in Karia (Strab. 14,2,22), ca. 36 km östl. von Mylasa, h. Eskihisar. Seleukidische Gründung (1. H. 3. Jh. v. Chr.; Strab. 14,2,25), nach Stratonike [3] benannt (Steph. Byz. s. v. Σ.). Auf ältere Besiedlung weisen u. a. brz. Grabbeigaben, spätgeom. Keramik sowie zwei Kammergräber 3 km nördl. auf dem Akdağ tepesi. Um 240 v. Chr. wurde S. an Rhodos gegeben (Pol. 30,31,6f.; [1. 112[1], 219]), 227 von Antigonos [3] III. bzw. 201 von Philippos [7] V. erobert, 197 von Antiochos [5] III. an Rhodos zurückgegeben (Liv. 33,18,22; [1. 71, 78]), 166 von Rom für frei erklärt (Pol. 30,21,3 ff.). Von Mithradates [6] VI. im J. 88 gebrandschatzt (App. Mithr. 21), wurde S. wegen seiner Romtreue durch Cornelius [I 90] Sulla geehrt, 81 als frei bestätigt (IK 22,1, 505; [2. 105–111 Nr. 18]). 40 v. Chr. wurde S. von den Parthern unter Labienus [2] vergeblich belagert (Cass. Dio 48,26,3 f.; Tac. ann. 3,62) und zum Lohn für seine Treue wieder frei und autonom ([2. 158–162 Nr. 27]; IK 21,1, 11 f.; 22,1, 509, vgl. 512). Aus S. stammten der Rhetor Menippos [5] und der Olympionike Aristeas (13 n. Chr.: IK 22,1, 1042; Paus. 5,21,10).

Arch. Befund: Buleuterion (FO eines Frg. des Edictum [3] Diocletiani), Exedra, Gymnasium, Doppeltor mit Nymphaion, Stadtbefestigungsfort, röm. Theater. Mit seinem Territorium (im 1. Jh. v. Chr.) bis zum Golf von Keramos war S. Vorort des Chrysaorischen Bundes der Kares (→ Idrias; Bundesheiligtum des Zeus Chrysaoreus östl. vor der Stadt). Zu S. gehörten das Hekate-Heiligtum in Lagina und das Zeus-Heiligtum in Panamara beim h. Bağyaka (vgl. IK 21,1, 10; Tac. ann. 3,62). S. war Bischofssitz (Hierokles, Synekdemos 688,1; vgl. Not. episc. 1,336).

1 H. H. Schmitt, Rom und Rhodos, 1957 2 R. K. Sherk, Roman Documents from the Greek East, 1969.

Magie 2, 972 f., 995–998, 1031 f., 1281 f. • L. Robert, Ét. Anatoliennes, 1937, 516–566 • F. Varinlioğlu, Inschr. von S. in Karien, in: EA 12, 1988, 79–118 • G. E. Bean, Kleinasien, Bd. 3, 1974, 91–96, 102–104 • R. Özgan, D. Stutzinger, Unt. zur Porträtplastik des 5. Jh. n. Chr., in: MDAI(Ist) 35, 1985, 237–274 • F. Prayon, A. Wittke, Kleinasien vom 12. bis 6. Jh. v. Chr. (TAVO 82), 1994, 123 • M.Ç. Şahin, The Political and Religious Structure in the Territory of S. in Caria, 1976. H. KA.

Stratonikos (Στρατόνικος) aus Athen, 4. Jh. v. Chr. [1], Kithara-Lehrer, soll als erster das vielsaitige Spiel auf ihr eingeführt, Schüler in Musiktheorie unterrichtet und eine Skala (διάγραμμα, *diágramma*) [3] zusammengestellt haben [4. 367 f.], ›im witzigen Scherzen (*geloíon*) war er durchaus überzeugend‹ (Athen. 8,352d). In der Tat war S. wegen seiner gewandten Rede (*eutrápeloi lógoi*; Athen. 8,348c) und der Treffsicherheit seiner Antworten (*eustochía*; ebd. 8,352d) berühmt; eine Slg. seiner → Witze findet sich bei Athen. 8,40–46, p. 347f–352d (andere s. [3]).
→ Musik; Musikinstrumente

1 K. Abel, s. v. Zethos (3), RE 10 A, 247 2 P. Maas, s. v. Γελωτοποιοί, RE 7.1, 1019–1021 3 Ders., s. v. S. (2), RE 4 A, 326 f. 4 M. L. West, Ancient Greek Music, 1992. H. A. G.

Stratos (ὁ oder ἡ Στράτος). Wichtigste Stadt von Akarnania (Thuk. 2,80; → Akarnanes, mit Karte), am rechten Ufer des Acheloos, oberhalb des h. S.; Vorort des Akarnanischen Bundes im 5. und 4. Jh. v. Chr. Seit der Teilung von Akarnania 260 v. Chr. war S. aitolisch; mit der Gründung von Nikopolis [3] 30 v. Chr. verödete S., das Land blieb besiedelt. Forsch. in Stadt und Umland erfolgten in den 1990er J.: Die mit orthogonalem Straßensystem angelegte, 70 ha große Stadt besaß bereits im 5. Jh. Stadtmauern, im 4. Jh. wurden Agora und Theater für 6000–8000 Besucher ausgebaut. Der Zeustempel am Stadtrand und zwei Heiligtümer im Umland [1] gehen bis in archa. Zeit zurück. Mz.: BMC, Gr Thessalia-Aetolia 168, 191; Inschr.: IG IX 1,2^2, 390–417; SEG 16, 371; 19, 410; 19, 675; 25, 634 f.; 29, 475–477. Zahlreiche Inschr. sind unpubl.

1 E.-L. Schwandner, Spáthari – Tempel ohne Säulen und Gebälk?, in: DiskAB 6, 1996, 48–54.

F. Courby, Ch. Picard, Recherches archéologiques à S. d'Acarnanie, 1924 • F. Lang, Veränderungen des Landschaftsbildes in Akarnanien, in: Klio 76, 1994, 239–254 • P. Funke, Acheloos' Homeland, in: I. Isager (Hrsg.), Foundation and Administration ..., 2001, 189–203 • D. Strauch, Röm. Politik und griech. Trad., 1996, 361–366. D. S.

Strattis (Στράττις).

[1] Tyrann von → Chios, der 513 v. Chr. als Berater des → Dareios [1] am Skythenfeldzug teilnahm (Hdt. 4,138). Ob er zu Beginn des → Ionischen Aufstandes entmachtet wurde, läßt sich nicht ausmachen. Nach dem Sieg der Perser (493/2 v. Chr.) konnte er seine Herrschaft jedenfalls wiederaufnehmen. 479 entging er einer Verschwörung (Hdt. 8,132). Bei der Befreiung Ioniens nach der Schlacht bei Mykale 479 dürfte auch S. gestürzt worden sein. E. S.-H.

[2] Att. Komödiendichter, von dem trotz längerer Schaffenszeit (vielleicht 409–375 v. Chr., vgl. [3]) nur ein Lenäensieg [1. test. 4] belegt ist. 91 Fr. und 19 Stücktitel sind erh.; davon deuten ein Viertel bis maximal die Hälfte auf myth. Inhalt hin [2. 203]. Parodie des Euripides enthielten *Anthrōpōréstēs* (fr. 1–2), *Mḗdeia* (fr. 34–36), *Phoiníssai* (fr. 46–53) und *Chrýsippos* (fr. 54–56), des Sophokles *Trōílos* (fr. 42–43) und *Philoktḗtēs* (fr. 44–45), des Aischylos vielleicht die *Myrmidónes* (fr. 37). Der *Kinēsías* (fr. 14–22) nahm den gleichnamigen Dithyrambendichter aufs Korn, der *Kallippídes* (fr. 11–13) den gleichnamigen trag. Schauspieler; das wohl jüngste Stück, die *Atalántē* (fr. 3–8), verspottete die Liebe des Isokrates zur Hetäre Lagiska.

1 PCG VII, 1989, 623–660 2 H.-G. Nesselrath, Die att. Mittlere Komödie, 1990 3 A. Koerte, s. v. S. (3), RE 4 A, 336–338. B. BÄ.

Strauß (Struthio camelus L.).
I. NAMEN II. ZOOLOGISCHES
III. WIRTSCHAFTLICHES

I. NAMEN

Im Griech. hieß der flugunfähige Riesenvogel urspr. ὁ (ἡ) στρουθός/*struthós*, doch wurden (außer bei eindeutigem Zusammenhang wie z. B. Aristoph. Ach. 1106) zur Vermeidung von Verwechslung mit dem → Sperling charakterisierende Adj. hinzugefügt (*mégas*, *katágeios*, *chersaíos*, *chamaipetḗs*, *áptēnos* oder *Libykós*, *Arábios* oder *Maurúsios*). Erst Diod. 2,50,4 verwendet die hybride Bezeichnung ὁ (ἡ) στρουθοκάμηλος/*struthokámēlos* (abgeleitet von der Größe, Form und Zweihufigkeit der Beine des S. – Aristot. part. an. 4,14,697b 21–24; vgl. 4,12,695a 17–19 – sowie dem des → Kamels ähnlichen Lebensraum), welche die Römer als Lehnwort an Stelle des älteren Namens *passer marinus* (Plaut. Persa 199) offenbar sofort übernahmen. Nur Cic. nat. deor. 2,123 verwendet bloß *camelus*. Da der S. mit dem Sperling im Lat. nicht verwechselt werden konnte, ersetzte das spätere *struthio* oder *structio* seit dem 4. Jh. n. Chr. *struthocamelus*.

II. ZOOLOGISCHES

Als erste erwähnen den S. im 5. Jh. v. Chr. Hdt. 4,175 und 192, Aristoph. Ach. 1106 und Xen. an. 1,5,2 für Nordafrika (speziell für das regenlose Libyen Theophr. h. plant. 4,3,5), Arabien (vgl. Strab. 16,4,11) und Mesopotamien. Aristot. part. an. 4,14,697b 13–26 und Plin. nat. 10,1 beschreiben seine Zwitterstellung zw. Vogel und Vierfüßer, die erstaunliche Größe, die unvollständige Befiederung und die Form der Hufe, die an das schnelle Laufen angepaßt sind. Plin. nat. 10,2 berichtet vom gierigen Verschlingen und Verdauen von allerlei Gegenständen (was im MA zu der erst von Albertus Magnus, De animalibus 23,139 [1. 1510,23–26] widerlegten Behauptung geführt hat, der S. verdaue sogar Eisen und Steine), dem instinktiven Schleudern von Steinen mit den Hufen gegen Verfolger und dem mißverstandenen »Kopf in den Sand (bzw. ins Gebüsch) Stecken«. Auch große Gelege (die nach mod. Beobachtungen von mehreren Weibchen stammen) werden erwähnt.

III. WIRTSCHAFTLICHES

Das in Nordafrika und Mesopotamien begehrte Wild wurde zu Pferde mit Hunden, Schlingen und Fallen gejagt (Opp. kyn. 3,489; Ail. nat. 14,7), in Arabien getarnt verfolgt und mit Pfeilen oder sogar Keulen erlegt. Die gesuchten, kostbaren Federn (Theophr. h. plant. 4,4,5) verwendete man als Schmuck, z. B. als Helmzier bei den Griechen (Aristoph. Ach. 1106, vgl. Plin. nat. 10,2), das – den Juden verbotene – Fleisch wurde, wenn auch selten, von Griechen und Römern gegessen (negative Einschätzung von Gal. de alimentorum facultatibus 3,19,2 [2]). Caelius [II 10] Apicius (6,212) bietet nur ein Kochrezept. Nach Hdt. 4,175 wurde die Haut als Decke oder Schildbespannung benutzt. Das teure Fett diente der Medizin (Plin. nat. 29,96), und der Magen wurde von Galen (de alim. fac. 3,20,8) als verdauungsfördernd eingestuft. Die aufgeschlagenen Eier benutzte man als Gefäße (Plin. nat. 10,2; vgl. → Straußenei). Vom 2. Jh. v. Chr. (Plaut. Persa 199) bis ins 3. Jh. n. Chr. wurde er in der Arena bei Jagden und im röm. Circus bei Schauvorführungen verwendet (z. B. 300 Expl. bei Gordianus [1], SHA Gord. 3,7; vgl. [3. 225]). Auf ant. Mz. [4. Taf. 5,52] und Gemmen [4. Taf. 22,33–36] ist der S. ebenso häufig wie auf Mosaiken mit Jagdszenen in Nordafrika [3. 225–228] und in Piazza Armerina auf Sizilien [3. 226 und Taf. 116].

1 H. STADLER (ed.), Albertus Magnus, De animalibus, Bd. 2, 1920 2 G. HELMREICH (ed.), Galenus, De alimentorum facultatibus, 1923 (CMG 5,4,2) 3 TOYNBEE, Tierwelt 4 F. IMHOOF-BLUMER, O. KELLER, Tier- und Pflanzenbilder auf Mz. und Gemmen des klass. Alt., 1889 (Ndr. 1972).

KELLER 2,166–175 • D'ARCY W. THOMPSON, A Glossary of Greek Birds, 1936 (Ndr. 1966), 270–273 • A. STEIER, s. v. S., RE 4 A, 339–347.
C. HÜ.

Straußenei. Die Verwendung der Schalen von S. als Behälter oder als Werkstoff für andere Artefakte gründet auf einer sehr alten orientalischen Trad., die im äg., syrischen und mesopot. Raum bis in die frühe Brz., wenn nicht bis ins Neolithikum zurückreicht. Als einem Sinnbild für Entstehung und Fortbestand des Lebens waren mit diesen Objekten vielfältige magische und rel. Vorstellungen verbunden, die die S. – auch wegen ihrer Zerbrechlichkeit und der regional begrenzten Verfügbarkeit (Syrien, Äg., Maghreb) – zu begehrten Luxusartikeln und weitverbreiteten Grabbeigaben in der phöniz.-punischen Kultur des 6.–2. Jh. v. Chr. werden ließen, u. a. reich bemalte Masken oder Behälter.

Die wichtigsten Produktionsstätten der phöniz. S. waren → Karthago und Gouraya in Nordafrika, von wo sie nach Spanien (Villaricos, Ibiza sowie Alicante, Almuñécar, Carmona, Huelva, Toscanos), Malta, Sizilien, Sardinien (Tharros, Cagliari, Bithia) und Etrurien (→ Volci/Vulci) verhandelt wurden.

A. CAUBET, s. v. œufs d'autruche, DCPP, 329 f. (Bibliographie) • S. MOSCATI, S., in: Ders. (Hrsg.), Die Phönizier, 1988, 456–463.
CH. B.

Streitwagen
I. ALTER ORIENT UND ÄGYPTEN
II. KLASSISCHE ANTIKE
III. KELTISCH-GERMANISCHER BEREICH

I. ALTER ORIENT UND ÄGYPTEN

Im Alten Orient wie in Äg. war der S. ein einachsiger offener, von Pferden gezogener Wagen mit Speichenrädern. S. waren überwiegend aus Holz gefertigt und ggf. mit Metall verkleidet. Erstmals ist der S. auf Siegelabrollungen des 2. Jt. v. Chr. in Anatolien, danach in Syrien bezeugt (→ Siegel). Seine Herkunft ist umstritten. Insbes. hethitische Texte belegen die mil. Bed. der S. (Schlacht von → Qadesch 1275 v. Chr. zw. Muwatalli II. und Ramses [2] II.). Der S. ist auch als Prestigegut im Geschenketausch des 2. Jt. zw. Mesopot. und Äg. bezeugt. S. sind häufig auf assyrischen Reliefs des 9.–7. Jh. v. Chr. zu sehen, im Kampf oder bei der königlichen Löwenjagd. Technische Veränderungen (Anspannung, Anzahl der Zugtiere: bis zu vier Pferde; Besatzung: ab dem 8. Jh. v. Chr. maximal vier Krieger, zwei von ihnen Bogenschützen) machten den S. kampfstärker, aber weniger manövrierfähig. Auf Darstellungen in Zypern, der Levante, Anatolien und Elam orientieren sich die S. an den assyr. Typen. Neubabylonische Belege für den S. existieren kaum. Achäm. S. sind inschr. als mil. wirkungslos bezeugt.

In Äg. wurde der S. (*wrryt*, *mrkbt*, *t prt*) mit auffällig großen, sechsspeichigen Rädern (Dm 1 m) um 1600 v. Chr. durch die → Hyksos eingeführt. Im NR ist er häufig in Texten und Abb. belegt, die sein hohes Sozialprestige bezeugen. Von bes. Interesse sind sechs völlig erh. Beispiele aus dem Grab des Tutanchamun, die einmaligen Einblick in die hochentwickelte Technik und elegante Form eines S. des 2. Jt. v. Chr. bieten [2].

1 R. H. Beal, The Organisation of Hittite Military, 1992, 141–190 **2** W. Decker, s. v. Wagen, LÄ 6, 1986, 1130–1135 **3** U. Hofmann, Fuhrwesen und Pferdehaltung im Alten Äg., Diss. Bonn 1989 **4** J. H. Crouwel, M. A. Litauer, s. v. Chariots, in: The Oxford Encyclopedia of Archaeology in the Near East, 1997, 485–486 **5** W. Farber, s. v. Kampfwagen (Streitwagen). A. Philologisch, RLA 5, 1976–1980, 336–344 **6** M. A. Litauer, J. H. Crouwel, Chariots and Related Equipment from the Tomb of Tutankhamun, 1985 **7** D. Noble, Assyrian Chariotry and Cavalry, in: State Archives of Assyria. Bull. 4, 1990, 61–68.

AR. HA. u. W. D.

II. Klassische Antike

In der Ant. nutzten zahlreiche Völker gerade auch außerhalb der griech.-röm. Welt im Krieg von Pferden gezogene S. So sahen Griechen und Römer sich immer wieder Feinden gegenüber, die den S. verwendeten.

In Homerischer Zeit diente der von zwei Pferden gezogene S. (ἅρμα/*hárma*, oft plur. ἅρματα/*hármata*) den adligen Kriegern primär als Transportmittel, um zum Kampfplatz zu gelangen (Hom. Il. 19,392–424); gekämpft wurde meist zu Fuß. Mit Durchsetzung der Hoplitenphalanx (→ *phálanx* I.) verzichteten die Griechen auf den Einsatz von S. Die Perser hingegen und später die → Seleukiden-Könige verwendeten S., an deren Achsen → Sicheln befestigt waren (ἅρματα δρεπανηφόρα/*hármata drepanēphóra*; *falcata quadriga*, »Sichelwagen«; bei → Kunaxa, 401 v. Chr.: Xen. an. 1,7,10; 1,8,10; bei → Magnesia [3], 190 v. Chr.: Liv. 37,40,12; 37,41,5–12).

Die Kelten setzten in den Kriegen gegen Rom S. ein (s.u. III.), so in der Schlacht von Sentinum 295 v. Chr. (Liv. 10,28,8; 10,30,5; vgl. Diod. 5,29) oder bei ihrem Angriff auf It. 225 v. Chr. (Pol. 2,23,4). In Britannien hatten Caesars Truppen ebenfalls gegen S. (*essedum*) zu kämpfen (Caes. Gall. 4,24,1; 4,32,5; 4,33; 5,9,3; 5,15,1; 5,19,1; vgl. Cic. fam. 7,6,2; 7,7,1; Verg. georg. 3,204). Pomponius Mela nennt den S. der Britannier *covinnus* (Mela 3,52). Im J. 83 n. Chr. nahmen an der Schlacht am → Mons Graupius in Schottland auf der Seite der Britanni *covinnarii* (»Wagenkämpfer«) teil (Tac. Agr. 35,3; 36,3; vgl. 12,1). In Rom traten *essedarii* (Wagenkämpfer im *essedum*) bei den Spielen auf (Suet. Cal. 35,3; Suet. Claud. 21,5).

A. Hyland, Equus, 1990.

Y. L. B./Ü: S. EX.

III. Keltisch-germanischer Bereich

S. waren nach Ausweis lit. Quellen und ant. Darstellungen, z. B. auf eisenzeitlichen Br.-Gefäßen wie → Situla und kelt. Mz., leichte zweirädrige Wagen mit zweispänniger jochähnlicher Schirrung der Zugpferde. Sie kommen in kelt. Gräbern der → Latène-Kultur vom 5. bis ins 1. Jh. v. Chr. recht häufig vor, mit Schwerpunkt im westkelt. Raum (Champagne, → Hunsrück-Eifel-Kultur), was auf griech.-etr. Anregungen zurückgeht. Im 2./1. Jh. v. Chr. sind S. auch aus Britannien bekannt (→ Arras-Kultur), vgl. z. B. Caes. Gall. 4,33; 5,15–17,19 (s.o. II.). Von den S. sind normalerweise die Metallbeschläge und -radteile sowie das Schirrungszubehör erh. In den Gräbern sind S. ein wesentliches Statussymbol der bestatteten Krieger; es gibt aber auch Darstellungshinweise, daß sie für Wettrennen benutzt wurden.

S.-Beigabe ist mehrfach auch im german. Bereich in reich ausgestatteten Gräbern der jüngeren vorröm. Eisenzeit (2./1. Jh. v. Chr.) in Norddeutschland und Dänemark belegt. In späteren german. Gräbern wurden die Wagen selbst nicht mehr beigegeben, allenfalls noch Zugpferde oder deren Schirrungsteile.

→ Germanische Archäologie; Keltische Archäologie

D. van Endert, Zur Stellung der Wagengräber der Arras-Kultur, in: Ber. der Röm.-German. Kommission 67, 1986, 203–288 · M. Guštin, L. Pauli (Hrsg.), Keltski Voz, 1984 · P. Harbison, The Chariot of Celtic Funerary Trad., in: O.-H. Frey (Hrsg.), Marburger Beitr. zur Arch. der Kelten. FS W. Dehn, 1969, 34–58 · K. Raddatz, Das Wagengrab der jüngeren vorröm. Eisenzeit von Husby, 1967 · S. Wilbers-Rost, Pferdegeschirr der röm. Kaiserzeit in der Germania libera, 1994.

V. P.

Strena. Grünende(r) Zweig(e), Datteln und Feigen, die in Rom als Segenspenden zu Beginn des Jahres verschenkt bzw. vor den Haustüren aufgestellt wurden. Fortleben der röm. Sitte ist das Aufstellen bzw. Austauschen der Zweige vom Vorjahr vor den Amtssitzen des → *rex sacrorum*, der → *flamines*, vor den Curien (→ *curia*) und dem Tempel der → Vesta (Ov. fast. 3,137–143; Macr. Sat. 1,12,6). In republikanischer Zeit bedeutet *s.* Vorzeichen für das neue Jahr (*omen novi anni*), in der Kaiserzeit sind mit *s.* die Geschenke gemeint, die zum → Neujahrsfest ausgetauscht wurden, d. h. insbes. Geldgaben, → Lampen, → Sparbüchsen.

Personifikation der segenspendenden Kraft des Zweiges ist die Göttin Strenia (Varro ling. 5,47), die ein Heiligtum an der Via sacra in der Nähe der Carinae am

Westabhang des Esquilins hatte. Im dazugehörigen Hain wurden die Zweige geschnitten.

D. BAUDY, Strenarum Commercium. Über Geschenke und Glückwünsche zum röm. Neujahrsfest, in: RhM 130, 1987, 1–28. A.V.S.

Strenger Stil

[1] Bezeichnung von [6. 124] für eine Gruppe von griech. Buchmajuskelschriften (→ Majuskel); Kennzeichen sind steife, eckige Schriftzüge, bedingt durch eine »strenge« Buchstabenmorphologie (mit Übergewicht der geradlinigen gegenüber runden Zügen), sowie der Kontrast zw. engen (z.B. Ε, Θ, Ο, Σ) und breiten Buchstaben (z.B. Α, Δ, Κ, Λ, Μ, Ν, Π, Τ). [5] verwendete dafür den Namen »Bakchylideische Unziale«, mit Bezug auf das berühmteste Expl., die Schriftrolle der Epinikien des → Bakchylides (PLond. inv. 733 = PLit. Lond. 46). [7. 22] schließt den S.S. hingegen in die Klasse der »*formal mixed*« Schriften ein: Abwechseln breiter und schmaler Buchstaben, Mischung eckiger Formen (bei den breiten Buchstaben) mit runden. Weitere Eigenheiten sind z.B. das nach unten gewendete Α mit einem spitzen Schnabel, ein sehr breites Μ, ferner ein Ψ mit einem zentralen »Locken«-Strich, schließlich ein kleines Ο, das höher als die Grundreihe gesetzt wird, ein Φ mit einem abgeflachten und oft rhombenförmigen Ring, sowie ein ω mit einem sehr abgeflachten oder völlig fehlenden mittleren Strich. Die große Zahl der Buchschriften, die gemeinhin als S.S. gelten, ist nicht homogen und somit nicht eigentlich den → Schriftstilen vergleichbar; eher als »Stilklasse« zu bezeichnen.

Variationen: Beachtung des Zweiliniensystems, unterschiedliche Buchstabenabstände, aufrechter oder geneigter Verlauf, einheitlicher Schriftzug neben Wechsel von Grund- und Haarstrichen, sowie z.T. mit Schmuckstrichen versehene Buchstaben [3. 37–38]. Die Schrift der Bakchylides-Rolle selbst weist singuläre Sonderformen von Α, Μ, Ν, Υ auf, die kein Gegenstück in irgendeiner anderen »strengen« Schrift finden. Die Datier.-Vorschläge für den Bakchylides-Pap. (und seinen S.S.) reichen vom 1. Jh. v. Chr. [4. 75] bis zum 1.–3. Jh. n. Chr. [2. 109–110]. TURNER [7], gefolgt von CAVALLO [1. 74] hält die Mitte des 2. Jh. n. Chr. für wahrscheinlich; er interpretiert die archa. Schrifteigenheiten als eine bewußte Rückkehr zu »ptolemäischen« Modellen in der von allg. Archaisierungstendenzen geprägten Zeit Hadrians und der Antoninen [7. 22]. Der S.S. verbreitete sich weit in der Buchherstellung des 2. und 3. Jh. n. Chr. und entwickelte sich, unter Bevorzugung immer deutlicher geneigter Buchstabenformen, beständig weiter, wurde jedoch schließlich von der → Unziale bzw. der geneigten Spitzbogenmajuskel verdrängt. Möglicherweise geht der »aufrechte« Typ der Spitzbogenmajuskel der mittelbyz. Zeit (9.–10. Jh.) auf den S.S. zurück, wie es vor allem die Stilisierung hin zu einer aufrechten Achse nahelegt [2. 108–109, 110[16]].

→ Majuskel; Schriftstile; Unziale

1 G. CAVALLO, Note sulla scrittura greca libraria dei papiri, in: Scriptorium 26, 1972, 71–76 **2** E. CRISCI, La maiuscola ogivale diritta, in: Scrittura e civiltà 9, 1985, 103–145 **3** M.S. FUNGHI, G. MESSERI SAVORELLI, Sulla scrittura di P. Oxy. II 223 + P. Köln V 210, in: Analecta Papyrologica 1, 1989, 37–42 **4** F.G. KENYON, The Palaeography of Greek Papyri, 1899, 75–76, Taf. 13 **5** M. NORSA, La scrittura letteraria greca dal secolo IV a.C. all'VIII d.C., 1939, 21–22, Taf. 10a **6** W. SCHUBART, Griech. Paläographie, 1925, 124–132, Taf. 83–89 **7** E.G. TURNER, Greek Manuscripts of the Ancient World (Hrsg. P.J. PARSONS), [2]1987. G.M.

[2] Epochenbezeichnung der Arch. für die nacharcha.-vorklass. griech. Kunst (in allen Gattungen) 490/480 – 460/450 v. Chr., zuerst von H. MEYER erkannt (1812) [1], von E. LANGLOTZ durch »herber Stil« ersetzt [2], was sich aber nicht durchgesetzt hat. In der angelsächsischen Forsch. werden sowohl *severe style* [3] als auch *early classical* [4] verwendet.

1 D. WILLERS, Zu den Anf. der archaistischen Plastik in Griechenland, 1975, 20 **2** E. LANGLOTZ, Frühgriech. Bildhauerschulen, 1927, 19 und passim **3** B.S. RIDGWAY, The Severe Style in Greek Sculpture, 1970 **4** J. BOARDMAN, Greek Sculpture. The Classical Period, 1985, 20–89. DI.WI.

Strenia s. Strena

Strepsa (Στρέψα). Die Stadt – wohl in der westl. → Anthemus südl. von Basilika – wird erstmals für die Zeit des Zuges des → Xerxes (Hellanikos FGrH 4 F 61) und ab 454/3 v. Chr. in den Athener Tributquotenlisten mit gleichbleibendem Tribut von einem Talent genannt (ATL 1, 412f.). 432 fiel S. von Athen ab und konnte wohl auch nicht zurückgewonnen werden. Ein letztes Mal ist S. bei Aischin. leg. 27 unter den Städten genannt, die der maked. Thronprätendent Pausanias [5] von Kalindoia aus im J. 370 v. Chr. eroberte.

M.B. HATZOPOULOS, L.D. LOUKOPOULOU, Two Stud. in Ancient Macedonian Topography, 1987, 21f., 54–60 · Ders., Une donation du roi Lysimaque, 1988, 40–43. M.Z.

Streptinda s. Geschicklichkeitsspiele

Strigilis (griech. στλεγγίς/*stlengís*, ξύστρα/*xýstra*).

[1] Ant. Sport- und Kosmetikgerät vornehmlich aus Br. oder Eisen zum Abstreifen von Öl, Schweiß und Staub nach sportlichen Übungen und nach Besuch des Schwitzbades (*laconica* bzw. *sudatoria*) in den *balnea* bzw. → Thermen. Sie war Bestandteil eines Sets zur Körperpflege, zu dem bei den Griechen noch → Schwamm und ein Ölfläschchen (→ Alabastron, → Lekythos [1]), bei den Römern die *ampulla* (Ölfläschchen) und → *patera* (Griffschale zum Übergießen des Körpers mit Wasser oder zur Aufnahme des Öls) gehörten. Die *s.* bestand aus einem Griff und einem sichelförmigen, in sich konkav gebogenen Vorderteil. In der ant. Kunst sind zahlreiche Darstellungen von Athleten mit der *s.* v.a. aus der griech. Vasenmalerei überl.; am bekanntesten war je-

doch der sich abschabende Athlet des griech. Bildhauers → Lysippos [2] (Plin. nat. 34,62). Zahlreiche Expl. vom 6. Jh. v. Chr. bis in das 3. Jh. n. Chr. sind erhalten.
→ Sport; Sportgeräte

E. KOTERA-FEYER, Die S., 1993 • Dies., Die S. in der attisch-rf. Vasenmalerei: Bildformeln und ihre Deutung, in: Nikephoros 11, 1998, 107–136. R.H.

[2] Auch *stria*, ῥάβδος/*rhábdos* (SEG 4,448,7), die senkrechte, konkave Furche (Kannelur) der griech. → Säule nach Vitr. 4,4,3. W.H.GR.

[3] In der Medizin auch als Hilfsinstrument zum Einträufeln von Medikamenten in den Gehörgang verwendet (Celsus, de medicina 6,7,1; Marcellus 9,1; Scribonius Largus 39); gehörte aber nicht zum normalen Spektrum → medizinischer Instrumente.

J. S. MILNE, Surgical Instruments in Greek and Roman Times, 1907 (Ndr. 1970). E.KÜ.

[4] In Spanien hieß nach Plin. nat. 33,62 ein kleines Stück einheimischen Goldes *s.* (oder, je nach Lesart, *strix*). W.H.GR.

Strix (Striges) s. Eulen

Stroma s. Decke

Strombichides (Στρομβιχίδης). Sohn des Diotimos [1], att. Stratege 412/1 v. Chr. Er operierte 412 v. Chr. erfolglos gegen → Teos (Thuk. 8,15,1; 8,16,1–2), belagerte mit → Onomakles und Euktemon vergeblich → Chios (Thuk. 8,30; 8,33,2–34; 8,38; 8,40f.; 8,55,2–56,1; 8,61–63), von wo er im Frühjahr 411 in den Hellespont fuhr, um Athens verlorene Machtstellung dort zu retten (Eroberung von Lampsakos und Sestos, Thuk. 8,62). 411 blieb er der Demokratie treu und wirkte in der Flotte bei Samos (Thuk. 8,79). 404 wurde er wegen Widerstandes gegen den Friedensschluß mit Sparta eingekerkert (Lys. 13,13–34) und dann von den Dreißig (→ *triákonta*) hingerichtet (Lys. 13,34–43; 30,14).

PA 13016. W.S.

Strongyle (Στρογγύλη). Vulkaninsel im NO der → Aeoli insulae (12,6 km^2, 924 m H; Ptol. 3,4,16; Mela 2,120), h. Stromboli. Die Insel erhielt ihren Namen (S.: »die runde«) nach der Gestalt des seit der Ant. aktiven Vulkans (Strab. 6,2,11; vgl. Thuk. 3,88,2; Diod. 5,7,1; App. civ. 5,105). Seit ca. 3000 v. Chr. war die Insel besiedelt. Sie galt im Mythos als Sitz des → Aiolos [2] (Plin. nat. 3,94) oder des → Hephaistos (schol. Apoll. Rhod. 4,761).

E. MANNI, Geografia fisica e politica della Sicilia antica, 1981, 76f. E.O.

Strongylion (Στρογγυλίων). Bronzebildner (drittes Drittel 5. Jh. bis erstes Drittel 4. Jh. v. Chr.). Keines seiner lit. bezeugten Werke ist erh. Von einer figurenreichen Darstellung des Trojanischen Pferdes, genannt δούριος (*dúrios*, »das Hölzerne«, Paus. 1,23,8), auf der Akropolis in Athen sind Teile der Basis identifiziert; es ist vor 414 v. Chr. zu datieren. Neben einigen Kultbildern schuf S. mit → Kephisodotos [4] Musenstatuen auf dem Helikon. In röm. Sammlerkreisen waren Kleinbronzen von S. berühmt, wie der sog. *Puer Bruti* und eine Amazone mit dem Beinamen *eucnemos* (Plin. nat. 34,82; εὔκνημος »die Schönbeinige«) im Besitz des Nero. Nach Pausanias (9,30,1) wurden die Pferde und Rinder des S. gerühmt, die Zuschreibung weiterer Tierbilder bleibt aber hypothetisch.

OVERBECK, Nr. 877–880; 884; 886–892 • LOEWY, Nr. 52 • A. RAUBITSCHEK, Dedications from the Athenian Akropolis, 1949, Nr. 176 • LIPPOLD, 189f. • P. MORENO, s. v. S., EAA 7, 1966, 518f. • L. TODISCO, Scultura greca del IV secolo, 1993, 42. R.N.

Strongylos charakter s. Unziale

Strophades (Στροφάδες). Zwei zu Kyparissia [1] gehörige (Strab. 8,4,3) kleine, flache, kahle, unbewohnte Inseln 44 km südl. von Zakynthos im offenen Meer, urspr. Plotai genannt (Mela 2,110; Plin. nat. 4,55), seit röm. Zeit (Hierokles, Synekdemos 648,10) bis h. Strophadia. Der Sage nach sollen hier die Söhne des → Boreas bei der Verfolgung der → Harpyien umgekehrt sein (Aition für den ON bei Apoll. Rhod. 2,285–297).

R. BALADIÉ, Le Péloponnèse de Strabon, 1980, 5f. • PHILIPPSON/KIRSTEN, 541–545 • L. ROBERT, Épigramme votive d'Olbia, in: Hellenica 11/12, 1960, 272–274. D.S.

Strophe s. Metrik I. und V.

Strophios (Στρόφιος). Ziehvater des → Orestes [1]. Als Sohn des Krisos und der Antipatheia (schol. Eur. Or. 33) herrscht S. mit seiner Gattin, einer Schwester seines Freundes Agamemnon (Paus. 2,29,4), über das nach seinem Vater benannte Krisa in Phokis. Er ist Vater von → Pylades [1] (Eur. Or. 1402; Ov. Pont. 2,6,25) und Astydameia. Vor der Ermordung des Agamemnon vertraut Klytaimestra (oder Elektra) Orestes dem S. an (Aischyl. Ag. 880f.; Hyg. fab. 117), der ihn aufzieht. Abweichend erzählt Dictys (6,3), → Orestes [1] sei mit einer in Athen gesammelten Mannschaft zu S. gezogen, um dessen Beteiligung am Zug gegen Mykenai zu erwirken. CH.KR.

Strophium (στρόφιον). Ein um etwas gewundenes oder in sich gedrehtes Band.

[1] Brustband der Frauen in Griechenland und Rom (Aristoph. Thesm. 139; 251; 255; 638; Aristoph. Lys. 931; Catull. 64,65), auch μίτρα/*mítra* (Anth. Pal. 5,13,4; Apoll. Rhod. 3,867), μηλοῦχος/*mēlúchos* (Anth. Pal. 6,211), στηθόδεσμος/*stēthódesmos* (Poll. 7,66), *mamillare* (Mart. 14,66 lem.), *fascia pectoralis* (Mart. 14,134 lem., vgl. Ov. ars 3,274; Prop. 4,9,49) genannt. In der Kunst sind verschiedentlich Frauen mit *s.* bzw. beim Anlegen des *s.* dargestellt. Oft gaben über die Schultern geführte

Träger dem *s.* einen festeren Halt. Mit dem *s.* dargestellt sind bes. auch Atalante und Aphrodite. Plaut. Aul. 516 nennt den Hersteller eines *s. strophiarius*.

[2] Binde der griech. Priester (Plut. Aratos 53,6; Plut. Aristides 5,7), von Philosophen (Dion Chrys. 72,2) und des Malers Parrhasios (Athen. 12,543 f).

[3] Bei Philostr. de gymnastica 10,14 heißt der Riemen der Boxer *s.*; bei Apul. met. 11,16,7 das gedrehte Ankertau *s. ancorale*.

→ Fasciae; Taenia

1 M. Pausch, Mosaik der »Bikini-Mädchen« von Piazza Armerina, in: Nikephoros 9, 1996, 169–171
2 J. Rumscheid, Krone und Kranz. Zu Insignien, Siegespreisen und Ehrenzeichen der röm. Kaiserzeit, 2000, 2–4. R. H.

Strues. Röm. Opferkuchen (Fest. 408), der stets zusammen mit *fertum* erwähnt wird; die zwei sakralen Gebäcksorten sind nicht identisch, lassen sich aber aus dem Kontext nur schwer differenzieren. Lediglich Cato (agr. 134 und 141) unterscheidet: *s.* für → Ianus, *fertum* für → Iuppiter. Der → *flamen Dialis* mußte stets eine Dose mit diesen beiden Kuchen am Bettpfosten hängen haben (Gell. 10,15,14). Verwendet wurden *s.* beim → Opfer zur Entsühnung vom Blitz getroffener Bäume durch sog. *strufertarii* (Paul. Fest. 75; 377); als Voropfer bei Tieropfern; bei der → *lustratio pagi* zw. dem Herumführen und der Schlachtung der Opfertiere.

J. André, L'alimentation et la cuisine à Rome, 1961, 2–15 • A. Hauri-Karrer, Lat. Gebäcksbezeichnungen, 1972, 51–54. A. V. S.

Struthas (Στρούθας; Tod, Nr. 113: Στρούσης). Persischer Satrap in Ionien [1. 216], 391 v. Chr. von Artaxerxes [2] II. anstelle des → Tiribazos eingesetzt. Er sollte eine antispartan. Politik einleiten, nahm sofort Kontakte mit Athen auf und besiegte die Streitmacht des von Sparta nach Kleinasien entsandten Spartiaten → Thibron, der nach seiner Ankunft zunächst von Ephesos aus die Kontrolle über die Maiandros-Ebene gewonnen hatte, aber unvorsichtig operierte und im Kampf gegen S. fiel (Xen. hell. 4,8,17–19; Diod. 14,99,1–3).

1 A. Hornblower, in: CAH VI, ^{2}1994. K.-W. WEL.

Strychnos (griech. ὁ/ἡ στρύχνος/*strýchnos*, lat. *solanum* und *strumus*). Mehrere Arten aus der Familie der Nachtschattengewächse (Solanaceae). Diese umfassen (1) die eßbaren (=ἐδώδιμος/*edṓdimos*; ἥμερος/*hḗmeros* = »zahm, angebaut«, κηπαῖος/*kēpaíos* = »zum Garten gehörig«) und als Heilkräuter (z. B. äußerlich gegen Juckreiz, Plin. nat. 26,120) verwendeten Gemüsepflanzen wie den Schwarzen Nachtschatten (Solanum nigrum; Theophr. h. plant. 3,18,11; 7,7,2 und 7,15,4; Dioskurides 4,70 Wellmann = 4,71 Berendes; Plin. nat. 27,132) und seine Varietäten (darunter die erst im 16. Jh. nach Europa eingeführte Tomate); sowie (2) die narkotisierenden Arten. Letztere können bei stärkerer Dosierung Wahnsinn und den Tod bringen (Theophr. ebd. 7,15,4 und 9,11,5). Nach Dioskurides können sie als Judenkirsche (Physalis alkegengi; 4,71 Wellmann = 4,71–72 Berendes), Tollkirsche (Atropa belladonna; 4,73 Wellmann = 4,74 Berendes; Theophr. h. plant. 9,2,6) und Gemeiner Stechapfel (Datura stramonium; Dioskurides l.c.; Theophr. l.c., vgl. Plin. nat. 21,177–179) bestimmt werden.

A. Steier, s. v. S., RE 4 A, 385–390. C. HÜ.

Strymon (Στρυμών). Thrakisch-maked. Fluß, der im → Skombros (Hdt. 8,115) entspringt, durch das Siedlungsgebiet der Maidoi, Agrianes, Laioioi, Sintoi, Bisaltai und Odomantoi (Thuk. 2,96,3; Strab. 7,7,4), dann durch die → Prasias limne fließt und nach 408 km westl. von Eion in die Ägäis (→ Aigaion pelagos) mündet, h. Struma. Der S. war im Unterlauf befahrbar. Xerxes ließ 481 v. Chr. bei Ennea hodoi (nachmals Amphipolis) eine Brücke über den S. schlagen (Hdt. 7,24–25,1). Vor Philippos [4] II. war S. Grenzfluß zw. Thrake und Makedonia (Strab. 7 fr. 4; 34; 36f.).

Müller, 104–106. I. v. B.

Stuck

I. Alter Orient II. Klassische Antike III. Karthago

I. Alter Orient

Formbare, schnell erhärtende Masse aus Gips, Kalk, Sand und Wasser, bisweilen mit Steinmehl, die allenthalben (in Äg. seit dem AR, ca. 2700–2190 v. Chr.) zur Glättung von Wänden und als Malgrund benutzt wurde. Aus S. wurden auch kleine Figuren und Vasen hergestellt sowie Modeln für den Metallguß. Von der parthischen Zeit an (1. Jh. v. Chr.) kennen wir figürliche oder geom. S.-Reliefs, die lange Wände überziehen. Sie wurden mit der Hand oder mit Schablonen modelliert, in sāsānidischer und frühislamischer Zeit auch geschnitten.

R. Fuchs, s. v. S., LÄ 6, 1986, 87–92 • J. Kröger, Sasanidischer S.-Dekor, 1982. H. J. N.

II. Klassische Antike

Die Verwendung eines Gemisches aus Sand, Steinstaub, Wasser und verschiedenen Bindemitteln, das sich in feuchtem Zustand leicht formen und färben läßt und das später massiv aushärtet, ist bereits für die myk. Zeit bezeugt (S.-Reliefs aus Knosos). S. diente der etr. und später der röm. Kultur als bevorzugter Malgrund (→ Freskotechnik; → Malerei; → Wandmalerei). In der Architektur findet sich S. in der klass. Ant. seit der Archaik als glättender und später meist farbig gefaßter Überzug (→ Polychromie) von Bauten aus porösem Stein. Recht häufige Verwendung fand S. ferner in der → Plastik als Glättungsmittel wie auch als Material für Ergänzungen, bes. dann, wenn mit sprödem Stein gearbeitet wurde, schließlich sowohl bei Marmorplastik wie auch bei Marmorarchitektur als idealer Werkstoff für Reparaturen (Flickungen) von Verschlag-Stellen.

Im Inneren von Gebäuden tritt S. als nahezu beliebig formbares Material für plastisch ausgestaltete Wanddekoration (»Quaderstil«) seit dem Hell. gehäuft auf; diese Dekorationstechnik erreicht im 2. Jh. n. Chr. ihre größte Verbreitung.

N. Blanc, Les stucateurs romains, in: MEFRA 95, 1983, 859–907 • C. Blümel, Stuckfrisuren an Köpfen griech. Skulpturen des 6. und 5. Jh. v. Chr., in: AA 1968, 11–24 • A. Laidlaw, The First Style in Pompeii. Painting and Architecture, 1985 • R. Ling, Gli Stucchi, in: F. Zevi (Hrsg.), Pompei 79. Raccolta di studi per il decimonono centenario dell' eruzione vesuviana, 1979, 145–160 • H. Mielsch, Röm. S.-Reliefs (MDAI(R), 21. Ergh.), 1975 • W. Müller-Wiener, Griech. Bauwesen in der Ant., 1988, Index s. v. S. • U. Riemenschneider, Pompejanische S.-Gesimse des Dritten und Vierten Stils, 1986 • R.-B. Wartke, Hell. S.-Dekorationen aus Priene, in: Forschungen und Berichte. Staatliche Museen zu Berlin 18, 1977, 21–58. C.HÖ.

III. Karthago

Die hochentwickelte, von Diod. 20,8 bewunderte S.-Technik → Karthagos wird daraus abgeleitet, daß von jeher das weich-poröse landeseigene Baumaterial durch Verputz gegen Erosion geschützt werden mußte. Durch Beischlag von Kalkstein- bzw. Marmormehl weiße S.-Verkleidung ist zuerst am Mauerwerk des Tanit-Heiligtums unter dem *Decumanus Maximus* in Karthago (E. 5. Jh. v. Chr.) nachgewiesen, dann mit reicher Ornamentik in Wohnquartieren des 3./2. Jh. v. Chr. Plastische S.-Verkleidung höchster Qualität hatte die sog. »Chapelle Carton« (2. Jh. v. Chr.). Die griech. bzw. hell. Vorbilder sind evident.

N. Ferchiou, Deux témoignages de l'architecture religieuse et funéraire de la Carthage hellénistique, in: Riv. di Studi Fenici 15, 1987, 15–45 • A. Laidlaw, Report on Punic Plaster, in: F. Rakob (Hrsg.), Karthago 2. Die deutschen Ausgrabungen in Karthago, 1997, 215–228 • S. Lancel, Carthage, 1992, 336–340. H.G.N.

Stuhl. Unentbehrliches Sitzmöbel des sparsam möblierten ant. Haushalts, vornehmlich aus Holz (Ahorn, Buche, Eiche), gelegentlich auch aus Br. und teilweise oder zur Gänze aus Gold (Hdt. 1,14; Athen. 12,514) bzw. Marmor gefertigt. Mitunter bestanden Einzelteile des S. auch aus anderen Materialien wie Elfenbein oder Onyx (Plin. nat. 36,59), Metall oder Edelmetall. Daneben gab es Korb-S. aus Weidenzweigen (Plin. nat. 16,174), deren Aussehen aus Darstellungen oder steinernen Nachbildungen bekannt ist. Als Hauptformen (vgl. Athen. 5,192e-f) kannte die Ant. den → *díphros* (δίφρος; lat. *sella*), den → *klismós* (κλισμός; lat. *cathedra*) und den → Thron (θρόνος; lat → *solium*). Der *díphros* war ein einfacher Sitz ohne Armstützen und Rückenlehne, der im Haushalt oder in Handwerkerstuben anzutreffen war. In Abb. auf Vasenbildern sitzen Prostituierte auf ihm. Von bes. Bedeutung war der δίφρος ὀκλαδίας (Klappstuhl), der seit dem 6. Jh. v. Chr. in Griechenland auftauchte und dann in der etr. Kultur belegt ist. Bei den Römern war der mit Elfenbein furnierte Klappstuhl (→ *sella curulis*) Amts- und Ehrensitz der höheren Magistrate; gleichfalls als Ehrensitz diente in den *municipia* das *bisellium* (Doppelsitz, vgl. Varro ling. 5,128), z. B. den → Augustales. Der *klismós* war ein bequemer S. mit geschwungener Rückenlehne, der in Griechenland vornehmlich den Frauen als Sitz diente. Eine entsprechende Rolle spielte die *cathedra* im röm. Haushalt (z. B. Iuv. 6,91; vgl. 9,52; Prop. 4,5,37). Daneben diente sie Schülern (Hor. sat. 1,10,91), Lehrern und Philosophen (Iuv. 7,203) als Sitz und wurde deshalb in christl. Zeit zum Sitz der Kirchenlehrer und Bischöfe. Aufgrund der Vergänglichkeit des Materials haben sich nur wenige Holz-Frg. von S. erh.; weitgehend erh. ist die mit Elfenbeinplatten umkleidete *cathedra* des Bischofs → Maximianus [3], ebenso ein etr. Bronze-S. Daneben sind Miniatur-S., Nachbildungen aus Stein und Ton sowie zahllose Darstellungen in der ant. Kunst aufzuführen.

→ Hausrat; Kissen; Kline; Möbel (mit Abb.); Thron

Richter, Furniture, 33–47, 89–91, 101–104 • St. Steingräber, Etr. Möbel, 1979, 34–42, 106–114, 158–164 • I. Strom, Decorated Bronze Sheets from a Chair, in: J. Swadling (Hrsg.), Italian Iron Age Artefacts in the British Museum, 1986, 53–57 • T. Schäfer, Imperii insignia. Sella curulis und fasces. Zur Repräsentation röm. Magistrate (MDAI(R), 29. Ergh.) 1989 • B. Jahn, Brz. Sitzmobilar der griech. Inseln und des griech. Festlandes, 1990. R.H.

Stuprum. Die strafbare Unzucht im röm. Recht. Urspr. war *s.* gleichbedeutend mit *turpitudo* (»Sittenwidrigkeit«), später eingeengt auf die geschlechtliche Beziehung zw. einem Mann und einer freien, anständigen, unverheirateten (hierin bei den Juristen im Gegensatz zu → *adulterium*, »Ehebruch«, Mod. Dig. 48,5,35) Frau. Gewalt kann (dann → *crimen vis*, Gewaltverbechen), muß aber keineswegs mit dem *s.* verbunden sein. Seine Verfolgung in der röm. Republik liegt im dunkeln (vielleicht Selbsthilfe; *iudicium domesticum* (»Hausgericht«); Anklage durch Aedil im *comitium*; unbekannte Gesetze?). Sicheres Zeugnis einer Strafrechtsnorm ist erst die *lex Iulia de adulteriis* des Augustus (»Julisches Ehebruchsgesetz«: Konfiskation des halben Vermögens, für *humiliores* (→ *honestiores*) die → *relegatio* (»Verbannung«) und Züchtigung, Inst. Iust. 4,18,4). Sie erfordert allerdings vorsätzliche (*sciens dolo malo*) Vollendung der Tat (Ulp. Dig. 48,5,13). Der Versuch ist u.U. einfache Unrechtstat (→ *iniuria*). Später Qualifizierung (z. B. Vormund mit Mündel, nicht geschlechtsreife Jungfrau: *virgo nondum viri potens*) mit Strafverschärfung.

In einem engeren Sinne bedeutet *s.* → Päderastie (*s. cum masculo*): seit einer *lex Scatinia* (*Scantinia*?), ca. 149 v. Chr., mit Geldstrafe, unter den christl. Kaisern mit Todesstrafe geahndet.

→ Sexualität

I. Pfaff, s. v. S., RE 4 A, 423 f. • G. Rizzelli, »S.« e »adulterium« nella cultura augustea e la »lex Iulia de adulteriis«, in: Bullettino dell'Istituto di diritto romano 90,

1987, 355–388 • E. CANTARELLA, Etica sessuale e diritto. L'omosessualità maschile a Roma, in: Rechtshistor. Journal 6, 1987, 263–292 • Dies., Secondo natura. La bisessualità nel mondo antico, 1988. A.VÖ.

Sturmtaucher s. Taucher

Stylit, Stylitentum. Bes. in → Syrien verbreitete Sonderform der christl. Askese, deren Kennzeichen der ständige Aufenthalt auf einer Säule ist (στυλίτης/*stylítēs*, »Säulensteher« von ὁ στῦλος/*stýlos*, »Säule«). Eine Verbindung zu außerchristl. Formen (vgl. die φαλλοβάται/*phallobátai* bei Lukian. de Syria dea 28f.) ist eher abzulehnen (anders [1]). Beginn und bedeutendster Vertreter ist → Simeon d.Ä. († 459 n.Chr.), dessen Säule zum Pilgerziel wurde. Bed. erlangten u.a. auch die Säulenheiligen Simeon d.J., Daniel, Alypios von Adrianopolis, Lazaros sowie Lukas.

1 D.T.M. FRANKFURTER, Stylites and Phallobates, in: Vigiliae Christianae 44, 1990, 168–198 2 I. PEÑA et al., Les Stylites Syriens, 1975. J.RI.

Stylobat (στυλοβάτης; lat. *stylobates*). Ant. t.t. aus dem Bereich der Bautechnik [1]; im griech. Säulenbau die Bezeichnung für die Oberfläche der obersten Stufe der → Krepis [1] bzw. deren einzelner Platten, auf der sich die Säulen erhoben (nicht, wie häufig irrtümlich angenommen, die oberste Stufe der Krepis insgesamt). Der S. war im Tempelbau ein zentraler Zielpunkt der Bauplanung (→ Bauwesen). Bei archa. dorischen Tempeln findet sich im (üblicherweise sehr gelängten) S. meist eine der Leitproportionen des Bauwerks, was die Bed. dieser Fläche als wesentlichen Ausgangspunkt des Baukonzepts zeigt; das seit spätarcha. Zeit nachweisbare Streben nach umlaufend gleich großen Jochweiten (→ Joch) macht die Proportionierung und Dimensionierung des S. dann zunehmend zu einem sekundären Faktor (eine späte Ausnahme ist der perikleische → Parthenon auf der Athener Akropolis; Leitproportion des S. = 4:9). Im klass. Tempelbau findet sich das Rechteck des S. in der Regel im Sinne einer → Proportion logisch verknüpft mit den Rechtecken von Achsweite (eine imaginäre, die Mittelpunkte der vier Ecksäulen verbindende Linie) und Cella-Abmessung (z.B. am Concordia-Tempel von Akragas: 3:7, 2:5, 1:3). Der weitere Grundriß ist auf dem S. häufig mittels → Aufschnürung vorgegeben (Olympia, Zeustempel; Athen, mnesikleische Propyläen). Der S. war im Rahmen der dorischen Ordnung (→ Säule) darüber hinaus vielfach Gegenstand von → *optical refinements* (→ Kurvatur).

1 EBERT, 9, 11 (mit epigr. Quellen).

J.J. COULTON, Towards Understanding Doric Design: The Stylobate and Intercolumnations, in: Papers of the British School at Athens 69, 1974, 61–86 • CH. HÖCKER, Planung und Konzeption der klass. Ringhallentempel von Agrigent, 1993, 129–132. C.HÖ.

Stymphalische Vögel. Nach Apollod. 2,5 die sechste (und damit die letzte auf der Peloponnesos zu leistende) Aufgabe des → Herakles [1], die ihm → Eurystheus auferlegt hatte: die Bekämpfung der Vögel, die in den Wäldern am See → Stymphalos in Arkadien hausen, dort die Ernte vernichten und Menschen wie Tiere mit ihren ehernen Federn beschießen. Um sie zu vertreiben, benutzt Herakles eine von → Hephaistos angefertigte Klapper aus Br., ein Geschenk Athenas, mit der er die Vögel aufscheuchen kann, um sie darauf mit seinen Pfeilen abzuschießen. S.ZIM.

Stymphalos (Στύμφαλος, Στύμφηλος). Stadt in NO-Arkadia am Nordrand eines abflußlosen Karstbeckens (590 m H), dessen Großteil ein sumpfiger, zuweilen durch eine Flußschwinde entwässerter See einnimmt. Verkehrswege führten westl. nach Pheneos, östl. nach Phleius und südl. nach Alea und Orchomenos [3], nordwärts bildete die Kyllene [1] eine Barriere (2376 m H). Während es eine Vorgängersiedlung im SW des Sees gegeben haben dürfte (Paus. 8,22,1), lag die Stadt des 4. Jh. v.Chr. auf einem Felssporn am Nordrand des Sees. Hier soll Herakles seine sechste Arbeit (→ Stymphalische Vögel) erledigt haben (Apollod. 2,5; 6,92f.). Aus der Zeit vor dem 4. Jh. v. Chr. ist S. durch den Olympioniken Dromeus (Paus. 6,7,10) und den Söldnerführer Sophainetos (Xen. an. 1,1,11; 5,3,1) bekannt, doch war S. strategisch wichtig am Einfallstor der Spartaner nach Korinthos und in die Argolis. Spätestens seit 366 v.Chr. (Aineias aus S. Bundesstratege: Xen. hell. 7,3,1) gehörte S. dem Arkadischen Bund an (→ Arkades, mit Karte). 315 wurde S., mit Polyperchon [1] verbündet, von Apollonides, dem Strategen des → Kassandros, eingenommen (Diod. 19,63,1), gehörte dann dem Achaischen Bund an, auch im Krieg gegen Kleomenes [6] III. (Pol. 2,55,8). Um 300 ist der inschr. erh. Rechtshilfevertrag zw. Demetrias [1] (nicht Aigeira! Vgl. aber StV 3 Nr. 567) und S. zu datieren. Bei S. siegte Philippos [7] V. im Winter 219 v.Chr. über Truppen von Elis (Pol. 4,67,9ff.; → Bundesgenossenkriege [2]). Hadrianus ließ 125 n.Chr. eine Wasserleitung von S. nach Korinthos bauen (Reste erh.). Grabungen legten Nekropolen, ein Brunnenhaus, ein Heiligtum und Mauern auf der Akropolis sowie Teile der Stadt frei, jüngst konzentriert auf ein Athena-Heiligtum, die Befestigungswerke und die Unterstadt.

IPArk, Nr.17, 158–251 • H. KALCYK, B. HEINRICH, Ant. Wasserbau, Antike Welt 17, 1986 (2. Sonderheft) • J. KNAUSS, Der Graben des Herakles im Becken von Pheneos ..., in: MDAI(A) 105, 1990, 1–52 • H. WILLIAMS, Excavations at S., in: Échos du monde classique 39, 1995, 1–22; 40, 1996, 75–98 • Ders., Excavations at Ancient S., in: Ebd. 41, 1997, 23–73; 42, 1998, 261–319 • S. LAUFFER, s.v. Stymphalia, in: LAUFFER, Griechenland, 639. KL.T.

Styppax. Bronzebildner aus Kypros im 5. Jh. v. Chr. Berühmt wurde seine Statue des »Splanchnoptes« (Plin. nat. 34,19,81), eines Sklaven, der beim Opfer das Feuer zum Rösten der Eingeweide anbläst. Sie wurde als Weihung im Auftrag des → Perikles [1] errichtet, nachdem dessen Sklave beim Tempelbau verletzt und wundersam geheilt wurde. Das Werk ist nicht erh.

OVERBECK, Nr. 868–869 • P. MORENO, s. v. S., EAA 7, 1966, 535–536. R.N.

Styra (Στύρα). Hafenstadt im SW von Euboia [1], 4 km westl. des h. S. gegenüber der Insel Aigilia, wohl von Dryopes gegr. (Hom. Il. 2,539; Hdt. 8,46; Paus. 4,34,11). S. unterwarf sich 490 v. Chr. den Persern, kämpfte 480 v. Chr. bei Salamis [1] auf griech. Seite (Hdt. 8,1; 8,46; 9,28; Paus. 5,23,2) und war Mitglied im → Attisch-Delischen Seebund (vgl. ATL 1, 414f.). Im → Lamischen Krieg 323/2 v. Chr. von Athen teilweise zerstört (Strab. 10,1,6), gehörte S. im 3. Jh. v. Chr. zu Eretria [1]. In röm. Zeit war S. berühmt für seinen → Marmor (Brüche am Hagios Nikolaos, dort die sog. Drachenhäuser, Unterkünfte für Arbeiter). Reste der Stadtmauer und des Hafens sind erh.; von dort stammen Bleitäfelchen mit Namen (5. Jh. v. Chr.): IG XII 9, 52–71.

PHILIPPSON/KIRSTEN 1, 625 • E. FREUND, s. v. S., in: LAUFFER, Griechenland, 640 • MÜLLER, 423 f. A.KÜ.

Styrax (griech. ἡ στύραξ/*stýrax*, z. B. Theophr. h. plant. 9,7,3,: der S.-Baum bzw. -strauch; τὸ στύραξ, lat. *styrax* bzw. später *storax*: das daraus gewonnene Balsamharz S. officinalis). Das wohlriechende und im kaiserzeitlichen Rom sehr begehrte Harz, das aus Preisgründen oft verfälscht wurde (u. a. mit Zedernharz, Honig oder bitteren Mandeln, Plin. nat. 12,125), importierte man (z.Z. von Hdt. 3,107 mit Hilfe der Phönizier) aus Syrien und Kleinasien (z. B. Kilikien), eingerollt in Blätter von Schilf (daher der frühere Name Storax calamitus) oder Palmen, bei Plin. nat. 12,81 sogar in Bocksfelle. Der Strauch wuchs aber auch in Griechenland, z. B. bei → Haliartos (Plut. Lysandros 28,7). Die Droge wurde als Räucherwerk im Kult sowie zur Parfümherstellung verwendet. Nach Hdt. l.c. (vgl. Plin. nat. 10,195 und 12,81) wehrten die Araber durch S.-Rauch die ihnen bei der Weihrauchgewinnung lästigen kleinen, geflügelten Schlangen ab. Plin. nat. 12,124 beschreibt den Baum als quittenähnlich. Mit dem Zistrosenharz Ladanon zusammen sollte das Harz gegen hartnäckigen Husten helfen (Plin. nat. 26,48), gegen bestimmte Gifte, gegen Skrofeln und innerlich gegen Entzündungen im Rachen und in der Brust (Plin. ebd. 24,24; vgl. Dioskurides 1,66 WELLMANN = 1,79 BERENDES). Auf Mz. sind Baum [1. Taf. 10,15 und 18] und Blätter [1. Taf. 10,16–17] gelegentlich dargestellt.

1 F. IMHOOF-BLUMER, O. KELLER, Tier- und Pflanzenbilder auf Mz. und Gemmen des klass. Alt., 1889 (Ndr. 1972).

A. STEIER, s. v. S., RE 4 A, 64–67 • V. HEHN, Kulturpflanzen und Haustiere (ed. O. SCHRADER), [8]1911 (Ndr. 1963), 428 f., 431 • A. SCHMIDT, Drogen und Drogenhandel im Alt., 1924 (Ndr. 1979), 122. C.HÜ.

Styx (Στύξ). Seit Homer (Hom. Il. 2,755; 14,271; 15,36–38 u.ö.), der ausschließlich die Bezeichnung Στυγὸς ὕδωρ/*Stygós hýdōr* (»Wasser des Grausens«) verwendet, Fluß (bei Plat. Phaid. 113c: See) in der → Unterwelt und neben → Gaia und → Uranos wichtigster Schwurzeuge der Götter. Er erscheint bei Hes. theog. 361; 383–403; 775–806 zum ersten Mal als myth. Gestalt. Die S. ist die älteste der → Okeaniden und von Pallas Mutter von → Zelos, → Nike, Kratos und → Bia und nach Epimenides (FGrH 457 F 5) von Peiras [1] Mutter der → Echidna. Als Belohnung für ihre Unterstützung im Kampf gegen die → Titanen wird sie von Zeus zum mächtigsten Göttereid erhoben (vgl. Apoll. Rhod. 2,291 f.; Apollod. 1,8 f. und 1,13, wo S. von Zeus Mutter der → Persephone ist; Verg. Aen. 6,323 f.; 6,439; 12,816 f.; Ov. met. 3,290 f.). Diese myth. Vorstellung geht möglicherweise [2. 460–462] auf einen etwa 200 m hohen Wasserfall (heute Mavronéri, »Schwarzwasser«, vgl. zur Schwarzfärbung Ptol. Chennos bei Phot. S. 148a, Z. 14–19) am Nordabhang des Chelmos/Helmos (→ Aroania ore) bei → Nonakris [1] in Arkadien zurück (Hdt. 6,74; Strab. 5,4,5; 8,8,4; Paus. 8,17,6–18,6; 8,19,3). Sein Wasser galt auf Grund eisiger Kälte als tödlich für Mensch und Tier und konnte der Sage nach nur in Gefäßen aus dem Huf oder dem Horn eines Tieres transportiert werden. Durch dieses Gift soll auch → Alexandros [4] d. Gr. getötet worden sein (Theophr. fr. 160 WIMMER; Kall. fr. 413; Plut. mor. 954c-d; Plut. Alexandros 77,707a-b; Ail. nat. 10,40; Vitr. 8,3,16; Plin. nat. 2,231; 30,149; 31,26 f.).
→ Acheron [2]; Kokytos [1]; Phlegethon [2]

1 E. BETHE, s. v. S. (3), RE 4 A, 464 f. 2 F. BÖLTE, s. v. S. (1), RE 4 A, 457–463 3 F. GIUDICE, s. v. S., LIMC 7.1, 818–820 (mit Bibliogr.). SI.A.

Suana/Sovana. Die h. fast völlig verlassene Bischofsstadt S. bei Pitigliano, westl. des Bolsena-Sees, hieß in röm. Zeit Suana. Sie liegt, wie die zum Gebiet von → Volci/Vulci gehörende etr. Siedlung, auf einem steilabfallenden Tuffelsen am Zusammenfluß zweier Wasserläufe. In Ausgrabungen der Univ. Pisa und Surveys der toskanischen Denkmalbehörde wurden v. a. die Nekropolen erforscht. Es konnten zwei Blütezeiten – im 7. und frühen 6. Jh. v. Chr. sowie im späten 3. und im 2. Jh. – ausgemacht werden. In die Steilwände gegenüber der Stadt sind zahlreiche hell. Felsgräber eingehauen, sog. Würfel-, Aedicula-, Porticusgräber mit Tympanon sowie Tempelgräber. Die Würfelgräber ähneln denen von → Castel d'Asso und → Norchia. Die größten Anlagen sind das Aediculagrab Tomba della Sirena und die Tempelgräber Tomba Pola und Tomba Ildebranda.
→ Grabbauten III. C.

R. BIANCHI BANDINELLI, S. Topografia ed Arte, 1929 • A. MAGGIANI, s. v. S., EAA 2. Suppl. 1971–1994, Bd. 5, 1997, 332 f. • R. VATTI, S. Pitigliano-Sorano, 1979. M.M.

Suarii. In der Spätant. wurde die stadtröm. Bevölkerung durch die Zentralverwaltung nicht nur mit → Getreide, sondern auch mit Schweinefleisch (→ Fleischkonsum) und → Wein versorgt. Die *s.*, deren Ländereien oder Grundstücke mit der *functio suaria* belastet waren und die eine Korporation (→ *collegia, corpora*) bildeten, hatten dementsprechend die Pflicht, die als Sachsteuer gelieferten Schweine von Süd-It. nach Rom zu bringen (Cod. Theod. 14,4,1, 334 n. Chr.). Die Landbesitzer hatten die Freiheit, Schweine zu liefern oder einen Geldbetrag zu bezahlen (*adaeratio*); im letzteren Fall mußten die *s.* die notwendigen Tiere in Rom kaufen (Cod. Theod. 14,4,2). Risiken durch Tod, Gewichtsverlust und Transportkosten blieben Sache der *s.* Die exakte Gewichtsbestimmung bei der Übernahme, die Frage des Ersatzpreises (Preis vor Ort oder in Rom) und die Haftung waren für die *s.* so ungünstig geregelt, daß die Korporation ständig bestandsgefährdet war (Cod. Theod. 14,4,1). Auch staatl. Ausgleichszahlungen (Cod. Theod. 14,4,3; CIL 6,1771) brachten keine Abhilfe, bis Aëtius [2] den zur Lieferung verpflichteten Prov. erlaubte, die Sachlieferung durch Geldzahlung zu ersetzen, und den *s.* freistellte, wo sie die Tiere beschafften (Nov. Valentiniani 36; 452 n. Chr.). Die *annona* Roms (→ *cura annonae*) erhielt so von Oktober bis Februar rund 1000 t Fleisch zur kostenlosen Verteilung an 120000 Empfänger (in 5 Monaten insgesamt ca. 8 kg je Empfänger).

1 S. J. B. Barnish, Pigs, Plebeians and Potentes. Rome's Economic Hinterland c. 350–600 A.D., in: PBSR 55, 1987, 157–185 **2** P. Herz, Studien zur röm. Wirtschaftsgesetzgebung. Die Lebensmittelversorgung, 1988, 277–294 **3** Jones, LRE, 702–704. P. H.

Suasoriae. In den kaiserzeitlichen Rhetorikschulen Übungsreden des *genus deliberativum* (vgl. → *genera causarum*), neben den → *controversiae* (*genus iudiciale*) eine der beiden Formen der → *declamationes*. Die Themen der *s.* ergaben sich aus den progymnasmatischen *théseis* (vgl. → *progymnásmata*) durch Hinzufügung konkreter Personen (Quint. inst. 2,4,25): Myth. oder histor. Gestalten bzw. Gremien werden vor folgenschweren Entscheidungen *pro* oder *contra* beraten. Die histor. Sujets sind z. T. recht frei ausgelegt (Sen. suas. 6,14). Da die *s.* geringere argumentative Anforderungen stellten als die *controversiae* (Tac. dial. 35,4), wurden sie bisweilen schon beim → *grammaticus* behandelt (Quint. inst. 2,1,2; 8). Ihre dramatischen Stoffe erlaubten eine feierliche, aber nicht affektierte Sprache (ebd. 3,8,61). In Verbindung mit dem Rollenspiel (*prosopopoeia*) waren sie ein gutes Training für werdende Dichter und Gesch.-Schreiber (Sen. contr. 2,2,12 über Ovid; Quint. inst. 3,8,49).

S. als Terminus für Schulreden ist nicht vor → Seneca [1] d. Ä. belegt. Dessen *Suasoriarum liber* mit Exzerpten aus den Reden zeitgenössischer Rhetoren zu sieben Themen bietet die einzigen erh. röm. Specimina der Gattung. Die Praxis dieser Übung reicht jedoch mindestens bis in hell. Zeit zurück (vgl. Aristot. rhet. 2,22,8,1396a 23–31; Philostr. soph. 1,481). Vollständige griech. *s.* sind aus der → Zweiten Sophistik überl. (z. B. Lukian. Phalaris B.; Aristeid. or. 52).

In den humanistischen Schulen kamen die *s.* wieder in Gebrauch (Erasmus, *De ratione studii*, in: [1. 135 f.]), doch wurden in der Regel die *théseis* wegen ihres reiner philos. Gehalts bevorzugt.

→ Exercitatio; Progymnasmata; Rhetorik

1 Erasmus, Opera omnia 1.2, 1971, 135 f.

S. F. Bonner, Roman Declamation in the Late Republic and Early Empire, 1949 · L. A. Sussman, The Elder Seneca, 1978 · J. Fairweather, Seneca the Elder, 1981 · J. Chomarat, Grammaire et rhétorique chez Erasme, 1981 · M. G. M. van der Poel, De declamatio bij de humanisten, 1987. TH. ZI.

Subaeratus (Pers. 5,106, griech. ὑπόχαλκος/*hypóchalkos*: Poll. 3,86; SEG XXVI, 1976/7, 71 Z. 10; ὑπομόλυβδος/*hypomólybdos*: SEG XXVI, 1976/7, 71 Z. 11). Plattierte oder gefütterte Mz. aus Edelmetall mit einem unedlen Kern aus Br., Blei oder Eisen, belegt vom 6. Jh. v. Chr. bis in die röm. Kaiserzeit [1; 2; 6. 35 f.; 9; 10]. Um einen gewölbten, linsenförmigen Schrötling aus unedlem Metall wurden Kappen gelegt, die mit positiven Stöcken in der Form des Schrötlings aus dünnem Silber- oder Goldblech geschlagen wurden; danach wurde stark erhitzt und möglicherweise Hartlot verwendet. Eine andere Technik bestand darin, die mit einer Silberfolie überzogenen Schrötlinge zu erhitzen und dann heiß oder kalt zu Mz. zu prägen [4. 32–35; 6. 106–109]. Subaerate Mz. wurden von einem Mz.-Prüfer (*dokimastḗs*) u. a. durch Einhieb erkannt.

Strittig ist, ob s. Mz. aus staatlicher Produktion [1] oder überwiegend aus (privaten) Falschmünzerwerkstätten [3; 5] stammen, etwa einer in Kaiseraugst entdeckten [7]. Die in Noricum anzutreffenden → *sestertii* mit Eisenkern (mod. t.t. »subferrate Mz.«) sind wahrscheinlich offizielle Produkte [10]; der mit Silbersud überzogene → Antoninianus des 3. Jh. n. Chr. ist nicht als s. Mz. zu bezeichnen.

→ Münzfälschung; Münzprüfung

1 E. Bernareggi, Nummi pelliculati, in: Riv. It. di Numismatica 67, 1965, 5–31 **2** W. Campbell, Greek and Roman Plated Coins, 1933 **3** M. H. Crawford, Plated Coins – False Coins, in: NC 1968, 55–59
4 E. Darmstaedter, Subaerate Mz. und ihre Herstellung, in: Mitt. der Bayer. Numismat. Ges. 48, 1929, 27–38
5 A. Giovannini, Athenian Currency in the Late Fifth and Early Fourth Century B. C., in: GRBS 16, 1975, 185–195
6 H. Moesta, P. R. Franke, Ant. Metallurgie und Münzprägung, 1995 **7** M. Peter, Eine Werkstätte zur Herstellung von subaeraten Denaren in Augusta Raurica, 1990 **8** Schrötter, 669 f., s. v. S. **9** V. Zedelius, Nummi subferrati, in: Riv. It. di Numismatica 90, 1988, 125–130
10 U. Zwicker, G. Dembski, Technisch-chemische Unt. an subferraten Sesterzen, in: Mitt. der Öst. Numismat. Ges. 28, 1988, 12–17. GE. S.

Subaräisch. Seit Anfang des 2. Jt. v. Chr. im Sumerischen und Akkadischen belegte Sprachbezeichnung: sumer. eme.su.bir$_4^{ki}$; akkad. *šubarû(m)*. Belegt ist sie: 1) in einer Unterschrift unter eine schwer verständliche, vielleicht hurritische Beschwörung [1]; 2) im Zusammenhang mit Schreibkenntnissen neben Sumerisch in einem Schultext [1]; 3) im Zusammenhang mit Sprachkenntnissen neben Akkadisch und Amoritisch in einem Brief [2]; 4) in Sprachen aufzählenden lexikalischen → Listen neben Sumerisch, Akkadisch, Amoritisch, Sutäisch, Elamisch und Gutäisch [2]. Die verm. Identifikation des S. in 1) und das Fehlen des Hurritischen unter 3) und 4) sprechen für eine Identifikation mit letzterem.
→ Hurritisch

1 J. J. A. van Dijk, Fremdsprachige Beschwörungstexte in der südmesopot. lit. Überl., in: J. Renger (Hrsg.), Mesopotamien und seine Nachbarn, 1987, 97–110, bes. 98 und 102 2 M. P. Streck, Das amurritische Onomastikon der altbabylonischen Zeit, Bd. 1, 2000, 76 f. M.S.

Subferratus s. Subaeratus

Sublaqueum. Gemäß Tac. ann. 14,22,2 und Plin. nat. 3,109 eine → Villa des Kaisers → Nero [1] unterhalb einer durch Stauung des → Anio entstandenen Seen-Kette (vgl. Frontin. aqu. 93).

F. Cavalliere (Hrsg.), Sublaqueum-Subiaco. Tra Nerone e S. Benedetto, 1995. C.HÖ.

Subligaculum. Ein den Unterleib bedeckender Schurz der Männerkleidung (Varro ling. 6,21; Non. 29,17), der wohl urspr. unter der röm. → Toga getragen (Non. 29,17; Isid. orig. 19,22,5) und später von der → Tunica ersetzt wurde. Dagegen ist das *subligar* ein Schurz, der bei bes. Gelegenheiten, so von Schauspielern (Iuv. 6,70) und im Bade von einer Frau (Mart. 3,87,3), oder allg. von Arbeitern (Plin. nat. 12,59) getragen werden konnte.
→ Perizoma

M. Pausch, Neues zur Bekleidung im Mosaik der »Bikini-Mädchen« von Piazza Armerina in Sizilien, in: Nikephoros 9, 1996, 171–173. R.H.

Submissio (»die Stellung zum Ersatz«) begegnet im röm. Recht als Ersatzerwerb beim Nießbrauch, im Dotalrecht (→ *dos*) und beim → *fideicommissum*. Ist z. B. der Nießbrauch (→ *usus fructus*) an einer Herde vermacht worden (dazu ausführlich Dig. 7,1,68–70), so muß der Nießbraucher zunächst verendete oder untaugliche Tiere durch Tierjunge aus der Herde ersetzen; sonst haftet er dem Eigentümer. Umstritten war die Eigentumslage bei der *s.*: Nach Iulianus [1] und Ulpianus ist sie bis zur *s.* in der Schwebe, nach Pomponius ist zunächst der Nießbraucher Eigentümer. Die *s.* bildet einen tatsächlichen Vorgang, an den sich die Rechtsfolge des Eigentumserwerbs des Herdeneigentümers knüpft.

Kaser, RPR, Bd. 1, 450 Anm. 24 • B. Kübler, s. v. S. I., RE 4 A, 483 • E. A. Daubermann, Die Sachgesamtheit als Gegenstand des klass. röm. Rechts, 1993, 55–74. D.SCH.

Subrius. Sex. S. Dexter. Tribun einer Praetorianerkohorte, der im Januar 69 n. Chr. vergeblich versuchte, die Soldaten von der Revolte gegen → Galba [2] abzuhalten (Tac. hist. 1,31,4). Identisch mit dem *procurator et praefectus* der Prov. Sardinia im J. 74 [1. 80 f.]. Sein Name findet sich wieder bei dem *cos.* von 104 und *procos.* von *Asia* im J. 120/1, Sex. S. Dexter Cornelius Priscus [2. 154, 210].

1 Pflaum, Bd. 1 2 W. Eck, Jahres- und Provinzialfasten der senatorischen Statthalter, in: Chiron 13, 1983, 147–237.

Syme, RP 7, 481; 490. W.E.

Subscriptio (»Unterschrift«).
I. Antike Rechtsdokumente
II. Handschriften

I. Antike Rechtsdokumente

Die »Unterschrift« (griech. ὑπογραφή/*hypographḗ*, lat. *s.*), ist ein Teil ant. → Urkunden. Seit dem 2. Jh. v. Chr. wurden Privaturkunden auf Papyri in Äg. mit einer Unterschrift (*hypographḗ*) versehen. Sie bestand wohl nicht nur aus dem Handzeichen oder der vollen schriftlichen Namensangabe, sondern war mit einer kurzen Wiederholung des wichtigsten Urkundeninhalts verbunden, z. B. dem Bekenntnis, einen bestimmten Betrag zu schulden. Dadurch gab der Schuldner zu erkennen, daß er sich der übernommenen Verpflichtung bewußt war. Die *s.* begründete hingegen nicht erst das beurkundete Geschäft. Nach mod. juristischer Terminologie kann man sie eher als Teil einer *Wissens*erklärung (also Ausdruck der Kenntnisnahme) denn einer *Willens*erklärung (mit der ein Rechtsverhältnis gestaltet, z. B. eine Darlehensrückzahlungsverpflichtung begründet wird) bezeichnen. In dieser Bed. wurde die *hypographḗ* als *s.* spätestens im 1. Jh. v. Chr. in Rom für Beweisurkunden rezipiert. Mit dem zunehmenden Gebrauch von Urkunden (→ Schriftlichkeit) erhielt schließlich in der Spätant. auch die *s.* konstitutive, also für die gewünschte Rechtsfolge notwendige Bedeutung.

S. war auch der t.t. für die regelmäßig unter die Eingabe eines Bittstellers beim röm. Kaiser oder – wie meist – unter deren Protokoll geschriebene Antwort (→ *rescriptum*).

Kaser, RPR, Bd. 1, 232, Bd. 2, 79, 479 • Wolff, 164–166. G.S.

II. Handschriften
A. Definition B. Griechische Handschriften
C. Lateinische Handschriften

A. Definition

Mit dem Begriff *s.* (bzw. Subskription = S. oder Kolophon) bezeichnet man seit Spätant. und MA die »Unterschrift« (auch *kolophṓn*, eigentlich »Gipfel«, »Ende«), die sich in der Regel am Ende von → Handschriften aller Textarten befindet und Informationen über Schreiber, Auftraggeber, Wertung des Inhalts, Zeit und Ort der Entstehung liefert. Durch die Angabe der Kopisten oder der Besteller der Hs. wird der Abschlußvermerk in den histor. Kontext gesetzt. Für die Textgesch. von klass. und ma. Autoren sind die S. eine unverzichtbare Quelle, ihre Unt. dient aber auch der Erforschung der Prosopographie und der Kulturgeschichte. Für die Paläographie definieren datierte und lokalisierte Codices (→ Codex) Fixpunkte für die Entwicklung der → Schrift. Im weiteren Sinn werden als S. auch die Bemerkungen am Textende bezeichnet, die ein Leser hinterlassen hat, um an eine vorgenommene Textemendation zu erinnern (von großer Wichtigkeit für die h. Kenntnis der ant. Textüberl. sind die seit der Spätant. in den Rezensionen klass. Texte überl. S.) [1]. Schließlich unterscheidet man die S. von dem *explicit* (mit dem sie zuweilen verwechselt wird), das die letzten Worte eines überl. Textes anzeigt [2. 145, 148].

B. Griechische Handschriften

Die S. wurden im 9. und 10. Jh. oft in → Majuskeln geschrieben, um sie vom kopierten Text abzusetzen (→ Auszeichnungsschriften); seit dem 11. Jh. fällt in den Unterschriften die Verwendung kursiver Elemente auf, bis es im 13. und 14. Jh. in extremen Fällen zu einer Digraphie (d. h. Verwendung zweier unterschiedlicher Schriften durch einen Kopisten) zw. Textschrift und S. kommt [3]. Das Monokondylion (abgeleitet von μονοκόνδυλος/*monokóndylos*, d. h. die Verbindung möglichst vieler Buchstaben – auch über Wortgrenzen – in einem Zug) ist in Urkunden als Dorsalvermerk bzw. als Unterschriftbestandteil von Beamtenurkunden belegt; Namen bzw. Funktionsbezeichnungen werden in einem Zug geschrieben, was in S. seit dem 13. Jh. zu beobachten ist.

1 O. Jahn, Über die S. in den Hss. röm. Classiker, in: Ber. über die Verhandlungen der königl. Sächs. Ges. der Wiss. 3, 1851, 327–372 2 J. Hamesse, Approche de la terminologie spécifique des scribes dans les colophons, in: E. Condello, G. De Gregorio (Hrsg.), Scribi e colofoni, 1995, 145–165 3 G. De Gregorio, Καλλιγραφεῖν/ταχυγραφεῖν. Qualche riflessione sull'educazione grafica di scribi bizantini, in: ebd. 423–448.

E. Gamillscheg, Struktur und Aussagen der S. griech. Hss., in: s. [2], 417–421 • Ders., S. griech. Hss. als histor. Quelle, in: F. Berger (Hrsg.), Symbolae Berolinenses. FS D. Harlfinger, 1993, 293–306 • E. Gamillscheg u. a., Repertorium der griech. Kopisten 800–1600, 3 Bde. 1981–1997 • Ders., I. Ševčenko, s. v. Colophon, ODB 1, 481 f. (mit Lit.) • H. Hunger, Schreiben und Lesen in Byzanz, 1989 (bes. 95–99) • A. Každan, s. v. Monocondyle, ODB 2, 1396.

ER. GA.

C. Lateinische Handschriften

Die ältesten erh. lat. S. gehen auf die Spätant. zurück, d. h. auf die ersten Bücher, die als → Codex überl. sind. Zu den ältesten mit einer Datier. versehenen S. zählt die des *lector* Ursicinus, der 517 n. Chr. seine Abschrift des Cod. Veronensis XXXVIII.36 (der Sulpicius Severus enthält) beendete [1. Bd. 4, 494]. Während des Hoch-MA erscheinen die S. selten, unter Ausnahme der Iberischen Halbinsel, wo im 10. Jh. viele Codices eine nach der Zeitrechnung datierte S. enthalten [2. 6–8]. Vom 11./12. Jh. an werden die Zeugnisse fortschreitend bis zum 15. Jh. reicher.

Obgleich im Lauf der Zeit sich die S. nach sich wiederholenden, ziemlich ähnlichen Formeln (je nach Entstehungsort und -gebiet) einer gewissen Normalform annähern, findet sich keine feste und standardisierte Struktur. Die S. kann nur aus dem Namen des Kopisten bestehen [3. Nr. 8383], bisweilen gefolgt von einer Herkunftsangabe (sehr selten und nur in späterer Zeit auch von seinem Zunamen) [3. Nr. 2249] und dem Sozialstatus (Laie, Kleriker, Notar, Student usw.) [3. 17493]. Der Kopist konnte auch seinen Namen weglassen, in einem Akt der Demut, der mit Ausdrükken wie *indignus monachus* (»ein unwürdiger Mönch«), *ego peccator* (»ich Sünder«) etc. gekennzeichnet wurde. Auch die Praxis, das Datum anzugeben, an dem das Kopieren eines Ms. beendet wurde, ist nicht konstant; die Formen der Zeitangabe sind stark von Zeit und Ort des Schreibers bestimmt [2]; z. B. kann sie mit Verweisen auf histor. Ereignisse (z. B. die Eroberung einer Stadt) oder auf Naturereignisse (Erdbeben, Seuchen, etc.) erweitert werden. Gelegentlich begegnet innerhalb der S. auch die Angabe des Kopierortes (selten im Hoch-MA, weiter verbreitet im Spät-MA). Auch die Erwähnung des oder der Auftraggeber kann in der S. erscheinen, offensichtlich mit der Intention zu rühmen [3. Nr. 16693]. Manchmal besteht die S. ausschließlich aus einer Gebetsformel (oder wird von ihr abgeschlossen), die sich an Gott oder den Leser wendet, oder aus Flüchen (über die exzessive Dauer und Beschwerlichkeit der Arbeit) oder aber aus einem Ausdruck von Gemütszustand oder Gefühlen (die in Standardphrasen oder -kehrreime verschlüsselt sein können, z. B. *Detur pro penna scriptori pulchra puella*, »anstelle der Feder gebe man dem Schreiber ein hübsches Mädchen«) [4].

Die S. enthalten also entweder nur eines dieser Elemente oder kombinieren sie miteinander; in Prosa oder auch in Versform. Die Bandbreite reicht von äußerst schlichten S. zu relativ langen und komplexen, z. B. denen des Petrus Ursuleus, eines Kopisten des 15. Jh. (vgl. Cod. Vaticanus lat. 167, 298, 3084).

→ Kodikologie

1 E. A. Lowe, Codices latini antiquiores, 11 Bde., 1934–1966 2 P. Supino Martini, Il libro e il tempo, in: E. Condello, G. De Gregorio (Hrsg.), Scribi e colofoni, 1995, 3–33 3 Colophons de manuscrits occidentaux des origines au XVIe siècle (hrsg. von den Bénédictins du Bouveret), 6 Bde., 1965–1982 4 L. Reynouth, Pour une typologie des colophons de manuscrits occidentaux, in: Gazette du livre médiéval 13, 1988, 1–4.

E. Condello, G. De Gregorio (Hrsg.), s. [2] • S. Zamponi, Esperienze di catalogazione di manoscritti medievali, in: G. Avarucci et al. (Hrsg.), Libro, scrittura, documento della civiltà monastica e conventuale nel Basso Medioevo, 1999, 471–498. E.CA.

Subsellium (βάθρον/*báthron*). Schmale, längliche Sitzbank auf vier Füßen und niedriger als die *sella*, Varro ling. 5,128 (→ Stuhl); meist ohne Rückenlehne, gelegentlich auch mit Lehne (Suet. Iul. 84,3; Suet. Claud. 41; Suet. Nero 26,2); hergestellt aus Holz, Marmor und Bronze. Das *s.* war in jedem röm. Haushalt zu finden, daneben diente es als Wartebank für Kunden in Läden und Werkstätten; bei Versteigerungen (Suet. Claud. 39) oder öffentlichen Vorträgen nahmen die Anwesenden darauf Platz (Suet. Claud. 41; Iuv. 7,45; 7,86). Auch Schüler saßen auf dem *s.* (Diog. Laert. 2,130; 7,22). Da bei den röm. Gerichtsverhandlungen alle Anwesenden außer dem *quaesitor* auf dem *s.* saßen (Suet. Aug. 56), konnte *s.* synonym für »Gericht« gebraucht werden (Suet. Nero 17). Des weiteren nahmen die plebeiischen Aedilen und Volkstribunen ihre Amtsgeschäfte auf dem *s.* sitzend wahr, ebenso der Kaiser in seiner Eigenschaft als Volkstribun (Suet. Iul. 78,2; Suet. Claud. 23,2; Cass. Dio 60,16,3); auch nannte man die Sitzreihen im → Theater *subsellia* (Suet. Aug. 43,4; Suet. Nero 26,2). Aus den Vesuvstädten sind verschiedentlich *s.* aus Marmor und Br. erhalten; daneben finden sich auf röm. Mz. auf den *s.* sitzende Amtsträger und auf den Wandbildern Pompeiis *s.* in Kneipen- und Handwerksszenen.

T. Schäfer, Imperii Insignia. Sella curulis und fasces. Zur Repräsentation röm. Magistrate, (MDAI(R) 29. Ergh.), 1989, 73f., 87f. R.H.

Subsistenzproduktion. Mit dem Begriff S. oder Subsistenzwirtschaft (=Sw.) bezeichnet man eine Wirtschaft, die auf Selbstversorgung ausgerichtet ist und deren Basis die → Landwirtschaft ist. Gerade für die bäuerliche Wirtschaft der Ant. war die S. von grundlegender Bed.; sie wird v.a. bei Hesiod und Vergil beschrieben (Hes. erg. 383–608; Verg. georg. 1,43–350; 2,458–540; vgl. auch das → Moretum). Die bäuerliche Familie produzierte die für sie lebensnotwendigen Nahrungsmittel, Kleidung und Gebrauchsgegenstände selbst und war nur in geringem Umfang auf den Austausch auf lokalen Märkten (die nicht von Konkurrenz und Gewinnstreben geprägt waren) angewiesen. Auch die für die Landarbeit benötigten Geräte wurden von den Bauern selbst, allenfalls mit Hilfe eines Handwerkers, hergestellt (Hes. erg. 414–440; Verg. georg. 1,160–175). Im Winter wurde die Ernährung der Familie durch das Sammeln wild wachsender Früchte, den Vogelfang oder die Jagd ergänzt (Verg. georg. 1,259–310). Die Bewohner der Städte – und nicht die Landbevölkerung – waren auf → Markt und → Handel angewiesen. Die S. beruhte auf einer Arbeitsteilung innerhalb der → Familie und auf Verteilung der produzierten Güter innerhalb des Haushaltes.

Die griech.-röm. Wirtschaft stellte insgesamt keine Sw. dar; denn es gab marktorientierte Produktion, Fernhandel mit Agrarprodukten wie → Getreide, Öl und → Wein, Märkte in den Städten, auf denen Güter als Ware gegen Bezahlung erworben werden konnten. Zweifellos ging die Dynamik der ant. Wirtschaft vom Wachstum der Städte aus, deren Bevölkerung zum Großteil über keinen Landbesitz mehr verfügte, sich daher nicht selbst versorgen konnte und so Lebensmittel und Konsumgüter auf dem Markt kaufen mußte (Dion Chrys. 7,104–106). Darüber hinaus wurden im städtischen → Handwerk zunehmend Gegenstände von hoher Qualität hergestellt; die Produktion solcher Luxusprodukte erforderte bes. Qualifikation der Handwerker und war innerhalb der bäuerlichen Familie nicht mehr möglich. Ein weiterer Grund dafür, daß die Sw. zurückgedrängt wurde, ist in der ungleichen Verteilung von → Bodenschätzen und fruchtbaren Anbauflächen im Mittelmeerraum zu sehen. Es kam zu einer überregionalen Arbeitsteilung, das Ideal der Selbstversorgung einer Stadt war damit nicht mehr realisierbar. In dem Moment, in dem eine Stadt auf Einfuhren angewiesen war, wurde ihre Wirtschaft in überregionale Marktbeziehungen eingebunden. Die Erhebung von → Steuern oder Tributen war ebenfalls ein wichtiger Faktor der wirtschaftlichen Entwicklung; Bauern, die Abgaben zu zahlen hatten, mußten Produkte auf dem Markt verkaufen, um dazu in der Lage zu sein. Dieselbe Wirkung wie die Erhebung von Steuern hatte auch die Geldpacht.

Der Aufstieg der städtischen Wirtschaft, von Handwerk, Handel und → Geldwirtschaft, hatte keineswegs zur Folge, daß die ant. S. vollständig verdrängt wurde oder die ant. Wirtschaft in eine Marktwirtschaft transformiert wurde. In den prämodernen, vorindustriellen Agrar-Ges. blieb die S. trotz aller Einschränkungen für die bäuerlichen Haushalte charakteristisch; auch auf den großen Gütern der späten Republik und der Prinzipatszeit hatte die Produktion für den Eigenbedarf ein nicht unbeträchtliches Ausmaß, denn die Sklaven wurden weitgehend mit den auf den Gütern erzeugten Lebensmitteln versorgt. Die → Sklaverei entzog auf diese Weise dem Markt eine große Zahl von auf dem Lande arbeitenden Menschen.

→ Landwirtschaft; Markt; Stadt; Wirtschaft

1 M. Austin, P. Vidal-Naquet, Ges. und Wirtschaft im alten Griechenland, 1984 (frz. [2]1972) **2** C. Clark, M. Haswell, The Economics of Subsistence Agriculture, [4]1970 **3** Martino, WG **4** M. Finley, Die ant. Wirtschaft, [3]1993 **5** J. M. Frayn, Subsistence Farming in Roman Italy, 1979 **6** Dies., Markets and Fairs in Roman Italy, 1993 **7** M. W. Frederiksen, Theory, Evidence and the Ancient Economy, in: JRS 65, 1975, 164–171 **8** P. Garnsey, Cities, Peasants and Food in Classical Antiquity, 1998 **9** W. V. Harris, Between Archaic and Modern: Some Current Problems in the History of the Roman Economy, in: Ders. (Hrsg.), The Inscribed Economy, 1993, 11–29 **10** K. Hopkins, Taxes and Trade in the Roman Empire, 200 B.C.-A.D. 400, in: JRS 70, 1980, 101–125 **11** Jones, LRE

12 R. Mac Mullen, Market-Days in the Roman Empire, Phoenix 24, 1970, 333–341 13 R. Osborne, Classical Landscape with Figures, 1987 14 H. W. Pleket, Wirtschaft, in: Vittinghoff, 25–160 15 K. Polanyi, The Great Transformation, 1944 (dt. 1978) 16 R. Sallares, The Ecology of the Ancient Greek World, 1991 17 H. Schneider, Das Imperium Romanum: S. – Redistribution – Markt, in: P. Kneissl, V. Losemann (Hrsg.), Imperium Romanum. FS Karl Christ, 1998, 654–673 18 B. D. Shaw, Rural Markets in North Africa and the Political Economy of the Roman Empire, in: Antiquités Africaines 17, 1981, 37–83 19 P. Veyne, Mythe et réalité de l'autarcie à Rome, in: REA 81, 1979, 261–280. J. M. A.-N.

Subskription s. Subscriptio

Substanz s. Hypostase [2]

Substitutio. Im röm. Recht Einsetzung eines Ersatzerben (*substitutus*, »darunter eingesetzt«), um die durch möglichen Ausfall des testamentarisch eingesetzten Erben (infolge Vorversterbens oder Ausschlagung) drohende Unwirksamkeit des → Testaments zu vermeiden (→ Erbrecht III. D.). Diese *s. vulgaris* (»gemeine Substitution«) setzt sich heute als »gemeine S.« (§ 604 öst. ABGB) oder »Ersatzerbeinsetzung« (§ 2096 dt. BGB) fort.

Für gewaltunterworfene unmündige Kinder beiderlei Geschlechts konnte ein röm. Erblasser ein zweites Testament errichten, welches die Erbfolge nach dem Unmündigen (*pupillus*) für den Fall regelte, daß der Unmündige Erbe wurde und vor Erreichen seiner Mündigkeit starb und daher an eigener Testamentserrichtung gehindert war. Diese sog. *s. pupillaris* (»Erbeinsetzung für Unmündige«) verhinderte die drohende Intestaterbfolge beim Tode des Unmündigen; sie verlor ihre Wirksamkeit mit dessen Mündigkeit. Zur Sicherheit des Unmündigen wurde das zweite Testament nicht schon beim Tod des Erblassers, sondern erst beim Tod des Unmündigen eröffnet (Gai. inst. 3,179–183). Iustinianus erlaubte, für geisteskranke Abkömmlinge zu testieren (Cod. Iust. 6,26,9, »quasipupillarische S.«). Pupillarsubstitution ist h. nicht mehr möglich.

Befahl der Erblasser dem Testamentserben, die Erbschaft sofort oder zu einem späteren Zeitpunkt an eine andere Person herauszugeben (Erbschaftsfideikommiß, → *fideicommissum*), so wurde der Letzterwerber zwar nicht Erbe (*heres*) nach Zivilrecht, aber nach praetorischem Recht wie ein Erbe gestellt. Diese sog. »fideikommissarische S.« (Inst. Iust. 2,16,9, vgl. Gai. inst. 2,184) setzt sich heute als »fideikomm. S.« (§ 608 öst. ABGB) oder »Nacherbschaft« (§ 2100 dt. BGB) fort.

G. Finazzi, La sostituzione pupillare, 1997 · Honsell/Mayer-Maly/Selb, 455–457, 499 · Karlowa, Bd. 2, 874–879 · Kaser, RPR, Bd. 1, 688–690; Bd. 2, 493–494 · P. Voci, Diritto ereditario romano, Bd. 2, [2]1963, 160–223 · A. Watson, The Law of Succession in the Later Roman Republic, 1971, 52–60 · B. Windscheid, Th. Kipp, Lehrbuch des Pandektenrechts, Bd. 3, [9]1906, 276–290. U. M.

Substrat s. Sprachkontakt

Subura. Ant., in ihrer genauen Lokalisierung unklare bzw. doppeldeutige top. Bezeichnung für ein Areal in → Roma. Als S. wurde offenbar zunächst das Gebiet im Tal zw. Oppius und Caelius bezeichnet; S. markiert die vierte der vier städtischen Regionen (Varro ling. 5,48; → *tribus*). Später bezeichnet S. im populären Sprachgebrauch üblicherweise nur einen Teilbereich dieser *regio IV*, nämlich das dicht besiedelte und von Handwerksbetrieben durchsetzte, schlecht beleumundete Viertel zw. Quirinal, Cispius, Viminal und Esquilin (Mart. 12,18; Iuv. 11,51).
→ Roma

Å. Fridh, Esquiliae, Fagutal, and Subura Once Again, in: Eranos 88, 1990, 139–161 · Richardson, 373, s. v. S. (1), S. (2). C. HÖ.

Sucel(l)us. Keltischer Gott, inschr. bekannt ([1]; CIL XIII 6730 ist auszuschließen), der aufgrund seines oft szepterartig lang gestielten Schlegels auch Schlegel- oder Hammergott genannt wird. Die Ikonographie des S. ist durch den mit Inschr. versehenen Altar aus Saarburg (CIL XIII 4542) gesichert, der ihn mit seiner Kultgenossin Nantosuelta zeigt: S. trägt hier seine kanonischen Attribute Schlegel und Topf (*olla*), die Göttin hält ein Szepter mit hausförmigem Aufsatz und → *patera*. Dieser Darstellung sowie der aus Vichy [2. Nr. 497] läßt sich eine große Anzahl bildlicher Weihungen überwiegend an Rhône und Saône in Gallia Narbonensis und Lugdunensis, aber auch in Gallia Aquitania, Belgica und Germania superior anschließen. Einige Male hält S. statt der *olla* andere Gefäße, Geldbeutel (?), Keule, Messer, Weintrauben. Die Kultgenossin auf unbenannten Reliefs trägt meist Füllhorn und *patera*; der Mainzer Stein (Espérandieu, Rec. VII 5752) zeigt S. möglicherweise neben → Diana. Diese Konstellation und Attribute, die S. mit → Silvanus teilt, sowie Überschneidungen im Verbreitungsgebiet der beiden Götter rücken diese zusammen, ohne daß S. gesichert → *interpretatio* des Silvanus ist (CIL XIII 6224 ist aufgrund der Reihenfolge der Namen als Beleg dafür auszuschließen). Die Funktion des S. ist bisher ungeklärt. Die Deutung als → Dis Pater sowie Vergleiche mit dem etr. Totengott → Charon [1] sind ungesichert.

1 S. Deyts, L. Roussel, Une inscription à S. découverte à Ancey-Malain (Cote d'Or), in: Revue archéologique de l'Est et du Centre-Est 40, 1989, 243–247 2 P. Wuilleumier (ed.), Inscriptions latines de Trois Gaules, 1963.

G. Baratta, Una divinità gallo-romana: S., in: ArchCl 45, 1993, 233–247 · S. Boucher, L'image et les fonctions du dieu S., in: Caesarodunum 23, 1988, 77–86 · M. Kotterba, S. und Nantosuelta (ungedr. Diss. Freiburg 2000) · A. M. Nagy, s. v. S., LIMC 7.1, 820–823. M. E.

Suchos s. Sobek

Suda (ἡ Σοῦδα). Unter dem Namen S. (oder *Suidas*) ist eine umfangreiche histor. griech.-byz. → Enzyklopädie erh., lexikalisch nach Stichwörtern alphabetisch gegliedert, die im 10. Jh. n. Chr. (vielleicht unter Iohannes Tzimiskes, 969–976) angelegt wurde. Die Kompilatoren vereinigten darin – u. a. unter Rückgriff auf ältere Sammelwerke – alles ihnen verfügbare Material (die S. ist in diesem Sinne eine »Kompilation aus Kompilationen«).

Form und Bed. des Namens sind lange diskutiert worden: Bis ca. 1930 vermutete man darin eher den Verf.-Namen, doch wurde diese These durch Adler [3] und v. a. im Lichte von Stephanos [13] zu Aristot. rhet. 1373a 23 = CAG 21.2, 285,18 Rabe entkräftet. ›S.‹ ist nach h. Forsch.-Lage der Titel des monumentalen Werks, entweder von einem mißverstandenen vulgärsprachlichen lat. *guida* (»Leitung«) abgeleitet [9] (dessen Gebrauch jedoch erst im späten MA belegt ist), oder als Akrostichon (Συναγωγὴ Ὀνομαστικῆς Ὕλης Δι' Ἀλφαβήτου/*Synagōgē Onomastikēs Hýlēs Di' Alphabētu*, ›Slg. lexikalischer Stoffe in alphabetischer Anordnung‹, oder – weniger wahrscheinlich – Διαφορῶν Ἀνδρῶν) gedeutet [7]. Andererseits (so bes. [6]) bedeutet S. im byz. Griech. gewöhnlich »Zaun, Palisade« (im Sinne von ›Bollwerk gegen die Unwissenheit‹); weitere phantasievolle Hypothesen waren z. B. die Verbindung mit lat. *sudare* (»schwitzen«) [5] oder ein Bezug zu dem Namen Iudas [11].

Das Werk umfaßt ca. 30 000 Lemmata verschiedener Länge, in denen diverse, aus den unterschiedlichsten Quellen herangezogene Materialien nebeneinander gestellt sind, ohne daß – wie sonst üblich – ein Bemühen festzustellen ist, diese in einen organischen Zusammenhang zu bringen. In jüngster Zeit wurde jedoch in der Tätigkeit der Kompilatoren der S. eine gewisse kritische Befähigung erkannt – so von [14] ihre histor. Bildung (der größte Teil der histor. Zitate der S. stammt jedoch, wie schon [4] zeigte, aus den *Excerpta* des Konstantinos [1] Porphyrogennetos) oder von [12] eine kritische Textrevision mit zahlreichen Verbesserungen.

Die S. präsentiert sich als eine kolossale Enzyklopädie, die alles Wißbare aufnehmen und dessen Nutzung befördern will, indem es dieses in Lemmata einrichtet, die nach dem anti-stoichischen Alphabet angeordnet sind (d. h. nach nach einem die byz. Aussprache berücksichtigendem Alphabet: Wörter mit Vokalen und Diphthtongen, deren Graphem verschieden, deren Phonem aber identisch ist, wie z. B. *ai* und *e*, stehen dann »entgegen der Reihe« zusammen: αι, ε; ει, η, ι; ο, ω; οι, υ). Sie ist daher für uns v. a. eine wertvolle Slg. disparater und oft verlorener Materialien (z. B. für Fr. der »kleinen« Historiker und des Kallimachos [3]). Viele Zitate bleiben anonym; ein Teil von ihnen wurde erst kürzlich von [12] einem Verf. zugewiesen.

Die Quellen der S. sind v. a. lexikalische oder grammatische griech. Werke. Die – seit [13] – traditionelle Erklärung geht von einer Hauptquelle aus: einer erweiterten Fassung der umfangreichen lexikographischen Slg. mit dem Titel Συναγωγή (*Synagōgḗ*; überl. in zwei Bearbeitungen: Codd. Coislinianus 345 und 347), während [12] deren Bed. stark einschränkt und mehrere lexikographische Quellen vermutet (darunter auch das Lex. des → Photios). Andere wichtige Vorlagen waren (1) ein Lex. der Redner (eine der Quellen des fünften Lex. in den *Anecdota Graeca* Bekkers), (2) die Epitome des → Harpokration, (3) ein Exzerpt des Diogenianos (ein im Cod. Ambrosianus 83 enthaltenes Lex.), (4) die Λέξεις Ῥωμαϊκαί (*Léxeis Rhōmaïkaí*/›Lat. Wörter‹) im Cod. Baroccianus 50, (5) ein (im Cod. Coislinianus 347 enthaltenes) Lex. der Militärtaktik (die *Taktiká* des → Ailianos [1]), und (6) nach [10] ein etym. ausgerichtetes Werk, das mit den *Eklogaí* des Cod. Baroccianus 50 verwandt ist.

Den Kompilatoren der S. standen ferner mehrere mit → Scholien ausgestattete Hss. von Texten klass. griech. Autoren zur Verfügung, sicher von Homeros [1] (aus dem v. a. die sog. »Scholien des Didymos [1]« aufgenommen sind), Sophokles [1], Aristophanes [3], Herodotos, Thukydides, Lukianos, Gregorios [3] von Nazianz. Weitere Quellen: die histor. *Excerpta* des Konstantinos [1] Porphyrogennetos, weiterhin ein Werk, das zur paroimiographischen Vulgata gehört, die Epitome des *Onomatológos* des Hesychios [4] von Milet sowie Athenaios [3], dazu Werke aus den Bereichen der → Biographie (z. B. die *Vita Homeri* des Herodotos, Philostratos' [5] *Vita* des Apollonios [14] von Tyana, Damaskios' *Vita Isidori*, Marinos' [4] Vita des Proklos), der Philosophie (Diogenes [17] Laertios, Alexandros [26] von Aphrodisias, Iohannes Philoponos, Marcus [2] Aurelius), Traumdeutung (Artemidoros [8] von Daldis) und Theologie (v. a. Komm. zu Bibeltexten – bes. zu den Psalmen – und die Werke des Basileios [1] d.Gr., Gregorios [3] von Nazianz, Iohannes [4] Chrysostomos und Theodoretos von Kyros). Des weiteren verdienen die zahlreichen Zitate aus Kallimachos [3] bes. Erwähnung, deren Quelle nach [8] ein Komm. zur ›Hekale‹ (verm. derjenige des Sallustios) war.

→ Enzyklopädie; Lexikographie; Lexikographie

Ed.: 1 A. Adler, Suidae Lexicon, 5 Bde., 1928–1938
2 G. Bernhardy, Suidae Lexicon, 5 Bde., 1834–1853.
Lit.: 3 A. Adler, s. v. Suidas, RE 4 A, 675–717 4 C. De Boor, S. und die konstantinische Exzerptsammlung, in: ByzZ 21, 1912, 381–424; ebd. 23, 1914/20, 1–127
5 F. Dölger, Zur Σοῦδα-Frage, ByzZ 38, 1938, 36–57
6 H. Gärtner, s. v. Suda, KlP 5, 407–408 7 H. Grégoire, Suidas et son mystère, in: Les Études Classiques 6, 1937, 346–355 8 A. Hecker, Commentationum Callimachearum capita duo, Groningen 1842, 79–152 9 S. G. Mercati, Intorno al titolo dei lessici di Suida-Suda e di Papia (Memorie dell'Accademia dei Lincei 8,10,1), 1960
10 R. Reitzenstein, Gesch. der griech. Etymologika, 1897, 190 11 G. Scarpat, Una nuova ipotesi nell'autore del lessico detto di Suida, in: Atti del Sodalizio glottologico milanese 1960–1961, 3–11 12 C. Theodoridis, Photii Patriarchae Lexicon, Bd. 2, 1998, XXVII-CI
13 G. Wentzel, Beiträge zur Gesch. der griech. Lexikographen (SPrAW 1895) 14 G. Zecchini (Hrsg.), Il lessico Suda e la memoria del passato a Bisanzio, 1999, 477–487.

R. T./Ü: T. H.

Suebi. Die Sueben, germanischer Stammesverband bzw. german. Bevölkerungsgruppen, groß und stark (Strab. 4,3,4; 7,1,3), zw. Rhenus [2] (Rhein), Istros [2] (Donau), Albis (Elbe) und weiter bis in den Raum des → Mare Suebicum (Ostsee). Ihre Kerngebiete befanden sich in der Lausitz, später in Sachsen und Thüringen. Erstmals im 1. Jh. v. Chr. bezeugt (Caes. Gall. 1,37,3 f.; vgl. Tac. Germ. 2,2), war ihre Bezeichnung schon im 2. Jh. v. Chr. geprägt. Zu den S. zählen u. a. → Marcomanni, → Semnones, → Hermunduri, → Langobardi, die Völker des → Nerthus-Kultes, → Naristi, → Quadi und weitere Völker östl. und nordöstl. davon (Tac. Germ. 38–45). Ethnischer Identitätswechsel und Selbstzuordnung zu den S. dürften ebenso die Ausweitung des Begriffs *S.* verursacht haben (vgl. auch Cass. Dio 51,22,6) wie die Beendigung der suebischen Westexpansion durch röm. Feldzüge und in der Folge das Entstehen eines neuen sueb. Kerns östl. des Albis, der im Reich der Marcomanni polit. Form annahm [1. 299–302]. Seit augusteischer Zeit gehörten die S. zur allg. Stammeswelt der Germania (→ Germani) und waren eine zwar große und gegliederte, aber doch strukturell »normale« *gens*.

Charakteristisch für die Expansion der S. sind kleinere, bewegliche Gefolgschaftsverbände. 58 v. Chr. befanden sich im Heer des → Ariovistus S. (Caes. Gall. 1,51,2), die am Moenus (Main) und weit darüber hinaus siedelten (Caes. Gall. 4,3; 6,10,5). Als Caesar den Rhenus überschritt (55 und 53 v. Chr.), zogen sie sich zurück. Dem Nachweis ihrer Gefährlichkeit widmet Caesar (Gall. 4,1–3) einen längeren Exkurs; auch Tacitus (Germ. 38–45) hebt sie unter den Germani hervor, doch ohne sie als bes. Gefahr für Rom zu kennzeichnen. 30 v. Chr. wurde ein Einfall der S. nach Gallia von den Römern zurückgeschlagen. 11 und 9 v. Chr. kämpften S. als Verbündete der → Sugambri und → Cherusci gegen Claudius [II 24] Drusus. 8 v. Chr. wurde ein Teil dieser S. zusammen mit den Sugambri auf dem linken Rheinufer angesiedelt, andere zogen nach Osten ab. Für die frühe röm. Kaiserzeit sind sueb. Siedlergruppen noch am oberen Rhenus, am unterem Nicer/Neckar (→ Lopodunum; *civitas Sueborum Nicrensium*) und im Gebiet des oberen Moenus nachgewiesen. Sie waren wohl verantwortlich für die Territorialbezeichnung *Suebia* (Tac. Germ. 39–46; Cass. Dio 55,1,2) des Gebiets zw. Moenus und Argentorate (h. Strasbourg, Tab. Peut. 3,3). Es kam unter Claudius, Domitianus und offenbar auch Nerva zu Bündnissen von sueb. Marcomanni und Quadi mit iazygischen Sarmates gegen Rom. Aber auch die sueb. Stämme bildeten nicht immer eine einheitliche Front (vgl. Tac. ann. 2,45,1; Cass. Dio 67,5,3). Unter Marcus [2] Aurelius (161–180 n. Chr.) kam es zu einem Krieg Roms gegen die Marcomanni am Istros. Andere sueb. Gruppen sind → Alamanni und → Iuthungi, die ab dem 3. Jh. n. Chr. gegen das röm. Reich vordrangen. Die Gesch. der S. ist spätestens ab dem 2. Jh. n. Chr. v. a. die ihrer Teilvölker.

1 D. Timpe, Der Sueben-Begriff bei Tacitus, in: G. Neumann, H. Seemann (Hrsg.), Beitr. zum Verständnis der Germania des Tacitus, Teil II (AAWG 3. ser. 195), 1992.

R. Wenskus, Stammesbildung und Verfassung, ²1977, 255–272 • K. Peschel, Die S. in Ethnographie und Arch., in: Klio 60, 1978, 259–309 • H. Kothe, Centum pagi Sueborum, in: Philologus 129, 1985, 213–246 • B. Krüger u. a., Die Germanen, 2 Bde., ⁵1988 • A. A. Lund, Zu den Suebenbegriffen in der taciteischen Germania, in: Klio 71, 1989, 620–635 • Ders., Kritischer Forschungsber. zur »Germania« des Tacitus, in: ANRW II 33.3, 1991, 1989–2382, bes. 2157–2181 • G. Neumann, Der Name der S., in: s. [1], 153–166 • E. C. Polomé, Die Rel. der S., in: s. [1], 167–189 • M. Seidel, Frühe Germanen am unteren Main, in: Germania 74, 1996, 238–247.

RA. WI.

Süden und Norden (νότος/*nótos*, lat. *auster* und βορέας/*boréas*, lat. *aquilo*). Während in Äg. der Nil als N.-S.-Achse eine Haupthimmelsrichtung vorgab, galten N. und S. für Griechen und Römer ›in einer als west-östl. gerichteten Ellipse gedachten, in Klima-Zonen gegliederten → Oikumene als Ränder und Grenzbereiche‹ ([1. 311]). Die N.- und S.-Winde hingegen sahen einige Autoren sogar als Hauptwinde an (Strab. 1,2,21). Obwohl es alte Handelsbeziehungen bis weit in den N. gab (→ Bernstein, → Zinn), blieben allg. Kenntnisse wesentlich von mythischen Vorstellungen oder theoretischen Spekulationen bestimmt (vgl. → Rhipaia ore, → Eridanos; der Indus als Oberlauf des Nil noch für Alexandros [4] 326 v. Chr. bedenkenswert, vgl. Arr. an. 6,1,2 f.; Nearchos FGrH 133 F 32). N. und S. wurden als Wohnstätten von wilden oder idealisierten Fabelvölkern angesehen (vgl. → Abioi, → Arimaspoi, → Hyperboreioi, → Pygmäen). Die Afrika-Umfahrung unter → Necho (Hdt. 4,42), Expeditionen der Perser und Karthager, Erkenntnisse des → Euthymenes und des → Pytheas [4], auch die lebhaften Seeverbindungen nach India (→ Indienhandel) in der röm. Kaiserzeit oder die Erkundung der Ostküste Afrikas schlugen sich nicht in einem Zuwachs systematischen Wissens nieder. Sie blieben langfristig nur sektoral (etwa Kaufleuten, Feldherrn, Geographen) zugänglich und führten zu punktuellen, oft wieder aufgegebenen Korrekturen des Weltbildes. Nur die röm. Expansion führte zur Verbreitung von Kenntnissen der geogr. und ethnographischen Verhältnisse von Britannia und Mitteleuropa.

→ Afrika; Britannia; Geographie; Germani; Hanno [1]; Himilkon [6]; Kartographie; Kelten; Klima; Libyes; Orient und Okzident; Sataspes; Skylax [1] von Karyanda; Skythen; Winde; Zone

1 D. Timpe, s. v. Entdeckungsgesch., RGA 7, 307–391.

A. Cappel, Unt. zu Pygmäendarstellungen in der röm. Dekorationskunst, 1992 • J. Desanges, Recherches sur l'activité des méditerranéens aux confins de l'Afrique, 1978 • D. Detlefsen, Die Entdeckung des german. Nordens im Alt., 1904 • A. Dihle, Die Griechen und die Fremden, 1994 • A. Engel-Braunschmidt u. a. (Hrsg.), Ultima Thule. Bilder des Nordens, 2001 • R. Hennig, Terrae incognitae, Bd. 1 f., 1944/1950 • K. Karttunen,

India and the Hellenistic World, 1997 • K. E. MÜLLER, Gesch. der ant. Ethnographie und ethnologischen Theoriebildung, 2 Bde., 1972/1980 • A. PODOSSINOV, s. v. Himmelsrichtung, RAC 15, 233–286 • J. N. ROBERT, De Rome à la Chine, 1993. TA. S.

Süditalienische Schrift. Neben der lat. → Beneventana gab es im MA eigenständige italogriech. Schriften (in der Forsch.-Terminologie oft mit »s. S.« gleichgesetzt). Aus Mangel an subskribierten (→ *subscriptio*) und lokalisierten Hss. ist die italogriech. Herkunft für griech. Majuskel-Codd. (→ Majuskel; → Codex) nicht leicht nachweisbar. Einen italogriech. Ursprung darf man nur für einige griech. Hss. voraussetzen, die in Bibelmajuskel (z. B. Cod. Claromontanus mit den Paulus-Episteln, 5. Jh. n. Chr.) und in spitzbogiger Majuskel (bes. die Palimpseste aus Grottaferrata) ausgeführt wurden. Abgesehen von dem problematischen → Anastasios-Stil sind die italogriech. → Minuskeln vom E. des 9. bis zum 10./11. Jh. durch konservative Züge gekennzeichnet und ziemlich steif ausgeführt. Der sog. *as de pique* (nach der charakteristischen, wenn auch nicht exklusiven *epsilon-rho*-Ligatur benannt) ist eine originelle Stilisierung, die kalligraphische und kursive Elemente kombiniert; diese Schrift ist bis Mitte 11. Jh. bezeugt. Zw. der 2. H. des 10. und dem Anf. des 11. Jh. entwickelte sich um den Kopisten, Schriftsteller und Gründer der Grottaferrata-Abtei, Neilos von Rossano (gest. 1004), eine Schreibschule, die sog. *scuola niliana*: In diesem Milieu entstand eine kleine und enge → Minuskel mit bes. Interpunktionszeichen sowie eigener → Tachygraphie. Im 11.–12. Jh. findet sich in Apulien (v. a. in Terra d'Otranto) eine bes. Stilisierung, die rechteckige otrantinische Schrift; zur selben Zeit entsteht in Nordkalabrien der sog. Rossano-Stil (aus dem Patir-Kloster), dessen Charakteristika ein gewisses Gleichmaß der Buchstaben und eine senkrechte bzw. leicht rechtsgeneigte Achse sind. Anf. 12. Jh. taucht im südlichen Teil Kalabriens und in Nordsizilien der sog. Reggio-Stil auf (erste datierte Hs.: 1118; nachweisbar bis ins 14. Jh.): eine senkrechte Schrift, die mit der Zeit zunehmenden Kontrast zw. schmalen und breiten Buchstaben aufweist. Eine otrantinische Barockschrift, oft für profane Texte verwendet, entsteht E. 13. Jh. in Apulien: Ihr Schriftbild, das einen unordentlichen Eindruck macht, wird durch zahlreiche Ligaturen und vergrößerte Buchstaben bestimmt und ähnelt der östlichen → Fettaugenmode. Der otrantinische Stil lebt im 15. und 16. Jh. fort, und andere traditionelle Schriften kommen bes. in liturgischen Hss. aus Kalabrien vor.

P. CANART, Paleografia e codicologia greca. Una rassegna bibliografica, 1991, 43–46 • S. LUCÀ, Scritture e libri della scuola niliana, in: G. CAVALLO, G. DE GREGORIO, M. MANIACI (Hrsg.), Scritture, libri e testi nelle aree provinciali di Bisanzio, 1991, Bd. 1, 319–387. P. E.

Südpikenisch s. Oskisch-Umbrisch

Sühnerituale dienen der Wiederherstellung eines Zustandes zw. Göttern und Menschen, wie er vor einer wissentlichen oder unwissentlichen menschlichen Verfehlung bestanden hat. S. sind Strategien zur Bewältigung von Unheil, sie stiften Gemeinschaft innerhalb der Gruppe, in deren Namen sie durchgeführt werden.

In der griech. Welt sind S. nicht nur ein Phänomen der archa. und klass. Zeit (→ Kathartik), sondern lassen sich auch später nachweisen. Als ein kleiner Ort in Lydien im 2. Jh n. Chr. von einer Seuche heimgesucht wurde, schickte man eine Gesandtschaft zum → Orakel von → Klaros [1]. → Apollon befahl, die Häuser der Stadt mit einer bes. Mischung von Wasser aus sieben Quellen zu besprengen; als Lohn forderte er eine Statue, die ihn als Bogenschützen darstellte [1. 396–399].

Nach röm. Vorstellung dienten S. dazu, die Gunst der Götter (→ *pax deorum*) wiederherzustellen. Für die Römer war es nur selten klar, welche Gottheit ein S. erhalten sollte. So war nach Cato agr. 139 vor dem Beschneiden von Bäumen der am jeweiligen Ort als anwesend gedachten Gottheit mit der Formulierung *si deus si dea es* (›seist du ein Gott oder eine Göttin‹) ein Schwein zu opfern; das S. wird hier bereits vor der Schuld vollzogen. Derartige Piacularopfer (→ *piaculum*) sind z. B. auch in den *commentarii* (»Aufzeichnungen«) der → *Arvales fratres* beschrieben. Auf staatlicher Ebene verwendete man S. am Beginn eines neuen Jahres zur Entsühnung der Prodigien des Vorjahres. So wie das → *prodigium* Grenzen verletzt hatte, diente das S. zu ihrer symbolischen Wiederherstellung. Grundbestandteil aller S. für Prodigien waren → Opfer und → Prozession, wobei zahlreiche Varianten vorkommen: Zug der gesamten Bürgerschaft um die Stadt (→ *lustratio*), Prozession ausgewählter Personen durch die Stadt, Opfer bei allen Kultbildern, Mahl zusammen mit den Götterbildern (→ *lectisternium*). Steinregen wurden durch ein neuntägiges Fest (*novendiale sacrum*) entsühnt; Hermaphroditen versenkte man im Meer (vgl. z. B. Liv. 27,11,1–6). In bes. Fällen griff man zu → Menschenopfern: 228, 216 und 114/13 v. Chr. wurde jeweils ein Gallier- und Griechenpaar auf dem Forum Boarium in Rom lebendig begraben. Hatte eine → Vestalin ihr Keuschheitsgelübde gebrochen, wurde sie ebenfalls lebendig begraben.

Auch wenn sich im weiteren Sinne mehrere röm. S. als → Sündenbockrituale (→ *pharmakós* [2]) verstehen lassen, ist ein solches Ritual im eigentlichen Sinne nur für 101 v. Chr. belegt, als man eine Ziege mit brennenden Fackeln an den Hörnern aus Rom jagte (Obseq. 44a).

→ Ritual

1 R. MERKELBACH, J. STAUBER (ed.), Steinepigramme aus dem griech. Osten, Bd. 1, 1998.

M. BEARD, Re-Reading (Vestal) Virginity, in: R. HAWLEY, B. LEVICK (Hrsg.), Women in Antiquity, 1995, 166–177 • A. BENDLIN, s. v. Reinheit/Unreinheit, HrwG 4, 412–416 • A. CHANIOTIS, Illness and Cures in the Greek Propitiatory

Inscriptions and Dedications of Lydia and Phrygia, in: PH. VAN DER EIJK u. a. (Hrsg.), Ancient Medicine in Its Socio-Cultural Context, 1995, 323–344 • B. MACBAIN, Prodigy and Expiation, 1982 • R. PARKER, Miasma, [2]1996 • V. ROSENBERGER, Gezähmte Götter, 1998. V. RO.

Sueius. Röm. Dichter der spätrepublikanischen Epoche, Verf. ländlicher Idyllen (*Moretum, Pulli, Nidus*, vgl. Char. p. 132 B.) in alexandrinischer Manier sowie eines ebenfalls hexametrischen Gedichtes; kaum identisch mit dem Grammatiker Sevius Nicanor oder dem Ritter M. Seius.

FR.: J. GRANAROLO, L'époque néotérique, in: ANRW I 3, 1973, 291 f., 331–334 • COURTNEY, 112–117 • FPL[3] (BLÄNSDORF), 122–126 • A. TRAGLIA, Poetae novi, [2]1962, 4 f., 122–124. P. L. S.

Sündenbockrituale. Ihren Namen haben die sog. »S.« von einer altisraelitischen, in Lv 16,5–10 und 20–22 beschriebenen Ritualsequenz, bei der man jährlich zum Yom Kippur-Fest Jahwe einen Bock opferte und einen zweiten, auf den alle Schuld des Volkes Israel übertragen wurde, ›zur Beseitigung göttlichen Zorns‹ (*ʿăzāʾzēl*: [1. 159–162]) in die Wildnis trieb. Die nachexilische und später die rabbinische jüd. Trad. erklären »Azazel« als Dämon oder gefallenen Engel, während die frühe christl. Theologie den Bock als Sinnbild Christi interpretiert, der durch seinen Tod die Schuld der Menschen auf sich genommen habe [2]. Engl. *scapegoat* und frz. *bouc émissaire* bewahren sprachlich die ant. Konnotation des »ausgesandten Bocks« (LXX: *apopompaíos*; Vulg.: *emissarius*); der dt., sich im 17. Jh. einbürgernde Sprachgebrauch betont dagegen die Opfer-Rolle des unschuldigen »Sündenbocks« (=Sb.). Ohne diesen mod. Hintergrund ist R. GIRARDS Theorie über die Rolle von Rel. in der Sakralisierung und Beherrschung von Gewalt nicht denkbar: Die rituelle Ausstoßung und Tötung eines Sb. im Opfer ermögliche gesellschaftliche Gewaltkontrolle; der »Sb.-Mechanismus« wird hier zu einem vorgeblich universalen menschlichen Kompensationsmechanismus [3].

Erst das Aufgeben der mod. Begrifflichkeit von »Sb.« und »S.« ermöglicht ein genaueres Verständnis der in *Leviticus* beschriebenen Ritualsequenz: Diese steht in der Trad. nordwest-syr. (→ Ebla, 2400/2300 v. Chr.: [4; 5]) und hethit.-südanatolischer [2. Jt. v. Chr.: 1. 134–144] kathartischer Rituale (→ Kathartik), die periodisch wiederkehrend oder in Krisensituationen durchgeführt wurden, und deren Mittelpunkt die rituelle Elimination und die Sühnung einer Verunreinigung im weitesten Sinne bildeten. Ihr Ziel war die Beruhigung göttlichen Zorns; die Träger, denen die Verunreinigung aufgeladen wurde, waren in der Regel Tiere – der Bock findet sich schon in den eblaitischen Ritualtexten –, bisweilen aber auch Menschen (ANET 355; [6. 69]). Diese Träger wurden, wie der Bock an Yom Kippur, fortgejagt, nicht getötet oder geopfert. Hierin unterscheidet sich dieser Ritualtypus von dem verwandten »Substitutions«-Ritual, bei dem ein lebloser Gegenstand oder ein Lebewesen anstelle einer Person oder der Gemeinschaft vernichtet wird, nachdem ihm deren »Unreinheit« übertragen wurde ([7]; vgl. [6. 69]). Vertreibung, nicht Tötung, eines menschlichen »Sb.« zum Zweck der Reinigung (*kátharsis*) einer Gemeinschaft und der Abwendung göttlichen Zorns findet sich auch in den periodischen oder in Krisenzeiten initiierten *pharmakós*-Ritualen Athens und mehrerer ionischer Städte (Belege: vgl. → *pharmakós* [2]; → *Thargḗlia*); der altoriental. Ritualtypus wurde wohl in archa. Zeit über Kleinasien nach Griechenland importiert.

Früh ins Bewußtsein der Forsch. rückten den Begriff »S.« W. MANNHARDTS und J. G. FRAZERS (überholte) Interpretationen der »S.« als Vegetations- und Erneuerungsrituale (vgl. [8. Bde. 6 und 9]); als »S.« in verallgemeinerter Bed. bezeichnet die Forsch. inzwischen ganz unterschiedliche Sühne- und Opferrituale. Im Sinne der terminologischen und sachlichen Präzision empfiehlt es sich aber, die am oben skizzierten Befund etablierbaren Kriterien zum Maßstab der Definition dieses speziellen Ritualtypus zu machen. In diesem engeren Sinne ist der Ritualtypus der sog. »S.« auch für die röm. Rel. als außergewöhnlicher Ritus bezeugt (Obseq. 44a; 101 v. Chr.); der Begriff wird auch – trotz des Wandels in der Form – z. B. auf den röm. Ritus der → *devotio* angewendet [6. 63 f.]. Auch das seit 228 v. Chr. wiederholt bezeugte röm. Krisenritual des Begrabens von Griechen und Galliern (vgl. Cass. Dio. 12,50; Plut. Marcellus 3,3 f.; Zon. 8,19 f.; Oros. 4,13,3; Liv. 22,57,6; Plut. qu. R. 83) bei lebendigem Leibe auf dem Forum Boarium folgt demselben Typus: Zwar findet sich in der Forsch. häufig die schon auf die Ant. zurückgehende Deutung als → Menschenopfer, doch wurden die betroffenen Personen noch lebend aus der Gemeinschaft ausgeschieden (andere Beispiele → Sühnerituale), die sich vermittels des Rituals als vor den Göttern »entschuldete« rekonstituierte.

→ Kathartik; Opfer; Ritual; Sühnerituale

1 B. JANOWSKI, G. WILHELM, Der Bock, der die Sünden hinausträgt, in: Dies., K. KOCH (Hrsg.), Rel.gesch. Beziehungen zw. Kleinasien, Nordsyrien und dem AT, 1993, 109–169 **2** L. L. GRABBE, The Scapegoat Trad., in: Journ. for the Study of Judaism in the Persian, Hellenistic and Roman Period 18, 1987, 152–167 **3** R. GIRARD, Der Sb., 1988 (frz. 1982) **4** P. XELLA, Il »capro espiatorio« a Ebla, in: SMSR 62, 1996, 677–684 **5** I. ZATELLI, The Origin of the Biblical Scapegoat Ritual, in: VT 48, 1998, 254–264 **6** W. BURKERT, Structure and History in Greek Mythology and Ritual, 1979, 59–77 **7** P. TARACHA, Ersetzen und Entsühnen, 2000 **8** FRAZER. A. BEN.

Suessa Aurunca. Hauptort der Aurunci (Vell. 1,14,4) zw. Minturnae und Teanum Sidicinum, h. Sessa, seit dem 8. Jh. v. Chr. besiedelt. Nach Zerstörung durch Sidicini und erneuter Besiedlung deduzierten die Römer 313 v. Chr. eine Kolonie dorthin (mit *ius Latii*: Liv. 9,28,7; Vell. 1,14,4). Mz.-Prägung (280–268 v. Chr.; HN 42). 90/89 v. Chr. *municipium*, *tribus Aemilia* (CIL X 4776;

Cic. Phil. 13,18). 30/28 v. Chr. erfolgte die Anlage der Kolonie *colonia Iulia Felix Classica S.* (CIL X 4832; Plin. nat. 3,63; [1]). Arch.: Reste der Stadtmauer (zwei Bauphasen), eines Theaters mit Kryptoportikus (*opus reticulatum*) westl. der Stadt, eines Amphitheaters östl. der Stadt; 2 km westl. Ponte Ronaco (bzw. Aurunco) mit 21 Bögen. In S. A. wurde Lucilius [I 6] geboren.

1 T. Colletta, La struttura antica del territorio di Sessa Aurunca, 1989.

A. Valletrisco, Note sulla topografia di S. A., in: Rendiconti dell'Accademia di Archeologia, Lettere e Belle Arti di Napoli, N. S. 51, 1976, 59–73 · A. M. Villucci, S. A., 1995 · Studia Suessana, 1979 ff. G. U./Ü: H. D.

Suessa Pometia. Stadt in Latium, nicht lokalisiert. Kolonie von → Alba Longa, von Volsci übernommen, von → Tarquinius Superbus zerstört (Liv. 1,53,2; Dion. Hal. ant. 4,50; Tac. hist. 3,72); von den Römern 495 v. Chr. erneut erobert (Liv. 2,17,1; 2,25,6; Dion. Hal. ant. 6,29). Nach [1; 2] bezieht sich S. P. auf die prävolskische Phase von Satricum (10.–6. Jh. v. Chr.), nach [3; 4] ist sie mit Apiolae identisch oder in der bei Cisterna di Latina entdeckten vorröm. Stadt zu lokalisieren.

1 C. M. Stibbe, Satricum e Pometia, in: MededRom 47, 1988, 7–16 2 Ders., La Valle Pontina nell'antichità, 1990, 33–38 3 G. Colonna, s. v. Cisterna di Latina, in: EAA 2. Suppl. Bd. 2, 1994, 171 f. 4 F. Melis, S. Quilici Gigli, Proposta per l'ubicazione di Pometia, in: ArchCl 24, 1972, 219–247. G. U./Ü: H. D.

Suessetani. Iberischer Volksstamm (Liv. 25,34,6; 28,24,4; 34,20,1 zu Ereignissen der J. 210 bis 184 v. Chr.; Plin. nat. 3,24: *Suessetania*) zw. Iberus [1] (Ebro) und der Pyrene [2] (Pyrenäen), zw. Vascones im Westen, Sedetani im Süden und Lacetani im Osten; Corbio [2] (Lage unbekannt) war eines seiner Siedlungszentren (Liv. 39,42,1). S. waren evtl. mit den → Cessetani identisch.

TIR K 30 Madrid, 1993, 215. P. B.

Suessiones (Οὐέσσονες, Ptol. 2,9,11). Volk der Gallia Belgica in der bes. fruchtbaren h. Soissonais (Dept. Aisne/Oise). Die S. bildeten mit den → Remi im Osten eine kulturelle Identität, waren mit diesen durch gleiches Recht, dieselben Magistrate und einen einheitlichen Oberbefehl verbunden (Caes. Gall. 2,3,4 f.). Um 80 v. Chr. gewann Diviciacus [1] die Vorherrschaft bis in den SO von Britannia. Mit Caesars Einmarsch 58/7 v. Chr. zerbrach die staatliche Einheit der S. mit den romfreundlichen Remi. König Galba [1] stellte sich an die Spitze einer belgischen Koalition gegen Caesar (Gall. 2,4,6–8). Nach seiner Niederlage (ebd. 2,9 f.) kamen die S. unter die Herrschaft der Remi (ebd. 2,12 f.; 8,6,2), konnten aber bald den Status von *S. liberi*, »freien S.« (Plin. nat. 4,106) erreichen.

J. Debord, L'histoire monétaire des S. et la conquête romaine, in: Bull. de la Soc. Française de Numismatique 48, 1993, 649–655 · S. Fichtl, Le Gaulois du nord de la Gaule, 1994, 67–82. F. SCH.

Suessula. Stadt in Campania (Strab. 5,4,11: Σουεσσοῦλα) zw. Capua und Nola (Liv. 7,37,4; 23,14,13; 23,32,2; 24,13,9; Plin. nat. 3,64; Tab. Peut. 6,4), h. Piazza Vecchia bei Acerra. 343 v. Chr. wurden hier die Samnites von den Römern entscheidend geschlagen (Liv. 7,37,4). 338 v. Chr. *civitas sine suffragio* (Liv. 8,14,11; Fest. 262,11: *praefectura*). Im 2. → Punischen Krieg war S. wegen seiner strategisch günstigen Lage mehrfach Stützpunkt röm. Truppen (vgl. Liv. 7,37; 23,14; 17; 31 f.; 39; 24,46; 25,3; 5; 7; 22). Sullanische Kolonie (Liber coloniarum 237,5), später *municipium* (CIL X 3760–3771).

M. Gigante u. a., S. Contributi alla conoscenza di una antica città della Campania, 1989. S. d. V./Ü: J. W. MA.

Suetonius

[1] C. S. Paullinus. Senator, im J. 42 n. Chr. bereits im praetorischen Rang und damit spätestens 11 n. Chr. geb. (Cass. Dio 60,9). Im J. 42 drang er als Legat des Claudius [III 1] tief in maurisches Gebiet über den Atlas vor, was seinen Ruf als Militärkommandeur begründete. Da er von Tacitus (hist. 2,37,1) als *vetustissimus consularium* bezeichnet wird, sollte sein Konsulat vor dem J. 45 liegen. Unsicher ist, ob er Claudius 43 nach Britannien begleitete. Wohl im J. 58 übernahm er von Q. Veranius die Statthalterschaft in Britannien [1. 765 f.]. Er eroberte Wales und die Insel → Mona, wo er den Kult der Druiden (→ *druidae*) ausrottete. 60 konnte er nach schweren Verlusten die Revolte der → Boudicca niederschlagen (Tac. ann. 14,31–37). Als es zw. S. und dem neuen Procurator der Prov., Classicianus, zum Streit kam, wurde der kaiserliche Freigelassene Polyclitus (→ Polykleitos [8]) zu ihnen gesandt, um zu vermitteln. Kurz darauf wurde S. abgelöst, ohne in Ungnade zu fallen; sonst hätte nicht ein homonymer Senator, wohl sein Sohn, im J. 66 den ordentlichen Konsulat erhalten. 69 stand S. auf Seiten des → Otho, dem er riet, Verstärkung abzuwarten (Tac. hist. 2,32). Vor Vitellius konnte er sein Verhalten rechtfertigen, so daß er einer Bestrafung entging (Tac. hist. 2,60,1). Wie lange er noch gelebt hat, ist unbekannt.

1 Syme, Tacitus

Birley 54–57. W. E.

[2] S. Tranquillus, C. Röm. Biograph und Antiquar (grundlegend: [1–5]).

I. Leben II. Kaiserviten
III. Pratum de rebus variis
IV. Weitere Werke

I. Leben

Geb. um 70 n. Chr. (in Hippo [6]?) als Sohn des Ritters S. Laetus, Tribun der 13. Legion, wurde S. in Rom zum Anwalt (*orator*) ausgebildet (Suet. gramm. 4,9), genoß unter Traian die Protektion Plinius' [2] d. J. (Plin. epist. 1,18; 3,24; 3,8; 10,94), den er anscheinend in die Prov. Bithynia begleitete. Unter Hadrian wurde er

Hofbeamter und war nach der Ehreninschr. AE 1953,73 (aus Hippo Regius) *a studiis, a bybliothecis*, zuletzt im einflußreichen Amt *ab* → *epistulis*. Außerdem war er *flamen sacerdotalis* und *pontifex Volcanalis* von Ostia [6]. Der Sturz des befreundeten Praetorianerpraefekten → Septicius Clarus 121/2 beendete auch S.' Karriere; doch folgten, spätestens seit 128 [7], viele Jahre reicher gelehrter Produktion (Todesjahr unbekannt). S. ist v. a. durch seine zwölf Kaiserbiographien (Caesar bis Domitian) bekannt; erh. sind auch Teile der Schriften *De grammaticis et rhetoribus* und *De poetis*, daneben zahlreiche, oft aber zweifelhafte Fr. des Sammelwerks *Pratum*.

II. Kaiserviten

Da infolge eines Folioverlusts im Archetypus von *De Caesarum vita libri octo* der Anf. der Caesar-Vita mit der Widmung an Septicius Clarus und wohl eine programmatische Einleitung fehlt, hängt die Beurteilung dieser zunächst als Skandal- und → Unterhaltungsliteratur abgewerten biographischen Sequenz [8] an den redaktionellen Bemerkungen des Autors (Suet. Iul. 44,4; Aug. 9,1; 61,1; Tib. 42,1; Cal. 22,1; Nero 19,3; 40,1) und dem Gesamtbefund [9; 10]. Die Struktur folgt zwar gewissen Konstanten – chronologisch geordnet sind Abkunft, Kindheit, Erziehung, Amtsantritt sowie am Ende Todesumstände, Jahresstatistik, Beisetzung; im Hauptteil dann nach Rubriken Charaktereigenschaften, Privatleben, Leistungen auf zivilem, mil. und polit. Gebiet u. ä. –, doch wahrt jede Vita in Umfang, Aufbau und Tendenz ein individuelles Profil, das die persönlich-private Identität des Beschriebenen sichert. Auf der Basis der peripatetisch-alexandrinischen Literatenbiographie hat S. diese für die Nachfolger (→ Marius [II 10] Maximus, → Enmannsche Kaisergeschichte, → Historia Augusta, Einhard) maßgeblich gewordene, allerdings kaum je wieder erreichte Form entwickelt [11]. Sie lebt von der Spannung zw. kurrikularer und kategorialer Anschauung (aber Chronologie auch innerhalb der Rubriken) und läßt (ähnlich wie Tacitus) das innere Porträt durch die Bedeutsamkeit der sinnvoll plazierten, unkommentierten Fakten erstehen. Damit läßt S. die rein kurrikular strukturierten Viten des Cornelius → Nepos [2] hinter sich und unterscheidet sich wesentlich von der peripatetischen Charakterbiographie des nur wenig älteren → Plutarchos [2].

Zugleich verfolgt die zweimalige Dekadenzlinie (1. Caesar bis Nero; 2. Vespasian bis Domitian) geschichtsphilos. Ziele und versucht, das Phänomen des → Prinzipats als in der Kaiserperson individualisierte Reichsgesch. zu deuten [12; 13]: wie Caesar [14] den Prinzipat unter Wahrung republikanischer Institutionen konzipierte, Augustus [15] (längste Vita!) tastend realisierte, Tiberius [16] für die eigene Person usurpierte, Gaius (Caligula) [17; 18] zynisch mißbrauchte, Claudius [19] bürokratisch verwaltete, Nero [20; 21] für seine privaten künstlerischen Ambitionen instrumentalisierte und wie sich dies nach den Fehlversuchen des → Vierkaiserjahres [22] unter den Flaviern [23–27] in kleinerem Maßstab wiederholte.

Der Umgang mit den Quellen – im wesentlichen denselben, die Tacitus benutzte (→ Cluvius [II 3] Rufus, → Plinius [1] d. Ä., dazu Archivmaterial und Privatbriefe der Kaiserfamilien) – hält sich im Rahmen des in der Ant. Üblichen und konzentriert sich keineswegs auf die *chronique scandaleuse* [28]. Daher tritt nun diese »histor.-private Biographie« gleichberechtigt neben die pragmatische Form der Annalen (→ Annalistik) und Historien, wenn auch mit gewisser Verschiebung des Anspruchs vom Nutzen zur Unterhaltung.

Unser Text beruht auf einem (bereits verstümmelten) Minuskel-Archetypus vom Anf. des 9. Jh. aus Fulda, den Lupus von Ferrières (epist. 91,4) anforderte und den wohl Einhard benutzte; neben den reinen Abkommen (Familie X: v. a. der Codex Memmianus Paris. lat. 6115, um 820) existiert eine Gruppe mit einer Textumstellung in der Galba-Vita (Familie Z: z. B. Dunelmensis Cath. C III 18, 11. Jh.) sowie kontaminierte Hss. Die starke Rezeption der Spätant. (Ausonius) schwächte sich im MA ab [29]; in der Neuzeit trat S. stark hinter Tacitus zurück, wurde aber gern von Literaten aufgegriffen (A. Camus, *Caligula*, 1938; R. Ranke-Graves, *I Claudius; Claudius the God*, 1934).

III. Pratum de rebus variis

S.' antiquarisches Hauptwerk *Pratum de rebus variis* (›Wiese‹; nach der neuen Rekonstruktion von [30]) scheint eher aktuellen Moden der *curiositas* zu folgen als einer konzeptionellen Systematik, wie sie M. Terentius → Varro anstrebte, dessen *Antiquitates* und *De gente populi Romani* neben → Verrius Flaccus' *De significatu verborum* und → Plinius' [1] *Dubius sermo* S.' Hauptquellen waren.

Die 20 B. gliedern sich in größere Gruppen: 1–8 röm. Antiquitäten (1–4 Staats- und Privataltertümer, 5–8 Feste und Kalender), 9–10 Naturkundliches, 11–14 Mythistorisches (Urgesch. Roms), 15–20 lit.-histor. Biographien. Ob sich diese thematische Lockerheit von S.' großem Vorbild, dem *Leimṓn perí onomátōn kai glṓssōn* (der ›Wiese – über Namen und Sprachen‹) des alexandrinischen Grammatikers → Pamphilos herleitet, ist ungewiß. Hinweis auf S.' Aufnahme aktueller Moden (sicher: → Archaismus) könnte die schon bald nach dem Erscheinen einsetzende Rezeption sein, nicht nur in den eigenen *Caesares*, sondern bei → Gellius, → Censorinus, → Solinus, später bei → Ausonius, → Hieronymus (*Chronicon*), → Ambrosius, → Cassiodorus und schließlich bei → Isidorus [9] von Sevilla (*Etymologiae, Differentiae*), der streckenweise sogar der Textstruktur des *Pratum* folgte.

Die von Reifferscheid mit viel Phantasie gesammelten und versuchsweise geordneten Fr. verweisen auf folgenden Werkaufbau im einzelnen: B. 1–2 Περὶ Ῥώμης καὶ τῶν ἐν αὐτῇ νομίμων καὶ ἠθῶν (›Über Rom und seine Gesetze und Sitten‹; Suda); B. 3 *De genere vestium* (Kleidung; Serv. Aen. 7,612); B. 4 *De institutione officiorum* (Ämter; Prisc. 6 = GL 2,231,8); B. 5–6 Περὶ τῶν παρὰ Ῥωμαίοις θεωριῶν καὶ ἀγώνων (etwa *De spectaculis Romanorum*, röm. Schauspiele; Suda); B. 7 *De puerorum lusibus* (Kinderspiele; Serv. Aen. 5,602); vieleicht meint Gell. 9,7,3 die B. 5–7 mit dem Titel *Historia ludicra*); B. 8 Περὶ τοῦ κατὰ Ῥωμαίους ἐνιαυτοῦ (etwa *De anno Romanorum*, Kalender; Suda; Spuren bei Cens. 20,2; vgl. Varro, ling. 6,6–11); B. 9 *De naturis rerum* (unbelebte Natur?; REIFFERSCHEID Fr. 161 nach Isidor); B. 10 *De naturis animantium* (Lebewesen; Giraldus Cambrensis, *Itinerarium Kambriae* 1,7; da ein B. *De homine* fehlt, könnte *De vitiis corporalibus* Fr. 272 REIFFERSCHEID hier zuzuordnen sein, falls es sich nicht um ein eigenes Werk handelt); B. 11–13 *De regibus libri tres* (Könige; Auson. epist. 23,16 (409) p. 267 PEIPER); B. 14 Περὶ ἐπισημῶν πορνῶν (etwa *De meretricibus claris*, berühmte Prostituierte; Lyd. mag. 3,64); B. 15 *De poetis* (sc. *lyricis*; über Horaz, Vergil, Varius, Passienus Crispus, Cornelius Gallus, Tibull, Calpurnius Piso, Lucanus, z. T. erh. in veränderter Form durch die Grammatiker); B. 16 *De poetis tragicis, comicis, satiricis* (über Terenz, Persius; ebd. erh.); B. 17 *De oratoribus* (über Cicero, Hortensius, C. Memmius, Cornelius Nepos; eher eine selbständige Schrift war Περὶ τῆς Κικέρωνος πολιτείας (›Über Ciceros »Staat«‹, Suda); B. 18 *De grammaticis et rhetoribus* (erh. sind 20 Grammatiker- und 16 Rhetoren-Viten); B. 19 *De historicis et philosophis* (über Cornelius Nepos, Fenestella, Asconius, Plinius maior; Cato minor, Nigidius Figulus, M. Varro, Seneca; erschlossen aus Hier. chron.); die B. 15–19 nennt die Suda Στέμμα Ῥωμαίων ἀνδρῶν ἐπισημῶν (etwa *Catalogus virorum illustrium*; hieraus entnahm Hieronymus die lit.-histor. Erweiterungen seines *Chronicon*, Daten von höchster wiss. Bed.); B. 20 Περὶ τῶν ἐν τοῖς βιβλίοις σημείων (etwa *De notis*; Suda, vgl. Isid. orig. 1,21 über textkritische Zeichen und 1,22 über die Tironische → Tachygraphie).

IV. WEITERE WERKE

Titel weiterer Schriften sind v. a. aus dem Werkkatalog in der Suda (4 p. 581 ADLER) bekannt. Von zwei griech. Schriften S.' sind Epitomae überl.: 1) Περὶ βλασφημιῶν καὶ πόθεν ἑκάστη (aitiologische Unt. über Schimpfwörter) sowie 2) Περὶ τῶν παρ' Ἑλλήνων παιδιῶν (Ges.- und Kinderspiele).

Sprachlich ist S. dem konservativen Stilideal Quintilians verpflichtet; inhaltlich und geistig bereitet er die »Wissenskultur« und Archäophilie der Mitte des 2. Jh. vor.

→ Biographie; Geschichtsschreibung

1 F. DELLA CORTE, Suetonio, eques Romanus, ²1967
2 A. WALLACE-HADRILL, S., 1983 3 R. C. LOUNSBURY, The Arts of S., 1987 4 ANRW II 33.5, 1991, 3576–3851 (mit Bibliogr. von P. GALAND-HALLYN 3576–3622)
5 D. T. BENEDIKTSON, A Survey of S. Scholarship. 1938–1987, in: CW 86, 1992/93, 377–447 6 PIR¹ S 695
7 J. GASCOU, Nouvelles données chronologiques sur la carrière de Suétone, in: Latomus 37, 1978, 436–444
8 A. MACÉ, Essai sur Suétone, 1900 9 W. STEIDLE, S. und die ant. Biographie, ²1963 (¹1951) 10 H. GUGEL, Stud. zur biographischen Technik Suetons, 1977 11 G. B. TOWNEND, S. and His Influence, in: T. A. DOREY (Hrsg.), Latin Biography, 1967, 79–111 12 U. LAMBRECHT, Herrscherbild und Prinzipatsidee in Suetons Kaiserbiographien, 1984
13 K. R. BRADLEY, The Imperial Idea in S.'s ›Caesares‹, in: ANRW II 33.5, 1991, 3701–3732 14 C. BRUTSCHER, Analysen zu Suetons Divus Iulius und die Par.-Überl., 1958
15 R. HANSLIK, Die Augustusvita Suetons, in: WS 67, 1954, 99–114 16 M. BAAR, Das Bild des Kaisers Tiberius bei Tacitus, Sueton und Cassius Dio, 1990 17 H. LINDSAY, S.'s Caligula, 1993 18 D. WARDLE, S.'s Life of Caligula, 1994
19 K. SCHERBERICH, Unt. zur Vita Claudii des S., 1995
20 K. HEINZ, Das Bild Kaiser Neros bei Seneca, Tacitus, Sueton und Cassius Dio, 1948 21 K. R. BRADLEY, S.'s Life of Nero, 1978 22 P. VENINI, Sulle vite suetoniane di Galba, Otone e Vitellio, in: RIL 108, 1974, 991–1014
23 H. R. GRAF, Kaiser Vespasian, 1937 24 H. MARTINET, C. S. T., Divus Titus, 1981 25 F. GALLI, Suetonio, Vita di Domiziano, 1991 26 U. LAMBRECHT, Suetons Domitian-Vita, in: Gymnasium 102, 1995, 508–536
27 F. G. D'AMBROSIO, The End of the Flavians, in: RIL 114, 1980, 232–241 28 J. GASCOU, Suétone historien, 1984
29 E. K. RAND, On the History of the De Vita Caesarum of S. in the Early Middle Ages, in: HSPh 37, 1926, 1–48
30 P. L. SCHMIDT, Suetons ›Pratum‹ seit Wessner (1917), in: ANRW II 33.5, 1991, 3794–3825.

ED.: M. IHM, 1907 (*De vita Caesarum*) • J. GEEL, 1828 (Ndr. 1966; Scholien) • H. E. BUTLER, M. CARY, 1927 (*Iul.*) • J. M. CARTER, 1982 (*Aug.*) • W. VOGT, 1975 (*Tib.*) • G. GUASTELLA, 1992 (*Cal.*) • J. MOTTERSHEAD, 1986 (*Claud.*) • N. BADURINA, 1984 (*Nero*) • D. SHOTTER, 1993 (*Galba, Otho, Vit.*) • G. W. MOONEY, 1930 (*Vesp.*) • H. PRICE, 1915 (*Tit.*) • F. GALLI, 1991 (*Dom.*) • G. BRUGNOLI, ²1963 (*gramm.*) • M.-C. VACHER, 1993 (*gramm.*) • R. A. KASTER, 1995 (*gramm.*) • A. ROSTAGNI, 1944 (*De poetis*; vgl. E. PARATORE, Una nuova ricostruzione del De poetis di Suetonio, ²1946) • A. REIFFERSCHEID, C. S. T. praeter Caesarum libros reliquiae, 1860 (*Pratum*) • J. TAILLARDAT, 1967 (*Graeca*) • A. A. HOWARD, C. N. JACKSON, 1922 (*Index verborum*). KL. SA.

Suetrius. C. Octavius Appius S. Sabinus. Senator aus → Histonium, dessen Vater bereits Senator war. Unter Septimius [II 7] Severus in den Senat aufgenommen. Nach den niederen Ämtern Legat der *legio XXII Primigenia*; als *dux vexillationis* an → Caracallas *expeditio Germanica* beteiligt; Statthalter von Raetia 213 n. Chr. 214 *cos. ord.*; anschließend *iudex* anstelle des Kaisers in einer Prov.; *praefectus alimentorum* und beauftragt *ad corrigendum statum Italiae*. Statthalter von Pannonia inferior 216/7 sowie einer weiteren konsularen Prov.; *procos.* von Africa um 230. 240 zum zweiten Mal *cos. ord.*; vgl. CIL X 5178 = ILS 1159 sowie CIL VI 41193 mit ausführlichem Komm. Zu seiner Verwandtschaft vgl. CIL VI 37061 = 41236 und [1. 101–106].

1 M. PEACHIN, Iudex vice Caesaris, 1996. W. E.

Sufenas. P. S. Verus. Legat von Lycia-Pamphylia ca. 129–131 n. Chr. (zuletzt [1. 36–40, 43]), *cos. suff.* wohl 132 oder 133 (CIL XVI 174; vgl. RMD 3, 159 und ein noch unpubliziertes Diplom vom 9. Sept. [2]).

1 M. WÖRRLE, Stadt und Fest, 1988 2 Katalog Lanz, Auktion 104: Orden und Ehrenzeichen, München 2001, 5 Nr. 1 und Tafel 1, Nr. 1. W. E.

Sufeten (pun. *sptm* = »Richter«; lat. *sufetes*). Höchstrangige Funktionäre der zivilen Verwaltung in punischen und wohl auch libyschen sowie sardopunischen Städten [1. 461, 467 Anm. 7, 470, 473 Anm. 58], so auch (seit mindestens dem 6. Jh. v. Chr.) in → Karthago [1. 458–460; 2. 69 Anm. 10], wo neben der üblichen Zweizahl gelegentlich vier S. bezeugt sind. Neben gewissen rel. Aufgaben oblag den S. die Kontrolle von Gerichts- und Finanzwesen sowie der Vorsitz bei Rats- und Volksversammlungen [1. 461]. S. sind nicht als Inhaber mil. Kommanden überl. [2. 81, 94], so daß ihr Amt nicht aus einem früheren (karthag.) Königtum heraus entstanden ist [2. 69 Anm. 10, 91–93]. Als S. werden auch noch in nachpun. Zeit in nordafrikanischen Städten die Oberbeamten bezeichnet [1. 551].

1 Huss 2 W. Ameling, Karthago, 1993. L.-M. G.

Sufetula. Stadt in der Africa Byzacena, h. Sbeitla/Tunesien (vgl. Itin. Anton. 46,6), in der 2. H. des 1. Jh. n. Chr. gegr., bald *municipium* und *colonia* (CIL VIII Suppl. 1, 11340), bed. Verkehrsknotenpunkt; 256 Bischofssitz (Cypr. sententiae episcopales 19). Erh. sind Reste von zwei Ehrenbögen, Forum (Tempel), Thermen, Theater, Kirchen. Inschr.: CIL VIII 1,228–252a; 2567; 2586; Suppl. 1,11221(?); 11318–11415 bzw. 11417; 4, 23216–23233 bzw. 23233c; Inscriptions latines d'Afrique 116–146; Inscriptions latines de la Tunisie 349; AE 1987, 1063; 1989, 876(?); 882.

AATun 100, Bl. Sbeitla, Nr. 18 • N. Duval, Inscriptions de Sbeitla et des environs I, in: Bull. archéologique du comité des trauvaux historiques 6, 1970, 254–312 • Ders., L'urbanisme de S., in: ANRW II 10.2, 1982, 596–632 • Ders., S., in: L'Afrique dans l'Occident romain (Actes du colloque, Rom 1987), 1990, 495–535 • R. B. Hitchner, Stud. in the History and Archaeology of S., 1985 • C. Lepelley, Les cités de l'Afrique romaine, Bd. 2, 1981, 308–312. W. HU.

Suffectio s. Suffektconsul

Suffektconsul. Die röm. Magistrate (→ *magistratus*) wurden grundsätzlich für ein Jahr gewählt. Wenn aber ein Magistrat während seines Amtsjahres ausschied, mußte für den Rest des Jahres ein Nachfolger bestimmt werden, der *suffectus* (von *sufficere*, »nachwachsen«) genannt wurde. Während die Nachwahl in der Republik selten war, wurde es zunächst in der Zeit des → Triumvirats (43–30 v. Chr.), dann ab 5 v. Chr. üblich, von vornherein mehr als zwei Consuln pro J. zu bestimmen, die paarweise nacheinander amtierten. Anfangs gab es zumeist nur zwei *suffecti* pro J., bald stieg die Zahl auf vier bis sechs, später auf durchschnittlich acht an [1]. In den ersten Regierungsjahren eines Kaisers wurden sogar noch mehr *suffecti* bestimmt, da der neue Kaiser neben den Senatoren, die auf Grund ihrer Laufbahn einen Konsulat erwarteten, auch die zufriedenstellen mußte, die ihn auf dem Weg zur Herrschaft unterstützt hatten. Dies wird z. B. in den ersten Jahren Domitians und bei Traian in den J. 98–100 sehr deutlich (vgl. [2]). Selbst ein zweiter und dritter Consulat konnte bis in frühtraianische Zeit als *suffectus* übernommen werden (s. [1] zum J. 69, 70, 74, 80, 98, 100; zum J. 85 [3. 44]). Während die *suffecti* bis in die Zeit des Septimius [II 7] Severus in amtlicher Verwendung auch eponym waren, wurde ab Beginn des 3. Jh. n. Chr. auch in amtlichen Schriftstücken nur noch nach den *consules ordinarii* datiert [4. 15–44].
→ Consul; Magistratus

1 Degrassi, FCIR 2 W. Eck, An Emperor is Made: Senatorial Politics and Trajan's Adoption by Nerva in 97, in: G. Clark, T. Rajak (Hrsg.), Philosophy and Power in the Graeco-Roman World, 2002 (im Druck) 3 FO²
4 W. Eck, *Consules ordinarii* und *consules suffecti* als eponyme Amtsträger, in: Epigrafia. Actes du colloque en mémoire de Attilio Degrassi, 1991. W. E.

Suffix s. Flexion; Wortbildung

Suffragium (etym. wohl aus *sub-* und *fragor*, »Lärm«). Bezeichnet die Zustimmung einer Heeresversammlung durch das Aneinanderschlagen von Waffen [5], doch wandelte der Begriff seine Bed. mehrfach [4]). In der Republik meint *s.* technisch Stimmkörper, Abstimmung oder Stimme bei legislativen, juridischen und Wahlakten in der Volksversammlung (→ *comitia*) und beim Quaestionengericht (→ *quaestio*), nicht den Wahlmodus (Cic. leg. 3,15,33–39). Unter den Kaisern bezeichnet *s.* überwiegend die persönliche Hilfe, die der *suffragator* – schon in der Republik als Stimmenbeschaffer bei den geheimen Wahlen zu finden – einem Amtsbewerber leistet; *suffragatores* hießen dann allg. alle, die Einfluß auf einen Entscheidungsträger ausübten (Suet. Vit. 7,1). Die *suffragatio* des Kaisers, die in der → *lex de imperio Vespasiani* (Z. 11) genannt wird, kam einer direkten Ernennung des Kandidaten gleich. Anf. des 2. Jh. n. Chr. konnte *s.* noch einen Wahlakt bezeichnen (Senat: Plin. epist. 3,20,7 f.; 4,25,1; Tac. ann. 15,21,5), wurde aber zum untechnischen Begriff für persönliche Patronage (Plin. epist. 2,1,8; 2,9,2; vgl. [1]). In der Spätant. begegnen Versuche, die Käuflichkeit des *s.* (*venale s.*: Cod. Iust 12,32,1) zu unterbinden (z. B. Cod. Theod. 1,32,1; 6,22,2 f.; 12,1,36; [2; 3]) bzw. sie vertraglich zu regeln (*contractus suffragii*: Cod. Theod. 11,30,6; [3]). Zuletzt suchte → Iustinianus [1] den Kauf von Statthalterschaften zu verbieten [3. 161–167].

1 J. K. Evans, The Role of S. in Imperial Political Decision-Making, in: Historia 27, 1978, 102–128
2 W. Goffart, Did Julian Combat Venal S.?, in: CPh 65, 1970, 145–151 3 D. Liebs, Ämterkauf und Ämterpatronage in der Spätant., in: ZRG 95, 1978, 158–186 4 G. E. M. de Ste. Croix, S.: from Vote to Patronage, in: British Journal of Sociology 5, 1954, 33–48 5 J. Vaahtera, The Origins of Latin *s.*, in: Glotta 71, 1993, 66–80. U. HE.

Sufismus (*taṣawwuf*). Islamische Mystik entwickelte sich schon in der Anfangszeit des → Islam aus dem Streben nach asketischer Lebensweise und Weltverzicht,

z. T. unter dem Einfluß des christl. → Mönchtums, aber auch der neuplatonischen Philos. (→ Neuplatonismus) und iranischer Elemente. Nach den Vorstellungen des S. führen Gottesfurcht und Gottvertrauen mit Hilfe von Meditation und Gottesgedenken (inhaltlich und technisch normierte Rezitationen rel. Formeln und Litaneien) in eine höhere Stufe zur Gottesliebe und Gotteserkenntnis. Die sufischen Lehren und v. a. rel. Praktiken – das Hören spiritueller Musik, aber auch des → Koran oder rel. Poesie, oft begleitet von Bewegung und Tanz, manchmal bis zur Ekstase – forderten die Kritik der islam. Orthodoxie heraus (→ Häresie II.). Zentren islam. Mystik entwickelten sich im 9. Jh. n. Chr. im Irak und in Persien. Seit dem 12./13. Jh. entstanden in der gesamten islam. Welt Orden mit Meistern und Schülern, die z. T. bis h. fortbestehen.

L. Massignon u. a., s. v. Taṣawwuf, EI 10, 313b–340b • A. Schimmel, Mystische Dimensionen des Islam, ²1992.

H. SCHÖ.

Sugambri. Volk der germanischen Istaevones (Plin. nat. 4,100) am rechten Ufer des Rhenus [2] gegenüber den Eburones zw. Ubii und Bructeri; im Osten grenzten sie an Chatti und Cherusci. 55 v. Chr. nahmen sie die von Caesar geschlagenen Usipetes und Tencteri auf, woraufhin dieser den Strom in ihr Gebiet hinein überschritt (Caes. Gall. 4,16–19; Plut. Caes. 22; Cass. Dio 39,48,3–5). 53 v. Chr. beteiligten sie sich erfolgreich an den Kämpfen um Atuatuca (Caes. Gall. 6,35–42; Cass. Dio 40,32,2–5). 17 v. Chr. vernichteten sie ein röm. Heer unter Lollius [II 1], schlossen aber 16 v. Chr. mit den Römern einen Vertrag (Hor. carm. 4,14,51 f.; Vell. 2,97,1; Cass. Dio 54,20,4–6). Drusus (Claudius [II 24]) wandte sich zw. 13 und 10 v. Chr. mehrfach gegen sie, bis Tiberius 8 v. Chr. 40000 S. auf dem linken Ufer des Rhenus ansiedelte (Cass. Dio 55,6,1–3; Suet. Aug. 21,1; Suet. Tib. 9,2; Tac. ann. 2,26,3). Sie finden sich verm. unter den Cugerni im Gebiet der späteren Colonia Ulpia Traiana (h. Xanten) wieder, die übrigen Teile gingen in verschiedenen german. Stämmen auf; doch begegnen *cohortes Sugambrorum* noch in der frühen Kaiserzeit.

Ch.B. Rüger, Germania Inferior, 1968, 8, 23–25, 97 • G. Alföldy, Die Hilfstruppen der röm. Prov. Germania inferior, 1968, 84 f. • R. Wolters, Röm. Eroberung und Herrschaftsorganisation in Gallien und Germanien, 1990.

RA. WI.

Sui heredes (»Hauserben«) sind im röm. Recht diejenigen gewaltunterworfenen Abkömmlinge des Erblassers, die mit dessen Tod unmittelbar gewaltfrei (*sui iuris*) werden (Gai. inst. 3,2–5), also Kinder, Enkel, deren Vater vorverstorben ist, usw., die *uxor in manu* (Frau unter Ehegewalt), die erbrechtlich wie eine Haustochter gestellt ist (→ *manus*), ferner adoptierte Kinder und Nachgeborene (→ *postumus* [2]), nicht aber durch → *emancipatio* oder *manus*-Ehe Ausgeschiedene. *S. h.* erwerben unmittelbar mit dem Tode des Erblassers die Erbschaft, ganz gleich, ob sie testamentarisch oder gesetzlich (vgl. → *intestatus*) berufen sind; solange sie sich noch nicht in die Erbschaft eingemischt haben (→ *immiscere, se*), können sie die Erbschaft ausschlagen (→ *abstentio*). *S. h.* genießen formelles Noterbrecht (→ Erbrecht III. E.; → *praeteritio*), und für sie kann ein Ersatzerbe bestimmt werden, falls sie vor der Volljährigkeit sterben (Gai. inst. 2,184; → *substitutio*). Alle anderen Erben sind *extranei* (»Außenerben«); sie erwerben die Erbschaft bei testamentarischer oder gesetzlicher Berufung erst durch Antritt (→ *aditio hereditatis*), gegebenenfalls durch Ersitzung (→ Erbrecht III. B.). Das mod. Recht hat die für das röm. Recht grundlegende Unterscheidung zw. *sui* und *extranei heredes* aufgegeben.
→ Erbrecht

Honsell/Mayer-Maly/Selb, 442 f. • Karlowa, Bd. 2, 879–881 • Kaser, RPR, Bd. 1, 95–101, 695, 713–715 • A. Manigk, s. v. S.h., RE 4 A, 664–675 • P. Voci, Diritto ereditario romano, Bd. 2, ²1963, 5–7.

U. M.

Suillius

[1] S. Caesoninus. Wohl Sohn von S. [3]; sein zweiter Name kommt aus der Familie der Caesonia Milonia, der Gattin Caligulas. Gehörte zum Kreis um Messalina [2]; da er homosexuell war, wurde er nicht in deren Untergang hineingezogen (Tac. ann. 11,36).

[2] M. S. Nerullinus. Sohn von S. [3]. Wohl durch den Einfluß seines Vaters erhielt er 50 n. Chr. einen ordentlichen Konsulat zusammen mit C. Antistius [II 9] Vetus. Nero rettete ihn 58 vor einer Verurteilung zusammen mit seinem Vater (Tac. ann. 13,43,5). Erst 69/70 wurde er *procos.* von Asia [1. 285, Anm. 12]. Zur Person insgesamt [2. 394 f.].

1 W. Eck, Jahres- und Provinzialfasten der senatorischen Statthalter, in: Chiron 12, 1982, 281–362
2 Vogel-Weidemann.

[3] P. S. Rufus. Senator; Sohn von → Vistilia, durch die er zahlreiche Halbgeschwister hatte, die für ihn bedeutsam wurden (Plin. nat. 7,39). Verbunden mit dem Dichter → Ovidius, dessen Stieftochter er heiratete (Ov. Pont. 4,8,11 f.). Quaestor des Germanicus [2]. 24 n. Chr. wurde er im Senat, auch auf ausdrücklichen Wunsch des → Tiberius, wegen Bestechung, vielleicht während seiner Praetur, verurteilt und auf eine Insel verbannt (Tac. ann. 4,31). Erst durch → Caligula wurde er, wohl durch den Einfluß seiner Halbschwester Caesonia Milonia, der Gattin Caligulas, zurückberufen. Suffektconsul zusammen mit Q. Ostorius [7] Scapula im J. 41 oder 43/45 [1. Nr. 1bis; 2. 704 f.]. Unter Claudius [III 1] gelangte er, da als Ankläger gefürchtet, zu höchstem Einfluß. Als Verursacher vieler Verurteilungen war er entsprechend verhaßt, doch behielt er die Rückendeckung durch Claudius. Als 47 der Consul Silius [II 1] versuchte, jede Belohnung für Ankläger zu verbieten, erlaubte Claudius ein Honorar bis zu 10000 Sesterzen (Tac. ann. 11,6). Wohl 53/4 gelangte er zum Proconsulat von Asia (Tac. ann. 13,43). Nach Claudius' Tod wurde sein Einfluß schwächer; 58 auf Betreiben Senecas

[2] d. J. angeklagt und auf die → Baliares verbannt; doch behielt er einen Teil seines Vermögens, ebenso seine Kinder. Seine Söhne sind S. [1] und S. [2].

1 G. Camodeca, Tabulae Pompeianae Sulpiciorum, 1999
2 Ders., Nuovi documenti, in: SDHI 61, 1995, 704f.

Vogel-Weidemann, 387–397. W.E.

Suizid. Der S., von neulat. *suicidium* (»Selbsttötung«) als Parallelbildung zu → *homicidium*, war in der griech. und röm. Ant. Gegenstand lebhafter intellektueller Auseinandersetzung: In schematischer Gegenüberstellung kann man sagen, daß die Anhänger und Nachfolger Platons, zumal Aristoteles [6] und der → Neuplatonismus den S. verurteilten, während schon einige Sophisten (→ Sophistik) und erst recht der → Kynismus den S. als Ausdruck der individuellen Freiheit hinnahmen, ja sogar ausdrücklich guthießen. Dieser Standpunkt wurde von vielen Stoikern (→ Stoizismus) geteilt: Der Ruhm des stoischen Selbstmörders und Caesar-Gegners M. → Porcius [I 7] Cato war so groß, daß er sogar in das prinzipiell entschieden selbstmordfeindliche ma. Christentum hinüberstrahlte, so in Dantes *Purgatorium*. Ein nicht weniger prominenter röm. Selbstmörder, → Seneca [2] (1. Jh. n. Chr.), befaßte sich als Philosoph der jüngeren Stoa intensiv mit dem S. und fragte z. B. nüchtern, ob man nicht die Seele aus einem Körper hinausführen dürfe, der untauglich geworden sei für seine Dienste (Sen. epist. 58,32–36).

Diese positiven Einstellungen zum S. fanden verm. Widerhall in der Differenzierung des röm. Juristen → Neratius [5] um 100 n. Chr. (Dig. 3,2,11,3): Während der S. aus Lebensüberdruß (*taedium vitae*) und – wie wohl hinzugedacht werden muß – in ehrenhafter Ausführung rechtlich und gesellschaftlich akzeptiert ist, gilt der Selbstmörder aus schlechtem Gewissen (*mala conscientia*) und derjenige, der sich erhängt hat, als ehrlos. An dieser → *infamia* eines Selbstmörders hat seine Witwe teil. Er selbst erhält kein ehrenhaftes Begräbnis (→ Totenkult). Als »ehrenhaft« galt v. a. der S. durch das Schwert. Ob die zum Teil positive Beurteilung der Selbsterdrosselung mit einem Seil (→ *laqueus*) nur die Auffassung von Kynikern und Epikureern widerspiegelt oder Teil der kollektiven ges. Einschätzung (als Ausnahme von der Schändlichkeit des Erhängens) ist, bedarf noch genauerer Unt.

Anders als früher angenommen, kannte das röm. Recht im allg. keine Strafe für Selbstmörder. Die Vermögenskonfiskation, die man in der frühneuzeitlichen Trad. als postmortale Strafe auffaßte, traf nur solche Selbstmörder, die ohne den S. dieser Strafe anheimgefallen wären. Eine Ausnahme galt bei röm. Soldaten: Aus Gründen der mil. Disziplin wurde der versuchte S. mit dem Tode oder der unehrenhaften Entlassung geahndet (Dig. 48,19,38,12), der einzige Fall eines strafbaren S.-Versuchs im röm. Recht. Der Sklave, der einen S. versucht hatte, galt als mangelhaft, weil möglicherweise gefährlich für seinen Herrn (Ulp. Dig. 21,1,23,3). Bei versuchtem S. des Herrn waren die Sklaven zur Rettung und Hilfeleistung verpflichtet (Dig. 29,5,1,22). → Tod

1 R. Hirzel, Der Selbstmord, in: ARW 11, 1908, 75–206
2 A. Wacke, Der Selbstmord im röm. Recht und in der Rechtsentwicklung, in: ZRG 97, 1980, 26–77 3 Ders., Il suicidio nel diritto romano e nella storia del diritto, in: Studi in onore di C. Sanfilippo, Bd. 3, 1983, 679–731 4 A. J. L. van Hooff, From Autothanasia to Suicide, 1990
5 E. Cantarella, I supplizi capitali in Grecia e a Roma, [2]1991, 140–143, 183–186. G.S.

Sul. Keltische Quell- und Heilgöttin des nach ihr benannten röm. Kur- und Badeortes → Aquae [III 7] Sulis (Bath, England) und nach Aussage der Inschr. sowie des Kopfes einer überlebensgroßen Kultstatue aus vergoldeter Br. → *interpretatio* der → Minerva (Medica). Den Tempel bei den heißen Quellen weist die Bau-Inschr. CIL VII 39c der S. Minerva zu, den Kult belegt der Grabstein eines ihrer Priester (CIL VII 53). Der durchweg mit dem Epitheton *Dea* angerufenen S. bzw. S. Minerva sind in Bath sieben Altäre von Soldaten unterer Ränge, einem Steinmetzen und Freigelassenen geweiht. Mit Weihinschr. versehene Metallgefäße sowie zahlreiche an S. gerichtete → *defixiones* auf Metallblechen fanden sich zusammen mit ca. 12000 Mz. in den Sedimenten der heiligen Quelle (→ Quellfunde). Der wohl nur lokalen Bedeutung der S. widerspricht die außerhalb Britanniens singuläre Weihung CIL XIII 6266 aus Alzey (Rheinhessen) nicht.

B. Cunliffe (et al.), The Temple of Sulis Minerva at Bath, Bd. 1: The Site, 1985; Bd. 2: The Finds from the Sacred Spring, 1988. M.E.

Sulci(s) (phöniz. *Slky*). Phönizische Siedlung (gegr. zw. 730 und 700 v. Chr.; Strab. 5,2,7; Plin. nat. 3,84f.; Ptol. 3,3,3; Zon. 8,12; Bell. Afr. 4,1f.) im Osten der Sardinien südwestl. vorgelagerten Halbinsel San Antioco mit zwei Naturhäfen nördl. bzw. südl. des Isthmos; h. San Antioco. Am Monte Sirai auf dem Festland sicherte ein Stützpunkt den Zugang zum erzreichen Bergland, dessen Erträge den wirtschaftlichen Wohlstand von S. begründeten (CIL X 7514; 7516; 7518f.; Inscriptiones Latinae Sardiniae 1; 3f.; 6).

C. Tronchetti, San Antioco, 1989 · M. Meloni, Sardegna romana [2]1990, 516–520 · P. Bartiloni, Sulcis, 1989 · V. Santoni (Hrsg.), Carbonia e il Sulcis, 1995.
P.M.u.H.G.N./Ü: R.P.L.

Sulla. Röm. Cogn. (nicht etr. Herkunft [2. 250]), erblich in der Familie des Dictators L. Cornelius [I 90] S., nach Plutarch (Sulla 2,2) angeblich wegen seiner blassen Gesichtsfarbe (→ Cornelius [I 87–90; II 57–61]).

1 Kajanto, Cognomina, 106 2 H. Rix, Das etr. Cogn., 1963. K.-L.E.

Sulmo (Σουλμῶν). Stadt der → Paeligni (Strab. 5,4,2; Ptol. 3,1,64), *regio IV*, h. Sulmona (L'Aquila). Seit 304 v. Chr. mit Rom verbündet (Liv. 9,45; Diod. 20,101), seit 89 v. Chr. *municipium, tribus Sergia*. Orthogonale Stadtanlage (400 × 400 m), auf den Anhöhen im Süden um das Becken von S. herum Zentren der Paeligni (vgl. Colle Mitra, Piano della Civitella, Colle Tassito). An den Hängen des Monte Morrone im Norden liegen Reste eines Heiligtums des Hercules Curinus. In S. wurde der Dichter P. → Ovidius Naso geboren.

V. Cianfarani, Santuari nel Sannio, 1960 • E. Mattiocco, Centri fortificati preromani, 1981 • Ders., S., in: Storia Urbana 5.14, 1981, 27–50 • Ders., Il santuario di Ercole Curino, 1985 • F. Van Wonterghem, Superaequum, Corfinium, S. (Forma Italiae 4.1), 1984, 223–238 • G. F. La Torre, Dalla villa di Ovidio al santuario di Ercole, 1989. G. U./Ü: H. D.

Sulpicia

[1] Frau des Cornelius Lentulus Cruscellio (MRR 2, 391), der 43 v. Chr. proskribiert zu Sex. Pompeius [I 5] nach Sizilien floh. Als Dienerin verkleidet folgte sie ihm in die Verbannung (Val. Max. 6,7,3, App. civ. 4,39). ME. STR.

[2] Enkelin des Servius Sulpicius [I 23] (vgl. [3]), Nichte des M. → Valerius Messalla Corvinus. Verfasserin eines kurzen, im *Corpus Tibullianum* (3,13–18) überl. Gedichtzyklus, in dem sie ihrer Liebe zu einem Mann Ausdruck gibt, der sich hinter dem Pseudonym Cerinthus verbirgt; die Motive dieses Verhältnisses werden von dem Dichter der Elegien 3,8–12 (→ Tibullus?) weiter literarisiert.
→ Literaturschaffende Frauen II.

Ed.: 1 H. Tränkle, Appendix Tibulliana, 1990, 47–49; 299–322.
Lit.: 2 H. MacL. Currie, The Poems of S., in: ANRW II 30.3, 1983, 1751–1764 3 D. Liebs, Eine Enkelin des Juristen Servius Sulpicius Rufus, in: Sodalitas 3, 1984, 1455–1457 4 M. S. Santirocco, S. Reconsidered, in: CJ 74, 1978/79, 229–239 5 A. Keith, Tandem venit amor, in: J. P. Hallett, M. B. Skinner (Hrsg.), Roman Sexualities, 1997, 295–310 6 R. Piastri, I carmi di S., in: Quaderni del Dipartimento di filologia classica, Università di Torino, 1998, 137–170 7 B. L. Flaschenriem, S. and the Rhetoric of Disclosure, in: CPh 94, 1999, 36–54. P. L. S.

[3] Tochter des Sulpicius [II 9] Galus, Enkelin und Urenkelin eines Servius Sulpicius, Frau des L. Fulcinius [II 4] Trio, den sie in tiberischer Zeit nach Lusitania begleitete, als er diese Prov. als Statthalter leitete. Deshalb wurde sie von der Kolonie Augusta [2] Emerita (h. Mérida) mit einer Statue in ihrer Villa bei Tusculum geehrt [1. 233 ff.]. Auf sie bezieht sich auch CIL XV 2737.

1 M. G. Granino Cecere, I Sulpicii e il Tuscolano, in: RPAA 69, 1996/7. W. E.

[4] Dichterin der Zeit Domitians, die der Liebe zu ihrem Mann Calenus in Gedichten neoterischer Trad. ohne Scheu Ausdruck verlieh (Mart. 10,35; 38); ihren Ruhm noch im 4./5. Jh. n. Chr. bezeugt eine Satire dieser Epoche gegen Domitian, die ihren Namen im Titel führt (→ *Sulpiciae conquestio*; vgl. → *Epigrammata Bobiensia* 37; [1–4]).
→ Literaturschaffende Frauen II.; Sulpiciae conquestio

Ed.: 1 I. Lana, 1949 2 H. Fuchs, in: M. Sieber (Hrsg.), Discordia concors. FS E. Bonjour, 1968, 31–47 (mit dt. Übers.) 3 A. Giordano Rampioni, 1982.
Lit.: 4 J. Soubiran, Un curieux effet métrique dans la Sulpiciae Conquestio, in: Vichiana 11, 1982, 295–304 5 J. P. Hallett, Martial's S., in: CW 86, 1992/93, 99–123 6 A. Richlin, S. the Satirist, in: s. [5], 125–140. P. L. S.

[5] S. Dryantilla. Wahrscheinlich aus lykischem Haus, 260 n. Chr. zur Augusta erhoben, als ihr Mann → Regalianus zum Gegenkaiser des → Gallienus ausgerufen wurde; vgl. die Münzabbildungen des Paares (RIC 5.2, 588; [1]).

1 R. Göbl, Regalianus und Dryantilla, 1970.

Kienast, ²1996, 244 • PIR S 741 • PLRE 1, 273. ME. STR.

[6] S. Galbilla. In CIL VI 9754 sind zwei Schwestern dieses Namens genannt. Möglicherweise sind sie Töchter des C. Sulpicius [II 7] Galba, *cos.* 22 n. Chr.

Raepsaet-Charlier Nr. 741/2. W. E.

[7] S. Praetextata. Tochter des Q. Sulpicius [II 4] Camerinus Peticus, Frau des M. Licinius [II 10] Crassus Frugi, *cos.* 64 n. Chr., der 67 zusammen mit seinem Sohn → Scribonianus Camerinus hingerichtet oder verbannt wurde. Aus der Ehe stammen drei weitere Kinder (Tac. hist. 4,42,1).

PIR S 744 • Raepsaet-Charlier Nr. 745. ME. STR.

Sulpiciae conquestio. Innerhalb des *Corpus Ausonianum* (→ Ausonius) und der → *Epigrammata Bobiensia* (Nr. 37) sind 70 Hexameter überl., die nach Titel und Inhalt die aus Martial (10,35,38) bekannte Sulpicia [4] geschrieben haben soll: *Sulpiciae conquestio de statu rei publicae et temporibus Domitiani* (›Die Klage der Sulpicia über den Zustand des Staates und des Zeitalters Domitians‹). Sprache und Gedankenführung sprechen für die Arbeit wohl eines Stadtrömers am Anf. des 5. Jh. n. Chr., der die altröm. rel. Ideale hochhält, wie die Erwähnung der Muse (Kalliope), des → Numa, der → Egeria [1] und des Romanus → Apollon zeigt. Möglicherweise verfolgt das Gedicht eine christenfeindliche Tendenz: Mit »Domitianus«, der als bildungsfeindlicher Tyrann erscheint, die Studien unterdrückt und die Weisen aus der Stadt verbannt, könnte ein christl. Kaiser gemeint sein, der die gebildeten Nichtchristen verfolgt (zu Honorius, Cod. Theod. 16, 10; [5]).

Zu den Quellen [2; 3]; SHA Car. 3,1/3.
→ Epigrammata Bobiensia;
Literaturschaffende Frauen II.

LIT.: 1 W. KROLL, s. v. Sulpicius (115=Sulpicia), RE 4 A, 880–882 2 I. LANA, La satira di Sulpicia, 1949
3 SC. MARIOTTI, s. v. Epigrammata Bobiensia, RE Suppl. 9, 37–64, bes. 62 4 H. FUCHS, Das Klagelied der Sulpicia ..., in: M. SIEBER (Hrsg.), Discordia concors, FS E. Bonjour, 1968, 31–47 5 K. L. NOETHLICHS, s. v. Heidenverfolgung, RAC 13, 1149–1190, bes. 1171–1174. WO.SP.

Sulpicius. Name einer röm. patrizischen Familie, wohl aus → Cameria stammend (daher das Cogn. *Camerinus*) und seit ca. 500 v. Chr. in den Fasten bezeugt. Das sonst seltene Praen. → Servius erscheint häufiger und wird z. T. auch stellvertretend für das Gent. verwandt (Tac. hist. 2,48; Plut. Galba 3,1). Die Zahl der Cognomina innerhalb der Gens ist hoch, ohne daß sich größere Zweige ausmachen lassen. Die Verbindung der S. vom 3. ins 2. und 1. Jh. v. Chr. ist unsicher. Im 2. Jh. v. Chr. war der bedeutendste Zweig der der Sulpicii Galbae; er ging mit dem Kaiser → Galba [2] unter. Daneben traten die Sulpicii Rufi, die den berühmtesten Juristen der republikanischen Zeit stellten: Ser. S. Rufus [I 23].

K.-L.E.

I. REPUBLIKANISCHE ZEIT

[I 1] S. (Galus), C. *Cos.* 243 v. Chr., das älteste bekannte Familienmitglied der Sulpicii Gali. TA.S.

[I 2] S. Camerinus, C. *Cos.* 393 v. Chr. (nach Ausweis der Fasti Capitolini wohl als *cos. suff.*; InscrIt 13,1,31 f.; 100; 386 f.); Consulartribun 391; Interrex 387 (MRR 1,91–93; 99); zur möglichen Identität mit S. [I 21] s. MRR 1,99[1].

[I 3] S. Camerinus Cornutus, Ser. Laut Dion. Hal. ant. 5,52,1–57,5 vereitelte S. als *cos.* 500 v. Chr. (MRR 1,10) eine Verschwörung zur Rückführung der Tarquinier. In der Anlehnung dieses Ber. an die Verschwörung des → Catilina (S.' Mitconsul ein Tullius (!) [1. 283]) ist er ebenso wenig histor. wie S.' Erwähnung für die J. 496 und 494 (Dion. Hal. ant. 6,20,1; 69,3). Nach Liv. 3,7,6 starb S. als → *curio* [2] *maximus* im J. 463.

1 R. M. OGILVIE, A Commentary on Livy Books 1–5, 1965.

[I 4] S. Camerinus Cornutus, Ser. (oder P.). Sohn von S. [I 2]; *cos.* 461 v. Chr. (MRR 1,36 f.). Dion. Hal. ant. 10,1,1; 10,52,4; 10,56,2 (entgegen korrupter hsl. Überl. ist jeweils »Servius« zu lesen) nennt für 454 einen Ser. S. als Mitglied der Gesandtschaft, die griech. Gesetze studieren sollte, und 451 als *decemvir* (→ *decemviri* [1]), während Livius in beiden Fällen einen P. S. (zudem als Gesandter beim zweiten Auszug der → *plebs* 449 genannt: 3,31,8; 33,3; 50,15) anführt. Ob P. S. und Ser. S. identisch sind, ist nicht endgültig zu klären.

R. M. OGILVIE, A Commentary on Livy Books 1–5, 1965, 415.

[I 5] S. Camerinus Praetextatus, Q. *Cos.* oder Consulartribun 434 v. Chr. (zur Unsicherheit der ant. Überl.: Liv. 4,23,1–3; vgl. InscrIt 13,1,95; 372 f.; hierzu [1. 257 f.]). Nach Liv. 4,27,9 kämpfte er 431 unter dem Dictator Postumius [I 17] gegen die Aequi und Volsci.

1 BELOCH, RG. C.MÜ.

[I 6] S. Galba, C. Geschichtsschreiber des 1. Jh. v. Chr., Großvater des Kaisers → Galba [2] (Suet. Galba 3,3). Sein wohl antiquarisch orientiertes Geschichtswerk, das die Zeit von Romulus bis in die späte Republik umfaßte, ist von Livius [III 2], Iuba [2] und Plinius [1] d. Ä. benutzt worden. Fr. bei HRR 2, 58; 41; 222. P.L.S.

[I 7] S. Galba, P. Pontifex, Praetor 66 v. Chr., kandidierte für 63 erfolglos als Consul (MRR 2,134; 136[11]; 3,201). S. ist vielleicht der 47 von meuternden Soldaten Caesars getötete Praetorier Galba (Plut. Caesar 51,1).

JÖ.F.

[I 8] S. Galba, Ser. 209 v. Chr. curulischer Aedil (Liv. 27,21,9), gehörte 209 zu der Gesandtschaft, die die → Mater Magna aus Pessinus holte (Liv. 29,11,3), und amtierte von 203 bis zu seinem Tod 199 als *pontifex* (Liv. 30,26,10; 32,7,15).

[I 9] S. Galba, Ser. Aedil 189 v. Chr., Praetor 187, scheiterte trotz mehrerer Anläufe als Kandidat für den Konsulat (Liv. 39,32,6–13). Er spazierte gerne mit seinem Nachbarn → Ennius [1] auf dem Aventin (Cic. ac. 2,51).

[I 10] S. Galba, Ser. Kämpfte als Kriegstribun gegen Perseus [2] und wollte aus persönlicher Feindschaft 167 v. Chr. den Triumph des Siegers L. Aemilius [I 32] Paullus verhindern: Mit einer beeindruckenden Rede und durch Obstruktion brachte er die unzufriedenen Soldaten dazu, in der Volksversammlung dagegen zu stimmen. Nur massive Einschüchterung durch andere *nobiles* wie M. Servilius [I 25] Geminus und M. Porcius Cato [1] vereitelte S.' Absichten (Liv. 45,35,3–39,20). Als Praetor 151 in Hispania ulterior entging er gegen die Lusitaner nur knapp einer Katastrophe. Im nächsten J. überredete er die Gegner durch Zusagen zum Ablegen ihrer Waffen, um sie dann in großer Zahl töten zu lassen oder zu versklaven. → Viriatus konnte dem Massaker entfliehen und wurde für über ein Jahrzehnt erbitterter Gegner der Römer. Über S.' Verhalten entbrannte in Rom heftiger Streit: Der greise Cato [1] attackierte ihn mit seiner letzten Rede, die er überdies als Schluß der *Origines* publizierte. S. hat seine Verteidigung ebenfalls schriftlich veröffentlicht (Liv. per. 49). Veränderungen im Austrag polit. Kontroversen werden auch in der Errichtung des ersten ständigen Repetundengerichtes (→ *repetundarum crimen*) erkennbar. Erst 144 wurde S. Consul. 138 erreichte er durch eine glänzende Rede den Freispruch für die Mitglieder einer Publikanengesellschaft (→ *publicani*), die schwerer Übergriffe in Bruttium beschuldigt worden war (Cic. Brut. 85–89). Später leitete er eine Senatsgesandtschaft nach Kreta. Als *summus orator* (»bester Redner«) seiner Zeit, der sich in einem neuen Stil inszenierte, galt er noch, als man die Reden selbst fast vergessen hatte (Cic. Brut. 72).

[I 11] S. Galba, Ser. 111 v. Chr. Praetor in Hispania ulterior, *cos.* 108 v. Chr., hatte Besitzungen bei Tarracina und auf dem Aventin (CIL X 6323; ILS 863). TA.S.

[I 12] S. Galba, Ser. Enkel von S. [I 11] (anders Suet. Galba 3,2), Augur, Legat in Gallien 61/60 v. Chr. unter C. Pomptinus (dem er 54 als Praetor zum Triumph verhalf: MRR 2,222) und 58–56 unter → Caesar, erlitt schwere Verluste bei Octodurum (Caes. Gall. 3,6,2). Eine 52 geleistete Bürgschaft für Pompeius [I 3] suchte er noch 47 von Caesar wiederzubekommen (Val. Max. 6,2,11). 50 scheiterte S. in den Consulwahlen für 49 an der Stimmung gegen Caesar (Caes. Gall. 8,50,4). Auch nach dessen Sieg wurde S. nicht Consul, weshalb er 44 unter den Mördern des Dictators war (Cic. Phil. 13,33). 43 diente er D. Iunius [I 12] Brutus als Kurier, kämpfte bei Forum Gallorum mit und wurde von den Triumvirn geächtet; S.' weiteres Schicksal – Tod im Bürgerkrieg oder Hinrichtung – ist unklar. JÖ.F.

[I 13] S. Galba Maximus, P. Wurde 211 v. Chr. Consul, ohne zuvor andere curulische Ämter bekleidet zu haben (Liv. 25,41,11). Mit seinem Kollegen organisierte er die Verteidigung Roms gegen → Hannibals [4] direkten Angriff [1]. Am E. des Jahres wurde ihm der Krieg gegen → Philippos [7] V. übertragen, den er in den J. 210 bis 205 hauptsächlich mit Hilfe der → *socii navales* erstmals auch in der Ägäis führte (zur Chronologie vgl. [2; 3]; zu den Angaben über seine Truppenausstattung Liv. 26,28,9; 27,7,15). Ein wichtiger Erfolg war die Eroberung von → Aigina: S. versklavte die Einwohner und trat die Insel dann vertragsgemäß an die → Aitoloi ab (Pol. 9,42). Raubzüge, rasche Ortswechsel zur Unterstützung der Verbündeten, beschränkter Aufwand, aber auch das Bemühen, Philippos durch Fortführung des Krieges zu binden, kennzeichnen die weitere Strategie, wobei die Dynamik deutlich erlahmte. Erst die aitolisch-maked. Einigung 206 führte zu größeren mil. Anstrengungen, die aber S.' Nachfolger übertragen wurden. 203 amtierte er als Wahl-Dictator [4]. Als Consul 200 fielen ihm die griech. Angelegenheiten zu (Enn. ann. fr. 324: *Graecia*). Er setzte in den zögernden → *comitia* den Kriegsbeschluß gegen Philippos durch, führte nach umfangreichen Rüstungen ein Heer nach Illyrien und bezog dort ein Winterlager. 199 stieß S. bis nach Makedonien vor, nahm seine Truppen dann aber nach Apollonia [1] zurück. Nur Pelion wurde als Vorposten gesichert (Liv. 31,33,4–40,6). Den Oberbefehl übernahm jetzt der Consul P. → Villius Tappulus, der zunächst mit einer Meuterei konfrontiert war (Liv. 32,3,2–7; zu den gleichzeitigen Flottenoperationen in der Ägäis Liv. 31,22,5–23,12; 44,1–47,3 mit [5]). Seit 197 gehörte S. zu den Legaten des T. Quinctius [I 14] Flamininus und war am Abschluß und der Ausgestaltung des Friedens in Griechenland sowie an den damaligen Verhandlungen mit Antiochos [5] III. beteiligt. 193–192 war er der älteste Teilnehmer einer weiteren Gesandtschaft zu den → Seleukiden (Liv. 34,57,4; 34,59; 35,13–17).

→ Makedonische Kriege

1 H. Sack, Hannibals Marsch auf Rom im J. 211 v. Chr., Diss. Frankfurt 1937 2 F. W. Walbank, A Historical Commentary on Polybios 2, 1967, 11–13 3 H. Tränkle, Livius und Polybios, 1977, 213–215 4 W. Huss, Gesch. der Karthager, 1985, 413[76] 5 V. M. Warrior, The Initiation of the Second Macedonian War, 1996.

[I 14] S. Galus, C. Röm. Politiker und astronom. Schriftsteller. In der ersten Phase seiner Karriere v. a. zusammen mit L. Aemilius [I 32] Paullus bezeugt; vielleicht hat er ihn schon 191 v. Chr. auf dessen spanische Statthalterschaft begleitet. 182–181 war er beim Ligurer-Feldzug dabei (Liv. 40,28,8). 171 agierten beide als *patroni* für Hispania Citerior (Liv. 43,2,5–7). Als Praetor 169 führte er Schwierigkeiten bei der Truppenaushebung auf den Ehrgeiz der Consuln zurück und wurde an deren Stelle mit dieser Aufgabe betraut (Liv. 43,14–15,5). 168, wieder im Heer des Paullus beim Feldzug gegen → Perseus [2], soll er durch die Erklärung einer totalen Mondfinsternis in der Nacht vor der Schlacht bei Pydna (3. → Makedonischer Krieg) die Furcht der Soldaten überwunden haben; die Episode ist wie ähnliche Ber. über Perikles [1] und → Thales aus der Tatsache herausgesponnen, daß S. eine Schrift über Astronomie verfaßte (Cic. Cato 14,49; Plin. nat. 2,53; vgl. [1]). Als Consul 166 kämpfte er in Ligurien (Triumph). 164 auf diplomatischer Mission im Osten agierte er mit bes. Härte (Pol. 31,1,6–8; 31,6; Paus. 7,11,1–3). Als seine Frau sich unverschleiert in der Öffentlichkeit gezeigt hatte, ließ er sich scheiden, ein Beispiel für bes. Sittenstrenge (Val. Max. 6,3,10; Plut. qu. R. 14).

1 F. W. Walbank, A Historical Commentary on Polybios 3, 1979, 386f. TA. S.

[I 15] S. Longus, C. Verm. Enkel von S. [I 16]. *Cos.* 337, 323, 314 und Censor 319 v. Chr. (MRR 1,138; 149; 154; 157). Als *cos. I* widersetzte er sich erfolglos der Wahl des Publilius [I 3] Philo zum ersten plebeiischen Praetor (Liv. 8,15,9; zum Hintergrund [1. 67–69]). Trotz der Widersprüchlichkeit der Quellen ist klar, daß S. als *cos. III* 314 einen bedeutenden Sieg über die Samniten errang, für den die Acta Triumphalia ihm einen – allerdings nur hier überl. – Triumph zuweisen (InscrIt 13,1,70f.; Liv. 9,24f.). Für 312 vermerken die Fasti Capitolini eine Diktatur des S. ohne bes. Ereignisse (InscrIt 13,1,36f.; 420f.; vgl. Liv. 9,29,3–5).

1 T. C. Brennan, The Praetorship in the Roman Republic 1, 2000.

[I 16] S. Longus, Q. Der Überl. nach vollzog S. als Consulartribun 390 v. Chr. (MRR 1,94f.) das ungünstige Opfer vor dem Kampf an der → Allia, war dann Befehlshaber auf dem → Capitolium während der Belagerung durch die Gallier und Unterhändler gegenüber → Brennus [1] (Liv. 5,47,10; 5,48,8; 6,1,12; Gell. 5,17,2; Macr. sat. 1,16,22f.).

R. M. Ogilvie, A Commentary on Livy Books 1–5, 1965, Index, s. v. S. C. MÜ.

[I 17] S. Paterculus, C. Consul 258 v. Chr., kommandierte laut Polybios (1,24,9) auf Sizilien, während ihm die annalistische Tradition (v. a. Zon. 8,12,4–5; InscrIt 13,1,77) Erfolge auf Sardinien und einen Seesieg mit Triumph zuschreibt. TA. S.

[I 18] S. Peticus, C. Consulartribun 380 v. Chr., *cos.* 364, 361, 355, 353, 351, Censor 366 (nach dem Tod seines Kollegen zurückgetreten). Nach den Acta Triumphalia feierte S. als Dictator einen zweiten Triumph über die Gallier (im einzelnen kaum histor. Liv. 7,12,9–18,5), während der ansonsten unerwähnte erste Triumph dort verm. für S. als *cos. II* wegen eines Sieges über die → Hernici vermerkt war (InscrIt 13,1,68 f.; 540; vgl. Liv. 7,7,1–3). Seine Konsulate III-V gehören zu den Kollegien, die trotz der Regelungen der *leges Liciniae Sextiae* rein patrizisch besetzt waren (nachdem er vor seinem dritten und fünften Konsulat jeweils *interrex* gewesen war; zu S.' Rolle in der zeitgenöss. Politik s. [1]). Als *cos. V* schloß S. einen 40jährigen Frieden mit Tarquinii (Liv. 7,22,4f.). Ohne Zweifel war S. eine der überragenden Persönlichkeiten seiner Zeit (vgl. Liv. 9,17,8).

1 Hölkeskamp, Index, s. v. S. C. MÜ.

[I 19] S. Rufus, P. Geb. 124 oder 123 v. Chr., Volkstribun 88 (durch Übertritt zur *plebs* aus seiner patrizischen Familie). Er begann seine Karriere als Gerichtsredner (94 Anklage gegen C. → Norbanus [I 1]) und war nach allg. Einschätzung der bedeutendste Redner seiner Generation (Cic. de orat. 1,99; 3,31; Cic. Brut. 203). 91 gehörte er zum Freundeskreis des Volkstribunen M. Livius [I 7] Drusus, dessen konservative Reformpolitik er fortsetzen wollte. S. beabsichtigte die gleichmäßige Verteilung aller Neubürger aus dem Bundesgenossenkrieg [3] auf alle → *tribus*, was auf den Widerstand der Optimaten stieß, so daß S. schließlich die Hilfe des C. → Marius [I 1] suchte (Liv. per. 77). Die amtierenden Consuln L. → Cornelius [I 90] Sulla und (S.' ehemaliger Freund) Q. Pompeius [I 6] Rufus blockierten längere Zeit S.' Gesetzgebung, bis er den Widerstand mit Gewalt brach. Dabei wurde der Sohn des Pompeius getötet, Sulla selbst entkam nur mit Hilfe des Marius zu seinen Truppen. S. setzte Pompeius als *cos.* ab, brachte sein Bürgerrechtsgesetz und weitere Gesetze zur Rückberufung von Exilierten (wohl den Anhänger des Drusus, Rhet. Her. 2,45; s. Q. → Varius) sowie über die Höchstschulden von Senatoren durch. Er entzog dann durch ein Plebiszit Sulla das Oberkommando im Krieg gegen Mithradates [6] VI. und übertrug es Marius als Gegenleistung für dessen Unterstützung; Sulla eroberte darauf Rom, S. wurde vom Senat zum Staatsfeind (→ *hostis*) erklärt und getötet, seine Gesetze aufgehoben (Liv. per. 82; allg. Plut. Sulla 8–10; Plut. Marius 34–35; App. civ. 1,242–272).

E. Badian, Quaestiones Variae, in: Historia 18, 1969, 481–490 • H. B. Mattingly, The *consilium* of Cn. Pompeius Strabo in 89 B. C., in: Athenaeum 53, 1975, 262–266 • A. Keaveney, What Happened in 88?, in: Eirene 20, 1983, 54–71 • J. G. F. Powell, The Tribune Sulpicius, in: Historia 39, 1990, 446–490 • R. Seager, in: CAH 9^2, 1994, 165–171. K.-L. E.

[I 20] S. Rufus, P. Verm. Sohn von S. [I 19], Legat Caesars in Gallien 55–50 v. Chr. und im Bürgerkrieg; verhandelte im August 49 bei Ilerda. 48 stand S. als Praetor (MRR 2,273) mit einer Flotte vor Sizilien, wo C. Cassius [I 10] Longinus ihn bei Vibo fast besiegt hätte (Caes. civ. 3,101,4–6); 47–46 kämpfte er als Propraetor in Illyricum gegen M. Octavius [I 12], wurde zum Imperator ausgerufen und erhielt eine → *supplicatio* (Cic. fam. 13,77). Mit C. Antonius [I 2] wurde S. 42 Censor (InscrIt 13,1,504). Der gleichnamige Propraetor des J. 46/5 von Bithynia et Pontus, der eine *colonia* in Sinope gründete, ist wohl der Quaestor von 69 und ein Bruder des S. [I 23] (MRR 2,299; 3,202 f.). JÖ. F.

[I 21] S. Rufus, Ser. Consulartribun 388, 384, 383 und 377 (?) v. Chr. (MRR 1,99; 102 f.; 108). Wenn er identisch mit S. [I 2] ist, dann hat er die Cogn. *Camerinus* und *Rufus* getragen, die in der Tat auch belegt sind für Ser. S. Camerinus Rufus, *cos.* 345, der dann verm. sein Sohn wäre. Zu S.' Consulartribunat 377 vgl. S. [I 24]. C. MÜ.

[I 22] S. Rufus, Ser. Sohn von S. [I 23] und Postumia, sollte 50 v. Chr. bei Caesar für seinen Vater sprechen. Cicero fürchtete einen Seitenwechsel der Familie (Cic. Att. 9,18,2; 9,19,2), wünschte sich S. aber gleichwohl als Bräutigam für → Tullia und schätzte ihn sehr (Cic. fam. 4,2–6 u.ö.; Cic. Phil. 9,12). S., dessen Spur sich nach 43 verliert (Cic. fam. 11,24,2; vgl. aber Hor. sat. 1,10,86 von 36/5), war wohl der Vater der Dichterin → Sulpicia [2] und könnte selbst gedichtet haben (Ov. trist. 2,441; Plin. epist. 5,3,5); er dürfte der Autor einiger seinem Vater zugeschriebener Reden sein [1. 1415–1422].

1 Syme, RP 3. JÖ. F.

[I 23] S. Rufus, Servius. Röm. Politiker und Jurist. Praetor 65, Consul 51 v. Chr., starb 43 v. Chr. Nach der Tätigkeit des Gerichtsredners wechselte S. zur Jurisprudenz, die er bei L. Lucilius Balbus und C. → Aquilius [I 12] Gallus erlernte (Dig. 1,2,2,43). S. hinterließ im Prinzipat noch greifbare, h. nur dem Titel nach bekannte Werke im Gesamtumfang von fast 180 Buchrollen [4. 604–607]: Die Monographien *De dotibus* (›Über die Mitgift‹) und *De sacris detestandis* (›Über Sakralrecht‹, eine Auseinandersetzung mit Q. → Mucius [I 9] Scaevola Pontifex (*Reprehensa Scaevolae capita*: Gell. 4,1,20 oder *Notata Mucii*: Dig. 17,2,30; dazu [5. 196]) sowie den ersten röm. Edikts-Komm. (*Ad Brutum*, 2 B.; dazu [2. 170]; → *edictum* [1]). Seine *Responsa* (›Rechtsgutachten‹) wurden erst von zwei seiner zahlreichen Schülern (Dig. 1,2,2,44: *auditores*; dazu [3. 70 ff.]), → Alfenus [4] Varus und → Aufidius [I 7] Namusa, veröffentlicht [4. 606, 608]. Ob S. auch einen Komm. zu den Zwölf Tafeln (→ *Tabulae duodecim*) schrieb, ist unsicher [4. 605; 5. 50 f.]. Als Respondent übte er mit Hilfe der hell. Logik die Kunst des konsistenten Entscheidens (Cic. Brut. 152 ff.; dazu [6]), als Schriftsteller korrigierte und erweiterte er die von Scaevola Pontifex eingeleitete Klassifikation der Rechtsinstitute nach *genera* und *species* [4. 635 ff.], etwa auf den Fall des Diebstahls (Gai. inst. 3,183; dazu [1. 177, 184]). S.' Urheberschaft der *actio Serviana* des Pfandgläubigers (→ *pignus*) und der des *bonorum emptor* (»Vermögensübernehmers«) ist ungewiß [2. 262; 4. 452].

1 P. STEIN, The Place of Servius S. in the Development of the Roman Legal Science, in: FS F. Wieacker, 1978, 175–184 2 B. W. FRIER, The Rise of the Roman Jurists, 1985 3 R. A. BAUMAN, Lawyers in the Roman Transitional Politics, 1985 4 Wieacker, RRG 5 M. BRETONE, Gesch. des röm. Rechts, 1992 (it. 1989) 6 O. BEHRENDS, Die Grundbegriffe der Romanistik, in: Index 24, 1996, 36–57. T. G.

[I 24] S. Praetextatus, Ser. Consulartribun 377 (?), 376, 370, 368 v. Chr (MRR 1,108 f.; 110–112). Nach der Iteration in den Fasti Capitolini war S. Consulartribun 377 (*III* bzw. *IV* für die J. 370 und 368: InscrIt 13,1,396; 398; dagegen nennt Cass. Dio fr. 29,1 für 377 einen S. Rufus, was auf S. [I 21] verwiese). Mit S.' Consulartribunat verbindet sich die aus einem Familienzwist entstandene Vorgesch. der *leges Liciniae Sextiae* (Liv. 6,34,5–10; → Licinius [I 43]). C. MÜ.

[I 25] S. Saverrio, P. Consul 279 v. Chr., unterlag zusammen mit seinem Kollegen P. Decius [I 3] Mus dem → Pyrrhos [3] bei Ausculum. TA. S.

II. KAISERZEIT

[II 1] S. Alexander. Verfaßte ein Gesch.-Werk über die späte röm. Kaiserzeit. Es ist verloren und nur durch Gregorius [4] von Tours bekannt, der ihn im 2. B. seiner *Historiarum libri decem* (auch *Historia Francorum*) mehrfach erwähnt und bes. für die Frühgesch. der Franken konsultiert zu haben scheint. Gregor nennt S.' Werk *Historia* (2,9) und zitiert große Passagen aus dem 3. und 4. B. (l.c.) zu den Kämpfen unter Römern unter Maximus und Valentinian II. U. E.

[II 2] C. S. Apollinaris. Lat. Grammatiker, in der ersten H. des 2. Jh. n. Chr. in Rom tätig; *terminus ante quem*: 160 (Veröffentlichung der *Noctes Atticae* des Aulus → Gellius [6]). Zu S.' Zuhörern gehörten der zukünftige Kaiser Helvius → Pertinax und Aulus → Gellius [6]. Wahrscheinlich verteilte S. Beitr. zur Gramm. über verschiedene Themen (aus den Bereichen Gramm. im mod. Sinn, Lexikographie, Metrik und Altertümer) auf mehrere Briefe, welche in einem zweiten Schritt gesammelt wurden. Erh. sind die sechs *Periochae Terentianae*, die S. explizit zugeschrieben werden (Inhaltsangaben der Komödien des → Terentius, in deren Hss. überl.). Schwerlich kann man ihm einen anon. *Accessus* (schematische Einleitung in einen Autor) an Vergil zuschreiben (Anth. Lat. 487c). S. kann auch nicht mit dem *S. Carthaginiensis* gleichgesetzt werden, dem neben drei elegischen Distichen über die postume Ausgabe der *Aeneis* (Suet. Vita Vergilii 38) einige Sechszeiler über die *Aeneis* (Anth. Lat. 653) zugeschrieben werden; sie sind sicherlich späteren Datums.

G. BRUGNOLI, s. v. S., EV 4, 1068–1071 • P. L. SCHMIDT, in: HLL, Bd. 4, §436. P. G./Ü: TH. G.

[II 3] Q. S. Camerinus. Patrizier, aus dessen Familie seit 345 v. Chr. kein Consul mehr bekannt ist [1. 98]. *Cos. ord.* 9 n. Chr. Vielleicht mit dem Dichter Camerinus bei Ov. Pont. 4,16,19 identisch.

1 SYME, AA.

[II 4] Q. S. Camerinus Peticus. Sohn von S. [II 3]. *Cos. suff.* 46 n. Chr., *procos.* von Africa 56/7 nach Pompeius [II 22] Silvanus. Im J. 58 angeklagt, weniger wegen Repetunden als aus privaten Gründen (Tac. ann. 13,52,1 f.). Im J. 67 wegen Majestätsverbrechen angeklagt und mit seinem Sohn hingerichtet, angeblich weil er den Beinamen Pythicus (=Peticus) nicht abgelegt und damit die Ehrungen für Nero in Griechenland mißachtet habe (Cass. Dio 63,18,2).

VOGEL-WEIDEMANN, 170–173.

[II 5] S. Cornelianus. Vertrauter *amicus* des Cornelius Fronto [6]; S. war Experte in der Rhet., aber kein Philosoph (Fronto epist. 1,1 und 2 VAN DEN HOUT). Er wird von Fronto dem Claudius [II 64] Severus und Aelius [II 1] Apollonides empfohlen [1]. Möglicherweise ist er mit einem Cornelianus, *ab epistulis Graecis* unter Marcus [2] Aurelius, identisch [2. 50].

1 W. ECK, P. Aelius Apollonides, *ab epistulis Graecis*, in: ZPE 91, 1992, 236–242 2 A. R. BIRLEY, Locus virtutibus patefactus, 1992.

[II 6] C. S. Galba. Patrizier; Sohn eines C. S. Galba; *cos. suff.* 5 v. Chr. Verheiratet mit Mummia [1] Achaica, die ihm die Söhne S. [II 7] Galba und den späteren Kaiser Galba [2] gebar; in zweiter Ehe mit Livia Ocellina verbunden, die letzteren adoptierte.

VOGEL-WEIDEMANN, 141.

[II 7] C. S. Galba. Sohn von S. [II 6] und Bruder des Kaisers Galba [2]. *Cos. ord.* 22 n. Chr.; zuvor vielleicht *procos.* von Achaia. Als er durch Tiberius von der Losung um den Proconsulat von Asia und Africa ausgeschlossen wurde, tötete er sich im J. 36 (Suet. Galba 3).

VOGEL-WEIDEMANN, 141.

[II 8] Ser. S. Galba. Röm. Kaiser, s. → Galba [2].

[II 9] S. Galus. Zwei Senatoren dieses Namens sind in augusteischer Zeit bekannt; einer war Suffektconsul im J. 4 v. Chr. (DEGRASSI, FCIR 5), der andere *triumvir monetalis* zw. 9 und 5 v. Chr. (RIC I^2 33); vielleicht handelt es sich um Vater und Sohn, die wahrscheinlich mit dem Vater und Großvater einer Sulpicia [3] aus tiberischer Zeit zu identifizieren sind [1. 233 ff.]; dann lautet ihr Praen. Servius.

1 M. G. GRANINO CECERE, I Sulpicii e il Tuscolano, in: RPAA 69, 1996/97. W. E.

[II 10] S. S. Hecataeus, Sohn eines Apollonius. Wirkte um 68 n. Chr., wurde wegen seiner Wohltaten für das Volk von Knidos und als »Arzt und Freund des Kaisers« geehrt (IKnidos 90), nach seinem Gent. wohl des Ser. S. → Galba [2]. V. N.

[II 11] S. Iulianus. Senator; consularer Statthalter von Syrien unter Antoninus Pius ca. 147–149/150 [1. 103 f.], wahrscheinlich *cos. suff.* 142 n. Chr. [2. 253 ff.].

1 E. DĄBROWA, The Governors of Roman Syria from Augustus to Septimius Severus, 1998 2 W. ECK, P. WEISS, Tusidius Campester, cos. suff. unter Antoninus Pius, und die Fasti Ostienses der J. 141/142 n. Chr., in: ZPE 134, 2001, 251–260.

[II 12] C. S. Platorinus. Senatorensohn, der noch vor dem Eintritt in den Senat verstarb. Sein Grabmal, wohl aus der Zeit des Tiberius, wurde nahe am Tiber gefunden.

G. ALFÖLDY, in: CIL VI.8.3, p. 4783 zu VI 31761.

[II 13] P. S. Quirinius (der im NT erwähnte Statthalter Syriens). Aus einer Familie ohne senatorische Vorfahren, geb. bei Lanuvium. Durch seine Tüchtigkeit erwarb er sich Augustus' Vertrauen und Förderung. Wohl *procos.* von Creta-Cyrenae um 15 v. Chr., wo er gegen die → Garamantes siegreich kämpfte (Flor. epit. 2,31,41); 12 v. Chr. *cos.*, anschließend Legat von Galatia-Pamphylia, wo er gegen die Homonadenser kämpfte, vielleicht zw. 5 und 3 v. Chr.; dafür erhielt er, wenn der *titulus Tiburtinus* sich auf ihn bezieht (s.u.), die → *ornamenta triumphalia*. Damals vielleicht *procos.* von Asia. 2/3 n. Chr. wurde er C. Iulius [II 32] Caesar als *rector* (»Betreuer«) auf seine Mission in den Osten mitgegeben, was die enge Verbindung zu Augustus beweist (Tac. ann. 3,48,1). Kurz darauf Statthalter von Syrien; dort führte er einen → *census* durch, der auch das 6 n. Chr. annektierte Iudaea einschloß; er erfolgte, weil Iudaea Teil der Prov. Syrien wurde (Ios. ant. Iud. 17,355; 18,1 f.); vgl. [1. 77–79]. Dieser *census* wurde von größter histor. Bed., weil er im NT von Lukas (2,2) erwähnt und zeitlich mit der Geburt Christi verbunden wurde. Doch ist → Jesus wohl vor dem Tod des Herodes 4 v. Chr. geb. Die damit verknüpften histor. Probleme wurden noch größer, weil aus dem *titulus Tiburtinus* (CIL XIV 3613 = ILS 918 = InscrIt IV 1,130), der Quirinius zugewiesen werden sollte, zwei syrische Statthalterschaften für ihn konstruiert wurden, was nicht zutreffen kann (zuletzt zu der Inschr. [2. 199 f.]). S. blieb auch unter Tiberius höchst einflußreich. Verheiratet mit Aemilia [4] Lepida, die er im J. 20 n. Chr. verstieß. Nach seinem Tod im J. 21 erhielt er ein censorisches Begräbnis (Tac. ann. 3,48,1).

1 H. COTTON, Some Aspects of the Roman Administration of Iudaea/Syria-Palaestina, in: W. ECK (Hrsg.), Lokale Autonomie und röm. Ordnungsmacht, 1999, 75–91
2 G. ALFÖLDY, Un celebre frammento epigrafico Tiburtino anonymo (P. Sulpicius Quirinus), in: I. DI STEFANO MANZELLA (Hrsg.), Le iscrizioni dei Cristiani in Vaticano, 1997, 199–208. W. E.

[II 14] S. Severus. Lat. Hagiograph, geb. ca. 363, gest. ca. 420 n. Chr., aus aquitanischem Adel; seine Frau kam aus einer consularischen Familie. Wie sein Freund → Paulinus [5] von Nola ist S. ein Beispiel für die Welle adliger *conversiones* (Bekehrungen): Nach erfolgreicher Tätigkeit als Anwalt verließ er, unterstützt durch → Martinus [1] von Tours, 394 »die Welt« und lebte seit 399 auf dem von ihm gegr. und durch sein ererbtes Vermögen erworbenen Gut Primuliacum in klösterlicher Gemeinschaft, zu der auch andere Mitglieder gallischer Adelsfamilien gehörten. Aus der Zeit nach der *conversio* stammen seine Schriften, unter denen als Hauptwerk die 396 verfaßte *Vita Martini* (›Leben des Hl. Martin‹) als Verteidigungsschrift für die Askese herausragt. Martin wird als Begründer der asketischen Bewegung in Gallien gepriesen und gerechtfertigt, wobei sich S. bes. an die traditionell gebildete Aristokratie wendet. Dies belegt auch der an klass. Reminiszenzen reiche Stil [1; 2]. Die Vita wurde zu einem großen buchhändlerischen Erfolg (Sulp. Sev. dial. 1,23,4) und zum Vorbild vieler späterer Darstellungen des Martinslebens. Sie ist neben der von → Euagrius [2] angefertigten lat. Bearbeitung der Antoniusvita entscheidend für die Entwicklung der lat. und zumal gallischen [3] Biographie, die als wichtiges Modell auch für die Darstellung weltlicher Persönlichkeiten im MA rezipiert wurde [4].

Im Zusammenhang mit der Martinsvita stehen auch Themen, die in den drei noch erh. Briefen aus den J. 397–398 behandelt werden, wie auch die 403/4 verfaßten *Dialogi* [5]. Die ›Dialoge‹ sind, wie die Anlehnung an Cic. ac. 1 zeigt, ebenfalls stark an der klass. Bildungs-Trad. orientiert. Auch in den *Chronicorum libri II* unternimmt es S., traditionelle Darstellungsformen, bes. des Tacitus, zur Verbreitung christl. Inhalte zu nutzen (vgl. 1,1). Für diese knappe Darstellung der Weltgesch. von der Erschaffung der Welt bis ca. 400 n. Chr., die 404 abgeschlossen wurde, greift S. auf die eusebianisch-hieronymianische Trad. zurück, arbeitet aber in den zeitgesch. Teilen selbständig und ist hierin eine wichtige Quelle, bes. für die gall. Zeitgesch.
→ Biographie (III.); Geschichtschreibung (IV.); Martinus [1] von Tours

1 J. FONTAINE (ed.), S. Severus, Vie de Saint Martin, SChr 133, 1967 (mit franz. Übers.), 121 2 R. KLEIN, Die Praefatio der Martinsvita des S. Severus, in: Antike und Unterricht 31.4, 1988, 5–32 3 W. BERSCHIN, Biographie und Epochenstil im lat. MA, Bd. 2, 1988, VII 4 H. BEUMANN, Topos und Gedankengefüge bei Einhard, in: Archiv für Kulturgesch. 33, 1951, 337–350 5 B. R. VOSS, Der Dialog in der frühchristl. Lit., 1970, 308–314.

ED.: C. HALM (CSEL 1), 1866, 109–135 (*vita Martini*); 138–151 (*epistulae*); 152–216 (*dialogi*); 3–105 (*chronica*).
ÜBERS.: K.-S. FRANK, Frühes Mönchtum im Abendland, Bd. 2, 1975, 20–52 (*vita Martini*) • P. BIHLMEYER (BKV² 20), 1914, 70–147 (*dialogi*).
LIT.: F. GHIZZONI, Sulpicio Severo, 1983 • C. STANCLIFFE, St. Martin and His Hagiographer, 1983 • S. WEBER, Die Chronik des S. Severus, 1997. U. E.

[II 15] Ser. S. Similis. Ritter, der aus der Centurionenlaufbahn kam (Cass. Dio 69,19,1); ca. 103–107 in Rom *praef. annonae*, 107–112 *praef. Aegypti*; noch von Traian wurde er zum *praef. praet.* neben Acilius [II 1] Attianus befördert. In dieser Eigenschaft Teilnahme am Partherkrieg, wo er verm. mit → *dona militaria* ausgezeichnet wurde. Von Bed. war er bei der Machtübernahme Hadrians 117. Im J. 119 wurde er als *praef. praet.*

abgelöst und erhielt dabei → *ornamenta*, wohl die *o. consularia*. Sieben Jahre später starb er. Cassius Dio (69,19) kennzeichnet ihn als eine herausragende Persönlichkeit.

M. Christol, S. Demougin, Les ornements de Ser. S. Similis, in: ZPE 74, 1988, 1–21.

[II 16] Sex. S. Tertullus. *Cos. ord.* im J. 158 n.Chr., *procos.* von Asia ca. 173/4 [1. 170, 217].

1 Alföldy, Konsulat. W.E.

[II 17] S. Victor (auch Sulpitius). Röm. Rhetor wohl des 4. Jh. n. Chr. (er benutzt → Marcomannus), Verf. eines kurzen rhet. Lehrbuches (*Institutiones oratoriae*). Das auf Wunsch seines Schwiegersohnes M. Silo entstandene, diesem gewidmete und nur für dessen persönlichen Gebrauch bestimmte Werk behandelt im ersten Teil elementare Aspekte der → Rhetorik (Definition, Aufgaben des Redners, Teile der Rede), im zweiten ausführlicher die Stasislehre (→ *status* [1]). S. hält sich dabei, wie er im Einleitungsbrief versichert, im wesentlichen an das System des Zenon, erlaubt sich aber im einzelnen Abweichungen, die jeweils als solche gekennzeichnet werden.

Ed.: C. Halm, Rhetores Latini minores, 1863, 311–352.
Lit.: C. Loutsch, A Short Note on S. V., in: BICS 31, 1984, 137f. • M. Winterbottom, The Text of S. V., in: BICS 31, 1984, 62–66. M.W.

Sumelocenna. Keltische Siedlung am → Nicer/Nekkar (Tab. Peut. 4,1; [1. 199–271, 693f.], vgl. [3. 357–382]), h. Rottenburg. Ansiedlung in röm. Zeit wohl nach 90 n.Chr. [3. 399–402]; ein Kastell ist nicht nachgewiesen [2. 469f. D 89], aber eine *ala Vallensium* (CIL XIII 6361). Inschr. bezeugt: *procurator* (Verwalter des kaiserlichen *saltus S.*, ILS 8855, wohl Anf. 2. Jh. n. Chr.), *ordo*, *magistri* des *saltus* (ILS 7100, Mitte 2. Jh.). S. war wohl seit Marcus [2] Aurelius Vorort einer *civitas*. Ob diese (ILS 7099; 4603) die kaiserl. Domäne ablöste oder neben dieser bestand, ist umstritten [3. 414–419]. Nachgewiesen: Gebäude mit Portikusarchitektur, Bäder, Latrine, Wasserleitung, eine ca. 5 m hohe Mauer mit Wehrgang (2./3. Jh.); erh. sind Bildwerke, Kleinfunde; Funde im Bereich des Stadtteils Sülchen. Überfälle der → Alamanni (2. H. 3. Jh.) verursachten Zerstörungen, doch wurde auf dem Gebiet der *civitas* weiterhin gesiedelt.

1 F. Haug, G. Sixt, Die röm. Inschr. und Bildwerke Württembergs, ²1914 2 H. Schönberger, Die röm. Truppenlager der frühen und mittleren Kaiserzeit zw. Nordsee und Inn, in: BRGK 66, 1985, 321–497
3 A. Gaubatz-Sattler, S., 1999.

K. Heiligmann, S., 1992 • W. Schneider, Beitr. zur frühen Gesch. von Rottenburg, 1993. RA.WI.

Sumerer. Akkadische Bezeichnung (Etymologie unklar) [2. 33f.] der bestimmenden Ethnie des südlichen → Mesopotamien (Babylonien) im ausgehenden 4. sowie im 3. Jt. v. Chr., definiert durch die von ihr getragene sumerische Schriftkultur (→ Sumerisch). Schon im frühen 3. Jt. haben auch semitischsprechende Ethnien (in der Wiss. als Akkader bezeichnet; → Akkadisch) in Mesopotamien eine Rolle gespielt. Daneben existierten substratsprachlich zu definierende Bevölkerungsgruppen im südl. Mesopotamien. Das Nebeneinander von Sumerern und Akkadern ist – soweit sich sehen läßt – ohne ethnisch begründete Konflikte verlaufen. Es spricht vieles dafür, daß sich längerfristig Angehörige beider Ethnien durch Heirat vermischten, woraus ein neues Bevölkerungselement entstand, das sich jeweils neuzuwandernden Nomaden und Bergvölkergruppen gegenübersah, die im Laufe der Zeit von der seßhaften Bevölkerung absorbiert wurden.
→ Akkadisch; Keilschriftenrechte; Mesopotamien I. D.

1 H. Crawford, Sumer and the Sumerians, 1991
2 F. R. Kraus, Sumerer und Akkader. Ein Problem der altmesopot. Gesch., 1970. J.RE.

Sumerisch. Sprache des südl. Viertels von → Mesopotamien, etwa vom Persischen Golf bis zur Höhe von → Nippur. Ob schon die ältesten Keilschrifttexte aus → Uruk (E. 4. Jt.) S. wiedergeben, ist zwar umstritten, jedoch angesichts des Fehlens anderssprachiger Traditionen in jüngeren Texten plausibel (→ Protoeuphratisch). Die große Mehrzahl der Keilschrifttexte aus Sumer im 3. Jt. ist in S. geschrieben; allerdings verhindert die erst allmählich genauer werdende Orthographie eine sichere Interpretation der älteren unter ihnen in starkem Maße. Die wichtigsten Textcorpora dieser Zeit sind die archa. Texte von → Ur (ca. 2700), die Texte aus Fāra (ca. 2600), dem präsargonischen → Lagaš (ca. 2400–2300) und der Ur III-Zeit (ca. 2050–1950).

Bedeutendste Textgattung sind Verwaltungsurkunden; dazu kommen in kleinerer Anzahl Königs-Inschr., Rechtsurkunden, Briefe und lit. Texte. Mit dem Beginn der Dyn. von Akkade (ca. 2335) wurde das S. zunehmend vom → Akkadischen verdrängt. Am Ende dieser Entwicklung steht – nach einer Phase der Niederschrift sumer. Lit. zu Beginn des 2. Jt. – der Tod des S. als Umgangssprache. Ab ca. 1700 wurde S. auch als Schriftsprache nur noch in Kult und Magie sowie in lexikalischen → Listen für die → Schreiber-Ausbildung gebraucht, wobei auch in diesen Bereichen das Akkad. dominierte.

S. ist eine der isolierten Sprachen des Alten Orients. Sprachareale Gemeinsamkeiten bestehen vor allem mit dem Akkad., → Elamischen und → Hurritischen; sie zeigen, daß S. kaum von weither importiert, sondern eine der autochthonen Sprachen Mesopotamiens ist. Typologische Merkmale sind Split-Ergativität, ein gemischt agglutinierend-flektierendes morphologisches Bildungsprinzip, die Differenzierung von Personen- und Nicht-Personenklasse sowie SOV-Wortstellung. Dialekte sind aufgrund der geringen geogr. Verbreitung in der Schriftsprache nicht zu erkennen. Hervorstechendes Merkmal der internen chronologischen Entwicklung ist die wachsende Zahl von Akkadismen E.

des 3. und Anf. des 2. Jt. Reste eines phonetisch und lexikalisch differenzierten Soziolekts sind in der »Frauensprache« Emesal greifbar, die fakultativ in lit. Texten verwendet wird.
→ Keilschrift; Sumerer

1 P. Attinger, Eléments de linguistique sumérienne, 1993
2 R. K. Englund, The Sumerian Question, in: P. Attinger, M. Wäfler (Hrsg.), Mesopotamien. Späturuk-Zeit und Frühdyn. Zeit (OBO 160/1), 1998, 73–81 3 A. W. Sjöberg (Hrsg.), The Sumerian Dictionary of the University Museum of the University of Pennsylvania, 1984 ff. 4 M. P. Streck, The Tense Systems in the Sumerian-Akkadian Linguistic Area, in: Acta Sumerologica 20, 1998, 181–199 5 M. L. Thomsen, The Sumerian Language, ²2001. M.S.

Sumerisches Recht s. Keilschriftrechte; Sumerer

Summaria Alexandrinorum. In der Spätant. wurden in Alexandreia [1] Schriften des → Galenos und in geringerem Ausmaß des → Hippokrates [6] zu einem medizinischen Kompendium zusammengestellt. Diese sog. »16 Bücher Galens« deckten die Grundlagenfächer der Medizin ab (darunter Anatomie, Physiologie und Therapeutik). Arabischen Quellen zufolge [1] sollen einige Lehrer (→ *iatrosophistḗs*) in Alexandreia eine Reihe von Zusammen- oder Kurzfassungen der in diesem Kompendium enthaltenen B. verfaßt haben, die dann unter dem Titel *S. A.* gesammelt und ins Arabische und vielleicht auch ins Hebräische übers. wurden [2]. Nach Umfang und Kompilationstechnik sind sie recht unterschiedlich. So besteht die Kurzfassung von Galens *De sectis* nur aus Auszügen und Erläuterungen, diejenige von Galenos' *De pulsibus* aus zwei selbständigen Schriften und die von *Ad Glauconem* erweist sich als umfangreicher Komm. zu Galens Therapeutik [3]. Insgesamt fassen die Autoren Galens Lehrmeinungen treffend zusammen, doch verleihen sie seinen Schriften im Zuge ihrer Überarbeitung den Eindruck größerer Kohärenz, als sie die Originale aufweisen. Die berühmte ma. Lehrmeinung, die Gesunderhaltung hänge von der richtigen Regulierung der *sex res non naturales* (Umwelt; Bewegung und Ruhe; Essen und Trinken; Schlafen und Wachen; Ausscheidungen; Gefühle) ab, leitet sich von den *S. A.* ab, in denen Material aus Galens Schriften *De pulsibus* und *Ars medica* zwecks Aufwertung der Ätiologie miteinander verknüpft wurde [4].
→ Galenos

1 F. Sezgin, Gesch. des arabischen Schrifttums, Bd. 3, 1970, 141–150 2 E. Lieber, Galen in Hebrew, in: V. Nutton (Hrsg.), Galen: Problems and Prospects, 1981, 167–186
3 I. Garofalo, La traduzione araba dei compendi alessandrini delle opere del canone di Galeno. Il compendio dell' Ad Glauconem, in: Medicina dei Secoli, 1994, 329–348
4 N. Palmieri, La théorie de la médecine des alexandrins aux arabes, in: D. Jacquart (Hrsg.), Les voies de la science grecque, 1997, 33–134. V.N./Ü: L.v.R.-B.

Sumpf. Im ant. Mittelmeerraum waren Binnen- und Küsten-S. weit verbreitet. Die lit. Zeugnisse lassen meistens ihre Identifizierung zu, obwohl die Terminologie nicht eindeutig ist. Selbst wenn die Begriffe ἕλος (*hélos*) und *palus* dem mod. »S.« sowohl im geogr. wie auch im übertragenen Sinn entsprechen, so ist es schon schwieriger, die Bed. von λίμνη (*límnē*) zu erfassen, da man die Begriffe See und S. weniger klar schied als heute. Darüber hinaus schätzte man S. nicht so gering; die Aversion gegenüber S., bezeugt v. a. in röm. Zeit (z. B. *foeda palus*, »häßlicher S.«: AE 1960, 249), war ein hauptsächlich ideologisch bedingtes Phänomen (vgl. Stat. silv. 1,1; 3,2; 4,3). Andererseits ermöglichte die Entwicklung der Wasserbautechnik in polit. und wirtschaftlich günstigen Zusammenhängen durchaus die Trockenlegung von S. (Pomptinae paludes, Lacus Fucinus).

G. Traina, Paludi e bonifiche del mondo antico, 1988 • P. Horden, N. Purcell, The Corrupting Sea, 2000.
G.TR./Ü: J.W.MA.

Sumptus s. Nachträge in Band 12/2

Sunion (Σούνιον). Kap im SO von Attika, att. Paralia-Demos (Strab. 9,1,22), Phyle Leontis, ab 201/0 v. Chr. Attalis, vier (sechs) *buleutaí*. Das Gebiet von S. (ca. 28 km²) grenzte im Westen an Amphitrope (Grenzinschr. auf dem Spitharopussi [1. 11 f. Taf. 3]), im Norden an Thorikos und umfaßte mit Nape und Thrasymos zwei bed. Bergbaureviere des → Laureion. Die Kulte des Poseidon und der Athena Sunias am Kap reichen in spätgeom. Zeit zurück. Um 600 v. Chr. errichtete man hier kolossale Kuroi, in spätarcha. Zeit einen dor. Kalksteintempel (6 × 13 Säulen), der noch unfertig im → Perserkrieg [1] 480 v. Chr. zerstört wurde. Eine Siedlung am Kap ist schon für archa. Zeit anzunehmen. Beim Wiederaufbau von Stadt und Heiligtum nach 480 richtete man das orthogonale Straßenraster (Insulae 100 × 100 Fuß; → Hippodamos) am Poseidon-Heiligtum aus. In hochklass. Zeit schuf eine inselionische Bauhütte nach Plänen eines Athener Architekten einen h. noch gut erh., in vielen Details ungewöhnlichen dor. Peripteros aus Agrileza-Marmor [1. 90 f.] mit 6 × 13 Säulen auf breitem Podium [2. 212–216] und Bauplastik aus parischem → Marmor. Weitere Kulte sind inschr. belegt (vgl. das Herakleion der Salaminioi [4], die wie Aiginetai (Hdt. 6,90) in spätarcha. Zeit in S. angesiedelt wurden [1. 72]). 413/2 v. Chr. wurde S. befestigt (Thuk. 8,4), die Stadtmauer im 3. Jh. v. Chr. aus Spolien spätklass. Gräber erweitert, ein Schiffshaus für zwei Küstenwachtboote einbezogen [1. 55; 3. 16]. Im → Chremonideïschen Krieg war S. maked. [3. 33]. Das Temenos der Athena Sunias mit dem von Vitr. 4,8,4 erwähnten Tempel lag auf einem flachen Hügel 500 m nordöstl. vor der Stadt.

Die wirtschaftliche Blüte von S. in klass. Zeit beruhte vornehmlich auf Bergbau, (Turm-)Gehöfte bezeugen Landwirtschaft [1. 78–86]; Ergasteria (z. T. mit Türmen [1. 86–90]) dienten zur Erzaufbereitung. Die *astikḗ hodós*

(»Stadt-Straße«) verband S. mit Athen, ein dichtes Straßennetz die einzelnen Reviere untereinander. Mit dem Niedergang des Bergbaus E. 4. Jh. v. Chr. traten Entvölkerung und Verödung ein, die Stadt existierte aber noch, als 104 v. Chr. aufständische Sklaven S. besetzten (Athen. 6,272ef). Lit. Quellen: Hom. Od. 3,278; Soph. Ai. 1218 ff.; Eur. Cycl. 293 f.; Hdt. 6,80; Paus. 1,1,1; Ptol. 3,15,1; 7; Cic. Att. 7,3,10. Inschr.: [1. 51–55]; IG I³ 8,6; 1024; IG II² 1180; 1260; 1270; 1300; 1742,60–66; 1752,21–25; Hesperia 30, 1961, 33 (SEG 19,149), 195 ff.; SEG 10,10; 10,227; 16,91; 21,527; 45,134.

1 H. R. Goette, Ὁ ἀξιόλογος δῆμος Σ., 1999 2 G. Gruben, Die Tempel der Griechen, ⁴1986 3 H. Lauter, Das Teichos von Sounion, in: MarbWPr, 1988, 11–33 4 H. Lohmann, Wo lag das Herakleion der Salaminioi ἐπὶ Πορθμῷ?, in: ZPE 133, 2000, 91–102.

V. Staïs, Τὸ Σ., 1920 • Traill, Attica, 6, 18, 45, 63, 67, 98, 112 Nr. 128, Tab. 4 • Travlos, Attika, 404–429 Abb. 508–542 • Whitehead, Index s. v. S. H. LO.

Sunniten (*ahl as-sunna*). Islamische Orthodoxie, die neben dem → Koran v. a. auf der *sunna* (d. h. den exemplarischen Worten und Taten) des Propheten → Mohammed basiert. Von den → Schiiten unterscheiden sich die S., die den größten Teil der Muslime stellen (mehr als vier Fünftel), auch in der Auslegung des Koran, der vergleichsweise geringen Bed. des Märtyrertums sowie in Bereichen des Rechtssystems. Auch innerhalb der S. selbst kam es zur Ausbildung verschiedener Rechtsschulen (→ Islam).
→ Islam; Kalam

G. H. A. Juynboll, D. W. Brown, s. v. Sunna, EI 9, 878a–881b. H. SCHÖ.

Suovetaurilia, auch *Suovitaurilia*. Die in der röm. Rel. traditionelle Kombination dreier Opfertiere – Schwein (*sus*), Schaf (*ovis*) und Stier (*taurus*) – die als Bestandteil der rituellen Reinigung (→ *lustratio*) um den zu lustrierenden Ort (etwa die Feldflur: Cato agr. 141; [1. 103–125]) oder um zu lustrierende Personengruppen herumgeführt und anschließend geopfert wurden. Unterschieden wurde zw. *s. lactentia* bzw. *minora* (Ferkel, Lamm und Kalb: Cato agr. 141) und ausgewachsenen *s. maiora* (z. B. Eber, Widder, Stier: Varro rust. 2,1,10; vgl. Plin. nat. 8,206). Urspr. scheint das Opfer der *s.* dem → Mars gegolten zu haben (Fest. 154 L.), so z. B. auch bei der Lustration des röm. Heeres (Liv. 1,44,1; 8,10,14; → *lustrum*; → *census*). *S.* konnten jedoch jeder Gottheit dargebracht werden, in deren Bereich eine Entsühnung (→ *piaculum*) wirksam werden sollte (z. B. Hain der Dea Dia: Commentarii fratrum Arvalium 94,I,23; II,8; 105b,7 Scheid u. ö.), darunter seit dem 1. Jh. n. Chr. auch nicht dem röm. → Pantheon [1] entstammenden Gottheiten. So finden sich die *s.* z. B. in severischer Zeit im → Mithras-Kult [2. 180–183] und in anderen Teilen des Röm. Reiches (Beaujeu/Lyon: [3]; Moesia; Moesia superior).
→ Sühnerituale

1 D. Baudy, Röm. Umgangsriten (RGVV 43), 1998 2 R. Merkelbach, Mithras, 1984 3 J. J. Hatt, Le double suovetaurile de Beaujeu et le culte des Déesses-Mères et de Tutelle à Lyon, in: Revue archéologique de l'Est et du Centre-Est 37, 1986, 252–267.

U. W. Scholz, S. und Solitaurilia, in: Philologus 117, 1973, 3–28 • S. Tortorella, I rilievi del Louvre con suovetaurile: un documento del culto imperiale, in: Ostraka 1.1, 1992, 81–104 (Lit.). A. V. S.

Superficies. Im röm. Recht die vererbliche Befugnis, auf fremdem Boden ein Gebäude zu unterhalten (Erbbaurecht). Anfangs wurde dieses Recht von Gemeinden eingeräumt (vgl. FIRA III Nr. 109), später auch von Privatleuten. Zugrunde lag eine Verpachtung zumeist auf unbestimmte Zeit oder ein Kauf, auch Schenkung oder Vermächtnis (→ Pacht). Der Inhaber der *s.* wurde gegenüber dem Bodeneigentümer durch eine Kauf- oder Werkvertragsklage auf das Interesse, gegenüber Dritten durch Abtretung des dem Eigentümer zustehenden Klagerechtes geschützt, ferner vom Praetor durch ein Interdikt, nämlich das nach dem Vorbild des → *interdictum uti possidetis* ausgestalteten *interdictum de superficiebus*, und nach Ermessensprüfung (*causa cognita*) bei einer unbefristeten *s.* durch eine quasidingliche Klage (*quasi in rem actio*), vgl. Ulp. Dig. 43,18,1 pr.–3. Gehörte der Boden nicht dem Verkäufer, stand dem Käufer der *s.* die *actio Publiciana* zu (Ulp. Dig. 6,2,12,3). Trotz der *s.* blieb das Gebäude ›nach Zivilrecht und Naturrecht‹ Eigentum des Bodeneigentümers (Gai. Dig. 43,18,2): ›Das Gebäude weicht dem Boden‹ (*s. solo cedit*, Gai. inst. 2,73). Ließ sich der Superfiziar auf die Abwehrklage des Eigentümers nicht ein, verlor er den Besitz (Dig. 39,2,45). Das Recht des Superfiziars war veräußerlich (Dig. 18,1,32) und verpfändbar (Dig. 13,7,16,2) und konnte Gegenstand eines Vermächtnisses sogar an den Bodeneigentümer selbst sein (Dig. 30,86,4; 43,18,1,7). In der Spätant. scheint beim Bau mit Zustimmung des Bodeneigentümers ein Sondereigentum am Gebäude möglich geworden zu sein (vgl. Gai. epit. 2,1,4). Iustinianus (6. Jh. n. Chr.) hingegen läßt den Erbauer nicht mehr Eigentümer werden (Dig. 43,18,2).

Honsell/Mayer-Maly/Selb, 194 • Kaser, RPR Bd. 1, 456 • Ders., RPR Bd. 2, 289 f., 306–308 • J. M. Rainer, S. und Stockwerkseigentum im klass. röm. Recht, in: ZRG 106, 1989, 327–357. D. SCH.

Superindictio. Eine von mehreren Bezeichnungen (wie z. B. *adscriptio, extraordinaria munera*) für Sondersteuern, die im röm. und byz. Reich zum Ausgleich zusätzlicher Ausgaben, z. B. in Notzeiten, aufgrund kaiserlicher Anordnung von allen oder auch nur von den reichen Grundbesitzern erhoben wurden und als unerwartete Belastungen durchweg verhaßt waren.
→ Steuern

J. Karayannopulos, Das Finanzwesen des frühbyz. Staates, 1958, 138–141 • N. Oikonomides, s. v. Secondary Taxes, ODB 3, 1863 f. F. T.

Supernomen. Zusätzlicher Individualname. Im röm. Reich außerhalb Italiens war das röm. Gentilnamensystem (→ Personennamen III.) ungewohnt. So kamen seit dem 2. Jh. n. Chr. wieder Formen von Einnamigkeit auf, zuerst im Osten, wo man oft einen einheimischen neben einem griech. Namen trug, z. B. Διονύσιος ὁ καὶ Ἀμόις, 79 n. Chr. [1. 5,119]. Das S. (nur in *Quirace/* Κυριακή *s. Micines*/»Kleine«, CIL V 6260) oder *signum* (»Erkennungsmarke«) wurde durch *qui/quae et* oder *qui vocatur* oder *signo* usw. an den röm. Namen angeschlossen (*P. Tadius Saturninus qui et Sterceius*/»Schmutzfink«, CIL XIV 1654; *M. Aur(elius) Sabinus cui fuit et signum Vagulus* »Herumtreiber«, CIL VI 13213). Die S. waren z. T. einheimische Namen (*C. Ravonius Celer qui et Bato Scenobarbi nation(e) Dal[mata]*, CIL X 3618), meist aber im Lauf des Lebens erworbene Spitz- oder Rufnamen. Ein Sonderfall sind die S. auf *-ius*, die zunächst eine Vereinszugehörigkeit angeben (*Sagitti*, *Leucadii*), dann aber allg. gebräuchlich und oft zum einzigen (oder einzig bekannten) Namen wurden. Sie sind von EN oder von Nomina (auch griech. Herkunft) abgeleitet: *Dalmatius*, *Honorius*, *Lactantius*, *Eusebius* (Liste in [3. 76–90]).

1 M. Lambertz, Zur Ausbreitung des S. oder Signum im röm. Reiche, in: Glotta 4, 1913, 78–143; 5, 1914, 99–170
2 W. Kubitschek, s. v. Signum (2), RE 2 A, 2448–2452
3 I. Kajanto, Supernomen, 1966. H. R.

Superstitio
A. Einleitung B. Interreligiöse Polemik
C. Frauen D. Kollektive Krisen

A. Einleitung

Die Etym. von *s.* ist nicht eindeutig zu bestimmen (von *superstes* im übertragenen Sinne, »Übriggebliebenes« vom Opfer, oder von *superstitiosus* im Sinne von »wahr- oder weissagend«: Cic. nat. deor. 2,28,72). Sie ist für das Verständnis des Begriffes in verschiedenen Kontexten von keiner nennenswerten Relevanz [1. 387; 5. 633; 7. 101], da die ant. Diskurse auf unterschiedlichen *s.*-Konzepten basieren. Außerhalb von Rel. wird *s.* und *superstitiosus* bis in die Spätant. (und darüber hinaus) im Sinne von »unwissend/närrisch« (u. a. Plin. nat. 30,7; Quint. 1,1,3) und »ängstlich« (Quint. inst. 9,4,25; 10,6,5 passim) gebraucht.

B. Interreligiöse Polemik

Die kritische rel. Verwendung des Begriffs *s.* konnte sich je nach Zeit und Ort praktisch gegen jede, jeweils als fremd, obskur oder gesellschaftsgefährdend empfundene Rel.-Form richten [2. 387]. Als *s.* wurden in der röm. Gesellschaft nicht in die eigene Rel. integrierte bzw. nicht zu integrierende Teile der Rel. anderer Völker (v. a. im Kontext von → Divination), wie z. B. die der Germanen, Gallier/Druiden, Kelten, Chaldäer, Etrusker (→ *harioli*) sowie der Juden bezeichnet [3. 66 f.; 9. 22 f.], seit dem 1./2. Jh. n. Chr. auch zunehmend die christl. Rel. (vgl. Plin. epist. 10,96). Gleichzeitig eigneten sich Christen im Gegenzug den Begriff *s.* zur pejorativen Benennung jedweder Form »paganer« Rel. an (vgl. u. a. Apg 17,22 unter Verwendung des griech. Begriffes → *deisidaimonía*).

Interreligiöse Polemik einer Ges. und der sie repräsentierenden polit. Funktionsträger fand ihren Niederschlag auch in legislativen Akten, die dem Zweck dienten, die als gemeinschaftsgefährdend empfundene »*s.*« zu eliminieren bzw. aus den Zentren der ant. Ges. (*civitas* und *polis*) zurückzudrängen oder zu entfernen (z. B. Dig. 48,19,30; Cod. Theod. 16,10,2; ausführlich: [4. 55 ff.]).

Auf der Ebene von Philos. und Theologie wird *s.* in Aufnahme und Fortführung griech. Konzepte (v. a. → Atheismus und → *deisidaimonía*) von lat. Autoren als Gegenpol der »wahren« und »richtigen« Rel. (s. → Religion I.) der Philosophen definiert (Varro bei Aug. civ. 6,9; Sen. clem. 2,5,1; Cic. nat. deor. 2,28,72; Cic. div. 2,149); die Argumentationsweise wird später von christl. Autoren aufgegriffen, wobei an die Stelle der *s.* (als einer letztlich »falschen Einstellung« zur Rel., die »übermäßig« oder »unzureichend« betrieben wird) die Rel. selbst gesetzt wird, die falsch oder richtig ist. Erst in der ma. Rezeption der ant. *s.*-Diskussion wird die Binnenargumentation wieder aufgenommen, nachdem das Christentum eigene Formen der → Dämonologie sowie verschiedene Divinationsformen entwickelt hatte [5. 634 f.]

C. Frauen

Bes. häufig von Cicero mit dem Adj. *superstitiosus* bezeichnet werden Frauen (v. a. ältere), ohne nähere Spezifizierung damit verbundener Kenntnisse und Praktiken im Bereich der → Magie, die impliziert sind (Cic. nat. deor. 2,70; 3,92; dom. 105; div. 1,7; 2,19 und 125). Cic. Tusc. 3,72 sieht die *s.* von Frauen neben dem Hang zu Magie v. a. in übertriebener Trauer nach einem Todesfall und damit einhergehender bes. »Unterwürfigkeit« gegenüber den Göttern. Diese bereits in der Ant. den Frauen unterstellte Neigung zu Magie und kriseninduzierter »übermäßiger« Religiosität scheint sich bis ins MA und darüber hinaus in Form des Hexenphänomens fortgesetzt zu haben [8. 193–195].

D. Kollektive Krisen

Die Mehrzahl der Belegstellen bei Livius thematisiert den Kontext von kollektiven Krisen, wo entweder die stadtröm. Bevölkerung oder ital. Gemeinden in Anbetracht von Seuchen (Liv. 1,31,6; 4,30,9; 7,2,3) oder mil. Niederlagen (6,5,6; 29,14,2) zu als *s.* bezeichneten außergewöhnlichen rel. Maßnahmen greifen (»neue Opferbräuche« oder etwa der Einführung von *ludi scaenici*). Nach den Kultbilddiebstählen des Verres (Cic. Verr. 2,4,113) sollen die Bewohner der Prov. Sicilia in einen kollektiven Angstzustand (*s.*) in Befürchtung des Götterzorns verfallen sein.

→ Magie

1 S. Calderone, S., in: ANRW I 2, 1972, 377–396
2 B. Gladigow, s. v. Aberglaube, HrwG 1, 387–388
3 F. Graf, La magie dans l'antiquité gréco-romaine, 1994 (dt.: Gottesnähe und Schadenzauber, 1996)
4 D. Grodzynski, S., in: REA 76, 1974, 36–60

5 D. HARMENING, s. v. Superstition; Aberglaube, HWdPh 10, 633–636 6 C. LECOUTEUX, Das Reich der Nachtdämonen, 2001 7 G. LUCK, Witches and Sorcerers in Classical Literature, in: B. ANKARLOO, S. CLARK (Hrsg.), Witchcraft and Magic in Europe, 1999, Bd. 2, 91–158
8 R. PORTER, Witchcraft and Magic in Enlightenment, Romantic and Liberal Thought, in: [7], Bd. 5, 193–273
9 J. SCHEID, Rel. et superstition à l'époque de Tacite, in: Religión, superstición y magia en el mundo romano, 1985, 19–34. C. F.

Suppen wurden durch Kochen fester Nahrungsmittel wie Getreide, Gemüse, Hülsenfrüchte, Fisch, Fleisch oder Obst in Wasser bzw. anderen Flüssigkeiten zubereitet. In dünnflüssiger Form gab es S. in der ant. Küche nicht als eigenständige Speise; auch der Begriff fehlt. Der Grund dafür liegt vornehmlich in den Eßsitten: Griechen und Römer hatten zwar größere Löffel (*ligula*), pflegten aber mit den Händen zu essen; außerdem gab es in der Regel keine individuellen Gedecke (→ Tafelausstattung). Deshalb kannte die einfache wie die gehobene Küche der Ant. nur dickflüssige S.: Eintopfgerichte, Breie (*pultes*; Apicius 5,1), Frikassees (*minutalia*; Apicius 4,3,1–8); auch der berühmte ζωμὸς μέλας/*zōmós mélas* der Spartaner (Plut. Lykurgos 12,6; Athen. 9,379e) war wohl nur eine Art Brei, der aus Schweinefleisch und -blut, Essig und Salz zubereitet wurde. Man aß diese dickflüssigen S., indem man sie aus gemeinsamen Schüsseln mit Brot auftunkte oder mit den Fingern aufnahm.
→ Polenta; Speisen

F. RUF, Die Suppe in der Gesch. der Ernährung, in: I. BITSCH, T. EHLERT, X. VON ERTZDORFF (Hrsg.), Essen und Trinken in MA und Neuzeit, 1987, 165–181. A. G.

Suppletion, auch Suppletivismus, Suppletiv-Form (von lat. *supplēre*, »auffüllen, ergänzen, vervollständigen«). Als S. bezeichnet man die formale Zusammenfassung von Wörtern, die semantisch, nicht jedoch etym. zusammengehören, zu einer Gruppe. S. tritt u. a. auf a) bei Adj., wenn Steigerungsformen von verschiedenen Wz. abgeleitet sind (z. B. dt. *gut – besser – best*; lat. *bonus – melior – optimus*); b) bei Verben, wenn innerhalb eines Paradigmas die Tempusstämme wechseln (z. B. dt. *sein – bin/ist/sind – war*; lat. *sum – fui*; *fero – tuli – latum*; griech. λέγω – ἐρῶ – εἶπον; ὁράω – ὄψομαι – εἶδον). Zum Teil stammt S. innerhalb einer Sprache aus einem vorgesch. Sprachsystem, z. T. entstand S. erst in der jeweiligen Einzelsprache. Die ant. Grammatiker verwenden zwar nicht den t.t. S., kennen aber sowohl dieses Phänomen (das verbal umschrieben wird mit »ergänzen«, z. B. *explere, subrogare*) als auch das komplementäre Phänomen der »Defektivität« (z. B. fehlende Tempusstämme, *defectiva verborum species*, Diom. 1,346,12).

O. SZEMERÉNYI, Einführung in die vergleichende Sprachwiss., [4]1990, 213 f., 327 f. • K. STRUNK, Überlegungen zur Defektivität und S. im Griech. und Idg., in: Glotta 55, 1977, 2–34. B.-J. SCH.

Supplicatio (»Bitt-« oder »Sühne-« bzw. »Dankfest«). In der röm. Rel. bezeichnet *s.* im weiteren Sinne ein Opfer von Wein und Weihrauch (*ture ac vino supplicare*), im engeren Sinne eine staatlich angeordnete Feier des Gemeinwesens. Solche *supplicationes* wurden in Notsituationen von den → *quindecimviri sacris faciundis* nach Befragen der → *Sibyllini libri*, daneben aber auch von den → *pontifices* oder den → *haruspices* empfohlen und vom Senat beschlossen; unterschieden wird zw. Bitt- und Sühne-*s.* und *s.*, die als Dankesfeste gefeiert wurden.

Die *s.* als Bittfest wurde zur Abwendung drohender Gefahren, häufig im Anschluß an ein → *prodigium* (z. B. Seuchen: Liv. 41,21,11; Krieg: Liv. 31,9) angeordnet. Eine Prozession aller Teilnehmer führte von Tempel zu Tempel, die während dieser Zeit geöffnet waren. Die *quindecimviri* sprachen das Gebet (*obsecratio*) vor, die Teilnehmer sprachen nach. Die Feier der *s.* dauerte in der Regel einen Tag, bei schwerwiegenden Ereignissen auch länger (Liv. 10,23,1; 22,1,15; 35,40,7; 40,37,3; bis zu 50 Tagen: Liv. 10,10; 10,47). Ob im Zusammenhang mit der *s.* ein → *lectisternium* durchgeführt wurde, ist nicht abschließend nachgewiesen.

Als Dankfest wurde eine *s.* z. B. nach Beendigung einer äußeren Gefahr gefeiert (z. B. siegreiche Kriegsrückkehr: Liv. 37,47; Aufdeckung einer Verschwörung: Cic. Catil. 3,15) und die damit verbundene Ehrung demjenigen zugesprochen, dem das Verdienst am Erfolg zukam (Cic. Phil. 1,12). Die Dauer der *s.* ergab sich aus der Wichtigkeit des Anlasses.

In der Kaiserzeit nimmt die Bed. der *s.* ab; sie wird zum Ausdruck der Loyalitätsbekundung gegenüber dem Kaiserhaus (→ Kaiserkult).
→ Opfer; Sühnerituale

G. FREYBURGER, Supplication grecque et supplication romaine, in: Latomus 47, 1988, 501–525 • L. HALKIN, La supplication d'action de graces chez les Romains, 1953 • LATTE, 245 f. A. V. S.

Supplicium (»Strafe«, = St.) wird im röm. Recht ähnlich wie → *poena* verwendet, jedoch beschränkt auf die »öffentliche« St. (→ Strafrecht) und spezieller die → Todesstrafe. Darüber, wie *s.* (urspr. wohl: Bitte um Vergebung) die Bed. einer St. erh. hat, sind nur Spekulationen möglich. Die Zwölf Tafeln (5. Jh. v. Chr.) kennen zwar die Todes-St. in einigen Fällen, jedoch überwiegend als private St.; sie wird in den Berichten über das Gesetz nicht als *s.* bezeichnet. Mehrfach ist in den Quellen von einem *s. more maiorum* (»St. nach der Vätersitte«) die Rede (Nachweise [1. 204–207, 343 f.]). Hierunter ist der Vollzug der Todes-St. durch Binden an einen *infelix arbor* (»unseligen«, unfruchtbaren Baum) und Zutodepeitschen des Delinquenten zu verstehen. Diese Sanktion war wohl beim Landes- und Hochverrat (→ *perduellio*) in republikanischer Zeit vorgesehen. Nach anderer Auffassung [2. 1614 f.] handelte es sich beim Auspeitschen hingegen nur um eine Neben-St. vor der anschließenden Enthauptung durch das Beil

oder dem Erhängen an einem *infelix arbor* (nach Liv. 1,26,6). In der strafrechtlichen Doktrin des 2. und 3. Jh. n. Chr. ist *s.* regelmäßig der Ausdruck für die schwerste St. (*ultimum s.*, Celsus Dig. 48,19,21; *summum s.*, Callistratus Dig. 48,19,28 pr.). Die Vollstreckungsart ändert sich, bleibt aber vielgestaltig (Enthaupten durch das Schwert, Aufhängen am gegabelten Kreuz, Begraben bei lebendigem Leibe usw.).
→ Strafe, Strafrecht; Todesstrafe

1 E. CANTARELLA, I supplizi capitali in Grecia e a Roma, 1991 **2** K. LATTE, s. v. Todesstrafe, RE Suppl. 7, 1599–1619.
G.S.

Suppositio Partus. Im röm. Recht die strafbare Handlung der Kindesunterschiebung, → *partus suppositus*. G.S.

Sura

[1] Röm. Cogn. (»Wadenbein«), bezeugt für L. Cornelius [I 56] Lentulus S. u. a.

DEGRASSI, FCIR, 269 • KAJANTO, Cognomina, 63; 226.
K.-L. E.

[2] Aemilius S. In einer Glosse zu Vell. 1,6,6 wird als Ergänzung zur Darstellung des Velleius von der genealogischen Herleitung des maked. Königshauses ein Ausschnitt aus dem Werk eines Aemilius S. mit dem Titel *De annis populi Romani* zitiert. Dieser enthält einen Ber. von der Abfolge der fünf Weltmonarchien der Assyrer, Meder, Perser, Makedonen und schließlich der Römer. [1] vermutet in dem sonst nirgendwo erwähnten Verf. den Autor einer kurzen Weltchronik.

1 TH. MOMMSEN, Litterarhistorisches, in: RhM 16, 1861, 282–287, hier: 282–284.
U.E.

[3] Nordsyrische Stadt am Euphrat, h. Ruinen von al-Surīyya mit einem Umfang von 1700 × 450 m. Im 1. Jh. n. Chr. wohl Grenzfestung zum Partherreich, wird S. zuerst bei Plin. nat. 5,87 und 5,89 erwähnt. In der Spätantike scheint S. mil. wieder von Bed. gewesen zu sein. Nach Not. dign. or. 33,6,28 war S. Sitz des Praefekten der *legio XVI Flavia Firma*. In die Stadtmauer war ein Legionslager integriert. Die Festung des Bischofsitzes S. wurde unter Iustinianus [1] I. erneuert (Prok. aed. 2,9).

E. HONIGMANN, s. v. S., RE 4 A, 953–60.
K.KE.

[4] (hebr. *Sûrâ*). Stadt in Südbabylonien am Euphrat. Nach gaonäischer Trad. (→ Gaon) etablierte der rabbinische Gelehrte Abbâ Arîkâ, gewöhnlich Rab genannt, nach seinen Lehrjahren in → Palaestina 219 n. Chr. dort eine Art jüd. Lehrhaus, in dem er einen Kreis von Schülern zum Torastudium um sich sammelte. Mit Unterbrechungen blieb die Stadt auch nach dem Tode Rabs im J. 254 bis ins 10. Jh. n. Chr. – neben und in Konkurrenz mit → Pumbedita – rel. und kulturelles Zentrum des babylon. → Judentums.

E. BASHAN, s. v. S., Encyclopaedia Judaica 15, 1972, 521–523 • J. NEUSNER, A History of the Jews in Babylonia, Bd. 2, 1966, 232–234.
B.E.

[5] Wohl vorkelt. Name der Sauer, eines linken Nebenflusses der → Mosella (Auson. Mos. 354–358; Ven. Fort. 7,4,15; 10,9,17–20). An den Ufern der schiffbaren S. zahlreiche vorgesch. und röm. Siedlungen und Villen (z. B. Ferschweiler Plateau, Bolldendorf, Echternach).

H. CÜPPERS (Hrsg.), Die Römer in Rheinland-Pfalz, 1990.
RA.WI.

Sūrēn. Name eines iranischen Adelsgeschlechts [1], das vom 1. Jh. v. Chr. (Plut. Crassus 21 u.ö.) bis ins 9. Jh. n. Chr. [2] bezeugt ist. Die S. krönten die parthischen Könige und dienten Arsakiden und Sāsāniden als Kronfeldherrn. Ob die S. in → Sakastane begütert waren und dadurch verwandtschaftliche Beziehungen zur Dyn. der Indo-Parther hatten (so [3]), ist ungeklärt.
→ Abdagaeses; Sinnaces

1 R. SCHMITT, Sûrên aber Kârin. Zu den Namen zweier Parthergeschlechter, in: Münchner Stud. zur Sprachwiss. 42, 1983, 197–205 **2** W. SUNDERMANN, T. THILO, Zur mittelpers.-chin. Grabinschr. aus Xi'an, in: Mitt. des Instituts für Orientforsch. 11, 1966, 437–450 **3** E. HERZFELD, Sakastan, in: AMI 4, 1932, 1–116.
M.SCH.

Surrentum. Stadt (Plin. nat. 3,62; Ptol. 3,1,7: Σούρεντον) auf einer von → Capreae (Capri) durch einen schmalen Meeresarm getrennten (vgl. Tac. ann. 4,67,1; 6,1,1; Cass. Dio 52,43,2; Tab. Peut. 6,5) Halbinsel (h. Punta della Campanella; Strab. 5,4,8: Σειρηνουσσῶν ἀκρωτήριον; Plin. nat. 3,62; Ov. Met. 15,709: *promunturium Minervae*), h. Sorrento. Von Griechen im 6. Jh. v. Chr. besiedelt (Liber coloniarum 236,22), zu Anf. des 5. Jh. von Etrusci, seit 420 von Osci beherrscht (Steph. Byz. s. v. Συρρέντιον; Strab. l.c.), beteiligte sich S. auf seiten der Aufständischen am → Bundesgenossenkrieg [3]. Von Cornelius [I 90] Sulla und Augustus wurden hier Kolonien angelegt; vor Hadrianus war S. *municipium*, *tribus Menenia* (CIL X 676). Seit dem 1. Jh. v. Chr. entstanden in S. prächtige Villen (Suet. Aug. 65,1). Ein Athene-Heiligtum (Strab. 1,2,12; 5,4,8) und ein Sirenen-Kult sind bekannt (Aristot. mir. 103; Strab. 1,1,12; Liber coloniarum l.c.), ebenso *Hercules Surrentinus* (Stat. Silv. 3 prooem. 10). Man rühmte das heilsame, angenehme Klima von S. (Hor. epist. 1,17,52; Sil. 5,466; 8,543). Auf den *Surrentini montes* (Plin. nat. 3,60) wuchs qualitätvoller Wein (Strab. l.c.; Plin. nat. 14,64; Ov. met. l.c.; Stat. Silv. 3,5,102; 4,8,9). Arch.: Funde von Votivgaben sowie Keramik-, Mz.- und Metall-Frg. Inschr.: CIL X 675–762; 8128–8130.

J. BELOCH, S. im Alt., 1874 • P. MINGAZZINI, F. PFISTER, Formae Italiae, 1946 • S. DE CARO, E. GRECO, Campania, 1981, 98–102 • C. ALBORE LIVADIE, Archeologia a Piano di Sorrento, 1990.
S. d. V./Ü: J. W. MA.

Sur(r)ina. Die kleine etr. Siedlung S. lag auf dem Colle di S. Lorenzo in Viterbo (=V.) beim Papstpalast und Dom, der durch einen Einschnitt vom anschließenden, ebenfalls vom ma. V. überbauten Hügel abgetrennt ist. Es sind noch Teile der Ummauerung sowie der Kanalisation sichtbar. Vom röm. *municipium* Surrina Nova, auf einem Hügel zw. V. und dem See Bullicame, fanden sich nur geringe Reste. Im Museo Civico von V. werden die Funde der Umgebung, u. a. aus → Acquarossa, → Blera, → Ferentis, Ferentium, → Manturanum, → Musarna [2], → Norchia und → San Giovenale aufbewahrt.

A. Emiliozzi, La collezione Rossi Danielli nel Museo Civico di V., 1974 • Dies., Il Museo Civico di V. Storia delle raccolte archeologiche, 1986 • A. Scriattoli, V. nei suoi monumenti, 1920.

M.M.

Surus. Aus dem Adel der → Haedui mit wohl kelt. Namen [1. 472f.; 2. 1678–1682], Feind der Römer. 51 v. Chr. wurde er von T. Labienus im Gebiet der → Treverer bei einem Reitergefecht gefangengenommen (Caes. Gall. 8,45,2).

1 Evans 2 Holder 2.

W.SP.

Susa (τὰ Σοῦσα, elamisch/babylonisch *Šušim*, h. *Šūš*, auch *Šūš Daniel* wegen des angeblichen Grabes des Propheten Daniel in Ḫūzestān, Iran). Hauptort des Reiches → Elam (→ Elymais, → Susiana, altpersisch *U(va)ja*). Polit. Zentrum ab 4000, bes. im 3. bis 1. Jt. v. Chr.; 645–640 wurde S. von → Assurbanipal zerstört. → Dareios [1] I. (521–486) wählte S. als eine seiner Hauptstädte: Auf hoher Terrasse entstand im Norden ein → Palast mit elam.-mesopot. Plan und achäm. Säulenhalle (Apadana); Schmuck in farbig emaillierten Reliefziegeln; eine Bauinschr. in altpers., babylon. und elam. erwähnt u. a. die Mitwirkung griech. Handwerker. Nach der Eroberung durch Alexandros [4] d. Gr. erhielt S. den Namen Seleukeia am Eulaios; nahe dem alten Palast wurde ein hell. Bau errichtet (Peristyl, Ziegeldach). Die Verwaltung lag jedoch im Süden der Stadt, wo fast alle der griech. Inschr. und hellenisierenden und parthischen Bildwerke gefunden wurden. Als wichtige Stadt des parth. Reiches besaß S. eine Münze, die aktiv blieb, auch als S. zw. dem 3. und 6. Jh. n. Chr. einen Niedergang erlebte (Zerstörung durch → Sapor [2] II.). Ihr Wiederaufstieg am Ende der sāsānidischen Periode dauerte bis zur mongolischen Zeit (13. Jh.).

R. Boucharlat, Suse à l'époque sassanide, in: Mesopotamia 22, 1987, 316–322 • Ders., Suse et la Susiane à l'époque achéménide. Données archéologiques, in: AchHist 4, 1990, 149–175 • P. Harper et al. (Hrsg.), The Royal City of S., 1992 • G. Le Rider, Suse sous les Séleucides et les Parthes (Mémoires de la Délégation en Perse 38), 1965 • J. Wiesehöfer, Das ant. Persien, 1993.

R.BO.

Susarion (Σουσαρίων). Angeblich ältester att. Komödiendichter [1. test. 1] und sogar Erfinder der → Komödie [1. test. 2, 3, 4, 6, 7, 8, 9]. Als sein Herkunftsort wird entweder der att. Demos Ikaria (→ Ikarion; [1. test. 1, 2], vgl. [1. test. 7]) oder Tripodiskos im Gebiet von → Megara [2] [1. test. 8 und 10] angegeben, womit sich jeweils eine verschiedene Erklärung des Ursprungs der → Komödie verbindet: Ikaria als Ort eines alten Dionysoskults würde auf »autochthone« att. Begründung der Komödie hindeuten, Megara hingegen die dorischen Ansprüche (vgl. Aristot. poet. 3,1448a 31) stützen. S. selbst bleibt völlig schattenhaft: Man hat ihn für ein schon in der Alten Komödie zitiertes *exemplum* [2] oder für einen megarischen → Iambographen des 6. oder 5. Jh. v. Chr. ([3], vgl. IEG II^2 167f.) gehalten; da seine früheste Bezeugung jedoch nicht vor 264 v. Chr. zurückgeht [1. test. 1], ist am wahrscheinlichsten, daß seine Existenz erst in nacharistotelischer Zeit konstruiert wurde. Dafür spricht auch das einzige ihm zugeschriebene Zitat, fünf iambische Trimeter (fr. 1), deren Bezeugung (in schwankendem Umfang von zwei bis fünf Versen) sich vor der Spätant. nicht nachweisen läßt. Der Kern dieses Zitats (V. 3–4: Frauenschelte) wirkt wie eine Nachbildung von Men. fr. 801 und 846 K.-A.

1 PCG VII, 1989, 661–665 2 L. Radermacher, Maison, in: WS 54, 1936, 20–23 3 M. L. West, Studies in Greek Elegy and Iambus, 1974, 183f.

H.-G.NE.

Susceptor (ὑποδέκτης/*hypodéktēs*, ἀποδέκτης/*apodéktēs*, πράκτωρ/*práktōr*, ἐπιμελητής/*epimelētḗs*; lat. auch → *procurator* [1]) bezeichnet v. a. den röm. Steuereinnehmer (andere Verwendung z. B. *s. causarum*, Cod. Theod. 2,12,6: Prozeßvertreter, Bevollmächtigter). *S.* war t.t. der spätant. Finanzverwaltung; allg. war der *s.* ein Mitglied der lokalen Führungsschichten, dem es nach → *nominatio* durch den *ordo decurionum* (→ *decurio* [1]) als → *munus* (→ Liturgie) oblag, auf dem Gemeindegebiet anfallende → Steuern entgegenzunehmen bzw. ihren Einzug zu organisieren. Die *nominatio* erfolgte normalerweise getrennt für unterschiedliche Abgabentypen (Getreide, Geld, Fleisch, Wein, Kleidung), so daß alljährlich mehrere *susceptores*, auch kollegial, tätig wurden; ihnen standen Helfer (*adiutores*, βοηθοί/*boēthoí*) zur Seite. Als Aufwandsentschädigung stand ihnen ein Aufschlag auf den einzutreibenden Steuerwert zu, doch konnte dieses legale *epimetrum* die Attraktivität der Aufgabe kaum steigern; andererseits übertreibt die lit. Überl. die ruinösen Haftungsrisiken. Für Außenstände (*reliqua*) dürfte der ebenfalls städtische, aber höherrangige *exactor civitatis* (in Äg. ab 309 n. Chr. bezeugt) gefordert gewesen sein. In den zu *pagi* (→ *pagus*) zusammengefaßten Dörfern wurden die Steuern durch *praefecti pagi* eingezogen. Gelegentlich begegnen *s.* mit den oder an Stelle der *praefecti horreorum* auch bei der Ausgabe (*erogatio*) der Steuergüter an die Empfangsberechtigten, meist Militärangehörigen. Der Versuch, den Schwächen eines kurial organisierten Steuereinzugs durch Beauftragung von lokalen → *principales* und *honorati* bzw. von

Reichsbediensteten oder → *vindices* abzuhelfen, blieb auf die Zeit des Valentinianus/Valens und des Anastasios [1] I. beschränkt.
→ Steuern

1 R. S. Bagnall, Egypt in Late Antiquity, 1993 **2** J.-M. Carrié, Patronage et propriété militaires au IVe siècle, in: BCH 100, 1976, 159–176 **3** Ders., A. Rousselle, L'Empire romain en mutation, 1999, 192–337 **4** R. Delmaire, Largesses sacrées et res privata, 1989 **5** G. Depeyrot, Crises et inflation entre Antiquité et Moyen Âge, 1991 **6** L. De Salvo, I munera curialia nel IV secolo, in: Atti dell'Accademia Romanistica Costantiniana, X Convegno Internazionale in onore di A. Biscardi, 1995, 291–318 **7** Jones, LRE **8** C. Lepelley, Quot curiales tot tyranni, in: E. Frézouls (Hrsg.), Crise et redressement dans les provinces européennes de l'Empire, 1983, 143–156. E. P.

Susiana (ἡ Σουσιανή, vgl. OGIS 54,17; Pol. 5,46,7); h. der ebene Teil von Ḫūzestān, Iran. Seit dem 3. Jt. v. Chr. Hauptregion des Reiches von → Elam, Satrapie des Achämenidenreiches, in seleukidisch-sāsānidischer Zeit als → Elymais bezeichnet. Bedeutendster Ort (seit 4000 v. Chr.) war → Susa.

E. Carter, M. W. Stolper, Elam: Surveys of Political History and Archaeology, 1984 • J. Wiesehöfer, Das ant. Persien, 1993. H. J. N.

Suthul. Numidische Stadt (→ Numidae). Hier lagerten die Schätze des → Iugurtha, deren sich der in propraetorischer Funktion agierende Legat A. Postumius (vgl. Postumius [I 9]) bemächtigen wollte (Sall. Iug. 37,3; 38,2). S. lag auf der Höhe eines steilen ›Berges‹ und war ›von einer schlammigen Ebene umgeben‹ (Sall. Iug. 37,4). Nach Oros. hist. 5,15,6 lagen die ›königlichen Schätze bei der Stadt Calama‹. Da S. aber nicht mit → Calama gleichgesetzt werden kann, steht die Lokalisierung von S. noch aus.

E. Honigmann, s. v. S., RE 4 A, 989. W. HU.

Sutorius. Q. Naevius Cordus S. Macro s. → Naevius [II 3]. W. E.

Sutrium. Stadt in Süd-Etruria (etr. *suθri*) auf einem Tuffsporn (291 m H) zw. den Monti Cimini und Sabatini (Strab. 5,2,9), h. Sutri. Der Ort war seit dem 10. Jh. v. Chr. besiedelt. 394 v. Chr. nach dem Fall von → Veii durch Furius [I 13] Camillus erobert, war S. latinische *colonia* seit 383 v. Chr. (Vell. 1,14,2; Liv. 27,9,7; 29,15,5; Diod. 14,117,4), später *municipium*. Im 1. Jh. v. Chr. *colonia coniuncta Iulia Sutrina, tribus Papiria* (CIL XI 3254; Plin. nat. 3,51). Arch.: Reste der Stadtmauer aus Tuffstein (*opus quadratum*), Forum mit Eingangsbogen (h. Piazza del Comune), kleine Thermen; zu Füßen der Stadt ein in die Tuffhänge eingegrabenes Amphitheater (Arena 49 × 40 m) und eine in Tuffgestein eingegrabene Nekropole; die Kirche Madonna del Parto ist evtl. aus einem Mithräum entstanden. S. war Bischofssitz spätestens seit 465 n. Chr.

G. Duncan, S., in: PBSR 26, 1958, 63–134 • C. Morselli, S., 1991 • Dies., s. v. S., EAA 2. Suppl. 5, 503–505 • S. Meschini, S., in: Archeologia della Tuscia, 1982, 128–132. G. U./Ü: H. D.

Sutton Hoo. In einem der Grabhügel von S. H. bei Woodbridge (Suffolk) fand sich ein Holzschiff mit einem reichen Schatz (gallische, skandinavische und ostbritannische Waren, byz. Silberschüsseln, darunter eine mit Kontrollstempel des Anastasios [1] I., ferner fränkische Mz. aus der Zeit um 625 n. Chr.). Verm. handelt es sich um das Grab des Raedwald (6./7. Jh. n. Chr.), des Königs von Ost-Anglia.

R. Bruce-Mitford, The S. H. Ship-Burial, 3 Bde., 1975–1983. M. TO./Ü: I. S.

Sveštari. Nördl. von S. (Bezirk Razgrad/Bulgarien) wurde 1982 ein thrakischer Grabkomplex (1. H. 3. Jh. v. Chr.) entdeckt. Im südöstl. Teil des Grabhügels Ginina mogila befindet sich das Grab eines getischen Königs (Dromos mit Relieffries aus Bukranien, Rosetten und Girlanden, drei quadratische Kammern, d. h. Vor-, Grab- und Seitenkammer); 12 Karyatiden an der Grabkammer, die mit dem thrak. Jenseitsglauben zu verbinden sind. In der Kammer befinden sich zwei steinerne Totenlager, über dem größeren außerdem Wandmalerei (Heroisierungsszene). Das Grab wurde zweimal schon in der Ant. ausgeraubt.

Im Umkreis dieses Grabkomplexes wurden im Hof des Alianenklosters Demir baba ein thrak. Heiligtum des 4./3. Jh. v. Chr., ein Kultzentrum auf dem Plateau Kamen rid und eine befestigte Siedlung im h. Vodna centrala entdeckt. In der Nähe des Stadttors fand man eine griech. Weihinschr. (frühes 3. Jh. v. Chr.). Zahlreiche → Amphorenstempel und Mz. bezeugen rege Handelsbeziehungen etwa zu → Thasos und → Sinope. In der Umgebung konnten noch weitere thrak. Siedlungen und eine kleinere Nekropole ausgemacht werden. Zweifellos war hier das Zentrum des getischen Königreichs im 4. und 3. Jh. v. Chr.
→ Getai; Grabbauten; Thrakes

M. Čičikova, Grobnicata ot S., in: Izkustvo 4, 1983, 18–27 • A. Fol u. a., The Thracian Tomb near the Village of Sveshtari, 1986 • D. Gergova, Deset godini proučvanija v »Sborjanovo«, in: Helis 1, 1992, 9–23. I. v. B.

Swastika (Sanskrit, von altindisch *swasti*, »Wohlergehen«), *crux gammata*, »Hakenkreuz«. Graphisches Zeichen der Ornamentsprache, das in Eurasien, Nordafrika und Mittelamerika vorkommt. Die ältesten Darstellungen erscheinen in Mesopotamien auf Keramiken des 4. Jt. v. Chr.; spätere Belege in der Bandkeramik des Donaugebiets, auf Idolen aus Troia II und aus dem minoischen Kreta. Im attisch-geom. → Ornament ist die S. – links- oder rechtsgeflügelt – Teil der dekorativen Syntax und steht dort dem → Mäander [2] nahe. Sie ist verm. ebenso eine Reduktion natürlicher (pflanzlicher) Formen wie dieser. Die S. tritt in der lokalen Keramik

Apuliens (7.–5. Jh. v. Chr.) auf, erscheint in der keltischen und skythischen Kunst und findet sich seit dem 3. Jh. n. Chr. auf christlichen Inschr. Die S. wird häufig als Glückssymbol und/oder Sonnenrad gedeutet.

L. Wilser, Das Hakenkreuz nach Ursprung, Vorkommen und Bed., 1918, Ndr. 1981 • EAA 7, 1966, 573 f., s. v. Svastica • P. Roth, S. und Trikvetrum in der thrakischen Kunst, in: Listy filologické 111, 1988, 1–4. DI. WI.

Swat. Landschaft (Σουαστηνή/*Suastēnḗ* bei Ptol. 7,1,42) um den gleichnamigen Nebenfluß (griech. Σό(υ)αστος/ *Só(u)astos*, altindisch Suvāstu) des Kabul-Flusses im h. NW Pakistans. Das Land wurde nach harten Kämpfen von Alexandros [4] d.Gr. erobert, später war es Teil des indogriech. Königreiches und Zentrum des Buddhismus. Die genaue Lage der alten Hauptstadt → Massaga ist unbekannt, aber die Ausgrabungen in Birkot Ghwandai (wohl Bazira bei Arr. an. 4,27,5 ff.) erbrachten hell. Mauerreste, Keramik, indogriech. Mz. und ein kleines griech. Inschr.-Fr. [1]. Weitere arch. Fundstätten wie Aligram, Mingara und Ora bezeugen das reiche Kulturerbe S.s.
→ Indogriechen

1 P. Callieri u. a., Bīr-koṭ-ghwaṇḍai 1990–1992 (Suppl. 73 agli Annali dell' Istituto Universitario Orientale di Napoli vol. 52, 1992, fasc. 4) • Ders. u. a., Excavation at Bir-Kot-Ghwandai, S.: 1987, in: Pakistan Archaeology 25, 1990, 163–192.

G. Tucci, On Swāt. The Dards and Connected Problems, in: East and West 27, 1977, 9–103. K. K.

Syagrius
[1] 379 n. Chr. *procos. Africae*, 380–382 Praetorianerpraefekt, 381 *cos.* Die Zuordnung der Ämter ist strittig, da zu derselben Zeit S. [2] hervortritt.
[2] 369 n. Chr. als *notarius* in Unehren entlassen; 379–381 (?) *magister officiorum*, 381 Stadtpraefekt in Rom, 382 *cos.* Korrespondent des Q. A. → Symmachus [4] Eusebius.

Clauss, 192 f. • A. Demandt, Die Konsuln der Jahre 381 und 382 namens S., in: ByzZ 64, 1971, 38–45 • PLRE 1, 862 (veraltet).

[3] Sohn des → Aegidius. Während des Verfalls der röm. Herrschaft in Gallien gelang es ihm, auf den Ressourcen seines Vaters aufbauend, vielleicht unter dem Titel eines Heermeisters, allmählich einen eigenen Machtbereich im Gebiet von Augusta Suessionum (h. Soissons) aufzubauen, der sich formell nicht vom röm. Reich löste, faktisch aber unabhängig und geogr. getrennt war. Ihm wird in der Überl. der Titel eines *rex* bzw. Patriziers beigelegt. 486/7 n. Chr. vom Frankenkönig → Chlodovechus (Chlodwig I.) besiegt. PLRE 2, 1041 f.

D. Henning, Periclitans res publica, 1999, 300–305. H. L.

Sybaris (Σύβαρις).
[1] Untier am Berg → Kirphis bei → Krisa, auch Lamia genannt (→ Lamia [1]). Um die Umgegend von S.' regelmäßigen Heimsuchungen zu befreien, soll ein Jüngling namens Alkyoneus geopfert werden. Aus Liebe zu diesem tritt jedoch Eurybatos spontan an dessen Stelle. Ihm gelingt es, S. zu überwältigen und von einem Felsen zu stürzen. Am Ort ihres Aufpralls entspringt die Quelle S. (Antoninus Liberalis 8, nach Nikandros).
[2] Name eines Jünglings auf einem Bild, das bei Paus. 6,6,11 im Zusammenhang mit Euthymos' Vertreibung des Heros von → Temesa beschrieben wird, möglicherweise ein Flußgott. Die Deutung der Figur ist umstritten.

S. Eitrem, s. v. S. (2), RE 4 A,1, 1002–1005 • P. Müller, s. v. S. II, LIMC 7.1, 824 f.

[3] Nach Plut. Themistokles 32,128c eine Tochter des → Themistokles. NI. JO.
[4] Stadt im Gebiet der → Oenotri (Hekat. FGrH 1 F 64–71) am Ionios Kolpos in Lucania, wo die Flüsse Krathis (h. Crati) und S. (h. Coscile) eine große, fruchtbare Schwemmlandebene gebildet haben. In dieser Gegend entstanden in der Brz. gemeinsame Siedlungen der Oenotri und der Mykener, in der frühen Eisenzeit kam es zu Kontakten mit den Griechen. Um 720 v. Chr. wurde S. von Achaioi aus Elis als Ackerbaukolonie gegr. (Strab. 6,1,13); die Stadt wurde reich durch Getreide- und Weinanbau (Varro rust. 1,44,2; Athen. 12,519d), Rinderzucht, Vogel- und Fischfang (Theokr. 5,1 f.; Diod. 7,191; Timaios FGrH 566 F 9; Ail. var. 12,24). Bevorzugter Handelspartner war Miletos [2] (Hdt. 6,21,1; Athen. 12,518c–519d; 521b-d). S. führte eine hegemoniale Symmachie an (Strab. 6,1,13; vgl. auch den Vertrag mit den Serdaioi von ca. 530 v. Chr.: StV 2, Nr. 120). Im 7. Jh. v. Chr. gründete S. die Kolonien Laos (→ Laus [2]), Skidros und → Poseidonia/Paestum. Unter dem Tyrannen → Telys entwickelte sich ein Konflikt mit → Kroton, der zur Zerstörung von S. im J. 510 v. Chr. führte (Diod. 12,9,1–10,3). Die Sieger sollen den Lauf des Krathis auf S. umgeleitet haben, um dieses ganz auszulöschen (Strab. 6,1,13); die Überlebenden flohen ins Hinterland und in die Kolonien von S. (Hdt. 6,21; 5,44 f.). Nach einigen erfolglosen Initiativen zur Neugründung wurde 444 v. Chr. an der Stelle von S. die »panhellenische« Kolonie → Thurioi gegründet.

Die Kenntnis von S. wird beeinträchtigt durch die Anschwemmungen des Krathis und des S., die Überbauung der Stadtanlage durch Thurioi und die 194 v. Chr. hier angelegte röm. Kolonie Copia (→ Thurioi) sowie durch die Hebung des Meeresspiegels. Ergraben wurden Teile des Wohnbereichs mit Brunnen und Töpferöfen und eines öffentlichen Gebäudes. Bezeugt sind Kult der Hera (Ail. var. 3,43; Athen. 12,521e-f; Steph. Byz. s. v. Σ.) und der Athena (Hdt. 5,45,1; vgl. IG XIV 643). S. unterhielt intensive Beziehungen zum Heiligtum in Delphoi (Theop. FGrH 81 F 45; Strab. 9,3,8), hatte in → Olympia ein Schatzhaus und veranstaltete selbst entsprechende Spiele (Paus. 6,19,9; Herakleides Pontikos fr. 49 Wehrli).
→ Kolonisation IV. (mit Karte und Stemma)

S. Settis (Hrsg.), Storia della Calabria antica, Bd. 1, 1988 • M. Osanna, Chorai coloniali da Taranto a Locri, 1992, 115–138 • Sibari e la Sibaritide. Atti XXIII Convegno di Studi sulla Magna Grecia (Taranto 1992), 1993 • A. Muggia, L'area di rispetto nelle colonie magno-greche e siceliote, 1997, 59–63 • M. Bugno, Da Sibari a Thurii, 1999. A. MU./Ü: H. D.

Sybota (Σύβοτα).

[1] Inselgruppe vor der epeirotischen Küste gegenüber der Südspitze von Korkyra [1]. 433 v. Chr. fand hier eine Seeschlacht zw. Korkyra und Korinthos statt ([1]; Thuk. 1,47,1; 50,3; Strab. 2,5,20; 7,7,5). 551 n. Chr. wurden die Inseln von den → Ostgoten geplündert (Prok. BG 4,22,30).

1 J. S. Morrison u. a., The Athenian Trireme, [2]2000, 62–69.

[2] Hafen an der epeirotischen Küste gegenüber der Inselgruppe S. [1], h. Limani Murzo. Im 5. Jh. v. Chr. gehörte S. zum Territorium von Thesprotia (→ Thesprotoi). 433 v. Chr. wurde der Hafen von Korinthern, 427 v. Chr. von einer peloponnesischen Flotte genutzt (Thuk. 1,50,3; 3,76,1; Strab. 7,7,5; Cic. Att. 5,9,1; Ptol. 3,14,5; Steph. Byz. s. v. Σ.).

N. G. L. Hammond, Epirus, 1969, 498. K. F.

Sybridai (Συβρίδαι). Attischer Paralia(?)-Demos der Phyle Erechtheis, vor 307/6 v. Chr. mit einem *buleutḗs* im Wechsel mit → Pambotadai, in dessen Nähe S. evtl. lag. Spekulativ der Zusammenhang mit dem Fluß Syverus (Siberus) bei Plin. nat. 37,114. Der Bildhauer Kephisodotos [5] stammte aus S.

E. Meyer, s. v. S., RE Suppl. 10, 925–927 • Traill, Attica, 6, 14, 59, 62, 69, 112 Nr. 131, Tab. 1 • J. S. Traill, Demos and Trittys, 1986, 126. H. LO.

Sychaeus s. Dido

Syedra (Σύεδρα). Stadt in der → Kilikia Tracheia beim h. Seki, 17 km südöstl. von Korakesion. Für Mitte des 1. Jh. v. Chr. erstmals lit. erwähnt (Lucan. 8,259 f.; Flor. epit. 2,13,51) gehörte S. nach einer Phase unklarer Herrschaftsverhältnisse spätestens seit Tiberius (14–37 n. Chr.) zur Prov. → Pamphylia [1. 49–51]. Die auf einer küstennahen Bergkuppe gelegene Siedlung ist sehr gut erh. (Theater, Thermen, Zisternen, spätant. Stadtmauer; [2] mit Plan).

1 K. Tomaschitz, Unpublizierte Inschr. Westkilikiens aus dem Nachlaß Terence B. Mitfords, 1998 2 G. Huber, S., in: AAWW 130, 1993, 27–78. K. T.

Syene (Συήνη, äg. *Swnw*/»Handelsplatz«), h. Assuan, Ort am Westufer des Nil gegenüber der Insel → Elephantine, älteste Erwähnung auf einem Grenzstein unter → Sesostris I. [1]. S. war wichtiger Markt, Stapelplatz und Ausgangspunkt der nubischen Expeditionen, spielte aber verwaltungsmäßig und mil. zunächst keine Rolle; eine persische Besatzung wird durch die aram. Papyri in S. belegt. In röm. Zeit lagen hier drei Kohorten; Iuvenal war Kommandant der Besatzung von S. Ein von Ptolemaios [6] III. der Isis-Sathis geweihter kleiner Tempel ist noch erhalten.

1 Annales du Service des Antiquités de l'Égypte 49, 1949, 258. 2 J. Locher, Top. und Gesch. der Region am 1. Nilkatarakt in griech.-röm. Zeit, 1999. W. HE.

Syennesis (Συέννεσις). Bezeichnung von einheimisch-kilikischen Dynasten mit Zentrum in Tarsos (Xen. an. 1,2,23). Nach Hdt. 1,74 soll ein S. die Abmachung zw. Lydern und Medern vermittelt haben; im Krieg zw. → Kroisos und → Kyros [2] stand Kilikien auf persischer Seite (Hdt. 1,28). Ein weiterer S. nahm am Zug des Xerxes gegen Hellas teil (Hdt. 7,98; Aischyl. Pers. 326–328) Allg. wird angenommen, daß das Doppelspiel des dritten bekannten S., des Gemahls der Epyaxa, beim Feldzug Kyros' [3] d. J. 401 v. Chr. (Xen. an. 1,2,12; 1,2,21; 1,2,26 f.; Diod. 14,20,2 f.) zum E. der Dyn. geführt habe, doch ist dies ebenso umstritten wie der Charakter der Autonomie Kilikiens im Perserreich und die Identifikation des sog. Dynasten auf tarsischen Münzen.

1 Briant, 627–629 2 O. Casabonne, Le S. cilicien et Cyrus: le rapport des sources numismatiques, in: P. Briant (Hrsg.), Dans les pas des Dix-Mille, 1995, 147–172 3 Ders., Conquète perse et phénomène monétaire: le exemple cilicien, in: Ders. (Hrsg.), Mécanismes et innovations monétaires dans l'Anatolie achæménide (Actes de la table ronde, Istanbul 1997), 2000, 21–93. J. W.

Sykeon (Συκεών, Σικεών). Ort in → Galatia (Prok. aed. 5,4,1), wo die Straße von Nikaia [5] nach Ankyra den → Siberis kreuzt, ca. 10 km südsüdwestl. vom h. Beypazarı, als Straßenstation *Fines Galatiae* (Tab. Peut. 9,4, hier fälschlich *Fines Cilicie*). In S. lebte und wirkte der hl. Theodoros.

Belke, 228 f. • S. Mitchell, Anatolia, Bd. 2, 1993, 122–150. K. ST.

Sykophantes (συκοφάντης, »Sykophant«). Der Begriff erscheint zuerst in der Alten Komödie (Aristoph. fr. 228, 427 v. Chr.). Der Ursprung des Wortes ist unbekannt, wobei ant. Vermutungen zur Etym. (*s.* als der Mann, der »Feigen zum Vorschein bringt«) nicht überzeugen. In der Komödie wird der *s.* mit Drohungen, Geldforderungen sowie Erpressung in Verbindung gebracht; charakteristisch für ihn ist ferner seine Tätigkeit als Ankläger vor Gericht (Aristoph. Av. 1410–1469; Aristoph. Plut. 850–959). Dieser Wahrnehmung des *s.* entsprechen zahlreiche Erwähnungen bei den Rednern; so wirft Lysias [1] den *sykophántai* vor, Unschuldige aus finanziellen Gründen anzuklagen, Demosthenes [2] behauptet, die *s.* formulierten Anklagen, ohne etwas zu beweisen, und Isokrates bezeichnet sie als gute Redner, die aber arm seien (Lys. 25,3; Demosth. or. 57,34; Isokr. or. 21,5).

Die Tätigkeit des *s.* wird jedoch nicht immer nur mit finanziellen Motiven assoziiert, der Ausdruck wird auch metaphorisch gebraucht (vgl. Aristot. top. 139b; Demosth. or. 23,61). Während die frühesten Erwähnungen in der Komödie den *s.* als Ankläger betrachten, beziehen die Gerichtsredner den Begriff in gleicher Weise auf Ankläger, Gerichtsredner (συνήγορος/→ *synḗgoros*) und selbst auf Zeugen. So kann jeder, dessen Auftreten vor Gericht kritisiert oder herabgesetzt werden soll, als *s.* bezeichnet werden (vgl. Lys. 22,1).

In Athen gab es Prozeduren, um Schritte gegen *s.* einzuleiten: In der sechsten Prytanie eines Jahres entschieden die Athener über προβολαί/*probolaí* (→ *probolḗ*) gegen *s.* (gegen jeweils drei *s.* aus der athenischen Bürgerschaft und von den → *métoikoi*; Aristot. Ath. pol. 43,5). Solche *probolaí* waren Tadelsanträge, die keine Bestrafung nach sich zogen. Daneben gab es auch andere Formen der Klage gegen *s.* (Aristot. Ath. pol. 59,3; Isokr. or. 15,313–315). Ein Vorgehen gegen *s.* ist für die Tyrannis der Dreißig (→ *triákonta*) 404 v.Chr. belegt. Deutlich wird, daß die Aktivitäten der *s.* v.a. gegen die Angehörigen reicher aristokratischer Familien gerichtet waren (Xen. hell. 2,3,12; Aristot. Ath. pol. 35,3; für andere Poleis vgl. Aristot. pol. 1304b–1305a).

Das Auftreten der *s.* hängt eng mit dem System des athenischen Gerichtswesens zusammen, das keinen öffentlichen Ankläger kannte. Seit Solon [1] hatte jeder beliebige Bürger (ὁ βουλόμενος) das Recht, für jeden, dem Unrecht geschehen war, das Gericht (→ *dikastḗrion*) anzurufen (Plut. Solon 18,6–7). Nach Aristoteles gehörte dieses Recht zu den grundlegenden Prinzipien der solonischen *politeía* (Aristot. pol. 9,1). Allerdings konnten einzelne Ankläger von diesem Recht auch aus eigennützigen Gründen Gebrauch machen.

Die mod. Diskussion hat sich auf die Frage konzentriert, ob *s.* mehr als nur ein abfälliger Ausdruck für Gegner vor Gericht war und welche Rolle die als *s.* bezeichneten Personen im Gerichtswesen eigentlich spielten. Die Aktivitäten der *s.* beschränkten sich fast ausschließlich auf die Fälle, in denen eine Anklage durch einen Dritten erlaubt war und Aussicht auf eine Belohnung bestand. Dabei akzeptierte man, daß aus Ressentiment oder finanziellen Motiven auch unbegründete Klagen vorgebracht wurden, die allerdings auch für den *s.* nicht ohne Risiko waren. In dieser Situation lag es in einem Prozeß nahe zu behaupten, der Ankläger sei ein *s.* Die Alternative zur übermäßigen Prozeßsucht war jedoch ein Athen, in dem sich die Macht der reichen Familien gegenüber dem Gesetz durchsetzen konnte. Die Aktivitäten der *s.* waren daher für die Bewahrung der Demokratie unbedingt erforderlich. Die Kritik an den *s.* trug dazu bei, daß der Mißbrauch von Anklagen zurückging. Daneben gab es für reiche Aristokraten weitere Möglichkeiten, sich gegen *s.* zu wehren (Xen. mem. 2,9).

→ Strafprozeß; Strafrecht (III.)

1 P. Cartledge et al. (Hrsg.), Nomos. Essays in Athenian Law, Politics and Society, 1990 2 M. R. Christ, Ostracism, Sycophancy and Deception of the Demos: Aristot. Ath. pol. 43,5, in: CQ 42, 1992, 336–346 3 Ders., The Litigious Athenian, 1998 4 D. Harvey, The Sykophant and Sykophancy: Vexatious Redefinition?, in: [1], 103–121 5 D. M. MacDowell, The Law in Classical Athens, 1978, 62–68 6 R. G. Osborne, Vexatious Litigation in Classical Athens: Sykophancy and the Sykophant, in: [1], 83–102.

R.O./Ü: A.H.

Sykyrion (Συκύριον). Ort im → Dotion vor dem Westausgang des Tempe-Tals, diente im 3. → Makedonischen Krieg 171 v.Chr. Perseus [2] als Standlager für Aktionen gegen das röm. Heer (Liv. 42,54; 62; 64; 67). Die Lokalisierung ist unsicher, die Zuweisung des Namens an das h. S. (ehemals Makrokeserli) willkürlich.

H. Kramolisch, s. v. S., in: Lauffer, Griechenland, 644f.

HE.KR.

Syleus (Συλεύς). Sohn des → Poseidon, der in Aulis vorbeiziehende Fremde zwingt, seine Weinberge umzugraben. Herakles [1], im Dienst der Lyderkönigin → Omphale, straft ihn, indem er dessen Reben heraushackt und ihn und seine Tochter Xenodoke erschlägt (Apollod. 2,132; Diod. 4,31; Tzetz. chil. 2,429–435). Eine abweichende Darstellung findet sich in einem Satyrspiel des Euripides (TGF² 575), in dem Herakles – nicht S., der ihn als Sklaven erworben hat – als eigentlicher Unhold auftritt (weitere Varianten: Speusippos, Epistolae Socraticorum 30; Konon FGrH 26 F 1,17).

CA.BI.

Syllaios. Nabatäer (→ Nabataioi), leitender Amtsträger des nabatäischen Königs Obodas II.: → *epítropos* [1] (bei Ios. bell. Iud. 1,487; Strab. 16,4,23 f.); → *dioikētḗs* (Nikolaos von Damaskos, Excerpta Historica 3,1,1 Boissevain). Als Aelius [II 11] Gallus, der Praefekt von Äg., 24 v.Chr. gegen das südliche *Arabia* zog, riet S. zu der Route, die das Heer nahm. Wegen des Mißerfolgs bezichtigt ihn Strabon (16,4,23 f.) des Verrats. S. spielte in der Konkurrenz der lokalen Machthaber im syrisch-jüdisch-nabatäischen Raum eine wesentliche Rolle; dabei bemühte er sich, seine eigene Position durch eine Heirat mit Salome [1], der Schwester Herodes' [1] d.Gr., zu stärken. Als Herodes die Verbindung ablehnte, wurde S. zu seinem erbitterten Feind (Ios. ant. Iud. 16,220–228; cf. 17,10). Er unterstützte Aufständische gegen Herodes in der Trachonitis (Landschaft südl. von Damaskos). Nach ergebnislosen Verhandlungen vor → Sentius [II 4] Saturninus, dem Statthalter Syriens, wurde der Streit in Rom vor Augustus ausgetragen. Zunächst konnte sich S. durchsetzen. Als Obodas II. starb und Aretas [4] IV. an die Macht kam, verlor S. an Einfluß. Schließlich gelang es Nikolaos [3] von Damaskos als Anwalt Herodes' d.Gr., Augustus von S.' Schuld zu überzeugen; dazu trug bei, daß auch Aretas sich gegen ihn wandte. S. wurde in Rom hingerichtet (Strab. 16,4,24).

G. W. Bowersock, Roman Arabia, 1983, 47–53 • N. Kokkinos, The Herodian Dynasty, 1998, 182–186 • M. Sartre, D'Alexandre à Zénobie, 2001, 489–492; 518–520.

W.E.

Syllogismus s. Logik; Probatio

Syloson (Συλοσῶν). Jüngerer Bruder des → Polykrates [1] von Samos. Mit diesem hatte er gegen 540 v. Chr. die → Tyrannis erlangt, wurde dann aber vertrieben (Hdt. 3,39). In Äg. um 525 v. Chr. spielt die Anekdote, die ihn zum »Wohltäter« (*euergétēs*) des Dareios [1] macht (Hdt. 3,139 f.). Nach dessen Herrschaftsantritt 522 gewann S. ihn dafür, ihm die Nachfolge des inzwischen getöteten Polykrates [1] zu verschaffen. Ein Heer unter Otanes [1] zog gegen den in Samos herrschenden Tyrannen Maiandrios [1] (Hdt. 3,140–149), dessen Hinterhältigkeit die Perser veranlaßte, die Insel zu »durchkämmen« und fast zu entvölkern (Hdt. 3,149; 6,31). S. herrschte dann in gutem Einvernehmen mit Otanes und Dareios (Hdt. 3,149) als erster von den Persern eingesetzter Tyrann in Ionien. Sein Sohn Aiakes [2] schützte mit anderen später Dareios' Donaubrücke (Hdt. 4,138). Mit S. ist sprichwörtlich das Bild der entvölkerten Insel verbunden, ›nach S.s Willen weites Land‹ (*eurychōríē*; Strab. 14,1,17 u.ö.).

H. Berve, Die Tyrannis bei den Griechen, 1967, 114 f.; 587 • L. de Libero, Die archa. Tyrannis, 1996, 307 f.

J.CO.

Symaithos (Σύμαιθος, lat. *Symaethum*). Grenzfluß zw. Leontinoi und Katane (Thuk. 6,65,2) im Osten von Sicilia. Er entspringt laut Strab. 6,2,2 wie der Pantakyas am Ätna (→ Aitne [1]) und mündet nördl. von Katane ins Meer (Ptol. 3,4,9; vgl. Plin. nat. 3,89). Der h. Simeto, mit dem man den S. zweifelsfrei identifiziert, entspringt jedoch auf dem Mons Nebrodes und mündet südl. von Katane; die Mündungsverlagerung läßt sich durch die Aktivitäten des Ätna erklären. Von Dichtern wird der wasserreiche S. häufig erwähnt (vgl. Verg. Aen. 9,584; Ov. fast. 4,472; Ov. met. 13,750; Sil. 14,23 f.)

E. Manni, Geografia fisica e politica della Sicilia antica, 1981, 123.

E.O.

Symbolon (Σύμβολον).

[1] Thrakisches Küstengebirge, h. auch Simbolo, dem → Pangaion südöstl. vorgelagert. Die Verbindungsstraße von Philippoi über das S. zum Hafen Neapolis [1] führte über einen Engpaß, der im röm. Bürgerkrieg (Herbst 42 v. Chr.) von Bed. war (Plut. Brutus 38,2; Cass. Dio 47,35,3).

TIR K 35,1 Philippi, 1993, 55.

I.v.B.

[2] s. Eintritts- und Erkennungsmarken

Syme (Σύμη). Buchtenreiche, von Eilanden umgebene Insel (58 km², bis 617 m H, karger Kalkstein) vor der karischen Küste, 24 km nördl. von Rhodos (Hom. Il. 2,671 ff.; Hdt. 1,174; Strab. 14,2,14; Diod. 5,53; Ptol. 5,2,32; Plin. nat. 5,133), h. wieder S. Wenige prähistor. und myk. Siedlungsspuren, von → Kares und um 1000 v. Chr. von → Dorieis besiedelt. Die Polis S. lag beim h. S. im NO an der Aigialos-Bucht (Reste von Stadtmauer und Hafen, Athena-Heiligtum). Von 434/3 v. Chr. an war S. einige J. Mitglied im → Attisch-Delischen Seebund; im Winter 412/1 v. Chr. siegte bei S. der Spartaner → Astyochos über eine athen. Flotte (Thuk. 8,41 ff.). Inschr.: IG XII 3, 1–27.

Philippson/Kirsten 4, 308–311 • H. Kaletsch, s. v. S., in: Lauffer, Griechenland, 645 f. • R. Hope Simpson, J. F. Lazenby, Notes from the Dodecanese, in: ABSA 57, 1962, 154–175, bes. 168 f.

A.KÜ.

Symeon (Συμεών).

[1] Makarios der Ägypter (Μακάριος). Um 300 geboren, lebte Makarios ca. 330–ca. 390 als Mönch und Priester in der sketischen Wüste (Äg.). Die Berichte über sein Leben (Rufinus, Historia monachorum 21; Pall. Laus. 17) schildern seine asketische Vollkommenheit und seine Wundertaten. Die spätere hagiographische Tradition hat dies zu einer Vita ausgestaltet.

Bis auf mündliches Spruchgut (Apophthegmata Patrum) sind keine Äußerungen des Makarios überl.; ein ihm zugeschriebener Brief dürfte unecht sein (→ Gennadius, De viris illustribus 10). Spätestens seit dem 6. Jh. aber laufen Schriften eines anon. Autors unter dem Namen des Makarios um, die in einem Teil der Überl. auch einem S. zugeschrieben werden. Inneren Indizien zufolge hat der Autor ca. 360 bis 390 im Hinterland Antiocheias [1] gewirkt. Das erst in byz. Zeit zu größeren Slgg. zusammengestellte Material enthält Reden, Disputationen mit den Schülern und Briefe; es befaßt sich in einer bilderreichen Sprache mit dem asketischen Kampf gegen das Böse, mit dem Weg zur Vollkommenheit, mit dem Gebet und mit enthusiastischen Erfahrungen. Daher ist das Werk oft mit dem Messalianismus (→ Messalianer) und mit S. in Verbindung gebracht worden, einem nur namentlich bekannten Führer dieser Bewegung (Theod. hist. eccl. 4,11), dessen Name durch den ehrenwerteren des Makarios ersetzt worden sein könnte.

→ Askese; Makarios [2]

A. Guillaumont, s. v. Macaire l'Égyptien, in: Dictionnaire de Spiritualité 10, 1980, 11–13 • K. Fitschen, Messalianismus und Antimessalianismus, 1998, 145–175 • Ders., Pseudo-M., Reden und Briefe, 2000, 1–39.

K.FI.

[2] S. Logothetes/Magistros (Σ. λογοθέτης/μάγιστρος). Byz. Historiker, Beamter im Rang eines → *logothétēs* und *mágistros*, Verf. einer Weltchronik. Auf einen kurzen Abriß der Gesch. von Adam an, der häufig mit der Chronik des Georgios [5] Monachos übereinstimmt, folgt die ausführliche Beschreibung der Zeit von 842–948 n. Chr. Die Schilderung der J. 886–913 beruht u. a. auf einer Konstantinopler Stadtchronik [6], die der J. 913–948 auf eigenem Erleben des Autors. Die Überl. der Chronik ist äußerst kompliziert und in Details ungeklärt. Zu unterscheiden sind: 1) Die urspr. Chronik, die aufgrund verschiedener histor. Irrtümer unter den Namen Theodosios von Melitene [7. 208–212] und Leon Grammatikos publiziert wurde, stand Kaiser Romanos [2] I. Lakapenos und seiner Familie positiv gegenüber. 2) Eine als Fortsetzung des Georgios Monachos bzw. Hamartolos bezeichnete Fassung (bis 963) stand dagegen der Familie des Nikephoros [3] II. Phokas nahe. 3) Eine als Ps.-S. bezeichnete Chronik, die mit der Erschaffung der Welt begann, hauptsächlich aus Iohannes [18] Malalas und Iohannes [21] von Antiocheia, für die spätere Zeit aus → Theophanes und zuletzt aus der urspr. Chronik des S. L. kompiliert ist und ebenfalls bis 963 reicht, aber wohl erst einige Zeit später um die Wende zum 11. Jh. entstand, ist unter dem Namen S. M. überl. In einer Randnotiz der einzigen Hs. (Parisinus Graecus 1712; 12. oder 13. Jh.) wird der Verf., d. h. wohl S. L., mit dem rel. Autor S. Metaphrastes identifiziert [9. 215–220].

Außer der Chronik verfaßte S. L. auch Gedichte auf den Tod des Stephanos Lakapenos und des Konstantinos [1] VII. Porphyrogennetos sowie eine Reihe von Briefen (Zuschreibung allerdings unsicher).

Ed.: **1** I. Bekker (ed.), Georgius Continuatus, in: Ders. (ed.), Theophanes Continuatus, 1838, 763–924 **2** Ders. (ed.), Leo Grammaticus, Chronographia, 1842 **3** Ders. (ed.), S. M. (Pseudo-S.), in: Ders. (ed.), Theophanes Continuatus, 1838, 603–760 **4** Th.L.F. Tafel (ed.), Theodosius Melitenus, 1859.
Lit.: **5** Hunger, Literatur 1, 354–357 **6** R. H. Jenkins, The Chronological Accuracy of the »Logothete« for the Years A. D. 867–913, in: Dumbarton Oaks Papers 19, 1965, 89–112 **7** O. Kresten, Phantomgestalten in der byz. Lit.gesch., in: Jb. der Öst. Byzantinistik 25, 1976, 207–222 **8** A. Markopoulos, Ἡ χρονογραφία τοῦ Ψευδο-Σ. καὶ οἱ πηγές της, 1978 **9** I. Ševčenko, Poems on the Deaths of Leo VI and Constantine VII, in: Dumbarton Oaks Papers 23/24, 1969/1970, 187–228 **10** A. Sotiroudis, Die hsl. Überl. des »Georgius Continuatus«, 1989 **11** W. T. Treadgold, The Chronological Accuracy of the Chronicle of S. the Logothete for the Years 813–845, in: Dumbarton Oaks Papers 33, 1979, 157–197. AL. B.

Symmachia (συμμαχία, die »Symmachie«). Bündnis (wörtl. Abmachung zw. zwei oder mehreren Staaten, »gemeinsam zu kämpfen«; *syn*: »zusammen mit«; *máchesthai*: »kämpfen«); es konnte für einen begrenzten Zeitraum oder für immer geschlossen werden. Thukydides (1,44,1; 5,48,2) unterscheidet zw. *s.* (einer Offensiv- wie Defensivallianz), und → *epimachía* (einem reinen Defensivbündnis) doch war diese Unterscheidung nicht weit verbreitet; so benutzt etwa der Beitrittsaufruf zum als Defensivallianz konzipierten zweiten → Attischen Seebund durchgehend das Verb *symmachein* und verwandte Begriffe (Tod 123).

In einem vollen Offensiv- und Defensivbündnis war gewöhnlich festgelegt, daß die Mitglieder ›dieselben Freunde und Feinde haben‹ sollten (z. B. [Aristot.] Ath. Pol. 23,5), eine Formel, die für eine Allianz zw. ebenbürtigen Partnern gebraucht, aber auch Bedingungen angepaßt werden konnte, in denen ein Partner dem anderen unterlegen war; so verpflichtete sich etwa Athen 404 v. Chr. einerseits, dieselben Freunde und Feinde wie Sparta zu haben, andererseits, Sparta wohin auch immer zu folgen (Xen. hell. 2,2,20).

Der → Peloponnesische Bund, den Sparta in der 2. H. des 6. Jh. v. Chr. aufzubauen begann, bot das erste Beispiel einer Vereinigung von Bündnern zu Zwecken der Außenpolitik. Verbindungen dieser Art tendierten zu einer Form mit einem dominierenden Staat als Führer, *hēgḗmōn* (→ *hēgemonía*), der seine einflußreiche Stellung aus dem Besitz der exekutiven Gewalt, wenn nicht sogar aus formalen Privilegien bei der Entscheidungsfindung gewann, und mit einer Ratsversammlung, die an den Entscheidungen beteiligt war und es den Repräsentanten der Mitgliedsstaaten ermöglichte, ihre Meinung zu äußern und abzustimmen. Weitere Beispiele einer *s.* bieten der → Attisch-Delische Seebund, der Zweite → Attische Seebund und die von Theben geführte Liga boiotischer Städte (→ Boiotia) in den 360er Jahren v. Chr. und danach. Im Attisch-Delischen Seebund des 5. Jh. v. Chr. kam es verschiedentlich zu Eingriffen Athens in die Autonomie der Bündner; um Unterstützung beim Aufbau des Zweiten Attischen Seebunds im 4. Jh. zu gewinnen, versprach Athen den Verzicht auf derartige Eingriffe.

Kultverbände konnten ebenfalls als Bündnissysteme funktionieren, etwa die Delphische → *amphiktyonía* im 3. und 4. → Heiligen Krieg (356–346 und 340–338 v. Chr.). Im 4. Jh. wurden die Partner der Verträge zur Sicherung eines allgemeinen Landfriedens (→ *koinḗ eirḗnē*) tatsächlich zu gegenseitigen Verbündeten, und der von dem Makedonen → Philippos [4] 338/7 v. Chr. gegründete → Korinthische Bund vereinigte Elemente einer *s.* und eines allgemeinen Landfriedens; doch nutzten diese Organisationsformen nicht explizit den Begriff *s.*

In hell. Zeit traten Staatenbünde, die über ihre Kernmitglieder hinaus expandierten, wie der Achaiische Bund (→ Achaioi [1]) und der Aitolische Bund (→ Aitoloi), an die Stelle der auf einen *hēgḗmōn* zentrierten Bünde.
→ Staatenbünde

Busolt/Swoboda, Bd. 2, 1250–1264 • I. Calabi, Ricerche sui rapporti tra le poleis, 1953, Kap. 2, 3, 5 • V. Ehrenberg, Der Staat der Griechen, ²1965, 126–160 • W. S. Ferguson, Greek Imperialism, 1913, Kap. 1–3, 7 • V. Martin, La vie internationale dans la Grèce des cités, 1940 (Ndr. 1979), 121–281 • B. Ryder, Koine Eirene, 1965 • StV, Bd. 2 und 3 • K. Tausend, Amphiktyonie und Symmachie, 1992. P. J. R.

Symmachianische Documenta. Im Zuge der christl. innergemeindlichen Auseinandersetzungen zw. Laurentius und → Symmachus um das röm. Bischofsamt entstand kurz nach Ostern 501 n. Chr. im Umfeld des Symmachus eine Gruppe von fünf Texten, die anhand von erfundenen (daher oft ›Symmachianische Fälschungen‹) Beispielen aus der Vergangenheit des röm. Bistums (→ Marcellinus [1], → Silvester, → Liberius [1], → Xystos III.) die Norm etablieren wollte, daß der röm. Bischof von niemandem gerichtet werden dürfe. Einer der Texte, der über ein angebliches Konzil Silvesters in Rom berichtet und auch Kanones (→ *Collectiones cano-*

num) dieses Konzils bietet, wurde in einer 2. Aufl. um einen fiktiven Briefwechsel zw. den Konzilsvätern von Nikaia und Silvester erweitert, bevor aus dem Kreise der Anhänger des Laurentius eine Gegenredaktion vorgelegt wurde. Obgleich gattungsgesch. der Hagiographie näherstehend als der spätant. Kanonistik, sind die S.D. v.a. in kirchenrechtliche Slgg. eingegangen und seit dem frühen MA weithin rezipiert worden.

E. Wirbelauer (ed.), Zwei Päpste in Rom, 1993 (mit Übers. und Komm.) • G. Mele, N. Spaccapelo (Hrsg.), Il papato di San Simmaco (498–514), 2000. E.W.

Symmachos (Σύμμαχος).

[1] Spätestens 1. H. 2. Jh. n. Chr. (Zitat bei Herodian. 2,945–946 Lentz), Verf. eines Komm. zu → Aristophanes [3], von spätant. und byz. → Scholien-Lit. oft benutzt (*subscriptio* schol. Aristoph. Av.; Nub.; Pax). Ob S. auch uns nicht erh. Komödien kommentierte, bleibt unklar [2. 1138f.]. Von den 41 S. namentlich zugewiesenen (Sach-)Erklärungen in den Aristophanes-Scholien beziehen sich mehr als die Hälfte auf ›Vögel‹ und ›Ritter‹, vereinzelte auf weitere sieben erh. Komödien. Die Verwendung des Aristophanes-Komm. von → Didymos [1] durch S. ist unstrittig, Umfang und Grad der Abhängigkeit jedoch ungeklärt, da S. durch häufige Kritik an Didymos, meist mit einer besseren Erklärung, Eigenständigkeit beweist.

1 N. Dunbar (ed.), Aristophanes, Birds, 1995, bes. 40–42 2 A. Gudeman, s.v. S. (10), RE 4 A, 1136–1140 3 Ders., s.v. Scholien (Aristophanes), RE 2 A, 672–680. R.SI.

[2] Übersetzer der hebr. → Bibel ins Griech., 2./3. Jh. n. Chr. Nach Epiphanios (de mensuris et ponderibus 16) war er → Proselyt aus → Samaria. Eus. HE 6,17 und Hier. vir. ill. 54 rechnen ihn zu den judenchristl. → Ebionäern. Vielleicht ist er mit einem in bEr 13b, bBB 73a und bKet 81a erwähnten Somchos, Schüler von Rabbi Meir, identisch. Die in Caesarea [2] angefertigte Übers., von der nur Fr. und Auszüge in der sog. ›Hexapla‹ des Origenes [2] erh. sind, basiert wie Aquila [3] auf der καί γε/*kaí ge*-Theodotion-Übers. und zeichnet sich durch große Präzision aus, aber auch durch sinngemäße Wiedergabe, die Kenntnisse der rabbinischen Exegese verrät (→ Rabbinische Literatur).

→ Aquila [3]; Bibelübersetzung; Septuaginta; Theodotion

D. Barthélemy, Qui est Symmaque?, in: Catholic Biblical Quarterly 36, 1974, 451–465 • A. Salvensen, Symmachus in the Pentateuch, 1991 • E. Tov, Die griech. Bibelübers., in: ANRW II 20.1, 1987, 121–189. A.LE.

Symmachus. Die Symmachi gehörten zu den angesehensten röm. Senatorenfamilien des 4. und beginnenden 5. Jh. n. Chr., mit vielen bedeutenden senatorischen Familien befreundet oder verschwägert. Sie bekleideten unter christl. Kaisern trotz ihres Festhaltens an der altröm. Rel. (für die der bekannteste Vertreter der Familie, S. [4], auch öffentlich eintrat) höchste Staatsämter.

[1] L. Aurelius Avianius S. Phosphorius. *Pontifex maior, quindecimvir sacris faciundis, praef. annonae* vor 350 n. Chr., *vicarius urbis* um 360, 361 Mitglied der Senatsgesandtschaft an Constantius [2] II., *praef. urbi Romae* 364/5 (begann Bau des Pons Valentinianus, h. Ponte Sisto, den er 373 auch einweihen durfte). Vater von S. [4], Schwager von S. [2]; bei Hof und im Senat angesehen; gest. 376, wohl vor Antritt des Konsulats. Erhielt nach seinem Tod zwei vergoldete Statuen (in Rom und Konstantinopolis).

PLRE 1, 863–865 • L. Gasperini, Dedica ostiense di Aurelio Avianio Simmaco all'imperatore Costante, in: Miscellanea greca e romana 13, 1988, 242–250.

[2] Volusius Venustus. Aus Canusium, Vater des Virius Nicomachus Flavianus [2], um 330 n. Chr. *corrector Apuliae et Calabriae, consularis Siciliae*, 363 Gesandter des Senats zu Kaiser Iulianus [11], von diesem zum *vicarius Hispaniarum* ernannt. Um 370 Mitglied einer Gesandtschaft zu Valentinianus I. Verschwägert mit S. [1]. PLRE 1, 949 (Venustus 5).

[3] Memmius Vitrasius Orfitus Honorius. Angesehener röm. Jurist, *pontifex Vestae, quindecimvir sacris faciundis, pontifex Solis, consularis Siciliae*, evtl. Mitglied der Gesandtschaft des → Magnentius an Constantius [2] II. 351/2 n. Chr., *procos. Africae* 352, *praef. urbi Romae* 353–355 und 357–359. 364 wegen Unterschlagung kurzzeitig verbannt, um 370 gestorben. Schwiegervater von S. [4].

PLRE 1, 651–653 (Orfitus 3) • P. Bruggisser, Symmaque et la mémoire d'Hercule, in: Historia 38, 1989, 380–383 • A. Graeber, Ein Problem des staatlich gelenkten Handels. Memmius Vitrasius Orfitus, in: MBAH 3, 1984, 59–68. K.G.-A.

[4] Q. Aurelius S. Eusebius. Durch eine von seinem Sohn Q. Fabius Memmius S. [5] gesetzte Inschr. ist die amtliche Laufbahn des berühmtesten Redners der 2. H. des 4. Jh. n. Chr. bekannt (*procos. Africae* 373/5, *praef. urbi* 384, *cos.* 391; gest. wohl 402). Als überzeugter Anhänger der alten Kulte versuchte er zweimal (382 und 384) vergeblich die von → Gratianus [2] verfügten Maßnahmen gegen die traditionellen Kulte (bes. die Entfernung des Altars der Victoria aus der *curia*) aufheben zu lassen. Wegen einer auf den Usurpator → Maximus [7] gehaltenen Lobrede geriet er nach dessen Niederlage gegen → Theodosius in Schwierigkeiten, konnte sich diesen aber durch einen Panegyricus auf Theodosius entziehen und fand auch Gnade nach dem Tod des von ihm unterstützten Usurpators → Eugenius [1].

S. plante eine Ausgabe des gesamten Werks des → Livius [III 2] (epist. 9,13: *munus totius Liviani operis quod spopondi*); diese Tätigkeit ist jedoch nur für dessen erste Dekade nachweisbar. Seinen Ruhm begründeten v.a. seine mit größter Sorgfalt in panegyrischem Stil gestalteten Reden, die er in kleine Corpora zusammengefaßt veröffentlichte; in einem aus Bobbio stammenden → Palimpsest sind Reste eines Corpus mit Fr. von acht Reden erh. (drei davon Panegyrici auf → Valentinianus I. und → Gratianus).

Sein großes stilistisches Können brachte er auch in seine Briefe ein. In den neun gegen Ende seines Lebens zusammengestellten Brief-B. finden sich über 900 Briefe an Freunde, meist recht geringen Umfangs, v.a. Empfehlungs-, Trost-, Dank- und Glückwunschschreiben. Die ursprüngliche Anordnung nach Adressaten ohne Rücksicht auf die Abfassungszeit dürfte sein Sohn, der die Slg. publizierte, in den beiden letzten B. zugunsten eher chronologischer Reihung aufgegeben haben. S. hielt sich bei der Veröffentlichung genau an die Vorschrift, die für die – eigentlich dem Freundschaftsbeweis dienenden – Privatbriefe neben Kürze das Übergehen alles Persönlichen und polit. Aktuellen verlangte (→ Epistolographie); daher ließ er viele Schreiben beiseite, die seine polit. Tätigkeit betrafen, und tilgte immer das Datum, obwohl er sich manchmal darauf bezieht. Deswegen sind seine Briefe oft nur Worte ohne Inhalt. Das B. 10 umfaßt nach dem Vorbild des → Plinius [2] amtliche Dokumente, zwei Kaiserbriefe und die 49 *Relationes* (Gesuche), die er als Stadtpraefekt an die Kaiser richtete. Welthistor. Bed. erlangte die dritte, in der er in ergreifender Weise um die Wiederaufstellung des Altars der → Victoria in der röm. *curia* und um die Wiedergewährung der priesterlichen Einkünfte bat. Sie machte bei ihrer Verlesung großen Eindruck, doch der Bischof der Kaiserstadt Mailand, → Ambrosius, setzte die Ablehnung der Bitte durch; die Bed. dieser *Relatio* im letzten großen Kampf zw. Christentum und anderen Kulten zeigt sich darin, daß Ambrosius sie mit seinen beiden Widerlegungen in sein 10. Brief-B. aufgenommen hat (Ambr. epist. 72 f.).
→ Epistolographie; Panegyrik

ED.: O. SEECK, MGH AA 6 • A. PABST, 1989 (Reden) • M. ZELZER, in: CSEL 82/3, 1982 (Briefe) • R. KLEIN, Der Streit um den Victoria-Altar, 1972 (3. *Relatio*).
LIT.: PLRE 1, 865–870 • R. KLEIN, S., 1971 • F. PASCHOUD (Hrsg.), Colloque Genevois sur S., 1986.
M.ZE.

[5] Q. Fabius Memmius S. Geb. ca. 383/4 n. Chr., Praetor 401. Sohn von S. [4], dessen Briefe er edierte (PLRE 2, 1046 f.).

[6] Q. Aurelius Memmius S. Urenkel von S. [4], Consul 485 n. Chr., *patricius*. Er galt unter → Theoderich d.Gr. als Haupt des Senats und unterhielt lange Zeit gute Beziehungen zum Ostgotenkönig. Allerdings wurde er 524 in den Prozeß gegen seinen Schwiegervater → Boëthius hineingezogen und 525 hingerichtet. Er verfaßte eine ›Röm. Gesch.‹, der man großen Einfluß zuschreiben konnte (etwa [1. 76–81, bes. 89–122]; dagegen [2. 81–119]), da sie weitgehend verloren ist (PLRE 2, 1044–1046).

1 M. WES, Das Ende des Kaisertums im Westen des Röm. Reiches, 1967 **2** B. CROKE, A. D. 476. The Manufacture of a Turning Point, in: Chiron 13, 1983, 81–119.
H.L.

Symmetria s. Kunsttheorie

Symmoria (συμμορία). Eine Gruppierung im Athen des 4. Jh. v. Chr., die zur Zahlung der Vermögenssteuer (→ *eisphorá*) oder zur Leistung der *leiturgía* (→ Liturgie I.) der → Trierarchie verpflichtet war. 378/7 wurden aus Gründen der Verwaltungsvereinfachung alle zur *eisphorá* Verpflichteten in 100 *symmoríai* eingeteilt (Kleidemos FGrH 323 F 8); dabei wurde der einzelne vorerst weiter nach seinem Eigentum besteuert, doch hatten später seit der Schaffung der *leiturgía* der *proeisphorá* die drei reichsten Mitglieder jeder *s.* die Gesamtsteuersumme ihrer *s.* im voraus zu entrichten. Weitere *s.* gab es für die → *métoikoi* (IG II^2 244,26). 357/6 wurde das System auf Antrag des Periandros auf die Trierarchie ausgedehnt: Die 1200 reichsten Bürger wurden in 20 *s.* gegliedert (verm. unabhängig von der Gliederung in *s.* für die *eisphorá*, doch ist dies strittig), deren Mitglieder gleichmäßig den Großteil der Kosten für die Trierarchie tragen (sofern sie nicht einen Anspruch auf Befreiung geltend machen konnten), obgleich weiterhin einzelne die Möglichkeit hatten, eine Trierarchie zu übernehmen. Demosthenes [2] schlug vor, das System auch auf die Festliturgien zu übertragen (or. 20), wollte 354 Änderungen bei der Trierarchie (or. 14) und erreichte sie 340; weitere Änderungen folgten später. Um das J. 330 wurde einer der Strategen (→ *stratēgós*) mit der Aufsicht über das Trierarchie-System betraut und erhielt den Titel *stratēgós epí tas symmorías* ([Aristot.] Ath. Pol. 61,1). In hell. Zeit finden sich *s.* in Teos, in röm. Zeit in Nysa, und zwar als Einheiten der Bürgerschaft, kleiner als Phylen.

P. BRUN, Eisphora – Syntaxis – Stratiotika, 1983 • V. GABRIELSEN, Financing the Athenian Fleet, 1994, 182–213 • N. F. JONES, Public Organisation in Ancient Greece, 1987, 306–310, 358 f. • P. J. RHODES, Problems in Athenian Eisphora and Liturgies, in: AJAH 7, 1982, 1–19 • E. RUSCHENBUSCH, Die athenischen Symmorien des 4. Jh. v. Chr., in: ZPE 31, 1978, 275–284 • R. THOMSEN, Eisphora, 1964.
P.J.R.

Sympathie(zauber) s. Magie

Symphosius (Symposius). Unter diesem Namen ist im → Codex Salmasianus und in weiteren Hss. eine spätant., vielleicht gegen E. des 4. Jh. n. Chr. entstandene Slg. von 100 (ursprünglich vielleicht 99) lat. Rätseln in je 3 Hexametern überl. Die Praefatio bezeichnet die Gedichte als scherzhafte Gelagepoesie an den → *Saturnalia*. Das Lösungswort ist jeweils in der Überschrift angegeben; vorgestellt werden Alltagsgegenstände, Pflanzen und Tiere. Einige der Rätsel haben Eingang in die → *Historia Apollonii regis Tyrii* (Kap. 42 f.) gefunden. S. wurde zum Vorbild für früh-ma. Rätsel-Slgg.
→ Rätsel

ED.: F. GLORIE, CCL 133A, 1968 (als Anhang zu Tatuini opera omnia) • D. R. SHACKLETON BAILEY (ed.), Anth. Lat. I, 1, 1982, Nr. 281.

LIT.: Z. PAVLOVSKIS, The Riddler's Microcosm: from S. to St. Boniface, in: CeM 39, 1988, 219–251 • K. SMOLAK, S., in: HLL, Bd. 5, § 548. MA.L.

Symplegades (Συμπληγάδες sc. πέτραι, »zusammenschlagende sc. Felsen«), auch *synormádes* (Sim. fr. 546 PMG), *sýndromoi* (Pind. P. 4,208–211), → *Kyanéai* [1] (Eur. Andr. 864f.), *syndromádes* (Eur. Iph. T. 422) oder *Plēgádes* (Apoll. Rhod. 2,596). Felsentor im Mythos der → Argonautai beim Übergang von der realen in die Märchenwelt (Rückkehr durch die → *Planktaí*, die oft mit ihnen verwechselt werden, z.B. Hdt. 4,85,1). Der → Argo gelang als erstem Schiff die Durchquerung mit Heras (und Athenes) Hilfe, nachdem → Euphemos auf Phineus' Rat eine Taube durch die sich öffnenden S. hatte fliegen lassen. Seitdem stehen die S. aufgrund eines Orakels still (Apollod. 1,124–126; Apoll. Rhod. 2,317–344; 2,549–606; Val. Fl. 4,637–710). Lokalisiert wurden die S. an der Einfahrt zum → Pontos Euxeinos.
→ Bosporos [1] (mit Karte)

L. RADERMACHER, Mythos und Sage bei den Griechen, [3]1968, 218f. • A. LESKY, Aia, in: W. KRAUS (Hrsg.), Gesammelte Schriften, 1966, 26–62. P.D.

Symplegma (σύμπλεγμα, »Verflechtung«). In der Arch. bisher – nach Plin. nat. 36,4,24 und 36,4,35 – benutzter t.t. für ant. erotische Gruppen v.a. in der Skulptur (→ Plastik). Der Begriff kommt neuerdings außer Gebrauch.

A. STÄHLI, Die Verweigerung der Lüste. Erotische Gruppen in der ant. Plastik, 1999. DI.WI.

Sympoliteia (συμπολιτεία). »Mitbürgerschaft«, ein »gemeinsames Bürgerrecht«. Das Verb *sympoliteúein* drückt seit dem späten 5. Jh. v. Chr. das Verschmelzen von mehreren getrennten Gemeinden zu einem einzigen Staat aus, ähnlich einem → *synoikismós* (z.B. Thuk. 6,4,1). Bei Xenophon (hell. 5,2) setzen die von der Eingliederung in das → *koinón* der Chalkidier bedrohten Städte *sympoliteúein* (5,2,12) in Gegensatz zur polit. Eigenständigkeit (5,2,14: *autopolítai einai*).

In Inschr. bezeichnen das Vb. und das Subst. die Vereinigung von zwei oder mehr Gemeinden, bes. in Fällen, wo ein größerer Staat einen kleineren polit. absorbiert, aber nicht physisch vernichtet: In diesem Sinn benutzt die mod. Forsch. S. als t.t. in Abgrenzung von → *isopoliteía*, dem Austausch von Rechten zw. unabhängig bleibenden Staaten; doch trennt der ant. Sprachgebrauch weniger scharf. So findet sich für die Eingliederung von Helisson [3] durch Mantineia (SEG 37,340; frühes 4. Jh.) gar kein spezieller Begriff; die Einbeziehung von Euaion durch das arkadische Orchomenos [3] (StV 2, 297; ca. 378 v. Chr.) heißt *synoikía*, die von Pidasa durch Latmos [2] → *políteuma* ([1]; zw. 323 und 313 v. Chr.). Smyrna »gewährte« Magnesia [3] am Sipylos *politeía* (StV 3, 492; nach 243 v. Chr.); Pereia sollte *politeúein* mit Melitaia, doch mochte sich später wieder trennen (*apopoliteúein*; Syll.[3] 546 B = IG IX[2] 1, 188; vielleicht 213/2 v. Chr.); Kos und Kalymna verwendeten *homopoliteía* (StV 3, 545; ca. 200 v. Chr.), Stiris und Medeon [1] wiederum das Vb. *sympoliteúein* (Syll.[3] 647; 2. Jh. v. Chr.).

S. tritt vereinzelt auch in anderen Zusammenhängen auf: *S.* kann – anstelle des sonst üblichen Begriffs → *politeía* – die Verleihung des Bürgerrechts an Einzelpersonen meinen (IG IV[2] 1,59), und der Begriff wurde bei der Zulassung der Polis Araxa zur *s.* des lykischen Ethnos verwendet (SEG 18,570,59–62). Bemerkenswert ist ein Text (IG IX 2,234 = MORETTI 96), in dem Pharsalos einer Gemeinde *politeía* gewährt, die bereits *s.* mit Pharsalos hat. Polybios gebraucht *sympoliteúein* und *s.* in bezug auf die Mitglieder des Achaiischen und des Aitolischen Bundes, und zwar sowohl bei Staaten, die ihre polit. Eigenständigkeit im Bund behalten hatten, als auch bei den dem Aitolischen Bund angegliederten Staaten außerhalb des Bundesgebiets (z.B. Pol. 4,3,6), wobei die mod. Forsch. letzteres als Isopoliteia – mit dem Bund oder einem seiner Städte – bezeichnet. Auch in anderen Zusammenhängen, die den Begriff *isopoliteía* erwarten ließen, verwendet Polybios *s.* (z.B. 28,14,3).
→ Synoikismos

1 W. BLÜMEL, Vertrag zw. Latmos und Pidasa, in: EA 29, 1997, 135–142.

BUSOLT/SWOBODA, 156 • A. GIOVANNINI, Unt. über die Natur und die Anf. der bundesstaatlichen Sympolitien in Griechenland, 1971, 20–24 • J. A. O. LARSEN, Greek Federal States, 1968, 202–207 • L. ROBERT, Villes d'Asie Mineure, [2]1962, 54–69 • F. W. WALBANK, Were There Greek Federal States?, in: Scripta Classica Israelica 3, 1976/77, 32–35. P.J.R.

Symposion (Συμπόσιον).
[1] Wohl nach 363 n. Chr. errichtete Festung in Kappadokia, h. Kaleköy bei Şerefiye; evtl. mit der Straßenstation In Medio (Itin. Anton. 212,8) identisch.

HILD/RESTLE, 288f. K.ST.

[2] s. Gastmahl

Symposion-Literatur
A. DEFINITION B. ENTSTEHUNG C. TOPIK
D. THEMATISCHE GRUPPEN

A. DEFINITION

Die S.-L. ist eine Gattung der Prosa-Lit., die einen Bericht über ein *sympósion* (lat. *convivium*, s. → Gastmahl) enthält, manchmal auch über das vorangehende Gastmahl (δεῖπνον/→ *deípnon*, lat. → *cena*). Im Vordergrund stehen die von den Teilnehmern geführten Gespräche, die auch zusammenhängende Reden oder Vorträge enthalten können. Die S.-L. läßt sich auch als Seitenzweig des lit. → Dialogs betrachten [4]. Von einer S.-L. kann man eine Deipnon-Lit. unterscheiden [8] (s.u. D.5.); seit dem Hell. verschmelzen sie aber, v.a. bei röm. Autoren.

B. Entstehung

Die zwei ältesten erh. ›Symposien‹ von → Platon [1] und → Xenophon haben die Gattung begründet, und ihre Geltung als Muster ist bis zu den spätesten Beispielen (→ Macrobius [1]) zu spüren. Vermutungen über eine Anknüpfung an ältere lit. Formen sind spekulativ [9. 174–178]. Gattungstheoretisch spricht man vom συμπόσιον Σωκρατικόν (*sympósion Sōkratikón*, »sokratisches S.«), für das eine Verflechtung von Scherz und Ernst charakteristisch sei (anknüpfend an Hermog. perí methódu deinótētos 36, p. 453 f. Rabe). Andererseits waren die lebendigen Bräuche der Gelage-Unterhaltung bestimmend. Seit archa. Zeit war das Symposion (= S.) ein Ort für Rezitation und Gesang von Dichtung; im 5. Jh. v. Chr. ging dies zurück zugunsten von Gesellschaftsspielen und Auftritten von Musikern und Pantomimen. Als eigene Beiträge der Teilnehmer traten Reden an die Stelle der poetischen Darbietungen. Ein wesentliches Thema ist bei Platon und Xenophon der → Eros (bei Platon ausschließlich: eine Reihe von Prosa-Enkomien auf den Gott); ein erotisches Element war dem S. seit jeher eigen gewesen.

C. Topik

Einige Personentypen und szenische Motive kehren öfters wieder [7. 33–139]: der Gastgeber (manchmal karikiert), der Spaßmacher (βωμολόχος, *bōmolóchos*), der ungeladene Gast (ἄκλητος, *áklētos*), der verspätete Gast, der Arzt, der Weinende, der Gekränkte (der sich entfernt), der starke Zecher, das Liebespaar. Häufig treten die Teilnehmer mit ihren Beiträgen in einen Wettstreit; gelegentlich kommt es zu offenem Zank.

D. Thematische Gruppen

Gruppen innerhalb der Gattung sind am besten nach dominierenden Themen unterscheidbar; erh. Werke sind mit * gekennzeichnet; der Charakter der verlorenen ist oft unklar.

1. Sympotische Themen (Plut. symp. 2, praef.) beziehen sich auf das S. selbst: auf Platzverteilung, Bräuche, Verhaltensregeln, Gesundheitsfragen (z. B. auf den Rausch), Erotisches. Kulturgesch. und sprachliche Informationen können einfließen. Ein Anstoß kam wohl von Platons *Nómoi*, wo das Weintrinken als Mittel der Erziehung dargestellt war; Platon empfahl durch νόμοι συμποτικοί (*nómoi sympotikoí*, »Regeln für Trinkgelage«) genau geregelte S. (Plat. leg. 671c). Aristoteles [6] und eine Reihe von Peripatetikern machten solche Regeln zum Thema von Schriften mit dem Titel Περὶ μέθης (*Perí méthēs*, ›Über Trunkenheit‹) [13]; oft hatten diese die lit. Form (und auch den Titel) eines S. Einige Stoiker und Epikureer schlossen sich an (Aufzählung bei Plut. symp. 1, praef., 612c: Aristoteles [6], vgl. [1], → Speusippos, → Epikuros (s. [11]), → Prytanis [3], Hieronymos [7], Dion [I 2]). In manchen Fällen ist der S.-Charakter unsicher, so bei → Theophrastos' *Perí méthēs* (vgl. [2]). Ferner: → Chamaileon, → Hieronymos [7], → Persaios [2]. Vielleicht gehörte zu diesem Typ das von → Maecenas [2] verfaßte S., in dem Vergil, Horaz und Messalla auftraten (Serv. Aen. 8,310).

2. Erweiterungen: An die sympot. Themen und Ratschläge zur Gestaltung des S. konnten sich histor. und andere gelehrte Erklärungen knüpfen; wegen der erzieherischen Funktion kamen ethische Themen hinzu. Hor. sat. 2,2,4–7 spottet über Mäßigkeitspredigten beim üppigen Mahl. Es wurde diskutiert, ob philos. Gespräche beim Wein am Platz seien; Arkesilaos [5] war dagegen (Diog. Laert. 4,42). Moralisierendes christl. Gegenstück zu Platons Eros-Thematik: Methodios von Olympos, *Συμπόσιον ἢ Περὶ ἁγνείας (*Sympósion ē Perí hagneías*, ›Über die Keuschheit‹), halb-allegorisches S. von zehn Jungfrauen. Aristoxenos von Tarent, Σύμμικτα συμποτικά (*Sýmmikta sympotiká*: musikalische Themen); Ps.-Plutarch, **De musica* (Musikgelehrte sind zu einem Gastmahl geladen); Herakleides [27] von Tarent (Medizinisches).

Gramm.-philol. Themen traten wohl in der alexandrinischen S.-Kultur in den Vordergrund: Didymos [1] Chalkenteros' Συμποσιακά (*Symposiaká*); Ailios Herodianos' [1] *S.* Vielleicht gehören hierher die S. des Asconius Pedianus (unsicher belegt) und Lactantius [1]. Athenaios' [3] von Naukratis *Δειπνοσοφισταί (*Deipnosophistaí*, ›Die Gelehrten beim Mahl‹) gruppiert eine riesige Fülle von Gelehrsamkeit um eine sympot. Kernthematik [6]. In den **Saturnalia* des Macrobius steht die Vergil-Auslegung im Mittelpunkt. Plutarchos [2] schildert in den *Συμποσιακά (*Symposiaká*, *Quaestiones convivales*) nicht ein einzelnes S. (dies geschieht nur im 9. B.), sondern gibt Einzelberichte von Gesprächen über die verschiedensten Themen in der Art der Problemata-Lit. (→ Zetemata). Ob diese bes. Ausprägung der S.-L. Vorgänger hatte, ist unklar. Solche gelehrten Unterhaltungen beim Wein sind nicht unrealistisch: Es gibt vor allem aus der Kaiserzeit Zeugnisse dafür, daß Gäste sich vorbereiteten oder Gelehrte bes. eingeladen wurden (Cic. fam. 9,26,3; Gell. 7,13; 18,2; SHA 18,34,6; Spott bei Lukillios, Anth. Pal. 11,10; 11,140).

3. Darstellung bedeutender Persönlichkeiten als Gäste: Verm. gab es früh (6. Jh. v. Chr.?) ein S. der → Sieben Weisen, aus dessen Weiterentwicklung die Skolia des → Lobon hervorgingen. Plutarchos' [2] *Τῶν ἑπτὰ σοφῶν σ. (*Tōn heptá sophōn s.*, *Septem sapientium convivium*, ›Gastmahl der Sieben Weisen‹) entwickelte das Thema nach Art eines histor. Romans. In der Spätant. entstand das sog. **Convivium Ciceronis*, eine Slg. von Weisheitssprüchen unter den Namen berühmter Römer (→ Weisheitsliteratur). Im *›Aristeas-Brief‹ (→ Aristeas [2]) wird (182–294 Wendland) von den Gastmählern berichtet, die Ptolemaios II. den 72 jüdischen Bibelübersetzern gab, die hier auf Fragen der Regierungsweisheit zu antworten hatten.

4. Das Totenmahl (περίδειπνον, *perídeipnon*) verewigte den Ruhm des Verstorbenen durch die Reden der Teilnehmer. Speusippos schrieb ein solches für Platon, Timon für Arkesilaos [5], Aristokreon für Chrysippos [2] (Χρυσίππου ταφαί, *Chrysíppu taphaí*), Varro auf Me-

nippos [4] (Ταφὴ Μενίππου, *Taphḗ Menippu*). Vielleicht bezeichnet *perideipnon* allerdings nur metonymisch die Leichenrede ohne ihren szenischen Rahmen [7. 165].

5. Parodistisch-satirische S.: Schilderungen von luxuriösen Gastmählern gab es seit dem 5. Jh. v. Chr.: Hegemon [1] von Thasos und Lynkeus [4] von Samos (Vers- und Prosaform). Witz und Humor spielten dabei eine Rolle. Eine Travestie war das *Ἀττικὸν δεῖπνον (*Attikón deípnon*, ›Attisches Gastmahl‹) des → Matron von Pitane (Technik des Homer-Cento; → Cento). Diese Schriften beziehen sich auf die Sondergattung der Deipnon-Lit. (s.o. A.; → Gastronomische Dichtung; [8]). Auch das S. des intellektuellen Typs entwickelte eine parodistische Linie. Es scheint einen kynischen Typ gegeben zu haben, der Ausschweifung und Anmaßung derb verspottete. Das ›S.‹ des → Menippos [4] von Gadara enthielt vielleicht eine Philosophenverspottung; es könnte hinter Lukianos' [1] *Συμπόσιον ἢ Λαπίθαι (*Sympósion ē Lapíthai*) stehen, wo der Zank der Philosophen in Handgreiflichkeiten ausartet. Die röm. → Satire griff das S.-Motiv auf: Lucilius [I 6] (V. 1060–1067) schildert eine vulgäre Runde; → Varro in einigen der menippeischen Satiren (*Agatho, Hydrocyon, Papiapapae, Quinquatrus*) mit kynischer Tendenz. → Horatius [7] (Hor. *sat. 2,8) schildert das Gastmahl des Emporkömmlings Nasidienus, → Petronius [1] im *›Satyricon‹ das des Trimalchio. Hierher gehört ferner → Iuvenalis (Iuv. *sat. 5).

Aus der Spätant. sind zwei S. erh., die Typ (3) parodieren: → Iulianus [11] Apostata verfaßte das *Συμπόσιον ἢ Κρόνια (*Sympósion ē Krónia*; = Iul. or. 10), in dem die röm. Kaiser bei einem Göttermahl um den Vorrang streiten. Aus christl. Kreisen stammt die *→ *Cena Cypriani*, ein fast burleskes Gastmahl biblischer Figuren, das im MA sehr beliebt wurde.

→ Eßkultur C.; Gastmahl; Gastronomische Dichtung; Freizeitgestaltung C.

1 H. Flashar, GGPh[2] 3, 283 f. 2 W. W. Fortenbaugh, Quellen zur Ethik Theophrasts, 1984, 121
3 M. D. Gallardo, El simposio Romano, in: Cuadernos de Filología Clásica 7, 1974, 91–143 4 R. Hirzel, Der Dialog. Ein literarhistor. Versuch, 2 Bde., 1895 5 A. Hug, s. v. S.-L., RE 4 A, 1273–1282 6 A. Lukinovich, The Play of Reflexions between Literary Form and the Sympotic Theme in the Deipnosophistae of Athenaeus, in: O. Murray (Hrsg.), Sympotica, 1990, 263–271
7 J. Martin, Symposion. Die Gesch. einer lit. Form, 1931
8 Ders., s. v. Deipnonlit., RAC 3, 1957, 658–666
9 L. M. Segoloni, Socrate a banchetto, 1994
10 L. R. Shero, The Cena in Roman Satire, in: CPh 18, 1923, 126–143 11 H. Steckel, s. v. Epikuros, RE Suppl. 11, 579–652 (hier: 632 f.) 12 F. Ullrich, Entstehung und Entwicklung der Litteraturgattung des Symposium, 1908
13 F. Wehrli, Aristoteles in der Sicht seiner Schule, in: Ders., Theoria und Humanitas, Gesammelte Schriften, 1972, 217–228, hier 225 f. H. GÖ.

Synagoge (συναγωγή, wörtl. »Zusammenführung«, »Versammlung«; lat. *synagoga*). Griech. Wort, das sowohl die jüd. Gemeinde als auch den Ort (das Gebäude) ihrer Versammlung bezeichnen kann.

I. Architektur II. Institution

I. Architektur
A. Definition und Funktion
B. Vor der Zerstörung des Tempels in Jerusalem 70 n. Chr.
C. Nach der Zerstörung des Tempels

A. Definition und Funktion

Der S.-Bau besteht aus einem großen, rechtwinkligen Raum mit Bänken an allen oder mehreren Seiten, vor denen Säulen plaziert sind. Oft findet sich ein → Thron für den Leiter der S. und eine Plattform (*bēma*) für die Lesung der Torā. Ein zentrales Element ist der Schrein für die Aufbewahrung der Torā-Rollen, der sich normalerweise – wie auch der Eingang – an der nach → Jerusalem gewandten Seite befindet. Die Halle kann mit Galerien versehen sein und hat einen oder drei Eingänge. In Verbindung mit den S. fanden sich oft Speisesäle und Wohnräume, zudem – zumindest vor der Zerstörung des Jerusalemer → Tempels 70 n. Chr. – rituelle Bäder (*miqwāʾōt*). Nach der Tempelzerstörung wurden die S. zu den Hauptgebäuden der jüd. Rel., und die urspr. sehr schlichten Häuser wurden mit Mosaiken, Malereien und architektonischem Schmuck ausgestattet. Wie in der Diaspora schon länger der Fall, wurden sie auch in Palaestina zum einzigen Sammlungspunkt der jüd. Religionsausübung. Die Funktionen der S. erweiterten sich: Neben der Lesung und dem Studium der Torā wurden sie auch für Gebete sowie für die → Šabbat-Feier und die Begehung weiterer jüd. Feste genutzt.

B. Vor der Zerstörung des Tempels in Jerusalem 70 n. Chr.

Die Zahl der erh. S. in Palaestina aus der Zeit vor 70 n. Chr. ist umstritten. Als S. wurden Gebäude in Gamla, → Magdala und Chorazin in Galilaea, in → Masada, Herodion und → Jericho in Iudaea angesprochen. Die kürzlich ergrabene S. in Jericho, die in Verbindung mit den Hasmonäischen Palästen (→ Palast; → Hasmonäer) steht und in die erste H. des 1. Jh. v. Chr. zu datieren ist, ist die früheste der möglichen S. und – ebenso wie die S. in Gamla – sehr gut erh. In der Diaspora gehört nur die S. auf → Delos mit Sicherheit dieser Periode an; sie wurde verm. im späten 2. Jh. v. Chr. erbaut oder eingerichtet. Aus Schriftquellen sind auch andernorts in der Diaspora S. bekannt, z. B. in Halikarnassos und Rom. Berühmt war die Haupt-S. in → Alexandreia [1] aus dem 3. Jh. v. Chr.; sie wurde in der Zeit Traians zerstört.

C. Nach der Zerstörung des Tempels

Nach der Zerstörung des Tempels wurden in Palaestina zahlreiche S. gebaut; viele davon sind arch. nachgewiesen. Die Datier. ist oft umstritten; es wird allg. angenommen, daß die formalen Verschiedenheiten der

S. eher als Produkt individueller Bedürfnisse und Bauausführung denn als Ergebnis einer stringenten Typologie zu betrachten sind. S. kommen sowohl in Form eines Breitraumes (so z. B. Nabratein I, Šemʿa) als auch einer → Basilika mit einem Eingang (z. B. Guš Halav, Nabratein II) vor. Am häufigsten findet sich der sog. »Galilaeische Typus« mit drei Eingängen und inneren Säulen auf drei Seiten (z. B. Meiron, Ammudin, → Kapernaum). Alle diese »Typen« waren seit dem 2./3. Jh. n. Chr. gängig; die Bauten waren dabei oft aufwendig mit architektonischem Schmuck und jüd. Symbolen dekoriert. War der Torā-Schrein früher oft transportabel, wurde er jetzt fest angebracht und in eine spezifische architektonische Form (→ Aedicula oder → Apsis) eingebunden. Im 4.–6. Jh. n. Chr. wurde die basilikaförmige, mit reichem Mosaikschmuck versehene S. geläufig (z. B. Ḥammat Ṭiveryā); sie hatte große Ähnlichkeit mit den frühchristl. Kirchen gleicher Zeit.

Nur wenige S. der Periode nach 70 n. Chr. sind in der Diaspora ausgegraben worden; sie befinden sich meist in schlechtem Erhaltungszustand. Nur bei den S. von → Ostia (mit Plan), → Dura Europos, Priene, Stoboi und Sardeis konnte der Grundriß gesichert werden. Die meisten gehören ins 3.–4. Jh. n. Chr.; diejenige von Ostia könnte schon im späten 1. oder 2. Jh. n. Chr. errichtet worden sein. Die S. in Dura Europos ist sicher in die 1. H. des 3. Jh. n. Chr. datiert; sie wurde wie die Stadt 256 n. Chr. zerstört. In dieser S. in Form eines quergelagerten Raumes wurden sehr gut erh. figürliche Wandmalereien mit Szenen aus dem AT gefunden (h. im Nationalmuseum von Damaskus). Die größte S. der Diaspora wurde in Sardeis in der 2. H. des 3. Jh. n. Chr. in einem Flügel des Thermen-Gymnasions errichtet. Generell wurden die S. der Diaspora oft in ältere – sowohl private als auch öffentliche – Gebäude eingebaut, während die S.-Gebäude in Palaestina der Zeit nach 70 n. Chr. eigenständige Architekturen waren. I. N.

II. INSTITUTION

S. bezeichnete nicht nur das Gebäude, sondern auch die organisierte jüd. Gemeinde, die es nutzte. Berufsgruppen und Landsmannschaften waren in eigenen S. organisiert, z. B. die S. der Kupferschmiede oder Juden aus Tarsos in Jerusalem (tMeg 2,17). Die S. hatte eine eigene Verwaltung und im *Ḥāsān* einen Gemeindevertreter, der u. a. als Schreiber, Vollzieher der Gerichtsbeschlüsse und Einzieher der Gemeindesteuern verschiedene kommunale Aufgaben erfüllte.

Als Institution der → Diaspora diente die S. als Versammlungshaus sowie der Anbindung an den Jerusalemer → Tempel, sie war der Ort der Torā-Lesung (zuerst z.Z. der Standmannschaften, später regelmäßig). Erst nach der Zerstörung des Tempels (70 n. Chr.) wurde sie auch Gebetshaus (*bēṯ tᵉfillāh*, προσευχή/*proseuchḗ*) und Hauptort des Ritus (→ Ritual E.).

In Palaestina war die S. Gemeindebesitz und diente als polit. Gemeindezentrum, Studienhalle (GnR 65,22), Gerichtsort (mMak 3,12), zur Sammlung der Wohlfahrtssteuer (tSchab 16,22), später auch als Gästehaus (bPes 100b–101a). Von der Gemeinde organisierter Torā-Unterricht für Kinder fand im S.-Vestibül statt; die Identität von S. und Lehrhaus (*bēṯ midraš*) ist umstritten. In Babylonien wird die S. nur als Gebetshaus und Ort der Torā-Lesung erwähnt und hat einen höheren Heiligkeitsgrad. So besuchte die göttliche Einwohnung (→ *Šekinah*) die S. in Babylonien (bMeg 29a).

→ Bibel; Judentum; SYNAGOGENGESANG E. H.

H. KOHL, C. WATZINGER, Ant. S. in Galilaea, 1916 (Ndr. 1975) • L. L. LEVINE (Hrsg.), Ancient Synagogues Revealed, 1981 • Ders. (Hrsg.), The Synagogue in Late Antiquity, 1987 • R. HACHLILI, Ancient Jewish Art and Archaeology in the Land of Israel, 1988 • D. URMAN, P. FLESHER (Hrsg.), Ancient Synagogues. Historical Analysis and Archaeological Discovery, 2 Bde., 1995 • L. M. WHITE, The Social Origins of Christian Architecture, 2 Bde., 1996 • R. HACHLILI, Ancient Jewish Art and Archaeology in the Diaspora, 1998 • L. L. LEVINE, The Ancient Synagogue. The First Thousand Years, 2000 • E. NETZER, Eine S. aus hasmonäischer Zeit, in: Ant. Welt 2000, 477–484. I. N. u. E. H.

Synallagma (συνάλλαγμα, wörtl.: »der gegenseitige Austausch«). Griech. Ausdruck für den (Geschäfts-)Verkehr, zuweilen auch für jede rechtliche Verpflichtung, unabhängig von ihrer Begründung durch Delikt oder Vertrag; eine präzise juristische Bed. hat er nicht. Dennoch nehmen die röm. Juristen M. Antistius [II 3] Labeo (um Christi Geburt) und Titius Aristo (E. 1. Jh. n. Chr.) das griech. Wort *s.* im Lat. auf, um damit eine Vereinbarung zu bezeichnen, die für beide Partner Verpflichtungen begründet. Dies können insbes. auch sog. Innominatverträge sein, die nicht zu den vier anerkannten Verträgen des röm. Rechts gehörten, deren Erfüllung verlangt werden konnte (→ *consensus*, → *contractus*). Dann liegt nach Aristo (bei Ulp. Dig. 2,14,7,3) zwar keine »vertragliche« Verpflichtung im Sinne der anerkannten Kontrakttypen vor, aber eine Verbindlichkeit aufgrund einer zweckbestimmten Leistung (die also schon erbracht worden sein mußte, damit man die »Gegenleistung« verlangen konnte). Dadurch kam der röm. Jurist dem Verständnis des griech. Vertrages recht nahe, das die moderne rechtshistor. Wiss. entwickelt hat (→ Zweckverfügung). Im röm. Recht diente der Hinweis auf das *s.* in diesem Sinne aber gerade nicht der Erklärung der Vertragsverbindlichkeit überhaupt, sondern nur eines Verbindlichkeitstyps, der im röm. »Schema« (noch) nicht erfaßt war. Nichts zu tun hat die Verwendung des Begriffs *s.* im röm. Recht mit dem t.t. des mod. dt. Rechts (der Verknüpfung von Leistung und Gegenleistung im »gegenseitigen« Vertrag). Ob die röm. Juristen eine solche gedankliche Verbindung wenigstens der Sache nach gekannt haben, erscheint zweifelhaft (teilweise anders [1]).

1 H. P. BENÖHR, Das sog. S. in den Konsensualkontrakten des klass. röm. Rechts, 1965.

HONSELL/MAYER-MALY/SELB, 235. G. S.

Synaloiphe, Synaloephe s. Prosodie II.

Synaxarion (συναξάριον).
[1] Kurzvita oder enkomiastische Notiz in den Menäen im *órthros* (ὄρθρος, »Morgengottesdienst«) der orthodoxen Kirche zw. der 6. und 7. Ode des Kanons [2], der mit dem *s.* den Gottesdienst des jeweiligen Tagesheiligen oder Festes prägt. Aufbau: Monatsdatum, Epigramm in iambischen Versen, Nennung des Heiligen, des Festes, Hexameter auf Datum und Namen, histor. Notiz, Erwähnung der Kirche, die seiner gedenkt, Vita des Heiligen.
[2] Buch, das die *synaxária* enthält (s. auch → Menologion).
[3] Kalendarium mit Perikopenangaben und Notizen zu den Tagesheiligen und Festen.
→ Kanon [2]; Menologion

H. Delehaye, Synaxarium Ecclesiae Constantinopolitanae, 1902 (Ndr. 1954). K.SA.

Synchoresis (συγχώρησις). Aus der freiwilligen Gerichtsbarkeit der → *chrēmatistaí* und der urspr. streiterledigenden Einigung der Parteien vor diesem Gericht war spätestens seit E. 1. Jh. v. Chr. im ptolem. Ägypten die *s.* als »gerichtsnotarielle Urkunde« hervorgegangen, die v. a. in röm. Zeit als reguläre Urkundenform vom → *katalogeíon* in Alexandreia [1] ausgestellt wurde.

Wolff, 91–95 • H. A. Rupprecht, Kleine Einführung in die Papyruskunde, 1994, 137f. G.T.

Synchronismus s. Zeitrechnung

Syndikos (σύνδικος), wörtlich »Mitstreiter«. Person, die gemeinsam mit einer anderen vor Gericht auftritt. In Athen wird der für eine Privatperson einschreitende → *synḗgoros* häufig auch als *s.* bezeichnet [5. 43–45]; beide Gruppen sind Gegenstand von Schadenzauber (→ *defixio*) [5. 65]. Notwendig waren *sýndikoi* (in Athen regelmäßig fünf), wenn Personenverbände wie die Polis, Demen oder Kultgemeinschaften gerichtlich tätig wurden. Von der Volksversammlung (→ *ekklēsía*) gewählt wurden jeweils fünf *s.*, um die Gültigkeit eines Gesetzes in einer nach Jahresfrist erhobenen → *paranómōn graphḗ* zu verteidigen; ebenso hatten fünf *s.* die bestehende Rechtsordnung zu verteidigen, wenn in der jährlichen → *epicheirotonía* (»Vertrauensabstimmung«) die Änderung von Gesetzen beantragt worden war (Demosth. or. 24,23; [3. 1331f.]). Als Ankläger wurden *s.* von der → *ekklēsía* oder der → *bulḗ* bestellt, um im Interesse der Polis eine → *eisangelía* (»öffentliche Klage«) zu verfolgen oder nach einem vom → *Áreios págos* verabschiedeten »Untersuchungsbericht« (ἀπόφασις, *apóphasis*) einzuschreiten (Deinarch. 1,51; 1,58; 2,6); *s.* vertraten die Polis Athen auch in internationalen Streitfällen (Demosth. or. 18,134; [1. 160]). Von Personengruppen innerhalb der Polis wurden *s.* in Vermögens- oder Statusfragen bestellt: IG II² 1196,17; 18/19 (335–330 v. Chr.); 1197,13 (ca. 330 v. Chr., Demendekrete, → *dḗmos* [2]), 1258,8 und 14 (324/3 v. Chr., Kollegium); in derselben Funktion, doch → *synḗgoros* genannt: IG II² 1237,32 (396/5 v. Chr., fünf Vertreter einer → Phratrie); 1183,14 (nach 340 v. Chr., Demos); s. auch And. 1,150; Demosth. or. 23,206 (von der → *phylḗ* einem Angeklagten beigeordnete *s.* als Mitstreiter). Mit Wiederherstellung der Demokratie amtierten nach 403 v. Chr. kurzfristig *s.* bei der Restitution von Vermögen (Lys. 19,32 [1. 34f.]).

In hell.-röm. Zeit begegnen *s.* als Vertreter der streitenden Poleis in zwischenstaatlichen Schiedsgerichten, z. B. IPArk 23,6 (= IG V 2,415; Heraia, 3. Jh. v. Chr.; je fünf *s.*), Syll.³ 665,9 (= [2] Nr. 11; Sparta-Megalopolis, 164 v. Chr.); vgl. auch IG IX 1² 4, 794,2/3 (Kerkyra, 2. H. 2. Jh. v. Chr.). Viele *s.* erhalten Ehrenbeschlüsse, z. B. IPArk 35,11 (= Syll.³ 800; Lykosura, 1/2 n. Chr.) [4]. Ebenso schreiten *s.* für die Polis in Restitutionsangelegenheiten ein, z. B. IPArk 32 A 10 (= IG V 2, 444; Megalopolis, 103–101 v. Chr.), aber auch für private Parteien im Rechtshilfeverfahren, IPArk 17,72; 17,77; 17,129, Stymphalos-Demetrias, 303–300 v. Chr. (vgl. [7. 226, 278, 340; 2. 93]).

In der Spätant. wird *s.* häufig mit → *ékdikos* (→ *defensor civitatis*) gleichgesetzt, v. a. in den Pap. Ägyptens [6. 64, 72, 144].

1 A. R. W. Harrison, The Law of Athens, Bd. 2, 1971
2 K. Harter-Uibopuu, Das zwischenstaatliche Schiedsverfahren im Achäischen Koinon, 1998
3 U. Kahrstedt, E. Seidl, s. v. S., RE 4 A 2, 1331–1333
4 J. und L. Robert, in: BE 1963, 221 5 L. Rubinstein, Litigation and Cooperation, 2000 6 H.-A. Rupprecht, Kleine Einführung in die Papyruskunde, 1994 7 G. Thür, H. Taeuber, Prozeßrechtliche Inschr. der griech. Poleis. Arkadien, 1994 (IPArk). G.T.

Synegoros (συνήγορος), wörtlich »Mitsprecher«. Person, die mit – nicht anstatt – einer Prozeßpartei vor Gericht das Wort ergreift; terminologisch von → *sýndikos* nicht immer unterschieden. Grundsätzlich mußte nach griech. Auffassung jede Partei ihre Sache persönlich vertreten. Im ant. Athen konnten in privaten und öffentlichen Prozessen *synḗgoroi* zugelassen werden, die entweder ein Näheverhältnis zur unterstützten oder Feindschaft zur bekämpften Partei behaupteten; nur Annahme von Geld war dem *s.* verboten (Demosth. or. 47,26). Da gemeinsames Vorgehen vor Gericht nach neueren Erkenntnissen eher die Regel als die Ausnahme bildete, kann man den *s.* nicht als Ausgangspunkt für einen Anwaltsstand betrachten, sondern als Teil der alltäglichen Rechtspflege vor den nach streng formalen Verfahrensregeln agierenden demokratischen Schwurgerichtshöfen (→ *dikastḗrion* A. I.2–3). Nur wenn der *s.* auch förmlich als Zeuge (s. → *martyría*) auftrat, haftete er mit → *pseudomartyriṓn díkē* (Klage wegen »Falschaussage«, Isokr. 12,4; Aischin. or. 2,170), was auch aus Syll.³ 953,19 (Prozeßordnung von Knidos, 3. Jh. v. Chr.) hervorgeht. Ab dem 2. Jh. v. Chr. ist aus den Papyri Ägyptens unter geändertem Prozeßrecht der *s.* als bezahlter Prozeßbeistand, nicht aber -vertreter belegt.

A. R.W. Harrison, The Law of Athens, Bd. 2, 1971, 158–161 • K. Latte, E. Seidl, s. v. S., RE 4 A 2, 1353–1357 • L. Rubinstein, Litigation and Cooperation, 2000 • G. Thür, Das Gerichtswesen Athens im 4. Jh. v. Chr., in: L. Burckhardt, J. v. Ungern-Sternberg (Hrsg.), Große Prozesse im ant. Athen, 2000, 30–49. G.T.

Synesios

[1] S. von Kyrene. Neuplatonischer Philosoph und Bischof (um 370 – um 413 n. Chr.). Der aus einer vornehmen Familie in → Kyrene (Libya Superior) stammende S. studierte zunächst in Alexandreia [1] bei der neuplaton. Philosophin → Hypatia. Von 399 bis 402 (bzw. 397–400; die Chronologie zu S. ist umstritten) begab er sich im Auftrag seiner Heimatstadt an den Hof nach Konstantinopolis, um Steuererleichterungen zu erreichen. Anschließend reiste er nach Alexandreia (dort Heirat mit einer Christin) und zog sich später als Privatmann auf sein Gut in die südl. Cyrenaica zurück. Trotz massiver persönlicher Bedenken (Synes. epist. 105) wurde S., der bereits zuvor die Verteidigung der Prov. gegen einfallende Nomaden organisiert hatte, 410/1 Bischof von Ptolemais [7] und Metropolit der → Pentapolis. Seine späte Zeit ist bestimmt von bischöflichen Amtsgeschäften, erneuten Bemühungen um die Verteidigung der Prov. und dem Konflikt mit Andronikos, dem schließlich exkommunizierten Präses der Prov. Der an den klass. Autoren orientierte und ein anspruchsvolles Griech. schreibende S. hinterließ ein umfangreiches Werk (CPG 5630–5640; Gesamtausgabe mit Text und it. Übers.: [1]). Die sog. »Ägypt. Erzählungen« [1. 452–537] reflektieren in romanhaft-mythischer Einkleidung die Erlebnisse während der Gesandtschaft in Konstantinopolis. Die dort vor Kaiser → Arcadius gehaltene Rede ›Über die Königsherrschaft‹ [1. 382–451] bietet einen Fürstenspiegel in der Trad. Platons. Sein Lebensideal stellt der belesene S. in seiner Schrift ›Dion‹ [2] vor. Neben einem Traumbuch [1. 552–607] verdienen 156, meist an Privatpersonen gerichtete Briefe [1. 66–379] sowie neun in Dor. nach ant. Vorbildern komponierte Hymnen [3] bes. Beachtung. In S. gehen klass.-ant. Bildung, neuplaton. Philos. und Christentum eine nicht immer widerspruchsfreie Verbindung ein.

Ed.: 1 A. Garzya, Opere di Sinesio di Cirene, 1989 (Gesamtausgabe; Lit.: 37–51) 2 K. Treu, S.: Dion Chrysostomos oder Vom Leben nach seinem Vorbild, 1959 (mit dt. Übers.) 3 J. Gruber, H. Strohm, S.: Hymnen, 1991 (mit dt. Übers.).
Lit.: 4 J. Bregman, Synesius of Cyrene, 1982
5 D. Roques, S. de Cyrène et la Cyrénaïque du bas-empire, 1987 6 Ders., Ét. sur la correspondance de S. de Cyrène, 1989 7 T. Schmitt, Die Bekehrung des S. von Kyrene, 2001 (im Druck) 8 S. Vollenweider, Neuplatonismus und christl. Theologie bei S. von Kyrene, 1985. J.RI.

[2] S. Scholastikos. Verf. eines Epigramms (verm. aus dem »Kyklos« des → Agathias) über die Weihung einer Hippokrates-Statue (Anth. Pal. 16,267). Zu identifizieren mit dem S., der laut → Barbukallos (Anth. Pal. 16,38) auch siegreicher Kommandant (verm. in Iustinianus' Perserkrieg, vor 540 n. Chr.) war und mit einem Standbild in Berytos (h. Beirut) geehrt wurde.

R. Aubreton, F. Buffière (ed.), Anthologie Grecque 13, 1980, 241, Anm. 6 • Av. und A. Cameron, The Cycle of Agathias, in: JHS 86, 1966, 8, 12, 19. M.G.A./Ü: TH.ZI.

Syngraphai (συγγραφαί). Dokumente, die als Grundlage für Verträge dienten, z. B. bei der Vergabe öffentlicher Arbeiten (z. B. ML 44 = IG I³ 35, Athen; IG VII 3073 = Syll.³ 972, Lebadeia), dem Abschluß von Pachtverträgen (z. B. Syll.³ 93 = IG I³ 84, Athen; IG XII 7, 62 = Syll.³ 963, Arkesine) oder der Ausgabe von Darlehen (z. B. IG XII 7, 67 B = Syll.³ 955, Arkesine; dazu [1. 620, 623, 628]; dazu genauer → *syngraphḗ*).

In Athen wurden im 5. Jh. v. Chr. auch die von einem eigens damit beauftragten Gremium von *syngrapheís* erarbeiteten Vorlagen für die Volksversammlung (→ *ekklēsía*) als *s.* bezeichnet (z. B. ML 73 = IG I³ 78). Da diese Gremien wegen ihrer Verwicklung in die Einrichtung oligarchischer Regime 411 und 404 v. Chr. (Thuk. 8,67; [Aristot.] Ath. Pol. 29) in Mißkredit gerieten, wurde künftig die → *bulḗ* beauftragt, Vorlagen zu entwerfen. Ähnliche Kollegien sind unter anderer Bezeichnung auch anderenorts zu finden [1. 460; 2. 27, 491–494].

1 Busolt/Swoboda 2 P. J. Rhodes, D. M. Lewis, The Decrees of the Greek States, 1997. P.J.R.

Syngraphe (συγγραφή) bezeichnet vom Material her betrachtet ein griech. »Schriftstück«, vom Inhalt her eine darin enthaltene Vereinbarung (im Sing.) oder einen Entwurf für Gesetze bzw. eine Ausschreibung öffentlicher Bauten oder Verpachtungen (regelmäßig Pl., → *syngraphaí*). In der Bed. »vertragliche Abmachung« konkurriert *s.* mit → *synállagma*, → *symbólaion*, → *synthḗkē* und → *homología* (Poll. 8,140). Nur ein bestimmter Urkundentyp wird, im wesentlichen gleichbleibend vom 4. Jh. v. Chr. bis in die röm. Zeit, als *s.* bezeichnet: die private, vor Zeugen errichtete, von den Parteien (und Zeugen) versiegelte und bei einem privaten Verwahrer (φύλαξ, *phýlax*) oder – später – in einem staatlichen Archiv hinterlegte »Berichtsurkunde« (sie berichtet, objektiv – in der 3. Person – stilisiert, von den beim Geschäftsabschluß vorgefallenen Handlungen und den daran geknüpften Abmachungen). Im ptolem. Äg. tritt die *s.* als Urkunde mit sechs Zeugen und einem treuhänderischen Verwahrer (daher: »6-Zeugen-Syngraphophylax-Urkunde« mit offener »Außen-« und versiegelter »Innenschrift«) auf [7. 57–73; 4. 135–138]. Gleichwertige ptolem. Urkundentypen waren: → *cheirógraphon*, → *diagraphḗ*, → *synchṓrēsis* und → *hypómnēma*. Mit dem *cheirógraphon* und der *diagraphḗ* gemeinsam hat die *s.*, daß sie für jedes beliebige Verkehrsgeschäft herangezogen werden konnte. Die Austauschbarkeit der Urkundentypen spricht gegen die früher [2. 1382–1384] vertretene Dispositivwirkung der *s.* [7. 143; 4. 139]: Die Urkunde verkörpert also nicht das Rechtsgeschäft, sondern bezeugt die reale Verfügungshandlung, die zur Haftung des Empfängers fremden Vermögens führt [7. 143[8]] (→ Zweckverfügung). In den Augen der klass. röm. Juristen entfaltet die *s.* dispositive Wirkung (Gai. inst. 3,134; die Gleichsetzung mit der → *litterarum obligatio* [3. 523] ist nach [7. 144] jedoch ein Mißverständnis des Gaius).

Zur *s.* als Vertragsurkunde sind seit [2] aus dem epigraphischen Material IPArk 17,43 und 105; 24,17 nachzutragen. Zu den *s.* als Bau- und Pachtausschreibungen s. neben [5] noch [1. 102–108; 6. 472–478], vgl. IPArk 3,40; 53; 54; 30,11.

1 D. Behrend, Att. Pachturkunden, 1970 **2** W. Kunkel, s. v. S., RE 4 A, 1376–1387 **3** H. L. Nelson, U. Manthe, Gai Institutiones III 88–181: Die Kontraktsobligationen, 1999 (Text und Komm.) **4** H.-A. Rupprecht, Kleine Einführung in die Papyruskunde, 1994 **5** W. Schwahn, s. v. Syngraphai, RE 4 A, 1369–1376 **6** G. Thür, Bemerkungen zum altgriech. Werkvertrag, in: Studi in onore di A. Biscardi, Bd. 5, 1984, 471–514 **7** Wolff. G. T.

Synhedrion (συνέδριον, »Versammlung«, wörtl. »Zusammen-Sitzung«).
I. Griechisch II. Jüdisch III. Architektur

I. Griechisch

Verschiedene Formen von griech. Versammlungen und Kollegien, die sich (regelmäßig) zu Sitzungen trafen. So konnte in Athen der Begriff *s.* für den → *Areios págos* und den Rat der Fünfhundert (→ *bulḗ*) verwendet werden (Aischin. Ctes. 19–20), für die → *árchontes* und ihre → *páredroi* ([Demosth.] or. 59,83) oder für jede andere Gruppe von Amtsträgern, die ihr Amt an dem dafür bestimmten Ort ausübte (Lys. 9,6; 9,9). In spezieller Bed. erscheint *s.* v. a. in folgender Verwendung: Zahlreiche griech. Staaten nannten ihren Rat *s.* (z. B. Korinth im 4. Jh. v. Chr.: Diod. 16,65,6–8; Elateia: SEG 3,416). In röm. Zeit wurde dies noch gebräuchlicher (z. B. Argos: SEG 22,266). *S.* wurde in mehreren Staatenbünden als offizielle Bezeichnung der Ratsversammlungen verwendet: Die Delphische → *amphiktyonía* (z. B. Aischin. Ctes. 116); der Bund gegen Sparta im Korinthischen Krieg (Diod. 14,82,2 und 10; 84,5); der Zweite → Attische Seebund (z. B. IG II^2 43 = Tod 123,41–46); das von Theben aufgebaute Bündnis in den 360er Jahren des 4. Jh. (z. B. IG VII 2418 = Tod 160; [3]); der → Korinthische Bund und seine 302 v. Chr. wiederbelebte Form (z. B. IG II^2 236 = Tod 177,21; StV 3,446,60–99). Der Rat des Aitolischen Bundes wurde sowohl als *s.* (z. B. IG IX^2 1,169) wie auch als *bulḗ* (z. B. IG IX^2 1,178) bezeichnet. Das von den Römern organisierte thessalische *koinón* besaß ein *s.*

Die Versammlungshäuser der Pythagoräer im griech. Unteritalien wurden ebenfalls *s.* genannt (Pol. 2,39,1; Plut. mor. 583a). *S.* konnte auch für den informellen Rat der »Freunde« eines hell. Königs verwendet werden (z. B. Pol. 5,41,6; [1]).

S. war im Griech. eine der Bezeichnungen für den röm. Senat, so Diodoros [18] (z. B. 31,15,3) und Dionysios [18] von Halikarnassos (z. B. ant. 1,74,4); Polybios benutzt normalerweise entweder *s.* (z. B. 1,11,1) oder *sýnklētos* (z. B. 6,12,2); [4].

1 G. Corradi, Studi ellenistici, 1929, 231–255 **2** J. A. O. Larsen, Representative Government in Greek and Roman History, 1955 **3** D. M. Lewis, The S. of the Boeotian Alliance, in: A. Schachter (Hrsg.), Essays in the Topography, History and Culture of Boiotia, 1990, 71–73 **4** J. Touloumakos, Der Einfluß Roms auf die Staatsform der griech. Stadtstaaten des Festlandes und der Inseln im 1. und 2. Jh. v. Chr., 1967, 155–173. P. J. R.

II. Jüdisch

(hebr. *sanhedrîn*, »Tribunal«, »Rat«). Nach traditioneller Auffassung die höchste legislative und judikative Institution des → Judentums in hell.-röm. Zeit. Bei Iosephos [4] Flavios erscheint es als ein Gremium mit polit. bzw. richterlichen Aufgaben, an dessen Spitze der Hohepriester stand und dem Mitglieder aus den hohenpriesterlichen Familien, dem Laienadel und den Schriftgelehrten angehörten (Ios. ant. Iud. 14,167 f.; 14,170–172; 20,202 ff. u. ö.; vgl. Mk 11,27; 14,43). Unklar ist hier Mitgliederzahl, Art der Wahl usw. Im NT ist das *s.* das Gremium, das nach einer Rechtsgrundlage sucht, um → Jesus zu töten (Mk 14,55; Mt 26,59), bzw. die Versammlung, die die Übergabe Jesu an Pontius Pilatus berät (Mk 15,1).

Nach den rabbinischen Quellen standen an der Spitze des aus 70–72 Mitgliedern bestehenden (vgl. mYad 3,5) *s.* rabbinische Gelehrte, die v. a. mit halakhischen Entscheidungen (z. B. Kalenderfestsetzung; → Halakha) und der innerjüdischen Gerichtsbarkeit betraut waren. Die jüngere Forsch. hält diese Darstellung für ein ahistor. Idealbild, das die Kontinuität zw. der Zeit des Ersten und Zweiten Tempels und der rabbin. Zeit aufzeigen möchte, und geht vielmehr davon aus, daß eine Vielzahl lokaler rabbin. Gerichte existierte. Das späteste Zeugnis für das *s.* (Cod. Theod. 16,8,29) stammt aus dem J. 429 n. Chr.

D. Goodblatt, The Monarchic Principle, 1994 • M. Jacobs, Die Institution des jüd. Patriarchen, 1995 • Schürer 2, 199–226. B. E.

III. Architektur

s. → Theater

Synizese s. Prosodie II.

Synkellos

[1] s. Michael [2]

[2] Georgios S. (Γεώργιος Σύνκελλος). Autor einer um 810 n. Chr. verfaßten byz. Weltchronik, die von der Erschaffung der Welt bis zum Regierungsantritt des → Diocletianus 284 n. Chr. reicht. Über sein Leben ist wenig bekannt; er lebte als Mönch längere Zeit in einem Kloster in Palaestina und wurde später σύγκελλος/

sýnkellos (»Zellengenosse«, d.h. Assistent und Privatsekretär) des Patriarchen → Tarasios von Konstantinopolis.

Die Chronik Ἐκλογὴ χρονογραφίας/*Eklogḗ chronographías* (›Auswahl aus der Chronographie‹) ist aus zahlreichen, häufig namentlich genannten Quellen zusammengestellt, darunter → Iosephos [4] Flavios und Iulius → Sextus Africanus. Die chronologische Ordnung wird streng beachtet, die Darstellung schwankt je nach verwendeter Quelle zw. trockenen Herrscherlisten und ausführlichen Berichten. Das Werk wurde im späteren 9. Jh. von Anastasius Bibliothecarius in Rom für seine lat. *Historia tripartita* verwendet, sein Inhalt auf diese Weise auch dem Westen zugänglich.

Als S. bald nach 810 starb, hinterließ er das zur Fortsetzung bis zu seiner Gegenwart gesammelte Material seinem Freund → Theophanes, wie dieser im Vorwort zu seiner Chronik berichtet. Einige Eigenheiten von dessen Chronik, u.a. seine auffällig guten Kenntnisse über Palaestina und die arabische Welt, sind wohl damit zu erklären, daß das Material auch dieser Chronik fast vollständig von S. stammt und von Theophanes nur geringfügig bearbeitet und ergänzt wurde [4].

Ed.: **1** A. Mosshammer, Ecloga chronographica, 1984.
Lit.: **2** W. Adler, The Immemorial: Archaic History and Its Sources in Christian Chronography from Julius Africanus to George Syncellus, 1989 **3** G. L. Huxley, On the Erudition of George the S., in: Proc. of the Royal Irish Academy 81 C, Nr. 6, 1981 **4** C. Mango, Who Wrote the Chronicle of Theophanes?, in: Zbornik Radova Vizantološkog instituta 18, 1978, 9–17 **5** I. Ševčenko, The Search for the Past in Byzantium around the Year 800, in: Dumbarton Oaks Papers 46, 1992, 279–294. AL.B.

Synkope s. Lautlehre B.

Synkretismus

I. Religionswissenschaftlich
II. Sprachwissenschaftlich

I. Religionswissenschaftlich

A. Allgemeines B. Traditionelle Darstellungen C. Die neuere Forschung

A. Allgemeines

Im rel. Bereich kann S. als der Prozeß der friedlichen oder strittigen gegenseitigen Durchdringung von Elementen aus zwei oder mehr Traditionen definiert werden [1]. »Trad.« ist hierbei notwendigerweise ein mehrdeutiger Begriff; für die Ant. unterscheidet man herkömmlicherweise zw. »internem S.« und »Kontakt-S.«.

Als »interner S.« wird die Übertragung von Erscheinungsformen, Namen und Epitheta von einer Gottheit auf eine andere innerhalb eines einzigen polytheistischen Systems bezeichnet (→ Polytheismus). Zahlreiche griech. und röm. Götter mit Beinamen verdanken sich oft diesem Prozeß der Assimilation lokaler Kulte, z.B. → Zeus Meilichios/Lykaios, → Artemis Laphria, die »schwarze« → Demeter von Phigaleia (Paus. 8,42), → Mater Matuta oder → Diana Tifatina.

»Kontakt-S.« ist dagegen ein Aspekt des Kulturkontakts verschiedener Völker mit unterschiedlichen Rel. Drei Formen von Kontakt-S. werden für die Ant. üblicherweise unterschieden: 1) Gleichsetzung zweier Gottheiten, z.B. Hera = Iuno, Dionysos = Osiris (Hdt. 2,144,2), Sulis = Minerva, → Belenus = Apollo usw. (→ *interpretatio Graeca/Romana*). Hierunter fällt eine Vielzahl unterschiedlicher Phänomene, von der Spekulation einzelner Gebildeter bis zu komplexen Prozessen »kolonialer« griech. oder röm. Umdeutung indigener Gottheiten. 2) Kulttransfer durch Händler, Sklaven, Auswanderergruppen oder Mundpropaganda von einem Ort zu einem anderen; z.B. der von Phöniziern begründete → Herakles-Kult auf Thasos (Hdt. 2,44,4); → Orpheus; die thrakische Göttin → Bendis in Athen, → Kybele/Magna Mater in Rom, die Einführung des → Dionysos-Kultes in It. (Liv. 29,8–14), → (Ma-)Bellona, → Sabazios, → Men, → Iuppiter Dolichenus. Diese Form des Kontakt-S. umfaßt nicht nur direkte Kultübernahme, sondern auch verschiedene Grade von selektiver Aneignung, von Fehlwahrnehmung und sogar von teilweiser »Erfindung« fremder Kulte. 3) Die Zusammenfassung mehrerer unterschiedlicher Gottheiten als Aspekte einer umfassenden Gottheit bzw. als dieser untergeordnet (→ Pantheos); vgl. z.B. den für → Isis erhobenen Anspruch *Isis una quae est omnia*, ›Isis ist alles in einem‹ (CIL X 3800, vgl. Apul. met. 11,5), daneben auch → Serapis, Helios/→ Sol (Macr. Sat. 1,17–29) [2. xvii-xxxiii]. In dieser letzteren Bed. ist der S.-Begriff oft gleichbedeutend dem mod. Begriff »Henotheismus« verwendet, der Tendenz entwickelter polytheistischer Systeme, ihr → Pantheon zu rationalisieren, indem einzelne Gottheiten als Manifestationen einer Hochgottheit bzw. eines höchsten Gottes gedeutet werden.

Obwohl S. eine ant. Etym. besitzt (συνκρητισμός/*synkrētismós*, »Bund kretischer Gemeinden«; Plut. mor. 490b), handelt es sich nicht um eine ant. Vorstellung. Johannes Bessarion (1389/1400–1472) und die frühen Humanisten kannten das Wort als Lemma in der Suda (4,451) und im Etym. m. 732,54f. In den theologischen Streitigkeiten innerhalb des Protestantismus im 16. und 17. Jh. wurde S. als Syn. von »Samaritanismus« (2 Kg 17,24–34) erstmals in Zusammenhang mit Rel. gebracht. In den 1830er Jahren konnte »S.« bereits metaphorisch, ungefähr seinen mod. Bedeutungen entsprechend, verwendet werden, d.h. nicht nur für christl. Gruppierungen, u.a. den Gnostizismus, sondern auch für andere – zunächst ant., später auch mod. – Religionen. Rel.-Wissenschaftler haben große Mühe auf die Entwicklung von Typologien des S. verwendet, doch hat keine von diesen allg. Zustimmung erlangt [3].

Als rel.-wiss. Kategorie bleibt der S.-Begriff umstritten: Gründe hierfür sind sein pejorativer Gebrauch in der Forsch. zu Ende des 19. und zu Beginn des 20. Jh. (s.u.); die Unmöglichkeit einer genauen theoretischen Begriffsbestimmung; die Konzentration auf Gottheiten, während die mod. Forsch. ihren Schwerpunkt auf die Kultpraxis und die ideologischen Strukturen ant. Religionen legt; und die Schwierigkeit, zu entscheiden, ob der S.-Begriff die subjektive Wahrnehmung histor. Prozesse durch die gesch. Akteure oder die Wahrnehmungsebene der mod. Beobachter bezeichnet.

B. Traditionelle Darstellungen

Der S.-Begriff begann seit den 1870er Jahren eine wichtige Rolle in Darstellungen ant. Rel. zu spielen. Seine dabei meist pejorative Konnotation läßt sich teilweise auf seine Prägung in den theologischen Kontroversen (s.o.) zurückführen, hat aber auch tieferliegende Gründe: Die Annahme der Aufklärung, es gebe feste Nationalcharaktere, legitimierte die Suche nach einer »authentischen« griech. und röm. Rel. Wandel – als Fixpunkte hierfür galten etwa die Epoche des → Hellenismus oder die Zeit des »Untergangs« der röm. Republik – wurde meist als Verlust einer urspr. rel. Einheit gedeutet bzw. auf Einflüsse von außen zurückgeführt; im »orientalischen« und »semitischen« Einfluß wurde die Ursache für die Vermischung der Religionen und für den kulturellen Niedergang der hell. und röm. Welt gesehen (vgl. [4. 121–123]). Dieser S.-Begriff erschien der Forsch. auch deshalb tragfähig, weil er einen Bezug zu aktuellen Fragestellungen aufwies: zum Problem der Zerbrechlichkeit nationalstaatlicher Identitäten oder zum zeitgenössischen Kolonialismus und Säkularismus.

Mit [5] wurde E. des 19. Jh. der S.-Begriff, verstanden im Sinne einer Verbindung der oben (s. A.2 und A.3) genannten Bedeutungen, zentral für Darstellungen der griech.-röm. Rel. der Kaiserzeit (vgl. etwa [6; 7; 8]). Dabei wurde es üblich, von einem »langen« Zeitalter des »Hell.« von Alexandros [4] d. Gr. bis Constantinus [1] I. oder gar Theodosius zu sprechen, dessen rel. Entwicklung von der Ausbreitung der sog. »oriental. Kulte« (→ Isis, → Mithras, → Kybele/→ Magna Mater), des solaren S., der → Astrologie und → Magie gekennzeichnet gewesen sei. S. wurde so zum Inbegriff für den angeblichen Zerfall der »heidnischen« Religionen. Dieses Gesamtbild wird h. weitgehend abgelehnt. Neuere Entwürfe betonen, daß die traditionellen Polis-Kulte bis ins 4. Jh. n. Chr. lebendig blieben [9] und schätzen die histor. Bedeutung des »henotheistischen« S. eher gering ein.

C. Die neuere Forschung

Das trad. S.-Konzept wurde in der Rel.-Wiss. erstmals von [10] problematisiert: Beinahe alle Rel. seien zu einem gewissen Grad »synkretistisch«, da Kulturkontakte ein universales Phänomen darstellten. Seit den 1960er Jahren führten diese und ähnliche Entwicklungen der Kulturtheorie in der Rel.-wiss. dazu, daß der Begriff in seiner Bed. für die Ant. neu überdacht wurde und als nicht-wertende Bezeichnung für eine wichtige Art des rel. Wandels in Gebrauch kam, nämlich für den durch Kulturkontakt angestoßenen Wandel [11; 12]. Insbes. der Einfluß des Nahen Ostens auf das griech. → Pantheon (→ Artemis/Astarte, die → *Potnia thērōn*, → Hekate, → Gorgo-Medusa, → Lamia [1]), viele kultische Charakteristika der klassischen griech. Rel. sowie einzelne Elemente ihrer Myth. (z. B. die Ordnung des Kosmos: Hes. theog. 820–868) wurden erst jetzt angemessen gewürdigt [13]. Ebenso erkannte man, daß die röm. Rel. kontinuierlich Elemente etr., ital. und griech. Rel. aufgenommen und verarbeitet hat. Auch die etr. Rel. selbst wurde nun als komplexer S. verstanden, der sich aus indigenen, ital. und griech. Traditionen speiste. Wo die Quellenlage es erlaubt, wurden Verlauf und Ursachen einzelner Fälle von S. detaillierter untersucht, z. B. beim Isiskult [14], dem *Corpus Hermeticum* (→ Hermetische Schriften) [15], den → *Oracula Chaldaica* [16], → Alexandros [27] von Abonouteichos [17], der → Magie [18] oder den griech.-äg. → Zauberpapyri [2. 34–120]. Für diese komplexen späten Beispiele von S. erweist sich der Schriftgebrauch (→ Schrift IV.) als zentral.

Seit den 1970er J. haben einzelne Forscher den Blick für die Bed. von Machtkonstellationen in den synkretistischen Prozessen geschärft [11]: Gleichsetzungen und Übernahmen sind nicht einfach gegeben, sondern von der jeweiligen Struktur des sozio-polit. Machtgefüges motiviert. Anthropologische Darstellungen von S., häufig funktionalistisch oder marxistisch beeinflußt, betonen die Rolle des S. bei der Verarbeitung kultureller Widersprüche bzw. der Verschleierung von Interessenkonflikten. In jüngster Zeit stehen postmoderne Themen wie »Identität« oder *gender* zunehmend im Zentrum des wiss. Interesses [19].

Diese Fragestellungen sind auch auf die hell. Welt und das röm. Reich (beide verstanden als Kolonialreiche) anwendbar. Marxistische Darstellungen der Rel. in den röm. Kolonien Nordafrikas [20] und in den gallischen Prov. [21] haben aufgezeigt, wie die »harmlose« Gleichsetzung einheimischer Gottheiten mit röm. Göttern zu einer tiefgreifenden Umstrukturierung einheimischer Panthea führen: Indigene Kriegsgottheiten verlieren ihren Charakter zugunsten »anpassungsfähiger« neuer Gottheiten wie → Saturnus und → Mercurius. In Vertiefung dieser Forsch.-Richtung zeigen jüngere Unt. zu den röm. NW-Provinzen die Bed. der lokalen Eliten für den Prozeß der rel. Übers. auf [22]; andere beleuchten die Art und Weise, in der die äg. Volks-Rel. Elemente der griech.-röm. Rel. und des frühen Christentums absorbiert und gleichzeitig für sich verändert hat [23].

→ Evocatio; Hellenisierung I.; Pantheon; Polytheismus; Religion VIII. und X.; Romanisation; Romanisierung

1 A. Droogers, Syncretism: The Problem of Definition, in: J. D. Gort u. a. (Hrsg.), Dialogue and Syncretism, 1989, 7–25 2 W. Fauth, Helios Megistos, 1995 3 C. Colpe, Die Vereinbarkeit histor. und struktureller Bestimmungen des S., in: A. Dietrich (Hrsg.), S. im syr.-persischen Kulturgebiet, 1975, 17–30 4 S. E. Hijmans, The Sun Which Did Not Rise in the East, in: BABesch 71, 1996, 115–150
5 J. Réville, La rel. à Rome sous les Sévères, 1886
6 F. Cumont, Les religions orientales dans l'empire romain, 1906 (⁴1929) 7 P. Wendland, Die hell.-röm. Kultur, ³1912
8 J. Geffken, Der Ausgang des griech.-röm. Heidentums,

1920 **9** R. Lane Fox, Pagans and Christians, 1986 **10** G. van der Leeuw, Phänomenologie der Rel. (1933), ²1956 **11** R. J. Zwi Werblowsky, S. in der Religionsgesch., in: W. Heissig, H.-J. Klimkeit (Hrsg.), S. in den Rel. Zentralasiens, 1987, 1–7 **12** P. Lévêque, F. Dunand, Les syncrétismes dans les religions de l'Antiquité, 1975 **13** W. Burkert, Die orientalisierende Epoche in der griech. Rel. und Lit. (SHAW), 1984 (engl. 1992) **14** M. Malaise, Le problème de l'hellénisation d'Isis, in: L. Bricault (Hrsg.), De Memphis à Rome, 2000, 1–19 **15** G. Fowden, The Egyptian Hermes, 1986 **16** H. Lewy, Chaldaean Oracles and Theurgy, ²1978 **17** G. Sfameni Gasparro, Alessandro di Abonutico, II. L'oracolo e i misteri, in: C. Bonnet, A. Motte (Hrsg.), Les syncrétismes religieux dans le monde méditerranéen antique, 1999, 275–306 **18** M. W. Dickie, The Learned Magician, in: D. R. Jordan et al. (Hrsg.), The World of Ancient Magic, 1999, 163–193 **19** C. Stewart, R. Shaw (Hrsg.), Syncretism/Anti-Syncretism, 1994 **20** P.-A. Février, Rel. et domination dans l'Afrique romaine, in: DHA 2, 1976, 305–336 **21** M. Clavel-Lévêque, Le syncrétisme gallo-romain, structures et finalités, in: F. Sartori (Hrsg.), Praelectiones patavinae, 1972, 51–134 **22** T. Derks, Gods, Temples and Ritual Practices, 1998 **23** D. Frankfurter, Rel. in Roman Egypt, 1998.

K. Rudolph, S. – vom theologischen Scheltwort zum religionswiss. Begriff, in: Humanitas Religiosa. FS H. Biezais, 1979, 193–212 • L. H. Martin, Why Cecropian Minerva?, in: Numen 30, 1983, 131–145 • A. Motte, V. Pirenne-Delforge, Du bon usage de la notion de syncrétisme, in: Kernos 7, 1994, 11–27. R. GOR./Ü: S. KR.

II. Sprachwissenschaftlich

In der Sprachwiss. ist S. Bezeichnung für den durch → Sprachwandel bedingten Zusammenfall formaler oder funktionaler Kategorien (→ Syntax). Typisches Beispiel ist der für das Lat. wie das Griech. gleichermaßen charakteristische S. im Kasussystem, der dazu führte, daß die histor. ererbte, im Altind. bewahrte Anzahl von acht Kasus auf sechs bzw. fünf reduziert wurde. Dabei verschmolzen im lat. Abl. der ererbte Lok., Instr. und Abl.; Präpositionen als »verdeutlichende« Elemente dürften den Zusammenfall erleichtert haben. Die urspr. Vielfalt zeigt sich noch an der funktionalen Breite dieses Kasus (*ablativus instrumenti, locativus, separativus*). S. zeigt sich im Lat. auch im verbalen Kategoriensystem, indem z. B. im Perf. die ererbten Kategorien des (uridg.) Aor. und Perf. zusammengefallen sind; synkretistisch ist auch der lat. Konj., der teils den (uridg.) Opt. (z. B. *sīt* für altlat. *SIED* < *si̯ēt »er sei« < *$h_1$siéh$_1$t), teils den Injunktiv vertreten dürfte (z. B. altlat. *fuat* < *b^{h}uu̯āt »er sei« < *b^{h}uéh$_2$t), während der uridg. Konj. im lat. Fut. aufgegangen ist (z. B. *erit* »er will sein« > »er wird sein« aus altlat. *ESED* < *eset < *$h_1$éset(i)).

→ Flexion

J. Wackernagel, Vorlesungen über Syntax, Bd. 1, ²1926, 301–305 • G. Meiser, Histor. Laut- und Formenlehre der lat. Sprache, 1998, § 91 und 121 • J. Gippert, Das lat. Impft. in sprachvergleichender Hinsicht, in: P. Anreiter (Hrsg.), Studia Celtica et Indogermanica. FS W. Meid, 1999, 125–137 • M. Meier-Brügger, Idg. Sprachwiss., ⁷2000, 248. J.G.

Synkrisis (σύγκρισις; lat. *comparatio*). In der ant. Lit. die vergleichende Gegenüberstellung von Personen und Sachen. Wegen ihres agonalen Elements ist die *s.* verwandt mit dem Streitgespräch und -gedicht [9]. Seit Homeros [1] dient ein Vergleich der Hervorhebung einer Person oder Sache, daraus entwickelt sich die *s.* als gewichtende Reihung von Ähnlichkeiten und Unterschieden in allen lit. Gattungen; festgehalten in der rhet. Theorie [6. 330–332, 336–339] ist als Zweck der *s.* Lob (αὔξησις, *aúxēsis*, Aristot. rhet. 1368a 19–29, → *enkṓmion*) und auch Tadel, wie z. B. bei Isokr. Euagoras (or. 9,37 f.) und Xen. Ag. 2,15. Als sinnvoll gilt in der Rhet. auch die *s.* bei einander ähnlichen Größen (Isokr. or. 12,39 f.; Hermog. progymnasmata 8 [6. 338 f.]), wie die *s.* bei → Sallustius [II 3] (Sall. Catil. 54 [3; 1] und in den Parallelbiographien des → Plutarchos [2] von Chaironeia [5; 6]. Dabei ist die *s.* nicht Endzweck, sondern regt – eingebunden in den größeren Argumentationszusammenhang – das Lesepublikum zu kritischem Nachvollzug an. Zur *s.* zählen so auch über längere Textstrecken vollzogene Vergleiche wie z. B. der zw. Caesar und Alexandros [4] (App. civ. 2,620–649 [2]) oder zw. (Caecilius [I 30]) Metellus und → Marius [I 1] (Sall. Iug. 44–77; 80–94); vgl. [4; 7].

1 W. W. Batstone, The Antithesis of Virtue, in: Classical Antiquity 7, 1988, 1–29 **2** K. Brodersen, Appian und Arrian, in: Klio 70, 1988, 461–467 **3** K. Büchner, Zur S. Cato-Caesar in Sallusts Catilina, in: Grazer Beitr. 5, 1976, 37–57 **4** A. Desmouliez, A propos du jugement de Cicéron sur Caton l'Ancien, in: Philologus 126, 1982, 70–89 **5** H. Erbse, Die Bed. der S. in den Parallelbiographien Plutarchs, in: Hermes 84, 1956, 398–424 **6** F. Focke, S., in: Hermes 58, 1923, 327–368 **7** B. C. McGing, S. in Tacitus' Agricola, in: Hermathena 132, 1982, 15–25 **8** C. B. R. Pelling, S. in Plutarch's Lives, in: E. Brenk (Hrsg.), Miscellanea Plutarchea (Rom 1985), 1986, 83–96 **9** D. Wuttke, s. v. S., LAW 1965, 2962–2963. H.A.G.

Syn(n)ada (Σύν(ν)αδα; lat. *Synnas*). Stadt in Großphrygia (Diod. 20,107,3 f.; Cic. fam. 3,8,3; 5 f.; 15,4,2; Cic. Att. 5,16,2; 5,20,1; Liv. 38,15,14; 45,34,11 f.; *Synnas*: Plin. nat. 5,105,8; Tab. Peut. 9,4; Suda s. v. Συνᾴδων: *Sýnada*), h. Şuhut. Im Gebiet von S. befanden sich beim Dorf Dokimeion (Steph. Byz. s. v. Σ.: *Dokímeia kṓmē*) Steinbrüche, in denen ein alabasterartiger → Marmor (mit Karte) gewonnen wurde, von den Einheimischen nach Dokimeion, von den Römern nach S. benannt (Strab. 12,8,13 f.: *Synnadikós líthos*). Erh. sind röm. Nekropolen, Felsgräber, Reste der Stadtmauer.

Belke/Mersich, 393–395. E.O.

Synnaos Theos (σύνναος θεός, pl. *sýnnaoi theoí*). Die Vorstellung, ein Sterblicher wohne bei einer Gottheit, erscheint schon bei Homer (Od. 7,80 f.), aber erst in hell. Zeit bezeichnet *s.th.*, »der Gott, der den Tempel (*naós*) einer anderen Gottheit mit dieser teilt«, sowohl Götter als auch vergöttlichte Menschen. So verbindet v. a. im Herrscherkult die Vorstellung eines *s.th.* traditionelle Gottheiten und divinisierte Menschen auf der

Ebene des gemeinsamen Rituals und der Theologie. Zuerst nachweisbar verwendet ist *s.th.* in diesem Sinne für Attalos [6] III. (IPerg 1,246,9; 138–133 v. Chr.); jedoch erscheint die hinter *s.th.* stehende Vorstellung schon früher: z. B. bei Arsinoë [II 3] II. und dem Kult der *adelphoí theoí* (»geschwisterlichen Götter«; Pap. Hibeh 199; 271/0 v. Chr.) oder bei Demetrios [2] Poliorketes, der im Athene-Tempel in Athen als »Gast« (*xénos*: Plut. Demetrios 23,3–24) göttliche Ehren erhielt [1. 217f., 238f.]; Antiochos [5] III. und seine Gemahlin »haben teil« (*metéchontes*) an Tempel und Ritual des → Dionysos auf Teos (ca. 203 v. Chr.: SEG 41,1003, Z. 50f.). *Sýnnaos* wird aber auch häufig für Gruppen von traditionellen Gottheiten verwendet, v. a. für → Isis und → Serapis [2. 341]; in Äg. erscheint der Ausdruck formelhaft in offiziellen Dokumenten für diese und andere Göttergruppen (z. B. POxy. 2,241; 10,1265). Lit. wird der Ausdruck zuerst bei Strabon (7,7,12) und Cicero (s.u.) verwendet; hier und anderswo (z. B. Plut. symp. 4,4,668e; Arr. per. p. E. 2,2) impliziert *s.th.* ein gemeinsames Heiligtum oder gemeinsame Rituale. Verwandte Ausdrücke sind: *synéstios* (wörtl. »mitsitzend«; EpGr 1046,89f. nach Hom. Od. 7,80f.; 161 n. Chr.), *synkathidryménos* (wörtl. »gemeinsam niedergelassen«; [3. 368f.]), *sýnthronos* (wörtl. »mitthronend«; IPerg 2,497,5; Diod. 16,92,5; 95,1), *homónaos* (»im selben Tempel wohnend«; IG IV^2 1,41,2; 5./4. Jh. v. Chr.). Häufig fehlen derartige Ausdrücke; statt dessen bezeichnet *ágalma* die Kaiserstatue im Tempel (*naós*) eines traditionellen Kultes [4. 176f.].

Die früheste lat. Verwendung von *sýnnaos* findet sich in Ciceros spöttischem Komm. zu Caesars Bestreben nach göttlichen Ehren (Cic. Att. 12,45,3; [5. 186–188]; vgl. ebd. 13,28,3: *contubernalis*). In kaiserzeitlichen Inschr. erscheinen lat. *Di Sunnaui* (ILS 4000) bzw. griech. *s.th.* (mit lat. Text unter Einschluß von Serapis; ILS 4402); eine Bilingue aus Capua (ILS 3737) paraphrasiert *s.th.* als *numina sancta*. Griech. Autoren bezeichnen auch die Kapitolinische Trias als *s.* (Cass. Dio 55,1,1; 66,24,2). Die göttlichen Ehren für T. Quinctius [I 14] Flamininus und der → Roma (IV.) galt dagegen wohl gleichberechtigten Kultpartnern (vgl. Plut. Flamininus 16), ebenso wie die gemeinsame (*communis*: Suet. Aug. 52,1) Verehrung von Roma »und« Augustus (*et*: z. B. ILS 4009; 110; [6. 436–438]).

Die Forsch. seit [1. 219f.; 2] hat die Belege für *s.th.* als Beweis für eine ant. theologische Kategorie der gemeinsamen Tempelbenutzung zweier oder mehrerer Gottheiten gewertet. Der Befund ist aber widersprüchlich und bedarf dringend der erneuten Aufarbeitung.

→ Kaiserkult; Vergöttlichung

1 K. Scott, The Deification of Demetrius Poliorcetes, in: AJPh 49, 1928, 137–166, 217–239 2 L. Vidman, Sylloge Inscriptionum Religionis Isiacae et Sarapiacae, 1969
3 Wide 4 S. Price, Rituals and Power, 1984
5 S. Weinstock, Divus Iulius, 1971 6 D. Fishwick, The Imperial Cult in the Latin West, Bd. 2.1, 1991
7 A. D. Nock, ΣΥΝΝΑΟΣ ΘΕΟΣ, in: HSPh 41, 1930, 1–62 (= Nock, 202–251). C.R.P.

Synode s. Synodos II.

Synodikon (Συνοδικόν). Liturgisches Formular in der orthodoxen Kirche. Das S. entstand in der Zeit des Bilderstreits 843 n. Chr. auf Initiative des Methodios, des Patriarchen von Konstantinopolis als Dokument des Sieges des Patriarchats über die Ikonoklasten (→ Syrische Dynastie). Es führt die Trad. der → Diptychen fort. Anf. des 11. Jh. kam dem S. die allgemeinere Funktion eines liturgischen Formulars zu, das neben den verurteilten Häresien eine Kommemorationsliste der Kaiser und Patriarchen (in der Prov. auch der Metropoliten) enthielt.

V. Grumel, Les regestes des actes du patriarcat de Constantinople, Bd. 1.2, 1936 (Ndr. 1989). K.SA.

Synodos (ἡ σύνοδος; wörtl. »Zusammenkunft«, die »Synode«). Griech. Bezeichnung für Versammlungen und Zusammenkünfte verschiedener Art; s. → Vereine.

I. Griechisches Staatsrecht II. Christlich

I. Griechisches Staatsrecht

Als Begriff des griech. Staatsrechts meint *s.* allg. die turnusmäßige Zusammenkunft von Abgeordneten oder der Bürgerschaft insgesamt zur Ausübung polit. Kompetenzen in einem bundesstaatlichen Gremium [1. 1318f.].

Im Achaiischen Bund (→ Achaioi, Achaia) der hell. Zeit war *s.* als t.t. für das zentrale Beschlußorgan gebräuchlich: zuerst die viermal im J. tagende Vollbürgerversammlung [2. 223f.], nach der Verfassungsreform E. des 3. Jh. v. Chr. das → *synhédrion* der Abgeordneten aus den Gliedstaaten (Vollversammlung seither *sýnklētos*; [4. 251–255], anders [3]).

1 Busolt/Swoboda 2 J. A. O. Larsen, Greek Federal States, 1968 3 A. Giovannini, Polybe et les assemblées achéennes, in: MH 26, 1969, 1–17 4 G. A. Lehmann, Erwägungen zur Struktur des achaiischen Bundesstaates, in: ZPE 51, 1983, 237–261. HA.BE.

II. Christlich

A. Begriff B. Entstehung C. Entwicklung seit dem 4. Jh. D. Ökumenische Synoden

A. Begriff

S., die Synode (»Zusammenkunft«, »Verein«; lat. *concilium*, auch »Provinziallandtag«; seit dem 4. Jh. lat. auch *synodus*), ist die Versammlung von Vertretern mehrerer christl. Gemeinden zur Beratung und Beschlußfassung über Fragen des Glaubens, der Kirchenverfassung und der Disziplin; für größere, bes. ökumenische *sýnodoi* wird im Dt. auch der Begriff »Konzil« (K.) verwendet. Glaubten die Christen seit den Aposteln, daß die Gemeinden auf der ganzen Welt die eine Kirche Christi seien, so waren die *s.* in der Zeit der Alten Kirche die Instanz, die diese Einheit darstellte und wahrte.

B. Entstehung

Die ersten bekannten *s.* – abgesehen vom sog. »Apostel-K.« (Apg 15; Gal 2; → Paulus [2]) – versammelten sich bald nach 150 in Kleinasien aus Anlaß des Streites über den → Montanismus (Eus. HE 5,16,10). Um 190 berieten *s.* des Ostens und Westens über den rechten Ostertermin (Eus. HE 5,23,2). Die Entstehung der *s.* fällt also in jene Zeit, da die christl. Gemeinden begannen, sich stärker untereinander zu organisieren und anzugleichen sowie gemeinsame Normen aufzustellen (→ Eirenaios [2]; → Episkopos [2]; → Kanon V.). Daher sind die *s.* wohl nicht als erweiterte Versammlungen einer Einzelgemeinde entstanden, sondern waren von Anf. an übergemeindliche Zusammenkünfte, die bei Fragen von allg. Bed. Verständigung unter den Gemeinden und damit Einigkeit in der Kirche stiften sollten. Zur Zeit des → Cyprianus [2] (†258) wurden in Karthago bereits mindestens einmal jährlich *s.* der afrikan. Gemeinden gehalten (Cypr. epist. 56,3). Auch in Kappadokia wurde regelmäßig einmal im J. eine *s.* veranstaltet (Cypr. epist. 75,4,3). Die Inhaber der angesehensten Bischofsstühle (bes. → Alexandreia [1] und Rom) konnten die Bischöfe ihres Amtssprengels zu *s.* zusammenrufen. Die um 268 gegen → Paulos [1] von Samosata in Antiocheia [1] versammelten *s.* wurden von Bischöfen vieler östl. Prov. besucht; sie sind die ersten bekannten *s.*, auf denen ein Bischof abgesetzt wurde.

Die *s.* verstanden sich selbst als vom Hl. Geist inspiriert, ihre Beschlüsse nicht als Mehrheitsentscheidungen, sondern als einmütig gefaßt, mit der apostolischen und kirchlichen Überl. übereinstimmend und unwiderrufbar; wer auf einer *s.* unterlegen war, hatte lediglich die Wahl zwischen Unterwerfung und Exkommunikation. Ein Sonderfall war die antiochenische *s.* vom Winter 324/5, auf der → Eusebios [7] von Kaisareia und zwei andere Bischöfe nur provisorisch verurteilt wurden mit der Möglichkeit, sich auf der nächsten *s.* zu rechtfertigen. Dabei erklärten aber *s.* nicht selten Beschlüsse anderer *s.* für häretisch und ungültig (→ Häresie). Im Laufe des 3. Jh. ging das Stimmrecht auf den *s.* von Laien, Diakonen und Presbytern ganz auf die Bischöfe über. Galten Synodalbeschlüsse als bedeutend für die ganze Kirche, so wurden sie in Briefen verschickt und später zu Sammlungen vereinigt (→ *Collectiones canonum*).

C. Entwicklung seit dem 4. Jh.

Mit Beginn des 4. Jh. gewannen die *s.* politische Bed.; die Einigkeit der Kirche war nun auch ein Anliegen des Staates, die *s.* wurden zum Instrument der kaiserlichen Kirchenlenkung. Schon 314 versammelte → Constantinus [1] die Bischöfe seines Reichsteiles in Arelate, um die donatistische Kirchenspaltung (→ Donatus [1]) abzustellen. Unter Constantinus' Alleinherrschaft entstanden als neue Formen die ökumenische *s.* (vgl. unten D.) und die sog. endemische *s.* in Konstantinopolis, während die Provinzial-*s.* eine allg. verbindliche Form erhielt.

Bei der sog. endemischen *s.* (ἐνδημοῦσα, »⟨in der Hauptstadt⟩ anwesend«) tagten nach Bedarf die in der Hauptstadt anwesenden Bischöfe unter Vorsitz des Bischofs von Konstantinopolis. Die erste bekannte endemische *s.* setzte 330 → Markellos [4] von Ankyra ab. Die endemische *s.* 448 bildete den Auftakt zum eutychianischen Streit (→ Eusebios [10] von Dorylaion, → Eutyches [3]).

Kanon 5 des K. von Nikaia [5] 325 bestimmte, daß in jeder Prov. zweimal jährlich eine *s.* unter Vorsitz des Metropoliten (Bischofs der Prov.-Hauptstadt) abgehalten werden sollte. Die Provinzial-*s.* wurde damit überall zur festen rechtlichen Institution; sie hatte es vor allem mit Fragen der Disziplin und der Verwaltung zu tun.

Daneben gab es bes. im 4. Jh. viele weitere Typen: *s.* des Ostens (Antiocheia 379) und des Westens (Aquileia 382), kaiserliche *s.* (Konstantinopolis 360), theologische Ausschußsitzungen in kaiserlichem Auftrag (Sirmium 359), *s.* kirchenpolitischer oder dogmatischer Richtungen (Ankyra 358, Alexandreia 362), Verwaltungs-*s.* (Gangra um 343). Die afrikan. General-*s.* in Karthago tagte bis zum Vandalensturm. Wichtig für die Dogmen-Gesch. der westlich-lat. Kirche waren die General-*s.* in Karthago 418 (Verurteilung des Pelagianismus, → Pelagius [4]) und die *s.* von Arausio 529 (Verurteilung des → »Semipelagianismus«; → Caesarius [4]).

Die Kirche im Perserreich, auf dem K. von Nikaia noch vertreten, seit dem 5. Jh. von der röm.-byz. Reichskirche organisatorisch und dogmatisch getrennt (→ Nestorios), hielt regelmäßig *s.* der 6 Kirchen-Prov. und *s.* der Gesamtkirche unter dem Katholikos von Seleukeia-Ktesiphon ab (vgl. [2]).

D. Ökumenische Synoden

Die höchste Autorität und die letzte Instanz in allen Fragen, die Repräsentation der einen Kirche schlechthin war die ökumenische *s.* Sie wurde vom Kaiser aus Anlaß dogmatischer Spaltungen auf seine Kosten einberufen; ihr Verlauf wurde mehr oder weniger stark vom Kaiser bestimmt. Auf allen ökumenischen *s.* der Alten Kirche war der lat. Westen nur schwach vertreten.

Die orthodoxen Kirchen und die röm.-katholische Kirche zählen sieben ökumenische *s.* der Alten Kirche; nicht mitgerechnet werden *s.*, die zwar als ökumenische einberufen waren, deren Beschlüsse aber keine Anerkennung fanden oder aufgehoben wurden (Serdika 342, Ariminum und Seleukeia 359, Ephesos 449, Hiereia 754). Die *s.* 1) und 2) wurden wegen des trinitarischen Streites einberufen (→ Arianismus; → Trinität), die *s.* 3) bis 6) wegen des christologischen Streites; letztere waren stark von kirchlichen Machtkämpfen bestimmt.

1) Nikaia 325, von Constantinus einberufen, das Urbild aller späteren K., verurteilte → Areios [3] (→ Nicaenum), beriet über weitere Spaltungen in der Kirche und über den Ostertermin und stellte Kanones zur Kirchenverfassung auf. 2) Konstantinopolis 381, eigentlich eine rein östliche *s.*, allg. anerkannt erst seit 451, schloß den trinitarischen Streit ab. Sie bestätigte das Dogma von Nikaia (→ Nicaeno-Constantinopolitanum) und

verurteilte → Apollinarios [3], Markellos sowie die → Pneumatomachoi. Kanon 3 bestimmte, daß der Bischof von Konstantinopolis im Rang direkt unter dem von Rom stehe. 3) Ephesos 431, das erste K., über dessen Vorgesch. und Sitzungsverlauf umfangreiches Aktenmaterial erhalten ist, zerfiel von Anf. an in zwei Lager; eine gemeinsame Sitzung fand nicht statt (→ Kyrillos [2]). Die alexandrinisch-röm. Partei setzte Nestorios ab, verbot es, zum Nicaenum neue Dogmen hinzuzufügen, und verurteilte Pelagianer und → Messalianer. 4) Kalchedon 451, mit etwa 600 Teilnehmern das größte altkirchliche K., hob die Beschlüsse des K. von Ephesos 449 (→ Dioskoros [1]) auf und stellte eine Formel zur Zwei-Naturen-Christologie auf (Chalcedonense), eines der wichtigsten altkirchlichen Dogmen. Spaltungen in Ägypten und Syrien waren die Folge (→ Monophysitismus, → Nestorios; → Schisma). Das K. bestimmte auch Umfang und Rang der fünf Patriarchate Rom, Konstantinopolis, Alexandreia, Antiocheia und Jerusalem. 5) Konstantinopolis II 553, unter → Iustinianus [1], legte fest, daß das Chalcedonense im Sinne des Kyrillos [3] auszulegen sei, und verurteilte die Christologie der → Antiochenischen Schule (sog. »Dreikapitelstreit« um Lehrsätze von → Theodoros von Mopsuestia, → Theodoretos von Kyrrhos und → Hiba von Edessa) und → Origenes [2]. 6) Konstantinopel III 680/1 definierte, daß es in Christus zwei Energien und zwei Willen gebe (gegen den → Monotheletismus). Die Dekrete der K. 5) und 6) wurden auf einem K. in Konstantinopolis 692 (sog. Quinisextum) durch kirchenrechtliche Beschlüsse ergänzt. Diese erlangten jedoch nur im Osten Geltung und wurden von Papst Sergius I. verdammt. 7) Nikaia II 787, zur Bilderfrage, definierte, daß den hl. Bildern (und durch sie dem abgebildeten Urbild) Kuß und Verehrung gebühre, Anbetung jedoch komme nur der göttlichen Natur zu (→ Kultbild IV.).
→ Christentum; Schisma

ED.: 1 J. ALBERIGO, Conciliorum oecumenicorum decreta, 1962 2 J.B. CHABOT, Synodicon orientale, 1902
3 J.D. MANSI, Sacrorum conciliorum nova et amplissima collectio, 1759ff. 4 E. SCHWARTZ u.a., Acta conciliorum oecumenicorum, 1914ff.
LIT.: 5 J.A. FISCHER, A. LUMPE, Die Synode von den Anf. bis zum Vorabend des Nicaenums, 1997 6 Gesch. der ökumenischen K., 1963ff. 7 A. HAUCK, s.v. s., in: Realencyklopädie für protestantische Theologie und Kirche, 3 1907, 262–277 8 C.J. HEFELE, H. LECLERCQ, Histoire des conciles, 1907ff. 9 W. MOELLER, H. VON SCHUBERT, Kirchengesch. 1, 2 1902.
S.GE.

Synoikismos (συνοικισμός). In der ant. griech. Welt der Zusammenschluß mehrerer kleinerer Gemeinden zu einem einzigen größeren Gemeinwesen. In manchen Fällen handelte es sich um eine ausschließlich polit. Vereinigung, von der die Siedlungsstruktur oder die physische Existenz der einzelnen Gemeinden nicht berührt wurde; so nach der Vorstellung der Athener der dem → Theseus zugeschriebene *s.* Attikas, an den in klass. Zeit das jährlich gefeierte Fest der *Synoíkia* erinnerte (Thuk. 2,15); doch neigt die mod. Forsch. zur Meinung, daß nach dem Zusammenbruch der myk. Welt Attika weitgehend menschenleer war und erst in den → Dunklen Jahrhunderten und der archa. Zeit von Athen aus, das weiter bewohnt blieb, wiederbesiedelt wurde [1]. In anderen Fällen konnte ein *s.* mit der Zuwanderung von Bürgern aus dem Umland in eine neugegründete Stadt verbunden sein, wie etwa im Fall von Megalopolis (→ Megale Polis) in den 360er Jahren v.Chr. Auch → Elis [2] soll 471/0 v.Chr. einen *s.* erfahren haben (Diod. 11,54,1; Strab. 8,3,2), doch lassen sich die damit verbundenen Änderungen nicht klar erkennen: Die Landschaft Elis [1] bildete bereits zuvor eine polit. Einheit, die Stadt Elis [2] befand sich zuvor und danach an derselben Stelle und es gab ebenfalls vor 471 und danach getrennte Gemeinden [5].

Zuweilen wurde ein *s.* wieder rückgängig gemacht (*dioikismós*), und zwar durch einen auswärtigen Feind, den das Machtpotential des Verbandes störte, oder durch Bewohner, die in die früheren Heimstätten zurückkehren wollten. So nutzte etwa Sparta 385 v.Chr. den → Königsfrieden als Vorwand, um die Polis → Mantineia, die vielleicht um 470 aus fünf Dörfern (griech. → *kṓmē*) gebildet worden war – wobei es sich nach dem arch. Befund eindeutig um einen rein polit. Zusammenschluß handelte (Strab. 8,3,2; vgl. [3]) – wieder in einzelne Dörfer aufzuspalten (Xen. hell. 5,2,1–7; Diod. 15,5,3–4 und 12). Im J. 370, als Sparta nicht mehr stark genug war, um zu intervenieren, wurde die Polis wiederbegründet (Xen. hell. 6,5,3–5) und fuhr fort, Arkadia (→ Arkades) föderativ zusammenzuschließen (Xen. hell. 6,5,6–21; Diod. 15,59,1–2). Megalopolis, als Hauptstadt dieser arkadischen Föderation vorgesehen, wurde aus eigenständigen Gemeinden des sw Arkadiens gebildet (Diod. 15,72,4; Paus. 8,27,1–8). Als nach der Schlacht von Mantineia (362 v.Chr.) einige Bewohner versuchten, in ihre früheren Wohnorte zurückzukehren, wurden thebanische Streitkräfte gebeten, sie wieder nach Megalopolis zurückzutreiben (Diod. 15,94, 1–3). In einzelnen Fällen wurden bereits vereinte Gemeinden an einem neuen Siedlungsort wiederbegründet (*metoikismós*) [2].

Zusammenschlüsse von Siedlungen in der hell. Zeit, die häufig auf Verlangen eines Königs erfolgten, werden in der mod. Forsch. eher → Sympoliteia als S. genannt.

1 A. ANDREWES, in: CAH, Bd. 3.3, 2 1982, 360–363; 377–382
2 N.H. DEMAND, Urban Relocation in Archaic and Classical Greece, 1990 3 S. und H. HODKINSON, Mantineia and the Mantinike, in: ABSA 76, 1981, 239–296
4 M. MOGGI, I sinecismi interstatali greci, Bd. 1: Dalle origini al 338 a. C., 1976 5 J. ROY, The Perioikoi of Elis, in: M.H. HANSEN (Hrsg.), The Polis as an Urban Centre and as a Political Community, 1997, 285–289.
P.J.R.

Synomosia (συνωμοσία). Rechtlich kaum faßbare »Schwurgemeinschaft«, die im gesamten griech. Bereich unter Privatleuten, in Kult, Heer, Politik und Prozeßführung (→ *hetairía* [2]) und auch in zw.-staatlichen

Verhältnissen auftritt; in röm. Zeit als Übersetzung von *factio* oder *coniuratio* verwendet (FIRA I² Nr. 68, Z. 7, erstes Kyrene-Edikt über → *praevaricatio*).

E. SEIDL, s. v. S., RE 4 A, 1445–1450 · L. RUBINSTEIN, Litigation and Cooperation, 2000, 204–208. G.T.

Synonymum (lat., von griech. συνώνυμον, »Wort mit der gleichen Bed.«). Die ant. Grammatiker nennen Synonyma (oder auch Polyonyma) zwei oder mehr Wörter, die das gleiche bedeuten, z. B. πορεύεσθαι und βαδίζειν für »gehen« (Aristot. rhet. 1405a), *ensis*, *gladius* und *mucro* für »Schwert« (Prisc., GL 2, p. 59, Z. 18 KEIL). Der Sophist → Prodikos bemüht sich, Bedeutungen von Wörtern, bes. von scheinbaren S., voneinander abzugrenzen; auch die ant. Rhet. legt großen Wert darauf, die feinen Nuancen zu kennen (v. a. zwecks Retouchierung in der parteiischen Rede, z. B. Quint. inst. 3,7,25).

Im Wortschatz einer Sprache kann es S. geben z. B. aufgrund der Herkunft der Wörter aus unterschiedlichen geogr. Regionen, Verbreitung eines Wortes aus einer → Fachsprache, Umschreibung wegen → Tabu; dabei können Unterschiede im Stil oder im emotionalen Gehalt bestehen bleiben und die völlige Austauschbarkeit verhindern. In der mod. Theorie wird der Begriff häufig entweder weiter gefaßt im Sinne von »bedeutungsähnlich«, oder er wird eingeschränkt auf »partiell syn.«, d. h. semantisch benachbart, mit mehr oder weniger großer Überschneidung bzw. Möglichkeit der Austauschbarkeit.

→ Lexikon

F. J. HAUSMANN, The Dictionary of Synonyms: Discriminating Synonymy, in: Ders. u. a. (Hrsg.), Wörterbücher (Hdb. zur Sprach- und Kommunikationswiss. 5,2), 1990, 1067–1075 · W. WOLSKI, Die Synonymie im allg. einsprachigen WB (Hdb. zur Sprach- und Kommunikationswiss. 5,1), 1989, 614–628. B.-J. SCH.

Syntax, gleichbedeutend mit »Satzlehre« (σύνταξις bei Apollonios [11], lat. *constructio* bei Priscianus), beschäftigt sich mit dem Satz als der Grundform sinnvoller Äußerungen, seinem Aufbau und seinen Bestandteilen.

I. GRUNDLAGEN II. ANWENDUNG

I. GRUNDLAGEN

Grundlegend für die synt. Analyse ist die Scheidung zw. Wortarten und Satzgliedern, die bereits von den ant. → Grammatikern herausgearbeitet wurde (μέρη τοῦ λόγου/*mérē tu lógu*, z. B. ὄνομα/*ónoma*, ῥῆμα/*rhḗma*; *partes orationis*, z. B. *vocabulum*, *verbum*; ὑποκείμενον/*hypokeímenon*, *subiectum*; κατηγορημένον/*katēgorēménon*, *praedicatum*). Während die Wortarten eine kategoriale Dimension auf der Beschreibungsebene der Morphologie, d. h. der Lehre von den Wortformen, darstellen, ist die Frage nach deren Verwendung als Glieder eines Satzes Gegenstand der »Morpho-S.« als eines eigenständigen Zweigs der S. Dabei ist es zweckmäßig, eine scharfe Trennung zw. »formalen« und »funktionalen« Kategorien zu wahren; bes. im Falle von Kasussystemen mit ihrer Tendenz zum → Synkretismus besteht sonst die Gefahr begrifflicher Unschärfe. So ist es ratsam, Begriffe wie »Dat.« oder »Abl.« ausschließlich zur Bezeichnung formal ausgeprägter Kasus zu verwenden, für ihre Funktionen jedoch andere Begriffe wie z. B. »Benefaktiv« (für den Nutznießer einer Handlung) oder »Separativ« (für den Ausgangspunkt einer Bewegung). Funktionale Begriffe dieser Art sind, soweit sie semantische (bedeutungsbezogene) oder pragmatische (auf kommunikative Verwendung der Äußerung bezogene) Grundkonzepte bezeichnen, *a priori* übereinzelsprachlich; auch für solche Sprachen, die keine eigenständigen formalen Kasus besitzen, läßt sich eruieren, über welche Ausdrucksmöglichkeiten für bestimmte funktionale Kategorien sie verfügen und inwieweit diese ihrerseits synt. ausgeprägt sind.

II. ANWENDUNG

So umfaßt eine kategoriale Bestimmung des Wortes *Gallia* im ersten Satz von Caesars *De bello Gallico* neben der morphologischen Feststellung, daß es sich um den Nom. Sing. eines fem. Subst. handelt, die synt. Bestimmung als Subjekt des Satzes, die mit dem Kasusgebrauch des Nom. einhergeht (und sich darüber hinaus in der Personen- und Numeruskongruenz mit der finiten Verbalform *est* sowie in der Genuskongruenz mit *divisa* manifestiert); auf der pragmatischen Ebene ist anzugeben, daß es sich um das »Thema« der Äußerung handelt, das im Lat. üblicherweise mit dem synt. Subjekt korreliert. Das im gleichen Satz folgende *est* ist morphologisch als 3. Person Sing. Präs. Ind. Akt. des Verbums *esse* (»sein«) bestimmbar, das im gegebenen Kontext in Verbindung mit der Ptz.-Form *divisa* (»geteilt«) synt. als Prädikat fungiert; innerhalb der pragmatischen Struktur des Satzes, die (im Sinne neuer Information) eine Aussage über das gegebene »Thema« erwarten läßt, repräsentiert das verbale Prädikat einen Teil des »Rhemas«. Durch die Einbeziehung der mit den Begriffen »Thema« und »Rhema« verknüpften sog. »funktionalen Satzperspektive« weist die Analyse bereits über die Satzgrenze hinaus; im Sinne einer »Text-S.« erschließt sich hierdurch gerade in den klass. Sprachen Griech. und Lat. ein lohnendes Arbeitsgebiet.

Bemerkenswert ist im gegebenen Beispiel noch die Stellung von *est* zw. *Gallia* und dem als Prädikativum zu diesem gehörenden Pronominaladj. *omnis*; auch wenn die Wortstellung im Lat. keine so dominante synt. Dimension darstellt wie etwa in den h. romanischen Sprachen oder dem Englischen, tritt hier doch eine (aus dem Uridg. ererbte) Regelhaftigkeit zutage, die die bevorzugte Zweitstellung unbetonter (enklitischer) Satzglieder betrifft (Wackernagelsches Gesetz).

Von allen Bereichen der Sprachwiss. hat die S. die umfangreichsten konzeptionellen Neuansätze seit der Ant. erfahren. Unter den verschiedenen Modellbildungen, die in der 2. H. des 20. Jh. entwickelt wurden, haben bes. die Dependenzgrammatik und die Genera-

tive Transformationsgrammatik eine gewisse Bed. auch für die Sprachen des klass. Alt. erlangt.
→ SPRACHWISSENSCHAFT

W. HAVERS, Hdb. der erklärenden S., 1931 • H. KRAHE, Grundzüge der vergleichenden S. der idg. Sprachen, 1972 • M. MEIER-BRÜGGER, Idg. Sprachwiss., 72000, 221–260 • H. PAUL, Prinzipien der Sprachgesch., 91975, Kap. 6f. • F. SOMMER, Vergleichende S. der Schulsprachen, 31931 • J. WACKERNAGEL, Vorlesungen über S., Bde. 1–2, 21926–1928 • Ders., Über ein Gesetz der idg. Wortstellung, in: IF 1, 1892, 333–436 (Ders., KS, 1953, 1–103). J. G.

Syntaxis (σύνταξις, Pl. *syntáxeis*; aus *syn*: »zusammen« und *táttein*: »legen«). Beiträge im Sinne einer »Umlage«, d. h. unter bewußter begrifflicher Verschleierung des dahinterstehenden Zwanges. Der Begriff *s.* wurde im 4. Jh. v. Chr. von → Kallistratos [2] für die finanziellen Beiträge der Bündner im Zweiten → Attischen Seebund geprägt (Theop. FGrH 115 F 98), nachdem die Athener versprochen hatten, keinen → *phóros* (wie im verhaßten → Attisch-Delischen Seebund des 5. Jh.) zu erheben (z. B. IG II² 43 = TOD 123,23); tatsächlich blieben die *s.* bis zu einem gewissen Maß unter der Kontrolle des → *synhédrion* der Bündner (z. B. IG II² 123 = TOD 156).

Alexandros [4] d. Gr. nannte die Gelder, die er von den kleinasiatischen Griechen einzog, *s.*, wiederum in Abgrenzung vom *phóros*, der weiterhin von den Nichtgriechen zu leisten war (z. B. IPriene 1 = TOD 185; die Formulierung bei Arr. an. 1,17,7 *tōn phórōn tēs syntáxeōs te kai apophorás* bezieht sich jedoch auf die Festsetzung und den Einzug eines *phóros*, also Abgaben von Nichtgriechen; s. dazu [1. 129f.]).

In hell. Zeit erweitert sich offenbar der Begriff auf Abgaben aller Art: im ptolem. Äg. Gebühren in Geld oder Naturalien an Tempel (OGIS 90,14f.), Gehälter des Königs an Einzelpersonen (Athen. 11,493f–494a), auch eine Kopfsteuer (PTebtunis 103, 189).

1 A. B. BOSWORTH, A Historical Commentary on Arrians History of Alexander, Bd. 1, 1980. P. J. R.

Synteleia (συντέλεια, »Mitzahlung«). Die gemeinsamen Aufwendungen einer Gruppe v. a. für die Kosten einer *leiturgía* (→ Liturgie I.) in Athen, speziell seit 357 v. Chr. Bezeichnung der Gruppe, der die Ausrüstung einer → Triere obliegt. Im engeren Sinn umfaßt *s.* die Gruppe ohne den Trierarchen, zuweilen ist er auch eingeschlossen [1]. Demosthenes empfiehlt das System auch für Festliturgien (or. 20,23). Auch verwendet für den Mitgliedschaftsbeitrag in Föderalstaaten wie etwa dem Boiotischen Bund (z. B. Diod. 15,38,4; vgl. *telein* bei Hdt. 6,108,5) und dem Achaiischen Bund (z. B. Paus. 7,11,3).

1 V. GABRIELSEN, Financing the Athenian Fleet, 1994, 182–199. P. J. R.

Syntheke (συνθήκη). Das von mehreren »gemeinsam Festgesetzte«, häufig in einer Inschr. oder Urkunde aufgezeichnet (zumeist im Pl. gebraucht: *synthēkai*). In der griech. Philos. werden → *nómos* [1] und *s.* (als positive Satzung) der → Natur (φύσις, *phýsis*) gegenübergestellt [3. 1168]. Als Vertrag(surkunde) wird *s.* im Völkerrecht der griech. Staaten und in privaten Beziehungen gebraucht. Je nach Inhalt (Bündnis, Freundschaft) oder Stadium des Abschlusses werden für *s.* als zwischenstaatliche Vereinbarung verschiedene Synonyma verwendet ([3. 1162–1164], vgl. dazu die Register in [4. 366; 5. 438f.]). Als Bezeichnung für einen Vertrag zw. Privatleuten tritt *s.* v. a. in Athen auf, von → *syngraphḗ* (und anderen dort genannten Ausdrücken, Poll. 8,140) trotz [2. 14–37] schwer zu scheiden. Als Privaturkunde wurde die *s.* vor Zeugen erstellt, versiegelt (→ Siegel, mit Abb.), und einem privaten Verwahrer übergeben (→ Urkunde). Bei Bedarf konnten die Parteien dort vor Zeugen ihre Abschriften vergleichen und das Original neu versiegeln. Wie die → *syngraphḗ* diente die über eine *s.* errichtete Urkunde zu Beweiszwecken, weitergehende, »dispositive« Wirkung kam ihr nicht zu [1. 113–116]. Vor Gericht mußte die Echtheit und Richtigkeit der *s.* durch Zeugen bestätigt werden. In den Pap. Ägyptens wird *s.* kaum, das Verbum (*syntíthesthai*) erst ab dem 3. Jh. n. Chr. unter dem Einfluß offizieller röm. Vertragsterminologie verwendet [6. 77; 7. 126].

1 D. BEHREND, Att. Pachturkunden, 1970 2 P. KUSSMAUL, Synthekai, Diss. Basel, 1969 3 O. SCHULTHESS, s. v. S., RE 6, 1158–1168 4 StV II 5 StV III 6 H. J. WOLFF, Consensual Contracts in the Papyri? Suppl., in: Journal of Juristic Papyrology 1, 1946, 55–79 7 WOLFF. G. T.

Syntomon (σύντομον). Das *s.* steht als byz. liturgische Dichtung zw. → *kontákion* zum → *kanṓn* [2], ohne jedoch deren Beliebtheit erreicht zu haben. Seine vier bis neun Strophen werden in der Liturgie der orthodoxen Kirche zw. Psalmverse eingeschoben, weshalb das *s.* auch *stichērón* (στιχηρόν) genannt wird. Verm. geht es auf den Meloden Kyprianos (1. H. des 8. Jh.) zurück.
→ Hymnos VI.

J. SZÖVÉRFFY, A Guide to Byzantine Hymnography ..., 1979. K. SA.

Sypalettos (Συπαληττός). Attischer Mesogeia-Demos der Phyle Kekropis, mit zwei *buleutaí*. Der FO der *lex sacra* IG I³ 245 (470/460 v. Chr.) lokalisiert S. bei Nea Ionia (ehemals Kukuvaones) nördl. von Athenai.

TRAILL, Attica, 10f., 51, 68, 85, 112 Nr. 132, 121, Tab. 7 • WHITEHEAD, Index s. v. S. H. LO.

Syphax (Σύφαξ, Σόφαξ). König der Masaisylier in W-Numidien (Liv. 28,17f.; 24,48,2; Sil. 16,170–17,631; Plin. nat. 5,1,19; Strab. 17,3,9; App. Lib. 36–121). Zunächst Gegner Karthagos (Liv. 24,48f.; 27,4,5), wurde er im Zweiten → Punischen Krieg 213 v. Chr. von den Scipionen (→ Cornelius [I 68 und I 77]) als Bundesgenosse gewonnen und sein Heer röm. ausgebildet (Liv. 30,11,4; 30,28,3f.). Die Ostnumidier unter Gala und → Massinissa eroberten Teile seines Gebiets, doch blieb sein Versuch 210, mit Rom einen Freundschaftsvertrag zu schließen, erfolglos. Nach Galas Tod wurde S. 206 von Rom und Karthago umworben (Liv. 28,17f.; 29,4; 29,23f.; 30,13; Pol. 11,24a,4), verband sich mit Karthago, etablierte sich als Herrscher ganz Numidiens und heiratete Hasdrubals Tochter → Sophoniba (Pol. 14,1,4; 7,1–6; Liv. 28,7; 28,17–18; App. Ib. 29f.; Diod. 27,7; Cass. Dio 17,57,51; Zon. 9,11–12). Während Massinissa nun die Römer unterstützte, kündigte S. die Beziehungen zu Rom (Liv. 29,23; Frontin. strat. 2,7,4) und zwang P. → Cornelius [I 71] Scipio 204, die Belagerung Uticas aufzuheben (Liv. 30,16; Pol. 14,1,14). Obwohl Scipio 203 Lager und Heere des S. und der Karthager vernichten konnte (Pol. 14,2–10; Frontin. strat. 1,1,3; 1,2,1; 2,5,25; Liv. 30,6–8), kämpfte S. weiter an der Seite Karthagos in der »Großen Ebene«; erneut geschlagen zog er sich nach Numidien zurück. Bei Cirta unterlag er Massinissa, wurde gefangen, nach Rom überstellt und starb in Tibur [1. 39–42, 47f.].

→ Numidae, Numidia

1 H. W. Ritter, Rom und Numidien, 1987.

M.-R. Alföldi, Die Gesch. des numid. Königreiches und seiner Nachfolger, in: H. G. Horn, C. B. Rüger (Hrsg.), Die Numider, 1979, 43–74 • H. R. Baldus, Die Mz. der Numiderkönige S. und Vermina, in: H.-C. Noeske u. a. (Hrsg.), Die Mz. Bild – Botschaft – Bed. FS M. Rosenbaum-Alföldi, 1991, 26–34 • A. Berthier, La Numidie. Rome et le Maghreb, 1981 • M. R. Cimma, Reges socii et amici populi Romani, 1976. B. M.

Syrakusai s. Nachträge in Band 12/2

Syria Dea (lat. *Dea Syria*, CIL VI 116; griech. Συρία θεός oder θεά, CIG 7041), die »Syrische Göttin«, auch Atargatis oder Derketo; gemeinsam mit dem westsemitischen Wettergott → Hadad verehrt. Erste Belege über die S. D. (Atargatis) stammen aus dem E. des 4. Jh. v. Chr. [3. 3; 5. 355–358]. Wichtigste lit. Quelle zu ihrem Kult ist die Abh. *De dea Syria* des Schriftstellers Lukianos [1] aus Samosata (2. Jh. n. Chr.; [2. 7–27]). Das Hauptheiligtum der S. D. lag im nordsyr. Hierapolis/ → Bambyke (Manbiğ). Kurz nach 300 v. Chr. wurde der alte Tempel durch Stratonike, der Frau des Seleukos [2] I., wiederhergestellt ([1]; zu Gründungslegenden, Lage und Aussehen des Heiligtums Lukian. de dea Syria 12–17; 28; 30–39). Filialheiligtümer der Göttin befanden sich u. a. in Askalon, Edessa [2], Dura Europos, Palmyra und Damaskos [4. 1554–1562; 6. 210–216, 229]. Mit syr. Händlern gelangte ihr Kult im 2. Jh. v. Chr. nach Griechenland und von dort v. a. durch syr. Sklaven und Soldaten wohl über Sizilien und die ital. Hafenstädte ins kaiserzeitliche Rom [3. 12; 4. 1550]. Hier fand ihr Kult zeitweise in Kaiser Nero [1] einen ihrer größten Anhänger (Suet. Nero 56).

Als Natur-, Fruchtbarkeits- und → Muttergottheit sowie als »Herrin der Tiere« vereinte die S. D. Aspekte verschiedener vorderasiatischer Göttinnen; vgl. z. B. die mesopot. → Ištar oder die kleinasiatische → Kybele [4. 1545]. Lukian, der die S. D. → »Hera« nennt, bietet eine Beschreibung des Kultbildes in Hierapolis/Bambyke (ebd. 15; 31–33) und berichtet ausführlich über das Kultgeschehen (ebd. 42–60). So ist die Göttin thronend, von Löwen getragen, dargestellt; neben ihr Hadad (Zeus), von Stieren flankiert. Als Schützerin der Stadt trägt sie die Mauerkrone auf dem Kopf; → *týmpanon*, Spindel und Zepter werden als weitere Attribute genannt. Fische und Tauben sind der S. D. heilig; in Askalon, wo sie Derketo hieß, wurde sie als → Mischwesen (I.), halb Fisch, halb Frau dargestellt (ebd. 14). Die größte Feier zu Ehren der S. D. war das zu Frühlings-Anf. stattfindende »Feuer«- oder »Fackelfest«, bei dem ein auf dem Tempelplatz aufgerichteter Baum mit Opfergaben behangen und dann verbrannt wurde (ebd. 49). Der Kult der S. D., der als → Mysterien-Kult lediglich für Thuria (Messene) bezeugt ist, blieb bis in die Spätant. lebendig.

→ Muttergottheiten

1 F. Cumont, s. v. D. S., RE 4, 2236–2243 2 C. Clemen, Lukians Schrift über die syrische Göttin (Der alte Orient 37.4), 1938 3 M. Hörig, D. S. Stud. zur rel. Trad. der Fruchtbarkeitsgöttin in Vorderasien, 1979 4 Dies., D. S. – Atargatis, in: ANRW 17.3, 1984, 1536–1581 5 H. J. W. Drijvers, s. v. D. S., LIMC 3, 355–358 6 P. W. Haider et al. (Hrsg.), Rel.-Gesch. Syriens. Von der Frühzeit bis zur Gegenwart, 1996, 210–216. A. S.-M.

Syria s. Syrien

Syrianos (Συριανός). Neuplatonischer Philosoph und Scholarch der Schule von Athen (Akademie/→ *Akadḗmeia*) in der 1. H. des 5. Jh., auch »der Große« genannt. Unsere Kenntnisse über S. stammen aus den Schriften des Proklos, aus Marinos' [4] Abh. ›Proklos oder über das Glück‹ (11–13 und 26–27), Damaskios' ›Leben des Isidoros‹ (74–76) und Simplikios' Aristoteles-Kommentaren. S. wurde in Alexandreia [1] als Sohn des Philoxenos geb. und war mit der Familie des Hermeias von Alexandreia liiert, seines Schülers in Athen, der in Alexandreia den athenischen → Neuplatonismus einführte (dieser war mit Aidesia, einer Enkelin des S., verheiratet). S. war Schüler des Plutarchos [3] in Athen, des Gründers der neuplatonischen Schule. Schon vor dem Tod (432) seines Lehrers stand er an der Spitze der Schule, danach wurde er nun mit vollem Recht »Nachfolger Platons«. Neben Philos. lehrte er auch Rhetorik.

Laut Marinos las S. mit seinem Schüler Proklos im Unterricht den gesamten Aristoteles [6] und die großen Dialoge Platons [1]. S. lehrte Aristoteles als Vorbereitung zu Platon und kommentierte die platonischen Dialoge (›Alkibiades 1‹, ›Phaidon‹, ›Phaidros‹, ›Philebos‹), bes. den ›Timaios‹ und den ›Parmenides‹. Die Notizen seines Schülers Hermeias zu S.' ›Phaidros‹-Erläuterungen sind erh. [4]. Seinen Schülern Domninos und Proklos erklärte er auch die ›Orphischen Rhapsodien‹, aber er starb, ehe er die *Oracula Chaldaica* kommentieren konnte. Dies muß kurz vor 437 gewesen sein, denn ab diesem Zeitpunkt spricht Proklos, der sein Nachfolger als Schulleiter wurde, in seinem ›Komm. zum Timaios‹ stets in der Vergangenheitsform von ihm. Bestattet wurde S. in einem Grabmal mit zwei Plätzen; der zweite war für Proklos reserviert.

Von S. sind uns lediglich Komm. zu zwei Abh. des Hermogenes [7] von Tarsos (Περὶ ἰδεῶν/*Perí ideōn* und Περὶ στάσεων/*Perí stáseōn*) sowie zu 4 B. (3, 4, 13 und 14) der ›Metaphysik‹ des Aristoteles [6] erh., in denen er die → Ideenlehre Platons und die Lehren der Pythagoreer gegen die Angriffe des Aristoteles verteidigt.

Sein bedeutendstes Werk jedoch war sicherlich die Schrift Συμφωνία Ὀρφέως Πυθαγόρου Πλάτωνος πρὸς τὰ Λογία, βιβλία ι', die unglücklicherweise verloren ist. Darin legte er die vollständige ›Übereinstimmung der Lehren von Orpheus, Pythagoras und Platon mit den Chaldäischen Orakeln in 10 B.‹ dar. Er unterstellte die orphischen Mythen, die pythagoreischen Zahlen und die platonische Philos. der Autorität der Orakel, d. h. einer göttlichen Offenbarung. Diese Abh. scheint von Proklos durchgesehen und erweitert worden zu sein, der daraus ein Forsch.-Programm für die Akademie machte mit dem Ziel, die Theologie als Wiss. auszuarbeiten. Proklos' Abhängigkeit von S. ist erwiesen, in Wortschatz wie Lehre. Proklos selbst räumt ein, daß er seine Theorie der ersten Prinzipien, ἕν, πέρας, ἄπειρον (*hen, péras, ápeiron*), und seine innovative Exegese der Hypothesen des platonischen ›Parmenides‹ S. verdanke [6]. Schließlich bezeugt der Historiker Zosimos (4,18,4) einen Hymnos des S. zu Ehren des Achilleus, in dem S. Nestorios, den Großvater des Plutarchos, besang.

S. war zweifellos der kreativste Geist der neuplatonischen Schule in Athen; seine Philos. bedeutete ›eine entscheidende Wende des nachplotinischen Neuplatonismus‹ [8. 212]. Das Fortwirken des S. ist im Werk des Proklos zu suchen. Durch seinen Komm. zum platonischen ›Phaidros‹ beeinflußte S. den florentinischen Humanismus, bes. Marsilius Ficinus.

→ Akademeia; Neuplatonismus

Ed.: 1 H. Rabe, In Hermogenem Commentaria, Bd. 1, 1892 2 H. Usener, In Aristotelis metaphysicam commentaria, in: I. Bekker, Aristotelis opera, Bd. 5, 1870, 837–944 3 W. Kroll, CAG IV.1, 1902 (Rez.: K. Praechter, GGA 165, 1903, 513–530 = Ders., KS, 1973, 246–263) 4 P. Couvreur, Hermias Alexandrinus, In Platonis Phaedrum Scholia, 1901 ([2]1971) 5 R. Cardullo, Siriano. Esegeta di Aristotele, Bd. 1: Frammenti e Testimonianze dei Commentarii all'Organon (Symbolon 14), 1995 (mit it. Übers. und Komm.) 6 H. G. Saffrey, L. G. Westerink, Proclus, Théologie platonicienne, Bd. 3, 1978, IX-LXXII (mit franz. Übers.).

Lit.: 7 M. J. B. Allen, Two Commentaries on the Phaedrus: Ficino's Indebtedness to Hermias, in: Journ. of the Warburg Institute 43, 1980, 110–129 8 A. Bielmeier, Die neuplatonische Phaidrosinterpretation, 1930
9 C. D'Ancona, C. Luna, La doctrine des principes: Syrianus comme source textuelle et doctrinale de Proclus, in: A. Ph. Segonds, C. Steel (Hrsg.), Proclus et la théologie platonicienne, 2000, 189–278 10 C. Moreschini, Alcuni aspetti degli Scholia in Phaedrum di Ermia Alessandrino, in: M.-O. Goulet-Cazé (Hrsg.), ΣΟΦΙΗΣ ΜΑΙΗΤΟΡΕΣ. Chercheurs de sagesse, 1992, 451–460 11 K. Praechter, Das Schriftenverzeichnis des Neuplatonikers S. bei Suidas, in: ByzZ 26, 1926, 253–264 (= Ders., KS, 1973, 222–233) 12 Ders., s. v. S., RE 4 A, 1728–1775 13 Ders., s. v. Hermeias, RE 8, 732–735 14 H. D. Saffrey, Comment Syrianus, le maître de l'École néoplatonicienne d'Athènes, considérait-il Aristote?, in: J. Wiesner (Hrsg.), Aristoteles, Werk und Wirkung. FS P. Moraux, Bd. 2, 1987, 205–214 (= Ders., Récherches sur le néoplatonisme après Plotin, 1990, 131–140) 15 A. Sheppard, The Influence of Hermias on Marsilio Ficino's Doctrine of Inspiration, in: Journ. of the Warburg Institute 43, 1980, 97–109 16 L. G. Westerink et al., Prolégomènes à la philos. de Platon, 1990, X-XI.

H. SA./Ü: E. D.

Syrien (Συρία, Συρίη, Hdt. 2,12; 116; Ἀσσυρία/*Assyría*; lat. *Syria, Assyria*).

I. Geographie
II. 3. Jt. bis Ende 2. Jt. v. Chr.
III. Ende 2. Jt. bis 333 v. Chr.
IV. Von Alexander d. Gr. bis 31 v. Chr.
V. Römische und byzantinische Zeit

I. Geographie

Die Verwendung des geogr. Begriffs S. bedarf insofern einer Definition, als S. während der gesamten altorientalischen Gesch. kein eigenes Staatsgebiet war. Polyzentrismus und Zugehörigkeit zu anderen Herrschaftssystemen haben erst 1941 mit der Gründung der Republik S. (ab 1961: Syrische Arabische Republik) ein E. gefunden. Dabei wurden auch osteuphratische (d. h. mesopot.) Bereiche einbezogen, während der Libanon selbständig wurde und Gebiete im Norden der Türkei verblieben. Im folgenden bezeichnet »S.« den Raum etwa zw. den südl. Ausläufern des Tauros im Norden und dem Yarmūk im Süden, dem Mittelmeer im Westen und dem Euphrat (bzw. der syrischen Wüstensteppe) im Osten. Dieses Gebiet wird zur Küste hin von Gebirgszügen abgegrenzt, die jedoch im Norden sowie bei Ḥimṣ die vom Meer kommenden Wolken weit ins Binnenland lassen und damit Regenfeldbau bes. in den Ebenen um h. Aleppo/Ḥalab und Ḥimṣ ermöglichen.

II. 3. Jt. bis Ende 2. Jt. v. Chr.

Seit dem 3. Jt. stellte die keilschriftliche Überl. in sumerischer, akkadischer, hethitischer, hurritischer und ugaritischer Sprache die wesentlichen Zeugnisse syr. Gesch.; hinzu kommen altäg.-hieroglyphische, aramäische und biblisch-hebräische Trad. sowie Angaben griech.-röm. Autoren. Damit wurde S. Forschungsgegenstand verschiedener altertumskundlicher Disziplinen.

Histor. Informationen bieten zunächst Texte aus dem nordsyr. → Ebla und verschiedenen Plätzen der Ǧazīra (»Insel«, d. h. Obermesopotamien), die für die Mitte des 3. Jt. – ebenso wie auch die arch. Befunde – auf Urbanisation, soziale Differenzierung und frühe staatliche Organisationsformen weisen, basierend auf Regenfeldbau und Viehhaltung sowie überregionalem

Austausch v. a. mit den Stadtstaaten Südmesopot.s und dem mediterranen Raum. Tontafeln, die in den Archiven Eblas entdeckt wurden, bezeugen den Gebrauch einer → semitischen Sprache sowie der im südlichen Zweistromland entwickelten Keilschrift. Die nordsyr. Zentren waren im 24./23. Jh. Ziele von Feldzügen der Könige des Reiches von → Akkad; Ebla wurde dabei zerstört. Inwieweit danach eine trockenere Klimaperiode die Lebensbedingungen im nordsyr. Binnenland beeinflußte, ist noch unklar. Die syr. Küste war als Lieferant wichtiger Rohstoffe, v. a. von Bauholz aus dem Libanon bei Byblos [1] (Gubla), bereits in das Interessenfeld des äg. AR geraten; Texte des MR (1990–1630 v. Chr.) weisen auf die Existenz kleiner syr. Fürstentümer im Küstenraum.

Im frühen 2. Jt. v. Chr. wurden die wichtigsten lokalen Dyn. S.s durch Fürsten repräsentiert, die westsemitisch-»amoritische« (→ Amoritisch) Namen trugen; in Zusammenhang damit stand eine veränderte Gewichtung zw. agrarischer und pastoraler Lebensweise innerhalb einer »dimorphen« Gesellschaft. Zeugnis dafür legen v. a. die altbabylonischen Texte aus → Mari ab, die auch enge Kontakte zu → Aleppo/Ḫalab (Jamḫad), → Karkemiš und Qaṭna anzeigen sowie eine wachsende Kontaktnahme Mesopotamiens zum westeuphratischen Raum bis zur Küste, an der → Ugarit und Gubla (→ Byblos [1]) als Häfen eine bes. Rolle spielten. In Aleppo/Ḫalab, seit der frühdynastischen Zeit ein bedeutendes Zentrum des Wettergottkultes, residierte eine Dyn., die – ebenso wie Karkemiš und Qaṭna – v. a. davon profitierte, daß sich das Zentrum überregionaler Kontakte aus Mesopot. in den ostmediterranen Raum verlagert hatte.

Diese neue Situation führte dazu, daß S. zunehmend in die schriftl. Trad. nicht nur Äg.s, sondern auch des anatolischen Hethiterstaates gelangte. Ḫattusili I. (um 1550) unternahm Vorstöße bis nach Aleppo/Ḫalab, ebenso sein Sohn Mursili I. Im obermesopot. Raum konsolidierte sich zu dieser Zeit das sog. → Mittani-Reich, das stark von einer hurritischen Trad. geprägt war, die auch im nördl. S. erkennbar wird. Die polit. Dominanz von Mittani in S. wurde von Äg. in Frage gestellt, dessen Pharaonen der frühen 18. Dyn. (Thutmosis I. und III., Amenophis [2] II.) bis in den Euphratbereich vorstießen. Sie konnten jedoch nicht verhindern, daß S. bis etwa zum h. Ḥimṣ Teil des Mittani-Reiches wurde. Auch das Fürstentum von Mukiš/ → Alalaḫ (an der Orontes-Mündung) geriet unter die Oberhoheit von Mittani, worauf v. a. die »Autobiographie« des Idrimi auf seiner Statue (um 1480) verweist. Damit grenzte Mittani nunmehr unmittelbar an äg. Territorium; währenddessen befand sich in Anatolien der hethitische Staat in einer Periode polit. Schwäche und innerdynastischer Auseinandersetzungen.

Die Zeit ab der Mitte des 14. Jh. wird v. a. in den sog. → Amarna-Briefen reflektiert, die das Vordringen Suppiluliumas I. von Ḫattusa bis nach Mittel-S. bezeugen; auch das Fürstentum Amurru [2] wurde vertraglich dem Hethiterreich zugeordnet, das nunmehr eine gemeinsame Grenze mit Äg. hatte. Während die Hethiter ihren syr. Herrschaftsbereich, dem auch Ugarit und Amurru [2] zugehörten, unter die Verwaltung der Könige von Karkemiš stellten, hatten die Ägypter ihre syr. Territorien direkt der pharaonischen Administration untergeordnet. Muwattalli II. von Ḫattusa konnte 1275 in der Schlacht bei → Qadesch das Land Amurru zurückgewinnen und dann bis nach Upe (beim heutigen Damaskus) vorstoßen. Vor dem Hintergrund einer zunehmenden mil. Aktivität der Könige von Assyrien in Obermesopot. kam es im 21. Regierungsjahr des Ramses [2] II. (1259) zu einem Friedensvertrag, der in S. den territorialen *status quo*, d. h. die Aufteilung zw. Ḫattusa und Äg., festschrieb und später zur dyn. Verbindung beider Königshäuser führte.

Die Überl. aus der Zeit der hethitisch-äg. Herrschaft (1350–1200) zeigt S. in eine Reihe vertraglich unterworfener, von Karkemiš aus kontrollierter Fürstentümer im Norden (Ugarit, Nuḫašše, Amurru) und den äg. Prov. Upe (um Damaskus) und Kanaan im Süden aufgegliedert. In Ḫalab/Aleppo hatte Suppiluliuma einen seiner Söhne eingesetzt, der v. a. als Priester des Wettergottes fungierte; zur Zeit des Muwattalli II. (ca. 1290–1272) wurde in Ḫalab vertraglich ein nicht dem hethitischen, großköniglichen Hause entstammender König etabliert. Bedeutende urbane Zentren waren ferner Emar am Euphrat sowie → Ugarit mit seinen Archiven und bedeutenden Artefakten. Ihrer Verschuldung und Verarmung folgten oft Flucht und Räubereien; die Preise für Lebensmittel stiegen stark an. Auch ein Rückgang der bewirtschafteten Flächen sowie die zunehmende Unsicherheit der Karawanenwege werden in der keilschriftlichen Trad. angedeutet; aufgegebene Territorien wurden teilweise von Gruppen besetzt mit semitischer Sprache, die als → Aramäisch bezeichnet wird.

Diese Krise war weder auf S. beschränkt, noch wurde sie allein durch Veränderungen von Klima und Umweltbedingungen hervorgerufen. Sie resultierte auch nicht aus den Angriffen der sog. Seevölker (→ Seevölkerwanderung), die im späten 2. Jt. zu Lande und mit Schiffen in die ostmediterranen Küstengebiete vordrangen, sondern aus den ökonomischen, sozialen und polit. Entwicklung des Vorderen Orients (→ Dunkle Jahrhunderte). Sie war zugleich mit Innovationen verbunden, die auch die weitere Gesch. S.s beeinflußten: die verstärkte Verwendung von Eisen als Gebrauchsmetall sowie des → Kamels als Reit- und Tragtier im Karawanenverkehr durch Trockenzonen. Für S. ergab sich daraus eine Verlagerung wichtiger Landrouten sowie der Hauptorte des syr. Seehandels weiter nach Süden, d. h. in den phönizischen Raum, in dem nun auch die → Weihrauchstraße von Südarabien über Petra ans Mittelmeer gelangte.

III. Ende 2. Jt. bis 333 v. Chr.

Im späten 2. und frühen 1. Jt. entstand in S. ein neues polit. System, dessen schriftl. Trad. vorwiegend in aram. bzw. der sog. luwischen → Hieroglyphenschrift (II.) fixiert wurde. Schriftträger war zunehmend → Papyrus, d.h. ein Schreibstoff, der nur in Trockenzonen überdauerte. Die textliche Überl. bietet daher nur unzureichend Einsicht in die syr. Verhältnisse selbst; dafür können nunmehr die at. Trad. sowie die Feldzugsberichte assyrischer und babylonischer Könige herangezogen werden. Texte und arch. Unt. bezeugen neben älteren, neu ausgebauten Zentren – wie Karkemiš, Ḫamat, Tall Barsib, Ḫalab und Damaskos – die wachsende Bed. von Städten wie Arpad und Hazrak/Ḫatarikka sowie die Neugründung von Samʾal und Hadātu (→ Arslantaş). Es bildeten sich eine Reihe von Fürstentümern, die entsprechend ihrer epigraphischen oder arch. Hinterlassenschaft als »(neo)-hethitisch« oder »aram.« bezeichnet werden und sich selbst als »Haus« eines Ahnherrn der Dyn. verstanden. Sie wurden meist von einem König (aram. *mlk*) regiert, dem »Älteste« oder auch »Edle« zur Seite standen. Für die Darstellung ihrer polit. Gesch. bieten v.a. die – wenngleich propagandistischen – Ber. neuassyrischer Könige Hinweise, die für S. mit Assurnaṣirpal II. (884–859) und Salmanassar III. (859–824) einsetzen; zur Zeit des Tiglatpileser III. (745–727) wurden in S. assyr. Prov. unter Statthaltern eingerichtet.

Die unter assyr., dann (nach 625) neubabylon. Herrschaft stehenden syr. Fürstentümer und phönizischen Stadtstaaten (Tyros, Sidon, Byblos u.a.) agierten nur zeitweilig gemeinsam gegen die Eroberer aus Mesopot. und erleichterten diesen damit die Unterwerfung. Als Teil des neubabylonischen Reiches gelangte S. zur Zeit des Achaimeniden → Kyros [2] II. (559–530) unter persische Herrschaft; mehrfach kam es zu Aufständen einzelner syr. Zentren. Diese Situation und die Rivalität der syr. Fürsten untereinander erleichterten → Alexandros [4] d.Gr. nach der Schlacht von → Issos (333 v.Chr.) S.s Eroberung.

→ Ḫattusa II. (mit Karte); Kleinasien III. C. und D. (mit Karten); Mesopotamien III. C.-F. (mit Karte)

1 G. Bunnens (Hrsg.), Essays on Syria in the Iron Age, 2000 2 A. M. Jasink, Gli Stati Neo-Ittiti, 1995 3 H. Klengel, Gesch. und Kultur Altsyriens, 1980 4 Ders., Syria 3000 to 300 B.C., 1992. H.KL.

IV. Von Alexander d.Gr. bis 31 v.Chr.

Die geopolit. bed. Lage von S., bes. des Küstengebiets, wurde in der Folgezeit mehrmals unter Beweis gestellt. Die Grundzüge der Verwaltung und territorialen Gliederung, von den Persern eingeführt, bestanden weiter. Mit fortlaufender → Hellenisierung (zu Städtegründungen s.u.) unter den → Seleukiden (= Sel.; Beginn der Sel.-Ära 312/1 v.Chr.; seleukid. Herrschaft in S.: 286–223) vereinheitlichte sich die Verwaltung mit griech. und persischen Zügen (vgl. Bezeichnungen wie *satrápēs, stratēgós, hýparchos, topárchēs, meridárchēs*). Nach dem Tod Alexandros' [4] d.Gr. 323 v.Chr. stand S. im Interessenskonflikt zw. den → Ptolemaiern und den Antigoniden (→ Antigonos, Stemma). Palaestina und die phönizischen Hafenstädte waren verschiedentlich umkämpft. Unter den Sel. wurde Antiocheia [1] Residenzstadt. Das Netz der Städtegründungen umfaßte das alte syr. Siedlungsland vom Iordanes [2] bis zum Orontes [7]. Von den Oasen- und Karawanenorten wurde → Palmyra im Späthell. bed., → Dura Europos bildete die Grenzstation am → Euphrates [1] gegen die Parther. Die griech.-maked. dominierten Neugründungen waren anders organisiert als die alten phöniz. Hafenstädte; diese standen unter Königen und wurden von → Sufeten verwaltet.

Anlaß für die Kriege zw. Ptolemaiern und Sel. im 3. und 2. Jh. v. Chr. waren meist Ansprüche auf Territorien an der Mittelmeerküste – eindeutig etwa im 4. Syr. Krieg – oder die Einflußnahme auf strategisch bed. Positionen auf dem Weg nach Äg. (→ Syrische Kriege). Die Sel. waren bestrebt, den Fernhandel aus India (→ Indienhandel), Zentralasien und Arabia zu kontrollieren. Zu Steuern und Zöllen lieferten die Eigenbesitzungen (*chṓra basilikḗ*) der Sel. (Steinbrüche, Bergwerke, Salzgewinnung) und die Tributleistungen der Städte Einkünfte.

S. wurde unter den Sel. in 72 Satrapien gegliedert. Es gab ca. 70 Städte, die zwar ihre Selbständigkeit behielten, nominell aber dem König unterstanden und im Kriegsfall Truppen stellen mußten. Mangels schriftlicher Nachr. sind weder Verwaltungsstrukturen noch Gerichtswesen oder Handelspolitik dieser Jh. ausreichend bekannt; deutlich wird immerhin die geogr., kulturelle und polit. Uneinheitlichkeit von S., an der das Sel.-Reich letztlich scheiterte.

Die äußeren und inneren Auseinandersetzungen um und in S. führten zum Erstarken einheimischer Völker wie der → Nabataioi, Ituraioi (→ Ituraea) und Palmyrenoi (→ Palmyra), der → Hasmonäer in Palaestina und von Lokalfürsten in den Städten von S. und Phönizien. Von außen griff → Tigranes I. kurzzeitig in S. ein (Anf. 1. Jh. v. Chr.).

Die hell. Gesch. von S. ist gekennzeichnet durch den Mangel an epigr. Quellen; arch. Befunde liegen in begrenzter Zahl vor. Als typisch hell. Stadt wurde Raʾs Ibn Hānīʾ (nördl. von al-Lāḏiqīya bei → Ugarit) arch. erforscht. Apameia [3] und → Dura Europos lassen einzelne Strukturen aus hell. Zeit erkennen. ʿIrāq al-Amīr bei Amman figuriert als Palast der → Tobiaden aus dem 2. Jh. v. Chr. Die Plastik dieser Zeit wird durch authentische Bildzeugnisse aus dem Ešmun-Heiligtum in → Sidon und durch Sarkophage (u.a. den → Alexandersarkophag) aus dem dortigen Gräberfeld greifbar.

V. Römische und byzantinische Zeit
A. Geschichte und Wirtschaft
B. Militär und Limessystem C. Religion

A. Geschichte und Wirtschaft

Der Destabilisierung von S. unter den Sel. im 1. Jh. v. Chr. folgte schließlich die Annexion durch Pompeius [I 3], der das Land als röm. Prov. Syria einrichtete (64 v. Chr.). Diese reichte vom Karmel im Süden bis zum Amanos-Gebirge im Norden. Provinzhauptstadt war

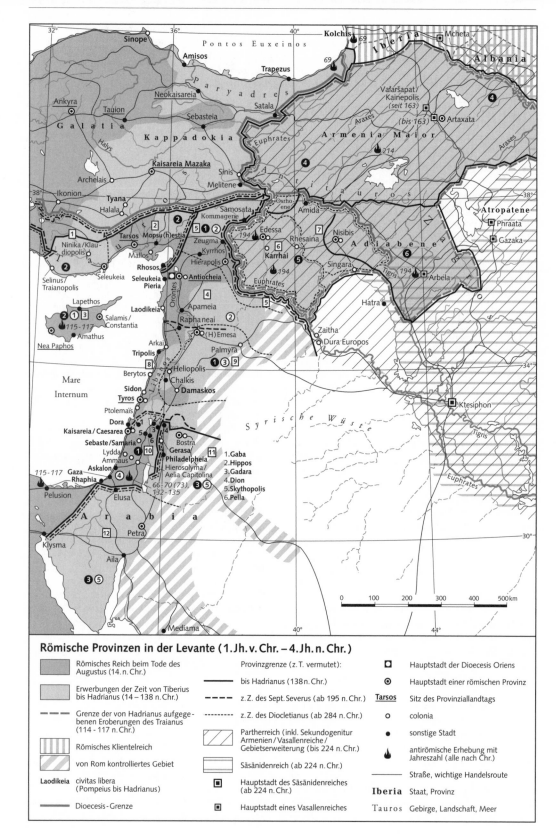

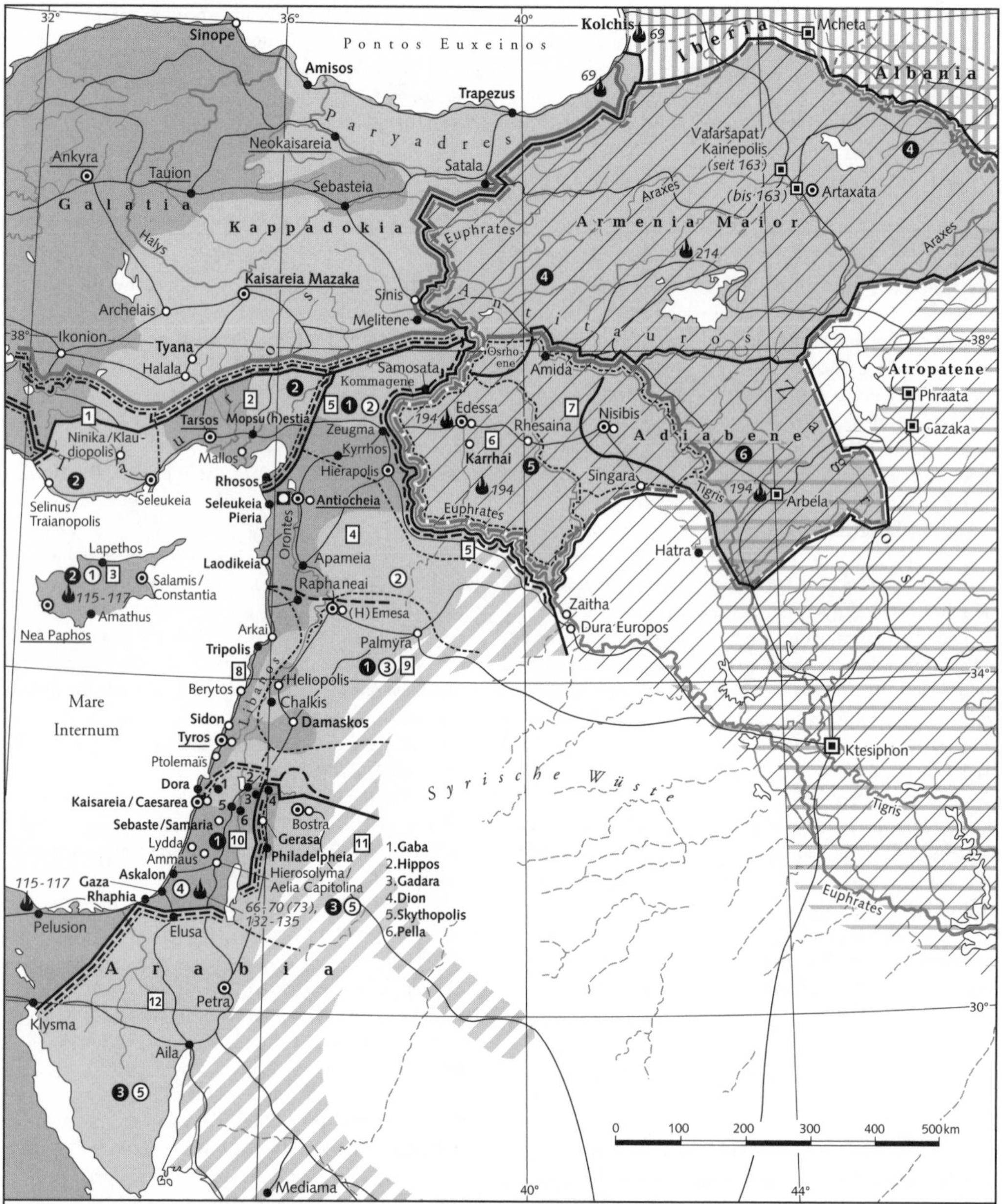

Römische Provinzen in der Levante (1. Jh. v. Chr. – 4. Jh. n. Chr.)

Römisches Reich beim Tode des Augustus (14. n. Chr.)

Erwerbungen der Zeit von Tiberius bis Hadrianus (14 – 138 n. Chr.)

Grenze der von Hadrianus aufgegebenen Eroberungen des Traianus (114 - 117 n. Chr.)

Römisches Klientelreich

von Rom kontrolliertes Gebiet

Laodikeia civitas libera (Pompeius bis Hadrianus)

Dioecesis-Grenze

Provinzgrenze (z. T. vermutet):

bis Hadrianus (138 n. Chr.)

z. Z. des Sept. Severus (ab 195 n. Chr.)

z. Z. des Diocletianus (ab 284 n. Chr.)

Partherreich (inkl. Sekundogenitur Armenien / Vasallenreiche / Gebietserweiterung (bis 224 n. Chr.)

Sāsānidenreich (ab 224 n. Chr.)

Hauptstadt des Sāsānidenreiches (ab 224 n. Chr.)

Hauptstadt eines Vasallenreiches

Hauptstadt der Dioecesis Oriens

Hauptstadt einer römischen Provinz

Tarsos Sitz des Provinziallandtags

colonia

sonstige Stadt

antirömische Erhebung mit Jahreszahl (alle nach Chr.)

Straße, wichtige Handelsroute

Iberia Staat, Provinz

Tauros Gebirge, Landschaft, Meer

Die provinziale Entwicklung in der Levante

I. Einrichtung der Provinzen

—— Provinzgrenze

Datum:	Provinz:	Hauptstadt:
64/63/62 v. Chr.	❶ Syria	Antiocheia
(80)/58 v. Chr. ab 31/30 v. Chr.	❷ Cyprus als Teil von Cilicia, selbständige Provinz	Tarsos Nea Paphos/Paphos Sebaste
22.3.106 n. Chr.	❸ Arabia	Bostra
114 n. Chr.	❹ Armenia (ab 66 unter römischer Oberhoheit, 114 erobert; unter Hadrianus Klientelkönigreich)	Artaxata
115 n. Chr.	❺ Mesopotamia	Edessa?
116 n. Chr.	❻ Assyria	Arbela?

II. 2./3. Jh. n. Chr. (ab Hadrianus bis 284 n. Chr.)

·---- Provinzgrenze

Provinz	Hauptstadt
① Cyprus	Nea Paphos/Paphos Sebaste
② Syria Coele	Antiocheia
③ Syria Phoenice	(H)Emesa
④ Syria Palaestina (unter Hadrianus)	Kaisareia
⑤ Arabia	Bostra

III. Neuordnung unter Diocletianus

Praefectura Praetorio Orientis	Konstantinopolis
Dioecesis Oriens	Antiocheia

--------- Provinzgrenze

Provinz	Hauptstadt
[1] Isauria	Seleukeia
[2] Cilicia	Tarsos
[3] Cyprus	Paphos/Salamis-Constantia
[4] Syria I (Coele)	Antiocheia
[5] Syria II (später Augusta Euphratensis)	Hierapolis
[6] Osrhoene	Edessa
[7] Mesopotamia	Nisibis
[8] Syria Phoenice	Tyros
[9] Augusta Libanensis	(H)Emesa
[10] Palaestina	Kaisareia
[11] Arabia	Bostra
[12] Palaestina Salutaris/Arabia (II)	Petra

Antiocheia [1]. Die röm. Bürgerkriege wirkten sich auch auf S. aus; mit dem Vertrag von Brundisium (40 v. Chr.) fiel S. Antonius [I 9] zu. Dieser überließ Kleopatra [II 12] VII. Chalkis am Libanos [2], Teile der phöniz. Küste, Kypros und Kilikia. Ptolemaios [21] XIV. erhielt S. und war an der Herrschaft über Kilikia beteiligt. Die röm. Politik unter → Augustus beschränkte sich auf kluges Taktieren mit einheimischen Fürsten (Tetrarchen), die unter röm. Oberhoheit regierten, z. B. der Dyn. des Herodes [1] in Iudaea und am südl. Hermon, deren Gebiete erst in flavischer Zeit dem röm. Reich endgültig einverleibt wurden. An freien Städten nennt Plin. nat. 5,79 Antiocheia [1], Laodikeia [1] und Seleukeia [2]. Die phöniz. Küstenstädte behielten ihre Unabhängigkeit. Unter Augustus wurden röm. → Veteranen in → Berytos und → Baalbek angesiedelt. S. wurde ohne Gewaltanwendung der röm. Kultur erschlossen. Eine wesentliche Rolle im Prozeß der → Romanisierung spielte der → Kaiserkult. E. des 1. Jh. umfaßte S. das Gebiet von der Kommagene im Norden bis zum Toten Meer, Mittelmeer und Palaestina. Die im 1. Jh. n. Chr. S. eingegliederten Städte der → Dekapolis (Plin. nat. 5,74) wurden der 106 n. Chr. gegr. Prov. Arabia zugeschlagen. Die Prov.-Grenze verlief nördl. von → Bostra, der Hauptstadt der Arabia.

Die wirtschaftliche Nutzung der Prov. konzentrierte sich auf Olivenkulturen im Norden (zw. Apameia und Antiocheia) und Getreideanbau im Ḥaurān im Süden. Der Handel wurde von Hadrianus forciert. Der Aufstieg von Palmyra als Station des wiedererstarkten Transithandels mit dem Osten und dem Persischen Golf setzte damals ein. Weder die → Partherkriege noch die mil. Revolten gegen E. des 1. Jh. n. Chr. wirkten sich negativ auf die wirtschaftliche Entwicklung der Prov. aus. Die Verleihung des Kolonialstatus (→ *coloniae*) oder des Titels einer *mētrópolis* sind die äußeren und wohl auch mit steuerlichen Privilegien verbundenen Zeichen röm. Wertschätzung der syr. Städte, von denen → Emesa (Ḥimṣ) unter den Severern bes. Bed. erlangte.

Die Reichskrise des 3. Jh. machte sich auch in S. bemerkbar. Ab den 40er J. fielen die → Sāsāniden wiederholt in S. ein; die Einnahme von Antiocheia und Dura Europos 256/7 zeigt das Erstarken dieses neuen Machtfaktors im Vorderen Orient. Die innere Schwäche des Imperiums begünstigte den fulminanten Aufstieg von Palmyra, wo → Zenobia für kurze Zeit die Vorherrschaft über S. und Teile Kleinasiens und Äg. ausübte. Aurelianus [3] bereitete dem palmyrenischen Sonderreich ein Ende (272/3). → Diocletianus reorganisierte Heereswesen und Verwaltung von S. Im 4. Jh. verzeichnen die syr. Provinzen *S. Euphratensis* im Norden, *S. Coele*, *S. Libanensis*, *S. Phoenice* und *S. Palaestina* einen neuerlichen wirtschaftlichen Aufschwung.

Zeugnisse intensiver landwirtschaftlicher Nutzung (Getreide, Oliven-, Wein-, Obstkulturen) und damit zusammenhängender dörflicher Strukturen geben die zahlreichen baulichen Monumente aus dem 4.–7. Jh. bes. im nordsyr. Kalksteinmassiv und im Ḥaurān. Das in S. ab dem 3. Jh. arch. nachweisbare Christentum ist durch zahlreiche Bauwerke aus dem 5.–7. Jh. präsent. Dazu kommt ein ausgeprägtes Pilgerwesen (Qalʿat Simʿān, ar-Ruṣāfa; → Pilgerschaft, mit Karte). Mit den arabischen Ġassāniden und anderen Araberstämmen hatte Konstantinopolis im 6. Jh. Verbündete in S., denen der Schutz der syrischen Prov. anvertraut war. Die Zeit nach Iustinianus [1] I. wurde bestimmt durch Auseinandersetzungen zw. Konstantinopolis und den nach Westen drängenden Sāsāniden, die Antiocheia (611), Damaskos (613) und Jerusalem (614) einnahmen und ein Jahrzehnt lang ihre Herrschaft im gesamten Orient einschließlich Äg. und Nubia behaupteten. Nach erneuter byz. Präsenz nahmen die arab. Muslime S. in Besitz (636, Schlacht am Yarmūk). Die neuen Machthaber beließen die Verwaltungsstrukturen und die griech. Amtssprache. Die arab. Münzprägung setzte erst im 7. Jh. ein. Architektur und Handwerk (Mosaiken, Stukkaturen, Fresken) spiegeln in omajjadischer (7./8. Jh.), bisweilen sogar noch in abbasidischer Zeit (8.–11. Jh.) die Trad. der Antike.

B. Militär und Limessystem

Bereits unter Augustus standen vier Legionen (→ *legio*, mit Karten). in S. Der Beginn eines Limessystems entlang des Euphrates fiel in die 2. H. des 1. Jh. n. Chr. und bestand bis um die Mitte des 3. Jh. (→ Limes VI., mit Karte). Details zur Militärgesch. liefern neue Inschr.-Funde aus Apameia [3]. Diocletianus reorganisierte das Heerwesen, ließ Militäranlagen an Euphrates und Ḫābūr errichten und sicherte die wichtigen Verbindungsstraßen (vgl. die Strata Diocletiana südl. von Palmyra). Unter mil. Mitwirkung der Ġassāniden als → *foederati* unter Iustinianus I. und dessen Nachfolgern konnte sich das Absicherungssystem bis E. des 6. Jh. behaupten.

C. Religion

Neben Formen des Monotheismus (vgl. das Judentum) finden sich in S. phöniz., aram., mesopot., iranische und arab. Götter sowie das hell.-röm. Pantheon mit seinen synkretistischen Ausprägungen. Von S. aus verbreitete sich das Christentum, das später verschiedene Glaubensrichtungen spalteten (→ Monophysitismus, → Nestorios, Nestorianer). Lokale Kulte bestanden vereinzelt bis in byz. Zeit (z. B. Baal vom Hermon). Überregionale Bed. gewann der Kult von Doliche (Iuppiter → Dolichenus); vgl. auch → Syria Dea.

→ Hellenistische Staatenwelt (mit Karten); Limes VI. und VII. (mit Karte); Pompeius [I 3] (mit Karte)

Zur griech. und hell. Zeit: H. Bengtson, Griech. Gesch. von den Anf. bis in die röm. Kaiserzeit, 81992 • E. R. Bevan, The House of Seleucus, 1902 • J. D. Grainger, The Cities of Seleucid S., 1970 • Rostovtzeff, Hellenistic World • M. Sartre, La Syrie à l'époque hellénistique, in: J.-M. Dentzer, W. Orthmann (Hrsg.), Archéologie et histoire de la Syrie, Bd. 2, 1989, 31–44.

ZUR RÖM. ZEIT: C. BALTY, W. VAN RENGEN, Apamea in S., 1993 • G. W. BOWERSOCK, S. under Vespasian, in: JRS 63, 1973, 133–140 • P. W. HAIDER u. a. (Hrsg.), Religionsgesch. Syriens, 1996 • M. KONRAD, Der spätröm. Limes in Syrien, 2001 • F. MILLAR, The Roman Near East 31 BC-AD 337, 1993 • J.-P. REY-COQUAIS, Syrie Romaine de Pompée à Dioclétien, in: JRS 68, 1978, 44–73 • M. SARTRE, S. and Arabia, in: CAH 11, 2000, 635–663 • G. TATE, S. in the Byzantine Period, in: The Oxford Encyclopedia of Arch. in the Near East, Bd. 5, 1997, 139–141. E. M. R.

KARTEN-LIT.: T. BECHERT, Orbis Provinciarum, 1999 • K. BUSCHMANN u. a., Östlicher Mittelmeerraum und Mesopotamien. Von Antoninus Pius bis zum E. des Parthischen Reiches (138–224 n. Chr.), TAVO B V 9, 1992 • E. KETTENHOFEN, Die röm.-persischen Kriege des 3. Jh. n. Chr. nach der Inschr. Šāhpuhrs I. an der Ka'be-ye Zartošt (ŠKZ), TAVO Beih. B 55, 1982 • Ders., Östlicher Mittelmeerraum und Mesopotamien. Die Neuordnung des Orients in diokletianisch-konstantinischer Zeit (284–337 n. Chr.), TAVO B VI 1, 1984 • Ders., Östlicher Mittelmeerraum und Mesopotamien. Die Zeit der Reichskrise (235–284 n. Chr.), TAVO B V 12, 1983 • Ders., Vorderer Orient, Römer und Sāsāniden in der Zeit der Reichskrise (224–284 n. Chr.), TAVO B V 11, 1982 • I. PILL-RADEMACHER u. a., Vorderer Orient, Römer und Parther (14–138 n. Chr.), TAVO B V 8, 1988 • J. WAGNER, Östlicher Mittelmeerraum und Mesopotamien. Die Neuordnung des Orients von Pompeius bis Augustus, TAVO B V 7, 1983.

Syries (Συρίης). Wie Onesimos Steinschneider der »Inselstein-Glyptik« (2. H. des 6. Jh. v. Chr.), beide wohl auf Euboia tätig. Die Inschr. ΣΥΡΙΕΣ auf dem grünen Steatit-Pseudoskarabäus mit einer als plastische Silensmaske gearbeiteten Rückseite und dem Bild eines das *bēma* (→ Rednerbühne) besteigenden Kitharöden (London, BM) gilt als die älteste Meistersignatur eines Gemmenschneiders.
→ Steinschneidekunst

ZAZOFF, AG, 83 f., Anm. 48 f., Taf. 19. S. MI.

Syrinx

[1] (Σύριγξ). Arkadische Nymphe. Sie wird auf der Flucht vor → Pan, der sie vergewaltigen will, beim Fluß Ladon in Schilfröhricht verwandelt, aus dem sich Pan eine (nach ihm benannte) Flöte (S. [2]) baut. Von nun an gilt die Hirtenflöte als Instrument, das die Liebessehnsucht ausdrückt (Ov. met. 1,690–712). Zahlreiche Anspielungen zeigen, daß die Erzählung nicht nur in der lat., sondern auch der griech. Dichtung spätestens seit dem Hell. bekannt war (Longos 2,34 f.; Ach. Tat. 8,6; Verg. ecl. 2,31; Hyg. fab. 274,18). Daneben gibt es weitere Erzählungen über die Erfindung der Hirtenflöte durch → Daphnis [1], → Hermes und → Apollon.

S. EITREM, s. v. S. (1), RE 4 A, 1777 f.

[2] (σῦριγξ, lat. *fistula*). Hirtenflöte. Blasinstrument, bestehend aus aneinander gebundenen oder geklebten, meist gedackten Pfeifen aus Schilfrohr oder anderem Material (Verg. ecl. 2,31; Ov. met. 1,690–712).
→ Musikinstrumente V. B. 2. (mit Abb.)

G. HAAS, Die S. in der griech. Bildkunst, 1985 • H. ABERT, s. v. S. (4), RE 4 A, 1779 • M. L. WEST, Ancient Greek Music, 1992, 109 f. K. WA.

Syrisch. Aram. Dialekt aus dem geogr. Umfeld von Edessa [2], h. Urfa, aus dem sich die spätere syrische Lit.-Sprache entwickelte. S. zählt lexikalisch zum Zentralaramäischen wie das Aram. der babylonischen Targumim (Targum Onqelos und Jonathan), zeigt aber in Phonetik, Morphologie und Syntax bereits nordostaram. Züge. Die frühen syr. Inschr. (6 n. Chr. – 3. Jh. n. Chr.), verfaßt in der → Estrangelā-Schrift, weisen einen noch stark standardisierten zentral-aram. Charakter auf. Zu ihnen zählen kurze Stein- und Mosaik-Inschr. und Graffiti aus der Türkei und Nordsyrien, ein Kaufvertrag auf Pergament aus Dura-Europos (243 n. Chr.) sowie ein Archiv von syr. Rechtsdokumenten und griech. Papyri mit syr. Beischriften vom Mittleren Euphrat (240–242 n. Chr.). Vom klass. S. weichen syr. Beschwörungen auf Tonschalen aus Mesopotamien dialektal ab.

Das klass. S. (ab 2./3. Jh. n. Chr.) hatte v. a. wegen seiner Bed. als Sprache der christl. Ostkirche eine weite Verbreitung, wobei neben Übersetzungen auch eine umfangreiche eigenständige Lit. in Poesie und Prosa entstand. Übers. griech. und mittelpersischer Werke gelangten fast nur über das S. in das Arabische. Die erste → Bibelübersetzung des hebr. AT, die Peschiṭṭa, erfolgte bereits im 1./2. Jh. n. Chr., Tatianos' → »Diatessaron« der Evangelien im 2. Jh. n. Chr. Größere syr. Hss.-Funde stammen u. a. aus dem Skete- (Dair as-Suryān) und dem St. Katharinen-Kloster. Christologische Differenzen (Konzile: 431 Ephesos; 451 Kalchedon) und die polit. Zweiteilung des Ostens zwischen Rom und den → Sāsāniden führten zu einer Dialektspaltung in das Nestorianisch-Ostsyrische mit Zentrum → Nisibis (nestorianische Schrift) und Jakobitisch-Westsyrische mit Zentrum → Edessa [2] (Serto-Schrift). Die islamischen Eroberungen des 7. Jh. brachten allmählich das E. des S. als Hochsprache; als Lit.- und Gelehrtensprache lebte es aber noch lange weiter. In stark abgewandelter Form wird S. noch heute im Ṭūr ʿAbdīn (Osttürkei), am Urmia-See (Iran), im Gebiet von Mossul (Irak) und in Nordsyrien gesprochen.
→ Aramäisch; Bibel; Schrift (mit Karte); Syrien

1 A. BAUMSTARK, Gesch. der syrischen Lit., 1922
2 S. P. BROCK, Syriac Studies. A Classified Bibliography, 1996 3 H. J. W. DRIJVERS, J. F HEALEY, The Old Syriac Inscriptions of Edessa and Osrhoene, 1999. C. K.

Syrisch-römisches Rechtsbuch. Das ›S.-r. R.‹ ist eine spätant. Rechts-Slg., die in mehreren syrischen, arabischen und armenischen Versionen verschiedenen Umfanges überl. ist. Sie war im Gebiet der oriental. Kirchen verbreitet, enthielt aber weltliches röm. Recht.

Das Interesse am »Reichsrecht« in den östl. Prov. des röm. Reiches zeigt sich überlieferungsgesch. zunächst an den *Sententiae Syriacae*, einer Paraphrase kaiserlicher Gesetze, v.a. aus der Zeit des Diocletianus mit dem Schwerpunkt in den J. 293/4 n.Chr. Die Übers. ins Syrische erfolgte nicht unmittelbar aus dem (nicht erh.) lat. Original, sondern aus einer griech., ebenfalls nicht erh. Fassung. Denselben Weg aus dem Griech. haben die im ›S.-r. R.‹ überlieferten ca. 160 Texte des röm. Rechtes genommen. Sie bieten röm.-rechtliche, v.a. auf Lehren der röm. Juristen des 2. und 3. Jh. n. Chr. zurückgehende Entscheidungen zu Rechtsfällen aus den östl. Prov. und zumal zu der dortigen Urkundenpraxis. Eine sichere Datier. ist nicht möglich, die Entstehung im 5. Jh. n. Chr. aber wahrscheinlich. Der Form nach besteht das ›S.-r. R.‹ teils aus Paraphrasen, teils aus Traktaten zu Einzelthemen. Hierauf stützt sich die Vermutung einer urspr. didaktischen Zielsetzung im oström. Rechtsunterricht, etwa in der berühmten Schule von Berytos [1. 51 mit 11[25]] (→ Rechtsschulen III.). Sie ist freilich ebensowenig gesichert wie die Annahme, wegen der Überl. in ostkirchlichen Slgg. handele es sich um eine Grundlage für die bischöfliche Gerichtsbarkeit (*episcopalis audientia*). Einige Zit. aus Kaisergesetzen (→ *constitutiones*) der Spätant. haben die Abschreiber dazu veranlaßt, das ›S.-r. R.‹ als Slg. von Gesetzen der Kaiser Constantinus [1] I., Theodosius und Leo [4] I. zu bezeichnen. Dies sollte vielleicht die Autorität der Slg. als Quelle geltenden Rechts stärken oder doch plausibler machen.

1 WIEACKER, RRG.

W. SELB, Zur Bed. des s.-r. R., 1964 • Ders., Ant. Rechte im Mittelmeerraum, 1993, 179–181. G.S.

Syrische Dynastie. Dyn. (717 bis 802 n. Chr.) im byz. Reich (→ Byzantion, Byzanz), traditionell als »Isaurische Dyn.« (→ Isaurische Kaiser) bezeichnet. Der Name beruht auf der Herkunft des Begründers Leo [6] III. aus Germanikeia (h. Maraş) in Nordsyrien. Die Bezeichnung als »Isaurische Dyn.« geht auf die ›Chronik‹ des → Theophanes zurück (391,6 DE BOOR), nach der Kaiser Leo III. angeblich aus Isauria stammte; ihre Verwendung wurde durch die Polemik der späteren byz. Gesch.-Schreibung gegen die bilderfeindliche Rel.-Politik der S.D. gefördert. In der Zeit der S.D. stabilisierte sich die außenpolit. Lage des byz. Reichs in Kleinasien nach der Abwehr des arabischen Angriffs auf Konstantinopolis 717/8 und auf der Balkanhalbinsel durch die Siege von → Constantinus [7] V. über die → Bulgaroi. Dagegen ging die Machtstellung in Nord- und Mittelitalien nach dem Verlust von → Ravenna an die → Langobardi 751 und aufgrund der Hinwendung des Papstes zu den → Franci endgültig verloren; die Trennung von östl. und westl. Kirche wurde durch die Unterstellung der illyrischen Kirchenprov. (westl. Balkanhalbinsel und Griechenland) unter den Patriarchen von Konstantinopolis vertieft.

In die Zeit der S.D. gehört auch die Hauptphase des Bilderstreits (Ikonoklasmus) im byz. Reich, d.h. die Debatte um die Berechtigung des christl. Bilderkults (=Bk.). Bilder Christi, der Muttergottes und von Heiligen waren seit dem 4. Jh. n. Chr. bekannt, figürliche Dekorationen von Kirchen aber zunächst selten und nur regional anzutreffen. Seit dem späten 6. Jh. nahm der Kult wundertätiger Ikonen als Reaktion auf die zunehmende Bedrohung des Reichs von außen stark zu. Auf dem 6. ökumenischen Konzil (→ *sýnodos* II.) in Konstantinopolis 681 wurde der Bk. dann offiziell gebilligt, symbolische Darstellungen wie etwa die Darstellung Christi als Lamm dagegen untersagt. Im J. 726 ließ Kaiser Leo III. dann ein wohl 691 am Haupttor des Konstantinopler Kaiserpalasts angebrachtes Christusbild entfernen und durch das alte christl. Reichssymbol des Kreuzes ersetzen. Dieser Akt galt später als Beginn des Bilderstreits, doch entwickelte sich eine theologische Debatte über die Berechtigung des Bk. erst unter Leos Sohn und Nachfolger Constantinus V., in der der Bk. bes. von Iohannes [33] von Damaskos und anderen außerhalb des Reichs im Kalifat lebenden christl. Theologen verteidigt wurde. Auf persönliches Betreiben des Constantinus wurde der Bk. schließlich 754 auf der Synode von Hiereia (bei Konstantinopolis) verboten, die jedoch von den anderen Patriarchaten, bes. von der röm. Kirche, nicht anerkannt wurde.

Die bilderfeindliche Politik der ersten Syr. Kaiser wurde von ihren Gegnern polemisch auf islamischen oder jüdischen Einfluß, dann auch auf einen angeblichen Teufelspakt Constantinus' V. zurückgeführt; diese Legende wurde später auch auf Leo III. übertragen. Nach dem Tod des Constantinus 775 und dem seines Sohnes Leo [7] IV. 780 berief Leos Witwe → Irene 787 ein Konzil nach Nikaia [5] ein, auf dem der Bk. zugelassen und erstmals verbindlich theologisch definiert wurde. Nach dem E. der S.D. kehrte Kaiser Leo [8] V. (813–820) im J. 815 wieder zur bilderfeindlichen Rel.-Politik zurück, stieß aber diesmal, anders als in der ersten Phase des Ikonoklasmus, auf Widerstand von großen Teilen der Kirche und des Mönchtums. Nach dem Tod des Kaisers → Theophilos (829–843) wurde der Bilderstreit durch eine Synode in Konstantinopolis beendet und der Bk. endgültig eingeführt.

Die Auswirkungen des Bilderstreits auf die Innen- und Außenpolitik des byz. Reichs wurden häufig überschätzt, da er von der späteren rel. Propaganda der byz. Autoren als Ursache einer großen Zahl von Ereignissen ausgegeben wurde, die tatsächlich nichts mit ihm zu tun hatten. So besteht weder ein Zusammenhang zw. dem Rücktritt des Patriarchen Germanos [3] I. im J. 730 und dem beginnenden Bilderstreit, noch traten die Usurpatoren → Artabasdos (741–743) und Thomas (821–823) wirklich als Vorkämpfer des Bk. gegen die legitimen Kaiser der S.D. auf. Zu größeren Verfolgungen von Bilderverehrern kam es nur in den J. nach 760; der Kampf des Constantinus V. gegen das Mönchtum ist weitgehend legendär, ebenso sein Vorgehen gegen den Reliquienkult.

G. Ostrogorsky, Stud. zur Gesch. des byz. Bilderstreits, 1929 • P. Schreiner, Der byz. Bilderstreit, in: Settimane di Studio del Centro Italiano di Studi sull'Alto Medioevo 34, 1988, 319–427 • P. A. Hollingsworth, A. Cutler, s. v. Iconoclasm, ODB 2, 975–977 • P. Speck, Ich bin's nicht, Kaiser Konstantin ist es gewesen, 1990 • Ders., Bilder und Bilderstreit, in: M. Brandt, G. Bühl (Hrsg.), Byzanz: die Macht der Bilder (Ausst.-Kat.), 1998, 56–67 • D. Stein, Der Beginn des byz. Bilderstreits, 1980. AL. B.

Syrische Kriege. Als S. K. wird in der mod. Forsch. eine Gruppe von sechs Kriegen bezeichnet, die zw. 274 und 168 v. Chr. von → Ptolemaiern und → Seleukiden um den Besitz des südl. → Syrien (zw. dem Fluß Eleutheros, h. Nahr al-Kabīr, nördl. von Byblos und der Ostgrenze von Äg. bei → Rhaphia; vgl. Karte »Die → hellenistische Staatenwelt im 3. Jh. v. Chr.«; → Koile Syria) geführt wurden. Der häufig ebenfalls »S. K.« genannte Krieg zw. Antiochos [5] III. und Rom (192–188, behandelt bei App. Syr. 11), gehört nicht dazu.

Anlaß für die S. K. bot die Besitzlage nach der Aufteilung des Reichs des Antigonos [1] (301 v. Chr.; → Diadochenkriege): Seleukos [2] I. hatte das ihm zugesprochene südl. Syrien dem befreundeten Ptolemaios [1] I., der es kurz zuvor (302/1) erobert hatte, überlassen, den Anspruch darauf jedoch nicht aufgegeben (Diod. 21,1,5). Das Gebiet war ökonomisch bedeutend (Holz des Libanon, Häfen, Karawanen), v. a. aber für die Ptolemaier wichtig, weil es wie Kyrene und Zypern ein mil. Vorfeld Äg.s bildete und als Ausgangspunkt expansiver Unternehmungen dienen konnte. Die S. K. sind daher meist Teil umfassender mil. Vorhaben der Ptolemaier bzw. der Seleukiden im gesamten östl. Mittelmeerraum [1].

Der 1. S. K. (274–271) bahnte sich als ernste Bedrohung für Ptolemaios [3] II. an, da ein Zangenangriff von Antiochos [2] I. und dessen Schwiegersohn Magas [2] von Kyrene zu erwarten war. Doch mußte Magas wegen eines Aufruhrs nach Kyrene zurückkehren (275?), bevor der noch in Kleinasien tätige Antiochos 274 eingreifen konnte. Der Verlauf ist unbekannt, doch läßt die triumphale Zurschaustellung der ptolem. Macht beim Fest der → Ptolemaia 271/0 auf einen Sieg des Ptolemaios und den Erhalt des *status quo* schließen [2. 36 f.; 3. 265–271].

Der 2. S. K. (260–253?) änderte daran nichts. Er kostete den Angreifer Ptolemaios II., der den Thronwechsel im Seleukidenhaus (seit 261: Antiochos [3] II.) nutzen wollte, Einfluß in der Ägäis und Kleinasien, Antiochos II. gewann dagegen Gebiete in Ionien, Kilikien und Pamphylien. Der Krieg endete spätestens 253, als eine Ehe zw. Berenike [2], Tochter des Ptolemaios, und Antiochos vereinbart wurde (Hochzeit 252), der deshalb Laodike [II 3] verstieß [2. 41–43; 3. 281–287].

Der 3. S. K. (246–241; »Laodike-Krieg«) war eine Folge dieser Ehe und begann unmittelbar nach dem Tod Antiochos' II. (246). Laodike wollte den Thron für ihren Sohn, den späteren Seleukos [3] II., Berenike aber für den ihren. Berenike erbat die Hilfe ihres eben inthronisierten Bruders Ptolemaios [6] III., der schnell Seleukeia [2] am Orontes gewann (bis 219 ptolem.), freudig in Antiocheia [1] empfangen wurde (wo er wohl Berenike, sicher aber deren Sohn ermordet vorfand) und anscheinend ohne Widerstand nach Mesopotamien vorstieß, bis er wegen eines Aufstands in Äg. umkehren mußte. Er nahm den Feldzug nach Asien nicht wieder auf, was Zweifel an seiner Absicht, das Seleukidenreich zu erobern, zuläßt, sondern erweiterte 245–241 die ptolem. Außenbesitzungen vom südlichen Kleinasien bis nach Thrakien erheblich [2. 46–50; 3. 338–352].

Im 4. S. K. (221/219–217) wurde → Koile Syria selbst zum Kriegsschauplatz. Der seit 222 regierende Antiochos [5] III. entschloß sich trotz des drohenden Zerfalls seines Reichs (→ Achaios [5]; → Molon [1]) 221 zum Einmarsch in Koile Syria, provoziert wohl durch die ptolem. Hilfe für Attalos [4] I. von Pergamon [3. 363 f.]. Erst 219 nahm er Seleukeia ein; als der ptolem. Statthalter Theodotos auf seine Seite trat, verhandelte der ptolem. Hof (→ Sosibios [1], → Agathokles [6]; seit 221 regierte Ptolemaios [7] IV.) hinhaltend und nutzte die Zeit zum Aufbau eines Heeres, in das erstmals 20 000 äg. Soldaten eingegliedert wurden und das die seleukidischen Truppen 217 bei → Rhaphia schlug. Ptolemaios IV. verzichtete auf die Vernichtung des Gegners (und auf Seleukeia) und begnügte sich mit der Wiedereingliederung von Koile Syria [2. 111–116; 3. 386–404].

Erst im 5. S. K. (202–198/194) gewann Antiochos III. das strittige Gebiet. Der Krieg steht in Zusammenhang mit dem sog. Geheimabkommen zw. Antiochos und Philippos [7] V. von Makedonien, das nach dem Regierungsantritt des sechsjährigen Ptolemaios [8] V. (204) die Aufteilung der ptolem. Außenbesitzungen vorsah. Nach wechselvollen Kämpfen (→ Ptolemaios [29]; → Skopas [3]) schloß Antiochos 198 die Annexion des Gebiets ab; auch nach der Hochzeit von Kleopatra [II 4], Tochter des Antiochos, mit Ptolemaios V. (Winter 194/3) blieb das Gebiet seleukidisch [1. 121–126; 2. 487–492].

Nach dem Tod der Kleopatra (176), die seit 180 Regentin für Ptolemaios [9] VI. gewesen war, entstand sofort eine seleukidenfeindliche Stimmung, die schließlich zum 6. S. K. (170–168) führte (→ Eulaios [2]; → Lenaios). Der seit 175 regierende Seleukide Antiochos [6] IV. hatte vorsorglich Truppen in Koile Syria zusammengezogen und trat 170 dem nahenden äg. Heer schon jenseits der Grenze entgegen, besiegte es bei Pelusion, besetzte Unter-Äg. und belagerte Alexandreia [1], wobei er sich als Beschützer seines Neffen Ptolemaios [9] VI. gerierte. Wie schon im 5. S. K. erbaten die Ptolemaier Hilfe und Vermittlung in Rom (169), wiederum vorerst ohne Erfolg, da Rom im Krieg gegen Perseus [2] (171–168) stand. Erst danach (168) wies der röm. Gesandte Popillius [I 2] Laenas den Antiochos, der außer Alexandreia ganz Äg. erobert hatte, in einem Vorort der belagerten Hauptstadt (Eleusis) ultimativ aus Äg. und zwang ihn, Zypern, nicht aber Koile Syria zurückzugeben. Diese Entscheidung rettete die Existenz des ptolem. Reiches, jedoch um den Preis zunehmender Abhängigkeit von Rom [2. 130–134; 3. 540–561].

1 H. Heinen, The Syrian-Egyptian Wars and the New Kingdoms of Asia Minor, in: CAH 7.1, ²1984, 412–445
2 Hölbl 3 W. Huss, Äg. in hell. Zeit, 2001. W. ED.

Syriskos (Συρίσκος). Attisch-rf. Vasenmaler, um 480–460 v. Chr. tätig. Seit Bekanntwerden der Maler-Inschr. des S. auf einem Kelchkrater in Malibu (GM 92.AE.6) hat der Hilfsname »Kopenhagener Maler« ausgedient. Denn S. signierte auch als Töpfer auf einem Astragal (Rom, VG 866), den der eng verwandte, jüngere S.-Maler bemalte. Grenzen zw. den beiden sind nicht immer klar zu ziehen, was noch durch die Signaturen des → Pistoxenos-Malers und S.' auf demselben Gefäß (Mulgrave Castle) erschwert wird. Von S. als Maler sind vier seltene Spitzamphoren erh. Wichtige Bilder konzentrieren sich ferner auf Stamnoi; unter diesen sticht die Tötung des → Minotauros hervor (Schweiz, Privatbesitz). Berühmt ist auch das Bild vom Mord an → Hipparchos [1] (Würzburg, Martin-von-Wagner-Mus. L 515). Die Werkstatt wurde vom Aigisthos-Maler, vom Maler von Bologna P 228 und vom Boreas-Maler weitergeführt.

Beazley, ARV², 256–259 · Beazley, Paralipomena, 351–353 · Beazley, Addenda², 204 · M. Robertson, The Art of Vase-Painting in Classical Athens, 1992, 135–142 · Mythen und Menschen. Griech. Vasenkunst aus einer dt. Privatslg. (Ausst. Würzburg), 1997, Nr. 30–32. A. L.-H.

Syros (Σῦρος). Buchtenreiche Insel der → Kykladen (86 km², bis 432 m ansteigend; Skyl. 58; Strab. 10,5,3; 8; Mela 2,111; Plin. nat. 4,67; Ptol. 3,15,30), h. ebenfalls S. Die Insel war schon im 3. Jt. v. Chr. besiedelt (frühkykladische Nekropole an der NO-Küste beim h. Chalandriani, Siedlung mit Befestigungsmauer am Hügel Kastri). Um 1000 v. Chr. wurde sie von Iones aus Attika kolonisiert (schol. Dion. Per. 525). Hom. Od. 15,412 kennt zwei Städte auf S., von denen wohl die ältere im SW an der Phoinikasbucht, die jüngere an der Ostküste beim h. Hermupolis anzunehmen ist. Im 6. Jh. v. Chr. war S. wohl nur kurze Zeit von → Samos [3] abhängig; Mitglied im Attisch-Delischen und im Attischen Seebund. An der Westküste (beim h. Paku) lag ein Heiligtum der → Kabeiroi, am Kap Grammata im NW fanden sich mehr als 100 Felsinschr. röm. und byz. Zeit. S. war Heimat des Pherekydes [1]. Inschr.: IG XII 5, 652–713; Suppl. 238–244; Mz.: HN 491 f.

Philippson/Kirsten 4, 81–87 · H. Kaletsch, s. v. S., in: Lauffer, Griechenland, 646 f. A. KÜ.

Syrtis (Σύρτις, »Syrte«). Ant. Bezeichnung für zwei Buchten an der nordafrikanischen Küste: die Große S. (h. Golf von Bengazi) und die Kleine S. (h. Golf von Gabès). Das Wort, das wohl – entgegen der Meinung ant. Philologen – nicht griech., sondern phöniz. Urspr. ist, taucht zum ersten Mal bei Herodotos (z. B. 2,32,2) auf. Ps.-Skylax (109 f.; GGM 1,84–89) und Strabon (2,5,20; 25; 33; 3,4,3; 17,3,1; 17,3,17–20) beschreiben die S. unter geogr. Gesichtspunkten. Beide Buchten waren bei den ant. Seefahrern wegen ihrer unberechenbaren Strömungen, die teilweise Gezeitencharakter hatten, und wegen ihrer wandernden Sandbänke gefürchtet (Hor. carm. 1,22,5; 2,6,3 f.; Lucan. 1,498–504; 9,303–309). Zur Syrtis insula vgl. → Cercina.
→ Schiffahrt

M. Reddé, Prospection des vallées du nord de la Libye (1979–1980), 1988 · H. Treidler, s. v. S., RE 4 A, 1796–1829. W. HU.

Syssition s. Gastmahl

Sythas (Σύθας). Grenzfluß zw. → Sikyon und → Pellene in Achaia, wohl der h. Trikaliotiko ([1. 25²]; Paus. 2,7,8; 12,2; 7,27,12; Ptol. 3,16,4 (Σ. oder Σῦς).

1 A. Griffin, Sikyon, 1982. Y. L.

T

T (sprachwissenschaftlich). Der Buchstabe bezeichnet im Griech. und Lat. einen stimmlosen dentalen Verschlußlaut. Die Assibilierung zu *ts* vor *i̯* ist im Lat. inschr. erst seit dem 2. oder 3. Jh. n. Chr. belegbar (CIL VIII 12396: *Laurentzio*; CIL VII 21540: *Crescensa*; mit »umgekehrter« Schreibung CIL VI 34637: *nacione* [1. 154]). In Erbwörtern ist *t* vielfach auf uridg. *t* zurückführbar (griech. τατός, lat. *in-tentus* < **tn̥-tó-* »gespannt« [1. 153; 2. 291; 3. 82]). Daneben kommen im Griech. **t*^{h} < uridg. **d*^{h} vor folgender Aspirata (τίθημι < **t*^{h}*i-t*^{h}*ē-* < **d*^{h}*i-d*^{h}*eə̯₁-* zu altind. *dadhāmi* < **d*^{h}*a-d*^{h}*ā-* [3. 97]), mit Ausnahme des Myk. *k*^{w} vor *e* (im Äol. jedoch *k*^{w} > *p*) bzw. *i* (πέντε < **penk*^{w}*e*, τίς < **k*^{w}*is* [2. 293]), im Att. und Böot. anlautendes urgriech. *ki̯ k*^{h}*i̯* (wofür sonst *s*: att. τημερον < **ki̯-āmeron*, → S, sprachwiss.) als weitere Quellen in Betracht. Im Att., Böot. und Kret. geht die Geminata auf inlautendes *ki̯ k*^{h}*i̯ tu̯* (dafür sonst *ss*: att. ἐλάττων, ion. dor. ἐλάσσων »schneller« < urgriech. **elak*^{h}*i̯ōn* zu ἐλαχύς »schnell«; att. τέτταρες, homer. τέσσαρες < **k*^{w}*etu̯r̥-es*), im Böot. und Kret. auch auf *ti̯* und *ts* zurück (kret. ὄττος, att. ὅσος < **i̯oti̯o-* »wie groß«, jedoch auch att. μέλιττα, ion. μέλισσα »Biene« < **melit-i̯a* [2. 319–321; 3. 90–93]). Im Lat. entsteht *t* vor *r* aus *d* (*uter, utris* »Schlauch« < **udr-* zu uridg. **u̯ed-r̥* »Wasser« [1. 198]), die Geminata *tt* durch die »*littera*-Regel« (→ P, sprachwiss.), vgl. *littera* < *lītera*, altlat. *leitera* [1. 183] sowie in Kompositionsfuge (*attineo* < **ad-t-*).

Ererbtes *t* ist im Ion.-Att., Arkad.-Kypr. und Myk. vor *i* zu σ assibiliert (ion. att. ἔχουσι »haben«, myk. *e-ko-si*, dor. ἔχοντι), ebenso vor *i̯* im Anlaut durchgehend, im Inlaut in allen Dial. außer dem Böot. und Kret. (s.o.) [3. 89 f.]. Wandel von altem *t* zeigen griech. σείω »erschüttere« < **tu̯ei̯s-* [2. 319; 3. 93]; ἄπαστος »nüchtern« < **-pat-to-* zu πατέομαι »verzehre«; → S (sprachwiss.). Auch im Lat. ist *t* z. T. verwandelt oder geschwunden: *pōc(u)lum* < **pō-tlo-* [1. 153]; *annus* < **at-no-* [1. 200], *concussī concussus* < **-kut-s-*, **-kut-to-* [1. 197, 202] zu *concutio* »erschüttere«; *cēna* »Mahlzeit« < **kertsnā-* »Portion« [1. 209]. In Lw. aus dem Griech. wird *t* durch lat. *t* wiedergegeben (*techina* »listiger Streich« zu griech. τέχνη).

→ Aussprache; P (sprachwiss.); S (sprachwiss.); Theta (sprachwiss.)

1 Leumann 2 Schwyzer, Gramm. 3 Rix, HGG. GE.ME.

T. Als Namensabkürzung steht T. für den röm. Vornamen → Titus. W.ED.

Tabai (Τάβαι). Stadt in SO-Karia, im Süden der Ebene von T. (Ταβηνὸν πεδίον, vgl. Strab. 12,8,13) auf felsiger Anhöhe beim h. Kale. Seit Anf. des 3. Jh. v. Chr. hatte T. eine Polisverfassung (vor 269/8: [1. 321 Nr. 1]). T. unterwarf sich 189 v. Chr. Manlius [I 24] Vulso (Liv. 38,13,11–13) und war nach 167 »Freund und Bundesgenosse« Roms (IG XIV 695–696b). T. wurde 81 v. Chr. zum Dank für seine Treue im 1. → Mithradatischen Krieg die Autonomie durch Rom bestätigt, das Territorium erweitert sowie das Recht zum Festungsbau zwecks Überwachung des karischen Berglands eingeräumt [2. 97–102 Nr. 5; 3. 100–104 Nr. 17]. In der Spätant. gehörte T. zur Prov. Karia (Hierokles, Synekdemos 689,1) und war Bischofsitz (vgl. Not. episc. 1,327).

1 L. Robert, Ét. Anatoliennes, 1937, 320–328 2 J. und L. Robert, La Carie II: Le plateau de T. et ses environs, 1954, 80–152, 180 f. 3 R. K. Sherk, Roman Documents from the Greek East, 1969.

W. Ruge, s. v. T. (2), RE 4 A, 1839 f. • Magie 2, 954 f., 1003, 1112. H.KA.

Tabal. Bezeichnung einer Region und eines Fürstentums im SO Zentralanatoliens. Zur polit. Rolle in späthethitischer Zeit s. → Kleinasien III.C.1.

S. Aro, T. Zur Gesch. und materiellen Kultur des zentralanatolischen Hochplateaus von 1200–600 v. Chr., 1998. E.C.-K.

Tabari, Abū Ǧaʿfar Muḥammad ibn Ǧarīr aṭ-Ṭabarī (839–923 n. Chr.). Bedeutender pers.-arab. Historiker, Jurist und Korankommentator. Seine ›Universal-Gesch.‹ (*Taʾrīḫ*) beginnt mit dem Schöpfungsbericht; es folgt eine Gesch. Israels, des alten Persien und des vorislamischen Arabien. Nach dem Ber. über das Leben Muḥammads (→ Mohammed) ist T.s Chronik annalistisch aufgebaut und enthält eine detaillierte Darstellung der islamischen Eroberungszüge und der Zeit der → Omajjaden und → Abbasiden bis 915. Die Bed. der Gesch. T.s beruht auf der Kompilation und teilweise wortgetreuen Wiedergabe nicht erh. Werke, bes. des sāsānidischen Königsbuches *Ḫvadāy-nāmag* und der Trad. altarabischer und frühislamischer Überlieferung.

C. E. Bosworth, s. v. al-Ṭabarī, EI², CD-Rom 1999 • M. J. de Goeje (ed.), Annales quos scripsit Abu Djafar Mohammed ibn Djarir at-Tabari, 15 Bde., 1879–1901 • I. Yarsatir (ed.), The History of al-Ṭabarī. An Annotated Translation, Bd. 1 ff., 1985 ff. (38 Bde. geplant; darunter bes. F. Rosenthal, General Introduction, Bd. 1). I.T.-N.

Tabella duplex s. Schreibtafel

Tabellaria. Straßenstation in Etruria (Tab. Peut. 5,1) an der Via Aurelia zw. Centumcellae und Graviscae nahe der Mündung des Minio.

C. Corsi, Le strutture di servizio del cursus publicus in Italia, 2000, 143. G.U./Ü: H.D.

Tabellarius. Ein *t.* beförderte im röm. Reich Briefe bzw. schriftliche Mitt. aller Art (*tabellae*) im Auftrag privater und staatlicher Einrichtungen bzw. Personen. Bes. aus → Ciceros Korrespondenz sind *tabellarii* der vermögenden Haushalte sowie der für den Staat tätigen

Steuer- und Abgabenpächter (→ *publicani*), bekannt [1. 21–27]. Sie stammten in der Regel aus dem Sklavenstand oder waren → Freigelassene. In der Kaiserzeit waren die meisten kaiserlichen Boten, die *tabellarii Augusti*, Freigelassene, die sich aus dem Haushalt des Herrschers (*familia Caesaris*) rekrutierten und aufgrund ihrer großen Zahl straff organisiert waren, d. h., wie für große *familiae* von Sklaven üblich, nach mil. Vorbild z. B. unter *praepositi* (»Aufsehern«) und *optiones* (»Gehilfen«; CIL VI 410, 746). Sie gehörten jeweils einzelnen Bereichen der kaiserl. Verwaltung an [1. 275–278]. Auch als selbständiger *t.* konnte man seinen Lebensunterhalt verdienen (CIL X 1961; CIL XII 4512). Zur Erfüllung seiner Aufgabe war ein *t.* zumeist zu Fuß unterwegs (→ Nachrichtenwesen). Dies gilt auch für den staatlichen *t.*, falls ihm nicht für die Überbringung einer bes. wichtigen Botschaft die Nutzung des → *cursus publicus* gestattet wurde [1. 295–297].

1 A. Kolb, Transport und Nachrichtentransfer im Röm. Reich, 2000.

O. Hirschfeld, Die kaiserlichen Verwaltungsbeamten bis auf Diokletian, ³1963, 201 f. A. K.

Tabelliones (Tabellionen). Private gewerbsmäßige Urkundenschreiber, die seit der röm. Kaiserzeit mit der schriftlichen Fixierung von lat. Rechtsakten betraut wurden (→ Notar; [1; 2]). Ulpian (Dig. 48,19,9,4) erwähnt die *t.* erstmals um die Wende zum 3. Jh. n. Chr. als feststehende Einrichtung neben den Rechtskundigen (*iuris studiosi*) und den Anwälten (*advocati*). Im *Edictum* [3] *Diocletiani* von 301 werden sie als eigenes Gewerbe aufgeführt (CIL III p. 831, 7,41).

Die Abfassung von → Urkunden durch schreib- und rechtskundige Dritte reicht zurück in die Zeit der röm. Republik, wo man sich bei der Testamentserrichtung der Hilfe von Testamentsschreibern (*testamentarii*) bediente (Cic. de orat. 1,57,254; 2,6,24). Auch bei anderen Privaturkunden wurden schon im frühen Prinzipat häufig Dritte, auch Sklaven, auf Veranlassung als → Schreiber tätig, was diese durch einen Hinweis wie *scripsi rogatu* (»das habe ich auf Wunsch geschrieben«) deutlich machten (z. B. [8. Nr. 78, 82]; CIL IV Suppl. 1, 3340, Nr. 7, 17, 22, 23, 24, 25, 27, 30, 34, 35, 40, 46).

Das gewerbsmäßige Tabellionat hat sich wohl aus dem kaiserlichen Verwaltungsapparat heraus entwickelt [4, Bd. 2. 79], dessen beamtete Schreiber neben ihrer Dienststätigkeit gegen Entgelt auch die Gestaltung privater Urkunden sowie die Herstellung von Prozeßschriften und anderer Eingaben übernahmen [3. 1853 f.; 5. 219] (→ *scriba*). Ihre Geschäftslokale (*stationes*) befanden sich auf dem Forum oder anderen öffentlichen Plätzen ([9. Nr. 6, Z. 29 f., 18–19 B, Z. 59 f.] = P. Marini 75, 92). Förderlich für die Ausbildung des Berufsstandes der *t.* war die zunehmende Bed. der → Schriftlichkeit ab dem 3. Jh. n. Chr., wie etwa die Anerkennung des Siebensiegeltestaments (→ Testament) ohne Rücksicht auf die Vornahme des Manzipationsakts zeigt (Ulp. Dig. 28,1,23) oder die Einführung der Einrede der Nichtauszahlung des Darlehens (*exceptio non numeratae pecuniae*), die aufgrund ihrer zeitlichen Beschränkung zur unwiderleglichen Beweiswirkung der Darlehensurkunde nach Fristablauf führte (Cod. 4,30,8: 228).

Unter Iustinianus [1] (6. Jh. n. Chr.) wurde die Tätigkeit der *t.* von einer Konzession abhängig (Nov. 44,1,4: 536); sie standen unter staatlicher Aufsicht und waren – wie eine Urkunde aus Ravenna belegt – in einer Zunft (*schola*) mit eigenem Vorsteher organisiert ([9. Nr. 24, Z. 38]: Mitte 7. Jh. = P. Marini 110). Die *t.*-Urkunden waren zwar keine öffentlichen Urkunden (*instrumenta publica*), besaßen aber als öffentlich errichtete Urkunden (*instrumenta publice confecta*, Cod. Iust. 4,29,23,1: 530) im spätant. Prozeß gesteigerte Beweiskraft; die *t.* mußten hierfür die Echtheit ihrer Urkunden vor Gericht bezeugen [6]. Die Beurkundung wird durch Iustinianus im einzelnen geregelt (Cod. Iust. 4,21,17: 528; Nov. 44,2; 47,1: 537; 73,1 ff.: 538); insbes. bedarf es der Unterschrift (→ *subscriptio*) der Parteien, der Vollziehung (*completio*) durch den *tabellio* mittels eines Vermerks sowie der abschließenden Genehmigung (*absolutio*) der Parteien. Für Verfügungsgeschäfte wird seit der 2. H. des 5. Jh. die Errichtung einer *t.*-Urkunde vielfach vorausgesetzt [4, Bd. 2. 79; 5. 601[21]].

In nachiustinianischer Zeit verschmelzen die Begriffe von *t.* und *tabularii*, die vorher als Archiv- und Registerbeamte nur bei der Abfassung öffentlicher Urkunden beteiligt waren [3. 1973]. Im griech. Osten bezeichnete man den privaten Urkundenschreiber als συμβολαιογράφος (*symbolaiográphos*) oder νομικός (*nomikós*); das griech. Lehnwort ταβελλίων (*tabellíōn*) taucht erst in Urkunden des 5./6. Jh. auf [7].

1 M. Amelotti, G. Costamagna, Alle origini del notariato italiano, 1995, 5–144 2 M. Amelotti, Notariat und Urkundenwesen zur Zeit des Prinzipats, in: ANRW II 13, 1980, 386–399 3 E. Sachers, s. v. Tabellio, RE 4 A, 1847–1863; 1969–1984 4 Kaser, RPR 1, 234; 2, 74; 78–80 5 M. Kaser, K. Hackl, Das röm. Zivilprozeßrecht, ²1996, 219; 565; 601 6 D. Simon, Unt. zum justinianischen Zivilprozeß, 1969, 296–298 7 F. Preisigke, WB der griech. Pap.-Urkunden, Bd. 3, 1931, 135; 164–167 8 G. Camodeca, Tabulae Pompeianae Sulpiciorum, 2 Bde., 1999 9 J.-O. Tjäder, Die nichtlit. lat. Papyri Italiens aus der Zeit 445–700, Bd. 1, 1955. P. GR.

Taberna

[1] Lat. Begriff für städtische und ländliche Gebäude, die der Lagerhaltung, der handwerklichen Produktion, dem Verkauf, der Bewirtung und als Herberge, aber auch als Wohnraum dienten.

→ Vorratswirtschaft; Werkstatt; Wirtshaus H. SCHN.

[2] T. Frigida. Straßenstation in Etruria an der Via Aemilia Scauri zw. Pisae und Luna am Übergang über den Frigidus (h. Frigido), h. S. Leonardo in Frigido.

L. Banti, Luni, 1937, 71 • G. De Santis Alvisi, Questioni lunensi, in: Centro Studi Lunensi. Quaderni 2, 1977, 3–162, bes. 4. G. U./Ü: H. D.

Tabernaculum (von *trabs*, »Baumstamm«, »Balken«, abgeleitet; Diminutiv von *taberna*, »Hütte«, »Laden«). Bezeichnet im röm. mil. Kontext alle Formen der Unterkunft für Soldaten (Cic. Brut. 37). Behelfsmäßige Unterstände konnten aus verschiedenen Materialien, etwa Schilf und Holz, errichtet werden (Liv. 27,3,2–3; Frontin. strat. 4,1,14). Die Zelte bestanden aus Leder (Liv. 23,18,5; Tac. ann. 13,35,3; 14,38,1); im Winter wurden sie mit Stroh gegen Kälte geschützt (Caes. Gall. 8,5,2). Die Anordnung der Zelte war im Feldlager strengen Regeln unterworfen (Pol. 6,27–32; 6,41; vgl. ferner Ios. bell. Iud. 3,76–84). Das Zelt der Soldaten wurde *papilio* genannt und hatte die Form eines Hauses mit Satteldach und dreieckigem Frontgiebel. Eine bildliche Darstellung befindet sich auf der Trajanssäule. Die dauerhafte Stationierung der Truppen seit Augustus bewirkte die Entwicklung fester Bauten, wobei sich Steinbauten erst zur Zeit der Flavier durchsetzten. Mit der Zeit kam es zu einer Differenzierung der Begriffe: Vegetius bezeichnet mit *papilio* die Unterkünfte der Soldaten, mit *t.* diejenigen der Tribunen und mit → *praetorium* die des Feldherrn (Veg. mil. 1,23,2 f.; 3,8,15; vgl. schon Tac. ann. 1,29,5: *t. ducis*).

Die christl. Bed. von *t.* (Gehäuse zur Aufbewahrung der Hostien) ist erst hochmittelalterlich. Y.L.B./Ü: S.EX.

Tabernae

[1] Ortschaft im Gebiet der → Nemetes an der röm. Uferstraße westl. des Rhenus [2] (Itin. Anton. 355; Amm. 16,2,12; Not. dign. occ. 41,16; Tab. Peut. 3,3), h. Rheinzabern. Seit etwa 45 n. Chr. sind hier bis ca. 80 n. Chr. Ziegeleien der obergerman. Legionen nachgewiesen; ein Kastell ist aber nicht gesichert. Nach Abzug der Militärziegeleien wurde hier Bau-, Gebrauchs- und Feinkeramik für den zivilen Bedarf gefertigt. Um die Mitte des 2. Jh. n. Chr. entstand eine Manufaktur für → Terra-Sigillata. Einen wirtschaftspolit. Einschnitt bedeuteten die Aufgabe des Absatzgebietes rechts des Flusses um 260 n. Chr. und die Einfälle der Germanen. Erh. sind zahlreiche Inschr. und Bildwerke. Aus dem nahen Neupotz stammt aus einem verlandeten Flußarm ein Beutefund des 3. Jh. n. Chr.

F. Reutti, Neue arch. Forsch. im röm. Rheinzabern, 1984 · H. Bernhard, Rheinzabern, in: H. Cüppers (Hrsg.), Die Römer in Rheinland-Pfalz, 1990, 533–539 · R. Wiegels, Inschr. des röm. Rheinzabern, in: Mitt. des Histor. Vereins der Pfalz 87 (1989), 1990, 11–89 · E. Künzl, Die Alamannenbeute aus dem Rhein bei Neupotz, 1993.

[2] Station (Auson. Mos. 8) an der Straße von Bingium nach Augusta [6] Treverorum zw. Dumnissus (h. Kirchberg bei Simmern) und Noviomagus [7], vermutet nahe Morbach-Wederath/Hinzerath.

B. K. Weis (ed.), Ausonius, Mosella, ²1994, 76 zu V. 8 und Kartenskizze (Einband). RA.WI.

Tabernaria s. Togata

Tablettes Albertini. Archiv von 53 (erh.: 45) mit Tinte beschriebenen Holztäfelchen aus dem südlichen Numidien (zw. Capsa und Theveste), benannt nach ihrem Herausgeber, E. Albertini: zum Großteil Rechtsdokumente aus der Vandalenzeit (484–496 n. Chr.), vorwiegend Grundstücksverkäufe, die wichtige Aufschlüsse über Rechtskultur, Sprache und v. a. auch Schrift der Zeit bieten.

E. Albertini, Documents d'époque vandale découverts en Algérie, in: CRAI 1928, 301–303 · Ders., Actes de vente du Vᵉ siècle trouvés dans la région de Tébessa (Algérie), in: Journal des Savants 1930, 23–30 · Ch. Courtois et al. (Hrsg.), T. A. Actes privés de l'époque vandale (fin du Vᵉ siècle), 1952 · V. Väänänen, Étude sur le texte et la langue des T. A., 1965. H.GA.

Tabnit s. Tennes

Tabor (Ταβώρ). Konisch zulaufender Berg mit ausladendem Gipfelplateau (ca. 1200 × 400 m) in der Jesreel-Ebene in Israel. Nach Jos 19,22 grenzten an den T. die Stammesgebiete von Sebulon, Assachar und Naftali. In den biblischen Schriften werden keine Hinweise auf eine kultische Funktion des Bergs gegeben. Es besteht auch kein Zusammenhang zum Kult des rhodischen Gottes Zeus Atabyrios ([1]; → Rhodos). Eisenzeitliche Besiedlung konnte nachgewiesen werden [2], die später von röm. und byz. Siedlungen überlagert wurde. In frühchristl. Zeit wurde die »Verklärung Jesu« mit dem Berg T. in Verbindung gebracht, obwohl die synoptischen Evangelien Mt, Mk und Lk keinen Anhaltspunkt dafür geben. Nach Pilgerberichten standen in byz. Zeit Kirchen auf dem Gipfel in Analogie zu den drei Hütten der Verklärungsszene (Mk 17,4).

1 Z. Gal, Lower Galilee During The Iron Age, 1992
2 J. Lewy, T., Tibar und Atabyros, in: Hebrew Union College Annual 23, 1950/1, 357–386. K.SA.

Tabu (Sprachtabu; Begriff aus dem Polynesischen). Im Lat. und Griech. gibt es keinen t.t.; das Phänomen läßt sich in ant. Texten zwar beobachten, aber es wird nicht eigens thematisiert. Je nach rel., sozialen und gesellschaftlichen Gegebenheiten wird das Aussprechen bestimmter Wörter vermieden, bes. aus zwei Gründen: 1) In der magischen bzw. rel. Sphäre wird Heiliges, Mächtiges, Gefährliches nicht direkt benannt (das wäre Frevel, *nefas*) aus Furcht, daß z. B. ein Gott oder ein Geschehen (bes. »Tod«, »Sterben«), beschworen oder daß eine Sache oder ein Vorgang entweiht werden könnte; 2) aus Gründen des Anstands oder der Scham wird Anstößiges gemieden (›was für Augen und Ohren abstoßend ist‹, *quod abhorret ab oculorum auriumque approbatione*, Cic. off. 1,35,128), d. h. Wörter, die Sexualität und Körperausscheidungen betreffen (vgl. auch → Pornographie). Als Ersatz für das vermiedene Wort

kann man umschreiben, andeuten, ein günstigeres oder abmilderndes Wort verwenden (zu Bsp. s. → Euphemismus).
→ Amplificatio; Euphemismus; Synonymum

J. URÍA VARELA, Tabú y Eufemismo en Latín, 1997.
B.-J. SCH.

Tabula. Allg. lat. Bezeichnung für »Brett« (Plin. nat. 31,128; 33,76; 36,114; Ov. met. 11,428), dann für »Spielbrett« (*t. lusoria*, → Spiel, → Brettspiele, → Würfelspiele), »bemalte Tafel« (*t. picta*, Plin. nat. 35,20–28), »Votivtafel« (*t. votiva*, Hor. carm. 1,5,13; Pers. 6,33). In speziellem Sinn bezeichnet *t.* die zum Schreiben und Rechnen benötigte Schreibtafel aus geweißtem bzw. mit Wachs beschichtetem Holz oder die Metalltafel (→ Schreibmaterial, → *codex*), wie sie bereits bei den Griechen gebräuchlich waren. *Tabulae* fanden im öffentlichen Bereich Verwendung, z. B. als Gesetzestafeln (→ *tabulae duodecim*), als Auktions- oder Proskriptionstafeln (Mart. 5,69,2; Iuv. 2,28), für Schätzungslisten der *cives sine suffragio* (»Bürger ohne Stimmrecht«, → *tabulae Caeritum*), Amtsbücher der → *censores* (*tabulae censoriae*), → Militärdiplome (*tabulae honestae missionis*), Landkarten (Cic. Att. 6,2,3). Neben diesen → *tabulae publicae* gab es → *tabulae privatae*, z. B. für Hochzeitsurkunden, Eheverträge (→ *tabulae nuptiales*), Erkennungszeichen von Gastfreunden (*tabulae hospitii*, *patronatus*) oder auch → Testamente (*tabulae testamenti*). Mit dem Aufkommen von → Papyrus und → Pergament wurde die *t.* als Beschreibstoff ersetzt.
→ Tabularium

H. BLANCK, Das Buch in der Ant., 1992, 46–51. R. H.

Tabula Banasitana. Br.-Inschr. aus → Banasa (Mauretania Tingitana) mit der Abschrift (*exemplum*) von drei Dokumenten und einer Liste von 12 Zeugen, wohl Mitgliedern des kaiserlichen *consilium*. Sie behandelt eine Bürgerrechtsverleihung unter Marcus Aurelius am 6. Juli 177 n. Chr.: Iulianus, ein *princeps* des Stammes der Zegrenser, erhält wegen außerordentlicher Verdienste (*maxima merita*) auf eigenen Antrag für sich und seine Familie das röm. Bürgerrecht, unbeschadet der Stammesrechte (*salvo iure gentis*). Die *T. B.* ist ein wichtiges Zeugnis für die Bedingungen der Bürgerrechtsverleihung am E. des 2. Jh. und den Geschäftsgang in der kaiserlichen Kanzlei.

ED. UND ÜBERS.: AE 1971, 534 • H. FREIS, Histor. Inschr. zur röm. Kaiserzeit, [2]1994, Nr. 107 (mit Lit.). H. GA.

Tabula Bantina. Fragmente einer beidseitig beschriebenen Br.-Tafel aus → Bantia (bei h. Venosa) in Lucania. Die zuerst beschriebene Vs. enthält die → *sanctio* eines röm. Gesetzes. Da in ihr die gegenwärtigen und zukünftigen Magistrate eidlich verpflichtet werden, nichts gegen das Gesetz zu unternehmen, wird es häufig als Teil einer *Lex Appuleia* (*agraria* oder *maiestatis*; → Ap(p)uleius [I 11]) von 103 oder 100 v. Chr. gesehen; jedenfalls stammt es vom E. des 2. Jh. v. Chr. Auf der später verwendeten Rs. sind in oskischer Sprache, aber in lat. Schrift, mehrere Paragraphen des Stadtgesetzes (→ Stadtrechte) von Bantia (oder eines Entwurfes dafür) verzeichnet, die Rechtsprechung, *census* und Ämterlaufbahn behandeln. Die Bestimmungen sind einerseits durch starke Archaismen, etwa im Prozeßrecht, geprägt und verraten andererseits einen starken Einfluß der großen latinischen Kolonie Venusia in der Nachbarschaft. Die Datier. des Gesetzes ist stark umstritten und hängt von seiner Stellung vor oder nach dem → Bundesgenossenkrieg [3] ab: Sieht man in der *T. B.* die fast völlig romanisierte Verfassung einer lukanischen Gemeinde, so ist sie kurz vor 90 v. Chr. zu datieren, hält man die *T. B.* eher für das Stadtrecht eines neuen röm. Bürgermunicipiums in osk. Sprache, ist sie kurz nach 90 v. Chr. zu setzen, wobei mehr für das letztere zu sprechen scheint.

M. H. CRAWFORD (ed.), Roman Statutes, 1996, Nr. 7 und 13 (mit ausführlichem Komm. und engl. Übers.) • H. GALSTERER, Die lex Osca tabulae Bantinae – eine Bestandsaufnahme, in: Chiron 1, 1971, 191–214. H. GA.

Tabula Hebana. Die fünf zusammengehörenden Br.-Frg. der *T. H.* (aus Heba in Etrurien) sind – ebenso wie die 1980 in Siarum (Prov. Sevilla) gefundene *Tabula Siarensis* sowie weitere Frg. aus Todi und Rom – einem Dossier zuzuordnen, das ein → *senatus consultum* und ein darauf beruhendes Gesetz der Consuln von 20 n. Chr. (*Lex Valeria Aurelia*) mit Ehrenbeschlüssen für den 19 n. Chr. verstorbenen Germanicus [2] enthielt. Das Dossier gibt Einblick in das Funktionieren der kaiserzeitlichen → *comitia centuriata* und in die Mobilisierung der öffentlichen Loyalität für das Kaiserhaus in kritischen Momenten. Es sollte reichsweit von allen Gemeinden publ. werden, was nach Ausweis der verschiedenen Fundstätten auch erfolgte. Ähnliches gilt für nahezu identische Ehrenbeschlüsse für Drusus [II 1] 23 n. Chr. (in der aus → Ilici, h. Elche, Prov. Alicante) stammenden *Tabula Ilicitana* und Frg. aus Rom) sowie für das inzwischen in sechs Expl. bekannte → *senatus consultum de Cn. Pisone patre*.

M. H. CRAWFORD (ed.), Roman Statutes, 1996, Nr. 37–38 (mit engl. Übers.) • W. D. LEBEK, Intenzione e composizione della 'Rogatio Valeria Aurelia', in: ZPE 98, 1993, 77–95 • A. FRASCHETTI (Hrsg.), La commemorazione di Germanico nella documentazione epigrafica, 1999.
H. GA.

Tabula Heracleensis (Herakleiensis). In zwei Teile gebrochene Br.-Taf. (1,84 × 0,38 m), gefunden auf dem Gebiet des ant. Herakleia [10] in Lucania. Beide Teile tragen auf der Vs. Regelungen aus dem späten 4. Jh. v. Chr. über die Verwaltung der Ländereien eines Dionysos- und eines Athenetempels durch die Behörden. Auf der Rs. einer dieser Taf. ist das E. eines lat. Textes aus dem 1. Jh. v. Chr. erh. Da die dort zu erwartende → *sanctio* fehlt, kann es kein Gesetz und somit auch nicht, wie früher vermutet (so etwa [1. 113–120]), eine caesarische *Lex Iulia municipalis* sein. Die erh. Abschnitte behandeln zunächst Einzelheiten des stadtröm. → *census*, dann Reparatur und Reinigung der Straßen in Rom (Z. 1–82), Bestimmungen über die Bekleidung munizipaler Ämter (Z. 83–141), die Durchführung des munizipalen *census* in It. (Z. 142–158) und schließlich die rätselhaften *municipia fundana* (Z. 159–163). Am ehesten trifft immer noch die Vermutung zu, es handle sich um eine lokale Ideen-Slg. für ein zukünftiges Stadtgesetz (so [2]; → Stadtrechte).

1 H. Rudolph, Stadt und Staat im röm. It., 1935
2 F. W. Frederiksen, The Roman Municipal Laws: Errors and Drafts, in: JRS 55, 1965, 183–198.

Ed. und Übers.: IG XIV 645 • F. Sartori u. a., Die Tafeln von Herakleia, in: B. Otto (Hrsg.), Herakleia in Lukanien und das Quellheiligtum der Demeter, 1996, 39–46 (dt. und it. Übers.) • M. H. Crawford (ed.), Roman Statutes, 1996, Nr. 24 (mit engl. Übers. und Komm.) • H. Freis, Histor. Inschr. zur röm. Kaiserzeit, [2]1994, Nr. 41 (dt. Übers.).

H. GA.

Tabula Iliaca. Arch. t.t. für Marmortafeln mit Illustrationen der homerischen Epen (→ Homeros [1]). Die kleinen bis zu 25 cm hohen Tafeln sind beidseitig mit miniaturhaften Flachreliefs und Texten bedeckt. Die meisten der 22 erh. Expl. beziehen sich auf die Ilias, eines auf die Odyssee. Die vollständigste Tafel, die sog. *Tabula Capitolina* (Rom, KM), enthält auch Teile der → *Aithiopís*. Die Tafeln werden in die frühe Kaiserzeit datiert, alle wurden in Rom gefunden. Einige sind von Theodoros als Produzent firmiert. Ein ikonographischer Zusammenhang mit Textillustrationen ist zu vermuten, aber nicht nachweisbar.

A. Sadurska, Les Tables iliaques, 1964 • K. Bulas, s. v. T., EAA 7, 1966, 579–580 • S. M. Burstein, A New T. I., in: The J. P. Getty Museum Journ. 12, 1984, 153–162 • A. Rouveret, Les Tables iliaques et l'art de la mémoire, in: Bull. de la Soc. des antiquaires de France 1988, 166–175.

R. N.

Tabula Lugdunensis. Br.-Taf. aus Lugdunum (h. Lyon) mit einem Teil der Rede des Kaisers → Claudius [III 1] im Senat, mit der er als Censor 47/8 n. Chr. den Wunsch gallischer Adliger unterstützte, in den Senat aufgenommen zu werden. Der Vergleich des Originaltextes (CIL XIII 1668 = ILS 212) mit der Verarbeitung bei Tacitus (ann. 11,23–25) ist aufschlußreich für dessen Arbeitsweise.

H. Freis, Histor. Inschr. zur röm. Kaiserzeit, [2]1994, Nr. 34 (dt. Übers.) • F. Vittinghoff, Zur Rede des Kaisers Claudius über die Aufnahme von ›Galliern‹ in den röm. Senat, in: W. Eck (Hrsg.), Civitas Romana, 1994, 299–321.

H. GA.

Tabula lusoria s. Brettspiele

Tabula Peutingeriana. Ma. Kopie (12./13. Jh.) einer kartenähnlichen Darstellung, benannt nach einem ehemaligen Eigentümer, K. Peutinger in Augsburg (gest. 1547), die auf ant. Vorlagen zurückgeht: Man findet darauf *Pompeiis* (79 n. Chr. zerstört; 6,5) genauso wie *Constantinopolis* (gegr. 328/330; 9,1). Die originale Vorlage dürfte im 4. Jh. unter Zuhilfenahme bis ins 1. Jh. n. Chr. zurückreichender Quellen entstanden sein. Die T. P. ist eine Pergament-Rolle (ca. 680 × 33 cm) in 11 Einzelblättern (Wien, Nationalbibliothek; die T. P. wird nach diesen Segmenten und den jeweils fünf Teilspalten gezählt). Sie enthält geogr. Informationen von → Britannia (das westlichste, 12. Blatt mit → Hibernia und → Hispania fehlte verm. schon der letzten Vorlage) bis nach → India. Festland und Inseln sind gelblich wiedergegeben, das Meer grün. Genannt werden Prov., Landschaften und Völker. Größere Orte werden je nach ihrer administrativen Rolle durch genormte farbige Bildsymbole (Vignetten) angegeben, kleinere nur durch einen Haken im Straßenverlauf. Die Beischriften nennen ca. 4000 ON, darunter ca. 550 Städte. Städte und Straßenstationen sind unter Angabe der Entfernungen voneinander (röm. Meilen, → *leugae* in Gallia, → *parasángai* in Mesopotamia) durch ein Netz roter Straßenlinien miteinander verbunden. Flüsse (grün), Gebirge (grau, rosa, gelb), Wälder und Küstenlinien geben die tatsächlichen geogr. Verhältnisse nur sehr unvollständig wieder.

Wenn man bedenkt, daß in dem vorgegebenen, für eine Pergamentrolle durchaus praktischen Format die Nord-Süd-Ausdehnung der dargestellten ant. Welt auf ca. 33 cm komprimiert werden mußte, die Ost-West-Ausdehnung aber knapp 7 m Raum hat, wird verständlich, warum die T. P. nicht maßstabsgetreu gestaltet werden konnte. Dies wird bes. in der Darstellung der Mittelmeerregion deutlich: Das Meer ist zu einem schmalen Streifen verengt, It. erstreckt sich wie Griechenland von Osten nach Westen statt von Norden nach Süden. Außerdem beeinflußt die Zahl der eingetragenen Informationen (Orte und Straßen) die Ausdehnung einzelner Landstriche in der T. P.

Dem Kaufmann, Offizier oder Verwaltungsbeamten genügte es zu wissen, auf welchen Routen er am besten von einem Ort zum anderen gelangen konnte, welche Entfernungen er dabei überwinden mußte und wo er übernachten konnte. Diese Informationen bietet die T. P. Insofern steht sie den schriftlichen Wegebeschreibungen (→ *períplus*, → Itinerare), die ihre praktischen Routeninformationen in eindimensionaler Reihung bieten, näher als den uns geläufigen maßstabsgetreuen Karten. Zu der Frage, ob es überhaupt ant. maßstäbliche Karten von Großräumen gegeben hat, vgl. die konträren Positionen bei [1] und [2].
→ Kartographie; Kartographie

1 K. Brodersen, Terra Cognita, 1995 2 O. A. W. Dilke, Greek and Roman Maps, 1985.

K. Miller (Hrsg.), Die Peutingersche Tafel, 1887 • E. Weber, T. P., 1976 • W. Kubitschek, s. v. Karten, RE 10, 2022–2149, hier 2126–2143 • K. Miller, Itineraria Romana, 1916.

UL. FE.

Tabula pontificum. Spätestens seit dem 4. Jh. v. Chr. (zu weit zurückgreifend: Cic. de orat. 2,52) bis zur Amtszeit des P. Mucius [I 5] Scaevola (ab 130 v. Chr.) veröffentlichte der → *pontifex maximus* vor der → *regia* auf einer geweißten Holztafel (*album*: Cic. de orat. 2,52; *tabula dealbata*: Serv. auct. Aen. 1,373) Notizen über aktuelle Ereignisse, deren Art und Umfang umstritten sind: neben Teuerungen (durch Mißernten) sowie Sonnen- und Mondfinsternissen (Cato orig. fr. 77 P.; vgl. Cic. rep. 1,25) wohl Prodigien, Vota, Tempelweihungen und anderes von rel. Bed., verm. aber auch Koloniegründungen und wichtige mil. Ereignisse. Die Tafel wurde (trotz [2. XXV]) wohl kaum archiviert [1. 31; 3. 100f.; 5. 174]. Nach verbreiteter Auffassung wurde ihr Inhalt jeweils in eine fortlaufende »Chronik« (→ *annales* bzw. → *commentarii pontificum*?; vgl. Liv. 6,1,2) übertragen ([3. 173–175; 4. 25]; [1. 33] vermutet sogar: auf Br.-Taf.); nach Ciceros Zeugnis (Cic. de orat. 2,52) war der Text der *tabula* eher Abschrift (oder Auszug) dieser »chronistischen« Aufzeichnung (richtig [5. 174]).

1 G. S. Bucher, The *annales maximi* in the Light of Roman Methods in Keeping Records, in: AJAH 12 (1987), 1995, 2–61 2 M. Chassignet, L'annalistique romaine, Bd. 1, 1996, XXIII-XLII 3 Frier, PontMax, bes. 83–105 4 S. P. Oakley, A Commentary on Livy, Books 6–10, Bd. 1, 1997 5 J. Rüpke, Livius, Priesternamen und die *annales maximi*, in: Klio 75, 1993, 155–179. W. K.

Tabula Siarensis s. Tabula Hebana

Tabulae Caeritum. In die *T. C.* trugen die röm. Censoren die Bürger ein, denen sie durch eine → *nota censoria* und/oder Versetzung in eine andere → *tribus* (*tribu movere*) das aktive und passive Wahlrecht entzogen hatten. Die Bezeichnung *T. C.* erklärt sich aus der ursprünglichen Erfassung der wehrdienstfähigen Bürger der etr. Stadt → Caere in dieser Liste. Verm. gab Caere dieser Liste den Namen, weil es um 390 v. Chr. als erste Gemeinde die *civitas sine suffragio* erhalten haben soll: Caere hatte Rom beim Galliereinfall um 390 v. Chr. Hilfe geleistet und zum Dank *hospitium publicum* (Liv. 5,50,3) sowie die *civitas sine suffragio* (röm. Bürgerrecht ohne Stimmrecht; → *suffragium*) erhalten (Gell. 16,13,7; Strab. 5,2,3 spricht von Bürgerrecht, aber verweigerter Isonomie). Datiert man dagegen mit [1. 515–518] und [2. 321 f.] die Vergabe des Bürgerrechts ohne Wahlrecht an Caere als Folge eines Aufstands gegen Rom erst auf ca. 273 v. Chr., so entstand der Name *T. C.*, weil Caere als letzte Gemeinde dieses Typs existierte, während andere schon volles röm. Bürgerrecht erhalten hatten. *Cives sine suffragio* hatten keine polit. Rechte in Rom, kämpften aber im röm. Heer, weshalb die Zahl der männlichen Bürger nach Rom gemeldet werden mußte. Es lag nahe, röm. Bürger, die des Wahlrechts beraubt, aber weiterhin steuer- und militärdienstpflichtig waren, ebenfalls in die *T. C.* aufzunehmen.

1 Brunt 2 T. J. Cornell, The Beginnings of Rome, 1995. H. Galsterer, Herrschaft und Verwaltung im republikanischen It., 1976, 72f. • M. Humbert, Municipium et civitas sine suffragio, 1978, 410–416. H. GA.

Tabulae censoriae s. Tabulae publicae

Tabulae duodecim (›Zwölf Tafeln‹ oder vollständiger *lex duodecim tabularum*, ›Gesetz der Zwölf Tafeln‹), die wichtigste Gesetzgebung der röm. Republik. Sie haben ihren Namen davon, daß man sie angeblich auf 12 eichene (*roboreas*, wie es richtiger statt *eboreas*, »elfenbeinern«, bei Pomp. Dig. 1,2,2,4 heißen müßte) Tafeln aufschrieb. Inschr. sind sie aber nicht überl.; Text und Inhalt müssen aus der ant. Lit. rekonstruiert werden. Aus der Schilderung des Gesetzgebungsvorganges bei ant. Schriftstellern (v. a. Liv. 3,32 ff.) läßt sich ihre Entstehung um 450 v. Chr. vermuten.

I. Anlass und Ablauf der Gesetzgebung

Nach der röm. Überl. waren die *t.d.* ein Kompromiß im Ständekampf zw. Patriziern (→ *patricii*) und Plebeiern (→ *plebs* II.). Die mod. Gesch.-Schreibung ist dem meist gefolgt, soweit sie nicht überhaupt die Geschichtlichkeit der *t.d.* als wirkliche Gesetzgebung geleugnet hat (hiergegen mit Recht [1. 291–295]). Der bekannte Inhalt der *t.d.* spiegelt diesen Anlaß freilich kaum wieder: Prozeßrecht, Privatstrafen, förmliche Rechtsgeschäfte oder Entlassung aus dem Familienverband sind in einer archa. bäuerlichen Ges. regelungsbedürftig, ohne daß die geregelten Konflikte selbst gerade auf einem Gegensatz von Ständen oder gar Klassen beruhen [2. 24]. Die rechtliche Gleichheit der Bürger und Familienväter wurde durch die *t.d.* offenbar nicht geschaffen, sondern ist in ihren Regelungen schon vorausgesetzt. Wie jede → Rechtskodifikation ermöglichten oder verbesserten die *t.d.* die Sicherheit und Erkennbarkeit des Rechts. Bis dahin mag das → Recht eher Gegenstand priesterlichen Geheimwissens gewesen sein. Durch die *t.d.* wurde dieses → *ius* (A. 1.) zum Inhalt des Gesetzes (→ *lex*) und hiermit erst zu »objektivem« Recht. Die Plebeier waren an einer solchen Aufzeichnung des Rechts entschieden mehr interessiert als die Patrizier, aus deren Reihen die → Priester ausschließlich stammten.

Zur Ausarbeitung der *t.d.* wurden 10 Männer (→ *decemviri* [1]) wohl als außerordentliche Magistrate (*publica auctoritate*, mit vom Volk übertragener Amtsgewalt, Pomp. Dig. 1,2,2,4) bestellt. Sie bereiteten das Gesetz verm. nicht nur vor, sondern »gaben« es als → *lex* (B.) *data* auch, setzten es also in Kraft. Unverkennbar stehen die *t.d.* unter dem Einfluß griech. Gesetzgebung, v. a. wohl der Städte Siziliens und Unteritaliens, wo die berühmten Gesetzgeber → Charondas und → Zaleukos wirkten. Nach Liv. 3,31,8 soll auch eine Studiengruppe nach Athen gereist sein, um dort die Gesetze → Solons [1] kennenzulernen. Die Bed. der *t.d.* unterscheidet sich jedoch v.a. dadurch grundlegend von derjenigen griech. Gesetze, daß die Gerichtsbarkeit in Rom nicht wie dort Geschworenen aus dem Volke überlassen wurde, sondern in den Händen der Magistrate blieb. Angeleitet von den Priestern und spätestens seit dem 2. Jh. v. Chr. (→ Aelius [I 11] Petus Catus) von den weltlichen Juristen, veränderten die Praetoren das Recht der *t.d.* durch die → *interpretatio* (I.).

II. Form und Inhalt

Wegen der bloß indirekten Überl. läßt sich die urspr. Form der *t.d.* nur vermuten. Die altertümliche sprachliche Gestalt wurde aber in den einzelnen Zitaten aus späterer Zeit liebevoll bewahrt. Schon die Schulkinder sollen sie auswendig gelernt haben (Cic. leg. 2,23,59). Teilweise sind die Fr. sehr abstrakt und äußerst knapp gefaßt, teilweise aber auch ganz konkret und kasuistisch. So bedarf eine mod. Übers. [2. 114] der (verm. wirklich) ersten drei Sätze, um verständlich zu sein, etwa die sechsfache Zahl an Wörtern. Diese Sätze lauten: *Si in ius vocat, ito. ni it, antestamino. igitur em capito* (etwa: ›Wenn ⟨jemand⟩ vor Gericht lädt, muß ⟨der andere⟩ hingehen. Geht er nicht, muß es bezeugt werden. Sodann soll er ihn ergreifen.‹). Andererseits wird genau geregelt, wann der Kläger dem Beklagten ein Fuhrwerk zu stellen hat, um der Ladung nachzukommen, daß dafür aber keine geschlossene Kutsche erforderlich ist. Noch mehr ins einzelne geht die Regelung (3,3–6) über die Fesselung bei der Schuldhaft bis hin zu dem Gewicht, mit dem Eisenkette oder Beinschelle beschwert werden durften.

Von den *t.d.* betrafen wohl die Taf. 1–3 Prozeß- und Vollstreckungsrecht, 4 und 5 Familien- und Erbrecht, 6 v.a. die Haftung aus »Verträgen« (→ *nexum*, → *mancipatio*), 7 Nachbarrecht, 8 Privatstrafen, 9 Delikte gegen Staat und Gemeinschaftsgüter und 10 Begräbnisrecht. Die Tafeln 11 und 12 scheinen Nachträge zu den vorangegangenen Sachgebieten enthalten zu haben. Schon diese wenigen Beispiele zeigen, daß die *t.d.* keine umfassende Regelung aller Rechtsfragen der Entstehungszeit enthielten. Die oft betonten sozialen Schutzvorkehrungen (vgl. etwa noch [3. 58 f.]) in den *t.d.* dürfen wohl nicht überbewertet werden: Zwar eröffneten die *t.d.* Wege zur Vermeidung des Zugriffs auf die Person des Schuldners bis hin zu dessen Tötung; so sah das Recht der Privatstrafen die Möglichkeit zur Ablösung der Rache durch eine Buße vor (Taf. 8,2). Aufgehoben war die barbarische Strenge des körperlichen Zugriffs aber keineswegs, wie die Befugnis mehrerer Gläubiger zur Zerstückelung des Schuldners (Taf. 3,6) auf makabre Weise zeigt. Fraglich muß im übrigen immer bleiben, ob den *t.d.* gutgeschriebene Neuerungen Ausdruck des Reformwillens seiner Verf. oder bloße Aufzeichnung vorangegangener Entwicklungen waren.

III. Wirkungsgeschichte

Die röm. Juristen haben die *t.d.* auch dann noch als wichtigste Quelle des Rechts röm. Bürger (*ius civile*) angesehen, als seine Regelungen praktisch längst nicht mehr in Gebrauch waren. Dies zeigt sich daran, daß noch → Antistius [II 3] Labeo (gest. ca. 20 n. Chr.) und sogar → Gaius [2] in der 2. H. des 2. Jh. n. Chr. Kommentare zu den *t.d.* verfaßten. Trotz der offensichtlichen Lückenhaftigkeit des Gesetzes wies man ihm den symbolischen Rang einer Quelle allen öffentlichen und privaten Rechts (Liv. 3,34,6) zu. Erst mit dem Codex Theodosianus (438 n. Chr.; → *codex* II. C.) und dem → *Corpus iuris* Iustinianus' (im wesentlichen 529–534) sind dann wirklich umfassende Rechtssammlungen entstanden, auf denen das Nachleben des röm. Rechts in Europa beruht.

→ Rechtskodifikation

1 Wieacker, RRG, 287–309 2 D. Flach, Die Gesetze der frühen röm. Republik, 1994, bes. 109–207
3 Dulckeit/Schwarz/Waldstein, 54–59.

O. Behrends, Der Zwölftafelprozeß. Zur Gesch. des röm. Obligationrechts, 1974 • J. Bleicken, Lex Publica. Gesetz und Recht in der röm. Republik, 1978, 90–97 •
O. F. Robinson, The Sources of Roman Law, 1997 •
A. Watson, The State, Law and Religion: Pagan Rome, 1992 • Wenger, 357–372.
G.S.

Tabulae honestae missionis. Als *t.h.m.* wurden röm. Dokumente bezeichnet, die eine gute Führung von Soldaten während der Dienstzeit bescheinigten und auf Verlangen den → Veteranen bei ihrer Entlassung aus dem Militärdienst ausgestellt wurden; danach konnten sie, wenn sie dazu berechtigt waren, das → Militärdiplom und damit das → Bürgerrecht erhalten. Es wurden nur wenige Expl. gefunden, jedoch über das ganze Imperium Romanum verstreut. Ihr Aufbau entsprach dem der Militärdiplome: 1. Bescheinigung der *honesta* → *missio* [1], 2. der Urheber, 3. Beglaubigung, 4. Datum, 5. die Namen der sieben Zeugen. Y.L.B./Ü: S.EX.

Tabulae Iguvinae. Sieben Br.-Taf., 1444 in → Iguvium (h. Gubbio) gefunden, zw. 87 × 57 und 40 × 28 cm groß, teils ein-, teils zweiseitig beschrieben, die früheren in einem linksläufigen, dem → Etruskischen entlehnten lokalen Alphabet, die späten in röm. Buchstaben, aber immer in umbrischer Sprache. Sie stammen vom Anf. des 2. bis zum Anf. des 1. Jh. v. Chr. und stellen das sakrale Archiv einer Priesterschaft, der *fratres Atiedii*, dar (vgl. die → *Arvales fratres* in Rom), in dem ausführlich die Opfer der Priesterschaft für das Volk von Iguvium und einzelne Familien beschrieben werden. Die Taf. VI und VII wiederholen ausführlicher und in lat. Alphabet die Bestimmungen von Taf. I, sind also wohl die jüngsten Teile. Die Taf. sind die wichtigste Quelle für die Kenntnis umbrischer Sprache (→ Oskisch-Umbrisch) und Religion.

Ed. und Übers.: Vetter, Bd. 1, Nr. 239 •
A. L. Prosdocimi, Le tavole Iguvine, in: Lingue e dialetti dell'Italia antica, 1978, 591–787.
Lit.: J. B. Wilkins, The Iguvine Tables, Umbrian Civilisation and Indo-European Stud., in: Journ. of Roman Archaeology 11, 1998, 425–430.
H.GA.

Tabulae novae s. Schulden, Schuldenerlaß

Tabulae nuptiales (wörtl. »Ehetafeln«). In Urkunden niedergelegte Eheverträge des röm. Rechts seit der Kaiserzeit (vgl. Tac. ann. 6,45,5 zu → Messalina [2] und Silius 48 n. Chr.). Die → Ehe selbst war nach röm. Recht kein (förmlicher) Vertrag, sondern Geschlechtsgemeinschaft mit dem Willen zum ehelichen Leben (*affectio maritalis*). Gegenstand der *t.n.* waren hingegen die mit der Ehe verbundenen Vermögensfragen, v. a. das Versprechen der Mitgift (→ *dos*) an den Mann zur Versorgung der Frau, in der Spätant. wohl auch das Versprechen von Schenkungen des Mannes vor oder wegen der Ehe (*donatio ante/propter nuptias*) an die Frau. Noch in den ersten Jh. n. Chr. ergaben sich die Rechtswirkungen des Dotalrechts (insbes. des Herausgabeanspruches der Frau nach E. der Ehe) regelmäßig entweder unmittelbar aus der Übereignung der *dos* an den Mann (*dotis datio*) oder dem Mitgiftversprechen in der mündlichen Form der → *stipulatio*. In der Spätant. wurden diese Arten der Mitgiftbestellung durch die *t.n.* (auch: *tabulae sponsales*, *instrumenta dotis* o.ä.) verdrängt. Sie hatten dann zugleich Indiz-Bed. für den ernsthaften Ehewillen.
→ Ehe; Eheverträge

1 B. Kübler, s. v. t.n., RE 4 A, 1949–1955 2 Treggiari, 140 Anm. 72, 165 mit Anm. 41, 323–364. G.S.

Tabulae privatae. Privat abgefaßte lat. → Urkunden, im Gegensatz zu den behördlichen Urkunden (→ *tabulae publicae*). Gegenstand der *t.p.* waren private Rechtsakte, insbes. schuldrechtliche Verträge samt Quittungen, Testamente und Heiratsurkunden, daneben auch prozessuale Verträge wie das → *vadimonium*.

Es handelt sich häufig um Doppelurkunden, die den zu beurkundenden Text zweimal enthalten. Die Innenschrift (*scriptura interior*) wurde verschnürt und versiegelt (→ Siegel) und war so vor nachträglicher Verfälschung geschützt, während die Außenschrift (*scriptura exterior*) jederzeit den Zugriff auf den Inhalt der Urkunde bot. Nach dem *SC Neronianum* (61 n. Chr.) mußten die Schnüre durch zwei zusätzliche Löcher am Rand der Täfelchen verlaufen. Die *t.p.* bestanden meist aus Holz, das innen ausgehoben und mit einer »Schellackschicht« überzogen war (»Wachstäfelchen«, *tabulae ceratae*; → *tabula*). In diese Schicht wurde der Text mit dem Schreibstift (*graphium, stilus*) eingeritzt. Ab der Kaiserzeit bedienten sich die Parteien regelmäßig der Hilfe gewerbsmäßiger Urkundenschreiber (→ *tabelliones*).

Die Beweiskraft der *t.p.* wurde dadurch begründet, daß der Schuldner die jeweilige Urkunde eigenhändig ausstellte (*chirographum*) oder daß sie von Zeugen gesiegelt wurde, die damit die Richtigkeit des Inhalts bestätigten (*testatio*). Seit E. des 2. Jh. n. Chr. entwickelten sich die *t.p.* hin zu schuldbegründenden Urkunden mit unwiderleglicher Beweiswirkung.
→ Schreibmaterial; Urkunde; Vertrag

Ed.: G. Camodeca, Tabulae Pompeianae Sulpiciorum, 2 Bde., 1999 • Th. Mommsen, Instrumenta Dacica in tabulis ceratis conscripta aliaque similia, in: CIL III/2, 1873, 921–966 • K. Zangemeister, Tabulae ceratae Pompeis repertae annis MDCCCLXXV et MDCCCLXXXVII, in: CIL IV Suppl. 1, 1898, 274–454 • N. Lewis, The Documents from the Bar Kokhba Period in the Cave of Letters, Greek Papyri, 1989.
Lit.: J. G. Wolf, J. A. Crook, Rechtsurkunden in Vulgärlatein (AHAW, 1989.3), 1989, 10–14 • H. L. W. Nelson, U. Manthe, Gai institutiones III 88–181, 1999, 472–483, 516–525 • P. Gröschler, Die tabellae-Urkunden aus den pompejanischen und herkulanensischen Urkundenfunden, 1989, 18–21. P.GR.

Tabulae publicae. Behördliche Aufzeichnungen und Bekanntmachungen in Rom, die auf Tafeln festgehalten wurden. Die *t.p.* bestanden zumeist aus Holz mit Weißung (→ *album* [2]) oder einer Wachsschicht (*t. cerata*). Später traten als Beschreibstoffe Pap. und Pergament sowie Br. (für im Freien aufgestellte Urkunden) hinzu. Die einzelnen Tafeln konnten zu einem »Buch« (→ *codex*) zusammengebunden werden. Aufgezeichnet wurden u. a. Senatsbeschlüsse (→ *senatus consultum*) und Gesetze (→ *lex*), magistratische Edikte, Wahl- und Gerichtsprotokolle, → *commentarii*, Rechnungsbücher, Censuslisten und Verträge. Die *t.p.* wurden überwiegend in → Archiven aufbewahrt.
→ Aerarium; Tabularium

1 S. Demougin, La mémoire perdue: à la recherche des archives oubliées, publiques et privées, de la Rome antique, 1994 2 Ph. Culham, Archives and Alternatives in Republican Rome, in: CPh 84, 1989, 100–115
3 C. H. Roberts, T. C. Skeats, The Birth of the Codex, 1983 4 E. Posner, Archives in the Ancient World, 1972
5 L. Wenger, Quellen des röm. Rechts, 1953. L.d.L.

Tabularium. Ein Gebäude in → Roma (III., mit Karte 2., Nr. 62), das unter dem Consul Q. Lutatius [4] Catulus nach dem Brand von 83 v. Chr. verm. im J. 78 v. Chr. als Aufbewahrungsort für öffentliche und private Urkunden errichtet bzw. eingeweiht wurde (CIL I² 736; 737). Verwahrt wurden hier urspr. v. a. staatliche Gelder, später zahlreiche Archivalien der Staats- und Stadtverwaltung. Architekt war gemäß einer 1971 gefundenen Grab-Inschr. wohl ein gewisser Lucius Cornelius. Der massige, fast 74 m lange Baukörper, der das → Forum Romanum zusammen mit der Aedes Concordiae und der Aedes Saturni nach Westen zum Capitolium hin eingrenzt, ist seit einer ersten Restaurierung unter Kaiser Claudius [III 1] 46 n. Chr. fortlaufend bis in die Neuzeit umgebaut und erweitert worden. Über die urspr. Struktur und den mehrstöckigen Aufbau, die für die funktionale Bestimmung des T. von großer Bed. sind, herrscht Unsicherheit. Weitgehend urspr. ist das im 19. Jh. sukzessive freigelegte, zum Forum hin orientierte Substruktionsgeschoß mit seinen von Halbsäulen gerahmten Bögen und dem hier erstmals festzustellenden Kreuzgratgewölbe. Der heutige aufgehende Bau ist Resultat eines Renaissance-Umbaus, mit dem Michelangelo Mitte des 16. Jh. die bis dahin als Salzspeicher dienende Architektur zum Palazzo del Senatore umgestaltet hat.

A. Mura Sommella, Contributo allo studio del T., in: Palladio 7, 1994, 45–54 • Richardson, 376f., s. v. T.

C. HÖ.

Tacfarinas. Numider, Deserteur aus den röm. → *auxilia*; Führer des Aufstands gegen Roms Macht in Africa (→ Afrika [3]) von ca. 17 bis 24 n. Chr. T. führte die → Musulamii zu Raubzügen, Kleinkrieg und sogar Belagerungen. Im Westen folgten ihm Mauren unter Mazippa, die mit Iuba [2] II. unzufrieden waren (Tac. ann. 2,52; [1. 89, 104–106, 127]); sogar Römer arrangierten sich mit T. (Tac. ann. 4,13). Voreilig gefeierte Siege der Proconsuln M. Furius [II 2] Camillus und L. Apronius [II 1] (vgl. [II 2]) verkraftete T. rasch. Q. Iunius [II 6] Blaesus warf ihn 22/3 wieder zurück (Tac. ann. 3,72–74), doch 24 bedrohte T., vereint mit Mauren und → Garamantes, die ganze West-H. Nordafrikas. Mit Hilfe von König Ptolemaios [24] stellte P. Cornelius [II 12] Dolabella ihn bei der Schlacht bei Auzia (kaum die bekannte Stadt), in der T. den Tod suchte (Tac. ann. 4,23–26; AE 1961, 107f.; [1. 135]).

1 L. Mazard, Corpus nummorum Numidiae Mauretaniaeque, 1955.

M. Rachet, Rome et les Berbères, 1970, 82–126.

JÖ. F.

Tachos (Ταχώς, bei Manethon Τεώς/*Teṓs*; äg. *Ḏd.ḥr*). Zweiter König der äg. 30. Dyn., ca. 362–360 v. Chr. (die Berechnungen differieren um bis zu 2 J.), Sohn seines Vorgängers → Nektanebos [1] I., dessen Koregent er für die letzten 3 J. (ab ca. 365) war. T. versuchte, den Zerfall der pers. Macht im westl. Asien auszunutzen, und unternahm ca. 360 einen Feldzug nach Syrien, mit zahlreichen griech. Söldnern unter dem Spartanerkönig → Agesilaos [2] und einer Flotte unter dem Athener → Chabrias. Der in Äg. als Statthalter amtierende Bruder des T. namens Tjahapimu empörte sich während des Feldzugs gegen T., wohl unterstützt durch die Tempel, die zur Finanzierung des Feldzuges stark belastet worden waren (erste → Münzprägung in Äg. unter T. zur Bezahlung der Söldner). Tjahapimu erhob seinen Sohn → Nektanebos [2] II. zum König, die Armee schloß sich ihm an. T. floh nach Persien, wo er starb.

T. Holm-Rasmussen, s. v. T., LÄ 6, 1986, 142f.

K. J.-W.

Tachygraphie

I. Definition II. Lateinisch III. Griechisch

I. Definition

T. ist der konventionelle Begriff für die ant. Technik der Schnellschrift, die Buchstaben, Silben, Wörter oder kurze Phrasen durch Zeichen ersetzte; sie wurde von *sēmeiográphoi* und *tachygráphoi* (lat. *notarii* und *exceptores*) praktiziert [1. 30–31]. Man kann wechselseitige griech.-röm Einflüsse annehmen, wobei die Priorität der beiden zeitgleichen Systemen schwer zu klären ist. Der zeitliche Vorrang des griech. Systems könnte durch einen Brief → Ciceros aus dem J. 45 v. Chr. belegt sein (Cic. Att. 13,32), wo er den griech. Ausdruck *diá sēmeíōn*, »durch (Kurzschrift-)Zeichen«, verwendet. Cicero selbst führte offenbar am 5. Dez. 63 v. Chr. im Prozeß gegen → Catilina das Protokollieren mittels T. ein (Plut. Cato minor 23). Einem späteren Zeugnis zufolge (Isid. orig. 1,22) hatte → Tiro (98 v. Chr. – 2 n. Chr.), der Freigelassene und Sekretär Ciceros, ein Zeichensystem für Vortragsnotizen erfunden.

1 H. C. Teitler, Notarii and exceptores, 1985.

N. G. u. G. M.

II. Lateinisch

Seit den Anfängen der lat. → Schrift sind die Formen der Alphabetschrift (→ Italien, Alphabetschriften) und der T. eng verwandt; sie zeigen bisweilen vergleichbare Erscheinungen. Die lat. T. ist nicht nur eine brachygraphische, sondern auch stenographische Schrift, in der die Zeichen zur Wiedergabe der Buchstaben und Wörter vereinfacht und schnell auszuführen, ja sogar kombiniert sind. Das Verdienst, das erste vollständige System tachygr. Zeichen erfunden oder perfektioniert zu haben, wird traditionellerweise → Tiro, dem Freigelassenen und Sekretär Ciceros, zugeschrieben; nach ihm werden sie daher »Tironische Noten« (*Notae Tironianae*, = *N. T.*) genannt. Sie stellen die einzelnen Buchstaben des Alphabetes dar – bisweilen sind sie an deren Formen orientiert, häufiger nehmen sie nur ein beliebiges Element auf. Dann werden sie zu einem Wort aneinandergefügt, das ganz oder abgekürzt wiedergegeben wird. Charakteristisch ist die Kombination von zwei Zeichen: einem festen Wortzeichen (*signum principale* = Radikale) werden Endungszeichen (*signum auxiliare*) beigefügt. Das tironische System weist viele Analogien mit dem griech. auf (s.u. III.).

N. T. sind in den *Commentarii notarum Tironianarum* in Hss. des 9. und 10. Jh. erh., eine Liste von ca. 13 000 Zeichen und deren Auflösung; dieses System wurde für die Schnellschrift in vielen hoch-ma. Hss. und Dokumenten verwendet [1. 110–111]. Das einzige Zeugnis lat. T. auf Pap. geht auf das 4. Jh. n. Chr. zurück, aber die darin überl. Zeichen scheinen nicht mit den tironischen zu korrespondieren (Lowe, CLA V 699 [7]). Seit dem 2. Jh. n. Chr. läßt sich innerhalb des Systems der lat. T. die sog. syllabische T. abgrenzen, die sich endgültig im 4. Jh. n. Chr. behauptet; ihre Zeichen stehen jeweils für eine Silbe. Sie fand (in mehreren unterscheidbaren Typen) aufgrund ihrer schnellen Erlernbarkeit weite Verbreitung.

Die T. war in Rom die ganze Kaiserzeit hindurch weit verbreitet: Sie wurde von jungen Menschen gelernt, auch bei Privatleuten benutzt, aber v. a. in der kaiserlichen Verwaltung von *notarii* und *exceptores*, also von angestellten Stenographen, verwendet, im bes. aber nach und nach in der Rechtspraxis. Die *N. T.* beeinflußten durch ihren regelmäßigen Gebrauch im Rechtswesen v.a. im 4. Jh. die Abkürzungen in den juristischen Codices (die sog. *notae iuris*). Diese enthalten zahlreiche tachygr. → Ligaturen. Die Sonderzeichen, die häufig schon in den spätant. juristischen Codices erscheinen und sich in der lat. Schrift generell verbreiten (*con-, et, -ur, -us*) waren urspr. tachygr. Zeichen, z.B. die aus *P* und *Q* geformten Kontraktionszeichen für Präpositionen und Personalpronomina.

Im Hoch-MA wurde die T. (bes. die syllabische T.) noch im urkundlich-notariellen Bereich verwendet. In merowingischen und karolingischen Dokumenten benutzten die Kanzleibeamten als *signum recognitionis* (Siegel als Beglaubigungszeichen an der Urkunde) tachygr. Zeichen, die unter den späteren Sachsenkönigen wieder verschwanden; dort erscheinen bedeutungslose Pseudo-Zeichen. In It. jedoch verwendeten Richter und Notare v.a. im Langobardenreich und generell bis zum 11. Jh. die T. zur Beglaubigung ihrer Unterschriften oder für Aufschriften auf der Rs. des Dokumentes. Gleichwohl begegnen diese tachygr. Zeichen selten; es blieb ein begrenztes und erstarrtes System. Das insulare Schriftwesen (Britannien und Irland, → Nationalschriften) jedoch übernahm tachygr. Zeichen (z.B. für *est, contra* oder *autem*) und verbreitete diese neuen an der T. inspirierten Abkürzungen auch in den kontinentalen Scriptorien wie Luxeuil, Bobbio, Fulda und St. Gallen. Entwürfe neuer T.-Systeme, deren Konzeption von einer gewissen Kenntnis der *N. T.* zeugen, gab es im 12. und 13. Jh. v.a. in England in der Form rein arbiträrer Zeichen in Analogie zu griech. oder chaldäischen Zahlen [1. 111–112].

1 B. Bischoff, Paläographie des röm. Alt. und des abendländischen MA, [2]1986 2 H. Boge, Griech. T. und Tironische Noten, 1973 3 G. Costamagna, Tachigrafia notarile e scritture segrete medievali in Italia, 1968 4 Ders., Studi di paleografia e di diplomatica, 1972 5 Ders. et al., Notae Tironianae quae in lexicis et in chartis reperiuntur novo discrimine ordinatae, 1983 6 P. Ganz (Hrsg.), Tironische Noten, 1990 7 F. Giulietti, Storia delle scritture veloci, 1968 8 E. A. Lowe, Codices Latini Antiquiores, Bde. 1–12, 1934–1972 (=CLA) 9 A. Mentz, F. Haeger, Gesch. der Kurzschrift, [3]1981
10 L. Schiaparelli, Notae paleografiche. Segni tachigrafici nelle notae iuris I, in: Archivio Storico Italiano 72, 1914, 241–254; II, in: ebd. 73, 1915, 245–275. N.G.

III. Griechisch

Die frühesten Zeugnisse für griech. T. in Papyri stammen aus dem 1.–2. Jh. n. Chr. [6. 452], treten im 3. Jh. vermehrt auf und erreichen einen Höhepunkt zw. dem 4. und 6. Jh. n. Chr.; ein letzter Text mit erh. T. ist PBerolinensis 17016 (7./8. Jh.) [3. 33–34]. Diese Entwicklung ist im enormen Anwachsen der spätant. Bürokratie begründet: Die T. (anfänglich nur von Sklaven und Freigelassenen praktiziert, die als → Schreiber arbeiteten [10. 27–29, 31–34]) wurde zu einer für Sekretäre unverzichtbaren Kompetenz. Ein Pap. mit einem Lehrvertrag bei einem T.-Lehrer (POxy. IV 724: 155 n. Chr.) belegt ein zweijähriges Studium.

Die große Menge an tachygr. Fr. aus → Antinoupolis erklärt sich mit der seit dem 4. Jh. n. Chr. zunehmenden Bed. der Stadt als Verwaltungszentrum und Sitz von T.-Schulen [10. 163]. Die auch anderswo erh. T.-Hdb. und Übungen auf Papyri oder Täfelchen sind in ihrer Mehrheit frg.; zwei Pap.-Codices des 3./4. Jh. [9] geben jedoch vollständig das *komentárion* wieder: eine Sektion des Hdb., die über 3000 Vokabeln mit ihren Kürzeln enthält; diese sind assoziativ angeordnet, um das Einprägen ähnlicher tachygr. Zeichen zu erleichtern. Weitere T.-Fr. sind in einem Sillabarium enthalten: *monóbola* (Redewendungen aus mehreren Wörtern, die mit einem einzigen Zeichen abgekürzt werden), *ptṓseis* (Deklinations- und Konjugationsendungen) und möglicherweise auch sog. tachygr. Vokabularien [7]. Noch nicht entziffert sind (von wenigen Ausnahmen abgesehen) ausschließlich in T. verfaßte griech. Texte [8. 64–65] und die tachygr. Zeichen, die den notariellen Unterzeichnungen der gesamten byz. Zeit beigefügt sind.

T. wurde für das Diktat, für die Abfassung von Protokollen [4], für die Niederschrift von Prozeßaussagen und für kirchliche Konzilien verwendet. Die weite Verbreitung der T. zeigt sich auch daran, daß Basileios [1] d. Gr. sie in einem Gleichnis verwendet (PG 30, 733A–D). Noch im 6. Jh. waren zahlreiche Tachygraphen wichtige Mitglieder der kaiserlichen Verwaltung (vgl. Lyd. mag. 3,9).

Im byz. MA entstand in Süditalien ein T.-System, das »nilianisch« (nach dem Hl. Neilos von Rossano, † 1004), oder auch nach dem Namen der Abtei »von Grottaferrata« bezeichnet wurde (deren Scriptorium kopierte Hss. unter Verwendung dieser Silben-T.) [5. 286–288].

1 B. Bischoff, Paläographie des röm. Alt. und des abendländischen MA, [2]1986, 110–112 2 H. Boge, Griech. T. und Tironische Noten, 1973 3 W. Brashear, Vier neue Texte zum ant. Bildungswesen, in: APF 40, 1994, 29–35
4 R. A. Coles, Reports of Proc. in Papyri, 1966
5 V. Gardthausen, Griech. Palaeographie, Bd. 2, [2]1913, 270–298 6 G. Menci, Il commentario tachigrafico, in: Proc. of the 19th International Congr. of Papyrology, 1992, Bd. 2, 451–465 7 Dies., Vocabolario tachigrafico, in: Dai Papiri della Società Italiana. Omaggio al XX Congr. Internazionale di Papirologia, 1992, 16–23, Taf. II 8 A. Mentz, Ein Schülerheft mit altgriech. Kurzschrift, 1940
9 H. J. M. Milne, Greek Shorthand Manuals, Sillabary and Commentary, 1934 10 H. C. Teitler, Notarii and exceptores, 1985.

P. Canart, Paleografia e codicologia greca. Una rassegna bibliografica, 1991, 67–68. G.M.

Tacita (Τακίτα, »die Schweigende«, auch *Dea Muta* »stumme Göttin«). Name, Datum (21. Februar, an den Feralia) und Art ihres Kultes (Ov. fast. 2,569–582), der bereits von König → Numa Pompilius in Rom eingeführt worden sein soll (Plut. Numa 8,65b), weisen auf eine Unterweltsgottheit hin (vgl. Ov. fast. 2,609; 5,422; Verg. Aen. 6,264f.). Gleichgesetzt wird T. mit der Nymphe Lara/Lala oder → Larunda (Varro ling. 5,74), die einen Plan des → Iuppiter verrät, worauf dieser ihr die Zunge herausreißt. Von → Mercurius vergewaltigt, wird sie die Mutter der → Laren (Ov. fast. 2,583–616; Lact. inst. 1,20,35). SI. A.

Tacitus

[1] (P.?) Cornelius T. Lat. Historiograph, ca. 55–ca. 120 n. Chr.

I. Leben II. Werke III. Standesethik und historiographische Wertungen
IV. Geschichtsbild und Ordnungsvorstellungen
V. Stil und Darstellungsweise
VI. Quellenwert VII. Wirkungsgeschichte
VIII. Überlieferungsgeschichte

I. Leben

(Publius?) Cornelius T. stammte aus Gallien und durchlief unter den flavischen Kaisern (70–96) eine erfolgreiche senatorische Karriere; 88 war er Praetor, 97 Consul, 112 Proconsul in der Prov. Asia (OGIS 487 Mylasa). Nach der Ermordung Domitians im J. 96 brachen Kontroversen darüber aus, wie sich Senatoren gegenüber einem Kaiser zu verhalten hätten. Auf diese Frage antwortete T. zunächst mit dem *Agricola*, später mit seinen beiden großen historiographischen Werken, *Historiae* und *Annales*.

II. Werke

Etwa 98 n. Chr. veröffentlichte T. das ›Leben des Agricola‹ (*De vita Iulii Agricolae*), ein Enkomion auf seinen Schwiegervater Cn. → Iulius [II 3] Agricola; stellenweise ähnelt das Werk einer → *laudatio funebris*. Sein größter Teil behandelt die Tätigkeit Agricolas als Statthalter von → Britannia unter der Regierung Domitians. T. preist Agricola als den Vollender der Eroberung Britanniens (tatsächlich eroberte Agricola kaum ein größeres Gebiet als seine Vorgänger: [5]). Nach T. war Domitian auf diese feldherrliche Leistung neidisch, weil sie seine eigene in Germanien weit überbot (39,1). T. baut seinen Schwiegervater zu einem Vorbild, *exemplum* auf: Auch unter böswilligen Kaisern kann ein röm. Senator → *virtus* zeigen (42,3 f.).

In der wenig später entstandenen *Germania* (*De origine et situ Germanorum*, ›Ursprung und Lebensraum der Germanen‹) zeigt T., daß ein weiter und menschenreicher Raum (den er im Süden durch die Donau, im Westen durch den Rhein abgrenzt, nicht aber nach Norden und Osten) mit unterschiedlichsten Stämmen von röm. Herrschaft unberührt geblieben ist; die Domitianische Propaganda (*Germania capta*, die auf Münzen die Eroberung verkündete) war demnach verlogen. Das Ethnographische (Kap. 1–27: Allgemeines über Herkunft und Sitten, Kap. 28–46: Charakterisierung einzelner Stämme) ist ungenau; T. bleibt in röm. Denkmustern und Begriffen befangen und ordnet die ansteigende Wildheit der Stämme proportional zur Entfernung vom röm. Reich an [1. 77 ff., 154 ff.]. T. hält die Germanen (→ Germani [1]) für den entscheidenden Feind des Reiches, über den man seit über 210 J. immer wieder triumphierte (37). Maßgeblich für das Schicksal des Reiches sei, daß diese gefährlichen Feinde ständig untereinander Krieg führten (33).

Der *Dialogus de oratoribus* (›Dialog über die Redner‹) ist zw. 102 und 107 entstanden [11. 203]. T. läßt röm. Senatoren der flavischen Zeit über die polit. und sozialen Gründe für den Niedergang der Redekunst (→ Rhetorik) nachsinnen. Floriert sie, so ist das kein gutes Zeichen für die Stabilität des Staates (40). Geht sie nieder, dann gedeihen dafür andere kulturelle Aktivitäten.

Die *Historiae* (›Historien‹) entstanden etwa 105 bis 109; sie behandelten Sieg und Herrschaft der flavischen Dyn. (vom Vierkaiserjahr 69 bis zum Sturz Domitians 96) in 12 oder 14 B. Davon sind die ersten vier vollständig, das fünfte zum Teil erh.; sie umspannen die Zeit vom 1. Januar 69 bis zum Sommer 70 und bilden die detailreichste Berichterstattung der griech.-röm. → Geschichtsschreibung. T. wählte das → Vierkaiserjahr als Epochengrenze, welche die Ära der iulisch-claudischen Dyn. von der flavischen Ära trennt. Das Vierkaiserjahr gestaltet T. zu einem Spektakel der Gebrechlichkeit der röm. Ordnung. Nacheinander erhoben die Heere drei Kaiser und stürzten sie: Galba [2], dann Otho und Vitellius. → Vespasianus setzte sich E. 70 schließlich durch. Nach T. hat er als erster sich zum Besseren verändert, nachdem er Kaiser wurde (1,50,4). Alle polit. handelnden Gruppen werden getadelt: Die Senatorenschaft empfange als Kaiser, wen sie kurz zuvor noch zum Staatsfeind erklärt hat (und umgekehrt), und passe sich jedem Regime umstandslos an; die stadtröm. Bürgerschaft sei an Circus und Theater gewöhnt, wankelmütig und schmeichle den Kaisern (1,4); das Heer sei käuflich und aufrührerisch.

Die *Annales* (*Ab excessu divi Augusti*, ›Annalen‹; entstanden etwa 110 bis 120) bestanden aus 16 oder 18 B., von denen 1–4 und 12–15 vollständig erh., 5, 6, 11 und 16 fr. überl. sind. Sie behandeln die Zeit vom Regierungsantritt des Tiberius 14 n. Chr. bis zum Tode Neros im J. 68. Die Herrschaftsübernahme durch den Nachfolger des Augustus offenbare, wie fest die Monarchie bei dessen Tod schon institutionalisiert war. → Augustus habe Volk, Soldaten und Senatoren korrumpiert und seiner Alleinherrschaft allgemeine Akzeptanz verschafft (1,2). → Tiberius erhält bei T. die umfangreichste Charakterschilderung der lat. Lit. T. behauptet zwar, der anfangs vorzügliche Charakter des Tiberius habe mehrere Phasen durchlaufen und sich desto stärker verschlechtert, je weniger Rücksicht der Kaiser auf ihm nahestehende Personen nehmen mußte, bis der Greis schließlich ganz enthemmt Verbrechen beging und seinen Lüsten frönte (6,51). Doch diesem Schema folgt der narrative Diskurs keineswegs. Weder entfaltet T. eine Charakterologie, noch ergeben seine inkohärenten und unsystematischen Motivzuweisungen eine Psychologie. Vielmehr zeichnet er Tiberius als hinterhältig und zweideutig in Wort und Geste von Anf. an (1,11).

T.' Darstellung bietet das erste ant. Szenarium einer Hofkultur: die übermächtige Kaisermutter Livia [2], die ehrgeizige Schwiegertochter Livilla [1] mit ihren Söhnen als potentiellen Thronfolgern, die ranghohen Senatoren und ein Praetorianerpraefekt (Aelius [II 19] Seianus) – alle versuchen, gegeneinander die eigene Position zu stärken. Auf diesem Aktionsfeld läßt T. eine neue Politikform entstehen, nämlich Geheimhaltung und Ausschluß der Öffentlichkeit als Herrschaftsmaxime. Nach T. entwickelten die Senatoren (→ *senatus*) in diesem Klima ein neues Verhalten: Verlust an Courage, Verzicht auf den Gebrauch des freien Wortes, v. a. aber Schmeichelei. Somit brachte das Kaisertum zwei Gefahren mit sich: Zum einen mißbrauchten schlechte Kaiser ihre Macht, zum anderen schöpften die Senatoren vorhandene Handlungsspielräume nicht aus, unterließen es, den Kaiser in eine von Freimut und Vertrauen geprägte senatorische Kommunikation einzubinden, und erhöhten damit das Risiko, daß er der Korruption durch die Macht unterlag.

III. Standesethik und historiographische Wertungen

T. rückt die moralische Qualität des senatorischen Verhaltens in den Mittelpunkt und wählt demgemäß breiter erörterte Vorgänge nicht nach der polit. Bed. aus, sondern danach, ob bestimmte Akteure in besonderer Weise Mut und Aufrichtigkeit oder aber Kriecherei an den Tag legten. In einem bis dahin in der Gesch.-Schreibung noch nicht gekannten Ausmaß unterwirft T. Personen und Handlungen moralischen Maßstäben; diese sind aber nicht »allg. menschlich«, sondern ausschließlich für das Standesethos einer winzigen Aristokratie im riesigen Imperium gültig [6. 154]. Daher benötigt T. weder eine philos. fundierte Ethik, noch braucht er zentrale ethische Begriffe (»Schmeichelei«, *adulatio*; »Mäßigung«/»Selbstbeherrschung«, *moderatio*/*modestia*; oder »Aufsässigkeit«, *contumacia*) zu definieren. Seine »flexible« Bewertungsweise bestimmt Handlungen als Ausdruck des Charakters und versieht diese je nach der agierenden Person häufig mit diametral entgegengesetzten Wertungen. T. schildert keine Charaktere, sondern sieht Typen senatorischen Verhaltens in bestimmten Personen verkörpert; und er versammelt eine Galerie von negativen oder positiven *exempla*. So stilisiert er Thrasea Paetus, welcher gegenüber Nero offene Opposition übte, zum moralischen und polit. Vorbild, obwohl er ansonsten ein gemäßigtes Auftreten gegenüber den Kaisern gutheißt; allerdings rechtfertigt sich der Denunziant des Thrasea, Eprius, genau mit jenen Tugenden, die T. an Agricola rühmte (Tac. hist. 4,8,2). Seneca [2] d. J. findet Lob, weil er als Höfling Neros auf den jungen Kaiser erzieherisch einzuwirken suchte (ann. 13,2,1) und weil er sich zurückzog, als dafür die Chancen schwanden. Anderseits war es der Praetorianerpraefekt Afranius [3] Burrus, der Nero tatsächlich zügelte (ann. 14,52,1); und am Muttermord des Kaisers läßt T. die meiste Schuld auf Seneca fallen (Tac. ann. 14,7).

IV. Geschichtsbild und Ordnungsvorstellungen

T. sah keine Alternative zur Monarchie; an der Republik fürchtete er die Schrecken der Bürgerkriege (ann. 3,28; hist. 2,37 f.): Seit Marius sei auch die Republik nur noch eine Abfolge von Herrschaften einzelner Männer gewesen (ann. 1,1 f.), die schließlich in Anarchie mündete. Die »Republik« (→ *res publica*) stellt für T. keine spezifische → Verfassungsform dar, sondern ein Zeitalter besonderer polit. Moral, in welchem der individuelle Mut der Senatoren die Unabhängigkeit des Senats – sowohl gegen die großen einzelnen wie gegen das Volk – garantierte. »Freiheit« (*libertas*) hat dementsprechend nichts mit Institutionen zu tun; sie ist bei T. kein polit. Begriff, sondern eine Standestugend der schmalen Aristokratie (ann. 4,33 f.). Nur dieser komme sie zu, weil nur sie zur Selbstbeherrschung fähig sei.

T. ist entschiedener Gegner einer verfassungsmäßig garantierten polit. Beteiligung des Volkes: Beim Heer und beim stadtröm. Volk arte Freiheit sofort in »Zügellosigkeit« (*licentia*) aus. Folgerichtig verlangt T. gegen die höfische Politik der Geheimhaltung eine die ca. 1000 Senatoren und Funktionsträger des röm. Reiches umfassende – extrem begrenzte – Öffentlichkeit (ann. 1,6; 2,36). Monarchie und Freiheit seien partiell – je nachdem wie Kaiser und Senat miteinander kommunizierten – vereinbar (hist. 1,16; Agr. 3). Für T. besteht der Inhalt der röm. Ordnung darin, daß die Unterschichten beherrscht werden, damit sie nicht in »Zügellosigkeit« verfallen und die soziale Hierarchie zerstören. Demgemäß stilisiert er das Heer zur ordnungsfeindlichen Macht: Es sei eine nur mühsam kontrollierbare Masse in Waffen, der man keine Spielräume bieten dürfe. Die Machtgier einzelner Senatoren führe jedoch immer wieder zu innerem Zwist und zu Bürgerkriegen, in denen das Heer plötzlich Gewicht und Handlungsspielraum gewinne; die mil. Verbände entwickelten eine Eigendynamik, woraus sich Katastrophen ergäben und wodurch die soziale Ordnung partiell oder total zusammenzubrechen drohe (hist. 3,11; 32 f.). Nur indem die Senatoren röm. Tugenden bewahrten, sei die Ordnung und die Stärke des Imperiums aufrechtzuerhalten. Außerhalb der röm. Herrschaft arte jedwede Freiheit ohnehin in barbarische Wildheit aus (hist. 4,74). Somit ist T. der Vollender der spezifisch röm. moralisierenden Gesch.-Schreibung.

V. Stil und Darstellungsweise

Eine solche ordnungsorientierte Gesch.-Schreibung achtet weder auf Kräfteverhältnisse zw. sozialen Gruppen noch auf Sachzwänge; sie personalisiert die Vorgänge. Für T. bestehen die histor. Ursachen fast ausschließlich in moralischen Zuständen; daher benötigt er keine Ursachenforsch. wie etwa → Thukydides oder → Polybios [2]. Strikt vermeidet er jedwede polit. Philos., verzichtet bei der Unt. von polit. Verhalten oder Vorgängen auf analytische Kategorien nichtmoralischer Art und blendet die polit. und sozialen Kontexte von Vorgängen und Handlungen meist aus, um so die isolierten

Elemente nach moralisierbaren Aspekten narrativ zu verknüpfen. Die Motive, die er den Handelnden zuschreibt, beschränkt er auf wenige (»Habgier«, *avaritia/cupiditas*; »Feigheit«; »Machthunger«, *cupido potentiae*), die er variiert oder kombiniert. Sie erweisen sich in der Regel – sobald man die Umstände beachtet, welche T. meist beiläufig erwähnt, und die histor. Kontexte rekonstruiert – als unhaltbar, nicht selten als absurd [1. 48ff.].

Der Ber. über Worte und Taten kontrastiert oft sehr scharf mit den deutenden Komm. des T., die er nicht selten wiederum mit gegenteiligen Bemerkungen unterläuft; innerhalb des Textes fallen narrativer Diskurs und von Maximen gesteuerter Komm. in einem zuvor nie vorhandenen Grade auseinander. Häufig zerstückelt T. die Abfolge von Ereignissen oder Handlungen und vertauscht die Reihenfolge. Damit geht die Ereignislogik verloren [8. 14–25], und der Text verdunkelt sich. Der gedrängte Stil hilft mit, die Zusammenhänge zu verrätseln und eine bedrohliche Atmosphäre zu schaffen, welche den taciteischen Text innerhalb der Gattung auszeichnet [9. 71]. Das ist in der Folgezeit einer moralischen Gesch.-Betrachtung entgegengekommen und hat dem Text zumal in der Neuzeit eine hohe polit. Verwendbarkeit gesichert.

VI. Quellenwert

T. nennt fast nie seine Quellen. Doch er benutzte historiographische Darstellungen und Memoiren als Vorlagen, konsultierte – eine Neuerung – das röm. Senatsarchiv und verfügte über mündliche Ber. von Senatoren (ann. 3,16,1). Wo er Detailgenauigkeit anstrebte, bietet er sie in beachtlichem Maße; der Informationswert ist stellenweise sehr hoch. Verlauf und Ergebnis des Prozesses gegen Calpurnius [II 16] Piso (ann. 3,7–24) werden nun inschr. bestätigt [10] (→ *Senatus consultum de Cn. Pisone patre*), ebenso einzelne Reden, die sinngemäß sehr genau wiedergegeben sind (z. B. die Rede des Kaisers Claudius [III 1], ann. 11,24 = ILS 212). Doch was T. genau recherchierte und was nicht, ist willkürlich: Von Plinius [2] d. J. erbat er sich einen Ber. über den (Pompeii zerstörenden) Vesuvausbruch 79; doch die Ber. von Iosephos [4] Flavios über den jüd. Aufstand nahm er nicht zur Kenntnis, und seine Darstellung strotzt von Ignoranz und Antisemitismus.

VII. Wirkungsgeschichte

Die Gesch.-Werke wurden anscheinend schon in der Ant. stark rezipiert; v. a. christl. Autoren verweisen auf ihn (→ Orosius; → Sidonius Apollinaris). Wahrscheinlich wollte sich → Ammianus Marcellinus in die Nachfolge von T. stellen, indem er sein Gesch.-Werk da begann, wo T. aufhörte (bei Nerva). Wiederentdeckt wurde T. in der Renaissance. Eine starke Rezeption erfuhren v. a. die *Annales* im späten 16. und im 17. Jh.; s. → Tacitismus.

VIII. Überlieferungsgeschichte

Auf der Basis des 1455 nach It. gelangten Cod. Hersfeldensis entstanden Humanistenkopien des *Agricola*, der *Germania* und des *Dialogus*. 1902 wurde der Cod. Aesinas aufgefunden, der (wahrscheinlich als losgelöster Teil des Hersfeldensis) den *Agricola* von 13,1 bis 40,2 enthält. Der *Dialogus de oratoribus* ist am besten überl. im Cod. Leidensis Perizonianus XVIII Q 21. Die maßgebliche Überl. der ersten 6 B. der *Ann.* ist Cod. Laur. LVIII/1 (=Mediceus I, 9. Jh.); *Ann.* B. 11–16 sowie *Hist.* sind am besten erh. im Cod. Laur. LXVIII/2 (=Mediceus II, 11. Jh.), der seit der Mitte des 14. Jh. Verbreitung fand. Der im 20. Jh. entdeckte Cod. Leidensis BPL 16 B ist wahrscheinlich vom Mediceus II unabhängig und wird für die Textgestaltung der *Hist.* (Koestermann, Wellesley) herangezogen.

→ Annalistik; Biographie; Geschichtsschreibung; Rhetorik (III. C. 1. und VI. B. 3.); Tacitismus

Ed.: *Agricola:* M. Winterbottom, R. M. Ogilvie, 1975 • I. Delz, 1983. *Germania:* M. Winterbottom, R. M. Ogilvie, 1975 • A. Önnerfors, 1983. *Dialogus:* E. Koestermann, 1954 (mit *Agr.* und *Germ.*) • H. Heubner, 1983. *Historiae:* K. Wellesley, Cornelius T., Bd. 2.1, 1989. *Annales:* S. Borszák, K. Wellesley, Cornelius T., Bde. 1.1 und 1.2, 1986–1992.

Übers.: *Agricola:* R. Till, 1961. *Dialogus:* H. Volkmer, 1967. *Historiae:* J. Borst, 1959. *Annales:* E. Heller, 1982 • P. Wuilleumier, H. Le Bonniec, 1987–1992 (frz.).

Komm.: *Agricola:* H. Furnaux (J. G. C. Anderson, ²1922) • A. Gudeman, ²1950 (mit *Germ.*) • A. Heubner, 1984. *Germania:* G. Perl, 1990. *Dialogus:* A. Gudeman, ²1914 (Ndr. 1964). *Historiae:* G. E. F. Chilver, A Historical Commentary on T.' Histories, 2 Bde., 1979–1985 • K. Wellesley, 1972 (B. 3) • A. Heubner, 5 Bde., 1963–1982. *Annales:* E. Koestermann, 1963–1968 • A. J. Woodman, R. H. Martin, 1996, 1989 (B. 3–4).

Lex.: Ph. Fabia, Onomasticon Taciteum, 1900 (Ndr. 1964) • A. Gerber, A. Greef, Lexicon Taciteum, 1903 (Ndr. 1962) • D. R. Blackman, G. G. Betts, Concordantia in Tacitum, 1986.

Lit.: **1** G. Walser, Rom, das Reich und die fremden Völker in der Gesch.-Schreibung der frühen Kaiserzeit, 1951 **2** B. Walker, The Annals of T., 1952 **3** R. Syme, T., 2 Bde., 1958 **4** Ders., T. und seine polit. Einstellung, in: V. Pöschl (Hrsg.), T., 1969, 177–207 **5** H. Nesselhauf, T. und Domitian, in: s. [4], 208–240 **6** M. Vielberg, Pflichten, Werte, Ideale, 1987 **7** R. Martin, T., 1981 **8** E. Flaig, Den Kaiser herausfordern, 1992 **9** R. Mellor, T., 1993 **10** W. Eck u. a., Das senatus consultum de Cn. Pisone patre, 1996 **11** R. Syme, The Senator as Historian, in: Entretiens 4, 1985, 185–212.

E. F.

[2] Imp. Caesar M. Claudius T. Augustus, röm. Kaiser 275–276 n. Chr. Geb. ca. 200, mit großem Besitz in Interamna [1] (Geburtsort?), Mauretanien und Numidien; Ehefrau unbekannt, wohl mehrere Söhne (SHA Tac. 11,6; 6,8; 16,4; 10,5). 273 *cos. ord.* (CIL VIII 18844; Aur. Vict. Caes. 36,1), vielleicht auch 275; *princeps senatus*. Im Herbst 275 vom Heer (Zon. 12,28; nach SHA Tac. 3,1–8,1 vom Senat, vgl. jedoch 8,5) zum Kaiser gewählt; *cos. ord.* 276. Mit seinem zum *praef. praet.* ernannten Halbbruder M. → Annius [II 4] Florianus kämpfte er 276 erfolgreich gegen die vom Asowschen Meer (→ Maiotis) bis Kilikien vorgedrungenen Goten (SHA Tac. 13,2f.; Siegertitel *Gothicus maximus*: CIL XII 5563 = ILS 591).

Mitte 276 wurde er in Tyana/Kilikien wohl von Soldaten ermordet (Aur. Vict. Caes. 36,2; Zos. 1,63,1 f.), die nach Zosimos der Strafe für den Mord an seinem Verwandten Maximus, dem Statthalter Syriens, entgehen wollten. In Interamna wurde ein Kenotaph für T. errichtet (SHA Tac. 15,1).

F. Hartmann, Herrscherwechsel und Reichskrise, 1982, 116, 122–125 • Kienast², 250f. • PIR² C 1036 • PLRE 1, 873 • RIC V 1, 319–348. T.F.

Tadinae. *Municipium* in Umbria (Plin. nat. 3,114), h. S. Antonio della Rasina westl. von Gualdo Tadino. Straßenstation an der Via Flaminia. Bei T. schlug → Narses [4] 552 n. Chr. den Goten → Totila (Prok. BG 4,29). Später zugunsten des höhergelegenen Gualdo aufgegeben.

G. Sigismondi, La battaglia tra Narsete e Totila, in: Bolletino della Deputazione di Storia Patria dell'Umbria 65, 1968, 5–68. G.U./Ü: H.D.

Tadius. Ital. Familienname, inschr. auch *Taddius*. Lit. in republikanischer Zeit sind nur der Geschäftsmann und Legat des C. → Verres auf Sizilien 73–71 v. Chr., P. T. (Cic. Verr. 2,2,49; 2,5,63) – vielleicht identisch mit dem Bekannten des T. Pomponius [I 5] Atticus (Cic. Att. 1,5,6; 1,8,1) – und sein Verwandter (Bruder?) Q. T., der ebenfalls mit Verres Geschäfte machte (Cic. Verr. 2,1,128; 2,1,130; 2,4,31), bezeugt. K.-L.E.

Tadmor s. Palmyra

Taenia (griech. ταινία/*tainía*). Bezeichnung für Binden aller Art.

[1] (Kopf)Binde, die man bei griech. Festen (Plat. symp. 212d.e, 213d; Xen. symp. 5,9) trug. Auch Götter tragen bzw. umwinden den Kopf mit *t.* (Paus. 1,8,4). Ferner umwand man damit Kultbilder (Paus. 8,31,8; 10,35,10), Bäume (Theokr. 18,44), Grabmäler [3], Urnen, Opfertiere und Verstorbene (Lukian. dialogi mortuorum 13,4). Die Römer übernahmen die *t.* von den Griechen (z. B. Ov. met. 8,724 f.). Als ein Abzeichen des Siegers und des Erfolges (Paus. 4,16,6; 6,20,10; 9,22,3; Verg. Aen. 5,269; Athen. 13,610a; Nep. Alkibiades 6,3) erscheint die *t.* in der griech. Vasenmalerei bei siegreichen Athleten vgl. auch (Diadumenos des → Polykleitos [1]).

[2] Binden, die zum Befestigen oder Verhüllen dienten, so auch beim Blindekuhspiel (Poll. 9,123); → *fasciae*.

[3] Wimpel an Schiffen und Speeren (Poll. 1,90; Diod. 15,52,5).

→ Diadema; Infula; Strophium

1 D. Kurtz, Athenian White Lekythoi, 1975 2 A. Krug, Binden in der griech. Kunst, Diss. Mainz 1967
3 M. Pfanner, Zur Schmückung griech. Grabstelen, in: H. des arch. Seminars Bern 3, 1977, 5–15. R.H.

[4] (auch griech. ταινία). Antiker t.t. aus dem Bereich der Architektur [1], der in der dorischen Bauordnung (→ Säule, B. Säulenordnungen) den profilierten, vorspringenden Streifen am oberen Ende des Architravs (→ Epistylion) oder eines anderen als oberen Abschluß verwendeten Bauglieds bezeichnet. Als regelmäßiger, mit dem Ablauf des → Frieses korrelierender Dekor der T. diente am Architrav die → Regula, die meist zusammen mit diesem und der T. aus einem einzigen Werkstück gefertigt war.

1 Ebert, 65 s. v. T. (Quellen).

D. Mertens, Der Tempel von Segesta und die dorische Tempelbaukunst des griech. Westens in klass. Zeit, 1980, 254, s. v. Architrav • W. Müller-Wiener, Griech. Bauwesen in der Ant., 1988, 112–120. C.HÖ.

Tafelausstattung. In der röm. Welt erforderten Festessen mit ihrer Abfolge von Gängen, der servierten Speisen und der Art, sie (mit diversen Saucen) zu servieren, eine bestimmte T.; ebenso das gemeinsame Trinken – → Getränke waren ein wichtiges Element der → Gastfreundschaft. Die T. variierte je nach Region und Epoche und war abhängig von der Form des → Tisches (Entwicklung vom → *triclinium* zum *stibadium*, vgl. → *sígma*) und der Sitzordnung. Trotz zahlreicher Quellen ist die T. nur ungenau bekannt, z. B. durch lit. Texte wie die Beschreibung des Gastmahls bei Trimalchio (Petron. 30–78) oder Passagen bei Sidonius Apollinaris (Sidon. carm. 17; Sidon. epist. 1,2,6), Buchhaltungsdokumente, Papyri [1] oder Schreibtäfelchen mit Geschirr-Inventarlisten, Töpferrechnungen, aber auch die zahlreichen Bilddokumente, die (wirkliche oder Toten-)Mähler oder Vorbereitungen für eine Mahlzeit zeigen [2].

Das Trinken nahm bei ant. Mahlzeiten einen wichtigen Platz ein. Auf dem Tisch befanden sich große → Kratere zum Mischen des Weins (vgl. z. B. Hildesheimer Silberschatz), Siebe zum Ausfiltern beigemischter Gewürze, Gefäße zur Aufbewahrung (z. B. die silberne Amphore von Concesti aus dem 4. Jh. n. Chr.) oder zum Ausschenken (Oinochoe, → Gefäße), kleine Gerätschaften zum Schöpfen (*simpula*) und Becher unterschiedlicher Form und Größe. Form und Material änderten sich im Lauf der Zeit beträchtlich: In republikanischer Zeit und im 1. Jh. n. Chr. galt → Silber als bes. edel; die Trinkbecher (*pocula*) dieser Zeit tragen ein oft sehr raffiniertes Dekor. Später waren offenbar Glasgefäße bei Banketten beliebter, vielleicht, weil → Glas geruchs- und geschmacksneutral ist (vgl. Petron. 50,7).

Die Speisen wurden auf Servierbrettern (→ *abacus*) und Platten von oft großen Ausmaßen aufgetragen. Bes. imposante Expl. dienten als Tabletts (→ *repositorium*). Sie trugen neben den Speisen auch andere, kleinere Geschirrstücke, v. a. Behältnisse für Saucen und → Gewürze (z. B. *acetabula* für Essig). Aus den Bezeichnungen geht hervor, daß viele dieser Platten zumindest urspr. einen bestimmten Verwendungszweck hatten (z. B. zum Servieren von Eiern oder Pilzen: *boletaria*; Mart. 14,101). Ähnliches gilt für → Löffel (*cochlearia*). Ansonsten ist der genaue Gebrauch vieler Gegenstände nicht bekannt (z. B. Unterscheidung von Wein- und Wasserkrügen).

Die T. umfaßte auch Toilettenartikel: Im Lauf des Mahls hatten die Teilnehmer mehrfach Gelegenheit zum Händewaschen. Zu diesem Zweck gingen Sklaven mit Krügen und Becken, manchmal auch mit Tüchern (*mappae*, → *mantele*), herum; Zahnstocher standen auf dem Tisch bereit, was neben Erwähnungen in den Texten auch die v. a. aus der Spätant. erh. silbernen Expl. belegen. Schatzfunde wertvoller T. enthielten darüber hinaus Spiegel; ob sie während der Mahlzeit Verwendung fanden, ist ungewiß.

Es fehlen genaue Hinweise, wie das Geschirr vor den Gästen arrangiert war. Auf Bilddokumenten (v. a. den pompeianischen → Wandmalereien) ist die T. nicht gut erkennbar. Löffel gab es evtl. für jeden Gast, jedoch nicht Gabeln, von denen einige Expl. bekannt sind. Die Tendenz zum persönlichen Besteck entwickelte sich erst nach und nach; so wurden die Weinsiebe kleiner (als Teile eines individuellen Sets). Bestimmte Gegenstände wurden als Satz zusammengestellt: Löffel als Dutzend, Weinbecher (zumindest im 1. Jh. n. Chr.) paarweise, manche Saucenschälchen je nach Region in 3er- oder 4er-Sets. Ob es richtige »Service« gab, ist unsicher.

Schließlich gehörte zur T. auch ein gewisses Dekor: Gegenstände, die neben ihrer praktischen Funktion die Augen der Gäste erfreuen und die Unterhaltung anregen sollten (z. B. ein kleines silbernes Skelett bei Trimalchio, Petron. 34,8); oft sind es Statuetten, die als Gewürzbehälter dienten, oder Götterbilder. Diese Gegenstände nehmen auch den Charakter regelrechter »Tafelaufsätze« in Br. oder Silber an: Bei Trimalchio hat ein solcher die Form eines Esels, dessen Packsattel Oliven enthält, ein anderer die eines Himmelsglobus, auf dem die Tierkreiszeichen abgebildet und mit passenden Speisen garniert sind (Petron. 31; 35). Manche stark verzierte Platten hatten keinerlei praktische Funktion. Auch → Lampen und Kandelaber aller Art hatten ihren Platz auf dem Tisch. Zur T. gehört im weiteren Sinne auch die Anrichte (Kredenztisch; griech. τραπεζοφόρον/*trapezophóron*, lat. *abacus*).

Eine so üppige und vollständige Ausstattung gab es nur in reichen Häusern; sie galt als Luxus und wurde bis in christl. Zeit vielfach verurteilt. Als bescheideneres Gegenstück imitierte die → Reliefkeramik in Form und Dekor das kostspieligere Metallgeschirr; damit konnte man die Tafel für weniger Geld festlich schmücken. Zur T. bei den Griechen vgl. → Eßgeschirr, → Eßkultur, → Gastmahl.

→ Cena; Eßbesteck (mit Abb.); Eßgeschirr (mit Abb.); Eßkultur; Gastmahl; Mantele; Repositorium

1 F. Drexel, Ein ägypt. Silberinventar der Kaiserzeit, in: MDAI(R) 36/7, 1921/2, 34–57 2 D. Levi, Antioch Mosaic Pavements, 1947, 132–136, Taf. XXIV.

S. Martin-Kilcher, Röm. Tafelsilber: Form- und Funktionsfragen, in: H. A. Cahn, A. Kaufmann-Heinimann (Hrsg.), Der spätröm. Silberschatz von Kaiseraugst, 1984, 393–404 • S. Künzl, Röm. Tafelgeschirr – Formen und Verwendung, in: H.-H. von Prittwitz und Gaffron (Hrsg.), Das Haus lacht vor Silber (Ausstellungskat. Rheinisches Landesmus. Bonn), 1997, 9–30. F. BA./Ü: S. U.

Tafelgemälde s. Malerei

Tagara (Ταγάρα: Peripl. m. r. 51, Τάγαρα: Ptol. 7,1,82). Stadt landeinwärts im indischen Staat Maharashtra, h. Ter, wo bei Ausgrabungen u. a. Lampen hell. Typs gefunden wurden.

H. P. Ray, Monastery and Guild. Commerce under the Sātavāhanas, 1986, 69 f. K. K.

Tagaste. Numidische Siedlung der Africa proconsularis (→ Afrika [3]), deren punische Vergangenheit bisher nur durch eine neupun. Inschr. bezeugt ist [1], h. Souk-Ahras/Algerien (Itin. Anton. 44,6; *oppidum Tagesense*: Plin. nat. 5,30?). *Municipium* (*ordo*, *decuriones*: ILAlg 1, 875; 880), schon im 3. Jh. n. Chr. Bischofssitz; Geburtsort des → Augustinus. Inschr.: ILAlg 1, 866–927; Bull. archéologique du Comité des trauvaux historiques 1932–1933, 476 f.; 1934–1935, 227–229; 351 f.; 362; RIL 524–529.

1 J.-B. Chabot, Punica, in: Journal asiatique 11,7, 1916, 443–467, hier 458.

AAAlg, Bl. 18, Nr. 340 • C. Lepelley, Les cités de l'Afrique romaine, Bd. 2, 1981, 175–184. W. HU.

Tagelöhner gehörten zu den Lohnarbeitern (μισθωτοί/*misthōtoí*; lat. *mercenarii*, *operarii*) und ergänzten die regelmäßig zur Verfügung stehenden Arbeitskräfte, wenn Bedarf für zusätzliche, meist schwere Arbeit bestand. In Athen versammelten sie sich am Κολωνὸς μίσθιος/*Kolōnós místhios*. Sie erhielten → Lohn (μισθός/*misthós*: Hom. Il. 21,445; lat. *merces*) oder bisweilen Getreide (σῖτος/*sítos*, lat. *frumentum*; → Ration).

Obwohl es nur wenige Hinweise auf T. im Agrarsektor gibt, besaß ihre Arbeit insbes. in der Erntezeit erhebliche Bed. (Hom. Il. 18,550 ff.; Aristoph. Vesp. 712; Demosth. or. 18,51; Xen. Hier. 6,10; vgl. außerdem zu Frauen und Sklaven Demosth. or. 57,45; 53,20–22). Cato empfiehlt die Anwerbung von Arbeitern grundsätzlich nur für einen Tag (Cato agr. 5,4), Varro weist ihnen die härtesten Arbeiten zu (Varro rust. 1,17,2–3).

Wichtiges Quellenmaterial bieten die Bauabrechnungen aus Attika. Die Abrechnungen für das Erechtheion von 408/7 v. Chr. belegen μισθὸς καθ' ἡμέραν/*misthós kath' hēméran* (Tagelohn) für ausgebildete Handwerker (IG I³ 475,54; 475,65; 476,81; 476,87; 476,121) und für ungelernte Arbeiter (IG I³ 476,54–74; 476,141). Auf der Baustelle von Eleusis gehörten gegen 330 v. Chr. zu den Tagelöhnern Ziegelhersteller, Träger, Zimmerleute, Bauhandwerker und Fuhrleute (IG II² 1672,28; 32; 45; 60; 110 f.; 126; 158; 160; 177; 240; 294;

1673,64 ff.). T. spielten auch in der röm. Wirtschaft eine große Rolle, obwohl sie nur selten belegt sind.

Der soziale Status von T. war niedrig; auf den athenischen Bauabrechnungen sind sie im Gegensatz zu den ausgebildeten Handwerkern nicht namentlich genannt. Ihre soziale Lage hing davon ab, ob sie kontinuierlich beschäftigt waren. Die Arbeiter am Erechtheion erhielten eine Drachme am Tag, in Eleusis betrug der Tagelohn 1 ½ Drachmen, für Handwerker oft mehr (IG II² 1672,28; 32; 45; 60; zu Rom vgl. Cato agr. 22,3). Der Tagelohn reichte normalerweise für den Unterhalt eines Tages. T. waren moralisch wenig geachtet; es bestand die Meinung, daß ein T. nur seine Arbeitsleistung, nicht aber seine Fertigkeit verkaufte (Plat. rep. 371d–e; Cic. off. 1,150: *inliberales autem et sordidi quaestus mercennariorum omnium, quorum operae, non quorum artes emuntur*).
→ Handwerk; Lohn; Lohnarbeit

1 A. Burford, Land and Labor in the Greek World, 1993
2 J. A. Crook, Law and Life of Rome, 1967, 195–197
3 A. Fuks, Kolonos misthios: Labour Exchange in Classical Athens, in: Eranos 49, 1951, 171–173 4 F. M. de Robertis, Lavoro e lavoratori nel mondo romano, 1963
5 S. M. Treggiari, Urban Labour in Rome: *mercennarii* and *tabernarii*, in: P. Garnsey (Hrsg.), Non-Slave Labour in the Graeco-Roman World, 1980, 48–64. A. B.-C.

Tages. Sagenhafter Kulturheros der Etrusker, Sohn des Genius und Enkel des → Iuppiter (Fest. 359; Commenta Bernensia zu Lucan. 1,636) oder des → Hermes Chthonios (Prokl. bei Lyd. de ostentis 3); nach etr. Überl. soll er das Aussehen eines Kindes, aber die Klugheit eines Greises gehabt haben (Cic. div. 2,50). Nachdem ein in der Nähe von Tarquinia (→ Tarquinii) pflügender Bauer bzw. → Tarchon ihn aus der Scholle emporgehoben hatte, soll er die etr. Disziplin (*disciplina Etrusca*, → Etrusci, Etruria III. D.) verkündet haben und dann verschwunden bzw. gestorben sein. Das Grab eines kultisch verehrten Kindes aus dem späten 9. Jh v. Chr. auf dem Plateau von Tarquinia [1. 152 ff.] könnte den histor. Hintergrund für die Entstehung der Sage gebildet haben. Die Worte des T. seien von den Anwesenden niedergeschrieben worden und bildeten den Grundstock der in etr. Sprache verfaßten (Isid. orig. 8,9,34) tagetischen Lehre, die urspr. die Haruspizin enthielt (Fest. l.c.; Cic. l.c.; → *haruspices* II. C.), später durch Blitz- und Jenseitslehre erweitert wurde (Cic. div. 1,72; vgl. Amm. 17,10,2; Aug. epist. 234,1; Macr. Sat. 5,19,13). Der etr. Text ist nicht erh., jedoch Teile von lat. Übers. aus dem 1. Jh. v. Chr. Mögliche Darstellung: Praenestiner Ciste (3. Jh v. Chr., Rom, Villa Giulia 13133; [2]).

Die Verbindung der Lehre des T. mit den Etruskern (vgl. Cic. l.c.; Fest. l.c.; Commenta Bernensia l.c.; Cens. 4,13) erklärt die einheitliche gesamt-etr. Weissagung und rel. Lit. in einer Zeit, in der die Frage nach ihrem Ursprung aktuell und die Aufrechterhaltung bzw. Schaffung eines gemeinsamen polit. und/oder kulturellen Bandes notwendig geworden war. Die Sage spricht für eine eigenständige Kultfigur, die Lokalisierung des Ereignisses deutet auf den kulturellen Anspruch von Tarquinia.
→ Divination (mit Abb.)

1 M. Bonghi Jovino, C. Chiaramonte Trerè, Tarquinia. Tarchna I, 1997 2 R. Herbig, Etr. Rekruten?, in: K. Schauenburg (Hrsg.), Charites, 1957, 182 ff.

Pfiffig, 352 ff. • S. Weinstock, s. v. T., RE 4 A, 2009–2011.
L. A.-F.

Tageszeiten s. Uhr

Tagewählerei

I. Systematik
II. Kalendarische Tagewählerei
III. Komplexe Kalender und Lunationen
IV. Astrologische Tagewählerei

I. Systematik

Der Begriff T. bezeichnet die kulturelle Praxis, das Gelingen oder Mißlingen von Handlungen mit kalendarisch (= kal.) definierten günstigen oder ungünstigen Tagen in Verbindung zu bringen. Die Annahme, daß Tage nicht nur quantitativ, sondern auch qualitativ bestimmt sind, war allen ant. Kulturen geläufig und führte zu einem eigenen Genre, dem → Hemerologion. Das Konzept der T. geht indes über dieses Genre hinaus und muß im Zusammenhang mit → Kalender, → Divination und → Astrologie gesehen werden. Ferner ist zu beachten, daß trotz der gemeinsamen Grundannahme die divinatorische Rationalität und die konkreten Ausformungen – oft aufgrund von rel. Aufladungen – je unterschiedlich waren.

II. Kalendarische Tagewählerei

Das Bedürfnis, günstige von ungünstigen Tagen zu unterscheiden, ist schon früh feststellbar, wobei die einfachste Lösung dazu in einer Anbindung an den Kalender bestand. Die frühesten diesbezüglichen Quellen stammen sowohl aus Mesopotamien, wo eine reiche Omina-Lit. den Hintergrund bildet [15. 156; 14. 13–16; 19; 27], als auch aus Griechenland, wo zwei myk. Dokumente nach Daten geordnete Angaben über Tagesqualitäten enthalten ([6. 311, Nr. 207] = V 280, vgl. auch [6. 311, Nr. 172] = KN 02; [17]). Auch Äg. kannte die kal. T., die im Verbund mit den Dekangöttern der Tage und Stunden weiter differenziert wurde und nicht zuletzt über den Platonschüler Eudoxos [1] von Knidos den Griechen bekannt war (s. Plut. Is. 52; vgl. [10; 2. 35; 16]).

In Rom kannte man den Begriff *dies religiosi* zur Kennzeichnung jener Tage, die für Unternehmungen ungünstig waren, an denen Aktivitäten insgesamt eingeschränkt (Gell. 4,9,5 f.; 5,17,1; Macr. Sat. 1,16,21–27; Fest. 348,22–30; Ov. fast. 1,57 f.; Non. 73,30; 379,1; Liv. 6,1,12; CIL I², 231) und die zugleich durch Kulthandlungen ausgewiesen waren. *Dies religiosi* wurden weiter unterteilt, etwa in *dies atri* (»schwarze Tage«, bzw. *dies postriduani*), also Nachtage der monatlichen Orientierungstage von Kalenden, Nonen und Iden (Macr.

Sat. 1,16,21), an denen man nichts Neues unternehmen sollte (Macr. Sat. 1,15,22; Varro ling. 6,29 mit Ansätzen einer Katarchenastrologie; → *fasti*). Die Gründe für eine solche soziale und kulturelle Bestimmung von Zeitqualitäten liegen nicht nur im rel.-kultischen Bereich, sondern auch in polit. Interessenlagen, da Orientierungstage das kulturelle Gedächtnis normierten sowie rel. Handlungssteuerungen und Systematisierungen erlaubten [21. 563–575].

Die verbreitetste Form kal. T. bestand jedoch in der schlichten Analogie zw. Wochentagen und Planetenherrschern. Ob es sich um die 7tägige Woche handelt, die, aus Mesopotamien stammend, das Judentum und später auch den röm. Kalender beeinflußte, oder um abweichende röm. Wochenzählungen – stets wurde die Qualität eines Tages den jeweiligen Planetengöttern (→ Planeten II.) entsprechend gedeutet (erste Nennung des Saturnus als Wochentagsgott bei Tib. 1,3,18; vgl. Iuv. 6,569–576; Babrios latinus 2154 in [22. fig. 8–12] nach dem → Chronographen von 354 mit Stundenherrschern; vgl. [4. 476–484; 7; 18. 162; 8; 20]).

III. Komplexe Kalender und Lunationen

Naturgemäß ist die divinatorische Differenziertheit einer einfachen kal. T. gering. Um zu komplexeren Aussagen zu kommen, kombinierte man die Wochenzählung häufig mit anderen Bestimmungseinheiten, und zwar entweder mit weiteren kal. Intervallen oder mit astronomischen Größen. Ein Beispiel für ersteres ist die Kombination von 7tägiger Planetenwoche mit dem Achttagesrhythmus der röm. → *nundinae*, was trotz der leichten Handhabbarkeit zu einer Ausweitung der Tagesbestimmungen führte [21. 588]; prägnanter Vertreter hierfür ist der Chronograph von 354 [22]. Wie kompliziert eine derartige Technik werden kann, zeigt sich im jüd. Kalender der priesterlich-kulttheologischen → Henoch-Astronomie: Durch die Potenzierung von 7er-Rhythmen zu Jahreszyklen, Jobel (49 Jahre), Dekajubiläen etc. bei gleichzeitiger Kombination mit den Jerusalemer Priesterdienstrotationen ergab sich für jeden Tag der Weltgesch. eine exakte heilsgesch. Bed., was für apokalyptische Berechnungen zentral wurde (das Material aus Qumran untersuchen [1; 24. 160–222, 316–365]; vgl. aber auch Ios. bell. Iud. 6,249 f. u.ö.). Die heilsgesch. Auszeichnung bestimmter Tage ist schließlich auch im frühen Christentum nachweisbar, wie die Diskussionen um Todestag und Parusie Jesu sowie den »richtigen« Kalender zeigen [23].

Bei der Kombination mit astronomischen Größen ist bes. die Beachtung des Mondlaufs bedeutsam geworden (→ Lunaria). Bei der Lunation war nicht nur die jeweilige Mondphase wichtig (etwa in der Zusammenstellung von Mondkalender und anderen Kalendern), sondern v.a. die Stellung des → Mondes in bestimmten Zodiakalzeichen, die dem jeweiligen Tag oder der Tageszeit ihre besondere Qualität zuwies. Die Mondwahrsagebücher bzw. (Zodiakal-)Lunare bilden eine eigene Gattung ant. Lit. und waren in allen Kulturkreisen verbreitet [25; 9. 5; 29; 11. 77 ff.; 12. 263–269].

IV. Astrologische Tagewählerei

Die wohl differenzierteste Form der T. bestand in der Anwendung verschiedener astrologischer Lehren auf die qualitative Bestimmtheit von Tagen und Zeitintervallen. Schon die Babylonier widmeten der rechtläufigen und rückläufigen Phase der Planetenumläufe sowie den jeweiligen Kehrpunkten besondere Aufmerksamkeit [28. 172–203; 26]; in griech.-röm. Zeit wurden solche Phasenqualifikationen weiter ausgebaut; die retrograden Phasen der Planeten galten als Schwächeperioden des jeweiligen Prinzips (Ptol. apotelesmatika 1,23, Epilog; Begründung ebd. 1,8; vgl. [4. 110–121]), bisweilen auch als Gefahrentage (Dorotheus Sidonius, Carm. astrologicum 1,6,7 Pingree; vgl. [12. 117–121; 13. 38]). Zu weiteren Differenzierungen gelangte man, indem man einzelnen Stunden des Tages Planeten- und Zodiakalherrscher zuwies [4. 206–215]. Entsprechende Lehren der *chronokrátores* (Herrscher über Zeitabschnitte) wurden auch im Christentum (etwa bei Bardesanes, De libro legum regionum 524 Nau), im Judentum (s. die Diskussion um den *mazzal*, den Geburtsherrscher in bSchab 156ab [24. 470–473]) und im Manichäismus (Kephalaia 25,15–19) gepflegt.

Eine eigene Disziplin zur Ermittlung günstiger und ungünstiger Tage bestand in der Katarchenastrologie (*katarchaí/electiones*, Anfänge [sc. von Unternehmungen]), die nicht nur Tages- und Stundenherrscher, Aszendenten (*horoskópos*) etc. berechnete, sondern für etwaige Unternehmungen wie Seereisen und Aussaaten (Ptol. apotelesmatika 1,3) oder Stadtgründungen (Ptol. ebd. 2,5) eigene Horoskope anfertigte (vgl. auch Hephaistion von Theben, apotelesmatica 3,2–5; Vettius Valens 2,29 – dort dem Abraham zugewiesen –, Manil. 3,510–513; Firm. 2,26–28 Kroll; s. [4. 458–511]). Diesbezügliche Vorläufer finden sich in griech. Fr., die dem → Orpheus oder anderen Autoritäten zugeschrieben waren (Nachweise bei [12. 69]).

→ Astrologie; Divination; Kalender; Omen

1 M. Albani, Astronomie und Schöpfungsglaube, Unt. zum astronomischen Henoch-B., 1994 2 J. Assmann, Zeit und Ewigkeit im alten Äg., 1975 3 T. Barton, Ancient Astrology, 1994 4 A. Bouché-Leclercq, L'astrologie grecque, 1899 5 A. Caquot, M. Leibovici (Hrsg.), La divination, 2 Bde., 1968 6 J. Chadwick, Documents in Mycenaean Greek, [2]1973 7 F. H. Colson, The Week, 1926 8 S. Eriksson, Wochentagsgötter, Mond und Tierkreis. Laienastrologie in der röm. Kaiserzeit, 1956 9 M. Förster, Vom Fortleben ant. Sammellunare im Engl. und in anderen Volkssprachen, in: Anglia 67/68, 1944, 1–170
10 W. Gundel, Dekane und Dekanherrscher. Ein Beitr. zur Gesch. der Sternbilder der Kulturvölker, 1936 11 Ders., Sternglaube, Sternrel. und Sternorakel, [2]1959 12 Ders., H. G. Gundel, Astrologumena. Die astrologische Lit. in der Ant. und ihre Gesch., 1966 13 J. H. Holden, A History of Horoscopic Astrology, 1996 14 R. Labat, Hémérologies et ménologies d'Assur, 1939 15 S. Langdon, Babylonian Menologies and the Semitic Calendars, 1935 16 C. Leitz, T. Das Buch ḥ3t nhh ph.wy dt und verwandte Texte, 1994
17 J. D. Mikalson, The Sacred and Civil Calendar of the

Athenian Year, 1975 18 O. NEUGEBAUER, The Exact Sciences in Antiquity, 1951 19 L. OPPENHEIM, Divination and Celestial Observation in the Last Assyrian Empire, in: Centaurus 14, 1969, 97–135 20 G. RADKE, Fasti Romani, 1990 21 J. RÜPKE, Kalender und Öffentlichkeit. Die Gesch. der Repräsentation und rel. Qualifikation von Zeit in Rom, 1995 22 M. R. SALZMAN, On Roman Time: The Codex-Calendar of 354 and the Rhythms of Urban Life in Late Antiquity, 1990 23 A. STROBEL, Ursprung und Gesch. des frühchristl. Osterkalenders, 1977 24 K. VON STUCKRAD, Das Ringen um die Astrologie. Jüd. und christl. Beiträge zum ant. Zeitverständnis, 2000 25 E. SVENBERG, De Latinska Lunaria, Diss. 1936 26 N. M. SWERDLOW (Hrsg.), The Babylonian Theory of the Planets, 1998 27 Ders. (Hrsg.), Ancient Astronomy and Celestial Divination, 2000 28 B. L. VAN DER WAERDEN, Die Anf. der Astronomie, 1968 29 E. WIFSTRAND, Lunariastudien, 1944. K. v. S.

Tagonius. Fluß im Gebiet der → Carpetani (Plut. Sertorius 17,2), h. Tajuña. Er entspringt im äußersten Osten der Sierra de Guadalajara bei Maranchón, fließt an Caracca vorbei und mündet rechtsseits in den → Tagus (Tajo).

TIR K 30 Madrid, 1993, 216. P. B.

Tagos (ταγός). Für gewöhnlich wird im *t.* (etym. von *táxis*, also vergleichbar mit »Herzog«) der gewählte (auf Lebenszeit, später für den Kriegsfall: IG IX 2,257) Oberbeamte des Thessalischen Bundes gesehen [1. 237–249; 2]. Die Dominanz der Adels-Clans (→ Aleuadai; Echekratidai; Skopadai) bewirkte im 5. Jh. v. Chr. einen Bedeutungsverlust des Amts der *tageía* [3. 125–127]; unter Iason [2] erfuhr das Amt kurzzeitig neuen Prestigegewinn [5]. Jüngste Studien sehen im *t.* dagegen einen genuin lokalen Amtsträger (offizielle Bezeichnung des Oberamtes stattdessen *archós* bzw. *tétrarchos*: [4]). In den hell. Poleis Thessaliens begegnen Kollegien von mehreren *tagoí* (IG IX 2,258–259; 1228).
→ Thessalia

1 ED. MEYER, Theopomps Hellenika, 1909 2 M. SORDI, La lega tessala, 1958 3 H. BECK, Polis und Koinon, 1997 4 B. HELLY, L'état Thessalien, 1995 5 S. SPRAWSKI, Jason of Pherae, 1999. HA. BE.

Tagus (Τάγος). Der mit 1008 km längste, goldführende (Mela 3,8) Fluß (Strab. 3,2,3; 3,1; 3; Plin. nat. 3,19; 25; Ptol. 2,5,4) der iberischen Halbinsel, h. span. Tajo, portugies. Tejo. Er entspringt in den h. Montes Universales, fließt vorbei an Toletum, Caesarobriga, Augustobriga und mündet bei Olisippo in den Okeanos; erstmals erwähnt anläßlich des Feldzugs, den Hannibal [4] gegen die Carpetani 218 v. Chr. führte (Pol. 3,14,5; Liv. 21,5,8).

SCHULTEN, Landeskunde 1, 341–349 · P. BARCELÓ, Aníbal de Cartago, 2000, 81 · TIR K 30 Madrid, 1993, 216. R. ST.

Taht-e Sulaimān s. Šīz

Taifali (Ταΐφαλοι, Suda s. v. T.; auch Taifruli). Halbnomadisches ostgermanisches Reitervolk, Mitte 3. Jh. n. Chr. in Dacia (→ Dakoi) und Moesia (→ Moesi; Iord. Get. 91), dann mit den → Tervingi im nördl. Siebenbürgen bezeugt (Eutr. 8,2,2). Mitte 4. Jh. siedelten sie wohl östl. von Muntenien (im h. Rumänien) bis westl. zum Alutus (h. Olt) mit Kern in der muntenischen Baragan-Steppe. Früheste lit. Erwähnung: Paneg. 11,17,1 (291); Laterculus Veronensis 13,26 (297). 322 n. Chr. wurde ein Teil der T. nach Phrygia deportiert (Symeon Metaphrastes, PG 116, 337f.; 342), andere versahen als röm. → *foederati* den transdanubischen Grenzschutz. Bis zum Hunnensturm waren die T. mit den Tervingi vergesellschaftet. 376 drangen Teile von ihnen, bedrängt von den → Goti, ins röm. Reich ein, wurden besiegt und in Ober-It. (Amm. 31,3,7; 9,3–5) und Gallia (nördl. von Poitou, westl. von Tours) als *coloni* (→ *colonatus* B.) angesiedelt (Not. dign. occ. 42,65). Unter Theodosius I. (379–395) wurden T. nach Thracia deportiert (Zos. 4,25,1; (Ps.-)Aur. Vict. epit. Caes. 47,3).

H. WOLFRAM, Die Goten, 31990, 66–73, 100f. · L. SCHMIDT, Ostgermanen, 21941, 546–548. G. H. W.

Tainaron (Ταίναρον, Ταίναρος; lat. *Taenarum*, *Taenaros*). Kap an der Südspitze der vom → Taygetos gebildeten Halbinsel, südlichster Punkt der → Peloponnesos, h. Tenaron oder Matapan; ein 5 km langes Marmormassiv (311 m H) mit buchtenloser, schroffer West- und durch zwei Buchten (südl. Ormos Asomaton, nördl. Ormos Vathi) gegliederter Ostseite, das durch einen von zwei Häfen (Achilleion im Westen, Psamathus im Osten) flankierten 540 m schmalen Isthmos mit der Halbinsel (h. Mani) im Norden verbunden ist. Der Ort T. lag an der Bucht Asomaton, ein weiterer Ort an der Bucht Psamathus (Strab. 8,5,2; Plin. nat. 4,16; nur wenige Reste). Für die Schiffahrt war die tiefe, gut geschützte Bucht Psamathus der eigentliche Hafen am T. Hier war auch der Lagerplatz für Söldner, denen T. bes. in der 2. H. des 4. Jh. v. Chr. wichtiger Sammel- und Anwerbeplatz war. Marmorbrüche sind belegt (Strab. 8,5,7; Plin. nat. 36,135; 158; → Marmor, mit Karte).

An der Westflanke einer zum Ostteil dieser Bucht hinabführenden Schlucht liegt eine 10 m tiefe und etwas breitere Höhle, davor finden sich Spuren eines Rechteckbaus, der die ganze Breite der Schlucht einnahm, eines Tempels des → Poseidon (Paus. 3,25,4). Mit dem T. und dieser Höhle verband die griech. Myth. viele Vorstellungen; so galt die Höhle als Eingang in die Unterwelt (vgl. Pind. P. 4,43f.; Aristoph. Ran. 187; Sen. Phaedr. 1201; Sen. Herc. f. 662ff.), hier soll Herakles den Höllenhund → Kerberos heraufgeholt haben (Hekat. FGrH 1 F 27). Der Kult des Poseidon war vordorisch-achaiisch, sein Heiligtum besaß Asylrecht (→ *ásylon*) bes. für → Heloten (Aristoph. Ach. 510; Thuk. 1,128,1; 33,1; Ail. var. 6,7; Paus. 4,24,5; 7,25,3; Diod. 11,45,4; Aristodemos FGrH 104 F 8,2). Das Heiligtum wurde um 240 v. Chr. von Aitoloi (Pol. 9,34,9) und im 1. Jh. v. Chr. von Seeräubern geplündert (Plut.

Pompeius 24,5). Die Br.-Statue eines Reiters auf einem Delphin, als → Arion gedeutet, befand sich darin (Hdt. 1,23 f.; Paus. 3,25,7).

F. BÖLTE, s. v. T. (1) und (2), RE 4 A, 2030–2049 • PHILIPPSON/KIRSTEN 3, 440f. • MÜLLER, 858–861.

C. L. u. E. O.

Taisia (Ταισία). Stadt in Bruttium unbekannter Lage nahe Rhegion (nach [2] nahe Motta San Giovanni, vgl. aber [1; 3. 267]). Station der delphischen *theōrodókoi* (SGDI 2580, Z. 88: 3./2. Jh. v. Chr.; [4]), verm. identisch mit der Festung Tisia (App. Hann. 188; Steph. Byz. s. v. Τισία) bzw. Isia (Diod. 37,2,13).

1 E. PAIS, Tisiae ed Isiae, in: Ders. (Hrsg.), Italia antica, 1922, 111–122 2 C. TURANO, T., in: Klearchos 13, 1971, 19–37 3 P. G. GUZZO, Le città scomparse della Magna Grecia, 1982 4 G. MANGANARO, Città di Sicilia e santuari panellenici nel III e II sec. a.C., in: Historia 13, 1964, 414–439.

M. L.

Takape (Τακάπη, lat. *Tacape*). Stadt an der Kleinen Syrte, evtl. phöniz. oder punische Gründung, h. Gabès/Tunesien. Punische Reste sind spärlich [1. 126[1]]. T., ein ›sehr großer Handelsplatz‹ (Strab. 17,3,17), lag ›mitten in der Wüste‹ (Plin. nat. 18,188). Zur Zeit des Augustus war T. *civitas* (Plin. nat. 5,25; 18,188), später *colonia* (Tab. Peut. 6,5; Itin. Anton. 59,6). Weitere Belege: Plin. nat. 16,115 (?); Ptol. 4,3,11; Stadiasmus maris magni 106f.; Itin. Anton. 48,9f.; 50,4; 73,5; 74,1; 77,4; 78,3; 518,3; Cod. Theod. 11,30,33; Iulius Honorius, Cosmographia A 44; Anon. cosmographia 1,44; Prok. aed. 6,4,14; Geogr. Rav. 37,42; 89,6. In spätant. Zeit verlief in der Nähe der Stadt die Grenze zw. der Byzacena und der Tripolitana. Inschr.: CIL VIII 1, 39–43; 100; 2569; 2, 10016(?); 10018; 10021(?); 10022f.; 10024(?); 10492–10497; Suppl. 1, 11052–11056; 11228; 3, 21918; 21920; 4, 22777–22783; 22787f.; [2. 60–63]; RIL 58f.

1 S. GSELL, Histoire ancienne de L'Afrique du Nord, Bd. 2, [3]1928 (Ndr. 1972) 2 A. MERLIN (ed.), Inscriptions latines de la Tunisie, 1944.

AATun 050, Bl. Environs de Gabès, Nr. 61 • H. TREIDLER, s. v. T., RE 4 A, 2052–2056.

W. HU.

Takelage. Seit der archa. Zeit wurden griech. Handelsschiffe nicht mehr von Ruderern vorwärtsbewegt, sondern besaßen ein großes Segel, das an der Rah (ἐπίκριον/*epíkrion*; lat. *antemna/antenna*) befestigt war und es erlaubte, die Windkraft zu nutzen. Auch die langgestreckten Kriegsschiffe verfügten über einen Mast mit einem Rahsegel; da diese Schiffe aber unabhängig von den Windverhältnissen eingesetzt werden mußten und in der Seeschlacht hohe Manövrierfähigkeit benötigten, konnte auf Ruderer nicht verzichtet werden; auf längeren Fahrten wurde bei günstigem Wind gesegelt. Griech. Kriegsschiffe besaßen im 5./4. Jh. v. Chr. neben den großen Segeln (μεγάλα ἱστία/*megála histía*; Xen. hell. 1,1,13; 2,1,29) ein kleineres Topsegel (ἀκάτειον/*akáteion*; Xen. hell. 6,2,27).

In der Prinzipatszeit waren Handelsschiffe häufig Zweimaster, wobei der kürzere Vormast schräg nach vorn über den Bug hinausragte und ein Rahsegel (*artemo*) trug. Dreimaster sind nur selten belegt, aber immerhin erklärt Plinius, daß an Bug und Heck zusätzliche Segel gesetzt wurden (Plin. nat. 19,5). Das Tauwerk war bereits mit einer Vielzahl von Rollen versehen, so daß die Segel gut den jeweiligen Windverhältnissen angepaßt werden konnten (vgl. das Relief vom Hafen von Ostia, 2. Jh. n. Chr.; Museo Torlonia, Rom). Bei Sturm wurde die Segelfläche verkleinert, indem das Rahsegel gerefft wurde, wie ein Relief auf einem Sarkopharg aus Ostia (3. Jh. n. Chr.; Kopenhagen, NCG) zeigt. Neben dem Rahsegel sind durch Reliefs auch Schiffe mit einem Sprietsegel oder einem Lateinsegel bezeugt; es handelte sich dabei normalerweise um kleinere Schiffe, die v. a. im östlichen Mittelmeer in der Küstenschiffahrt eingesetzt wurden. Die Segel wurden üblicherweise aus Leinen (→ Lein, Flachs) hergestellt (Plin. nat. 19,2 ff.).
→ Schiffahrt; Schiffbau (mit Abb.); Seekrieg

1 CASSON, Ships, 229–245 2 O. HÖCKMANN, Ant. Seefahrt, 1985 3 I. PEKARY, Repertorium der hell. und röm. Schiffsdarstellungen, 1999.

H. SCHN.

Taktik I. GRIECHENLAND II. ROM

I. GRIECHENLAND

Unter T. ist die Planung und Durchführung mil. Operationen wie Marsch und Schlacht zu verstehen. Vor dem Aufkommen der → *phálanx* ist eine taktische Führung des Heeres nicht erkennbar. Die Kampfformation der *phálanx* hingegen verlangte die Aufteilung des Heeres in Untereinheiten, eine Marschordnung, die geordnete Aufstellung in Reih und Glied und ein klares Befehlssystem. Ant. Historiker und → Militärschriftsteller dokumentieren verschiedene Marschordnungen und mögliche, oft wohl wenig realitätsbezogene Übergänge von einer Truppenformation in die nächste (Thuk. 5,66–68; Xen. Lak. pol. 11; Xen. Kyr. 2,3,21 ff.; Pol. 10,23(21); Asklepiodotos 10–12), von denen der Kontermarsch (die Kehrtwendung des Heeres um 180 Grad) das anspruchsvollste Manöver war. Im Feld war der takt. Spielraum der Heerführer gering, solange die *phálanx* schwerbewaffneter → *hoplítai* nicht durch andere Waffengattungen ergänzt wurde.

Im allg. stand die *phálanx* mehrere Glieder tief (Pol. 18,29–32); der Feldherr focht meist vorne rechts. Leichtbewaffnete und Bogenschützen, die entweder vor oder neben der *phálanx* aufgestellt waren, hatten die Aufgabe, die Reihen des Gegners zu stören; die → Reiterei stand für Flankenangriff bzw. -schutz auf den Flügeln. Sie brauchte für ihre Wirksamkeit ein ebenes Terrain; in Gebirgsregionen wie Aitolien wurden deswegen leichtbewaffnete Einheiten eingesetzt, welche den *hoplítai* empfindliche Verluste beibringen konnten (Thuk. 3,97f.; 4,32). Im 4. Jh. v. Chr. wurden → *peltastaí* oft zusammen mit *hoplítai* eingesetzt; so konnte → Iphikrates 390 v. Chr. eine spartanische → *móra* [1] vernichten (Xen. hell. 4,5,11–18). Eine wichtige takt. Neuerung des 4. Jh. v. Chr. war die Einführung der »schiefen« *phálanx* durch → Epameinondas: Er massierte seine besten Truppen auf dem linken Flügel und versuchte damit Durchbruch und Entscheidung zu erzwingen (Diod. 15,55 f.; Plut. Pelopidas 23). Zu Meistern im Kampf mit verbundenen Waffen wurden Philippos [4] II. und Alexandros [4]. Die Reiterei wurde zu einer entscheidenen Waffe ausgebaut, nach 330 v. Chr. bekamen die Leichtbewaffneten vermehrtes Gewicht; oft wurde ein Teil des Fußvolkes in Reserve gehalten. Im Hell. blieb der Kampf mit verbundenen Waffen prägend; als neues Kampfmittel wurden jetzt auch Elefanten verwendet. Die maked. *phálanx* erlag schließlich, weil sie zu schwerfällig geworden war, der flexibleren röm. Manipulartaktik.

→ Bewaffnung; Heerwesen; Militärtechnik; Phalanx

1 J. K. Anderson, Military Theory and Practice in the Age of Xenophon, 1970 2 P. Ducrey, Guerre et guerriers dans la Grèce antique, ²1999 3 V. D. Hanson, The Western Way of War, 1989. LE. BU.

II. Rom

In der Ant. wurden Kriege sehr häufig durch eine einzige Schlacht entschieden. Unter dieser Voraussetzung war es die wichtigste Aufgabe eines röm. Feldherrn, einen Feldzug so zu führen, daß unter möglichst günstigen Umständen gegen den Gegner gekämpft werden konnte. T. beschränkte sich damit nicht auf die Aufstellung des Heeres zur Schlacht und die Führung der Truppen in der Schlacht, sondern schloß alle Operationen zur Herbeiführung der Entscheidungsschlacht ein.

Die Grundsätze der T. waren in Rom klar formuliert (Liv. 9,17,10); die Entscheidungen auf dem Feldzug selbst wurden prinzipiell nach ausführlicher Beratung im *consilium* getroffen, obgleich die Verantwortung für die taktische Führung des Heeres beim Feldherrn lag. Zu den wichtigsten Prinzipien der röm. Kriegführung gehörte es, die eigenen Truppen möglichst vor Verlusten zu schützen. Diesem Zweck diente die allabendliche Errichtung eines Feldlagers ebenso wie die klare Marschordnung (Pol. 6,40; Ios. bell. Iud. 3,115–126), die es ermöglichte, schnell eine Schlachtreihe zu bilden. Ein Feldherr hatte während des Feldzuges ferner die ausreichende Versorgung des Heeres mit Lebensmitteln sicherzustellen, um die Kampfkraft der Soldaten zu erhalten; der Logistik und insbes. der Organisation des Nachschubes wurde daher große Bed. beigemessen (→ Heeresversorgung). Da für die Sicherheit des eigenen Heeres und für den mil. Erfolg die Kenntnis der Stärke und der Bewegungen des Gegners entscheidend war, spielte auch die mil. Erkundung (*exploratio*) eine wichtige Rolle.

Ziel der Operationen war es, eine geeignete Stellung für die Schlacht einzunehmen und einen günstigen Zeitpunkt dafür zu bestimmen. Für den Angriff war eine erhöhte Stellung vorteilhaft, da einerseits dieFerngeschosse so eine größere Wirkung entfalteten und andererseits die eigene Schlachtreihe mit größerem Schwung auf den Gegner zumarschieren konnte. Bei der Aufstellung zur Schlacht waren auch Faktoren wie Sonne, Staub und Wind zu berücksichtigen. In Schlachtordnung aufgestellt standen die Fußtruppen in langer Front in der Mitte, die röm. → Reiterei und die Reiterei der → *socii* auf den Flügeln. Vor der Schlachtreihe der schwerbewaffneten Soldaten (*milites*) standen die Leichtbewaffneten (*velites*), die mit Fernwaffen den Kampf begannen. Die Legion (→ *legio*) selbst war in drei Schlachtreihen gegliedert, in *hastati* (→ *hasta* [1]), *principes* und → *triarii*, wobei die *triarii* die Reserve bildeten (Liv. 8,8,5–13). Die taktischen Einheiten der Legion waren die Manipel (→ *manipulus*) und seit Caesar die Kohorten (→ *cohors*); diese Einheiten konnten in der Schlacht selbständig operieren und gaben damit dem röm. Heer eine größere Beweglichkeit als der griech. → *phálanx*. Die Position des Feldherrn befand sich meist zw. dem rechten Flügel und den Fußtruppen. Es gab verschiedene Schlachtaufstellungen, darunter insbes. die schiefe Schlachtreihe; bei dieser Formation wurde der Kampf auf dem rechten Flügel mit den besten Einheiten begonnen und dann der Versuch unternommen, den Feind zu umgehen und im Rücken anzugreifen.

Die mil. T. der Römer wird umfassend von → Vegetius beschrieben (Veg. mil. 3), der die Aufstellung zur Schlacht ausführlich darstellt (Veg. mil. 3,11–20).

→ Bewaffnung; Heerwesen; Militärtechnik

1 B. Campbell, The Roman Army 31 BC-AD 337, A Sourcebook, 1994 2 A. K. Goldsworthy, The Roman Army at War 100 BC-AD 200, 1996 3 Y. Le Bohec, Die röm. Armee, 1993. H. SCHN.

Taktika

[1] Byz. Bezeichnung für mil. Hdb., vgl. T. [2]; vgl. auch → *stratēgikón.*

[2] T. des Leon. Mil. Hdb. (*stratēgikón*) in 20 B., das um 905 n. Chr. von Kaiser Leo [9] VI. oder in seinem Auftrag verfaßt wurde. Es beruht teilweise auf älteren Quellen wie der Schrift des → Onasandros [2] und dem → *stratēgikón* des Maurikios, enthält aber auch viele zeitgenössische Passagen, u. a. über die Araber und Ungarn. Die Schrift, die in zwei verschiedenen Fassungen überl. ist, übte großen Einfluß auf spätere mil. Schriften in Byzanz aus.

→ Militärschriftsteller

Ed.: 1 PG 107, 669–1120 2 R. Vári, Leonis imperatoris Tactica, 1917–1922 (unvollständig).
Lit.: 3 I. A. Antonopoulou, The »Aristocracy« in Byzantium: Evidence from the Tacticon of Leo VI the Wise, in: Byzantiaka 13, 1993, 151–159 4 G. Dagron, Byzance et le modèle islamique au Xᵉ siècle, in: Comptes rendues des scéances de l'Académie des inscriptions et belles-lettres, 1983, 219–243 5 T. G. Kolias, The »Taktika« of Leo the Wise and the Arabs, in: Graeco-Arabica 3, 1984, 129–135.

[3] Byz. Bezeichnung für offizielle Listen von Titeln und Ämtern. Von diesen *T.* in der Nachfolge der spätant. → *Notitia Dignitatum* sind h. das sog. *Táktikon Uspenskij* (842/3), das → *Klētorológion* des Philotheos (899), das sog. *T. Beneševič* (943–944) und ein h. im Escorial aufbewahrtes *T.* erh. (971–975), ferner der um 1347–1368 entstandene Traktat des Ps.-Kodinos. Hauptzweck der *T.* war es, bei offiziellen Banketten im Kaiserpalast von Konstantinopolis die korrekte Plazierung von Würdenträgern zu ermöglichen. Durch deren fast vollständige Aufzählung sind sie, bes. wenn ihre Angaben durch erzählende Texte und Siegelfunde ergänzt werden, eine wertvolle Quelle über den Aufbau der byz. Staatsverwaltung.

ED.: **1** N. OIKONOMIDÈS, Les listes de préséance byzantines des IXe et Xe siècles, 1972 (mit frz. Übers.) **2** J. VERPEAUX, Traité des offices, 1966 (Ps.-Kodinos, mit frz. Übers.).
LIT.: **3** F. WINKELMANN, Byz. Rang- und Ämterstruktur im 8. und 9. Jh., 1985, 19–28. AL. B.

Taktikon Beneševič s. Taktika [3]

Taktikon Uspenskij s. Taktika [3]

Talaos (Τάλαος). Myth. König von Argos, Sohn von → Bias [1] und → Pero [1], Bruder von Perialkes und Areios, Gatte der → Lysimache. T., der urspr. wohl ein Bergdaimon war, verliert in der älteren Sage Leben und Herrschaft durch → Amphiaraos (Pind. N. 9,13) und erscheint später als einer der → Argonautai (Apoll. Rhod. 1,118) bzw. als Vater (Hyg. fab. 70) von Adrastos, Aristomachos, Hippomedon, Mekisteus, Parthenopaios, Pronax und Eriphyle (→ Sieben gegen Theben). Sein Grab wurde auf dem Marktplatz von Argos verehrt (Paus. 2,21,2). HE. B.

Talarius ludus (von lat. *talus*, »Knöchel«, »Würfel«). Die vier sicheren schriftlichen Belege des *t.l.* lassen keine endgültige Entscheidung zu, ob es sich um ein röm. → Würfelspiel (so z. B. [7. 184²]) oder eine Art szenische Aufführung handelte, bei der die Aufführenden eine bis zum Knöchel reichende Toga trugen. Für Cicero (Cic. Att. 1,16,3; Cic. off. 1,150) war der *t.l.* unsittlich und neben »Salbenhändlern« und »Tänzern« der niedrigste Beruf (→ Unterhaltungskünstler); Quintilianus (inst. 11,3,58) betont seine Ausgelassenheit und impliziert Gesang als Begleiterscheinung; Fronto (de orationibus p. 157,10–12 v. D. H.) erwähnt einen Censor, der den *t.l.* verbot, weil ihm der Fuß zuckte, als er an einem *t.l.* vorbeilief und *crotala* (Kastagnetten) und *cymbala* (Bekken) hörte. Eine Konjektur MOMMSENS zu einer umstrittenen Stelle in Cassiodorus' Chronik verbindet den *t.l.* mit einem censorialen Edikt von 115 v. Chr. [3. 620; 8. 371], welches [2. 11] auf die Fronto-Stelle bezieht.

Für die Deutung des *t.l.* als szenische Aufführung spricht der Bezug auf Kleidung [2. 12; 6]. Hauptargument ist die Analogie von *talarius* zum griech. Adj. *katastolaría* (»mit Stola«), mit dem Lydos (mag. 1,40) eine bestimmte Ausprägung der → Komödie bezeichnet [4. 267]: *planipedaría* (»platt-« oder »barfüßig«, lat. *planipedia*), nach Euanthius (de comoedia 5,2, bei Don. 1,26 W) »niedere« dramatische Kunst; sie wird in der substantivischen Form *planipes* von Diomedes (GL 1,490) und Festus (342) dem → *mímos* gleichgesetzt. Nach [2. 14] ist der *t.l.* mit *magoidía* und *lysioidía* (→ Simodie) in Beziehung zu setzen (vgl. aber [1. 2062]).

1 F. ALTHEIM, s. v. T.l., RE 4 A, 2061–2063 **2** M. HERTZ, De ludo talario, 1873 **3** TH. MOMMSEN, Die Chronik des Cassiodorus Senator, in: Abh. der philos. Kl. der königl. sächsischen Ges. der Wiss. 3, 1861, 547–696
4 A. REIFFERSCHEID, Röm. Litteraturgesch., in: Jahresber. über die Fortschritte der klass. Alt.-Wiss. 23, 1880, 243–288
5 SCHANZ/HOSIUS, 1,264–266 **6** P. L. SCHMIDT, s. v. fabula, KlP 2, 503–504 **7** M. TESTARD (ed.), Cicéron: Les Devoirs, 1965 (mit frz. Übers.) **8** M. VAN DEN HOUT, A Commentary on the Letters of M. Cornelius Fronto, 1999. RO. HA.

Talassio s. Hochzeit, Hochzeitsbräuche

Taleides-Maler. Att. sf. Vasenmaler, ca. 550–530 v. Chr., benannt nach dem Töpfer Taleides, für den er die meisten, vielleicht alle signierten Gefäße (15) dekorierte: verschiedene Formen, hauptsächlich → Kleinmeister-Schalen. Außerdem bemalte er zwei Hydrien für den Töpfer Timagoras. Der T.-M. hatte auch Beziehungen zu Amasis (→ Amasis-Maler); die Glaubwürdigkeit der Amasis-Signatur unter dem Fuß einer Lekythos des T.-M. in Malibu (GM 76.AE.48) ist jedoch umstritten. Die über 30 ihm zugeschriebenen Gefäße erweisen den T.-M. unter den Zeitgenossen als einen zweitrangigen Künstler, der jedoch einige größere Gefäße (Hydrien) mit ausgesuchter Sorgfalt bemalte und mit → Lieblingsinschriften versah. Außer Theseus-Minotauros und Herakles-Triton interessierten ihn myth. Themen kaum; unter seinen Genrebildern sind das Abwiegen von Handelswaren auf der kleinen Amphora in New York (MMA 47.11.5) und der Rekordzecher auf der Psykter-Oinochoe in Berlin (SM 31131) hervorzuheben.
→ Gefäße; Schwarzfigurige Vasenmalerei (mit Abb.)

BEAZLEY, ABV 174–176; 688 · BEAZLEY, Paralipomena 72–73 · BEAZELY, Addenda², 49 · B. LEGAKIS, A Lekythos Signed by Amasis, in: AK 26, 1983, 73–76 · CVA Berlin 7, 1991, 51 · P. HEESEN, The J. L. Theodor Collection of Attic Black-Figure Vases, 1996, 127–129 · H. MOMMSEN, ΑΜΑΣΙΣ ΜΕΠΟΙΕΣΕΝ, in: J. OAKLEY et al. (Hrsg.), Athenian Potters and Painters, 1997, 17–18. H. M.

Talent (τάλαντον/*tálanton*; lat. *talentum*). Das T. war die größte griech. Gewichtseinheit sowohl für das Geldwesen als auch für Handelsgewichte. Daher wurde in der griech. Bibel-Übers. das Wort *tálanton* als Syn. für die entsprechend höchste Gewichtsklasse des hebr. Textes (hebr. *kikkar*, vgl. 2 Sam 12,30; 1 Kg 9,14; 9,28 u. ö.; vgl. auch Mt 25,14–30) benutzt, ohne daß damit eine Aussage über die tatsächliche Schwere verbunden war.

Ein T. zählte stets 60 Minen (→ *mína* [1]), unabhängig von deren Schwere. Die in Silber gerechneten aiginetischen, euboiischen, att. und wohl auch die korinthischen Münz-T. wogen einheitlich 26,196 kg. Da auf Aigina, Euboia und in Korinth Münz- und Handels-T. dieselbe Schwere hatten, müssen die in Br. oder Blei verwendeten Handelsgewichte ebenfalls 26,196 kg gewogen haben. Lediglich in Athen war in histor. Zeit die Schwere von Münz- und Handels-T. nicht identisch, da die Münzmine zu 100 Drachmen gerechnet wurde, die Handelsmine jedoch zu 105, 138 und 150 Drachmen. Diese Berechnung hatte T. von 27,50 kg (2. H. 6. Jh. bis 430/420 v. Chr.), 28,81 kg (430/420 bis 3. Jh. v. Chr.), 36,15 kg (3. Jh. bis ca. 146 v. Chr.) und 39,29 kg (ca. 146 bis ca. 86 v. Chr.) zur Folge.

Bislang sind zwei erh. ant. T.-Gewichte bekannt: In Olympia wurde ein Br.-Würfel aus der 2. H. des 5. Jh. v. Chr. von 15 cm Kantenlänge und 11,5 cm H gefunden; seine Schwere beträgt 26,2 kg. Zum Anhängen an eine Waage sitzt auf seiner Oberseite in einer Öse ein beweglicher, mitgegossener Ring; auf seiner Unterseite befindet sich mittig eine quadratische Öffnung, durch die Blei eingegossen wurde, um die gewünschte Schwere zu erhalten. Bei diesem bleigefüllten Br.-Würfel handelt es sich um ein T. aiginetischen Standards. In Eretria [1] kam ein unbearbeiteter Kalksteinbrocken (mit kleinen Beschädigungen) von 32 cm L, 31 cm Br und 22 cm Dicke zutage; er wiegt 26 kg. Es handelt sich um ein T. euboiischen Standards. Der hintere Teil seiner naturglatten Oberseite trägt die auf ca. 450 v. Chr. zu datierende Inschr. ΤΑΛΑΝΤΟΝ. Wegen der extrem groben Ausführung könnte dieser Stein als privates Gewicht verwendet worden sein.

Der Begriff *tálanton/talentum* bedeutete urspr. »Waage« oder, im Pl., »Waagschalen«. Im Mittellat. war das *talentum* eine dem Menschen von Gott zugewogene Gabe. Aus dieser Bed. hat sich der mod. Begriff »T.« entwickelt.

→ Gewichte III.; Mina [1]; Münzfüße

1 K. Hitzl, Die Gewichte griech. Zeit aus Olympia (OlF 25), 1996, bes. 54 f., 71 f., 105–120 2 Ders., Gewichte in Eretria, in: AK 40, 1997, 109–121 3 M. Lang, M. Crosby, Weights, Measures and Tokens (Agora 10), 1964, 2–33.

K. H.

Talion (lat. *talio*, »Wiedervergeltung durch Gleiches«) ist die Bemessung der Sanktion am dem Opfer zugefügten Übel.

I. Allgemein II. Klassische Antike

I. Allgemein

Die T. findet sich in vielen ant. Rechten, z. B. Cod. → Hammurapi 229 (Tötung des Baumeistersohns wegen des vom Baumeister zu verantwortenden Todes des Hausherrnsohns) oder Ex 21,22–25 (›Auge um Auge, Zahn um Zahn, Blut um Blut‹). Entwicklungsgesch. ist die T. eine Milderung gegenüber dem unbeschränkten Racherecht des Verletzten; sie wird ihrerseits von festen Bußsätzen abgelöst; z. B. Cod. Hammurapi 203 (Geldbuße für Ohrfeige); lex XII tab. 8,3 (Geldbußen für Knochenbruch). Im sumerischen, ägypt. und griech. Recht spielt der Vergeltungsgedanke eine geringe Rolle. Der T. gedanklich verwandt ist die »spiegelnde Strafe«; hier wird die Tat an dem Glied vergolten, mit dem sie begangen worden ist, z. B. Abhacken der Hand des Diebs. Zum Rechtsgedanken der T. vgl. z. B. Isid. orig. 5,24 (gerechte Ahndung durch Zufügung des gleichen Übels); I. Kant (Vergeltung als Bemessungsgrundlage); sowie die Begründungen der Todesstrafe in mod. Rechten. Der T.-Gedanke wandelte sich von einer Beschränkung privater Rache zu einem die staatliche Ahndung leitenden Gerechtigkeitsgebot.

1 W. Boochs, Strafrechtliche Aspekte im altäg. Recht, 1993, 67, 79 2 G. Cardascia, La place du t. dans l'histoire du droit pénal à la lumière des droits du Proche-Orient ancien, in: Mélanges J. Dauvillier, 1979, 89–183 (Ndr. in: Méditerranées 3, 1995, 181–195)
3 A. Herdlitczka, s. v. Talio, RE 4 A, 2069–2077
4 I. Kant, Metaphysische Anfangsgründe der Rechtslehre, 1797, 197–199) 5 E. Kaufmann, s. v. Spiegelnde Strafen, in: A. Erler et al. (Hrsg.), HWB der dt. Rechtsgesch. 4, 1990, 1761–1763 6 J. Weismann, T. und öffentliche Strafe im Mosaischen Rechte, in: FS A. Wach, Bd. 1, 1913 (Ndr. 1970), 1–102.

JO. HE.

II. Klassische Antike

Für den griech. Rechtskreis ist die T. nur für die Gesetze des → Zaleukos und → Charondas belegt (vgl. myth. Beispiel: → Skiron). Das frühe röm. Recht kennt die T. in dem wohl altes Gewohnheitsrecht wiedergebenden Satz der Zwölftafelgesetze (→ *Tabulae duodecim*), lex XII tab. 8,2 (*Si membrum rupsit, ni cum eo pacit, talio esto*: ›wer das Glied eines anderen gebrochen hat, soll, wenn er sich nicht mit ihm einigt, die T. erleiden‹). Dieser Anwendungsbereich wird jedoch nicht nur durch den Hinweis auf die Möglichkeit eines Geldausgleichs eingeengt, sondern auch durch die verm. jüngeren Bestimmungen von tab. 8,2 und 3, die fixe Geldbußen vorsehen.

Die Aufstellung eines allg. Entwicklungsgesetzes aufgrund dieser Beobachtung, wonach in Rom die T. stets der Geldbuße voranging, ist ebensowenig vertretbar wie dessen Umkehrung, die sich auf die Zeugnisse der ältesten Keilschriftrechte stützen wollte [1]. Sicher ist nur, daß die Ausbildung der T. die Überwindung der passiven Solidarität der Sippe voraussetzt, die dem Genossen Schutz vor Vergeltung gibt. Gelingt dies nicht, entwickelt sich eher die Geldbuße, die an den Friedensvertrag zw. den Sippen anknüpfen kann. Daher finden sich auch in den frühen Germanenrechten (→ Volksrechte) umfangreiche Bußkataloge und erst später unter dem Einfluß der Bibel die T.

Mit der T. nahe verwandt ist die in der Ant. ebenfalls verbreitete (und schon vor Hammurapi in älteren → Keilschriftrechten nachweisbare) Regel, nach der der falsche Ankläger (mitunter auch der falsche Zeuge,

→ *testimonium falsum*) die Strafe des behaupteten Verbrechens selbst zu erleiden hat.

1 A. S. DIAMOND, Primitive Law, Past and Present, [3]1971.

A. VÖLKL, Die Verfolgung der Körperverletzung im frühen röm. Recht, 1984, 49–79. A. VÖ.

Talmud (»Studium, Lehre«, von hebr. *lamad*, »lernen«). Bedeutendstes Werk der → rabbinischen Literatur, bestehend aus a) der Mischna, der ältesten autoritativen Gesetzessammlung des rabbin. → Judentums (ca. 200 n. Chr.) und b) der Gemara, d. h. Auslegungen und Diskussionen zum Stoff der Mischna. Da es in rabbinischer Zeit zwei Zentren jüdischer Gelehrsamkeit gab, nämlich Palaestina und Babylonien (→ Sura, → Pumbedita), entstanden zwei verschiedene Talmudim: der Palaestinische (= Jerusalemer; im wesentlichen um 450 n. Chr. abgeschlossen) und der Babylonische T. (im wesentlichen im 7. Jh. abgeschlossen).

Der Babylon. T. ist weitaus umfangreicher als der Palaestin. T. Da die babylon. → Diaspora größere Bed. für das damalige Judentum hatte als das Land Israel (vgl. auch die ersten Responsen), erlangte der Babylon. T. kanonische Bedeutung.

G. STEMBERGER, Der T. Einführung, Texte, Erläuterungen, 1982. B. E.

Talmudisches Recht, Talmudschulen
s. Jüdisches Recht

Talos (Τάλως).
[1] Mythos mit jeweils mehreren Varianten bei Apollod. 1,140 f.: T. stammt aus dem ehernen Geschlecht oder ist von Hephaistos → Minos geschenkt worden (von Zeus der → Europe [2]: Apoll. Rhod. 4,1643); er ist ein eherner Mann (dreifacher → Gigant: Orph. Arg. 1351) oder ein Stier; er hat eine einzige Ader vom Nacken bis zu den Knöcheln, deren Ende ein eherner Nagel verschließt (ein Häutchen: Apoll. Rhod. 4,1647 f.); er läuft dreimal täglich um Kreta und hindert durch Steinwürfe die → Argonautai am Landen; er wird von → Medeia getötet, die ihn durch wahnsinnerregende Zaubermittel oder das Versprechen der Unsterblichkeit zum Entfernen des Nagels und somit zum Verbluten bringt (nach Apoll. Rhod. 4,1665–1688 verletzt er sich, von Medeia im Zorn durch Zaubergesang an den Augen behext, den Knöchel an einem Stein, so daß der → Ichor ausfließt); oder → Poias (Argonaut: Apollod. 1,112) tötet ihn mit einem Schuß in den Knöchel. Nach schol. Hom. Od. 20,302 umarmt T., im Feuer erhitzt, seine Opfer, die unter seinem »sardonischen« Grinsen sterben.

1 M. C. VAN DER KOLF, s. v. T. (1), RE 4 A, 2080–2086
2 J. K. PAPADOPOULOS, s. v. T. (1), LIMC 7.1, 834–837.

[2] Athener, Sohn der → Perdix, Neffe und Schüler des → Daidalos [1]. T. übertrifft seinen Onkel durch Erfindung von Säge (nach der Kinnlade einer Schlange), Zirkel sowie Töpferscheibe und wird deshalb von ihm von der Athener Akropolis gestürzt (Apollod. 3,214; Diod. 4,76); dort kennt Paus. 1,21,4 sein Grab. Bei Ov. met. 8,236–259, wo T. (wie in Soph. fr. 323 TrGF) Perdix heißt, verwandelt Athene ihn beim Sturz in ein Rebhuhn (*perdix*).

1 M. C. VAN DER KOLF, s. v. T. (2), RE 4 A, 2086–2088
2 I. LEVENTI, s. v. T. (2), LIMC 7.1, 837. P. D.

Talos-Maler. Attischer Vasenmaler der Spätklassik, um 410–390 v. Chr., Nachfolger des → Meidias- und des → Dinos-Malers, benannt nach dem Volutenkrater in Ruvo mit der seltenen Darstellung des sterbenden mythischen Bronze-Riesen → Talos [1]. Vom T.-M. sind ausschließlich große Gefäße bekannt: Kratere, Lutrophoros sowie ein Lebes-Ständer. Typisch für den T.-M. ist die außergewöhnliche Gestaltung myth. Themen: Hochzeit von Theseus und Helena, Gelage von Dionysos und Hephaistos in einer Weinlaube, Apotheose des Herakles. Seine monumentalen Gestalten sind malerisch modelliert, die Köpfe oft dreiviertelansichtig, die Farbwirkung durch Gelb und Weiß gesteigert. Die Gewänder zeigen üppiges Faltenspiel, detailreiche Muster und figürliche Borten. Figurenstil und die dichten, raumtiefen Kompositionen sind inspiriert von Tafel- und Wandmalerei.

BEAZLEY, ARV[2], 1338 f. • BEAZLEY, Paralipomena, 481 • BEAZLEY, Addenda[2], 366 f. • H. SICHTERMANN, Griech. Vasen in Unteritalien, 1966, 231–234, Taf. 24–34 • M. ROBERTSON, The Art of Vase-Painting in Classical Athens, 1992, 256–259 • H. A. SHAPIRO, The Marriage of Theseus and Helen, in: H. FRONING (Hrsg.), Kotinos. FS E. Simon, 1992, 232–236. E. BÖ.

Talpa s. Maulwurf

Talthybios (Ταλθύβιος). Herold und Gefolgsmann des → Agamemnon (Hom. Il. 1,320 f.), auf dessen Befehl er zusammen mit → Eurybates [1] ohne Begeisterung bei → Achilleus [1] das Streitobjekt → Briseis abholt (ebd. 1,327–347). T. ist auch im Dienste aller Griechen tätig, etwa wenn er mit dem troianischen Herold Idaios [3a] den Zweikampf zw. → Aias [1] und → Hektor abbricht (ebd. 7,273–312); als allg. Griechen-Herold auch bei Euripides (Hec., Tro.), der den Gedanken des ›Handlangers der Mächtigen wider Willen‹ explizit macht (Eur. Tro. 709–789). In Sparta wurde T. kultisch verehrt, und ein spartan. Clan von Herolden, die Talthybiaden, betrachtete ihn als Ahnherrn (Hdt. 7,134,1).

O. WASER, s. v. T., ROSCHER 5, 37–42 •
O. TOUCHEFEU-MEYNIER, s. v. T., LIMC 7.1, 837–839. RE. N.